M. Lexer:
Mittelhochdeutsches Taschenwörterbuch

Mittelhochdeutsches Taschenwörterbuch

Mit den Nachträgen
von
Ulrich Pretzel

38., unveränderte Auflage

S. HIRZEL
Wissenschaftliche Verlagsgesellschaft Stuttgart 1992

Die Deutsche Bibliothek – CIP-Einheitsaufnahme

Lexer, Matthias:
Mittelhochdeutsches Taschenwörterbuch / Matthias Lexer.
Mit den Nachtr. von Ulrich Pretzel. – 38. Aufl.,
unveränd. Nachdr. – Stuttgart: Hirzel, 1992
ISBN 3-7776-0493-3
NE: Pretzel, Ulrich [Bearb.]

Printed in Germany

Druck und Bindung: Clausen & Bosse, Leck
Einbandgestaltung: Atelier Schäfer, Esslingen

INHALT

Vorbemerkung des Verlags

Das Mittelhochdeutsche Taschenwörterbuch von Matthias Lexer (1830–1892) erschien in seiner 1. Auflage 1879 im Verlag S. Hirzel in Leipzig. In weiteren 37 Auflagen hat es der Verlag bis heute ununterbrochen verfügbar gehalten. Vier wesentliche Etappen sind in diesem Zeitraum zu unterscheiden.

1. Die 3. Auflage von 1885, die in einem Nachdruck seit 1989 wieder verfügbar ist, stellt eine durchgreifende Neubearbeitung zu Lebzeiten des Verfassers dar. Damit bezweckte Lexer „eine Vervollständigung des Wortverzeichnisses“ und „eine genauere, vielfach verbesserte oder berichtigte Wiedergabe der Bedeutungen“, wie er in seinem Vorwort zu dieser Ausgabe darlegt. Die anschließenden Auflagen bis hin zur 18. unterscheiden sich in nichts von der 3. Erst danach wird das heutige (größere) Format des „Taschenlexer“ eingeführt.

2. In der 19. Auflage von 1930, die von den Germanisten Erich Henschel und Richard Kienast betreut wurde (zu denen später Ulrich Pretzel hinzutrat), sollten Versehen beseitigt, neue Lemmata untergebracht und stammverwandte Wörter zu Artikeln zusammengefaßt werden. Letzteres vor allem aus Gründen der Raumersparnis, um weitere Nachträge, Ergänzungen und Berichtigungen ohne Erhöhung der Seitenzahl auch in der 20. (1932), 22. (1940) und 25. Auflage (1949) zu ermöglichen; mit der 25. Auflage sind die 26. bis 28. text- und seitenidentisch.

3. Die 29. Auflage von 1959 brachte erstmals in Form eines Anhangs Nachträge, die von U. Pretzel unter Mithilfe von Rena Leppin und Wolfgang Bachofer erarbeitet worden waren. Im vorangehenden Hauptteil hingegen kam es seitdem zu keinerlei Eingriffen mehr.

4. Eine Neubearbeitung seiner Nachträge, diesmal unter Mithilfe von Dorothea Hannover und Rena Leppin, legte Pretzel erstmals in der 34. Auflage von 1974 vor, mit der die 35. bis 38. wiederum völlig text- und seitenidentisch sind.

In über 110 Jahren hat der „Taschenlexer“ ganzen Generationen von Germanisten gedient. Seit längerem besteht schon zu seiner Entstehungszeit ein unverkennbarer historischer Abstand, ohne daß ihm jedoch ein Nachfolger erwachsen oder ein solcher auch nur absehbar wäre. Matthias Lexer kann sich auch künftig des ehrenden Gedächtnisses seiner Zunft sicher sein – verdankt sie ihm doch außerdem das Mittelhochdeutsche *Hand*wörterbuch, das Kärntische (Dialekt-) Wörterbuch, die Bearbeitung der Buchstaben N–Q und T (bis TÖLP-) im Deutschen Wörterbuch der Brüder Grimm sowie die Edition von Chroniken in mehreren Bänden.

Stuttgart, im Juni 1992

Zur Überbrückung bis dahin erscheint nun noch einmal ein anastatischer Nachdruck als 37. Auflage, da die von Ulrich Pretzel eingeleiteten Arbeiten für eine Neufassung des Mittelhochdeutschen Taschenwörterbuches in einem einheitlichen Alphabet erst in den Anfängen steckten, als er aus dem Leben schied. – Der S. Hirzel Verlag hat Frau Dr. Leppin und mir mit den Mitarbeiterinnen Frau Dr. Dührsen und Frau Hepfer, die bereits unter Ulrich Pretzel an der Neubearbeitung des Taschenwörterbuches beteiligt waren, den Auftrag erteilt, innerhalb der nächsten fünf Jahre mit der 38. Auflage eine Neufassung vorzulegen. Wir hoffen, daß wir diesen Auftrag, trotz der Fülle des Materials, der Schwierigkeit der Recherchen bei den Nachträgen im Taschenwörterbuch und einer bekanntermaßen desolaten Personallage termingerecht erfüllen können und daß mit der 38. Auflage von Lexers Mittelhochdeutschem Taschenwörterbuch wieder ein Nachschlagewerk publiziert werden kann, das für Studierende wie für Lehrende neben den längst überholungsbedürftigen Werken von Lexer (Mittelhochdeutsches Handwörterbuch) und Benecke/Müller/Zarncke eine Hilfe bei der Interpretation mittelhochdeutscher Texte bietet.

Die von uns übernommene Neuüberarbeitung von Lexers Mittelhochdeutschem Taschenwörterbuch will nicht nur die Ineinanderarbeitung der beiden Nachträge von 1959 und 1974 in den Hauptteil des Wörterbuches leisten, sondern vor allem alle Angaben zur Bedeutung, zur syntaktischen Verwendung wie zur Phraseologie überprüfen. Dabei ergeben sich sowohl Schwierigkeiten mit den stark kürzenden Übernahmen von Lexer aus Benecke/Müller/Zarncke und aus seinen eigenen Nachträgen (Mittelhochdeutsches Handwörterbuch, Bd. 3) als auch mit den in die verschiedenen Auflagen des Taschenwörterbuchs nach 1930 aufgenommenen Ergänzungen. – Wir werden nicht anstehen, Lemmata zu streichen, wenn wir für sie keine Belege in unserem Archiv oder in den gedruckten Quellenwerken finden; wir werden auch Bedeutungen herausnehmen, wenn sie sich auf eine spezielle Stelle beziehen und besser unter einer allgemeineren Bedeutung subsumiert werden können; wir werden im übrigen die Aufnahme von Lemmata auf die Literatur bis etwa 1490 beschränken und damit einen Teil der Nachträge aus Lexers Handwörterbuch ausschließen. – Aber hier gehe ich bereits in die Beschreibung unserer aktuellen Arbeit über – und damit über die Aufgabe dieses Vorwortes hinaus.

Wir wären den Benutzern dieser 37. Auflage dankbar, wenn sie uns ihre kritischen Beobachtungen am vorliegenden Werk – und zu unseren Plänen – mitteilten, damit wir sie für die Arbeit an der 38. Auflage nutzbar machen können.

Über das Verhältnis des Nachtrages zum Hauptteil dieses Wörterbuches gibt das Vorwort zum Nachtrag von Ulrich Pretzel von 1973 auf Seite 351 bis 353 Auskunft.

Hamburg, im Januar 1983 — Wolfgang Bachofer

Abkürzungen.

abh. abhängig.
abl. ablaut, ablautend.
abs. absolut.
abstr. abstrakt
acc. accusativ.
adj. adjektiv, adjektivisch.
adv. adverb, adverbial.
afz. altfranzösisch.
ags. angelsächsisch.
ahd. althochdeutsch.
akt. aktivisch.
alem. alemannisch.
alleg. allegorisch.
altn. altnordisch.
alts. altsächsisch.
an. anomal.
anv. anomales verb.
angegl. angeglichen.
anl. anlaut, anlautend.
ap. accusativ der person.
aphær. aphaeresis.
apok. apokope, apokopiert.
arab. arabisch.
as. accusativ der sache.
asp. aspiriert.
assim. assimiliert.
astr. astronomisch.
ausl. auslaut, auslautend.
bair. bairisch.
bed. bedeutung.
bergm. bergmännisch.
bes. besonders.
bildl. bildlich.
böhm. böhmisch.
card. cardinale.
cas. casus.
caus. causal, causativ.
coll. collectivum.
d. der, die, das etc., ding.
dass. dasselbe (=).
dat. dativ.
def. defin. definitiv.
dem. deminutiv; demonstrativ.
dgl. dergleichen.
d. h. das heißt.
d. i. das ist.
dir. direkt.
dp. dativ der person.
ds. dativ der sache.
eig. eigentlich.
ell. elliptisch.
enklit. enklitisch.
entst. entstellt.
etc. et cetera.
etw. etwas.
euphem. euphemistisch.
f. femininum.
fig. figürlich.
fing. fingiert.
flekt. flektierend, flektiert.
flex. flexion.
fut. futurum, futurisch.
fz. französisch.
gegens. gegensatz.
gek. gekürzt.
gen. genetiv, genetivisch.
got. gotisch.
gp. genetiv der person.
gr. griechisch.
gram. grammatisch.
gs. genetiv der sache.
hebr. hebräisch.
hd. hochdeutsch.
imper. imperativ.
ind. indikativ.
indef. indefinit.
indir. indirekt.
inf. infinitiv.
inkl. inkliniert.
inl. inlaut, inlautend.
instr. instrumental.
intens. intensivum.
interj. interjektion.
interr. interrogativ.
intr. intransitiv.
iron. ironisch.
is. isoliert.
iterat. iterativum.
jh. jahrhundert.
kelt. keltisch.
komp. komparativ.
kompos. komposition.
konkr. konkret.
konj. konjugation, konjunktiv, konjunktion.
kons. konsonant.
kontr. kontrahiert.
korrel. korrelativ.
lat. lateinisch.
liqu. liquida.
lok. lokal.
m. masculinum.
md. mitteldeutsch.
mfr. mittelfränkisch.
mfz. mittelfranzösisch.
mhd. mittelhochdeutsch.
mlat. mittellateinisch.
mnd. mittelniederdeutsch.
mnl. mittelniederländisch.
mrh. mittelrheinisch.
myst. mystisch, in der sprache der mystiker.
n. neutrum.
nachs. nachsatz.
nbf. nebenform.
nd. niederdeutsch.
ndrh. niederrheinisch.
neg. negation, negativ.
nhd. neuhochdeutsch.
nl. niederländisch.
nom. nomen, nominal, nominativ.
n. pr. nomen proprium.
num. numerale.
o. od. oder.
obd. oberdeutsch.
obj. objekt, objektiv.
obsc. obscön.
opt. optativ.
ord. ordinale.
org. organisch.
östr. österreichisch.
part. partic. participium, participisch.
pass. passivisch.
patron. patronymisch.
perf. perfektum.
pers. person, persönlich.
pl. plural.
port. portugiesisch.
pos. positiv.
poss. possessivum.
präd. prädikat, prädikativ.
präf. präfix, präfigiert.
prägn. prägnant.
präp. präposition.
präs. präsens.
prät. präteritum.
pron. pronomen, pronomina.
prov. provençalisch.
recipr. reciprok.
rechtl. rechtlich, in der rechtssprache.
red. reduplizierend.
redv. reduplizierendes verb.
refl. reflexiv.
rel. relativ
rom. romanisch.
rotw. rotwälsch.
s. siehe, sache. satz.
schwäb. schwäbisch.
s. g. so genannt.
sing. singular.
slav. slavisch.
sp. spät.
span. spanisch.
spez. speziell.
st. stark (**stm. stf. stn.** starkes mascul., fem., neutr., **stswm.** schwaches masc. etc.; **stv.** starkes verb, **stswv.** starkes od. schwaches verb).
subj. subjekt, subjektiv.
subst. substantiv, substantivisch.
suff. suffix, suffigiert.
sup. superlativ, superlativisch.
s. v. a. so viel als (=).
sw. schwach (**swm. swf. swn.** schwaches masc. etc.; **swstm. swstf. swstn.** schwaches oder starkes masc. etc.; **swv.** schwaches verb; **swstv.**

schwaches oder starkes verb).
synk. synkope, synkopiert.
temp. temporal.
tr. transitiv.
u. und.
überh. überhaupt.
übertr. übertragen.
umd. umdeutung, umdeutschung.
umged. umgedeutet, umgedeutscht.
umgel. umgelautet.
uml. umlaut, umlautend.
ung. ungarisch.
unorg. unorganisch.
unp. unpers. unpersönlich.
urspr. ursprünglich.
verk. verkürzt.
verst. verstärkt.
vgl. vergleiche.
vok. vokal, vokativ.
w. werden.
weidm. weidmännisch.
z. b. zum beispiel.
zus. zusammen.

Tabellen der starken verba

I. klasse: ablautende verba

	1. sing. ind. praes.	1.plur. ind. praes.	1. sing. ind. praet.	2. sing. ind. praet.	1. plur. ind. praet.	partic. praet.
I. 1	*stîge*	*stîgen*	*steic*	*stige*	*stigen*	*gestigen*
2	*lîhe*	*lîhen*	*lêch*	*lihe*	*lihen*	*gelihen*
II. 1	*biuge*	*biegen*	*bouc*	*büge*	*bugen*	*gebogen*
	suge	*sugen*	*souc*	*süge*	*sugen*	*gesogen*
2	*biute*	*bieten*	*bôt*	*büte*	*buten*	*geboten*
III. 1	*binde*	*binden*	*bant*	*bünde*	*bunden*	*gebunden*
2	*hilfe*	*helfen*	*half*	*hülfe*	*hulfen*	*geholfen*
IV.	*nime*	*nemen*	*nam*	*næme*	*nâmen*	*genomen*
V.	*gibe*	*geben*	*gap*	*gæbe*	*gâben*	*gegeben*
VI.	*grabe*	*graben*	*gruop*	*grüebe*	*gruoben*	*gegraben*

II. klasse: ehemals reduplizierende verba

I.	*scheide*	*scheiden*	*schiet*	*schiede*	*schieden*	*gescheiden*
II. 1	*loufe*	*loufen*	*lief*	*liefe*	*liefen*	*geloufen*
	houwe	*houwen*	*hiu*	*hiuwe*	*hiuwen*	*gehouwen*
2	*stôze*	*stôzen*	*stiez*	*stieze*	*stiezen*	*gestôzen*
III. 1	*enblande*	*enblanden*	*enblient*	*enbliende*	*enblienden*	*enblanden*
	hâhe	*hâhen*	*hienc*	*hienge*	*hiengen*	*gehangen*
2	*halte*	*halten*	*hielt*	*hielte*	*hielten*	*gehalten*
VI.	*ruofe*	*ruofen*	*rief*	*riefe*	*riefen*	*geruofen*
VII.	*slâfe*	*slâfen*	*slief*	*sliefe*	*sliefen*	*geslâfen*

â interj. 1. als wehruf, 2. angehängt an imperat. subst. u. partik. (*hœrâ! wâfenâ! neinâ!*); präfix zur bez. des gegensatzes, der trennung (*âgëz, âkust* etc.).

ab, abe s. *abe, aber.*

âbasel s. *âwasel.*

abbet, abet, abt stm. abt (lat. *abbas*).

abe, ab, ap, md. *ave* präp. mit dat. herab von, von weg; causat. wegen, ob; adv. herab, hinweg, von. bei verbis z. b. *abe brëchen* tr. abbrechen, niederreissen; abbruch tun, verkürzen, rauben. intr. sich losmachen. — *gân* abnehmen, in fortfall kommen; mit gs. etw. bleiben lassen; mit dp. gs. einem etwas versagen; *mir gêt abe* mit konjunktivsatz fehlen. — *nëmen* intr. u. pass. abnehmen, geringer werden, tr. abschaffen, abbrechen, vergüten; mit dp. as. es ihn entgelten lassen. — *rihten* abs. eine richtung nehmen; tr. eine richtung geben; ablenken, abbringen; ablegen, abschaffen, gutmachen, bezahlen. — *sagen* mit worten zurückweisen, versagen; fehde ankündigen. — *slahen* tr. abschlagen, abhauen; abschlachten; in abzug bringen, nachlassen; ersetzen, vergüten; zurückhalten, -schlagen; zurückweisen, verweigern; vertreiben, verbannen; intr. im preise fallen. — *spürn* tr. die spuren eines weggehenden wahrnehmen. — *stôzen* herabstossen, entfernen, abladen; brechen, abbrechen; absegeln (nämlich *daz schif ab st.*). intr. von der rechten fährte abweichen und falsche verfolgen (von jagdhunden). — *teilen* trennen, absprechen. — *tuon* refl. gs. aufgeben. — *wërden* entrückt, unsichtbar w. — *wërfen* abwerfen, abbrechen. refl. vom pferde steigen. — *wîsen* abweisen; durch beweis entfernen; aussteuern. — *ziehen* intr. ans land ziehen, landen; mit dat. von einem wegziehen; verleumden. tr. ab-, zurückziehen, verweigern; die kleider ausziehen, die haut abziehen, schinden; refl. sich entkleiden, entwaffnen; sich losmachen, mit gen. verzichten.

abe-brëchen stn. verleumden; personif. *Abebrecherîe.* **-bruch** stm. abbruch, mangel; enthaltsamkeit; bergm. der abbau. **-ganc** stm. das hinabgehn, ein hinabführender weg; exkurs; abgang, mangel, lücke; beendigung; abfall vom holz. **-gênde** part. adj. abnehmend, alternd. **-genge** stn. ende. **-gescheiden** part. adj. myst. von allem äusserlichen losgelöst; subst. dazu *-gescheidenheit* stf. **-gezoc** stn. verringerung. **-günste, -günstecheit** stf., md. *abe-, abgunst,* missgunst. **-hære** adj. kahl, abgeschabt, fadenscheinig. **-heldic** adj. abhängig, abschüssig. **-hendic** adj. aus der hand (besitz) gekommen, entwendet, geraubt. **-kêr** stm. abkehrung, ableitung. **-kêre** stf. abwendung; apostasie. **-(ap)-lâʒ** stm. n. ablass; schleuse. **-læʒe** adj. ablassend. **-læʒec** adj. nachlassbar, verzeihlich; nachlässig. **-leite** stf. das leiten auf eine falsche spur, verstellung; das abtreten von einem lehngute, die dabei zu bezahlenden gebühren. **-leiter** m. der auf eine falsche spur leitet. **-libe, -libec** adj. tot. **-libe, -libunge** stf. das ableben, der tod. **-louf** stm. ablauf; ort, wo das wild aus dem walde zu laufen pflegt.

âben swv. niedergehn (sonne).

âbenden swv. abend werden.

âbent, *-des* stm. abend; vorabend.

âbent-ëʒʒen stn. abendessen; das heil. abendmahl. **-gâbe** stf. *a.* der witwe, gegenüber der *morgengâbe* der jungen frau. **-ganc** stm. gang am abend; der abend. **-halben** adv. am abend. **-lich** adj. abendlich. **-mâl** stn. abendmahl. **-rëgen** stm. abend-, spätregen. *süeʒer a.* milder a. **-rôt** adj. rot wie der abend. **-rôt** stm., **-rœte** stf. abendröte. **-schîn** stm. abendschein. **-sëgen** stm. abendgebet. **-spil** stn. spiel am abend. **-spise** stf. abendessen. **-vröude** stf. abendunterhaltung. **-wint** stm. abendwind. **-wirtschaft** stf. gelage am abend.

aber, aver, afer, gekürzt *abe, ab, ave, av* adv. u. konj. wieder, abermals; hinwiederum, dagegen, aber. — oft nur um den fortschritt der rede zu bezeichnen.

âber adj. trocken und warm nach der nässe und kälte.

æber stn. ort, wo der schnee weggeschmolzen ist.

aber-âhte, stf. = *oberâhte.* **-ban** stm. dasselbe.

abe-rede stf. abrede, verabredung; ausrede, leugnung.

aberëlle, abrille, aprille swm. april (lat. *aprillis*).

aber-hâke swm. widerhaken. **-list** stm. wiederholter *list*; unklugheit. **-wandel** stm. schlechter lebenswandel; rückgang. **-wette** stn. f. pfand für die erfüllung eingegangener verpflichtungen. **-zil** stn. falsches ziel.

æberi stf. = *æber.*

abe-rinnec adj. flüchtig. **-rîsel** stm. das herabtröpfeln, fallen.

abern swv. = *avern,* wiederholen.

abe-rûm stm. was wegzuräumen ist; gang in die verbannung. **-ruof** stm. widerruf. **-sage** stf. aufkündigung der freundschaft, fehdebrief. **-saz** stm. verringerung, verschlechterung der münze. **-schit** stm. entscheidung, bescheid; sp. abscheiden. **-slac** stm. das aufhören, der abzug; erniedrigung der forderung; abschlagszahlung; das fallen des preises; dürres holz.

abeslc s. *âwasel.*

abe-slîʒec adj. abgenutzt, zerstört. **-snit** stm. das abschneiden, der abschnitt.

abet s. *abbet.*

abe-sprunc stm. seitensprung. **-tanz** stm. das hinabtanzen; schlusstanz, kehraus. **-teilic** adj. unteilhaftig. **-trac** stm. wegnahme, defraudation; busse, entschädigung. **-trit** stm. rücktritt, widerruf; *a. gewinnen* schwinden. **-(ge)troc** stn. teuflisches Blendwerk, **-trülle, -trüllec** adj. abtrünnig. **-trünne** stf. abfall, apostasie. **-trünne, -trünnic** adj. abtrünnig. **-val** stm. abfall; myst. loslösung vom irdischen. **-vart** stf. abfahrt; bei der abfahrt aus dem gebiete einer herrschaft zu entrichtende gebühr. **-wanc** stm. das ab-, zurückweichen. **-wëc** stm. abweg (s. *âwëc*). **-wëhsel** stm. tausch. **-wenke** adj. ab-, zurückweichend. **-wërtic** adj. abhanden; abwesend. **-wësec** adj. abwesend. **-wîse** stf. abweisung. **-wîser** stm. abweiser. **-witze** stf. unverstand, wahnsinn. **-wort** stn. gegenrede. **-wortic** adj. wortlos (von der stimme der vögel). **-ziht** stf. verzichtleistung. **-zuc, -zoc** stm. der abzug, das aufhören; abbruch, schaden. **-zügec** adj. abnehmend, in verfall kommend.

ab-gëʒʒec adj. vergesslich.

ab-, ap-got stn. m. abgott, götzenbild. dem. *abgötelîn*, **-götterîe** stf. abgötterei. **-götterier** stm. der abgötterei treibt. **-gottinne** stf. abgöttin.

ab-gründe stn. abgrund. **-gründec** adj. abgrundtief. **-grunt** stm. hölle.

ab-hin adv. hinab.

ab-holt adj. nicht gewogen.

ab-holz stn. abfallholz.

abit stm. ordenskleid (lat. *habitus*).

ablâte = *oblâte*.

abrille swm. s. *aberëlle*.

ab-lâge adj. matt, entkräftet.

ab-schabe swf. was beim schaben abfällt.

ab-schâch stn. abzugs-schach.

ab-sîte f. seite die von etw. abliegt; abgelegene gegend.

absîte, apsite stswf. überwölbter nebenraum in einer kirche, überh. nebengebäude (mlat. *absida* von gr. ἀψίς).

abt s. *abbet*.

â-bulge swf. zorn.

â-bunst stf. missgunst.

abyss, abysse stswm. abgrund, bes. der hölle (gr. lat. *abyssus*).

ach, anch interj. ach; stn. das weh.

achen, achzen swv. *ach* sagen, ächzen.

Ach-vart stf. wallfahrt nach Aachen.

ack stm. fauler geruch.

acker stm. n. ackerfeld; ein längen- und flächenmass.

ackeran, eckern, ecker stm. n. frucht der eiche und buche.

acker-ganc stm. ackerbau. **-man** stm., pl. **-liute** ackerbauer. **-schülle, -trappe, -zülle** swm. grober bauer. **-teil** stn. bergm. mitbaurecht des grundherrn zu $^1/_{32}$.

ackern, eckern swv. ackern.

ackes, aks, ax, axt stf. axt.

adamas, adamast, adamant stm. ein edelstein, besond. diamant, aber auch magnet.

adel stn. m. geschlecht, edles geschlecht, edler stand; bildl. vollkommenheit.

adel-ar, adlar, adler swm. **-arn** stm. edler *ar*, adler. **-bære, -haft** adj. adelmässig, edel. **-heit** stf. adel, würde. **-hêrre** swm. Edelherr (v. Christus) **-kint** stn. freigebornes *k*. **-künne** stn. edles geschlecht. **-(edel)-lich** adj. edel, adelig; herrlich. **-riche** adj. edel, von vornehmer abstammung. **-sun** stm. freigeborner *s*. **-vrouwe** swf., **-wîp** stn. freigeborne frau. **-vrucht** stf. = *edeliu v.* **-zart** stn. geliebte von adel.

adelec-heit, adelkeit stf. = *edelecheit*.

adelic stf. edle abstammung.

adel-lich = *adellich*.

ader konj. oder; aber.

âder stswf. ader, bes. die pulsader; sehne, nerv, pl. eingeweide; bogensehne; saite; seillitze. **-læʒe** stf. aderlass. **-slac** stm. pulsschlag.

æderlîn, æderl stn. dem. zu *âder*.

æderîn adj. aus seillitze gedreht.

ædern swv. mit *âdern* versehen.

adler s. *adelar*.

admirât stm. der titel des kalifen; *admirâtinne* stf. gemahlin des kalifen; (mlat. *admiratus* entst. aus *amiral*).

â-dœme adj. ungewöhnlich, unziemlich.

afel stm. die eiternde materie in den geschwüren; entzündete stelle überhaupt.

äfern s. *avern*.

affalter s. *apfalter*.

affære, affer, effer stm. äffer, nachahmer.

affe swm. affe, bildl. tor.

afföht, affehtic, affenlich, effenlich adj. töricht.

affen swv. intr. zum narren werden; tr. = *effen*.

affen-heit stf. torheit, albernheit, gaukelspiel. **-spil** stn. gaukelspiel.

affine, effine stf. äffin.

after adj. hinter, nachfolgend.

after swm. after.

after, md. auch **ahter** präp. mit dat. od. gen. hinten, hinter, durch—hin; mit dat. nach, gemäss; mit acc. nach, hinter; mit instr.: *after diu* nachher. — adv. *dar after* hierauf.

after-belle stf. gesässbacken. **-bier** stn. halbbier. **-dinc** stn. nachgericht. **-ërtac** stm. mittwoch. **-hâke** swm. widerhaken. **-haʒ** stm. *a. behalten* nachtragen. **-huote** stf. nachhut. **-kint** stn. kindeskind. **-kome** swm. nachkomme. **-kôsen** swv. verleumden. **-kôser** stm. verleumder. **-kunft** stf. nachkommenschaft. **-künne** stn. dasselbe. **-kür** stf. nachwahl. **-lâʒen** red. v. omittere **-mântac** stm. dienstag. **-rede** stf. nachrede. **-riuwe** stf. nachreue, nachweh, betrübnis. **-slac** stm. schlag von hinten; abfallholz. **-sprâche** stf. nachrede. **-sprëchen** stv. mit ap. verleumden. **-teil** stn. hinterteil; nachteil. **-voget** stm. untervogt. **-wân** stm. verkehrte meinung. **-wedel** stm. d. buschichte schwanz eines tieres. **-wërt** adv. hinterwärts. **-wette** stn. f. = *aberwette*. **-wort** stn. nachrede, verleumdung. **-zal** stf. lügenhafte rede.

ageleiʒ, ageleiʒe adj. adv. emsig, eifrig, schnell.

ageleiʒe stf. eifer, schnelligkeit; mühe, not.

agelster, alster, elster swf. elster (s. *atzel*).

agene stf. **agen** stm. spreu; kontrahiert *âne, aine*.

age-, aget-stein stm. bernstein und magnetstein.

â-getroc (?) stn. teuflisches blendwerk. **-gëʒ** stf. vergessenheit. **-gëʒʒel** adj. vergesslich. **-gëʒʒele** stf. vergesslichkeit.

agraʒ stm. art saurer brühe (prov. *agras*, mlat. *agresta*).

â-gunst = *abegünste*.

ahe stf. fluss, wasser.

ahe-ganc stm., **-runst** stf. wasserlauf, flussbett.

ahî interj. des schmerzes, des verlangens, der verwunderung.

ahse stf. achse.

ahsel stswf. achsel, schulter; teil der rüstung; in der bildl. darstellung der verwandtschaftsgrade die geschwister. **-bein** stn. schulter. **-breit, -wît** adj. mit breiten schultern.

ahseln swv. geringschätzig über die achsel ansehen.

aht stm. = *ahte* aufmerken.

aht, eht num. card. acht.

aht-bære, -bærlich adj. achtungswert, angesehen, ansehnlich, stattlich. **-bæren** swv. angesehen machen.

ahte, aht stf. act. meinung, gesinnung, aufmerken, beachtung, berechnung. — pass. art u. weise, verhältnis, geschlecht, stand (*nâch ahte* in verhältnis zu, nach art und lage; *ûʒ der ahte* ohne standeswert, ohne ansehen; *twingen ze rômischer a.* zum gehorsam gegen Rom zwingen).

ahte s. *ahtode*.

âhte æhte stf. verfolgung, öffentl. gebotene verfolgung, acht; ein ausgesondertes und unter besondern rechtsschutz genommenes ackerland eines herrn, frondienst auf einem solchen.

ahtec, ehtic adj. von hohem ansehen.

æhtec, md. *êchtic* adj. mit der *âhte* zu bestrafen.

ahtel stn. achtel, ein getreidemass.

ahten swv. merken auf, beachten, erwägen, sorgen (mit gen. acc., mit *ûf, umbe*); nachrechnen, schätzen, ausschlagen; mit dp. einem etw. vermachen, namentl. durch testament; *mich ahtet,* mir gilt, mich kümmert.

âhten, æhten swv. verfolgen, ächten, mit gen. u. acc.; *âhten* intr. als geächteter wohnen.

ahter md. u. nd. = *after.*

æhter, êhter stm. verfolger, feind; die acht vollziehender söldner; der geächtete.

ahterin, ehterin stf. der achte teil eines masses.

æhterinne stf. verfolgerin.

âhtesal, æhtesal stn. verfolgung, strafe.

æhte-schaz stm. geld das für die aufhebung der acht bezahlt wird.

aht-hërre swm. einer von den acht (rats)herren.

ahtode, ahtede, ahte num. ord. der achte.

ahtunge stf. das achten, beachten, aufmerken; die meinung, das gutdünken; die schätzung, abschätzung.

âhtunge, æhtunge stf. feindliche verfolgung, ächtung; frondienst.

aht-valt, -valtec adj. achtfältig.

âht-wort f. weiderecht.

ah-zëc, aht-zëc num. card. achtzig. **-zëhen** num. card. achtzehn. **-zëhende** num. ord achtzehnte.

aine s. *agene.*

â-kambe stn. abfall beim flachsschwingen, beim weben, wollkämmen. **-kôsen** swv. sinnlos reden, schwatzen. **-kraft** stf. kraftlosigkeit, ohnmacht. **-kreftic** adj. kraftlos. **-krût** stn. unkraut.

aks s. *ackes.*

â-kust stf. m. arglist, tücke; begierde. **-keit** stf. dolus.

â-kust, -küstec adj. tückisch.

al, flekt. *aller, alliu (elliu), allez* adj. all, ganz, jeder.

al adv. ganz u. gar (bes. vor adj. adv. u. part. präs. zur verstärkung des begriffs).

al konj. wie sehr, obgleich.

al adj. ander (in *alswâ, alde, alevanz* u. *ellende*).

âl stm., pl. *æle,* aal.

alabaster stn. alabaster, ein daraus verfertigtes gefäss, in einem solchen befindliche salbe, balsam (lat. *alabastrum*).

alanc, alenc, alinc adj. ganz, unversehrt; adv. ganz u. gar.

alant stm. f. ein fisch; das helmenkraut, eine würzh. pflanze (*alantwîn,* damit gewürzter wein).

â-laster stn. schmähung, schimpf; gebrechen, fehler.

âlat-spiez stm. glatter spiess ohne beil.

alb s. *alp.*

al-balde adv. verst. *balde.*

albe swstf. alpe; weideplatz auf einem berge.

albe stf. das weisse chorhemd der geistlichen (lat. *alba*).

albel stm. weissfisch (lat. *albula*).

alber stm. pappelbaum (it. *albaro*); dazu *alberîn* adj.

al-bereite adj. adv. ganz bereit.

albernach stn. pappelgehölz.

al-betalle adv. verst. *betalle,* vollständig zusammen.

albiz s. *elbiz.*

al-dâ adv. verst. *dâ.*

alde, ald, alder konj. oder, sonst.

al-dort adv. verst. *dort.*

aldus adv. md. so, derart.

aldern pl. s. *altern.*

al-durch adv. u. präp. ganz durch.

âle swf. ahle.

al-ëbenst adv. ganz gleichmässig; temp. gerade eben.

â-leibe stf. überbleibsel.

al-eine, -ein adv. u. konj. allein; obgleich, obschon (mit folg. konj. od. indik.).

alenc s. *alanc.*

alerm der ruf zu den waffen (fz. *alarme*).

ale-vanz stm. aus der fremde gekommener, hergelaufener schalk; possen, schalkheit, betrug; geschenk; gewinn (vgl. *anvanz*).

alf s. *alp.*

al-gater adv. insgesamt. **-geliche** adj. adv. verst. *gelîche.* **-gemeine** adv. auf ganz gemeinsame weise, insgesamt. **-gerihte** stn. das weltgericht. **-gerihte** adv. geradeswegs, alsbald, sogleich. **-gewalt** stf. allmacht; **-gewaltec** adj. allmächtig. **-heit** stf. totalitas. **-hër** adv. ganz her. **-hie** adv. allhier.

aline adj. s. *alanc.*

allec-heit, ellecheit stf. allgemeinheit, gesamtheit. **-lich** adj. ganz vollständig; *allec-, ellecliche* adv. = *allîche.*

allenthalben adv. auf allen seiten.

aller gen. pl. von *al,* vor superlat., adj. u. adv. zur verstärkung z. b. *allerbest, -êrst* (*alrêst*), *-gërnest, -jærgelich* (alle jahre), *-mannelich* (jedermann). vor subst.: *-hande* jederart.

alles, als adv. ganz u. gar, immer fort; verneinend *nalles.*

alle-wëge adv. stets, immerhin. **-wîs** adv. durchaus.

allez adv. immer, freilich, schon.

al-, el-lich adj. allgemein, gänzlich. **-liche** adv. durchgängig, insgesamt, vollständig, immer.

allieren swv. gleichstellen (fz. *allier*).

al-meinde, almende stf. n. gemeindetrift. **-meist** adv. meistens, der mehrzahl nach; hauptsächlich, besonders. **-meistec** adj. allermeist. **-meister** stm. sieger über alles.

almer stf., **almerie** stswf., dem. **almerlîn, almerl** stn. schränkchen, kästchen (mlat. *almaria,* lat. *armarium*).

almuose stf., **almûsene** stswf. md., **almuosen, armuosen** stn. almosen (gr. lat. *eleemosyna*).

almuosenære, almüesener stm. der almosen gibt; der almosen empfängt. **almuoserinne** stf. *a. des ûfhabes,* die als almosen von dem rest der mahlzeit empfängt.

almuz stn. chorkappe der geistlichen (mlat. *almutium,* s. *armuz*).

al-niuwe adj. ganz neu.

âlôe stn. aloe, salbe daraus.

alp, alb stm. n. gespenstisches wesen, gehilfe des teufels; alp, das alpdrücken; md. *alf* tor, narr. **-leich** stm. spiel der elbe.

al-rëhte adv. ganz recht. **-reite** adv. alsbald. **-rôt** adj. durchaus rot.

alrûn stm. **alrûne** f. alraune.

als s. *alles, allez, alsô.*

al-sâ, -sân, -sô adv. sogleich. **-same, -sam** adv. u. konj. ebenso, ebenso wie; wie wenn, als ob (mit konjunkt.). **-samen** adj. u. adv. alle zusammen.

alsô, alse, als adv. demonstr. messend; so, ebenso; vergleichend: so; auf vorhergehendes od. folgendes hindeutend: so, ebenso; erklärend: das heisst, nämlich; verstärkend: ganz. — relativ. messend: als, so — als, als ob; vergleichend: wie, als; beteuernd: so wahr als, als ob; vergleichend u. bedingend (mit konj.): als, als ob; zeitliche beziehungen ausdrückend: wann, so oft als, sobald, als; örtlich: so weit als; causal: weil.

al-solich, -solch, -sölch verst. *solich.*

alster s. *agelster.*

al-sus, -sust adv. in solchem grade, auf solche weise.

als-wâ adv. anderswo.

alt adj. alt, im gegensatz von jung; bildl. stark, gewaltig; traurig.

altære, altâre, âlter, elter stmn. altar (lat. *altare*).

alt-büezer stm. schuhflicker. **-erbe** stn. altes erbgut. **-grîs** adj. vor alter grau. **-heit** stf. alter, altertum. **-hêrre, -hërre** swm.alter herr (auch als präd. gottes); patriarch; ahnherr, senator; senior einer geistl. körperschaft. **-hiunisch** adj. = *altvrenkisch.* **-lich** adj. ältlich, greisenhaft. **-man** stm. alter, erfahrner mann. **-müede** adj. altersmüde. **-riuze** swm. schuhflicker. **-sëzze** swm. der seit langer zeit angesessene einwohner. **-snîder** stm. flickschneider. **-sprochen** part. adj. seit alter zeit gesprochen. **-vater** stm. altvater, greis, patriarch. **-vorder** swm. vorfahr, im pl. die voreltern. **-vrenkisch** adj. altfränkisch, veraltet. **-vrouwe** swf. matrone, bes. mutter des regierenden fürsten. **-wîse** adj. durch das alter erfahren.

alte swm. der alte (gott, vater); eine schachfigur (auch *rihter* genannt).

alten swv. intr. alt werden.

alten swv. s. *elten.*

alter s. *altære.*

alter stn. menschengeschlecht, welt, zeitalter; alte zeit; lebensstufe, höheres lebensalter.

alter-kleit stn. messgewand. **-stein** stm. altarstein. **-tuoch** stn. altartuch.

alter-müeterlîn stn. grossmütterlein.

altern, aldern sw. pl. eltern, vorgänger.

alters-eine adj. u. adv. ganz allein, von der ganzen welt verlassen.

altiche swm. der greis.

altisc, eltisch adj. alt.

al-umbe präp. m. acc. u. adv. ringsum, ringsumher. *a. gân* umfassen.

alûn stm. alaun (lat. *alumen*).

alûnen swv. mit alaun gerben, bildl. durchgerben, prügeln.

al-walte swm. allwalter. **-waltec, -weltec** adj. allwaltend, allmächtig. **-wâr** adj. völlig wahr. **-waere** adj. einfältig, albern; schlicht, einfach; wertlos, ärmlich. **-wære** stf. albernheit.

alz-ane, -an, alzen adv. = *allez ane* immer fort, immer noch, so eben.

al-ze adv. allzu.

alzegater adv. = *algater.*

al-zehant adv. alsogleich.

al-zoges, -zuges, alzôs adv. gen. in einem fort, durchaus.

â-maht stf. schwäche, ohnmacht.

â-mât stn. das zweite mähen, das omet.

amatist s. *ametiste.*

amazzûr, amazsûr, amasûr stm. orientalischer fürst (arab. *al-mansûr* sieger).

ambahte, ambaech, ambehte, ammeht, ambet, ammet, ambt, ampt, amt stn. dienst, amt, beruf; gottesdienst, messe; *schildes ambet* ritterdienst, -stand; amtsbezirk; lehn.

ambahten, ambehten, ambten swv. dienen; mit einem amte versehen.

am-bære s. *antbære.*

ambehtære stm. diener, aufseher.

ambet-(amt-)man stm. pl. **-liute** dienst-, amtmann.

âme, ôme stf. swm. n. ohm, mass überh. (mlat. *ama*).

â-mehtec adj. ohnmächtig.

âmeiren swv. lieben (afz. *ameir*).

âmeize swfm. ameise.

âmen, æmen swv. visieren.

amer stm. ammer, ohreule (mlat. *amarellus*).

âmer s. *jâmer.*

amesiere stf. quetschung.

amesieren swv. quetschen (mlat. *amassare*).

ametiste, amatist swm. amethyst (gr. lat. *amethystus*).

amîe swf. die geliebte, gemahlin, buhle (afz.).

amiral, amiralt, emeral stm. **amiralde** swm. kalif, fürst (fz. *amiral* vom arab. *amiru'l bahr* befehlshaber des meeres).

amîs stm. n. der, als neutr. auch die geliebte (afz.). dem. *amîsel.*

amîsen swv. als *amîs* behandeln, lieben.

am-man stm. verkürzt aus *ambet-man*: diener, beamter, bes. urteilsprechende gerichtsperson, bürgermeister. **-meister, ammeister** stm. bürgermeister.

amme swf. mutter; amme; pflegemutter; hebamme.

ammen swv. ein kind warten; pflegen überh.

ammolf stm. pflegevater.

amor, amûr stm. liebe, gott der liebe (afz.).

ampære s. *antbære.*

ampel, ampulle swf. lampe; gefäss (lat. *ampulla*).

amt s. *ambahte.*

amûr s. *amor.*

amûren swv. lieben.

amûr-schaft stf. liebesverkehr.

an, ân s. *ane, âne.*

â-name swm. spitzname.

anavalz stm. amboss.

an-begin stm., **-beginne** stn. anfang, beginn.

an-begrift stf. anfang.

an-behaft part. adj. angeheftet, anhaftend; verpflichtet.

an-bëtære stm. anbeter.

an-binde stf. anknüpfung.

an-biter stm. anbeter.

an-blic stm. anblick (act. u. pass.).

an-bôz s. *anebôz.*

an-brunst stf. entzündung.

anc-lich adj. angsterweckend.

an-dâht stf. m. die worauf gerichteten gedanken, aufmerksamkeit, erinnerung, besonders das denken an gott, andacht; busse, strafe; als titel geistl. fürsten. **-dæhtec** adj. an etwas denkend, eingedenk (mit gen.); andächtig.

ande prät. s. *enden.*

ande swm. feind.

ande swm. stf. **ant** stm. f. kränkung, die einem widerfährt, das dadurch verursachte schmerzliche gefühl.

ande, ant adj. u. adv. schmerzlich, unleidlich; übel zu mute (*mir ist, mir tuot ande nâch; einem ande tuon* ihn in not bringen).

andelange, -lage f. gewisse art der übergabe, zahlung.

andelangen, -lagen swv. überantworten, überreichen.

anden swv. seinen zorn über etwas betätigen, ahnden, rügen, rächen; unpers. mit acc. kränken, schmerzen.

an-denke adj. an etw. (gen.) denkend.

ander adj. der zweite; einer von zweien; der folgende, übrige; der andere mit dem begriff der verschiedenheit; oft nur pleonastisch.

ander-halben, -halp adv. auf der andern seite; anderwärts. **-heit** stf. gegens. zum *ich.* **-sît** adv. = *anderhalp.* **-teil** stn. hälfte. **-weide, -weit** adv. zum zweiten mal; auf eine andere art; anderwärts. **-weiden, -weiten** swv. wiederholen.

andern s. *antern* und *endern.*

anders, anderst adv. anders, sonst, übrigens; noch einmal.

andert adv. = *anderhalp.*

anderunge, enderunge stf. änderung; wechsel (mondwechsel), wankelmut; trennung in zwei leiber.

and-ouge adv. gegenwärtig.

ane, an präp. räumlich: an, auf, in, gegen (mit dat. od. acc.); zeitlich: in, an (mit dat.), bis an (mit acc.), auch bei zeitl. adv. *an' hiute* heute, *an gestern* gestern; abstrakte verhältnisse ausdrückend (mit dat. od. acc.); an, in, von, mit. — adv. an, zu, hin, auf. bei verbis z. b. *ane arten* tr. einem von art zukommen. — *bâgen* scheltend anfahren. — *beherten* einem etw. abnötigen. — *binden* anbinden bes. vom anbinden der fahne. — *biten* mit ap. anbeten; durch bitten von einem erreichen. — *bringen* mit dopp. acc. einem etw. beibringen, vererben; mit ap. anstiften, verleiten; denunzieren. — *dingen* eine forderung an jem. stellen, bes. gerichtlich; *sich ze reht andingen* sich ans gericht wenden. — *ertriegen* einem etw., ablisten. — *gân* intr. u. refl. anfangen, tr. an etwas gehn, es anfangen, sich an einen machen, angreifen. — *gëben* melden, verraten; *einem ein kleit an g.* es ihm anlegen. — *gewinnen* mit dat. besiegen, durch sieg etwas (acc.) abgewinnen, mit acc. passen, gebühren. — *grîfen* hand anlegen; geld angreifen. — *heben* beginnen, schöpfen, gründen; intr. u. refl. anfangen. — *langen* gerichtlich fordern, mahnen. — *lâȥen* erfinden, angeben; loslassen, in bewegung setzen. — — *legen* anlegen, ankleiden; anzetteln, vorbereiten, veranschlagen; auferlegen; *gelt anl.* auf zinsen anlegen. — *lieben* unpers. mit dat. gefallen. — *liegen* tr. auf einen lügen, über ihn lügenhaftes aussagen. — *loufen* tr. auf einen zulaufen; anlaufen, angreifen, überfallen. — *nëmen* tr. festnehmen, arretieren; refl. mit acc., gen. od. infin. mit *ze* sich annehmen; übernehmen, unternehmen; sich aneignen, anmassen, ansprechen. — *reden* intr. anfangen zu reden; tr. anreden, ansprechen. — *sagen* ansagen, eingestehn; zusagen, versprechen; anklagen; *einen an s.* ihm zu wissen tun. — *schînen* tr. anscheinen, beleuchten; intr. an einem sichtbar werden; anfangen zu scheinen, anbrechen (vom tage). — *sëhen* ansehen, berücksichtigen. — *sigen* mit dp. besiegen. — *singen* intr. anfangen zu singen; tr. mit gesang feiern. — *slahen* an einem od. etwas schlagen, mit schlägen angreifen; durch schlagen befestigen; *vihe an s.* erbeuten, rauben; aussinnen, anstiften; in anschlag bringen, berechnen. — *smieren* anlächeln. — *snîden* einem *ein kleit an sn.* auf den leib schneiden, anmessen. — *sprëchen* intr. anfangen zu sprechen; tr. mit acc. etw. als eigentum in anspruch nehmen; einen mit worten angehn (zurufend, bittend, fordernd od. herausfordernd, zur rechenschaft ziehend, beschuldigend od. anklagend), mit gs. od. präp.; weidm. aus der fährte eines wildes die art und grösse beurteilen. — *stân* bevorstehn; geziemen, passen; zu stehn kommen, kosten. — *stërben* mit ap. durch todesfall an jem. kommen. — *strîchen* anstreichen, salben; ein kleid anziehen, refl. sich putzen. — *strîten* tr. anfechten, beunruhigen; einem etw. *an str.* streitig machen; mit ap. u. gs. mit einem über etwas streiten. — *suochen* absol. sich anschmiegen, mit dopp. acc. bei jem. etwas suchen, ihn darum bitten; feindl. angreifen. — *tragen* tr. an od. zu einem tragen, an sich tragen, führen; anstellen, anstiften. — *tuon* anlegen, refl. sich ankleiden. — *vâhen* anfangen, beginne (mit acc., infin. mit od. ohne *ze*); unternehmen, betreiben; im rechtl. sinne: etw. durch ergreifung als eigentum ansprechen. — *vallen* intr. einfallen (von der witterung); ausschlagen, ausfallen; tr. zufallen, bes. durch erbschaft; überfallen, angreifen. — *vëhten* anfechten, beunruhigen, gegen einen kämpfen; mit dp. as. abgewinnen. — *vengen* intr. u. tr. anfangen. — *vüeren* tr. als kleid tragen; an etw. (acc.) führen. — *warten* tr. beobachtend auf einen schauen, ihn erwarten. — *wæten* ankleiden. — *zëmen* mit dat. anstehn, geziemen. — *ziehen* an etw. ziehen; an sich ziehen, in sich aufnehmen; anziehen, bekleiden mit; anklagen, beschuldigen; anspruch machen auf; sich etw., unternehmen; intr. anfangen zu ziehen, zuerst ziehen.

ane, an, ene swm. grossvater; urgrossvater. *alter a.* urahn.

ane swf. grossmutter.

âne s. *agene.*

âne, ân präp. ohne, ausser mit acc. gen.; konj. ausser; adv. allein, einsam; ledig, frei, beraubt (bei verb. *âne wërden, wësen, blîben*) mit vor- od. nachgesetztem gen., acc. **ænec** adj. los, ledig mit gen.

ane-, an-bôȥ stm. amboss.

ane-ganc stm. anfang; vorzeichen, das bei antritt des weges od. geschäftes entgegenkommt. **-(an)-genge** stnf. anfang; ursprung eines wortes, etymologie. **-gengen** swv. intrans. u. refl. anfangen; als vorzeichen entgegenkommen; anfangen machen.

ane-gin stm., **-ginne** stn. anfang.

ane-ginner stm. anfänger.

ane-, an-grif stm. angreifen, betastung; handhabe zum festhalten; empfang, umarmung; angriff des feindes.

ane-haber stm. anfänger.

ane-haft stm. anheftung; anhänglichkeit.

ane-, an-hanc stm. anhang, tau; begleitung, begleiter eines herrn.

ane-, an-hap stm. anfang, ursprung.

ane-, an-lâȥ stm. anfang, beginnen; punkt, von dem das wettrennen ausgeht; anreizung, gelegenheit; kompromiss.

ane-lich, enlich, ellich adj. ähnlich, gleich. **-lîchen** swv. ähnlich sein, gleichen.

ane-ligende part. adj. bevorstehend.

ane-minne adj. lieblich, angenehm.

ane-müetic adj. *a. machen* exhilarare.

anen swv. ahnen, voraussehen, unpers. mit dat. od. acc.

ânen swv. intr. ledig, beraubt sein mit gen. — tr. u. refl. mit gs. entblössen, berauben; entäussern, verzichten.

an-enphenclich adj. sp. wohlgefällig.

an-erbe stn. angeerbtes gut.

an-erbe swm. nächster erbe.

ane-schiht stf. angelegenheit.

ane-siht stf., **-sihte** stn. anblick; angesicht.

anet-krût stn. dillkraut.

ane-trët, -trit stm. tritt, stufe, schemel; antritt, angriff; ort wo eingetreten wird, eingang. **-vart** stf. versuchung; anfall, angriff. **-vëhte, -vëhtunge** stf. anfechtung, angriff. **-venge** stn. anfang. **-vluȥ** stm. ausfluss, ursprung.

ange adv. enge, dicht anschliessend; mit ängstlicher sorgfalt; *ange tuon* mit dat. weh tun.

ange swmf. stachel, fischangel, türangel; schoss.

an-gehoerde stf. anhören; *zir a.*, so dass sie hören konnten.

angel stmf. stachel; fischangel; türangel; stift im messerhefte. **-weide** stf. angelköder.

angeln swv. mit der angel fischen.

angen swv. einengen.
anger stm. gras-, ackerland.
anger, enger stm. kornmade.
anger, enger stf. frohne; beladener bauernwagen (mlat. *angaria*).
angerlîn, engerlîn stn. kleiner anger.
an-gesiht stf., **-sihte** stn. das ansehen, anschauen, sehvermögen; angesicht, aussehen.
an-geslaht part. *mir ist a.* ich habe eine meiner art angemessene eigenschaft.
an-geslöufe stn. kleid, gewand.
angest stfm. bedrängnis; angst, furcht, besorgnis. **-bære, -haft** adj. in gefahr, gefahrvoll, angst, besorgnis erregend. **-(engest)-lich** adj. gefährlich, schrecklich, ängstlich.
angesten swv. intr. in sorgen sein; tr., refl. ängstigen.
an-gieʒer stm. öffentl. messer der flüssigkeitsmasse.
angster stm. gefäss mit engem halse (mlat. *angustrum*).
angster stm. eine schweiz. scheidemünze.
an-gülte swm. mitschuldner.
an-habe stf. anfang, beginn.
an-halt stm. anhaltspunkt, ursache.
an-heber stn. anheber, -stifter, gründer.
an-heim, -heimes adv. zu hause.
an-hengelkeit stf. myst. adhaesio.
an-hërre swm. ahnherr, grossvater.
ænigen swv. = *âne* werden.
anke swm. butter.
anke swm. gelenk am fuss; genick.
anker, enker stm. anker (lat. *anchora*).
anker-haft stm. das festhalten des schiffes durch den anker.
ankern, enkern swv. ankern.
an-klëblicheit stf. myst. adhaesio.
an-lâge stf. anliegen, bitte; hinterhalt.
an-lege stf. was zur bekleidung dient; anlage von bauten; auflage, steuer.
an-legunge stf. anschlag, plan; festsetzung; geldanlegung, darlehn; steuer.
an-leite stf. anleitung; immission, einsetzung eines um schadenersatz klagenden in des beklagten güter; anschreibegebühren (bei kauf, verkauf etc.).
an-leiter stm. vollzieher einer immission.
an-louf stm. anlauf, feindl. angriff.

an-minne adj. lieb, angenehm.
an-næme adj. angenehm. **-licheit** stf. anmasslichkeit, selbstsucht.
an-neigic adj. neigend zu (dat.).
anphanc s. *antvanc*.
an-phliht stf. zuneigung.
an-rætec adj. *anr. werden* verraten werden.
an-reichunge stf. anspruch, forderung.
an-rihte stf. der tisch, auf dem die speisen angerichtet werden.
an-rîs stn. das über den zaun auf fremden grund fallende.
an-sage swm. = *ursage*.
ans-, ens-boum stm. brückenbalken.
an-schîn adj. augenscheinlich, deutlich, offenbar.
an-schîn stm. deutlichkeit, verständnis.
an-schouwe stf. das anschauen; anblick; das aussehen. **-schouwede, -schouwunge** stf. myst. anschauung.
an-seige adj. mit dat. zudringlich, feindlich.
an-setzerinne stf. kellnerin.
an-sidel, -sëdel stmn. sitz, wohnsitz.
an-sihtec adj. ansichtig; ansehnlich.
an-siune, -sûne stn. angesicht.
an-siz stm. fester wohnsitz.
an-slac stm. anschlag an ein brett, bekanntmachung; vorbereitung des schützen zum abschiessen; absicht, vorhaben; plan, entwurf, voranschlag; angebot; steuer.
an-slaht stf. geisselung.
anspan s. *eʒʒischban*.
an-sprâche stf. ansprache; anspruch, ansprechung, einspruch; anklage; darstellung einer gerichtlich zu verhandelnden sache. **-spræche, -spræchic** adj. angesprochen, angefochten; angeklagt; anklagbar. **-sprëcher** stm. ankläger.
an-spruch stm. anklage, einwand gegen die rechtmässigkeit des besitzes.
anst stf. wohlwollen.
an-stal stm. anstellung; waffenstillstand; *einen a. haben* bestellt sein.
an-stalt stf. richtung, beziehung *zuo*; einstellung (einer verhandlung).
an-stant stm. anstellung, amt; waffenstillstand, friede; anstand, hindernis.
an-starre stf. das anstarren.
an-stelle stf. aufschiebung, vertagung.
an-stentikeit stf. instantia.

an-stôʒ stm. angriff, anfechtung; grenze; das zu einem gute gehörige.
an-stœʒer stm. angrenzer.
an-strich stm. strich auf der geige.
ant s. *ande*.
ant stmf. enterich, ente.
an-tast stm. angriff; das recht vor gericht zu ziehen.
ant-bære, ambære, ampære stf. was entgegen getragen, dem anblick dargeboten wird: gebärde, aussehen; zeichen.
ant-, (an-)bæren swv. zeigen.
ante prät. s. *enden*.
antern, entern swv. nachahmen.
ant-, ent-heiʒ stm. gelübde, versprechen.
ant-lâʒ stm. n. ablass. **-læʒec** adj. remissus.
antlâʒ-tac stm. ablasstag, bes. gründonnerstag.
ant-lütte, -lütze, -litze stn. antlitz.
an-trac stm. anschlag.
an-trager stm. aufträger; anstifter; kuppler.
an-traht stf. das anfangen, anstellen; der angriff.
antreche, antrach, entrech, antreich, entreich swstm. enterich.
ant-reite stf. n. reihenfolge, ordnung. **-reiten** swv. ordnen, zurecht machen.
ant-sage, -segede stf. lossagung, abschlägige antwort.
ant-sæʒe adj. mutig.
ant-siht stf. anblick.
ant-vahs adj. mit langen haaren versehen.
ant-vanc, anpuanc, anepfanc stm. empfang.
ant-vrist m. ausdeuter, übersetzer. **-vristen** swv. deuten, übersetzen.
ant-wart, -wurt, -wirt stf. gegenwart.
ant- (od. ent-) warten, -werten, -würten, -wirten swv. übergeben, überantworten.
ant-wëder s. *eintwëder*.
ant-wërc stn. maschine zum zerstören (*entwürken*) bes. bei belagerungen, maschine überh. (bes. eine vorrichtung zum spannen der armbrust); berufsmäßige arbeit mit werkzeugen; das durch arbeit hervorgebrachte, das geschöpf.
ant-wërken swv. ein *antwërc* errichten, belagern.
ant-wich stm. neigung, biegung.
ant-würke swm. handwerker.
ant-wurt s. *antwart*.
ant-würte, -wurt stnf. antwort, im rechtlichen sinne die verteidigung des beklagten, rechenschaft.

ant-, ent-würten swv. antworten; verantwortlich sein, rechenschaft geben; sich gegen eine gerichtl.klage verteidigen.

ant-würter stm. überbringer.

ant-würter stm. antworter; verteidiger, beklagter.

ant-vâher stm. anfänger, urheber, stifter.

an-val stm. n. anfall, zutritt; feindlicher überfall; was anfällt, hinzukommt, zusatz, beigabe, accidens, qualitas; s. v. a. *anris*; anfall eines gutes durch erbschaft; lehnsanfall, nachfolgerecht, erbschaft überh.; abgabe des erben für eine verleihung des hofes; vorfallende, unvorhergesehene ausgabe.

an-vanc stm. anfang; ursache; vindication eines gestohlnen gutes; gestohlnes gut, beute; laudemium.

an-vangen, -vengen swv. angreifen; ein gestohlnes gut in beschlag nehmen; das laudemium entrichten.

an-vanz stm. betrug (s. *alevanz*).

an-vellec adj. anfallend, angreifend; ansteckend, krank; an-, zufallend.

an-vertigen swv. anfallen, angreifen; vor gericht belangen.

an-vertiger stm. ankläger.

an-walte swm. anwalt; anstifter.

an-wande, -wende, -want stf. grenze, grenzstreifen; acker, ackerbeet.

an-wander, -wender stm. angrenzer, angrenzender acker.

an-weide stf. anrecht auf die weide.

an-weigunge stf. anfechtung, versuchung.

an-wërt stm. gleichkommender wert.

an-wiser stm. anleiter; beiständer.

an-wisunge stf. anweisung, leitung.

an-zal stf. der dem einzelnen zufallende anteil, das verhältnis.

an-zannen swv. subsannare.

anzeigunge stf. zeichen, beweis; bezeichnung; anzeige, klage.

an-zeln swv. um eine schuld ansprechen.

an-zic adj. anfangend sauer zu werden, säuerlich.

an-zuc, -zoc stm. anzug (im schachspiele); stellung von zeugen; vorwurf, beschuldigung; zugang, ankunft.

an-zünder stm. anzünder; anstifter.

apfal-ter, affalter, affolter stswf. apfelbaum.

apfel, epfel, öpfel stm. apfel; augapfel.

apfel-grâ, -gris adj. apfelgrau. **-rôt** adj. rot wie ein apfel. **-stoc** stm. apfelbaum. **-(epfel-)tranc** stmn. äpfelwein.

ap-got s. *abgot*.

ap-lâz s. *abelâz*.

apostel stf. eine schrift, die ein unterrichter an einen höheren, an den appelliert worden ist, einreicht (mlat. *apostella*).

apotêke swf. apotheke, spezereiladen (gr. lat. *apotheka*).

aprille s. *aberëlle*.

apsite s. *absîte*.

ar swm. adler, vgl. *arn*.

ârant stm., **erande, erende, ernde, erne, ernt** stfmn. auftrag, botschaft, geschäft.

arbeit, arebeit, erebeit, erbeit stfn(m). arbeit; das durch arbeit zu stande gebrachte, erworbene; mühe, mühsal, not die man leidet od. freiwillig übernimmt; kampfesnot; strafe kindesnöte.

arbeiten arebeiten, erbeiten swv. abs. arbeiten, mit anstrengung streben; tr. in *arbeit* bringen, bedrängen, plagen, kasteien; in gebrauch haben, gebrauchen; bearbeiten. — refl. sich mühen, anstrengen.

arbeiter stm. arbeiter, handwerker.

arbeit-lich adj. mühsal machend; mühselig, qualvoll. **-sælec** adj. durch od. bei mühsal beglückt; in steter not lebend. **-sælekeit** stf. mühsal, not. **-sam** adj. beschwerlich, mühselig.

arc, arch s. *arke*.

arc adj. arg, nichtswürdig, schlecht, böse (*a. gehôrt* schlimm zu hören); karg, geizig.

arc, -ges stn. böses, übel.

arc-heit, arkeit stf. böses. **-(erc)-lich** adj. = *arc*. **-list** stf. arglist, bosheit. **-wân** stm. verdacht, argwohn. **-wænec** adj. argwohn erregend, verdächtig; argwöhnisch. **-wænen** swv. argwöhnen. **-willen** swv. malignare.

arebeit s. *arbeit*.

aremuz s. *armuz*.

areweiz, arwîz, arwîs, erweiz, erbeiz stf. erbse.

argen swv. *arc* sein; unpers. mit dat. od. acc. bedenklich sein, besorgt machen.

arke, arc; arche, arch stswf. arche (Noahs); fahrzeug überh.; kiste, bes. geldkiste; opferstock; vorrichtung zum fischfang; bundeslade (lat. *arca*).

ärkêr, ärkèr; erkære, -er stm. erker (bes. an der burg- oder stadtmauer). mlat. *arcora*.

arl stf. kleiner pflug, pflugmesser (aus slav. *aralo* ?).

arm, arn adj. arm, besitzlos, dürftig mit *gen*. (*gotes arm* von gott verlassen. sehr arm); ärmlich, armselig, elend; von geringem stande, leibeigen.

arm, arn stm. arm (von menschen u. tieren); ranken, zweige; wasserarm; meerbusen, meerenge.

arman s. *armman*.

arm-bouc stm. armring. **-grôz** adj. armdick. **-golt** stn. armgeschmeide. **-isen** stn. armeisen (als fessel u. als teil der rüstung). **-rôr, -rœre** stnf. armschiene. **-schilt** stm. = *armgolt*. **-vol** stm. das umarmte.

armbrust, armst, md. *armburst, armborst* stn. armbrust (mlat. *arcubalista*).

arme stf. armut.

armec-, ermec-heit stf. armut, ärmlichkeit, elend. **-lich** adj. ärmlich, elend.

arme-, erme-liche adv. ärmlich, armselig.

armen swv. arm sein od. werden; tr. mit gen. = *ermen*.

armen swv. *mich armet* = *erburmet*.

armêne stf. waffenschmuck.

arm-heit stf. = *armecheit*.

arm-man, arman stm. pl. *arm-liute*, armer mann, bes. der nicht freie bauer, der holde (auch dienender ritter); überh. armer mensch, bettler.

armonie stf. harmonie.

armsal stn. armut, elend; davon das adj. *armselic*.

armst s. *armbrust*.

armuot stf. **armuote, ermuote, armet, ermet** stn. armut; ärmliches besitztum; persönl. die armen (vgl. *ermde*).

armuz, aremuz eine kopfbedeckung (s. *almuz*).

arn s. *arm*.

arn stm. adler.

arn stv. s. *ern* swv.

arn stm. ernte.

arnære, -er stm. schnitter; taglöhner.

arne-bote swm. bote (s. *ârant*)

arnen swv. ernten, einernten, verdienen; entgelten, büssen für etw. (acc.); mit ap. entgelten lassen, strafen.

arnunge stf. verdienst.

arraz, arras, harras stn. leichtes wollengewebe, rasch (von der niederl. stadt *Arraz*).

arre f. angeld (lat. *arrha*, *arra*).

ars stm. arsch.

ars-belle stf. = *afterbelle*.

art stmf. ackerbau sowie dessen erträgnis, land; herkunft, abkunft; angeborne eigentümlichkeit, natur; beschaffenheit, art (zu *ern*). — kunst (lat. artem).

ar-, er-tac stm. erntetag, tagwerk zur erntezeit; als ackermass zwei morgen.

art-acker stm. bebaubarer acker. **-lant** stn. ackerland.

arten swv. das land bebauen, wohnen; abstammen, eine angestammte beschaffenheit haben; art annehmen, zunehmen, gedeihen.

arwîz s. *areweiz.*

arzât, arzet stm. arzt (mlat. *archiater*).

arzâtîe, arzâdîe, arzetîe, erzetîe stf. arznei; heilkunde.

arzâtîen, arzetîen swv. arznei geben.

arzâtinne, -în stf. ärztin.

arze s. *ërze.*

arzenîe, erzenîe = *arzatîe.*

arzen-, erzen-tuom stn. heilkunde.

âs stn. fleisch eines toten körpers; fleisch zur fütterung der hunde, falken; verächtl. für körper u. als schimpfwort; schlund?

â-sanc stm. das anbrennen, die versengung. **-sangen** swv. anbrennen.

asch stm. die esche; meton. speer; kleines schiff; schüssel (vgl. *esche*).

â-schaffen part. adj. missgestaltet.

asche swm. die äsche (fisch).

asche, esche swfm. asche.

aschen-brodele stm. küchenjunge. **-glas** stn. aus pottasche, kieselerde usw. gefertigtes gemeines glas. -**(ascher-, -esche)--var** adj. aschenfarb.

asch-man stm. küchenknecht od. bootsknecht (s. *asch*)?

â-schric stm. seitensprung; versündigung. **-schrôt** stm. abgeschnittenes stück.

asch-tac stm. aschermittwoch.

âse, âsel swf. holzgestell oben an einer wand.

asen swv. essen, abweiden; refl. zu *âs* werden.

âsen swv. als aas wittern u. verzehren.

â-setze adj. keinen sitz habend; nicht besetzt, leer. **-smac** stm. schlechter geruch oder geschmack. **-smec** adj. was den geschmack verloren hat.

aspan s. *ezzischban.*

aspe f. espe.

aspindê, aspindei: das unverbrennliche *holz aspindê,* wahrscheinlich der holzasbest, das bergholz.

â-spræche stf. wahnwitzige rede. **-sprâchen** swv. töricht, wahnwitzig sprechen.

assach stn. geschirr, gefäss.

ast stm. ast; querbalken des kreuzes, des galgens.

astach stn. gipfel, äste und zweige gefällter bäume.

astec, estic, astoht, astet adj. mit ästen versehen.

â-stiure adj. ohne leitung, unbesetzt. **-stiuren** swv. der leitung berauben. **-swîch** stm. das heimliche weggehen, sich wegstehlen; betrug, heimtücke. **-swinc** stm. was vom flachse abgeschwungen wird; bildl. eitle, wertlose sache, abfall, abgang. **-teilec** adj. von der teilnahme ausgeschlossen.

âtem, âten, âdem stm. atem; lebenskraft, geist.

âtemen, ætemen swv. atmen.

âtem-zuc stm., **-zuht** stf. atemzug.

atich, atech stm. attich. **-stein** stm. stein mit arzneikraft.

atigêr s. *azigêr.*

âtmezen swv. atmen.

â-tropf n. dachtraufe.

atte swm. vater; der alte überh.

atz, atze stm. speise, beköstigung; futter, gras; das recht des lehnsherrn sich vom lehnsträger mit leuten u. pferden bewirten zu lassen.

atzel swf. elster (s. *agelster*).

atzelëht adj. elsterartig.

atzen, etzen swv. speisen, beköstigen, abweiden.

atzunge stf. kost, speisung; das dafür zu entrichtende geld; pferdefutter; s. v. a. *atz* in der letzten bedeut.; zwietracht, streit.

av, ave s. *aber, abe.*

â-var adj. abfärbig, farblos.

âventiurære stm. der auf ritterliche wagnisse auszieht; umziehender kaufmann, juwelenhändler.

âventiure, âventiur stf. begebenheit bes. eine wunderbare; gewagtes beginnen mit ungewissem ausgang; zufälliges bes. glückliches ereignis, schicksal; ein gedicht davon, abschnitt eines solchen gedichtes; die quelle der höfischen dichter, personif. die muse (fz. *aventure,* lat. *adventura*).

âventiur-gelinge swm. gelingen durch zufall. **-geschiht** stf. lauf der *aventiure.* **-lich** adj. voll ungewöhnlicher dinge.

âventiuren swv. durch gefahrvolle unternehmungen aufs spiel setzen, wagen; ritterliches wesen treiben, refl. sich zu wunderbaren ereignissen gestalten.

avern, ävern, äfern swv. wiederholen; eine sache gehässig wieder vorbringen, tadeln, rächen.

äverunge stf. wiederholung.

âvoy interj. ha sieh (*ah voi*).

âwasel, âwësel stm. totes vieh, aas. — nbff. *âwëhsel, abwëhsel, abasel, abesle, âwürsel; âwürsen, -würhsen* stf.

â-wëc stm. abweg (s. *abewëc*); devium.

â-wëgec adj. vom wege abgekommen.

â-wërt adj. wohlfeil, wertlos.

â-wîchen stv. abweichen.

â-wicke stn. ab-, umweg. — adj. invius.

â-wicken swv. vom wege abkommen, von der regel abweichen.

â-wîse adj. töricht.

â-wîse stf. torheit; unart.

â-witze stf. unverstand, wahnsinn.

â-witzen swv. von sinnen sein; gotteslästerlich reden.

âwürsen s. *âwasel.*

ax, axt s. *ackes.*

axlîn stn. kleine axt.

âz stn. speise für menschen und tiere.

æze, æzec adj. essbar.

æzen swv. ätzen, speisen.

âz-geil adj. am essen sich freuend. **-rëht** stn. weiderecht.

azi-, ati-gêr stm. eine art wurfspiess.

B

(vgl. auch *P*)

bâbe, bôbe f. altes weib (slav.).

bâbes, bâbest, bâbst stm. papst; *der heiden bâbest* kalif. (lat. *papas*).

bâbestîe stf. papsttum, papstrang.

bæbest-lich adj. päpstlich.

bâbest-rëht stn. päpstliches recht und gericht.

bâbes-tuom stm. papsttum.

bac, -ckes stm. was auf einmal gebacken wird.

bâc, -ges stm. lautes schreien; zank, streit; prahlerei.

bach stmf. bach.

bache swm. schinken, geräucherte speckseite.

bachelen swv. erwärmen.

bachen, stv. I, 4 backen.

bachen-swîn stn. schwein, dessen schinken u. speckseiten (*bachen*) geräuchert werden; auch *bach-, bechenswîn.*

backe swm. backe, kinnlade.

backen-bôz stm. backenstreich. **-knus** stm. das zusammenstossen mit den backen. **-slac** stm. = *-bôz.*

badære, -er stm. der die im badehaus badenden besorgt; der arzt.

bade s. *bate.*

bade-gewant stn. badekleid. **-huot** stm. badegewand, -hose.

-hûs stn. badehaus, badeanstalt. **-kappe** swf. bademantel. **-lachen** stn. tuch das man nach dem bade umnimmt. **-liute** pl. badegäste. **-(bat)-stube** swf. badestube, badehaus. **-volc** stn. badediener. **-warm** adj. lauwarm.

badelât stf. bad.

baden swv. prät. *badete bâte batte* part. praet. auch *gebaden*: baden.

baffen swv. schelten, zanken, bellen.

bâgen redv. 2 u. sw. laut schreien, streiten; sich rühmen, mit gs.

bâg-stein stm. zankstein (den scheltende weiber um den hals tragen mussten).

bæhen, bæn swv. bähen, durch umschläge erwärmen.

bâht stn. unrat, kehricht, kot.

bal stm. gebelle, laut.

bal, *-lles* stm. ball, kugel; ballen.

balas, baleis, ballas, balax stm. eine art blasser oder auch ganz weisser rubine (fz. *balais*, mlat. *balasius*).

balc, *-ges* stm. balg, haut; verächtlich leib (auch als schelte); schwertscheide.

balde adv. mutig, kühn, dreist; schnell, sogleich.

baldec-heit stf. kühnheit.

baldekîn, ballekîn, bellekîn stm. n. kostbarer aus seide und goldfäden moiréartig gewobener stoff aus *Baldac* (Bagdad), dann auch seidenstoff geringerer art; traghimmel (fz. *baldaquin*).

balden swv. intr. *balt* werden, eilen; froh sein über (gen.).

balderich, belderich stm. gürtel.

baldes adv. schnell.

bale stm. böses, unrecht.

balgen swv. intr. ringen, raufen.

bal-heit stf. unrecht, schlechtigkeit. **-hœric** adj. ungehorsam. **-munden** swv. für einen *balmunt* erklären, halten. **-munt** stm. ungetreuer vormund. **-rât** stm. falscher rat, böser anschlag. **-wahs** adj. stumpf.

balke swm. balken; wagebalken.

ballas s. *balas*.

balle swm. ball; ballen an füssen, händen, fingern; warenballen.

ballekîn s. *baldekîn*.

ballen swv. zu einem *bal* machen od. werden (refl.); abs. ball spielen; tr. niederwerfen.

ballinc s. *banlinc*.

balme stf. fels, felsenhöhle (mlat. *palma*).

balsame, balseme, balsem sw. (st.) mf. balsam (gr. lat. *balsamum*).

balsamite stf. balsampflanze (mlat. *balsamita*).

balsemen, balsmen swv. balsam geben; balsamieren; durch b. den geruch oder geschmack einer speise erhöhen.

balt (flect. *balder*) adj. kühn, mutvoll, tapfer, verwegen, schnell; mit gen. od. präp. kühn in, eifrig zu, schnell mit.

balteniere s. *paltenære*.

balt-heit stf. kühnheit. **-lich** adj. mutig, dreist; adv. schnell, voreilig; *balteclîche* adv. schnell.

balzieren swv. das haar in einen schopf zusammen wickeln.

bâm s. *boum*.

ban, *-nnes* stm. gebot unter strafandrohung; einberufung zum gericht, verbot bei strafe, die strafe selbst (bes. kirchl. bann); gerichtsbarkeit und deren gebiet.

ban, bane stfm. bahn, weg.

ban, bane stswm. untergang, verderben, tod.

baen s. *bœhen*.

ban-brief stm. achtbrief, bannbulle; gerichtliche urkunde. **-hêrre** swm. herr der gerichtsbarkeit. **-korn** stn. als steuer oder zins auferlegtes korn. **-lêhen** stn. vom *banhêrren* erteiltes lehn. **-mile** stf. bannmeile. **-tac** stm. frontag. **-teidinc** stn. banngericht, **-vaste** f. gebotener fasttag. **-vîre** stf. gebotener feiertag. **-vride** stm. = *banzûn*. **-wart, -e** stswm. wald-, flurschütz. **-wîn** stm. wein, den zu kaufen od. auszuschenken ausschliesslich erlaubt ist. **-zûn** stm. den bezirk (*ban*) begrenzender zaun.

banc stmf. bank, tisch; wechselbank; gerichtsbank; brot-, fleischbank; brustwehr. *bankshalben* adv. sp. unehelich.

banc-gëlt stn., **-zins** stm. bankzins (der brot- und fleischbänke). **-hart** stm. bastard. **-kleit** stn. bankdecke.

banc-heit stf. angst.

bande swf. binde, streifen.

banden swv. in bande legen; pfänden.

bandikeit stf. angst.

baneken, bangen swv. tr. umher tummeln; refl. sich durch bewegung erlustigen; intr. spazieren, gehn (rom. *banicare*).

banekie stf. erholung durch leibesübung, erlustigung.

banen swv. bahnen, zu einer bahn machen.

baner s. *baniere*.

baner-hêrre swm. bannerherr. **-meister, -vüerer** stm. bannerführer.

bange adv. bange.

bange swm. angst, sorge.

bangen swv. intr. bange werden; beängstigen, in die enge treiben.

baniere, banier, baner stfn. banner, fahne als führendes zeichen einer schar; fähnlein am speer; ein stück des weibl. kopfputzes (fz. *banière*).

bankeit stf. = *behendecheit*.

bankenie stf. = *banekîe*.

ban-lich adj. verderblich, schrecklich.

banlinc, ballinc, *-ges* stm. der verbannte.

bannen redv. 1 unter strafandrohung gebieten od. verbieten (*gebannen tage* gerichtstage, feiertage); in den bann tun.

banse m. f. weiter scheunenraum zur seite der tenne.

bant, *-des* stn. band; band zum schmucke; fessel; verband einer wunde; band, reif um ein fass; gebinde (bei salz); querbalken; band der verwandtschaft.

bant-âder f. sehne. **-knode** swm. bandknoten; **-(bint)-wide** stf. band aus flechtreisern.

bapel swf. kleine münze.

bar adj. nackt, bloss; leer, ledig, inhaltslos (mit gen.); sichtbar, offenbar, kund; (vor augen) aufgezählt, bar.

bar stf. die blösse.

bar stm. sohn; mann, freier mann (mlat. *barus*, *baro*).

bar stn. meistersängerisches lied.

bar, bâr stf. balken, schranke bes. querbalken im wappen: *sunder bar*, ohne beschränkung, unaufhörlich, unverzüglich.

bâr stfm. art u. weise, wie sich etw. zeigt.

bar-bein, -beinic adj. mit nackten beinen. **-habe** stf. barschaft. **-houbet, -höubtic** adj. mit entblösstem haupte. **-schaft** stf. bares geld. **-schenkel, -schinke** adj. mit blossen schenkeln. **-vuoʒ, -vüeʒe, -vüeʒic** adj. barfuss; swm. barfüssermönch.

barbel stn. s. v. a.

barbier, barbiere stfn. teil des helms vorm gesicht od. bedeckung des gesichts unterm helm, worin zwei löcher für die augen ausgeschnitten waren, visier (von fz. *barbe*, lat. *barba*).

barbieren swv. mit einer *barbiere* versehen.

barbigân stf. teil der äussern befestigungswerke, aus denen ausfälle gemacht wurden (afz. *barbacane*).

barc, *-ges* stm. männliches verschnittenes schwein.

barchant, barchât, barchet stm. barchent (s. *barkân*).

barchâtîn adj. aus barchent.
bærde stf. aussehen, benehmen, wesen.
bâre stswf. sänfte, bahre.
bære stf. die art u. weise wie etw. sich zeigt.
bære, ber stswf. traggestell, gestell auf einem karren.
bærec adj. fruchtbar.
barël, parël stn. pokal, becher; fässchen, flasche (afz. *bareil*).
bâren, bæren swv. auf die bahre legen.
bâren swv. ein äusseres erscheinen darbieten.
bâr-hobel stm. bahrdeckel. **-kleit** stn. totenkleid. **-tuoch** stn. tuch über die totenbahre.
barille *s. berille.*
barkân stm. barchent (mlat. *barracanus, barchanus*).
barke stswf. barke (fz. *barque*).
barkenære stm. führer einer barke.
bär-, ber-lich adj. offenbar, unumwunden.
barm, barn stm. **barne** swm. schoss.
bar-man stm., pl. **-liute** eine art halbfreier, zinspflichtiger leute.
barmære stm. erbarmer.
barmde, bärmde, barme stf. barmherzigkeit.
barmec adj. erbarmend, mitleidig. **-heit** stf. barmherzigkeit. **-lich** adj. erbarmen erregend; erbarmend, barmherzig.
barmen swv. refl. sich erbarmen über; intr. mit dat. mitleid erregen, erbarmen.
barmenære stm. = *barmære.*
barm-heit stf. = *barmecheit.*
-hërze, -hërzec adj. barmherzig; **-hërzeclîchen** adv. erbarmen erregend. **-hërze** stf. = *barmde.*
barmunge stf. erbarmung, mitleiden.
barn stnm. kind, sohn.
barn swv. intr. *bar,* bloss sein; tr. bloss, kund tun.
barn stm. **barne** swm. krippe, raufe; s. v. a. *banse.*
barn, barne s. *barm.*
barnen swv. eine krippe machen; zur krippe gehn.
barragân stm. = *barkân.*
barre stf. riegel, schranke; querbalke des wappens (fz. *barre*).
bart stm. bart, schamhaar; s. v. a. *barbier.*
barte swf. beil, streitaxt.
barten swv. behauen.
barten-slac stm. beilschlag.
bart-hâr stn. bart.
bartoht adj. bärtig.
bâruc stm. titel des kalifen (hebr. *barûc* der gesegnete).
barûn stm. baron, grosser des reiches, geistl. oder weltl. herr (fz. *baron,* s. *bar*).
barûnie stf. die gesamten *barûne.*
barwen swv. refl. sich zeigen.
barzen swv. strotzen, hervordrängen.
base swf. base, schwester des vaters.
bast stmn. rinde, bast; bildl. das geringste, nichts; der (mit band benähte) saum eines kleides; enthäutung und zerlegung des wildes.
bastart, basthart stm. unechtes kind u. übertr. unechtes zeug.
bästîn, bestîn adj. von bast.
bast-list, -site stm. die kunst, art, ein wild zu zerlegen.
basûne s. *busîne.*
bat stm. hilfe, nutzen.
bat, *-des* stn. (pl. *diu bat* u. *beder*) das bad, badehaus.
bataije, batelle stf. kampf (fz. *bataille*).
bataljen, batellen swv. kämpfen.
bate, bade f. förderung, nutzen, gehörige menge.
bate, pate swm. pate.
bâte stf. bitte.
bate-lôs adj. hilflos.
baten swv. nützen, helfen.
batônje, batenje stf. betonie, schlüsselblume, zauberkraut (lat. *betonia*).
bat-wât stf. = *hersenier.*
batze swm. kleine münze der stadt Bern mit deren wappen (*betz* bär).
baȥ adj. komp. von *wol*; adv. besser, mehr.
baȥȥe stf. gewinn, nutzen.
baȥȥen swv. besser werden, nützen, passen.
baȥȥer s. *beȥȥer.*
be-ahten swv. zählen, rechnen; zurechnen, zuteilen.
be-angsten swv. coangustare.
beben = *phedem.*
be-buosemen swv. als verwandten, als seinesgleichen anerkennen; als eigenmann in anspruch nehmen.
be-bûwen an. v. bebauen, anbauen.
bëch, pëch stn. pech; höllenfeuer (vgl. *pfich*). **bëchec** adj. d. *pechec pfuol* hölle.
bechelîn, bechel stn. kleiner bach.
becheln swv. refl. sich erwärmen, sonnen.
bechen-swîn s. *bachenswîn.*
becher stm. becher (mlat. *baccar,* afz *pechier*).
bëcher, bëcherer stm. pechsammler, -brenner.
bëch-var adj. pechschwarz. **-walle** stn., **-wëlle** f. hölle. **-wellec** adj. von pech wallend.
becke swm. bäcker.
becke stf. bäckerei, das recht zu backen; was auf einmal gebacken wird.
becke, becken stn. becken; wagschale; ein instrument der spielleute.
beckel-, becken-hûbe swf. beckenförmiger helm, pickelhaube (lat. *bacinum*).
beckelîn stn. dem. zu *backe* und *becke.*
beckelinc stm. backenstreich.
becker stm. bäcker.
be-dachen swv. mit einem dache versehen.
be-dagen swv. schweigen.
bedâht stm. f. bedächtige erwägung; bedenkzeit.
be-dâht part. adj. bedacht, besonnen; wozu (gen.) rasch entschlossen.
be-dæhtic adj. bedächtig.
be-dæhtnisse, -dæhtnus stf. bedächtige erwägung; das eingedenksein, gedächtnis.
be-danc stm. überlegung, nachdenken. **-keit** stf. nachdenklichkeit, trübsinn.
bêde s. *beide.*
be-decken swv. bedecken, zu-, verdecken.
be-dëlhen stv. verbergen.
bedéll, pedéll swm. gerichtsbote; pedell (mlat. *bedellus*).
be-demmen swv. eindämmen.
be-dempfen swv. dämpfen, ersticken.
be-denken swv. die gedanken auf etwas richten, etw. bedenken, ausdenken; wofür sorgen, besorgen; beschenken; mit speisen versorgen; einen in verdacht haben (gs.). — refl. sich besinnen, nachdenken, mit gen. sich wozu entschliessen; bei etw. (gen.) verdacht schöpfen.
bé-derbe s. *biderbe.*
be-dingelich adj. als bedingung gestellt; adv. bedingter weise.
be-dingen swv. dingen, werben; durch verhandlung gewinnen; versprochen erhalten; einem (acc.) bedingungen vorschreiben; protestieren, appellieren.
be-diutære stm. ausleger.
be-diute stf. auslegung, zeichen. **-lîche** adv. zur auslegung, als erklärung.
be-diuten, -tiuten swv. tr. andeuten, verständlich machen, auslegen; anzeigen, mitteilen, urteilen; zur besinnung oder vernunft bringen, beruhigen. — refl. bedeuten, zu verstehn sein, sich zu erkennen geben.
be-diut-nisse stf.? bedeutung. *mit b. geleit sîn ze* bedeuten.

be-diuwen, -diewen swv. zum knechte machen, unterjochen.
be-dœnen swv. mit gesang erfüllen; besingen; einen meistersingerton erfinden, singen.
be-donren swv. mit donner, gewitter begleiten.
be-draben, -dreben swv. über einen trabend kommen; ertappen.
be-dræhen swv. anhauchen.
be-dræjen swv. zusammendrehen, drehend umwinden.
be-dranc stm. das drängen, bedrängen.
be-drangen, -drengen swv. bedrängen.
be-drieȥen stv. unpers. mit gen. zu viel, lästig dünken.
be-dringen stv. drängen, bedrängen; mit gewobenem zierat bedecken.
be-dröuwen swv. bedrohen.
be-drücken swv. niederdrükken, überwältigen.
be-dûht stf. kontemplation.
be-dunken swv. unpers. mit acc. u. gen. bedünken, dünken.
be-durf stm. bedürfnis, not.
be-dürfelich adj. nötig.
be-durfen, -dürfen an. v. bedürfen, nötig haben mit gen.
be-durftic adj. bedürftig mit gen.
be-dürnen swv. tr. mit dornen umstecken.
be-eiten, beiten swv. sieden, kochen.
beffen swv. schelten, zanken.
be-gâben swv. beschenken; zur hochzeit ausstatten.
be-gallen swv. mit galle versehen.
be-gagenen s. *begegenen*.
begân, -gên stv. tr. zu etw. hingehn, es erreichen, treffen, antreffen; für etw. sorgen; um etw. sorgen, es erwerben; etw. ins werk setzen, tun; festlich begehn, feiern; zu grabe geleiten, totenfeier halten; *begangen sîn* betroffen, erschrocken, in verlegenheit sein. — refl. sich herumtreiben; mit gs. sich unterziehen; mit gen. od. mit *von, mit*; das leben führen, sich ernähren; etw. hinnehmen.
be-gancnisse, -gencnisse stnf. das tun und handeln, die lebensweise, lebensunterhalt, handel und gewerbe; leichenbegängnis, totenfeier.
be-garwe, -gerwe adv. ganz und gar, völlig.
be-gaten, md. *begaden* swv. tr. erreichen, treffen; übereinkommen; ins werk setzen, besorgen; einrichten, fügen; *ze grabe beg.* begraben; einem etw. *beg.* gewähren, verschaffen; refl. sich gesellen.
be-gëben stv. tr. beschenken; auf-, hingeben, von etw. ablassen, unterlassen, einen verlassen. — refl. in ein kloster gehn, part. *begëben* mönch oder nonne (vgl. *ergëben*); mit gen. aufgeben, entäussern.
be-gegene adv. entgegen.
be-gegenen, -gagenen, -geinen swv. begegnen; einem feindlich entgegentreten, widerstand leisten; mit ds. entsprechen, bedeuten.
bêgehart, bêghart stswm. begarde, laienbruder (mfz. *begard*).
be-g(e)-nagen stv. benagen, anfeinden.
be-gënen s. *beginen*.
be-genüegede stf. abundantia. **-genüegen** swv. zufrieden stellen.
be-gër stf. begehren, bitte.
be-gërde, -gërlich s. *begir-*.
be-gërn, -girn swv. begehren.
be-gërunge stf. begehren, verlangen, wunsch.
begerwe s. *begarwe*.
be-gesten swv. schmücken.
be-gewaltigen swv. calumniari.
be-gieȥen stv. begiessen, angiessen, benetzen; mit fett bet. äufeln (*begoȥȥen brôt*).
be-gift stf.? = *gift*.
be-giften, -giftigen swv. begaben.
be-giht s. *bigiht*.
be-gihthaft adj. zur beichte bereit.
be-gin stmn., **-ginne** stn. anfang.
begine swf. begine, laienschwester (fz. *béguine*).
be-ginen, -gënen swv. gähnend, den rachen aufsperrend verschlingen.
be-ginnen stswv. anfangen, beginnen; mit gen. u. dat. aufschneiden, eröffnen; refl. anfangen.
be-ginst, -gunst stf. anfang.
be-gir stfn., **-girde, -gërde** stf. begehr, verlangen, begierde. **-girdec, -girec** adj., **-girdecliche** adv begierig; begehrenswert. **-girden, -girn** swv. = *begërn*. **-girlich, -gërlich** adj. begehrlich; begehrenswert; *-lîche* adv. mit begierde, lüstern; inständig.
be-gîtegen, -geitegen swv. begehren.
be-glîmen stv. beleuchten.
be-glîten stv. ausgleiten.
be-glûmen swv. md. trübe machen, hinters licht führen, überlisten.
be-gnâden swv. mit gnade beschenken; begnadigen; ein privilegium erteilen; almosen geben.
be-gougeln, -goukeln swv. durch *gougel* betrügen; bezaubern.
be-graben stv. begraben; eingraben, ciselieren.
be-graben swv. mit einem graben umgeben.
be-graft s. *bigraft*.
be-grasen swv. tr. ernähren, unterhalten; refl. sich sättigen, weiden; sich mit rasen bedecken.
be-grebede stf. begräbnis, begräbnisstätte.
be-grif stm. umfang, bezirk; umfang und inhalt einer vorstellung, begriff; das anlanden und der landungsort.
be-grifec adj. empfänglich, leichtfassend.
be-grifen stv. betasten; zusammenfassen, in worte fassen; verstehn (myst.); umfassen, -schliessen; durch einen eid binden, eidlich versprechen; erreichen, erfassen, ergreifen; *begriffen* entrückt; in angriff nehmen (z. b. einen bau); *sich begr. mit* sich befassen, handgemein werden mit.
be-griffenheit, -griffenlicheit stf. verständnis, begriffsvermögen.
be-griflich adj. fassbar; leicht fassend, begreifend.
be-grift stf. umfang; anfang.
be-grifunge stf. umfang; inhalt; verständnis.
be-grînen stv. anknurren.
be-grîst part. ergraut.
be-grüejen swv. wachsen
be-grüeȥen swv. begrüssen; im zweikampfe *begr.* herausfordern; gerichtlich ansprechen, anklagen.
be-gunnen v. an. gewähren mit as. od. gs.; refl. sich ernähren.
be-gunst s. *beginst*.
be-gürten swv. gürten, umgürten; in den geldgurt tun.
be-haben swv. erhalten, erwerben; in bestand erhalten, erretten; vorbehalten; zurückhalten; festhalten, behalten, behaupten; beweisen, beschwören; abstr. halten, erachten *vür*; refl. sich behaupten.
be-hac, -hage adj. = *behagelich*.
be-hac stm. sp.; **-hage, -hege**; **-hagede, -hegede** stf. das gefallen, wohlgefallen, behagen.
be-haft part. zu *beheften* (besessen, umstrickt, verpflichtet, festgesetzt usw.).
be-hagel adj. wohlgefällig, angenehm; freudig, kühn.
be-hagelich, -hegelich adj. was behagt, wohlgefällig **-hegelichkeit** stf. eingeschlossenheit; wohlgefallen.

be-hagen adj. frisch, freudig, in behagen befindlich.

be-hagen swv. behagen, gefallen; angemessen sein, zukommen mit dat. (md. auch mit acc.).

be-hagen swv. mit einem *hage* umgeben, einschliessen.

be-hâhen stv. intr. hangen, hängen bleiben; tr. behängen.

be-halben swv. halbieren.

be-halt stmn. sicherer, heimlicher platz, aufenthalt; sicherheit.

be-haltære, -er stm. halter, beobachter; bewahrer, erlöser; *b. des landes* landpfleger.

be-halten, -halden stv. etw. für sich aufbewahren, aufbehalten; für sich behalten, verschweigen; in obhut haben, bewahren, rein erhalten; erretten, erlösen; beherbergen, bewirten; einhalten, beobachten; behaupten; vor gericht durch zeugen oder eid erhärten; absol. vor gericht gewinnen.

be-haltnisse stf. das halten, einhalten; erhaltung; vorbehalt; behauptung durch eidschwur; gewahrsam; sicherheit; gedächtnis.

be-haltunge stf. erhaltung, bewahrung; schutzgewährender ort; schutz, bewachung; verschlossener ort, behälter; inhalt.

be-hamelen swv. verstümmeln; aufhalten, gefangen nehmen.

be-hande, -en adv. sogleich.

be-hâr adj. behaart.

be-hâren swv. tr. einem die haare ausraufen.

be-harn swv. anrufen.

be-harten swv. widerstand leisten (s. *beherten*).

be-heben stv. über etw. hinwegheben, wegnehmen; aufrecht halten; behalten, behaupten; im rechtl. sinne wie *behaben*; refl. sich behaupten, andauern.

be-heften swv. tr. zusammenheften, umstricken, einschliessen, belagern; womit anbinden, begaben; zu etw. anhalten, verpflichten, verbinden; zurückhalten, behaupten; in rechtl. sinne arrestieren. — refl. sich einlassen, beschäftigen; eine verbindung eingehen mit; mit gen. sich verbindlich machen. — intr. sich festsetzen.

beheg- s. *behag-*.

be-heiȥ stm., **-heiȥe** stf. verheissung.

be-heiȥen stv. mit dat. heissen, befehlen; verheissen.

be-hëlf stm. ausflucht, vorwand; fester ort, zuflucht.

be-hëlfe swm. gehilfe.

be-hëlfen stv. part. *beholfen* behilflich; refl. als hilfe brauchen.

be-hemmen swv. fangen, aufhalten.

be-hende adj. adv. mit geschick zu brauchen, passend; geschickt, schnell.

be-hendec adj. fertig, geschickt.

be-hendecheit stf. schnelligkeit; fertigkeit, geschicklichkeit; schlauheit, list; ausflucht, einrede.

be-henden swv. mit den händen berühren, betasten; einrichten, fügen.

be-henden, -hendigen swv. einhändigen.

be-henken swv. behängen.

be-herbërgen swv. mit gästen versehen; beherbergen.

be-hêren swv. *hêr* machen; refl. mit gen. sich stolz über etw. erheben.

be-hern swv. mit heeresmacht überziehen, verwüsten; mit gen. berauben.

be-hêrren, -hërren swv. als herr überwältigen; refl. sich einem herrn verpflichten, ihm den eid leisten.

be-herten swv. *herte* machen, sichern, erhalten, behaupten; erhärten, bewähren, kräftigen; durch *herte* (kampf, anstrengung) erzwingen. — intr. aushalten, ausdauern.

be-hërz adj. beherzt, mutig.

be-hërzet part. adj. dasselbe.

be-holf adj. helfend (vgl. *geholf*).

be-holfen s. *behëlfen*.

be-holn swv. erwerben; behaupten, bewahren.

be-horgen swv. beschmutzen.

be-houbeten swv. enthaupten; behaupten.

be-houwen stv. behauen (*mit den swerten b.* ausfechten); refl. sich verschanzen.

be-hüeten swv. tr. u. refl. behüten, bewahren vor, sich wovor hüten (part. *behuot*, sich hütend, vorsichtig; beschützt, bewahrt); verhüten, verhindern.

be-hügede, -hügnust stf. andenken, erinnerung.

be-hülfe stf. beihilfe.

be-hülfe, -hülfec, -hülfelich adj. behilflich.

be-hüllen, -hülsen swv. bedecken.

be-huof stm., md. *behûf*, ndrh. *behôf* geschäft, gewerbe; zweck, absicht; vorteil; wessen man bedarf, was nützlich, förderlich ist.

be-huofec adj. bedürftig, arm.

be-huoren swv. ausserehelich beschlafen.

be-hurden swv. durch hürden einschliessen.

be-hûren swv. knicken, niedertreten; belagern, belästigen, überwältigen.

be-hûren swv. durch kauf od. miete od. überh.) erwerben.

bê-hurt s. *bûhurt*.

be-hûsen swv. tr. mit einem hause versehen, häuslich festsetzen; mit einwohnern versehen; einsetzen, belehnen; ins haus aufnehmen, beherbergen. — intr. wohnen.

beide, bêde num. beide.

beiden(t)-halben(t), -halp adv. auf beiden seiten.

beie, beige s. *boije*.

beie swf. fenster (fz. *baie*).

beiel, beigel, beile, beil stmn. das untersuchen, visieren der fässer.

beigle swm. **beigler** stm. visierer.

bein stn. knochen; würfel; bein, schenkel (*stein und bein*, totes und lebendiges; *von kindes beine*, von jugend auf; *bein biegen*, niederknien; *ze beine gên*, tiefen eindruck machen, zu herzen gehn; *ze beine binden*, sich mit etw. belasten; gering achten).

bein-bërge stf. beinschiene. **-gewant** stn. = *beinwât*. **-harnasch** stn. teil der rüstung, der die beine schützt. **-hose** swf. dasselbe. **-hûs** stn. beinhaus. **-schrôt** stm. knochenverletzung. **-suht** stf. podagra. **-wahs** stm. geschwulstiger auswuchs an den beinen der pferde. **-wât** stf. beinbekleidung.

beinelîn, beinel stn. dem. zu *bein*.

beinîn adj. von knochen.

beinzigen s. *einzec*.

beischerl, beischel stn. das obere eingeweide eines geschlachteten tieres.

beitære stm. gläubiger.

beite, beit stf. das zögern, hinhalten.

beiten swv. zögern, warten, harren (mit gen.); mit dp. frist geben, zeit gönnen.

beiten swv. zwingen, drängen, gewalt antun; refl. sich quälen; wagen mit gen.

beiten s. *beeiten*.

beitunge stf. warten, verzug; aufenthalt.

beit-vride stm. waffenstillstand.

beiȥ stn. falkenjagd (s. *beiȥe*).

beiȥære, -er stm. der falke; der mit falken jagt.

beiȥe stf. falkenjagd; das bereiten in einer scharfen, beissenden flüssigkeit; flüssigkeit in der pulver durch das *gebeiȥt* wird.

beiȥel stm. griffel, stichel.

beiȥelen swv. peinigen.

beiȥen swv. beizen; bildl. mürbe machen, (*alumbe* zu tode) peinigen; vögel mit falken jagen; s. v. a. *erbeiȥen*, vom pferde steigen.

beiȥ-hunt, -wint stm. hund zur falkenjagd.

be-jac, *-ges* stm. beute des jägers, des fischers; erwerb, errungenschaft, gewinn; sp. oft zur umschreibung.

be-jagen swv. erjagen, erringen, erwerben; refl. sich beschäftigen, sein leben führen, erhalten.

be-jaget, -jegde stn. erwerb.

be-jâren swv. die jahre hinbringen.

be-jâzen swv. bejahen.

be-jëhen stv. bekennen, beichten; mit gs. zugestehn, nachfolgen in.

be-kallen swv. besprechen, beklagen.

bekant-heit stf. myst. erkenntnis. **-nisse, -kentnisse** stfn. wissen, glaube (*daz b. der juden* alle bekenner des jüd. glaubens); erkennung; kenntnis, erkenntnis; forschung; geständnis; zeugnis.

be-kebesen swv. durch unzucht schänden.

be-kelken swv. mit kalk auswerfen.

be-kennen swv. kennen, erkennen, mit den gedanken erfassen; mit dp. u. as. od. gs. einem etw. bekennen, bekannt machen; zu erkennen geben; *ûf einen bek.* mit gen. wider ihn zeugen; refl. zur einsicht gelangen, bescheid wissen; mit gen. sich schuldig bekennen; *sich einem b.* sich ihm zu eigen geben.

be-kêrde, -kêre stf. umkehr, besserung (einer krankheit); geistl. umkehr, bekehrung, bes. der verzicht auf das weltl. leben u. die verpflichtung zum leben nach geistl. regel.

be-kêre adj. sich hinwendend.

be-kêrec adj. leicht zu wenden, lenksam.

be-kêren swv. tr. zu etw. hinwenden, umwenden, verwandeln; gut machen, entschädigen; zum rechten glauben bringen, bekehren; abwenden *von*; anwenden, verwenden. — refl. sich umwenden, verwandeln, bekehren; intr. wieder in den früheren zustand kommen, genesen.

be-kerkeln swv. einkerkern.

be-kêrunge stf. = *bekêrde*; entschädigung, vergütung.

be-kicken s. *be-quicken.*

be-kiesen stv. vernehmen.

be-kînen stv. keimen.

be-klagen swv. klagen über od. gegen mit acc. u. gen.

be-klamben, -klemben; -klammen, -klemmen swv. zusammenpressen.

be-klæren swv. *klâr* machen.

be-klæwen swv. mit klauen ergreifen.

be-klëben swv. haften bleiben, verbleiben.

be-klecken, -klicken swv. abreissen; beflecken.

be-kleiben swv. beschmieren, bestreichen; bildl. begaben.

be-klepfen swv. einen *klapf* beibringen; bezwingen.

be-kletzen swv. beschmutzen.

be-klibe stf. = *beklîbunge.*

be-klîben stv. haften bleiben, verbleiben; wurzel fassen, gedeihen; stecken bleiben, verkommen.

be-klîbunge stf. empfängnis.

be-klicken s. *beklecken.*

be-klimmen stv. umklammern, beklommen machen.

be-klîp stm. haftung, dauer.

be-klüegen swv. fein machen.

be-klutern swv. beflecken.

be-koberen swv. refl. sich zusammenfassen, erholen; sich verkehren in.

be-kôme adv. bequemlich (s. *bequâme*).

be-komen stv. intr. kommen, beikommen, gelangen; hervorkommen, wachsen, gedeihen; sich zutragen, ereignen; zu sich kommen, sich erholen; mit dp. begegnen; zukommen, zuteil werden, widerfahren; zuhilfe kommen; geziemen; mit gs. erhalten, gewinnen, bekommen. — tr. *einen bek.* einholen; *den schaden bek.* verhüten. — refl. mit gen. zu etw. kommen, es erhalten.

be-kor stf. prüfung, kenntnis; versuchung. **-lich** adj. verführbar.

be-korn swv. schmecken, kosten, kennen lernen; mit gen., acc.; prüfen, versuchen mit acc., inf. — refl. sich prüfen; sich bemühen um (*nâch*), streben nach.

be-korunge, kornisse stf. das kosten; prüfung, versuchung.

be-kosten, -kostigen swv. die kosten bestreiten für; beköstigen, verproviantieren.

be-kræjen swv. bekrähen, krähend anschuldigen.

be-krâmen swv. beschenken, ausstatten.

be-kranken swv. schwach werden.

be-kreiȥen swv. umkreisen.

be-krenken swv. *kranc* machen, schwächen, verletzen.

be-krîen swv. beschreien.

be-krimmen stv. zusammendrängen.

be-kristen swv. mit Christus versehen.

be-kritzen swv. ritzen, kratzen.

be-krîȥen stv. umkreisen.

be-kroijieren swv. durch ausruf kund tun.

be-krœnen swv. krönen.

be-kroten swv. belästigen.

be-kucken s. *bequicken.*

be-küelen swv. kühl machen.

be-kumbern, -kümbern swv. in not bringen, belästigen, beschimpfen; mit arrest belegen; beschäftigen; sich mit etw. (acc.) beschäftigen, es pflegen; refl. beschäftigen mit.

be-künden swv. verkünden.

be-kürn swv. zur prüfung herbeiziehen.

be-kürzen swv. verkürzen.

bël, *-lles* stm. das lauten der hunde.

be-laden stv. beladen; refl. mit gen. od. *mit*, auf sich nehmen, annehmen.

be-lanc stm., **-lange** stf. swm. das verlangen.

be-langen, blangen swv. unpers. lang dünken, langweilig sein mit gen.; verlangen, gelüsten mit gen., präp. od. nachs.; *mir belanget* mich verlangt, ich sehne mich. — tr. erlangen, erreichen; intr. ausreichen, sich erstrecken.

belâȥen, -lân stv. unterlassen; erlassen, nachlassen; überlassen.

bëlche swf. wasserhuhn.

belde stf. dreistigkeit.

belden swv. *balt* machen.

belderich s. *balderich.*

be-legen swv. belegen, besetzen; einschliessen, einhüllen; mit einem heere einschliessen, belagern.

be-lëger stn. belagerung.

be-lëgern, -ligern swv. belagern.

be-leidigen swv. verletzen, schädigen.

be-leit stn. geleite; pers. begleiter, begleiterin.

be-leiten swv. leiten, führen; geleiten, begleiten.

be-lemen swv. mit bleibender lähmung verletzen.

belgelîn, belgel stn. kleiner schlauch, sack; haut der blumenknospe, fruchtknoten; ohrtrommel; herzbeutel; nachgeburt.

bëlgen stv. III, 2 aufschwellen, refl. mit gen. zürnen.

be-lîben, blîben stv. im gleichen zustand bleiben, verharren; unterlassen werden, unterbleiben; tot bleiben; *b. lâȥen* (wofür auch einfaches *belîben*) wovon abstehen, unterlassen. *ez belîbet an* es liegt an.

be-liegen stv. tr. von einem unwahre dinge sagen, ihn verleumden.

be-ligen stv. intr. liegen bleiben, ruhen; tot bleiben. — tr. beschlafen; belagern (part. *belëgen* belagert).

be-ligern s. *belëgern.*

be-lîp stmn. das verbleiben, die ruhe.

be-listen, -listigen swv. durch *list* zu stande bringen; überlisten, täuschen.

be-liuhten swv. beleuchten, erleuchten, erhellen; erklären, offenbaren.

be-liumunden, -liumden swv. tr. einen in den ruf von etw. bringen.

be-liuten swv. mit geläut bezeichnen; bekannt geben; erläutern.

bëlle, bille swmf. hund, hündin (nur in kompos.).

bellekîn s. *baldekîn.*

bëllen stv. III, 2 bellen (auch vom kalbe u. hirsch); keifen, zanken.

belliz, bellez. belz stm. pelz (mlat. *pellicium*).

be-lœsen swv. losmachen, befreien (mit gen. od. *von*).

be-louchen swv. schliessen, verschliessen.

be-loufen stv. belaufen, durch-, überlaufen.

beltenære stm. s. *paltenære.*

be-lûchen stv. intr. sich schliessen; tr. zuschliessen, einschliessen.

be-lucken swv. zudecken.

be-luogen swv. beschauen, wahrnehmen.

be-lusen swv. horchen, lauschen.

be-lûten swv. laut werden; den namen haben, heissen.

belzen, pelzen swv. pelzen, pfropfen (lat. *impeltitare*).

belzer pelzer stm. pelzer, insitor; pfropfreis.

belzer stm. kürschner.

belzîn adj. von pelz.

be-mannen swv. tr. mit mannschaft besetzen, bemannen. — refl. einen mann nehmen.

be-mæren swv. mit *mære* versehen; rühmen.

be-marken swv. begrenzen.

be-mâsen swv. beflecken.

be-meilen, -meiligen swv. beflecken, entehren.

be-meinen swv. meinen; *gemeine* machen, mitteilen, zusprechen.

be-meistern swv. meisterlich gestalten.

be-menigen swv. mit einer menge bewältigen.

be-merken swv. beobachten; prüfen.

be-missen swv. entbehren, aufgeben.

bemstîn stf. die einen dickbauch hat.

be-müezigen swv. losmachen, entledigen von (gen.).

be-munden swv. beschützen.

be-mûren swv. mit einer mauer umgeben.

be-murmeln swv. über etw. murren.

be-müseln swv. beschmieren.

be-nâden swv. begnadigen.

be-nagen stv. benagen, abnagen.

be-nahten swv. übernachten; mit dat. nächtlicher weile geschehen; nacht werden. — tr. beherbergen; mit nacht überziehen.

be-namen s. *bînamen.*

be-namen swv. benennen.

be-naschen swv. belecken.

bende stn. = *gebende.*

bendec adj. festgebunden.

bendel stm. band, binde.

bendelîn, bendel stn. dem. zu *bant.*

benden swv. in bande legen.

be-nëben adv. u. präp. seitwärts, zur seite, nebenzu.

benedîen, -dîgen swv. segnen (lat. *benedicere*). **-dîunge** stf. segnung. **-diz** stm. schlusssegen bei der messe (lat. *benedictio*).

be-neimen swv. bestimmen, festsetzen, verheissen.

be-nemde stf. name, person der gottheit.

be-nëmen stv. tr. u. refl. zusammenfassen; wegnehmen, entziehen; berauben, entledigen, frei machen mit gs.

be-nennen, nemmen swv. nennen (part. *benant* genannt, berühmt); namentlich bestimmen, anberaumen; verheissen, zueignen mit dat. ; *ze dienste, dienstes benant sîn* zu den untertanen rechnen.

benge stf. angst, sorge.

bengel stm. prügel, knüttel.

bengeln swv. prügeln; intr. hin- u. herschweifen.

be-nicken swv. sich neigen, sinken.

be-nîden swv. beneiden mit gs.

benît stn. zu stangen eingedickter honig (fz. *penide*).

benkelîn stn. dem. zu *banc.*

benken swv. *benke*, sitze bereiten.

benne swf. korbwagen auf zwei rädern.

bennec, bennisch adj. im *banne* befindlich.

bennen swv. vor gericht laden, bringen; bei strafe gebieten.

be-nôte adv. notgedrungen.

be-nôtegen swv. tr. zwingen, bedrängen; intr. =

be-nôten swv. intr. in not sein.

be-nœten swv. bedrängen, in not bringen; notzüchtigen; zwingen, nötigen zu (gen.); *des lîbes b.* in lebensgefahr bringen; *mit gerihte b.* vor gericht laden.

be-nôtzogen swv. notzüchtigen.

be-nücken swv. niederdrücken.

be-nüegede stf. abundantia.

be-nüegelich adj. genügend.

be-nüegen swv. unp. an etw. (gen. od. *mit*) genug haben.

be-nüegen stn. genügen, befriedigung.

be-nüegic adj. *b. an* zufrieden mit.

be-nunnen swv. zur nonne machen.

be-nuomen swv. mit namen nennen, anreden; namhaft machen; urkundlich verheissen.

benzen swv. quälen, beschwerlich fallen (durch bitten od. schelten).

be-oberen swv. erübrigen, gewinnen.

be-quæme adj. passend, tauglich; adv. *bequâme* bequem; schnell, bald (vgl. *bekôme*).

be-quicken, -kucken swv. wieder lebendig machen.

bër swm. bär.

bër stf. blüte, frucht.

ber s. *bœre.*

ber stf. schlag, streich.

ber stnf. die beere.

bêr stm. eber, zuchteber.

be-râmen swv. als ziel (*râm*) festsetzen.

be-ræmen swv. beschmutzen.

be-ranc, -rinc stm. das ringen, streben, handeln.

be-rât stm. rat, bedacht.

be-râten stv. zu *rât* rat: überlegen, anordnen (*eines d. berâten sîn,* es wohl überlegt haben; *einem berâten sîn* ihm mit rat beistehen); refl. mit sich zu rate gehen, sich bedenken (gs. od. nachsatz). sp. auch swv. — zu *rât* vorrat: ausrüsten, unterhalten, sorgen für, womit versehen, versorgen (gs. od. *an, mit*); aussteuern, verheiraten.

bërc, *-ges* stm. berg (*über berge,* über die Alpen, nach Italien; *ze, wider, gegen b.* empor, aufwärts); weinberg; bergwerk.

bërc, *-ges* stmn. umschliessung, verbergung.

bërc-gegene stf. gebirgsland. **-klinge** swf. bergschlucht. **-liute** pl. bergbewohner; arbeiter in einem bergwerke, in einem steinbruche. **-maezic** adj. groß schwer wie ein berg. **-minne** swf. bergfee. **-stele** swf. bergeshöhe (vgl. *himelstele*). **-swære** adj. schwer, drückend wie ein berg. **-vrit** s. *bërvrit*.

bêre, bêr stswm. sackförmiges fischernetz (lat. *pera*).

be-rëchen stv. bescharren.

be-rëchenen swv. berechnen, rechnung ablegen.

be-redbote swm. = *redebote*.

be-reden swv. wovon reden, etw. bereden, mündlich festsetzen; durch mündliche rede gütlich beilegen; wozu (gs.) bereden, wohin bringen; beweisen, dartun (durch eid od. kampf), überführen mit gs.; vor gericht verteidigen, reinigen mit gs.; entschuldigen.

be-redenunge stf. besprechung; entschuldigung, beweislieferung.

be-reder stm. = *redebote*.

be-redet part. adj. *b. sîn* zu reden wissen.

be-redunge stf. verabredung, gütliche beilegung; verleumdung; beweisführung, verteidigung, entschuldigung.

be-reffen, -refsen, -respen swv. tadeln, strafen.

be-rëhten, -rëhtigen swv. vor gericht ansprechen; zum rechtlichen austrag bringen; richten, verurteilen; hinrichten.

be-reichen swv. bis wohin (accus.) reichen; auf sich ziehen, erlangen; erreichen, festhalten.

be-reinen swv. abgrenzen; refl. angrenzen, anstreifen.

be-reit, -(reite) adj. act. bereitwillig, dienstfertig mit dp. u. gs. — pass. bereit gemacht, fertig, zur hand mit dat.; ausgerüstet mit gs. oder *mit*; bar (vom gelde). adv. bereitwillig; schon, bereits; schnell, geschickt; bar. **-schaft** stf. zubereitung, ausrüstung, verpflegung, gerätschaft; bares geld.

be-reiten swv. *bereite* machen, rüsten, bilden, ausrüsten mit gs.; bezahlen (person oder geld); benachrichtigen, kennen lehren mit gs.; herzählen, berechnen; rechenschaft ablegen. refl. mit gs. eingehn auf.

be-rennen swv. überrinnen machen, begiessen; laufen lassen, tummeln; mit heeresmacht angreifen, bestürmen.

be-rêren swv. benetzen.

be-respen s. *bereffen*.

be-retten swv. befreien; schirmen.

bërgeht adj. bergicht.

bërgelîn stn. dem zu *bërc*.

bergelîn stn. dem. zu *barc*.

bërgen stv. bergen, verbergen, in sicherheit bringen.

bergîn adj. von einem schweine (*barc*) herrührend.

bër-haft adj. fruchtbar; schwanger.

bërht adj. glänzend. **-âbent** stm. vorabend des *bërhttages*. **-tac, bërhtac** stm. das fest epiphaniä, ebenso *bërhtnaht*.

bërhtel adj. glänzend.

bërhtel stf. klarheit, reinheit.

be-rîben stv. abreiben.

be-rîchen stv. walten, schalten.

be-rîchesen swv. beherrschen.

be-riezen stv. tr. über etw. hinfliessen, begiessen; beweinen.

be-rîfen swv. mit reif überziehen.

be-rigelen swv. versperren.

be-riht stmf. bericht, belehrung; gütliche beilegung, versöhnung.

be-rihtære, -er stm. ordner, zurechtweiser; friedensstifter.

be-rihtec adj. durch bericht bekannt. **-liche** adv. mit genauer wegbeschreibung.

be-rihten swv. tr. *rëht* machen, in richte bringen, ordnen, einrichten, bilden; *berihtet sîn mit* unter der herrschaft stehn von; unterweisen, belehren; ausrüsten, versehen; bezahlen mit gs. oder doppeltem acc.; bringen, befördern; ausrichten, verleumden; hinrichten (s. *berëhten*). — refl. sich aufrichten, sich in die rechte lage, in den gehörigen stand bringen; sich versehen, ausrüsten, vorbereiten, mit gs. oder präp.; die sterbesakramente empfangen; sich vertragen, friedlich vergleichen; sich abwenden, losmachen von, mit gen.

be-rihtunge stf. verrichtung; bericht, auskunft, auslegung, erklärung, unterweisung, schlichtung, vergleich, vertrag.

berille, barille, brille swm. ein edelstein; brille (gr. lat. *beryllus*).

be-rîmeln swv. mit reif überzogen werden.

be-rimpfen, stv. tr. zu etw. die stirn runzeln.

be-rinc s. *beranc*.

be-rînen stv. berühren.

be-ringe adv. leicht, leichtes sinnes.

be-ringen stv. durch ringen, kämpfen erlangen.

be-ringen swv. umringen; erreichen.

be-rinnen stv. tr. überrinnen; intr. überronnen werden.

be-rîsen stv. befallen, überdecken.

be-rîten stv. tr. reiten auf (weg, pferd); reiten gegen, angreifen; reitend einholen; reitend besichtigen.

be-riuwen stswv. betrübt sein über (gen.), bereuen; in betrübnis versetzen.

be-riz, -riz stm. umkreis, gebiet.

be-rizen stv. umkreisen, umgrenzen.

bërle, përle stf. perle (mlat. *perula*).

bërlen, përlen swv. tropfenweis giessen; mit perlen schmükken, überh. zieren.

ber-lich s. *bärlich*.

bërlîn stn. dem. zu *bërle*.

bermde, bermede stf. barmherzigkeit.

bër-muoter stf. gebärmutter; kolik.

bërn stv. tr. hervorbringen, frucht oder blüte tragen; gebären. — intr. hervorgebracht werden, zum vorschein kommen, wachsen.

bern swv. schlagen, klopfen; kneten, knetend formen; treten, betreten.

bërn stf. abgabe, steuer.

bërnde part. adj. fruchtbar, fruchttragend, schwanger.

bërn-kreiz stm. circulus arcticus; **-spitze** stf. polus arcticus.

be-rœsen swv. mit rosen bestreuen, rot färben.

be-rœsten swv. rösten.

be-rouben swv. berauben.

be-rouchen swv. beräuchern.

be-roup stm. raub.

bêr-swîn stn. zuchteber.

bertinc, *-ges* stm. langbart, klosterbruder.

be-rüefen s. *beruofen*.

be-rüegen swv. angeben, beichten; anklagen.

be-rüemec adj. prahlerisch.

be-rüemen swv. tr. u. refl. sich rühmen, prahlen mit gs. od. nachsatz.

be-rüerde, -ruorde stf. berührung, tastsinn.

be-rüeren swv. treffend bezeichnen; tr. u. refl. rühren, berühren.

be-runnen swv. überschütten.

be-ruoch stm. sorge, rücksicht.

be-ruochen swv. tr. sorgen für (acc. od. *an, umbe*), sich annehmen; womit (gen.) bedenken, versehen, versorgen.

be-ruochunge stf. sorge, pflege.

be-ruof stm. leumund.

be-ruofen stv., **-rüefen** swv. berufen, zusammenrufen; ausrufen, proklamieren; schelten, tadeln; beschreien: bezaubern; anklagen; überschreien. — refl. sich zusammenrufen, versammeln; sich berufen auf (*an, in*), appellieren.

be-rüsten swv. ausrüsten.

bërvrit, bërvrît, bërvride stswm., umged. **bërc-vrit** ein turm zum angriff wie zur verteidigung, bollwerk, befestigtes haus, tribüne (mlat. *perfridus*).

bër-wëlf stm. junger bär.

be-sachen swv. einrichten, ins werk setzen; unterhalten, pflegen, versorgen.

be-sage stf. laut, inhalt.

be-sagen swv. verstärktes *sagen*; von oder über etw. (acc. od. *von*) sagen; ein richterl. gutachten abgeben; bezeugen, bestätigen; dp. zusprechen, bestätigen; ap. aussagen gegen, anklagen, verleumden.

be-samen adv. zusammen.

be-samenen, -samen swv. vereinigen, sammeln; bes. durch versammlung der krieger sich zum kriege rüsten, auch refl.

be-sarken s. *beserken.*

be-saz stm. = *besëz*, belagerung.

be-schaben stv. abschaben, abkratzen.

be-schaden swv. = *beschedigen.*

be-schaffen stv. schaffen, erschaffen; part. *beschaffen* vorhanden, befindlich; durch das schicksal bestimmt.

be-schaffer stm. schöpfer.

be-schalken s. *beschelken.*

be-schalten stv. fortstossen.

be-schamen swv. refl. mit gen. od. infin. sich schämen.

be-scharn stv. bescheren.

be-scharn swv. zuteilen, bestimmen; refl. sich sammeln, eine schar bilden.

be-schatewen, -schetewen swv. beschatten.

be-schatzen, -schetzen swv. mit schwerer steuer, kontribution, lösegeld belegen; nach zahl und wert anschlagen.

be-schatzunge stf. kontribution; lösegeld.

be-schedigen swv. in schaden bringen, beschädigen.

be-scheffec adj. tätig.

be-scheften swv. beschäftigen.

be-schëhen stv. geschehen, durch höhere schickung sich ereignen; mit dat. zuteil werden; widerfahren, begegnen.

be-scheide, -scheiden stf. auseinandersetzung, bestimmung, bedingung.

be-scheiden stv. scheiden, trennen; unterscheiden; entscheiden, schlichten bes. als richter; einrichten, bestimmen, refl. sich einrichten, entscheiden, sich auseinandersetzend einigen; an seinen platz stellen; zu- oder anweisen, bes. als eigentum zuweisen; deutlich berichten, erzählen, benachrichtigen, belehren.

be-scheiden part. adj. bestimmt; klar, deutlich; unterwiesen, belehrt; nach gebühr und umständen handelnd, verständig, klug. **-heit** stf. verstand, verständigkeit; einsicht, vernunft; mündigkeit; befehl, bescheid; richterliche entscheidung; zuerkennung; bestimmung, bedingung; was für das bedürfnis ausreicht. **-lich** adj., **-liche** adv. verständig, gebührlich; deutlich; festgesetzt, bestimmt, bedingt.

be-scheidunge stf. bestimmung, unterscheidende bezeichnung; letztwillige verfügung.

be-scheinen swv. sichtbar werden lassen, zeigen, zu erkennen geben.

be-scheit stmn. bescheid; bestimmung, bedingung.

beschelier s. *betschelier.*

be-schellen swv. betäuben.

be-scheln swv. beschälen, beschneiden; entblössen.

be-schelken, -schalken swv. zum knechte machen; pfänden; betrügen; schelten.

be-schëlten stv. durch tadel od. schmähung herabsetzen, verkleinern; *ein urteil b.* es anfechten, für ungültig, schlecht erklären.

be-schëmen swv. beschämen, in scham od. schmach bringen; schänden, beschlafen.

be-schepfe stfn. geschöpf.

be-schepfen stv. VI benetzen.

be-schepfen, -scheffen swv. schaffen, erschaffen.

be-schepfer stm. schöpfer.

be-schepfunge stf. schöpfung, geschöpf.

be-schërmen s. *beschirmen.*

be-schërn stv. die haare wegschneiden, scheren; refl. sich scheren, sich eine platte (als mönch) scheren.

be-schern swv. zuteilen, verhängen (gott, schicksal); hingeben, aufgeben, verschmähen.

be-schërren stv. beschaben, beschneiden; zu-, verscharren.

be-scherunge stf. zuteilung, bestimmung, verhängnis.

beschetewen s. *beschatewen.*

be-schetzen s. *beschatzen.*

be-schibe adj. leicht rollend, beweglich, klug.

be-schiben stv. tr. sich auf etw. wälzen; mit dp. zuwenden, -teilen.

be-schichten swv. tr. u. refl. durch zuteilung des gebührenden vermögens abfinden.

be-schicken swv. tr. nach einem schicken; durch boten eine geldschuld einnehmen (mit ap. od. as.); stiften, vermachen.

be-schîde adv. gescheit, schlau.

be-schieȥen stv. beschiessen, durch schiessen erproben; zusammenschiessen, vereinigen; techn. mit fußboden belegen; unpers. mit ap. u. intr. mit dp. helfen, nützen.

be-schinden stv. schälen, enthäuten; mit acc. u. gen. berauben.

be-schînen stv. bescheinen.

be-schirm, -schërm stm. schutz, schirm.

be-schirme-hant stf. schutz, obhut.

be-schirmen, -schërmen swv. beschützen, verteidigen (mit gen., *vor, von, wider*).

be-schirmer, -schërmer stm. beschützer.

be-schit, -schiet stm. bescheid.

be-schiuren swv. mit einem schauer überkommen.

be-schiuren, -schûren swv. beschützen.

be-schiȥ stm. betrug.

be-schîȥen stv. bescheissen, besudeln; betrügen.

be-schœnen swv. schön machen, verherrlichen; beschönigen, entschuldigen, rechtfertigen.

be-schouwære, -er stm. (obrigkeitl.) beschauer, besichtiger, prüfer.

be-schoude, -schöude, -schouwe, -schouwede, -schöuwede, -schouwunge stf. anschauung, anblick; anblick den etw. gewährt; obrigkeitliche besichtigung; *tac der beschouwunge* jüngstes gericht.

be-schouwelich adj. contemplativus.

be-schouwen swv. beschauen, betrachten; schauen, sehen, wahrnehmen.

be-schrenken swv. umfassen; einschränken, versperren; durch unterschlagen eines beines zu fall bringen; betrügen, überlisten.

be-schrîben stv. schreiben, aufzeichnen (auch im sinne von proskribieren); beschreiben, schildern; schriftlich auffordern zu kommen.

be-schrîen stswv. beschreien, ins gerede bringen; beklagen, beweinen; ausrufen, verkündigen; anrufen, anschreien bes. vom beschreien der übeltäter.

be-schrîten stv. beschreiten, besteigen (ein pferd).

be-schrôten stv. behauen, beschneiden.

be-schulden swv. beschuldigen; verschulden; verdienen; vergelten.

be-schuldigen swv. anklagen, beschuldigen mit gs.

be-schuochen swv. mit schuhen versehen, beschuhen.
be-schûren s. *beschiuren.*
be-schürn swv. verscharren.
be-schüten swv. beschütten, bedecken; bildl. überwältigen; beschützen; entlasten, befreien.
be-seben stv. mit den sinnen wahrnehmen, inne werden.
be-sëhen stv. beschauen, erblicken; besuchen; worauf sehen, betrachten, untersuchen, prüfen; besorgen, für etw. sorgen; mit etw. (gen.) versorgen; refl. sich vorsehen.
be-sëher stm. = *beschouwer.*
beselîn, baselîn stn. dem. zu *base.*
be-selwen swv. beschmutzen.
bëseme, bësme swm. **bësem** stm. kehrbesen; zuchtrute.
bësemen, bësmen swv. mit besen auskehren; mit ruten züchtigen.
bësem-rîs stn. besenreis, zuchtrute. **-(bësemen)-slac** stm. schlag mit der rute.
be-senden swv. tr. beschicken, holen lassen; refl. sich rüsten, ein heer aufbieten.
be-sengen swv. anbrennen, versengen.
be-senken swv. hinabsenken.
be-sêren swv. verwunden.
be-serken, -sarken swv. in den sarg legen.
be-setzen swv. besetzen; umstellen, umlagern; festsetzen, bestimmen; vor gericht (mit etw.) verweisen; anklagen, gerichtlich ansprechen, in beschlag nehmen (daher *besetzunge* gerichtl. beschlagnahme). — refl. *sich ze wer b.* sich wehren; *sich an einen b.* sich einem zu dienst verpflichten.
be-sëȥ stnm. besitz; belagerung; misswachs (immer in der form *bisëȥ* od. *bisëȥȥe*).
be-sëȥȥen part. adj. besetzt, bewohnt; besessen (vom teufel); *mit der ê b.* verheiratet; belagert; angesessen, begütert. **-heit** stf. wohnsitz; befangenheit, sorge.
be-sibenen swv. mit sieben zeugen überführen.
be-sichern swv. sicher machen, stellen; sichern vor.
be-siffeln swv. tr. über etw. hingleiten.
be-sigelen swv. besiegeln, durch siegel bekräftigen; versiegeln, einschliessen; *besigelteȥ gëlt* vollwichtiges geld; als siegel eingraben.
be-sîgen stv. tr. betropfen, benetzen.
be-sîhen stv. versiegen.
be-siht stf. umsicht, sorgfalt, fürsorge.
be-sihtec adj. umsichtig, besonnen; durch sehen bekannt. **-heit** stf. = *besiht.*
be-sihten swv. besichtigen.
be-sinden swv. auf den weg bringen, ins werk setzen.
be-singen stv. tr. ansingen; mit gesang erfüllen; messe halten auf, in (altar, kirche).
be-sinken stv. hinabsinken.
be-sinnec adj. besonnen.
be-sinnen stv. tr. worüber nachdenken, etw. ausdenken; zur besinnung, zur erkenntnis bringen. — refl. sich bewusst werden, etw. überlegen mit gs.
be-sinnet, -sint part. adj. besonnen; mit überlegung ausgedacht, auf verständige weise gemacht.
be-sippe adj., **-sippet** part. adj. verwandt.
be-sît, -sîte, -sîten adv. beiseits, zur seite.
be-sitzen stv. tr. sich wozu setzen; umstellen, belagern; bedrängen, in not bringen; sich worauf hinsetzen, in besitz nehmen, haben. part. *besat* verteidigt, besiedelt. — intr. sitzen, sitzen bleiben; wohnen; untätig sitzen, unfruchtbar sein.
be-sitzunge stf. besitznahme, besitz, eigentum; belagerung.
be-siuften, -siufzen swv. beseufzen.
be-slac stm. beschlag.
be-slâfen stv. beschlafen, schwängern.
be-slahen stv. auf etw. schlagen; schlagend bedecken, beschütten; beschlagen; mit beschlag belegen; schlagend auf, an etw. befestigen; umschlagen, -schliessen; auf einem vogelherde fangen.
be-slichen stv. beschleichen, heimlich überfallen.
be-slieȥen stv. umschliessen, -spannen, festhalten; ein-, aus-, zuschliessen; festsetzen, beschliessen, zum abschluss bringen.
be-slîfen stv. intr. ausgleiten; plötzlich wohineingeraten; entwischen, entgehen. — tr. gleitend, schleichend berühren.
be-slihten swv. gerad machen, ausgleichen.
be-slipfen swv. ausgleiten.
be-sloufen swv. bekleiden; bedecken.
be-slützen swv. ein-, zuschliessen.
be-sluȥ, -sloȥ stm. ab-, verschluss; beschluss.
be-slüȥȥec adj. verschliessbar, verschlossen.
be-smâhen swv. unpers. mit acc. schimpflich scheinen.
be-smæhen swv. schmach zufügen, beschimpfen.
bësme s. *bëseme.*
be-smiden swv. fest-, einschmieden.
be-smîȥen stv., **-smitzen** swv. beschmeissen, besudeln.
be-snaben, -sneben swv. straucheln, fallen.
be-sneitet part. adj. entästet.
be-sniden stv. beschneiden (bes. die vorhaut), behauen; zurechtschneiden (bes. vom gewande); bekleiden.
be-snîwen, -snîen swv. beschneien.
be-snüeren swv. um-, einschnüren.
be-solgen, -soln swv. besudeln (s. *besulgen*).
be-sorc stm. besorgung.
be-sorgen swv. tr. sorgen für, versorgen mit, beschützen vor; aussteuern; fürchten, befürchten (mit acc. od. gen.). — refl. sich in acht nehmen, hüten; sich versorgen; sich fürchten (mit gen. od. *vor*); *besorget sîn* besorgt, bedacht, in angst sein.
be-soufen swv. eintauchen, ertränken; refl. auch sich tränken.
be-sperren swv. zusperren; sperrend einschliessen, einschliessend zurückbehalten.
be-spinnen stv. umspinnen, umfassen.
be-spîsen swv. mit *spîse* versehen.
be-spîwen stv. I, 2 bespeien.
be-spotten swv. verspotten.
be-spræjen, -spræwen swv. bespritzen.
be-sprëchen stv. mit as. sprechen, sagen; verabreden, anberaumen; mit ap. anreden, mit einem sprechen; von einem etw. (*an, umbe*) bitten, verlangen; beschuldigen, anklagen. — refl. mit gs. sich worüber beraten.
be-spreiten swv. über etw. ausspreiten; bespritzen.
be-sprengen swv. besprengen, bespritzen.
best s. *beȥȥist.*
be-stallen swv. umstellen, belagern (s. *bestellen*).
be-stallunge stf. bestellung, anwerbung; anstellung; verordnung, massregel (s. *bestellunge*).
be-stalt stm. zuweisung zum eigentum oder zum niessbrauch.
be-stân, -stên stv. intr. stehn bleiben, bleiben, aushalten, standhalten mit dp.; *b. ane* bestehn aus; *b. ze* angehören als; *mit einem b.* mit ihm standhalten u. ihm beistehn. — tr. umstehn; auf etw. stehn, es stehend besetzen; sich einem entgegenstellen, um ihn anzugreifen, be- überfallen (bes. von krankheit,

unglück, leidenschaft); an einen herangehn, ihn behandeln; etw. auf sich nehmen, unternehmen, wagen; mieten; erwerben mit gs.; zugestehn mit gs.; *bestanden sîn* zu etw. (gen. od. acc.) verpflichtet sein, bes. zu einer zahlung oder busse.

be-standen part. adj. erwachsen (s. auch *bestân*).

be-stant stm. bestand, dauer; waffenstillstand; pacht, miete; kaution, bürgschaft.

bestætec-heit stf. beständigkeit; bestätigung.

be-staten swv. an eine *stat*, stelle bringen; gestatten, zulassen; einem eine stelle anweisen, ihn einsetzen; etw. an die rechte stelle bringen, anwenden, verwenden; verpachten, -mieten; ausstatten, verheiraten; begraben.

be-stæten swv. fest machen, bestätigen, bekräftigen; sicherheit leisten für; mit beschlag belegen; weidm. *ein wilt b.* aufspüren.

be-stætigen swv. bestätigen; festnehmen.

be-stætigunge, -stætenunge, -stætunge stf. bestätigung, bekräftigung.

be-statunge stf. begräbnis.

beste adv. am besten.

beste stf. *in sîner b. sîn* auf dem höhepunkt sein.

be-stëchen stv. bergm. *den ganc b.* einen erzgang zu bearbeiten anfangen.

be-stecken swv. tr. bestecken; aufstecken; festsetzen, anberaumen; intr. stecken bleiben.

be-stêer stm. pächter, mieter.

be-stellen swv. umstellen, angreifen; besetzen, einsäumen (kleider); zum stehn bringen, einstellen (die feindseligkeiten); bestimmen, anordnen; mit dp. als eigentum zuweisen; zur stelle bringen, besorgen, gewinnen; ordnen, einrichten; refl. sich richten, rüsten.

be-stellunge stf. besetzung; bestellung, anwerbung; anordnung, leitung.

besten adj. s. *bästîn*.

besten swv. binden, schnüren.

be-stendec adj. beständig, dauerhaft; erwachsen (vgl. *bestanden*); beistehend.

be-stentlich adj. sicher.

be-stërben stv. sterben (von erbe und erblasser); tr. den tod eines andern als dessen erbe erleben.

be-sterken swv. stärken; refl. verstärken.

best-houbet stn. das beste stück (vieh, dann auch gewand), das ein gutseigentümer aus der verlassenschaft seines eigenmannes nehmen konnte.

be-stieben stv. mit staub bedeckt sein od. werden.

be-stiften swv. gründen, einrichten, ausstatten; in nutzbesitz, in pacht geben.

be-stillen swv. ablassen *von*.

be-stimmen swv. benennen, bestimmen.

be-stiure stf. besteuerung.

be-stœren swv. zerstören; beunruhigen, verwirren.

be-stouben swv. bestäuben.

be-stôȥen stv. bearbeiten, glätten, hobeln; vollstossen, -stopfen; anfahren, schelten; mit gen.: verstossen *von*, berauben.

be-strâfen swv. zurechtweisen, tadeln.

be-stræjen swv. bespritzen, bedecken.

be-strecken swv. ausspreitend bedecken.

be-strîchen stv. bestreichen, anstreichen; glatt streichen; streichend berühren; befallen, erreichen, einholen, auf etwas stossen, begehen, durchwandern.

be-stricken swv. fangen, fassen, umstricken; refl. sich verbinden, verpflichten.

be-strîten stv. bekämpfen.

be-striuwen s. *beströuwen*.

be-strouben swv. struppig machen; zerpflücken.

be-stroufen swv. bestreifen, streifend verletzen; berupfen, enthäuten, ausziehen; verkürzen, berauben mit gs.

be-ströuwen, -striuwen swv. bestreuen, bedecken; aus-, umherstreuen.

be-strûchen swv. straucheln, zu falle kommen, intr. u. refl.

be-stümbeln swv. verstümmeln.

be-stürzen swv. umstürzen, -wenden, umwendend bedecken, bestreuen; bildl. ausser fassung bringen, bestürzen.

be-süenen swv. sühnen, versöhnen.

be-sûfen stv. versinken, ertrinken; tr. verschlingen (part. *besoffen* u. *besofet*).

be-sulgen, -sulwen, -sülwen, -süln = *besolgen*.

be-sunder, -sundern adj. besonder; vornehm. adv. abgesondert; einzeln; besonders, vorzüglich.

be-sundern swv. absondern, trennen.

be-sungen swv. intr. u. tr. ansengen, -brennen.

be-sunnen part. adj. besonnen.

be-sünnen swv. der sonne aussetzen.

be-suoch stm. das recht einen ort als weideplatz zu benutzen; zinsen von ausgeliehenem gelde (s. *gesuoch*); prüfung.

be-suochen swv. suchen, nach-, auf-, besuchen; bewohnen, benutzen; feindlich anfallen; besichtigen, durch-, untersuchen; versuchen, erproben.

be-suochnisse stf. versuchung.

be-swachen swv. intr. schwach, kraftlos werden; tr. schwach, kraftlos machen.

be-swærde, -swære, -swærnüsse stf. bedrückung, kummer.

be-swæren, -swærden swv. drücken, belästigen, betrüben.

be-swëben swv. betauen.

be-sweifen stv. umfassen.

be-sweifen swv. umgeben, erfüllen mit.

be-sweigen swv. schweigen machen.

be-sweiȥen swv. mit schweiss bedecken.

be-swenken swv. betäuben, berücken, überlisten.

be-swern stv. bitten, beschwören; mit zaubersprüchen bewältigen.

be-swërn swv. mit geschwüren bedecken.

be-swich stm. abgang, schaden; betrug; betrüger. **-swiche** swm. betrüger.

be-swîchen stv. tr. hintergehn, betrügen. — intr. mit dp. nachlassen, ermatten.

be-swîgen stv. verschweigen.

be-swîmen stv. von schwindel befallen werden.

be-swinde adj. u. adv. geschwind.

be-swingen stv. peitschen.

bët, bet s. *bit, bëte, bette*.

be-tagen swv. intr. tag werden; tagen, ans licht kommen, erscheinen; den tag über bleiben, die zeit hinbringen; mit dp. geschehen, widerfahren. — tr. als tag od. wie der tag worauf scheinen; zu tage bringen, gebären; den tag über behalten; den tag zubringen; erleben; auf einen bestimmten tag ein-, vorladen. — refl. alt werden (part. *betaget* ein gewisses alter habend).

bët-, bit-alle adv. durchaus, gänzlich.

be-tasten, -tastelen swv. betasten, befühlen.

bëte, bët stn. bitte, gebet. stf. bitte; gebot; abgabe.

bëte-alter stm. betaltar. **-bære, -haft, -gültic** adj. steuerpflichtig. **-hûs** stn. bethaus, jüd. oder heidn. tempel; oratorium. **-korn** stn. korn als abgabe.

-lich adj. um was zu bitten ziemt; bittend. **-liche** adv. wie zu bitten ziemt. **-liute** pl. zu *bëteman*. **-loch** stn. geheime betstätte. **-man** stm. beter; zinspflichtiger. **-stat** stf. betstätte. **-tâvel** stf. oraculum, propitiatorium. **-(bite)-vart** stf. bittgang, wallfahrt. **-verten** swv. wallfahrten. **-vrî** adj. abgabenfrei. **-wip** stn. bettlerin.

be-teben stv. über etw. fahren, drücken.

be-teidingen swv. (aus *betagedingen*) verabreden, unterhandeln, vertragsmässig feststellen; in einen vertrag einschliessen; vor gericht bringen, gerichtlich anklagen.

bëtel stm. das betteln.

bëtelære, -er stm. bettler.

be-tëlben stv. begraben.

bëtelen swv. betteln.

bëtelî stf. bettelei.

bëtel-ruof stm. gebetlied der bettler. **-vuore** stf. bettelei.

be-telzen swv. besudeln.

bëten swv. bitten (um almosen); beten; anbeten.

be-tërmen, -tirmen swv. bestimmen.

be-tihten swv. schreiben, dichten, verfassen, ersinnen, erdichten; in einem gedichte melden, woraus (acc.) ein gedicht machen; mit überlegung herstellen.

be-timbern swv. verdunkeln.

be-tiuren, -tûren swv. im werte anschlagen, schätzen; unpers. mit acc. u. gen. zu kostbar dünken, dauern.

be-tiurunge stf. bedauern, erbarmen.

be-tiuten s. *bediuten*.

be-tôren swv. intr. zum toren werden.

be-tœren swv. zum toren machen, für einen toren ansehen, erklären, äffen, betrügen; betäuben.

be-touben swv. taub machen, betäuben; entkräften; vernichten; betören, erzürnen; *einen eines d. b.* berauben.

be-touben swv. erzwingen, zustande bringen.

be-touwen, -töuwen swv. intr. sich mit tau bedecken; tr. betauen.

be-trac stm. vertrag, vergleich; erwägung, sorge.

be-tragen stv. tragen, bringen; belegen, beschlagen mit (metallschmuck); ertragen; vollbringen; aussöhnen, beilegen.

be-tragen swv. refl. sich nähren, seinen unterhalt haben (gen., *ab, an, mit, von*); sich behelfen, begnügen; befassen, abgeben mit.

be-trâgen swv. unpers. langweilen, verdriessen, nicht gelüsten mit gs., *umbe* od. abh. satz.

be-trahte, -traht stf. erwägung, überlegung.

be-trahten swv. betrachten; bedenken, erwägen, abschätzen, tr. u. refl.; durch überlegung hindern; ausdenken; der beratung gemäss anordnen; denken an, streben nach.

be-trahtunge stf. innerliche betrachtung und vorstellung; überlegung; das trachten nach etw.

be-trëchen stv. verscharren, verbergen.

be-trehenen swv. beweinen.

be-trehtec adj. überlegend, verständig.

be-trëten stv. tr. kommen zu, angehn, aufsuchen, antreffen, erreichen, überraschen; überfallen, ergreifen.

be-triefen stv. betropfen.

be-triegen stv. verlocken; betrügen, betören, verblenden.

be-triuwen swv. in treue erhalten, schützen.

be-troc stm. betrug.

be-trogen part. adj. verblendet, eingebildet; falsch, betrügerisch.

be-trogenheit stf. verblendung, torheit.

be-trôren swv. beträufeln.

be-troufen swv. dasselbe.

be-trüebede, -trüebesale stf. trübsal.

be-trüeben swv. trübe machen, verdunkeln; betrüben, heimsuchen.

be-trüllen swv. betrügen.

be-truoben swv. intr. trübe, betrübt werden.

be-truop stm. kummer, betrübnis.

betschelier, beschelier stm. knappe, junger ritter (fz. *bachelier*, mlat. *baccalarius*).

betschat s. *petschat*.

bette, bet stn. bett, ruhebett; feld-, gartenbeet.

bette-brët stn. bettstelle. **-dach** stn. bettdecke. **-gespil** swf. bettgenossin. **-gewant,** **-gewæte** stn. bettzeug. **-lachen** stn. bettuch. **-mære** stn. bettgespräch. **-reste** stf. ruhe auf dem bette. **-ris** adj. bettlägerig, krank. **-rise** stm. krankheit. **-siech** adj. = *-ris*. **-spil** stn. = *minnespil*. **-stat** stf. schlafstätte, bett. **-wât** stf. bettzeug. **-zieche** swf. bettzieche, bettüberzug.

bettelîn stn. kleines bett.

betten swv. das *bette* machen mit dp.

be-tûchen stswv. intr. u. refl. mit wasser bedeckt werden, versinken, untergehn; in vergessenheit geraten.

be-tuften swv. mit tau, reif überziehen.

be-tumbelen swv. sinnlos machen.

be-tungen swv. düngen.

be-tunkelen swv. dunkel machen.

be-tunken swv. eintauchen.

be-tuon anv. beschliessen, einschliessen; bescheissen.

be-tûren s. *betiuren*.

be-tützen swv. heimlich hintergehn.

be-twanc, -zwanc stm. zwang, bedrängnis; zudrang, gedränge.

be-twenge stn. bedrängnis.

be-twengen swv. in bedrängnis bringen.

be-twinc stm. zwang, heereszwang.

be-twingen stv. bedrängen, beengen (part. *betwungen* bedrängt, in not und kummer); bezwingen, bändigen; erzwingen, zwingen zu (gen., *an, ûf, zuo*, infin. od. untergeord. satz).

be-twunge stf. *mit b* massvoll.

betwungen-lich adj., **-lîche** adv. erzwungen; mit kummer behaftet. **-schaft, betwungnust** stf. zwang.

be-ûzen s. *bûzen*.

be-vâhen, -vân stv. abs. umfang haben, sich ausdehnen; tr. umfassen, -fangen; in sich begreifen; befurchen; erfassen, einnehmen, arrestieren; erfassen, begreifen, verstehn; anfangen; nötigen, zwingen (part. *bevangen, bevân* ergriffen, umfasst, begabt).

be-vallen stv. intr. fallen, hinfallen; gefallen mit dp. — tr. überfallen; fallend bedecken, ausbreiten über.

be-valten stv. zusammenfalten; umstricken.

be-vâren swv. besorgen, befürchten mit gs.

be-væren swv. intr. sich vorsehen, aufpassen; tr. gefährden.

be-varn swv. einziehen und besitz ergreifen von (*guot, acker* etc.).

be-vëlch stm. übergebung; aufsicht, obhut; befehl.

be-velgen swv. zueignen, übergeben mit dp.

be-vëlhen stv., md. *bevëlen* übergeben, überlassen, anempfehlen, anvertrauen, bes. zum schutze; anheimstellen; als geschäft übertragen, anbefehlen.

be-vellen swv. fällen, zu falle bringen.

be-vestenen, -vesten swv. befestigen; festsetzen, bestätigen; verloben.

be-vilde s. *bîvelde.*
be-villen swv. geisseln.
be-viln swv. mit gs. etw. für gross, bedeutend halten; unpers mit acc. u. gen. zu viel sein, verdriessen.
be-vinde-lich adj., **-liche** adv. empfindend, empfindlich; gewiss, erfassbar. **-lichkeit** stf. empfindlichkeit; sicherheit.
be-vinden stv. finden; erfahren, kennen lernen, vernehmen; empfinden mit gen.
be-vitzen swv. umwinden.
be-viuhten swv. befeuchten.
be-vlammen swv. sp. anzünden.
be-vlëcken, -vlicken swv. becken.
be-vlëhten stv. umflechten.
be-vliezen stv. intr. fliessen; tr. fliessend bedecken, umfliessen.
be-vogten swv. beschützen; einen vormund geben; unterwerfen, bewältigen.
be-vor, -vorne, -vorn adv. räuml. vor, vorn, voraus; zeitl. vorher, vorhin.
be-vriden swv. frieden und schutz verschaffen (*von, vor,* gen.); umfriedigen, umzäunen.
be-vriesen stv. gefrieren.
be-vristen swv. erhalten.
be-vrühtigen swv. den *acker b.* besäen.
be-vüelen swv. fühlen.
be-vüelich adj. fühlbar, eindrucksvoll.
be-vür adv. bevor.
be-wachen, -wahten swv. bewachen.
be-wagen swv. refl. sich bewegen.
be-wæjen swv. anwehen.
be-wanc, -wenke adj. beweglich.
be-wanden swv. bekleiden.
be-wænen swv. beargwöhnen.
be-war, bi-war stf. schutz, bewahrung.
be-wærde, -wære stf. beweis, entscheidung.
be-wære adj. bewährt, zuverlässig.
be-wæren swv. als wahr dartun, wahr machen, beweisen; als wirklich dartun, erproben.
be-warn swv. sorgen für, besorgen, beschützen, bewahren vor, gegen (mit gen., *von, vor*); versehen mit; spez. einem das abendmahl reichen; euphem. begraben; verhüten, abwenden, unterlassen. — refl. mit gs. sich in acht nehmen vor, sich vorsehen.
be-warnen swv. sorgen für, bewahren; versehen mit; refl. sich vorsehen.
be-warten swv. im auge behalten, in acht haben; warten auf mit gs.
be-warunge stf. wahrnehmung, sorgfalt, achtsamkeit; *b. nemen* die sterbesakramente empfangen.
be-waten stv. tr. über etwas schreiten; refl. hineinwaten.
be-wæten swv. bekleiden.
be-wege, -wegede stf. bewegung.
be-wëgelich, -wëgenlich adj. beweglich.
be-wëgen stv. bewegen. — refl. mit gen. sich entschlagen, meiden, verzichten; sich wozu entschliessen.
be-wegen swv. bewegen. — refl. sich auf den weg machen; sich entschliessen.
be-wëgenheit stf. entschlossenheit.
be-wëgenlîche adv. mit festem entschluss.
be-wëgnisse stf. bewegung, beweggrund; entschluss.
be-wëgunge stswf. bewegung, anreizung; beratung, beschluss.
be-weichen swv. erweichen.
be-weinelich adj. zu beweinen.
be-weinen swv. beweinen; mit tränen benetzen.
be-welben swv. wölben.
be-wëllen stv. in od. um etw. wälzen; rings umgeben, versehen; besudeln.
be-wenden swv. nach einer richtung hin wenden; umwenden; verwandeln, gestalten; anwenden, verwenden; zuwenden, übergeben (*zuo einem*). — refl. mit gen. sich von etw. entfernen; part. *bewant* beschaffen, verwandt; *sô bewant* solch.
be-wenke s. *bewanc.*
be-wërben stv. erwerben, anwerben.
be-wërde stf. gewährung.
be-wërden stv. *b. lâzen* gewähren lassen.
be-wërken swv. machen, bauen; mit ap. mit arbeit beschäftigen, versehen.
be-wërn swv. gewähren.
be-wern swv. verwehren, hindern; beschützen, refl. sich schützen.
be-wërren stv. tr. in verwirrung bringen; intr. in verwirrung sein.
be-weten stv. refl. in etwas waten.
be-widemen swv. ausstatten, dotieren.
be-wigen swv. refl. mit gen. sich wozu entschliessen.
be-wilen swv. verschleiern.
be-wîlen s. *bîwîlen.*
be-wimpfen swv. verhüllen.
be-winden stv. umwinden, -wickeln, bekleiden; umstricken, verhüllen, verheimlichen.
be-winnen stv. = *gewinnen.*
be-wirken s. *bewürken.*
be-wis s. v. a. *wîstuom.*
be-wîsen swv. anweisen auf, unterweisen, lehren, belehren mit ap. u. gs. od. dopp. acc.; zeigen, aufweisen, beweisen; überweisen (als lehen), übergeben, bezahlen.
be-wisen swv. besuchen.
be-wîsunge stf. beweis; anweisung, verschreibung; offenbarung; benehmen.
be-witern swv. wie mit wettern bestürmen.
be-worrenheit stf. verwirrung.
be-worten swv. durch worte ausdrücken.
be-würken, -wirken swv. umfassen mit, einschliessen in, umhegen.
be-zaln swv. überzählen, berechnen; als eigen zuzählen, erkaufen, erwerben; bezahlen; abs. den tod erleiden.
be-zeheren swv. beweinen.
be-zeic stn. beweis.
be-zeichenen swv. bildlich vorstellen, mit einem zeichen ausdrücken; bedeuten, vorbedeuten; refl. sich beziehen auf.
be-zeichenheit, -zeichenunge stf. vorzeichen, symbol, bedeutung.
be-zeichenlich adj. sinnbildlich bedeutsam, figürlich.
be-zeichlichkeit stf. *nâch b.* secundum imaginationem.
be-zeigen swv. anzeigen, kund tun.
be-zeinen swv. bezeichnen.
bezel swf. haube.
be-zeln, -zellen swv. erzählen; zu eigen geben, anheimstellen; erwerben.
be-zëlten swv. mit zelten versehen.
be-zëmen stv. *einen b. lâzen,* tun lassen, was ihm ansteht.
be-zern swv. verköstigen.
be-zic stm. beschuldigung.
be-ziehen stv. kommen zu, erreichen, umstricken; überziehen; ein kleid besetzen, füttern; einziehen, an sich nehmen.
be-zieren swv. schmücken.
be-zigen swv., **-zihen** stv. mit gs. beschuldigen.
be-ziln swv. intr. zum ziele kommen, enden. — tr. u. refl. beendigen, zu ende gehn, etwas als ziel erreichen.
be-zimbern swv. bauen, mit gebäuden besetzen.
be-zinnen swv. mit od. wie mit zinnen versehen.
be-zirc stm. umkreis, bezirk.
bezîte adv. bei zeiten.

be-ziugen swv. ausrüsten; durch zeugnis beweisen, überführen.

be-ziugnisse stnf., **-ziugsame, -ziugunge** stf. zeugnis, beweis.

be-ziunen swv. umzäunen; in klausur legen.

be-zoc stm. unterfutter.

be-zoubern swv. bezaubern.

be-zougen, -zöugen swv. zeigen, bezeigen; erklären.

be-zücken, -zucken swv. überlisten, betören; schnell wegziehen.

be-zürnen swv. erzürnen; intr. mit dat. zorn erregen.

be-zwanc s. *betwanc*.

be-zwîveln swv. bezweifeln.

beȥȥer, baȥȥer adj. besser.

beȥȥer-haft adj. straffällig. **-lich** adj. auf besserung anderer gerichtet; zur besserung gereichend.

beȥȥern swv. bessern, verbessern, refl. besser werden; mit dp. vergüten, entschädigen; büssen, strafe wofür (acc.) leiden; bestrafen.

beȥȥerunge stf. besserung, entschädigung, busse; vorteil.

beȥȥist, best adj. best.

bî präp. mit dat. u. acc. räuml. bei, um, an, auf, zu; vor zahlen: an, nahe bei; zeitl. während, binnen, unter; instrum. durch, an; kausal wegen, aus, von, wobei man schwört und beschwört; concess. trotz.

bî adv. bei, dabei, in der nähe, neben, besond. neben einem verb u. dativ (*einem bî gân, komen, ligen, sîn, stân* usw.); *mir wont bî* mir ist eigen.

bibel s. *biblie*.

biben, bibenen swv. beben.

biber stm. biber.

biber-geil stn. bibergeil.

bi-bilde stn. beispiel, gleichnis.

biblie, bibel swf. buch; die bibel (nach gr. lat. *biblia*).

bi-bote swm. hilfsbote.

bi-bôȥ stm. beifuss (pflanze).

bi-bruoder stm. unehelicher halbbruder.

bibunge stf. das beben.

bic, pic, *-ckes* stm. stich, schnitt.

bichen swv. verpichen.

bicke swm. spitzhacke.

bickel stm. spitzhacke, picke; knöchel, würfel.

bickel-meister stm. aufseher beim *bickelspil*. **-spil** stn. würfelspiel. **-stein** stm. würfel.

bicken swv. stechen, picken.

bidemen swv. beben.

bi-derbe, bi-dérbe adj., auch *béderbe, bedérbe*, verkürzt *bider*: tüchtig, brav, bieder, angesehen; brauchbar, nütze.

bi-derben, be-dérben swv. intr. nützlich sein. — tr. nützen, gebrauchen; brauchen, bedürfen; tüchtig, dauerhaft machen; als nützlich empfehlen.

bider-man stm. unbescholtener mann. **-wîp** stn. unbescholtenes weib.

bîe swf. biene (s. *bin*).

bîe stn. bienenschwarm.

bîe-brôt stn. honigfladen.

biec stm. = *bâc*.

biege stf. neigung.

biegel stm. winkel, ecke.

biegen stv. II, 1 biegen, beugen, krümmen.

bieger stm. zänker, streiter (s. *bâgen*).

biegger stm. gleisner (umd. von *begehart*).

bieggerie stf. gleisnerei.

biel s. *bîhel*.

bien swv. nahe sein, sich nähern.

bienst s. *biest*.

bier stn. bier.

bier-briuwe swm., **-briuwer** stm. bierbrauer. **-ouge** swm. ein bürger der das recht hat bier zu brauen und zu schenken.

biese swf. binse.

biest, bienst stm. die erste milch der kuh nach dem kalben.

biet stm. das bieten, gebieten.

biet stfn. gebiet; lager.

bieten stv. II, 2 md. auch *bûten*: bieten, anbieten, darreichen, strecken (*hôhe b.* im spiele einen hohen einsatz tun; *sîn unschulde b.* unschuldig zu sein behaupten; *sich ûf die knie, ûf die erde b.*, niederknien; *eȥ wol bieten* mit dat. freundlichkeit erweisen); gebieten.

biet-stein stm. grenzstein.

biever stn. = *fieber*.

bieȥe f. mangold (lat. *beta*).

bieȥen s. *biuȥen*.

bî-ganc stm. umschweif.

bige f. aufgeschichteter haufe, beige.

bî-giht, -gihte be-giht, bîhte stf. bekenntnis, beichte.

bí-, be-graft stf. begräbnis.

bî-gürtel stm. geldkatze.

bîhel, bîel, bîl stn. beil.

bîhtære, bîhtegære, -er stm. bekenner; beichtvater.

bîhte s. *bigiht*.

bîhtec, bîhtic adj. beichtend.

bîhtegen, bîhten swv. beichten; mit ap. einem die beichte abnehmen.

bîht-vater stm. beichtvater.

bil, *-lles* stm. bellende stimme.

bil, *-lles* stn. steinhaue.

bil stm. der augenblick wo das gejagte wild steht und sich gegen die hunde zur wehr setzt; umstellung durch die bellenden hunde; gegenwehr, kampf.

bî-lant stn. nachbarland.

bilch f. haselmaus.

bildære, -er stm. bildner; vorbild.

bildærinne stf. bildnerin.

bilde stn. bild, werk der bildenden kunst; menschenbild körperbildung, gestalt (*mannes, wîbes b.* mann, weib); gestaltung, art, vorbild, beispiel, gleichnis.

bildec adj. bildlich.

bilde-lich adj. bildlich; sinnlich wahrnehmbar; bildsam, duldsam.

bilde-mâler stm. bildmaler.

bilden swv. mit bildern verzieren; gestalten, nach-, abbilden, vorstellen.

bildenære stm. = *bildære*.

bildenærinne stf. bildnerin, vorstellungskraft.

bildnisse stn. bild, gleichnis.

bildunge stf. bildnis, gestalt; myst. sinnliche vorstellung.

bî-lëger stn. beilager.

bî-leger stm. mithelfer.

bí-leite stn. begräbnis.

bilen swv. bellen. — tr. durch bellen zum stehn bringen.

bilern, biler stm. zahnfleisch.

bilgerîm, -în, pilgerîn stm. pilger, kreuzfahrer; wanderfalke (auch *bilgerîn-valke*; aus mlat. *peregrinus*).

bille s. *bëlle*.

bille stswf. = *bil*, steinhaue.

billen swv. behauen, schärfen.

billian stm. eine mit kupfer vermischte silbermünze.

bil-lich adj. billig, gemäss. **-lich** stm., **-liche** f. gemässheit, billigkeit. **-licheit** stf. *sîn selbes b.* selbstgerechtigkeit. **-liche**, adv. billig, gemäss; von rechts wegen.

bîl-slac stm. beilschlag.

billunc stm. neider, neid.

bilwiȥ, bilwîȥ m. f. n. kobold.

bîmënte s. *pigmënte*.

bimȥ stm. bimsstein.

bin anv. von diesem stamme: *ich bin, dû bis* (*bist*), *wir birn; ir birt*, imperat. *bis*.

bin präp. mit dat. innerhalb, während (s. *binnen*).

bin, bîn stswf. biene (s. *bîe*).

bî-, be-namen adv. im vollen sinne des wortes, wirklich; mit namen, namentlich.

binde swf. binde, band.

binden stv. III, 1 binden, fesseln; verbinden (wunden); *daȥ houbet b.*, das *gebende* anlegen, ebenso *einem b.* (näml. *houbet*); *triuwe b.* verpflichten; *gebunden sîn ze* oder mit gs. verpflichtet sein zu.

binder stm. fassbinder.

binen-bic stm. bienenstich.

bînen-wurm stm. biene.

bine-weide stf. bienenweide.
binez, binz stm. swf. binse.
binge stf. vertiefung, graben.
binlîn, binlin stn. kleine biene.
binnen adv. innerhalb; präp. mit dat. binnen, innerhalb, mit gen. *binnen des* unterdes, während.
bint, -des stm. band, bindung, verbindung.
bint-rieme swm., **-seil** stn. riemen, seil zum binden.
bin-vaz stn. bienenkorb.
bin-wërf stn. messerklinge.
binz s. *binez*.
bir, bire stswf. birne (lat. *pira*, pl. von *pirum*).
birden swv. tragen, hervorbringen.
birec adj. fruchtbar.
bî-rede stf. nebenrede, umschweife.
birge stn. gebirge.
birin stf. bärin.
birkach stn. birkenwald.
birke, birche swf. birke.
birkîn adj. von der birke.
birlinc s. *bürlinc*.
birsære, -er stm. birscher.
birse-hunt stm. jagdhund.
birsen, pirsen swv. birschen, eig. innerh. des parkzaunes (mlat. *bersa*) jagen.
birse-weide stf. jagd.
birs-gewant, -gewæte stn. jagdkleidung.
bis imperat. s. *bin*.
bîsant, bysant, bîsantinc, bisanzer stm. goldmünze (v. Byzanz).
bî-sæze, -sëzze swm. beisasse, einwohner der nicht bürger ist.
bî-schaft stf. belehrende geschichte, fabel; ausdeutung einer solchen; vorzeichen, vorbedeutung.
bischof, bischolf, -ves stm. bischof (gr. lat. *episcopus*).
bisch-, bis-tuom stn. (statt *bischoftuom*) bistum.
bîse, pîse stf. erbse (mlat. *pisa*).
bîse f. nord-, ostwind.
bisem swstm. bisam (mlat. *bisamum*, hebr. *besem*).
bisemen swv. mit *b.* versehen.
bisen swv. intr. rennen wie von bremsen geplagtes vieh.
bisesche stf. sack, tasche.
bî-sëz, -sëzze s. *besëz, bîsæze*.
bî-sitzer stm. beisitzer; s. v. a. *bîsæze*.
bî-slac stm. nebenschlag; abfall beim schlagen, etw. geringfügiges; nachgeschlagene schlechtere münze.
bî-slâfe stf. beischläferin.
bî-slëht adj. ganz gefüllt.
bis-mânôt stm. august.
bî-sorge f. fürsorge; seelsorge

bî-spël stn. zur belehrung erdichtete geschichte, fabel, gleichnis, sprichwort.
bî-sprâche stf., **-spræche** stn. verleumdung.
bî-sprëcher stm. verleumder.
bî-spruch stm. sprichwort.
bisse swm. feines gewebe (gr. lat. *byssus*).
bî-stal stn. die türpfosten.
bî-stant stm. beistand, hilfe.
bî-stender stm. augenzeuge; helfer, genosse.
bit stn. gebet.
bit s. *biz*.
bit, bët präp. md. statt *mit*.
bît stn. verzug.
bî-tal stn. convallis.
bit-alle s. *bëtalle*.
bite bit, bîte bît stf. das verweilen, zögern.
bitec adj. zaudernd, zögernd.
bitel stm. der eine bitte vorbringt, freier, freiwerber.
bitelen swv. bitten, werben.
bîte-lôs adj. nicht zum warten geneigt, ungeduldig.
biten, bitten stv. V bitten mit ap. (auch dp.) u. gs.; laden; vor gericht laden; dp. eine bitte, ladung vorbringen; für einen bitten (näml. gott), wünschen mit gs.; heissen, befehlen.
bîten stv. I, 1 verziehen, warten.
biter, bitter stm. der bittet, bettler; bewerber, freier.
bite-vart s. *bëtevart*.
bî-trit stm. fehltritt.
bitter adj. bitter.
bitter, bittere stf. bitterkeit.
bitterkeit stf. (aus *bitterecheit*) bitterkeit; bittres leid.
bittern swv. intr. bitter sein. — tr. bitter machen.
bitze stf. md. baumgarten.
biuche stf., **bûche** m? lauge, laugebad; bildl. pein, qual.
biuchelîn, biuchel stn. kleiner bauch.
biuchen, bûchen swv. mit lauge waschen, figürl. verweis geben, strafen.
biuge stf. krümme, biegung.
biule stswf. beule.
biu-, bû-lich adj. adv. baulich; *b. sitzen*, häuslich angesessen sein.
biunte, biunde stswf. freies, besonderem anbau vorbehaltenes und eingehegtes grundstück, gehege.
biurisch adj. bäuerisch.
biuschen, bûschen swv. schlagen, klopfen.
biute f. backtrog; bienenkorb.
biute stf. beute (nd.).
biutel stmn. beutel (mehl-, geldbeutel), beutelsieb, tasche.
biuteln swv. durch einen beutel (mehlbeutel) sieben, sichten.

biutel-snîder stm. beutelschneider.
biuten, bûten swv. beuten, erbeuten, beute machen, rauben; tauschen, handeln.
biutigen swv. erbeuten.
biutunge stf. beute, erbeutung; tausch.
biuwen s. *bûwen*
biuz, bûz stm. schlag, schmiss.
biuzen, bûzen, biezen stv. III schlagen, stossen.
biuzen swv. hauen, behauen.
bî-vanc stm. umfang, das von den furchen eingefasste ackerbeet; bezirk, gemarkung, grenze; vorbehalt.
bí-velde, be-vilde stf. (ält. form *bevilhede*) leichenbegängnis, totenfeier.
bî-velt str. benachbartes feld, umgebung.
bí-vilden swv. begraben.
bî-vride stm. waffenstillstand.
bi-wandel stm. umgang.
biwar s. *bewar*.
bî-wëc stm. nebenweg, bildl. nebenerzählung.
bî-wësen stn. beisein, gesellschaft.
bi-, be-wîlen adv. bisweilen.
bî-woner stm. bei-, mitwohner.
bî-wort stn. nebenwort, adv.; gleichnisrede; sprichwort.
biz konj. u. präp. bis, md. auch *bit*.
biz stn. die gebissene wunde; gebiss des pferdes.
biz, biz stm. biss; bissen; stich.
bîz stm das beissen.
bîze swm. zuchteber (bissiges tier).
bî-zeichen stn. bedeutung; zur erklärung oder nachahmung dienendes beispiel.
bîzen stv. II beissen, stechen.
bî-ziht stf. beschuldigung.
bî-ziune, -zûne stn. eingezäuntes grundstück.
bi-zunge stf. doppelzunge, verleumderische zunge.
bizze swm. bissen; schliessen des mundes zum beissen; der keil
blâ, -wes adj. blau.
blâ s. *blahe*.
blach adj. = *vlach*.
blâch stmn. das wehen, blähen.
blach-, bla-mâl stn. nielloverzierung.
blâdem stm. das blähen.
blahe, blâ swf. grobes leintuch; plane.
blæjen, blægen, blæwen, blæn, blâgen, blâhen, pflâgen swv. intr. blasen. — tr. u. refl. blähen, aufblähen; schmelzen und durch schmelzen bereiten.

blæjen, blægen, blæn swv. blöken.

blâ-licht adj. blauglänzend. **-slac** stm. blaue flecke verursachender schlag. **-var** adj. blaufarbig. **-vuoȥ** stm. blaufuss, eine falkenart. **-weitin** adj. waidblau.

bla-mâl s. *blachmâl.*

blâmensier, blâmentschier stm. eine art speise (fz. *blanc manger*).

blanc adj. blinkend, weiss glänzend schön.

blanden redv. 1, trüben, mischen, getränk mischen, bildl. anstiften.

blangen s. *belangen.*

blanke s. *planke.*

blanken swv. *blanc* sein, glänzen.

blaphart stm. eine art groschen.

blas adj. kahl; bildl. schwach, gering, nichtig.

blas stn. brennende kerze, fackel.

blâs stm. hauch.

blâsære, -er stm. bläser.

blâse swf. blase bes. harnblase.

blâsen redv. 2 blasen, hauchen, schnauben.

blasenieren, blesenieren swv. ein wappen ausmalend schmükken, es auslegen (fz. *blasonner*).

blasse stf. weisser fleck bes. an der stirn der tiere.

blâst stm. das blasen, schnauben; die blähung; bildl. zwist.

blâstern swv. schnauben.

blæstic adj. aufgeblasen.

blat stn. blatt, laub; blatt im buche; halszäpfchen.

blate, plate swf. metallner brustharnisch, plattenpanzer; felsplatte; schüssel; glatze, bes. die tonsur der geistlichen; pers. geistlicher, mönch (mlat. *plata*).

blaten swv. intr. auf dem blatte pfeifen. — tr. pflücken; entlauben.

blatenære, blatner stm. verfertiger des plattenpanzers; geistlicher, mönch.

blâtere swf. blase, blatter; pocke; wasser-, harnblase.

blâter-pfîfe swf. dudelsack. **-spil** stn. spiel auf dem dudelsacke.

blate-vuoȥ stm. plattfuss.

blatîse f. plattfisch (mlat. *platessa*).

blatzen, platzen swv. intr. geräuschvoll auffallen. — tr. schlagen.

blæwe stf. bläue.

blæwen s. *blæjen.*

blæwen swv. *blâ* machen.

blaz, plaz stm. platschender schlag.

blâȥen swv. blöken.

blëch stn. blättchen, metallblättchen; zierat auf der weibl. kleidung; pl. plattenpanzer.

blech stm. ebener raum, fläche (zu *blach*).

blëchîn, blëchen adj. von blech.

blëch-wërc stn. geräte von blech; blechbeschläge.

blecken swv. intr. sichtbar werden, sich entblössen. — tr. sehen lassen, zeigen.

bleczen swv. blitzen.

bleich adj. bleich, blass.

bleiche stf. blässe; das bleichen von leinwand usw.; bleichplatz; gebleichte leinwand.

bleichen swv. intr. bleich werden. — tr. bleich machen, bleichen.

bleich-sal adj. schmutzig blass. **-var** adj. bleich v. farbe.

bleie swf. bleie (fisch).

blenden swv. blenden, verblenden, verdunkeln. — refl. verblendet, verstockt sein.

blenke adj. = *blanc.*

blenke stf. weisse farbe, schminke.

blenkeln swv. hin und her bewegen.

blenken swv. *blanc* machen; hin u. her bewegen, schweben; intr. unstät umherfahren.

blenkezen swv. intens. zu *blenken.*

blêren, blerren swv. blöken, schreien.

blerre stn. = *geblêre.*

blerre stn. falsches und doppeltes sehen.

blesenieren s. *blasenieren.*

blesseht, blesset, blessic adj. mit einer *blasse* (auf der stirne) versehen.

blesten swv. klatschend auffallen, platschen.

bletelîn, bletel stn. dem. zu *blat.*

bleteren swv. blättern.

bletzen swv. einen flicken aufsetzen; pfropfen.

bletzern swv. flicken.

blez, *-tzes* stm. lappen, flicken, fetzen; streifen landes, beet.

blî, *-wes, -ges* stnm. blei; richtblei.

blîalt, blîant, blîât stm. golddurchwirkter seidenstoff (prov. *blial,* afz. *bliaut*).

blîben s. *belîben.*

blic, *-ckes* stm. glanz, blitz, blick der augen, anblick (*ze blicke* für den anblick).

blîche adj. bleich.

blîche swf. ort zum bleichen der wäsche.

blîchen stv. I, 1 glänzen; erröten.

blîchern swv. blank machen.

blicken swv. blicken, glänzen.

blic-lich adj. glänzend.

blic-schôȥ stnm. blitzstrahl.

blicz stm., **blicze** swm. blitz.

bliczen swv. blitzen.

blîde adj. froh, heiter, freundlich; artig, sittsam.

blîde stf. freude.

blîde stswf. steinschleuder.

blîdec, blîdec-lich adj. = *blîde.*

blîden swv. sich freuen (s. *erblîden*).

blîdenære stm. steinschleuderer.

blîden-hûs stn. geschützhaus.

blîde-keit, -schaft, blîschaft stf. freude, fröhlichkeit.

blîen swv. mit blei beschweren; bildl. betäuben.

blîjîn, blîgîn, blîgen, blîen adj. bleiern.

blî-kiule swf., **-kolbe** swm. bleikeule. **-kloz** stm. bleikugel. **-masse** f. bleiklumpen. **-var** adj. bleifarbig. **-weich** adj. weich wie blei. **-zeichen** stn. bleisiegel.

blinde stf. blindheit.

blindec-heit, blindekeit stf. blindheit; verfinsterung.

blinden swv. blind werden; tr. = *blenden.*

blint, *-des* adj. blind (mit gen. od. *an*); dunkel, trübe; versteckt, nicht zu sehen, nichtig. **-heit** stf. blindheit, mangel. **-liche** adv. unvorsichtig. **-rich** stm. blindheit. **-slîche** swm. blindschleiche.

blinzeln, blinzen swv. blinzeln.

blîschaft s. *blîdeschaft.*

blitze swm. blitz.

blitzen swv. leuchten, blitzen; blitzschnell sich bewegen, hüpfen.

bliuc s. *blûc.*

bliuge stf. = *blûc-heit.*

bliugen swv., md. *blûgen* einschüchtern, verlegen machen.

bliuwât stf. das prügeln.

bliuwe stf. hanfreibe; stampfmühle.

bliuwel stm. bläuel; stampfmühle.

bliuweln, bliulen swv. mit dem *bliuwel* schlagen.

bliuwen stv. II, 1 bläuen, schlagen.

blî-visch stm. blei, bleie.

bloch, bloc stn. holzklotz, block; bohle; eine art falle.

blocken swv. ins *bloch* setzen.

blœde adj. ge-, zerbrechlich, schwach, zart; zaghaft.

blœde, blœdekeit stf. gebrechlichkeit, schwäche, zagheit.

blœdec-, blœde-liche adv. zaghaft.

blôdern, plôdern swv. intr. rauschen. — tr. plaudern, ausplaudern.

blôȥ adj. nackt, unverhüllt, entblösst; nicht gewaffnet; unvermischt, nichts als, **bloss**; entblösst von, rein von mit gs. od. *von, vor.*

blœȥe stf. blösse, nacktheit (bartlosigkeit); freier, offener platz im walde.

blôȥen swv. *blôȥ* sein.

blœȥen swv. *blôȥ* machen; entkleiden.

blôȥ-heit stf. nacktheit, unverhülltheit (der abstrakte und absolute zustand).

blœȥ-liche adv. unverhüllt, offenbar; gänzlich.

blûc, bliuc, *-ges* adj. zaghaft, schüchtern, verlegen, unentschlossen.

blûc-heit, bliukeit stf. schüchternheit. **-(bliuc)-lich** adj. = *blûc.* **-(bliuc)-liche** adv. auf verlegene, schüchterne, zaghafte art.

blüe, bluo stf. blüte.

blüegeln, blüegen swv. brüllen.

blüejen, blüegen, blüewen, blüen swv. intr. blühen; tr. als blüte tragen, blühen machen.

blüemelîn, blüemel stn. blümchen.

blüemen swv. mit blumen od. überh. schmücken, verherrlichen.

blüemîn adj. von blumen; mit blumen geschmückt.

blüete-rîsel stn blütenzweiglein.

blüewen s. *blüejen.*

blûgen swv. *blûc,* schüchtern werden, ermatten (s. *bliugen*).

bluhen swv. brennen, leuchten.

blunder, plunder stswm. hausgerät, kleider, wäsche, bettzeug.

blunsen swv. aufblähen.

blunst stm. blähung.

blunt, *-des* adj. blond (fz. *blond*).

bluo s. *blüe.*

bluom-besuoch stm. viehtrieb, weiderecht. **-ôstern** pl. palmsonntag (auch *bluom-ôstertac*). **-var** adj. von blumen bunt, bunt wie blumen.

bluome swmf. blume, blüte (*Kristes b.n* die wundmale Christi), bildl. das schönste, beste seiner Art; jungfrauschaft, menstruation; nutzen, ertrag eines landguts (bes. an gras und heu). **bluomen** swv. blumen treiben, blühen. **bluomen-kranz** stm. *aller manne schoene ein b.* das höchste an mannesschöne. **-suoch** stm. = *bluombesuoch.* **-schîn** stm. blumenglanz übertr.

bluost stf. blüte.

bluot, stmf., **blüete** stf. blüte

bluot, pluot stn. blut; blutfluss; blutsverwandtschaft, stamm. geschlecht; blutsverwandter; lebendes wesen, menschen.

bluot-ban stm. gerichtsbarkeit über leben und tod. **-gieȥer** stm. blutvergiesser, **rôtvar** adj. blutrot gefärbt. **-runs, -runst** stmf. blutfluss, blutige wunde. **-runs, -runsic** adj. blutig wund. **-suht** stf. blutfuss. **-var,** sp. **-verwic** adj. von blut gefärbt, blutfarbig. **-zëhende** swm. viehzehnte.

bluotec adj. blutig (*bluotiger phenning* busse für einen totschlag). -var adj. = *bluotvar.*

bluoten swv. blühen.

bluoten swv. bluten.

bluoten swv. opfern.

bluotigen swv. blutig machen.

blut adj. bloss, nackt.

bobe, bobene, boven, bobenthalben adv. u. präp. mit dat. oben, oberhalb.

boc-, *-ckes* stm. bock; hölzernes gestell; ramme; ein musikal. instrument; sternbild; *böcke* hiessen auch knechte, die in fehden dienten.

bochen, puchen swv. pochen, trotzen; plündern.

boch-wort stn. trotzwort.

bocken swv. intr. niedersinken; gebeugt sein. — tr. u. refl. niederlegen.

bocken, böcken, pucken swv. stossen wie ein bock; stinken wie ein bock; als kriegsknecht (s. *boc*) dienen; spielen, mit karten spielen.

böckezen, bückezen swv. wie ein bock springen und stossen.

böckisch adj. u. adv. nach art eines bockes, unziemlich.

bodem, boden stm. boden, grund; kornboden, -haus; schiff, floss; fleisch vom hintern teile, bodenstück.

bogære stm. bogenschütze.

boge swm. bogen (die waffe); halbkreis; regenbogen; sattelbogen.

bogen swv. intr. einen bogen bilden, in bogen sich bewegen; in bogen fliessen, springen (von blut und wunden). — tr. zu einem bogen machen.

bogenære stm. bogenschütze; bogenmacher.

bogen-rëht stn. berechtigung zum wollschlagen. **-(bog)-rucke** adj. höckerig. **-schuȥ** stm. bogenschuss; bogenschussweite. **-strange** swf. bogensehne. **-zein** stm. pfeil.

boge-stal stn. bogenschussweite. **-ziehære** stm. bogenspanner.

bog-wunde swf. fliessende wunde (s. *bogen*).

boien swv. in fesseln legen.

boije, boye, bole, beie, beige swfm. fessel (lat. *boja*).

bole swf. bohle.

boler stm. wurfmaschine; böller.

bolle stf. nachmehl, gebäck aus solchem (mlat. *polen, -inis*).

bolle swf. knospe; kugelförmiges gefäss.

bollen, bollern swv. poltern.

boln swv. schreien, blöken

boln swv. rollen, werfen, schleudern; kunstvoll anbringen.

bolster, polster stm. polster.

bol-wërc stn. wurfmaschine; bollwerk.

bolz stm. brei, mehlbrei (lat. *puls, pultis*).

bolz stm., **bolze** swm., bolzen; lötkolben; schlüsselrohr.

bolz-gevidere stn. gefiederter pfeil.

bôm, bôn s. *boum.*

bône stswf. bohne; etw. wertloses, geringes.

bônît stn. mütze (fz. *bonnet*).

bôn-sât stf. mit bohnen bestelltes feld.

bor n., **borer** stm. bohrer.

bor stfm. oberer raum, höhe.

bor, bore zusammenges. mit adj. u. adv. steigernd: gar, sehr od. ironisch verneinend (z. b. *boregrôȥ* sehr gross, klein).

bôr stm. trotz, empörung.

bor-büne stf. emporkirche.

borc, *-ges* stm. borg; das erborgte, entliehene; bürgschaft.

bœre stf. höhe, erhebung.

bœren swv. erheben.

borge s. *bürge.*

borge stf. aufschub.

borgen swv. mit gs. worauf acht haben; mit einem (dat.) in bezug auf etw. (gen.) nachsicht haben, ihn (dat.) schonen, ihm zahlung erlassen; einem etw. anvertrauen, borgen; borgen, entlehnen von einem (*von, ze*); schuldig bleiben, unterlassen; ermangeln, arm sein mit gen. od. *an*; bürgen, fristen; bürge sein für (acc.), verbürgen. — refl. mit gs. entschlagen.

borke swf. rinde (nd.).

bor-kirche stf. die emporkirche.

born s. *burne.*

born swv. bohren.

bornen s. *burnen.*

borst stnm., **borste** swf. borste (s. *burst*).

borsten swv. mit borsten versehen.

bort stmn. rand bes. schiffsrand, bord.

borte swm. rand, einfassung, besatz; ufer; band, borte, schildfessel, gürtel.

borte s. *porte.*

börtelîn stn. dem. zu *borte.*

bort-sîde f. seide, woraus borten verfertigt werden.

börzel s. *bürzel.*

bosch, bosche s. *busch.*
bœse, bôse adj. böse, schlecht, übel, gering, wertlos, gemein (nicht von adel), schwach, geizig u. ä. (gegensatz *biderbe, edel, milte, rîche*).
bœse stf. schlechtigkeit, bosheit.
bôsen, bœsen swv. intr. u. refl. schlecht werden oder sein; böses tun.
bœsern swv. intr. schlechter werden. — tr. schlechter machen; ärgern. — refl. sich verschlechtern.
bœse-wiht stm. verachteter und verächtlicher mensch.
bôsheit stf. wertlosigkeit, nichtigkeit; schlechte eigenschaft, böses denken und handeln, böses; geiz.
bœs-lîche adv. auf schlechte weise; iron. wenig, gar nicht. **-willigen** swv. malignari.
bœsunge stf. schlechtmachung, ärgernis.
bot stn gebot; eine partie im spiel; versammlung aller mitglieder einer zunft; *al bot* jedesmal; *diu brôt des botes* panes propositionis.
bot-bære adj. botmässig.
bot-dinc stn. das gebotene gericht.
bote swm. bote (*mehtige, gewisse boten* bevollmächtigte); als schachfig. achte *vende.*
botech stm. rumpf, leichnam.
botech, boteche, püttich stm. swf. bottich.
botecher stm. büttner.
botelîn stn. dem. zu *bote.*
boten swv. bote sein, verkündigen.
boten-brôt stn. botenlohn; nachricht. **-miete** stf. botenlohn.
bote-, bot-schaft stf. botschaft, bestellung; verheissung des ewigen lebens; bericht; vollmacht; ausserordentliche (gebotene) gerichtssitzg. **-schaften, -scheften** swv. eine botschaft ausrichten, verkündigen
bot-, boȥ-schuoch stm. eine art grober schuhe.
botwar swf. schmähung, verleumdung.
botwære stm. verleumder, schmäher.
botwæren, botwarn swv. schmähen, verleumden.
botwarer stm. = *botwære.*
bou s. *bû.*
bouc, *-ges* stm. ring, spange, kette bes. hals- oder armring (als schmuck); fessel.
bouchen stn. zeichen, vorbild; bedeutsames ereignis.
bouge swf. beugung, neigung; s. v. a. *bouc.*
böugen swv. biegen, beugen; techn. von der arbeit in getriebenem metalle.
bouke swf. = *pûke.*
boum stm. (auch *boun, bôm, bôn, bâm*) baum; stammbaum; stock zum festlegen gefangener; stange; lichtstock, leuchter; totenbaum, sarg. **boum-garte** swm. baumgarten. **-klimmer** stm. baumkletterer. **-zaher** stm. baumharz. **boumelîn, böumel** stn. kleiner baum. **boumen** swv. mit bäumen bepflanzen. — refl. sich bäumen.
boumîn, böumîn adj. hölzern.
bouwen s. *bûwen.*
bovel, povel stmn. volk, leute (afz. *poblus*, lat. *populus*).
boye s. *boije.*
bôȥ, boȥ stnm. schlag, stoss.
bôȥe, boȥ m. kurzer stiefel.
bôȥe swm. flachsbündel; geringerer knecht, bube.
bôȥeln swv. klopfen, schlagen.
bôȥen redv. 5 u. swv. schlagen, klopfen; kegel spielen; würfeln.
bôȥer stm. kegelspieler.
bôȥ-kugel swf. kegelkugel.
bôȥolt stm. *den b. treten* obsc.
boȥ-schuoch s. *botschuoch.*
brâ stswf. pl. *brâ, brâwen, brân*: wimper, braue.
brach stm. gekrach, lärm.
bræch, præch stn. gepräge.
brâche stf. umbrechung des bodens nach der ernte; umgebrochen liegendes, unbesätes land.
bræche stf. das brechen, abbrechen, absetzen.
brachen stn. = *brach.*
brâchen swv. in den zustand der *brâche* bringen.
bræchen, præchen swv. prägen.
brâch-mâne swm., **-mânôt** stm. brachmonat, juni.
brâchôt stm. zeit der brache, brachmonat.
bracke swm. spür- und spielhund (fz. *braque*).
bracken-seil stn. seil, woran der *bracke* geführt und geleitet wird.
brâdem, bradem stm. dunst; dem. **brædemichîn** stn. hauch.
brâdemen swv. dunsten, dampfen.
bræhen swv. tr. riechen.
brahsem, brasme, bresme, prähsen, prechsen swm. brasse, fisch.
braht stmf. lärm, geschrei, prahlerei.
brahten swv. lärmen.
brâlîn stn. dem. zu *brâ.*
brâm-ber stn. brombeere; stf. brombeerstrauch.
brâme swm. dorn-, brombeerstrauch; swf. holz.
branc, pranc, *-ges* stm. das prangen, prunken, prahlen.
brangen, prangen swv. prahlen, sich zieren.
branger s. *pranger.*
brankieren, brangieren swv. prunken.
brant, *-des* stm. feuerbrand, brennendes holzscheit; feuersbrunst, brennen (*heres brant* verwüstung durch ein heer); branddrohung, brandlegung, brandmarkung; brand des silbers; das blitzende schwert.
brant-lich adj. *brantlichiu pîn*, feuersnot.
brant-schatzen swv. raub und brand erlassen und dafür kontribution auferlegen
bras, *-sses* stm. schmaus, mahl.
brasem stm. gaumen; gestank.
brâ-slac stm. schlag mit den augenwimpern, augenblick.
brassel, bressel stf. armschiene (frz. brachille).
brast stm. geprassel; das prunken, prahlen; hervorbrechender drückender kummer.
brastel stm. geprassel.
brasteln, prasteln, brasten swv. prasseln.
brât stn., **brâte** swm. fleisch, weichteile am körper; braten.
brâtære stm. bratenwender.
braten swv. plaudern.
brâten redv. 2 braten.
bratsche swf. schmucknadel (fz. *broche*).
brât-spieȥ stm. bratspiess; bohrschwert (auch *brâtmëȥȥer*).
bræwen swv. mit einer *brâ* umgeben, verbrämen.
braȥȥeln, brasseln swv. = *brasteln.*
brëch stn. glanz (vgl. *brëhe*).
brëche swm. gebrechen; der brechende (nur in komposs.).
brëche stf. flachsbreche; riss, kluft.
brëchel, brëcher stm. der brechende (in komposs.).
brëchen stv. V intr. entzwei brechen, zerbrechen; gewaltsam od. plötzlich dringen; sich verbreiten. — tr. u. refl. brechen reissen, pflücken, losbrechen, sich lösen von, dringen auf usw. (*rîme brëchen* die verse verderben oder die durch den reim verbundenen verse syntaktisch trennen). — refl. sich quälen; erbrechen; unp. fehlen, mangeln *an.*
breckelîn stn. dem. zu *bracke.*
breckin stf. hündin.
bredigære, brêger, bredier stm. prediger, predigermönch.
bredigât, -e stswf. predigt.
bredige, predige, brêge stswf. dasselbe.

bredigen, predigen, brêgen swv. predigen (lat. *praedicare*).
bredige-stuol stm. kanzel.
brëgen stn. hirn.
brëglen swv. braten, schmoren; murren, schwatzen.
brëhe stf., md. *brëche* erscheinung, glanz.
brëhen stv. V u. swv. plötzlich und stark leuchten, glänzen, funkeln; schallen.
brëhen stnm. glanz, schimmer.
breht stm. lärm, zank, wortwechsel; schwätzer.
brehten swv. = *brahten.*
breit adj. ausgebreitet (arme); weit ausgedehnt, breit (mit gen. des masses); bildl. weit verbreitet, gross, berühmt.
breite, breiten stf. breite, breiter teil; acker.
breiten swv. intr. breit werden; tr. u. refl. breit machen, breit hinlegen, ausdehnen, verbreiten, weithin bekannt machen.
brellen swv. brüllen.
brëm stn. verbrämung; rand, einfassung.
brëme, brëm swm. bremse, stechfliege.
brëme swf. dornstrauch.
brëmen stv. III, 2 brummen.
brëmen swv. verbrämen.
brëmen, prëmen swv. quälen.
bremse swf. klemme, maulkorb.
brenge stn. gepränge.
brengen s. *bringen.*
brenken swv. prangen, stolz dahinstürmen.
brennære, -er stm. der ein gebäude anzündet, ein land mit feuer verwüstet.
brenne stf. feuer, flamme.
brennen swv. anzünden, mit feuer verwüsten; destillieren, durch schmelzen läutern; durch br. härten. — intr. = *brinnen.*
brenn-wit stn. brennholz.
brente swf. hölzernes gefäss, bottich (it. *brenta*).
brêse swf. fischernetz.
bressel s. *brassel.*
brëst, brëste stswm. mangel, gebrechen; schaden.
brëstec adj. gebrechlich.
bresteline, -ges stm. gartenerdbeere.
brësten, bresten, stv. IV intr. brechen, reissen, bersten, gewaltsam od. plötzlich hervordringen; unpers. mit dp. u. gs. mangeln, gebrechen.
brëst-haft adj. mangelhaft.
brët stn. brett, schild; spiel-, zahl-, leichenbrett; strafbank.
brëtelîn, brëtel stn. kleines *brët.*
brëten stm. grosser balken.
bretsche swf. die äussere grüne schale der nüsse; ein längenmass.
brët-spil stn. spiel auf dem brett.
brëtten stv. III, 2 ziehen, zücken; weben.
bretten swv. ziehen, spannen.
bri, brîe stswm. brei, hirse.
brich stm. bruch.
brîdel, britel stmn. zügel, zaum.
brîden stv. I,1 flechten, weben.
brief, -ves stm. brief (liebesbrief), urkunde, überh. geschriebenes; bildl. *mundes brieve* aussprüche (lat. *breve*).
brief-vaz stn. brieftasche.
brieschen swv. schreien.
brieve-lîchen adv. schriftlich.
brievelîn, brievel stn. kleiner brief, zettel; amulett.
brieven swv. schreiben, aufschreiben.
briever stm. schreiber.
briezen stv. II, 2 anschwellen, knospen treiben.
brille s. *berille.*
brimme stf. heide, ginster.
brimmen stv. III, 1 brummen; brüllen.
bringen, md. *brëngen, brengen* anv. bringen, vollbringen, machen (*inne, innen br.* mit gs. inne werden lassen, kennen lehren; *enein b.* vereinbaren; *bringen ze* verändern in; *ez umbe einen br.* sich um einen verdient machen); be-, erweisen
bringenie stf. was gebracht wird.
brinnec, brinnendec adj. brennend, glühend.
brinnen stv. III, 1 brennen, leuchten, glänzen, glühen.
brîse stf., **brîsem** stm. einfassung, einschnürung an kleidungsstücken.
brîsen stv. I, 1 u. sw. schnüren, einschnüren, einfassen.
brîs-schuoch stm. schnürschuh. **-vadem** stm. schnürband.
brist stm. = *brëst.*
britel s. *brîdel.*
britelen swv. zügeln.
britel-rëht stn. zaumgeld.
britze stf. pritsche.
britzel-meister stm. die pritsche führende, lustige person, die die ordnung beim spiele handhabt.
briu, brû stf. wirtin, weib, gemahlin; *windes brû* windsbraut (fz. *bru* v. dtsch. *brût*).
briune, brûne stf. bräune, braune farbe; weibl. scham.
briunen swv. braun machen, verdeutlichen.
briustern swv. refl. anschwellen.
briut s. *brût:*
briute stf. beilager, hochzeit.
briute-gëbe swm. bräutigam. **-gome, -gume, -goume, -game** swm. bräutigam. **-labe** stf. frühstück nach der brautnacht.
briutel-huon stn. huhn das bei der *briutelabe* gegessen wird.
briuten, briuteln swv., md. *brûten* intr. sich vermählen, beiliegen; tr. ein weib zur *brût* machen, ihm beiliegen; verloben, vermählen mit dp.
briut-, brût-lich adj. bräutlich.
briuwe swm. brauer.
briuwe stf. das brauen; was auf einmal gebraut wird.
briuwel, briuwer stm. brauer.
briuwen, brûwen stv. III brauen; bildl. machen, anstiften, verursachen.
brobest stm. vorgesetzter, aufseher; propst (lat. *prae-, propositus*).
brobestîe stf. propstei.
brocke swm. brocken.
brocken swv. brocken; zerbröckeln.
brœde, brôde adj. gebrechlich, schwach. Von den schreibern oft durch *blœde* ersetzt.
brœde, brôde stf. gebrechlichkeit, schwäche; moral. schwachheit.
brœdec-heit, brœdekeit stf. schwachheit; moral. schwachheit, fleischliche u. geschlechtliche lüsternheit.
brœdec-, brœde-lich adj. = *brœde*; fleischlich und geschlechtlich lüstern.
brodeln, brudeln, brüdeln swv. brodeln.
brœdigen swv. schwächen.
brogen swv. sich erheben; gross tun, prunken; tr. in die höhe, zum zorn bringen.
broger stm. prahler, grosstuer.
brohsen, brohseln swv. lärmen, tosen.
brosem, broseme, brosme stswf. brosame, krume.
brôt stn. brot (*begozzen brôt,* mit fett beträufelt. *schœnez brôt,* weissbrot; *im brôte dienste sîn*).
brôt-banc stfm. brotladen. **-becke** swm., **-becker** stm. brotbäcker. **-diener** stm. = *brôtëzze.* **-ëzze** swm. diener, gesinde. **-halle** swf. = *brôtloube.* **-heit** stf. das wesen des brotes im sakrament. **-hûs** stn. speisehaus; brotschranne; zunfthaus der bäcker. **-knëht** stm. = *brôtëzze.* **-loube** swf. brotschranne.

brœten swv. tr. einem brot verschaffen, einen im dienste haben.
bröuc, *-ges* stm. hügel.
brouchen swv. biegen, beugen, formen, bilden.
brout s. *brût.*
brouten swv. heftig verlangen.
bröuwen swv. biegen, drehn.
broȥ stn knospe, sprosse.
broȥȥen swv. sprossen.
brû s. *briu.*
bruch stm. das brechen, die art u. arbeit des brechens; bruch, riss; abgebrochenes stück, bruchteil; bruch, schaden, mangel, vergehn; untreue.
brûch stm. brauch.
bruche-lich adj. gebrechlich, schadhaft; zum schaden gereichend; straffällig.
brûchen swv. brauchen, geniessen mit acc. od. gen. (einer pers. *br.*, mit ihr umgehn, verkehren; *sich eines d. br.*, sich dessen bedienen).
bruch-brôt stn. brotreste. **-haftic** adj. straffällig. **-schranz** stm. bruch, spalte, loch.
brüchic adj. wort-, treubrüchig; gebrochen.
brucke, brücke, brugge, brügge stswf. brücke; zugbrücke; hölzernes gerüst, sitzgerüst, schaugerüst.
brücken swv. eine brücke (oder in art einer brücke) machen, überbrücken.
brücken swv. zerbröckeln.
brucker stm. einnehmer des brückenzolles.
bruck-heie swm. brückenhüter. **-mûte** stf., **-rëht** stn. brückenzoll.
brüedern s. *bruodern.*
brüederlîn stn. dem. zu *bruoder.*
brüeje f. brühe.
brüejen, brüen swv. brühen, sengen, brennen.
brüel stm. aue, brühl.
brüelen swv. brüllen.
brüeten, brüetelen swv. brüten.
brüeven s. *prüeven.*
brügel stm. prügel, knüttel.
brügge s. *brucke.*
bruht, brühtic = *widerbruht, -brühtig.*
brumme swm. herd- brummochs; ein musikinstrument.
brummen swv. brummen, summen.
brûn adj. braun; dunkelfarbig. **brûn** adj. von waffen: glänzend, funkelnd.
brûnât, brûnît, brûnet stm. feiner, dunkelfarbiger kleiderstoff.
brûne s. *briune.*
brûnen swv. *brûn* werden.
brunft stf. brand, brunst; brunstzeit; geschrei.
brûnieren swv. polieren.
brunke swm. sp. prangen, prunk.
brunken swv. zur schau stellen, zeigen.
brûn-lûter adj. glänzend hell.
brunne swm. quell, quellwasser, brunnen, bildl. quell, ursprung; harn.
brünne, brünje stswf. brustharnisch.
brunnech stn. durch quellen versumpftes land, moor.
brünnelîn, brünnel stn. kleiner brunnen.
brunnen swv. pissen.
brünner stm. der brustharnische macht.
brûn-reideloht, -reit adj. braungelockt.
brünseln, brunsen swv. brenzeln, nach brand riechen.
brunst stm. brand.
brunst, bruns stf. brennen, brand; glut, hitze; verwüstung durch feuer; brunstzeit.
brünstec adj. entbrannt, brünstig.
brunz stm. harn.
brunzen swv. pissen.
bruoch stnm. moorboden, sumpf.
bruoch stf. hose um hüfte und oberschenkel.
bruoch-gürtel stm. hosengurt.
bruodel stm. sprudel.
bruoder stm. an. bruder; klostergeistlicher; wallfahrer.
bruoder-hof stm., **-hûs** stn. hof, haus zu einer frommen stiftung für arme brüder in Christo. - **(brüeder)-lich** adj. brüderlich. **-licheit** stf. *einunge der b.* brüderliche eintracht.
bruodern, brüedern refl. mönch werden; *sich zu einem,* als bruder (brüder) zu ihm treten.
bruot stn. trieb, anwuchs der pflanze.
bruot stfm. durch wärme belebtes, brut; belebung durch wärme, brüten; hitze.
bruotec adj. heiss entbrannt.
bruotesal stf. brutstätte.
brûs stm. brausen, lärm.
brûsche stf. das brausen.
brûsche stf. mit blut unterlaufene beule.
brüscheln swv. prasseln.
brûsen swv. brausen.
brust stfm. bruch, gebrechen.
brust stf. brust; bekleidung der brust; im sinne von *hërze* und *schôȥ.*
brust-bein stn. brustknochen. **-slac** stm. schlag auf die brust. **-wer** stfn. brustwehr.
brüstelîn, brüstel stn. dem. zu *brust* 2; brustpanzer.
brüsten swv. mit einer *brust* versehen; refl. sich in die brust werfen.
brustenier stn. brustpanzer des pferdes.
brust-lich adj. brechbar.
brût, briut, brout stf. (ursprgl. adoptiv-, schwiegertochter) vermählte, braut, junge Frau (*windes brût* windsbraut); beischläferin. vgl. *briu.*
brût-dëgen stm. gemahl. **-gift** stf. mitgift der braut. **-lachen** stn. eine art tuch, scharlach. **-leich** stm. = *hîleich.* **-leichen** swv. hochzeit machen. **-leite** stf. hochzeit (führung der braut). **-louf, -louft** stmfn. hochzeit (kaum deshalb, weil urspr. ein wettrennen um die braut gehalten wurde). **-louften** swv. hochzeit halten. **-man** stm. vir. **-muos** stn. brautsuppe. **-schaft** stf. vermählung. **-sëgen** stm. einsegnung der neuvermählten. **-stuol** stm. brautstuhl.
brûten s. *briuten.*
brûtinne stf. braut.
brütten swv. in raserei versetzen: tr. erschrecken; refl. heftig verlangen *nâch.*
brûwen s *briuwen.*
bû, bou, *-wes* stmn. bestelltes Feld; bestellung des feldes, weinberges; ertrag eines bestellten gutes; wohnung, gebäude, ansiedlung; bau eines hauses usw.
buc, *-ckes* stm. schlag, stoss; sturz; beifuss.
buch, bûch stm. schlegel, keule (*kelber-*, *lemberb.* usw.).
bûch stm. bauch; magen; rumpf.
buchel, puchel stswf. fackel.
bûchen s. *biuchen.*
bûch-stœzec adj. bauchschlächtig (vom pferde).
buckel stswf. stm. halbrund erhabener metallbeschlag in der mitte des schildes; beifuss (afz. *bocle*, lat. *buccula*).
buckelære, buggeler stm. schild mit einer *buckel*; der mit einem *b.* bewaffnete krieger; schlechte münze.
buckel-ris stn. verzierung um die *buckel* des schildes.
bücken, bucken swv. biegen, bücken; niederwerfen.
buckeram, buckerân, buggeram stm. steifes, aus ziegenoder bockshaaren gewebtes zeug (mlat. *boqueramus*).
bückezen s. *böckezen.*
bückîn adj. vom bocke.
bückinc stm. bücking (fisch).
bucks-boumen adj. aus buchsbaum.
bûden swv. schlagen, klopfen.
bûderlinc stm. streich, schlag beule.

bû-dinc stn. ein gericht wegen des feldbauwesens; pacht für ein hofgut. **-dingen** swv. ein baugericht halten. **-geræte** stn. bauzeug. **-geschirre** stn. ackergeräte. **-haft** adj. bestellbar (vom acker); bewohnbar, bewohnt. **-knëht** stm. ackerknecht. **-leibe** stf. = *bûteil*. **-lich** s. *biulich*. **-liute** pl. zu *bûman*. **-lôs** adj. ohne bau, unbestellt. **-man** stm. bauer, pächter eines bauerngutes; als schachfigur erste *vende*. **-meister** stm. baumeister; leiter der städtischen bauten; oberknecht; beisitzer des *bûdinges*. **-miete** stf. wohnungszins; heiratszins. **-rât** stm. unterhalt durch feldbau **-rëht** stn. hofgerechtigkeit; grundeigentum. **-saz** stm. bauverordnung. **-teil** stn. ein teil des von einem erblehnmanne hinterlassenen fahrenden gutes, den der herr nehmen darf; pflichtteil. **-teilen** swv. das *bûteil* geben; tr. mit dem *b.* belasten, das *b.* abfordern. **-wîn** stm. wein, den man selbst gebaut hat.

büebelîn stn. dem. zu *buobe*.

büeberîe stf. liederliches leben, büberei.

büebin stf. freie dirne, lena.

büechel s. *buochelîn*.

büechel stn. buchnuss.

büechîn, buochîn adj. von der buche.

büegen swv. biegen, beugen.

büelîn stn. dem. zu *buole*.

büezegen swv. bestrafen.

büezen swv. bessern, ausbessern, gut machen; von etwas befreien; vergüten, busse leisten; bestrafen.

buf, *-ffes* stm. stoss, puff.

büffel stm. ochs (fz. *bufle*).

buffen swv. schlagen, stossen; das haar kräuseln.

buggeram s. *buckeram*.

bühel stm. hügel.

büheleht, bühelt adj. hügelig.

buhier stn. = *bûhurt*.

buhieren swv. = *bûhurdieren*.

bühse swstf. büchse; zauberbüchse; eisernes beschläge; feuerrohr, geschütz (gr. lat. *pyxis*).

bûhurdieren, bêhurdieren, bûhurden swv. einen *bûhurt* reiten.

bûhurt, bêhurt stm. ritterspiel, wo schar in schar eindringt (afz. *bouhourt*).

bulge swf. sack von leder, felleisen; sturmwelle.

bullære stm. siegler.

bulle stswf. siegel; urkunde, bulle (lat. *bulla*).

bullen, büllen swv. bellen, heulen, brüllen.

stm. schlag, der eine beule hervorruft.

bum-hart stm. schalmei; geschütz.

bün, büne stf. bühne; decke eines gemaches; latte, brett.

bündellîn stn. bündel, fasciculus.

bünen swv. mit fussboden, planken versehen.

bunge swm. knolle.

bunge swf. trommel, pauke.

bungen swv. trommeln, pauken.

bunt adj. schwarz und weiss gefleckt oder gestreift.

bunt, *-tes* stn. art gestreiftes pelzwerk, buntwerk.

bunt, *-des* stm. band, fessel; verband einer wunde; zusammengebundenes, knoten; eine reihe von steinen nebeneinander im brettspiel; verwickelung, rätsel; bündnis, die verbündeten.

büntner stm. kürschner.

bunt-schuoch stm. schuh mit riemen zum umschnüren der beine; empörung, aufstand (weil die fahne der sich empörenden bauern einen *b.* als ihr zeichen trug).

bunt-wërc stn. = *bunt* stn.

buobe swm. knabe, diener; trossknecht (als schachfigur achte *vende*); zuchtloser mensch, spieler usw.; pl. die weibl. brüste.

buobenîe stf. wesen eines *buoben*; büberei; die trossknechte.

buoben-liute pl. = *buoben* (im schach).

buoc, *-ges* stm. obergelenk des armes, achsel; obergelenk des beines, hüfte; knie; bei tieren der bug; bildl. biegung, einlenkung.

buoc-bein stn. bugbein.

buoch stn. buch, dichtung, sammlung von gedichten, gesetzen usw., quelle eines gedichtes, die heil. schrift (*diu swarzen buoch* zauberbücher).

buochach, buoch stn. buchenwald, waldung überhaupt.

buoche swf. buche.

buoche stf. buch, bibel.

buochelîn, büechelîn, büechel stn. büchlein; kleineres lehrendes oder erzählendes gedicht; gereimtes liebesgedicht; gerichtl. protokoll.

buochisch adj. in der buchsprache, lateinisch.

buoch-meister stm. gelehrter, schriftgelehrter, philosoph. **-sager** stm. vorleser. **-staben** swv. buchstaben setzen, mit buchst., mit inschrift versehen; buchstabieren. **-stap, -stabe** stswm. buchstabe. **-vël** stn. pergament. **-zeichen** stn. registrum.

buode stswf. hütte, gezelt.

buole swmf. naher verwandter, geliebter, liebhaber, geliebte.

buolen swv. lieben.

buolerîe stf. ehebruch.

buolîân, pulîân stm. kuppler.

buosem, buosen stm. busen; der den b. bedeckende teil des kleides; schoss; rechtl. die nachkommenschaft in geradabsteigender linie.

buosemen swv. refl. von vögeln sich sträuben; rechtl. einen beweis durch verwandte führen.

buost stmn. ein aus bast verfertigter strick.

buoz stm.? besserung, abhilfe (*buoz tuon, machen, werden* mit dat. u. gen.).

buoze stf. geistl. u. rechtl. busse.

buoz-wertec, -wirdec adj. der besserung würdig, bedürftig; straffällig.

bûr s. *bûre*.

bûr stm. vogelkäfig.

burc stf. burg, schloss, stadt.

burc stswm. eunuchus, diener.

burc-ban stm. gebiet innerhalb dessen die städtische gerichtsbarkeit gilt. **-grabe** swm. burg-, stadtgraben. **-grâve** swm. burggraf, stadtrichter, eunuchus, kämmerer. **-hagen** stm. verhau vor der burg. **-hërre** swm. burgherr, lehnsherr, eunuchus. **-hûs** stn. burg; haus eines *burcmannes*. **-lêhen** stn. eine burg als lehn. **-lich** adj. eine *burc* betreffend; befestigt, bürgerlich. **-lîte** stf. abhang eines burgberges. **-man** stm., pl. *burcman, -liute*: beamter, dem die obhut einer burg anvertraut ist; der seine burg von einem herrn zu lehn nimmt; stadtrichter, beisitzer beim stadtgerichte. **-mûre** stf. burg-, stadtmauer. **-mûs** stf. stadtmaus. **-porte** swf. burgpforte. **-rëht** stn. bürgerrecht; aufnahmegebühr eines neuen bürgers; rechtliche stellung jemandes, der auf das schloss eines edeln zinst; der für das *b.* bezahlte zins; stadtrecht und besitztum nach solchem. **-rinc** stm. umschlossener burgraum. **-sæze** swm. kastellan; bewohner einer burg. **-schaft** stf. bürgerrecht (s. *burgerschaft*). **-sëz** stmn. burgsitz, burg. **-stal** stn. standort einer burg, die burg selbst. **-(bürge)-tor** stn. burg-, stadttor. **-veste** stf. feste burg; eine an die *burc* zu leistende abgabe. **-vride** swm. burg-, stadtfriede; das um die burg, stadt liegende gebiet, binnen dem friede gehalten werden musste. **-vrouwe** swf. burgherrin. **-wal** stn. wall um eine stadt od. burg. **-wëc** stm. weg zur burg. **-wer** stf. verteidigung, befestigung einer burg.

bürde, burde stswf. bürde last; gewicht, fülle.
bürden, burden swv. zu tragen geben, bebürden.
burderie stf. ritterspiel.
burdieren = *bûhurtieren.*
burdûz, purdûz stm. pilgerstab (prov. *bordos*).
bûre, bûr swstm. bauer; nachbar.
bûren-diet stf. bauernvolk.
bûren-slac stm. grober bauer.
burgære, -er stm. bewohner einer *burc*; bürge.
bürge, borge swm., **bürgel** stm. bürge.
bürge stf. bürgschaft.
bürgel-, bürge-schaft stf. bürgschaft.
burger-kriec stm. seditio. **-meister** stm. vorsteher einer stadt-, dorfgemeinde. **-rëht** stn. bürgerrecht, die daraus erwachsenden verpflichtungen u. abgaben. **-schaft** stf. bürgerrecht; gemeinschaft der bürger; städtebündnis.
bürge-zoc stn. bürgschaft.
bûrîn stf. bäuerin.
bûr-lich adj. bäuerisch. **-mâl** stn. bürgerrecht. **-man** stm. bauer. **-meister** stm. vorsteher einer dorfgemeinde. **-same** stf. bauernschaft. **-schaft** stf. bauernschaft; gemeines volk.
bürlinc, birlinc stm. heuschober.
bürn swv. erheben.
burne, burn, born swstm. = *brunne.*
burnen, bornen swv. = *brinnen* u. *brennen.*
burren stn. sausen.
bursât stm. halbseidenes zeug.
burse stswf. börse, beutel; zusammenlebende genossenschaft, ihr haus, bes. der studenten (mlat. *bursa*).
bursît stm. beutel.
burst, bürst stf. = *borst.*
bürste swf. bürste.
burt stf. was sich gebührt; verpflichtung.
burt stf. abstammung, geburt; das geborne.
bürtec, bürtic adj. gebürtig.
bürzel, börzel stm. eine katarrhalische seuche.
burzeln, bürzen swv. burzeln.
bûs stm. schwellende fülle.
busch, bosch stm., **bosche** swm. busch, gesträuch; büschel; gehölze, wald (mlat. *buscus, boscus*).
bûsch stm. knüttel, knüttelschlag; überh. schlag, der beulen gibt; wulst, bausch.
buschach stn. gebüsche.
büschel stm. bund, büschel.
büschelîn, büschel stn. dem. zu *busch.*
büscheln swv. alligare in fasciculos.
bûschen, bûsen s. *biuschen.*
busîne, busûne, prosunne f. posaune (fz. *buisine,* lat. *buccina*).
busînære, busûnære stm. posauner.
businen, busûnen swv. posaunen.
bussen swv. küssen, liebeln.
büte, bütte, büten swstf. gefäss, bütte.
bütel stm. büttel; bote, diener.
bûten s. *bieten, biuten.*
bütenære stm. büttner.
buter swfm. butter (lat. *butyrum*).
buterich, büterich stm. schlauch, gefäss.
butic adj. erbötig.
butiglære, bütiglære, putigler stm. schenk, mundschenk (mlat. *buticularius*).
butte swf. hagebutte.
butwarn s. *botwæren.*
butze swm. poltergeist, schreckgestalt.
bütze stmf. = *phütze.*
butzen swv. stossen.
bützen swv. aus dem brunnen (*bütze*) schöpfen.
bûwære, bouwære stm. bauer; erbauer.
bûwe stm. = *bû.*
bûwe-lich = *biulich.*
bûwen, biuwen, bouwen swv. intr., angesessen sein, wohnen; das feld bestellen, als bauer leben. — tr. mit feldbau bestellen; bewohnen, liegen in; säen, pflanzen; bauen; abs.: seine zuversicht gründen *ûf.*
bûwunge stf. wohnung; bestellung des ackers; erbauung, bau.
bûz s. *biuz.*
bûze f. eine art schiff.
bûze stf. das hervorsprossen.
bûzeln, bûzen swv. hervorragen, aufschwellen.
bûzen s. *biuzen.*
bûzen adv. u. präp. mit gen., **bûzenthalp** präp. mit gen. od. dat. aussen, ausserhalb; *bûzenth. mëzzen* ausschliessen.
bûzen swv. gackern.
buzzel stn. krug, tönnchen (afz. *boucel,* lat. *bucellus*).
bysant s. *bîsant.*

C

s. *K* und *Z.*

D

(vgl. auch *T*).
dâ s. *dâr.*
dach stn. dach, bedeckung, decke, verdeck. — bildl. das oberste, höchste; das schirmende, schützende.
dachen swv. decken, bedecken.
dach-gruobe f. lehmgrube.
dach-stein stm. dachziegel. **-tropfe** swm. s. v. a. **-trouf** stnm., **-troufe** swf. dachtraufe.
dachunge stf. bedachung.
dagen swv. schweigen; mit dp. ruhig zuhören; schweigen über (gs.), verschweigen.
dahe, tahe swf. lehm.
dahs stm. dachs.
dâht stm. denken, gedanke.
dâlest, tâlest, tôlest adv. wenigstens, endlich.
dâling s. *tagelanc.*
dalpen swv. graben.
dame swf. caprea.
damnen swv. verdammen (lat. damnare).
damnisse, demnis stf. verdammnis.
dampf, tampf stm. dampf, rauch.
dampf-lich adj. *tampflicher schîn = dampf.*
dan s. *danne, dannen.*
danc, *-kes* stm. gedanke, erinnerung; geneigtheit, wille, absicht; dank; kampfpreis.
danc-bære adj. geneigtheit hervorbringend, angenehm; dankbar. **-bære** stf. dankbarkeit. **-bærlich** adj. adv. dankbar. **-liche** adv. mit danksagung. **-næme, -næmic** adj. angenehm, willkommen mit dp.; dankbar mit gs., dankbar etw. zu bekommen, habgierig. **-næmekeit** stf. dankbarkeit. **-wille** swm. freier wille.
danen swv. refl. mit gen. sich von etw. abwenden.
danke swm. gedanke.
danken swv. danken, mit dank erwidern, vergelten mit dp. u. gs.
dan-kêre stf. das fortgehn.
danne, denne; dan, den adv. demonstr. dann, damals; sodann, darauf (oft nur um den fortschritt der rede zu bezeichnen); *noch danne* damals noch, überdies noch, dennoch. — relat. als, wenn; nach komparativen u. kompar. negationen: denn, als, meist mit konj. — kausal (demonstr.) daher, deshalb, (relat.) weil.
dannen, danne; dane, dan adv. demonstr. von da weg, von dannen — kausal (demonstr.) daher, deshalb, davon, (relat.) woher, weshalb, wovon.
dannen-var, -vart stf. wegfahrt, abreise. **-wanc** stm. das fortgehen, weichen.
danne-, dann-wërt, -wart adv. von da weg.

dan-, den-noch adv. damals noch, jetzt noch; sodann noch, noch ausserdem; adversat. auch da noch, dessenungeachtet, dennoch.

dan-reise stf. abreise.

dansen swv. ziehen, dehnen.

dâr, dâ, dô adv. demonstr. da, dort; relat. wo (demonstr. u. relat. vor räuml. adv. u. zwar vor vokal. anlaute *dar, der, dir, dr*, vor konson. *dâ*: *dar abe, drabe, dâ bî* usw. oder von dem adv. durch andere worte getrennt).

darben swv. darben; entbehren, ermangeln mit gs.; refl. mit gs. sich entäussern.

dar-bringen swv. beweisen. **-kunft** stf. hinkunft. **-legen** stn., **-legunge** stf. das darlegen, erlegen; kostenaufwand. **-wërt** adv. dahin.

dare, dar adv. demonstr. dahin, hin; bis auf diese zeit; relat. wohin.

dære adj. passlich, tauglich.

dæren swv. singen (vom vogel gesagt), einen laut nachahmen.

darfe-tuom stm. mangel.

darm stm., pl. *derme*, darm.

darm-gürtel stm. sattelgurt.

darre, derre swf. gestell oder vorrichtung zum dörren; dürre, auszehrung.

dart s. *dort*.

dâse f. unholde, hexe.

dâsic adj. dieser da, dergleichen.

dæsic adj. stille, in sich gekehrt; dumm, albern.

datel swf. dattel (it. *dattilo*, gr. lat. *dactylus*).

decamonie stf. sphärenharmonie.

dech-ein s. *dehein*.

dechelîn, dechel stn. dem. zu *dach*.

dëcher, tëcher stmn. zehn stück leder, gewöhnlich häute von kleinem vieh (mlat. *dacora, dacra, dacrum*, lat. *decuria*).

dëch-gëit, -tuom stn. = *dëhem*.

decke stf. decke, bedeckung; das zudecken, bedecken.

decke-, dec-lachen stn. betttuch, -decke.

decken swv. prät. *dacte, dahte*: decken, bedecken; schützen, schirmen; abwehren, aufdekken, ausdeuten, auflösen.

degen swv. zum schweigen (*dagen*) bringen, stillen.

degen stm. dolch (mlat. *daga*).

dëgen stm. knabe; krieger, held (*gotes d.* glaubensheld).

dëgenen swv. zum helden machen.

dëgen-heit stf. tapferkeit. **-kint** stn. knabe. **-lich** adj. tapfer.

deh-, dech-, dek-ein adj. zahlpron. irgendein; kein.

dëhem, dëheme stswm. urspr. der zehnte, sodann abgabe für die eichel- und büchelmast der schweine, diese mast selbst sowie das recht darauf (lat. *decima*).

dehse swf. fichte; pl. *dehsen* nadelholzzweige, -äste.

dëhse swf. spinnrocken.

dëhse, dëhsel f. beil, hacke.

dëhsel-rîte swf. hexe.

dëhsen stv. IV schwingen, flachs schwingen.

dehslîn stn. dem. zu *dahs*.

dëhs-îsen stn. eisen zum *dëhsen*. **-schît** stn. flachsschwinge.

deich = *daz ich*.

deise swf. darre.

deisme swm. sauerteig, hefe.

deist = *daz ist*.

deiz = *daz ez, daz daz*.

dek-ein s. *dehein*.

deklînen swv. deklinieren, konjugieren (lat. *declinare*).

dëmere, dëmerunge stf. dämmerung.

demmen swv. schwelgen, schlemmen; dämmen, hindern, vertilgen.

dempfe stf. dämpfung, vertilgung; engbrüstigkeit.

dempfen swv. tr. dämpfen; intr. dampfen.

dê-muot s. *diemuot*.

den s. *danne*.

denen, dennen swv. dehnen, ziehen, spannen.

denken swv. an., prät. *dâhte*, intr. denken, gedenken; mit gen. u. dat. einem etw. zudenken, beimessen, nicht an ihm übersehen; gen. u. *ze* ausersehen; unpers. mit dat. u. gen. erinnerlich sein. — tr. mit seinen gedanken worauf verfallen; erdenken, ersinnen; im sinne haben, wollen mit inf.

denne, dennoch s. *danne, dannoch*.

denthalben adv. von dannen.

der adv. = *dâr* (*deran, derbî, dermite* usw.).

der präf. = *er* (*dergëben, derlëben* usw.).

dër, diu, daz u. **dez** pron. dem. der, dieser; bestimmt. artikel; relativ im beginn von adjektiv- u. substantivsätzen. — das n. *daz* als konjunkt. in infinitiv-, in modal- u. folgesätzen (dass, so dass), in zeitsätzen, in kausal- (darum dass, weil), final- (dass, damit) u. konzessivsätzen (obgleich).

dërben stv. III, 2 tr. verderben.

der-haft s. *tarehaft*.

derp, -bes adj. ungesäuert (*derbez brôt, derpkuoche*).

derre s. *darre*.

derre stf. der tagelohn ohne kost und ohne trunk.

derren swv. dörren, austrocknen.

derresal stn. austrocknung.

dërt s. *dort*.

dës adv. gen. daher, deshalb; *d. ze* mit komp. md. = *deste*.

dêst = *daz ist*.

dëste, deste, dëst, dëster adv. desto.

deuhel stm. u. **deuhel-îsen** stn. deucheleisen, eisen, wie es aus dem frischfeuer kommt.

de-wëder pron. indef. irgendeiner von beiden, der eine oder der andere; weder der eine noch der andere, keiner von beiden; *deweder(t)halp* auf einer oder auf keiner von beiden seiten.

de-wëder adv. mit folgd. *wëder* oder *noch*: entweder — oder, weder — noch.

dewen s. *döuwen*.

di md. = *dër, diu, die, dir, dich*.

dicke, dic adj., **dicke** adv. dicht, dick; oft, häufig.

dicke stswf. dichtigkeit, dicke; dickicht; dichte schar, gedränge.

dicken swv. intr. dick werden; refl. sich verdichten.

dieb- s. *diub-*.

diebolt stm. diebischer mensch.

diech, -hes stn. verkürzt *die*: oberschenkel an menschen und tieren.

diechel stn. dem. zu *diech*.

diech-schënkel stm. oberschenkel.

diehter, tiehter stn. enkel.

diehteride stn. die enkel.

die-müete, -muot, dêmuot adj. demütig, herablassend, bescheiden; *einem d.* demütig gegen. **-müete, -muot, dêmuot** stf. demut, herablassung, milde, bescheidenheit. **-müetec** adj. = *diemüete*. **-müetecheit, -müetekeit, -muoticheit** stf. demut. **müetigen, -müeten** swv. tr. u. refl. demütigen, erniedrigen.

dien alem. = *dën*.

dien, tien swv. saugen, säugen.

dienære, -er stm. diener.

dienærinne stf. magd.

dienen swv. intr. mit dp. dienen, aufwarten. — tr. mit dat. u. acc. einem etw. leisten, zu dienste tun; eine schuldige zahlung oder abgabe leisten; verdienen, durch dienst erwerben oder wert sein zu erwerben; mit dienst vergelten (mit dp. od. mit *an, umbe, hin ze*).

dienest, dienst stm. diener.

dienest, dienst stmn. verehrung, aufwartung, ergebenheit, dienstwilligkeit; lehnsdienst, abgabe, zins.

dienest-bære adj. dienend, zum dienste tüchtig; zu dienen bereit; **-bærliche** adv. **-bæric** adj. dienstbar, zinspflichtig. **-danc** stm. dank für *d.* **-gëlt** stmn. erwiderung für geleisteten dienst; abgabe, zins. **-haft, -haftic** adj. dienend, dienstbeflissen, dienstbereit; zu diensten verpflihtet, zinspflichtig. **-hërre** swm. ritterl. dienstmann, ministeriale. **dienst-lich, dienlich** adj. dienstbar, dienstbeflissen. **-man** stm., pl.*dienestman, -liute*: diener; dienstmann, ministeriale. **-mannin-ne** stf. frau eines *dienestman.* **-volc** stn. dienstboten. **-wîp** stn. dienerin.

diens-tac stm. dienstag (nd. form für hd. *zistac*).

diep, diup, -bes stm. dieb.

diep-heit stf. diebisches wesen, diebstahl. **-lich** adj. diebisch, heimlich. **-slüzzel** stm. nachschlüssel. **-stâl** s. *diupstâle.* **-stic** stm. diebespfad.

dierne, diern, diernîn; dirne, dirn stswf. dienerin, magd, mädchen; feile person, dirne.

diernelîn, dirnelîn, dirnel stn. dem. zum vorigen.

diern-kint stn. mädchen.

diet stfnm. volk, leute (später oft verächtlich); stm. mensch, kerl.

diet-dëgen stm. im volke bekannter held. **-hiufel** stn. der vierte teil einer metze. **-schalc** stm. erzschalk. **-vaste** f. volksfaste, die grosse allgemeine faste; quatemberfaste. **-zage** swm. erzfeigling.

dieterich stm. star; nachschlüssel.

diez, dieze stswm. schall; wirbel; zucken.

diez-âder stf. pulsader.

diezen stv. II, 2 intr. laut schallen, rauschen; sich erheben, aufschwellen.

dige stf. bitte, gebet.

digen swv. intr. bitten, flehen. — tr. anflehen.

digen part. adj. getrocknet, dürr (s. *gedigen*).

dihen stv. I, 2 gedeihen, erwachsen, geraten; mit dp. ergehn, bekommen; austrocknen und dadurch dicht werden.

dîhsel stf. deichsel.

dihte adj. dicht.

dil, dille stswf. swm. brett, diele; bretterwand; bretterne seitenwand eines schiffes, das schiff selbst; verdeck, bretterner fussboden; der obere boden des hauses.

dillen swv. mit brettern dekken, aus br. machen.

dille-stein stm. fundament.

dimpfen stv. III, 1 dampfen, rauchen.

dîn pron. poss. dein.

dinc, -ges stn. ding, sache (*aller dinge* gänzlich, durchaus, *einer dinge* nur); gerichtlicher termin; rechtl. und gerichtl. verhandlung, zweikampf; vertrag; gericht, gerichtstag, gerichtsstätte; gerichtspflicht; genitale, menstruation.

dinc-banc stf. gerichtsbank. **-gëlt** stn. geld für die abhaltung eines gerichts, gerichtssporteln. **-haftic** adj. gerichtsbar. **-hof** stm. der hof, auf dem die jährlichen gerichte gehalten, die abgaben eingezogen wurden, den in der regel der vogt inne hatte. **-hœric** adj. zu einem gerichte, gerichtssprengel gehörig. **-hûs** stn. gerichts-, rathaus. **-lœse** stf. gerichtssporteln. **-man** stm., pl. *-liute* gerichtsbeisitzer; wer zum gerichte zu kommen verpflichtet ist. **-nus** stf. bedingung; appellation; zahlung einer brandschatzung. **-phliht** stf. pflicht vor gericht zu erscheinen; verbindlichkeit steuern zu zahlen und bürgerl. lasten zu tragen. **-phlihte** swm. gerichtsbeisitzer bes. bei den unteren gerichten. **-phlihtec** adj. schuldig ein gericht zu besuchen; zu abgaben verpflichtet. **-rëht** stn. recht eines *dinchoves.* **-sal** stn. brandschatzung. **-stat** stf. gerichtsstätte. **-studel** stn. gerichtssitz. **-studelen** swv. vor gericht fordern, anklagen. **-stuol** stm. richterstuhl, gericht. **-vluht** stf. flucht vor dem gerichte. **-wart, -warte** stswm. gerichtsperson. **-wëre** stn. gericht.

dingære, -er stm. richter; sachwalter.

dinge swm. schutzherr; hoffnung, zuversicht.

dinge-lich stn. ding.

dinge-lich adj. n. = *aller dinge gelîch* jedes ding, alles.

dinge-lich adj. gerichtlich.

dingelîn, dingel stn. kleine sache, angelegenheit; bäuerl. wirtschaft, haushaltung.

dingen swv. denken, hoffen zuversicht haben mit gs.

dingen swv. intr. gericht halten, vor gericht reden, verhandeln, seine sache führen, appellieren; sich besprechen unterhandeln, einen vertrag, vergleich, frieden schliessen. — tr. vor gericht laden, zitieren; appellieren; durch verhandlung festsetzen; ausbedingen, mieten, vertragsmässig abschliessen; kaufen, verkaufen, als eigen überlassen; brandschatzen; mit dp. versprechen.

dinges adv. gen. auf borg.

dinges-gëber stm. der auf borg gibt.

dinkel stm. dinkel, spelt.

dinne adv. = *dâ inne.*

dinsen stv. III,1 tr. gewaltsam ziehen, reissen, schleppen, tragen, führen. — refl. sich ausdehnen, womit anfüllen. — intr. ziehen, gehn.

diuster, dunster, duster adj. finster, düster.

dinsternisse stfn. dunkelheit.

dinzel-tac stm. festtag einer handwerkerzunft.

dirdendei m. grobes tuch (fz. *tiretaine*).

dirn, dirne s. *dierne.*

dirre-suht stf. dürre.

disciplîn(e) stf. myst. bussübung, kasteiung.

dise, diser pron. demonstr. (statt *diser* angegl. *dirre*) dieser, der folgende, jener, der andere.

disparieren swv. seines schmucks entkleiden (mlt. *disparare*).

dissît, disent, disunt präp. mit gen. auf dieser seite.

distel stmf. distel.

distelîn adj. von disteln.

distel-zwanc stm. stieglitz.

diu instrum. von *dër* (md. nd. *dê, de* auch vor kompar. um so).

diu, -we stf. leibeigene dienerin, magd.

diube, diuve, dûbe, dûf stf. diebstahl; gestohlene sache.

diubec, diuvec adj. gestohlen.

diuben, dieben swv. wie ein *diep* handeln.

diubinne stf. diebin.

diuhen, tiuhen, dûhen, douhen swv. tr. drücken, schieben, einniederdrücken — intr. u. refl. sich schieben, bewegen, laufen.

diu-lich adj. einem knechte, einer magd angemessen.

diumen, diumeln swv. die daumenschraube anlegen, foltern, quälen.

diup s. *diep.*

diupe swf. diebin.

diup-, diepheit, -stale stf. diebstahl; die gestohlene sache; betrugsverbrechen.

diusen swv. tr. zerren, zausen. — intr. in verwirrung geraten.

diutære stm. ausleger.

diute, tiute stfn. auslegung, erklärung; *ze diute* deutlich, auf deutsch.

diuten, tiuten swv. tr. zeigen, deuten; der ausdruck wofür sein, bedeuten; kund tun, anzeigen; erzählen, ausdeuten, übersetzen. — refl. bedeuten.

diutisch, diutsch, tiutsch, tiusch adj. deutsch.

diut-nisse stf. bedeutung; *d. tragen* bedeuten.

diutsch, diutsche, diutschen adv. deutsch, auf deutsch.
diutsche, diutsch, tiutsch stfn. die deutsche sprache.
diutschen, tiutschen swv. auf deutsch sagen, erklären.
diutsch-man stm. der Deutsche.
diutunge stf. auslegung, bedeutung.
diuve s. *diube.*
dô s. *dâr.*
dô, duo adv. demonstr. da, damals, darauf; einen gegensatz einführend: aber doch (oft nur den fortschritt der rede bezeichnend); relat. als; fragend *wie dô?* wie nun?
doch adv. demonstr. zur bezeichnung eines gegensatzes: doch, dennoch, demungeachtet (oft nur den nachsatz verstärkend); auch, auch so, auch nur; relat. wenn auch, obgleich; relat. u. demonstr. *doch — doch* obgleich — doch.
dol s. *tol, twalm.*
dol, dole stf. das leiden
dolden s. *dulden.*
dôlig, dolme = *tagelanc.*
doln swv. dulden, ertragen, geschehen lassen.
dolt stf. das ertragen eines leidens, die geduld (s. *dult*).
dolunge stf. leiden, qual.
don adj. gespannt.
don, done stf. spannung, strom; bildl. bemühung, anstrengung, schmerz.
dôn, tôn stm. melodie, lied, gesang, auf einem instrumente gespielte weise; strophenform; laut, ton, stimme; bildl. art und weise; *gemeiner* d. öffentliche meinung (lat. *tonus*).
donen swv. intr. sich spannen, strecken, aufschwellen, in spannung (aufregung) sein; nachschleppend anhangen, haften *an.*
dœnen swv. singen, spielen, tönen, tr. u. intr.
doner, toner; donre, tunre stm. donner.
doner-blic stm. blitzstrahl. **-dôz** stm. **-schric** stm. donnerschlag. **-(donre-, duner)-slac** stm. donnerschlag. **-stein** stm. donnerkeil. **-stôz** stm. donnerschlag. **-strâle** stf. blitzstrahl. **-val** stm. donnerschlag.
doners-, donres-, dunres-, dons-, dunstac stm. donnerstag; *grôzer d.* gründonnerstag.
donren, dunren swv. donnern.
donunge stf. spannung.
dorf stn. dorf.
dorfære stm. dörfer, dorfbewohner (s. *dorpære*).
dorfer-lêhen stn. bauerngut.
dorf-bëte stf. herumbitten bei den nachbarn. **-gerihte** stn. dorfgericht. **-knabe, -knappe** swm. bauernbursche. **-krage** swm. dasselbe. **-maget** stf. dorfmädchen. **-man** stm., pl. *-liute* bauern. **-meier** stm. dorfrichter. **-meister** stm. schultheiss. **-menige** stf. dorfgemeinde. **-metze** swf. dorfmädchen. **-rëht** stn. das recht, unter dem die dorfbewohner stehn; dorfgericht. **-rihter** stm. bauernrichter, schultheiss. **-rüchel** stm. rohlustiger, brüllender bauer. **-schaft** stf. dorfgemeinde. **-spël** stn. dorfgeschichte. **-sprenzel** stm. sich in die brust werfender bauer. **-stat** stf. dorf. **-volc** stn. bauernvolk. **-wîp** stn. bäuerin.
dörfler = *dorfære.*
dormenter, dorment, dormiter stmn. schlafgemach der ordensleute (lat. *dormitorium*).
dorn stm. dorn, stachel, dornstrauch.
dornach stn. dorngebüsch.
dorn-busch stm. dornstrauch. **-dræhel, -dræhsel** stm. dorndreher (vogel); eine art kleiner kanone. **-hecke** stf. dornenhecke. **-heit** stf. dorngestrüpp. **-hurst** stf. = *dornbusch.* **-stûde** stf. dasselbe.
dornec adj. dornicht.
dorpære, dörper, törper, dörpel, törpel stm. bauer, bäuerisch roher mensch, tölpel.
dörper-diet stf. bauernvolk. **-(törper)-heit, dörperîe** stf. bäuerisch rohes benehmen. **-lich** adj. bäuerisch unschön oder ärmlich.
dorp-heit stf. = *dörperheit.*
dörpisch adj. bäuerlich.
dorren swv. *dürre* werden, verdorren.
dorsch, dursch stm. dorsch.
dort adv. dort, jenseits (in jenem leben), gegens. zu *hie*; nbff. *dart, dërt, dört.*
dôsen swv. tosen.
dôsen swv. sich still verhalten, schlummern.
dœsen, tœsen swv. zerstreuen, zerstören.
dost stm. mist.
doste, toste swm. strauss, büschel; wilder thymian.
dougen, tougen swv. erdulden, ertragen.
douhen s. *diuhen.*
doum stm. zapfen, pfropfen.
doume s. *dûme.*
döuwe stf. verdauung.
döuwec adj. verdaulich.
döuwen, douwen, dewen swv. intr. u. tr. verdauen, verzehren; bildl. die nachwehen von etw. empfinden, büssen.
dôz stm. schall, geräusch.
dôzen swv. schallen, widerhallen.
drabant, trabant stm. fusssoldat.
draben, draven; traben, traven swv. in gleichmässiger beeilung gehn od. reiten, traben. — tr. traben lassen; traben auf.
drabendes, drabes adv. im trabe.
dræhe stf. duft (s. *drâht*).
dræhen, dræjen, dræn swv. intr. hauchen, duften. — tr. riechen.
dræhsel, drëhsel, dræhseler, drëhseler stm. drechsler.
drâht, trâht, drât stm. duft, geruch (vgl. *dræhe, drâs*).
dræjen, drægen, dræhen, dræn swv. intr. sich drehend bewegen, wirbeln. — tr. drehen, drechseln.
dram stm. md. gewoge des gefechtes, getümmel.
drâm, trâm; drâme, trâme stswm. balke, riegel; stück, splitter.
drâmen, trâmen swv. mit balken versehen.
dræn s. *dræhen, dræjen.*
dranc, -ges stmn. gedränge, bedrängnis.
drange adv. enge, gedrängt.
drangen swv. drängen, belästigen; drängen zu (gen.); intr. sich drängen.
drap, -bes stm. trab.
drappenîe = *trappenîe.*
drâs, drâst stm. duft, geruch.
drâsen, drasen, dræsen, dräsen swv. intr. u. tr. duften, schnauben, ausschnauben.
drât s. *drâht.*
drât stm. draht.
drâte, drâten adv. schnell eilig (*alsô, als drâte* alsbald).
dræte, drâte adj. eilig, schnell, rasch.
dræte stf. schnelligkeit, heftigkeit.
drât-smit stm. drahtzieher.
draven s. *draben.*
dreber stm. traber, reitpferd.
drëc, -ckes stm. dreck.
drëhsel s. *dræhsel.*
drël adv. fest, stark, sehr.
drëmel stm. balke, riegel.
drengen swv. *dringen* machen, drängen, zusammendrängen; drängen zu (gen.).
dreschen, dröschen stv. III, 2 dreschen, bildl. quälen — intr. laufen (*abe, hin dr.*, vom jagdhunde).
dreun s. *dröuwen.*
dreuwe s. *drouwe.*
drî num. card. drei (auch zur bezeichnung einer unbestimmten zahl); n. *driu,* (*in, en driu* in drei teile).
drîakel, trîakel, driaker, trîak stm. theriak (gr. lat. *theriacum*).
drîakeln swv. mit *drîakel* versehen.

drianthasmê stm. eine art *pfellel* (mlat. *pallium triacontasimum*).

dri-bein, -beinic adj. dreibeinig. **-bort** stn. kleinster nachen (aus drei brettern). **-einec, -einlich** adj. sp. dreieinig. **-gekrônt** part. adj. mit dreifacher krone. **-gëlten** stv., **-gülten** swv. dreifach bezahlen. **-geruodert** part. adj. mit drei ruderbänken. **-gevar** adj. dreifarbig. **-gülte** stf. dreifache zahlung. **-heit** stf. dreiheit, trinität. **-sinnec** adj. dreisinnig, in drei sprachen abgefasst (buch). **-spiz** stm. dreifuss; fussangel; ein dreieck bildendes stück land. **-trehtic** adj. dreifältig. **-valde, -valden** adv. dreifach. **-valt** adj. dreifältig. **-valt, -valte, -valde** stf. dreifaltigkeit. **-valtec** adj. dreifaltig. **-valtecheit** stf. dreifaltigkeit (*beinîn dr.* würfel). **-valten** swv. dreifältig machen. **-var** adj. dreifarbig. **-vuoȥ** stm. dreifuss. **-ȥec, -ȥic** num. card. dreissig. **-zëhen, -zên** num. card. dreizehn. **-zëhende, -zênde** num. ord. dreizehnte.

drîe swf. dreizahl, dreiheit; drei augen im würfelspiel

drîe s. *drîhe.*

drîen swv. zur drei machen.

drîer stm. dreier (münze, s. *drîlinc*).

drîes, drîs adv. dreimal.

driesch adj. unangebaut, ungepflügt; *driesch* stmn. unangebautes land, ungepflügter acker (nd. *dreesch*).'

drieȥ stm. überdruss.

drieȥen stv. II, 2 drängen, treiben, drohen (*be-, er-, verdr.*).

drîhe, drîe swf. sticknadel, handgerät des flechtens und webens (auch *dringe*).

drîhen swv. mit der *drîhen* arbeiten.

dri-lich, drilch adj. dreifach; als stm. ein mit drei fäden gewebtes zeug.

drîlinc, *-ges* stm. der dritte teil von etw., ein bestimmtes mass, gefäss; eine bestimmte anzahl; ein dreipfennigstück.

drilisch adj. dreifach.

drillen stv. III, 2 drehen, abrunden: part. *gedrollen* drall, rund, gehäuft.

drinden stv. III, 1 schwellen, anschwellen, schwellend dringen.

dringe swf. = *drîhe.*

dringen stv. III, 1 tr. flechten, weben; zusammendrücken, drängen. — intr. sich drängen, andringen (höfische sitte beim empfang von gästen).

dris s. *drîes.*

drischel stf. dreschflegel.

drischûvel, -schûfel, -schübel stnm. türschwelle.

drit-halp adj. drittehalb.

dritte, drite num. ord. der dritte; *des dritten, zem dritten* zum dritten male.

drit-teil, driteil stn. drittel.

drittest = *dritte.*

driu s. *drî.*

driuhen, drûhen swv. fangen, fesseln.

drîunge stf. dreiheit.

driusche stf. = *drûch.*

drîȥigeste num. ord. dreissigste; swm. (nämlich *tac*) der dreissigste tag nach der beerdigung eines verstorbenen, an dem der letzte seelengottesdienst für ihn gehalten wurde; zeit von 30 tagen, namentlich vom 15. aug. bis zum 15. sept.

drô stf. s. *drouwe.* **-geschirre** stn. drohwerkzeug, drohung. **-lich** adj. drohend, bedrohlich. **-wort** stn. drohwort.

drobe adv. = *dar obe.*

dromedâr, dromedârie stn. dromedar; umgedeutscht *dromen-, dromeltier* (mlat. *dromedarius*).

dromen s. *drumen.*

drôn s. *dröuwen.*

droschel, troschel, trostel stf. drossel, singdrossel.

dröschen s. *dreschen.*

drouwe, drowe, drou, dröuwe, dreuwe, dröu, dröuwunge stf. drohung.

dröuwen, drouwen, drowen, drewen, dröun, dreun, drôn swv. dräuen, drohen mit dp. u. *an, in, mite, zuo.*

drôȥ stm. verdruss, widerwille, schrecken, beschwerde.

droȥȥe swm. stswf. schlund, kehle.

druc, *-ckes* stm. druck, feindliches zusammenstossen.

drûch, *-hes* stm. **drûhe, drû** stmf. fessel, falle um wilde tiere zu fangen, drauche; not; schwertgriff, heft.

drücken, drucken swv. prät. *dructe, druhte*: drücken, drängen, bedrängen; pressen, auspressen; coire, bei vögeln; ein buch drucken. — intr. sich drängen.

drüese s. *druos.*

drûhe, drûhen s. *drûch, driuhen.*

drum, trum stn. endstück, ende; stück, splitter.

drumen, drümen, md. *dromen* swv. in stücke brechen, hauen, schlagen; zu ende bringen, kürzen; mit stücken füllen, stopfen. — intr. u. refl. in stücke brechen.

drumsel stn. prügel.

drumze, drunze s. *trunze.*

druo stf. frucht.

druos stf., **drüese** swf. drüse, beule.

drusene, drusine stf. drusen. bodensatz.

drüȥȥel stm. gurgel, schlund, kehle; rüssel, schnauze; cervix.

dû, duo, du pron. pers. du.

dûbe s. *diube.*

dublîn adj. doppelt (nach fz. *double*).

dûf s. *diube.*

dûge swf. fassdaube.

dûgen swv. sinken.

dûhen s. *diuhen.*

dult, dulde stf. = *dolt.*

dultec-heit stf. dasselbe.

dultec-lich adj. geduldig.

dulten, dulden, dolden swv. dulden, erleiden; geschehn, bestehn lassen.

dûme, doume swm. daumen (*der eilfte d.*, penis); handwinde in der schmiede.

dûm-elle, -elne stswf. das mass von der spitze des daumens bis zum ellenbogen.

dumpfen, dümpfen swv. dampfen, dämpfen.

dunc, *-kes* stm. das bedünken.

dünec adj. ausgespannt, gross (s. *donen*).

dünen, dunen swv. dröhnen, donnern.

dünke stf. = *dunc.*

dunkelîn stn. schwache vermutung, kleiner argwohn.

dunken swv. an., prät. *dûhte* scheinen, dünken.

dünne adj. dünn, zart, seicht; substantivisch *daȥ d.* die weiche.

dünne stf. seichte stelle.

dünnede stf. dünnheit.

dünnen swv. intr. dünn sein oder werden. — tr. dünn machen.

dunre- *s. doner-.*

dunst, tunst stmf. dampf, dunst; bildl. not, schmerz.

dunstec adj. dampfend.

dunsten, dünsten swv. dunsten, dampfen.

dunster s. *dinster.*

dunst-loch stn. schweissloch.

duo pron. s. *dû*; adv. s. *dô.*

durch, dur adv. durch, hindurch. — präp. räuml. u. zeitl. durch, hindurch; kaus. wegen, um — willen, vermittelst, aus, vor (*durch daȥ, waȥ* deshalb, weshalb). — mit dem vb. wird es meistens untrennbar komp., wobei der im betonten verb liegende begriff das übergewicht hat (s. die folgende auswahl).

durch-æhtecheit, -æhtigunge, -æhtunge stf. verfolgung, unterdrückung. **-æhten, -æhtigen** swv. verfolgen. **-æhter** stm. verfolger, unterdrücker. **-bern** swv. durchhauen, -prügeln; part. *durchbert* durchzogen mit; verschlagen, gerieben, verschmitzt. **-bitzen** swv. tödlich, ins innerste treffen. **-bîzen** stv. durch-, totbeissen. **-brëchen** stv. durchbrechen, sich mit gewalt durch etw. hindurcharbeiten. **-brîden** stv. durchflechten, -weben. **-bruch** stm. myst. *den d. nemen, tuon* durchbrechen. **-bûwen** an. v. bebauen, ausbauen. **-dringen** stv. durchdringen, -brechen. **-gân, -gên** stv. durchgehn, -dringen; betrachten. **-ganc** stm. durchgang; durchfall. **-ganz** adj. vollkommen. **-geilen** swv. mit freude durchdringen. **-geisten** swv. tr. mit seinem geist durchdringen. **-geistic** adj. durchgreifend, durchdringend. **-gesiht** stf. durchblick. **-giezen** stv. durchgiessen, überströmen. **-glenzen** swv. intr. hell glänzen. — tr. erhellen, erleuchten. **-glôsen** swv. vollständig ergründen, auslegen. **-graben** stv. grabend durchbohren, durchbrechend graben, gravieren, mit steinrelief verzieren; *dúrchgr.* umgraben, umarbeiten. **-græte** adj. voll gräten, stacheln. **-græwen** swv. ganz grau machen. **-grîfen** stv. vollkommen begreifen, erkennen. **-gründen** swv. vollständig ergründen. **-grüntlichkeit** stf. myst. gründliche durchforschung. **-herten** swv. bekämpfen. **-houwen** stv. durchhauen; auslegen, verzieren. **-jësen** stv. durchgären, durchsetzen. **-kenlich, -kennec** adj. durchsichtig. **-kifen** swv. durchnagen, durchbohren. **-lanc** adj. *der durchlange tac* der tag in seiner ganzen dauer. **-legen** swv. mit zieraten, edelsteinen besetzen, mit gold auslegen; ganz belegen. **-liuht, -liuhtec** adj. alles durchstrahlend, hell leuchtend; berühmt, erhaben, durchlauchtig. **-liuhten** swv. durchleuchten, -strahlen; erklären; part. präs. durchsichtig, durchlauchtig. **-lochen** swv. durchlöchern. **-louf** stm. durchfall (pferdekrankheit). **-luogen** swv. durchschauen. **-lûter** adj. ganz hell und rein. **-lûzen** swv. ganz bis in die gottheit schauen. **-martern** swv. durch martern erschöpfen. **-mirken** swv. ergründen. **-næjen** swv. durchweg benähen, steppen. **-recken** swv. durchprügeln. **-rein** adj. ganz rein. **-rîben** stv., part. *durchriben*: gerieben, durchtrieben, verschmitzt. **-rîhen** stv. aneinanderreihen. **-rîten** stv. durchreiten, bes. kämpfend durch die feinde reiten. **-runnen** part. *d. mit bluote* blutüberströmt. **-schaffen** part. wohlgebildet, vollkommen. **-schiezen** stv. durchschiessen; bildl. durchdringen, -mischen. **-schînec** adj. durchsichtig. **-schînekeit** stf. transparentia. **-schînen** stv. durchleuchten, -strahlen. **-schœne** adj. vollkommen schön. **-schouwen** swv. durchschauen, -suchen; geistig durchdringen, erkennen. **-schrîben** stv. aus-, zu ende schreiben. **-schrôten** stv. durchhauen, zerstücken. **-seffen** swv. durchsäften, durchfeuchten. **-sëhen** stv. = *durchschouwen.* **-setzen** swv. vollständig besetzen, auslegen, zieren mit. **-siech** adj. durchaus krank. **-sîhen** stv. mit einer flüssigkeit einen löcherigen körper durchdringen; part. *durchsigen*, durchtränkt. **-siht, -sihtec** adj. durchsichtig; scharfsichtig. **-singen** stv. mit gesang erfüllen, zu ende besingen. **-sinnen** stv. durchdenken. **-sinnet** part. durchaus verständig. **-slac** stm. das hindurchschlagen; bergm. die öffnung, um das zurückgehaltene wasser abzuleiten; herstellung einer offenen verbindung zweier bergwerke unter tag; küchengerät zum durchseihen; spitzes werkzeug. **-slahen, -slân** stv. durchprügeln; durchschlagen, durchbohren; schlagend durchdrükken, durchdringen, durchbrechen; mit edelsteinen oder schmuckwerk besetzen. **-slaht** stf. ausschlag; adv. *ze durchslahte, -slehte* durchaus, gänzlich. **-slehtes** adv. durchaus, gänzlich. **-slîchen** stv. durchschleichen. **-sliefen** stv. durchkriechen, durchdringen. **-smekken** swv. durchduften. **-smëlzen** stv. tr. schmelzend durchdringen; intr. völlig zerfliessen. **-snîden** stv. zerschneiden, verwunden; zerteilen, durchbrechen (*diu kleit,* zur zierde); entzwei schneiden, auflösen. **-spëhen** swv. sp. genau prüfen, spähend durchstreifen. **-spreiten** swv. völlig bedecken. **-stëchen** stv. durchstechen, -dringen. **-strîchen** stv. durchstreichen, -streifen; durchschneiden, -wühlen. **-strîten** stv. tr. zu ende kämpfen; kämpfend durchdringen. **-ströuwen** swv. umherstreuen, bestreuen. **-süezen** swv. ganz *süeze* machen. **-sunnen** swv. myst. ganz mit sonne erfüllen. **-swingen** stv. durchdringen; wie mit der futterschwinge reinigen, läutern. **-tief** adj. sehr tief. **-trîben** stv. durchziehen, -dringen; durcharbeiten, zerreissen. — part. *durchtriben*: durch und durch listig, durchtrieben. **-twërn** stv. durchbohren. **-ûz** adv. durchaus, im ganzen. **-vachen** swv. abteilen. **-vân** stv. red. ganz durchziehen. **-varn** stv. durchfahren, -ziehen; durch etw. den weg bahnen, durchbohren; bildl. erforschen. **-vart** stf. durchfahrt, -gang; durchstich. **-vëhten** stv. fechtend durchbrechen. **-villen** swv. durchpeitschen. **-viuhten** swv. durchfeuchten. **-vlach** adj. ganz flach. **-vliezen** stv. durchfliessen, durchströmen. **-vluz** stm. durchfluss; durchfall. **-vrëch** adj. ganz *vrech.* **-vrô** adj. ganz froh. **-vrühtec** adj. überall und höchst fruchtbar. **-vüllen** swv. füllen, durchnässen. **-vünden, -vündlen** swv. erforschen, ergründen. **-wæjen** swv. durchwehen. **-wallen** stv. wallend sieden; tr. durchwallen. **-wallen** swv. durchwandern. **-warm** adj. vollständig warm. **-waten** stv. durchwaten, durchdringen. **-wëgen** stv. vollwichtig machen; vollständig erwägen. **-weidic** adj. durchwandernd. **-widen** swv. durchprügeln, kasteien. **-wieren** swv. mit gold od. edelsteinen durchwirken. **-wischen** swv. tergere. **-wizzen** anv. vollständig wissen. **-würken** swv. durchweben, -schmücken. **-zeln** swv. zu ende zählen. **-ziehen** stv. durchziehen, -wandern; durchmischen. **-ziere** adj. sehr schön. **-ziln** swv. durchdringen, -schiessen; durchschmücken. **-zol** stm. durchgangszoll. **-zwicken** swv. durchstechen.

dürchel s. *dürkel.*

dürchelic adj. durchlöchert.

dürchen swv. = *dürkeln.*

dûren, tûren swv. dauern, bestand haben; aushalten, stand halten.

durfen, dürfen v. an. grund, ursache haben, brauchen mit infin. bes. in negat. sätzen; brauchen, bedürfen mit gs.

durft stf. das fehlen dessen, wonach man verlangt, bedürfnis, not (*mir ist, wirt durft eines d.*, ich habe es nötig, brauche es).

durft adj. nötig, notdürftig.

dürfte stf. bedrängnis, not-

dürftic, durftic adj. arm, bedürftig mit gs.

dürftic-lich adj. armselig, bettlermässig.

dürftige, durftige swm. armer, bettler.

dürftiginne stf. bettlerin.

durft-lôs adj. unbedürftig.

dürkel, dürchel, dürhel adj. durchbohrt, durchbrochen, durchlöchert.

dürkeln swv. durchlöchern.

durne s. *doner, dorn.*

dur-nehte, -nahte, -nehtic, -nahtic adj. vollkommen, tadellos, treu, bieder, fromm. **-nehte, -nahte** stf. vollkommenheit, tüchtigkeit, treue. biederkeit. **-nehtecheit** stf. dasselbe. **-nehteclich** adj. = *durnehte*. **nehtigen** swv. vollkommen machen.

dürnen swv. mit dornen bestecken; refl. stachelig werden.

dürnîn adj. von dornen.

dürnitz, dürnitze stswf. ein heizbares zimmer, meist eine geheizte badestube, auch wohn-, gast-, speisezimmer, ratsstube (nd. *dornse*, aus dem slav.).

dürre s. *türre*.

dürre, durre adj. dürre, trocken, mager.

dürre stf. trockenheit; trockener boden; swf. abgestorbener, dürr gewordener baum.

durst stm. durst.

durstec adj. durstig, verlangend nach (gen.).

durstec-heit stf. durst, bildl. begierde. verlangen.

dürsten, dursten swv. unp. dürsten; verlangen *nâch*.

durst-tôt adj. tot vor durste.

dûseln swv. taumeln.

dust stm. md. = *dunst*.

duster s. *dinster*.

dutzent stn. dutzend (fz. *douzaine*, lat. *duodecim*).

dûwen swv. = *duzen*.

duʒ, -ʒʒes stm. schall, geräusch. gesumme.

duzeln, duzen swv. duzen.

düʒʒic adj. schallend.

dw- s. *tw-*.

E

ê s. *êr*, *êwe*.

ê-bach stm. gemeindebach. **-banc** stf. herkömmliche brot- oder fleischbank. **-bant** stn. band der ehe.

ebech, ebich, ebch adj. ab-, umgewendet, verkehrt, böse; links.

ebehöu s. *ephöu*.

ëben, eben, ëbene, md. *ëven* adj. eben, glatt, gerade, gleich (mit dat.), gleichmässig. - adv. gleichmässig, passlich, bequem; genau, sorgfältig; soeben.

ëben-al adj. allesamt. **-alt** adj. gleichalt. **-bilde** stn. eben-, vorbild, beispiel, **-bürtic** adj. von gleicher geburt, mit dp. **-dol** stmf. mitleid. **-ehtic** adj. gleich angesehen. **-erbe** stn. gleichverteiltes erbe. **-erbe** swm. miterbe. **-gelîch** adj. ganz gleich. **-gelîchen** svw. eben machen. **-gelîcheit** stf. aequitas. **-gewaltic** adj. gleich gewaltig. **-grôʒ** adj. gleich gross. **-heit** stm. genosse. **-heit** stf. ebene; möglichkeit. **-hël** adj. übereinstimmend. **-hëlle, -hëllunge** stf. übereinstimmung. **-hëllen** stv. übereinstimmen. **-hêr** adj. gleich vornehm, gleich herrlich mit dp. **-hêre** stf. gleiche vornehmheit und das streben darnach. **-hertecheit** stf. gleiche hartnäckigkeit im kampfe. **-hiuʒe** adj. ebenso eifrig und munter, nacheifernd; der *ebenhiuʒe* rival. **-hiuʒe** stf. begierde gleich zu stehn. rivalität. **-hiuʒen** swv. intr. nebenbuhler sein. — refl. sich mit frechheit an die seite stellen mit dp. od. *ze*. **-hôch** adj. gleich hoch mit dat. **-hœhe** stf. belagerungswerkzeug, das in gleiche höhe mit den mauern bringt (vgl. *hôchwërc*). **-hûs** stn. das geschoss zu ebener erde. **-junc** adj. gleich jung, dauernd. **-kristen, -krist** stswm. mitchrist. **-lant, -lende** stn. flachland. locus campestris. **-lîch** adj., **-lîche** adv. gleich, auf gleiche weise, gleichmässig. **-mâʒ** stn., **-mâʒe** stf. gleichmass, ebenbild; gleichnis, vergleich; vor-, nachbild. **-mâʒe, -mæʒe, -mæʒec** adj. eben-, gleichmässig. **-mâʒen** swv. vergleichen, gleichstellen mit dat. od. *ze*. **-mensche** swm. mitmensch, nächster. **-naht** stf. tag- u. nachtgleiche. **-nehter** stm. aequinoctialis. **-rîche** adj. gleich reich. **-sâze, -sëʒʒe** swm. der gleichen sitz, gleichen rang hat. **-sæʒe** adj. gleich sitzend mit einem (dat.), gleichen rang habend. **schalc** stm. mitknecht. **-slëht** adj. adv. gleichmässig gerade, aufrichtig. **-spil** stn. ebenbild. **-teil** stn. gleicher anteil. **-teilec** adj. gleich teilhaftig. **-tiure** stf. gleich hoher wert; sicherheit, unterpfand. **-trehtec** adj. gleichmässig; einhellig. **-wâc** stm. meeresfläche in gleichmäss. bewegung. **-wâge** stf. die wage im gleichgewicht. **-wëc** stm. ebener, gerader weg. **-weltic** = *ëbengewaltic*. **-wette** adj. adv. quitt. **-wîhe** stf. neujahrstag. **-willec** adj. gleichwillig, gleichgestimmt. **-wint** stm. gleichmässiger wind.

ëbenære stm. gleichmacher.

ëbenærinne, ëbenerin stf. ausgleicherin.

ëbene stf. ebene; gleichmässigkeit, milde.

ëbenen swv. eben, gleich machen; vereinigen; vergleichen. — refl. in ordnung bringen, einen streit beilegen; sich rüsten, anschicken.

ëbenunge stf. ausgleichung.

ebênus, ebenus stm. ebenbaum, ebenholz (lat.).

ëber stm. eber, zuchteber.

ëber-boum stm. eberesche.

ëber-swîn stn. eber.

ebich s. *ebech*.

ëbor stn. ? elfenbein (lat. *ebur*).

ê-bræchec adj. adulterus. **-brëchære** stm., **-brëchærinne** stf. ehebrecher, -brecherin. **-brëchen** stv. mœchari. **-brëchen** stn. **-brëchunge** stf. ehebruch. **-brëcheri** stf. dasselbe.

ebtissin s. *eppetisse*.

echt s. *êhaft*.

ecidemôn stn. tier, (wiesel), tierfell (aus *iccidem* = lat. *ictidem*?).

ecke, egge stswf. stn. schneide einer waffe (gewöhnl. im pl. wegen der zweischneidigkeit des schwertes); spitze; ecke, kante, winkel.

eckel, ekkel stm. stahl.

eckeln swv. stählen.

ecken swv. intr. als *ecke* hervorstehn. — tr. eckig, winkelförmig machen; schärfen.

ecken swv. intr. schmecken, riechen.

ecker s. *ackeran. eht.*

eckern swv. eckern lesen.

ecke-stein stn. eckstein.

edel, edele adj. adlig. edel; herrlich, kostbar.

edel-arm adj. von geburt und gesinnung edel, aber dabei arm. **-bære** = *adelbœre*. **-brôt** stn. weissbrot. **-heit** stf. = *edelecheit*, **-knëht** stm. edelknabe, diener aus einem edeln geschlecht, der ritter werden kann. **-lich** s. *adellich*. **-rîche** adj. kostbar, nach art der edeln.

edele, edel stf. edle abstammung, art; das vorzüglichste, beste, grösste.

edelec-heit, edelkeit stf. adligkeit, vorzüglichkeit; edle gesinnnng.

edelen, edeln swv. intr. *hin nâch einem ed.* ihm nacharten. — tr. edel machen. — refl. eine edle art annehmen.

edeline, *-ges*. stm. sohn eines edelmannes.

ëder s. *ëter*.

ê-dermâl adv. früher, einst.

effen swv. äffen, narren.

effer s. *affære*.

ege stfm. furcht, schrecken.

ege-bære adj. schrecklich. **-bærlîche** adv. **-lich** adj. schrecklich.

ê-gëber stm. gesetzgeber.

egede, eide swf. die egge.

ege-dëhse, eidëhse stswf. eidechse.

ëgele, ëgel swf. blutegel.

ê-gëlt stn. mitgift.

ê-gemechide stn. ehegemahl (mann oder frau).

egerde, egerte swf. brachland.

ê-geselle swm. ehegatte,

eges-lich, eislich adj. schrecklich, furchtbar, abscheulich.

-(ege)-sam, eissam adj. schrecklich. **-var** adj. schrecklich gefärbt.

ê-gester adv. vorgestern.

egge s. *ecke.*

eggen, egen swv. eggen.

ê-haft adj., md. *echt* gesetzlich, gesetzmässig, rechtsgültig; ehelich geboren. **-haft** stn., md. *echt* recht und gesetzmässigkeit, eheliche geburt; ehe. **-haft, -hafte, ehte** stf. recht und gesetzmässigkeit; gesetzmässige beschaffenheit; rechte und pflichten einer gemeinde und gegen sie. **-haftic** adj. rechtsgültig. **-haftige** stf. *êhaft.* **-halte** swm. der ein vertragsverhältnis beobachtet, dienstbote; im pl. auch = *êliute.*

eher, äher stn. ähre. **-korn** stn. ährenkorn. **eherære** stm. ährenleser. **eheren** swv. ähren lesen.

ehsen swv. mit einer achse versehen.

eht, êt, et; oht, ôt, ot adv. (vollere formen *öcker, ockert, ockers, ecker*) bloss, nur, auch, doch; den begriff eines einzelnen wortes hervorhebend (nun, einmal, eben, halt, doch) bes. bei imper., wünschen und fragen. — konj. wenn nur, nach kompar. als.

eht s. *aht.*

ehterin s. *ahterin.*

ehtewer pl. collegium von acht mitgliedern.

ei, *-es, ges* stn. das ei; bildl. das geringste, wertlose.

ei, eiâ interj. verwunderung, freude u. klage ausdrückend.

eich, eiche stf. eiche.

eichach stn. eichenwald.

eichel swf. eichel (*in eichel wîs teilen,* in gleiche teile teilen).

eichen s. *îchen.*

eichen, eichenen swv. zusprechen, zueignen.

eichîn adj. eichen, von der eiche.

eichorn stm., **eichurne** swm. eichhorn.

eichürnîn adj. vom eichhorn.

eide *egede.*

eide swf. mutter.

ei-dëhse s. *egedëhse.*

eidem, eiden stm. schwiegersohn; schwiegervater.

eiden s. *eiten.*

eiden swv. intr. schwören. — tr. in eid, pflicht nehmen, beschwören; zu eidlicher aussage veranlassen, eidlich befragen (auch *eidigen*); büssen.

eierære stm. eierverkäufer.

eier-klâr stn. eiweiss. **-tac** stm. fasttag. **-vël** stn. eierschale.

eiern swv. eier legen.

eigen v. an. haben. *sêgich guot* hierher? = *sô eige ich guot,* so möge mir gut zuteil werden.

eigen adj. was man hat, eigen mit gs.; gegensatz von *vrî:* hörig, leibeigen.

eigen stn. eigentum, ererbtes grundeigentum.

eigen-diu, dierne stf. leibeigene magd. **-heit** stf. eigenschaft, eigentümlichkeit; eigensinn. **-holt** adj. leibeigen. **-knëht** stm. leibeigener knecht. **-lich** adj., **-liche** adv. eigentümlich, eigen; leibeigen oder wie ein leibeigener; ausdrücklich bestimmt, speziell. **-loufec** adj. *der e. stern* planeta. **-man** stm., pl. *-liute* dienstmann, höriger. **-schaft** stf. eigentum, besitz (gegens. zu *lêhen*); eigentümlichkeit; eigensinn; leibeigenschaft; genaue nachricht über etwas. **-schalc** stm. leibeigener knecht. **-wille** swm. myst. eigensinn. **-wîp** stn. leibeigene.

eigene f. eigentum.

eigenen swv. zu *eigen* machen, aneignen.

eilant s. *ein-lant.*

eilf, eilft s. *ein-lif, ein-lift.*

eimber, eimer s. *ein-ber.*

eimere swf. funkenasche.

ein num. card. ein (*al ein* ganz gleich, zusammen eins, der-, dasselbe); ord. im gegens. zu *ander* (statt *einander* nach präpp. auch bloss das neutr. *ein*: *after ein* nacheinander, *bî ein* beieinander, zusammen, *in ein* ineinander, zusammen, auf eine art, *mit ein* zusammen, *über ein* sämtlich usw.). — unbest. pron. irgend wer (*einer* od. *einez*), ein gewisser; als unbestimmter artikel.

ein-ander erstarrter acc. od. dat. der eine den, dem andern, einander.

ein-bære adj. einhellig, gleich. **-bærekeit** stf. einheit, vereinigung. **-bæren** swv. vereinigen. **-bærlîche** adv. auf einträchtige weise. **-ber, eimber, eimer, ember** stm. gefäss mit einem griffe, eimer. **-born** part. adj., **-bornec** adj. eingeborn. **-boum** stm. kleiner, aus einem baume verfertigter nachen. **-brœtic** adj. sein eigenes brot, seinen eigenen herd habend. **-burtec** adj. = *einborn*; dazu **-burtecheit, -geburtecheit** stf. **-erborn, -geborn** = *einborn.* **-formec** adj. myst. einförmig, gleichförmig. **-geht** stf. einsamkeit. **-gehtic, -gahtic** adj in eines gehend, einheitlich; ganz. **-gehürne** stn. = *einhürne.* **-genôte** adv. einzig und allein. **-gevar** adj. = *einvar.* **-haft** adj einfach. **-halben, -halp** adv. auf der einen seite (*einthalp, einenthalp, -halben*). **-heit** stf. = *eine.* **-hël, -hëllec** adj. übereinstimmend. **-hende, -hendec** adj. einhändig. **-hürne, -hurne** swm., **einhorn** stmn. einhorn. **-hûs** stn. einsiedelei. **-kriege** adj. eigensinnig. **-kuric** adj. eindeutig. **-lant, eilant** stn. allein liegendes land, insel, eiland. **-lich** adj. adv. in eins geflochten od. gewebt, einheitlich. **-lif, -lef, eilif, eilef, eilf** num. card. elf. **-lift, -left, eilft** num. ord. elfter. **-lœtec** adj. von gleichmässigem gewichte. **-lütze, -lützec** adj. allein, einzeln, einsam. **-muote, -muot, -müetic** adj. einmütig. adv. md. **-mûtliche. -nehte, -nehtec** adj. einnächtig, nur eine nacht alt, dauernd. **-öuge, -öugec** adj. einäugig. **-rihtec** adj. einseitig, eigensinnig; kleinmütig. **-rüsse** adj. einspännig. **-rüsser** stm. einspänner. **-samkeit** stf. solitudo. **-schaft** stf. einheit, gemeinschaft. **-schilt, -schilte, -schiltec** adj. nur von seiten des vaters oder der mutter dem ritterstande angehörig. **-sidele, -sidel** stm. einsiedler. **-sîn** stn. einheit. **-sinnec** adj. auf einem sinn beharrend, eigensinnig. **-sît** adv. auf der einen seite; seorsum. **-traht** stf. eintracht. **-trahtikeit** stf. myst. einheit. **-trehtec** adj. einträchtig, übereinstimmend; mit gs. übereinkommend. **-valt** stm. womit etw. eingeschlossen wird. **-valt, -valtec, -veltec** adj. einfach; unvermischt; rein; arglos, kein böses verbergend; einfältig. adv. **-valteclîche. -valte, -valt, -velte, -valtekeit** stf. einfachheit; einfalt (ohne tadelnden nebensinn). **-valten, -feltigen** swv. *einvalt* machen, klären. **-var** adj. einfarbig. **-wëselich** adj. sp. einsseiend. **-wîc** stmn. einzelkampf, zweikampf.

einde s. *ende* 2.

eine, ein adj. adv. allein, einsam, frei von, ohne etw. mit gs.

eine stf. einsamkeit, einöde.

einec, einic adj. einzig, allein; allein gelassen, fern von (mit gen.).

einec, einic zahlpron. irgendein, im pl. einige.

einec-heit, einekeit stf. einzigkeit, einheit; einigkeit; einsamkeit; alleinsein.

einegen swv. *einec* machen, vereinigen.

einen swv. *eine* machen; mit dp. vereinigen; mit gs. von etw. befreien. intr. allein sein. — refl. übereinkommen, beschliessen; sich absondern, allein gehn.

eines, eins gen. adv. einzig und allein; einmal; einst (künftig oder vergangen).

einest, einst adv. einmal, irgend einmal, einmal, einst.
einez, einz adj. adv. einzig.
einic s. *einec.*
einœte, einœde, einôte stswf. stn. einsamkeit; einöde.
eint-, ent-, ant-wëder pron. einer von beiden; neutr. unflekt. als disjunktive partikel: entweder.
einunc, *-ges* stm. handwerkerzunftordnung.
einunge stf. einheit (gramm. der singular), einigkeit; einsamkeit, einöde; vereinigung, übereinkunft, bündnis; angesetzte busse (geldbusse), strafe; einungsgericht.
ein-wëder = *eintwëder.*
ein-wiht s. *niwiht.*
einz s. *einez.*
einzec, einzic adj. einzeln; der dat. *einzigen* adv. gebraucht entweder allein od. mit *bî, ze*: kontr. *beinzigen, zeinzigen.*
ein-zeht, -zehtic adj. einzeln.
einzel, einzelic, einzelinc adj. einzeln (der dat. *einzelingen* adverbial wie *einzigen*).
einzen, en(t)zelen adv. einzeln.
einz-lich adj. adv. einzeln.
eisch adj. hässlich, abscheulich.
eisch stm. gerichtl. forderung, untersuchung; gerichtlich bewilligte frist.
eischen, heischen swv. u. red. (*iesch*) forschen, fragen; fordern mit dp. od. *an.*
eischunge stf. forderung; vorladung vor gericht; gerichtlich bewilligte frist.
eise stf. bequemlichkeit.
eise stf. (aus *egese*) schrecken.
eisen swv. unpers. mit dat. schrecken empfinden.
eisiere stf. = *eise* 1.
eisieren, êsieren swv. bequemlichkeit geben, versorgen, pflegen (afz. *aisier*).
eis-lich s. *egeslich.*
eismende stf. = *eise* 1.
eissam s. *egessam.*
eisunge stf. = *eise* 1 und 2.
eit, *-des* stmf. eid (*den eit bieten* sich zum eide erbieten, *geben* vorsprechen, *nemen* schwören oder den eid abnehmen, *staben* den eid [mit vorgehaltenem richterstabe] abnehmen, *stellen* vorsprechen, *swern, tuon* schwören).
eit, *-tes* stm. feuer, ofen.
eiten, eiden swv. tr. brennen, heizen, schmelzen; kochen, sieden. — intr. brennen, glühen.
eiter stn. gift, bes. tierisches; ohrenfliessen.
eiter-bære, -haft adj. giftig. **-bitter** adj. beissend wie gift. **-galle** swf. giftgalle. **-gift** stn. gift, aconitum. **-nâter** stf. giftnater. **-slange** swm. giftschlange. **-var** adj. wie eiter aussehend, giftig. **-wolf** stm. giftwolf.
eiterec, eiteric adj. giftig.
eiterîn adj. dasselbe.
eitern swv. vergiften.
eiter-, heiter-neʒʒel swf. brennessel.
eit-genôʒ, -genôʒe stswm. durch einen eid verbundener genosse; verschworener, verbündeter, eidgenosse. **-geselle** swm. dasselbe. **-haft** adj. durch eid verpflichtet, verbunden.
eit-loch stn. mündung des hauskanals in einen andern.
eit-oven stm. feuerofen.
eiʒ stm. geschwür, eiterbeule.
eiʒel stn. kleiner *eiʒ.*
ê-kamere f. brautgemach. **-karl** stm. ehemann. **-kint** stn. eheliches kind. **-kone** swf. ehefrau. **-lich** adj. gesetzmässig; ehelich. **-lîcheit** stf. gesetzmässigkeit; echtbürtigkeit; ehe. **-lîchen** swv. legitimieren; ehelichen. **-liute** pl. eheleute.
elbe, elbinne stf. die elfe.
elbisch adj. elfenartig; durch elbischen spuk sinnverwirrt.
elbiʒ, albiʒ stm. schwan.
ëlch, ëlhe stswm. elentier.
ele s. *elne.*
élefant, élfant, hélfant stm., **ëlfent, ëlfentier** stn. elefant (lat. *elephantus*).
element stn., plural auch swn. elementum. **elementisch** adj. elementaris.
ellen, ellent stn. kampfeifer, mut, tapferkeit, adj. dazu **ellende.**
ellen-, elen-boge swm. ellenboge; die geschwisterkinder (in der bildl. darstellung der verwandtschaftsgrade).
ellen-buoc stm., **-boge** swm. ellenbogenleist (pferdekrankheit).
el-lende stn., md. *enelende, enlende*: anderes land, ausland, fremde; leben in der fremde, verbannung.
el-lende, -lendec adj. der in oder aus einem fremden lande, fremd oder in der fremde ist, verbannt; in weiterer bedeut. geschieden von etw. (gen. od. *an*); unglücklich, jammervoll, hilflos, elend.
el-lendecheit, ellenkeit stf. zustand des *ellenden.*
el-lenden swv. unpers. mit ap. gs. fremd vorkommen, quälen. — tr. elend machen, quälen. — refl. sich in die fremde begeben, entfremden mit dp. od. *von.*
ellen-kraft stf. mit mannheit verbundene kraft.
ellent s. *ellen.*
ellent-haft, -haftic, -lich, riche adj. mannhaft, tapfer, kühn, gewaltig.
el-len-tuom stm. (aus *ellendetuom*) = *ellende.*
el-lich s. *allich, anelich.*
elm stm. art gelblichen tons.
ëlm, ëlme stf. ulme.
el-mëʒ stn. ellenmass.
elne, eln, elline, ellen stf., **ele, elle** swstf. elle, *gedûmdiu e.* s. *dûmelle.*
ê-lôs adj. ausserhalb des gesetzes stehend.
else swf. maifisch.
elster s. *agelster.*
elte stf. alter.
elten, alten swv. alt machen, ins alter bringen.
elter s. *altære.*
elter-muoter stf. grossmutter.
eltern pl. = *altern.*
elter-vater m. grossvater.
ëltes, iltis stmn. iltis.
eltisch s. *altisc.*
elt-lich adj. alt, ältlich.
ê-man stm. ehemann.
emb- s. *enb-.*
ember s. *einber.*
emen swv. = *ammen.*
ê-menschen pl. eheleute.
emeral s. *amiral.*
emmeselîn stn. ameise.
empelîn stn. dem. zu *ampel.*
emʒec, emʒic, enʒic adj. beständig, fortwährend, beharrlich, eifrig.
emzec-heit stf. stätigkeit, ununterbrochene dauer; fleiss, eifer. **-lich** adj., **-liche** adv. = *emʒec.*
emʒige adv. fortwährend, eifrig.
emʒigen swv. etw. in einem fort, sehr eifrig tun.
emʒigunge stf. eifer.
emʒ-lîche adv. = *emʒecliche.*
en präp. s. *in.*
en adv. neg. s. *ne.*
en präf. = *ent* (*en-binden* od. *ent-binden, en-gëlten* od. *entgëlten* usw.; im folgd. ist nur die erste form angesetzt).
ê-narre swm. narr in der ehe.
en-barn swv. tr. u. refl. entblössen, entdecken, aufdecken, eröffnen.
en-beiten swv. warten auf (gen. od. acc.).
en-bërn stv. ohne etw. sein, entbehren, worauf verzichten mit gs. od. nachsatz.
en-besten swv. losbinden; losmachen, abziehen (mit gen. od. *von*); das wild enthäuten und zerlegen.
en-bieten stv. durch einen boten sagen oder gebieten lassen, entbieten; darreichen, bieten.
en-bilden swv. unkenntlich machen, entstellen.

en-binden stv. tr. u. refl. losbinden, lösen (bildl. erklären, übersetzen); befreien (*von* od. gen.).

en-binne, -binnen adv. u. präp. mit dat. binnen, innerhalb.

en-bir stm. was einer nicht hat.

en-bîten stv. warten, warten auf (gen.).

en-bîȥ = *inbîȥ*.

en-bîȥen stv. essend oder trinkend geniessen (*enbiȥȥen sîn* gespeist haben).

en-blanden stv. durch mischung, trübung ungeniessbar, zuwider machen; *ich enblande eȥ mir*, lasse es mir mühselig werden, mache zur arbeit; part. *enblanden*: widerwärtig, beschwerlich.

en-blecken swv. entblössen.

en-blenden swv. blenden.

en-blenken swv. als weiss aufdecken und zeigen, sehen lassen.

en-blîchen stv. bleich werden.

en-blœȥen swv. entblössen, entkleiden mit gen.; aufdecken, erklären.

en-blüemen swv. entjungfern.

en-bobene, -boben adv. u. präp. oberhalb.

en-bore, -bor, embor adv. in der, in die höhe. — vor adj. u. adv. wie das einf. *bore* steigernd oder iron. verneinend.

en-bœren swv. erheben; refl. sich erheben, empören; abs. sich losmachen von.

en-brëchen stv. intr. hervorbrechen; mit dat. abfallen von, mit dat. u. gen. mangeln, entgehn (*enbrochen sîn* mit dat. od. *von*: von der anschuldigung od. klage freigesprochen, überh. eines dinges entledigt sein). — tr. anbahnen, öffnen; erlösen, befreien. — refl. sich entschlagen, befreien *von, abe,* od. mit dat.

en-brennen swv. in brand setzen; entzünden; intr. = *enbrinnen*.

en-brësten stv. intr. mit dat. entgehn, entkommen (*enbrosten sîn* = *enbrochen sîn*); mit gen. od. *von* los werden. — tr. entledigen, befreien.

en-brinnen stv. in brand geraten, entbrennen.

en-brîsen stv. aufschnüren, entkleiden.

en-büegen swv. buglahm machen.

en-bunnen an. v. mit dat. u. gen. missgönnen, aus missgunst nehmen.

en-bürn swv. erheben.

en-bûȥen adv. aussen.

end konj. ehe, bevor.

endanc: *mir ist, wirdet* etw. *endanc* (= *in danke*), ich begnüge mich damit.

ende stnm. ende, ziel (*endes tac* todestag, jüngster tag); richtung, seite, abstr. beziehung, art und weise; anfang; weidm. der schwanz des wildes, zacken des hirschgeweihes; *des endes* dahin.

ende, einde stn. die stirn.

ende-blat stn. letztes blatt, ende. **-haft** adj. **-hafte, -haft** adv. ein ende habend, zu einem ende (ziele) kommend, führend; endgültig, entschieden; aufrichtig, wahrhaft; eifrig, ungesäumt.; genau. **-heit** stf. ende. **-(endec)-lich** adj. was am ende kommt, schliesslich, letzt; deutlich, endgültig; eifrig, eilig, tüchtig, zuverlässig, sicher. **-(endec)-liche** adv. eifrig, eilig, rasch, bald; vollständig, durchaus, sicherlich. **-lôs** adj. endlos, unendlich. **-nôt** stf. letzte not. **-schaft** stf. beendigung; wirksamkeit. **-slac** stm. der letzte, tödliche hieb. **-spil** stn. das letzte entscheidende spiel, die entscheidung. **-strît** stm. letzter kampf. **-(endes)-tac** stm. letzter tag, todestag; schlusstermin einer gerichtl. verhandlung. **-zil** stn. letztes und höchstes ziel, zweck; ende.

endec adj. zu ende kommend, schnell, eifrig. **-heit, endekeit** stf. beendigung.

en-decken swv. aufdecken, offenbaren.

Ende-, Ente-krist stm. der Antichrist.

enden swv. (prät. *endete, ente, ante, ande*) tr. beendigen, vollbringen. — intr. u. refl. enden (sterben).

endern, andern swv. ändern. — refl. sich ändern; den wohnort wechseln; sich wieder verheiraten.

endesten subst. superlat. n. plur. *zuo der hellen endesten* in inferni novissima.

en-dinnen adv. drinnen.

endit stf. indigo.

en-driu s. *drî*.

endunge stf. ende; vollendung, vollführung; austrag.

en-dürnen swv. von dornen befreien.

ene s. *ane* 2. **ene-lich** adj. vom grossvater od. von der grossmutter herrührend.

en-ëben; nëben, nëbent adv. u. präp. mit gen., dat. u. acc. neben, in gleicher linie.

en-ein adv. (*in ein*) *e. werden* übereinkommen.

enelende s. *ellende*.

enelîn, enel stn. grossväterchen; grosskind, enkel.

enenkel s. *eninkel*.

ënent s. *jenent*.

ënent-halp ad. u. präp. jenseits.

ëner s. *jener*.

en-ërde s. *ërde*.

en-erbarmen swv. refl. sich erbarmen.

en-gagen s. *engegen*.

en-galten, -gelten swv. *engëlten* lassen, strafen mit gs.

en-gân, -gên stv. entgehn, entkommen; fortgehn; mit dp. entgehn, verloren gehn; mit dat. u. gen. sich entziehen, rechtl. *eines d. eng.* = *enbrëchen, -brësten*.

enge adj. enge, schmal; beschränkt, klein; bildl. genau, sparsam; vertraulich, abgeschlossen, geheim.

enge stf. enge, schlucht; meerenge.

en-gegen, -gein präp. mit dat. entgegen, gegenüber; gegen, im vergleiche.

en-gegen, -gegene, -gein; -gagen, -gagene adv. entgegen; anwesend. **-wertic, -würtic** adj. gegenwärtig. — **-wertikeit, -würtikeit** stf. gegenwart.

engel stm. engel: *in engel wîs* feierlich, festlich (gr. lat. *angelus*).

engel-bote swm. engel. **-brôt** stn. brot der engel, manna. **-gruoȥ** stm. engl. gruss; *Mariæ e.*, M. verkündigung. **-lant** stn. himmel. **-lich** adj. engelgleich, englisch. **-mësse** stf. frühmesse in der adventzeit. **-schaft** stf. die engel. **-seit** stm. eine art wollenzeug. **-var** adj. wie ein engel aussehend. **-vürste** swm. erzengel.

engelîn stf. weiblicher engel.

engelisch, engelsch(lich) adj. englisch.

en-gellen swv. die galle ausnehmen.

en-gëlt stm. kosten, nachteil; ersatz.

en-gëlten stv. bezahlen, vergelten; strafe wofür (gen.) leiden, es büssen müssen, durch etw. zu schaden kommen; mit dp. leiden für.

en-gelten s. *engalten*.

engen swv. stechen (zu *ange*, angel).

engen swv. enge machen, beengen, in die enge treiben; intr. enge werden.

en-gên s. *engân*.

en-genzen swv. zerbrechen, zerreissen, zerstören.

enger s. *anger*.

engerinc, engerlinc, -ges stm. kornmade (s. *anger*).

engerlîn s. *angerlîn.*
engern swv. enger machen.
en-gerwen swv. die rüstung, die kleidung ausziehen.
en-gesten swv. refl. das fremdsein benehmen, vertraut machen.
en-gesten swv. entkleiden.
en-gieȥen stv. ausgiessen, auseinander giessen; intr. refl. austreten (wasser).
en-ginnen stv. aufschneiden, auftun, öffnen.
en-glîchesen swv. durch verstellung vermeiden.
en-glîmen stv. aufleuchten.
en-glîten stv. entgleiten.
en-graben stv. auf-, ausgraben; entwenden.
en-grêden swv. des amtes entsetzen (mlat. *degradare*).
en-gürten swv. entgürten (*daȥ ros* od. *dem rosse eng.*). — refl. den gürtel lösen.
ën-halp, -halben s. *ënent-halp.*
en-hant, -hende adv. in der hand; *enhant gân,* von statten gehn, ergehn.
en-hein s. *nehein.*
ën-hër s. *ënnehër.*
enîn stf. = *ane* swf.
eninkel, enenkel, enikel stm. enkel.
ënk dat. acc. pl. (urspr. dual) zu *ir*: euch (bair.).
enke swm. vieh-, ackerknecht; das gestirn des Bootes.
en-kein s. *nehein.*
enkeinest adv. keineswegs.
enkel stm. knöchel am fuss.
enkelinc, *-ges* stm. = *eninkel.*
en-kennen swv. = *erkennen,* erkennen, bekennen.
ënker gen. von *ir* u. possess. euer (urspr. dual, bair.).
enker s. *anker.*
en-kêren swv. intr. u. refl. sich um-, abwenden, mit gs. — tr. verwandeln.
en-kinden swv. kinder erzeugen, gebären.
en-kleiden swv. entkleiden.
en-klieben swv. spalten.
en-klûsen swv. aufschliessen.
en-koberen swv. refl. sich erholen.
en-köpfen swv. enthaupten.
en-krœnen swv. der krone berauben.
enkusten s. *ent-gusten.*
en-lende s. *ellende.*
en-lîbe = *in lîbe* am leben, leiblich.
enlich s. *anelich.*
en-mitten, -mittent adv. räuml. in der mitte, mitten darin, mitten hinein. — zeitl. wohl stets *ie-mitten.*
en-mornen adv. morgens.
ënne adv. von dort her.
ënne-, ënnen-, ën-, ënt-hër adv. zeitl. von jener zeit her, bisher. — räuml. von dort her.
ënnen, ënnent s. *jenen, jenent.*
ënner adv. jenseits.
en-ouwe s. *ouwe.*
enph- s. auch *entv-.*
enphæhelich, empfellig, anpfellig adj. empfehlenswert, angenehm.
enphâhen, enphân, entvâhen stv. an sich nehmen, aufnehmen, empfangen (abs. das heil. abendmahl empfangen); *einem daȥ ros e.* ihm das ross abnehmen beim empfang; ein kind empfangen; anfangen; in feuer geraten oder versetzen.
en-phahten swv. bestimmen, erklären.
enpfallen, ent-vallen stv. entfallen, niederfallen; entfallen, verloren gehn.
'enphâhunge stf. das empfangen, empfängnis.
enpfarn, ent-varn stv. gehn, entfahren, entgehn, mit dat.
enphëlh stm. empfehl.
enphëlhen stv. übergeben zu besorgung, bewahrung oder besitz mit dp.
enphenc-lich adj. empfänglich; annehmbar, angenehm.
en-phenden swv. als pfand in anspruch nehmen, pfänden.
enphengen, ent-vengen swv. anfachen, entzünden.
enpherwen, ent-verwen swv. entfärben, tr. u. refl.
enphestenen swv. verloben (desponsare).
enphetten swv. entkleiden; ausschirren (pferd).
enphinden, ent-vinden stv. empfinden mit gen.
enphindunge stf. *e. der sinne* sinnliche wahrnehmung.
enphintlich adj. mitfühlend; *mir wirt ein dinc e.* ich empfinde es.
enphlammen, enphlemmen, enflammen swv. entflammen.
enphlëgen stv. mit gen. sorgen für, pflegen.
enphlëhten stv. aufflechten.
enphliegen, ent-vliegen stv. entfliegen.
enphliehen, ent-vliehen stv. entfliehen (mit dat. od. acc.).
enphlihten swv. refl. sich mit etw. zu tun, zu schaffen machen.
enphlœhen, ent-vlœhen swv. durch die flucht entziehen, entwenden, rauben.
enphremden, ent-vremden swv. entfremden, entziehen.
enphüelen swv. in den pfuhl werfen.
enphüeren, ent-vüeren swv. mit dat. entziehen, benehmen; entführen; einem andern eine klage, einen anspruch durch eid od. kampf abgewinnen, eidlich für unwahr od. ungültig erklären.
en-prîsen swv. den preis, wert benehmen, mit gen. entblössen.
en-rinnen stv. aufgehn, entspringen.
en-runst stf. aufgang.
en-sam, -samen, -sament, -sâmt adv. zusammen.
ens-boum s. *ansboum.*
en(t)schumphieren swv. besiegen; erniedrigen, beschimpfen.
en-spalten stv. spalten, zerspalten.
enspen s. *ëȥȥischban.*
en-spin (*anspin*) stm. spinnwirtel.
enste adj. wohlwollend.
enstec-heit stf. gunst. **-liche** adv. wohlwollend.
ent- vgl. auch den anlaut *en-* (oft ist *ent-* nur verstärkend wie in *entlîhten, entnacten* usw.).
ent-âuen, -ænen swv. tr. berauben. — refl. sich entäussern, verzichten mit gs.
ent-arten swv. aus der art schlagen.
ent-blîben stv. übrigbleiben, fernbleiben.
ent-brieȥen stv. entspriessen.
ente swf. ente (s. *ant*).
ent-edelen, -adelen swv. unedel machen.
en-teilen swv. mit dp. erteilen, zu wissen tun; durch urteil aberkennen; zerteilen.
entelîn, entel stn. dem. zu *ente.*
ent-erben swv. tr. enterben; auch allgemeiner berauben mit gs. — intr. ohne erben sein. — refl. mit gs. worauf verzichten.
ent-êren swv. der ehre berauben, beschimpfen; e. bitte abschlagen.
entern s. *antern.*
ent-esten swv. der äste berauben, freudlos machen.
ent-êwen swv. gesetzlich ungültig, unmöglich machen.
ent-formen swv. die *forme* nehmen.
ent-geisten swv. intr. den geist aufgeben. — tr. des geistes berauben.
ent-gliden s. *entliden.*
ent-gusten, enkusten swv. beunruhigen, reizen.
ent-haben, -hân swv. abs. bleiben, warten; mit acc. zurück- und aufrechthalten; fest, ruhig halten. — refl. sich halten, aufhalten, enthalten (mit gs. od. *von*).
ent-habunge stf. enthaltung, enthaltsamkeit; das feststehn, der halt.

ent-halt stm. aufenthalt; stillstand, ende.

ent-halten stv. abs. halten, stillhalten; mit acc. auf-, zurückhalten; aufenthalt, bewirtung und schutz gewähren; erhalten. erretten, erlösen; mit dat. *dem orse* usw. (obj. *zoum* ausgelassen) *enth.*: halten, still halten. — refl. sich auf-, festhalten, behaupten; mit gs. sich enthalten von. **-halter, -helter** stm. erretter, erlöser.

ent-haltnisse, -heltnisse stfn. zurückhaltung; aufenthalt; inhalt.

ent-haltunge stf. enthaltsamkeit; aufenthalt; unterhalt.

ent-hebede stf. abwendung.

ent-heben stv. auf-, zurückhalten; befreien, entledigen mit gs.; refl. = *enthaben.*

ent-heften swv. losknüpfen, lösen, befreien.

ent-heiȥ s. *antheiȥ.*

ent-heiȥen stv. mit dat. u. acc. verheissen, geloben; *sich e. zuo eines grabe* eine wallfahrt an jemands grab geloben.

ent-heiȥer stm. stipulator.

ent-helsen swv. enthaupten.

ent-helter s. *enthalter.*

ent-henden swv. die hände abhauen.

ënt-hër s. *ënnehër.*

ent-hêren swv. entheiligen.

ent-hërzen swv. tr. entmutigen. — intr. verzagen.

ent-hiuten swv. abhäuten.

ent-houbeten, -houpten swv. enthaupten.

ent-houwen swv. loshauen, losmachen von (gen.).

ent-hüeten swv. refl. sich hüten.

ent-hulden swv. der huld eines (dat.) berauben.

ent-hûsen swv. vom hause, vom amte entfernen; mit gs. berauben.

en-tiuren swv. entwerten, erniedrigen.

ent-iuȥen, -iuȥern swv. refl. mit gen. entäussern (s. *entûȥenen*).

ent-kleidunge stf. myst. loslösung vom eigenwillen.

ent-laden stv. entladen, ausladen; mit gs. od. *von* befreien, berauben.

ent-lâwen swv. *lâ* werden, auftauen.

ent-lâȥen, -lân stv. entlassen, los, fahren lassen; flüssig machen. — refl. sich entfalten, aufblühen; nachlassen, aufhören.

ent-leden swv. entladen, entledigen mit gs.

ent-ledigen swv. frei machen.

ent-legen swv. weglegen, entfernen; mit ap. u. gs. entschädigen.

ent-lêhenen, -lêhen swv. entlehnen (*umbe, an, von einem*).

ent-leiden swv. von leid befreien.

ent-leiten swv. entführen.

ent-lesten swv. entlasten, los machen mit gs.

ent-lîben stv. mit dat. schonen, verschonen; ablassen von, einhalt tun.

ent-lîben swv. entleiben.

ent-lîbunge stf. tod.

ent-lîchen swv. entstellen, unkenntlich machen.

ent-liden, -gliden swv. entgliedern; losmachen.

ent-liechen stv. = *entlûchen.*

ent-ligen stv. nieder liegen, entschlafen; ferne liegen.

ent-lîhen stv. entleihen, auf borg geben od. nehmen.

ent-lîhten, -lîhtern swv. erleichtern.

ent-lîmen stv. mit dat. sich ablösen, ablassen von.

ent-linden swv. leicht machen.

ent-lînen = *entliunen.*

ent-liuhten swv. erleuchten.

ent-liunen swv. auftauen.

ent-lœsen swv. los machen, lösen mit gs.

ent-louchen, -lûchen swv. refl. sich öffnen.

ent-loufen stv. entlaufen.

ent-lûchen stv. tr. u. refl. aufschliessen, öffnen; intr. entweichen.

ent-lücken swv. aufdecken.

ent-luogen swv. durchschauen.

ent-machen swv. vernichten; verstecken, unkenntlich machen.

ent-mannen swv. der mannschaft berauben.

ent-mâsen, -meilen swv. von flecken reinigen.

ent-menschen swv. myst. vom menschlichen befreien.

ent-minren swv. refl. sich vermindern.

ent-muoten swv. feindlich entgegensprengen.

ent-nacten, -nacken swv. entblössen.

ent-næjen swv. aufschnüren; enthäuten.

ent-nëmen stv. auf borg nehmen od. geben; entfernen. — refl. sich entfernen *von, ûȥ* od. dat.; entledigen (gs.).

ent-nicken, -nücken swv. einnicken, entschlummern.

ent-nihten swv. zunichte machen.

ent-oben swv. sich erheben über.

ent-öffenen, -öffen swv. eröffnen.

ent-ordenen swv. in unordnung bringen.

ent-ôren swv. die ohren abhauen.

ent-raffen swv. entraffen, befreien *von.*

en-trabes adv. im trabe, eilig.

en-tragen stswv. entziehen, entwenden mit dp.

en-trahten swv. anstreben.

en-trâten stv. intr. in furcht geraten. — tr. erschrecken vor, fürchten.

ent-râten stv. mit dp. ausweichen; mit gs. entbehren; tr. erraten; abraten.

ent-râtunge stf. das erraten.

entrech s. *antreche.*

ent-reden swv. tr. verteidigen, entschuldigen. — refl. mit od. ohne gs. sich von einer anklage durch beweis vor gericht frei machen; *ein guot entr.* es rechtlich aus dem interimist. besitze eines andern an sich bringen.

ent-reder stm. verteidiger.

ent-redunge stf. verteidigung, das schieben der schuld auf einen andern; ausrede, ausflucht.

entreich s. *antreche.*

ent-reinen, -reinigen swv. der reinheit berauben, besudeln.

en-trennen swv. los-, auftrennen, auflösen, zerhauen.

ent-rennen swv. entlaufen.

en-trëten stv. auf die seite treten, einen fehltritt tun.

ent-retten swv. erretten.

en-trîben stv. auseinandertreiben.

ent-ricken swv. von fesseln lösen, auflösen.

ent-rîden stv. refl. sich los winden.

ent-rîhen stv. entledigen.

ent-rihten swv. vom rechten wege ab, in unordnung bringen; in die rechte lage bringen, schlichten, entscheiden; bezahlen.

ent-rinnen stv. davonlaufen, entrinnen, sich entziehen mit dp.; entfallen; s. v. a. *enrinnen.*

entrisch adj. alt, altertümlich; ungeheuer, grausig.

ent-rîsen stv. entfallen.

ent-rîten stv. wegreiten, reitend entkommen mit dp.

en-triuwen s. *triuwe.*

en-triuwen swv. entfremden.

ent-rüemen swv. des ruhmes berauben.

ent-rûmen swv. intr. u. refl. entweichen, verschwinden, sich befreien von. — abs. tr. räumen, einräumen; mit dp. u. as. od. *von,* wovon befreien.

en-trünne adj. flüchtig.

ent-ruochen swv. refl. mit gs. od. *umbe* sich nicht kümmern, entschlagen.

ent-rüsten swv. die rüstung ab-, wegnehmen, entwaffnen; aus der fassung, in zorn bringen. — refl. aus der lage kommen; sich entrüsten.

ent-rütten swv. tr. durch rütteln bewegen, zersprengen; intr. sich verschieben.

ent-sachen swv. zu ende bringen (streit), bewirken; im streite überwinden; befreien (gs.); entfernen *von*.

ent-saffen swv. entsäften.

ent-sage stf. verteidigung.

ent-sagen swv. fehde ansagen mit dp.; tr. u. refl. entschuldigen, verteidigen, freisprechen; *einem etw.* oder *sich einem ents.* lossagen, losmachen von, vorenthalten, absprechen, entziehen, entfremden; das gegenteil sagen, leugnen, verheimlichen; mit worten auseinandersetzen; anschuldigen; *sich e. lâzen*, einer aussage sich unterwerfen. — refl. mit gs. sich entschlagen; sich wogegen verteidigen; mit dat. entfliehen.

ent-samen, -sament = *en-s.*

ent-samenen swv. refl. sich trennen, lossagen.

ent-schëhen stv. geschehen, entstehn.

ent-scheiden stv. unterscheiden; richterl. entscheiden; bescheiden mit gs.

ent-scheit stm. entscheidung; bescheid.

ent-schepfen swv. entstellen; vernichten; intr. entspriessen, hervorgehen aus.

ent-schicken swv. entstellen; ungeschickt machen.

ent-schieben stv. auseinander schieben, erklären.

ent-schihten, -schihtigen swv. entscheiden, ordnen, schlichten.

ent-schînen stv. erscheinen.

ent-schœnen swv. der schönheit berauben.

ent-schulden, -schuldigen swv. tr. u. refl. von der schuld befreien, lossagen, freisprechen mit gs.

ent-schuldunge, -schuldigunge stf. entschuldigung, freisprechung von schuld.

entschumpfentiure s. *schumpfentiure*.

ent-schuochen swv. die fuss- od. beinbekleidung abziehen mit dp. od. ap.

ent-schüten, -schütten swv. befreien, entsetzen (belagerte), entlasten.

entsebelich adj. sinnlich wahrnehmbar.

ent-seben stv. VI u. swv. mit dem geschmacke wahrnehmen, überh. inne werden, bemerken mit gen. od. acc.

ent-sëhen stv. anblicken, durch den anblick bezaubern.

ent-senen swv. refl. durch liebesschmerz umkommen.

ent-senften swv. besänftigen, sanfter machen.

ent-setzen swv. zurück-, absetzen mit gs. od. *von*; aus dem besitze bringen, berauben mit gs. od. *von*; entsetzen, befreien; ausser fassung bringen. — refl. sich scheuen, fürchten vor; mit gen. widerstand leisten, sich widersetzen (*sich der rede e.* eine anschuldigung für unwahr erklären); sich vergleichen.

ent-setzunge stf. myst. verzückung; furcht, scheu; einbusse an ansehen.

ent-sîgen stv. entsinken, entfallen mit dp.

ent-sîn an. v. ohne etw. sein mit gen.

ent-sinken stv. entsinken; mit gen. wovon abkommen.

ent-sinnen stv. intr. u. refl. von sinnen kommen. — refl. zu verstande kommen; in den sinn aufnehmen, erkennen mit gs. od. *ûf, umbe*; sich vornehmen mit gs.

ent-siten swv. durch unsitte, unsittlichkeit beflecken.

ent-sitzen stv. intr. aus der lage, dem ruhigen sitze kommen; sitzen bleiben; mit dp. sich einem gegenüber behaupten; sich entsetzen mit gs. — tr. u. refl. fürchten, erschrecken vor (gen.), ebenso *ich entsitze mir etw.*; wegnehmen mit dp. u. as. — *entsëzzen sîn* entlegen wohnen.

ent-slâfen stv. ein-, entschlafen, sterben; *entslâfen was* man hatte geschlafen.

ent-slæfen swv. einschläfern.

ent-slahen, -slân stv. tr. anschlagen, beginnen (*liet*); auseinanderschlagen; losmachen, befreien von (dat. od. *von*). — refl. uneins werden; sich von einer anklage durch beweis reinigen, mit gs.; sich entäussern, überheben mit gs. — intr. entgehn, enteilen; nicht übereinstimmen.

ent-slîchen stv. wegschleichen.

ent-sliefen stv. entweichen, entschlüpfen.

ent-sliezen stv. befreien *ûz, von*; aufschliessen, öffnen, lösen, offenbaren, erklären; sich verteilen u. ausbreiten.

ent-slîfen stv. entgleiten.

ent-slingen stv. intr. sich ausbreiten; mit dat. sich loswinden von. — refl. sich aufrollen.

ent-slipfen, -slüpfen swv. ausgleiten, entgleiten.

ent-slîzen stv. intr. entgehn.

ent-sloufen swv. los machen von (gen. od. *von*).

ent-slœzen swv. befreien.

ent-slummen swv. entschlummern.

ent-snîden stv. zerschneiden.

ent-snüeren swv. los-, aufschnüren.

ent-sorgen swv. von sorgen befreien.

ent-spanen stv. weglocken, abwendig machen.

ent-spannen stv. losmachen.

ent-spëhen swv. abwendig machen.

ent-spenen swv. entwöhnen, abwendig machen von (dat.).

ent-spengen swv. der spangen berauben; mit gewalt entfernen.

ent-sperren swv. aufsperren.

ent-spitzen swv. stumpf machen.

ent-sprëchen stv. durch worte entkräften; entgegnen, antworten mit dp. — refl. sich losreden, verteidigen, entschuldigen.

ent-spreiten swv. refl. sich ausbreiten.

ent-sprengen swv. auf-, davonspringen machen.

ent-spriezen stv. entspringen; — tr. entspriessen machen, aufschliessen.

ent-sprinc stm. ursprung.

ent-springen stv. entfliessen. mit dat.; entrinnen; hervorspringen, -spriessen; erwachen aus (gen.); aufspringen.

ent-stân, stên stv. intr. sich von etw. wegstellen, entgehn mit gen., mangeln, entgehn mit dat.; stehn bleiben; zu sein beginnen, erstehn, sich erheben, werden — tr. u. refl. merken, verstehn, einsehen, wahrnehmen, sich erinnern mit gen., acc. od. nachsatz.

ent-standunge stf. widerstand; hindernis.

ent-stëchen stv. wegstechen; aufstechen.

ent-stellen swv. verunstalten. — refl. sich verstellen.

ent-stôzen stv. tr. verstossen. — refl. mit dp. abfallen.

ent-stricken swv. losbinden, aufknüpfen; erklären.

ent-sûvern swv. verunreinigen.

ent-sweben swv. tr. einschläfern. — intr. einschlafen.

ent-swëben swv. bewegen.

ent-swëllen stv. aufhören zu schwellen, abschwellen.

ent-swellen swv. tr. *entswëllen* machen (geschwulst); aufschwellen.

ent-swern stv. abschwören.

ent-swîchen stv. entweichen, im stiche lassen mit dp.; unpers. mit dat. ohnmächtig werden.

ent-swînen stv. entschwinden, abnehmen.

ent-swingen stv. refl. sich davonmachen.

en-tüemen swv. gerichtlich od. überhaupt absprechen.

en-tuon an. v. auftun, öffnen; zugrunde richten; *enttân werden* erschrecken.

ent-ûȥenen swv. = *entiuȥen*.

entv- s. auch *enph-*.

ent-vellen swv. entfallen machen oder lassen (entreissen, verlieren); *einen eines d. entv.* machen, dass einem ein ding entfällt.

ent-vërn, -vërnen, -vërren, -virren swv. entfernen.

ent-vriden swv. des friedens berauben.

ent-vrîen swv. frei machen.

ent-vriunden swv. entfreunden, verfeinden.

ent-vrône stf. aufhebung der gerichtl. beschlagnahme.

ent-vrœnen swv. die beschlagnahme aufheben.

ent-vüeȥen swv. die füsse abhauen.

ent-vunken swv. entzünden.

ent-wachen swv. erwachen.

ent-wâfenen, -wâpenen swv. entwaffnen.

en-twahen stv. abwaschen.

ent-wahsen stv. entwachsen, entgehn, verloren gehn mit dp.; mit gen. zu der freiheit wovon gelangen.

en-twâlen swv. sich aufhalten, zögern.

ent-wallen stv. in wallung geraten; entfliegen.

en-twalmen, -twelmen swv. betäuben.

ent-walten stv. überwältigen.

ent-wandeln swv. tr. entfernen, verwandeln; abs. schadenersatz leisten.

ent-wanken swv. entweichen mit dat.

ent-wâpenen s. *entwâfenen*.

ent-wæten swv. entkleiden; enthäuten (wild).

ent-wëben stv. auseinanderweben, losmachen von.

ent-wecken swv. aufwecken.

ent-wëder s. *eintwëder*.

ent-wëgen stv. scheiden, trennen von (*an*).

ent-weichen swv. intr. entweichen — tr. erweichen.

ent-weiden swv. ausweiden.

ent-weisen swv. zur waise machen.

en-twel stm. aufenthalt.

en-twellen swv. tr. auf-, zurückhalten, verzögern mit gs. od. *von*; betäuben. — intr. sich aufhalten, verweilen, zögern.

en-twelmen s. *entwalmen*.

en-tweln swv. aufhalten, erstarren machen, betäuben; berauben mit gs. — intr. = *entwellen*.

ent-weltigen swv. mit gs. der *gewalt* berauben, aus dem besitz setzen.

ent-wenden swv. intr. mit dp. entgehn. — tr. abwenden, abwendig machen; entziehen mit dp.; befreien von, losmachen mit gs. od. *von*.

ent-wenen swv. entwöhnen, tr. u. refl. mit gs.

en-twengen swv. auseinander zwängen, befreien von (gen.).

ent-wenken swv. entweichen, entgehn, untreu werden mit dat., gen., dat. u. gen.

en-twër, -twërch adv. (auch *entwërhes, entwërhe*) in die quere, hin und her.

ent-wërden stv. vergehn, zunichte werden; entkommen mit dp., abkommen, frei werden von (gen.), sich seines wesens entäussern.

ent-wërf stn. entwurf.

ent-wërfen stv. auseinanderwerfen, breiten; auseinandersetzen, erklären; los-, fallen lassen; zeichnen, malen, weben, gestalten; den plan zu etw. fassen, einrichten, anstiften. — refl. sich aufwerfen, in die höhe streben gegen (gen.); sich bilden, gestalten; sich entziehen.

ent-wërken, -wirken swv. verderben, vernichten (vgl. *entwürken*).

ent-wërn swv. abschlagen, nicht gewähren mit ap. gs.

ent-wern swv. aus dem besitz setzen, berauben mit gs. (auch mit dat. u. acc.).

ent-wern swv. entwaffnen; vernichten.

ent-wërren stv. entwirren, in ordnung bringen; refl. = *entreden*; *sich in eine sache entw.* (mit verstärkendem *ent-*) sich hineinmischen, unordnung hineinbringen.

ent-wësen stv. nicht sein; ohne etw. sein, entbehren, überhoben sein mit gs.; fehlen mit dp. — refl. sich entäussern mit gs.

ent-wësen stn. das ausbleiben; die trennung.

ent-wësenen swv. des wesens entäussern.

ent-wëten stv. aus dem joch lösen; entbinden, befreien mit gs., *ûȥ, von*.

ent-wîben swv. der weiblichkeit berauben.

ent-wich stm. das entweichen.

ent-wichen stv. entweichen, fortgehn, im stiche lassen mit dp. od. *von*; mit dat. (u. gen.) weichen als besiegter, ausweichen um platz zu machen od. einer gefahr zu entgehn; mit dat. kraftlos werden; nachgeben, nachstehn; abtreten, zedieren.

ent-wiht s. *niwiht*.

ent-wilden swv. tr. u. refl. entfremden mit dp.

ent-winden stv. ent-, loswinden, entledigen.

ent-wipfen swv. entfahren, entschlüpfen.

ent-wirden swv. der würde berauben, entwürdigen.

ent-wirken s. *entwërken*.

ent-wischen, -witschen swv entwischen.

ent-wîsen stv. verlustig gehn, part. *entwisen*, verlassen, leer von (gen.).

ent-witzen swv. belehren, aufklären mit gs.; des verstandes berauben.

ent-wîȥen stv. vorwerfen, tadeln.

ent-wonen swv. intr. sich entwöhnen mit dp., gs.

ent-worten swv. der worte (sprache, nacherzählung) berauben.

ent-würken swv. zunichte machen, zerstören; ausweiden, zerlegen (vgl. *entwërken*).

ent-würten s. *antwürten*.

ent-zihen stv. refl. verzichten, entsagen mit gs.

ent-ziunen swv. refl. mit gen. sich entäussern.

en-vollen adv. völlig.

en-wadele, -wedele adv. hin und her.

en-wage adv. in bewegung.

en-wâge adv. auf der, auf die waage, bildl. in gefahr.

en-wëc adv. hinweg, fort.

en-wëder s. *newëder*.

en-wiht s. *niwiht*.

en-zamt adv. (**en-zesamt**) zusammen, zugleich mit.

enze swf. gabeldeichsel.

en-zëlt adv. *enz. gân, varn* den passgang gehn usw.

en-zenden swv. entzünden.

en-zetten swv. zerstreuen (*enzat gân, varn*).

enȥic s. *emȥec*.

en-ziehen stv. intr. entgehn, vergehn mit dp. — tr. u. refl. entziehen, abhalten mit dp. od. *von*. — refl. sich enthalten mit gs. od. *von*.

en-zieren swv. des schmuckes berauben, entstellen.

en-zinden stv. entzünden.

en-zît adv. bald, beizeiten.

en-zœhen swv. entziehen.

en-zouwen swv. entgehen, fehlen mit dp.

en-zücken swv. eilig wegnehmen, gewaltsam entreissen, rauben mit dp. od. *von*; ausdruck der myst. ekstase. — refl. sich losreissen, mit gewalt befreien; sich entschlagen mit gs.

en-zünden, -zünten swv. intr. anfangen zu brennen, leuchten. — tr. entzünden. — refl. entbrennen, in zorn geraten.

en-zuo adv. dazu.

en-zwâr adv. = *zwâre* s. *wâr*.

en-zwei adv. = *in zwei* (näml. *stücke, teile*) entzwei.

en-zweien swv. entzweien.

en-zwicken swv. los zwicken, lösen.

en-zwischen s. *zwisc*.

epfel s. *apfel*

epfellîn stn. dem. zu *apfel*.

ephich stn. eppich (lat. *apium*).

ephot (hebr.) alte bezeichnung für *albe*, eig. kleid des hohenpriesters.

ephöu, ebehöu stn. epheu.

ëppen swv. ebben.

eppetisse, ep(b)tissîn stf. äbtissin (mlat. *abbatissa*).

ëppunge stf. ebbe.

er s. *hêrre*.

ër pron. der 3. pers., md. auch *hër, hë* (subst. *der ër* stswm. der mann, das männchen); neutr. *ëʒ, iʒ*.

êr stn. erz, eisen.

êr, ê adv. früher, vormals; eher, lieber mit nachfolgd. komparativsatz. — präp. vor, zeitl. mit gen. od. dat. — konj. eher als, ehe (meist mit folgd. konj.), nach kompar. ohne zeitl. begriff s. v. a. *danne* als, als dass.

er-æbern swv. auftauen, schneelos werden (s. *æber*).

er-affen swv. zum toren werden.

er-ahten swv. genau bestimmen, ermessen, erwägen; zuteilen, bestimmen mit dp.

er-alten swv. alt werden; zu alt werden für (gen.).

er-arbeiten swv. durch arbeit erwerben.

er-argen swv. *arc* werden.

er-armen swv. verarmen; dürftig, schlecht werden.

er-arnede, -arnunge stf. verdienst.

er-arnen swv. einernten, erwerben, verdienen, entgelten; erretten.

er-balden swv. intr. u. refl. *balt* werden, guten mut fassen, sich erkühnen. — tr. *balt* machen.

er-balgen s. *erbelgen*.

er-bangen swv. bange werden

erbære stm. erbe.

êr-(êren-)bære, -bærec adj. der ehre gemäss sich benehmend, edel; zur ehre gereichend, angemessen.

êr-bære stf. ehrenvolles betragen.

êr-bærecheit, êr-bærkeit stf. dasselbe.

êr-bæren swv. glorificare.

êr-bærlich adj. = *êrbære*.

er-barme, -berme stf. barmherzigkeit, erbarmung.

er-barmec, -bermic adj. barmherzig.

er-barmecheit, er-barmkeit, -bermekeit, -barme(n)de stf. barmherzigkeit.

er-barmeclich adj. barmherzig; erbarmenswert.

er-barmen swv. tr. erbarmen haben mit, bemitleiden; erbarmen, dauern, rühren (mit dem acc. od. dat. des erbarmenden u. nom. des bemitleideten). — refl. *sich erb. über, umbe*.

er-barmhërze, -hërzec, -hërzeclich adj. barmherzig.

er-barmhërze stf. barmherzigkeit.

er-barmhërzekeit stf. dasselbe.

er-barmunge stf. erbarmung, barmherzigkeit.

er-barn, -barwen, -berwen swv. *bar* machen, entblössen, zeigen, kund tun.

erbe stfn. erbe; grundeigentum; vererbung, erbschaft.

erbe swm. nachkomme, erbe (*alter erbe* herr eines *alterbes*).

er-bëben swv. s. *erbiben*.

erbe-diet stf. die Christus als erbe gehörende menschheit. **-eigen** stn. ererbtes eigen. **-gate** swm. miterbe. **-gëlt** stn. ererbte schuld. **-genôʒ** stm. miterbe. **-guot** stn. erbgut. **-haft, -haftic** adj. erbend. **-hërre** swm. angestammter herr. **-hulde, -huldunge** stf. erbhuldigung. **-kint** stn. erbsohn, erbtochter. **-lant** stn. ererbtes land. **-lêhen** stn ererbtes lehen. **-lôs** adj. ohne erbe (ohne reich); ohne erben; ohne recht des vererbens. **-man** stm. erblicher dienstmann. **-minne** stf. angeerbte, alteigene minne. **-næme, -nëme** swm. erbe. **-phluoc** stm. ererbtes geschäft, von dem man lebt. **-rëht** stn. erbrecht; bäuerliches recht am gute; recht des erbpächters; eigentum nach erbrecht. **-rëhter** stm. = *erbeler*. **-schaft** stf. erbschaft. **-sun** stm. erbsohn. **-teil** stmn. anteil am erbe, erbschaft; nachlass. **-val** stm. anfall einer erbschaft. **-vater** m. vater durch erbschaft. **-vellic** adj. rückfällig an den lehensherren. **-vint** stm. erbfeind. **-vrouwe** swf. herrin durch erbrecht. **-wëc** stm. altherkömmlicher weg. **-zal** stf. erbteil. **-zeichen** stn. erbwappen; erbberechtigung. **-zins** stm. unablöslicher grundzins.

er-beinen swv. mit dem wachtelbein ins garn locken.

erb-einige stf. erbvereinigung. **-schulde** stf. erbsünde. **-sëʒʒe** swm. erbsasse. **-sidel** swm. der mit erbrecht auf einem lehngute sitzt.

érbeit, érbeiten s. *arbeit, arbeiten*.

er-beiten swv. tr. u. refl. anstrengen, bemühen, abhärten.

er-beiten swv. erwarten, warten auf mit gs.

erbeiʒ s. *areweiʒ*.

er-beiʒen swv. (vom reittiere) absitzen (eigentl. *daʒ ros bîʒen* weiden *lân*), überh. herabsteigen; vom schiffe ans land steigen; niederstürzen. — hetzen, anfeuern (von *beiʒe* falkenjagd).

erbeler stm. erblicher besitzer von geliehenem grund und boden.

er-bëlgen stv. intr. u. refl. zornig werden, zürnen, sich entrüsten (*erbolgen sîn, wërden*) mit dp. gs.

er-belgen, -balgen swv. tr. erzürnen, kränken, strafen.

erbelinc, -*ges* stm. erbe.

er-bëllen stv. anfangen zu bellen; widerhallen.

er-bellen swv. brüllen.

erben swv. tr. mit as. durch erbschaft erhalten, erben, mit ap. beerben; als erbschaft hinterlassen, vererben mit dp. od. *an, ûf*; zum erben machen mit ap.; an jemand als den erben kommen. — intr. u. refl. erbschaft sein, sich vererben mit dp. od. *an, ûf*.

er-berme s. *erbarme*.

er-bermede, -bermde, -bermnisse stf. erbarmen, barmherzigkeit.

er-bërn stv. zum vorscheine bringen, aufdecken mit dopp. acc.; hervorbringen, gebären. — refl. entstehn. — intr. geboren werden.

er-bern swv. erschlagen.

er-berwen s. *erbarn*.

er-biben, -bibenen, -bidemen swv. erbeben.

er-biegen stv. beugen, krümmen.

er-bieten stv. hinstrecken, darreichen, erweisen mit dp. — refl. sich einstellen, sich erweisen, darbieten; *sich vürbaʒ e.*

sich zum weitergehn anschicken.

er-bilden swv. bilden, schaffen; abbildlich darstellen.

er-billen swv. herausschlagen.

er-biten stv. erbitten, durch bitten bewegen zu (gen.).

er-bîten stv. warten, erwarten mit gs.

er-biugen swv. beugen.

er-bîȥen stv. zerbeissen, verzehren mit gen.; totbeissen.

er-blæjen swv. aufblasen.

er-blæjen swv. blöken.

er-blappen part. niedergefallen.

er-blecken swv. sehen lassen.

er-bleichen swv. intr. bleich werden, sterben. — tr. bleich machen, töten.

er-blenden swv. blenden, verblenden, verdunkeln.

er-blenken swv. tr. *blanc* machen. — intr. laut werden

er-blîchen stv. erblassen.

er-blicken swv. intr. strahlen; *ûf e.* aufblicken. — tr. erblicken; *an e.* anblicken; sehen lassen.

erblîden swv. sich freuen, mit gen.

erblinc s. *ermel.*

er-blinden swv. blind werden.

er-bliugen swv. intr. *blûc* werden, verzagen. — tr. *blûc* machen, einschüchtern.

er-bliuwen stv. durchbläuen.

er-blœȥen swv. entblössen.

er-blüejen swv. intr. u. refl. erblühen. — tr. blühend, rot machen.

er-blüemen swv. erblühen.

er-bluoten swv. verbluten.

er-bolge stf. zornausbruch.

er-bolgen part. adj. s. *erbëlgen.*

er-bolgen swv. intr. u. refl. anschwellen; zornig werden gegen (dp.).

er-boln swv. refl. sich aufwerfen, erheben.

er-bœren swv. erheben; refl. sich aufrichten.

er-bôsen swv. schlecht werden.

er-bœsern swv. schlechter machen.

er-brëchen stv. intr. hervorbrechen. — tr. auf-, zerbrechen; *e. an* verbrechen, verschulden. — refl. laut. kund werden; *ûf einen, von einem sich erbr.* auf ihn losstürzen, von ihm sich entfernen.

er-brëhen stv. intr. hervorstrahlen. — refl. sich zeigen, kenntlich machen.

er-breiten swv. ausbreiten.

er-brennen swv. entzünden; verbrennen.

er-brësten stv. zerbrechen, zerreissen.

er-brieȥen stv. entspriessen.

er-brimmen stswv. anfangen zu brummen.

er-brinnen stv. in brand geraten.

er-büegen swv. buglahm machen.

er-bunnen an. v. tr. od. mit dp. beneiden, missgönnen (mit gs. od. *an*).

er-bürn swv. erheben.

er-burzeln swv. niederwerfen.

er-bûwen an v. anbauen (*ein guot erb.*, es wieder in guten stand bringen); durch bau hervorbringen; bauen, aufbauen; bereiten, ausrüsten, ausschmükken.

ërch stn. s. *irch.*

erc-lich s. *arclich.*

er-dâht stf.? trug.

er-danc stm. *mir wirt erd. ze* ich denke daran.

er-darben swv. mangel leiden an (acc.).

ërde stswf. bebautes und bewohntes land; festland, erd-, fussboden; erde als wohnstatt der menschen (*enërde, enërden* auf erden); erde als stoff, als element.

ërdec s. *irdenisch.*

er-decken swv. aufdecken.

er-dempfen swv. tr. ersticken.

ërden-bû stm. *daȥ buoch von dem e.* (Vergils) Georgica.

er-denen swv. ziehen, spannen, ausdehnen; zum schlage erheben (schwert), ausholen; refl. sich verrenken.

er-denken swv. ausdenken, ersinnen mit acc. od. gen.; zu ende denken; mit dem verstande erfassen.

er-denkunge stf. trug.

ërden-klôȥ stmn. erdscholle, -kugel.

er-derren swv. ausdörren.

ërde-wase swm. stück rasenerde.

er-dienen swv. durch dienst erwerben.

er-dieȥen stv. erschallen, rauschen; laut tönend rufen.

er-digen swv. erbitten.

er-dingen swv. durch gerichtl. handlung erreichen, einklagen.

er-dinsen stv. tr. fortziehen.

er-diuhen swv. erdrücken.

er-diuten swv. deuten, bekanntmachen.

er-doln swv. erdulden.

er-doneren swv. donnern, zu donnern beginnen.

er-dorren swv. verdorren.

er-dœȥen swv. schallen machen.

er-drëschen stv. durchhauen.

er-drieȥen stv. unpers. überlästig od. überlang dünken.

er-dringen stv. tr. erzwingen; zu tode drängen. — intr. dringen, reichen.

er-dröuwen, -dröun swv. durch drohen bewirken.

er-drücken swv. tot drücken.

er-drumen swv. zertrümmern.

er-dünen swv. tönen machen.

er-dûren swv. ertragen.

er-dürsten swv. verdursten.

êre stf. act. ehrerbietung, verehrung; preis, zierde. — pass. verehrtheit, ansehen, ruhm; sieg, herrschaft, die gewalt des gebieters; ehre als tugend, ehrgefühl, ehrenhaftes benehmen.

er-effen swv. ganz zum narren machen.

ê-rëht stn. vermögensrecht der ehegatten.

er-eichen swv. ermessen.

er-einen swv. vereinigen.

er-eischen, -heischen swstv. durch fragen etw. erfahren; erfordern; durch gerichtl. klage fordern, beanspruchen; refl. erforderlich sein.

er-eiten swv. heizen.

eren s. *ern.*

êren swv. früher machen, bevorzugen.

êren swv. ehren, preisen, auszeichnen, zur ehre gereichen; beschenken mit.

er-enden swv. ans ende bringen, aushalten können.

erende s. *ârant.*

êren-heie swm. ehrenpfleger. **-prîs** stm. ehrendenkmal, ehrenvoller preis. **-rîche** adj. reich an ehren. **-schîn** stm. ehrenglanz. **-snîder** stm. ehrabschneider. **-stæte** adj. an der ehre festhaltend. **-tât** stf. ehrenhaftes tun. **-wërc** stn. ehrenhafte tat. **-vrî** adj. ohne ehre.

erer stm. arator.

êrer stm. *gotes ê.* cultor dei.

êrer, êrre, ërre adj. kompar. zu *êr*: früher, vorig.

er-erben swv. ererben.

êre-tac stm. ehren-, hochzeitstag.

er-gâhen swv. ereilen.

er-gân, -gên stv. intr. zu gehn beginnen, kommen, geschehen, sich ereignen; zu ende gehn, sich vollenden (*ergangeniu phant*, verfallene pfänder); zergehn, sich vermischen in; *mir ergât eȥ* mir gelingt, wohl oder übel. — tr. gehend erreichen, einholen; durchdringen. — refl. sich ergehn, kommen; zu ende gehn, verlaufen.

er-ganzen swv. ganz werden.

er-garnen swv. vergelten.

er-gaten swv. einfangen, erwischen.

erge stf. bosheit, feindseligkeit; kargheit, geiz; *erge* einer münze: deren geringer gehalt.

er-gëben stv. tr. zeigen; heraus- und wiedergeben; aufgeben, fahren lassen; übergeben, anheim geben mit dp.; absol. mit dat. einträglich sein. — refl. sich zeigen, sich strecken, dehnen, verbreiten; in jemandes gewalt sich ergeben mit dp.; sich vorwärts beugen, kraftlos niedersinken; ins kloster gehn, part. *ergëben* mönch od. nonne (vgl. *begëben*); *sich schuldic* oder *der schulde sich erg.* die schuld eingestehn; verzichten auf, mit gs.

ergëbenheit stf. klostergelübde.

er-geilen swv. froh machen, erheitern. — refl. sich erfreuen mit gs.

er-geisten swv. begeistern.

er-gëlfen stv. intr. laut werden, bellen. — tr. laut, kund machen; klarmachen, erhellen.

er-gëllen stv. erschallen, aufkreischen.

er-gellen swv. durch schall erschüttern.

er-gellen swv. intr. mit galle sich erfüllen.

er-gëlsen, -gëlstern, -gëlzen swv. aufschreien.

er-gëlwen swv. gelb werden, erbleichen.

er-genc-lich adj. vergänglich.

er-gënen s. *erginen.*

er-gengen swv. zum gehn od. zum stillstehn bringen.

ergerlich adj. *ergerlichiu wort* herausfordernde worte.

ergern swv. verschlechtern, verderben; zum bösen reizen, ärgern, ärgernis geben. — refl. schlechter werden; mit gs. od. *mit.— geergert w.* mit gp. ärgernis nehmen.

er-gërn swv. mit *umbe* durchsetzen bei.

ergerunge stf. verschlechterung; ärgernis.

er-gërunge stf. aufforderung, aufgebot.

er-getzen swv. vergessen machen, entschädigen, vergüten mit gs.; erfreuen.

er-getzunge stf. ersatz, vergütung; erkenntlichkeit, belohnung.

er-gëʒʒen stv. vergessen mit gen. od. dat.

er-gieʒen stv. aus-, vergiessen; in eine form giessen. intr. über die ufer treten. — refl. sich ergiessen, verbreiten.

er-giften swv. vergiften.

er-gilwen swv. gelb machen.

er-ginen, -gënen swv. das maul aufsperren.

er-gischen swv. aufschäumen.

er-glaffen swv. betören, berauschen.

er-glasen swv. zu glas oder glasartig werden.

er-gleifen swv. abstreifen.

er-glemmen swv. anfangen zu glimmen.

er-glenzen swv. intr. u. refl. erglänzen; tr. glänzend machen, erleuchten.

er-glesten, -glasten swv. intr. glänzen; tr. erhellen.

er-glîen stv. aufschreien.

er-glimmen stv. erglühen.

er-glitzen swv., **-gliʒen** stv. erglänzen.

er-glosen swv. erglühen.

er-glôsen swv. ausdeuten, ergründen.

er-glöuwen swv. verderben, beschädigen, betrüben.

er-glüejen swv. intr. in glut kommen. — tr. in glut setzen.

er-gouchen swv. intr. närrisch werden. — tr. zum toren machen.

er-graben stv. herausgraben, bildl. erforschen; hinein graben, versenken; ausmeisseln, eingraben, gravieren; mit zierat einlegen.

er-gramen swv. intr. in zorn geraten, zürnen mit dp.; tr. = *ergremen.*

er-greifen swv. ergreifen.

er-grëllen stv. aufschreien.

er-gremen, -gremmen, -gremzen swv. in zorn versetzen.

er-gremmen swv. ergreifen (zu *er-krimmen*).

er-grîfen stv. ergreifen, fassen; erreichen.

er-grimmen swv. in zorn geraten.

er-grimmen s. *erkrimmen*

er-grînen stv. intr. anfangen zu *grînen.* — tr. zum *grînen* bringen.

er-gripfen, -kripfen swv. ergreifen, erhaschen.

er-grîsen swv. grau werden.

er-griulen swv. unp. grauen.

er-grôʒen swv. unp. mit acc. u. gen. zu gross, viel dünken.

er-grœʒen swv. vergrössern.

er-grüejen, -grüenen swv. intr. u. refl. grün werden, emporwachsen. — tr. grün machen.

er-gründen swv. bis auf den grund durchdringen, erforschen.

er-grûsen swv. intr. u. tr. erschrecken.

er-güften swv. zu ende rühmen, ausrühmen.

er-gurren swv. zu einer *gurre* werden, schlecht wie eine *g.* laufen.

er-gürten = *engürten.*

er-güsten swv. versiegen.

er-gusten swv. besänftigen.

erhaben swv. aufrecht erhalten; auf-, zurückhalten.

er-haben part. adj. s. *erheben.*

er-habunge stf. erhebung.

êr-haft adj. ehrenhaft; herrlich, glanzvoll.

êr-haften swv. *êrhaft* machen.

er-hâhen, -hân stv. erhängen.

erhalt, ernhalt m. herold.

er-harn swv. aufschreien.

er-harren swv. durch *harren* erlangen; ertragen, -dulden.

er-haschen swv. ergreifen.

er-hasen swv. furchtsam sein wie ein hase; part. *erhaset* furchtsam, zaghaft.

er-heben stv. tr. auf, in die höhe heben; aus der taufe heben; zu oberst stellen od. setzen; heilig sprechen; anheben, beginnen; mit erhabener arbeit verzieren; überheben mit gs. — refl. sich aufmachen; anheben, beginnen; sich überheben, gross tun; *sich dicke e.* schwellen. — *erhaben* part. adj. erhaben (*erhaben brôt,* gesäuertes brot).

er-hecken swv. totstechen.

er-heilen swv. heilen.

er-heischen s. *ereischen.*

er-heiʒen swv. intr. heiss, feurig werden. — tr. heiss machen, anfeuern *ûf, ze.*

er-hëllen stv. intr. ertönen, erschallen. — tr. durch geräusch aufwecken.

er-henc-nisse stf. suspendium.

er-hengen swv. geschehen lassen; erhängen.

er-henken swv. erhängen.

er-hêrschen swv. mit gen. dominari.

er-herten swv. tr. erhärten, bekräftigen. — intr. aushalten, ausdauern.

er-hërzenen swv. beherzt werden, mut fassen.

er-hesten swv. ereilen.

er-hetzen swv. anhetzen, aufreizen.

er-hinken stv. anfangen zu hinken.

er-hischen swv. aufschluchzen.

er-hitzen swv. intr. heiss (rot) werden. — tr. heiss machen, in hitze setzen.

er-hœhen swv. erhöhen, verherrlichen.

er-hœhern swv. höher machen erheben.

er-holn swv. tr. einbringen, erwerben; versäumtes nachholen, gutmachen; erfrischen, erquicken. — refl. wieder aufkommen, sich erholen von (gen.), eine versäumnis gutmachen, von einer verirrung zurückkommen, sich anders besinnen; im rechtl. sinne einen verstoss im verfahren, in der rede (und dadurch erlittenen schaden) wieder gutmachen.

er-hôrchen swv. md. hören.

er-hœren swv. hörend wahrnehmen, hören; erhören.

er-hossen swv. laufend einholen, ereilen.
er-houwen stv. aushauen; stechen; auf-, zerhauen; erschlagen; durch hauen erwerben. — refl. sich müde hauen; sich durchschlagen.
er-hügen swv. intr. u. refl. mit gen. sich erinnern; sich über (*umbe*) etw. freuen; tr. erfreuen.
er-hüln swv. aushöhlen; bildl. ergründen.
er-hungern swv. tr. aushungern. — intr. verhungern.
er-hürnen swv. des horns berauben.
er-hurten swv. *e. an* losrennen gegen.
er-îlen swv. ereilen; nach der wirklichkeit erzählen.
êrîn adj. ehern.
er-innen swv. tr. inne werden.
er-innern, -indern swv. zu wissen machen (mit dat. u. acc. od. mit acc. u. gen.); *einem mit einer s. etw. er.*, es ihm damit beweisen.
er-iteniuwen swv. erneuern.
er-jagen swv. erreichen, gewinnen; der wirklichkeit gemäss erzählen (vgl. *erîlen*).
er-jëhen stv. bekennen.
er-jëten stv. von unkraut reinigen, das gute vom schlechten sondern.
er-jungen swv. verjüngen.
er-kalten swv. kalt werden.
er-kant part. adj. bekannt, berühmt; erkennbar; herstammend. oft zur umschreibung: *e. sîn* sein; *e. tuon, machen.*
er-kantlich adj. erkennbar, bekannt.
er-kantnisse stfn. erkenntnis, einsicht.
er-kapfen swv. *an e.* anschauen.
er-këllen stv. erfrieren.
ërkeln swv. ekeln.
er-kelten swv. kalt machen.
ërken swv. = *ërkeln.*
er-kenne stf. erkenntnis.
er-kenneclich, -kennelich adj. erkenntlich, wohlbekannt, verständlich.
erkennen swv. abs. kennen, wissen, erkennen. — tr. kennen, erkennen, kennen lernen; anerkennen (dankend, ehrend); *sîn wîp e.* beschlafen; zuerkennen mit dp.; *einen des lebens e.*, zum tode verurteilen; bekannt machen. — refl. bescheid wissen, sich zurecht finden; verstehn, richtig beurteilen (*sich an, über einen e.* ihn freundlich behandeln, gnädig beurteilen); rechtl. entscheiden, urteil sprechen.
er-kennunge stf. erkenntnis; bekanntschaft, verwandtschaft.
erker s. *ärkêr.*
erker, erkers adv. md. hingegen.
er-kërnen s. *erkirnen.*
er-kërren stv. aufschreien.
er-kerren swv. aufschreien machen.
er-kîden stv.? sprossen.
er-kiesen stswv. greifen, erwählen (*einen erk.* auf ihn zielen); gewahren, sehen; ersinnen, erfinden.
er-kinden swm. zum kinde werden.
er-kirnen, -kërnen, -kürnen swv. vollständig darlegen, ergründen; vollkommen machen.
er-klaffen swv. klappern, krachen; refl. sich besprechen, unterhalten.
er-klagen swv. tr. klagen; durch klage vor gericht bringen oder erlangen. — refl. sich beklagen.
er-klæren swv. tr. *klâr* machen. — intr. *klâr* werden.
er-klemmen swv. umklammern, erdrücken.
er-klengen, -klenken swv. erklingen lassen, machen.
er-klepfen swv. in schrecken versetzen.
er-klîben stv. stecken bleiben, verkommen.
ërk-lich adj. ekelhaft, leidig.
er-klieben stv. intr. u. refl. sich spalten, zerspringen, vergehn. — tr. zerspalten.
er-klingen stv. intr. erklingen; tr. = *erklengen.*
er-klupfen, -klopfen swv. erschrecken vor (gen.).
er-knëllen stv. erhallen.
er-knisten swv. zerstossen.
er-koberen, -koveren swv. erholen, gewinnen; zusammenhalten. — refl. sich erholen von (gen.). (aus lat. recuperare).
er-kome stf. schrecken.
er-komen stv. intr. u. refl. erschrecken mit gs. od. *von.*
er-komen part. adj. erschrocken. **-lich** adj. schrecklich; erschrocken.
er-korn, -kosen swv. erwählen.
er-kôsen swv. refl. sich besprechen, unterhalten *mit*; *tr. abe erk.* abschwatzen.
er-koufen swv. erkaufen, erwerben; loskaufen.
er-koveren s. *erkoberen.*
er-krachen swv. erkrachen, krachend fast zerbrechen.
er-krallen, -krellen swv. mit krallen an sich ziehen.
er-krapen swv. an sich ziehen.
er-kratzen swv. zerkratzen, kratzend ergreifen.
er-kreften swv. bekräftigen.
er-kreischen swv. md. aufkreischen machen.
er-krellen swv. krallend ergreifen.
er-krenken swv. *kranc* machen.
er-kriegen swv. bekriegen; erstreiten (*einem etw. an erkr.*); md. = *erkrîgen.*
er-krîgen stv. erlangen, erreichen, erwerben.
er-krimmen, -grimmen stv. zerkrallen, zerkratzen.
er-kripfen s. *ergripfen.*
er-krumben swv. intr. krumm, lahm werden; tr. krumm machen, lähmen.
er-krüpfen swv. den kropf anfüllen, sättigen.
er-kücken s. *erquicken.*
er-küelen swv. kühl machen.
er-küenen swv. kühn machen.
er-kunden swv. = *urkunden*, urkundlich dartun.
er-künden swv. kund tun; kunde wovon erlangen.
er-kunnen part. adj. erkannt, erforscht.
er-kunnen swv. kennen lernen, erforschen.
er-kuolen swv. kühl werden.
er-kuonen swv. kühn werden; zutrauen fassen zu (*an*, dat.).
er-kürn swv. erwählen.
er-kürnen s. *erkirnen.*
er-kürzen swv. verkürzen.
er-laben swv. erquicken.
erlach stn. erlengebüsch.
er-lachen swv. auflachen, lachen über (gen. od. *von*); tr. *an erl.* anlachen.
er-laden stv. beladen.
er-laffen stv. erschlaffen.
er-lamen swv. lahm werden; tr. = *erlemen.*
er-langen swv. unpers. lang dünken, langweilen mit gs.; sich sehnen, verlangen *nâch.* — tr. erreichen.
er-læren swv. ganz leer machen, frei machen von (gen.).
erlâwen swv. lau machen.
er-lâȝen, -lân stv. mit acc. u. gen. wovon frei lassen, erlassen. — refl. auseinander gehn, sich enthalten, unterlassen mit gs.
er-lëben swv. erleben; part. *erlëbet* verlebt, abgelebt.
er-lëchen stv. intr. austrocknen, verschmachten. — tr. trocken machen, leeren.
er-ledigen swv. in freiheit setzen; frei machen (gen. od. *von*).
er-legen swv. niederlegen; aus-, einlegen, belegen; beilegen, schlichten.
er-lêhenen swv. belehnen; entlehnen.
er-leiben swv. übrig lassen.
er-leiden swv. intr. leid, verleidet sein mit dp. — tr. leid machen, verleiden mit dp.

er-leitern swv. vermittelst einer leiter ersteigen.

er-lemen, -lemeden, -lemmen swv. lahm machen, lähmen.

er-lenden swv. landen.

er-lengen, -lengern swv. verlängern, verzögern.

er-lenken swv. refl. wenden, umlenken.

er-lêren swv. unterrichten.

er-lërnen swv. tr. zu ende lernen; kennen lernen, erfahren. — refl. sich erkundigen, rat holen.

er-lëschen stv. intr. erlöschen; weidm. aufhören zu bellen, zu jagen.

er-leschen swv. tr. auslöschen.

er-lësen stv. durch lesen erforschen, bis zu ende lesen; erwählen.

er-leswen swv. schwach werden.

êr-lich adj. ehre und ansehen habend, der ehre wert, ansehnlich, vortrefflich, herrlich, schön. **-liche, -en** adv. ehrenvoll, ehrerbietig; ehrenhaft; herrlich, prunkvoll.

er-lîden stv. bis zu Ende gehn; bestehn, erleben, ertragen, aushalten.

er-lieben swv. refl. sich erlustigen, erfreuen.

er-liegen stv. erlügen, durch lügen gewinnen; vorlügen, vorenthalten mit dp.

er-ligen stv. intr. erliegen; ablassen. — tr. durch liegen umbringen, erdrücken.

er-lîhten, -lîhtern swv. erleichtern.

er-limmen stv. heulen.

erlîn adj. von erlenholz.

er-linden swv. *linde* machen, erweichen.

er-lingen swv. gelingen.

er-listen swv. durch *list* zustande bringen.

er-liuhtec adj. leuchtend, strahlend; erlaucht.

er-liuhten swv. tr. erleuchten; sehend machen. — intr. aufleuchten.

er-liuhtunge stf. myst. erleuchtung.

er-liuten swv. tr. erläutern, intr. = *erlûten.*

er-liutern, -lûtern swv. rein, hell (*lûter*) machen; erklären.

êr-lôs adj. ehrlos, entehrt.

er-lœsære stm. erlöser.

er-lœsen swv. lösen, auflösen, befreien von (gen. od. *ûz, von*); offenbaren; erzielen, gewinnen; beseitigen, aufheben. — refl. sich los-, auflösen.

er-louben swv. erlauben, zugestehn; erlaubnis geben, bes. zu gehn erlauben, entlassen. — refl. mit gen. sich eines dinges entschlagen.

er-loufen stv. tr. durchlaufen; laufend einholen; angreifen. — refl. sich zutragen, verlaufen; auflaufen (zins).

er-lougen swv. aufflammen.

er-loup stm. = *urloup.*

er-lûcht part. md. erlaucht.

er-lüejen swv. aufbrüllen.

er-lüften swv. sich erholen, erfrischen.

er-luogen swv. anschauen, erschauen.

er-lupfen, -lüpfen swv. in die höhe heben, lüpfen.

er-lusten, -lustenen swv. ergötzen, erfreuen.

er-lûten swv. lauten, ausgesprochen werden; einen laut von sich geben, bellen.

er-lûtern s. *erliutern.*

er-lûzen swv. durch auflauern erfassen.

er-mageren = *mageren.*

er-mâlen swv. malen.

er-manen swv. ermahnen, woran (gen.) erinnern.

er-mangen swv. mit wurfmaschinen (*mangen*) bezwingen.

er-mannen swv. mut fassen.

er-mæren swv. erzählen.

ermec-lich s. *armeclich.*

ermede, ermde stf. armut.

er-meien swv. refl. ergötzen.

ermel, ermelinc, erblinc, -ges stm. ärmel.

erme-lich adj., **-liche** adv. ärmlich, dürftig, auf armselige weise.

ermelîn, ermel stn. ärmchen.

ermen, ermern swv. arm, ärmer machen.

er-mêren swv. vermehren.

er-merken swv. bemerken.

ermet s. *armuot.*

er-mieten swv. erkaufen, bezahlen.

er-milden swv. mild machen.

er-minnern swv. geringer machen, erleichtern.

ermîte swm. einsiedler.

er-müeden swv. müde werden.

er-mundern, -muntern swv. aufwecken, ermuntern.

ermuote s. *armuot.*

er-mürden, -murden; -mörden, -morden; -murderôn, -morderôn swv. ermorden.

er-mûsen swv. heimlich wegnehmen.

ern, eren, erren swv. od. red. 1 ackern, pflügen, part. *gearn, garn* (*den sant ern* etw. vergebliches tun); wie mit der pflugschar schneiden.

ern, eren stmn. fussboden, tenne; erdboden, grund.

ern stm., **erne** stswf., **ernde** stf. ernte; als monatsname juni, juli und august.

er-narren swv. zum narren werden.

ernde, erne s. *ârant.*

ërnder, ernder stm. der eine botschaft (*ârant*) ausrichtet, bote; fürbitter.

er-neizen swv. belästigen.

ernelîn stn. dem. zu *erne* kleines geschäft, kleinigkeit.

er-nëmen stv. herausnehmen, entnehmen.

ernen swv. ernten.

er-nenden swv. intr. u. refl. mut fassen, sich wagen mit gs., infin., *an, ûf, in.*

er-nennen swv. zu ende nennen, ganz aussprechen.

er-nern swv. gesund machen, heilen mit gs.; retten, erretten, am leben erhalten; ernähren, füttern.

er-nësen stv. gerettet werden.

ërnest, ërnst stm. kampf (bes. im gegens. zu *schimpf* und *spil*); aufrichtigkeit, festigkeit des denkens, redens und handelns.

ërnesten, ërnsten swv. mit *ërnest* handeln.

ërnest-haft adj. kampfbereit, mutig, streitbar; ernst. **-haftekeit** stf. eindringlichkeit **-kreiz** stm. kampfplatz. **-lich** adj., **-liche** adv. wohlgerüstet, streitbar (*ërnestlîchez spil*, kampfspiel); ernstlich, wahrhaft.

ern-halt s. *erhalt.*

er-niesen stv. niesen.

er-nieten swv. refl. mit gen. od. *mit* sich andauernd beschäftigen, womit ergötzen; sich ersättigen (*an*, gen.).

er-nihten, -niuhten swv. vernichten; für nichts achten.

er-niuwen, -niuwern swv. tr. u. refl. erneuen, -neuern; intr. neu werden.

er-noisen swv. erforschen.

er-nœten swv. nötigen zu (gen.).

ernt s. *ârant.*

er-oberen swv. tr. übertreffen, -winden; erübrigen. — intr. übrig bleiben.

er-oberigen swv. erübrigen, gewinnen.

er-offenen, -offen swv. eröffnen, kund machen; mit ap. belehren.

er-œsen, -ôsen swv. ausleeren, erschöpfen, verwüsten.

er-ougen, -öugen swv. vor augen stellen, zeigen.

er-pînen swv. intr. aufhören zu leiden; tr. peinigen.

er-queben swv. ersticken.

er-quelen swv. zu tode quälen.

er-queschen swv. zerquetschen.

er-quicken, -kücken, -kicken, -kecken swv. tr. u. refl. neu beleben, vom tode erwecken; intr. munter werden.

er-râten stv. tr. (ratend od. sinnend) treffen auf, geraten; anraten, im rate beschliessen; erraten.
ërre s. *irre.*
êrre, ërre s. *êrer.*
er-rëchen stv. tr. und refl. vollständig rächen.
er-recken, -rechen swv. hervortreiben, erregen; durch ausstrecken erreichen, erlangen.
er-recken, -rechen swv. ganz aussprechen, einzeln aufzählen, darlegen, ergründen.
er-reichen, -reigen swv. erreichen, treffen; begreifen.
er-reinen, -reinegen swv. reinigen.
er-reisen swv. durch reisen, auf der reise erlangen.
er-reiten swv. enarrare.
er-reizen swv. aufreizen.
erren s. *ern.*
ërren s. *irren.*
er-rennen swv. rennend einholen, mit sturm nehmen.
er-rêren swv. zu falle bringen.
er-retten swv. erretten, befreien von mit gs.
er-richlich adj. zur rache geneigt.
er-rîden stv. in die höhe, zu ende schwingen.
er-rîhen stv. erstechen.
er-ringen stv. mit mühe zu ende führen, durchsetzen, erringen.
er-ringen swv. *ringe* machen, erleichtern.
er-rinnen stv. intr. aus- u. aufgehn, entstehn; trocken u. leer wovon (gen.) werden. — refl. dahinfliessen.
er-riten stv. intr. auseinander reiten. — tr. durchreiten; durch reiten beweglich machen; reitend einholen, überh. erreichen, treffen.
er-riuten swv. durch ausreuten säubern von (gen.); durch ausreuten erwerben.
er-rizen stv. zerreissen; refl. sich spalten.
er-rôten swv. erröten.
er-roufen swv. refl. sich raufen.
er-rüeren swv. in bewegung setzen, erregen.
er-rûmen swv. ganz räumen.
êr-sælic adj. durch erz beglückt (*êrs volc* zwerge).
er-salwen swv. trübe oder welk werden.
êr-sam = *êrlich.* **-same** stf. ehrbarkeit. **-samecheit, -samkeit** stf. ehrbarkeit; ehrerbietung. **-samen** swv. honorificare.
er-saten, satten, -setten swv. sättigen.
er-saz stm. ersatz. strafe.
er-schallen swv. durch *schal* (rufen, bitten usw.) erwerben.
er-schamen swv. intr. und refl. voll scham werden, in scham geraten über (gen.).
êr-schaz stm. laudemium.
er-scheiden stv. unterscheiden.
er-scheinen swv. tr. u. refl. leuchten lassen, zeigen, beweisen, offenbaren.
er-schëllen stv. erschallen, ertönen; kund werden.
er-schellen swv. zum schallen bringen; aufschrecken; betäuben; zerschellen, spalten; mit gewalt auseinandertreiben, zum weichen bringen.
er-schemen swv. refl. m. gen. sich schämen.
er-schepfen an. v. ausschöpfen, erschöpfen.
êr-schetzic adj. *êrschaz* zu geben verpflichtet.
er-schieben stv. voll schieben, stopfen.
er-schiezen stv. tr. erschiessen; durchschiessen, verzieren; ausschiessen, erwählen. — intr. aufschiessen, gedeihen, fruchten.
er-schînen stv. intr. u. refl. sichtbar werden, sich zeigen, erscheinen.
er-schiuhen swv. scheu werden oder machen; *erschiuhet* gemieden, verscheucht.
er-schocken swv. in zitternde bewegung geraten.
er-schouwen swv. erschauen, erblicken.
er-schœzen swv. tr. gedeihen machen, mehren. — refl. wachsen, anschwellen.
er-schræjen swv. aufspritzen.
er-schrëcken stv. intr. auf- und zurückspringen, auffahren, aufschrecken; erschrecken vor (gen. od. *abe, durch, von*).
er-schrecken swv. tr. aufschrecken (aus dem schlafe); erschrecken. — intr. aus dem schlafe aufschrecken; erschrekken über (gen. od. *von*).
er-schreckunge stf. das erschrecken; die erstarrung.
er-schreien swv. *erschrîen* machen, zum rufen bringen.
er-schrenzen swv. zerreissen.
er-schrîben stv. zu ende schreiben.
er-schricken swv. intr. = *erschrëcken*; tr. = *erschrecken.*
er-schrien stv. intr. aufschreien. — refl sich ausschreien. — tr. durch schreien aufwecken, beklagen.
er-schrîten stv. mit schritten einholen. erreichen.
er-schrôten stv. zerschneiden; zerreiben, zermalmen; refl. sich aufreissen, ausdehnen; erstrecken.
er-schüpfen swv. erschüttern.
er-schüten, -schütten swv. tr. u. refl. schütteln, erschüttern; durch schutt ausfüllen, aufschütten, erhöhen. — intr. erschüttert werden.
er-schütteln swv. schütteln.
er-sëhen stv. sehend wahrnehmen, betrachten, erblicken, erschauen. — refl. sich erblicken, widerspiegeln; sich umsehen, erkundigen.
er-seigen swv. ausschöpfen, erschöpfen; auslesen (geld).
er-senden swv. aussenden.
er-senften swv. beruhigen.
er-senken swv. versenken.
er-sêren swv. verwunden.
er-serten swv. in angst, ausser fassung bringen.
er-setten s. *ersaten.*
er-setzen swv. eine entstandene lücke ausfüllen, ersetzen; anflicken; mit gewürze versetzen, bereiten, brauen. — refl. sich setzen, zurecht setzen.
er-sichern swv. versuchen, erproben.
er-siechen swv. erkranken.
er-sieden stv. auskochen.
er-sigen swv. siegen, ersigen erschöpft.
er-sîgen stv. sinken.
er-sîhen stv. entleert werden; part. *ersigen* erschöpft, entleert von (gen.).
er-sinden swv. durch gehen erreichen, bildl. auskundschaften, erforschen.
er-singen stv. durch singen erwerben.
er-sinken stv. versinken.
er-sinnen stv. erforschen; erdenken, erwägen.
er-sitzen stv. intr. sitzen bleiben. — tr. durch sitzen erwerben.
er-siuften, -siufzen swv. intr. aufseufzen. — tr. mit *an* anseufzen.
er-siuren swv. *sûr* machen.
er-slâfen stv. entschlafen.
er-slahen, -slân stv. zerschlagen, nieder-, totschlagen. — refl. sich schlagen, mit schlägen angreifen.
er-slæwen swv. part. *erslæwet* lau geworden.
er-slîchen stv. tr. schleichend kommen an, überrumpeln.
er-slinden stv. verschlingen.
er-slingen stv. umschlingen.
erslingen, ersling adv. rückwärts, ärschlings.
er-sloufen swv. herausschlüpfen machen.
er-smæhen swv. schmachvoll behandeln.
er-smecken swv. tr. erwittern; intr. riechen. duften.
er-smielen, -smieren swv. auflächeln; wozu (gs.) lächeln.
er-snellen swv. tr. ereilen.

er-snîden stv. aus-, aufschneiden, zerschneiden.
er-sochen swv. krank machen, lähmen.
er-soufen swv. ersäufen.
er-spalten stv. zerspalten.
er-spannen stv. spannend messen, ermessen.
er-spæten swv. verspäten.
er-spëhen swv. ersehen, erforschen.
er-spengen, -spangen swv. mit spangen befestigen.
er-spennen swv. spannend erreichen, umfassen.
er-spiegeln swv. widerspiegeln.
er-spiln swv. anfangen zu spielen.
er-spinnen stv. durch spinnen erwerben.
er-sprâchen swv. refl. sich besprechen.
er-sprëchen stv. aussprechen; bestimmen, festsetzen. — refl. sich besprechen.
er-sprengen swv. springen machen (mit ausgelassenem obj. *ros*); sprengen, lossprengen; aufsprengen, -scheuchen; ausbreiten; auseinandersprengen, beendigen. — refl. sich erstrecken, ausreichen.
er-sprieȥen stv. aufgehn, -spriessen; bildl. frommen.
er-springen stv. intr. auf-, entspringen. — tr. erhaschen.
er-spüelen swv. ausspülen, abwaschen.
er-spürn swv. ausspüren.
êrst sup. zu *êr*: erst (*des êrsten* sobald als, zuerst).
er-staben, -stabeln swv. erstarren.
er-stân, -stên stv. intr. auf, offen stehn; aufrecht stehn; vom tode erstehn; sich erheben, aufstehn; entstehn. — tr. aufstehn machen; durch stehn (vor gericht) erwerben; ausstehn, ertragen. — refl. merken, verstehn.
er-staten swv. ersetzen; weidm. = *bestæten.*
er-stæten swv. festmachen.
êrste swm. der erste seelengottesdienst für einen verstorbenen.
êrste stf. anfang.
êrste-born, -geborn part. adj. primogenitus.
er-stëchen stv. stechen, totstechen.
er-stecken swv. vollstopfen; ersticken machen, zu fall bringen; *reht erst.*, die gerichtl. verhandlung einstellen.
er-steigen swv. aufsteigen machen; ersteigern.
er-steinen swv. intr. zu stein werden, erstarren, verhärten, verstocken. — tr. steinigen.

er-stên s. *erstân.*
er-stende stf. = *urstende.*
er-stenken swv. mit gestank erfüllen; berauschen; übervorteilen, betrügen
er-stërben stv. absterben, sterben mit gen. causal. (*tôdes, hungers*) od. mit präp.; durch todesfall kommen, vererben *an, ûf.*
er-sterben swv. töten.
er-sticken swv. intr. ersticken, bildl. verstummen; tr. = *erstecken.*
er-stieben stv. auseinanderstieben.
er-stîgen stv. intr. steigen; tr. ersteigen; überfallen.
er-stinken stv. anfangen zu stinken, in fäulnis übergehn.
er-stœren swv. durchstöbern, aufstören, aufregen; auflösen; zerstören.
er-storren swv. steif werden.
er-stouben swv. *erstieben* machen, aufscheuchen.
er-stôȥen stv. intr. mit gen. wovon frei werden. — tr. nieder-, zu tode stossen. — refl. sich stossen *an.*
er-strecken swv. niederstrecken; ablegen; ausdehnen, erweitern; zeitl. verlängern, hinausschieben.
er-strîchen stv. ab-, wegwischen; putzen, zieren; peitschen; laufend einholen; durchwandern, -streifen; abs. eilen.
er-strîten stv. erkämpfen; durch kampf überwältigen. — refl. sich durch kampf frei machen *ûȥ*; sich müde kämpfen.
er-strûben swv. in schrecken setzen.
er-strûchen swv. straucheln.
er-stummen swv. stumm werden, verstummen.
er-stürmen swv. durch sturm gewinnen, erobern.
er-stürn swv. durchstöbern.
er-stürzen swv. stürzen, zu falle bringen.
ersuochen swv. suchen, begehren; ausforschen, ergründen, untersuchen; auf-, heimsuchen bes. im feindl. sinne; reizen, erregen.
er-sûren swv. sauer werden.
er-swachen swv. schwach werden.
er-swarzen swv. schwarz, dunkel werden.
er-sweimen, -sweinen swv. schwebend erfliegen oder erreichen.
er-sweiȥen swv. intr. u. refl. in schweiss geraten.
er-swëllen stv. aufschwellen.
er-swërn stv. schmerzend anschwellen, zu eitern beginnen.
er-swîgen stv. schweigen, verstummen.

er-swingen stv. schwingend in bewegung setzen; aufschwingen; abstreifen; schwingend erreichen.
er-switzen swv. in schweiss geraten.
er-tac s. *artac.*
er-tac stm. dienstag.
er-tagen swv. intr. tag werden, aufgehn wie der tag. — tr. mit gerichtl. urteile erlangen.
ertage-wan stm. tagwerk, frondienst.
ërt-aphel stm. mandragora; gurke. **-ber** stn. swf. erdbeere. **-bibe, -bibede, -bibunge** stf. erdbeben. **-bidem, -bideme** stswmn. dasselbe. **-gerüste** stn. das erdgebäude, die erde. **-îsen** stn. pflugeisen. **-knolle** swm. erdscholle. **-rîch** stn. erde, erdreich; erd-, fussboden; erde als stoff. **-rinc** stm. erdkreis. **-scholle** swm. erdscholle. **-stam** stm., **-stamme** swm. baumstrunk. **-stift** stf. stiftung, bau auf erden. **-val** stm. fall zur erde (totschlag, wunde, wenn ein mann oder ein glied niedergehauen wird u. zur erde fällt); die pflanze *herba Roberti* (von der blutstillenden kraft des krautes bei dergleichen verwundungen). **-var** adj. erdfahl. **-vellec** adj. zu boden fallend (durch verwundung). **-vluc** stm. flug am boden. **-vruht** stf., **-wuocher** stmn. feldfrucht. **-wurm** stm. regenwurm.
er-tasen, -tasten swv. betasten; durch tasten erwischen.
ertec, ertic adj. angestammte gute beschaffenheit habend.
êr-tegic adj. gestrig.
er-teilære stm. urteiler, richter.
er-teilen swv. abs. urteil sprechen. — tr. richten über, verurteilen; ein urteil sprechen mit dp., als urteil zuerkennen, zusprechen, erteilen mit dat. u. acc.; teilen.
ertic s. *ertec.*
er-tîchen stv. büssen, abbüssen.
er-tihten swv. aussinnen.
er-tilgen swv. vertilgen.
er-tiuren swv. beteuern.
er-tiuten swv. erschallen.
ert-lich adj. geartet.
er-toben swv. intr. u. refl. von sinnen kommen.
er-tôren, -tœren swv. zum toren werden, machen.
er-tôten swv. sterben.
er-tœten swv. töten.
er-touben swv. taub machen; betäuben; vernichten. — refl. enden, aufhören.
er-töuwen swv. sterben.
er-traben swv. lostraben.

er-trahten swv. ergründen; erdenken, ersinnen.

er-trenken swv. tränken; ertränken, überschwemmen.

er-trennen swv. trennen, zerstückeln; refl. uneins sein.

er-trëten stv., **-treten** swv. zertreten, tot treten.

er-triefen stv. abtröpfeln.

er-triegen stv. betrügen; über etw. täuschen, durch betrug etw. verhehlen.

er-trinken stv. abs. u. tr. trinken, austrinken. — intr. ertrinken; untergehen (von schiffen).

er-trinnen stv. entrinnen.

er-truckenen, -trückenen swv. trocken werden, machen.

er-trüeben swv. betrüben.

er-trûren swv. intr. traurig sein, werden; tr. *an e.*, durch trauern abnötigen.

er-tücken swv. erhaschen, erlisten.

er-tumben swv. ganz unverständig sein.

er-twahen stv. waschen.

er-twëln stv. sterben.

er-tweln swv. betäuben, kraftlos machen, verzögern.

er-twingen stv. bezwingen.

erunge stf. das pflügen.

êrunge stf. geschenk.

er-vallen stv. intr. niederfallen, zu tode fallen; zurückfallen (von lehen); zuteil werden mit dp. — refl. einen fall tun, sich nieder, herabstürzen, zu tode fallen. — tr. überfallen; fallen auf, durch fallen töten.

er-valten stv. zusammenfalten, niederdrücken.

er-valwen swv. fahl werden.

er-være stn. schrecken, furcht.

er-væren swv. überlisten, betrügen, hineinlegen; überraschen, erwischen; in gefahr bringen, erproben; erschrecken, betrüben, erzürnen. — refl. sich entsetzen, fürchten.

er-varn stv. intr. fahren, reisen. — tr. durchfahren, -ziehen; einholen, erreichen; treffen, finden, erwischen; kennen lernen, erkunden, erforschen, erfahren. — refl. sich erkundigen, rat holen.

er-varunge stf. durchwanderung; erforschung.

er-vëhten stv. erkämpfen; bekämpfen. — refl. sich kämpfend anstrengen, loskämpfen *von*.

er-veilen swv. *veile* machen

er-vellen swv. zu falle bringen, erlegen. — refl. zu tode fallen, auseinanderfallen; sich verbreiten.

er-velschen swv. für falsch erklären.

er-venden swv. erforschen, erfahren.

er-vîlen swv. feilen.

ervilu swv. unp. = *beviln.*

er-vinden stv. ausfindig machen, bemerken, erfahren.

er-vinstern swv. finster werden; sich verfinstern.

er-virnen, -vërnen swv. *virne* werden.

er-virren swv. fernhin verbreiten.

er-viselunge stf. enthülsung.

er-viuhten swv. anfeuchten, erfrischen.

er-viulen s. *ervûlen.*

er-viuren swv. entflammen.

er-vlêhen swv. durch flehen erlangen, bewegen.

er-vlemmen, -vlammen swv. entflammen.

er-vliegen stv. fliegend erreichen; durchfliegen.

er-vliezen stv. erfliessen, aus-, überfliessen.

er-vlougen swv. auffliegen machen, verscheuchen.

er-vlöuwen swv. ausspülen.

er-vlügen swv. flügge machen.

er-volgen swv. intr. zuteil werden mit dp. — tr. einholen, erreichen, erlangen; einer sache nachkommen. — refl. sich erfüllen, zutragen.

er-volgunge stf. erlangung, zusprechung einer beklagten sache, ausführung des urteils; verfolgung; befolgung.

er-vollen swv. tr. voll machen, aus-, anfüllen; erfüllen, vollenden, ausführen, befriedigen (rechtl. *ein guot erv.* den anspruch darauf genügend durchführen, es vom gerichte zugesprochen erhalten). — intr. voll werden, sich füllen.

er-vollunge stf. erfüllung, vollendung; gerichtl. anerkennung eines anspruches.

er-vordern swv. fordern, in anspruch nehmen; vorfordern, zitieren, vor gericht fordern; einladen.

er-vorschen swv. erforschen, ausfindig machen.

er-vrâgen swv. be-, ausfragen; durch fragen herausbringen, erfragen. — refl. sich erkundigen.

er-vreischen swv. erfragen, erfahren, vernehmen.

er-vreisen swv. in schrecken versetzen.

er-vrëzzen stv. ganz auffressen, refl. bildl. sich härmen, grämen.

er-vriesen stv. erfrieren.

er-vrischen swv. tr. u. refl. frisch machen, auffrischen; reinigen *von.*— intr. frisch werden.

er-vriunden swv. refl. sich befreunden mit (*zuo*).

er-vrœren swv. tr. *ervriesen* machen; intr. = *ervriesen.*

er-vröuwen swv. tr. erfreuen; refl. sich freuen, froh sein.

er-vrühten swv. befruchten.

er-vrümen swv. vorwärts schaffen, bringen zu.

er-vüeren swv. herausziehen (das schwert); = *zervüeren.*

er-vûlen, -viulen swv. intr. verfaulen, verwesen. — tr. verfaulen lassen.

er-vüllen swv. *vol* machen, anfüllen; vollständig, vollzählig machen; ausführen, erfüllen; unterfüttern.

er-vündeln swv. erfahren erforschen.

er-vuoren swv. füttern.

er-vürben swv. reinigen.

er-vürhten swv. intr. u. refl. den mut verlieren, sich fürchten. — tr. fürchten, befürchten, furcht haben vor; in furcht, schrecken setzen.

er-wachen swv. aufwachen; lebendig werden.

er-wackern swv. ermuntern; refl. wach werden.

er-wagen swv. intr. erschüttert werden, schwanken; tr. in bewegung setzen; erschüttern.

er-wahsen stv. intr. aufwachsen, entstehn. — tr. überwachsen *mit, von.*

er-wæjen swv. anwehen; durchwehen.

er-walken stv. durchwalken.

er-wallen stv. in wallung geraten; aufkochen, sieden; überwallen, -fliessen.

er-wallen swv. durchwandern.

er-walten stv. refl. mit gen. in gewalt haben.

er-wandeln swv. wenden, umwandeln.

er-wanen swv. leer machen.

er-warmen swv. *warm* werden.

er-warten swv. intr. schauen *ûf*; tr. erwarten.

er-waschen, -weschen stv. ab-, reinwaschen.

er-waten stv. durchwaten.

er-wëben stv. durchweben.

er-wecken swv. aufwecken; erwecken, erregen.

er-wëgen stv. emporheben, in bewegung setzen, anstrengen; bildl. bewegen, rühren; zu etw. bewegen, entschlossen machen mit gs. od. *zuo*; bildl. erwägen, bedenken. — refl. sich bewegen, erheben; mit gs. sich entschliessen; sich von etw. zurückbewegen, es auf-, preisgeben.

er-wëgen part. adj. entschlossen, unverzagt mit gs.; *ûz erwegen* ausgezeichnet, erprobt.

er-wëgen swv. tr. helfen, sich für jem. verwenden.
er-wegen swv. emporheben; in bewegung setzen; bildl. anregen, antreiben, bewegen; erregen; erschüttern, aufregen.
er-weichen swv. tr. erweichen. — intr. weich sein, werden.
er-we'delieren swv. refl. sich weiden an.
er-weigen swv. refl. schmerzen.
er-weinen swv. intr. zu weinen beginnen, weinen.— tr. zum weinen bringen; durch weinen erlangen. — refl. sich ausweinen.
er-wëllen stv. refl. aufwogen.
er-wellen swv. aufwallen machen.
er-weln, -wellen swv. erwählen; part. *erwelt*, auserwählt, ausgezeichnet.
er-wenden swv. mit as. rückgängig machen, zurück-, abwenden; mit ap. abhalten; wovon (gen. od. nachs.) abwendig machen, abbringen; benehmen, entziehen mit dp. — refl. u. intr. aufhören.
er-wenken swv. intr. anfangen zu wanken; tr. zum wanken bringen.
er-wërben stv. durch tätiges handeln zu ende bringen, ausrichten oder erlangen, erreichen, gewinnen.
er-wërden stv. entstehn; zunichte werden, verderben.
er-wërfen stv. tot werfen; gebären, fehlgebären.
*__er-wërgen__ stv. erwürgen (belegt nur part. praet *erworgen*, bair.).
er-wermen swv. *warm* machen.
er-wërn swv. aushalten.
er-wërn swv. errichten.
er-wern swv. tr. u. refl. verteidigen und behaupten mit gs.; behaupten gegen, sich erwehren mit gen. od. *vor*; verwehren, verhindern.
er-wërp stm. geschäft, gewerbe.
er-weschen s. *erwaschen*.
er-wetten swv. durch ein sinnbildl. pfand übergeben, verpfänden, verbürgen.
er-wideren swv. entgegnen, antworten; ersetzen.
er-wigen swv. ermatten.
er-wihen stv. schwächen, erschöpfen.
er-wilden swv. intr. wild werden, verwildern; tr. wunderbar, seltsam machen.
er-willigen swv. refl. bereitwillig sein *ze*.
er-winden stv. intr. zurückkehren, -treten; sich enden, aufhören, ablassen von (gen. od. *an, von*), ruhen; *an, ûf* reichen bis. — tr. *an erw.* gelangen zu, ergreifen.
er-winken stv. sich neigen.
er-winnen stv. gewinnen; überwinden, erweisen, überführen.
er-wintern swv. den winter über behalten.
er-wirbec adj. durch werben ausrichtend, gewinnend.
êr-wirdec adj. ehrenwert, ehrwürdig. **-wirdekeit** stf. herrlichkeit. **-wirden, -wirdigen, -würdigen** swv. verehren, honorificare, benedicere.
er-wischen, -wüschen swv. erwischen.
er-wîsen swv. anweisen, belehren mit gen. — refl. sich erweisen, zeigen.
er-wîten swv. dick machen, erweitern.
er-witern swv. ausspüren, erwittern.
er-wîtern swv. refl. sich verbreiten.
er-wîȥen swv. weiss werden.
er-worgen swv. intr. ersticken. — refl. u. tr. = *erwürgen*.
er-wüefen swv. aufschreien.
er-wüesten swv. verwüsten.
er-wüeten swv. intr. u. refl. in wut geraten, toll werden.
er-wundern swv. wunder tun.
er-wünnen swv. in wonne verwandeln.
er-wünschen swv. wünschen, durch wunsch verschaffen; part. vollkommen gestaltet, herrlich beschaffen.
er-würgen swv., md. *erwurgen, -worgen*, tr. erwürgen.
er-wurmen swv. wurmig werden.
er-wüschen s. *erwischen*.
er-zabelen swv. intr. zappeln, zucken. — tr. durch rührigkeit gewinnen.
er-zagen swv. verzagen.
er-zamen swv. zahm werden.
ërze, erze, arze stn. erz.
erze-bischof, -bischolf stm. erzbischof. **-bote** swm. erzengel. **-engel** stm. erzengel (gr. lat. *archangelus*).
er-zegen swv. zage machen.
er-zeichenen swv. durch wunderzeichen etw. dartun.
er-zeigen swv. zeigen, dartun; *e.* dp. *nâch sich* angeben, wo man zu finden sei; erweisen, erzeigen mit dp. od. *an*.
er-zeisen swv. zerzupfen.
ërze-liute pl. bergleute.
er-zeln, -zellen swv. in zahl bringen; aufzählen; erzählen.
er-zëmen stv. geziemen.
erzenen, erzen, erzenîen swv. heilen; arzneimittel für etw. (dat.) brauchen.
erzen- s. *arzen-*.
er-zerren swv. zerreissen.
erzetîe s. *arzâtîe*.
er-ziehen stv. aufwärts, herausziehen; aufziehen, erziehen, züchten; unterhalten, besolden; weg-, zurückziehen; hinziehen zu, einholen, erreichen.
er-ziln swv. erzeugen.
er-ziugen swv. erzeugen; machen lassen, die kosten wovon bestreiten; ausrüsten; durch zeugnis erhärten, zeigen, dartun, erweisen.
er-zogen swv. weg-, abziehen.
er-zornen s. *erzürnen*.
er-zöugen swv. erzeigen, an den tag legen.
er-zouwen swv. sich beeilen.
er-zücken swv. plötzlich ergreifen, packen.
er-zünden swv. tr. in brand setzen. — intr. u. refl. entbrennen.
er-zürnen, -zornen swv. tr. in zorn versetzen. — intr. in zorn geraten; zürnen mit dp.
er-zûsen swv. zausen, rupfen.
ërz-wërc stn. bergwerk.
er-zwicken swv. knüpfen, flechten (zopf).
er-zwieren, -zwinken swv. genau (mit zusammengekniffenen augen) anschauen, durchschauen, ergründen.
er-zwigen swv. mit zweigen ausstatten.
es-ban s. *ezzischban*.
esch s. *ezzisch*.
ê-schaft stf. ehe.
esche s. *asche*.
esche stf. esche (vgl. *asch*).
eschel stn. dem. zu *asch* schüssel.
escher stm. ausgelaugte asche.
esche-var s. *aschenvar*.
esch-heie s. *ezzischheie*.
eschîn, eschen adj. von eschenholz.
esel stm. esel; euphemist. für priapus; belagerungswerkzeug; eisbrecher, eisbock.
eselære stm. eseltreiber.
esel-bære adj. eselhaft. **-heit** stf. weise eines esels, tölpelhaftes benehmen. **-lich, eselich** adj. eselhaft **-nôȥ** stn. esel. **-ôre** swn. eselohr (zeichen des hohnes und spottes). **-phert** stn. = *phertesel*. **-vole** swm. eselsfüllen.
eselëht adj. eselhaft.
eselen swv. intr. eselhaft sein; tr. zum esel machen.
eselinc, *-ges* stm. nachkomme eines esels.
eselinne, eselin, esele stf. eselin.
eselisch, eselsch adj. eselhaft.
esellîn stn. kleiner esel.
êser, nêser stm. speisesack zum umhängen, tasche.
êsieren s. *eisieren*.

eskelîr, esklîr stm. hoher sarazenischer würdenträger (afz. *eschiere, eschiele*).

espîn adj. von der espe (*aspe*).

esse stn. die eins auf dem würfel.

ësse stf. esse, feuerherd.

est = *ëȥ ist.*

este swf. nieder-, voralpe.

ester s. *eȥȥischtor.*

esterîch, esterich, estrich stm. estrich; strassenpflaster (mlat. *astricus*).

este-rîche adj. reich an ästen.

ê-stiure stf. brautsteuer.

estor s. *eȥȥischtor.*

ê-strâȥe stf. landstrasse.

ê-suone stf. ehevertrag.

êt, et s. *eht.*

ê-taverne stf. berechtigte schenke der gemeinde.

ê-teidinc stn. gebotenes gericht.

ëte-, ëtes-lich pron. adj. irgendein, irgendwelch, pl. einige, manche.

ëter, ëder stswmn. zaun, umzäunung, ortsmark; saum, rand.

ëter-zûn stm. geflochtener grenzzaun.

ëte-, ëtes- -wâ adv. irgendwo, hie und da; vor adj. u. adv. gar, ziemlich, sehr. **-war** adv. irgend wohin. **-wenne** adv. zuweilen, manchmal, dann und wann; manchmal in früherer zeit; vormals; künftig einmal; endlich; vor adj. u. adv. ziemlich, sehr. **-wër** pron. subst. jemand, irgend jemand. — neutr. *ëte-, ëtes-waȥ* etwas, adverbial ein wenig. **-wie** adv. irgendwie, ungewiss wie; vor adj. u. adv. ziemlich, sehr.

ê-tisch stm. = *êbanc.*

ê-touf stm., **-toufe** stf. gesetzmässig christliche taufe.

etter m. oheim, vetter.

etwinde swf. wasserwirbel.

etzelîn stn. dem. zu *atzel.*

etzen s. *atzen.*

ê-vade swf. vorgeschriebene einhegung, die durch einen solchen zaun gebannte flur.

ê-vater m. rechtmässiger vater.

ëven s. *ëben.*

ever adv. md. = *aber.*

ê-vride stm. = *êvade.*

ê-vrouwe swf. ehefrau.

ê-walte swm. gesetzeshüter, aufseher.

ê-wart, -warte stswm. hüter des gesetzes, priester.

êwart-lich adj. priesterlich.

êwart-tuom stn. priestertum.

êwe, ê stf. endlos lange zeit, ewigkeit; altherkömmliches gewohnheitsrecht, recht, gesetz; bes. die norm u. form des glaubens (*altiu und niuwiu ê* altes und neues testament); der durch göttl. und menschl. recht geheiligte bund der ehe; eheliche geburt.

êwe-lich = *êwiclich.*

ê-wëlten adv. vor beginn der welt, von jeher.

êwe-meister stm. priester.

êwen stf. lange zeit, ewigkeit.

êwen adv. immer, ewig.

êwen swv. tr. nach recht machen; ewig machen; zur ehe nehmen. — intr. ewig dauern.

ê-wërc stn. stand; standesrecht.

êwic adj. für alle zeit festgesetzt, immer fortbestehend.

êwic-heit stf. ewigkeit.

êwic-lich adj. ewig.

ê-wic stm. zweikampf.

êwigen swv. ewig machen, verewigen; gesetzlich machen; durch die ehe legitimieren.

ê-wîlen adv. ehemals.

ê-wîp stn. eheweib.

ê-wirt stm. ehemann.

ê-wirtinne stf. ehefrau.

ëȥ s. *ër.*

ëȥ dual von *ir* aber schon mit pl. bedeut.

ê-zûn stm. = *êvade.*

ëȥȥec adj. = *œȥec.*

ëȥȥe-, (ëȥ)-hûs stn. refectio, coenaculum. **-loube** swf. speisehalle; vorratskammer. **-sac** stm. fresssack. **-silber** stn. silbernes tafelgerät.

ëȥȥen stv. V essen (mit acc. od. gen. part.).

ëȥȥen stn. die handlung des essens; speise, mahlzeit.

ëȥȥende part. adj. act. essend (*ëȥȥendeȥ phant* verpfändetes vieh); pass. essbar.

ëȥȥer stm. esser.

eȥȥich stm. essig.

eȥȥichen swv. scharf wie essig schmecken, beissen.

eȥȥisch, esch stm. saatfeld.

eȥȥisch-ban, kontr. **esban, espan, aspan, anspan, enspen** stmn. freier platz in einer flur, der zur viehweide benutzt wird. **-heie,** kontr. **eschheie, escheie** swm. flurhüter. **-tor,** kontr. **estor, ester** stn. feld-, weidegatter.

F s. V

G

ga s. auch, *ge-a.*

gâ s. *gâch, gæhe.*

gâbe stf. gabe, geschenk; bestechung; übergabe; abgabe; begabung, verleihung.

gæbe, gæbec adj. annehmbar, willkommen, lieb, gut.

gâbe-brief stn. übergabeurkunde. **-haft** adj. freigebig; *ein g. guot* das ohne zustimmung der erben veräussert werden kann. **-(gëbe)-phant** stn. lösegeld des gefangenen. **-phant** adj. ein pfand zu geben verpflichtet.

gabele, gabel stswf. gabel; krücke, krückstock.

gabelëht adj. gabelförmig.

gâben swv. eine *gâbe* austellen, ein geschenk geben (dp.).

gabilôt, gabylôt stn. kleiner wurfspiess (fz. *gavelot, javelot* v. kelt. *gaflach* speer).

gabilûn, gampilûn, capelûn stn. ein drachenartiges tier.

gâch, -hes, gâ adj. schnell, plötzlich, jähe, jähzornig, ungestüm (*mir ist, wirt gâch,* ich habe eile, strebe mit eifer) mit gs. od. präpp. „

gâch adv. schnell, plötzlich, unversehens.

gâch stm. schnelligkeit, eile.

gâch-heit, gâcheit stf. schnelligkeit, ungestüm. **-lîche** adv. = *gæhelîche.* **-muot** stm. jähzorn. **-muotec** adj. eilfertig, ungestüm. **-schepfe** swf. schicksalsgöttin. **-schric** stm. plötzlicher sprung. **-spîse** stf. schnell zu beschaffende speise. **-touf** stm. nottaufe. **-zornic** adj. jähzornig.

gadem, gaden stnm. haus von nur einem gemache; gemach überh., kammer, hochgelegener verschlag; stockwerk.

gademer, gadner stm. zimmermann; haushalter.

gadem-man stm., pl. **-liute,** krämer.

gaffel f. md. gilde, zunft.

gaffel-stirne swf. mulier quae spectat et spectari vult.

gaffen s. *kapfen.*

gaffer stm. kampfer (neugr. *κάφουρα* aus pers. *kafûr*).

gagen, gageren swv. sich hin und her wiegen, zappeln.

gâgen, gâgern swv. *gâ* schreien wie die gans.

gagen s. *gegen.*

gagzen swv. gackern.

gæhe adj. = *gâch.*

gæhe, gâhe, gâ stf. eile, schnelligkeit, ungestüm (adv. *in allen gâhen* eiligst, plötzlich); steiler abhang.

gæhede, gæhte stf. eile, schnelligkeit, ungestüm.

gæhe-lich adj., **-liche** adv. ungestüm, heftig.

gæhelingen, gâlingen adv. dasselbe.

gâhe-lôs adj. sich ungestüm, rücksichtslos der leidenschaft hingebend.

gâhen, gæhen swv. intr. eilen (mit gen., inf. od. präpp.). — tr. durcheilen.

gâhes, gæhes, gâhens, gâs adv. schleunigst, hastig, plötzlich, sogleich.

gal, stm. gesang, ton, schall; schrei; ruf, gerücht.

galadrîus, galadrôt s. *karadrîus*.

galander stswm. ringlerche (fz. *calendre*).

galbei s. *galvei*.

galf stm. lautes, übermütiges geschrei, gebell, gekläff.

galgan, galgân stm. die galgantwurzel (mlat. *galanga*).

galg-brunne swm. ziehbrunnen.

galge swm. gestell über einem brunnen zum heraufziehen des eimers; galgen; kreuz Christi; als schimpfwort: henker, teufel.

galgen-mæʒec adj. galgenreif. **-swengel** stm. galgenreifer schelm.

galîe, galîne, gelîn, galîde stswf. ruderschiff mit niedrigem borde, galeere (afz. *galie*).

galînære stm. schiffmann.

galînê stf. die windstille auf dem meere (gr. *γαλήνη*).

gâlingen s. *gæhelingen*.

galiôt stm., **galiôtte** swm. schiffer, fährmann; seeräuber (afz. *galiot*).

galle swf. galle, bitteres überh., bildl. falschheit (auch zur bezeichnung eines bösen menschen).

galle swf. geschwulst über dem knie am hinterbeine des pferdes (fz. *gale*).

galle f. schelle.

gallinc adj. mit der *gallen* (pferdekrankheit) behaftet.

galm stm. schall, ton; lärm, geräusch.

galm stm. = *qualm, twalm* betäubung.

galmei stm. galmei, kieselzinkspat, s. *kalemîne*.

galmen swv. schallen.

galopeiʒ stm. galopp.

galopieren, kalopieren swv. galoppieren (fz. *galoper*).

galp stm. gekläffe.

galpen swv. kläffen.

galreide stf. gallerte (mlat. *geladria* v. lat. *gelatus*).

galst stm. schrei.

galster stn. gesang, bes. zaubergesang; betrug.

galster-lich adj. zauberisch.

galt adj. keine milch gebend, nicht trächtig, unfruchtbar.

galt-alpe swf. alpenweide für das *galtvihe*.

galt-nisse, gëltnisse stfn. geldstrafe.

galt-vihe stn.. *galteʒ* vieh.

galvei, galbei stn. ein trockenmass, etwas weniger als der *vierlinc* (rom.).

galze, gelze swf. verschnittenes schwein.

gâmahiu m. f., **gâmân** stm. name eines edelsteines.

gamen, gamel stnmf. fröhlichkeit, spiel, spass, lust.

gamille swf. kamille (mlat. *camomilla*).

gampel, gempel stf. scherz; possenspiel.

gampel-her stn. mutwilliges, possenhaftes volk. **-site** stm. das possentreiben. **-spil** stn. possenspiel. **-vuore** stf. ausgelassenes treiben.

gampeln, gampen swv. springen, hüpfen, tänzeln.

gampenieren, gampieren swv. = *gampen*.

gampf stm. das schwanken.

gamʒ stswf. gemse.

gân, gên v. an. gehn; im weiteren sinne: sich begeben, auftreten, erscheinen, geschehen (*mir gât ein dinc nâhe, mir gât nôt eines dinges*, ich bin dazu gezwungen, ich muss; *gân lâʒen* mit der ellipse von *ors, schif, swert*; *ûf, hinder einen gân*, einen als mittelsperson wählen; *g. über* als schuld angerechnet w.).

ganc, *-ges* stm. gang, art des gehns; gang, weg; weidm. wildpfad, fährte, das hin- und herziehen des wildes; zug im schachspiele; vene, gefäss; erzgang; eisgang; abgang (der ware, preis); kloake, abtritt; techn. ausdruck in der weberei; eine bestimmte anzahl fäden in der kette od. zum aufzug. **-âder** f. sehne, flechse im kniegelenke. **-haft, -haftig** adj. gänge, gangbar, geläufig. **-stein** stm. der obere mühlstein, der läufer. **-vihe** stn. vieh das zur weide geht. **-visch** stm. gangfisch, felche.

ganeist, ganeiste, geneiste, gneiste stf. swm. funke.

ganeisten, geneisten, gneisten swv. funken sprühen.

ganeister, ganster, geneister, genster stswf. = *ganeist*.

ganeistern swv. = *ganeisten*.

ganerbe swm. (aus *ge-an-erbe*) mitanerbe, an den mit andern die erbschaft (bes. einer gemeindebesitzung) fällt.

gangeln, gangelære s. *geng-*.

gans stf. gans. **-ar** swm. gänseaar.

ganse s. *ganze*.

ganser s. *ganzer*.

ganst stf. wohlwollen.

ganster s. *ganeister*.

gant stnf. felsgerölle (rom.).

gant stf. gerichtliche versteigerung (it. *incanto*, engl. *cant* v. lat. *in quantum*).

ganten swv. auf der *gant* verkaufen.

ganz adj. ganz, vollkommen, unverletzt, vollständig, heil, gesund; unverschnitten.

ganze swm. der zuchteber.

ganze, ganse swm. gänserich.

ganzen swv. (dat.) mederi.

ganzer, ganser stm. = *ganze*.

ganz-, genz-lich adj. = *ganz*.

ganz-heit stf. vollkommenheit.

gapen swv. spielen, hin und her gaukeln.

gar, gare adj. (flekt. *garewer, garwer*) bereit gemacht, gerüstet; bereit (gen., dat. od. *gegen, ze*); vollständig, ganz.

gar, gare adv. gänzlich, völlig, ganz und gar.

gar stf. ganzheit.

gar, *-wes* stn. rüstung.

gárât stnf. gewicht für gold, perlen, edelsteine (fz. *carat*).

garbe, garwe stswf. garbe.

gar-bræter stm. garkoch. **-(ger)-liche** adv. gänzlich. **-zal** stf. summe, gesamtheit.

gardiân m. guardian (it. *guardiano* v. *guardare* aus ahd. *wartên*).

gare stf. kleidung, rüstung.

gargeln swv. gurgeln.

garn part. s. *ern*.

garn stn. garn, faden; netz-

garnasch, garnatsch stf. langes oberkleid ohne ärmel (fz. *garnache*, it. *guarnaccia* v. *guarnire* aus ahd. *warnôn*).

garnen s. *gearnen*.

garre s. *karre*.

garren swv. pfeifen.

garst stm. ranziger, stinkender geschmack oder geruch.

garst, garstic adj. ranzig.

gart stm. stachel, treibstecken.

garte swm. garten.

gartenære, sp. **gertner,** stm. gärtner, instmann; weingärtner, rebmann.

gart-îsen stm. = *gart*.

gart-lant stn. gartenland.

garwe s. *garbe, gerwe*.

garwe swf. schafgarbe.

garwe adv. = *gar*.

garwen, garwunge s. *gerw-*.

garze-hâr stn. milchhaar.

gárzûn stm. page, edelknabe (fz. *garçon*).

gâs s. *gâhes*.

gast stm. fremder; fremder zur bewirtung, gast; fremder feindlicher krieger, krieger überh.

gastec-liche adv. zu ehrung der gäste.

gá-steige s. *gesteige*.

gastël stn. eine art weissbrot oder kuchen (afz. *gastel*).

gast-gëbe swm., **-gëber** stm. gastwirt. **-hûs** stn. fremdenherberge. **-lich** adj., **-liche** adv. in eines fremden art u. weise, wie mit einem fremden. **-meister** stm. vorsteher des *gasthûses* (in einem kloster). **-walte** swm. = *gastgëbe*.

gast-lîche adv. geschmückt (s. *gesten*).
gastunge stf. verpflegung u. beherbergung von fremden, bewirtung; gastmahl.
gastunge stf. schmuck (zu *gesten*); *durch g.* um sich zu rühmen.
gat stn. öffnung, loch, höhle.
gat, gate swm. genosse; der einem gleich ist oder es ihm gleich tut; gatte.
gaten swv. intr. zusammenkommen, genau zusammenpassen; refl. sich in oder aneinanderfügen, zusammenpassen; tr. vereinigen, an die seite stellen.
gater, gatel stm. genosse.
gater adv. zusammen, -gleich.
gater mn. gatter, gitter als tor oder zaun; karierter besatz oder stickerei.
gater-gëlt stn., **-zins** stm. gatterzins (zins, der nur durch das hofgatter gereicht wird und den der herr selbst holen oder holen lassen muss).
gatern, getern swv. vereinigen; mit einem karierten muster versehen.
gatunge stf. art, gattung.
gatzen, gatzgen swv. = *gagzen*.
gaudîne, gaudîn stfn. aus afz. *gaudine*, gehölze, wald.
gâȥ adj. im sinne eines part. perf. gegessen (*gâȥ haben*).
gæȥe adj. gierig, habsüchtig.
gaȥȥe swf. gasse.
ge-, gi- präf. ge-, vor vokalen u. liquid. häufig apok. *g'* (*garnen, gunnen, gloube gnâde*): vor subst. adj. adv. und verben mit dem begriffe des zusammenfassens, abschliessens, der dauer und vergangenheit; es kann vor alle formen des zeitworts treten, um die handlung abzuschliessen oder zu verstärken, oft nur mit unübersetzbar leiser modifizierung des begriffs, so namentlich wenn nach hilfsverben der infin. in der regel mit diesem präf. komponiert wird.
ge-æder stn. coll. zu *âder*.
ge-æȥe stn. speise.
ge-alter swm. altersgenosse.
ge-anden swv. zum vorwurf machen, rügen; rächen.
ge-ânen swv. refl. mit gen. sich entledigen; worauf verzichten.
ge-arbeiten swv. intr. in arbeit sein; tr. durch *arbeiten* erwerben, mühe verwenden auf.
ge-arcwânen swv. ap. gs. beargwöhnen.
ge-arguieren swv. arguere.
ge-arn part. s. *ern*.
ge-arne, -arnede stf. = *erarnede*.
ge-arnen, garnen swv. = *arnen*.
ge-bac stn. einmaliges backen und das auf einmal gebackene, das gebäck.
ge-bâge, -bæge stn. coll. zu *bâc*: zank, hader.
ge-bâgen stv. zanken, hadern; mit gen. sich rühmen.
ge-bande stn. = *gebende*, fessel.
ge-bâr stm. art und weise, wie sich etwas zeigt, äusseres, benehmen.
ge-bærde stf. aussehen, benehmen, wesen.
ge-bære stfn. dasselbe.
ge-bære adj. angemessen, schicklich, gebührend.
ge-bâren, -bæren swv. intr. u. refl. sich gebärden, sich benehmen, verfahren; (laut) klagen.
ge-bartet, -bart part. adj. bärtig.
gëbe swmf. geber, geberin.
gëbe, gibe stf. gabe, geschenk, belohnung; wohltat, gnade.
ge-beine, -beinde, -beinze stn. coll. zu *bein*: gebein, knochen, gerippe; bein.
ge-beiten swv. intr. standhalten mit dat.; tr. *einem etw. g.*, frist gewähren.
ge-beiȥe stn. jagd mit falken.
gëbel stm. schädel, kopf; giebel.
ge-belle s. *gebille*.
gëben, gên, gën stv. V geben, hergeben, übergeben (zur ehe geben), schenken.
gëben swv. geschenke machen; beschenken (mit acc. u. dat., oder dat. u. *mit*).
ge-benediet part. adj. benedictus.
ge-bende stn. coll. zu *bant*: band, bandschleife; fessel; kopfputz der weiber im allgem., im engern sinne die stirn- und wangenbinden; *hôch gebende* turban.
gëbe-phant s. *gâbephant*.
gëber stm. geber, schenker.
ge-bërc stnm. umschliessung, versteck, verheimlichung (*sunder geb.* ohne rückhalt).
ge-bërer stm. erzeuger, vater.
ge-bërerinne stf. gebärerin, mutter.
ge-bërge s. *gebirge*.
ge-bërht adj. glänzend.
ge-berte stn. coll. zu *bart*.
ge-bërn stv. bringen, hervorbringen; erzeugen, gebären.
ge-bern swv. schlagen; bildl. ziehen, bilden.
ge-bërunge stf. hervorbringung; das gebären.
gëbe-snitz adj. freigebig.
ge-besten swv. mit dat. verbinden, hinzufügen, an die seite setzen; bildl. vergleichen, überbieten, -treffen.
ge-bët, -bëte stn. gebet.
ge-bëte stf. bitte: gebet.
ge-bëten swv. zu gott beten.
ge-bette stn. ehebett.
ge-bette swf. bettgenossin, gemahlin.
ge-betten swv. das bett bereiten mit dp.
ge-beȥȥerlich adj. der besserung dienend.
ge-beȥȥern swv. tr. u. refl. bessern; mit acc. u. dat. schadenersatz leisten.
ge-bietære stm. herr, gebieter; befehlshaber.
ge-bietærinne stf. gebieterin.
ge-biete, -biet stnf. befehl, gebot; gebiet; gerichtsbarkeit; botmässigkeit.
ge-bietec adj. gebietend.
ge-bietegære = *gebietære*.
ge-bieten stv. ausstrecken *zuo*; darreichen, anbieten, entbieten mit dp.; *etw. wider g.* dagegen einsetzen; gebieten, befehlen, laden mit dat. od. acc. (*geboten dinc* gericht zu dem eigens geladen wird, ausserordentliche gerichtssitzung); mit dp. einem davongehnden noch einen auftrag geben, jemand verabschieden; *einem an eine stat geb.* einem erlauben sich an seinen ort zu verfügen, ihn freilassen.
gebiet-hûs stn. praetorium.
ge-bietunge stf. gebot; gebiet; herrschaft.
ge-bilde stn. gestalt; gestalteter gegenstand; sternbild.
ge-bilden swv. sich als abbild eines dinges (acc.) darstellen; ein bild hervorbringen, bilden.
ge-bille, -belle stn. das beilen.
ge-billen swv. wiederholt hauen, schlagen.
ge-binde stn. band.
ge-binden stv. binden, festbinden, fesseln; mit dat. vom anlegen des *gebendes*.
ge-bint stn. verbindung.
ge-birge, -bërge stn. gebirge; s. v. a. *gebërc* in *hergebirge*.
ge-bite, -bit stf. verweilen, geduldiges warten, verzögerung.
gebite-lôs adj. nicht geneigt lange zu warten.
ge-biten stv. bitten, wiederholt bitten.
ge-bîten stv. intr. warten, zuwarten. — tr. erhalten, bewahren.
ge-bitlich adj. aufgetragen.
ge-biuge stn. beugen.
ge-biurinne s. *gebûrinne*.

ge-biurisch, -biurlich adj. bäuerisch; einfach, gemeinverständlich.
ge-biuwe, md. **-bûwe, -bûwede, -bûde** stn. gebäude; das bauen,abbauen eines bergwerks; anbau, wohnsitz.
ge-biuze, -bûz stn. schlägerei; schläge, stösse.
ge-biz stn. gebiss.
ge-bîz stm. maulkorb.
ge-blæse, -blâs stn. hauchen, flüstern; sufflatorium.
ge-blenke stn. plankenzaun.
ge-blêre, -blërre stn. geschrei, geschwätz.
ge-bletze stn. geklimper, geblök, geschwätz.
ge-blicket part. adj. glänzend.
ge-bliuwen stv. = *bliuwen.*
ge-blôder stn. blähung.
ge-blüede stn. blüte.
ge-blüejen swv. erblühen; *ge-bluot sîn* blühen.
ge-blüemen = *blüemen.*
ge-blüete stn. coll. zu *bluot.*
ge-bœren swv. erheben.
ge-borgen swv. = *borgen.*
ge-born part. geboren, abstammend; *sîn g. mâge* parentes; ebenbürtig mit dp.; von stand, adel.
ge-bot stn. gebot, auftrag, ladung zum erscheinen; verbot, gebot bei strafe und das verwirkte strafgeld; ausrufung durch den gerichtsboten; auflage; gewalt, herrschaft; beschlagnahme; einsatz im spiele, übertragen auf den kampf.
ge-bouge adj. biegsam.
ge-böugec adj. gebogen, bogenförmig; biegsam.
ge-böume stn. menge von bäumen, baumwuchs.
ge-bôz stn. schlag, stoss.
ge-bôzen stv. wiederholt schlagen, stossen.
ge-brach m. = *brach.*
ge-bræche, -præche stn. gepräge.
ge-bræchet part. adj. mit geschwüren bedeckt.
ge-braht stm. = *braht.*
ge-braste stn. geprassel, lärm.
ge-brëch stn. gekrach, lärm.
ge-brëche swm. mangel, gebrechen; beschwerde, übelstand; krankheit.
ge-brëchen stv. intr. brechen, mit gewalt dringen, ein verbrechen begehn; unpers. mit dp. u. nom. od. gs. od. *an* fehlen, mangeln. — tr. brechen, zerbrechen, wegbrechen.
ge-brëchlich adj. gebrechlich am körper, krank; mangelhaft, schadhaft.
ge-brehte stn. coll. zu *braht*: geschrei, lärm, lärmender aufzug, gepränge, prunk.
ge-brehten swv. = *brehten.*
ge-breite f. ackerbreite, acker.
ge-brëst, -brëste stswm. dem. **-brëstelîn** stn. = *gebrëche.*
ge-brësten stv. zusammenbrechen; mangeln (gen., *an*).
ge-brësthaft, -brëstheftic adj. mangelhaft, gebrechlich.
ge-brëstlich, -brëstenlich adj. dasselbe.
ge-brieven swv. niederschreiben.
ge-brimme stn. lautes singen.
ge-briuten swv. beilager halten; stuprare. **-briuteln** swv. refl. *mit* sich vermählen.
ge-briuwe, -briuwede stn. was auf einmal gebraut wird.
ge-brodel stn. kochendes aufwallen und geräusch.
ge-brohze stn. lärm.
ge-brouchen swv. biegen, beugen, bewegen.
ge-bruch stm. abgang, mangel; fehler, schuld.
ge-brûch stm. benutzung, gebrauch; brauch, gewohnheit.
ge-brüche stn. mangel.
ge-brüchele stn. coll. fragmenta.
ge-brûchen swv. gebrauchen, benutzen, geniessen (mit as. od. gs., refl. mit gs.); mit gp. umgang, gesellschaft geniessen.
ge-brûchlich adj. geniessend.
ge-brûchlichkeit, -brûchunge stf. gebrauch, genuss.
ge-brücken swv. überbrükken.
ge-brüdeme stn. gebrodel.
ge-bruoder, -brüeder pl. gebrüder.
ge-bruodern swv. verbrüdern.
ge-bruote stn. das brüten, erwärmen.
ge-brûse stn. das brausen.
ge-brust stm. mangel, gebrechen.
ge-brüsten swv. refl. *gegen* stolz verlangen nach.
gebsen swv. geben.
ge-bû stnm. bestellung des feldes, weinberges; bau, gebäude.
ge-büebe stn. coll. zu *buobe.*
ge-büezen swv. büssen, busse tun für; bessern, beseitigen, tilgen.
ge-bünde stn. coll. zu *bunt*: bündel; fessel, knoten.
ge-bunt stn. bündel.
ge-buode, -bûde stn. gebäude.
ge-buoseme stnf. nachkommenschaft in geradabsteigender linie.
ge-bûr, -bûre stswm. miteinwohner, mitbürger; nachbar; dorfgenosse, bauer; roher, gemeiner mensch.
gebûr-dinc stn. bauerngericht.
ge-bûrinne, -biurinne stf. bäuerin.
ge-bürn swv. tr. heben. — intr. sich erheben; geschehen, widerfahren, zuteil werden mit dp.; rechtl. zufallen od. zukommen, gebühren mit dp. — refl. sich ereignen, vor augen treten.
ge-bürnisse stfn. was sich gebührt als abgabe zu leisten; *nâch g.*, nach gebühr.
ge-bûrsame stf. dorfgenossenschaft, bauernschaft.
ge-bûrschaft stf. dasselbe.
ge-burt stf. geburt, entbindung; geborenes, geschöpf, nachkommenschaft; angeborner stand, ursprung, herkunft bes. aus vornehmem geschlechte.
ge-burtec adj. = *geburtlich.*
ge-bürtet part. adj. gebürtig.
geburt-lich adj. die geburt betreffend.
geburt-tac stm. geburtstag.
gebûr-volc stn. bauernvolk.
ge-bütze, md. *gebutte* stn. eingeweide.
ge-bûwede, -bûweze stn. gebäude.
ge-bûwen an. v. bewohnen; bebauen, pflügen.
ge-bûwer stm. bauer (s. *gebûr*).
ge-bûz s. *gebiuze.*
gëc, gëcke stswm. md. alberner mensch, narr.
gëcke adj. töricht, verzagt.
gëckerie stf. albernheit.
ge-dagen swv. verst. *dagen*; part. *gedaget* verschwiegen, verstummt.
ge-dâht part. adj. bedacht.
ge-dâht, -dæhte stmf. das denken, die gedanken.
ge-dæhtic adj. bedächtig; merkend, sich erinnernd; eingedenk mit gs.; erinnerlich mit dp.
ge-dæhtnisse stnf. andenken, erinnerung.
ge-danc stm. das denken, der gedanke, die gedanken; dank.
gedanc-haft adj. sinnend, denkend auf (*ze, ûf*).
ge-danken swv. einen gedanken fassen, denken; danken mit dp.
ge-decke, -deckede stfn. decke, bettdecke.
ge-degen swv. zum schweigen bringen, stillen.
ge-demer stn. die dämmerung, das dunkel.
gedemlîn stn. dem. zu *gadem.*
ge-denken swv. intr. denken, gedenken; mit gen. u. refl. dat. sich etw. ausdenken; zudenken, bestimmen mit dp. u. gs. — tr. auf einen gedanken kommen, ausdenken; zu ende denken. — refl. sich erinnern, eingedenk sein.

ge-denken stn. das denken, bedenken; das gedächtnis, die erinnerung.

ge-denkic adj. eingedenk, nachdenklich.

ge-denk-lich adj., adv. **-liche** nachdenklich; erdacht.

ge-denknisse stf. gedanke, erwägung; das gedenken, gedächtnis.

ge-denkunge stf. das gedenken, andenken.

ge-dense stn. das hin- u. herziehen, geschlepp, gereisse.

ge-derme, -dirme stn. gedärm.

ge-dienet part. adj. gedient habend, durch dienst ausgezeichnet; verdient.

ge-diet stfn. das gesamte volk.

ge-digen part. adj. ausgewachsen, reif, fest, hart; ausgetrocknet, dürr; bildl. lauter, rein, gehaltvoll, tüchtig.

ge-digene, -digen stn. coll. zu *dëgen*: dienerschaft, bes. die ritterl. dienerschaft, dienstmannschaft eines fürsten; bürgerschaft, dorfgemeinde; volk, haufe.

ge-dihe stf. das gedeihen, wohl.

ge-dîhen stv. gedeihen, erwachsen, geraten (*eȥ gedîhet mir* geht, bekommt mir).

ge-dîhte adv. häufig (*ie g.* ununterbrochen).

gedîhtec-liche adv. dicht, häufig.

ge-dîhten swv. gelingen.

ge-dinc stm. zeuge od. beisitzer einer gerichtsverhandlung.

gedinc-liute pl. gerichtsbeisitzer.

ge-dinge stn. gericht; freigericht; übereinkunft, vertrag; versprechen, versprochene sache, versprechen einer zahlung (*lîplicheȥ g. = lîp-gedinge* s. *lîp-dinc*), die schuld oder zahlung selbst, spez. zahlung einer brandschatzung; bedingung.

ge-dinge stf. bedingung.

ge-dinge swm. stfn. gedanke, hoffnung, zuversicht auf etw. mit gen.; anwartschaft; anliegen, bitte.

ge-dingede stnf. bedingung; anwartschaft.

ge-dingen swv. fest u. sicher glauben, hoffen mit gs.; *an einen ged.* von ihm sicher erwarten, das vertrauen auf ihn setzen.

ge-dingen swv. eine sache behaupten, die oberhand behalten, ausharren; *einem ged.* seine sache durchführen; unterhandeln (*mit, an, umbe, wider*).

ge-dingeze stn. gerichtl. verhandlung; beratung.

ge-dirme s. *gederme*.

ge-diute, tiute- stn., **-diutnisse** stf.? symbol. ausdeutung, bedeutung, symbol; kundgebung der gesinnung; hindeutung; *ze gediute = ze diute*.

ge-dolt s. *gedult*.

ge-don adv. mit eifriger bemühung; *mir ist ged.* ich habe eifer, eile *nâch, zuo*.

ge-don, -done stf. *g. tuon* mit dp. beschwerlich fallen, mühe machen, gewalt antun, quälen.

ge-dœne stn. gesang, melodie; ton, laut, schall.

ge-dœnen swv. mit gesang erfüllen.

ge-dœȥe stn. geräusch, getöse; wasserfall.

ge-dranc stnm. das drängen, gedränge, dichte schar; drangsal, bedrängung; drang zu, hinneigung, vertrauen.

ge-drange adv. mit drängen; fest, innig.

ge-drenge adj. gedrängt.

ge-drenge stn. gedränge; unwegsam verwachsener boden; bedrängung, beengung.

ge-dringen stv. tr. drängen, wegdrängen von; intr. sich drängen.

ge-drol adj. = *gedrollen*.

ge-drollen s. *drillen*.

ge-drosch stn. haufen, schar.

ge-dröulich adj. drohend.

ge-dröuwe, -dröuwede stfn. drohung, drohworte.

ge-drücken swv. drücken; unterdrücken.

ge-dult, -dolt, -dulde stf. geduld.

ge-dultec adj. geduldig; gelassen, ablassend von (gen.); nachsichtig. **-heit, gedultsame** stf. geduld.

ge-dunc stm. bedünken.

ge-dünste stn. coll. zu *dunst*.

ge-dûren, -tûren swv. aushalten, standhalten.

ge-dürne stn. dorngebüsch.

ge-dwâs s. *getwâs*.

ge-ëbenen swv. refl. sich vergleichen.

ge-eide swm. eideshelfer.

ge-erbe swm. pl. *die geerben, gerben* die erben.

ge-êrtriche adj. attribut der Maria.

ge-estiget part. adj. ästig.

ge-gate swm. genosse; gatte; öse, md. *-gade, -gader*.

ge-gaten swv. refl. sich fügen; *sich g. zuo*, an die seite stellen, vergleichen.

ge-gelfe stn. geschrei.

gegen, gagen präp. kontr. *gein, gên, kein* gegen mit dem dat.: räumlich hin, zu, nach etwas; entgegen, gegenüber, feindlich gegen. — zeitl. für annähernde zeitbestimmung: um. — übereinstimmung ausdrückend: so viel als (quantität), gemäß, nach (qualität), um (wert); die absicht ausdrückend mit nachfolgd. infin.: um zu.

gegen, gegene; gagen, gagene adv. entgegen.

gegen-biet stm. widerstand. **-gëlt** stn. wiedervergeltung; widergift. **-harte, -herte** stf. kräftiger widerstand. **-heit** stf. gegenwart. **-hurt** stf. gegenstoss. **-keit** stf. relatio. **-kouf** stm. für eine leistung erworbene gegenleistung. **-mâȥen** swv. vergleichen mit (dat.). **-niet** stm. das anstreben gegen etwas. **-punct** stm. nadir. **-rede** stf. erwiderung. **-reise** stf. kriegszug entgegen **-riȥ** stm. gegenstoss. **-schaz** stm. widergift, gegengabe. **-schrîber** stm. gegenrechner, kontrolleur. **-sidele** stn. ehrenplatz bei tische, dem herrn oder wirte gegenüber. **-slac** stm. gegenhieb. **-strît** stm. gegenwehr; wettstreit. **-stuol** stm. = *gegensidele*; coll. *-gestüele*. **-tjoste** stf. gegenstoss mit dem speere. **-traht** stf. widerstand. **-vart** stf. entgegenfahrt. **-wart, -wurt, -würte** stf. gegenwart (*in gegenw., engegenwerte, -würte* gegenwärtig, entgegen, gegenüber); zeitlichkeit. **-wart, -wertec, -würtec** adj. gegenwärtig. **-wertec-heit, -wertikeit, -wirtikeit, -würtikeit** = *gegenwart*. **-wertes** präp. m. dat. in jemds gegenwart. **-wort** stn. antwort, wechselrede, gespräch. **-wurf** stm. gegenstand, objekt. **-zil** stn. widerstand.

gegende s. *gegenôte*.

gegene, gegen, geine stf. gegend; gegenwart.

gegenen, gagenen swv. entgegenkommen, -treten dp.

gegenôte, geinôte, gegende, geinde, gegent stf. gegend.

gegent s. *gegenôte*.

ge-gerwe stn. vollständige aus-, zurüstung, kleidung.

ge-gerwen swv. bekleiden.

ge-giht stf., **-gihte** stn. bekenntnis.

ge-gihte stn. gicht; krämpfe; allgem. weh.

ge-grîfen stv. *g. von* abfallen.

ge-habe stf. haltung, benehmen, aussehen.

ge-haben swv. abs. halten, stehn, sich befinden. — tr. haben, besitzen; halten, behaupten. — refl. sich aufhalten; sich halten *an, ze*; sich befinden u. benehmen.

ge-hac stn. gehege.

ge-haft part. adj. verbunden, verpflichtet.
ge-hage s. *gehege.*
ge-halt stm. gewahrsam, gefängnis; innerer wert.
ge-halten stv. abs. still halten; sich halten, aufbewahrt bleiben. — tr. festhalten, gefangennehmen; behüten, bewahren; halten, in stand halten; bewahren, aufheben; vertrauen, glauben mit dp.
ge-halter stm. behalter, bewahrer; behälter.
ge-handeln swv. intr. handel treiben. — tr. ausführen; behandeln. refl. sich benehmen.
ge-hâr, -hâret adj. behaart.
gehære stn. coll. zu *hâr.*
ge-harre stn. das harren.
ge-harsten swv. harsch werden.
ge-haz, -hazzec, -hezzec adj. hassend, feind mit dp.
ge-hæze stn. kleidung.
ge-hebe adj., md. *geheve* fest, haltbar; viel haltend, geräumig, bequem; bildl. gewichtig, bedeutend; trefflich, wohlwollend.
ge-hebe stf. haltung; befinden, lebensweise; aussehen, gestalt.
ge-hebede stf. besitztum; das benehmen, verhalten.
ge-heben stv. aufheben; *einem g.* sich ihm gleich setzen, ihm das gleichgewicht halten. — refl. = *gehaben.*
ge-hecke, -heckede stn. das hacken; häcksel.
ge-heder stn. gezänke.
ge-hege, -hage stn. einfriegigung, hag; schutzwehr. zufluchtsort; gebüsch.
ge-hei, -heie, -heige stn. hitze, brand.
ge-hei, -heie, -heige stn. hegung, pflege; gehegter wald, gehegtes fischwasser usw.
ge-heien swv. pflegen, verpflegen.
ge-heil adj. heil, ganz
ge-heilen swv. tr. u. refl. heilen, gesund machen; erretten; intr. geheilt, gesund werden.
ge-heiligen swv. tr. heilig machen, sprechen; intr. heilig werden.
ge-heim adj. heimlich, vertraut.
ge-heime, -heimde stf. heimlichkeit, geheimnis; vertrauter umgang.
ge-heimec adv. heimlich.
ge-heimisch adj. = *geheim.*
ge-heimlichen swv. vertraut machen.
ge-heische stn. geheiss.
ge-heiz stm. befehl, gebot; versprechen, gelübde; verheissung, versprochener lohn; verheissung, weissagung.
ge-heize stnf. befehl; gelübde; verheissung.
ge-heizen stv. befehlen mit ap. u. inf.; verheissen, versprechen; verheissen, weissagen. — pass. genannt werden, heissen.
ge-hël adj. zusammenklingend, -stimmend.
ge-hël, *-lles* stn. zu-, übereinstimmung.
ge-helbet part. adj. medius.
ge-hëlfe swm. helfer; gehilfe.
ge-hëlfe swf. gehilfin.
ge-hëllen stv. zusammenklingen, einhellig sein, übereinstimmen; wozu (dat.) stimmen, passen, entsprechen.
ge-hellen swv. in die hölle bringen.
ge-hëllesam adj. übereinstimmend; entsprechend (dat. od. *an).*
ge-hëllunge stf. = *gehël.*
ge-hëln stv. tr. verhehlen; refl sich verbergen, mit gen. sich mit od. in etwas verstellen.
ge-hëlze s. *gehilze.*
ge-helzen swv. lähmen.
ge-hende adj. bei der hand, bereit.
ge-henge stn. vorrichtung zum an-, ein-, umhängen; türangel.
ge-henge stfn. swm., **-hengede** stf. nachgiebigkeit, zulassung, erlaubnis.
ge-hengen swv. geschehen lassen, nachgeben, gestatten; *dem orse geh.* die zügel hängen lassen.
ge-henke, -henkede stn. gehänge (schmuck).
ge-hërsen swv. beherrschen, überwältigen.
ge-herten swv. intr. dauern, ausdauern; tr. behaupten.
ge-hërze adj. einträchtig, verbunden *mit*; beherzt.
ge-hërzen swv. beherzt machen, ermutigen.
ge-hetze adj. = *gehaz.*
ge-hetze, -hetzede stn. das hetzen.
ge-heve s. *gehebe.*
ge-hezzec s. *gehaz.*
ge-hien, -hîjen s. *gehîwen.*
ge-hilder stn. gelächter.
ge-hilwe stn. feiner nebel; gewölk.
ge-hilze, -hëlze stn. schwertgriff, heft.
ge-himelen swv. in den himmel bringen.
ge-himelze stn. himmelartige decke und traghimmel.
ge-hirmen swv. intr. ruhen; ablassen von mit gs.
ge-hirne stn. gehirn.
ge-hiufe stn. haufe.
ge-hiure adj. geheuer, nichts unheimliches an sich habend; lieblich, angenehm; trefflich.
ge-hiuse stn. gehäus.
ge-hiuze stn. lärm. geschrei (zur verfolgung); hohn.
gehîwen, -hîjen, -hien swv. intr. sich vermählen; sich paaren. — tr. vermählen *ze.*
ge-hœhen swv. erhöhen.
ge-holf adj. = *beholf.*
ge-holn swv. holen; erwerben, verdienen.
gehœne stn. hohn.
ge-hœnen swv. verächtlich machen od. behandeln, entehren.
ge-hôrchen, -horchen swv. mit dat. zuhören; gehorchen; gehören *zuo.*
ge-hœrde stfn. das hören, der gehörsinn.
ge-hœre, -hœrec adj. folgsam, gehorchend mit dp. u. gs.
ge-hœren swv. abs. hören, mit dat. hören auf. — tr. hören, anhören. — intr. gehören, gebühren.
ge-horn adj. gehörnt; hornartig.
ge-hôrsam adj. gehorsam mit dp. u. gs.
ge-hôrsame, -sam stfm. gehorsam (*g. tuon,* profess ablegen); arrest, gefängnis.
ge-hôrsamen swv. gehorsam sein mit dp. u. gs.
ge-horwen swv. beschmutzen.
ge-houwen stv. hauen, niederhauen.
ge-hüge adj. eingedenk.
ge-hüge stf. sinn; erinnerung, andenken; freude; logik.
ge-hügede stf. das denken an etwas (gen.); gedächtnis, erinnerung, andenken; erwägung; einbildungskraft.
ge-hüge-lich, -hugesam adj. in erinnerung bleibend, denkwürdig.
ge-hügen swv. gedenken, sich erinnern mit gen. od. *an, ûf, zuo.*
ge-hugende stf. gedächtnis, andenken.
ge-hugnisse stfn. gedächtnis, erinnerung; einbildungskraft.
ge-huht stf. gedächtnis; freude.
ge-hulden, -huldigen swv. tr. u. refl. geneigt machen; intr. huldigen.
ge-hülfec adj. helfend.
ge-hülze stn. gehölze.
ge-hünde stn. beute, raub.
ge-hünde stn. hunde; hündisches volk, gesindel.
ge-huof stm. = *be-huof.*
ge-hürne stn. gehörn, geweih; hornblasen.
ge-hurste stn. md. ort mit gesträuch od. gestrüpp.

ge-hurwe stn. menge von schmutz od. kot.
ge-hûs adj. wohnhaft, ansässig.
ge-hûsen swv. intr. sich niederlassen, hausen, wohnen.
ge-hûset part. adj. = *gehûs.*
geil, geile adj. von wilder kraft, mutwillig, üppig; lustig, fröhlich; mit gen. froh über; begierig *zuo.*
geil stm. übermut.
geil stn. fröhlichkeit; lustiges wachstum, wucher; hode.
geilære stm. ein fröhlicher gesell.
geile, geil stf. üppigkeit; fruchtbarer boden; fröhlichkeit, übermut; swf. hode.
geilen swv. intr. übermütig, ausgelassen sein; froh werden. — tr. froh machen. — refl. sich freuen, erlustigen; lustig wachsen u. wuchern.
geil-haft adj. = *geil.* **-heit** stf. fröhliche tapferkeit; ausgelassenheit. **-liche** adv. lustig.
geilsen swv. intr. ausgelassen lustig sein. — refl. sich freuen über (gen.).
gein s. *gegen.*
geinde, geine, geinôte s. *gegenôte, gegene.*
ge-innern, ginnern swv. inne werden lassen, erinnern.
isel stswf. geissel, peitsche; landplage.
geiseler stm. flagellant.
geiseln swv. geisseln.
geisel-ruote f. peitsche. **-slac** stm. peitschenschlag. **-vart** stf. fahrt der flagellanten. **-ville** stf. züchtigung mit der *g.*
geist stm. geist; überird. wesen (gott, der heil. geist, engel); der böse geist; *frier g.* anhänger der sekte des freien geistes.
geistec, geistîn adj. geistig.
geistekeit stf. unio mystica, das immaterielle.
geisten swv. tr. geistig machen, mit geist (mit dem hl. geiste) erfüllen. — intr. geistig wirken.
geisterîn stf. schwester des freien geistes, begine.
geist-lich adj., **-liche** adv. geistlich, fromm; geistig.
geist-licheit stf. geistliches leben, frömmigkeit; geistl. stand; geistigkeit.
geistunge stf. myst. vergeistigung.
geiʒ stf. ziege (*diu springende g.* eine art sternschnuppen).
geize stswf. pflugsterze.
geiʒe-gëbel stm. ziegenschädel.
geiʒer stm. ziegenhirt.
geiʒ-heit stf. ziegenherde.
geiʒîn adj. von ziegen.
geiʒ-vuoʒ stn. ziegenfuss; ein brech-, hebeisen.
ge-jac stm. jagdbeute.
ge-jaget, -jeit stmn. jagd; meute von jagdhunden; jagdbeute.
ge-jegede, -jeide stn. dass.
ge-justieren swv. = *tjostieren.*
ge-kelle stn. geschwätz.
ge-kinde stn. coll. zu *kint.*
ge-klage swm. kläger.
ge-kleide stn. kleidung.
ge-kôde s. *gequide.*
ge-kœse, -kôse stn. rede, gespräch, geschwätz.
ge-kriegen swv. kämpfen, streiten; mit einem (dat.) streiten.
ge-kriute, md. *krûde* stn. coll. zu *krût,* menge von kräutern, gras.
ge-krœse stn. das kleine gedärme, gekröse.
ge-kudde s. *gequide.*
gëkzen s. *gigzen.*
gël, -lles adj. laut, hell.
gël, -wes adj. gelb.
gel- vgl. auch den anlaut *gl-.*
ge-labede, -lebde stf. labung.
ge-lach stn. gelächter.
ge-læge stn. das liegen; lage, zustand, beschaffenheit, verhältnis, gelegenheit; das zusammengelegte, ladung.
ge-lanc, glanc stm. gelenk.
ge-landet part. adj. mit einem lande versehen.
ge-lange adv. lange.
ge-lange swm. verlangen, begierde, sehnsucht.
ge-langen swv. tr. erreichen; unpers. lange dünken mit gen.; verlangen, sehnsucht haben nach (gen.).
ge-lâʒ stmn. erlassung, verleihung; zusammenfügung der glieder, bildung, gestalt, benehmen.
ge-læʒe stn. niederlassung u. deren ort; verlassenschaft, was aus der verlassenschaft eines unfreien dem herrn zufällt; benehmen, gebaren.
ge-læʒe stf. benehmen.
ge-lâʒen, -lân stv. intr. sich benehmen, gebärden. — tr. lassen, loslassen; verlassen; erlassen mit dp.; unterlassen; anheim geben *an einen etw.* — refl. sich beschäftigen mit (*an*); sich verlassen auf (*an*); sich niederlassen *ûf.*
ge-lâʒenheit stf. gelassenheit, gottergebenheit.
ge-lebde s. *gelabede.*
ge-lëben intr. leben, zusammenleben; leben von (gen.); leben für, nachleben, befolgen (dat.); tr. erleben.
ge-lëbert part. adj. *daz g.e mer = leber-mer.*
ge-leche stn. = *gelach.*
ge-lëcke stn. leckerspeise.
ge-legede stf. lage, beschaffenheit.
ge-lëgen part. adj., **ge-legelich, -legenlich** adj. angrenzend, gelegen.
ge-lëgenheit stf. lage, stand der dinge, beschaffenheit; angrenzung; die angrenzenden länder und gegenden.
ge-lëger stn. lager; estrich.
ge-lehter stn. gelächter, spott.
ge-leiche, -leich stn. gelenk; fuge; glied; fischlaich; unglück; betrug, fopperei.
ge-leiche stf. gelenk.
ge-leichec adj. gelenkig, beweglich, biegsam.
ge-leichen swv. gelenkig biegen; betrügen, foppen.
ge-leiden swv. tr. schmerz worüber empfinden, äussern; mit dat. verleiden; intr. mit dp. verhasst sein od. werden.
ge-leise stn. radspur.
ge-leisinic adj. folgsam.
ge-leite swmf. führer, führerin.
ge-leite stn. leitung, führung; begleitung, geleit, schutz; geleitsgeld.
ge-leitec adj. lenksam.
ge-leiten swv. geleiten, führen; schützend begleiten.
ge-lende stn. coll. zu *lant,* gefilde; landstrich, sprengel.
ge-lende stn. landung.
ge-lenden swv. landen; zum ende, ziele führen.
ge-lenke stn. taille; falte des kleides; verbeugung; gewandtheit; lenkung, leitung.
ge-lenke adj. gelenkig, biegsam, gewandt.
gelêret s. *lêren.*
ge-lërnic, -lirnic, -liric adj. gelehrig.
ge-lëse stn. das lesen, vorlesen und vorgelesene.
ge-lësen stv. mit auswahl sammeln, lesen; in falten legen (kleid); lesen.
gelf, gelfe s. *gwelph.*
gëlf, gëlpf, gëlph adj. glänzend, von heller farbe; munter, fröhlich; übermütig.
gëlf, gëlpf stn. lautes tönen, lärm; fröhlichkeit; übermut; spott, hohn.
gëlfe, gëlpfe stf. glanz, pracht.
gëlfen, gëlpfen stv. lauten ton von sich geben, schreien; bellen; übermütig sein, prahlen. — refl. mit gs. worüber fröhlich sein.
ge-lîch, -liche, -lich, glich adj. von übereinstimmender leibesgestalt od. art, gleich; geradlinig, eben, billig, angemessen; ebenmässig; mit dat. gleich mit. — substantivisch

mit gen. eines persönl. pron. od. mit possess. der einem gleich, ähnlich ist; das neutr. hinter dem gen. pl. eines subst. gesamtheit u. übereinstimmung ausdrückend (*ritter gelîch* ritter, *aller tier gelîch* jedes tier).

ge-lîche, -lich, -lich, gliche, -lîch-lîche adv. gleichermassen, auf gleiche weise, durchweg; (*gelîche ligen* im spiele als gleich wert gegeneinander gesetzt sein); benachbart, angrenzend mit dat.; md. sogleich.

ge-lîche, -lîcheit stf. gleichheit, gleichmässigkeit; gleichnis; myst. gleichmut aus gottergebenheit.

gelîch-ebeni stf. aequitas.

ge-lîchen stv. gleich sein; gleichkommen, gleichen, passen mit dat.

ge-lîchen swv. gefallen mit dp. — refl. mit dat. sich beliebt machen bei.

ge-lîchen swv. tr. gleich machen, gleich, stellen, vergleichen mit dat. od. *ze, gegen.* — refl. mit dat. gleich sein, vergleichen, sich gleichstellen. — intr. mit dat. gleich sein, gleichen.

ge-lîcher stn. astr. aequans.

ge-lîches adv. auf gleiche weise, ebenso; gleichmässig; sogleich.

ge-lîchesære stm. gleisner.

ge-lîchesen, -lîhsen swv. heucheln. — tr. erheucheln.

ge-lîchesunge stf. heuchelei.

ge-lîchnisse stfn. gleichheit, ähnlichkeit; ausgleichung, vergütung; vergleichung; ab-, vorbild; gleichnis.

ge-lîchsenære, glisenære stm. gleisner.

ge-lîchsenheit stf. heuchelei.

ge-lîchsenisse stf. dasselbe.

ge-lîchunge stf. ähnlichkeit.

ge-lide stn. die glieder.

ge-lidemæȥe stn. glied, pl. gliedmassen.

ge-lidere stn. coll. zu *lëder.*

ge-lieben swv. tr. lieben; lieb, angenehm machen mit dp. — intr. lieb, angenehm sein oder werden, belieben.

ge-liep adj. einander lieb. — subst. pl. st. od. sw. personen, die einander lieben.

ge-ligere stn. lager, beilager.

ge-lihter stn. sippe, art.

ge-lihtride stf. geschwister.

ge-limpf, -limpfe, glimpf stswm. angemessenes, artiges, schonendes benehmen, benehmen überh.; befugnis, recht; guter leumund.

ge-limpf adj. angemessen.

ge-limpfec adj. angemessen; schonend, nachsichtig.

ge-limpfen swv. tr. recht, angemessen machen, fügen; angemessen finden; nachsicht worin gegen jem. (dat.) üben, ihm etw. verzeihen, gestatten. — intr. angemessen sein.

ge-limpflich adj. recht, angemessen.

gelin s. *galîe.*

ge-linc, glinc adj. link.

ge-linc stm., **-linge** stfn. swm. gelingen, glück.

ge-lingen stv. erfolg haben, glücken, unpers. mit dp. u. gs. od. *an.*

ge-lîp adj. beschaffen (mit einem leibe, wesen versehen).

ge-lirnic s. *gelërnic.*

ge-liseme stn. beratung.

ge-lismen swv. stricken.

ge-lit, glit, *-des* stn. glied, gelenk; mitglied; im schachspiel alle figuren mit ausnahme des königs und der königin. **-mâȥe** stf. rechtes verhältnis der glieder.

ge-liuhte stn. licht, glanz; augenlicht.

ge-litze swm. gelüst, begehren.

ge-liune stn. coll. zu *lûne,* gestalt, beschaffenheit.

ge-liute stn. coll. zu *lût,* schall, getöse; glockengeläute.

ge-liuwen swv. intr. ruhen, rasten; tr. sinere.

gelle swm. rival; geliebter.

gelle swf. nebenbuhlerin, kebsweib; geliebte.

gellec adj. gallig; mit der *galle* (s. *galle* 2) behaftet.

gellen swv. vergällen; *den visch g.*, ihm die galle ausnehmen.

gëllen stv. laut tönen, schreien.

gëlm stm. schall, laut.

gëlmen swv. = *gëllen.*

ge-loben swv. loben, preisen; geloben, versprechen ohne od. mit dp. (*gelobte gesellen*, die das handgelöbnis geleistet haben); *eine gel.* sie zu ehelichen versprechen, mit acc. u. dat. verloben.

ge-lobsame stf. gelobung, bekräftigung.

ge-lohe, glohe swm. = *glouc.*

ge-lohen, glohen swv. flammen.

ge-lœte stn. gewicht; eine ladung blei, ein schuss; waage.

ge-loube, gloube stswf. swm. glaube.

ge-loubec, gloubec adj. glaubend, gläubig; glaubwürdig.

ge-loubehaft adj. dasselbe.

ge-louben, glouben swv. glauben mit dp., as. od. gs.; gläubig sein; erlauben. — refl. mit gs. verzichten.

ge-loublich adj. glaublich glaubwürdig; gläubig.

ge-loubsam adj. glaubwürdig, beglaubigt.

ge-loubsame stf. beglaubigung.

ge-louc stm. lohe, flamme.

ge-loufe stn. gelaufe, auflauf.

ge-loufte swm. mitläufer, anhänger.

ge-loup adj. belaubt.

gëlpf, gëlph s. *gëlf.*

gël-reit adj. = *goltreit.*

gels stm. schall, geplätscher.

gelsen, gelstern swv. gellen, schreien.

gelster adj. laut erklingend.

gël-suht stf. gelbsucht.

gëlt, *-tes* u. *-des* stnmf. bezahlung, vergeltung, ersatz; vergütung; eigentum, einkommen, rente; zahlung; schuldforderung, bes. der schuldige zins an geld und naturalien; bezahlter preis, preis, wert überh.; zahlungsmittel, geld (n.), *wîȥeȥ gëlt,* silbergeld.

gëltære, -er stm. schuldner; gläubiger.

gëlt-brief stm. schuldbrief. **-haft, -haftic** adj. zahlbar, schuld-, steuerpflichtig. **-hërre** swm. gläubiger.

gelte swf. gefäss für flüssigkeiten.

gëlte swm. = *gëltære.*

gëltec adj. zahlend, ersatz leistend.

gëlten stv. zurückzahlen, -erstatten, vergelten, entschädigen; erwidern mit dat.; büssen für, entgelten; eintragen, einkünfte bringen; zahlen, bezahlen bes. vom zahlen des jährl. zinzes; einen gewissen preis (acc.) haben, kosten, wert sein.

gëltnisse s. *galtnisse.*

ge-lübe, -lube stfn. versprechen, gelöbnis; billigung, genehmigung.

ge-lübede, -lübde stfn. **-lübschafte** ssf. gelöbnis, versprechen.

ge-lûch, louch, glûch adj. geschwollen, aufgedunsen.

ge-lücke, glücke stn. glück, geschick, zufall; beruf, lebensunterhalt. **-rat** stn. rad der Fortuna.

ge-lücken, glücken swv. glücken, gelingen.

ge-ludeme, -ludem stn. geschrei, lärm.

ge-lunge stn. die lunge mit den edleren eingeweiden.

ge-lüp-nüsse stf. eheversprechen.

ge-lüppe stn. gift, zaubersalbe.

ge-lust stmf. begierde, gelüsten; freude, vergnügen.

ge-luste swm., **-lüste** stn. begierde, gelüste.

ge-lustec adj. begehrlich.
ge-lustelich adj. froh; freude erweckend, wohlgefällig. **-lustelicheit** stf. freude.
ge-lüstelîn, -lüstel stn. dem. zu *gelust.*
ge-lüsten, -lusten swv. tr. sich freuen über, belustigen; unpers. mit acc. u. gen. an etwas wohlgefallen finden; verlangen, gelüsten haben (gen., inf., nachsatz, *nâch*).
gël-var adj. gelb.
gëlwen swv. *gël* werden.
gël-wîȥ adj. hellgelb, blond.
gelze s. *galze.*
gelzen swv. castrare.
ge-mâc, -mâge stswm. der verwandte.
ge-mâc, -mâge adj. verwandt.
ge-mach adj. gleich, mit gen.; mit dat. bequem, angenehm, rücksichtsvoll *an.*
ge-mach adv. bequem, gemächlich, langsam.
ge-mach stmn. ruhe, wohlbehagen, bequemlichkeit, annehmlichkeit, pflege; ort wo man ruht und sich pflegt, zimmer, wohnung.
ge-machede s. *gemechede.*
gemach-sam adj. bequem, ruhig, gemächlich.
ge-mâget part. adj. verwandt.
ge-mahel, -mahele stswm. bräutigam, gemahl.
ge-mahele, -mehele, -mahel, -mâl swstf. n. braut, gattin.
ge-mahelen, -mehelen swv. verloben, vermählen mit dat. od. *zuo*; *eine g.* od. *sich zuo einer g.* sie zur braut oder gemahlin erwerben.
gemahel-schaft stf. verlobung, vermählung; beilager.
ge-maht stf., **-mehte** stn. penis, genitalia.
ge-mâl s. *gemahele.*
ge-mâl adj. bunt verziert, farbig hell, gemalt.
ge-mælde, -mælze stn. bild, gemälde, malerei.
ge-mæle stn. malerei, zeichnung, verzierung.
ge-maln stv. mahlen, zu staub zermalmen.
ge-man adj. mit mannen versehen.
ge-man adj. mit mähne versehen.
ge-manc stm. gemenge.
ge-mannen swv. zum manne werden; erstarken.
ge-mare swm. mitanspänner, mitackersmann, genosse.
ge-marn swv. einjochen, -spannen; sich mit (*zuo*) einem verbinden, vereinigen.
ge-mæȥe adj. mässig; gemäss, angemessen mit dat.
ge-mâȥen swv. tr. richtig messen; bestimmt angeben; mässigen, beschränken; vergleichen, gleichstellen mit dat. — refl. sich mässigen, bezwingen; sich vergleichen, gleichstellen mit dat. oder *ze*; mit gen. sich enthalten von. — intr. sich mässigen, warten.
ge-mâȥet part. adj. mit dem richtigen masse versehen; gemässigt, beschränkt.
ge-maȥȥe swmf. tischgenosse, -genossin.
ge-mechede, -machede stn. ehegemahl.
ge-mechlich adj., **-liche** adv. bequem; bedächtig, ruhig, langsam; zutunlich, zahm.
ge-mechte, -mecht stn. verfertigung, arbeit; das durch arbeit hervorgebrachte, das fabrikat; geschöpf; vertrag; das ver-, übermachte; vermächtnis, testament; gerichtl. handlung.
ge-mechtnisse stn. vermächtnis, testament.
ge-megenen swv. stark, mächtig werden.
ge-meh- s. *gemah-.*
ge-meilen swv. tr. beflecken. — intr. befleckt werden.
gemein adj. = *mein*, falsch.
ge-meinde stf. s. *gemeine.*
ge-meinder s. *gemeiner.*
ge-meine, -mein adj. gehörig zu (dat. od. *zuo*) zusammengehörig, gemeinsam; umgehend mit (dat.), vertraut; mehreren gehörig, gemeinschaftlich; unparteiisch (*gemeiner man*, pl. *gemeine liute*, mittelspersonen, schiedsrichter); allen ohne unterschied gemeinsam, allgemein; bekannt; für alle eingerichtet, gewöhnlich; alle umfassend, gesamt; zur gemeinde gehörig; zur grossen masse gehörig, niedrig, gemein.
ge-meine swm. = *gemeiner man*, mittelsperson.
ge-meine, -mein adv. auf gemeinsame, gleiche weise; zusammen, insgesamt.
ge-meine, -mein, -meinde stf. anteil, gemeinschaft; gemeinschaftl. besitz, grundeigentum einer gemeinde; die mit denen man lebt, die gemeinde; versammelte menge, heer; gesamtheit.
ge-meine adj. in liebe vereinigt, geliebt.
ge-meine stn. gesinnung.
ge-meineclich adj. gemeinsam alle; **-liche** adv. auf gemeinsame weise; gemeinschaftlich, insgesamt.
ge-meinen swv. intr. gemeinschaft haben mit dat. — refl. allgemein werden; sich verbinden, vereinigen, mitteilen mit dp. — tr. *einem* od. *mit einem etw.* od. *einen mit etw. gem.*, mit ihm teilen, mitteilen; in die gemeinde aufnehmen.
ge-meiner, -meinder stm. mitbesitzer; mitschuldner; mittelsperson.
ge-mein-lich adj. allen gemeinsam, gemeinschaftlich; der grossen menge zugehörend, niedrig, gemein. **-liche** adv. insgesamt; allgemein. **-merke** stn. almende. **-sam** adj. gemeinsam, gemeinschaftlich. **-same** stf. gemeinschaft; vereinigung, ausgleichung; gemeinde. **-samen** swv. gemeinschaft haben mit, teilhaben an (dat.); fornicari; mitteilen. **-samkeit** stf. myst. *nâch teilhafter g.* in anteil nehmender gemeinschaftlichkeit. **-schaft** stf. gemeinschaft; gemeinde, gesamtmasse; anteil den man als *gemeiner* hat; das amt des schiedsrichters. **-schaften** swv. refl. mit d. sich einlassen auf, sich befassen mit.
ge-meit adj. lebensfroh, freudig, froh, vergnügt; keck, wacker, tüchtig; lieblich, schön, stattlich; lieb, angenehm mit dp.
ge-meite(n) adv. lässig, müßig; frustra, otiose.
ge-melden swv. melden; *einen g.*, von ihm melden, verkündigen.
geme-, gemel-lich adj. lustig, spasshaft, ausgelassen; freude gewährend.
geme-, gemel-liche stf. lustigkeit, ausgelassenheit, schalkhaftes wesen.
ge-mende adj. froh.
ge-menden swv refl. mit gen. sich erfreuen an.
ge-menge, -mengede stn. gemenge, vermischung.
ge-mengen swv. mangeln.
ge-merke stn. coll. zu *marke, marc*: abgegrenzter umfang, grenze, gemarkung; merkzeichen, merkmal. — zu *merke*: aufmerken u. dessen gegenstand, augenmerk, ziel, absicht; standpunkt für die beobachtung.
ge-merkede stn. grenze, gemarkung.
ge-merken swv. bemerken, beachten, wahrnehmen; richtig beurteilen, verstehen.
ge-mern swv. eintunken; zu abend essen.
ge-merren swv. aufhalten, verderben.
ge-mërze stn. handel, unternehmung.
ge-mieten swv. bezahlen, belohnen.
ge-minne, -minnec adj. in liebe vereint, zugetan, freundlich, liebreich.

ge-minnen swv. lieben; gütlich beilegen; lieb machen.
ge-mischede stn. gemisch.
ge-mischen swv. verst. *mischen*; *sich g.*, *sich zesamene g.* (im kampfe).
ge-miure stn. gemäuer, die mauern, das gebäude.
ge-möse stn. sumpf.
gempel s. *gampel.*
ge-müese stn. mus, brei.
ge-müete, -muote stn. gesamtheit der gedanken und empfindungen, sinn, inneres, herz; gemütezustand, stimmung, verlangen, lust; begehren, gesuch, ansinnen.
ge-müetlich s. *gemuotlich.*
ge-müffe stn. verdriessliches brummen, maulen.
ge-müIle, -mül stn. das durch zerreiben, zermalmen entstandene, staub, kehricht.
ge-münde, -munt stn. coll. zu *munt* 2, die spanne als mass; schirm, schutz.
ge-muore stn. coll. zu *muor* sumpf.
ge-muot part. adj. bedrängt.
ge-muot adj. gesinnt, gestimmt; wohlgemut, mutig; anmutig, lieb.
ge-muoten swv. begehren, verlangen mit gs. as. od. nachs.; gefallen, behagen mit dp.
ge-muot-haft adj. getrost, zufrieden, vertrauend auf (*an*); mutig, verwegen. **-heit** stf. gesamtheit der gedanken; frohsinn. **-(müet)-lich** adj. dem *muote* entsprechend, genehm. **-sam** adj. dasselbe.
ge-muoȥen swv. refl. sich herbeilassen, verstehn *zuo.*
ge-mürde stn. coll. zu *mort.*
gemȥinc, *-ges* stm. der wie ein bock, gemsbock ungestüm und lustig ist.
gên s. *gân, gëben, gegen.*
ge-nâ = *genou*, s. *nou.*
ge-nâdære stm. der *genâdet.*
ge-nâde, gnâde stf. niederlassung um auszuruhen, ruhe; ruhige lage, behagen, glück, glückseligkeit, freude, neigung zu etw.; helfende geneigtheit, unterstützung, gunst, huld, gnade, gottes hilfe und erbarmen (*gnâden bitten* um gnade, um verzeihung bitten; *ûf gnâden* im vertrauen auf wohlwollen; *nâch gnâden* nach billigkeit); ablass, nachlass; eilipt. in der anrede (vor *herre, vrouwe*) bittend oder dankend; fussfall um zu danken, der ausgesprochene dank; auch schon zur umschreibung von personen.
ge-nædec, -nædec-, -nædelich adj. wohlwollend, freundlich, liebreich, barmherzig, gnädig.
ge-nædecliche adv. mit neigung; wohlwollend, gnädig.
ge-nædelîn stn. kleine begnadigung.
genâde-lôs adj. von gott und aller welt verlassen, unglücklich; gunstlos, ohne erhörung.
ge-nâden, gnâden swv. mit dp. gnädig, freundlich, wohlwollend sein; danken.
ge-nâden-werc stn. heilswerk.
ge-nædigen swv. *genædec* sein.
ge-næhe, -næhede, -næhte stf. nähe.
ge-name swm. = *genanne.*
ge-næme adj. annehmbar, annehmlich; wohlgefällig, angenehm; geneigt, gewogen.
ge-nande swm. s. *ge-nennede.*
ge-nanne, gnanne, ge-nenne swm. namensbruder, gleichnamiger; genosse. **ge-nannen** swv. *sich zuo einem g.* sich nach einem nennen.
ge-nante swm. zeuge vor gericht; *die genanten* bildeten den grössern, *die alten genanten* den kleineren bürgerlichen rat.
ge-nantlich adj. mit namen genannt, bekannt.
ge-nappen swv. hinken, wakkeln.
ge-narbet part. adj. wund.
ge-nasche, -nesche stn. lekkerheit, schmarotzerei.
ge-naset part. adj. mit einer nase versehen.
ge-næte stn. coll. zu *nât*, stickerei.
genc-lich adj. gehend, fortgang habend; vergänglich; accessibilis.
ge-negele stn. coll. zu *nagel.*
ge-neic-, -neigec-lich adj. geneigt.
ge-neigen swv. neigen, beugen; niederwerfen, zu falle bringen; geneigt machen.
ge-neist s. *ganeist.*
ge-neiȥide stf. verfolgung.
gënen s. *ginen.*
ge-nëmen stv. verst. *nëmen* (gefangennehmen; *sich g. von* entfernen; den beweis seiner unschuld führen).
ge-nende, -nendec adj. kühn, mutig, eifrig (mit gen. od. *an, gegen, ûf*).
ge-nendecheit stf. kühnheit.
ge-nendec-, -nende-liche adv. kühn, mutig, entschlossen, vertrauensvoll.
ge-nenden swv. intr. u. refl. wagen, einen entschluss, mut fassen, sich erkühnen (mit gen., inf. od. präpp.).
ge-nenne adj. berühmt; stn. benennung.
ge-nennede, -nende, -nenne stf. person, bes. im pl. die drei personen der gottheit.
gener s. *jener.*
ge-nerde, -nirde stf. ernährung, erhaltung.
ge-nern, -neregen swv. heilen; retten, schützen, am leben erhalten; ernähren.
ge-nës adj. rettung bringend.
ge-nës stf. = *genis*, s. *genist* 2.
ge-nesche s. *genasche.*
ge-nëse-lich s. *genislich.*
ge-nësen stv. gesunden, geheilt werden ohne od. mit gen. priv.; am leben bleiben; errettet werden, lebend od. heil davonkommen mit gen. od. *vor, an*; selig werden; sich wohl befinden; stn. heil, vorteil.
ge-nëserîn stf. hebamme.
ge-nëven swm. pl. gegenseitige verwandte.
geneȥ stn. frauengemach (aus mlat. genecium, gr. γυναικεῖον).
geneȥ-wîp stn. weibl. person die sich in dem *geneȥ* aufhält, frauenzimmer.
gengære stm. gänger, umherzieher.
genge, gengec adj. unter den leuten umgehend, verbreitet, gewöhnlich; leicht gehend, rüstig, bereit.
genge stf. gang.
genge swm. gänger (in zusammensetz.).
gengel adj. umgehend, verbreitet.
gengel stm. gänger (in zusammensetz.).
gengelære stm. umherzieher; wandernder aufkäufer vollwichtiger münzen.
genge-lich adj. = *gengel.*
genge-liche adv. im gange.
gengelîn stn. dem. zu *ganc.*
gengen swv. gehn machen; abs. losgehn (mit ausgelass. obj. *ros*).
ge-nibele, -nibel stn. coll. zu *nëbel*, nebelmasse, gewölk, dunkelheit.
ge-nic, -nicke stn. genicke.
ge-nicken swv. tr. beugen; intr. sich beugen, neigen.
ge-nideren swv. niederdrükken, erniedrigen.
ge-nieten swv. verst. *nieten* (*daȥ genieten*, das genughaben einer sache).
ge-nietet, -niet part. adj. geübt, erfahren, in arbeiten geprüft.
ge-nieȥ stm. das geniessen, die benutzung; nutzniessung, einkommen, ertrag; nutzen, vorteil, lohn; genuss, genusssucht.
ge-nieȥe stswf. genossin.
ge-nieȥen stv. = *nieȥen*; intr. mit gen. nutzen, freude woran haben, keine strafe wofür leiden (gegens. *entgëlten*).

ge-niezer stm. der geniesser, genusssüchtige.
genifteln sw. pl. = *genëven.*
ge-nige stf. verneigung.
ge-nîgec adj. eine neigung habend *gegen.*
ge-nîgen stv. sich neigen, ins neigen kommen; *einem g.* sich vor ihm verbeugen.
ge-nirde s. *generde.*
ge-nis, -nës stf. = *genist* 2.
ge-nisbære, -bærelich adj. heilbar; heilkräftig.
ge-nisec, -nislich adj. heilbar.
ge-nisse stn. gewürm.
ge-nist stn. eiter.
ge-nist, -gnist stf. heilung, genesung; entbindung; rettung; heil, bestes; unterhalt, nahrung.
ge-niste, -nist stn. coll. zu *nëst.*
ge-nistern swv. = *ganeistern.*
ge-nistic adj. heilbar.
ge-nôs stn. schaden.
ge-nôsen swv. schaden.
ge-nôste stf. schädigung; die betrügerische umschneidung der münzen u. das dadurch gewonnene silber.
ge-nôte, -nôt, gnôte adv. enge; dringlich, angelegentlich, unablässig, eifrig, sehr.
ge-nœte, md. **-nôde** adj. eifrig, beflissen, mit gen. od. nachsatz; bedürftig.
ge-nœtec adj. dasselbe; dringend, dringlich.
ge-nou, -nâ adj. = *nou.*
ge-nouwe adv. kaum; genau.
ge-nôȥ, -nôȥe stswm. genosse, gefährte; mit gen. od. pron. poss. gleich an wesen, stand, würde; *einem genôȥ sîn, werden,* gleich, ebenbürtig sein, werden, taugen für.
ge-nôȥen swv. tr. teil haben an, geniessen; gleichtun, nachmachen. — tr. u. refl. gesellen *zuo;* gleichstellen, vergleichen, gleichkommen mit dat. od. *an, gegen, mit, zuo.* — intr. mit dat. gleich sein, gleichen.
ge-nôȥen-lich adv. *mir (er-) gât eȥ g.* es glückt mir.
ge-nôȥinne. -nœȥinne stf. genossin, standesgenossin, ebenbürtige.
genôȥ-lich, -sam adj. gleichstehend, ebenbürtig mit dat. **-same** stf. genossenschaft, gesamtheit der standesgenossen; geselligkeit; vereinigung, ausgleichung; vorkaufsrecht als recht der genossenschaft. **-schaft** stf. gesellschaft, gemeinschaft; gesamtheit der standesgenossen; teilnahme woran.
ge-nôȥunge stf. gesellschaft.
genoȥȥen part. adj. die jagdmässige fütterung genossen habend; ohne schaden oder nachteil, ungestraft, unversehrt.
genselich adj. ganshaft.
genselîn, gensel stn. kleine gans.
gensîn adj. von der gans.
gensischen adv. nach art der gänse.
genster s. *ganeister.*
ge-nüege stf. genüge, fülle.
ge-nüegec adj. genügsam, zufriedengestellt.
ge-nüegede, -nüegede-, -nüege-licheit stf. genüge, befriedigung, vergnügen.
ge-nüegel adj. genügsam, sich begnügend mit *(an).*
ge-nüegelich = *genüegec.*
ge-nüegen, -nuogen swv. tr. befriedigen, zufriedenstellen, erfreuen; genugtuung leisten. — refl. und unpers. sich woran befriedigen, ersättigen, mit gs. od. *an.* — intr. ausreichen, genug sein; sich ruhe verschaffen.
ge-nuht, -nühte stf. genüge, fülle, freude.
ge-nühtec, -nuhtic adj. genüge oder fülle habend, bietend; genügsam. adv. **-liche** in fülle.
ge-nühten swv. die fülle. haben.
ge-nuht-liche adv. in fülle. **-rich** adj. copiosus. **-sam, -samec** adj. = *genühtec.* **-sam** stf. fülle, reichtum, überfluss.
ge-nuoc, *-ges* adj. genug, hinreichend; manch, viel (oft mit leiser ironie: sehr viel, viel zu viel). — das unflekt. n. *genuoc* steht in substantivischer bedeutung mit gen.: genüge woran, hinreichend grosse menge wovon, oder als adv. vor u. hinter adj. u. adv.
genuoc-buoȥe stf. genugtuung. **-haft** adj. *mir ist g.* mir genügt. **-sam** adj. stf. = *genuhtsam.* **-samkeit** stf. zufriedenheit. **-tuon** stn. satisfactio.
ge-nuoge, -nuogic adj. genügend, ausreichend.
ge-nuoge adv. genugsam, hinreichend, sehr.
ge-nuogen s. *genüegen.*
ge-nützen swv. geniessen; benutzen, gebrauchen.
genze stf. vollständigkeit, vollkommenheit; das zusammenhängende erzlager der gänge und klüfte.
genzen swv. *ganz* machen.
genz-, genzec-lich s. *ganzlich.*
genzunge stf. ganzmachung, vergütung.
ge-oberen, goberen swv. mit acc. od. dp. die oberhand gewinnen über.
ge-orset part. adj. beritten.
ge-pac stn. gepäck.
ge-pepel stn. geplapper, geflüster.
ge-phahten swv. ermessen.
ge-phehte stn. das massverhältnis.
ge-phlester stn. schnauben (s. *ge-phnœte, phnâsen, phnehen*).
ge-phliht stf. das zusammensein, die gemeinschaft.
ge-phlihte swm. genosse.
ge-phlihten swv. zusammensein, wohnen.
ge-phnæte stn. das schnauben, blasen.
ge-phünde stn., md. *gepunde,* gewicht.
ge-pimphe stn. = *gepepel.*
ge-povel s. *gepüfel.*
ge-præche s. *gebrœche.*
ge-pranc stm.? bedrängnis.
ge-prüeven swv. herstellen, zurechtmachen; darstellen, schildern (abs. sich darstellen, handelnd zeigen); prüfen, beurteilen.
ge-püfel, -povel stn. coll. zu *bovel,* volk, tross.
ge-quël stm. quelle.
ge-quide stn., md. *gekudde, -kûde, -kôde* gespräch, disputation
gër s. *gir.*
gër stf. verlangen, begehren.
gêr, gêre stswm. wurfspiess; keil- (wurfspiess-) förmiges stück; bes. keilförmiges zeugstück, das unten an ein gewand zur verzierung od. zur erweiterung eingesetzt ist; der so verzierte, besetzte teil des kleides, schoss, saum.
ge-ræche swm. miträcher.
ge-rade s. *gerat.*
ge-rade adv. schnell, sogleich; gerade, gleich.
ge-râde stf. md. weibliches geräte und kleider als erbe.
ge-rahsenen, -rehsenen swv. räuspernd, hustend ausspuken.
ge-ræme adj. ein ziel *(râm)* im auge habend, worauf achtend.
ge-râmen swv. als ziel ins auge fassen, trachten, streben nach (acc., gen. untergeord. satz); zum ziele gelangen.
ge-ranc stmn. das ringen, streben.
ge-rangen swv. ringen, sich herumbalgen.
ge-rans, grans stm. schnelle bewegung hin und her.
ge-rat, -rade adj. schnell bei der hand, rasch, gewandt, tüchtig; frisch aufgewachsen, gerad u. dadurch lang; gleich, gleichartig.
ge-ræte stn. coll. zu *rât,* rat, beratung, beirat; überlegung; hilfe, zu-, ausrüstung; vorrat,

fülle, reichtum; hausrat, gerätschaft.

ge-râten stv. intr. raten, anraten, anordnen; gelingen, (gut oder übel) ausschlagen, geraten, gedeihen; glücklich, zufällig wohin gelangen; mit infin. wozu gelangen, anfangen (das verb. finit. umschreibend); mit gen. entraten, entbehren (mit dieser bedeutung zuweilen sw.).

ge-râve swm. = *râve.*

ge-râven swv. mit *râven* versehen.

gerbel stn. kleine garbe.

gerben s. *geerbe, gërwe, gerwen.*

gërde s. *girde.*

ge-rëch adj. rachsüchtig.

ge-rëch, grëch adj. in gutem stande, wohlgeordnet; gerichtet, fertig, bereit; gerade, aufrecht.

ge-rëch, grëch stnm. guter zustand, wohlbefinden; adv. *zuo gereche, gerechen*, in gutem stande, geordnet, bereit.

ge-rëche adj. ordentlich, recht, richtig, genau.

ge-rëchen stv. zusammenraffen, -scharren; erreichen, treffen auf.

ge-rëchen stv. vollständig rächen.

ge-rëchenen, -rëchen swv. bereiten, rüsten.

ge-rëchenen swv. rechnen, aufzählen.

ge-rëcher stm. rächer.

ge-recken swv. ausstrecken; erreichen, treffen. — intr. sich erstrecken, wachsen.

ge-recken, -rechen swv. ganz aussprechen, darlegen.

ge-rede stf. länge des aufgerichteten leibes, geradheit.

ge-rede adj. geschwätzig; verständig.

ge-redec adj. beredt; s. v. a. *redelich.*

ge-reden swv. reden, sprechen; geloben, versprechen; einen reinigungseid leisten.

ge-redet part. adj. beredt.

ge-refsen swv. züchtigen, schelten, tadeln.

ge-regec, -regenec adj. regsam, beweglich.

ge-regen swv. regen, bewegen; anregen, zur anzeige bringen.

ge-rehsenen s. *gerahsenen.*

ge-rëht adj. gerade; recht, dexter; recht gemacht, geschickt u. bereit, tauglich, passend, verpflichtet ohne od. mit dp. u. gs. od. *an, ze*; mit dem recht und dem rechten übereinstimmend, recht, gerecht, schuldlos, richtig.

ge-rëhte adv. in rechter weise, recht (weidm. weid-, birschgerecht); rechts.

ge-rëhte, -rëht stn. ausrüstung; recht, gerechtsame.

gerëhtec-heit stf. gerechtigkeit, moralische passlichkeit, richtige fromme lebensführung; gerechtsame, privilegium; rechtl. begründeter anspruch, forderung; rechtl. gebührende abgabe; vorrat.

ge-rëhteclich adj. recht, gebührlich; adv. **-lîche** = *gerëhte.*

ge-rëhten swv. bereit machen; rüsten; abs. vor gericht beweisen.

ge-reichen swv. intr. reichen, tr. erreichen; das ziel erreichen, treffen; mit dat. ausreichen für.

ge-reise swmf. der, die mitreisende.

ge-reisec adj. zum kriegszuge ausgerüstet, dazu gehörig; beritten.

ge-reite, -reit stn. wagen; reitzeug, ausrüstung des pferdes; geräte.

ge-reite, -reit adj. auf der fahrt begriffen; bereit, fertig, zur hand mit od. ohne dp. u. gs. od. *ze, zuo, ûf*; *g. zuo*, gleich mit; bereitgelegt, bar (geld). adv. mit fertigkeit, leicht und schnell, gern, alsbald; bereits.

ge-reiten swv. zählen, rechnen; aufzählen, nennen; zurechtmachen, rüsten.

ge-reiten swv. tr. reiten machen, lassen; als pferd tragen.

gereit-schaft stf. zu-, ausrüstung; gerätschaft; barschaft.

ge-reiȥ stm. umkreis.

ge-reiȥe stn. aufregung, aufreizung; aufruhr; angriff, gefecht.

ge-reiȥen swv. reizen, aufreizen, erregen.

gêrel stn. dem. zu *gêr.*

ge-renge stn. das ringen.

ge-renne stn. gerenne; angriff mit reiterei (vgl. *gerinne*).

ge-rennen swv. rennen; gerinnen.

ge-rêre stn. der abfall, die rudera.

ge-rêren tr. giessen.

ge-retzen swv. *zesamene g.* aufeinanderhetzen (s. *ratzen*).

gêr-habe swm. der das kind auf dem schosse (*gêre*) hält; vormund. **-haben** swv. bevormunden. **-habschaft** stf. vormundschaft. **-îsen** stn. wurfspeereisen. **-mâc** stm. verwandter von männl. seite (vgl. *swërtmâc*). **-schuȥ** stm. wurf mit dem *gêr.* **-stange** f. hölzerner schaft des *gêres*; der wurfspiess selbst. **-wunde** swf. verwundung mit dem *gêr.*

ge-rich stm. n. rache, strafe.

ge-rieme stn. die riemen.

ge-rige swf. reihe.

ge-rigelingen adv. der reihe nach.

ge-rigene, -rigende stn. coll. zu *rëgen*, regenguss.

ge-rihte adj. gerade, direkt; bereit.

ge-rihte stf. richtigmachung; die gerade richtung, gerade strasse. — adv. *in gerihte* od. bloss *gerihte*: geradeaus, geradeswegs; immerfort, sogleich.

ge-rihte, -riht stn. gericht, gerichtsbehörde, gerichtsversammlung; handhabung der gerechtigkeit, des richteramtes, gerichtsverfahren; gerichtsspruch, urteil *g. nemen* d. rechtfertigung anhören, *sîn g. bieten* sich rechtfertigen; gottesurteil, die rechtfertigung einer aussage durch gottesurteil; hinrichtung; gerichtsbarkeit, gerichtsgewalt, jurisdiktion; reichsverwaltung, regierung; gerichtssprengel, gebiet; einrichtung, hausrat; angerichtete speise, gericht.

ge-rihtec adv. recht, in ordnung, gewandt.

ge-rihten swv. abs. regieren; richten, gericht halten. — abs. u. tr. eidlich od. durch gottesurteil erhärten, seine unschuld beweisen; richten, urteilen mit dp.; eine klage durch reinigungseid beantworten. — tr. u. mit dp. in die rechte richtung, in ordnung bringen, zurecht machen, schlichten. — refl. sich richten, lenken, zurecht finden.

ge-rihtes adv. geradeswegs, direkt; sogleich.

ge-riht-stap stm. gerichtsstab; gerichtsbarkeit.

ge-rîme stn. reime, gedicht.

ge-rinc stm. das ringen, streben nach (*an, nâch, umbe, ûf*); *mit einem g. hân*, kämpfen.

ge-rinclîche adv. ohne schwierigkeit, gern und schnell; auf nachlässige, leichtfertige weise.

ge-ringe adj. leicht; leicht u. schnell bereit, behende; klein, gering. — adv. leicht u. schnell, behende; leichtfertig.

ge-ringen stv. kämpfen; ringen *mit, nâch*; mit dat. im kampfe gewachsen sein, herr werden über.

ge-ringen, -ringern swv. leicht, leichter machen.

ge-ringes adv. ringsum.

ge-rinne stn. rinnsal; andrang, auflauf (vgl. *gerenne*).

ge-rinnen stv. gerinnen; laufen, rennen; ausgehn, abstammen *von.*

ge-rîsen stv. fallen, niederfallen.

ge-rîsen stswv. zukommen, ziemen mit dat.

ge-rîstec, -rîstlich adj. ziemend mit dat.

ge-rite, -ritte stn. das reiten, der ritt; reitzeug (vgl. *gereite*).

ge-rîten stv. intr. reiten. — tr. durchreiten.

ge-riten part. adj. beritten.

ge-riuhe stn. wildnis.

ge-riune, -rûne stn. coll. zu *rûne*, geraune, geflüster, heimliche besprechung.

ge-riusche stn. coll. zu *rûsch*, geräusch, lärm.

ge-riute stn. durch *riuten* urbar gemachtes landstück; das ausreuten.

ge-riuwen stv. in betrübnis versetzen.

ge-riuwen, -riuwesen swv. intr. u. refl. mit gen. schmerz od. reue worüber empfinden, klagen über.

ge-riuȥe stn. lärm, toben.

gër-lîche adv. begierig, freudig, gern.

gërn, jërn stv. gären (vgl. *jësen*).

gërn swv. abs. od. mit gs. as. inf. (die pers. mit *an, von, ze*) begehren, verlangen, weidm. vom jagdfalken; mit ap. auf einen losgehn.

gërnde part. adj. verlangend, sehnsüchtig (*hôhe g.* hoch strebend; *die gërnden, diu gërnde diet, gërnde liute* die nach lohn verlangenden sänger u. spielleute); *der gërnde* s. v. a. *krîjierer*.

gërne, gërn adv. begierig u. mit freude, bereitwillig, gern (oft zur erhöhung des optat. ausdruckes); mit absicht; leichtlich, vielleicht, etwa.

gërne-lîche adv. gern, willig.

gerner, kerner, karner stm. beinhaus (mlat. *carnarium*).

gërnis s. *girnis*.

ge-rodel, -rödel stn. gemurmel, geröchel, gerassel.

ge-rœre stn. coll. zu *rôr*; mit schilfrohr bedeckter platz, röhricht.

ge-röube stn. coll. zu *roup*.

ge-rouben swv. rauben; berauben mit gs.

ge-rouch stm. rauch.

ge-rouche stn. das rauchen.

ge-röufe stn. rauferei.

gërst-brî swm. gerstenbrei. **-herte** adj. hart wie gerste.

gërste swf. gerste.

gërstîn s. *girstîn*.

gerte stswf. rute, zweig, stab; messrute, ackermass.

gertelîn, gertel stn. dem. zu *garte* u. *gerte*.

gerten swv. mit ruten züchtigen.

gerter, gertel stm. kleines beil mit langer schneide, um reiser (*gerten*) abzuhauen; virgarius, lictor.

ge-ruch stm. geruch; ruf.

ge-rucht, -rüchte stn. geruch, duft; der ruf, das rufen; ruf, gerücht, nachrede.

ge-rüeme, -rüemec adj. sich rühmend mit gs.

ge-rüerde, -ruorde stfn. das berühren, der tastsinn.

ge-rüere stn. coll. zu *ruore*, eilige bewegung.

ge-rüeric adj. rührig, munter.

ge-rüewec s. *geruowec*.

ge-rülle stn. geröll.

ge-rûme stn. raum, räumlichkeit; freier spielraum.

ge-rûme, -rûm adj. geraum, geräumig; anberaumt (vgl. *gerœme*).

ge-rummel, -rümmel, -rumpel, -rümpel stn. lärm, gepolter.

ge-ründe stn. rundung.

ge-rûne s. *geriune*.

ge-rüne stn. coll. zu *rone*, umgehauene, umherliegende baumstämme.

gërunge stf. begehren, verlangen, bes. das höhere geistige u. geistliche verlangen; die sehnsucht.

ge-runse stn. coll. zu *runs*.

ge-ruoch stm. *âne g.* ohne sich zu kümmern.

ge-ruochen swv. intr. mit gen. od. infin. seinen sinn auf etw. richten, rücksicht nehmen auf, genehmigen, belieben, gewähren. — tr. wünschen, belieben, begehren. — refl. sich herablassen *ze*.

ge-ruochlîche adv. auf eine weise, dass man es gerne hat.

ge-ruoder stn. gekrächze.

ge-ruofe, -ruofede, -ruofte, -rüefte stn. das rufen, geschrei; das zusammenrufen der nachbarn zur hilfe.

ge-ruorde s. *gerüerde*.

ge-ruowec, -rüewec adj. ruhig, gelassen, langsam.

ge-ruoweclich adj. ruhig; **-lîche** adv. in ruhe, ungestört.

ge-ruowen, -ruon swv. ruhen.

ge-ruowesam adj. ruhig.

ge-ruowet, -ruot part. ausgeruht habend, mit frischen kräften; ruhe habend, ohne arbeit u. beschwerde, in unbestrittenem besitz lebend.

ge-ruoȥen swv. russig werden.

ge-rüsche stn. binsenhalm (zu *rusche*).

ge-rüste stn. vorrichtung, zurüstung; aufbau, gebäude; maschine, werkzeug, gestell; ausrüstung, geräte; waffenrüstung; kleidung, schmuck.

gër-, gir-valke swm. falkenart von himmelblauer farbe.

gerwe, garwe stfn. zubereitung, zurüstung; schmuck, kleidung bes. die priesterliche; gerberei.

gerwe adj. bereit; gegerbt.

gerwe swm. gerber.

gërwe, gërwen, gërben swstf. hefe; unreinigkeit, auswurf.

gerwe-hûs stn. sakristei (auch *gerwegadem, -kamer*).

gerwen, garwen, gerben swv. tr. *gar* machen, bereiten, zubereiten; gerben. — tr. u. refl. sich bereiten, rüsten, ausrüsten; kleiden.

gerwer stm. gerber.

gerwunge, garwunge stf. das bereiten; ausrüstung, bekleidung.

ge-sache stf. sache.

ge-saft stn. saft.

ge-samene s. *gesemene*.

ge-sament, -samt part. adj. versammelt, vereinigt (*mit gesamter hant* gemeinschaftlich, solidarisch).

ge-sanc stnm. gesang, lied.

ge-sant stn. geschenk das man sendet.

ge-sastec-heit stf. besonnenheit.

ge-sæȥe stn. sitz; gesäss; wohnsitz; lagerung, lager; belagerung; lage der dinge.

ge-schaf stn. geschöpf; schöpfung; geschäft.

ge-schaft stf. geschöpf; schöpfung; gestalt, bildung, beschaffenheit, eigenschaft; euphem. gemächt.

ge-schaft stn. geschäft; anordnung, befehl.

ge-schafter stm. negotiator.

ge-schæchet part. adj. gewürfelt wie ein schachbrett.

ge-schal stn. lärm. — stm. der wilde, wütende.

ge-schalten stv. stossen, herabstossen; refl. sich entfernen *von*.

ge-scharn swv. refl. sich sammeln, versammeln; *sich g. zuo*, gesellen.

ge-schatzen swv. schätze sammeln; mit schwerer steuer belegen; nach zahl u. wert anschlagen, schätzen.

ge-scheffec, -scheftec adj. geschäftig, tätig.

ge-scheffede, -schepfede; -schefte, -scheft stfn. geschöpf, werk; gestalt. — beschäftigung, geschäft; angelegenheit, ereignis. — anordnung, befehl, auftrag; letztwillige verfügung, testament; gerichtl. abmachung, vertrag. — euphem. gemächt.

ge-schefnisse, -schepfnisse stn. erschaffung; geschöpf; gestalt; ereignis, angelegenheit.

ge-schëhen, -schên stv. *ich geschihe zuo* gelange, komme zu etw., mir wird zuteil; *mir geschiht* wird zuteil, widerfährt; es trifft sich, dass ich etw. tue, es gelingt mir etw. zu tun; *mir geschiht ze* es fügt sich, dass ich, ich muss; *mir geschiht* unpers. mit adv. mir ergeht. — abs. geschehen, durch höhere schikkung sich ereignen.

ge-scheide stn. grenze.

ge-scheiden redv. intr. sich trennen *von*; refl. sich trennen, scheiden. — tr. scheiden, trennen; schlichten, erklären, deuten; anordnen, bestimmen.

ge-scheine stf. anschein, äussere erscheinung.

ge-scheit stn. das scheiden; das recht der entscheidung, schlichtung.

ge-schelle stn. lärm, getöse, tumult, auflauf, zwist.

ge-schelle stn. schellen am reitzeuge.

ge-schëlte stn. das schelten

ge-schên s. *geschëhen.*

ge-schendic adj. schamlos.

ge-schenke stn. das eingeschenkte; geschenk.

ge-schepfe swf. = *schepfe* schicksalsgöttin.

ge-schepfede s. *gescheffede.*

ge-schibe adj. = *beschîbe.*

ge-schîbecheit stf. gewandtheit, klugheit.

ge-schibes adv. ringsum.

ge-schicke stn. begebenheit; ordnung, anordnung, aufstellung zum kampfe; letztwillige anordnung; vermächtnis, stiftung; gestalt, bildung. benehmen.

ge-schickede stf. gestalt (bes. schöne), beschaffenheit.

ge-schicket part. adj. gestaltet; geordnet, bereit, fertig, gerüstet; geschickt, passend.

ge-schicket-heit stf. myst. vorbereitung.

ge-schick-nisse stf. schickung, von gott verhängtes leiden.

ge-schide, -schidelich adj. gescheit, schlau.

ge-schide stf. gescheitheit.

ge-schieȥ stm. giebelseite eines gebäudes.

ge-schiht stf. was geschieht, begebenheit, ereignis, folge der ereignisse, geschichte, umstände; schickung, zufall (*durch, von geschiht, geschihten*: zufällig, von ungefähr); angelegenheit, sache, ding (meist nur umschreibend); eigenschaft, art, weise; schicht, reihe.

ge-schihte stn. was geschieht, begebenheit, geschichte; einteilung, ordnung.

ge-schinre stn. lärm, getöse.

ge-schirmen swv. tr. schützen, schirmen; abs. sich gegen die angriffe des gegners (mit dem *schirme*, schilde) decken. — intr. mit dp. einem als schirm, schutz dienen.

ge-schirre stn. geschirr, gerät, werkzeug; einrichtung, ordnung; gemächt.

ge-schiuhe, -schiuwe stn. scheuche, schreckbild.

ge-schol swm. schuldner, gewährsmann.

ge-schouwe, -schouwen = *beschouwe, -schouwen.*

ge-schôȥ, -schoȥ stn. geschossene waffe; schiesszeug, -waffen; geschoss, stockwerk; abgabe, schoss; ein rheumat. übel.

ge-schrâ stf. unwetter, regen (s. *schrâ*).

ge-schrât stn. md. geschnittenes stück.

ge-schreie, -schrei, -schrê stn. m. geschrei, ruf.

ge-schrenke stn. coll. zu *schranke.*

ge-schrie stn. geschrei, gekrächze.

ge-schrift stf. schrift, inschrift; schriftwerk; die heil. schrift; das schreiben; schriftwechsel; verschreibung.

ge-schrigele stn. schranken.

ge-schrihte stn. md. geschrei.

ge-schrîp stn. schrift, schriftl. erzählung.

ge-schrœte stn. hodensack.

ge-schulde, -schult stf. schuld.

ge-schulden swv. verschulden, verdienen.

ge-schünden swv. reizen, antreiben zu (gen., *ze* od. nachs.).

ge-schuoch adj. beschuht.

ge-schuof stm. gestalt.

ge-schuohe, -schüehe stn. coll. zu *schuoch*, schuhwerk.

ge-schuohede, -schüehede stn. dasselbe.

ge-schuohen swv. beschuhen.

ge-schurge stn. md. das schieben, treiben. fortstossen; angriff.

ge-schüten swv. schütteln; erschüttern; schütten.

ge-schütze, -schüz stn. schiesszeug, -waffen; geschoss, liebespfeil.

ge-sëdele s. *gesidele.*

ge-sëdele swm. tischgenosse.

ge-segede stfn. aussage, ausspruch, urteil.

ge-sëgenen swv. segnen (*got gesëgne* ausruf der verwunderung; *einen ges.* ihn zum abschiede segnen, von ihm abschied nehmen).

ge-sëhede stf. gesicht.

ge-sëhenheit stf. anblick.

ge-sëher stm. besichtiger.

ge-seige stn. das visieren; geeichtes mass.

ge-seinen swv. refl. sich aufhalten, säumen.

ge-seinst adj. part. *g. er wagen* sichelwagen (s. *sëgense*).

ge-selbe stn. coll. zu *salbe.*

ge-sêlen swv. beseelen.

ge-selle swm. ursprüngl. hausgenosse. dann der mit dem man zusammen ist, gefährte, freund. geliebter (auch geliebte, freundin); standesgenosse, handwerksgeselle; hilfsgeistlicher. kaplan; bursche, junger mann. person; *mîn g.* penis.

ge-selle swf. gefährtin.

ge-sellec adj. zugesellt, verbunden mit dat. **-heit, gesellekeit** stf. freundschaftl. verhältnis von *gesellen* zueinander, zusammensein als genossen od. freunde. **-lich** adj., **-liche** adv. nach *gesellen* art, als oder wie *gesellen*, freundschaftlich, freundlich; zur, in gesellschaft.

geselle-lôs adj. ohne genossen, allein.

ge-sellen swv. tr. zum *gesellen* machen, geben, vereinigen, verbinden mit dp. od. *zuo*. — refl. sich paarweise, sich freundschaftlich verbinden, in liebesverhältnis treten (auch in obsc. sinne); sich gesellen mit dp. od. *zuo*.

geselle-schaft stf. vereinigung mehrerer, gesellschaft, genossenschaft; paar von *gesellen*; verhältnis eines gesellen, freundschaftliches beisammen- od. verbundensein, freundschaft, liebe; persönl. = *geselle*, liebchen.

ge-sellich adj. = *gesellec lich.*

ge-selline, -sellin stf. gefährtin, freundin, geliebte.

ge-semede, -semene, -samene stn. versammlung, menge, schar.

gësen s. *jësen.*

ge-sende stn. versammlung.

ge-senften swv. = *senften*; mit dat. erleichterung, linderung, ruhe verschaffen.

ge-senge stn. gesang.

ge-serwe stn. rüstung.

ge-serwen swv. refl. die rüstung (priesterkleidung) anlegen.

ge-setze stn., **-setzede** stnf. festsetzung, gesetz.

gesëȥ, -sëȥȥe stn. sitz, wohnsitz, besitztum; secessus; lagerung, lager; belagerung, belagerungsheer.

gesëȥȥen part. adj. sich gesetzt habend, sitzend; ansässig, wohnhaft.

ge-sichern swv. m. dp. u. refl. m. *zuo* gehorsam zusichern, *sicherheit* geben.

ge-sidele, -sëdele stn. coll. zu *sëdel*, vorrichtung zum sitzen (bänke u. tische), sitz; wohnsitz, wohnstätte.

ge-sige stm. sieg.

ge-sigen swv. intr. siegen, die oberhand behalten; *an einem* od. *einem an gesiegen* über ihn siegen, ihn besiegen. — tr. besiegen.

ge-sigen stv. sinken, fallen; tropfen, fliessen.

ge-siger stm. sieger, besieger.

gesihene stn. = *gesiune*.

ge-siht stf. das sehen, ansehen, anblicken; ansicht, anblick; vision, traum. erscheinung; gesicht als sinn, augen; angesicht; aussehen, äusseres, gestalt.

ge-sihte stn. sehvermögen.

ge-sihtec, -sihteclich adj. sichtbar, deutlich; sehend, anschauend.

ge-sihtlich adj. sichtbar, leibhaftig.

gesimeze stn. gesimse.

ge-sin stm. bewusstsein, besinnung, verstand; gedanke, verlangen *ze*.

ge-sinde swm. weggenosse, gefolgs-, dienstmann; diener, hausgenosse.

ge-sinde, -sinne stn. gefolge, dienerschaft; kriegsleute, truppen; gesellschaft.

ge-sinden, -sinnen stv. gehen, wandern, kommen.

ge-sinden swv. tr. u. refl. zum gesellen oder diener machen; aufnehmen wohin oder wozu; sich ins gefolge jemandes begeben od. überh. sich wohin od. wozu begeben mit dat. od. *mit*, *zuo*.

ge-sinen swv. refl. mit gen. sich etwas zum seinigen machen, sich enge mit etw. verbinden.

ge-sinne stn. s. *gesinde*.

ge-sinne adj. besonnen, klug; geneigt, zugetan mit dp.

ge-sinnen stv. seine gedanken worauf richten, mit *nâch*, inf. od. untergeord. satz. — refl. mit gen. wofür sorgen, einer sache sich annehmen; begehren, verlangen mit gs., as., die pers. mit *an*, *zuo*.

ge-sinnen swv. visieren.

ge-sinnet, -sint part. adj. mit *sin* begabt; gesinnt.

ge-sint stm. begleiter, diener.

ge-sippe adj. = *sippe*. stn. verwandtschaftsgrad.

ge-site adj. gesittet, geartet, beschaffen; stm. = *site*.

ge-sitet part. adj. = *gesite*.

ge-sitze, -siz stn. sitz für mehrere.

ge-sitzen stv. = *sitzen*, *der vrâge g.* sich von der frage nicht aus dem sattel heben lassen.

ge-siune, -sûne stn. sehvermögen, -kraft; ansehen, anblick; gesicht, angesicht, aussehen.

ge-siuneclich, siunlich adj. sichtbar.

ge-siunen, md. **-sûnen** swv. wahrnehmen.

ge-siuse stn. coll. zu *sûs*.

ge-slâfe swm. schlafgenoss.

ge-slahen stv. = *slahen*; intr. sich schlagend bewegen; *g. zuo* sich gesellen.

ge-slaht adj. geartet, bes. von guter art, wohlgeartet, edel; artig, fein, schön; mit dp. von natur und art eigen, natürlich.

ge-slahte s. *geslehte* 2.

ge-slande s. *geslende*.

ge-slege stn. schlägerei.

geslëht adj. glatt, nicht rauh; schlicht, aufrichtig.

ge-slehte stn. das schlachten, das geschlachtete; die eingeweide von geschlachtetem geflügel nebst kopf und gliedern.

ge-slehte, -sleht, -slahte, -slaht stn. geschlecht, stamm, familie, adelige abstammung; geschlecht, sexus; natürliche eigenschaft; etymologische verwandtschaft.

ge-slende,-slande stn. schmauserei, schlemmerei.

ge-sleppe stn. gang im bergwerk mit schiefer ebene zur erzförderung; abhang.

ge-slërfe stn. schleppe.

ge-slithe stf. gerade richtung.

ge-slinc, -slinge stn. geschlinge.

ge-sloufe stn. kleidung.

ge-sloufec adj. sich anschmiegend.

ge-sloȥ stn. schloss, burg.

ge-sloȥȥe stn. schlussbein, hüftknochen.

ge-sloȥȥet part. adj. ein schloss oder schlösser, burgen besitzend; gefesselt, gefangen.

ge-smac, -smach adj. wohl riechend; schmackhaft. — stm. geruch, den etwas von sich gibt; geschmackssinn; geschmack, den etw. hat.

ge-smachen swv. md. auskosten, schmecken.

ge-smahte stf. geruch, duft.

ge-smecken swv. intr. riechen; abs. u. tr. riechen; empfinden, wahrnehmen.

ge-smeiȥe stn. unrat, exkremente; brut, gezücht, schmetterlingseier.

ge-smelze stn. schmelzwerk, geschmolzener metallschmuck.

ge-smetze stn. geschwätz.

ge-smide stn. metall; schmiede-, metallarbeit, metallgeräte, bes. metallene waffen od. rüstung; metallschmuck, geschmeide.

ge-smidec adj. leicht zu bearbeiten, gestaltbar, geschmeidig; nachgiebig.

ge-smielen, -smieren swv. lächeln.

ge-smilze stn. = *gesmelze*.

ge-smuc stm. schmuck, zierde.

ge-smütze, -smutz stn. das küssen.

ge-snabel adj. geschnäbelt.

ge-snære stn. geschwätz.

ge-snæren swv. schwatzen.

ge-snerre stn. das schnarren, schmettern.

ge-snœde, -snöude stn. das schnauben; übermütiges schwatzen od. benehmen.

ge-snürre stn. das rauschen; rauschender schmuck.

ge-sol stn. pfütze, kot.

ge-sorgen swv. in sorgen sein (*gegen*, *umbe*).

ge-soufen swv. versenken.

ge-span stm. gefährte, genosse, compagnon.

ge-span stn. spange; runde kupferne scheibe; einfassung einer tür usw.

ge-spân stm., **-spæne** stn. streit, zerwürfnis.

ge-spanst, -spenst stf. **-spenste** stn. lockung, verlockung; teuflisches trugbild, gespenst.

ge-spehte stn. geschwätz.

ge-speie, -spei stn. gespötte.

ge-spenge stn. spangen, spangenwerk bes. am schilde, an der rüstung.

ge-spenste s. *gespanst*.

ge-spenstec adj. verführerisch, zauberisch. **-spenstecheit** stf. verführerisches wesen, verführung, verlockung.

ge-spërge s. *gespirc*.

ge-sperre stn. gebälk, sparrenwerk; das sperrende, schliessende: spange, saum.

ge-spil, -spile swmf. spielgenoss, gespielin, genossin. dem. **ge-spile-lîn** stn.

ge-spilschaft stf. verkehr mit den gespielen.

ge-spinne swf. verwandtschaft; die verwandte.

ge-spirc, -spërge stn. schar.

ge-spor stn. = *gespür*.

ge-spötte, -spöte, -spöt stn. spott, verspottung; gegenstand des spottes.

ge-spræche adj. beredt. **-spræche** stf. beredsamkeit (*un-*, *wolgespræche*). **-spræche** stn. das vermögen zu sprechen; das sprechen, reden; besprechung, unterredung, beratung, beratende versammlung. **-spræchec** adj. = *gespræche*.

ge-spranc stn. eine pferdekrankheit.

ge-sprëchen stv. verst. *sprëchen*, intr. mit dat. von einem, über einen sprechen. — tr. mit ap. sprechen mit, ansprechen, mit dat. u. acc. zu einem etw. sprechen; mit as. sprechen, aussprechen; anberaumen. — refl. sich besprechen *mit.*

ge-sprenge stn. das sprengen, ansprengen; das besprengen, einsegnen; dachwerk mit eingehängten bogen.

ge-sprengeze, -sprenze stn. das besprengen, beträufeln.

ge-sprenze stn. coll. zu *spranz,* das sich spreizen, zieren.

ge-sprinc stmn. quelle, ursprung.

ge-spüc, -spücke stn. spuk, spukerei.

ge-spüele stn. spülicht.

ge-spulc stm. das pflegen, der gebrauch.

ge-spünne stnf. muttermilch; gespinst.

ge-spunse, -spunze swfm. braut, bräutigam (lat. *sponsus, sponsa,* s. *spons*).

ge-spunst stnf. gespinst; die arbeit des spinnens.

ge-spür stn. spur, spuren.

ge-stalt stf. gestalt, aussehen; beschaffenheit; ursache.

ge-stalt part. s. *stellen.*

ge-staltnisse s. *gesteltnisse.*

ge-stân, -stên stv. intr. stehn, stehn oder bestehn bleiben, standhalten; sich stellen, treten; mit dat. zu einem stehn, ihm beistehn, helfen, mit dat. u. gen. worin beitreten, beistehn; zugestehn; *gest. nâch* eine richtung nehmen, trachten. — tr. stehend aushalten; wozu stehn, bekennen; zu stehn kommen, gelten, kosten.

ge-stanc stm., pl. *gestenke,* gestank.

ge-standen part. adj. erwachsen, erfahren, bewährt.

ge-stant stm. geständnis.

ge-stat stn. gestade, ufer.

ge-stategen swv. gewähren.

ge-staten swv. tr. gewähren, gestatten mit dp. u. as., gs., inf. od. untergeord. s.—intr. sich zur wehr setzen, stand halten.

ge-stæten, -stætegen swv. *stæte* machen.

gestecliche adv. s. *gastecliche.*

ge-steige, gâsteige stn. steile anhöhe, über die ein oder mehrere wege führen.

ge-steine, -steinze stn. edelsteine, schmuck davon; die figuren im schachspiel.

ge-steinet part. adj. mit steinen umgeben, versehen, bes. mit edelsteinen besetzt.

gestein-rulle swf. steingeröll.

ge-stelle stn. gestell; gestalt.

ge-steltnisse, -staltnisse stfn. gestalt, figur.

ge-stëmen swv. intr. (mit dat.) u. tr. einhalt tun. — refl. einhalten, sich stemmen.

ge-stemphe stn. gestampf, anstrengung.

gesten swv. tr. zum gaste machen, für befreundet erklären mit gs.; mit *ze* od. *gegen* vergleichend beigesellen. — refl. sich entfremden *an.*

gesten swv. tr. u. refl. kleiden, schmücken; rühmen, preisen, refl. sich einer sache (gen.) rühmen, sich freuen über, stolz sein auf (afz. *vestir,* lat. *vestire*).

ge-stênde stn. testimonium.

ge-stendec adj. unveränderlich; beistehend.

ge-stenke stn. coll. zu *stanc.*

gester, gestern adv. gestern.

gesteric adj. gestrig.

gesterîe stf. = *gastunge,* bewirtung.

ge-stete stswf. = *gestat.*

ge-stift, -stifte stf. n. stiftung, festsetzung; erste niederschrift, schriftl. grundlage; stift, gotteshaus.

ge-stille stn. stille, beendigung.

ge-stillen swv. tr. *stille* machen, aufhören machen, zur ruhe bringen; mit acc. u. gen. von etw. abhalten, geheim halten, verhehlen. — refl. aufhören; intr. *stille* sein, werden, ruhen, aufhören, ablassen *von.*

gestinne, gestîn stf. fremde; weiblicher gast.

ge-stirne, -stirn, -stërne, -stirnze, -stërnze stn. gestirn.

ge-stiude stn. coll. zu *stûde.*

ge-stiuren swv. tr. leiten, verhelfen zu (gen.); steuern, zügeln, beschränken (mit dat., mit acc. u. gen.); unterstützen. — refl. sich stützen.

ge-stœȥe stn. das stossen, zusammenstossen drängen; erdbeben; streit, handgemenge; bildl. ein nichts.

ge-stôȥen redv. tr. stossen. — refl. *sich g. zuo der sippe,* vom ausrechnen desverwandtschaftsgrades. — intr. *gest. ûf, ze* einen treffen, wozu geraten; uneinig sein.

ge-strac, -stracke adj. = *strac.*

ge-strackes adv. = *strackes.*

ge-strapel stn. heftige bewegung, gezappel; rauferei.

ge-strenge adj. stark, gewaltig, tapfer (bes. als epith. orn. des adels); keine nachsicht übend, streng.

ge-strenze stn. müssiges umherlaufen, grosstun.

ge-stricke stn. strickerei.

ge-strit stm. streit, kampf.

ge-strite swm. gegner.

ge-strite stn. das streiten.

ge-striten stv. streiten; mit dp. einem standhalten, ihn streitend bekämpfen.

ge-striuche stn. gesträuch.

ge-striume stn. rauschendes strömen.

ge-striuȥe stn. strauss, kampf handgemenge; buschwerk, gesträuch.

ge-striuȥunge stf. seditio.

ge-ströut stn. (des partic.) gestreutes: über ein gewand hin und wieder gesetzte zieraten.

ge-strüete stn. coll. zu *struot* sumpf.

ge-stübere stn. auflauf; verfolgung.

ge-stücke stn. stück, stück feld usw., der ertrag davon.

ge-stüele, -stüelde, -stüelze stn. geordnete menge von stühlen; stuhl, thron; der dritte chor der engel.

ge-stüeme adj. sanft, still.

ge-stüeme stf. ruhe, stille.

ge-stüemen swv. ruhig sein, werden.

ge-stüeten swv. belegen (von pferden).

ge-stunden, stünden swv. zeit gewähren. — intr. *diu zît gestundet* d. z. tritt ein.

ge-stungen swv. anstossen, antreiben, reizen.

ge-stüppe stn. staub und staubähnliches, bildl. nichtigkeit; zauberei mit pulver.

ge-stürme stn. getümmel, kriegsgetümmel; angriff; das sturmläuten.

ge-sühte stn. krankheit; rheumatisches übel.

ge-sunde, -sunt stf. md. gesundheit.

ge-sundec adj. gesund.

ge-sunden, -sunten swv. tr. gesund machen, am leben erhalten. — intr. gesund werden; gesund, am leben bleiben.

ge-sûne s. *gesiune.*

gesunt stf. s. *gesunde.*

ge-sunt adj. gesund, lebend und unverletzt; gesundheit bringend od. fördernd; mit gen. (od. *an*) geheilt von, an; unverletzt durch (gen.). — stm. gesundheit, unverletztheit, heil. **-haft** adj. gesund.

ge-süntlich adj. gesundheit bringend.

ge-suoch stm. spüren auf wild, birsch; weide u. weiderecht; erwerb, gewinn; gewinn von ausgeliehenem gelde, zinsen; verzinsung eines pfandes.

ge-suochære stm. wucherer.

ge-suochen swv. suchen; besuchen.

ge-swanze s. *geswenze.*

ge-swanzen swv. sich tänzelnd bewegen, stolzieren.

ge-swæse adj., **-swâse** adv. heimlich; vertraulich.

ge-swâsheit stf. heimlichkeit; heimlicher ort, traulichkeit.

ge-swâslich adj., **-liche** adv. = *geswæse, -swâse.*

ge-sweigen swv. zum schweigen bringen, stillen.
ge-sweime stn. das schweben.
ge-sweimen swv. refl. sich schwingen, schweben.
ge-swëlhen stv. schlingen.
ge-swelle stn. grundbalken, schwelle.
ge-swëllen stv. auf-, anschwellen.
ge-swende stn. platz wo holz *geswendet* wird.
ge-swenke adj. beweglich.
ge-swenze, -swanze stn. schwankende, tänzelnde bewegung; schleppkleid.
ge-swër stn. swm. schmerz; geschwür.
ge-swester, -swister f. pl. die als schwestern (leibl. od. geistl.) zusammen gehören.
ge-swîche stf. abgang, verlust von (gen.); verführung, betörung.
ge-swîchen stv. intr. schwinden, entweichen, im stiche lassen, mit dat.
ge-swîge, -swîe swmf. schwager, schwägerin und sonstige verwandte durch anheirat.
ge-swiht stf. schwindsucht.
ge-swil stn. schwiele.
ge-swinde, -lich adj. adv. schnell, vorschnell, ungestüm, kühnlich.
ge-swister, -swisterde, -swistergît stn. geschwister, gewöhnl. im pl.
geschwistergeten swf. plur. schwestern; nonnen (als anrede).
ge-sworn part. adj. ge-, beschworen; geschworen habend, vereidigt, eidlich verpflichtet.
ge-swulst stf., **-swulste** stn. geschwulst.
ge-taget, -tagt part. adj. in ein gewisses alter gekommen: mannbar, alt, bejahrt.
ge-tân part. adj. geworden, gestaltet, beschaffen, sich verhaltend.
ge-tæne stfn. äussere erscheinung, gestalt; benehmen.
ge-tæper stn. getaste, geräusch, geschwätz.
ge-tar stm. kühnheit.
ge-tarn swv. schaden.
ge-tarn swv. verhüllen, verhüten vor (gen.).
ge-tât stf. tat; gesamtheit der taten; geschichte; werk, geschöpf; gestalt, ansehen, beschaffenheit.
ge-tæte stn. swf. gestalt, beschaffenheit, umstand.
ge-tæter stm. täter, verbrecher.
ge-teil stn. anteil.
ge-teile, -teilede swm. teilgenosse.
ge-teilic adj. teil habend an (gen.).
ge-teilide stn. teilgenossenschaft.
ge-teilte stn. (näml. *daz geteilte spil*) das zu wählende, die wahl, die bedingung.
gete-, göt-lich adj. passend, schicklich, angemessen.
getelinc, getlinc, *-ges* stm. verwandter; der einem andern gleich ist, genosse; geselle, bursche, bauernbursche.
ge-tëlle adj. hübsch artig.
gete-, get-lôs adj. ohne *gate*, ungebunden, zügellos, mutwillig. **-lôse, -lœse** stf. zügellosigkeit, mutwille.
ge-temere, -temer stn. getöse (wie von hammerschlägen).
ge-tengel stn. das hämmern, klopfen; schwerthiebe.
ge-tengeln swv. bildl. auslegen.
ge-tente stn. coll. zu *tant*.
ge-tenze stn. coll. zu *tanz*.
getern s. *gatern*.
ge-tevele stn. coll. zu *tavel*.
ge-tier stn. coll. zu *tier*.
ge-tihte stf. md. schriftwerk, gedicht; das denken, aussinnen, niederschreiben.
ge-tihte, -tiht stn. schriftl. aufzeichnung; gedicht (insofern es schriftl. aufgesetzt ist); erdichtung, lüge; dichtkunst; kunstwerk; künstlerische befähigung.
ge-tiuren swv. *tiure* machen, verherrlichen (s. *getûren*).
ge-tiusche stn. täuschung, betrügerei; täuschung zur belustigung anderer.
ge-töl stn. tolles wesen.
ge-touben swv. empfindungslos machen, töten.
ge-tougen adv. heimlich.
ge-tougen, -tougene stf. heimlichkeit, geheimnis.
ge-trâgede stf. trägheit.
ge-tragenliche adv. (kleider) an sich tragend, bekleidet.
ge-traht stf. getreide (s. *getregede*); holzwerk zum ausfüllen der festungsgräben.
ge-træme stn. coll. zu *trâm*.
ge-tranc stn. getränk.
ge-trebe stn. coll. zu *drap*.
ge-trecke stn. md. heerzug, gefolge.
ge-trëfse stn. coll. zu *trëfs*.
ge-tregede, -treide stn. alles was getragen wird: kleidung, gepäck, ladung, last; womit getragen wird: tragbahre; was der erdboden trägt: blumen, gras, getreide; wovon man lebt: lebensmittel, nahrung.
ge-trehte stn. frucht; tier, lasttier.
ge-trehte stn. das streben, sinnen, trachten, betrachtung, erwägung.
ge-treide s. *getregede*.
ge-trempel stn. trampeln, hufschlag.
ge-trenke stn. coll. zu *tranc*, getränke; trinkgelage.
ge-trete stn. coll. zu *trat*, das treten; weide.
ge-trîben part. adj. s. *trîben*.
ge-trîben stv. treiben; mit gen. sich womit beschäftigen.
ge-trifte stn. treiben, unternehmung; art und weise.
ge-trinnen stv. entweichen.
ge-trip stn. das treiben, getreibe; antrieb; mühlgang.
getriu-hender stm. = *triuwehender*.
ge-triute stn. liebkosung.
ge-triuwe, -triwe, -triu adj. treu, getreu, wohlmeinend.
ge-triuwelich adj. getreulich, aus treue hervorgehend.
ge-triuwunge stf. vertrauen.
ge-troc stn. betrug, täuschung; teufl. blendwerk; monstrum.
ge-trœsten swv. tr. bei einem vertrauen erwecken. — tr. u. refl. zuversichtlich machen, trösten; mit gen. seine hoffnung auf etw. setzen; sich zufrieden geben; verzichten (aus zuversicht auf ersatz).
ge-trügede stf., **-trügenisse** stnf. trug, täuschung.
ge-trüste stn. schar, gedränge, zug; auflauf.
ge-trût part. adj. lieb, liebend.
ge-trûwen, -triuwen, -triwen, -trouwen swv. abs. glauben, trauen; mit gs. glauben; mit dp. trauen; mit dat. u. gen. glauben, zutrauen, anvertrauen; mit dat. u. acc. zutrauen, anvertrauen, kreditieren; mit infin. sich zutrauen, hoffen, *getr. an* (acc.) hoffen auf, erwarten von; *an einem g.* ihm zutrauen; *einem über etw. g.* ihm in einer sache vertrauen.
ge-tugenden swv. = *tugenden*.
ge-tuht stf. tüchtigkeit, angemessenes betragen.
ge-tühtec adj. tüchtig, wakker; fein gebildet und gesittet.
ge-tülle stn. befestigung durch palisaden.
ge-tümele, -tummele, -tumere stn. lärm, getümmel, getöse.
ge-tûren s. *gedûren*.
ge-tûren, -tiuren swv. mit dat. *tiure* sein.
ge-turren anv. = *turren*.
ge-turst stfn. kühnheit, verwegenheit.
ge-türste, -türstec adj. kühn verwegen.
getürstec-heit stf. = *geturst*.
ge-twanc stmn. zusammenpressung, einengung; bewegung im leibe, bauchgrimmen; zwang und bedrängung, gewalttat, bedrängnis, not; gewalt, herrschaft, gerichtszwang.

ge-twâs. -twas stn., md. *gedwâs* gespenst, bildl. torheit, nichtigkeit.
ge-twede adj. md. verständig.
-twedic adj. md. zahm, willfährig, gnädig. **-twedigen** swv. *getwedic* machen.
ge-twël adj. voll, strotzend.
ge-twenge adj. eingeengt.
ge-twenge stn. beengung, gedränge; bedrängnis, not; gerichtszwang, gebiet.
ge-twër stn. mischung, temperatur (der luft).
ge-twërc, -twirc stnm. zwerg.
ge-twinc stm. einengung, kleiner raum; zwang, nötigung, gewaltsamkeit; beschränkung der freiheit, nötigung zu dienstleistungen; gerichtszwang, gebiet.
ge-twungen-heit stf. myst. zwang.
ge-ubern swv. übrig bleiben.
ge-üebede stf. übung.
ge-unhôrsam-keit stf. ungehorsam.
ge-vach adj. u. adv. md. wiederholt, häufig.
ge-vâch-nus stn. = *gevancnisse.*
ge-vage adj. froh, zufrieden; zufrieden mit (gen.).
ge-vâhen, -vân redv. tr. fassen, er- umfassen; angreifen, anfangen; in sich aufnehmen, empfangen,begreifen; erreichen, erlangen; gefangen nehmen. — intr. sich zu etw. wenden, etw. beginnen; *gev. nâch* nacharten, ausschlagen.
ge-væhic adj. fähig.
ge-val stmn. der fall; das gefallen.
ge-vælen swv. fehlen, nicht treffen, verfehlen (gen.).
ge-vallen redv. fallen, zu falle kommen; zusammenfallen, sich ergeben; eintreten, zufällig geschehen, zu liegen kommen; fällig sein; fallen, kommen an, auf, zu, geraten in, kommen von; mit dp. gleichkommen; zufallen, zuteil werden; gefallen. — refl. zu falle kommen.
ge-vallunge stf. *eigeniu g.* selbstgefälligkeit.
ge-vancnisse, -vencnisse stfn. gefangenschaft; gefangennehmung.
ge-var adj. eine farbe habend; aussehend, beschaffen.
ge-værde, -være, -vâre stfn. hinterlist, betrug (*âne gev.* ohne hinterhalt, aufrichtig).
ge-være, -værec adj. heimlich nachstellend, hinterlistig, feindselig mit dat.; eifrig strebend nach, beflissen, versessen auf (gen).
ge-vâren swv. mit gen. nachstellen, gefährden; wonach lauern, trachten.
ge-væren swv. tr. hintergehn.
gevær-lich adj. hinterlistig, verfänglich; parteiisch.
ge-varn stv. unpers. geschehen.
ge-vatere, -vater swmf. gevatter, gevatterin.
ge-vaterlich adj. wie es gevattern ziemt.
ge-væȥe stn. gefäss.
ge-vaȥȥede stn. = *veȥȥel.*
ge-vëder, -vider adj. befiedert.
ge-vêch, -vê adj. feind, feindlich, feindselig.
ge-vêhe, -vêhede stf. hass, feindschaft.
ge-vëhte stn. gefecht, kampf.
ge-vëhten stv. fechten; sich abmühen; tr. *an g.* anfechten; *gevohten* part. beschäftigt.
ge-veigen swv. tr. dem tode weihen, verderben. — intr. dem tode anheimfallen.
ge-veilen swv. feil machen, preisgeben.
ge-velle stn. fall, sturz, ein-, absturz; abschüssiges tiefes tal, bergschlucht; guter fall der würfel, glück im spiele; glück, gelingen überh.; schicksal; gefälle, abgaben, einkünfte; anfall, erbschaft; das gefallen.
ge-vellec, -vellic, vellich adj. angemessen, passend, möglich; günstig, gefallend, angenehm; zu gefallen, gerne.
ge-velle-keit stf. was gefällt; gunst; opportunitas.
gevellec-lich adj. placabilis.
ge-velschen swv. für falsch od. schlecht erklären; verderben.
ge-vencnisse s. *gevancnisse.*
ge-vende stn. md. (aus *gevengede*) gefangenschaft.
ge-venge adj. umfassend.
ge-vengen swv. *ane g.* anfangen.
ge-vërren swv. ferne halten, entfernen *von*; *sich einem g.* entfremden, entziehen.
ge-verte swm. genosse der *vart*, reisebegleiter, gefährte (auch gefährtin, begleiterin); leiter, führer.
ge-verte, -vert stn. weg, zug, fahrt, reise; reihe; ziel u. zweck der *vart*; gesamtheit der *geverten*, gesinde; art zu *varn*, aufzug, erscheinung, benehmen, art und weise; lebensweise, lebensverhältnisse, schicksal, umstände.
ge-vesten, -vestenen swv. fest, beständig machen; ehelich verbinden mit (dat.).
ge-veterde, -vetride stn. gewöhnl. pl. gevatter.
ge-vider s. *gevëder.*
ge-videre, -vider stn. coll. zu *vëder*, federn, gefieder; federbett; federvieh.
ge-vilde stn. coll. zu *vëlt*, feld, gefilde; feld eines schildes; bergm. bereich des zu bearbeitenden bodens.
ge-ville stn. coll. zu *vël*, felle; pelz-, unterfutter.
ge-ville stn. das geisseln.
ge-villen swv. geisseln.
ge-viln swv. unp. mit acc. u. gen. zu viel sein oder dünken (vgl. *beviln*).
ge-vinden stv. finden, ausfindig machen.
ge-vinger, -vingerde stn. fingerring, die fingerringe.
ge-virne adj. adv. md. geübt, gewandt.
ge-virren swv. refl. entfernen.
ge-vleischen swv. intr. zu fleisch werden.
ge-vletze stn. fussboden.
ge-vlitter stn. gekicher.
ge-volge stn. gehorsam.
ge-volgec, -volgic adj. folgsam, mit dat. u. gen. (od. *an, ze*).
ge-volgen swv. folgen, nachfolgen; einholen, gleichkommen mit dp. u. gs.; worauf eingehn, folge leisten, nachgeben mit dp. od. s.; zuteil, verabfolgt werden mit dat.
ge-vratet part. adj. übel beleumdet, zu *vreten.*
ge-vræȥe stn. das fressen, schlemmerei; lüsternheit; um sich fressendes geschwür.
ge-vreischen swv. u. red. durch fragen erfahren, vernehmen, kennen lernen.
ge-vriden swv. beschützen.
ge-vrîen swv. freien, heiraten.
ge-vriesen stv. intr. gefrieren, festfrieren; unp. mit acc. frieren.
ge-vrist stm. frist.
ge-vristen swv. aufschieben, hinhalten; machen dass etwas besteht, erhalten. — refl. sich erhalten, retten.
ge-vriunden swv. befreunden.
ge-vriunt adj. befreundet, verwandt. — subst. st. pl. *gevriunde*, gegenseitige freunde od. verwandte.
ge-vrœnde stf. frondienstpflichtiges land; subhastation.
ge-vrœrde stf. frost.
ge-vrosten swv. gefrieren.
ge-vröuwen, -vröun swv. tr. u. refl. freuen, erfreuen.
ge-vrum adj. förderlich.
-vrümede stf. hilfe, beihilfe.
-vrumen, -vrümen = *vrumen, vrümen.*
ge-vruot adj. = *vruot.*
ge-vrüste stn. coll. zu *vrost*, frost, frostwetter.
ge-vüege adj. fügsam, gefüge; schicklich, wohlanständig, artig; geschickt, kunstfertig; angemessen, passend, geeignet; zierlich, niedlich; klein, geringe, erträglich.

ge-vüegen swv. zusammenfügen, verbinden, zuwege bringen, mit dp. zufallen lassen, bescheren, zufügen. — refl. persönl. *sich gev. in* einfügen, schmiegen; unpers. sich ereignen, treffen, passlich gestalten. — intr. sich ereignen, begeben, mit dat. gelegen kommen, zufallen.

ge-vüere, -vuore adj. passlich, bequem; nützlich, erspriesslich mit dat.

ge-vüere stn. fuhrwerk; was einem zuträglich, vorteilhaft ist: nutzen, nützlichkeit, gewinn, vorteil.

ge-vüeren swv. s. *vüeren*; *houpt noch vuoz g.* rühren, regen.

ge-vügele, -vügel stn. coll. zu *vogel*, die vögel, geflügel; vogel.

ge-vuoc adj. wissend was sich schickt, manierlich; geschickt, klug; passend, angemessen. — stmf., **-vuocheit** stf. was sich schickt u. passt, schicklichkeit, geschick; anmut; geschicklichkeit.

ge-vuoclich adj. schicklich, passend. adv. *-vuoclîche.*

ge-vuoge adv. zu *gevüege.*

ge-vuoge stf. schicklichkeit, wohlanständigkeit; geschicklichkeit; zierlichkeit.

ge-vuore s. *gevüere.*

ge-wach stm. md. erwähnung.

ge-wâfen adj. bewaffnet.

ge-wæfen stn. coll. zu *wâfen*, **-wepfen** waffenrüstung, bewaffnung; schildzeichen, wappen.

ge-wage stf. ein bestimmtes mass; einsetzung, anordnung.

ge-wæge stn. gewoge, flut.

ge-wæge stn. gewicht.

ge-wähenen, -wehenen, -wahenen, -wehen, -wagen stv. VI sagen, berichten, erwähnen, gedenken (mit gen., infin. od. untergeord. s., die pers. im dat. od. mit präp.; oft nur eine tätigkeit umschreibend: *slâfens g.* schlafen).

ge-wahs adj. scharf.

ge-wahs stn. gewächs.

ge-wahsenheit stf. wuchs.

ge-wahst, -wehste stf. wachstum, gewächs.

ge-waht stm. erwähnung.

ge-walt adj. gewaltig, mächtig; substant. *der gew.*, der bevollmächtigte, stellvertreter, prokurator. — stmf. gewalt, macht; herrschaft, deren gebiet; vollmacht; menge, überfluss *an*; einer der engelchöre. **-brief** stm. vollmachtsbrief. **-trager** stm. machthaber; bevollmächtigter.

ge-waltære stm. machthaber.

ge-waltærinne stf. gewaltüberin.

ge-waltec, -waltic, -weltic adj. *gewalt* habend, mächtig ohne od. mit gen. (od. *ob, über*); *einer g. werden*, sie vergewaltigen; vollmacht habend; subst. *die gewaltigen, -weltigen*, die bevollmächtigten; der städtische rat.

gewaltecheit stf. vergewaltigung.

ge-walten redv. walten, herrschen; mit gen. über etw. gewalt haben, in gewalt haben, besitzen, sich annehmen, sorgen für.

ge-walten swv. intr. gewalt haben, üben. — tr. gewalt antun, mit gewalt erzwingen, mit acc. u. gen. gewaltig machen; mit dp. gewalt antun, gewachsen sein, besiegen; *gew. mit einem* ihm gewalt tun, ihn bewältigen; *wider einen g.* sich auflehnen.

ge-waltesære stm. der gewalt hat od. übt; ein chor der engel; vergewaltiger.

ge-waltigære stm. der gewalt hat od. übt; bevollmächtigter.

ge-waltigen, -weltigen swv. gewalt antun, überwältigen; etw. in seine gewalt bringen; *gewaltec* machen (mit gs.), einen in das recht der verfügung setzen.

ge-waltsam stm. macht, gewalt.

ge-waltsame stf. macht, obrigkeitl. gewalt; herrschaftl. gebiet.

ge-wammer stn. gewimmer.

ge-wande stswf. grenze, umkreis; acker, ackerbeet; ackerlänge.

ge-wandelieren swv. hin u. her gehen.

ge-wandeln swv. intr. gehn, wandern. — tr. rückgängig machen, ändern; entfernen; auf einen andern übertragen.

ge-wander stm. md. wandel.

ge-wander, -wender stm. der *gewant* verkauft.

ge-want stn. kleidung, rüstung; gewandstoff, zeug.

gewant-snider stm. tuch-, schnittwarenhändler. **-snit** stm. handel mit schnittwaren. **-val** stm. = *hæʒeval.*

ge-war stf. aufsicht, obhut; sicherer aufenthalt, gewahrsam; swf. zugesichertes, verbürgtes recht.

ge-war adj. beachtend, bemerkend, gewahr (*gew. werden* mit gen.); *gew. sîn* mit gen. acht haben auf; aufmerksam, sorgfältig, vorsichtig, scharfsichtig.

ge-wære, -wâre adj. wahr, wahrhaft, zuverlässig, tüchtig von personen und sachen.

ge-wærhaft, -wârhaft adj. wahrhaft, zuverlässig.

ge-warheit stf. sicherheit; sicherer ort; sicherung; versicherung; zugesichertes, verbürgtes recht.

ge-wærlich adj. wahrhaft, aufrichtig, zuverlässig.

ge-warn swv. intr. gewahr werden mit gen. — tr. bewahren, bewachen.

ge-warsam adj. sorgsam, vorsichtig.

ge-warsame stf. aufsicht; sicherheit, sicherer ort; sicherheit durch bürgschaft.

ge-warten swv. verst. *warten*: schauen, schauend beobachten, sich bereit halten; mit dat. ausschauen nach (um zu beobachten, zu empfangen, zu folgen, zu dienen); *ûf einen eines d. g.* sich des zu ihm versehen; *eines d. von einem g.* erwarten.

ge-wat, wate stn. furt, lache.

ge-wât stf. kleidung.

ge-wæte, -wâte stn. kleidung, rüstung.

gewâʒ-witer, -gewiter stn. sturmwetter.

ge-wëbe stn. gewebe.

ge-wëber stn. bewegung hin und her.

ge-wedele stn. das schwanken, schweifen.

ge-wëder pron. uterque.

ge-wëgede stn. hilfe, fürbitte.

ge-wëgen stv. intr. gewicht od. wert haben, den ausschlag geben, angemessen sein; das gegengewicht halten; für einen ins gewicht fallen, ihm helfen; gegen etw. helfen, wovon fernhalten mit dat. u. gen. — tr. bewegen; wägen, schätzen (*mich gewiget etw. ringe* ich schätze es gering, nehme es leicht); mit acc. u. dat. zuwägen, zuteilen; mit acc. helfen gegen. — refl. sich bewegen, neigen, sich zutragen; ins gewicht fallen.

ge-wëgen part. adj. auserwählt, gewichtig; gewogen, geneigt.

ge-wëgen swv. einen *wëc* machen, wege bereiten.

ge-wëgen swv. helfen mit dp. u. gs.

ge-wegen swv. bewegen.

ge-wehenen, s. *-wähenen.*

ge-wehse stn. = *gewahs.*

ge-wehsede stf. wachstum.

ge-weichen swv. weich machen, erweichen; lenken, neigen; lenksam machen, bändigen. — intr. weich, fügsam werden; mit dat. entweichen.

ge-weide adj. sich weidend an (gen.), freudig geniessend.

ge-weide stn. speise; eingeweide.

ge-weinze stn. md. das weinen, wehklagen.

ge-welbe stn. gewölbe.

ge-welde stn. coll. zu *walt*, waldung, waldgegend.

ge-wëlle stn. brechmittel (vomitorium) und gebrochenes.

ge-weltic s. *gewaltec.*

gëwen s. *giwen.*

ge-wen stn. gewohnheit.

ge-wende stn. wand, gewände; ackerlänge.

ge-wende stf. wendung, abgang (*lîbes g.* tod).

ge-wendelech stn. gewand.

ge-wendeler stm. = *gewander* 2.

ge-wendelîn stn. kleines, armseliges gewand.

ge-wenden swv. verst. *wenden (eine ze manne g.* verheiraten).

ge-wender s. *gewander* 2.

ge-wenen swv. tr. u. refl. mit gen. gewöhnen.

ge-wenge stn. coll. zu *wange.*

ge-wenken swv. intr. einen *wanc* tun, weichen, wanken, sich wenden (dp., gs. od. *ab, an, von*). — tr. wenden, lenken.

ge-wentschelieren swv. herumschwänzen.

ge-wër swm. gewährleister, bürge, vertreter von ansprüchen.

ge-wër stf. gewähr.

ge-wer stf. förmliche einkleidung in einen besitz, rechtskräftig gesicherter besitz, besitzrecht; tatsächliches besitztum oder innehaben (vom recht abgesehen), detentio; die potestas über eine person, mundschaft.

ge-wer stf. behutsamkeit, vorsicht; gewahrsam.

ge-wer stf. wehr, verteidigung; wehr, waffe; verteidigungs-, befestigungswerk; grenzmauer.

ge-wer stn. gewehr, waffe; befestigungs-, verteidigungs-, angriffswerk.

ge-wërbe stn. wirbel, gelenke; geschäft, tätigkeit; anwerbung, truppenwerbung.

ge-wërde stn. das gewordene, hervorgebrachte; wertgegenstände.

ge-wërde stfn. = *gewër* stf.; *ân allez g.* ohne jeden einwand.

ge-werde stf. = *gewer* 1.

ge-wërden swv. würdigen; würdig erachten.

ge-wërf, -wërp stm. das sich drehende; das sich öffnende, spalt, schlund; aufgetragenes geschäft, tätigkeit, das handeln, treiben, streben im allgem.; tätigkeit um des erwerbes willen, gewerbe; werbung, bewerbung; handlung, verhandlung vor gericht, vertrag; weidm. was ein tier als waffe gebraucht, bes. die hauzähne.

ge-wërf, -wërft stn. abgabe, steuer.

ge-wërfen stv. = *wërfen;* swv. *gewërf* zahlen; tr. mit *gewërf* belegen.

ge-wërke stn. vollendete arbeit: gewebe, bau.

ge-wërke swm. handwerks-, zunftgenosse; teilhaber an einem bergwerke.

ge-wërken swv. arbeiten, ins werk setzen.

ge-wërldet part. adj. welterfüllt, der welt angemessen.

ge-werlich adj. aufmerksam, sorgfältig, vorsichtig.

ge-wërn swv. intr. währen, ausdauern, lebend bleiben; standhalten.

ge-wërn swv. gewähren, zugestehn, das was jemand zu fordern hat leisten, bezahlen; durch leistung zu etw. bringen, an etw. gewöhnen; s. v. a. *gewër sîn,* für einen oder etw. einstehn, gewähr leisten, versichern mit ap. u. gs.

ge-wern swv. wehren, verteidigen; verwehren, hindern, abwehren *von.* — refl. mit gen. erwehren.

ge-wërre swm. stn. zwietracht, streit, gewirre.

ge-wërren stv. intr. mit dat. stören, hindern, schaden, verdriessen.

ge-wërschaft stf. gewähr, bürgschaft.

ge-werschaft stf. rechtskräftig gesicherter besitz, besitz überh.

ge-wertec adj. gewärtig, achthabend, dienstbereit.

ge-wësen-lîcheit stf. myst. vollkommenheit.

ge-wët stn. paar, zusammengejochtes.

ge-wëte swm. genosse, ein gleicher.

ge-wëten stv. jochen.

ge-wette stn. verpfändung; geldbusse, die man dem richter zahlen muss.

ge-wîben swv. intr. u. refl. ein weib nehmen.

ge-wicke stn. coll. zu *wëc,* zusammentreffen von zwei wegen, wegscheide.

ge-wider stn. gegengesang.

ge-wideren swv. abwenden, von sich weisen; wieder einbringen.

ge-wiere stn. geschmeide mit eingegrabener oder eingelegter arbeit.

ge-wige stn. gewicht.

ge-wige stn. geweih.

ge-wihte, -wiht stn. gewicht.

ge-wilde stn. wildnis; wildheit.

ge-wille stn. coll. zu *wëlle* wellen, gewoge.

ge-willec adj. willig, freiwillig, absichtlich.

ge-willen swv. zu willen sein.

ge-wilt stn. wilde tiere.

ge-wimmel stn. gewimmel.

ge-wimmer stn. knorriges strauchwerk.

ge-win stm. gewinn, erwerb, vorteil, nutzen.

ge-winnen stv. durch arbeit, mühe, sieg wozu gelangen, etw. erwerben, gewinnen, anschaffen, herbei od. vom flecke schaffen; in gewalt bekommen, überwältigen; vor gericht, durch rechtsverfahren erwerben, erlangen; vor gericht überwinden, überführen.

ge-wint stn. md. = *gewant.*

ge-wirbec adj. tätig.

ge-wirden swv. *wërt* machen, ehren, verherrlichen. — refl. sich achtung verschaffen.

ge-wirke stn. mistgrube (vgl. *gewürke*).

ge-wirsen swv. schlimmer machen.

ge-wis, -sses adj. gewiss, sicher, zuverlässig.

ge-wis adv. = *gewisse.*

ge-wîse stf. = *wîse.*

ge-wîsen swv. weisen, führen, lenken; anweisen, unterrichten; zeigen, kundtun; beweisen.

ge-wîsen swv. mit gen. (auch acc.?) nach einem sehen, ihn besuchen, heimsuchen.

ge-wis-heit stf. gewissheit; bürgschaft, pfand. **-lich** = *gewis.* **-liche** adv. sicherlich; auf sicherstellende art, in zuverlässiger weise; zwar, nämlich.

ge-wisse adv. gewisslich, ohne zweifel, sicherlich, in der tat; sicher, fest.

ge-wisse stf. gewissheit, zuverlässigkeit.

ge-wissen swv. *gewis* machen, versichern (mit ap., gs.); mit dp. versichern, -bürgen.

ge-wissunge stf. gewissmachung, sicherstellung.

ge-wist stf. ort.

ge-witen swv. erweitern; ausbreiten, bekanntmachen. — refl. sich entfernen *von.*

ge-witere, -witer stn. wetter, unwetter.

ge-witern swv. erweitern.

ge-witze stn. wissen, weisheit, verstand.

ge-wîȥen stv. mit as. u. dp. vorwurf machen, tadeln wegen (s. *wîȥen*).

ge-wiȥȥede stfn. wissen, gewissen, bewusstsein.

ge-wiȥȥen part. adj. bekannt; verständig, wissend was sich schickt, besonnen, gewissenhaft. — stfn. das wissen, die kenntnis, kunde; verständigkeit, erkenntnis dessen was sich schickt; inneres bewusstsein, gewissen.

ge-wiȥȥende stf. einsicht, bewusstsein.

ge-wiȥȥenheit stf. = *gewiȥȥen.*

ge-wiȥȥenlich adj., **-liche** adv. wissentlich, bekannt, offenbar.

ge-won adj. = *gewonlich.*

ge-won, -wonde, -wone stf. gewohnheit, herkommen.

ge-wonen swv. wohnen, verweilen; gewohnt sein, werden mit gen.

ge-won-haft adj. gewohnt mit gen. **-heit** stf. gewohnheit, gewohnte lebensweise. **-lich** adj. subj. gewohnt; obj. gewohnt, der gewohnheit gemäss, hergebracht, üblich, gewöhnlich.

ge-worke s. *gewürke.*

ge-worten swv. durch worte ausdrücken.

ge-wûchze stn. md. geschrei.

ge-wüefe stn. coll. zu *wuof.*

ge-wüeste stn. wüstenei.

ge-wülke, -wulkene stn. coll. zu *wolke, wolken.*

ge-wunscht part. adj. vollkommen.

ge-wunnunge stf. annahme, auserwählung, adoptio.

ge-wuoc stm. erwähnung.

ge-wurc stn. md. würgen.

ge-wurht stf. handlung, wirkende tat, ursache.

ge-würhte stn. was gewirkt, gearbeitet od. getan ist: werk, tat, arbeit, verdienst, bau, gewebe.

ge-würke stn. das wirken, tun; gewirkte arbeit; md. *geworke* bau.

ge-würme, -würmze stn. menge von würmern, kriechenden tieren überh., von schlangen oder drachen.

ge-wurte adj. freudig.

ge-zagel adj. geschwänzt.

ge-zal, -zale adj. adv. schnell, behende, rasch.

ge-zam adj. zahm; geziemend.

ge-zæme adj. geziemend, gemäss, angenehm.

ge-zæme stf. wohlanständigkeit, hübsches aussehen.

ge-zamen, -zemen swv. zahm machen.

ge-zan adj. mit zähnen versehen.

ge-zarre stn. gezerre.

ge-zart adj. lieb, geliebt.

ge-zawe s. *gezouwe.*

ge-zëch adj. gefügt, geordnet, gerüstet, in stand gesetzt.

ge-zëchen swv. anordnen, veranstalten, machen.

ge-zecken swv. necken, zu tun haben *mit* einem.

ge-zelle adv. schnell.

ge-zeln, -zellen swv. zählen; erzählen.

ge-zëlt stn. passgang.

ge-zëlt stn. zelt.

ge-zemde stf. = *gezœme.*

ge-zëmen stv. angemessen finden; geziemen, angemessen, passend sein mit oder ohne dat.; *mich gezimt eines d.* ich finde etw. mir angemessen, achte es für meiner würdig, es gefällt mir.

ge-zemen s. *gezamen.*

ge-zenke stn. coll. zu *zanc.*

ge-zerge stn. = *gezarre.*

ge-zic stm. = *bezic.*

ge-ziehen stv. tr. ziehen; erziehen. — refl. sich ziehen, begeben *in*; *sich gez. ûf, zuo* sich worauf beziehen, wozu passen; sich erziehen, eine lehre woran (*bî*) nehmen; *sich ûf gez.* hinziehen. — intr. sich auf einen punkt zusammenziehen, ausmachen, betragen; sich fügen, passen, gebühren, ausreichen; mit präpp.: *gez. an* nach sich ziehen, *gegen* sich ziehen an, angrenzen, *in* zusammengehören, laufen, *ûf* nach sich ziehen, *zuo* mit pers. subj. sich auf etw. berufen, mit sachl. subj. führen zu, nach sich ziehen, sich worauf beziehen, dazu gehören, passen; mit dp. bestimmt, gemäss sein, gebühren.

ge-zierde stfn. = *zierde.*

ge-ziere adj. geschmückt.

ge-ziere stfn. = *ziere.*

ge-ziht stf. beschuldigung.

ge-zîle stn. gesträuch.

ge-ziln swv. *einem gelîche g. an*, in etwas gleich tun.

ge-zimber, -zimmer stn. bauholz; bau, gebäude, wohnung; bildl. der leib.

ge-zimmerde stn. bauwerk.

ge-zinde stn. die zacken am hirschgeweih.

ge-zinne stn. die zinnen.

ge-zît stfn. zeit; gebetstunde; zeit auf, begebenheit.

ge-ziuc stmn. stoff, zeug; gerätschaft, werkzeug; was zur ausrüstung gehört, kriegerische ausrüstung, waffen, maschine zum kriegsgebrauch, geschütz; gerüstete, reisige schar; euphem. das zeugungsglied, die hoden; zeuge; die gesamtheit der zeugen.

ge-ziuc-bære adj. fähig zeugnis abzulegen. **-brief** stn. handfeste, litterae testimoniales. **-same** stf. zeugnis. **-schaft** stf. dasselbe.

ge-ziuge stn. coll. zu *ziuc*, geräte; was zur kleidung, ausrüstung und bewaffnung gehört; reisige schar.

ge-ziuge swm. zeuge.

ge-ziug-nisse stfn., **-nust** stf. zeugnis, zeugenverhör.

ge-ziune stn. coll. zu *zûn.*

ge-ziunen swv. umzäunen.

ge-ziuwe stn. md. = *gezouwe.*

ge-zoc stnm. das hinziehen, säumen; das recht wegzuziehen; appellation; gewaltsames ziehen; wegschleppen, raub, diebstahl; feindseligkeit, feindlicher angriff, kriegszug; auflauf, handgemenge, balgerei; zug, schar, mannschaft, gefolge, heeresfolge; anzug, ausrüstung, kleidung; zugnetz.

ge-zof stn. nachziehende schar.

ge-zogen part. adj. erzogen, wohl erzogen, fein gebildet; zahm; *ab gezogen* abstrakt; *în gezogen* innerlich, nach innen gekehrt, vertieft. — **-heit** stf. wohlgezogenheit, feine bildung. **-lich** adj., **-liche** adv. anständig, artig, fein gebildet.

ge-zôhe stn. gefolge.

ge-zöume, stn. zaumwerk.

ge-zouwe, -zowe, -zawe, -zou stnf. gerät, werkzeug; webstuhl; rüstung; gefährt, wagen.

ge-zouwelich, -zoulich adj. adv. eilig, mit gutem gelingen.

ge-zouwen swv. von statten gehn, gelingen.

ge-zouwer stm. der mit *gezouwe* arbeitet, weber.

ge-zucket part. verzückt.

ge-zühte stn. coll. zu *zuht*, aufzuziehendes oder aufgezogenes, gezüchtetes.

ge-zühtec-liche adv. mit anstand.

ge-zunfte stn. gesellschaft, begleitung.

ge-zünge, -zunge stn. coll. zu *zunge*, zunge; sprache.

ge-zwei adj. je zwei u. zwei.

ge-zweie stn. entzweiung.

ge-zwîden, -zwîen, -zwîhen, -zwîdigen swv. willfahren, gewähren.

ge-zwîen swv. zweige treiben, sich fortpflanzen.

ge-zwitter stn. lärm, getöse.

ge-zwîveln swv. ungewiss sein, zweifeln an (*an* oder gen.); unentschieden sein, wanken; verzweifeln.

geȥȥelîn stn. dem. zu *gaȥȥe.*

gëȥȥen stv. (= *ge-ëȥȥen*) essen.

gibe s. *gëbe.*

gibe, gibec adj. = *gœbe.*

gibel stm. giebel (vgl. *gëbel*).

gibel, gibelinc, gibelîn stm. anhänger des kaisers, Gibelline.

gibitze, -itz, -iȥ m. kiebitz.

gickel stm. der kitzel.

gickeln swv. *ûf einen g.* über ihn spotten.

gickel-vêch adj. buntscheckig.

gief stm. tor, narr.
giefen stf. törichtes betragen, schreien, lärmen.
giege swm., **giegel** stm. narr, betörter.
giegen swv. äffen, narren.
giel stm. maul, rachen, schlund.
giemolf stm. (aus *giem-wolf)* den rachen aufsperrender wolf; *gînolf* narr (der hartnäckig das maul aufsperrt).
gierde s. *gërde.*
gieʒ-âder swf. pulsader. **-kanel** swf., **-kopf** stm. phiala. **-vaʒ** stn. giesskanne. **-wërc** stn. handwerk der metallgiesser.
gieʒe swm. fliessendes wasser, schmaler u. tiefer flussarm, bach.
gieʒec adj. vergiessend *(bluotes g.* blutdürstig).
gieʒen stv. II, 2 tr. giessen, in metall giessen, bilden; giessen, aus-, vergiessen. — intr. u. refl. sich ergiessen, strömen.
gift stn. das geben, die gabe, geschenk; datum einer urkunde; übergabe von grundstücken usw., auflassung; gift.
gift-bære adj. giftig.
giftec adj. = *gæbe;* giftig.
giften swv. geben, schenken; vergiften.
gifter stm. geber, stifter.
gigant stm. riese (lat. *gigas*).
gigære, -er stm. geiger.
gige swf. geige.
gîgen stv. I, 1 u. swv. geigen.
gigzen, gëkzen swv. gicksen; singultare, sternutare.
giht stf. aussage, bekenntnis, geständnis.
giht stnf. krämpfe, gicht.
giht stf. gang, reise.
gihten swv. tr. bekennen, s. *vergihten*; zum geständnis bringen.
gihten swv. intr. von der gicht befallen sein.
gihtic adj. gichtbrüchig.
gihtic adj. aussagend, geständig; eingestanden.
gihtigen swv. zum geständnis bringen, überführen.
gihtunge stf. aussage.
gil stm. bettel.
gilære, -er stm. bettler, landstreicher.
gilen swv. betteln.
gîlen stv. I, 1 übermütig sein. spotten über (gen.).
gilerinne stf. spötterin.
gilf stm. schrei.
gilfe swm. zänker.
gilge, gilje = *lilge, lilje.*
gilgen swv. zur lilie, rein wie eine l. machen.
gilwe stf. gelbe farbe, gelbheit; blässe; gelbsucht.
gilwen swv. tr. *gël* machen; refl. *gël* werden.
gil-wëre stn. bettelei.
gilwerinne stf. die *gëlweʒ gebende* trägt, hure.
gimme stswf. edelstein, juwel; bildl. das herrlichste in seiner art (lat. *gemma*).
gimmen-golt stn. obryzum aurum: geläutertes gold.
gimmîn adj. mit edelsteinen besetzt.
gimpel stn. zipfel vom kopftuche.
gimpel-gempel stm. mutwilliger hüpfer, springer, penis; stmn. minnespiel.
gin stn. maul, rachen.
ginen, gënen, ginnen swv. das maul aufsperren, gähnen.
ginge swm. stf. verlangen.
ginnen stv. III, 1 mit sw. prät. = *beginnen.*
ginnern s. *geinnern.*
ginolf s. *giemolf.*
ginster f. = *ganeister.*
giplîn stn. dem. zu
gippe stswf. jacke, s. *jope.*
gippe stf. = *gëbe.*
gir, gër adj. begehrend, verlangend, mit gen.
gir stf. = *gër*
gîr stswm. geier.
girære stm. der habsüchtige.
girde, gierde, gërde stf. begierde, verlangen.
girdec adj. begierig nach (gen. od. *ze*). adv. **-liche.**
girhaft adj. dasselbe.
gir-, gir-heit stf. habgier.
giric adj. gierig, begierig nach (gen. *nâch, ze*); habgierig.
giric-heit stf. = *girheit.*
girisch, gîrisch, giresch, girsch adj. gierig, habsüchtig; adv. *girischen.*
girischen, girschen swv. gierig sein.
girisch-heit stf. = *girheit.*
gir-lich adj., **-liche** adv. gierig, begierig; begehrenswert.
girn swv. = *gërn, girden.*
girnîn adj. von garn.
girnis, gërnis stf. = *girde.*
girsch s. *girisch.*
girstîn, gërstîn adj. von gerste.
gis stf. schaum.
gischen swv. schäumen.
gischen swv. schluchzen.
gîsel stm. n. kriegsgefangener; bürge, geisel.
gîseler stm. dasselbe.
giselitze, gîslitz stfm. (slav.) eine breiartige speise.
gîseln swv. *gîsel* sein, werden.
gîsel-schaft, -heit stf. bürgschaft, einlager.
gisten s. *jësten.*
gît stm., **gîte** stf. gierigkeit, habgier, geiz.
gîte, gîtec adj. gierig, habgierig, geizig.
gîtec-heit stf. = *gît.*
gîtec-, gît-lich adj. = *gîtec.*
gîtegære, gîtesære stm. der gierige, habgierige.
gîte-heit stf. = *gît.*
gîten, gîtesen swv. gierig, habgierig sein, geizen.
gît-sac stm. geizsack, **-hals;**
giude, göude, gûde stf. geräuschvolle freude, jubel; verschwendung; annehmlichkeit, genuss.
giudec adj. verschwenderisch.
giudel, giuder stm. prahler. verschwender.
giuden, göuden, gûden swv. prahlen, grosstun, in geräuschvoller freude sein; verschwendung treiben.
giwen, gëwen swv. das maul aufreisen, gähnen.
gîz-lich adj. = *gîtec.*
gl- vgl. auch den anlaut *gel-*.
glamme stswf. glut.
glan adj. träge.
glanc s. *gelanc.*
glander adj. glänzend, schimmernd. — stmn. glanz, schimmer.
glandern swv. glänzen.
glanst stm. glanz.
glanster, glenster stm. funke.
glanstern swv. glänzen, strahlen (vgl. *glinstern*).
glanz adj. hell, glänzend.
glanz stm. glanz, schimmer.
glarren swv. stieren (s. *verglarren*).
glarr-ouge swn. anstierendes auge.
glas stn. glas; aus glas gemachtes: trinkglas, glasgefäss, lichtgefäss, fensterscheibe, fenster, spiegel, brille; glaserz; glasartige masse, glasfluss, nachgemachte edelsteine.
glasc-vënster stn. glasfenster.
glas-öuge adj. glasäugig (augenkrankheit).
glast stm. glanz.
glasten swv. glänzen.
glas-wërc stn. glasfenster; gewerbe des glasers und glasmalers.
glat adj. glatt, glänzend.
glatzec, glatzëht, glatzet adj. kahlköpfig.
glavîn, glevîn; glavie, glevie, glëve kontr. *glê, glên* stswf. lanze, reiter der eine lanze führt, pl. kleiner haufe solcher reiter (afz. *glaive* v. lat. *gladius*).
glaz, *-tzes* stm. kahlkopf, glatze, obere fläche des kopfes.
glê, glei s. *glîen, glavîn.*
gleie s. *gloie.*
gleif adj. schief. schräge.
gleif stm. das abschüssige, schiefe, schiefe stelle.
gleifen swv. intr. schräge sein, hin und her irren.
gleim, gleime s. *glîme.*
gleimel stn. glühwürmchen.

glên s. *glavîn*.
glënsten, glënstern s. *glinst-*.
glenster s. *glanster*.
glenz, glenze stmn. aus *gelenz*: frühling.
glenze stf. glanz, schimmer.
glenzec adj. glänzend.
glenzen swv. intr. *glanz* hervorbringen, leuchten. — tr. u. refl. *glanz* (adj.) machen.
glenzieren swv. glänzen.
gleselîn stn. dem. zu *glas*.
glesîn, gleserîn adj. von glas oder glasmasse.
gleste stf. = *glast*.
glestec adj. glänzend.
glesten swv. intr. *glast* hervorbringen, glänzen. — tr. glänzend machen.
glester stm. = *glast, gleste*.
glêt stm. hütte; vorratskammer, keller (slav. *klet*).
glete stf. glätte; glasartige, glänzende bleischlacke, die sich fettig anfühlen lässt.
gleten swv. *glat* machen.
gleve, glevîe s. *glavîn*.
glîch s. *gelîch*.
glidinc, *-ges* stm. schreihals.
glien stv. I, 2 (prät. *glei, glê* pl. *glirn*) schreien, bes. von raubvögeln.
glîfen stv. I, 1 schräge, abschüssig sein.
glim, *-mmes* stm. funke.
glîme, gleime, gleim swm. glühwürmchen.
glîmen stv. I, 1 leuchten, glänzen.
glimmen stv. III, 1 glühen, glimmen.
glimsen swv. dasselbe.
glinc s. *gelinc*.
glindëht adj. lubricus.
glinden stv. III, 1 gleiten.
glins stm. glanz.
glinsen swv. glimmen.
glinsten, glënsten swv. glänzen, strahlen.
glinster stnm., **glinstere** stf. glanz.
glinstern, glënstern swv. glänzen, strahlen.
glinzen stv. III, 1 schimmern, glänzen.
glîsenære s. *gelîchsenære*.
glisterîe stn. = *klister*.
glit s. *gelit*.
glit stm. fall, ausgleiten.
glîten stv. I, 1 gleiten.
glitsen swv. gleiten.
glitze, klitze stf. eine art spiess.
glitze stf. glanz; glatze.
glitzen swv. glänzen.
gliz, *-tzes* stm. glanz.
glîȥ, glîȥe stmf. glanz.
glîȥ, gliz adj. glänzend.
glîȥen stv. I, 1 glänzen, leuchten, gleissen.
glocke, glogge swstf. glocke; glockenförmiges kleid.
glöckelîn stn. glöcklein.
glockenære, gloggenære, -er, glöckeler stm. glöckner.
glocken-klanc stm. glockenschall; das recht die sturmglocke läuten zu lassen, durch sie aufzubieten.
glocke-, glocken-spîse stf. glockenmetall.
gloie, gleie swf. schwertlilie (afz. *glai, glaie*).
glôrieren swv. prangen.
glôrje stswf. ruhm (lat. *gloria*).
glôse stswf. erklärende anmerkung, auslegung; sinn (gr. lat. *glossa*).
glosen swv. glühen, glänzen.
glôsen, glôsieren swv. auslegen, deuten, erklären.
gloste, glost stf. glut, hitze.
glosten swv. = *glosen*.
glotzen swv. glotzen, stieren.
glûch s. *gelûch*.
glûche adj. glänzend.
glucken s. *klucken*.
glücke s. *gelücke*.
glüejen, glüegen, glüewen, glüen swv. tr. u. intr. glühen.
glüendic adj. glühend.
glufe f. stecknadel.
glunke swf. baumelnde locke.
glunkern swv. baumeln.
glunse swf. funke.
glünsen swv. glimmen.
glunst stm. s. *glanst*.
gluot stf. glut, feuer, glühende kohlen.
glûre swf. = *lûre*.
glutenîe stf. art der unkeuschheit.
gnaben, gnappen swv. wakkeln, hinken.
gnâde s. *genâde*.
gnanne s. *genanne*.
gnarren swv. md. knurren.
gnaz, *-tzes* stm. schorf, ausschlag, gnätze; knauserei.
gneist s. *ganeist*.
gnepfen swv. sich neigen, hinken.
gnippe swstf. messer, stechmesser, dolch.
gnist s. *genist*.
gnîst stm. grind, sanies.
gnîten, gnîden stv. I, 1 reiben.
gnôte s. *genôte*.
goberen s. *geoberen*.
goder stm. gurgel, schlund.
goffe, guffe swstf. clunes.
goffen swv. auf die *goffe* schlagen.
gogel, gôl adj. ausgelassen, lustig, üppig. — stm. ausgelassener scherz, possen.
gogelen swv. sich ausgelassen gebärden, hin und her gaukeln, flattern; schreien, krächzen.
gogel-heit stf. ausgelassenes wesen. **-lich** adj. = *gogel*. **-vuore** stf. treiben von possen oder torheiten. **-wîse** stf. possen, ausgelassenheit.
gogen swv. = *gogelen*.
gôl s. *gogel*.
göldelîn, göldel stn. dem. zu *golt*; s. v. a. *goltbüschel*.
gölderîe stf. goldwäscherei.
golenzen swv. intens. zu *goln*.
golfe swm. prahler.
gollen swv. unpers. mit dat. zuwider sein.
gol-lieht stn. unschlittlicht.
gollier, kollier; goller, koller stn. halsbekleidung, koller an männl. und weibl. kleidung; kummet der pferde (fz. *collier*).
goln swv. laut singen, johlen; scherz, possen treiben, ausgelassen herumfahren.
golsch s. *kölsch*.
golt, *-des* stn. gold; schmuckwerk usw. aus gold. *diu sunne gât ze golde* = geht unter.
golt-bërc stn. goldbergwerk. **-büschel** stn. weibliches schamhaar. **-drât** stm. golddraht. **-esche** swf. goldstaub. **-gar** adj. goldbeschlagen. **-gesmîde** stn. goldschmuck. **-gimme** swf. wie gold schimmernder edelstein. **-greber** stm. kanal-, abtritträumer. **-grien** stm. sandbank zu goldwäscherei. **-grûȥ** stmf. goldkorn. **-klenke** stf. goldene schelle. **-lîm, -leim** stm. auripigment. **-lûter** adj. rein wie gold. **-mâl** stn. goldverzierung am helme. **-masse** swf. goldklumpen. **-reit** adj. goldgelockt. **-rôt** adj. von gold, goldverziert. **-satz** stm. gold (im flickreim). **-schæper** stm. goldvlies. **-smit** stm. goldschmied. **-stein** stm. edelstein der wie gold aussieht, topas; probierstein. **-trager** stm. goldfinger. **-trehtec** adj. goldtragend. **-var** adj. goldfarb, wie golden, goldverziert. **-vaste** stswf. quatemberfasten. **-vaȥ** stn. goldenes gefäss. **-vël** stn. goldblech. **-vinger** stm. goldfinger. **-wërc** stn. goldarbeit. **-wine** stm. freund, den man durch freigebigkeit erwirbt, festhält: vasall. **-zein** stm. goldstäbchen.
golter s. *kulter*.
golze s. *kolze*.
gome, goume, md. *gume* swm. mann. **gom-man** m. mann.
gorge swm. gurgel, kehle.
gorgeln s. *gurgeln*.
gorre s. *gurre*.
got stm. gott (Christus); abgott, götze (pl. *gote, göte, göter*).
got-bildec adj. = *got-formec*. **-dæhtec** adj. an gott denkend, fromm. **-formec, -formelich** adj. wie gott gestaltet. **-hûs** stn. gotteshaus, kirche; kirchengebiet. **-lichnam** stm. leichnam gottes, heil. abendmahl. **-liep** adj. gottgefällig. **-meinen** stn. liebe zu gott. **-mensche** swm.

menschgewordener gott. **-sun** stm. gottsohn. **-var** adj. wie gott aussehend, von gott durchströmt. **-vorhtec** adj. gottesfürchtig. **-wërt** adj. = *gotliep.*

göte, götte swm., **gote, gotte** swf. das aus der taufe gehobene kind, patenkind; pate, patin.

gotec adj. göttlich.

gote-, got-heit stf. göttliches wesen, gottheit.

gote-, göte-, got-, göt-lich adj., **-lîche** adv. von gott ausgehend, sich auf gott beziehend, göttlich; gottselig, gottesfürchtig, fromm; gottähnlich, gottverwandt.

gote-lôs adj. gottverlassen.

gotes-vriunt stm. zur sekte der gottesfreunde im oberland gehörig; gottesfreund allgemein.

götide stn. pate, patin.

gotinne, gütinne, gotîn, gotin stf. göttin.

göt-lich s. *getelich, gotelich.*

gotte, götte s. *göte.*

götze swm. gottesdienstliche bildsäule, heiligenbild.

göu, gou, *-wes* stn. gegend, landschaft gau.

gouch stm. kuckuck; buhler, tor, narr, gauch.

gouchelin, göuchelîn, göuchel stn. dem. zu *gouch*; vulva.

gouchen swv. intr. wie ein kuckuck schreien; ein narr werden. — tr. narren, äffen.

göucherîe stf. narrheit.

gouchîn stf. närrin.

göude s. *giude.*

göu-dinc stn. gericht des gaugrafen. **-grâve** swm. gaugraf. **-huon** stn. gau-, zinshuhn; bildl. name für die bauern. **-liute** pl. landleute. **-man** stm. landmann. **-phâwe** swm. landpfau; übermütiger, auf seine kleidung eingebildeter bauer. **-volc** stn. landvolk. **-wîse** stf. bäurisch-laute freude.

goufe f. kopfbedeckung unter dem helme (afz. *coife*).

goufe swf. die hohle hand.

göufler stm. der heimlich entwendet, dieb.

göuf-lich adj. diebisch, raubschützenmässig.

gougern swv. umherschweifen.

goukel, gougel stn. zauberei, zauberisches blendwerk; närrisches treiben, possen.

goukelære, gougelære stm. zauberer, gaukler, taschenspieler.

goukel-bilde stn. betrügerisches bild, wie es ein taschenspieler zeigt. **-bühse** swf. taschenspielerbüchse. **-huot** stm. hut dessen sich die gaukler bedienen. **-sac** stm. sack eines gauklers, narrensack. **-spël** stn. possenhafte erzählung od. rede. **-spil** stn. blendwerk, gaukelspiel, possen. **-varwe** stf. unechte farbe. **-vuore** stf. treiben von zauberei od. betrügerischem blendwerk.

goukelîe stf. blendwerk.

goukeln, gougeln swv. zauberei, gaukelpossen oder taschenspielerei treiben.

goukelunge stf. zauberei.

goume s. *gome, guome.*

goume, goum stfm. mahlzeit; prüfendes aufmerken.

goumel, goumer stm. aufseher, hüter.

goumen swv. eine mahlzeit halten; aufsicht haben, wache halten, mit gen. auf etw. acht geben, wonach trachten. — tr. behüten.

göuwisch adj. bäuerisch.

gôvenanz s. *côvenanz.*

gôȝ stmn. guss, regenguss; metallguss, gegossenes gefäss, bild; kalkguss, mörtelbekleidung des mauerwerks.

grâ, *-wes* adj. grau, bes. altersgrau. — stn. graue farbe, das grau; art pelzwerk, grauwerk.

grabære, greber stm. graveur; gräber, totengräber.

grabe swf. spaten.

grabe swm. graben; spazierweg um den stadtgraben.

grâbe s. *grâve.*

grabe-lege, -legede stf. grablegung.

grabelîn, grebelîn stn. kleiner *grabe*; grübchen.

graben stv. VI graben; eingraben, gravieren; begraben; grübeln, forschen (*nâch, ûf*).

grabe-schît stn. grabscheit.

grab-îsen stn. grabstichel.

gracie f. immunität (lat. *gratia*).

graft, graht stf. (md. nd.) der graben; begräbnis.

gral, *-lles* stm. schrei.

grâl stm. der hl. gral; bildl. das teuerste, liebste; ritterspiel der bürger in nd. städten (afz. *graal*, mlat. *gradalis*).

grâlen swv. wie der *grâl*, so vollkommen wie der *gr.* sein.

gram adj. zornig, unmutig; erzürnt, aufgebracht über, mit gen.; feindselig erzürnt, mit dat.

gram stm., **grame** stf. unmut, zorn.

gramaȥie f. = *nigramanzîe* die schwarze kunst, dann überh. gaukeleien, possen.

gram-bîzen stv. zornig mit den zähnen knirschen.

gramen swv. *gram* sein (dat.).

gramerȥi stm. dank (fz. *grand merci*).

gramerȥîne stf. dasselbe.

gramplieren swv. sich auf die hinterbeine stellen (frz. *se ramper*).

gram-vogel stm. raubvogel.

gran, grane stswf. haarspitze, barthaar bes. an der oberlippe; stachlichtes haar, granne, gräte.

grân, gran stf. scharlachfarbe (afz. *graine*, mlat. *grana*).

grânât stm. der granat; granatapfel (mlat. *granatus*).

grande s. *grant.*

grande-wërre s. *grantwërre.*

gran-hâr stn. milchhaar. **-sprunge** adj. dem das barthaar keimt. **-sprunge** stf. das hervorkeimen des barthaares.

grannen, granen, grennen swv. intr. weinen, flennen; *an einen gr.* ihn angreifen. — tr. bejammern.

grans s. *gerans.*

grans stm. schnabel der vögel; maul oder rüssel anderer tiere; vulva; hervorragender teil eines körpers; schiffsschnabel (s. *rans*).

gränsel stn. dem. zum vorig. (*tüttels gr.* kleine brustwarze).

grant, *-des* stm. trog; behälter, schrank; grund, unterlage.

grant, grande adj. gross, heftig (fz. *grand*).

grant-, grande-wërre swm. ein grosser, heftiger *wërre* (auch *krantwër, -wërre*).

grap, *-bes* stn. das grab; katafalk.

grâpen, grappen swv. tasten, greifen.

gras stn. gras, grasbewachsener ort (*bî grase* formelhafter ausdruck für: im sommer).

grâ-schaft s. *grâveschaft.*

grasec adj. mit gras bewachsen.

gräsel stn. grashalm.

grasen swv. intr. grasen, gras schneiden. — tr. weiden.

graser, greser stm. graser, jäter.

graserinne stf. graserin, jäterin.

gras-hei stn. gehegter grasplatz. **-heie** swm. der grashüter, der mai. **-hof** stm. rasenplatz, garten. **-sprinkelîn** stn. grasfleckchen. **-var** adj. grasfarb.

grât, *-tes, -des* stm. stufe, grad (lat. *gradus*, vgl. *grêde*).

grât, *-tes* stm. gräte, fischgräte; die hervorstechende scharfe spitze an ähren, disteln usw.; rückgrat; bergrücken; die mitte eines d.

grætec adj. stachlig, spitz.

gratte s. *kratte.*

grâve swm. königl. gerichtsvorsitzer; graf (md. *grâbe, grêve, grêbe*).

grâve-, grâf-schaft, grâ-schaft stf. grafschaft.

grævinne, grævîn stf. gräfin.
græwe, grâwe stf. graue farbe.
grâwen, græwen swv. intr. *grâ* sein od. werden, altern. — tr. *grâ* machen.
graȥ, -ȥȥes stn. sprossen od. junge zweige vom nadelholz.
graȥ adj. wütend, zornig.
graȥ, grâȥ stm. wut, übermut.
grâȥen, grâȥieren swv. schreien, aufschreien, wüten, sich übermütig od. anmasslich gebärden (von pferden u. menschen); laut u. hastig jagen *nâch*.
græȥ-lich adj. zornig.
graȥȥach stn. coll. zu *graȥ* 1.
grêbe s. *grâve*.
grebelîn s. *grabelîn*.
greber s. *grabære*.
grëch s. *gerëch*.
grêde, grête stswf. stufe, treppe an od. in einem gebäude; stufenartiges unterlager für waren (lat. *gradus*).
grêden swv. mit einer *grêde* versehen.
greibe adj. herbe.
greifen swv. greifen, tasten.
greinen swv. *grînen* machen.
grël adj. rauh, grell, zornig.
grël, -lles stn. schrei.
grel, grelle stswf. das krallende, stechende; dorn, gabel, spiess.
grëllen stv. III, 2 laut, vor zorn schreien.
gremde stf. = *gram* stm.
greme-lich adj. = *gram*.
gremen swv. tr. *gram* machen; refl. sich grämen. — intr. = *gramen*.
gremic, gremisch adj. feindselig erzürnt.
grempel stm. saurer trank.
grempeler, grempler; grempener, grempner, gremper stm. kleinhändler, trödler.
grempeln, grempen swv. handel im kleinen treiben, trödeln.
gremperî stf. kleinhandel.
gremzen swv. = *gremen*; murren, aufbrausen.
grëndel s. *grindel*.
greniz, grenize stf. grenze (slav. *graniza*).
grennen s. *grannen*.
greselîn stn. dem. zu *gras*.
greser s. *graser*.
grête s. *grêde*.
grêten swv. in weiten schritten auseinander spreizen.
grêve s. *grâve*.
griebe swm. griebe, griefe.
grien stmn. kiessand; sandiges ufer, sandiger platz.
grienen swv. md. sich regen.
grienic adj. sandig, mit einem sandufer.
grieȥ stmn. sandkorn, sand, kiessand; grobgemahlenes getreide, griessmehl; blasenstein; bes. sand am ufer und am grunde des wassers; sandiges ufer, meeresstrand; sandbedeckter platz, kampfplatz.
grieȥec adj. sandig, körnig.
grieȥen stv. II, 2 zerkleinern, zermalmen; (wie *grieȥ*) streuen, schütten.
grieȥ-sant stm. grobkörniger sand, kiessand. **-stange** swf. stange des *grieȥwarten*. **-stein** stm. sandkorn, kies; sand-, mühlstein. **-wart, -warte** stswm. aufseher u. richter der gerichtl. (auf dem *grieȥ* stattfindenden) zweikämpfe. **-wartel** stm. dasselbe.
grif, -ffes stm. der griff, das greifen, tasten, betasten; klaue; umfang, zugehör.
grîfe, grîf swstm. der vogel greif (gr. γρύψ, mlat. griphus).
grîfec adj. wonach greifend, zu nehmen geneigt mit gen.
grîfelîn stn. kleiner greif.
grîfen stv. I, 1 intr. tasten, fühlen, greifen, fassen, hand an etw. legen (*über sich gr.* über seinen stand hinausgreifen). — tr. fassend berühren, ergreifen.
griffec adj. greifbar.
griffel stm. griffel, schreibgriffel (lat. *graphium*).
griffelære stm. der tief eingreift, die wahrheit aufdeckt.
griffeln swv. wiederholt greifen.
grif-lich adj. greifbar, sinnlich.
grift stf. das greifen, an-, umfassen; begreifen.
grill, -lles stm. greller schrei, pfiff.
grille swmf. grille (gr. lat. *gryllus*).
grim, -mmes stm. wut, grimm, wildheit.
grim, grimme adj. grimm, unfreundlich, schrecklich, wild; schmerzlich.
grimme adv. zornig, unfreundlich, wild; schmerzlich; heftig, sehr.
grimme stf. = *grim* stm.
grimme swm. bauchgrimmen.
grimmec, grimmic adj. = *grim*. **-heit** stf. = *grim, grimme*. **-(grimme)-lich** adj., **-liche** adv. = *grim, grimmec*.
grimmede stf. grimm, unmut.
grimmen s. *krimmen*.
grimmen stv. III, 1 vor zorn od. schmerz wüten; tobend lärmen, brüllen; mit dat. zürnen, wüten mit.
grimmigære stm. wüterich.
grimsic adj. grimmig, wütend.
grimsic-heit stf. grimm, wut.
grîn stm. lautes geschrei, gewieher.
grindel, grintel, grëndel stm. riegel, balken, stange.
grinden stv. III, 1 sich öffnen, klaffen, bellen.
grinden swv. intr. grindig werden.
grînen stv. I, 1 den mund verziehen (lachend, knurrend, winselnd, weinend); brüllen.
grinnen stv. III, 1 = *grimmen*.
grint, -tes stm. der grind, grindkopf; verächtl. für kopf.
grînt stm. = *grîn*.
grintec, grintëht adj. grindig.
grint-hâr stn. kopfhaar. **-houbet** stn. grindkopf.
gripfen, kripfen swv. greifen, fassen, raufen.
grîs adj. grau, greis.
grîse swm. der greis.
grîse stf. grauheit.
grîsen swv. intr. *grîs* werden.
grîse-lëht adj. rauh.
gris-gram stm. zähneknirschen. **-gramen, -grammen, -grimmen** swv. mit den zähnen (wie mahlend) knirschen, brummen, knurren.
grîsinc, -ges stm. greis.
grîsvar adj. grau.
grît stm. alem. = *gît*.
grîtec, grîtic adj. = *gîtec*.
griten stv. V? die beine auseinanderspreizen.
grius- s. auch *grûs-*.
griuseln swv. iterat. zu *grûsen*.
grius-lich adj. grausen erregend.
griuslinc stm. = *griuwelinc*.
griuwe s. *grûwe*.
griuwel stm., **griul, griule**, stswm. schrecken, grauen, greuel.
griuwe-, griu-lich adj. schrekken oder grauen erregend, grausig, greulich.
griuwelinc, -ges stm. einer der grauen erregt.
griuweln, grûweln, griulen, grûlen swv. unp. mit dat. od. acc. grauen.
griuȥe stn. enthülste körner, grütze.
griuȥel stn. dem. zu *grûȥ*, körnchen.
griuȥeler stm. der mit *griuȥe* handelt.
griuȥinc, -ges stm. weizenbier.
grîȥen s. *krîȥen*.
grobe-lich adj., **-liche** adv. gross, stark, heftig, sehr.
grogezen swv. heulen, wehklagen.
grolle swm. groll.
grop, -bes, grob adj. an masse gross, dick u. stark, reichlich; unfein, ungebildet; nicht wohl angemessen.
grope, groppe swmf. md. weiter eiserner kochtopf.
grop-, grob-heit stf. dicke; unebenheit, rauheit; materialität; ungebildetheit.
grôpiere stf. pferdedecke (fz. *croupière*).

gros, grosse stswm. groschen (mlat. *grossus*).

grôʒ adj. gross (mit gen. des masses *armes*, *des lîbes*, *der jâre gr.*); dick, ungeschickt, gross u. dick; dick infolge der schwangerschaft; auffallend, bedeutsam, stark, viel; angesehen, vornehm.

grôʒe, grôʒ adv. dick; sehr.

grœʒe stf. grösse, dicke.

grôʒec-lîche adv. sehr, aufs höchste.

grôʒegen swv. magnificare.

grôʒen swv. gross, dick (schwanger) werden, an wachstum zunehmen.

grœʒen swv. tr. gross machen; refl. sich ausdehnen.

grôʒ- (grœʒ)-lich adj. gross. **-liche** adv. sehr, aufs höchste. **-müetec** adj. myst. voll selbstvertrauen. **-müetekeit** stf. hoher gedankenflug.

groʒʒe swm. = *graʒ* stn.

gröʒʒinc, *-ges* stm. schössling, junger waldbaum (s. *graʒ* 1).

grübel stm. *der helle grübel* teufel.

grübelen swv. bohrend graben, grübeln *nâch*; unpers. mit dat. jucken.

grüebelîn stn. dem. zu *gruobe*.

grüejen swv. (prät. *gruote*) grünen, wachsen.

grüene adj. grün (*gr. werden* sich erholen, zu kräften kommen); frisch, roh (*grüeneʒ vleisch*).—stf. grüne farbe, grünheit; grün bewachsener boden oder ort.

grüenede stf. grüne farbe.

grüene-keit stf. grünheit.

grüenen swv. tr. *grüene* machen. — refl. sich frisch erhalten; intr. = *gruonen*.

grüen-mât stn. grummet, gras, das *grüen* (unreif) gemäht wird. **-var** adj. grün.

grüeten swv. in *gruot*, in grün stehn, grünen.

grüeʒe s. *gruoʒe*.

grüeʒec adj. grüssend, gerne ansprechend und grüssend.

grüeʒen swv. anreden, ansprechen um zu grüssen, um auf-, herauszufordern, um anzutreiben, zu hetzen; beunruhigen, angreifen; züchtigen, strafen.

grüfelîn, grüfel stn. = *griffel*.

gruft, kruft stf. gruft, höhle, höhlung (mlat. *grupta* aus gr. lat. *krypta*).

grûlen s. *griuweln*.

grüllen, grullen swv. höhnen, spotten *ûf*; grollen.

grulz stm. lärm, aufruhr.

grume swm. wütender schmerz.

grûn s. *kruon*.

gründec adj. auf den grund gehend, gründlich.

grundel, grundelinc, *-ges* stm. grundel, gründling.

grunde-lôs adj. s. *grunt-lôs*.

gründen swv. abs. grund finden, auf den grund kommen. — tr. festen grund für etw. legen; auf den grund einer sache gehn, gründlich erörtern, kundgeben.

grunt, *-des* stm. unterste fläche eines körpers oder raumes, grund (*von grunde* von grund aus, gründlich, *ze grunde* bis an den grund, gründlich); tiefe, abgrund; das innerste, tiefste wesen (gottes, der seele); vertiefung, schmales tief eingeschnittenes tal, schlucht; niederung, ebene; grund und boden, erde, fundament; ursprung, berechtigung, ursache; grundstück, grundeigentum.

grunt-bœse adj. sehr schlecht. **-brief** stm. urkunde über grundrechte. **-buoch** stn. kataster. **-effîn** stf. erzäffin. **-lich** adj. tief; adv. von grund auf. **-lôs, -lôselich** adj. unergründlich, abgrundtief. **-lôsekeit** sft. unergründlichkeit. **-neigen** stn. neigung von grund aus. **-rëht** stn. abgabe an den grundherren. **-rihter** stm. richter über grund und boden. **-ruore** stf. die strandung eines schiffes; das gestrandete gut und dessen verlust, strandrecht. **-sê** stm. tiefer see. **-sopfe** swf. grundsuppe, bodensatz, hefe. **-übele** adv. sehr übel. **-veste, -vestene** stf. grundfeste, fundament; innerstes wesen. **-vesten, -vestenen** swv. gründen, bauen *ûf*. **-visch** stm. = *grundel*. **-walle** swm.? das wallen von grund auf. **-wëlle** f. der wellenschlag an untiefen, die brandung.

grunzen swv. murmurare.

grunzëht adj. qui murmurat.

gruo adj. grün.

gruo stf. grüne wiese, matte.

gruobe stswf. grube; steinbruch; loch, höhlung.

gruobe-hol stn. grube.

gruoben swv. eine grube graben.

gruonen swv. grün od. frisch werden od. sein.

gruose stf. saft der pflanzen, sowie der junge trieb, grüne.

gruot stf. das grünen, der frische wuchs.

gruoʒ stm. freundliches ansprechen, begrüssung, gruss; entgegenkommen in feindl. sinne, angriff, anfechtung, beunruhigung, leid; anklage.

gruoʒe, grüeʒe stf. anrede, gruss.

gruoʒ-bære adj. gruss bringend, zu grüssen verpflichtet.

gruoʒsal stnm. gruss, begrüssung; beunruhigung, leid.

gruoʒ-, grüeʒ-sam adj. grussbeflissen, freundlich.

grûs stm. grausen, schrecken.

grûs adj. graus, schrecklich.

grû-sam s. *grûwesam*.

grüsch stn. kleie.

grûse swm. grausen, gegenstand des grausens, schreckbild.

grûse stf. = *grûs* stm.

grûselëht adj. grausen erregend.

grûsen, griusen swv. intr. u. refl. grausen empfinden; unpers. mit dat., acc. u. gs.

grûsen-lich adj. = *griuslich*.

grust-gramen swv. = *grisgramen*.

grutsch, grutz m. hamster.

grützen-vrâʒ stm. pultivorax, breiesser.

grûwe, griuwe swm. grausen.

grûwen swv. intr. u. unpers. = *grûsen*.

grûwenisse stn. grauen, greulichkeit.

grûwesal adj. greulich.

grûwe-sam, grûsam, grûsamlich adj. grauen, schrecken erregend.

grûʒ stmf. korn, von sand oder getreide; grütze; bildl. das geringste; s. v. a. *griuʒinc*. **-wërt** stn. was einen *grûʒ* wert ist.

guc, guc-, gug-gouch stm. kuckuck.

gucke swm. ein gefäss für flüssigkeiten.

gucken swv. schreien wie ein kuckuck.

gücken, gucken swv. neugierig schauen, gucken.

guckes stm. der kux od. anteil im bergbau (slav.).

guckezen, guckzen swv. intens. zu *gucken*: schreien wie der kuckuck.

gûde s. *giude*.

güefen swv. rufen, schreien.

güenl- s. *guotl-*.

güete stf. güte, gutheit.

güetec adj. *güete* habend, gut, gütig, freundlich; prodigus; **-liche** adv. in güte. **-heit, güeticheit** stf. güte, gnade; gütlicher vergleich.

güetelîn, güetel stn. kleines, geringes gut; kleines landgut.

güeten swv. tr. *guot* machen; mit einem *guote* versehen. — refl. u. intr. sich als *güete* od. *guot* erweisen.

güet-lich s. *guotlich*.

gûf, guffe s. *guof, goffe*.

guft, guht stfm. lautes rufen, schreien, schall; laute freude, freudiger mut, herrlichkeit; übermut; prahlerei, übertreibung.

güftec adj. freudig; übermütig, üppig; in übermut bringend. **-lich** adj. freudig, übermütig;

-lîche adv. auf übermütige, prahlende weise.

güften, guffen swv. intr. seine freude laut äussern, übermütig sein; fliegen; erschallen. — tr. schreien, zurufen; durch rufen bekanntmachen, rühmen, verherrlichen. — refl. mit gen. sich rühmen; sich freudig od. übermütig begeben *zuo.*

guft-erschallen stn. prahlerisches jubeln. **-lich** adj. hoch, herrlich; prahlend, prahlerisch.

gugelære, gugler stm. der eine *gugel* trägt; stoff aus dem *gugel* gemacht werden.

gugele, gugel, kugel, kogel swstf. kapuze über den kopf zu ziehen am rock od. mantel (mlat. *cucullа* v. lat. *cucullus*).

gugel-gopf stm. ein scheltwort. **-han** stm. gockelhahn. **-(kugel-)huot** stm. kapuze. **-roc** stm. rock mit einer kapuze. **-zipf, -zipfel** stm. zipfel der kapuze.

gugelîn stn. kleine kapuze.

gugen swv. sich hin und her wiegen, schwanken.

gügerël stmn. kopfschmuck der pferde.

gugg-aldei stm. kuckuck.

gug-gouch s. *gucgouch.*

gûl stm. eber u. sonst männl. tier; bestie, ungeheuer; gaul.

guldîn adj. von *golt* (*guldîn jâr* jubiläum). — **(gulden)** stm. (näml. *der guldîn phenninc*) goldmünze, gulden.

gûlen swv. misshandeln.

gülle swf. lache, pfütze.

gült stn. einkünfte tragendes gut.

gültære stm. gläubiger.

gülte stf. was zu *gelten* ist od. *gegolten* wird; schuld, zahlung; einkommen, rente, zins; wert, preis.

gülte swm. = *gëltære.*

gülte-bære adj. zinspflichtig. **-gëbe** adj. dasselbe. **-haft** adj. in schulden steckend; **-haftec** zinspflichtig. **-korn** stn. annona.

gültic adj. im preise stehend; teuer; zu zahlen verpflichtet.

gum m. maulaufsperrer.

gume s. *gome.*

gumîn stn. harz.

gumpe swm. wasserwirbel, tiefe stelle in einem gewässer.

gumpel stm. springen, scherz.

gümpel stm. gimpel (der vogel) u. obsc. für penis.

gumpel-man stm., pl. *-liute* springer, possenreisser. **-mære** stn. närrische, komische erzählung. **-site** stm. = *gampelsite.* **-spil** stn. = *gampelspil.*

gumpeln swv. possen reissen.

gumpen swv. hüpfen, springen.

gumpenîe stf. = *hoppenîe.*

gumpenîe *kompanîe.*

gumpost s. *kumpost.*

gün-lich adj., **-lîche** stf. s. *guot-lich, -lîche.* **günlîchende.** part. *glorificans.*

gunnen, günnen an. v. mit dat. u. gen. gern an jemand sehen, gönnen; vergönnen, erlauben, gewähren mit dat. u. gen. (auch acc., inf. od. nachs. mit *daz*).

günner, gunner stm. gönner, freund, anhänger.

gunseln swv. md. winseln, wehklagen.

gunst stf. anfang.

gunst, guns stfm. gunst, gewogenheit, wohlwollen; das verleihen; einwilligung, erlaubnis.

günste-bære adj. = *günstic.*

gunster stm. der günstig ist.

günstic adj. wohlwollend, gewogen. **-, günst-lich** adj., **-lîche** adv. dasselbe.

gunt, -des stm. = *gunst.*

gunterfeit s. *kunterfeit.*

guof stfm. md. *gûf* = *guft.*

guofen swv. — *güften.*

guome, goume; guom, goum swstm. gaumen.

guonl- s. *guotl-.*

guot adj. tüchtig, brav, gut, von gutem stande, vornehm; passlich, tauglich, brauchbar (*guote liute* angesehene, ehrenhafte leute, auch von demütigen und bussfertigen sündern, von siechen leuten gebraucht); mit dat. u. persönl. subj. freundlich, gnädig, behilflich, mit dat. od. präp. *ze, vür* u. sächl. subj. nützlich; *ez guot tuon* die sache, die man vor hat, gut machen bes. vom kampfe. — stn. gutes (*durch, in guot* in guter absicht, in gutem sinne; *mit guote* in güte, wohl, *in, ze guote* in, zu gutem); gut, vermögen, besitz; landgut.

guoten swv. *guot* sein.

guoten-, guotem-tac stm. (schwäb. alem.) mittwoch, montag, nd. *gôdenstag* (aus *Wôdanestag*), mittwoch).

guot-dunken stn. gutdünken, myst. dünkel. **-dunklicheit** stf. selbstzufriedenheit. **-heit** stf. güte. **-hërzec** adj. gutes herzens. **-(güet-)lich** ad., **-lîche** adv. angegl. *guollich,* entstellt *guon-, güenlich*: gut, gütig; liebreich, freundlich; ruhmvoll, herrlich. **-lîche** stf. angegl. *guollîche,* entstellt *güenlîche*: ruhm, herrlichkeit. **-lôs** adj. ohne gut, arm. **-sælec** adj. durch vermögen beglückt. **-swendære** stm., **-swende** swm. der gut verschwendet, verschwender. **-tât, guotât** stf. gute tat, gutes werk; wohltat, stiftung, geschenk; gutes tun bes. im kampfe. **-tæte** stf. gutes werk. **-tæter** stm. wohltäter. **-willekeit** stf. myst. = *miltekeit des guotes.* **-willic** adj. guten willen habend, wohlgesinnt.

gûpe swf. giebelvorbau. erker.

gupf, gupfe stswm. spitze, gipfel; md. *kuppe* swf.

gupfe = *kupfe* 3. *goufe 1.*

gupfen swv. stossen.

gurgele, gurgel swf. gurgel.

gurgeln, gorgeln swv. gurgeln; einen gurgelnden ton hervorbringen.

gurre, gorre swf. schlechte stute, schlechtes pferd.

gürrelîn stn. dem. zum vorig.

gurren swv. den laut *gur, gur* hervorbringen.

gurrît, gursît s. *kurrît, kursît.*

gurt stm., **gürtel** stm. stswf. gürtel (*als er mit gürtel bevangen, umbvangen ist* ohne mehr als die kleidung, die er eben auf dem leibe hat, wie er geht u. steht).

gürtel-borte swm, gürtel. **-maget** stf. kammerjungfer. **-mer** stn. mittelländ. meer. **-tûbe** swf. turteltaube.

gürtelîn stn. kleiner gürtel.

gürten, gurten swv. gürten, umgürten; dem pferde den gurt anlegen mit acc. od. dat.

gurt-hose swf. beinrüstung.

güsel stn. abfall beim dreschen.

gus-rëgen stm. platzregen.

güsse stf. n. anschwellen u. übertreten des wassers, schwall, überschwemmung.

güssec adj. vom regen angeschwollen, flutend.

gussel s. *jusselîn.*

güsseln swv. fließen, strömen.

gusten swv. besänftigen.

guster s. *kuster.*

gütel stm. ein scheltwort.

gûter s. *kulter.*

gütinne s. *gotinne.*

gutrël stn. gläsernes gefäss (lat. *guttarium*).

gütze stf. guss, strom.

gützen swv. vomere?

guz, -zzes stm. guss, erguss; triebkraft; s. v. a. *güsse.*

güz-bette stn. rinnsal, fluss-, bachbett. **-wazzer** stn. = *güsse.*

güzze stf. = *güsse.*

gwelph, gwelphe; gelf, gelfe stswm. Welfe.

H

hâ, hahâ, hahô interj. ha, he! u. laut des gelächters (*ha ha ha!*).

habe stf. was man hat, habe, eigentum; woran man etw. hat od. hält: halt, anhalt, stütze; das was etw. hält od. woran etw. gehalten wird: heft, griff, henkel; ort zum halten od. bergen, behältnis, ort wo die schiffe halten u. geborgen werden, hafen; durch synekdoche s.v.a. meer; haltung, benehmen, beziehung; beschaffenheit.

habe swm. der hat od. hält (in zusammens.).

habec, hebec adj. habend, besitzend, wohlhabend.

habech, habich, habch; hebech, hebich stm., **habeche** swm. habicht (*den habech an rennen* es mit einem aufnehmen, dem man nicht gewachsen ist).

habech-spil stn. zur jagd abgerichteter habicht.

habe-danc stm. dank mit worten, eigentl. imper. mit acc.: *habe* (*den*) *danc*. **-(hebe)-lich** adj. was bezug auf die *habe* hat u. mit ihr zusammenhängt; begütert, wohlhabend; tüchtig, sicher, verläßlich. **-(hebe)-liche** adv. begütert, angesessen. **-lôs** adj. ohne *habe*. **-stat** stf. wohnung.

haben, hân swv. halten, festhalten, behaupten; halten, betragen, befinden; inne haben, besitzen, haben. — als hilfsverb des perf. bei transit. u. zustandswörtern (auch ohne temporale bedeut. nur umschreibend); inf. *hân* auch = *getân hân*.

habende part. adj. haltend, haftend; besitzend, vermöglich.

habene stf. = *habe* hafen.

haber-brôt stn. haferbrot. **-gëlt** stn. haferzins. —, **(ber)-schrëcke** swm. heuschrecke. **-snit** stm. das schneiden des hafers u. die zeit da dies geschieht.

habere, haber swstm. hafer.

haberen swv. hafer schneiden.

hab-haft, -haftic adj. mit besitz versehen, etw. habend.

habich s. *habech*.

hac, *-ges* stmn. dorngesträuch, gebüsch; einfriedigung, hag, bes. eines ortes zum schutze u. zur verteidigung; umfriedeter ort; umfriedeter wald, park.

hac-gevilde stn. birschgelände.

hache swm. bursche, kerl. swf. dirne, buhlerin.

hachel, hechel stf. hechel.

hacheln, hecheln swv. hecheln; coire.

hacke swf. axt, hacke.

hacke stf. das hacken, umbrechen der felder usw. und die zeit da dies geschieht; das schlachten.

hacke-banc stf. bank in der küche zum zerhacken des fleisches.

hacken swv. hacken, hauen.

hac-tûbe swf. holztaube.

hader stswm. zerrissenes stück zeug, lumpen, lappen; streit, zank; liebesstreit; injurienprozess.

haderëht adj. lumpig, abgerissen; zänkisch, streitsüchtig.

hader-gewant stn. grober rock (von *hadertuoch*). **-lump** stm. lumpensammler; der in lumpen einhergeht. **-mül** stf. papiermühle. **-tuoch** stn. gröbster kleiderstoff.

haderîe stf. geringfügige sache, kleinigkeit; streit, zank, rauferei.

hadern swv. streiten, necken.

haft adj. gefangen, gefesselt; von etw. eingenommen, besetzt, bestanden, besessen; mit gen. schwanger; mit dat. verbunden mit, übertr. verpflichtet, verbunden für etw. (gen. od. präp.). — als zweiter teil in composs.: act. haltend, hebend, pass. wie es von dem ersten gehabt wird, ihm gemäss.

haft stm. der gefangene.

haft stm. was fest hält: band, halter, fessel, knoten; drücker eines schlosses; haftung, festhaltung, bürgschaft.

haft stf. haft, fesselung, gefangenschaft; die beschlagnahme; woran etw. festsitzt.

hafte stf. verknüpfung; haft, verwahrung; hindernis.

haftel s. *heftelin*.

haften swv. intr. befestigt sein, festhangen (*in, an, zuo*), mit dat. ankleben, anhangen, zugehören.

haftunge stf. verhaftung; beschlagnahme; bürgschaft; haftgeld.

hage, hege stmf. behagen, wohlgefallen, freude.

hage swf. hagebutte.

hage-dorn s. *hagendorn*. **-dürnîn** adj. dazu.

hagel stm. hagel, hagelschlag; bildl. unglück, verderben.

hagelen swv. hageln; bildl. von schimpfreden (*ûf einen*); tr. als hagel fallen lassen.

hagel-gans stf. wasser-, birk-, haselhuhn, schneegans. **-schûr** stm. hagelschauer. **-stein** stm. hagelschlosse; teufelsname. **-tragende** part. adj. verderben bringend.

hage-lich adj. angenehm.

hagen, hain stm. dornbusch, dorn; einfriedigung um einen platz oder ein heerlager, verhau; der eingefriedigte, umhegte ort.

hagen stm. zuchtstier.

hagen swv. einen zaun, wildzaun machen.

hagen swv. mit dp. gefallen, behagen.

hagen-büechîn adj. zu **-buoche** swf. die hain-, weissbuche.

hagen-, hage-dorn stm. weiss-, hagedorn; der heckbaum; teufelsname.

hager adj. hager.

hage-stalt, -stolz stm. (eigentl. der hagbesitzer) der unverheiratete, der noch keinen eigenen hausstand gegründet hat; das unverheiratete individuum überh. ohne rücksicht auf das geschlecht.

hahâ, hahô s. *hâ*.

hâhære stm. henker; s. v. a.

hâhel, hâl stf. kesselhaken.

hâhen redv. I, 1 (prät. *hienc, hie*) tr. refl. hängen, aufhängen. — intr. hangen.

hahse, hehse swf. kniebug des hinterbeines bes. vom pferde.

hain s. *hagen*.

hâke, hâken swstm. jedes an der spitze krumm gebogene ding, woran sich etw. hängen od. woran etw. gehängt werden kann, haken; eine art pflug ohne räder u. vorderpflug, dessen gestalt einem haken in einem spitzen winkel gleicht.

hækel stn. häkchen.

hâken-bühse f. grössere handfeuerwaffe, die mittels eines hakens auf einem gestelle (*boc*) befestigt wurde, um den schützen gegen den rückstoss zu sichern.

hâke-schar stn. *schar* zum hakenpflug.

hâkot adj. hakenförmig.

hal, *-lles* stm. hall, schall.

hal stf. hülle, schale.

hal stn. salzquelle, salzwerk.

hâl, hæl s. *hâhel, hæle*.

halbe adv. zu *halp*.

halbe stswf. seite, richtung; die hälfte von etw.; grundstück, wovon die hälfte des ertrags vom pächter als zins zu entrichten ist.

halbe, halp adv. acc. lokal u. kausal die seite od. richtung anzeigend; von wegen (gewöhnlich zusammengesetzt *mîn-, dînhalp*).

halben adv. u. präp. mit gen. auf seiten; wegen (*von—halben* mit eingeschob. gen. von seiten, von wegen).

halben, helben, halbieren swv. in zwei hälften teilen.

halde swstf. abhang, bergabhang.

hæle, hæl adj. verhohlen, verborgen, schnell vorübergehend, vergänglich; schlüpfrig, glatt.

hæle adv. heimlich.

hæle stf. verheimlichung; glätte, schlüpfrigkeit.

halfter swstf. halfter.

halftnôte swf. hälfte.

hælinc adj. heimlich.
hælinc, *-ges* stm. geheimnis.
hælingen adv. heimlich.
hâlizen swv. ausgleiten.
halle stf. halle; salzbereitungs- und aufbewahrungsplatz.
hallen-barte s. *helmbarte.*
haller, heller stm. heller (benannt von der reichsstadt Schwäbisch-Hall, wo diese münze zuerst geprägt wurde).
haller-wërt, kontr. *helwërt, helbërt* stn. was einen h. wert, dafür zu haben ist.
halm stm. halm, gras-, getreidehalm (rechtssymbolisch wurde durch überreichung des halmes die feierliche übergabe eines geschenkten, verkauften od. verpfändeten gutes angezeigt); schreibrohr. **-wurz** stf. calamus, zimtrinde.
halme, halm, helm swstm. handhabe, stiel.
halmel s. *helmelîn.*
haln s. *holn.*
halp, help, *-bes* stm. = *halme.*
halp s. *halbe.*
halp, *-bes* adj. halb (*halbez brôt* halbgewichtiges, schlechteres brot; *halbe kinder* die gleichen vater u. ungleiche mutter od. umgekehrt haben; *halbez pfert* maultier).
halp-brôt stn. = *halbez brôt.* **-himel** stm. hemispherium. **-jâr** stn. halbes jahr. **-krefte** adj. halbe kraft habend. **-pfert** stn. maultier. **-rinc** stm. halbkreis. **-ritter** stm. halber, nicht vollkommener ritter. **-schiht** adv. zur hälfte. **-schilt** stm. kleinerer schild. **-sinnec** adj halbverständig. **-teil** stn. hälfte. **-teilen** swv. halbieren. **-tôt** adj. halbtot. **-tuoch** stn. tuch von leichterem u. feinerem gewebe. **-vihe** stn. vieh, dessen nutzung zwei zur hälfte ziehen. **-visch** stm. plattfisch. **-vüederic** adj. eine halbe wagenlast schwer. **-wahsen** part. adj. nicht ausgewachsen. **-wërlt** stf. hemispherium. **-wolf** stm. wolfshund. **-zogen** part. adj. halb aufgezogen.
hals stm. hals, im eigentl. sowie auch verengerten (kehle) und weiteren sinne hals u. kopf, hals u. brust, sogar die ganze person (*bî dem halse* bei strafe des hängens, bei todesstrafe); übertr. das den hals umschliessende kleidungsstück, koller; gang, öffnung, röhre; fortlaufende schmale anhöhe; schmale erdzunge.
hals-âder stswf. ader am halse; sehne des hintern halses, nacken; *herte h.n* starrsinn, hartnäckigkeit. **-bant** stn. halsband als schmuck, als fessel; halsriemen des hundes. **-bein** stn. halsknochen, genick. **-bërc** stm., **-bërge** stf. teil der rüstung, der mit dem halse zugleich den oberkörper deckt; der mit einem *h.* ausgerüstete krieger. **-bërgen** swv. mit einem *halsbërge* versehen. **-boge** swm., **-bouc** stm. halsband, -kette. **-gerihte** stn. die befugnis über den *hals* zu richten, obere gerichtsbarkeit; richtplatz, hochgericht. **-golt** stn. goldene halskette. **-hërre** swm. herr über den hals- oder leibeigenen. **-îsen** stn. halseisen, pranger mit halseisen. **-rinc** stm. ring um den hals als schmuck oder fessel. **-slac** stm. schlag an den hals, backenstreich. **-slagen, -slegen** swv. backenstreiche geben. **-slegelen** swv. dasselbe. **-starc** adj. halsstarrig. **-stiure** stf. steuer eines leibeigenen an den *halshërren.* **-streich** stm. = *halsslac.* **-streichen** swv. = *halsslagen.* **-tuoch** stn. halstuch. **-veste** stf. = *halsbërc.* **-vlëc** stm. *halsvlecke slagen* colaphis caedere. **-vlinken** swv. dasselbe.
hâl-schar stf. heimlich gestellte falle, in hinterhalt gelegte schar. **-suone** stf. heimliche versöhnung. **-türlîn** stn. verborgenes pförtlein.
halse swf. halsriemen des leithundes.
halsen redv. 1 umhalsen, um den hals fallen.
halt adv. mehr, vielmehr, häufig bloß bekräftigend u. begründend: eben, freilich, ja, allerdings; in koncess. sätzen (nach *swer, swie, swaz* u. *ob*) auch; als konj. sondern, sondern auch.
halt adj. zugeneigt, treu.
halt stm. halt, bestand; ort, aufenthalt, hinterhalt.
haltære, heltære, -er stm. hirt; bewahrer; erlöser; beobachter; inhaber, bewahrer; der im hinterhalt steht.
halte stswf. weideplatz.
halten, halden redv. 1 tr. hüten, weiden; halten, in stand halten, bewahren, erhalten; behalten; vorbehalten; in sich enthalten, erzählen von; festhalten, behaupten (im brettspiel gleich viel einsetzen als der bietende gegenmann); *ez h. mit* behaupten gegenüber; dafür halten, meinen. — refl. sich halten, zusammenhalten; sich benehmen, betragen. — intr. (abs. *pfert, ros* zu ergänzen) an-, still-, standhalten; wache halten; in sich enthalten, lauten; einen *halt* machen, im hinterhalte stehn; mit gen. woran festhalten.
halte-stat stf. stätte, an der jemand hält, hinterhalt.
haltunge stf. verwahrung, gewahrsam; haltung, verhalten; inhalt eines schriftstückes.
halz adj. lahm, hinkend.
halzen swv. hinken.
ham, hame swm. haut, hülle, kleid; sackförmiges fangnetz.
ham, hame swm. die angelrute, der angelhaken.
hâm, hæm stf. mass, eichmass.
hamel stm. hammel; abgehauener stein, klotz, stange; schroff abgebrochene anhöhe, klippe, berg.
hamelen, hemelen swv. verstümmeln.
hamel-stat stnm. zerrissenes ufer. **-stat** stf. richtplatz; zerrissenes, abschüssiges gelände. **-stetic** adj. jäh, abschüssig.
hamen swv., md. *hemmen* aufhalten, hindern, hemmen.
hamer stm. hammer; hammerwerk.
hamer-slac stm. schlag mit dem hammer; abfall des durch den hammer bearbeiteten metalls.
hâme-vaz stn. geeichtes gefäss.
hamît, heimit stn. umgrenzung, umzäunung, verhau.
ham-lichen swv. = *hamelen.*
hamme stswf. hinterschenkel, schinken; kniekehle.
han, hane swm. hahn; drehhahn an einer wasserleitung.
hân s. *haben.*
han-boum stm. der oberste querbalken unter dem dachfirst, wo der haushahn seinen nächtlichen sitz zu nehmen pflegt.
hanc, *-ges* stm. hang (in zusammens.); das hangen.
handec, hendec adj. manualis.
handec, -ic, hantic adj. schneidend, stechend, scharf, bitter. **-heit** stf. bitterkeit.
handel stm. handel, handlungsweise; vorgang, begebenheit; gerichtliche verhandlung, streitsache; handelsobjekt, ware; handelsgeschäft.
handelagen swv. = *andel-.*
handel-bære adj. leicht zu bearbeiten.
handeler, handler stm. der etwas tut, vollbringt, verrichtet, sich womit beschäftigt; unterhändler (auch *hendeler*).
handelic adj. rüstig, behende.
handeln swv. tr. mit den händen fassen, berühren, betasten; mit den händen etw. arbeiten, bearbeiten; allge-

meiner etw. tun, vollbringen, verrichten, betreiben; mit etw. verfahren; mit ap. jem. eine behandlung angedeihen lassen, ihn behandeln; bewirten. — refl. sich verhalten; benehmen, verfahren; mit obj. *eȥ* od. absol. u. adv. es treiben, handeln, tun.

handelunge stf. behandlung, handhabung einer sache; behandlung einer person, aufnahme, bewirtung; verhandlung, gerichtl. verhandlung; tun, tat, handlung; betrieb des kaufhandels, handelsverkehr.

handen swv. schneiden, hauen.

hane s. *han.*

hanef, hanif, hanf stm. hanf.

hanen-balke swm. = *hanboum.* **-tanz** stm. ein wetttanz, bei dem der beste tänzer einen hahn gewinnt.

hangære stm. der (am kreuze) hangende.

hangen swv. intr. = *hâhen.*

hanken swv. hinken, lahmen.

han-, hane-krât stfm. das krähen des hahns.

hanse, hans stf. kaufmännische vereinigung mit bestimmten richterlichen befugnissen, kaufmannsgilde.

hanse-, hans-grâve swm. vorsteher einer *hanse,* richter in handelssachen.

hansen swv. hänseln.

hant stf. hand (*bî der hende* bei strafe des handabhauens; *andere h.* linke, *vordere h.* rechte). — formelhafte ausdrücke: *an hende* an der hand; *bî handen* mit den händen; *mit hant, mit handen* mit handschlag; *von hande ze hande* aus einer hand in die andere, unmittelbar; *ze der hant, ze den handen* mit der hand, den händen (*ein helt zer hant, zen henden* ein tapferer, tatkräftiger held); adverbiale ausdrücke s. *behende, enhant, zehant.* — *hant* umschreibend: *mîn eines h.* ich allein, *diu Sîfrides h.* Siegfried usw.; darnach *hant* auch als symbol des besitzes, der gewalt über eine sache u. persönl. der besitzer, person überh. (bes. in der rechtssprache); die hand oder seite nach der hin man etw. legt (*ze beiden henden* auf beiden seiten); art, sorte, -lei (*maneger, aller, vier hande*); *diu h. Benedictus* d. gesang ‚b.'.

hant-bîhel stn. handbeil. **-boge** swm. leichter, mit der hand zu spannender bogen. **-bühse** f. büchse zum schiessen aus freier hand. **-gâbe** stf. gabe der hand, geschenk (s. *hantgift*). **-gar** adj. bereit, bei der hand; schlagfertig, gerüstet. **-gebære** stn. das was man in der hand trägt. **-gemâl, -gemahel** stn. mal, zeichen an der hand; durch die hand bewirktes zeichen, handzeichen, dann das grundstück, von dem ein schöffenbar freier sein handzeichen als hauszeichen führt; freies gut, stammgut. **-gerëch** adj. = *hantgar.* **-geschaft** stf. geschöpf. **-geschrift** stf. eigenhändig geschriebene oder unterschriebene und vollzogene urkunde. **-getât** stf. schöpfung der hand, geschöpf; frische tat; tat, handlung überh. **-geworht** part. adj. mit der hand gemacht, **-geworhte** stn. geschöpf. **-gift** stf. gabe der hand, geschenk, verleihung; ein stillschweigend ohne anfordern gegebenes geschenk, das nach dem volksglauben gewisse krankheiten hervorbringen oder heilen kann. **-giften** swv. eine *hantgift* geben mit dat. **-grift** stf. das handanlegen. **-habe** stf. handhabe, griff, heft, henkel an einem gegenstande, griff an einer tür; handhabung. **-haben** swv. festfassen, halten, anhalten; schützen, erhalten, unterstützen. **-haber** stm. festnehmer; schützer, verteidiger. **-haft, -haftec** adj. an der hand haltend, was man in händen hat (*hanth. tât* frische tat, so dass der täter noch die waffen in der hand hat). **-haft** stf. frische tat und ergreifung auf solcher, der beweisende gegenstand dafür. **-halten** stv. schützen. **-lanc** adj. eine *h.* lang. **-lêhen** stn. lehn zu einer hand d. h. auf lebenszeit des besitzers ohne erbrecht seiner verwandten, auch unmittelbar vom lehnsherrn empfangenes lehn. **-leiten** swv. mit der hand führen. **-lich** adj. mit der hand verrichtet (arbeit). **-lit** stn. handglied, -gelenk. **-lôn** stmn., **-lœse** stf. laudemium, die abgabe die der erbe oder käufer für überlassung eines gutes dem lehnsherrn zahlt, wenn jenes nur auf lebenszeit verliehen war. **-(hande)-lôs** adj. ohne hand, ohne hände. **-mâl** stn. = *hantgemâl.* **-mælec** adj. mit einem mal versehen. **-reiche** stf. handreichung, hilfeleistung; s. v. a. *hantvaȥ.* **-reichen** swv. in die hand geben, darreichen; helfen, unterstützen; dienste verrichten, ministrare. **-ros** stn. pferd, das rechts neben dem *satelros* geht; reitpferd. **-salbe** swf. bestechung (des richters). **-schouwer** stm. handbeschauer, wahrsager (s. *hantsëhen*). **-schuoch** stm. handschuh; nbff. *hentschuoch,* entstellt *hantsche, hentsche, hansche* (*h.* als zeichen der herausforderung, als pfand für erfüllung von pflichten). **-sëhen** stn. weissagen aus der hand. **-slac** stm. schlag mit der hand: in klagender gebärde, strafend, gelobend bei leistung eines versprechens. **-slagen** swv. die hände zusammenschlagen (zum zeichen des beifalls, der klage); mit handschlag geloben. **-spil** stn. saitenspiel. **-spiler** stm. gaukler, zauberer. **-starc** adj. stark mit der hand, gewaltig. **-tât** stf. geschöpf; handlung, gewaltsame tat. **-tætec** adj. gewaltsame tat begehend. **-tæter, -tætiger** stm. der eine *hanttât* begeht, auf frischer tat ergriffen wird. **-triuwe** stf. versprechen, bündnis durch handschlag. **-twehele, -twehel** stswf. waschtuch für die hand, handtuch. **-vane** swm. handtuch, manitergium; als teil der liturgischen gewandung. orarium, manipulus. **-vaȥ** stn. gefäss für das zum händewaschen nötige wasser (giessgefäss sowohl als waschbecken); becken überh.; tragkorb. **-veste** adj. in feste hand genommen, gefangen; mit händen gewaltig; treu am glauben haltend; adv. *-vestlîche.* **-veste** stf. handgriff, handhabe; schriftliche versicherung, verbriefung der rechte, urkunde. **-vesten** swv. *hantveste* machen, gefangennehmen. **-vestene** stf. privilegium. **-vinger** stm., **-vingerlîn** stn. finger-, siegelring. **-vol** stf. = *eine h. vol.* **-völlic** adj. die hand füllend, was sich mit der hand bequem fassen lässt. **-vride** stm. durch handschlag geschlossener friede. **-waȥȥer** stn. wasser zum waschen der hände. **-wërc** stn. werk der hände, kunstwerk; handwerk, gewerbe; zunft; s. v. a. *antwërc.* **-wërker** stm. (od. *hantwërcman,* pl. *-liute*) der ein handwerk in berufsmäßiger weise treibt. **-wîle** stf. = *einer hende wîle,* die zeit die das handumdrehen erfordert, ein augenblick. **-worhte** swm. = *hantwërker.*

hantic s. *handec* 2.

hantier stn. gewerbe.

hantieren swv. intr. kaufhandel treiben, handeln, verkaufen. — tr. verrichten, tun, handeln; handel, geschäft treiben. — refl. sich einrichten (aus fz. *hanter* hin- und herziehen).

hantierunge stf. kaufhandel.

hap, -bes stn. = *habe,* hafen.

happe s. *hepe.*

har s. *hër.*

har, *-wes* stm. flachs.

hâr stn. haar; bildl. das geringste. **-bant** stn. haarband, sowohl um das haar geordnet zusammenzuhalten als auch zu schmücken. **-blôȥ** adj. ohne haare. **-lachen** stn. = *hærîn tuoch*. **-loc** stm. haarlocke.

hardieren, harrieren swv. reizen, necken (afz. *hardier* v. ahd. *hartjan* s. *herten*).

hardieren swv. = *hurtieren*.

hare, har; here, her adj. flekt. *harewer, herewer*; *harwer, herwer*: herb, bitter.

haren s. *harn*.

hâren swv. die haare ausraufen. **hæren** swv. ein haarseil ziehen durch (acc.).

hargen swv. von einem fehler des pferdes (stutzig sein od. sich wälzen?).

hærîn adj. von haaren.

hærinc, *-ges* stm. hering.

hæringer stm., **hæringerîn** stf. heringverkäufer, -verkäuferin.

har-lant stn. flachsland.

hærlîn stn. kleines haar.

harliȥ s. *hornuȥ*.

harm s. *harn*.

harm stm. leid, schmerz.

harm, harme stswm. hermelin; hundsname. **-balc** stm. hermelinbalg. **-blanc** adj. weiss wie ein hermelin.

harm-brunne swm. urin.

harmen swv. harnen.

harm-, harn-schar stf. schmerzliche und beschimpfende dienstleistung, strafe, plage, not (eig. das zugeteilte leid). **-scharn** swv. peinigen.

harn, harm stm. harn.

harn, haren swv. intr. rufen, schreien.

harnas, harnasch stnm. harnisch; kriegerische ausrüstung einschl. zelt (afz. *harnas*).

harnasch-bar, -blôȥ adj. ohne harnisch. **-râm** stm. unter dem *h.* sich absetzender schmutz. **-var** adj. von diesem schmutze verunreinigt; mit dem harnisch gerüstet, im harnisch. **-wât** stf. harnisch. **-zëlle** f. waffenkammer.

harniȥ s. *hornuȥ*.

harn-schar s. *harmschar*. **-stein** stm. blasenstein. **-vaȥ** stn. uringeschirr. **-winde** swf. harnzwang.

harpfære, herpfære stm. harfner.

harpfe, herpfe, md. *harpe* swstf. harfe.

harpfen, herpfen swv. intr. auf der harfe spielen. — tr. *einen dôn herpfen*.

harras s. *arraȥ*.

harre stf. handgeld (lat. *arrha*).

harre stf. das harren, verharren, verzögerung (*die harre, in die h.* auf die, in die länge).

harren swv. harren, warten (*nâch, ûf*), sich aufhalten.

harrieren s. *hardieren* 1.

harsch, harst stm. haufe, schar, kriegshaufe.

harscher, herster stm. einer vom *harsch*.

hâr-slihtære stm. der das haar glatt kämmt, putzsüchtiger weibischer mann (spottname für die Franzosen). **-snuor** stf. schnur oder band zum aufbinden u. auseinanderhalten des haupthaares der frauen. **-stranc** stm. haarflechte, zopf; name einer pflanze. **-stren** swm. haarflechte. **-tuoch** stn. härenes tuch. **-vlëhte** swf. geflochtenes haar. **-wahs** stmfn. sehne, (haarartig gewachsenes) knochenband. **-wurm** stm. ein flechtenartiger um sich fressender ausschlag.

harst s. *harsch*.

harst stm. rost (zum rösten).

hart s. *herte*.

hart stm. fester sandboden; schneekruste; trift, weidetrift; wald (für diese bedeutung in allen drei geschlechtern).

harte, hart, hert adv. zu *herte*: hart, schwer, streng; kaum; höchst, sehr.

harten swv. intr. hart, stark werden. — refl. verhärten.

harte-slaht stf. herzschlächtigkeit der pferde (nd.). **-slehtic** adj. herzschlächtig (vgl. *herzslehtic*).

hart-mân, -mânôt stm. wintermonat (november, dezember, januar, februar). **-sælde** stf. hartes geschick, unglück. **-sælec** adj. unglücklich. **-sinnec** adj. von hartem sinn. **-trügel** stm. hartriegel (strauchartiges gewächs).

harwe adv. herbe (zu *hare*).

harz stnm. harz.

hasart s. *hasehart*.

hâsche, hâtsche swf. beil, axt (fr. *hache* v. deutsch. *hacke*).

hase, has swm. hase, bildl. feigling.

hasehart, hesehart, hashart, haschart, hasart stm. glücksspiel; glück; unglück (fz. *hasard*).

hasel stswf. hasel; ein fisch.

hasel-boum stm. corylus.

haselieren swv. unsinnig tun.

haseln swv. glätten.

hasel-nuȥ stf. haselnuss.

hasen-wer stf. wehre des hasen: flucht.

haspe, hespe swf. haspe, türhaken, -angel; garnwinde.

haspel stm. haspel; bergm. fördermaschine, förderschacht.

haspel-spil stn. possenspiel.

haspilieren swv. gitterartig umgeben (frz. espalier).

hast stf. hast, übereilung.

hast, hastec adj. hastig.

hastec-, haste-liche adv. hastig.

hasten swv. eilen, hasten.

haufnitz, haufenitz stf. haubitze (böhm. *haufnice*).

haven stm. hafen, topf. **-blat** stn. hafendeckel. **-dach** stn., **-decke** stf., **-deckel** stm. dasselbe; sinnbild der gebrechlichkeit. **-schërbe, -schirbe** swm., **-schirben** stf. topfscherbe.

haven swv. md. wohnen.

havenære, hevenære, -er; hafner, hefner stm. töpfer.

havien swv. md. innehaben, bewohnen.

hawe, hawen s. *houw-*.

haȥ, *-ȥȥes* stm. feindselige gesinnung oder handlung, hass (*âne, sunder h.* friedlich, freundschaftlich, gern).

haȥ adj. = *gehaȥ*.

hâȥ stm., **hæȥe, hæȥ** stn. rock, kleid, kleidung.

hæȥelîn stn. dem. zum vorig.

hæȥe-val stm. das beste kleid, das bei einer veränderung in einem lehngute (bes. durch tod) dem herrn zukommt.

haȥ-, heȥ-; haȥȥe-, heȥȥe-lich adj. hassvoll, feindselig; hassenswert, verhasst; hässlich.

haȥȥære, -er, heȥȥer stm. hasser.

haȥȥec, heȥȥec, -ic adj. hassvoll, feindselig.

haȥȥe-lôs adj. ohne hass.

haȥȥen swv. hassen; ungerne sehen.

hë s. *ër*.

hebe stf. habe, vermögen; das befinden.

hebe, hefe, heve m. f. hefe.

hebe-, hef-amme swf. hebamme.

hebec s. *habec*.

hebec, hevec adj. wichtig, gewaltig.

hebech, hebich s. *habech*.

hebecher stm. falkner.

hebechlîn stn. dem. zu *habech*.

hebede stf. besitztum.

hebel, hevel stm. hebestange, hebel; stmn. hefe.

hebe-lich s. *habelich*.

hebe-muoter stf. hebamme, bauchgrimmen.

hëben stm. himmel (nd.).

heben, heven stv. VI tr. heben, erheben, anfangen. — refl. mit persönl. subj. sich erheben, aufmachen; mit sachl. subj. sich erheben, anfangen; unpers. *mich od. mir hebet hôhe, unhôhe, kleine, ringe* ich mache mir viel, wenig aus etw. — abs. an-, stillhalten.

hebendic adj. festhaltend, besitzend.

hebene stf. anfang.
hebenen swv. behandeln.
heber stm. der hebende; taufpate.
heberîn, hebrîn adj. von hafer.
hebe-sloz stn. vorlegeschloss.
hebe-vaz stn. schöpfeimer.
heb-garn stn. zugnetz.
heb-îsen stn. hebeisen, hebel; eisen zum festhalten der aufgeschlagenen blätter eines buches; bügel, in den man die frauen beim absteigen vom pferde treten lässt.
hechel stf. verschmitztes weib, kupplerin.
hechel, hechelen s. *hach-*.
hechen s. *hecken*.
hechet, hecht stswm. hecht.
hecke, hegge stswf., **hecke, heck** stn. hecke; die einzäunung des wildes (s. *hege, hac*).
hecke-dorn stm. = *hagedorn*.
heckelîn, heckel stn. kleine hacke.
hecken, hechen swv. hauen, stechend verwunden (bes. von schlangen).
hecken swv. refl. sich fortpflanzen.
hecken-, heck-jeger stm. der mittels wildhecken jagt.
hecken-, heck-wirt stm. heckenwirt.
hecker stm. hacker, holzhacker; weinhacker, -bauer.
hecse, hesse stswf. hexe.
hêde s. *heide* 2.
hederer stm. der alte kleider zur wiederbenutzung herrichtet und verkauft; streiter, raufer, zänker.
hederisch adj. zänkisch.
hedern swv. sich in hadern auflösen, zerreissen.
hef-amme s. *hebeamme*.
hefe s. *hebe*.
hefener stm. hefensieder.
hefner s. *havenære*.
hefte stn. woran etw. befestigt ist od. festgehalten wird: heft, griff am messer od. schwert usw.; steuerruder.
heftec, heftic adj. festbleibend, von dauer, beständig, beharrlich; mit beschlag belegt; ernst, wichtig; stark, heftig.
heftec-lich adj. stark, heftig. **-liche** adv. auf ernste, strenge, heftige weise, stark, sehr.
heftelîn, heftel, haftel stn. dem. zu *haft* und *hafte*: spange zum zusammenhalten eines kleides, agraffe; drücker an einem schlosse.
heften swv. einen *haft* machen, befestigen, fesseln, binden; *ein guot heften* arrestieren.
hege s. *hage*.
hege stswf. = *hecke*.
hege-,(hei)-druose stswf. hode; schamteil. **-gras** stn. gehegter grasplatz. **-haft** adj. empfänglich. **-holz** stn. gehegter wald. **-mâl** stn. gehegtes gericht. **-sal (heisal, heisel)** stn. was zur einfriedigung dient. **-walt** stm. = *hegeholz*.
hegel stn. dem. zu *hac*.
hegel, hegelîn m. spruchsprecher, gelegenheitsdichter (in Nürnberg).
hegen swv. tr. mit einem *hac* umgeben, umzäunen (*gerihte hegen* die gerichtsstätte abschliessen um zu gericht zu sitzen, *daz rëht h.* gericht halten); hegen, pflegen, bewahren, aufbewahren. — refl. sich versammeln; *sich h. ûf etw.* darauf warten.
hegenîn adj. von dornen.
heger stm. hüter, aufseher eines geheges; eine art kleiner lehnsleute.
hegge s. *hecke*.
hêher stmf. häher (vgl. *heiger*).
hehse s. *hahse*.
hehseln, hehsenen swv. die *hehsen* durchschneiden.
hei s. *heie*.
hei, hei-â interj. zum ausdruck der freude, trauer, verwunderung, bes. vor ausrufungsfragen.
heide stf. ebenes, unbebautes, wildbewachsenes land, heide. — stswf. heidekraut.
heide, hêde f. hede (nd.).
heidel-ber s. *heitber*.
heiden adj. heidnisch, bes. sarazenisch, orientalisch.—stm., plur. auch sw. heide, Sarazen.
heiden stm. axt der zimmerleute.
heiden stm., **-korn** stn. heidekorn.
heiden stf. heidentum; heidenschaft.
heiden-bein stn. heidenknochen. **-diet** stn. heidenvolk. **-drô** stf. heidenzorn. **-kraft** stf. heidenheer. **-lich** adj. heidnisch; **-liche** adv. auf heidnische weise. **-man** stm. pl. *-liute*, heide. **-schaft** stf. heidentum; heidenschaft, sämtliche nichtchristen, bes. Sarazenen und ihr land. **-tuom** stm. heidentum.
heideninne, -in, -în, stf. heidin.
heidenisch, heidensch adj. heidnisch, sarazenisch (*heidensch fiur* griechisches feuer).
heidisch adj. = *heidenisch*.
hei-druose s. *hegedruose*.
heie, hei swstf. ramme; hammer; klotz, keule.
heie, hei stf. hegung; gehegter wald.
heie swm. hüter, pfleger.
heien, heigen swv. intr. wachsen, gedeihen. — tr. pflanzen, aufziehen, hegen, schützen, pflegen, begünstigen.
heien swv. intr. brennen.
heier, hoier stm. ramme.
heier-leis stm. eine art tanz (wohl nach dem dabei ertönenden rufe *heiâ hei!*).
heifte adj. heftig.
heifte stf. sturmwetter.
heiftec-liche adv. vehementer.
heigen s. *heien*.
heiger stm. reiher.
heil adj. gesund, heil; gerettet. — stn. gesundheit; glück, glücklicher zufall, geratewohl (*einem heiles biten, wünschen* ihm alles gute von gott erbitten, wünschen; ellipt. *heil dir!* usw.; *etw. an, ûf ein heil geben, setzen, lâzen* aufs geratewohl); euphem. unglück; heilung; rettung, hilfe, beistand; *heil! heil alle!* ellipt. hilferuf (eigentl. alle zu hilfe!).
heilal-geschrei stn. klag-, mordgeschrei.
heilant, heilent stm. heiland, erlöser, retter.
heilære, -er stm. heiler, arzt; s. v. a. *heilant*.
heila-, heil-wâc stm., **-wæge** stn. heilbringendes, heiliges wasser, zu gesegneter stunde geschöpft.
heil-bære adj. glückbringend, heilsam. **-bërnde** part. adj. heil mit sich führend. **-bringe** swf. heilbringerin. **-haft** adj. glück habend; heilbringend, heilsam. **-liche** adv. wohlbehalten, gesund. **-macher** stm. heiland. **-mânôt** stm. dezember. **-schif** stn. heil-, rettungsschiff. **-schilt** stm. heilbringender schild. **-tranc** stm. heilbringender trank, arznei. **-trôst** stm. rettung, erlösung. **-trôst-bërnde** adj. erlösung bringend. **-tuom** stn. sakrament; s. v. a. *heilectuom*. **-vertrip** stm. heilvertreiber. **-vündec** adj. d. heil findend. **-wâc** s. *heilawâc*. **-wëc** stm. zum heile führender weg, heil. **-wertic** adj. zum heile führend, heilsam. **-werticheit** stf. heil, seligkeit. **-wertigen** swv. *heilwertic* machen. **-wertiger** stm. heiland. **-wîn** stm. heilbringender wein. **-würker** stm. heiland.
heile stf. heil, glückseligkeit.
heilec, heilic, hêlic adj. *heil* bringend, heilig (*der heilige geist* verschleift *heiliggeist, heiligeist, heilgeist*).
heilec-heit, heilekeit, heilikeit, heilkeit stf. heiligkeit, frömmigkeit; heiligtum, bundeslade, heiliges bild; sakrament. **-lich** adj., **-liche** adv. heilig, fromm. **-(heilic)-tuom** stn. heiligtum, reliquie; bes.

die reichsinsignien und reichsheiligtümer sowie der tag, an dem sie (in Nürnberg) öffentlich gezeigt wurden.

heilen swv. tr. gesund machen, heilen; erretten. — intr. gesund werden.

heilen swv. kastrieren.

heilent s. *heilant.*

heiles adv. zum glücke.

heilige swm. der heilige; heiligenbild, reliquie.

heiligen, hêligen swv. heiligen.

heiliger stm. heiligmacher.

heilkeit s. *heilecheit.*

heilsam adj. *heil* bringend, heilsam; gesund, heil.

heilsame stf. heilung.

heilsen swv. mit dat. glück wünschen (zum jahresanfang, bei hochzeiten); spähen, aufpassen, umschwärmen.

heilsôt, hêlsat stm. glück-, neujahrswunsch.

heim, hein stn. haus, heimat; adv. dat. *heime, heine* zu hause, daheim; adv. acc. *heim* nach hause (*heim gên* vom heimfall der lehn).

heim-bachen part. adj. zu hause gebacken; gewöhnlich, alltäglich. **-becke** swm. der zu hause bäckt. **-bërge** swm. villicus. **-bürge** swm., **-bürger** stm. gemeindevorsteher. **-bürge-tuom** stn. amt eines *heimbürgen.* **-dinc** stn. dorfgericht. **-(hein)-garte** swm. eingefriedigter garten; trauliche zusammenkunft von bekannten ausserhalb des eigenen hauses. **-gemach** stn. heimat. **-gerihte** stn. dorfgericht. **-gesinde** swm. dienstmann des hauses. **-gesinde** stn. hofstaat, dienerschaft zu hause. **-lëge** adj. zu hause liegend. **-leite** stf. heimführung (der braut). **-leiten** swv. heimführen. **-lendisch** adj. einheimisch. **-meier** stm. = *dorfmeier.* **-sëdel** adj. zu hause sitzend. **-(hein)-stiure** stf. unterstützung von hause, aussteuer, mitgift. **-(hein-)suoche** stf. das feindl. aufsuchen in der behausung, hausfriedensbruch. **-suochen** swv. besuchen; feindlich anfallen. **-suochunge** stf. hausfriedensbruch. **-teilen** swv. anheim geben, übergeben. **-vart** stf. heimfahrt, heimkehr (himmelfahrt); heimführung der braut. **-vertigen** swv. *eine tohter* sie aussteuern. **-vihe** stn. vieh das nicht auf die alpenweide kommt. **-wart** adj. einheimisch. **-wart, wërt-** adv. heimwärts. **-wëc** stm. heimweg. **-wësen** stn. hauswesen, wohnsitz, heimat. **-wist** stf. dasselbe. **-wonunge** stf. heimat. **-zogen** part. adj. daheim erzogen.

heime stf. heimat.

heime swm. heimchen.

heime- (heim-, hein)-lich adj. einheimisch; vertraut, vertraulich, geheim; zahm; verborgen, heimlich; stn. das geheimnis. **-lichære** stm. der vertraute, sekretär, geheime rat; spion. **-(heim-, hein-)liche** adv. vertraulich; heimlich. — stf. heimat; vertraulichkeit; euphem. für eheliche beiwohnung; heimlichkeit,geheimnis,vertrauliches schreiben; ort zu dem nur die vertrauten zugang haben, kabinett. **-(heim)-lîchkeit** stf. annehmlichkeit, freude; vertraulichkeit; vertraute gemeinschaft, ehe, eheliche beiwohnung; heimlichkeit, geheimnis (*buoch der h.* apokalypse, *der frouwen h.* menstrua); ort, gemach zu dem nur die vertrauten zugang haben; abtritt. **-(heim-, hein-)lîchen** swv. heimisch, zur heimat machen; vertrauten umgang pflegen. — refl. sich vertraut machen (mit dat. od. *ze, dar*).

heime-miuchelîn stn. grillus.

heimen adv. nach hause.

heimen swv. ins haus aufnehmen, beherbergen; an sich, zu sich nehmen; fest-, gefangennehmen, verhaften; heimführen, heiraten; heimisch, vertraut machen.

heimic adj. heimisch.

heimisch, heimsch adj. heimisch, einheimisch; zahm (von tieren und pflanzen, im gegens. zu den wilden, wildwachsenden).

heimischen adv. heimlich, verstohlen.

heimischen swv. verheimlichen; *ab h.* heimlich entziehen.

heimît s. *hâmît.*

heiml- s. *heimel-.*

heimôde, -ôte s. *heimuote.*

heimsen swv. heimbringen, an sich nehmen.

heimunge stf. heimat.

heimuote (-üete), heimuot; heimôte, -ôde, -ôt stfn. heimat.

hein, hein- s. *nehein, heim-.*

heinzeler (aus *einzeler*) stm. frachtfuhrmann mit éinem geschirr u. pferde.

heis, heise, heiser, heiserlich adj. rauh, heiser; bildl. unvollkommen, schwach, mangel habend (*an* od. mit gen.).

heisal, heisel s. *hegesal.*

heisch stm. = *eisch.*

heischen s. *eischen.*

heisere, heiser-heit, heiserîe stf. heiserkeit.

heisram adj. = *heiser.*

heister stm. junger buchenstamm, buchenknüttel (nl. *heester*); stn. gebälk.

heistieren swv. eilen (fz. *haster*).

heit stf. m. person (in *ëbenheit*); stand, rang; wesen, beschaffenheit, art u. weise (bes. in zusammenss. *blint-, dëgen-, kintheit* usw.).

heit-, heidel-ber stnf. heidelbeere.

heiter adj. klar, hell.

heitere, heiter stf. helligkeit, klarheit, der heitere himmel.

heitern swv. heiter machen.

heiter-neȥȥel s. *eiterneȥȥel.*

heit-haft adj. dem stande der geistlichkeit angehörend.

heiunge stf. das hegen.

heiȥ stm. n. befehl.

heiȥ adj. heiss, hitzig (*einem heiȥ tuon* ihn erhitzen, ihm not u. angst machen); heftig, stark, inbrünstig; heftig, erbittert, erzürnt. **heiȥe, heiȥ** adv.

heiȥe, heiȥ stf. befehl.

heiȥen redv. 4 heissen, befehlen (mit dp., ap., mit inf., mit acc. u. inf., mit acc. u. part.); sagen mit acc. u. inf.; heissen, nennen (md. *mich heiȥet* man nennt mich); verheissen, geloben. — refl. heissen, genannt werden.

heiȥen swv. verheissen.

heiȥen swv. tr. *heiȥ* machen, erhitzen, heizen. — intr. *heiȥ* sein od. werden.

heiȥer stm. heizer.

heiȥ-muot stm. der jähzorn. **-neȥȥel** = *eiterneȥȥel.* **-süchtic** adj. zu hitziger krankheit geneigt. **-wëllec** adj. siedend heiss. **-willec** adj. vor willen brennend, sehr willig.

heiȥunge stf. = *heiȥe.*

hël, -lles adj. schwach, matt; ärmlich. vgl. *hæle, hellec.*

hël, -lles adj. tönend, laut; glänzend, licht.

hëlære, -er stm. hehler.

hël-bære adj. sich zu verbergen suchend.

hel-barte s. *helmbarte.*

helbelinc, helblinc, hellinc -ges stm. münzstück im halben werte des jeweiligen pfennigs.

helben swv. s. *halben.*

hëlde, helde s. *hëlnde, helt.*

heldinne stf. heldin.

hëlec adj. heimlich.

hëlewe s. *hëlwe.*

hëlfant s. *elefant.*

hëlfære stm. helfer, gehilfe.

hëlfærinne, -în stf. helferin, gehilfin.

hëlfe, hilfe, hülfe stf. hilfe, beistand; abgabe, steuer; konkr. helfer; gehilfin.

hëlfe-bære adj. s. *helfec.* **-gërnde** part. adj. *nâch h. n siten* mit der bitte um hilfe.

(-hëlf)-lich adj., -lîche adv. helfend, hilfreich. -(hëlf)-lôs adj. hilflos. -lœselicheit, -lœsi stf. inopia. -(hülfe)-rede stf. ausrede. -rîche adj. hilfreich. -stiure stf. hilfeleistung.

hëlfec, hëlfic, hülfic, adj. hilfe bringend, hilfreich.

hëlfec-lich adj., -lîche adv. dasselbe.

hëlfen stv. III, 2 helfen mit dp. u. gs. — tr. nützen, fördern mit ap. u. sächl. subjekte; unp. mit dp. od. ap.

hëlfen-bein stn. elfenbein. -beinîn adj. elfenbeinern.

helfing stmn.? cāmus.

helfte stf. md. hälfte (vgl. *halftnôte*).

hëlfunge stf. hilfe.

hël-heit stf. diebische verheimlichung, verfälschung.

hêlic, hêligen s. *heil-*.

hëlich s. *hëllich.*

hël-kappe swf. = *tarnkappe.*

hël-kleit stn. dasselbe.

hëlle adv. zu *hël.*

hëlle stf. helligkeit.

helle stswf. die verbergende u. verborgene unterwelt, hölle; enger raum zwischen dem ofen u. der wand.

helle-barn stn. höllenkind, mensch der in die hölle muß. -bër stm. höllenbär, teufel. -bloch stn. höllenkerker. -boc stm. höllenbock, teufel. -bracke swm. = *hellehunt.* -brant stm. der das höllenfeuer nährt, höllenbrand, fegefeuer. -diep stm. dieb aus der hölle, teufel. -diet stn. höllenvolk. -dorn stm., plur. dorngestrüpp der hölle. -geist stm. höllengeist, teufel. -giege swm. höllennarr, teufel. -got stm. höllengott, teufel. -gouch stm. höllennarr, teufel. -grâve swm. höllengraf, höllenrichter, teufel. -grübel stm. der in der hölle gräbt, teufel. -grunt stm. abgrund der -hölle. -heiʒ adj. höllenheiss. -hirte swm. höllenhirt, teufel. -hitze stf. höllenhitze. -hunt stm. höllenhund, teufel. -jeger. stm. höllenjäger, teufel. -kint stn. = *hellebarn*; teufel. -knabe swm. -knëht stm. dasselbe. -künec stm. höllenkönig, teufel. -môr stm. der schwarze in der hölle, teufel. -nôt stf. not der hölle. -phat stm. pfad zur hölle. -pîne stf. höllenpein. -porte f. höllenpforte. -puze stf. höllenpfütze. -rabe swm. höllenrabe, teufel. -recke swm. teufel. -reise stf. fahrt zur hölle. -reiser stm. höllischer krieger. -rîche stn. höllenreich. -rigel stm. höllenriegel, teufel. -ritter stm. höllenritter, teufel. -riuwe stf. betrübnis in der hölle. -rôst stm. höllische feuerglut. -rüde swm. = *hellehunt.* -schar stf. höllische *sch.* -schenke swm. = *hellewirt.* -scherge swm. höllenscherge, teufel. -schübel stm. = *hellerigel.* -schûr stm. höllisches unwetter. -sêr stn. höllenschmerz. -slôʒ stn. schloss der h. -slunt stm. höllenschlund. -smit stm. höllenschmied, teufel. -sôt stm. höllenpfütze. -stîc stm. weg zur hölle. -strâʒe stf. dasselbe. -tal stm. höllental, hölle. -tor stn. höllentor. -trache swm. höllendrache, teufel. -tranc stn. höllischer trank. -val stm. fall in die hölle; in die hölle gefallener, teufel. -var adj. wie die hölle aussehend, pechschwarz. -vart stf. höllenfahrt. -veste stf. höllenburg. -viur stn. höllenfeuer, hölle; teufels-, spielmanns-, dichtername. -vliege stf. teufel. -vorhte stf. furcht vor der hölle. -vrâʒ stm. höllischer vielfrass, teufel. -wâc stm. höllenflut. -wagen stm. das sternbild des grossen bären. -wal stm. wallende, siedende höllenflut, hölle. -warc, -warge stswm. höllischer räuber, teufel. -warte swm. höllenhüter, teufel. -(hell-, hel)-wëc stm. weg zur hölle; heerweg (ursprüngl. der weg auf dem die leichen gefahren werden). -wëlf stm. höllenhund, teufel. -wërre stf. not, ärgernis der hölle. -wiht stm. höllenwicht, teufel. -wirt stm. höllenwirt, teufel. -wiʒe stfn. höllenstrafe; hölle. -wolf stm. höllenwolf, teufel. -wurm stm. höllenschlange, teufel. -zage swm. erzfeigling. -zarge stf. höllenmauer, hölle.

hellec, hellic adj. ermüdet, erschöpft, abgemattet.

hellec-lich adj. die hölle betreffend, höllisch.

hellegen, helligen swv. *hellec* machen, durch verfolgung ermüden, plagen, quälen, stören.

hellegunge stf. plage, verheerung.

hëllen stv. III, 2 ertönen, hallen (*gelîche, enein h.* gleichlauten, übereinstimmen); sich rasch bewegen, eilen.

hëllen swv. aufleuchten.

hellen swv. in die *helle* bringen.

hellen swv. = *hellegen.*

hellen-barte s. *helmbarte.*

helier s. *haller.*

hellesch s. *hellisch.*

hellic s. *hellec.*

hellich (aus *helle-lich*) adj. höllisch, teuflisch.

hël-lich, hëlich adj., -lîche adv. heimlich, verstohlen.

helligen s. *hellegen.*

hellinc s. *helbelinc.*

hellinger stm. salzarbeiter.

hellisch, hellesch, helsch adj. höllisch.

hellunge stf. = *hellegunge.*

hëllunge stf. laut, inhalt.

helm s. *halme.*

hëlm, hëlme stswm. helm; behelmter krieger.

hëlm-bant stn. schnur zur befestigung des helmes an der rüstung. -bouc stm. helmspange. -dach stn., -decke stf., -gedecke stn., helmdach, helm. -dicke stf. helmgedränge, schlachtgetümmel. -gespan stn. die helmspangen. -gupfe, -kuppe swf. kopfbedeckung unter dem helme. -(hëlme)-huot stm. helm. -klanc stm. klang der helme. -kreiger stm. crista s. *kreiger.* -schart adj. dem helme scharten beibringend. -schîn stm. helmglanz. -snuor stf. = *hëlmbant.* -swende stf. helmzerstörung. -vaʒ stn. helmgefäss, helm. -vënster stf. helmgitter.

helm-barte swf. *barte* an einem stiel (s. *halme*), hellebarde; nbff. *hellen-, heln-, helle-, hel-, hallenbarte.*

helmelîn, helmel, halmel stn. dem zu *halm.*

hëlme-lîste swf. helmspange.

hëlmen swv. mit einem helme versehen.

hëlmer stm. helmmacher.

hëln stv. IV tr. u. refl. geheimhalten, verstecken, verbergen (mit dp., mit as., die person im acc. od. dat. od. mit präp. *vor*; mit gs., mit acc. u. gen. od. untergeordn. satz; mit ap.).

heln-barte s. *helmbarte.*

hëlnde, hëlde part. adj. sich verbergend, verborgen.

help s. *halp.*

hêlsat s. *heilsôt.*

helsch s. *hellisch.*

helsec adj. einen hals habend.

helselîn stn. hälschen.

helsen swv. umhalsen; coire.

helser stm. buhle.

helsinc, helslinc, *-ges* stm. strick um den hals.

helt, *-des* stm., helde swm. held.

heltære s. *haltære.*

helt-kreftec adj. heldenhaft.

hël-vaʒ stn. bergendes gefäss, verschwiegener mensch.

hëlwe, hëlewe, hilwe stswf. spreu.

hel-wëc s. *hellewëc.*

hëlze, hilze stswf. schwertgriff, heft; fessel.

*hëlzen stv. schneiden (s. *unverhalzen*).

helzen swv. *halz* machen.

hem adj. zu schaden beflissen, aufsässig mit dat. (vgl. *hemisch*).

hemde, hemede stn. hemd.

hemde-blôȥ adj. nur das hemde anhabend.

hemdelîn, hemdel stn. kleines hemd.

hemelen s. *hamelen*.

hemelîn adj. vom hammel.

hemelinc, *-ges* stm. hammel.

hemere, hemer swf. die hemere, nieswurz.

hemeren swv. hämmern.

hemerlîn stn. kleiner hammer; kleines hammerwerk.

hemer-wurz stf. = *hemere*.

hemisch, hemsch adj. versteckt boshaft, hinterlistig, heimtückisch.

hemmen s. *hamen*.

hende-blôȥ adj. bloss, nackt wie eine hand. **-tief** adj. handtief. **-winden** stn. händeringen.

hendec s. *handec* 1.

hendeler stm. händler (vgl. *handeler*).

hendelîn stn. händchen; art (gehäuft *keiner leie hendlîn nôt* keinerlei not).

henden swv. mit händen versehen; zur hand, festnehmen.

hender stm. *der getriuwe h.* = *getriuhender*.

hendigen swv. *handec* sein, einen scharfen geschmack haben.

henel stn. dem. zu *han*.

henfelinc, *-ges* stm. hänfling.

henfîn adj. aus hanf.

henge stf. nachgiebige schlauheit.

hengel stmfn. das hängende, hängsel; zwei od. mehrere trauben die mit dem rebholze abgeschnitten werden; das unterkinn; woran etw. gehenkt wird: henkel, eisenhaken, türangel; zulassung, verhängung.

hengel-boum stm. stange od. balken zum anhängen v. gegenständen. **-houbten** swv. das haupt hängen lassen. **-rieme** swm. riemen, woran etw. gehängt wird.

hengelîn stn. weintraubenbüschel.

hengen swv. *hangen* lassen bes. dem rosse den zügel, dem hunde das leitseil, freien lauf geben (*dem hunde, dem rosse hengen*, auch ohne dat.; *ûf ein ander h.* gegeneinander sprengen); nachjagen, nachhängen mit dat.; zugeben, geschehen lassen, gestatten mit dat. u. gen.; *mir henget ein d.* geht von statten, gelingt; s. v. a. *henken* (bes. md.).

henger s. *henker*.

hengest, hengst stm. wallach, pferd überh.; der waagebalken eines ziehbrunnens; ein teil der rüstung, bewaffnung.

hengest-rîter stm. wallachreiter.

heng-îsel, -îsen stm. öffentl. aufseher über mass u. gewicht.

henke-mæȥic adj. = *galgenmæȥec*.

henken swv. *hangen* machen, hängen, henken.

henker stm., md. *henger*, henker.

henke-wide stf. strang zum henken.

henne stswf. henne (*jâ henne!* höhnischer ausruf).

hennel stn. dem. zum vorig.

hent-schuoch, hentsche, hensche s. *hantschuoch*. **-schuohære** stm. handschuhmacher.

hepe, heppe, happe f. garten-, winzermesser; sichel.

hepfe f. = *hebe* 2.

heppen-guot stn. gut, dessen untertanen mit der *hepe* fronen müssen.

hër s. *ër, hêrre*.

her, here s. *hare*.

her, here stn. heer, kriegsheer; überwältigende menge; menge, schar, volk.

hër, hëre, har adv. räuml. her, hierher; zeitl. bisher. **hër-abe** *sich h. lâȥen* niederschweben; *hër-heim* nach hause. *hër-umbe* md. deshalb.

hêr, hêre adj. hoch, vornehm, erhaben, herrlich; heilig; stolz, hochmütig; freudig, froh mit gs.

heralt, heralde stswm. herold (afz. *hèralt* aus einem altd. *hariwaldo* heerbeamter), s. *erhalt*.

herære stm. verheerer.

her-ban stm. aufgebot der waffenfähigen freien zum kriegsdienste, heerbann. **-bërge** stswf. ursprüngl. jede einrichtung, in der eine schar (*her*) od. ein einzelner bergung findet: heer-, feldlager; ort od. haus zum übernachten für fremde; wohnung überh.; beherbergung, das recht beherbergt und verpflegt zu werden; haus, auf dem eine solche verpflichtung lastet. **-bërgen** swv. intr. lagerhütten aufschlagen, sich niederlassen; sein nachtlager nehmen; wohnung schaffen. — tr. wohnung geben, beherbergen; *geherberget sîn* wohnung haben; aufbewahren. **-bërger** stm. der herberge gibt; mietswohner. **-bërgerîe** stf. ort od. haus zum aufnehmen v. fremden. **-bërgerinne** stf. die herberge gibt. **-gebirge** stn. = *herbërge*. **-geselle** swm. kriegsgefährte, ritterlicher gefährte; gefährte überh. **-gesinde** swm. dienstmann im kriege, pl. heergefolge. **-gesinde** stn. heergefolge. **-geverte** swm. heergenosse. **-gewæte** stn. kriegsrüstung, rüstung. **-grâve** swm. heerführer, feldherr. **-haft** adj. adv. als heer, gewaffnet und scharenweise. **-kraft** stf. heeresmenge, heereskraft, -macht. **-lich** adj. adv. mit einem heere versehen. **-meister** stm. feldherr. **-müede** adj. vom heereszuge ermüdet. **-nôt** stf. heeresnot. krieg. **-phärit** stn. vom untertanen zum kriegsdienste gestelltes pferd. **pfulwe** swm. feldbett. **-reise** stf. heerfahrt. **-ruofer** stm. ausrufer beim heere. **-schaft** stf. heerschar. **-schal** stm. kriegslärm. **-schif** stn. kriegsschiff. **-schilt** stm. heerschild, schild als zeichen des kriegsaufgebots; heerbann; symbol der (sechs- oder siebenfachen) lehnrechtl. gliederung der stände. **-schouwe** stf. heerschau. **-stiure** stf. steuer für den krieg. **-strange** adj. kriegstapfer, heldenmütig. **-strâȥe** stf. strasse für das heer, breite landstrasse; milchstrasse. **-sumber** stmn. heerpauke. **-vane** swm. heer-, kriegsbanner. **-varer** stm. krieger. **-vart** stf. heerfahrt, kriegszug. **-verten** swv. eine *hervart* machen. **-vlühtic** adj. aus dem heere fliehend. **-vride** stm. friede zwischen kriegführenden heeren. **-wagen** stm. heer-, kriegswagen; sternbild des grossen bären (vgl. *himelwagen*). **-wæte** stn. = *hergewæte*. **-wëc** stm. = *herstrâȥe*. **-zeichen** stn. feldzeichen, fahne; feldgeschrei, losung. **-ziuc** stm. kriegsgeräte. **-zoge** swm. der dem heere voranziehende, heerführer; herzog (als titel). **-zogen-, -zen-, -zetuom** stn. land eines herzogs, herzogtum. **-zoger** stm. anhänger od. untertan eines herzogs. **-zoginne** stf. herzogin. **-zogisch** adj. herzoglich. **-zogrîche** stn. herzogtum. **-zuc** stm. heeres-, kriegszug.

herbe s. *herwe*.

herbest, herbst stm. herbst; ernte, weinernte; september; oktober.

herbest-dinc, -gedinge stn. ungebotenes, im herbste gehaltenes gericht. **-gerihte** stn. dasselbe. **-mânôt, -mânet** stm. herbstmonat: september (auch *der êrste h.*); oktober (*der andere h.*); november (*der dritte h.*).

hër-dan adv. von einem orte her, weg; fortan, nachher.

here, hëre s. *her, hër, hêr, hêre*

hêre stf. erhabenheit, ehre.
hêre-bërnde adj. herrlichkeit od. heiligkeit an sich tragend.
here-, herbrant stm. kriegsflamme.
here-, her-horn stn. heerhorn, kriegsdrommete.
here-liute pl. von.
here-, her-man stm. krieger.
heremit swm. eremit (lat.-griech. eremita).
hêre-muot stm. hochmut.
heren s. *hern.*
hêren swv. tr. *hêr* machen, verherrlichen, schmücken. — intr. *hêr* sein, voll freudigen stolzes werden.
hëre-vort adv. näher heran.
hêr-gebeine stn. reliquie.
hêr-gemuot adj. hochgesinnt.
hergen s. *hern.*
hêr-gesidele stn. = *hêrsidel.*
hêr-heit stf. herrlichkeit.
hêric adj. = *hêr* (*hêrige zît,* festzeit).
hêrisch, hêrsch, hërrisch adj. herrisch, nach art eines herren sich benehmend; erhaben, herrlich.
hêrischen adv. nach art der herren.
herjen s. *hern.*
hër-komen part. adj. aus der fremde gekommen.
hêr-lich adj., **-liche** adv. vornehm, ausgezeichnet, prächtig, herrlich; stolz, hochgemut (md. auch *hirlich, hërrelich*).
hêr-lîcheit stf. oberhoheitsrecht; herrlichkeit, pracht.
herlîn, herl stn. dem. zu *har*: flachsbüschel, reiste.
herlinc, -*ges* stm. kreuzkraut.
hermelîn stn. dem. zu *harm,* hermelin; hermelinpelz.
hermelîn adj. = *hermîn.*
hermel-wisel f. hermelin. **-wîz** adj. weiss wie hermelin.
hërmen s. *hirmen* 2.
hermen, hirmen swv. tr. *harm* verursachen, quälen, plagen. — refl. sich härmen.
hermîn adj. vom *harme,* vom felle des hermelins; weiss wie hermelin; subst. stn. hermelinpelz.
hern, heren, herjen, hergen swv. tr. u. intr. mit einem *here,* mit kriegsvolk überziehen; verheeren, -wüsten, rauben, plündern; mit gen. berauben.
hernaschin stn. = *harnas.*
hërne s. *hirne.*
herpfære, herpfe s. *harpf.*
hërre, hërre swm. gekürzt (bes. in der anrede) *hër, hër, ër*: gebieter, herr, gegenüber den untergebenen jeder art; patron, schutzheiliger; geistlicher; gemahl; vornehmer vasall od. dienstmann; mann von adel; in der anrede an gott und menschen vor titeln und titelähnlichen worten.
hërre-got stm. gott (eigentl. die anrede *hêrre got*).
hërre-lich s. *hêrlich.*
hërrelîn stn. dem. zu *hërre.*
hêrren, hërren swv. tr. u. refl. zum herren machen; mit einem herren versehen. — intr. herrschen.
hërren-bot stn. aufgebot von seiten der herrschaft. **-dienest** stm. herrendienst, frondienst. **-gëlt** stn., **-gülte** stf. einkünfte des grundherren von einem gute. **-genâde** stf. frei widerrufliche grundgerechtigkeit. **-hûs** stn. herrensitz auf einem landgute, schloss. **-lêhen** stn. bergm. die beiden den grundherren zu beiden seiten der fundgrube vermessenen lehen. **-man** stm. pl., **-liute** dienstmann eines herrn. **-nôt** stf. abhaltung, bei gericht zu erscheinen, durch herrendienst.
hêrren-lich adj., **-lîche** adv. herrlich (vgl. *hêrlich*). **-lôs** adj. keinen herren, keinen besitzer habend.
hërrisch s. *hêrisch.*
hêr-sam adj. herrlich; gebieterisch.
hêrsch s. *hêrisch.*
hêr-schaft stf. herrenwürde, herrenmacht, hoheit, herrlichkeit; stolz, hochmut; recht und besitzung eines herrn, herrschaft; obrigkeitl. amt und gebiet; versammelte herren, vornehme gesellschaft; obrigkeit, herrscherfamilie; herr, herrin; diensthherrschaft. **-schaften** swv. tr. regieren, beherrschen.
hêrschen, hêrsen, hërsen swv. intr. herr sein, herrschen (gen. od. *über*); beherrschen, bewältigen mit dat.
hërscher stm. herrscher.
hêrsen, hërsen s. *hêrschen.*
hersenier, hersnier stn. kopfbedeckung unter dem helme, harnischkappe (vgl. *goufe, koife*).
hêr-sidel stn. hoch-, ehrensitz.
hersten swv. intr. u. refl. erstarren, schwinden.
herster s. *harscher.*
hêr-stuol stm. thron.
hert s. *herte, harte.*
hërt, -*des* stm. erdreich, boden; boden als feuerstätte, herd; haus, wohnung.
hërt stf. herde.
hërtære, -er; hirtære, -er stm. hirte, kuhhirte.
herte, hert, hart adj. hart, fest (*hertez korn, getreide* roggen, weizen und gerste im gegens. zu hafer); hart, grob, rauh; festhaltend, ausdauernd, hartnäckig; fest zusammenhaltend, gedrängt, dicht; drükkend, anstrengend, schwer schmerzlich (*hertez leger* krankenlager).
herte stf. härte; steiniger boden; kern des heeres; das dichteste kampfgedränge, wo der stärkste widerstand stattfindet; schulterblatt, schulter.
hërte s. *hirte.*
hertec-heit, hertekeit stf. härte; kampf, kampfgedränge. **-lich** adj. hart. **-liche** adv. auf harte (starke, heftige, schwere, schmerzliche, grausame) weise; s. v. a. *harte* sehr.
herte-lich adj. hart; **-liche** adv. hart, streng, hartnäckig.
herten swv. tr. hart, fest, stark machen; etw. durchsetzen, worauf beharren. — intr. hart werden. — intr. u. refl. widerstand leisten, ausdauern, beharren (gen. od. *an*).
herter stm. der ausharrende.
hërt-gelt stn. herdsteuer.
hert-grîfec adj. hart zum angreifen. **-müetec** adj. hartherzig, mürrisch. **-nackic** adj. unbeugsam.
hërt-rëht stn. herdrecht.
hërt-stat stf. herdstatt, herd; bewohntes haus.
hêr-tuom stnm. hoheit, herrlichkeit, herrschende gewalt; persönl. herrscher.
hërt-val, -vellec = *ërtv.*
hërt-vihe stn. herde.
hërt-wëc stm. viehweg.
herunge stf. verheerung.
hër-vart stf. hergang, ereignis.
herwe, herbe, md. **harwe** stf. herbheit.
herwin adj. von *har,* flachs.
hërze, hërz swn. herz, eigentl. u. als sitz der seele, des gemütes, mutes, verstandes, der vernunft, überlegung; *liebez herze* schmeichelnde anrede.
hërze, hërzec adj. (in zusammens. *ge-, barmh.* usw.).
hërze-bære adj. im herzen getragen, das herz treffend. **-bluot** stn. herzblut, herz, bildl. liebstes. **-brëchen** stn., **-bruch** stm. herzbrechen. **-brëhen** stn. herzglanz, schmeichelnde anrede. **-drucken** swv. ans herz drücken. **-galle** swf. bitteres oder böses das im herzen liegt. **-gër, -girde** stf. verlangen des herzens. **-guot** adj. herzensgut, herzlich lieb. **-haft** adj. adv. beherzt; besonnen, verständig. **-keit** stf. liebe, güte. **-klage** stf. herzeleid. **-krachen** stn. das krachen des

herzens, herzeleid. **-kumber** stm. herzeleid. **-küniginne** stf. herzenskönigin, liebkosende anrede. **-lachen** stn. das lachen des herzens, herzensfreude. **-leide** stf., **-leit** stn. herzeleid, tiefe betrübnis. **-leiden** swv. kränken. **-leit** adj. leid im herzen; aus leidvollem herzen kommend. **-(hërzen)-lich** adj., **-liche** adv. = *hërzecl-*. **-liebe** stf. herzensfreude; herzliche liebe. **-liep** adj. im herzen, von herzen lieb. **-liep** stn. herzensfreude; herzgeliebter, -geliebte. **-lôs** adj. ohne *hërze*. **-lust** stm. herzliches wohlgefallen. **-minne** stf. innigste liebe; herzgeliebte. **-nabele** swm. herzensmitte. **-nôt** stf. herzensnot. **-pîn** stf. schweres herzeleid. **-quâle** stf. herzensqual. **-ric** stm. das band an dem das herz u. die andern eingeweide hängen, das geschlinge. **-rite** swm. sincopis. **-riuwe** stf. betrübnis des herzens, innerer schmerz. **-riuwen** stv. unpers. mit gen., worüber *hërzeriuwe* empfinden. **-roum** stm. bild, vorstellung des herzens. **-schade** swm. herzeleid. **-schulde** stf. schuld, verschuldung des herzens. **-schric** stm. starker, plötzlicher schreck. **-senende** part. adj. dem herzen wehe tuend. **-sêr** stn., **-sêre** stf. tiefer schmerz, herzeleid. **-sêr** adj. tiefschmerzlich. **-siech** adj. herzkrank. **-siufte** swm. herzensseufzer. **-smërze** swm. = *hërzesêr*. **-sorge** stf. herzenssorge. **-stôȥ** stm. herzschlag. **-süeȥe** adj. herzenssüss. **-suht** stf. herzkrankheit. **-swære** adj. das herz beschwerend, grossen kummer machend. **-swære** stf. herzenskummer. **-swër** swm. herzübel. **-tohter** stf. herzenstochter. **-trût** adj. von herzen lieb. **-trût** stmn. herzensgeliebter, -geliebte. **-übel** adj. sehr böse, schlecht. **-vient** stm. herzensfeind, todfeind. **-vriundinne** stf. herzensfreundin, herzgeliebte. **-vriunt** stm. herzensfreund, herzgeliebter. **-vröude** stf. innige, herzliche freude. **-vrouwe** swf. herrin des herzens, geliebte. **-waȥȥer** stn. tränen. **-wê** stn., **-wêwe** swm. herzweh. **-weinen** swv. sehr weinen. **-wol.** adv. herzlich wohl. **-wunne** stf. herzenswonne.

hërzec-lich adj. was im herzen ist, vom herzen kommt, herzlich; **-liche** adv. im, von herzen, herzlich, sehr.

hërzelîn, hërzel stn. dem. zu *hërze*.

hërzen swv. mit einem herzen versehen. — refl. ein herz annehmen.

herzen swv. auspichen (s. *harz*).

hërzen-bërnde part. adj. = *hërzebœre*. **-brëche** adj. herzbrechend. **-gir** stf. = *hërzegër*. **-halp** adv. auf der seite des herzens. **-jâmer** stm. herzeleid. **-marc** stn. das innerste herz. **-muot** stm. herzhaftigkeit. **-schouwære** stm. herzensprüfer. **-(hërze)-sin** stm. herzensgedanken, herzl. gesinnung. **-tor** stn. herzenstor. **-trûte** swf. herzensgeliebte (s. *hërzetrût*). **-vrô** adj. herzlich froh.

herzentuom s. *herzogentuom*.

herzetuom s. *herzogentuom*.

hërz-slehtic adj. = *harleslehtic*. **-span** stn. das herzspannen, magenkrampf; eine gegen diese krankheit gebrauchte heilpflanze. **-sperre** stf. dasselbe. **-stëche** swm. das herzstechen.

hësche swm. das schluchzen.

hëschen, hëschezen swv. schluchzen.

hëschiz stm. = *hësche*.

hesehart s. *hasehart*.

heselieren swv. tr. *haselieren* machen.

heselîn, hesel stn. kleiner hase.

heselîn adj. von der *hasel*.

hesîn adj. vom hasen.

hespe s. *haspe*.

hesse s. *hecse*.

hesse-hunt stm. hetzhund.

hessen swv. hetzen, mit hetzhunden jagen (vgl. *hetzen*).

heswe adj. blass, matt.

hetze-bolt stm. hetzhund.

hetze-hunt = *hessehunt*.

hetzen swv. hetzen, jagen, antreiben (vgl. *hessen*).

hetzer stm. hetzjäger.

hev- s. *heb-*.

hevelîn stn. dem. zu *haven*.

hevenære s. *havenœre*.

heven-man stm. hafner.

heȥ-, heȥȥ- s. *haȥȥ-*.

heȥȥe adj. gehässig, aufhetzend.

heȥȥec-lich adj., **-lîche** adv. feindselig.

hî interj.

hî-bære adj. heiratsfähig, mannbar.

hickeln swv. springen, hüpfen.

hie, hîe s. *hier, hîwe*.

hie-burger stm. gegens. zu *ûȥman*.

hiefal-, hiufal-tër f. hagebuttenstrauch.

hief-dorn stm. dasselbe.

hiefe swstf. hagebutte, hagebuttenstrauch.

hien s. *hîwen*.

hie-naht, hient s. *hînaht*.

hier, hie adv. räuml. hier; zeitl. da, nun.

hie-sît adv. diesseits.

hie-wërt adv. hier; diesseits.

hîge s. *hîwe*.

hî-geræte stn. = *hîrât*.

hî-geselle swm. verlobter.

hilderlen swv. meckern.

hî-leich stm. vermählung (eigentl. nur der *leich* dabei).

hî-leichen swv. heiraten.

hilf- s. *hëlf-*.

hilt stf. kampf (in *Brün-, Kriemhilt, hiltegrîn*).

hilte-grîn stm. kampfhelm; karfunkelstein in einem helme.

hilwe s. *hëlwe*.

hilwe swf. feiner nebel.

hilwen swv. trübe machen.

hilze s. *hëlze*.

himel stm. himmel; baldachin, trag-, thronhimmel.

himel-ar swm. himmelsadler. **-bære** adj. für den himmel geeignet, den himmel verdienend. **-bërc** stm. himmel, gott, Christus. **-bërinne, -bërin** stf. septentrio. **-bërnde** part. adj. den himmel, das ewige leben eintragend. **-bësen** stm. der heilige geist. **-blâ** adj. himmelblau. **-blic** stm. blitz. **-bote** swm. engel. **-brant** stm. königskerze (pflanze). **-brôt** stn. brot vom himmel, manna; hostie. **-dach** stn. himmelsdecke, himmel; baldachin. **-dëgen** stm. himmelskind, Christus. **-erbe** swm. himmelserbe. **-êre** stf. himmlische *êre*, herrlichkeit. **-geist** stm. himmlischer geist, engel. **-gerüste** stn. das himmelsgebäude. **-gesinde** stn. himmelsgefolgschaft, engel u. heilige. **-got** stm. gott im himmel. **-grâl** stm. gott. **-grâve** swm. gott, gegens. zu *hellegrâve*. **-habe** swm. inhaber des himmels. **-hac** stm. himmelshag, himmel. **-her** stn. himmlische heerscharen. **-hërre** swm. gott. **-hof** stm. himmelshof, himmel. **-hort** stm. himmlischer schatz; der schatz der kirchlichen gnadenmittel. **-hûs** stn. himmel. **-jeger** stm. himmlischer jäger, d. i. gott vater, der seinen sohn, das einhorn, in Mariä schoss jagt. **-keiser** stm. kaiser des himmels, gott od. Christus. **-keiserin** stf. Maria. **-kint** stn. Christus; himmelsbewohner. **-kraft** stf. macht od. fülle des himmels; vom himmel kommende kraft. **-kric** stf. sp. himmelslosung. **-krône** stf. himmlische krone. **-künec** stm. könig des himmels, gott od. Christus. **-küneginne** stf. Maria. **-kunst** stf. astrologie. **-lant** stn. himmelreich. **-leiter** stf. zum himmel führende leiter (Maria). **-lich** adj. himmlisch. **-lieht** stn. gestirn. **-litze** swm.

leuchten des himmels: blitz, wetterleuchten. **-litzen** swv. blitzen. **-lôn** stmn. himmlischer lohn. **-luogære** stm. himmelwart (von Paulus gesagt). **-man** stm. himmelsbewohner. **-mast** stm. = *himelvane*. **-minne** stf. himmlische liebe. **-phat** stm. zum himmel führender pfad (Maria). **-phluoc** stm. Orion. **-porte** f. himmelspforte; bildl. Maria. **-portenære** stm. himmelspförtner (St. Peter). **-rîche** stn. himmelreich, himmel. **-rîs** stn. himmelszweig (Maria). **-rôse** swfm. himmelsrose (Maria). **-rote** stf. schar der himmlischen. **-sal** stm. himmel. **-sarc** stm. himmlischer *sarc*, himmel. **-schar** stf. = *himelrote*. **-schepfede** stn. coll. himmelskörper. **-schütze** swm. sternbild des schützen. **-sippe** swm. verwandter des himmels. **-slôʒ** stn. schloss des himmels. **-slüʒʒel** stm. schlüssel zum himmelreich (Maria); name einer feldblume. **-spîse** stf. himmlische speise. **-spitze** f. nordpol. **-sprüʒʒel** stm. sprosse der *himelleiter*. **-stat** stf. himmel. **-stele** swf. himmelshöhe (?), vgl. *bërcstele*. **-stelle** stf. stelle, sitz im himmel. **-stîc** stm. pfad zum himmel. **-stuol** stm. stuhl, sitz im himmel. **-stier** stm. stier als himmelszeichen. **-strâʒe** f. strasse zum himmel; bildl. Maria. **-tor** stn. tor des h. **-tou** stn. tau vom h. **-trôn** stm. thron des himmels, himmel. **-trôr** stmn. feuchtigkeit, tau vom himmel. **-trût** stm. himmlischer geliebter, Christus. **-tuoch** stn. tuch des (trag-) himmels, baldachin. **-tuom** stm. himmelsdom, himmel. **-vane** swm. himmelsfahne (Maria). **-var** adj. wie der h. aussehend, himmelblau; himmelartig, himmlisch. **-vart** stf. himmelfahrt. **-varwe** stf. himmelblaue farbe. **-vater** stm. gott. **-veste** stf. firmament. **-viur** stn. blitz. **-vogel** stm. vogel des himmels, der luft. **-voget** stm. herrscher des himmels, gott. **-vrouwe** swf. Maria. **-vürste** swm. himmelsfürst, gott, Christus. **-wagen** stm. das sternbild des grossen bären (vgl. *herwagen*). **-wât** stf. himmlisches kleid, messgewand. **-wëc** stm. weg zum h. **-wëger** stm. beweger des himmels, gott. **-werme** stf. tauwetter. **-wirt** stm. herr des himmels, gott. **-wunne** stf. himmlische wonne. **-zeichen** stn. zeichen am himmel; zeichen des tierkreises, sternbild.

himelen swv. in den himmel aufnehmen.

himelisch, himelsch, himelschlich adj. himmlisch.

himelize, himelze stn. decke eines zimmers; ausgespanntes tuch, baldachin.

hin, hine adv. fort, von hinnen, hin (*hin wësen* euphem. sterben); vor od. hinter pron. u. präpos. adv. (*hin dan* auf die seite, *hin durch, h. nâch, nâch hin* von jetzt an, in zukunft, später); vor zeitw. der bewegung (z. b. *hin brechen*, zusammenstürzen, refl. sich hinwenden).

hî-naht adv. heut od. gestern zu nacht od. abend (nbff. *hienaht, hîneht, hînat, hîent, hînet, hînte, hînt*).

hin-bî adv. hinzu.

hinde, hinte swf. hirschkuh.

hindenân, hindenen, hinnen, hindene, hinden, hinde adv. hinten.

hinden-bære adj. hirschkuhähnlich. **-kalp** s. *hintkalp*.

hinden-ort adv. nach hinten.

hinder adj. hinter; swm. podex.

hinder präp. hinter (mit gen., dat., acc.) *h. sich treten* zurücktreten.

hinder adv. hinten, zurück.

hinder stm. hindernis, zögerung.

hinderære stm. verhinderer.

hinder-baʒ adv. weiter zurück. **-bein** stn. hinterbein. **-denken** swv. an. refl. mit gen. sich mit gedanken vertiefen in; part. *hinderdâht* worin man sich in gedanken verloren hat. **-dingen** stn. widerrede. **-gân** stv. tr. von hinten an einen herangehn, ihn überfallen; berücken, hintergehn, betrügen. **-ganc** stm. das zurückweichen; kompromiss. **-gedemler** stm. hintersasse. **-gekôse** stn. = *hinderkœse*. **-gengic** adj. *h. werden hinder einen* = *hinder in gân* auf ihn kompromittieren. **-grîfen** stv. tr. von hinten greifen, ergreifen; mit dat. u. acc. rauben. **-halp** adv. hinterwärts. **-halt** stm. rückhalt, hinterhalt. **-huot** stf. nachhut; hinterhalt. **-klaffen, -kleffen** swv. hinter d. rükken reden, verleumden. **-kleffer** stm. verleumder. **-komen** stv. tr. hintergehn, betrügen; schreckhaft überkommen. — refl. mit gen. hinter etwas kommen, überlegen. **-kœse** stn., **-kôsunge** stf. = *hinderrede*. **-kôsen** swv. mit dp. = *hinderreden*. **-kôser** stm. = *hinderreder*. **-legen** swv. versehen, versorgen *mit*. **-leger** stm. = *verrâtære*. **-list** stm. hinterlist. **-listec** adj. hinterlistig, nachstellend. **-listen** swv. supplantare. **-lister** stm. nachsteller. **-lôsen** swv. auf hinterlistige weise schmeicheln. **-mære** stn. verleumderische erzählung. **-rede** stf. üble nachrede, verleumdung. **-redec** adj. verleumderisch. **-reden** swv. einem übel nachreden, ihn verleumden mit dat., acc. od. *ûf*. **-reder** stm. verleumder. **-rîten** stv. tr. reitend von hinten angreifen. **-rucke** adv. rückwärts. **-ruoder** stn. steuerruder. **-sæʒe, -sëʒʒe** swm., **-sæʒel** stm. der hinter jemand, in dessen schutze angesessen ist, hintersasse; der bei einem anderen als mietsmann wohnt. **-schrenken** stn. betrug, arglist. **-sëhen** stn. das zurückblicken; die rücksicht. **-setzen** swv. zurücksetzen, bewältigen. **-sidele** swm. hintersasse. **-slac** stm. schlag von hinten, heimtückischer schlag (*sunder h.* aufrichtig); nachteil, schaden. **-slîchen** stv. von hinten beschleichen. **-snîden** stv. von hinten schneiden, ehrabschneiden, verleumden. **-sprâche** stf. = *hinderrede*. **-sprëchen** stv. = *hinterreden* mit dp. **-sprëcher** stm. = *hinderreder*. **-stân** stv. zurückstehn. **-stëchen** stv. hinterrücks sticheln. **-stellec** adj. was bei seite, zurückgestellt, aufbewahrt wird, übrigbleibt; rückständig (schuld); rückgängig; sich nach hinten stellend, zurückbleibend (*hinderst. werden* ungehorsam sein, abfallen; *einem der schulde h. werden* die schulden ihm nicht bezahlen wollen). **-stendic** adj. rückständig. **-stich** stm. stich von, nach rückwärts. **-stiure** stf. beisteuer. **-swanc** stm. schwung zurück. **-swich** stm. verhinderung, versäumnis, verzug; hinterhalt, falschheit, betrug. **-swîchen** stn. das zurückweichen, der hinterhalt. **-teil** stn. hinterteil; podex. **-trit** stm. tritt zurück; rückgang; fehltritt. **-varn** stv. hinterlistig überfallen. **-velle** stf. das zurückfallen, -sinken. **-vür** adv. rückwärts. **-wân** stm. lüge. **-wërf** stm. zurück-, wegwurf. **-wërt, -wart, -wërtes, -wërtlingen** adv. nach, von hinten, zurück. **-wîse** adv. von hinten. **-ziehen** stv. tr. hinter einem ziehen, ihm in den rücken fallen.

hindern swv. zurücktreiben, hindern (mit acc., acc. u. dat., acc. u. gen.); refl. sich aufhalten, zögern.

hindernisse stnf. hindernis, verhinderung.

hindersal stn. hindernis, störung.

hind-nâch adv. hinterher.

hindurch-varn stv. einen stollen durch einen andern stollen oder berg treiben.

hî-neht, -net s. *hînaht.*

hine-vart s. *hinvart.*

hin-ganc stm. hingang; ruhr, durchfall (vgl. *hinlouf*).

hin-gëber stm. traditor, verkäufer.

hingeln swv. hinken, zaudern.

hin-hinder adv. zurück, rückwärts.

hinke swm. der hinkende.

hinken stv. III, 1 hinken, lahm sein.

hin-kêre s. *hinnenkêre.*

hin-kunft stf. das hinkommen.

hin-lâȥen stv. vermieten, verleihen.

hin-læȥic adj. unterlassend, fahrlässig. **-læȥicheit** stf. unterlassung, fahrlässigkeit.

hin-legen swv. zunichte machen, besiegen. **-leger** stm. vernichter.

hin-louf stm. ruhr, durchfall (vgl. *hinganc*); ablauf.

hinne, hinnen adv. = *hie inne, innen* hier innen.

hin-nëmic adj. abnehmend, in verfall kommend.

hinnen s. *hindenân.*

hinnen, hinne, hinn adv. räuml. von hier fort, von hinnen. — zeitl. von jetzt.

hinnen-, hin-kêre stf. hinwegwendung, weggang. **-(hin-) scheide, -scheidunge** stf. das hinscheiden, sterben, der tod.

hin-reise stf. hinreise, -fahrt.

hin-schiebe stf. das hinwegschieben, entfernen.

hint-ber, hinper stn. himbeere, d. i. beere, die die *hinde* gerne frisst; wacholder. **-(hinden)-kalp** stn. hirschkalb. **-louf, -löufte** m. hindläufte (geissfuss, wegewart; wegen ähnlichkeit mit den sprungbeinen der hinde).

hinte s. *hinde.*

hînte, hînt s. *hînaht.*

hin-tuon an. v. hinwegtun, beseitigen; *einen h.* hinrichten.

hin-über adv. hinüber; darüber hinaus.

hin-var, -(hine)-vart stf. hin-, fortreise; euphem. tod.

hin-vellic adj. hinfallend.

hin-vlühtec adj. die flucht ergreifend.

hin-vluȥ stm. sintflut; *der waȥȥer h.* decursus aquarum.

hin-wëc adv. hinweg, fort.

hin-wëhsel stm. wechsel, veränderung.

hin-wërf, -wurf stm. weg-, auswurf, abscheu; **-wërfen** stn. preisgabe.

hin-wërt, -wart, wërtes adv. hinwärts.

hinze, hinz = *hin ze, zuo* räuml. u. zeitl. bis (auch als konjunkt.), gegen.

hin-ziehen stn. das wegziehen; das liegen in todeszügen. **-zuc** stm. dasselbe.

hipe, hippe f. hippe, waffel.

hipen-man stm. hippenbäkker, -verkäufer.

hir stmnf. heftigkeit; schmerz.

hî-rât stmf. vermählung (eigentl. die besorgung eines hausstandes). **-râten** swv. heiraten (*mit, zuo einem*).

hîrât-liute pl. zeugen des eheversprechens.

hîrât-stiure stf. = *hîstiure.*

hir-lich s. *hërlich.*

hirmen s. *hermen.*

hirmen, hërmen swv. ruhen, rasten.

hirn-bein stn. stirnknochen, stirn. **-bolle** swm. hirnschädel. **-gupfe** swf. bedeckung des hirnes. **-hûbe** swf. kriegerische kopfbedeckung **-ribe, -rëbe** swfm. hirnschale. **-(hirne)-schal** stswf. dasselbe. **-schëdel** stm. hirnschädel. **-schibe** swf. dasselbe. **-schiel** stm. hirnschale. **-stal** stn. stirn, schädel. **-suht** stf. hirnkrankheit, irrsinn. **-vël** stn. hirnhaut. **-wüetic** adj. tobsüchtig.

hirne, hirn, hërne stn. hirn, gehirn, bildl. verstand.

hirse, hirs swstm. hirse.

hirse-grütze stnf. hirsebrei.

hirse-grûȥ stmf. hirsekorn.

hirsen-vëse swf. hülse des hirsekornes.

hirtære, -er s. *hërtære.*

hirte, hirt, hërte stswm. hirte.

hirten-ambet stn. hirtendienst. **-(hirt)-lêhen** stn. dem hirten statt des lohnes verliehenes grundstück. **-rëht** stn. vom hirten bei antritt des dienstes zu entrichtende gebühr. **-stap** stm. hirtenstab; dienst, gerechtsame des h. **-tuom** stn. hirtenstand.

hirtîn stf. hirtin.

hirt-lich adj. **-liche** adv. dem hirten eigen; wachsam. **-same** stf. viehhut, -trieb. **-schaft** stf. dasselbe.

hirȥ stm., **hirȥe** swm. hirsch.

hirȥe-tier stn. hirsch.

hirȥ-hals stm. hirschhals, koller von hirschleder. **-horn** stn. hirschhorn. **-vart** stf. hirschjagd. **-veiȥte** stf. die zeit, in der die hirsche feist sind; hirschjagd. **-wurz** stf. hirschwurz.

hirȥîn adj. vom hirsche.

hisch stm. = *hësche.*

hischen swv. = *hëschen.*

hispe f. spange (vgl. *haspe*).

hispen swv. ringeln (locken).

hîster adj. heiratslustig.

hî-stiure stf. aussteuer.

histôrje stswf. geschichte, erzählung (gr. lat. *historia*).

hitze, hitzene stf. hitze, eig. u. bildl.; bergm. heisse behandlung des erzes, ausrösten.

hitze-brant stm. hitze.

hitzec, -ic adj. heiss, hitzig. — adv. *hitzeclîche.*

hitzegen swv. *hitzec* machen.

hitzen swv. intr. heiss werden, erglühen. — tr. heiss machen, erhitzen.

hiubel-huot stm. haubenhut, eine art helm.

hiubelîn stn. dem. zu *hûbe.*

hiufal-tër s. *hiefaltër.*

hiufel, hûfel stfn., **hiufelîn, hüffelîn, hüffel** stn. backen. wange, die fleischigeren teile daran (s. *hûf*).

hiufelîn stn. dem. zu *hûfe.*

hiufeln, houfeln, hûfeln swv. häufeln; *daȥ h.* ein hazardspiel.

hiulen, hiuwelen swv. heulen, schreien.

Hiune, hiune swm. Hunne, Ungar; riese.

hiunisch adj. hunnisch, ungarisch. — *h. trûbe, wîn* eine schlechtere hartschalige traubenart, wein davon.

hiure, hiuwer adv. in diesem jahre, heuer (md. *hûre* auch in der bedeut. v. *hiute*).

hiurec adj. heurig.

hiuren swv. *gehiure* machen, beglücken, beseligen.

hiuselîn, hiusel stn. dem. zu *hûs* (gehäuse; käfig); fassung eines edelsteins.

hius-liche adv. häuslich, mit haus.

hiuslinc, -ges stm. der immer zu hause bleibt, hockt.

hiute adv. heute.

hiutec, -ic adj. heutig.

hiutec, -ic adj. häutig.

hiute-lanc adv. heute, für heute; von nun an.

hiutelîn stn. dem. zu *hût.*

hiuwel, hûwel = *iuwel.*

hiuweln s. *hiulen.*

hiuwer s. *hiure.*

hiuȥe adj. munter; frech. — stf. munterkeit; frechheit.

hiuȥen swv. refl. sich erkühnen, die spitze bieten *gegen.*

hiuzen, hûzen swv. zur verfolgung rufen.

hîwe, hîge, hîc swmf. im pl. swn. gatte, gattin; hausgenosse, dienstbote.

hîwen, hîen swv. sich verheiraten, part. *gehîet, -hît* verheiratet (*stille gehît*, ohne *rehte* ehe miteinander lebend).

hîwische, hîwisch stn. geschlecht, familie; hausgesinde; haus, haushaltung.

hô s. *hôch, hôhe, hœhe.*
hobel stm. decke, deckel; gedeckter wagen (auch *hobelwagen*, vgl. *kobelwagen*).
hobel, hobelen s. *hov-*.
hoben s. *hoven.*
hôch, hô adj. hoch (in, nach, aus der höhe); anderes übertreffend: gross, stark, laut, vornehm, stolz.
hôch-beschorn part. adj. hochgeschoren; vornehm. **-edel** adj. sehr edel. **-engel** stm. erzengel. **-geborn** part. adj. von vornehmer geburt, edel. **-gebot** stn. hohes heiliges gebot. **-geburt** stf. vornehme geburt, edle herkunft. **-geburtet, -geburt** part. adj. = *hôchgeborn.* **-gedinge** stn. höchste hoffnung. **-gelobet** part. adj. sehr gelobt, gepriesen. **-gelust** stm. freudiges verlangen. **-gemâc** adj. vornehme blutsverwandte habend. **-gemeit** adj. stolzfreudig. **-gemüete** stn. edle gesinnung; getroster, freudiger sinn, frohsinn; stolz, hochmut. **-gemüetec** adj. hochgesinnt; freudig. **-gemuot** adj. edel, grossgesinnt, hochsinnig; hochgestimmt; freudig; stolz, hochmütig gegen (dat.). **-genant** part. adj. (zu *nenden*) kühn, mutig; hoch, edelgesinnt. **-genende, -genendec** adj. sehr kühn. **-gerihte** stn. peinliches gericht; richtstätte. **-geschaft** stf. hohe, ausgezeichnete schöpfung. **-gesidele** stn. hoch-, ehrensitz. **-geslaht** adj. von hohem geschlecht. **-getiuret** part. adj. sehr kostbar; sehr vornehm durch (gen.). **-gevrît** part. adj. der höchsten freiheit teilhaftig, beschützt. **-gevriunt** part. adj. viele u. hohe verwandte habend. **-gevürst** part. adj. hochfürstlich. **-gezît** s. *hôchzît.* **-gezîten** stn. das feiern eines festes. **-gülte, -gültic** adj. kostbar. **-gülte** stf. kostbarkeit. **-heit, hôcheit** stf. hoheit, erhabenheit. **-klunge** adj. von hohem klange, erhaben, herrlich. **-kunst** stf. hohe kunst, gelehrsamkeit. **-lich** adj. hoch, erhaben. **-lût, -lûtic** adj., **-lûtes** adv. mit hoher, lauter stimme. **-meister** stm. der oberste vorgesetzte eines geistl. ritterordens; vorsteher der judenschaft im ganzen reiche; hoher gelehrter (*ein h. von der schrift oder von rehte* ein doktor der theologie oder des rechtes). **-mësse** stf. hochamt. **-müete, -müetic** adj. hoch-, übermütig. **-müetigen** swv. hochmütig behandeln. **-muot** stm., **-müete, -muot** stf. gehobene edle gesinnung u. stimmung; freude; das hohe selbstgefühl; hoch-, übermut. **-schînende** part. adj. als schwierig erscheinend. **-seicher** m. hochpisser: übermütiger. **-springe, -sprunge** adj. hochspringend. **-stapfes** adv. gen. mit hohen schritten, stolz. **-stuol** stm. thron. **-trage** adj. hochmütig. **-tragende** part. adj. dasselbe; pass. hochgetragen. **-überic** adj. überragend. **-vart, hoffart** stf. art *hôhe* zu *varn*, vornehm zu leben, hochsinn, edler stolz; äusserer glanz, pracht, aufwand; hoffart, übermut. **-vart** stm. der hoffärtige. **-vartlich, -vertlich** adj. hoffärtig. **-vater** stm. altvater, patriarch. **-verte, -vertec, -vertic** adj. hochgesinnt; stolz, hoffärtig; prachtvoll. **-verteclich** adj., **-liche** adv. hoffärtig, stolz. **-vertelîn** stn. kleine, armselige hoffart. **-verten** swv. intr. *hôchverte* sein, hoffart zeigen, üben. — tr. *h.* machen. **-vertigære** stm. der hoffärtige. **-vertigen** swv. intr. = *hôchverten.* **-vertlich** s. *hôchvartlich.* **-wërc** stn. hohes, in der höhe errichtetes *wërc*; ein belagerungswerk (vgl. *ëbenhœhe*). **-zît -gezît** stfn. hohes kirchl. od. wel l. fest; bildl. höchste herrlichkeit, höchste freude; vermählungsfeier, hochzeit, beilager. **-zîten** swv. intr. ein fest feiern; hochzeit halten. — tr. heiraten. **-zîtlich, -zîteclich** adj. festlich. **-zuht** stf. sittsamkeit.
hôcheit s. *hôch-heit.*
hocke s. *hucke* 2; **höckin** stf. hökerin.
hocker, hoger stm. = *hover.*
hockerëht, hogerëht adj. = *hoverëht.*
hôde swm. hode.
hodel-ros stn. saumpferd.
hof, -ves stm. hof, umschlossener raum beim hause; hof, kreis um etw.; die arena, der zirkus; ökonomiehof, inbegriff des besitzes an grundstücken und gebäuden; wohnstätte, aufenthaltsort des weltl. od. geistl. fürsten; der fürst mit seiner vornehmen umgebung; festl. versammlung von fürsten und edeln, hoftag; turnierhof, turnier; gasterei, schmaus; gerichtl. versammlung.
hof- s. *hove-*.
hof-ahte stf. ausschliesslich zu einem herrenhofe gehörende grundberechtigung.
hof-amman stm. hofrichter.
hofer s. *hovære.*
hoffart s. *hôchvart.*
hoffe stf. hoffnung.
hoffe-lôs adj. ohne hoffnung.
hoffen swv. hoffen mit gen. od. *an, zuo.*
hoffene stf. = *hoffe.*
hoffenunge, hofnunge stf. hoffnung.
hof-lich s. *hovelich.*
hof-, hoffen-lich adj. zu erhoffen; hoffend, hoffnung erweckend.
hog- s. *hüg-*.
hoger s. *hover.*
hogil stm. md. collis.
hôhe, hô adv. hoch (in, nach, aus der höhe); stark, laut; in vornehmer, ausgezeichneter weise, überaus, sehr; um einen hohen preis. — kompar. *hôher. hœher* kontr. *hôr*: höher, weiter aufwärts, weiter weg, zurück, mehr, weitläufiger; um einen höhern preis. — sup. *hœhste* höchst; teuerst.
hœhe, hôhe, hô stf. höhe anhöhe, erhöhung.
hœhede stf. höhe.
hôhe-, hôhen-lîche adv. auf hohe, vornehme weise.
hôhen swv. intr. *hôch* werden.
hœhen, hôhen swv. *hôch* machen, erhöhen, erheben. — refl. sich aufrichten, erheben; sich überheben.
hœhern, hôhern, hôrn swv. *hœher* machen, erhöhen, erheben; abs. den preis erhöhen, verteuern.
hôhes adv. stolz, übermütig.
hœheste stnf. höchster punkt einer gegend; anhöhe; bildl. gipfel der macht.
hôhunge, hœhunge erhöhung, erhebung.
hoier s. *heier.*
hol adj. ausgehöhlt, hohl (mit gs.); klanglos. — stnm. höhle, höhlung, loch, vertiefung; öffnung.
höl, höle stf. höhle (s. *hüle*).
hol-ber, holper stnf. himbeere.
hol-ber stf. tragbahre, auf der sich ein *hol* (höhlung, kasten) befindet.
holche swm. lastschiff (mlat. *holcas* v. gr. *ὁλκάς*).
holde swm. freund, geliebter; der einem treu dient, diener, dienstmann, holde; geist, genius. — swf. freundin, dienerin; weibl. geist s. *unholde.*
holdec-lîchen adv. hold, huldvoll (vgl. *holtlîche*).
holden swv. = *hulden.*
holder, holer s. *holuntër.*
holderehe stn. holundergebüsch.
hôlëht adj. herniosus.
holf stm. narr, tor?
hol-hipe, holipe swf. = *hipe.* **-hipen, holipen** swv. schelten, schmähen. **-hiper, holiper** stm. der *holhipen* macht, verkauft; schelter, schmäher.

holn, holen, haln swv. berufen, zu sich rufen; herbeibringen, holen; erreichen, erwerben u. mit sich fortführen, finden. — refl. sich erholen *von.*

holn, höln swv. höhlen.

holne part. adv. heimlich.

holper s. *holber* 1.

holr, holre s. *holuntër.*

holr-blâsære stm. bläser auf dem *holre.* **-blâsen** stn. das blasen auf dem *holre.* **-floite** swf. flöte aus holunder.

holstern swv. kopfüber fallen, sich überschlagen.

holt, *-des* adj. mit dp. gewogen, günstig, freundlich, liebend; dienstbar, treu.

holt-lîche adv. = *holdeclîchen.* **-rûne** stf. geneigtes zuflüstern. **-schaft** stf. gewogenheit, freundschaft.

holunge stf. das *erholn* im rechtl. sinne.

nolun-tër, holunder, holder, holer, holre, holr stm. holunder; ein blasinstrument.

hol-wangen swv. hohle wangen bekommen; verräterisch handeln. **-wanger** stm. verräter.

hol-wërc stn. hohle holzarbeiten, gefässe; in einer höhle vollbrachte tat.

hol-wurz stf. aristolochia, osterluzei.

holz stn. wald, gehölze; holz als stoff; stück holz.

holz-apfel stf. im walde (*holz*) wachsender apfel. **-besuoch** stm. das recht holz zu schlagen und der platz wo es geschieht. **-bir** f. im walde (*holz*) wachsende birne. **-boc** stm. waldbock; grober, unbeholfener mensch. **-buoȥe** stf. busse für waldfrevel. **-dinc** stn. gericht über waldfrevel. **-gatze** f. ein hölzernes schöpfgefäss. **-gëlt** stn. waldzins. **-grâve** swm. waldrichter. **-halp** adv. waldeshalb. **-heie, -hege** swm., **-heier** stm. waldhüter. **-heit** stf. dasein als holz. **-hërre** swm. besitzer des waldes. **-hou** stm. holzhieb. **-houwer** stm. holzhauer. **-huon** stn. zinshuhn für waldnutzung. **-korn** stn. zinskorn für waldnutzung. **-lêhen** stn. waldlehen. **-lîte** stf. waldabhang. **-lœse** stf. abgabe für waldnutzung. **-loube** swf. holzmagazin. **-man** stm. holzhauer; waldgeist. **-marke** stf. waldmarke, gemeindewald. **-meister** stm. zimmermann; waldaufseher. **-rëht** stn. anteil an der waldnutzung, waldrecht; abgabe für die waldnutzung. **-schuoch** stm. holzschuh. **-schuoher, -schuoster** stm. holzschuhmacher. **-tûbe** swf. waldtaube. **-vart** stf. fahrt um holz. **-warte** swm. waldhüter. **-wëc** stm. wenig begangener weg zur fortschaffung des holzes aus dem walde. **-wërc** stn. zimmerholz; holzbau. **-wîp** stn. waldweib.

hölzelîn, hölzel stn. wäldchen; hölzchen.

holzen, hülzen swv. intr. holz fällen u. aus dem walde führen; tr. mit holz versehen.

holzer stm. holzhauer.

holzîn s. *hülzîn.*

Holz-sæȥe swm. Holsteiner (eigentl. waldwohner).

hôn stm. hohn, schmach.

hœnde, hœne stf. schmach, schande; verletzendes, hochfahrendes wesen, übermut.

hœne adj. pass. verachtet, in schmach lebend. — akt. durch schmähung an der ehre kränkend, hochfahrend, übermütig, zornig, böse; stolz; gefahr bringend, gefährlich.

honec, honic, hönic, hünic, *-ges* stn. honig.

honec-gëlt stn. honigzins, abgabe der zeidler. **-mæȥe** adj. honigartig, honiggleich. **-râȥ** stn. honigwabe. **-sam** adj. süss. **-seim, -sein** stm. honigseim, honig. **-süeȥe** adj. süss wie honig. **-trage** swmf. biene. **-tranc** stn. süsser trank. **-trôr** stmn. honigsaft. **-var** adj. wie honig aussehend. **-vaȥ** stn. fass voll honig. **-wabe** swmf., **-wap** stn., **-wift** stn. honigwabe. **-wirȥ** stn. süsser honigstoff.

honegen, honigen, hongen swv. intr. honig von sich geben, voll honig sein. — tr. süss mit honig oder wie honig, zu honig machen.

hônen, hœnen swv. intr. *hœne* werden, in zorn geraten; heulen, schreien.

hœnen swv. *hœne* machen, unehre, schande bringen, entehren, herabsetzen, -würdigen, schmähen.

hœniclîn stn. dem. zu *honec.*

honigic adj. voll honig, honigsüss.

hœnisch adj. höhnisch.

hôn-kust, -kost, kostekeit stf. treuloses wesen und benehmen, arglist. **-kusticlich** adv. *h. reden* dolum loqui. **-lachen** swv. hinterlistig lachen. **-lâge** stf. hinterlistige nachstellung. **-(hœn)-lich** adj., **-lîche** adv. höhnend, höhnisch, spottend; mit schmach verbunden, schmählich. **-sam** adj. schmähsüchtig. **-samkeit** stf. blasphemiae. **-schaft** stf. hohn, spott, übermütige behandlung. **-sprâche** stf. schmährede.

hœnunge stf. verhöhnung.

hopfe swm. hopfen.

hopfen s. *hupfen.*

hopp-aldei stm. ein bäuerischer tanz.

hoppeln swv. hüpfend springen, humpeln.

hoppenîe stf. das humpeln.

hor, hore, *-wes* stn. kotiger boden, kot, schmutz.

hôr s. *hôhe.*

hœrære, -er stm. hörer, zuhörer.

hôrchen, horchen swv. hören; hören auf, horchen mit dp., ds., gs.; gehören *an, zuo.*

horcher stm. zuhörer.

hordære, hortære, hurtære, -er stm. sammler eines schatzes.

horde stf. flechtwerk; umhegung, bezirk.

hördelære stm. = *hordære.*

hördelen swv. als einen schatz sammeln.

horden, hordern, hürden, hürten swv. absol. u. tr. einen schatz sammeln, bewirken dass etw. sich ansammelt; als einen schatz bewahren. — intr. u. refl. sich ansammeln, mehren, gedeihen; *horden mit* wucher treiben.

hore s. *hor.*

hôre, hôr stf. die stunde.

hôre, hœre stf. das hören.

horec s. *horwec.*

hœrec adj. hörend auf, folgsam; hörig, leibeigen.

hœren, hôren swv. tr. od. abs. hören, anhören (die sache wird ausgedrückt durch den gen., acc., infin., untergeord. s. od. mit präp. *von*; die person, die man anhört, von der man etw. hört, durch den dat., acc. od. mit präp. *von*); aufhören, endigen abs. od. mit gen. — intr. im verhältnisse der abhängigkeit od. zugehörigkeit von etw. sein, gehören zu, erforderlich sein zu (*an, in, nâch, vür, wider, ze*); gehorchen mit dat.; aufhören.

horgen s. *horwegen.*

hor-gewat stn., **-lache** swf. kotlache. **-lade** stf. kotbehälter. **-sac** stn. kotsack: der verwesliche menschl. leib. **-tûbel** stm. rohrdommel. **-wurm** stm. regenwurm.

hormen s. *hurmen.*

horn stm. januar.

horn stn. horn; hornartige masse; hervorragende spitze; horn zum blasen.

hôrn s. *hœhern.*

horn-bîle stn. beil von horn. **-blâs** stm. als mass der entfernung (so weit man ein horn blasen hört). **-blâse** swf. hornbläserin, hexe. **-blâser** stm. hornbläser. **-blâst** stm. das blasen eines hornes. **-boge**

swm. bogen aus hörnern oder mit hörnern (hervorragenden krummen spitzen); damit bewaffneter krieger. bogenschütze. **-dôn** stm. hornton; art des blasens auf dem horne. **-dôz** stm. hörnerschall. **-geschelle** stn. coll. zu. **-schal** stm. hornschall, hornton, hornsignal. **-schellen** swv. auf dem horne blasen. **-vezzel** stm., **-vezzer** swf. hornfessel: der riemen, woran das hifthorn hängt. **-zeichen** stn. hornsignal.

hornëht adj. gehörnt.

hornelîn stn. kleines horn.

hornen s. *hürnen.*

hornunc, *-ges* stm. (patron. bildung zu *horn* stm.) februar.

hornuz, horniz stm. (nbff. *harniz, harliz*) hornisse.

hôr-sam adj. gehorsam. **-same, -sam** stfm. gehorsam. **-samen** swv. gehorchen.

hort, *-des* stm. schatz, hort; das angesammelte, die fülle, menge von (gen.); in *horden* adv. massenhaft.

hortære s. *hordære.*

hort-gadem stn. schatzkammer. **-rîche** adj. schatzreich

hœrunge stf. auditio.

horwec, horwic; horec, horic adj. kotig, schmutzig.

horwegen, horwen, horgen swv. beschmutzen.

horzel, horzen s. *hurzel, hurzen.*

hosche stm. spott.

hoschen swv. abs. spotten. — tr. verspotten.

hose swf. nur im pl. bekleidung der beine (vom schenkel oder erst vom knie an) samt den füssen, hose od. strumpf.

hosecke s. *husecke.*

hosen-nestel stf. hosenträger.

hosgir s. *hûsegome.*

hospitâl stn. = *spitâl.*

hossen swv. schnell laufen.

hôster stn. schöpfrad (lat. *haustrum*).

hostie, ostie stswf. hostie (lat. *hostia*).

hotze, hotsche swf. md. wiege.

hotzen swv. intr. schnell laufen. — tr. schaukeln, in bewegung setzen.

hou s. auch *hû-.*

hou, *-wes* stm. hieb; holzhieb, hiebabteilung eines waldes.

höu s. *höuwe.*

houbet, houbt, houpt stn. kopf, haupt an menschen und tieren (*daz h. binden*, das *gebende* anlegen; *über h. vehten* gegen einen höher stehenden kämpfen; *gebieten bî dem h.* bei strafe des enthauptens); bezeichnung gezählter menschen u. tiere (*über houbet* ohne zu zählen, all); bildl. das oberste, äusserste; oberhaupt (könig und königin im schachspiel); das oberste, die spitze; anfang, beginn.

houbet-brief stm. originalurkunde; schuldbrief. **-bühse** f. eine art des groben geschützes. **-dach** stn. kopfbedeckung, helm. **-dinc** stn. hauptsache. **-duht** stf. drang nach dem kopfe, kongestion. **-êre** stf. grosse *êre*. **-gazze** stf. = *houbetloch*. **-gebende** stn. = *gebende*, kopfputz. **-gëlt** stn. ersatz für gestohlenes gut; s. v. a. *houbetguot*; kaufpreis im gegensatz zur anzahlung (*hant-gift*). **-gerihte** stn. oberstes gericht. **-geschîde** stf. schwindel, kopfkrankheit. **-gewant** stn. kopfbedeckung. **-golt** stn. kopfschmuck von gold. **-gülte** swm. der eigtl. schuldner im gegens. zum bürgen. **-guot** stn. kapital im gegens. zu zinsen u. kosten. **-haft, -haftec** adj. capitalis (*h. sünde = houbetsünde*). **-hâr** stn. kopfhaar. **-hërre** swm. hauptmann, anführer; *h. eines guotes* lehnsherr; schutzherr über eine zunft, über eine kirche, patron; s. v. a. *houbetgülte*. **-hir** stmf. kopfschmerz. **-hol** stn. = *houbetloch*. **-kanne** swm. alem. schenkwirt, gastgeber. **-küsselîn** stn. kopfkissen. **-lachen** stn. kopftuch. **-last** stf. grösste last. **-list** stm. hauptkunst, höchste kunst; hauptkunstgriff. **-liute** pl. hauptleute; eine gattung zinspflichtiger leute. **-loc** stm. haarlocke. **-loch** stn. der obere ausschnitt eines gewandes, wodurch der kopf gesteckt wird. **-lôn** stmn. der höchste lohn. **-lôs** adj. ohne haupt. **-luoc** stn. = *houbetloch*. **-man** stm. der oberste mann, die hauptperson einer vereinigung; der unter den zinspflichtigen (s. *houbetliute*) eines geteilten gutes, der den gesamten zins einzunehmen und an den lehnsherren abzuführen hat; die hauptperson eines rechtl. verhältnisses od. handels, gewährsmann, an den einem der rezess zusteht; anführer im kriege, hauptmann. **-mein** stmn. hauptverbrechen, hauptlaster. **-meister** stm. vorzüglicher meister; anführer. **-nicke** stf.? neigen des hauptes. **-phulwe** swm. kopfkissen. **-punct** stm. zenith. **-rëht** stn. das recht eine kopfsteuer, das *besthoubet* zu erheben. **-rîche** stn. weltreich. **-rîse** stf. kopfschleier. **-sache** stf. rechtsstreit, prozess. **-sacher** stm. urheber, anstifter; gegner im kampfe. **-schande** stf. hauptschande, grosse schande. **-schaz** stm. hauptgeld, kapital; vorzüglicher schatz, grösste kostbarkeit. **-schote** swm. tanz, bei dem mit dem haupte geschüttelt wird. **-schulde** stf. kapitalverbrechen, todsünde. **-schuldener** stm. = *houbetgülte*. **-schuole** stf. hohe schule. **-siech** adj. kopfkrank. **-smërze** swm. grösster schmerz; kopfweh. **-stat** stf. die stätte wo der kopf sitzt; die stätte wo das haupt abgeschlagen wird, richtstätte; die hervorragendste stätte eines ortes; vornehmste stadt, hauptstadt eines landes. **-stein** stm. stein als unterlage fürs haupt; eckstein; kostbarster edelstein. **-stërn** stm. hauptstern, planet. **-stuol** stm. stuhl auf dem das *houbetgerihte* gehalten wird; hauptbesitz, kapital. **-suht** stf. kopfweh. **-sünde** stf. kapitalsünde. **-sündec** adj. mit *houbet-sünde* beladen. **-sünder** stm. der *houbetsünden* begeht. **-swarte** stf. kopfhaut. **-swër** swm. kopfweh. **-tac** stm. der erste tag eines monats. **-tuoch** stn. kopftuch. **-vahs** stn. haupthaar. **-val** stm. anfall des *besthoubetes* an den lehnsherrn. **-vaste** f. die vierzigtägige fastenzeit. **-vater** stm. stammvater. **-vîent** stm. hauptfeind. **-vrost** stm. erkältung im kopfe. **-vrouwe** swf. patronin; hauptmannsfrau. **-wazzer** stn. hauptsächlicher nebenfluss. **-wê** stn., **-wêwe** swm. kopfweh. **-weigec** adj. mit dem kopfe wackelnd. **-wisel** stm. hauptführer.

houbeten, houpten swv. intr. *an einen, zuo einem h.* ihn als haupt anerkennen, ihm an hängen; sich erstrecken in der richtung nach (*hin gegen*). — tr. enthaupten. — refl. sich als haupt ansehen.

höubetlîn stn. dem. zu *houbet.*

höu-boum stm. = *wisboum.* **-gadem** stn. heuschuppen. **-hûs** stn. dasselbe. **-mânôt, -mânet** stm. heumonat, juli. **-schober** stm., **-schoche** swm. heuschober. **-schrëcke, -schricke** swm., **-schrëckel, -schrickel** stm. heuschrecke. **-schûr** stf. heuscheune. **-sprinke, -sprënke** swm. = *höuschrëcke*. **-staffel, -stapfel, -stüffel, -stoufel** m. f. dasselbe. **-tac** stm. tagewerk in der heuernte. **-wahs** stm. ertrag an heu.

houc, *-ges* stn. hügel.

houfeln s. *hiufeln.* **houfen** s. *hûfen.*

houwe, howe, hawe swf., **houwel** haue, hacke.

höuwe, houwe; höu, hou, *-wes* stn. heu, gras.

houwen, howen, hawen redv.

3 abs. hauen, stechen. — tr. hauen, einhauen, stechen, abhauen, niederhauen, zerhauen; behauen, bearbeiten, zuschneiden; abschneiden, ernten.

houwen swv. hauen, schlagen.

höuwen swv. heuen, mähen.

houwer stm. der da haut: holzfäller, der erzhauer im bergwerk, rebbauer; hauzahn des wildschweines.

höuwer, houwer stm. mäher.

höuwet, houwet stm. heuernte; zeit der heuernte, juli.

hovære, hofer stm. inhaber eines hofes.

hove- s. auch *hof-*.

hove-bære adj. dem hofe angemessen, fein gebildet, höfisch. **-bëlle** swm. beller am hofe: verleumderischer höfling. **-diet** stf. hofbevölkerung, hofgesellschaft. **-dôn** stm. bei hofe üblicher, dem hofe angemessener *dôn*. **-galle** swf. böses oder böser, wodurch der hof verdorben, das hofleben vergällt wird. **-gebærde** stf. höfisches benehmen. **-gereite** stn. ackerzeug für die pferde. **-gerihte** stn. hofgericht, reichshofgericht; gerätschaften, speisevorräte usw. für den hof. **-geselle** swm. einer vom hofgesinde. **-gesinde** swm., **-gesint** stm. dienstmann am hofe. **-gesinde** stn. hofdienerschaft. **-gewant** stn. hofkleidung. **-gülte** stf. hofzins. **-hërre** swm. herr eines hofes; eigentümer eines erbzinsgutes. **-hœric** adj. zu einem hofe gehörig. **-jünger** stm. höriger eines hofes. **-kleit** stn. hofkleidung, -livree. **-knabe** swm. hofjunker. **-kunst** stf. höfische kunst. **-lich** adj.- = *hovebære*; ansehnlich, gross. **-liche, -en** adv. dem hofe angemessen, auf feine, artige, unterhaltende weise. **-liute** pl. von *hoveman*; spielleute. **-man** stm. diener am hofe eines fürsten; der zu einem hofe gehörige, ein gehöft bewohnende bauer. **-mære** stn. was man am hofe spricht und sich erzählt; nachricht vom hofe. **-marke** stf. inbegriff von grundstücken sowohl als von häusern und gebäuden, die als eigentümliche zugehör zu irgend einem landhof angesehen werden, deren bebauung und nutzniessung aber gegen gewisse abgaben und zinsen als ein in den meisten fällen vererbliches und nicht zurücknehmbares recht an andere als den besitzer des ursprünglichen landhofes oder der hofmark übergegangen ist. **-mâze** stf. am hofe gebräuchliches masshalten. **-meier** stm. = *meier* mit bes. rücksicht auf seine richterliche tätigkeit. **-meister** stm. aufseher über die hofdienerschaft, über den hofhalt (eines fürsten, eines klosters); aufseher über einen hof, oberknecht. **-münech** stm. mönch, der auf ritterliche weise lebt. **-rât** stm. die räte eines fürsten. **-rede** stf. = *hovemære*. **-rëht** stn. das bei hofe geltende recht; recht der hörigen und der dienstmannen eines hofes; dienstleistung nach solchem; musik irgend einer person zu ehren; hofgericht. **-reise** stf. reise an den hof. **-reite** swf. der hofraum, der zu einem landwirtschaftlichen gebäude gehörige freie spielraum; hof, bauernhof, landgut. **-rîbe** swf. hofdirne, courtisane. **-rihter** stm. hofrichter. **-ritter** stm. ritter, der am hofe eines fürsten lebt. **-sache** stf. dachtraufe (entstellung aus *obese*); haus, hof. **-sæze** swm. der auf einem hofe wohnt, erblicher pächter von haus und hof. **-schal** stm. lärmende hoffestlichkeit. **-schalc** stm. hofdiener. **-schar** stf. schar von hofleuten, von höflingen. **-sin** stm. s. v. a. **-site** stm. sitte, lebensweise, gebrauch des hofes. **-spël** stn. gerede am hofe. **-spil** stn. höfisches, zum ritterl. hofleben gehöriges spiel. **-spîse** stf. die bei der erbteilung vorgefundenen speisevorräte; speise, mahlzeit an einem hofe. **-sprâche** stf. = *hoverede*. **-(hof)-stat** stf. grund und boden, worauf ein hof mit den dazu gehörigen gebäuden steht oder stehn könnte; wohnung eines herrn od. fürsten mit seiner umgebung; ein flächenmass. **-stæte** adj. dem hofe treu, am hofe festhaltend. **-strîch** stm. höfisches streichen eines saiteninstrumentes. **-tanz** stm. tanz von höfischer art; tanzleich. **-tanzen** swv. einen *hovetanz* tanzen. **-tanz-sanc** stmn. gesang bei einem *hovetanz*. **-teidinc** stn. hofgericht. **-tenzel** stn. dem. zu *hovetanz*. **-tûscher** stm. der bei hofe täuscht. **-vart** stf. = *hovereise*. **-vrouwe** swf. herrin des hofes, lehnsherrin; die bei jem. zur miete wohnt. **-wart, -warte** stswm. hofhund. **-wërt** adj. des hofes od. dem hofe wert. **-wîse** stf. höfische art, feine sitte; höfische gesangsweise. **-zuht** stf. wohlgezogenheit, wie sie bei hofe gilt.

hövec adj. zum hofe gehörig.

hovel, hobel stm. hobel.

hovelîn stn. kleiner hof; gesellige zusammenkunft, gasterei, familienfest.

hovelinc, -ges stm. höfling.

hoveln, hobeln swv. hobeln.

hoveln, höveln swv. ein *hovelîn* halten od. besuchen.

hoven, md. auch *hoben* swv. in den hof, ins haus aufnehmen, beherbergen; hof halten; höfisch erziehen und bilden.

hover stm. höcker, buckel; ein buckliger.

hoverëht s. *hoveroht*.

hoverlin stm. buckelträger (spöttisch).

hoveroht, hoverëht adj. mit einem *hover* versehen.

hövesch, hövisch, höfsch; hüvesch, hübesch, hübsch adj. hofgemäss, fein gebildet und gesittet, courtois; unterhaltend (*h. man* spielmann).

höveschen, hübeschen swv. sich galant unterhalten *mit*, den hof machen, hofieren.

hövesch-heit, hövescheit, hübescheit stf. fein gebildetes und gesittetes wesen und handeln; schönheit.

hövesch-, hübsch-lich adj., **-liche** adv. dem hofe gemäss.

hovete stf. gehöft.

hovetien swv. = *hoveln* 2.

hovetlîn stn. = *hovelîn*.

hovieren, hofieren swv. in festlicher geselligkeit sich erfreuen; aufwarten, dienen dp.; den hof machen, galant sein dp.; musizieren, ein ständchen bringen; euphem. die notdurft verrichten.

hovierer, hofierer stm. hofmacher; spielmann.

hovinger stm. der zu einem hofe gehört.

hovunge stf. hofhaltung.

howe, howen s. *houw-*.

hozel, hützel stm. podex.

hûbe, hoube swf. haube, mütze als kopfbedeckung für männer und weiber; helm, pickel-, sturmhaube; mann mit einer solchen; kopfbedeckung der ritter unter dem helme zur minderung des druckes; kopfhülle eines zur beize abgerichteten falken; haubenartiger federbusch der vögel.

hübel, hubel stm. hügel.

hûben swv. behauben.

hübesch s. *hövesch*.

hübeschære stm. hofmacher.

hübeschærinne stf. buhlerin, konkubine.

hübesche, hübsche stswf. schönheit.

hûboht adj. haubenförmig, geschwollen.

hübschwîp stn. von Herodias gesagt.

hûchen swv. hauchen.

hûchen swv. kauern.

hucke stf. verkaufsladen oder platz der *hucker*.

hucke, hocke, höcke swmf. höker, kleinhändler, -händlerin.

huckener, hucker, hockener, hocker stm. höker.

hudel, huder = *hader.*

hudel f. schlechte person, hure.

hüebel stn. dem. zu *huobe.*

hüel s. *hülwe.*

hüenel s. *huonlîn.*

hüenerer stm. geflügelhändler.

hüenern swv. mit einer abgabe von hühnern belegen.

hüerel stn. dem. zu *huore.*

hüetære, -er stm. behüter, wächter, aufseher; hirte; münzwardein; als schachfigur siebente *vende.*

hüetekîn, hüetelîn, hüetel, huotlîn stn. hütchen, mützchen; s. v. a. *hersenier*; um den kopf gewundenes tuch.

hüeten swv. achthaben, achtgeben, schauen, wachen, bewachen abs., mit gs., gp., mit dat. u. gen., mit acc., refl. mit gen. od. präpp.

huf stf. (gen. u. pl. *hüffe*) hüfte.

hûf stf. wange (s. *hiufel*).

hûfe, houfe swm. haufe, zusammengeschichtete menge von gegenständen irgend welcher art; scheiterhaufen; geschlossene schar, haufen menschen, bes. bewaffneter, krieger.

hûfëht adj. gehäuft; adv. haufen-, scharenweise.

hûfel, hûfeln s. *hiufel, hiufeln.*

hûfen, houfen swv. häufen, auf-, anhäufen.

hûfen-macher stm., **-macherin** stf. kuppler, kupplerin.

hûfenunge, hûfunge stf. anhäufung, versammelte menge.

hüffe-bein stn. hüftbein, hüfte. **-(huf)-halz** adj. hüftenlahm.

hüffelîn, hüffel s. *hiufel.*

hüffelîn, hüffel stn. kleine hüfte. **hüffelbant** stn. hüftband.

huffenier stn. stück der rüstung um die hüfte.

hûfunge s. *hûfenunge.*

hüge, huge, hoge stswf. swm. sinn, geist; andenken; erhöhte stimmung, freude.

hügede, hügde stf. sinn, geist; andenken, erinnerung.

hüge-(hoge)-lich adj. erfreulich; freudig, froh, munter. **-lîcheit** stf. freude. **-liet** stn. freudengesang. **-numft** stf. erinnerung, gedächtnis. **-sam** adj. *mir ist etw. h.* es freut mich.

hügen, hugen, hogen swv. denken, sinnen, verlangen mit gen. od. präpp.; sich freuen.

hugnisse stfn. s. v. a.

huht stf. gedanke, gedächtnis.

hül stf. hülle, kleidung; kopftuch.

hül, hülbe s. *hülwe.*

hulde stf. geneigtheit, freundlichkeit, wohlwollen, huld; erlaubnis (*mit, bî dînen* usw. *hulden*); ergebenheit, treue, huldigung; dienstbarkeit.

hulden swv. *holt,* geneigt machen; *hulde,* dienstbarkeit, treue geloben, huldigen mit dat.

huldeschaft stf. *h. tuon* huldigen, ergeben sein.

huldic adj. = *holt.*

huldigen swv. *huldic* machen.

huldrîn adj. von *holder* (s. *holuntër*).

huldunge stf. huldigung.

hüle stf. = *hol,* höhle.

hülf- s. *hëlf-.*

hulft s. *hulst.*

hülle, hulle swstf. mantel; kopftuch; umhüllung überh.

hüllen swv. bedecken, verhüllen.

hülse, hulsche swf. hülse.

hulst, hulft stf. decke, hülle.

hülwe, hulwe; hülbe, hulbe; hüel, hül stswf. pfütze, pfuhl, sumpflache.

hulwen swv. beschmutzen.

hülzen swv. 1. s. *holzen* 2. claudicare.

hulzerîn, hülzîn, holzîn adj. von holz, hölzern.

hülzinc, *-ges* stm. holzapfel.

humbel, hummel stm. hummel.

hummen swv. summen.

humpelen swv. abgebrochen weinen.

hümpeler stm. der langsam und schlecht arbeitet, pfuscher.

humpeler stm. schiffer mit kleinem nachen ohne segel.

humpel-nache swm. der nachen der *humpeler.* **-nacher** stm. = *humpeler.*

hunde stf. beute, raub (ahd. *hunda,* mhd. zu folgern aus *gehünde*).

hunde, hunne swm. centenarius, ein unterrichter.

hundel-dinc stn. = *huntdinc.*

hundelîn, hundel, hündel stn. hündlein.

hundert stn. hundert.

hundert-valt, -valtec adj. hundertfältig. **-weide** adv. hundertmal.

hunde-tac stm. hundstage (auch *hundige, hundische, huntlîche tage*).

hundîn adj. von hundsart, hündisch; von hundsleder.

hundinne stf. hündin.

hunger stm. hunger (*hungers tôt* vor hunger tot; *heiliger, gotes h.* begierde nach gott).

hungerc, hungerec, -ic adj. hungrig.

hunger-gît stm. hungergier. **-gîtec** adj. gierig aus hunger, sehr hungrig. **-jâr** stn. jahr des misswachses. **-lich** adj. hungrig, gierig. **-mâl** stn. zeichen von hunger; hunger. **-nôt** stf. not des hungers, bedrängnis durch h. **-tuoch** stn. tuch womit in der fasten der altar verdeckt wird.

hungern swv. tr. hungern lassen; aushungern. — refl. sich des essens enthalten; unpers. mit acc. hungern; *sich h. lân* begierig sein (*an, nâch*).

hünic s. *honec.*

hunne s. *hunde* swm.

hunt stn. hundert.

hunt, *-des* stm. hund, jagdhund (als scheltwort: bösewicht); der hundsstern.

hunt-âz stn. hundefutter. **-gesinde** stn. gefolge von hunden. **-hûs** stn. hundehütte (auch gefängnis). **-kelle** swf. dasselbe. **-slaher** stm. der herrenlose hunde einfängt und erschlägt.

hunt-dinc stn. centgericht.

hunt-schaft stf. gericht der centenarii.

huobe stswf. stück land von einem gewissen masse, hufe.

huobe-dinc stn. = *huobgerihte.* **-gëlt** stn. abgabe, zinseinkommen von einer *huobe.* **-meister** stm. einnehmer des *huobegëltes.* **-rëht** stn. das recht der *huober*; abgabe von der *huobe.*

huobelinc, *-ges* stm. = *huober.*

huober, huobener, huobner stm. inhaber einer *huobe,* erblehnbauer.

huob-gerihte stn. hubgericht (von einem ausschusse der *huober* besetzt, hatte es über grund und boden und die damit zusammenhängenden verhältnisse zu urteilen). **-guot** stn. gut eines *huobers,* zinsgut. **-hof** stm. aus *huobgüetern* bestehender hof. **-scheffe** swm. *scheffe* des *huobgerihtes.* **-smit** s. *huofsmit.* **-spruch** stn. urteil des *huobgerihtes.* **-wîn** stm. wein der bei einsetzung eines *huobers* getrunken wird.

huoch, *-hes* stm. hohn, spott.

huof, *-ves* stm. huf.

huof-geziu(we), -gezou(we) stn. werkzeug für den hufschmied. **-hamer** stm. hammer zum hufbeschlag. **-îsen** stn. hufeisen. **-slac** stm. hufschlag, hufspur; hufbeschlag und geld dafür. **-(huob)-smit** stm. hufschmied.

huohen swv. verspotten, höhnen.

huon stn. huhn.

huonlîn, hüenel, hüenelîn stn. dem. zu *huon.*

huor stn. m. ausserehelicher beischlaf, ehebruch, hurerei.

huorære, -er stm. hurer; auch: der in der ehe nicht enthaltsam lebt.

huore stf. = *huor* (auch vom ehelichen beischlafe).—swf. hure.

huoren swv. *huor* treiben (vom ausserehelichen und ehelichen beischlafe).

huorerîe stf. hurerei.

huor-gelust stm. unkeusche begierde, geilheit. **-heit** stf. hurerei. **-lich** adj. hurerei bezweckend, zur h. gehörend. **-lust** stm. = *huorgelust*. **-macher** stm., **-macherin** stf. kuppler, kupplerin.

huoste swm. husten; adj. den husten habend.

huosten swv. husten.

huot stm. hut, mütze; s. v. a. *hersenier*; helm; schützender überzug.

huotære, -er stm. hutmacher.

huote, huot stf. schaden verhindernde aufsicht und vorsicht, bewachung, behütung, fürsorge; wache, persönl. wächter; nachstellung; hinterhalt, lauer; nachhut; im schachspiel die reihe der *hüeter*; waldhut, distrikt eines försters oder waldaufsehers.

huote-lôs adj. ohne bewachung.

huot-man stm., pl. **-liute** hüter, wächter; glöckner.

huove-kraz stm. eindruck von hufschlägen, hufspur. **-schrift** stf. dasselbe.

hupfen, hüpfen, hopfen, hoppen swv. hüpfen.

hûr stf. miete.

hürbîn s. *hürwîn*.

hurdeler stm. krämer in einer marktbude.

hurdieren s. *hurtieren*.

hûren swv. kauern.

hûren swv. md. mieten; auf mietpferden reiten; in einem mietwagen fahren.

hurgen swv. heranwälzen, nahen.

hûrlinc, *-ges* stm. md. mieter.

hurm stm., **hurmen** stn., md. *hormen* feindlicher angriff.

hürnen, hornen swv. mit hörnern versehen; auf dem horne blasen.

hürnîn, hurnîn adj. von horn, mit einer (unverwundbar machenden) hornhaut überzogen, hürnen; mit hornschuppen benäht.

hûr-pfert stn. md. mietpferd.

hurrâ interj., eigtl. imperat. von *hurren* mit angehängtem *â*.

hurren swv. sich schnell bewegen.

hurst stm. quell?

hurst stf., **hürste** swf.? gesträuch, hecke, dickicht; übertragen: dichtes kampfgewühl.

hürsten swv. abwehren.

hurt stf. flechtwerk von reisern, hürde, namentl. um jemand darauf zu verbrennen; *hurt* als tür, brücke, belagerungsmaschine, falle.

hurt stm., **hurte, hurt** stf. stoss, anprall, stossendes losrennen (fz. *heurt*).

hurtære s. *hordære*.

hurte-bære adj. mit *hurt*, stoss verbunden.

hurtec adj. schnell, hurtig.

hurtec-, hurte-lich adj., **-liche** adv. zum gebrauche beim *hurt* geeignet; mit *hurte* losrennend; schnell, reissend.

hurtelinc stm. = *hurtenier*.

hurten swv. intr. stossend losrennen; tr. stossen.

hürten s. *horden*.

hurtenier stm. ein stück der rüstung, art beinrüstung.

hurte-vil stn. dasselbe.

hurtieren, hardieren swv. intr. = *hurten*.

hurt-valle swf. falle von flechtwerk (*hurt*) zum fangen von hunden und katzen.

hurwen, hürwîn, hürbîn adj. = *horwec*.

hurzel, horzel stm. kleingehauene steine zum belegen der strasse. **-stein** stm. dasselbe.

hurzen, hürzen, horzen swv. stossen; jagen, hetzen.

hûs, hous stn. haus, wohnung, haushaltung; rathaus; festes haus, schloss; hütte, zelt; vogelhaus; familie, geschlecht; der menschl. leib.

hûs-arm adj. obdachlos, subst. **-arme** swm. **-bâht** stn. hauskehricht. **-blunder** stm. hausrat. **-bruch** stm. hausfriedensbruch. **-dierne** f. dienstmagd eines hauswesens. **-dinc** stn. ding das zur haushaltung gehört. **-dürftige** swm. = *hûsarme*. **-êre** stf. hausehre, die sich zeigt in freigebigkeit, gastlichkeit, in der sicherheit und ruhe des hauses; ehre des hauses im allgem.; hausfrau; hauswesen, haushaltung. **-gëlt** stn. lagergeld für aufbewahrung der waren im *koufhûse*. **-gemach** stn. häusliche gemächlichkeit, häusliches vergnügen; wohnung, wohnsitz; gemach, zimmer. **-genôȥ, -genôȥe** stswm. hausgenosse, mitbewohner eines hauses od. einer burg; genosse überh.; mietsmann, die angehörigen eines hauswesens; die münzer eines fürsten (da die münze ursprünglich im hause des fürsten selbst war); standesgenosse; bewohner von reichsunmittelbaren orten; höriger, mithöriger. **-genôȥen** swv. zum *hûsgenôȥe* machen. **-genôȥinne** stf. hausgenossin **-genôȥschaft** stf. stand und gesamtheit der *hûsgenôȥen*. **-geræte** stn. coll. zu *hûsrât*. **-gerihte** stn. hausrat. **-gereite** stn. = *hovereite*; hausgerät. **-gerüste, -geschelle, -geschirre** stn. hausgerät. **-gesëȥȥe** swm. mitbewohner eines hauses. **-gesinde** stn. hausdienerschaft. **-getreide** stn. im haus aufbewahrtes *getreide*. **-gevelle** stn. trümmer eines hauses. **-got** stm. hausgötze. **-habe** swm. hausbesitzer. **-habe** stf. häuslicher besitz, häuslichkeit. **-habelich, -hebelich** adj., **-liche** adv. ein haus od. hauswesen besitzend, ansässig. **-hebic** adj. dasselbe **-heit** stf. hintersässige gemeinde. **-hërre** swm. hausherr; hausvater; patron; aufseher in einem *hûse* (z. b. kaufhause). **-knëht** stm. knecht, hausknecht; kastellan des rathauses (in Nürnberg). **-komptûr, kompter** stm. vorsteher einer ordensniederlassung s. *kommentiur*. **-leip** stm. grosser brotlaib, wie er für den hausbedarf gebacken wird. **-liute** pl. von *hûsman*. **-lode** swm. im hause verfertigter *lode*. **-lôs** adj. ohne haus, seines hauses od. wohnsitzes beraubt. **-man** stm. hausherr; hausbewohner; mietsmann; burgwart. **-meister** stm. hausherr. **-meit** stf. hausmagd. **-nôt** stf. was im hause nötig ist, hausbedarf. **-nôȥinne, -nôȥschaft** = *hûs-gen*. **-phîl** stm. pfeil od. bolz zu der armbrust. **-rât** stm. hausrat (*hûsrâtes pflegen* wohnen). **-ritter** stm. ritter, der zu hause bleibt statt in den kampf zu ziehen. **-rouche, röuche** stf. die stätte des hausrauchs, eigener herd, haushaltung. **-röuchen** swv. wohnen, ansässig sein. **-rouchunge** stf. = *hûsrouche*. **-sæȥe, -sæȥic** adj. mit einem hause ansässig. **-schaffære** stm. hausverwalter. **-sorge** stf. häusliche sorge. **-stiure** stf. beisteuer zur gründung u. führung eines haushaltes. **-suoche** stf. hausdurchsuchung. **-suochen** swv. haussuchung halten. **-suochunge** stf. = *heimsuochunge*. **-tor** stn., **-türe** stf. haustor, -tür. **-vâr** stf. gefahr fürs eigene haus. **-vater** stm. hausvater; patron, schutzheiliger. **-verwarter** s. *hûswarter*. **-vient** stm. feind eines hauses, einer familie. **-vluht** stf. flucht vor dem hause od. ins haus. **-volc** stn. hausgesinde. **-vride** stm. hausfriede, schutz und sicherheit im eigenen hause. **-vrouwe, -vrowe, -vrou** swf. herrin im hause, gattin. **-warter, verwarter** stm. hausverwalter. **-wer** stf. verteidigung des hauses. **-wërc** stn. behauene steine zu einem hausbau. **-wermunge** stf. häusliches fest beim einzuge in ein neugebautes haus. **-wirt** stm. hausherr, hausbesitzer; vorstand einer haushaltung; gatte; s. v. a. *hûshërre* in der letzten bed. **-wurz** stf. hauswurz. **-zimber** stn. bauholz. **-zins** stm. hauszins, mietgeld.

hûse swm. der hausen, der grosse stör.

husecke, hosecke f. ein mantel (fz. *housse*).

hûse-gome, -goum swm. auch *hûsgir, hosgir* (umged. aus ahd. *hisigomo, hisigoum*) pelikan. s. *sisegome*.

hûsen swv. intr. u. refl. ein haus bauen, sich häuslich niederlassen, wohnen; mit dat. einem eine wohnung bereiten; haushalten, wirtschaften; übel wirtschaften. — **tr.** ins haus aufnehmen, beherbergen.

hûsen stn. benehmen.

hûsieren swv. hausieren.

hussen swv. intr. sich schnell bewegen, rennen (vgl. *hutzen*). — tr. hetzen, reizen.

hûste swm. auf dem felde zusammengestellter haufen getreide, heu.

hûsten swv. getreide u. heu in haufen setzen.

hûsunge stf. wohnung, haus.

hût, hout stf. haut, fell des tierischen u. menschl. körpers; pergament; *hût* als scheltwort, bes. gegen weiber; dünne decke an teilen des tierischen organismus.

hutsch interj. raschen schwung in die höhe bezeichnend.

hutschen swv. tr. schieben. — intr. rutschen.

hütte swstf. hütte, zelt; verkaufsladen; bergm. gebäude zum schmelzen der erze.

hütte-kost stf. ausgaben für das einschmelzen der erze.

hüttelîn stn. kleine hütte.

hütten swv. eine *hütte* bauen, mit einer *h.* versehen; in einer *h.* wohnung nehmen.

hütte-rouch stm. arsenik.

hütte-snuor stf. zeltschnur.

hützel stm. = *hozel*.

hützel, hutzel stf. getrocknete birne, hutzel.

hutzen swv. tr. bewegen, schieben; intr. sich schwingend, schaukelnd bewegen (vgl. *hussen, hutschen*).

hützern swv. zappeln.

hüvesch s. *hövesch*.

hûwe stm. md. anlauf.

hûwe swm. nachteule, uhu.

hûwe s. *hiuwel*.

hûze, hûzen adv. (aus *hie ûze, ûzen*) aussen.

hûzen s. *hiuzen*.

I

i interj.; adv. s. *ie*.

îbe s. *îwe*.

îbesche, îbesch f. eibisch (lat. *ibiscum*).

ich pron. pers. ich (*ichne, ine, in* ich nicht).

îche, îch, eich stf. was zum abmessen, vergleichen dient, das mass; obrigkeitl. massbestimmung, eichamt.

îchen, eichen swv. abmessen, eichen, visieren.

îcher, eicher stm. eicher, visierer.

ie-lich s. *iegelich*.

îder-slange swm. hydra.

ie adv., md. auch **î** zu aller zeit, immer: vor adv. verstärkend (s. *iedoch, iegenôte, iemer, ienoch, iesâ, iewâ*); *ielanc* vor kompar. je länger je; bei distribut. zahlen: je, *ie der* (artikel) jeder einzelne, auch zusammengeschr. *ieder*; bei komparativen: immer, je — desto; zu irgend welcher zeit, irgend einmal, je; nach der konj. *daz* für *nie*.

iedec, -lich pron. adj. jeder.

ieder s. *ie, iewëder*.

ied-lich s. *ieteslich*.

ie-doch, idoch adv. doch, dennoch.

ie-gelich, ieclich, iclich pron. adj. jeglicher, jeder.

ie-genôte, ignôte adv. mit eifer, unausgesetzt, immerfort, immer noch; jetzt, gerade jetzt.

ieges-lich s. *ieteslich*.

ie-gewëder pron. adj. = *iewëder*.

ieht s. *iht*.

ie-lich s. *iewelich*.

ie-man, -mên pronominalsubst.: irgend ein mensch, jemand; nach der konj. *daz* für *nieman*.

iemer, immer, imer, ummer adv. (aus *ie mêr*) jederzeit, immer, für immer; in der regel nur bei beginnender u. zukünftiger tätigkeit (bei der vergangenheit nur ausnahmsweise: jedesmal, seitdem jederzeit), oft nur verstärkend; — je, irgend einmal (nach d. konj. *daz* zuweilen statt *niemer*); gehäuft *iemer mêre, mê* immer fernerhin, fortwährend, stets von neuem; jedesmal wieder, je noch (nach *daz*: nie wieder).

iemer-êwic adj. verst. *êwic*. **-lëbe** adj. immer lebend, ewig. **-lëben** stn. ewiges leben. **-lieht** stn. ewiges licht. **-rîche** stn. ewiges reich, himmelreich. **-stunt** adv. immer. **-wërnde** part. adj. ewig.

iemeric adj. ewig.

iener, iender, iendert; inder, indert adv. räuml. u. modal: irgendwo, irgend.

ie-noch adv. immer noch; ausserdem, noch.

iergen, irgen, irgent, ieren adv. irgendwo, irgend.

iersch s. *irdisch*.

ie-sâ, -sô, isâ adv. verst. *sâ*: alsbald, sogleich, soeben.

ie-sô adv. verst. *sô*.

iet s. *iht*.

ietes-lich pron. adj. (aus *ie eteslich, ie etelich* mit einmischung von *iegelich*), jeder; nbff. *itslich, iet-, iedlich, itlich, iegeslich, ieslich, islich*.

iet-wëder pron. adj. jeder von beiden.

ietwëder-halp, -halben, -sît adv. auf, zu beiden seiten.

ie-wâ adv. irgendwo.

ie-wëder, ieder pron. adj. jeder.

iewëder-halp, -halben, -sît adv. auf, zu beiden seiten.

ie-welich, -welch, ielich pron. adj. jeglicher, jeder.

iezec adj. jetzig.

ie-zuo, iezunt, iezen, iezent adv. gerade jetzt, eben, jetzt gleich, gleich darauf; wiederholt: bald—bald.

îfer stm. eifer; eifersucht.

îferære stm. eiferer.

îfern swv. eifern.

îferunge stf. = *îfer*.

igel stm. igel; art belagerungsmaschine, eine art geschoss.

igelîn adj. vom igel.

igel-mæzec adj. igelartig, stachlicht. **-var** adj. wie ein igel aussehend.

ignôte s. *iegenôte*.

iht, ieht, iet, ît stn. pronominalsubst. irgend ein ding, etwas, mit od. ohne gen., verstärkt durch vorangehenden gen. *ihtes iht* (woraus durch zusammenz. *ihtesiht, ihtesit, ichsit, ichtzit*). — *iht* adv. acc. irgend, etwa, bei kompar. etwas, irgend; nach d. konj. *daz* für *niht* u. *ihtes iht* für *nihtes niht*.

ihtec adj. was ist.

ihtekeit stf. selbstsucht.

ihten swv. zu etwas machen.

ihten swv. = *îchen*.

île stf. eifer; eile.

île stf. insel.

îlec adj. eilig. **-heit** stf. eiligkeit.

îlen swv. intr. sich beeifern, befleissigen (mit infin., mit nachs. mit *daz*); eilen (mit infin., gen.), mit refl. gen. sich beeilen. — tr. beeilen.

iltis s. *ëltes.*

imbe, impe, imme stswm. bienenschwarm, bienenstand; biene.

imbër s. *ingewër.*

im-bîȥ s. *inbîȥ.*

imelîn stn. dem. zu.

imîn, imi stn. ein getreidemass (der neunte teil eines viertels).

imme s. *imbe.*

immer s. *iemer.*

immer-hort stm. unvergänglicher schatz. **-lôn** stn. ewiger lohn. **-tôt** stm. ewiger tod.

immern swv. intr. immer, ewig sein; tr. ewig machen.

immeȥ, immiȥ s. *inbîȥ.*

impe s. *imbe.*

impelîn stn. dem. zu *imbe.*

impfeten, inpfeten, impfen swv. impfen, pfropfen (mlat. *impotus* impfreis, gr. *ἔμφυτον*).

in acc. m. sing. u. dat. pl. von *ër, si, ëȥ.*

in s. *ne, ich.*

in- intensiv, *in* vor adj. u. subst. (*indurstec, -grüene, -guot, -swarz* usw.).

in, en präp. räuml. mit dat. in, an, auf; mit acc. in, an, auf, zu; — zeitl. mit dat. in, an, bei; mit acc. gegen; final zu (*in gotes* usw. *êre, lobe*); *in. en* in adverb. ausdrücken mit dat. u. acc. vor subst. u. adj. (*in guote, in übele, in gâhen* usw.), vor adv. u. präp. (s. *enbinnen, enbore, engegen* usw.).

în, in adv. ein, hinein, herein; hinter demonstr. adv. *dâ în, dar în, drîn, her în, hin în* usw.) u. bei zeitww. z. b. *în-bilden* einprägen. — *binden* einbinden, einschärfen. — *brîden* hineinweben. — *brîsen* einschnüren. — *demen* swv. inspirieren. — *drücken* einprägen. — *gân* ein-, hineingehen, mit gen. worauf eingehen; unpers. *mir gât în* ich verstehe; tr. betreten. — *legen* ein-, hineinlegen (ins gefängnis, ins grab); refl. sich ins wochenbett legen; *sich gegen einem în l.* gegen ihn eine klage vorbringen. — *machen* einhüllen; einbalsamieren. — *nëmen* einnehmen; zu sich ins haus nehmen; vernehmen, verhören; hören, prüfen. — *rîten* ein-, hineinreiten, das einlager halten. — *sinken* einbrechen, myst. sich hinein versenken. — *sliezen* einschliessen; vereinigen; fangen. — *sloufen* einhüllen, kleiden. — *sprëchen* tr. einsprechen, eingeben, zu sich laden, intr. einspruch erheben. — *trenken, eȥ einem* es einem eintränken, vergeltung od. rache nehmen. — *trëten* ein-, hineintreten; zertreten. — *tuon* einfangen, einschliessen, refl. sich verbergen, zurückhalten. — *vallen* ein-, zusammenfallen, einbrechen; sich ergeben, ereignen. — *vleischen* swv. *îngevleischet w.* incarnari. — *ziehen* tr. einziehen; *eine strâle,* einen pfeil auf den bogen legen; *die bogen* spannen; *den roc mit snüeren* einschnüren; refl. sich bekehren. — *zogen* intr. hineinziehen.

inâ interj. siehe, he, heda!

in-ædere stn. eingeweide.

în-bildunge stf. einprägung; äusserlichkeit; einbildung, phantasie.

în-bîȥ stmn. essen, imbiss, mahlzeit (gewöhnl. angeglichen *imbîȥ,* assim. *immiȥ, immeȥ*).

în-bîȥen, imbîȥen swv. essen, mahlzeit halten (s. *enbîȥen*).

în-blic stm. myst. einblick.

în-, in-born part. adj. eingeboren.

în-bot stn. gebot, auftrag.

în-bruch stm. einbruch; eingriff; schaden, eintrag.

in-brunst stf. inbrunst.

in-brünstec adj. hellbrennend, heiss verlangend, inbrünstig; zornig.

in-bû stm. das bauen u. gebaute.

in-bûwe swm. einwohner.

in-dæhtic, -denke adj. eingedenk mit gs.; erinnerlich mit dp.

inder, indert s. *iener.*

indruc s. *iteroche.*

în-druc stm. eindruck, empfindung od. wirkung des empfindungsobjektes.

in-durstec adj. sehr durstig.

ine s. *ich.*

infel-bære adj. eine *infel* tragend.

infele, infel stf. binde, priesterbinde; bischofs-, abtsmütze (lat. *infula*).

in-gâbe stf. eingebung; schriftliche eingabe.

în-, in-ganc stm. das eingehn, der eingang; hineinführender weg, eingang; einschlag eines gewebes.

ingebër s. *ingewër.*

in-gebot stn. gebot.

in-gebû stm. innerer bau.

in-gedanke swm. innerster gedanke.

in-gedenke = *indenke.*

in-gehiuse stn. = *ingesinde.*

în-geisten swv. inspirare.

în-gekêrt part. adj. in sich gekehrt.

in-gëlt stn. abgabe, rente.

în-genomenheit stf. voreingenommenheit.

in-genôȥ stm. einheimischer.

in-geræte stn. hausgeräte.

in-gereite stn. eingeweide.

in-geriusche stn. dasselbe.

in-geriute stn. = *geriute.*

in-gesigel stn. = *insigel.*

in-gesinde swm. einer aus dem *ingesinde*; hausgenosse.

in-gesinde stn. dienerschaft im hause des herrn, hofdienerschaft, hausgenossenschaft, kriegerisches gefolge; diener; einwohner. **-gesinden** swv. einen ins gefolge aufnehmen.

in-geslehte stn. eingeweide.

in-gesneite stn. eingeweide.

in-getüeme, -tüemede stn. eingeweide; hausrat, vermögen (bes. was die frau ins haus gebracht hat).

in-gevelle stn, einkünfte.

in-gewant stn. eingeweide.

in-gewæte stn. was zur einkleidung dient.

in-geweide stn. eingeweide.

ingew(b)ër, imbër stm. ingwer (lat. *zinziber*).

in-geziht stf. = *inziht.*

în-gezogen part. adj. in sich gezogen.

în-gieȥunge stf. eingiessung.

în-gome swm. insasse.

in-grimmigen swv. ingemiscere.

in-grüen stn. immergrün.

in-grüene adj. kräftig grün.

in-grunt stm. innerer grund.

in-guot adj. sehr gut.

în-guȥ stm. eingiessung: das eingiessen sowohl als das eingegossene, eingefüllte; einfluss, einwirkung.

în-hangen stn. das innesein, -wohnen.

in-hant stf. innere hand. — adv. zuweilen, hie u. da.

in-heimisch adj. einheimisch, zu hause befindlich. — adv. nach hause.

in-hër adv. herein.

in-hitze, -hitzec adj. sehr heiss, entflammt. **-hitzen** swv. erhitzen.

în-kêr stm., **-kêre** stf. myst. einkehr, das insichgehn.

in-knëht stm. knecht des hauses.

în-komen stn. das hereinkommen, die ankunft. — adj. eingewandert. **-komelinc** stm. der eingewanderte. **-kumft** stf. ankunft.

in-künftic adj. zukünftig.

în-lâge stf. eingriff.

în-lëger stn. das einlager. — stm. landstreicher, der bald hier bald dort unterschlupf sucht.

în-leger stm. der etwas ein-, hineinlegt.

în-leite stf. einführung; erster feierlicher kirchgang einer wöchnerin. **-leiten** swv. hineinführen; zu etw. bringen, bewegen, anleiten, verführen.

in-lende stn. heimat, vater.

land; herberge, quartier. — swm., **-lender** stm. inländer. **-lendic** adj. im lande, zu hause.

in-lich = *inneclich.*

in-ligen stn. = *înlëger* 1.

in-liute pl. von *inman.*

în-luogen stn. einblick.

in-man stm. mietsmann.

în-man stm. der eingesessene, in einem gemeindeverbande begüterte.

in-manc adv. md. zwischen, unter.

în-manen swv. einmahnen.

în-mietunge stf. ein-, vermietung.

in-nâme stf. einnahme.

innân s. *innen.*

inne räuml. adv. inne, inwendig. — präp. mit gen. innerhalb (*inne des, indes* demonstr. u. relat. indessen, unterdessen), mit instrum. (*inne diu* währenddem). — stf. das innere; innigkeit.

innec, innic adj. innerlich, im innersten beruhend, aus dem innersten kommend; innig, andächtig; vertraut; verwandt, ähnlich mit dat. **-heit, innekeit, innenkeit** stf. eingezogenheit; innerlichkeit; innigkeit, andächtigkeit; gespannte aufmerksamkeit. **-lich** adj., **-liche** adv. in od. aus dem innersten, inniglich; bis ins innerste andächtig.

innegen, innigen swv. ins innerste aufnehmen; andächtig machen; erinnern, belehren.

inne-, in-halt stm. inhalt.

inne-halden stv. enthalten.

inne-helter, in-halder stm. besitzer.

in-nëmer stm. einnehmer.

innen, innent, innân adv. innen. — präp. innerhalb, binnen (mit gen., dat., instr.).

innen swv. *inne* haben, besitzen; aufnehmen; mit acc. u. gen. erinnern, in kenntnis setzen. — refl. mit dat. sich anschliessen, innig verbinden.

innent-lich adj., **-liche** adv. andächtig; inniglich.

inner adj. inner, inwendig, tief im innern liegend.

inner adv. präp. = *innen* (*inner dës, inner diu* indessen).

innerc-heit, innerkeit stf. das innere, innerlichkeit, innigkeit; entrückung.

inner-halbe, -halben, -halp adv. im innern; innerhalb. — präp. innerhalb, binnen mit dat. **-heit** stf. = *innercheit.* **-lich** adj., **-liche** adv. innerlich; innig. **-steter** stm. = *insteter.*

innern, inren swv. erinnern, kennen lehren, in kenntnis setzen, belehren, überzeugen mit acc. u. gen. — refl. mit gen. sich erinnern an.

inne-, in-wendic adj. inwendig, innerlich. — adv., auch **-wendigen.** — präp. innerhalb, binnen (mit dat., gen.). **-wendekeit** stf. myst. andacht.

inne-, in-woner stm. einwohner.

in-nôt stf. tiefe, grosse not.

innunge stf. aufnahme, verbindung; verbindung zu einer körperschaft, innung, zunft; das innere des hauses.

in-ôre stn. inneres d. ohres.

in-ouwe stf. wohnung.

inpfeten s. *impfeten.*

în-rede stf. einrede.

inren s. *innern.*

în-rêren swv. hineinfallen lassen, einbrocken.

în-sage stf. einsprache.

în-, in-saz stm. das hineinsetzen und hineingesetzte; einsetzung, immission.

în-, in-sæȥe swm. eingesessener einwohner; mietwohner.

în-schîn stm. das hineinscheinen.

în-schouwe stf. einsicht.

în-sëhen stn. myst. *î. haben* innerlich betrachten.

insele, insel, îsele swf. insel (lat. *insula*).

în-sëȥȥen part. adj. eingesessen, eingeboren.

in-sidel m. der einheimische.

insigele, -sigel stn. siegel (petschaft sowohl als siegelbild, gepräge); stempel, zeichen; weidm. ein kennzeichen der fährte des hirsches. **-sigelen** swv. siegeln, versiegeln.

în-slac stm. myst. entrükkung.

în-slôȥ stn. inbegriff.

în-smëlzen stv. myst. sich verschmelzen.

în-sprâche stf. = *însage.*

în-stant stm. näherkauf, vorkauf; einstellung der gerichtsverhandlung.

in-steter stm. bewohner der innern stadt.

în-strâm stm. einströmung.

instrument stn. urkunde, beweisschrift (lat. *instrumentum*).

in-sunder, -sundern adv. besonders, abgesondert; *insunders* insbesondere.

in-swarz adj. sehr schwarz.

interesse stn. entgangener nutzen, erwachsener schaden (lat.).

în-trac stm. eintrag, nachteil, schaden; einwand, einrede.

în-, in-val stm. das einfallen, der einfall; einbruch, feindlicher einfall; eingriff in jemandes recht; zwischenfall, interregnum; zufälliger gedanke; einrede.

în-, in-vanc stm. begrenzter oder eingeschlossener raum, einfriedigung, umfang.

în-var stf. einfahrt, einzug.

în-varn stn. eingang.

în-vart stf. das eingehn, der eintritt, einzug; hineinführender weg, einfahrt, -gang.

în-vehsener stm. einnehmer.

în-versunken part. adj. versenkt, vertieft.

in-vüle stn. pelzfutter, unterfutter.

in-viurec adj. inbrünstig.

în-vleischunge stf. fleischwerdung.

în-vliegende part. adj. *der î. gedanc* der verstohlene (subrepticius) gedanke.

în-vlieȥen stv. tr. einflössen.

în-vluc stm. das einfliegen.

in-vluht stf. zuflucht.

în-vluȥ stm. das einfliessen, der einfluss; einwirkung; ansteckung.

in-volc stn. mietleute.

in-vrouwe f. mietfrau.

în-wander stm. eingang.

in-wart adj. inwendig.

in-wëc stm. eingang.

in-wendic s. *innewendic.*

în-, in-wërt, -wërtes adv. ein-, inwärts.

in-wertec adj. inwendig, innerlich.

inwërt-würkunge stf. myst. d. nachinnenwirken.

in-wëte stn. das innere eines hauses.

în-wiht s. *niwiht.*

în-wiser stm. einweiser.

în-wisunge stf. immission.

in-woner s. *innewoner.*

in-wonhaftic adj. wohnhaft; *i. w.* inhabitari.

in-wonunge stf. wohnung; das darin verweilen.

in-wonunger = *inwoner.*

in-worf stn. gram. die interjektion.

în-würken stn., **în-würkunge** stf. myst. einwirkung.

in-zic stm., **-ziht** stf. beschuldigung.

in-zimer stn. *juncfröulicheȥ i.* jungfrau Maria.

în-zuc stm. einzug; feindl. einfall; das sich zurückziehen.

ir pron. pers. ihr (md. nbff. *er, her, ur, or*).

ir pron. poss. ihr, ihrig.

irch, irh stm. bock; stn. weissgegerbtes (bocks-) leder, bes. von gemsen, hirschen, rehen (auch *irch-vël* stn.).

irdec, irdenisch, irdensch, irdisch, ërdisch adj. von, aus, auf, in der erde, irdisch; kontr. *iersch. irsch.* **irdîn, ërdîn** adj. irden, **irden** swv. refl. erdfarben werden.

irezen s. *irzen.*

irgen, irgent s. *iergen.*

irher stm. der *irch* bereitet, weissgerber.
irhîn adj. von *irch*.
irmen-sûl stf. columna universalis.
irrære, -er stm. der stört, hindert; irrlehrer, ketzer.
irrât, irrot stm. irrtum, ketzerei.
irre, ërre adj. vom rechten wege abgekommen, verirrt; mit gen wovon abgekommen, verlustig, frei; ketzerisch; wankelmütig, unbeständig, untreu; erzürnt, aufgebracht, ungestüm, herbe; uneinig, im streite begriffen.
irre, md. **ërre** stf. irrtum, verirrung, irrfahrt; meretricium.
irre-bære adj. irreführend; erzürnt, wild. **-gân** stv. intr. irregehn; tr. übertreten (gesetz). **-ganc** stm. irrer, ruheloser, zielloser gang; irrlicht; das verlaufene, herrenlos gewordene vieh. **-genge, -gengic** adj. irregehend, verirrt. **-gengel** stm. einer der irregeht. **-haft** adj. verwirrt, uneinig. **-heit** stf. irrtum, unbeständiges wesen. **-sal (irsal)** stm. f. n., **-salunge** stf. irrung, hindernis, schaden; ketzerei. **-sam** adj. irrend, verirrt; zur verirrung verleitend; verwirrt, uneinig. **-sâme** swm. same der zwietracht. **-stërn** stm. planet. **-tac, -tuom** stm. irrung, hindernis, schaden; irrtum, ketzerei; streit, zwistigkeit. **-varn** stv. bildl. im irrtum leben. **-vart** stf. irrfahrt. **-wëc** stm. irrweg.
irrec, irric adj. irrig, zweifelhaft; hinderlich. **-heit, irrekeit** stf. irrtum, verirrung, irrlehre, -wahn; störung, hindernis. **-lich** adj., **-lîche** adv. irrend, irrig; verführerisch, ketzerisch.
irren swv. (md. auch *ërren*) tr. *irre* machen, in verwirrung bringen, stören, hindern; auf abwege, zum unglauben bringen. — refl. sich entfernen *von*; sich veruneinigen. — intr. ungewiss sein, irren, in der irre umherlaufen; mit gen. nicht haben.
irrot s. *irrât*.
irrunge stf. = *irretuom*.
irsal s. *irresal*.
îr-sale stf. = *sal, sale*.
irsch s. *irdisch*.
irzen, irezen swv. mit *ir* anreden.
îs stn. eis; zugefrorne stelle.
isâ s. *iesâ*.
îs-boum stm. eisbrecher. **-grâ** adj. eisgrau. **-grûpe** swf. kleines hagelkorn. **-güsse** stf. eisgang. **-kache** swm. md. eiszapfen. **-kalt** adj. eiskalt. **-schelle** swmf. eisscholle, treibeis. **-var** adj. = *îsgrâ*. **-vogel** stm. eisvogel. **-zapfe** swm. eiszapfe. **-zolle** swf. dasselbe.
îsec adj. eisig, voll eis.
îsel f. eiszapfe.
îsele s. *insele*.
îsen stn. eisen als metall; verarbeitetes eisen: waffe, rüstung, pflugschar (*daʒ glüende, heiʒe î.* bei gottesurteilen); hufeisen; brecheisen; münzstempel; fessel, kette.
îsen swv. zu *îs* werden, gefrieren.
îsen-bant stn. eisernes band. **-bar** stf. eisenstange. **-bërc** stm. eisenbergwerk. **-bîʒ** stm. eisenfresser, gaukler. **-bühel** stm. eisenhügel, spött. benennung des helmes. **-dach** stn. *dach* v. eisen. **-ërz** stn. eisenerz; eisenbergwerk. **-gewant** stn. eisenrüstung. **-graber** stm. münzstempelgräber. **-halte** swf., **-halt** stn. eiserne beinschelle. **-hart** stm. dasselbe; eisenkraut. **-hemde** stn. eisenrüstung. **-hert** adj. hart wie eisen. **-(îser)-hose** swf. beinrüstung. **-huot** stm. kopfbedeckung von eisenblech. **-këc** adj. mutig in der eisernen rüstung. **-kleit** stn. = *îsengewant*. **-klôʒ** stn. eisenklumpen. **-kraft** stf. kraft des magnetes eisen anzuziehen. **-krût** stn. eisenkraut. **-mâl** stn. rostfleck am eisen. **-menger** stm. eisenhändler. **-(îser)-râm** stm. = *harnaschrâm*. **-rinc** stm. eisen-, panzerring. **-sinder, -sindel** stm. eisenschlacke. **-spër** stn. eiserne spitze des speeres. **-stange** f. stange von eisen. **-stein** stm. eisenstein; burg der Brünhilde. **-trât** stm. eisendraht. **-var** adj. eisenfarb, nach eisen aussehend. **-vlasche** f. blechflasche. **-wât** stf. = *îsengewant*. **-wërc** stn. eisenwerk, eisernes geräte; eisenrüstung; eisenbergwerk.
îsener stm. eisenhändler.
îsenîn, îsnîn, îsîn adj. von eisen.
îser-hose s. *îsenhose*.
îser s. *îsern*.
îserîn, îsern adj. = *îsenîn*.
îser-kolze swm. = *îsenhose*.
îsern, îser stn. eisen, bes. das verarbeitete eisen, eiserne waffe, rüstung.
îsern swv. mit eisen (rüstung) bedecken.
îsern-bant stn. = *îsenbant*.
îserne, îsere f. eisenkraut.
îser-râm s. *îsenrâm*.
îsîn s. *îsenîn*.
islich s. *ieteslich*.
îsnîn s. *îsenîn*.
isôpe swm., **ispe** swf. ysop.
israhêlisch adj. israelitisch.
istic, isticlich adj. essentialis.
istic-heit stf. essentia.
istôrje f. = *histôrje*.
it s. *iht*.
itâlsch adj. italisch.
ite-kouwen swv. = *iterücken*.
îtel adj. leer, ledig (mit gen.); eitel, unnütz, vergeblich; ausschliessend: ganz, nichts als, bloss, nur; vom gelde: rein, unverfälscht, den vollen wert habend.
îtelære stm. der eitle dinge treibt.
îtele stf. leerheit; eitelkeit.
îtel-hende adj. mit leerer hand. **-lich** adj., **-lîche** adv. leer; eitel. **-lîcheit** stf. = *îtelkeit*. **-macher** stm., **-macherinne** stf. sich eitel, hoffärtig erweisende und dadurch die blicke auf sich ziehende person. **-wort** stn. unnützes wort, geschwätz.
îtelic adj. leer, bloss; nichts als.
îtelkeit (aus *îtelic-heit*) stf. leerheit, nichtigkeit, eitle, nichtige dinge; leerer hochmut, eitelkeit.
îteln swv. leer machen.
ite-, it-niuwe adj. wieder neu, ganz neu.
ite-niuwe stf. ganz neues.
ite-, it-niuwen swv. erneuen.
ite-roche stf. der schlund (umged. *indrug, indruc, eindruck*).
ite-, it-rücken swv. wiederkäuen.
ite-, it-wîʒ stmn., **-wîʒe** stf. strafrede, vorwurf, schmähung, tadel, schmach. **-wîʒære** stm. schmäher, tadler. **-(it)-wîʒen** swv. vorwürfe machen, schmähen, tadeln mit dp. u. as.
it-, its-lich s. *ieteslich*.
ittern swv. wiederholen (vgl. *ite-*; oder lat. iterare?).
it-wæge stn. flut, strudel.
iu, iuch dat. acc. pl. von *du*: euch.
iuften swv. auftun, eröffnen.
iuterlîn stn. dem zu *ûter*.
iuwel, iule swf. eule (s. *hiuwel*).
iuwer, iwer, iur pron. poss. euer.
iuʒen, iuʒern swv. s. *ûʒenen, ûʒern*.
îwe, îbe stf. eibe; bogen aus eibenholz.
îwîn adj. von der eibe.
iʒ s. *ër*.

J

jâ, ja interj. bejahend: ja; bekräftigend: fürwahr; um die apposition od. umschreibung einzuleiten. — stn. das ja, die bejahung.
jac, *-ges* stm. rascher lauf; s. v. a. *bejac*.

jâchant, jachant, jôchant, jechant, jâcinot, jacinte stm. hyazinth (auch *jachantstein*) aus mlat. *jacinctus*.

jagât stf. jagd, verfolgung des feinde.

jage stf. jagen, eile, rascher lauf, verfolgung.

jage-bære adj. jagbar. **-gesinde** stn. jagdgefolge. **-horn** stn. jagdhorn. **-hunt** stm. jagdhund. **-hûs** stn. jagdschloss. **-lich** adj. = *jegelich*. **-liet** stn. melodie auf dem jagdhorne. **-list** stm. kunst des weidmannes. **-meister** stm. jagdmeister, leiter u. anordner der jagd; meister im weidwerk. **-phert** stn. jagdpferd. **-rëht** stn. jagdbrauch. **-site** stm. dasselbe. **-spieȥ** stm. jagdspiess. **-wîse** stf. = *jageliet*.

jagede, jeide stn. f. jagd; jagdbeute.

jagen swv. abs. od. tr. verfolgen, jagen (hastig eilen), treiben; in die flucht schlagen. — refl. sich umhertreiben. — abs. u. tr. jagen, auf der jagd sein, ein wild jagen.

jagerie s. *jegerîe*.

jaget, jeit, *-des* stn. f. jagd.

jaget- s. *jage-*.

jâ-hërre swm. einer der zu allem *jâ herre!* sagt, schmeichler.

jâmer, âmer stmn. herzeleid; schmerzliches verlangen *nâch*; gegenstand der schmerz erregt.

jâmer-ande swm. schmerzliche kränkung. **-bære** adj. herzeleid tragend oder erweckend. **-bërnde** part. adj. herzeleid mit sich führend. **-braht** stm. klaggeschrei. **-gîtec** adj. leidgierig. **-haft** adj. herzeleid habend. **-karn** stn. jammervolles klagen. **-klage** stf. wehklage. **-kleit** stn. trauerkleid. **-lant** stn. land des jammers, erde. **-leich, -leis** stm. jammergesang. **-(jæmer)-lich** adj., **-lîche** adv. herzeleid erregend, jammervoll, kläglich; herzeleid empfindend, leidvoll. **-mer** stn. s. *-sê*. **-nôt** stf. herzeleid erregende not. **-rëgen** stm. tränenstrom. **-sage** stf. unglückserzählung. **-sanc** stmn. trauer-, klaggesang. **-schal** stm. = *j.-braht*. **-schiht** stf. trauriges ereignis. **-schouwe** stf. trauriger anblick. **-schric** stm. das aufschrecken vor, in trauer. **-sê** stm. see der trauer: hölle. **-slac** stm. schicksalsschlag. **-smërze** swm. trauerschmerz. **-sôte** swm. jammerquelle, tränen. **-stric** stm. band der trauer. **-suht** stf. krankheit vor herzeleid, schwermut. **-tac** stm. trauertag. **-tage** swm. jammer. **-tal** stn. tal des jammers, erde; unglück. **-tunc** stm. jammerhöhle. **-var** adj. nach herzeleid aussehend, traurig. **-weide** stf. weide des jammers, erde. **-wunde** swf. herzenswunde. **-zëlle** stf. trauerzelle. **-zil** stn. jämmerliches ende. **-zît** stf. trauerzeit.

jâmerc-heit, jâmerkeit stf. zustand in dem man *jâmerec* ist.

jâmerec, jâmeric, jæmeric, jâmerc, jæmerc adj. von *jâmer* ergriffen, leidvoll.

jæmer-lîcheit stf. jammervoller zustand, herzeleid.

jâmern, âmern swv. abs. seelenschmerz empfinden; unpers. mit ap. u. gs. od. nachs. jammern, leid sein, schmerzlich verlangen nach (*in, nâch*).

jâmerunge stf. schmerz der seele; schmerzliche klage.

jân stm. gewinn; fortlaufende reihe (der reime); reihe gemähten grases, geschnittenen getreides.

jânen swv. erarbeiten; gewinnen.

jâr stn. jahr (*jâr unde tac* die volle noch durch eine zugabefrist verstärkte summe des jahres; *des jâres* das jahr hindurch, im jahre, in der jahrzahl; *hin ze jâre* übers jahr; *über jâr* das jahr hindurch; *mîniu, dîniu, sîniu* usw. *jâr* so lange ich usw. lebe; *ze sînen jâren komen* mündig werden).

jârâ, jarâ, jârlâ interj. des schmerzes od. der freude.

jâr-âbent stm. vorabend des neuen jahres. **-bëte** stf. die dem landesherrn bewilligte jährliche steuer. **-bluome** swm. jährl. ertrag eines landgutes. **-dienest** stm. jahresdienst eines knechtes, einer magd. **-dinc, -gedinge** stn. zu bestimmten zeiten des jahres (zwei- oder dreimal) abgehaltenes gericht. **-dingen** swv. ein *jârdinc* halten. **-ganc** stm. jahreslauf, ereignisse im jahre. **-gedinge** s. *jârdinc*. **-gëlt** stn. jährliches einkommen. **-gerihte** stn. = *jârdinc*. **-gewande, -gewant** stf. jahrestag; jahrgang. **-gezil** stf. dasselbe. **-gezît** s. *jârzît*. **-gülte** stf. = *jârgëlt*. **-huon** stn. jährl. zinshuhn. **-kost** stf. lebensunterhalt auf ein jahr. **-lanc** adv. von jetzt an das jahr hindurch; zu dieser zeit des jahres; in diesem jahre. **-lôn** stm. jahreslohn eines dienstboten. **-mânôt** stm. monat mit dem das jahr beginnt: januar. **-market** stm. jahrmarkt. **-mësse** stf. jahrmarkt; neujahrstag. **-nuz** stm. jährlicher ertrag eines gutes od. kapitals. **-schar** stf. zeitraum eines od. mehrerer jahre. **-tac** stm. jahrestag; neujahrstag. **-vaste** f. die jährlich wiederkehrenden fasttage. **-vrist** stf. aufschub über jahr, jahresfrist. **-zal** stf. die zeit eines jahres, jahresfrist; s. v. a. *jâr unde tac;* festgesetzte zahl von jahren, das alter der mündigkeit; jahrzahl (*diu mêrer, diu minder jârzal* die zeitrechnung nach jahrhunderten, innerhalb eines jahrhunderts). **-zil** stn. jahresfrist. **-zît, -gezît** stf. jahrestag; zeit von einem oder mehreren jahren.

jârec, jæric adj. ein jahr alt; jährlich; grossjährig.

jærec-lich adv. = *jærgelich*.

jâren, jæren swv. intr. u. refl. zu jahren kommen, mündig, alt werden. — tr. alt machen; erhalten; auf-, hinhalten.

jâres gen. adv. das jahr hindurch; jährlich.

jær-gelich adv. jedes jahr, jährlich. **-lich** adj. adv. jährlich. **-linc** stm. einjähriges fohlen.

jâ-wort stn. zusage, genehmigung.

jâzen swv. ja sagen.

jechant s. *jâchant*.

jege-lich adj. jagdmässig.

jegere, jeger stm. jäger.

jeger-horn stn. = *jagehorn*. **-knëht** stm. jagdgeselle, jäger. **-lich** adj., **-liche** adv. nach jägerart, frisch, stattlich. **-liute** pl. jäger. **-meister** stm. = *jagemeister*. **-rëht** stn. = *jagerëht*.

jegerie, jagerîe stf. jägerei; verfolgung.

jegerinne stf. jägerin.

jëhe stf. aussage, ausspruch.

jëhen, jën stv. V abs. mit gs. od. tr. sagen, sprechen, für wahr erklären, behaupten; bekennen, beichten; mit dat. u. gen. einem etwas sagen, ihm etw. zugestehn, beilegen, zu eigen geben, anrechnen; *an einen* od. *etw. j.* sich zu ihm bekennen, daran glauben; mit gen. u. *an* einem etw. sagen, es ihm anrechnen; *ûf einen, ëȥ ûf einen j.* auf einen schieben, sich in einer sache auf ihn berufen; *ze einem j.* vertrauen auf, wofür erklären.

jeide, jeit s. *jagede, jaget*.

jeit-geselle swm. jagdgefährte. **-geverte** stn. was zur jagd gehört, jagdzeug.

jenen, ennen adv. von dort.

jenent, enent, ennent adv. drüben, jenseits; als präp. mit gen.

jenent-, jen-halp, -halben adv. u. präp. dasselbe.

jener, ener pron. dem. jener.

jener, jenner stm. januar (lat. *januarius*).

jen-sît adv. jenseits; als präp. mit gen.
jërn s. *gërn.*
jësen, gësen stv. V intr. gären, schäumen (vgl. *gërn*); tr. durch gären bereiten, hervortreiben.
jëst stm. gischt, schaum.
jësten, gisten swv. schäumen.
jëten stv. V jäten.
jiuch, jûch, juoch stn. f. joch landes, jauchart, eigtl. soviel ein joch rinder an einem tage umzuackern vermag, vgl. *joch.*
jiuchart, jûchart, -ert, jochart stn. f. dasselbe.
joch, jô konj. und; und auch, nebst, sowie; noch, weder noch. — adv. auch, sogar; einen konzessivsatz oder hauptsatz (doch) oder eine frage einleitend. — interj. der bekräftigung: fürwahr, jedoch (mit negat. *jône, jone, jo en, jon*).
joch stn. joch; s. v. a. *jiuch*; brückenjoch, balken zu einem solchen; bergjoch.
jôchant s. *jâchant.*
jôlen swv. vor freude laut singen, johlen.
jœlich adj. johlend.
jomënt s. *jumënte.*
jope, joppe, juppe swf. jacke; stück der rüstung (fz. *jupe,* mlat. *jupa*).
joste s. *tjoste.*
jöuchen, jouchen swv. jagen, treiben.
jû, jûch interj. der freude.
jûbel stm. jubel, schlussvariation des andachtliedes, freudenausbruch eines gottseligen herzens im gesang (mlat. *jubilus*).
jûbilieren swv. jubilieren s. *jûbel*; sich amüsieren, spielen (lat. *jubilare*).
jûch s. *jiuch.*
jûche f. jauche.
jûchezen swv. *jû, jûch* schreien, jubeln, jauchzen.
jucken swv. jucken; kitzeln, streicheln; kratzen, reiben.
jude, jüde swm. jude.
jüdelîn, jüdel stn. kleiner jude, judenkind.
juden-art stf. judengeschlecht. **-buoch** stn. jüdisches, alttestamentliches buch. **-diet** stf. das jüdische volk, die juden. **-huot** stm. spitzer hut mit breiter krempe, wie ihn die juden tragen mussten. **-lîm** stm. asphalt. **-orden** stm. das jüdische gesetz. **-rëht** stn. judengericht; dazu **-rihter** stm. **-(jud)-schaft** stf. judenschaft, jüdischer glaube. **-schuole** stf. judenschule, synagoge. **-stein** stm. = *judenlîm*; jüdischer grabstein. **-zunge** swf. jüd. sprache, jüd. volk.

judenisch adj. = *jüdisch.*
jud-heit stf. judenschaft.
judic adj. jüdisch.
judicieren swv. zusprechen (lat. *iudicare*).
jüdinne, -în stf. jüdin.
jüdisch, judesch adj. jüdisch.
jüdischeit, jüdescheit (aus *jüdesch-heit*) stf. judaismus, jüd. religion; judenschaft, jüd. volk.
judschaft s. *judenschaft.*
jûf stm. scherz, namentlich grober, verächtlicher (der gaukler u. possenreisser).
jûfer stm. s. v. a.
jûf-kint stn. landstreicher, der sich von possenreissen nährt.
jugenden swv. intr. jugendlich, kräftig sein.
jugent stf. jugend; junge leute, knaben. **-heit** stf. jugend. **-var** adj. jugendlich.
jumënte, jomënt swf. stute (lat. *jumentum, jumenta*).
junc, -ges adj. jung (*unser vrouwen tac der jungen, der jungern, der jungisten* Mariä geburt); vergnügt. — superl. jüngster; letzter (*der jungeste tac; des jungesten* am ende des *lebens*).
junc-brunne swm. jungbrunnen. **-hërre, -hërre** swm. junger herr, junger (noch nicht ritter gewordener) adeliger, junker, edelknabe; novize in einem kloster. **-hërrelîn, junkerlîn** stn. dem. zum vorig. **-lich** adj. jung; jugendlich, jugendlich frisch. **-man** stm. junger mann. **-meister** stm. novizenmeister. **-vrouwe, -vrowe, -vrou** swf. junge herrin; vornehmes junges fräulein, unverheiratete vornehme dienerin; edelfräulein; jungfrau; überh. zur bezeichn. des reinen, unbefleckten. **-vrouwelich** adj. jungfräulich. **-vrouwelicheit** stf. unberührtheit. **-vröuwelîn, -vröulîn** stn. dem. zu *juncvrouwe.*
jung-alte swm. der jung und alt zugleich ist, Christus.
junge swm. jüngling, junger mann; jünger.
junge swn., **jungede, jungît** stn. das junge eines tieres.
jungelîn stn. dem. zu *junge* swm.
jungelinc, -ges stm. jüngling, knabe; kinder beider geschlechter (pl. *jungelinge* braut und bräutigam).
jungen swv. *junc* werden.
jungen, jüngen swv. *junc* machen, verjüngen.
jungent, junget stf. = *jugent.*
junger m. jünger, schüler, lehrling; novize in einem kloster; jüngling.
jungerinne stf. schülerin.

jungern swv. *jünger* machen, verjüngen, erneuen.
jungeste, jungest, jungist adv. jüngst, zuletzt.
jungeste stf. letzte zeit, todeszeit.
jungest-lich adj. letzter.
junget, jungît s. *jungent, junge.*
juoch s. *jiuch.*
juppe s. *joppe.*
juriste swm. rechtsgelehrter (mlat. *jurista*).
jûs stm. zwischenmahlzeit; das schwelgen.
jûsen swv. ein zwischenmahl einnehmen.
jusselîn, jussel, jüssel, gusse stn. m. suppe, brühe (mlat. *juscellum* v. *jus* brühe).
juste s. *tjoste.*
juste stf. kirchliche züchtigung, strafe.
juven adj. jung (rom. *juven, jeun*).
jûwen, jûwezen, swv. = *jûchezen.*

K

kabel stfnm. ankertau, kabel (fz. *câble,* mlat. *capulum*).
kabez stm., **-krût** stn. weisser kopfkohl (aus lat. *caput*).
kabütze stn. kapuze (mlat. *caputium*).
kach stm. lautes lachen.
kachele, kachel stswf. irdenes gefäss, geschirr; ofenkachel; hafendeckel.
kacheler stm. töpfer.
kachen, kachezen swv. laut lachen.
kachez stm. = *kach.*
kadel stm. russ, schmutz (slav.).
kaf stn. getreidehülse, spreu; bildl. etw. wertloses, nichts.
kafse, kafs; kefse, kefs swstf. kapsel, behälter, bes. reliquienbehälter (lat. *capsa*).
kak stm. pranger (md. u. nd.).
kal, -wes adj. kahlköpfig.
kâl s. *quâle.*
kaladrius s. *karadrîus.*
kalamâr stn. schreibzeug (mlat. *calamare*).
kalamît stf. magnet (frz. *calamite*).
caland stm. = *galîe* (mlat. *galandina*).
caland, calend stm. religiöse brüderschaft (wegen ihrer urspr. versammlungen am ersten jedes monats, lat. *calendis*).
kalbe, kalbele swf. weibl. kalb, das über ein jahr ist u. noch nicht gekalbt hat.
kalben swv. intr. kalben.
kalc, -kes stm. kalk; tünche.

kalc-brenner, -meister, -ovener stm. kalkbrenner. **-wëre** stn. alles was zum maurerhandwerk gehört.

kalden s. *kalten.*

kaldûne swf. eingeweide von tieren (md. nd.).

kâle s. *quâle.*

kalemîne stm. = *galmei* (fz. *calamine*).

calend s. *caland* 2.

kalendenære, kalender stm. kalender (lat. *calendarium*).

kal-hart stm. schwätzer.

kalige stf. = *kolze* (lat. *caliga*).

kalker stm. kalkbrenner.

kallære, -er stm. schwätzer.

kalle stf. schwätzerin, sängerin (nachtigall).

kalle stf. gerede, geschwätz.

kallec adj. schwatzhaft.

kallen swv. abs. u. tr. viel und laut sprechen, schwatzen; singen; krächzen.

kallunge stf. schwätzerei; beredung, unterhandlung.

kalopeiz, kalopieren s. *galop-*.

kaloze f. überschuh (fz. *galoche*).

kalp, *-bes* stn. kalb; bildl. dummer mensch.

kalp-vël stn. kalbfell.

kalt adj. kalt (auch bildlich), adv. *kaltlichen.*

kalt stn. kälte, frost.

kalte, kalde stn. gekürzt aus *daz kalte fieber.*

kalte, kalten s. *kelte, kelten.*

kalten, kalden swv. kalt werden, erkalten.

kalter s. *kelter.*

kalter stm. (aus *gehalter*) schrank, behälter.

kalt-heit stf. kälte.

kalt-smit stm. schmied der ohne feuer arbeitet: kessel-, kupfer-, messingschmied; umherziehendes gesindel; zigeuner.

kalwe, kelwe swstf. kahle stelle, kahlheit.

kalwen swv. *kal* werden.

kalzen s. *kelzen.*

kam, kambe s. *kamp.*

kâm, kân stm. schimmel auf gegorenen flüssigkeiten; höhenrauch.

kâm stm. gebiss der pferde (in *kâmbritel* stm. zaum mit gebiss), aus mlat. *chamus.*

kamel s. *kembel.*

kamenâte s. *kemenâte.*

kamer-ambet stn. amt des kammerdieners; amt an einer fürstl. finanzkammer. **-bëlle, -birse, -dolle** swf. spött. benennungen einer kammerfrau. **-bühse** swf. kleineres geschütz mit zwei od. drei pulverkammern, das zugleich für mehrere schüsse geladen werden konnte. **-gerihte** stn. oberstes gericht (urspr. in des fürsten *k.*). **-gewant** stn. tuch, kleiderzeug unter den vorräten der *k.* **-hërre** swm. = *kamerære*; inhaber einer *kouf-k.* **-hort** stm. in der *k.* aufbewahrter schatz. **-knëht** stm. ein niederer hofbedienter; jude (als leibeigener der kaiserl. *k.*). **-louge** swf. kammerlauge, urin. **-meister** stm. schatzmeister, vorsteher und verwalter der kammereinkünfte. **-schaz** stm. = *kamerhort*; an die *k.* zu entrichtende abgabe. **-schrîber** stm. der unter dem *kamermeister* stehende beamte, rentamtmann; sekretär. **-slange** swf. ein kleineres geschütz für kartätschen. **-tuom** stn. = *kamerambet.* **-wagen** stm. der wagen, der auf der reise die fürstl. *k.* (gewand, kleinodien, silberzeug usw.) führte; bedeckter vorratswagen; wagen mit einer besondern pulverkammer. **-wîp** stn. kammerfrau, zofe; kindbettwärterin; konkubine, buhlerin. **-zëlle** stf. schlafgemach.

kamerære, -er stm. kämmerer; schatzmeister (über geld, kleinode, waffen); vorsteher und verwalter der kammereinkünfte; diener und aufseher im frauen- und schlafgemach; einer der obersten hofbeamten, der erste diener eines fürsten.

kamerærinne, -în stf. kammerfrau, hofmeisterin.

kamere, kamer stswf. schlafgemach; vorrats- schatzkammer; öffentl. kasse, kämmerei, fiskus; kammergut; fürstl. wohnung; gerichtsstube, gericht; höhlenartige abteilung im herzen usw., pulverkammer d. geschütze; ein kleidungsstück (lat. *camera*).

kamerîe, kemerîe stf. md. kammerfrau.

kamerlîn s. *kemerlîn.*

kâmic, kânic adj. mit *kâm* überzogen.

kâmîn, kêmîn stmn. schornstein; feuerstätte, feuerherd (lat. *caminus*).

kammel s. *kembel.*

kammen s. *kemben.*

kamp, *-bes,* **kam,** *-mmes* stm. **kambe, kamme** swfm. haar-, woll-, weberkamm; kamm am mühlrade; kamm auf dem kopfe oder halse eines tieres; kamm, gestiele der traube; bergm. festes gestein, das hervorschiesst u. den gang verdrückt; ein marterwerkzeug; ein saugwerkzeug; holz, das man dem schweine um den hals hängt, damit es nicht durch die zäune kriecht; eiserner ring; fessel.

kampen, kempen swv. *ein swîn k.* ihm den *kamp* anlegen (vgl. *kemben*).

kampf stm. n. einzelkampf, zweikampf; gerichtl. zweikampf; kampfspiel, turnier; kampf zwischen zwei heeren; innerer kampf, leiden.

kampf-bære adj. zum zweikampf tüchtig. **-genôz, -genôze** stswm., **-geselle, -geverte** swm. mitkämpfer; gegner. **-kreiz** stm. = *kampfrinc.* **-(kempf)-lich** adj. zum kampfe gehörig, geeignet; kampfbereit. **-(kempf)-liche** adv. kampfbereit, kämpfend; *einen k. ansprëchen, grüezen, laden* zum zweikampfe, bes. zum gerichtskampfe fordern. **-müede** adj. vom kampfe ermüdet. **-rëht** stn. das recht, das den gerichtl. zweikampf bestimmte und ordnete; der rechtl. anspruch daran. **-rëhten** swv. im gerichtl. zweikampf fechten. **-rinc** stm. kampfring **-schilt** stm. kampfschild; schild zum gerichtl. zweikampfe, nicht zugleich als waffe dienend. **-stat** stf. kampfstätte. **-wât** stf. kriegskleid. **-wërc** stn. rüstzeug zum kampfe. **-wic** stmn. zweikampf als gottesurteil. **-wîse** adj. kampfkundig, -erfahren. **-wîse** stf. was zum kampfe gehört.

kampfe s. *kempfe.*

kampfer stm. = *gaffer.*

kamp-rat stn. kammrad in der mühle.

kan s. *kone.*

kân s. *kâm.*

kandel-slac stn. schlag, streich mit einer kanne.

kanel, kandel, kenel, kener stm. kanal, röhre, rinne (aus lat. *canalis*).

kanêl stm. zimmet (nd., fz. *canelle*).

kânic s. *kâmic.*

kanker swm. eine art spinne (lat. *cancer*).

kanne, kannel, kandel stswf. kanne.

kant adj. = *kunt.*

kant-bære adj. bekannt.

kant-lich s. *kentlich.*

kantner stm. unterlage von balken für fässer.

kantnisse, kenntnisse stf. kenntnis, erkenntnis.

kant-wagen s. *kanzwagen.*

kanzel stf. m. kanzel (mlat. *cancella*).

kanzelære, kenzelære, -er stm. cancellarius.

kanzelîe, kenzelîe, kanzellerîe stf. kanzlei (mlat. *cancellaria*).

kanzeln swv. das kanzleramt ausüben.

kanz-, kant-wagen stm. lastwagen.

kape, kobe s. *quappe.*
kapel-soum stm. gepäck mit gottesdienstl. geräten.
capelûn s. *gabilûn.*
kapf stm. runde bergkuppe.
kapfære, -er stm. der verwundert auf etw. schaut; *griezwart* im turnier.
kapfen, kaffen, gaffen swv. schauen, bes. verwundert schauen, gaffen.
kapfe-spil stn. schauspiel.
kap-han s. *kappûn.*
kapît stn. ein feiner webestoff (afz. *capite*).
kapitân stm. anführer, hauptmann (mlat. *capitaneus*).
kapitël stn. kapitäl (lat. *capitellum*).
kapitel stn. feierl. versammlung, konvent (im deutschen. orden versammlung der gebietiger, lat. *capitulum*).
kapiteln swv. intr. sitzung des kapitels abhalten; tr. einem das kapitel lesen, ihn mit worten strafen.
kapitîn adj. von *kapît.*
capiller stm. = *capuciatus, kappelære,* kappentragender mönch.
kappe swm. kapaun (mlat. *capus*).
kappe swstf. mantelartiges, mit einer kapuze versehenes kleid, das von männern und frauen, bes. auf reisen getragen wurde; bauernkittel; eine art mantelkragen oder kapuze; mütze, kappe, narrenkappe; kopf (mlat. *capa, cappa*).
kappellân, kapellân, kapelân, kaplân stm. kaplan (mlat. *capellanus*).
kappëlle, kappel, kapëlle swstf. kapelle (mlat. *capella*).
kappen swv. zum *kappen* machen, verschneiden.
kappen swv. mit einer *kappe* versehen.
kappen-gëlt stn., **-gülte** stf., **-zins** stm. kapaunenzins; abgabe der gemeinen frauen.
kappen-runzel stf. kapuzenfalte. **-zipfel** stm. der zipfel der kapuze u. diese selbst; scherzhaft für kapitel.
kappûn stm. kapaun (umgedeutet *kaphan*); vir castratus (mlat. *capo, caponis*).
kappûnen swv. = *kappen.*
kappûner stm. = *kappûn.*
kar stn. geschirr, schüssel; bienenkorb; ein getreidemass; stockwerk; zur weide benutzbare talmulde im gebirge (vgl. *këskar*).
kar stf. trauer, wehklage.
karacter stswm., **karacte** swm. buchstabe; zauberschrift; -spruch; gepräge, merkmal; abgedrückte figur (gr. lat. *character*).
karadrius m. fabelhafter, weisser vogel; nbff. *kaladrius, galadrius, calader, galadrôt, galidrôt* (gr. χαραδριός).
karc adj. klug, listig, schlau. hinterlistig, streng, heftig, stark; enge, knapp; knauserig; nicht ausgiebig, unfruchtbar. **-heit, karkeit** stf. schlauheit, hinterlist; sparsamkeit, knauserei.
karch, karche s. *karrech.*
kardamôm stm., **kardamuome** swf. kardamome, ein gewürz (mlat. *cardamomum*).
kardelîn stn. distelfink s. *karte* 1.
kardenâl, kardinâl stm. kardinal (lat. *cardinalis*).
kâren s. *kêren.*
karfunkel, karvunkel, karbunkel stm. karfunkel (umgeed. *clârifunkel,* lat. *carbunculus*).
karfunkelîn adj. von, wie karfunkel.
karfunkel-stein stm. = *karfunkel.*
karg stf. ein bestimmtes gewicht (it. *cargo*).
karge s. *kerge.*
kargen swv. intr. unfreigebig, karg sein.
kargen swv. betrübt, ängstlich, besorgt sein.
kâriôfel gewürznelke (gr. lat. *caryophyllum*).
karkære, kerkære, -er stm. kerker; nbff. *karkel, kerkel,* md. auch *kerkenêre, kerkener* (lat. *carcer*).
karkel-var adj. kerkerfarbig.
karl, karle stswm. mann, ehemann, geliebter (md. *kerl,* mit verächtl. nebenbedeut. fast wie nhd. kerl). — *Karl, Karle* als nom. pr. Karl, bes. Karl d. grosse.
carme stn. lied (lat. *carmen*).
karmen, karn swv. trauern, klagen.
karner s. *gerner.*
karnier, kernier stm. ledertasche (it. *carniere*).
karnöffel stm. ein kartenspiel; hodenbruch.
karnöffeln swv. *karnöffel* spielen.
kârôt stm. wehklage.
karpfe, karpe swm. karpfen (mlat. *carpa, carpo*).
karrâsch s. *karrosche.*
karrât s. *kerrât.*
karre, garre swmf. karren (kelt. lat. *carrus,* mlat. *carra*).
karrech, karrich, kerrich, karch, karche stswm. karren; wagen, streitwagen (lat. *carruca*).
karrecher, kercher stm. = *karrer.*
karren swv. schreien, brüllen.
karren-bühse f. fahrbares geschütz, feldgeschütz.
karrer stm. karrenführer.
karrîne s. *kerrîne.*
kerrosche, karrotsche, karrutsche, karrâsche swmf. **karratsch, karrutsch, karratsch, karrâsch** stmf. wagen, bes. auf dem das feldzeichen aufgerichtet ist (fz. *carrosse,* it. *carroccio* vom lat. *carruca,* vgl. *karrech*).
karrûne swf. karren.
karsch adj. munter, frisch.
kar-spuole swf. was aus den schüsseln (*kar* 1) gespült wird.
kar-tac stm. tag der trauer (*kar* 2): karfreitag.
kartanie stf. ein am vierten tage zurückkehrendes übel, vgl. *quartâne* 1.
kartât, kartâte stswf. das lat. *caritas* (*biten in der kartâten* um gotteswillen).
karte swf. karde (it. *carda,* fz. *carde* v. lat. *carduus*).
karte swf. stück papier oder pergament, blanket; ausgestellte urkunde; gemaltes blatt, bild; spielkarte, das spielkarten (lat. *charta*).
karten swv. intr. mit karten spielen. — tr. *daz spil k.*
karten swv. mit der karde krämpeln.
karter stm. kartenspieler.
karter stm. wollkrämpler.
karvane, karwan, carben, karwen swm. kriegsbagage, schweres gepäck und haus, wo solches aufbewahrt wird (it. *caravana*).
kar-vrîtac stm. = *kartac.*
kar-vunkel s. *karfunkel.*
kar-woche swf. karwoche.
karzin s. *kawërzîn.*
kasagân stm. reitrock (fz. *casaquin*).
kâse stf. hütte (lat. *casa*).
kæse stm. käse (lat. *caseus*).
kæse-bor stf. käsekorb. **-gëlt** stn., **-gülte** stf. zins in käsen. **-kar** stn. gefäss, in das man quark tut, um die käsegestalt zu gewinnen. **-lap** stn., **-luppe, -lüppe** stf. käselab. **-wazzer** stn. molken.
kâsel, kâsele stswf. hülle, kleid (mlat. *casula*).
kæselîn stn. dem. zu *kæse.*
kæser stm. käser, käsehändler; alpenhütte.
kasmeôt stm. kostbarer weisser stoff.
cass adj. nichtig, ungültig (it. *casso,* mlat. *cassus*).
casse swf. behälter (it. *cassa* v. lat. *capsa*).
kasse, cassie swf. kassie (mlat. *casia, cassia*).
kastâne s. *kestene.*
kaste s. *queste.*
kaste swm. kasten, behälter;

brunnenkasten; kornspeicher; kastenamt, verwaltung eines landesfürstlichen speichers; bewohntes haus, nebengebäude, hausraum; die einfassung eines edelsteins; *k.* am menschl. oder tier. körper: weibl. brust, magen, stirn; schroffer fels.

kástël, kástêl, kastél stn. befestigter ort, burg, schloss, kastell; belagerungsturm, turm auf einem elefanten; schiffskajüte (lat. *castellum*).

kastelân stm. castellanus.

kastelân stn. kastilisches pferd (span. *castellano*).

kastenære, kastner, kestener stm. eigentl. verwalter des *kornkasten*, dann überh. einnehmer und aufseher über die einkünfte, rentmeister.

kasten-mütte, -mutte stmn. scheffelmass für getreide.

kast-meister stm. = *kastenære*. **-metze** swm., **-müttel** stn. = *kastenmütte*. **-miete** stf. speicherzins. **-voget** stm. der weltl. schutzherr eines klosters oder stiftes, weil er hauptsächlich oder ursprünglich dessen zehnten und einkünfte (s. *kaste*) verwaltete, schützte oder diese verwaltung überwachte.

kastrûn stm. hammel (mlat. *castrunus*).

kastunge s. *kestigunge*.

kasugele swf. messgewand (mlat. *casubula, casucula*).

kat prät. s. *quëden*.

kât s. *quât*.

kateblatîn stn. ein gewandstoff, geringer *baldekin* (mlat. *catablatinum*).

katere, kater swstm. kater.

kative adj. elend, unglücklich (it. *cattivo* vom lat. *captivus*).

kât-sprëche swm. verleumder.

katze swf. katze; geldkatze; eine belagerungsmaschine.

katzen-strëbel stm. strebekatze (ein spiel, bei dem jede partei die widerstrebende gegenpartei fortzuziehen sucht: tauziehen).

katzen-wërc stn. = *katze* als belagerungsmaschine.

katz-streichen swv. hinterlistig streichen.

kavalerie stf. ritterlichkeit (fz. *cavalerie*, it. *cavaleria*).

cavalier s. *schevaliers*.

kawërzîn, kauwërzîn, karzîn stm. ausländischer, bes. ital. kaufmann, wechsler, wucherer; als schachfigur vierte *vende* (mlat. *cavercinus*, afz. *chaorsin* eig. einwohner v. Cahors in Südfrankr., das wegen wuchers berüchtigt war).

kawërzîner stm. dasselbe.

kebes, kebese, kebse stswf. kebsweib; konkubinat.

kebeselinc, *-ges* stm. = *kebeskint*.

kebesen, kebsen swv. intr. ehebruch treiben. — tr. zur kebse machen, nehmen; wie ein kebsweib behandeln, namentlich das weib verstossen, widerrechtlich verlassen; eine *kebse* schelten.

kebesinne stf. kebsweib.

kebes-kint stn. uneheliches kind (*kebesbruoder, -sun*). **-lich** adj. einem kebsweibe gemäss. **-lîche** adv. nach art eines kebsweibes; unehelich. **-tuom** stm. impudicitia. **-vrîen** swv. pellicere. **-wîp** stn. kebsweib.

këc s. *quëc*.

këc-heit stf. frisches mutiges wesen.

këcke stf. kühnheit.

këcke, këc-lîche adv. frisch, mutig.

këden, këder s. *quëd-*.

kefach stn. coll. zu *kaf*.

kefs, kefse s. *kafse*.

kegel stm. kegel im kegelspiel; knüppel, stock; eiszapfen; uneheliches kind.

kegelen swv. kegelschieben.

kegeler stm. kegelschieber, kegelförmiger schatten.

kegel-wërf stm. kegelspieler.

kegen swv. ziehen, schleppen.

kegende part. adj. *ein k. juncfrouwe* pedissequa, paedagoga.

keibe stf. mastkorb.

keibe swm. leichnam; mensch der den galgen verdient (auch schelte); viehseuche.

kein s. *gegen*.

kein (gekürzt aus *dehein, nehein*), **keinic** adj. zahlpron. irgend einer; keiner.

keines adv. niemals.

kein-nütze adj. nichtsnützig, untauglich.

keiper stm. fischmeister.

keiser stm. kaiser; präd. gottes und Christi; die bienenkönigin (gr. *Καῖσαρ*, lat. *Caesar*).

keiserer stm. anhänger des kaisers.

keiserinne, -în stf. kaiserin; präd. der Maria.

keiser-lich adj., **-lîche** adv. kaiserlich (auch von gott, Christus und Maria); herrlich, stattlich, vollkommen. **-rëht** stn. das vom kaiser ausfliessende od. bestätigte recht; rechtsbuch, in dem dies steht. **-rîche** stn. kaiserreich. **-schaft** stf. s. v. a. **-tuom** stn. kaisertum, -würde; kaiserstaat. **-zal** stf. zeitraum von 15 jahren (vgl. *zinszal*). **-zins** stm. dasselbe.

kël, kële swstf. kehle, hals; luftröhre; speiseröhre, schlund; das kehlstück am pelze (bes. in der heraldik das rotfarbige kehlstück eines pelzes).

kël-bant stn. halsband.

kelbelîn, kelbel stn. dem. zu *kalp*.

kelber-arzet stm. quacksalber.

kelberîn adj. vom kalbe.

kelberisch adj. kälberhaft.

kelber-vël stn. = *kalpvël*.

këlch stm. unterkinn.

kelch, kelich stm. kelch (lat. *calix*).

kêle s. *quâle*.

kël-gerihte stn. gericht eines *këlhoves*, abgehalten vom *këlmeier*.

kël-gîte, -gîtekeit stf. gefrässigkeit, naschsucht.

kël-hof s. *këlnhof*.

këllære, këlnære, -er stm. kellermeister; verwalter der weinberge und weingülten, dann überh. der einkünfte (lat. *cellarius*).

këllærinne, këlnærinne stf. hausmagd; kindsmagd; kindbettwärterin; haushälterin.

kelle stswf. kelle, schöpflöffel; maurerkelle; loch, hütte, verächtl. gefängnis für menschen; tümpel in einem flusse zum fischfang.

këllen stv. III, 2 frieren.

këller, këlre stm. keller (alem. auch *kërr, kër*); kaufladen (lat. *cellarium*).

këller-ambet stn. amt eines *këllers* (s. *këllœre*).

këllerer stm. = *këllœre*.

këller-hals stm. (alem. auch *kërhals*) vorspringender gewölbter eingang eines kellers.

këller-meister stm. = *kellœre*.

kellic adj. geschwätzig.

kël-meier stm. s. bei *këlgerihte*.

këln, keln s. *quëln, queln*.

këln-ambet stn. = *këllerambet*.

këlnerie stf. kellerei, kelleramt.

këln-, kël-hof, stm. hofgut, das dem *këlner* gehört od. überlassen ist.

këlren swv. in den keller legen.

kël-suht stf. halskrankheit.

kelte, kalte stf. kälte, frost.

kelten, kalten stf. dasselbe.

kelten swv. *kalt* machen.

kelter, kalter stswf. kelter (lat. *calcatura*).

kelter-, kalter-hûs stn. das haus, in dem die kelter steht.

kelwe s. *kalwe*.

kelz stm. lautes sprechen, prahlen, schelten.

kelzen, kalzen swv. schreiend sprechen, prahlen, schelten.

kël-ziegel stm. hohlziegel in der kehle des daches.

kembel, kemmel, kémel; kammel, kamel stm. kamel (gr. lat. *camelus*).

kembelîn, kemmelîn stn. dasselbe.

kembelîn adj. vom kamele.

kembelîn stn. ein zeug aus kamelhaaren (mlat. *camelinum*, fz. *camelin*).

kembel-tier stn. kamel.

kemben, kemmen md. auch *kammen* swv. kämmen.

këmen s. *komen*.

kemenâte, kamenâte swstf. ein mit einer feuerstätte (*kamîn*) versehenes gemach, bes. schlafgemach; frauengemach; wohnzimmer; zur aufbewahrung von kleidern u. waffen; gerichtsstube; für sich stehendes gebäude, wohnhaus (mlat. *caminata*).

kemerîe s. *kamerîe*.

kemerlîn, kamerlîn stn. kleine *kamer*.

kemerlinc, *-ges* stm. kammerdiener.

kemet stn. kamin.

kemîn s. *kamîn*.

kemmen s. *kemben*.

kemmer stm. kämmer, wollkämmer.

kempel stm. kampf, zank.

kempen s. *kampen*.

kempfe, kenpfe, kampfe swm., **kempfel, kempfer** stm. der für sich od. als stellvertreter eines andern einen zweikampf unternimmt, berufsfechter, dann überh. kämpfer, streiter; der für miete gerichtl. zweikampf ausficht.

kempfen, kenpfen swv. abs. kämpfen, bes. einen zweikampf bestehn. — tr. zweikampf halten mit einem.

kempf-lich s. *kampflich*.

kendelîn s. *kennelîn*.

kendelîn stn. dem. zu *kanel*, dachrinne.

kenel, kener s. *kanel*.

kengel stm. rinne, röhre, röhrenartiger stengel, federkiel; blumenstengel; kopfputz.

kengelîn stn. kleiner blumenstengel.

kenne-, ken-lich adj. kennbar, offenkundig, bekannt.

kennelîn, kendelîn stn. kleine kanne.

kenne-lôs adj. erkenntnislos.

kennen swv. kennen, erkennen.

kennunge stf. erkennung, erkenntnis.

kenpf- s. *kempf-*.

kensterlîn stn. schrank, kasten in der wand.

kent-, kant-lich adj. = *kennelich;* bekennend, geständig.

kentnisse s. *kantnisse*.

kenzeler s. *kanzelære*.

kepfen swv. blicken; ragend in die höhe stehn.

keppelîn, keplîn, keppel stn. dem. zu *kappe*.

kër s. *këller*.

kêr stm. richtung, wendung, um-, abwendung.

kerach stn. kehricht.

kërbe swf., **kërp,** *-bes* stm. einschnitt, kerbe; kerbholz; eine art dachziegel.

kërbel s. *kërvele*.

kërben swv. *kërben* machen; aufs kerbholz einschneiden; übertr. feststellen.

kerc-lich adj. listig, schlau; karg, sparsam.

kërder, kërdern s. *quërd-*.

kêre, kêr stf. = *kêr* (*die kêre nëmen, haben, tuon* umkehren, die richtung, wendung nehmen *in, zuo*); bekehrung; leitung bes. des wassers; wiedererstattung.

kêren swv. u. refl. (md. auch *kârte, gekârt*) kehren, wenden, eine richtung geben (mit dp. zuwenden). — mit ell. objekt *ros, wagen* usw. sich wenden, um-, abkehren; grenzen, eigentl. sich umwenden, aufhören.

kerenter stm. = *gerner*.

kerge, karge stf. list, schlauheit; kargheit, sparsamkeit.

kerkære, kerkel s. *karkære*.

kerker-haft adj. in den kerker gelegt.

kerkern swv. einkerkern.

kerl, kerle s. *karl*.

kerlîn stn. dem. zu *kar* gefäss.

kerlîn stn. dem. zu *karl*.

Kerlinc, *-ges*, **Kerlinge** stswm. untertan der Karle, bewohner des karoling. Frankreich, Franzose. **Kerlingen** stn. (eigentl. dat. pl. v. *Kerlinc*) Frankreich.

kern swv. kehren, fegen.

kërn stf. butterfass.

kërne, kërn swstm. kern (vom getreide: der markige inhalt des korns, das getreide selbst, bes. dinkel, spelt; von pflanzen: mark des holzes; das innere festere holz); das innere, innerste; bildl. wesentl. gehalt, hauptsache, das beste, ausgezeichnetste (mit gen.).

kërnel, -krût stn. = *kërvele*.

kërnen s. *kirnen*.

kerner s. *gerner*.

kerner stm. = *karrer*.

kernier s. *karnier*.

kërn-milch stf. buttermilch.

kërn-var adj. kernartig.

kërp s. *kërbe*.

kërr s. *këller*.

kerrât, karrât stf. = *kerrîne*.

kerreiner, kerrner stm. der fastet (mlat. *carenarius*).

kerrelîn stn. dem. zu *karre*.

kërren stv. III, 2 einen grellen ton von sich geben, schreien; keifen; wiehern, grunzen; knarren, rauschen.

kerren, querren swv. zum *kërren* bringen, quälen, anfeinden.

kerrich s. *karrech*.

kerrîne, karrîne stf. vierzigtägige fasten (mlat. *carena*).

kerrner s. *kerreiner*.

kërse, kirse, kriese swstf. kirsche (lat. *cerasum*).

kêr-tac stm. tag der bekehrung.

kêrunge stf. kehrung, windung, richtung; bekehrung; schadenersatz.

kërvele, kërvel, kërbel, kërle, kërnel fm. kerbel (ein küchen- und heilkraut), aus lat. *cerefolium*.

kërze, kirze swf. licht, kerze, bes. wachskerze (lat. cerata).

kërze-lieht stn. das licht einer kerze oder die brennende kerze selbst. **-stal** stn. leuchter. **-stoc** stm. dasselbe. **-tac** stm. s. v. a. **-wîhe** stf. tag der kerzenweihung, Mariä lichtmess.

kërzelîn stn. kleine kerze.

kërzîn adj. aus kerzen bestehend, zu kerzen dienend.

kës stn. eislager auf dem gebirge, gletscher.

kës-kar stn. mit *kës* gefüllte talmulde im gebirge.

kestelîn, kestechen stn. dem. zu *kaste*.

kesten swv. = *kestigen*.

kestene, kesten, kastâne stf. kastanie, die frucht u. der baum (lat. *castanea*).

kestener s. *kastenære*.

kestigâte, kestige stf. kasteiung, züchtigung.

késtigen swv. kasteien, züchtigen, quälen, büssen lassen, strafen (kirchenlat. *castigare*).

kestiger stm. peiniger.

kestigunge, kestunge, kastunge stf. das kasteien, züchtigen, quälen.

ketene, keten swstf. eiserne kette, fessel; k. zum absperren einer strasse; k. von gold od. silber, um etw. daran zu hängen od. als schmuck, als halsband eines hundes; zauberkette als gerät der gaukler (lat. *catena*).

ketenen swv. an die kette, in ketten legen.

ketenîn adj. aus ketten bestehend.

ketenlîn stn. dem. zu *ketene*.

keten-lœse stf. erlösung aus den ketten. **-troie, -treie** swf. kettenwams. **-vîre** stf. die feier der *ketenlœse*. **-wambîs** stn. kettenwams.

ketschen, ketzen swv. schleppen, schleifen.

ketzelîn stn. dem. zu *katze*; als liebkos. name eines kleinen mädchens.

ketzer, kether stm. ketzer; frevelhafter, verworfener mensch; Sodomit (mlat. *catharus*). **-heit** stf. ketzerei. **-lich** adj., **-liche** adv. ketzermässig, ketzerisch.

ketzerîe, ketherîe stf. ketzerei; zauberei; unnatürl. wollust.

ketzern swv. zum ketzer machen.

ketzîn adj. von der katze.

keuf- s. *kouf-, köuf-*.

këvere, këver swstm. käfer.

kevje stfmn. vogelhaus, käfig; gefängnis (lat. *cavea*).

këwe, këwen s. *kiuwe, kiuwen*.

keȥȥel stm. kessel; behälter für flüssigkeiten überh.; kesselförmige vertiefung (lat. *catinus*). **-huot** stm. eine pickelhaube in kesselform. **-var** adj. kesselfarbig (kupferrot oder russig schwarz).

keȥȥelære, -er stm. kessel-, kupferschmied.

keȥȥî stn. = *keȥȥel* (aleman.).

kibelëht adj. zänkisch.

kibelen, kipelen, kivelen, kifelen, kiveren swv. scheltend zanken, keifen.

kiben, kîven swv. dasselbe.

kîbic adj. zänkisch.

kîche swmf. asthma, keuchhusten, swf. ort der einem den atem hemmt: gefängnis.

kîchen swv. schwer atmen, keuchen.

kicher, ziser stswfm. erbse (lat. *cicer*, mlat. *cisser*).

kicken s. *quicken*.

kide, kît stn. schössling, spross.

kidel stm. = *kîl*.

kiel stm. ein grösseres schiff. **kiel-banc** stf. schiffsbank. **-brüstic** adj. schiffbrüchig. **-gesinde** stn. schiffsmannschaft. **-kemenâte** swf. kajüte. **-meister** stm. schiffsmeister. **-schif** stn. trieris.

kien stm. n. kien; kienspan, kienfackel, fackel; s. v. a. *kienapfel*.

kien-apfel stm. der samenzapfen der kiefer. **-ast** stm. ast vom kienbaum, kienholz. **-boum** stm. kiefer. **-licht** stn. brennender kienspan, fackel. **-lîte** swf. mit kiefern bewachsener bergabhang.

kienîn adj. von kienholz.

kieren swv. quer blicken.

kiese-man stm. schiedsmann.

kiesen stv. II, 2 prüfen, versuchen, wählen (prüfend kosten, schmeckend prüfen, prüfend sehen, wahrnehmen, erkennen, herausfinden, unterscheiden; nach genauer prüfung wählen, erwählen, auswählen mit acc. *ze*).

kieser stm. schieds-, kampfrichter; amtlich bestellter prüfer von getränken, von geld.

kîf s. *kîp*.

kîf adj. fest, derb, dicht.

kifelen s. *kibelen*.

kifelen, kifen, kifern swv. nagen, kauen.

kîfeler stm. procax.

kil stm. n. federkiel.

kil stm. lauchzwiebel.

kîl stm. keil; zeltpflock.

kilbere f. mutterlamm.

kilche s. *kirche*.

kîlen swv. keilen; bildl. in die klemme bringen.

kîl-houwe swf. keilförmige *houwe* zum loshauen des mürben gesteines.

kil-wîhe s. *kirchwîhe*.

kîme, kîm swstm. keim, pflanzenkeim; korn.

kîmeln swv. keimen.

kîmen s. *kînen*.

kin s. *kinne*.

kindahe stn. coll. zu *kint*.

kindel-bette s. *kintbette*.

kinde-lege stf. gebärmutter.

kindelîn, kindel stn. kindlein; jüngling, kind überh.; junges (md. *kindichin*, nd. *kindekîn*).

kindelîn-, kindel-tac stm. tag der unschuld. kindlein; s. v. a. *kinttac*.

kindeln, kinden swv. abs. u. tr. ein *kint* zeugen, gebären.

kinder-meister s. *kintmeister*.

kinder-muoter stf. amme.

kinde-spil s. *kintspil*.

kindes-spurec adj. für ein kind verständlich.

kindes-tage stm. plur. = *kint-tage*.

kindisch, kindesch adj. adv. jugendlich, jung; kindartig. kindlich; kindern angemessen, zusagend; kindisch.

kînen, kîmen stv. I, 1 sich spalten; keimen, auswachsen, wachsen.

kinne, kin stn. kinn.

kinne-, kin-backe swm. kinnbacke, kinn. **-(kin)-bein** stn. kinnbein, kinn.

kinnelîn, kinnel stn. dem. zu *kinne*.

kint, *-des* stn. (vom sohne auch m.) kind, sohn oder tochter (*von kinde* od. *von kindes beine, von kindes lît* von kindheit an; mit einem gen. der beziehung *der jâre, sinne, witze* usw. *ein kint*); knabe, jüngling, mädchen, jungfrau; edelknabe, adelige jungfrau; s. v. a. *knappe, junchërre* (aber auch nach dem ritterschlage, ja in der ehe können junge männer u. frauen noch *kint* heissen); die kindschaft auf andre verhältnisse übertragen od. *kint* bloss umschreibend (z. b. *gotes, heilige kint* fromme leute, bes. mönche, *engelischiu k.* engel, *al der werlde k.* jedermann, *menschen k.* menschen, *hërren k.* herren); das junge von tieren.

kint adj. jung, kindisch, einfältig.

kint-amme swf. säugamme. **-bære** adj. fähig zum kindergebären; schwanger. **-barn** stnm. kleines kind, säugling. **-belgel** stn. die eihaut des fötus. **-(kindel)-bette** stn. f. wochenbett. **-(kindel)-betterinne** stf. wöchnerin. **-gedinge** stn. teilung der kinder höriger eheleute unter die verschiedenen herren des mannes und der frau. **-heit** stf. kindliches, jugendliches alter; jugendl. unerfahrenheit, unverstand. **-lich** adj. einem kinde gemäss od. eigen; jungfräulich; jugendlich, jung. **-liche** adv. nach weise eines kindes, einfältig. **-(kinder)-meister** stm. erzieher. **-(kinde)-spil** stn. kinderspiel, leichtes, kindisches treiben und tun. **-tac** stm. tag der kindheit, pl. zeit der kindheit. **-traht** stf. tragen eines kindes, schwangerschaft. **-vël** stn. = *kintbelgel*.

kîp, *-bes* stm. (md. *kîf*) scheltendes, zänkisches, leidenschaftliches wesen, eifer, trotz, widersetzlichkeit (*âne kîp* ohne streit, unzweifelhaft, in wahrheit); wettstreit.

kipelen s. *kibelen*.

kipf, kipfe stswfn. die runge, stemmleiste am rüstwagen; der luns-, achsennagel.

kippe swf. mütze; = *hepe*.

kippen swv. schlagen, stossen.

kipper stm. nicht rittermässiger kämpfer.

kipper stm. s. v. a.

kipper-wîn stm. cyprischer wein.

kirbe s. *kirchwîhe*.

kirch-(kirchen)-ambet stn. kirchendienst; hochamt. **-diep** stm. kirchendieb. **-diube** stf. kirchendiebstahl. **-gâbe** stf. patronatsrecht. **-ganc** stm. gang, weg in die kirche, kirchenbesuch, bes. der gang zur trauung od. zur nachträgl. einsegnung am morgen nach dem beilager; der *k.* der bindbetterin als erster ausgang nach überstandenem wochenbett. **-geræte, -gerüste** stn. kirchengerät. **-gerihte** stn. gericht in kirchl. sachen od. von der kirche besetzt. **-giht** stf. kirchgang. **-hërre** swm. patron über eine kirche; s. v. a. *pfarrhërre* (gek. *kircher, kilcher*). **-hof** stm. der ummauerte raum einer kirche, kirchhof. **-hœre** stf. bezirk der kirche, kirchspiel, pfarrgemeinde. **-liute** pl. bewohner eines kirchspiels. **-lœse** stf. eine gewisse abgabe, die eine kirche jedes vierte jahr an den bischof zu zahlen hatte; abgabe an die kirche bei der auswanderung aus einer pfarrgemeinde. **-man** stm. pfarrkind. **-meier** stm. verwalter des kirchenguts. **-meister** stm. verwalter der ökonom. verhältnisse einer kirche, kirchenvorsteher, -pfleger; baumeister beim kirchenbau. **-menige** stf. pfarrgemeinde. **-mësse, kirmësse** stf. kirchweihfest; jahrmarkt. **-mûre** stf. kirchhofsmauer. **-rëht** stn. wozu man der kirche verpflichtet ist; sakramente. **-spil, -spël** stn. kirchspiel; die gesamtheit der pfarrkinder, gemeinde. **-tac** stm. kirchweihfest; jahrmarkt. **-turn** stm. kirchturm. **-vart** stf. wallfahrt nach einer kirche od. bittgang aus einer kirche nach der anderen. **-verten** swv. eine *kirchvart* machen. **-wart, -warte** stswm. küster. **-wât** stf. kirchl. ornat. **-wëc** stm. weg zur kirche. **-wîhe** stf. kirchweihe, kirchweihfest (nbff. *kirwîhe, -wîge, kirwe, kirbe,* alem. *kilchwîh, kilwîhe, kilwi*); jahrmarkt; jahrmarktsgeschenk; fest überh. **-zûn** stm. kirchhofzaun.

kirche swf. (aleman. *kilche*): kirche, kirchengebäude; der jüdische tempel; schiff der kirche gegenüber dem *kôr*; christl. kirche, kirchentum, gemeinschaft der gläubigen; kirchenpfarrstelle (gr. κυριακόν).

kirchelîn, kirchel stn. dem. zu *kirche.*

kirchenære, -er stm. küster, mesner.

kirchen-brëcher, -brüchel stm. kirchenräuber. **-bruch** stm. kirchenraub. **-gëlt** stn. kirchenzins. **-gift** stf. abgabe an die kirche; patronatsrecht. **-(kirch)-saz** stm. das recht eine kirchenstelle zu besetzen mit dazu gehörigem genuss; die zu besetzende stelle im verhältnis zum patron; schenkung an eine kirche zur begehung der *jârzît.*

kircher stm. = *kirchenære, kirchhërre.*

kirjelêison das gr. κύριε ἐλέησον als gebetsruf u. refrain geistl. gesänge; verk. **kiriel; kirleis, kirleise** stswm. geistl. gesang.

kirnen, kërnen swv. den kern, die kerne ausmachen; kerne ansetzen, bilden.

kirnîn adj. aus *kërn* bestehend.

kirre s. *kürre.*

kirse s. *kërse.*

kirsen swv. knirschen.

kirwe s. *kirchwîhe.*

kirze s. *kërze.*

kis stmn. kies; gegossenes, nicht gehämmertes eisen (?).

kisch stm. zisch.

kîschen swv. = *kîchen.*

kisel, kisel-stein stm. kieselstein; hagelstein, schlosse.

kiselinc, kislinc, *-ges* stm. kieselstein.

kiste stswf. kiste, kasten bes. zur aufbewahrung der kleider; sarg (lat. *cista*).

kisteler, kistener stm. kastenmacher, schreiner.

kît s. *kîde.*

kitel, kittel stm. kittel, leichtes oberhemd für männer wie frauen.

kittern swv. kichern.

kitze s. *kiz.*

kitzelîn stn. zicklein.

kitzeln, kützeln swv. kitzeln.

kitzern swv. = *kittern.*

kitzîn adj. vom *kiz.*

kiugen s. *kiuwen.*

kiule swf. keule; stock, stange.

kiusche, kiusch adj. keusch, rein, unschuldig, sittsam, züchtig, schamhaft; nach relig. gelübde unvermählt; mässig in essen u. trinken; ruhig, sanftmütig, überh. vernünftig handelnd. — stf. jungfräul. reinheit, keuschheit, sittsamkeit, sanftmut.

kiuschec-, kiusche-heit, kiuscheit stf. = *kiusche.*

kiuschec-, kiusch-lich adj. = *kiusche.*

kiuschegen swv. castrare.

kiuten swv. sprechen, schwatzen.

kiuten swv. md. *kûten* tauschen, vertauschen.

kiuwe, kiwe, këwe, kouwe swstf. kiefer, kinnbacken; rachen (vom teufel u. von tieren); was gekaut wird, speise; halfter an der *kouwe* eines rindes.

kiuwel stm. kiefer, kinnbacken.

kiuwen stv. II, 1 kauen (kontr. *kiun,* nbff. *kiwen, kewen, kouwen,* md. *kiugen, kûgen, kûwen*; prät. *kou,* part. *gekouwen*).

kivel, kivele m. = *kiuwel.*

kivelen, kiveren s. *kibelen.*

kiven s. *kiben.*

kiz, kitze stn. junges von der ziege (auch vom reh, der gemse), zicklein.

klâ, klâwe stswf. klaue, kralle, pfote, tatze; gespaltene klaue (des ebers, hirsches, lammes, rindes); klauenvieh, hornvieh.

klaber stf. = *klouber.*

klac, *-ckes* stm. riss, spalt; knall, krach; klecks, fleck.

klachel s. *kleckel.*

kladern swv. schminken.

klaf, *-ffes,* **klapf** stm. knall, krach; geschwätz bes. verleumdendes; spalte, riss.

klaffære, kleffære, -er stm. schwätzer, ausschwätzer, verräter.

klaffærinne stf. schwätzerin.

klaffe stswf. schwatzen, geschwätz bes. verleumdendes; klapper.

klaffen swv. schallen, tönen, klappern; schwatzen, viel und laut reden; sich öffnen, klaffen.

klafferer, klefferer stm. = *klaffære.*

klaffic, kleffic adj. schwatzhaft.

klaft stf. geschwätz.

klâfter stswf. mass der ausgebreiteten arme; klafter als längen- u. geviertmass.

klaftic adj. = *klaffic.*

klage stf. wehgeschrei als ausdruck eines schmerzes, klage, totenklage; klage vor gericht; gegenstand, inhalt der klage; klagen hervorrufende not, leid.

klage-bære adj. pass. worüber zu klagen ist, zu beklagen, beklagenswert; *k. werden* verklagt werden. — akt. klagend, klage erhebend. **-bërnde** part. *klage* veranlassend, hervorbringend; klage führend, klagend. **-bote** swm. klage führender bote, kläger. **-boum** stm. baum der klage; kreuz mit den beiden frauen darunter. **-brief** stm. klagschrift. **-galm** stm. klaggeschrei. **-gëlt** stn. eine abgabe des klägers von der eingeklagten u. bezahlten schuld. **-haft, -haftic** adj. akt. klagend; gerichtlich akt. u. pass. vom kläger u. von der eingeklagten sache. **-kleit** stn. trauerkleid. **-(klege)-lich** adj., **-lîche** adv. akt. klagend. — pass. zu beklagen, beklagenswert. **-liet** stn. klaglied. **-liute** pl. die totenklage begehende, trauernde leute. **-mære** stn. klagrede **-mæƶe** adj. zu beklagen. **-nôt** stf. klägliche not, trauer. **-ruof** stm. klagruf. **-sam** adj. beklagenswert. **-sanc** stmn. klaggesang. **-schaz** stm. gerichtssporteln. **-smërze** swm. klägliche schmerzäusserung **-stimme** stf. klagende stimme. **-tuom** stm. klage, anklage. **-vogel** stm. käuzlein. **-vüerer** stm. stellvertreter einer partei vor gericht. **-wort** stn. klage. **-wunt** adj. durch *klage* betrübt. **-zëdel** f. = *klageberief.*

klagen swv. (kontr. *klân, klain, klein*; auch mit uml. *klegen*; prät. *klagete* und *kleite*):

intr. einen schmerz, ein leid od. weh ausdrücken, sich klagend gebärden. — tr. beklagen, betrauern (von der totenklage); mit dat. u. acc. einem etw. klagen. — refl. klagen, sich beklagen. — von der gerichtlichen klage: intr. *einem* od. *vor einem kl.* bei ihm eine klage vorbringen (der gegner wird bezeichnet mit *an*, *über*, *ûf*, *zuo*; der gegenstand, klaggrund wird bezeichnet mit *ûf*, *umbe*). — tr. mit as. u. dp.

klagende part adj. klagend; wobei geklagt wird.

klagendic adj. dasselbe.

klager, kleger stm. der klagende, trauernde; kläger bei gericht, ankläger.

klain s. *klagen.*

klâlîn stn. dem. zu *klâ.*

klam adj. enge, dicht, gediegen, bildl. rein, heiter; gar zu gering, zu wenig.

klam, *-mmes* stm. krampf; klemme, beklemmung, haft, fessel, klammer; bergspalte, schlucht.

klambe, klamme stf. klemme, fessel, klammer.

klamben swv. fest zusammenfügen, verklammern.

klame stf. = *klambe.*

klamen swv. klemmen.

klamenîe stf. der heitere himmel (s. *klam* adj.).

klamere, klamer, klammer swstf. klammer.

klamirre stf. eine speise, wohl s. v. a. *pavese.*

klamme s. *klambe.*

klampfer stm. klempner.

klampfer stf. klammer.

klampfern swv. = *klamben.*

klân s. *klagen.*

klanc, *-kes* stm. schlinge; bildl. list, kniff, ränke.

klanc, *-ges* stm. klang (von gesang u. stimme, glocken, musikinstrumenten, metall, vom rauschen, plätschern des wassers).

klangeln swv. klingeln, schalten.

klapf, klupf stm. fels.

klapf, klapfen s. *klaf, klaffen.*

klapfelîn stn. dem. zu *klaf, klapf*; klapper.

klappenen swv. klappern.

klapper, klepper swf. klapper.

klapperâte swf. geklapper, geklatsch.

klapperer, klepperer stm. schwätzer, verleumder.

klappern, kleppern swv. klappern; schwatzen, klatschen.

klapper-tesche swf. schwätzerin.

klâr, clâr adj. hell, lauter, rein, glänzend, schön, herrlich; deutlich (lat. *clarus*).

klâr stn. das klare, reine, schöne; s. v. a. *eierklâr*; baumharz.

klære stf. klarheit.

klâren swv. intr. *klâr* sein, werden. — tr. für *klæren.*

klæren swv. tr. u. refl. *klâr* machen; verklären; erklären, eröffnen, verkünden.

klârêt, klâret, klarêt stm. mit gewürz od. kräutern u. honig angemachter wein, vom abklären benannt (mlat. *claretum*).

klâr-heit stf. helligkeit, reinheit, heiterkeit, glanz, glänzende schönheit, herrlichkeit, verklärung; klarheit, deutlichkeit. **-(klær)-lich** adj. = *klâr.* **-(klær)-lîche** adv. mit klarheit, glänzend; mit deutlichkeit. **-tranc** stmn. = *klârêt.*

klârieren swv. verklären.

klârificieren swv. dasselbe (lat. *clarificare*).

klârifunkel s. *karfunkel.*

klâ-stiure stf. abgabe für rind- u. anderes klauenvieh.

klate, klatte swf. kralle.

klâ-vogel stm. vogel mit klauen, raubvogel.

klâwe s. *klâ.*

klæwîn adj. aus, von klauen.

klê, *-wes* stmn. klee; mit kleeblumen gezierter rasen.

klëbe stf. klebriger lehm.

klëben swv. intr. kleben, haften, festsitzen. — tr. kleben machen.

kleben swv. = *klewen.*

klëber stn. gummi, baumharz; schleim. — stm. = *kleiber* 1.

klëber adj. kleberig, klebend.

klëberen swv. klettern.

klëbe-rîm stm. reim aus einer klebsilbe (durch gewaltsame kürzung entstanden).

klëber-mer stn. = *lëbermer.*

klëber-sê stm. dasselbe.

klëbe-ruote f. leimrute.

klëbe-tuoch stn. flicklappen.

klëbę-wort stn. festsitzendes, aufmerksamkeit erregendes wort.

klëblicheit, klëblichkeit stf. adhaesio.

klê-bluome swmf. kleeblüte.

klê-bluot stf. dasselbe; namen eines gewandstoffes.

kleckel, klechel, klachel stm. glockenschwengel.

klecken swv. tr. spalten. — intr. sich spalten, platzen; einen klecks, fleck machen. — tr. tönend schlagen, treffen: erwecken, aufrichten. — intr. ausreichen, genügen; wirksam sein, helfen.

kledern swv. schminken.

kleffe, kleffære s. *klaff-.*

kleffel, klepfel stm. glockenschwengel.

kleffercr s. *klafferer.*

kleffic s. *klaffic.*

kleffisch, klefsch adj. schwatzhaft.

klefte stn. gekläffe, geschwätz.

kleg- s. *klag-.*

klegede, klegde stf. = *klage.*

klegel stm. kläger.

klê-grüene adj. grün wie klee.

kleiben swv. *klîben* machen, festheften, befestigen; beflecken, besudeln; streichen, schmieren, verstreichen.

kleiber stm. der eine lehmwand macht, mit lehm verstreicht.

kleiber stm. schmiere, kot.

kleiden swv. kleiden, ankleiden (auch intr. mit dat.), bekleiden, ausstatten.

kleidern swv. bekleiden, schmücken.

kleider-wât stf. kleidung.

kleidunge stf. kleidung, bekleidung.

klein s. *klagen.*

kleine, klein adj. die urspr. bedeutung glänzend, glatt ging zunächst über in rein (*kleiner wîn*), sodann in niedlich, zierlich, fein, hübsch (von der stimme: fein, dünn, hoch; von der menschl. gestalt: schmächtig, zart, mager); scharfsinnig, klug; endlich in klein, unansehnlich, gering, schwach (oft geradezu für *kein*); substantivisch *ein kleine*, *klein* ein wenig, ganz kurze zeit.

kleine, klein adv. fein, zierlich; genau, scharf, sorgfältig; wenig, gar nicht.

kleine stf. = *kleinheit*; *des steines kl.* spitze.

kleinec-heit = *kleinheit.*

kleinen adv. = *kleine.*

kleinen swv. intr. *klein* werden. — tr. zieren; klein machen.

kleinern swv. kleiner machen, vermindern.

klein-gerihte stn. gericht für geringere vergehen. **-guot, -heit** s. *kleinôt.* **-heit** stf. zartheit, feinheit; kleinheit. **-lich** adj. fein, zart, zierlich; mager; fein, scharf sehend (vom auge und von der vernunft). **-lîche** adv. auf feine, zarte art; genau. **-licheit** stf. = *kleinheit.* **-muot, -muotic, -müetic** adj. kleinmütig. **-smit** stm. schlosser. **-vël** stn. zarte haut. **-vüege** adj. feingefügt, zartgebaut, zart, fein. **-vüege** stf. zarter bau, zartheit, feinheit.

kleinôt, kleinœte, kleinœde, kleinât, kleinet stn. (umgedeutet *kleinheit*, *kleinguot*) urspr. kleines ding, kleinigkeit; sodann eine *kleine* (fein, zierlich, kunstreich) gearbeitete sache, kleinod; bildl. ding von höchstem werte, das unersetzbar ist.

kleinunge stf. beraubung, abwendigmachen.

kleip, *-bes* stm. das klebende, anklebender schmutz, unreinigkeit; leim; lehm.

kleit, *-des* stn. kleid, kleidung, kleidungsstück (bei tieren das fell); gewandstoff; zierde.

kleit-hûs stn. vestiarium; bildl. das abstrakte wesen gottes in seiner einheit.

klem adj. enge, knapp, mangelnd (vgl. *klam*).

klemberen swv. = *klamben.*

klemde, klemme stf. klemmung, einengung.

klemme-lich adj. mit beklommenheit verbunden.

klemmen swv. mit den klauen packen; ein-, zusammenzwängen, kneifen, klemmen, martern; necken.

klên s. *klêwen.*

klênen swv. schmieren, kleben, verstreichen.

klëner stm. = *kleiber* 1.

klengel stm. glockenschwengel; etw. baumelndes.

klengeln, klenkeln swv. tr. klingen machen, läuten (glokke); intr. klingeln.

klengen, klenken swv. tr. *klingen* machen; ausbreiten, verbreiten. — intr. klingen, singen.

klenken swv. schlingen, flechten, verflechten.

klënster stm. kleister.

klên-want stf., **-wërc** stn. wand, mauer aus kleibwerk.

klëp, *-bes* stm. leim, kleister.

klepfen swv. einen *klapf* tun, knallen.

klepfer stf. klapper.

klepfern swv. klappern.

klepperer s. *klapperer.*

kleppisch adj. = *kleffisch.*

klette swf. klette.

klewen swv. klagen, winseln.

klêwen, klên swv. synon. zu *grasen.*

klibe swf. empfängnis.

klibel-tac stm. tag der empfängnis Mariä.

klîben stv. I, 1 intr. kleben, festsitzen, anhangen mit dat.; wurzel fassen u. gedeihen, wachsen. — tr. für *kleiben.*

klîe, klîwe, klîge swf. kleie.

klieben stv. II, 1 tr. spalten, klieben. — intr. u. refl. sich spalten.

kliffe, klippe swf. klippe.

klîge s. *klîe.*

klimme stf. höhe.

klimmen, klimben stv. III, 1 intr. steigen, klettern, klimmen. — tr. erklimmen; zwicken, kneifen; packen (daher *klimmende vogel* jagdvögel).

klimpfen stv. III, 1 tr. u. refl. fest zusammenziehen, drücken, einengen.

klinc, *-ges* stm. ton, schall.

klinge swstf. etwas klingendes; klinge des schwertes, schwert (von dem singenden klange des auf den helm geschlagenen schwertes); messerklinge; gebirgsbach; talschlucht.

klingelen swv. einen klang geben, hervorbringen; plätschern; schwatzen.

klingen stv. III,1 intr. klingen, tönen; rauschen, plätschern; erklingen, erschallen. — tr. klang machen, klingen lassen.

klingesære stm. spielmann.

klinke swf. türklinke, türriegel.

klippe s. *kliffe.*

klismen swv. = *gelismen.*

klisten s. *kristen.*

klister, klistier stn. klistier (κλυστήρ).

klister stm. kleister.

klistieren swv. klistieren.

kliuselen swv. streicheln, hätscheln, schmeicheln.

kliuterlîn stn. verschluss, deckel.

kliuter s. *klûter.*

kliuwe stn. knäuel, kugel.

kliuwelîn, kliuwel stn. dem. zum vorig. (nbf. *kniuwelîn, kniuwel*).

klîwe s. *klîe.*

klobe swm. gespaltenes holzstück zum klemmen, festhalten: als fessel, fussfessel, bes. gespaltenes holzstück zum vogelfang, überh. etw. klemmendes, festhaltendes; spalt, obsc. vom feminal; an der waage das gabelförmige stück, in dem der waagebalken hängt und die zunge sich bewegt; türriegel; eisen, woran das anlegschloss hängt; bündel, büschel.

klobe-holz stn. spaltholz.

klobe-, knobe-louch stm. knoblauch.

kloben swv. spalten.

klöckel stm. = *kleckel.*

klocken, klöcken, klucken swv. intr. u. tr. klopfen.

klopf stm. = *klupf.*

klopfel stm. = *klüpfel.*

klopfen swv. intr. u. tr. klopfen, pochen, schlagen (mit gen. klopfend um etw. bitten); intr. erschrecken s. *erklupfen.*

klôse, klôs swf. klause, einsiedelei, klosterzelle, kloster; felsspalte, felskluft, umzäunter garten (mlat. *clausa,* vgl. *klûse*).

klôsenære, -er stm. klausner, einsiedler.

klôsenærinne stf. einsiedlerin.

klôsene swf. = *klôse.*

klôsenen swv. tr. in eine klause sperren. — refl. in eine kl. treten.

klôster stn. kloster (lat. *claustrum*).

klôster-hërre swm. mönch. **-kint** stn. klosterjungfrau, nonne. **-kleit** stn. = *klôsterwât.* **-knëht** stm. mönch. **-lich** adj. klösterlich, dem kloster angemessen. **-liute** pl. zu **-man** stm. mönch; untertan, höriger eines klosters. **-meier** stm. verwalter über die einkünfte u. richter über die hörigen eines klosters. **-meister** stm. vorsteher eines klosters. **-münch** stm. mönch. **-nunne** swf. nonne. **-orden** stm. klosterleben, mönchtum. **-ritter** stm. ritter, der wie im kloster lebt. **-vart** stf. eintritt in ein kloster. **-vrouwe** swf. nonne. **-want** stf. klostermauer. **-wât** stf. klosterkleid. **-wîp** stn. nonne. **-zuht** stf. leben nach der klosterregel.

klôsterlîn stn. dem. zu *klôster.*

klouber stf. klaue, kralle, fessel (s. *klaber*).

klöuwen swv. kratzen, kasteien.

klôȥ stm. n. klumpe, knolle; klumpige masse, knäuel; kugel, knauf; plumpes holzstück, klotz; keil, knebel.

kloz, *-tzes* stm. n. klumpe, klumpige masse; baumstumpf, -klotz; metallene geschützkugel.

kloz-bire swf. gedörrte birne.

kloz-bühse swf. geschütz, woraus metallene kugeln (*klötze*) geschossen wurden. **-kugel** f. kugel zu *klozbühsen.*

klœȥel stn. dem. zu *klôȥ* knäuel.

klœȥen swv. mit einem *klôȥ* (keil) spalten, trennen, auseinander reissen.

klûben swv. abs. u. tr. pflücken, stückweise ab-, auflesen; rauben, stehlen; stückweise zerreissen.

kluc, *-ckes* stm. bissen, losgespaltenes stück.

klucke swf. bruthenne, glucke.

klucken s. *klocken.*

klucken, glucken swv. glukken.

klucken swv. brechen.

klûde stfnm., **klûder** stmn. ein gewicht beim wollhandel.

klüege stf. feinheit, zierlichkeit; klugheit.

klüege-lich s. *kluoclich.*

klüegen swv. *kluoc'* machen, zieren, schmücken, ausschmükken.

kluft stf. spalte (bergmänn. schmaler gang); kluft, felsenkluft, höhle, gruft; zange; losgespaltenes stück.

klumse, klunse swf. spalte.
klunc, *-ges* stm. klang.
klungic adj. klingend.
klunsen stn. das schmeicheln, schöntun.
klünzen swv. dumpf tönen, schallen.
klunzern swv. weinerlich tun.
kluoc, *-ges* adj. fein, zierlich, zart, schmuck, hübsch, stattlich, tapfer; fein, höfisch; geistig gewandt, klug, weise; schlau, listig; weichlich, üppig.
kluoc-heit, kluokeit stf. feinheit, zierlichkeit; feines benehmen, anstand; klugheit, verständigkeit, geschicklichkeit; weltklugheit, weltkenntnis, kunstgeschick; vorsicht; schlauheit, list, kniff; weichlichkeit. **-(klüege)-lich** adj., **-liche** adv. zart, klein, schön; auf zierliche, schöne, feine, kluge, geschickte, höfliche weise; vorsichtig.
klupf s. *klapf.*
klupf stm. schreck (vgl. *klopf*).
klüpfel stm., md. *klüppel, kluppel* werkzeug zum klopfen, schlagen; glockenschwengel; knüppel, knüttel.
klupfen swv. schrecken, s. *erklupfen.*
kluppe swf. zange, zwangholz; abgespaltenes stück.
klûse, klûs stswf. = *klôse*; abgeschlossene wohnung mit dem begriffe des heimischen; felsspalte, felskluft, engpass; schleuse zur aufstauung eines gebirgsbaches für die holzflössung.
klûsen swv. in eine *klûse* bringen, sperren.
klûsenære, -ærinne = *klôs-.*
klûsen-vrouwe swf. klausnerin.
klûter, kluter, kliuter stmn.? was sich ansetzt und anheftet als zierat od. als tand, blendwerk, schmutz, befleckung.
kluterære stm. gaukler.
kluterât(e), kluterîe stf. gaukelei, blendwerk, täuschung; allerlei kleiner bedarf, kleinigkeiten.
klûter-dinc stn. gaukelspiel.
klûtern, klutern swv. flüchtige od. unnütze arbeit tun, tändeln; spintisieren.
kluter-nis, -spil stn. = *kluterîe.*
klûter-wort stn. eitles, unnützes wort.
klutzen swv. = *klucken* 2.
knabe swm., md. auch *knave,* knabe; jüngling, junggeselle; mann überh.; kerl, bursche; junger mann in dienender stellung, diener, page, knappe; geselle (vgl. *knappe*).
knabe-lich adj. puerilis.
knaben-wât stf. pagenkleid.
knaberin stf. unkeusches weib.
knacken swv. krachen, knacken; einen sprung, riss bekommen.
knaffen swv. ndrh. knausern.
knappe swm. (verhärtet aus *knabe*) knabe; jüngling, junggeselle, bes. der noch nicht ritter ist; junger mann in dienender stellung; läufer im schachspiel; knecht, geselle.
knappe-lich adj. einem *knappen* zukommend.
knappelîn, kneppelîn stn. dem. zu *knabe.*
knarpeln, knarschen swv. mit den zähnen knirschen.
knappe-schaft stf. art und weise od. treiben v. *knappen.*
knave s. *knabe.*
knebel stm. knebel; knöchel; holzstück um die haare darum zu winden (als strafe); an einem seile befestigte stange, auf der die verbrecher sitzend in die gefängnisse hinabgelassen wurden; grober gesell, bengel.
knebelin, knebel stn. dem. zu *knabe.*
knëht stm. knabe; jüngling, junggeselle; mann überh.; kerl, bursche; junger mann in lernender und dienender stellung: krieger, held; *guot kn.* dient auch als allgem. lob für einen biedermann u. ehrenmann, daher einem gesellschaftl. titel gleich, mit dem man andere nennt od. anredet; kriegsknecht (*lands knëht* fusssoldat im dienste eines landesfürsten); knecht als dienender im gegens. zu dem herrn (*arme knëhte* leibeigene, *gotes kn.* diener gottes, mönch); lehrling; geselle; bergknappe.
knëhtelîn, knëhtel stn. knäblein; kleiner, geringer diener, knecht.
knëhten swv. refl. den knecht spielen; sich mit einem knechte versehen.
knëht-heit stf. tapferkeit. **-kint** stn. knappe, page. **-lich** adj., **-liche** adv. knechtisch; tapfer.
knëllen stv. III, 2 s. *er-, zerkn.*
knellen swv. intr. mit einem knall zerplatzen.
kneppelîn s. *knappelîn.*
kneppisch adj. einem *knappen* gemäss. — *kneppischen* adv. nach weise eines *knappen.*
knëten stv. V kneten.
knicken swv. intr. knappen, hinken.
knie stn. (gen. *kniewes, knies* pl. *kniewe, knie*) knie von menschen und tieren.
knie-beten swv. kniend beten. **-brëche** swf. steiler bergpfad. **-buckel** stm. kniestück der rüstung. **-kël** swf. kniekehle. **-leip** stm. grosser brotleib, stolle (der einem bis ans knie reicht). **-rat,** *-des* stn., **-rade** swm. kniebug, -gelenk. **-schîbe** swf. kniescheibe. **-vallen** swv. auf die knie fallen.
knielen swv. ndrh. = *kniewen.*
knien s. *kniewen.*
knieweline, *-ges* stm. knieharnisch.
kniewen, kniuwen, knien swv. auf die knie fallen; auf den knien liegen, knien.
knîf, knip stm. messer.
knîfen stv. I, 1 kneifen, kratzen.
knitschen swv. quetschen.
kniuwel, kniuwelîn s. *kliuw-.*
kniuwen s. *kniewen.*
knobel stm. felsvorsprung, vgl. *knübel.*
knobe-louch s. *klobelouch.*
knoc, *-ckes* stm. nacken.
knoche swm. knochen; astknorren; fruchtbolle.
knochel s. *knuchel.*
knochen swv. ndrh. pressen, drücken.
knocken swv. kauern, hocken.
knode, knote swm. natürl. od. künstl. knoten, schlinge; bildl. rätsel, wirrsal.
knödel stn. dem. zu *knode.*
knodoht adj. knotig.
knögerlîn stn. knötchen.
knolle swm. erdscholle; klumpen überh.; bildl. grober, plumper mensch, bauer.
knollëht, knollet adj. knollig, klümperig.
knopf stm. knopf, knorre an gewächsen; kugel; von blähungen im leibe; schwertknauf; dach-, turmknauf; knoten, schlinge; knoten an geisseln; hügel.
knopfëht adj. knopfig, knorrig.
knopfelîn, knöpfel stn. knöpflein von gold, silber oder edelsteinen.
knorre swm. knorre an bäumen, steinen; hervorstehender knochen, hüftknochen; knorpel, auswuchs am leibe; buckel an trinkgeschirren; kurzer, dicker mensch.
knorrëht, knorret adj. knorrig.
knorzen swv. kneten.
knospe swm. knorre.
knospoht, knospet adj. klotzig, plump.
knote s. *knode.*
knotze swf. knorre.
knouf stm. flachsbolle; knauf (am schwerte, auf türmen).
knoufel, knöufel stm. knöpfchen.

knoufelîn, knöufelîn stn. dem. zu *knouf*.
knübel stm. knöchel am finger, im pl. auch finger, faust.
knubelen swv. knebeln, unterdrücken.
knuchel, knochel, knöchel stm. knöchel.
knülle swm. unkraut.
knüllen swv. knuffen, stossen; erschlagen.
knüpfen swv. knüpfen; mit einem knopfe versehen.
knüppel, knüpfel stm. knüppel, knüttel.
knûr, knûre, knurre stswm. knoten, knorre; fels, klippe, gipfel; knuff, stoss; bildl. grober mensch. vgl. *knorre*.
knus, *-sses* stm. stoss (vgl. *backenknus*).
knüssen swv. kneten, stossen, schlagen.
knüsten, knisten swv. stossen, schlagen, quetschen.
knütel, knüttel stm. knüttel (als waffe, bauernwaffe, hirtenstab, als prügel zum züchtigen); steinmetzschlägel.
knüteln, knütteln, knütelieren swv. mit knütteln schlagen.
knütel-slac, -streich stm. schlag, streich mit dem knüttel.
knützen swv. = *knüsten*.
knûʒ adj. keck, vermessen. waghalsig; hochfahrend.
kobe swm., md. *kove* stall, schweinestall; käfig; höhlung.
kobel stm. enges, schlechtes haus; kasten zu einem *kobelwagen*.
kobel stn. felsenschlucht.
kobel swf. stute (slav.).
kobeler stm häusler.
kobel-milch stf. pferdemilch.
kobel-wagen stm. kutsche, kammerwagen.
kober stm. korb, tasche (vgl. *koffer*).
kober adj. eifrig suchend, spürend.
koberen, koveren swv. tr. erlangen, gewinnen. — refl. sich erholen, sich sammeln. — intr. sich erholen, sammeln, kräfte gewinnen; von jagdhunden: suchen, spüren; hazard spielen (auf gewinn ausgehn).
koberunge, koverunge stf. erlangung, erwerbung; erholung, kräftigung, sammlung.
kóbolt, kobólt, *-des* stm. lächerliche, aus holz oder wachs gebildete figur eines neckischen hausgeistes, kobold; getränk.
koc s. *quëc*.
koch stm. koch (lat. *coquus*).
koch stn. gekochtes, bes. brei, mus.
kochen swv. sieden, kochen; verdauen (lat. *coquere*).
kocher, kochære stm. gefäss, behälter(pfeilköcher, gefäss zum fischtransport, kugelgussform).
kocherîe stf. das kochen; das gekochte, gericht.
kocherîn stf. köchin.
köchinne, küchin stf. dass.
kocke, kucke swm. breitgebautes schiff mit rundlichem vorder- und hinterteil im gegensatz zu den länglichen galeeren (it. *cocca*, afz. *coque* aus lat. *concha*).
koden, köden s. *quëden*.
koder, köder s. *quërder*.
kodern swv. schleim auswerfen.
kofel stm. bergspitze.
kofënt s. *convënt*.
kofer s. *kupfer*.
koffer, kuffer stmn.? kiste, truhe, geldkasten (fz. *coffre*, mlat. *cofrus, cofrum*).
koge f. küferschlägel.
koge m. ansteckende seuche; ein schimpfwort (vgl. *keibe*).
kogel s. *gugele*.
koie swf. hütte.
koiphe, koife swf. = *goufe* 1.
kokânisch adj. aus dem schlaraffenlande (mlat. *Cucania*).
kokodrille, kokadrille, -trille swm. krokodil (mlat *coco-, croco-, corcodrillus*).
kol swstm. stn. kohle; kohlenhaufe.
kôl, kôle s. *quâle*.
kôl, kœle, kœl stm. kohl, kohlkopf (lat. *caulis, colis*).
kolbe swm. kolbe, keule als waffe; hirtenkeule; *k.* des narren (urspr. seine waffe, dann sein wesentlichstes abzeichen nebst der kappe); kolbenähnliche pflanze.
kolbe-gêr stm. *gêr* mit einem kolben am ende.
kolbelîn stn. dem. zu *kolbe*; blumenpistill.
kolben-rîs stn. baumknüttel als narrenkolbe.
kolc, *-kes* stm. ndrh. strudel.
kôle-, kœle-krût stn. = *kôl*; gericht von kohl.
koler, köler stm. köhler, kohlenbrenner.
kol-gruobe stswf. grube zum kohlenbrennen.
kôl-henger stm. kohlpflanzer.
koliander m. koriander (mlat. *coliandrus*).
koilen, koln s. *quëln*.
collâcie stf. vortrag über tisch in einem kloster; abendmahl, trunk danach (lat. *collatio*).
collecte, collect stswf. kollekte, altargebet; abgabe von kirchen an papst oder bischof.
koller, kollier, kolner s. *gollier*.
kollerëht adj. kollerartig.
kölnisch, kölsch, kolsch adj. kölnisch.
kolre stm. koller, ausbrechende od. stille wut. — stf. die ruhr (lat. *cholera*).
kölsch, kölsche, golsch stswm. (kölnisches) zeug, barchent, gewöhnlich mit blauen streifen.
kôl-souc stm. kohlsaft.
kolter stn. pflugmesser (lat. *culter*).
kolter s. *kulter*.
kol-varwe stf. kohlenfarbe.
kolze, golze swm. nur im pl., wie *hosen* eine fuss- u. beinbekleidung (it. *calzo*, lat. *calceus*).
komat, komet, kumet stn. kummet (slav. *chomat*).
komelinc, kumelinc, *-ges* stm ankömmling.
komen stv. IV nbff. *kumen, këmen, quëmen*; prät. *kam, kom, quam*: kommen (mit präd. adj. od. part., mit infin. statt des part. präs., mit infin. des zweckes und erfolges).
kom-lich adj., **-lîche** adv. bequem, passend.
kommentiur, kummentiur stm. komtur (afz. *commendeor*, lat. *commendator*).
commûne, comûne, -ûn stfn. gemeinde (fz. *commune* aus lat. *communio*).
komp, kompe s. *kumpf*.
kompân, kumpân stm. geselle, genosse; beisitzer einer städtischen behörde (afz. *compaign*, it. *compagno* aus lat. *com* u. *panis*).
kompânîe, kumpânîe, gumpenîe stf. gesellschaft, genossenschaft (fz. *compagnie*).
complende f. schlussgebet in der messe.
cómplêt, cómplête stswf. die letzte kanonische hore des tages (*completa hora*).
compléxie stswf., **complexiôn** f. komplexion, element (lat. *complexio*).
kompost s. *kumpost*.
komst s. *kunft*.
comûne s. *commûne*.
comunîe stf. = *commûne*.
concîlje stn. concilium.
condewier, cundewier stn. geleite.
condewieren, cundewieren swv. führen, geleiten (fz. *conduire* v. lat. *conducere*).
condimentieren swv. einbalsamieren (lat. *condimentum*).
kone, kon, kan, kun, quëne swf. weib, eheweib.
kone- (kon)-lich adj. ehelich. **-liute** pl. eheleute. **-mâc** stm. verwandter von weibes seite, schwager. **-man** stm. ehemann. **-schaft** stf. ehestand. **-wîp** stn. eheweib. **-wirt** stm. = *koneman*. **-vrouwe** swf. ehefrau.
konig, koning s. *künic*.

konne s. *künne.*
konreit s. *kunreiz.*
cons s. *cuns.*
conscienzje f. gewissen (lat. *conscientia*).
constabel stm. anführer, befehlshaber; *kunstabel, kunstavel* mitglied der patrizischen gelagbrüderschaft; *constafel, cunstofel* unzünftiger gewerbtreibender (mlat. *constabulus*, mfz. *connestable* vom lat. *comes stabuli*).
constofel, cunstofel stswf. in einem stadtbezirk vereinigte genossenschaft der nicht zünftigen gewerbtreibenden (Strassburg).
conte s. *cuns.*
contemplâcie stf. geistliche beschauung.
contemplieren swv. geistlich beschauen (lat. *contemplari*).
conterfeit s. *kunterfeit.*
contrârie stf. gegenteil, widerwillen.
convënt, covënt, kofënt stm. geistl. gesellschaft in einem kloster, konvent; dünnes bier, nachbier, eigentlich klosterbier (lat. *conventus*).
converse swm. laienbruder (mlat. *conversus*).
kopf, koph stm. trinkgefäss, becher (*kopf* als mass: zwei seidel); schröpfkopf; hirnschale, kopf.
köpfelîn, köpfel stn. kleiner becher.
kopfeln swv. schröpfen.
köpfen, kopfen swv. schröpfen; köpfen, enthaupten.
kopfer s. *kupfer.*
koppe swm. rabe.
koppel s. *kuppel.*
köppeln swv. rülpsen.
koppen swv. plötzlich steigen od. fallen (*in die art k.* in die alte od. angeborne art verfallen).
koppen swv. krächzen wie der rabe.
coquart stm. narr, tropf (fz.).
kor stm. ein mass von 12 saumlasten.
kor, kör s. *kür.*
kôr stm. kirchenchor; gesamtheit der chorherren, domkapitel; gesamtheit der sänger in einem chore, überh. sängerschar; himmlischer raum als wohnung für gott und seine heerscharen, abteilung der engel im himmelreiche (auch von der menschl. gesellschaft); **kôre** swm. *herzen k.* innerstes des herzens. gr. lat. *chorus.*
koralle, koral swstm. koralle (mlat. *corallus*).
korallîn adj. von korallen.
kôr-bâre stf. katafalk od. aufbahrung der leiche im chor. **-bischof** stm. archidiakon. **-gerihte** stn. im chor der kirche unter vorsitz des bischofs gehaltenes gericht; gericht in ehesachen. **-gesinde** stn. die chorsängerschaft; einer aus ihrer mitte, chorknabe. **-hërre** swm. chorherr. **-hûbe** swf. chorhaube. **-künic** stm. chorkönig, stellvertreter des königs auf dem chor (zu Strassburg) und als solcher inhaber einer pfründe.
korbe swm. s. *korp.*
körbelîn, kurbelîn stn. körbchen; fischreuse.
körbler stm. korbförmiger schatten.
korde swf. seil, schnur (lat. *chorda*).
korder s. *quarter.*
korder, körder s. *quërder.*
cordieren swv. mit saiten beziehen (fz. *corder*).
kore, köre, koren s. *kür, korn.*
kôrer stm. aufseher des chors.
kœrlîn stn. dem. zu *kôr.*
korn stn. fruchtkorn; bes. vom getreide (die gewonnene frucht, getreidekörner), spez. vom roggen; getreidepflanze, halm; kornfeld; *k.* als gewicht im münzwesen, bes. der goldoder silbergehalt einer münze; bei den meistersingern verstand man unter *körnern* die verbindung zweier strophen, dadurch dass ein vers der einen zu einem der andern reimt.
korn, koren swv. den geschmack wovon versuchen, kosten (mit gen.); mit infin. versuchen, wollen (umschreib. des imperat.); wählen.
kornat stm. die kornfelder.
korn-ban stm. schutzbann für die reifenden kornfelder. **-ern** stm., **-erne** stf. kornernte. **-gëlt** stn. ertrag, einkünfte an korn, kornzins. **-gruobe** swf. erdgrube zur aufbewahrung des kornes. **-gülte** stf. = *korngëlt*; bezahlung für korn. **-hûs** stn. kornspeicher. **-kaste** swm. dasselbe. **-kouf** stm. kornhandel; kornpreis; geld zum einkauf des korns. **-liute** pl. zunft der kornhändler. **-mëzze** swm., **-mëzzer** stm. vereid. kornmesser. **-rihter** stm. dasselbe. **-sât** stf. kornfeld. **-schütze** swm. feldhüter. **-stadel** stm. kornspeicher. **-ungëlt** stn. *ungëlt* beim kornkauf, das der käufer od. verkäufer noch über den eigentl. preis (*gëlt*) zu zahlen hat.
körnen swv. mit körnern locken od. füttern; körner ansetzen, bilden.
körner, korner, körnler stm. kornaufkäufer, kornhändler.
kornlîn, körnlîn stn. dem. zu *korn.*
korp, *-bes* stm. korb; schanzkorb; als trockenmass (auch *korbe* swm.); kleines haus (urspr. aus flechtwerk).
korper, körper, körpel stm. körper, leichnam (lat. *corpus*).
corporâl stn. tuch, womit kelch und hostie auf dem altar zugedeckt werden (mlat. *corporale*).
corrieren s. *kunrieren.*
korrûn s. *kurdewân.*
korse, corsît s. *kürsen, kursît.*
korter s. *quarter.*
korunge stf. prüfung, versuchung.
korz s. *kurz.*
kos s. *kus.*
kôse, kœse stfn. rede, gespräch; geschwätz (prov. *cosa*, fz. *chose* vom lat. *causa*).
kôsen swv. sprechen, plaudern (afz. *choser*).
koste s. *queste.*
koste, kost stf. stswm. wert, preis einer sache; geldmittel zu einem bestimmten zwecke; aufwand, ausgaben, kosten (*von sîn selbes kost* auf eigene kosten); zehrung, speise, lebensmittel, futter (rom., s. *kosten* 1).
koste- (kost)-bære, -bærlich adj. kostbar. **-(kostec)-lich** adj. köstlich, kostbar, herrlich. **-(kosten)-liche** adv. auf kostbare weise, mit grossem aufwande. **-rîche** adj. kostbar.
köstelîn, köstel stn. bescheidene mittel zum leben; feine speise, leckerbissen; dürftige, geringe speise.
kosten swv. tr. aufwand machen, ausgeben, beköstigen; zu stehn kommen, kosten (mit acc. des preises od. mit adv.). mlat. *costare*, afz. *coster* v. lat. *constare.*
kosten swv. prüfend beschauen; erkennen, wahrnehmen; schmeckend prüfen; schmecken.
kostunge stf. aufwand, kosten; beköstigung.
kot prät. s. *quëden.*
kôt s. *quât.*
kote swm., md. *kot* stn. hütte.
kœte f. knöchel, würfel.
kotember s. *quatember.*
koter stm. häusler.
kôt-mânôt stm. februar.
cottun stm. kattun (nld. *kattoen*, fz. *coton*).
kotze stswf. hure; vulva.
kotze swm. pilus; grobes, zottiges wollenzeug; decke od. kleid davon (vgl. *kutte, kütze*).
kötze stswf. rückenkorb.
kotzëht, kotzet adj. zottig, grob.
kötzelîn stn. dem. zu *kotze* 2.

kotzen swv. sich erbrechen.

kotzen-schalc stm. hurenknecht. **-sun** stm. hurensohn.

kou s. *kouwe*; prät. s. *kiuwen*.

kouf stm. geschäft zwischen käufer u. verkäufer, handel, tausch; unterhandlung, verabredung; geschäft, tun u. treiben überh.; ware, die gekauft od. verkauft wird; erwerb, gewinn überh.; kaufpreis, bezahlung.

kouf-ambet stn. geschäft des kaufmanns. **-bære** adj. kaufbar, preiswürdig. **-eigen** stn. durch kauf erworbenes eigen. **-gæbe** adj. verkäuflich. **-gadem** stn. kaufladen. **-gëlt** stn. kaufpreis. **-genôȝ** stm. handelsgefährte. **-gëric** adj. zu kaufen, zu erwerben begierig. **-guot** stn. durch kauf erworbenes gut. **-hërre** swm. grosshändler. **-hûs** stn. kaufhalle. **-kamer** stf. = *koufgadem*. **-knëht** stm. gekaufter knecht. **-küene** adj. *k. werden* an preis gewinnen, verkäuflicher sein. **-lich** adj. dem kaufe entsprechend, in kauf gemacht od. verwendet. **-liche** adv. durch kauf. **-liute** pl. zu **-man** stm. kaufmann (verkäufer sowohl als käufer); fast synonym mit *burgære* (wohl deshalb weil die *koufliute* in den städten als der erste stand galten); gekaufter mann. **-manschaft** stf., **-schaz** stmf. handel, kaufmannschaft; handelsgut, ware. **-mennine** swf. kaufmannsfrau, händlerin. **-rât** stm. vorrat zum verkaufen, ware; handelschaft, beruf eines kaufmanns. **-rëht** stn. recht zum wiederkauf; durch kauf erworbenes recht. **-schaft** stf. handel. **-schalc** stm. = *koufknëht*. **-slac** stm. abschluss eines kaufs, kaufhandel (handschlag, mit dem der kauf abgeschlossen wird). **-slagen** swv. einen *koufslac* machen. **-stat.** stf. handelsplatz, handelsstadt. **-strâȝe** stf. handelsstr. **-vrouwe** swf., **-wîp.** stn. = *koufmennine*. **-ware** stf. kaufgut.

köufel, köufelære stm. händler, makler.

koufelinc, *-ges* stm. gekaufter sklave.

koufen, keufen swv. abs. handel treiben, handeln, kaufen. — tr. durch *kouf* erwerben, erhandeln (*umbe einen etw. k.* von ihm kaufen), erwerben, gewinnen, verdienen überh.; loskaufen (*ein wîp, einen man k.* heiraten); verkaufen.

koufer, köufer stm. der kauft od. verkauft.

kouferie stf. kaufhandel und kaufwaren.

kouferinne stf. käuferin.

köufic adj. kauf-, verkaufbar.

köufler s. *köufelære*.

köuflerinne stf. krämerin, kleinhändlerin.

köuflîe stf. = *kouferîe*.

köuflîn stf. = *kouflerinne*.

kouwe, kou swstf. bergm. schachthäuschen; aufschüttkasten in der mühle.

kouwe, kouwen s. *kiuw-*.

kov- s. *kob-*.

côvenanz, gôvenanz stm. zusammenkunft zu spiel u. tanz; art tanz (fz. *convenance*, mlat. *convenentia*).

covënt s. *convënt*.

covertiure, covertiur stf. verzierte samtdecke über der eisendecke des rosses (fz. *couverture*, mlat. *coopertorium*).

covertiuren swv. mit einer *covertiure* versehen.

kôȝ stmn. = *kôse*.

krâ stm. gekröse.

krâ, krâe, krâwe, kræje, kreie, kreige, krowe, krewe swstf. krähe; kranich; star.

krabbeln, krappeln swv. krabbeln.

krac, *-ckes* stm. riss, sprung.

krach s. *krage* 1.

krach stm. knall, schall, krachen; riss, sprung.

krachen swv. krachen, krachend brechen.

krade s. *krote*.

kradem stm. lärm, getöse.

krademe swf. = *krage* 2.

krademen swv. lärmen, schreien.

krademendic adj. lärmend.

krâel stn. dem zu *krâ* 2.

kraft stf. kraft, gewalt: menge, fülle, bes. von kriegern (heeresmacht), von gut u. vorräten aller art (oft nur einen gen. umschreibend od. verstärkend).

kraft-âder f. pulsader.

kraften swv. kraft haben, vermögen.

krage swm., md. *krac* stm. ndrh. *krach* stm. hals (nach aussen und innen) von menschen und tieren, nacken; bekleidung des halses, halskragen; s. v. a. *kragstein*; gekröse; persönl. tor, narr u. dgl.

krage swf. haue, hacke.

krage-bein stn. halsbein.

kragelen, kregeln swv. gakkern wie ein huhn, schwatzen.

kragen stv. VI ndrh. kratzen, ritzen.

krag-stein stm. aus der mauer hervorragender stein als träger eines balkens u. dgl.

kræjen, kræn swv. krähen, intr. u. tr.; nbff. *krægen, kraigen, kreigen, krêwen*.

kral, *-lles* stm. kratz, gekrallte wunde.

kram, *-mmes* stm. krampf.

krâm stm. ausgespanntes tuch, zeltdecke, bes. die bedachung eines kramstandes, die krambude selbst; handelsgeschäft; ware; das im *krâme* gekaufte, bes. gekauftes geschenk, auch geld für ein solches.

krâmære, kræmer stm. handelsmann, krämer.

krâme, krâm stf. krambude; ware.

kræmel stn. gekauftes geschenk.

krâmen swv. intr. kramhandel treiben; kaufen, einkaufen, bes. ein geschenk. abs. u. tr.

krâmenîe stf. krambude.

krâmerîe, kræmerîe stf. kramhandel, -ware.

krâmer-meister stm. vorsteher der kramerinnung.

krâme-sîde stf. seide wie man sie in der *krâme* kauft.

krâm-gadem stn. kramladen. **-gelœte** stn. = *krâmgewihte*. **-gewant** stn. kleider od. kleidungsstoffe, wie sie krämer führen. **-gewihte** stn. handelsgewicht. **-schaft** stf. kramware; handel damit. **-schaz** stm. dasselbe; gekauftes geschenk. **-schilt** stm. gekaufter schild. **-wât** stf. = *krâmgewant*. **-zol** stm. abgabe für ware, vergeltung.

kramme swm. = *kram*.

krammen swv. (mit den sporen) verwunden. Neubildung zu *krimmen*.

krampe swm. spitzhaue.

krampf stm. krampf; kruste.

kræn s. *krœjen*.

kran, kranc s. *kranech*.

kranc, *-ges* stm. kreis, umkreis.

kranc adj. kraftlos, leibesschwach, schwach im allgemeinsten sinne; von schwachen streitkräften; schmal, schlank; geschwächt, vernichtet; wertlos, gering, schlecht, sündhaft, mit der erbsünde behaftet; krank.

kranc stm. schwäche, mangel, unvollkommenheit; schwächung, abbruch, schaden.

kranc-heit, krankeit stf. schwäche, schwachheit; geringheit, dürftigkeit, not; krankheit. **-(krenc)-lich** adj., **-liche** adv. schwach, schwächlich; gering, armselig, schlecht. **-müetec** adj. schwach-, kleinmütig.

kranech, kranch, kranc stm. **kraneche, kranche** swm. (auch umgel. *krenich, krench, kreneche* sw.; md. auch eine einfachere u. altertümlichere form: *kran, krane*, s. *kruon*) kranich; hebezeug für lasten, kran.

krane-wite, kranwit stm. wacholder.

krange swm. not, bedrängnis.

krangel stm. kreis, kranz; not, bedrängnis, mangel.

kranken swv. intr. *kranc* sein od. werden. — tr. = *krenken.*

krant-wërre s. *grantwërre.*

kranz stm. kranz, bes. als ausgesetzter ehrenpreis (bildl. den höchsten grad, auch des schlechten bezeichnend); eine art backwerk.

kranzel s. *krenzelîn.*

krapfe swm., md. *krape* haken, klammer; türangel; in der wappenkunde: sparren.

krapfe swm. krapfen; hode.

krapfen swv. haken.

krappeln s. *krabbeln.*

kraspeln, krasteln swv. rascheln, knistern.

krât stfm. das krähen.

krate s. *krote.*

kratte, gratte swm. korb (vgl. *krechse, kretze* 1).

kratz-ber stf. brombeere. **-boum** stm. brombeerstrauch.

kratze swf. werkzeug zum kratzen, scharren.

kratzen, kretzen swv. kratzen.

kratzen stn. das kratzen; das jucken, die krätze.

kratz-ḥart stm. wucherer, geizhals.

krâwe, krâwen s. *krâ, krouwen.*

kraz, *-tzes* stm. einmaliges kratzen u. dadurch entstehende schramme, wunde.

crêatiure, -tiur; -tûre, -tûr swstf. geschöpf (fz. *créature,* lat. *creatura*).

crêatiur(tûr)-lich adj. geschaffen, natürlich, menschlich. **-licheit** stf. geschöpflichkeit.

krëbe swm. eingeweide.

krëbe swm. f. korb.

krëbe-katze = *strebekatze.*

krëbeȥ, krëbeȥe; krëbȥ, krëbȥe stswm., nbff. *kriuȥ, kreuȥ, kreuȥe*: krebs; das sternbild des krebses; die krebskrankheit; ein brustharnisch in plattenform; ein mauerbrecher.

krëbeȥen, krëbȥen swv. krebse fangen; fig. nach etw. tasten, wühlen.

krechse swf. tragreff.

krecken swv. intr. mit schall zerplatzen, knacken.

crêde swm. glaube (lat. *credo*) *c. mich* = *crede mihi,* formelhafte beteuerung; **crêdendêwen** stm. glaubensartikel (credo in deum).

crêdenz stfn. beglaubigungsschreiben, vollmacht; kredenztisch (it. *credenza*).

crêdenzen swv. vorkosten, eigentl. um vertrauen (it. *credenza*) gegen etwaige vergiftung zu geben; versuchen überh.; speise anbieten.

crêdisch-heit stf. abergläub. wesen, frömmelei.

kreftel stn. dem. zu *kraft.*

krefte-lôs adj. kraftlos, ohnmächtig.

krefte-lœsen swv. entkräften.

kreften swv. tr. kräftigen, stärken; intr. kräftig werden.

kreftic, kreftec adj. kraft habend, kräftig, gewaltig, stark; von rechtl. geltung u. wirksamkeit; gewaltig, gross, überh. zur verstärkung des begriffes; zahlreich, reichlich; — kraft gebend, kräftigend; m. dat. gewachsen. **-lich** adj., **-liche** adv. gewaltig, mächtig; zahlreich; stark, sehr.

kreftigen swv. kräftigen, stärken, mehren.

kregelîn stn. dem. zu *krage.*

kregeln s. *kragelen.*

krei stm. geschrei.

kreie, kreigen s. *krâ, krœjen.*

kreie stf., **kreier** stm. = *krîe.*

kreierlîn stn. kleiner herold.

kreiger stm. *k. ûf eim helme* conus, helmzeichen.

kreiieren, kreigieren swv. = *krîen.*

kreisch stm. schrei, angstruf.

kreisten swv. stöhnen.

kreiȥ stm. kreislinie, umkreis; der eingehegte kampfplatz, gerichtlicher kreis überh.; zauberkreis; landeskreis, gebiet, bezirk.

kreiȥ stm. schrei, lärm.

kreiȥelîn stn. dem. zu *kreiȥ.*

kreiȥen swv. intr. sich kreisförmig bewegen; tr. *einen kreiȥ kr.*

kreiȥen swv. *krîȥen* machen, ärgern, zum zorn reizen.

kreiȥlot adj. kreisförmig.

krellen swv. kratzen.

krempel stmn. dem. zu *krampe*; kralle; häkchen.

krempfen swv. *krimpfen* machen.

krên m. meerrettich (slav.).

krench s. *kranech.*

krenc-lich s. *kranclich.*

krëngel s. *kringel.*

krenke stf. schwäche, schwachheit, geringheit, mangelhaftigkeit; taille.

krenken swv. tr., refl. *kranc* machen, schwächen, mindern, erniedrigen, schädigen, zunichte machen; plagen, kümmern, bekümmern. — intr. = *kranken.*

krenze s. *kretze.*

krenzelîn, krenzel, kranzel stn. dem. zu *kranz* (als schmuck, als sinnbild der jungfrauschaft).

krenzen swv. mit einem *kranze* (den falken mit der haube) versehen.

krepfelîn, krepfel stn. dem. zu *krapfe* 2.

krepfer stm. der mit einem haken ergreift.

krësem s. *krisem.*

krësen stv. V kriechen.

krësmer stm. vorsteher eines *krësem,* bischof.

krësse swmf. kresse.

krëte s. *krote.*

kretscheme, kretschem stm. schenke, dorfschenke (slav.).

kretschmar stm. schenkwirt.

krettelîn, kretlîn, krötlîn stn. dem. zu *kratte.*

kretze swf. m. tragkorb; nbf. *krenze, krinze.*

kretze stf. krätze; der abfall von bearbeit. metall.

kretzen s. *kraȥen.*

kretzen stm. krätze, aussatz.

kretzer stm. md. einnehmer der gerichtsbussen.

kretzerîe stf. gerichtsbusse; rügegericht.

kreul, krewel s. *kröuwel.*

kreuȥ s. *krëbeȥ.*

krewe, krêwen s. *krâ, krœjen.*

krî s. *krîe.*

kribeln swv. kitzeln.

krîde swf. kreide (lat. *creta*).

krîde swf. = *krîe.*

krîden stv. I, 1 ndrh. schreien, wiehern.

krîden swv. mit kreide schreiben.

krîden-mël stn. geschabte kreide.

krîe, krî stf. m. schlachtruf, feldgeschrei, parole, losung; das helmzeichen, als erkennungszeichen im kampfe; die partei selbst, zusammenhaltende schar, stand überh.; schrei, ruf überh.; ruf, fama (afz. *crie* von *crier,* lat. *quiritare*).

kriec, *-ges,* **krieg** stm. anstrengung, streben nach etwas; streben gegen etw. oder einen, widerstreben, widerstand; anfechtung; streit, kampf mit worten, disputation; wettstreit, rechtsstreit; zwist, zwietracht überh.; handgreiflicher streit, kampf zwischen zweien; streit mit waffen, kampf, krieg.

kriec, *-ges,* **krieg** stm. grosses hebegerät, winde, kran.

kriec-bære adj. streitbar, kriegerisch; streitsüchtig. **-bederben** stn. wackere kriegführung. **-haft** adj. streitend, in streit verwickelt; streitbar. **-lich** adj., **-liche** adv. kriegerisch. **-licheit** stf. streitsucht.

krieche swf. pflaumenschlehe.

kriechel stm. eine weinart.

kriechel-bier stn. auf *kriechen* abgezogenes bier.

kriechen stv. II, 1 sich einziehen, schmiegen; kriechen, schleichen.

Krieche swm. Grieche.

kriechisch, kriesch adj. griechisch.

kriege, kriegel adj. widerstrebend, störrisch, streitbar; streng.

kriegelîn stn. kleiner streit.

kriegen swv. sich anstrengen, streben, ringen, trachten (körperlich wie geistig), mit worten streiten, zanken, disputieren, behaupten; handgreifl. streiten; kämpfen überh., fehde, krieg führen. — tr. bekämpfen.

krieger stm. streiter, kämpfer.

kriegerîe stf. sp. streit.

kriegic, kriegisch adj. trotzig; streitsüchtig; strittig.

krieg-nôt stf. kriegsnot.

krieg-sam adj. = *kriegic.*

krieg-seil stn. windenseil.

kriemeln swv. schleichen.

krîen stv. I, 2 schreien, bes. den schlachtruf (*krîe*) erheben (aus fz. *crier* nach analogie v. *schrîen* gebildet).

krîen-galm stm. lautschallendes turniergeschrei.

krîer stm. = *krîierer.*

kriese s. *kërse.*

kriesch s. *kriechisch.*

krîgen stv. I, 1 sich anstrengen, streben, ringen, trachten; streiten, kämpfen (mit worten u. waffen). — refl. befehden. — tr. strebend erfassen, einholen, erreichen, bekommen, erfahren.

krîieren swv. = *krîen.*

krîierer, krîgierer stm. ausrufer, herold, bes. der knappe, der während des turniers od. der schlacht teils andere rosse od. waffen für seinen herrn in bereitschaft hält, teils den schlachtruf (*krîe*) erhebt.

krimme swm. darmgicht.

krimmen, grimmen stv. III, 1 abs. u. tr. die klauen zum fange krümmen, mit gekrümmten klauen od. fingern packen, verwunden, kratzen, kneifen, reissen. — refl. sich winden, krümmen, daher abs. auch für kriechen.

krimpf adj., md. *krimp,* krumm, eingeschrumpft.

krimpf stm. krampf.

krimpfen, grimpfen stv. III, 1, md. *krimpen* tr. u. refl. krumm od. krampfhaft zusammenziehen.

krim-vogel stm. raubvogel, bes. ein zur jagd gebrauchter.

crinâle stn. helmschmuck (mlat. *crinale*).

krinc, *-ges* stm., **kringe** swm. kreis, ring, bezirk.

kringel, krëngel stmn. kreis; bretzel.

krinne adj. gelockt, kraus.

krinne swf. einschnitt, rinne.

krinneln, krindeln iterat. zu

krinnen swv. mit *krinnen,* einschnitten versehen.

krinze s. *kretze.*

kripfen s. *gripfen.*

krippe, kripfe stswf. krippe.

krippen swv. refl. sich in die krippe legen.

krippen-knabe swm. knabe in d. krippe, Christkindlein.

krisch stm. = *kreisch.*

krîschen stv. I, 1 kreischen.

krîscher stm. schreier.

kriselen swv. krauen.

krisem, krësem stm., **kriseme, krëseme, krisme, krësme** swm. chrisam; diöcese, sprengel (gr. lat. *chrisma*).

krisemen, krësemen swv. mit *krisem* salben.

krîsen stv. I, 1 kriechen; sich allmählich verbreiten.

krisolîte, -lît, krisolt swstm. chrysolith, ein edelstein.

krisp, krispel adj. kraus.

krispel stm. krauskopf.

krispen, krispeln swv. kräuseln.

kristalle, kristal swstfm. kristall (gr. lat. *crystallus*).

kristallen swv. refl. zu kristall werden.

kristallîn adj. von kristall.

kristen adj. christlich.

kristen, kristæne, kristân stswmf. christ, christin (lat. *christianus, -a*).

kristen stf. christenheit; christentum.

kristen, klisten stv. I, 1 stöhnen, ächzen.

kristenen, kristen swv. zum christen machen.

kristen-geloube swm. christlicher glaube. **-heit** stf. christlichkeit, christlicher glaube; kirche; messe; christenheit. **-(crist)-lich** adj. christlich. **-liute** pl. von **-man** stm. christ. **-tuom** stmn. christentum, christlichkeit.

kristier stn. = *klister.*

kristieren = *klistieren.*

krit stn. krach, knack; s. v. a. *krîde,* losung.

kritzen swv. kritzen.

kriuchelîn stn. dem. zu *krûche.*

kriul s. *kröuwel.*

kriusel adj. kraus.

kriusel stf. m. feminale; kreisel.

kriuselëht adj. kraus.

kriuselen swv. zucken.

kriuseler stm. eine art schleier.

kriuselîn stn. dem. zu *krûse* 1.

kriutelîn, kriutel stn. dem. zu *krût.*

kriutener, kriuteler stm. kräutersammler.

kriutern swv. unkraut ausjäten (vgl. *durchkriutern*).

kriuȥ s. *krëbeȥ.*

kriuzære, -er stm. kreuzfahrer; mit dem kreuz bezeichneter ordensritter, johanniter; eine kleine, ursprüngl. mit einem kreuze bezeichnete münze, kreuzer.

kriuze, kriuz stn. kreuz Christi; bildl. mühsal, not; kruzifix; das bild, zeichen des kreuzes (auf einem gewande als merkzeichen, als abzeichen der kreuzfahrer; als ordenskreuz; auf grenzsteinen; auf einem schilde; auf münzen; mit der hand gemachtes zeichen des kreuzes zu segen u. schutz); das lat. zahlzeichen für 10 (X). aus lat. *crux, crucis.*

kriuze-boum stm. kreuz. **-bruoder** stm. kreuzfahrer; flagellant. **-(kriuz)-ganc** stm. gang oder umgang mit dem kreuze, prozession; dafür bestimmter säulengang. **-stal** stmn. *in kriuzestal, enkriuzestal vallen* (zum gebete) niederfallen in kreuzförmiger stellung (*stal*) mit ausgestreckten armen. **-tac** stm. einer der drei tage vor himmelfahrt, wo kreuzgänge gehalten werden; festtag der kreuzfindung, -erhöhung. **-traht** stf. das kreuztragen, bittgang mit dem kreuze. **-vart** stf. kreuzzug; wallfahrt mit kreuz und fahnen. **-vënje** stf. das in *kriuzestal* verrichtete gebet. **-wîse** adv. kreuzweise. **-woche** swf. die woche der *kriuzetage.*

kriuzelîn stn. dem. zu *kriuze.*

kriuzen swv. ans kreuz schlagen, kreuzigen; mit einem *kr.* bezeichnen; ein kreuz schlagen; bekreuzigen.

kriuzigære, -er stm. kreuziger; kreuzfahrer.

criuzigâte stf. qual (lat. *cruciatio*).

kriuzigen swv. kreuzigen; peinigen, plagen.

kriuz-kôr stm. querschiff einer kirche. **-liet** stn. kreuzfahrerlied. **-stap** stm. stab mit einem kreuze. **-strâȥe** f. kreuzweg. **-wëc** stm. dasselbe.

kriuzlinge adv. kreuzweise.

kriȥ stm. geräusch, krach.

kriz, *-tzes* stm. gekritzter strich.

kriȥeln swv. iterat. zu

kriȥen stv. I, 1 scharf schreien, kreischen, stöhnen.

krîȥen stv. I, 1 eine kreislinie machen (*einen kreiȥ kr.*) — intr. (*grîȥen*) gären, schäumen. — tr. kratzen.

krochzen swv. krähen, krächzen.

kroije stn. = *krîe.*

kroijier, groir stn. helmschmuck.

kroijierære stm. = *krîierer*

kroijieren swv. = *krîieren.*

krol adj. lockig.

krol, krul, *-lles* stm., **krolle, krülle** swf. haarlocke.

krollen, krüllen swv. kräuseln; an den haaren reissen.

krôn stm. gezwitscher der vögel.

krône, krôn stswf. kranz (*siges krône* sieges-, *êren krône* ehrenkranz); bildl. wie *kranz* das höchste, vollendetste seiner art; jungfräul. kopfschmuck, brautkrone; dornenkrone Christi; fürstenkrone; die kr. als sichtbares zeichen der königl. würde und macht, daher geradezu für königtum (kaisertum), königreich, dann pers. für könig (kaiser), königin selbst; geistl. kronen (*kr.* des priesters Johannes. *drî krône* des papstes, *kr.* der seligen); *kr.* in weiterer verwendung: leuchter in form einer krone; kamm, schopf; geschorne glatze (lat. *corona*).

krône-bære adj. fähig die krone zu tragen.

krœnen swv. schwatzen, lallen, brummen, schelten (s. *krôn*).

krœnen, krônen swv. kränzen, bekränzen; krönen; bildl. kennzeichnen, auszeichnen *mit*; preisen. ehren. verherrlichen.

krônike, krônik swstf. chronik (gr. lat. *chronica*).

krœnlîn stn. dem. zu *krône*.

kropel s. *krüpel*.

kropel-kint stn. verkrüppeltes kind.

kropf, kroph stm. auswuchs am halse des menschen, kropf; mensch der einen kr. hat (als schimpfwort); verächtl. für hals; kr. der vögel, der vormagen (übertragen auf den menschen auch von dem, was einer in sich gegessen oder getrunken hat).

kröpfelîn stn. dem. zu *kropf* (*der bluomen kr.* knospen).

kropfizen swv. rülpsen.

kropfoht, kropfëht adj. kropfig.

kropf-stôzen, swv. an den hals stossen.

krœse, krœs stn. = *gekrœse*.

krosel, krospel, krostel mf. knorpel.

krosseldorn stm. stachelbeerstrauch (fz. *groseillier*).

krot, krut stnm. md. belästigung, bedrängnis, kummer, beschwerde, hindernis.

krote, krotte, kröte, krot swstf. nbff. *krate, krade, krëte, krötinne, krut* kröte; frosch; als schelte.

kröten, kroten, kruden swv. md. tr. belästigen, bedrängen, hindern; die reben *kruden* in bogen ziehen. — refl. mit gen. sich einer sache annehmen, sich um etw. bekümmern.

kroten-stein stm. krötenstein, borax.

krötlîn s. *krettelîn*.

krotolf stm. kröte (als schelte).

kröuwel, krewel; kröul, kriul, kreul stm. kräuel, gabel mit hakenförmigen spitzen; klaue, kralle.

krouwen, krowen, kräwen swv. kratzen; juckend kratzen (mit acc. u. dat. od. blossem dat.); kitzeln.

krowe s. *krâ*.

krûche swf. krauche, kruke, krugartiges gefäss.

krücke, krucke swstf. krücke; bischofsstab; kreuz; ofenkrücke. **-stap** stm. krücke.

krude stf. bedrängnis, gewalttat, grausamkeit (s. *krot*).

kruden s. *kröten*.

krüegelîn stn. dem. zu *kruoc*.

krûfen swv. md. kriechen (nd. *krûpen*).

kruft s. *gruft*.

krul, krülle s. *krol*.

krüllel stn. löckchen.

krüllen s. *krollen*.

krum s. *krump*.

krümbe, krümme, krumbe, krumme stf. krümme, krümmung; umweg; verkrümmung.

krumben, krummen swv. *krump* sein oder werden.

krümben, krümmen swv. *krump* machen, krümmen.

krume, krumme stf. krume.

krumelen, krumen swv. in krumen zerreiben.

krump, *-bes*; **krum**, *-mmes* adj. krumm, gekrümmt, verdreht, schief (eig. u. bildl.); schlecht.

krump, *-bes* stm. = *krümbe*.

kruoc, *-ges* stm. krug.

kruon, md. **grûn** stm. kranich. — s. *kranech*.

krüpel, krüppel stm., md. *krupel, kropel* krüppel.

krüpfen swv. den *kropf* füllen.

krûs adj. kraus, gelockt.

krûse swf. krug, irdenes trinkgefäss.

krûse stf. krauses haar.

krûselen swv. aus einer *krûse* trinken.

krûsen swv. kräuseln.

krûsp adj. = *krisp*.

kruspel stf. = *krospel*.

krûspelëht adj. = *krûsp*.

kruspelisch adj. knorpelig.

kruspel-lich adj. dasselbe.

kruste swf. kruste, rinde.

krustel stf. = *krostel*.

krustelîn, krüstel stn. dem zu *kruste*.

krut s. *krot, krote*.

krût stn. kleinere blätterpflanze, kraut, gemüse, bes. kohl; das daraus bereitete gericht; nahrung überh.; schiesspulver. **krûteht, krûteleht** stn. fructetum, gras, kräuter.

krûten swv. *krût* holen; unkraut jäten; würzen.

krût-garte swm. gemüsegarten. **-geslaht** stn. pflanzenart. **-kamer** stf. pulverkammer. **-wîhe** stf. = *wurzwîhe*. **-wurm** stm. kohlraupe.

kûbêbe swf. javan. pfefferart, kubebenpfeffer (mlat. *cubeba*).

kübel stm. kübel; als mass wie *scheffel*.

kûch stm. hauch.

kuchelîn, kuchel stn. dem. zu **kuchen** stn. küchlein.

küchen, kuchen, küche, kuche stf. küche (lat. *coquina*).

kûchen swv. hauchen.

kuchenære stm. der küchenarbeiten verrichtet.

küchen- (kuchen)-dirne swf. küchenmagd. **-knabe** swm., **-knëht** stm. küchenjunge,- diener. **-meister** stm. küchenmeister, oberkoch (als hofbeamter). **-spîse** stf. in der küche bereitete speise; vorrat für die küche, bes. hülsenfrüchte und das bloss enthülste zu grütze oder graupen verarbeitete getreide. **-bëte** stf. s. v. a. **-stiure** stf. abgabe für die küche. **-var** adj. nach der küche aussehend. **-varwe** stf. farbe, aussehen nach der küche. **-viuræere** stm. der das küchenfeuer unterhält.

kücken s. *quicken*.

kuderwân s. *kurdewân*.

küe-barn stm. futterkrippe für kühe.

küechelîn, küechel stn. dem. zu *kuoche*.

küefel s. *kuofelîn*.

küefer stm. küfer.

küegîn adj. von der kuh.

küegisch adj. kühisch.

küelde, küele stf. kühle, kälte; kühlung.

küele, küel adj. kühl. kalt.

küelen swv. *küele* machen.

küelîn stn. dem. zu *kuo*.

küene, küen adj. kühn.

küene, küenec-heit, küenkeit stf. kühnheit.

küenen swv. tr. *küene* machen; intr. *küene* werden.

küen-lich adj., **-lîche** adv. kühn, auf kühne weise.

küe-ritter stm., md. *kûweritter* ritter der statt kriegsdienste zu tun seines viehes wartet.

kuffer s. *koffer*.

kugel s. *gugele*.

kugele, kugel swf. kugel; md. kontr. *kûle* (auch verächtl. für kopf).

kugelëht, kugeloht adj. kugelförmig.

kugelen, kûlen swv. mit kugeln spielen, kegeln.

kügellîn stn. dem. zu *kugele.*
kugel-spil stn. kugelspiel.
kûgen s. *kiuwen.*
cuire stf. haut (fz. *cuir,* lat. *corium*).
kukuk stm. kuckuck.
kûle, kûlen s. *kugele, kugelen.*
kûle swstf. md. grube.
kûlen swv. in die grube legen.
küllinc s. *künnelinc.*
cult = lat. *culter.*
kulter stmnf. gefütterte steppdecke über das bett, um darauf oder darunter zu liegen; nbff. *kolter, golter, kûter, gûter* (afz. *coultre* vom lat. *culcitra*).
kumber, kummer stm. schutt, unrat; bildl. belastung, bedrängnis, mühsal, not, kummer; beschlagnahme, verhaftung.
kumber-bære adj. kummer verursachend. **-haft, -heftic** adj. belästigt, bedrängt, armselig; beschäftigt. **-lich** adj. belästigend, bekümmernd, kummervoll; verhaftet. **-liche** adv. mit bedrängnis, mühe, beschwerde; zur last. **-nisse** stfn. kummer, bedrängnis. **-sal** stn. bedrängnis; belastung, pfandschuld.
kumbern, kummern swv. belästigen, bedrängen, quälen, kasteien; mit arrest belegen.
küme stf. talschlucht, klinge.
kûme, kûm adj. dünn, schwach, gebrechlich.
kûme, kûm adv. mit mühe, schwerlich, beinahe nicht, kaum; nicht, gar nicht.
kûmec-, kûme-liche adv. dasselbe.
kumelinc s. *komelinc.*
kumen s. *komen.*
kûmen swv. intr. trauern, wehklagen. — refl. mit gen. sich um etw. ängstlich bemühen.
kumet s. *komat.*
kumft s. *kunft.*
kumin stm. kümmel (lat. *cuminum*).
kummentiur s. *kommentiur.*
kumpân s. *kompân.*
kumpf, komph stm., md. *kump, komp* u. *kompe* swm. schüssel, napf, gefäss (als mass); die einzelnen zwischenräume eines oberschlächtigen mühlrades; wetzsteingefäss (mlat. *cimbus,* gr. *κύμβος*).
kumpf adj. stumpf.
kumpfen swv. stumpf machen.
kumpf-mül stf. eine mühle mit kumpfrad. **-rat** stn. oberschlächtiges mühlrad.
kúmpost, gúmpost, kumpóst, kompóst stm. eingemachtes überh., bes. sauerkraut (lat. *compositum*).
kumst s. *kunft.*
kun s. *kone.* — m. ehmann.
künde, kunde adj. = *kunt.*
kunde swm. bekannter; einheimischer, s. *kunt* adj.
künde, kunde stf. kunde, kenntnis, bekanntschaft; zeichen, beweis; ort wo man bekannt ist, heimat.
künde, kunde stn. kunde, kenntnis; s. v. a. *urkünde.*
kündec, kündic adj. pass. bekannt, kund. — akt. bekannt machend, verkündend; klug, geschickt, spitzfindig; *sich k. machen* mit dat. sich dienstfertig erweisen; stolz, anmassend.
kündec-heit stf. klugheit, list, verschlagenheit; stolz, übermut. **-lich** adj. bekannt; klug, geschickt, listig. **-liche** adv. auf kunstgerechte weise, wie ein kundiger; auf kluge, listige weise.
künde-lich adj., **-liche** adv. klug, schlau, listig.
kunden swv. intr. *kunt* werden.
künden, kunden swv. tr. *kunt* machen, verkündigen, anzeigen, zeigen.
kunden s. *künten.*
kunder, kunter stn. lebendes wesen, tier, bes. monstrum (*der helle k.* teufel); auch als scheltwort. **-lich** stn. jedes geschöpf.
kunderlîn, kunterlîn stn. kleines tier; feminale.
cundewier s. *condewier.*
kündigære, kündiger stm. verkündiger; der hochmütige.
kündigen swv. verkündigen.
kündnisse stf. verkündigung.
cunduct stm. wasserleitung.
kündunge stf. verkündigung; kunde.
kunft, kumft stf. das kommen, die zukunft, die ankunft (md. auch *kunst, kumst, komst*).
künftic, kümftic adj. was kommen wird oder soll, sich ereignend, nachfolgend, künftig (md. auch *kumstic*). **-heit** stf. zukunft, zukünftiges ding. **-lich** adj. **-liche** adv. = *künftic.*
künftigære stm. der kommen wird.
künic, künec, *-ges* stm. synkop. *künc,* md. *kunic, kunig, kuninc, konig, kong, kung, koning*: könig (wappenherold, könig der spielleute, zunftkönig, könig im schach-, im kartenspiele, in der tierwelt).
künic-buoch stn. *liber regum.* **-heit** stf. königl. art, abstammung, **-lich** adj., **-liche** adv. königlich. **-licheit** stf. königswürde. **-lîn, kungelîn, künglîn, künigel** stn. kleiner könig; einer von den leuten oder von der partei des königs; königl. hofbeamter; zaunkönig. **-rîche** stn. königreich, königtum: pers. für könig. **-stuol** stm. thron.
küniclîn, künglîn stn. kaninchen (lat. *cuniculus*).
küniger, künigler stm. nachtkönig, abtrittsräumer.
küniginne, küneginne, -in, -în stf. königin (auch für königstochter, prinzessin; bes. heisst Maria *künigîn*; sodann auch die geliebte; königin bei festen, spielen; im schachspiel; bildl. das beste, herrlichste).
künigisch adj. königlich.
kunkel stf. kunkel (mlat. *conucula*).
künne stn., md. *kunne, konne* geschlecht, familie, verwandtschaft; persönl. kind, verwandter; umschreibend mit gen. (*küneges künne* könig, *wîbes k.* weib).
künne stf. n. cunnus, vgl. *kunt* stf.
künne-galle swf. einer der eine schande des *künne* ist. **-haft** adj. reich an verwandtschaft. **-schaft** stf. geschlecht, verwandtschaft.
künnelîn stn. dem. z. *künne* 2.
künnelinc, *-ges* stm. verwandter, assim. *küllinc.*
kunnen, künnen anv. geistig vermögen, wissen, kennen, verstehn (mit acc. od. mit infin.; mit präp. *an, mit, ze* u. ausgelassenem infin.: sich worauf verstehn, womit umzugehn wissen; scheinbar absol. mit unterdrücktem acc. od. infin.); können, imstande sein, vermögen, möglich zu machen wissen (von personen), möglich sein (von sachen) mit infin., häufig nur zur umschreibung des einfachen vb.
kunnen stn. *liebez k. spiln* das minnespiel treiben.
kunnen swv. kennen lernen; erforschen, prüfen.
künnende part. adj. wissend, verstehend, geschickt, erfahren mit gen. od. *in, zuo.*
kunner stm. prüfer.
kunreiz stm. pflege, bewirtung des lehnsherren, herrenschmaus, md. *konreit*; fütterung, pflege eines pferdes (mlat. *conredium*).
kunriere, kunreie[s] stf. bewirtung, pflege (afz. *conroi*).
kunrieren, corrieren swv. bewirten, pflegen, füttern (afz. *conroier*).
cuns, cons, conte, cunt stm. graf (fz. *comte,* lat. *comes*).
kunst stf. das wissen, die kenntnis, weisheit; kunstfertigkeit, geschicklichkeit; kunst (*swarziu k.* zauberei); erleuchtung des innern, ekstase.
kunstabel s. *constabel.*
künstec-lich adj. geschickt.

künstec-liche adv. mit kunst, verständnis; mit list.

künstelîn stn. dem. zu *kunst.*

kunstellâte stf. stellung der gestirne (lat. *constellatio*).

künste-lôs adj. ohne kunst, unwissend. **-rîch** adj. reich an *kunst.* **-wîs** adj. *wîs* durch *kunst.*

künsten-sin stm. kunstreiche erfindungsgabe.

kunster, künster, sp. *künstener* stm. der *kunst* besitzt; künstler, kenner.

künstic, künstec, kunstic adj. mit *kunst* begabt, verständig, klug, gelehrt; kunstfertig, geschickt; kunstreich.

kunstiger stm. = *kunster.*

künst-lich adj. verständnis, weisheit bekundend, klug, geschickt; künstlich gegens. zu natürlich. **-liche** adv. mit geschicklichkeit. **-licheit** stf. verständnis, klugheit.

kunst-vluz stm. strömender kunstgeist.

cunt s. *cuns.*

kunt, *-des* adj. kennen gelernt, bekannt geworden, kund (vgl. *kunde* swm.); *kunt tuon* ohne od. mit dat. bekannt machen, sagen, zeigen, zuteil werden lassen.

kunt stf. cunnus vgl. *künne* 2.

künten, künden swv. zünden, heizen.

kunter s. *kunder.*

kunter, gunder stn. das unreine, falsche (fz. *contre*).

kunterfeit, gunderfeit adj. nachgemacht, falsch (fz. *contrefait,* lat. *contrafactus*).

kunter-, gunter-, gunder-, conterfeit; kunterfei, gunderfei stn. unreines, vermischtes, verfälschtes gold, metall; das entgegengesetzte, der gegensatz; das trügerische, falsche.

kunt-lich adj. wie von einem bekannten; kund, verständlich, deutlich, offenbar. **-liche** adv. auf verständliche, deutl. weise, genau. **-liute** pl. zu **-man** stm. schiedsmann. **-same** stf. kunde; beeidigte sachverständige, schiedsrichter; deren ausspruch. **-schaft** stf. das bekanntwerden, die kenntnis, nachricht; erforschung; aussage, auskunft; auskunft gebende personen; besichtigung eines strittigen gegenstandes durch beeidete von beiden parteien gewählte männer, sowie deren ausspruch und entscheidung; durch solchen ausspruch erworbenes recht; zeugnis; bekanntschaft, nähere umgebung, verwandtschaft; *heimliche k.* geschlechtsteile.

künt-oven stm. brennofen.

kunze swm. *der alte, grobe k.* appellat. verwendete koseform von *Kuonrât.*

künzen swv. schmeicheln mit dp.

kuo stf. kuh (pl. *kuo, küe, kuoge, küege, küeje, küewe*).

kuoche swm. kuchen (rom. *coca, coco, conque* vom lat. *coquere*).

kuofe swf. kufe, wasserkufe, badewanne (lat. *cupa*).

kuofelîn, küefel stn. dem. zu *kuofe.*

kuofener stm. = *küefer.*

kuof-kar stn. kufenartiges gefäss.

kuole adv. kühl, kalt.

kuolen swv. *küele* werden od. sein.

kuol-hûs stn. kühlhaus; abtritt.

kuone-zorn adj. kühn und zornig.

kuon-heit stf. kühnheit.

kuo-ricke swm. kuhgehege.

kuose swf. weibl. kalb oder schaf.

kuo-zagel stm. kuhschwanz.

kuo-zal stf. bestand an kühen.

kupfe, gupfe swf. = *goufe* 1, *koife.*

kupfer, kopfer, kofer stn. kupfer; bildl. das unechte, falsche (lat. *cuprum*).

kupferîn, küpferîn, köpferîn adj. von kupfer; bildl. unecht, unnütz.

kupfer-schîn stm. kupferfarbe. **-sinter** stm. kupferschlacke. **-smit** stm. kupferschmied. **-var** adj. kupferfarb. **-vlinke** swm. kupfererz, das in glänzenden stücken auf dem gestein zutage liegt.

kuppe s. *gupf, kupfe.*

kuppel kupel, koppel kopel stf. auch m. n. band, verbindung, bes. hundekoppel; durch eine *koppel* verbundenes: hunde, haufe, schar überh.; revier, an dem mehrere gleiches recht haben, bes. für weide (fz. *couple,* lat. *copula*).

kuppelære, -er stm. kuppler.

kuppeln kupelen, koppeln kopelen swv. an die koppel legen; überh. binden, fesseln; geistig verbinden, vereinigen (lat. *copulare*).

kuppel-weide stf. gemeinschaftl. weide, recht dazu.

kür, küre stf., md. *kur kure, kor kore, kör köre* mf. prüfung; überlegung, erwägung, prüfende wahl, bes. die königswahl (*die siben kür* kuren, wahlstimmen); auswahl und das ausgewählte; ideal; versuchung; entschluss, beschluss, bestimmung u. das recht dazu; strafbestimmung, strafe, zu erlegende busse; beschaffenheit, art u. weise (mit gen. od. adj., meist nur umschreibend).

kür-bære adj. erwählenswert, vorzüglich, tüchtig.

kurbe swf. brunnenwinde (fz. *courbe,* mlat. *curva*).

kurbelîn s. *körbelîn.*

kürbiz stm. n. kürbis (lat. *cucurbita*).

kurc, *-ges* adj. wahrnehmbar, sichtbar, deutlich; ausgezeichnet, auserwählt.

kurc-lîchen adv. deutlich.

kurdewân stm. auch *kuderwân, korrûn* korduan, korduanschuh (fz. *cordouan,* leder aus ziegenfellen von *Cordova*). **kurdewæner** stm. schuhmacher.

kurdewænîn, -wænisch adj. von *kurdewân.*

kure, küre swm. amtlich bestellter prüfer.

küre s. *kür.*

kûren swv. kauern, hocken.

kûret s. *currît.*

kur-hërre swm. kurfürst.

curie stf. das füttern der jagdhunde mit teilen des eingeweides vom wilde (fz. *curée*).

küriz, kuriz stm. kürass (fz. *cuirasse*). **kürizzer** stm. kürassier.

kür-lich adj., **-liche** adv. sichtbar, deutlich; ausgezeichnet, auserwählt, tüchtig.

kür-lop stn. bei prüfender wahl gegenüber andern erhaltenes lob.

kur-miete stf. die abgabe des besthaupts nach auswahl des herrn. **-mietic** adj. zur abgabe der *kurmiete* verpflichtet.

kürn swv. s. *ver-, willekürn.*

kürne stn. coll. zu *korn.*

kürne, kürn, kurn stf. mühlstein, mühle.

kürnen swv. zermalmen.

kurne-stein stm. mühlstein, md. *quirnstein.*

kürre adj. md. *kurre, kirre* zahm, milde.

kurren swv. grunzen.

kurrier, kurier stm. läufer; figur im kurierspiel, einer weiterbildung des schachs (fz. *courier*).

currît, gurrît, kûret stn. lederkoller (afz. *curie*).

curs stm. reihe vorgeschriebener gebete (lat. *cursus*).

curs stm. körper (fz. *corps*).

kursât s. *kursît.*

kürsen, kursen stf. pelzrock, md. *kurse, korse* (mlat. *crusina, cursina*). **kürsenære, -er** stm. kürschner; als schachfigur dritter *vende.*

kursît stnm. pelzoberrock, eine *kürsen* die mit seide oder wollenzeug überzogen einen ziemlich weiten überwurf bildete; nbff. *kürsît, kursât, corsît, kurset, gursît.*

kurtesîn stf. = *kurtoisîe.*

kurtieren swv. zieren, schmücken.

kurtois, kurteis adj. höfisch, fein (fz. *courtois*). **kurtoisîe, kurtôsîe** stf. höfisches benehmen, feine bildung (fz. *courtoisie*).

curvei stn. geschwulst, bes. geschwulst am pferdeknie (fz. *courbe*).

kür-, kur-vürste swm. kurfürst.

kurz adj., md. auch *korz, kurt*: kurz, gering an ausdehnung in die länge, von raum und zeit (unflekt. acc. n. kurze zeit hindurch: *bî, mit, über kurz*).

kurze, kurz adv. kurz, auf kurze weise; kurze zeit hindurch; in kurzer zeit. bald, rasch.

kürze, kürzede stf. kürze.

kurze-bolt stm. der klein von körper ist (als name); ein zierl. kleidungsstück.

kurzen swv. intr. *kurz* werden.

kürzen swv. *kurz* machen, kürzen, ab-, verkürzen.

kürzern swv. kürzer machen.

kurz-heit stf. kürze. **-lich** adj. = *kurz*. **-liche** adv. = *kurze*. **-man** stm. kleiner mann. **-müetic** adj. von kurzem *muote*. **-wîle** stf. kurze zeit; zeitkürzung, unterhaltung, vergnügen. **-wîlec, -wîleclich** adj. kurzweilig. **-wîlen** adv. in kurzer zeit, nächstens. **-wîlen** swv. intr. sich die lange zeit verkürzen, eine kurzweil machen. — tr. unterhalten. **-wîl-lich** adj. = *kurzwîlec.*

cus stm. hahnrei (afz. *cous*).

kus, kos, -sses stm. n. kuss.

kus-, küs-, kussen-lich adj. küssenswert, zum küssen geeignet, einladend; adv. *kus-, kussenlîche.*

kuscher = *küsser* stm. küsser.

kusse-bære adj. = *kus-lich.*

küssel, küsselîn stn. dem. zu *küssen.*

küssen swv. küssen.

küssen, küssîn, küsse stn. kissen, kopfkissen (fz. *coussin*).

kussen-lich s. *kuslich.*

kust stf. prüfung, schätzung; art und weise, wie etw. erscheint, befund, beschaffenheit (meist mit einem gen. od. adj. umschreibend).

kuster, guster stm. aufseher, küster, bes. jener geistliche eines klosters oder stiftes, der die pfarrgeschäfte und zugleich alles zu besorgen hatte was die kirche u. die notwendigen kirchl. gerätschaften betraf (lat. *custos*). **kusterîe, gusterîe** stf. amt u. verwaltung eines *k.* **kusterinne, gusterinne** stf. küsterin (eines klosters).

kût stm. tausch.

kute, kûte swm. tauber.

küte, küt stm. kitt.

kûte f. md. flachs in einer gewissen form und menge, kaute.

kutel swf. = *kaldûne.*

kutel-vlëc stm. dasselbe.

küten s. *quiten.*

kûten s. *kiuten.*

kuter stm. = *kute.*

kûter s. *kulter.*

kuteren, kuttern swv. wie ein *kuter* girren; lachen; verlachen.

kuterolf stn. = *gutrël.*

kutte swf. mönchskutte (vgl. *kotze, kütze*).

kütte stn. schar, herde.

kuttener stm. kuttenträger, mönch.

kütze stf. kleid, oberkleid.

kützelîn stn. dem. zu *kütze.*

kützeln s. *kitzeln.*

kutzen swv. lachen.

kützen swv. mit einer *kütze*, überh. bekleiden.

kützer stm. knauser.

kûze, kûz swstm. kauz.

L

lâ stf. lache, sumpf, sumpfwiese.

lâ, -wes, læwe, lâw, lâb adj. lau, milde.

labe stf. labung; nahrung.

labe stf. swm. aufguss; = *lap* 2.

labe-lôs adj. ohne labung.

label stn. badewanne (lat. *labellum*).

laben swv. waschen, mit wasser oder einer andern feuchtigkeit benetzen; *daz vihe l.* tränken; erquicken, erfrischen.

lâbore *ze l. gên* an die arbeit *gên*; *coire.*

labunge stf. benetzung, besprengung mit wasser; erfrischung, erquickung.

lach stm. das auflachen, gelächter; lächler, heuchler.

lach s. *lachen* stn.

lâch-boum stm. mit *lâchen* versehener grenzbaum.

lache stf. = *lachen* stn.

lache swstf. lache, pfütze.

lâche, lâchene swf. einschnitt, kerbe auf dem grenzbaum oder -stein, überh. grenzzeichen

lache-bære adj. zum lachen geeignet. **-(leche)-lich** adj., **-liche** adv. lachend, freundlich.

lachen swv. lachen, lächeln, freundlich blicken (mit gen. lachen über, wegen); tr. *rôsen lachen* durch den freundlich lächelnden blick rosen aufblühen machen.

lachen stn. (in zusammens. auch *lach*) tuch, decke, laken (von leinen, wolle, seide, leder), obergewand.

lâchen stn. heilmittel.

lâchenære stm. besprecher, zauberer.

lâchene s. *lâche.*

lachende, lachendic adj. lachend.

lâchenen swv. mit grenzzeichen versehen.

lâchenen swv. mit heilmitteln bestreichen, ärztlich (zauberisch) behandeln. **lâchenîe** stf. das besprechen, zaubern, hexen.

lâchen-tuom stn. heilmittel, heilung.

lâch-stein stm. grenzstein.

lâchter s. *lâfter*

lade stswf. lade, behälter, kasten, sarg.

lade stnf. ladung, last.

lade, laden swstm. brett, bohle; fensterladen; kauf-, bäkkerladen; md. auch sarg.

laden stv. VI, auch sw. laden, aufladen; beladen, belasten.

laden swv., auch st. auffordern, berufen, laden.

ladener stm. krämer.

lader stm. einlader.

ladern swv. schlaff werden.

lade-stat stf. (kontr. *lâstat*) ort, wo die schiffe beladen und entladen werden.

lad-îsen, -îser stn. eiserner ladstock.

ladunge stf. zu *laden* 1: aufladung; das aufgeladene, die last; uferbefestigung. — zu *laden* 2: einladung; vorladung, zitation.

laf stm. md. saft, feuchtigkeit (vgl. *lap* 1).

laffe swf. flache hand.

laffel s. *leffel.*

laffen, leffen, lappen stv. VI u. swv. schlürfen, lecken.

lâfter, lâchter, lôchter mfn. = *klâfter.*

lâgære stm. nachsteller.

lâgærîn stf. nachstellerin.

lâge stf. legung, lage; lauerndes liegen, hinterhalt, nachstellung; lebensverhältnis, zustand; beschaffenheit, art und weise; ort des liegens, niederlage, warenlager.

læge adj. niedrig, flach; niedrig, gering.

lâgel, lægel, lêgel stn., **lâgen** f. fässchen; ein bestimmtes mass od. gewicht (mlat. *legellum, lagena*). **lâgele, lægele, lâgel, lægel, lêgel** swstf. fässchen. **lâgellîn, lægellîn, lêgel** stn. dem. zu den zwei vorigen.

lâgen, lâgenen swv. auflauern, nachstellen abs., mit

gp., dp.; sein augenmerk worauf richten, wonach trachten mit dat. od. gen.

lâgene swf. hinterhalt.

lâg-stæte adj. beständig auf der lauer liegend.

lahs stm. lachs.

lahs-vörhen stf. lachsforelle.

lahte prät. s. *legen*.

lahter stn. lachen, gelächter.

lahter-lîche adv. mit lachen.

lakerize, lekerize swf. süssholz, lakritze (mlat. *liquiritia*).

lallen, lellen swv. lallen.

lam adj. gliederschwach, lahm (*in dem munde l.* stumm).

lâmel stnf. klinge (lat. *lamellum, lamella*).

lamen swv. *lam* sein oder werden.

lamp, *-bes*; **lam,** *-mmes* stn. lamm.

lampâde swf. lampe (gr. lat. *lampad-*).

lampartisch adj. lombardisch.

lampe, lampel swf. = *lampâde*.

lampen swv. welk niederhängen.

lampen-glas stn. lampe.

lamprêde, lampride f. lamprete (mlat. *lampreta*).

lampriure, lamparûr, lemperûr stm. kaiser (fz. *l'empereur*).

lam-tac, -**tage** stswm. lähnung.

lân s. *lâzen*.

læn, lœn f. lawine (s. *lêne*).

lanc, *-ges* adj., md. *lenge* lang, gegens. zu *kurz* räuml. u. zeitl. *über lanc* nach geraumer zeit, langsam, von zeit zu zeit).

lanc adv. lang; längs *bî l.*

lanc-alt, -altic adj. langlebig. **-beitekeit, -beitsamkeit** stf. beharrlichkeit, ausdauer. **-gemüete** stn. langmut. **-heit** stf. länge. **-hûs** stn. langhaus, schiff einer kirche od. kapelle. **-lëben** stn. = *lanclîp*. **-lëbic** adj. langlebend. **-lîbe** adj. langlebig. **-lîdikeit** stf. *longanimitas*. **-lîp** stm. langes leben. **-müetec** adj. langmütig. **-ræche** adj. lange rache hegend, unversöhnlich. **-ræche** stf. unversöhnlichkeit. **-sager** stm. schwätzer. **-sam** adj. u. adv. lang, lange dauernd; langsam. **-seim** adj. zögernd, langsam. **-seine, -seime** adv. langsam. **-sîte, -sîtic** adj. lange seiten habend. **-standec** adj. weitschweifig. **-stæte** adj. lange fest, beharrlich. **-vezzel** stm. langes band woran das *vëderspil* gehalten wird. **-wât** stf. eine art fischernetz. **-wëric, -wiric** adj. lang dauernd, lebend. **-wit** stn. f. langwiede, hinterdeichsel.

lande- (lende)-gelîch stn. jedes land. **-lôs** adj. ohne land.

lander stn. swf. stangenzaun; land.

laner stm. eine falkenart.

lange, langen adv. seit-langem, lange zeit (*bî langen* endlich).

langen swv. (md. auch *lengen*) intr. *lanc* werden; reichen *über*; sich ausstrecken (*an, gegen*) um etw. zu erreichen. — tr. *lanc* machen, verlängern; sich ausstreckend etw. ergreifen, geben, darreichen. — unpers. *lanc* dünken; verlangen, gelüsten.

langes, lenges adv. vor langer zeit, längst; der länge nach, längs.

langez, -zît s. *lenze*.

lanke stswf. hüfte, lende, weiche.

lankenier stn. decke über die *lanken* des rosses.

lanne stswf. kette (auch als schmuck).

lant, *-des* stn. land, erde, gebiet, heimat (*gein landen, ze lande* heimwärts, ans land, daheim; *von lande* von daheim); einwohnerschaft eines landes.

lant-âhte stf. = *âhte* (ackerland). **-banier** stf. vaterländ. banner. **-barûn** stm. der im lande eingesessene hohe adelige. **-bëte** stf. allgemeine landessteuer. **-bote, -bütel** stm. gerichtsbote über land. **-buoch** stn. = *lantrëhtbuoch*. **-diet** stfn. einwohnerschaft eines landes. **-dinc** stn. landgericht. **-dinger** stm. landrichter. **-garbe** f. zinsgarbe; grundstück, von dem die *l.* entrichtet wird. **-geböume** stn. bäume des landes. **-gebûr** stm. landbewohner, bauer. **-gëlt** stn. = *lantphenninc*. **-genge** adj. landläufig. **-genôz** stm. = *lantgeselle*. **-gerbic** adj. verpflichtet *lantgarben* zu geben. **-gerihte** stn. landgericht. **-geschrei** stn. aufgebot eines land-, gerichtsbezirkes. **-geselle** swm. landbewohner; landsmann. **-gesinde** stn. die bewohnerschaft des landes. **-gespræche** stn. beratende landesversammlung. **-gewer** stf. = *lantwer*, befestigung an der landesgrenze. **-grabe** swm. auf dem lande, felde gezogener graben, grenzgraben. **-grâve** swm. königl. richter u. verwalter eines landes, landgraf. **-grævinne** stf. landgräfin. **-her** stn. heer eines landes, heeresmenge. **-hërre** swm. herr des landes; vornehmster vasall in einem lande. **-knëht** stm. gerichtsdiener, häscher für ein gebiet. **-koste** swm. landesabgaben. **-kündic** adj. im lande bekannt, landkundig. **-kündunge** stf. bekanntmachung im lande. **-lêhen** stn. lehen vom lande, landzins. **-leite** stf. das umgehen der grenzen. **-liut** stn. die einwohnerschaft, das volk des landes. — stm. pl. (zu *lantman*) *lantliute* die leute im lande, landgenossen, einwohner; die zum besuche des landtages berechtigten u. verpflichteten, die landstände; landesedle, niedere dienstmannen; untertanen; landbewohner, bauern. **-louf** stm. landesbrauch; ereignis im lande. **-löufer** stm. landstreicher. **-löufig** adj. im lande umgehend, bekannt oder gebräuchlich. **-man** stm. der in dem gleichen lande daheim ist, landsmann; landbewohner, bauer; hintersasse; zu einem landgericht bestellter adeliger schöffe od. beisitzer. **-mannen** swv. zum bezirksgenossen erheben. **-march** stn. grenze eines gerichtssprengels. **-mære** stn. übers land verbreitete geschichte, allgemeines gerücht. **-marke, -marc** stf. landmarke, land. **-marke** stf. landmark (münze). **-massenîe** stf. mannschaft aus dem heimatlande. **-mâze** stf. messung des landes. **-meister** stm. der hochmeister in Preussen. **-menege** stf. menge volkes od. vasallen aus dem lande. **-namen** swv. nach einem lande benennen. **-phenninc** stm. landesmünze (auch *lantmünze*). **-rede** stf. = *lantmære*. **-rëht** stn. recht eines landes im gegens. zum recht anderer länder, zum geistl., lehen- u. stadtrecht; was nach landrecht recht des einzelnen ist; gericht, prozess u. urteil nach landrecht; recht auf grund und boden, abgabe dafür. **-rëhtære** stm. pl. die freien, die vom grafen od. landesherren zum urteilsspruch entboten werden. **-rëhtbuoch** stn. landrechtsbuch. **-rëhten** swv. streiten, prozessieren. **-reisic** adj. auf der reise aus dem lande, bezirke befindlich. **-reister** stm. md. landesoberhaupt. **-rihtære, -er** stm. = *lantrëhtære*, vorstand eines landgerichts. **-riumic** adj. flüchtig. **-rivier, -riviere** stnmf. land, bezirk. **-roup** stm. raub auf öffentl. landstrasse. **-rüchtic** adj. landkundig. **-rünnic** adj. = *lantriumic*. **-sæze** swm. landsasse. **-schaft** stf. landschaft, land; einwohnerschaft des landes; die versammelten stände eines landes. **-schal** stm. = *lantmære*. **-scheide, -scheidunge** stf. landesgrenze. **-scherge** swm. = *lantknëht*. **-schiech** adj. landflüchtig. **-schirm** stm.

gewähr, die der verkäufer eines gutes gegen die einsprache anderer übernimmt. **-schoȥ** stm. landzins. **-schranne** f. bank des richters u. der urteiler in einem landgerichte, das landgericht selbst u. dessen bezirk. **-schrei** stm. berufung zum ungebotenen *dinge*. **-schrîber** stm. land-, gerichtsschreiber. **-schrîe** stf. landesaufruf zum kriege. **-schulde** stf. eine art reichnis an den lehnsherrn bei übernahme eines lehnsgutes. **-sëȥȥe** swm. = *lantsæȥe*. **-sidel** m. dasselbe; eine art meier od. hintersassen. **-sihtic** adj. landkundig. **-site** stm. landessitte, -brauch. **-sprâche** stf. besondere sprache eines landes, mundart; beratende landesversammlung, landtag. **-stiure** stf. landessteuer. **-strâȥe** f. öffentl. weg durchs land. **-strît** stm. kampf zweier länder od. heere im gegens. zu *einwîc*. **-suone** stf. versöhnung eines ganzen landes oder zweier länder miteinander. **-tac** stm. versammlung zum landgericht, landtag. **-tavel** f. landgericht. **-teidinc** stn. dasselbe. **-tier** stn. auf dem lande lebendes tier. **-twinger** stm. landbezwinger, -bedränger. **-urliuge** stn. landeskrieg. **-val** stm. lehngeld, *laudemium*. **-varære, -er** stm. reisender, pilger, landstreicher. **-vëhte** stf. = *lantstrît*. **-veste** adj. geschützt, sicher. **-veste** stf. festes land; landesverteidigung; verschanzung. **-voget** stm. landvogt, statthalter eines landes. **-vogtîe** stf. landvogtei; landvogtswürde. **-volc** stn. einwohnerschaft eines landes; landvolk. **-volge** stf. die verbindlichkeit dem *lantgeschrei* zu folgen. **-volgunge** stf. dasselbe; landtag. **-vrâge** stf. beratende landesversammlung. **-vremde** adj. im lande fremd. **-vride** swm. öffentliche sicherheit, landfriede; heer zur erhaltung des landfriedens u. zur bestrafung des landfriedensbruches. **-vrouwe** swf. einheimische *vrouwe*, edelfrau des landes; landesherrin; frau vom lande. **-vürste** swm. landesfürst; vornehmster vasall in einem lande, der das land zu lehn hat. **-wer** stf. landesverteidigung; persönl. die verteidiger des landes; befestigung an der landesgrenze; die rings um eine stadt gezogenen gräben u. schranken. **-wëre, -wër** stf. landesübliche münze, landeswährung. **-wërunge** stf. dasselbe. **-wîn** stm. wein der im lande wächst. **-wîp** stn. einheimisches *wîp*; weib vom lande. **-wîse** stf. landessitte. **-wort** stn. landeswort, -sprache. **-zuc** stm. auszug, kriegszug des ganzen landes.

lante prät. s. *lenden*.

lantërne s. *latërne*.

lanze swf. langer speer als waffe des ritters, lanze (fz. *lance*).

lap, *-bes* stnm. spülwasser; salzwasser; anfeuchtung, erfrischung.

lap, *-bes* stn. mittel zum gerinnen machen, lab.

lappe, lap swm. einfältiger mensch, laffe; bösewicht.

lappe swf. m. lappen.

lappen swv. mit *lappen* versehen, flicken.

lappen s. *laffen*.

lâr, lâre s. *lêre*.

larche, lerche f. lärche (lat. *larix*).

lære, lær adj. leer, ledig (mit gen., *von*).

læren swv. abs. u. tr. *lære* machen. — intr. *lære* werden od. sein *an*.

lâren, larn s. *lêren*.

larve, larfe swf. schreckgestalt, gespenst; maske (lat. *larva*).

larven-tier stn. teufel.

lasch, laschte, laste prät. s. *lëschen, leschen*.

lasche swm. lappen, fetzen.

lasche swf. tasche.

lase-mânôt stm. januar (vgl. *lesemânôt*).

lâsiuren, lâsûren swv. mit *lâsûr* überziehen.

lassât, lasset stn.? eine wieselart und das pelzwerk davon (slav.). **lassâtîn** adj. von *lassât*.

last stm. md. auch fem.: last, menge, masse, fülle; ein bestimmtes mass.

lâstat s. *ladestat*.

laster stn. was die ehre kränkt, schmähung, schmach, schimpf, schande; fehler, makel.

laster-balc stm. schandbalg, schimpfwort u. teufelsname. **-bære, -bæric** adj. schimpf bringend, schmach verdienend; tadelnswert. **-gief** stm. lasterhafter tor. **-heit** stf. schmach, schimpf, schande. **-kêr** stm. wendung zur schande. **-lëben** stn. schmachvolles leben, schandleben. **-(lester)-lich** adj., **-liche** adv. beschimpfend, schimpflich. **-mâl** stn. zeichen der schande. **-mære** stn. schandgerede. **-mâse** swf. schandfleck. **-meil** stn. dasselbe. **-nôt** stf. schimpfliche *n.* **-pîn** stm. beschimpfende mühe oder pein. **-snallen** stn. schändliches reden. **-stein** stm. = *bâgstein*. **-vaȥ** stn. gefäss der schande, mensch der voll schande ist. **-wëc** stm. die *via lata* zur sünde. **-wort** stn. schmähwort.

lastern, lestern swv. die ehre nehmen, beschimpfen.

last-stein stm. stein von grossem gewicht.

lâsûr, lâzûr stn., **lâsûre, lâzûre** stf. lasur (mlat. *lazurium, lasurium, lasurum*). **-blâ** adj. blau wie lasur. **-var** adj. farbig wie lasur, mit *l.* gefärbt.

lâsûren s. *lâsiuren*.

lat stf. aufladung; einladung.

late, latte swf. latte.

latech, lateche, leteche stswf. lattich (lat. *lactuca*).

latërne, lantërne, latërn stf. laterne (lat. *laterna*).

latîne, latîn stf., **latîn** stn. latein; die unverständliche sprache der vögel.

latûn stm.? = *latech*.

latînisch adj. lateinisch; *latînischen* adv.

latwârje, -wêrje, -wêrge stswf. durch einkochen dicker saft, latwerge (it. *lattovâro, lattuârio*, afz. *lectuaire*, lat. *electuarium*).

laus-mettene, -metti stf. teil der *mettene*, wobei *laus (Deo)* gesungen wird, frühmette.

lavendele, lavendel f. m. lavendelkraut (lat. *lavendula*).

lâw, læwe adj., *læweclîche* adv. lau; s. *lâ*.

lâwec-heit stf. lauigkeit.

lâwen swv. intr. *lâ* sein od. werden. — tr. *lâ* machen.

laȥ, *-ȥȥes* adj. matt, träge, saumselig; euphemist. nicht vorhanden; mit gen. frei von, ledig; comp. *laȥȥer, letzer*, superl. *leȥȥist, lest* letzt, jüngst.

laȥ adv. langsam.

laȥ stm. = *laȥheit*.

laz, *-tzes* stm. band, fessel; hosenlatz.

lâȥ stm. das fahrenlassen, der abfall; das loslassen eines geschosses, abschuss; s. v. a. *gelæȥe* was aus dem nachlass eines unfreien dem herrn zufällt.

lâȥ-becher, -kopf stm. schröpfkopf. **-bendel** stm., **-binde** swf. aderlassbinde.

lâȥe stf. loslassung; aderlass.

lâȥen, lân redv. 2 (prät. *liez, lie*, part. *gelâȥen, gelân, lân*): abs. unterlassen, freilassen, lösen. — tr. mit ap. entlassen, loslassen; zurücklassen, aufgeben, verlassen; mit acc. u. dat. zurücklassen, überlassen; lassen mit beigefügter prädikat. bestimmung (subst., adj. od. part.), od. mit präp.; sich gegen einen benehmen, ihn behandeln (mit ellipse des verb. subst.). — mit as. lassen, ablassen von, aufgeben; unterlassen (auch mit hypotakt. satz); erlassen, nachlassen; zulassen; sein od.

geschehen lassen; mit dp. überlassen; zurücklassen; mit infin., mit acc. u. infin. (der infin. oft zu ergänzen); *etw. an einen l.* einem die entscheidung überlassen; mit ellipse des obj. *bluot*: zur ader lassen. — refl. sich verlassen *an, ûf; sich nieder l.* wohnung nehmen; *sich wider l. an sîne stat* zurückkehren. — intr. sich benehmen, gebärden.

lâȥer, læȥer stm. aderlasser.

laȥ-heit stf. müdigkeit, trägheit.

læȥ-lich adj. was gelassen, unterlassen wird; erlässlich; *læȥliche eide* die gebrochen w.

lâzûr, lâzûre s. *lâsûr.*

laȥȥe swm. höriger.

laȥȥe stf. müdigkeit.

laȥȥen swv. intr. *laȥ* sein od. werden, säumen. — tr. *laȥ* machen, aufhalten, verzögern. — refl. mit gs. säumen.

lê adv. = *lêwes.*

lê, *-wes* stm. hügel.

lêal adj. treu, innig (fz. *loyal*).

lebe s. *lewe.*

lêbart, lêbarte, lêparte, liebarte stswm. leopard (lat. *leopardus*).

lëbe-haft adj. leben habend, lebendig. **-lich** adj. dem leben angemessen, lebhaft, lebendig; lebenswert; weltlich. **-lîche** adv. nach weise eines lebenden, lebendig. **-lîche, -lîcheit** stf. lebendigkeit, leben. **-lôs** adj. leblos od. wie leblos. **-site** stm. lebensweise. **-tac, -tage** stswm. lebenszeit, leben (häufig im pl.); lebensunterhalt. **-zuht** stf. lebensunterhalt.

lëbe-kuoche swm. lebkuchen.

leben swv. gerinnen (s. *lap* 2); tr. gerinnen machen.

lëben swv. (md. auch *lëven*) intr. leben (prägn. der feineren sitte gemäss leben; sich benehmen; seinen *muot* kundgeben, sich wie ein lärmender od. tobender benehmen); mit gen. caus. od. *von* leben von; *an einem l.* nach etw. leben, ihm folgen. — tr. leben, erleben.

lëben stn., md. auch stm. leben; lebensweise, stand, orden; *ze sînem l.* zur ehefrau *gegeben*; s. v. a. *muot*, art u. weise, wie sich heftige affekte äussern u. darstellen.

lëbende part. adj., akt. lebend; pass. was gelebt, erlebt wird; *sîne l. zît* sein leben lang; *bî im lebenden* bei seinen lebzeiten.

lëbendec, lëbendic, lëmptic, lëmtic adj. lebendig, lebend (*bî mir, bî im lebendigen* bei meinen, bei seinen lebzeiten).

lëbere, lëber stswf. leber.

lëber-mer stn. sagenhaftes geronnenes meer, in dem die schiffe nicht von der stelle können, übertr. auf das rote meer.

lëber-stein stm. leberkies; lasurstein.

lëbe-zelte swm. lebkuchen.

lëbic, md. **lëvich** adj. lebend.

lëbs s. *lëfs.*

lechelære stm. lächler.

leche-lich s. *lachelich.*

licheln swv. lächeln, auf hinterlistige weise freundlich sein.

lëchen swv. mit st. part. *gelëchen, -lochen*: austrocknen, vor trockenheit risse bekommen und flüssigkeit durchlassen; verschmachten.

lecher-lich adj., **-lîche** adv. lächelnd; lächerlich.

lëchezen, lëchzen swv. austrocknen; lechzen.

lecke, legge stf. leiste, saum; lage, reihe, schicht.

lecke stf. benetzung, bes. mit warmem badewasser; das peitschen mit dem badwedel.

lecken swv. benetzen; mit dem badwedel streichen.

lecken swv. mit den füssen ausschlagen, hüpfen.

lecken s. *legen.*

lëcken swv. tr. lecken, belecken. — intr. duften.

lëcker stm. tellerlecker, fresser, schmarotzer; possenreisser, schelm.

lëcker adj. feinschmeckend.

lëcker-heit stf. art u. wesen eines *lëckers*, lüsternheit, schelmerei. **-lich** adj. feinschmekkend; unanständig, sittenlos. **-lîche** adv. auf weise eines *lëckers*. **-lîcheit** stf. scurrilitas. **-vuore** stf. schamlose schmeichelei.

lëckerîe stf. = *lecker-heit.*

lëckern swv. als *lëcker* sich benehmen.

lëcter stm. lesepult auf dem chore der kirche (nbff. *lector, letter, lectner, lettener*); chor in der kirche, emporkirche (mlat. *lectorium, lectionarium*).

lëcze swstf. vorlesung eines schriftabschnittes (im gottesdienste), bildl. lesetext (nbff. *lecce, letze, lectie, lectiôn*); lehre, schulunterricht, lection (lat. *lectio*).

ledære stm. auflader.

lede stf. ladung; lastschiff.

ledec, ledic, lidic adj. ledig, frei, unbehindert (mit gen. od. *von, vor*); müssig; unverheiratet; mit dat. den besitzer verlierend und dem lehnsherrn anheimfallend. **-heit, ledikeit** stf. der zustand des ledigseins; müssigkeit; leerer raum. **-lich** adj. = *ledec.* **-lîche** adv. frei, ohne hindernis, ohne anderes, völlig, gänzlich.

ledegen, ledigen, lidigen swv. *ledec* machen, ledigen, befreien (mit gen. od. *von*).

ledegunge, ledigunge stf. erlösung, befreiung; lösegeld.

ledelîn, ledel stn. kleine lade.

lëder stn. leder; schwimmhaut.

lëderære, -er stm. gerber.

lëderen, lideren swv. gerben; mit leder überziehen.

lëder-gerwe swm. gerber. **-hose** swf. *hose* von leder. **-hûs** stn. gerberei; verkaufsniederlage der *lederer*. **-swal** swf. fledermaus (schwalbe mit hautflügeln).

lëderîn s. *liderîn.*

ledigære stm. befreier.

ledigærinne stf. befreierin.

leffel stm. löffel (nbff. *laffel, loffel, löffel*); als schelte.

leffen s. *laffen.*

lëfs, lëfse stswmf. lippe (nbff *lebse, leves, leps, lesp*, md. *lippe* stswf.).

legât, legâte stswm. päpstlicher bote (lat. *legatus*).

lëge stf. das liegen, lager.

lege stf. das legen; gegenseitige hilfeleistung, bündnis; das gelegte, die reihe.

lege-gëlt stn. kelleraccis, lagergeld.

lêgel, lêgelîn s. *lâg-.*

legen swv. (prät. *legete, leite*, part. *geleget, -leit*) nbff. *lecken, leggen* (prät. *lahte* md. *lachte*, part. *gelaht*): *ligen* machen, legen (*die lîche l.* begraben, *einen l.* gefangen setzen, *den schaden l.* vergüten, *sich l.* sich zu bette legen, sich lagern).

legende f. legenda.

lëger stn. lager; lager der tiere; krankenlager; grabstätte; belagerung.

lëgeræere stm. der lagert, sich verbirgt, *sich verliget.*

lëgeren, lëgern swv. intr. liegen, lagern. — refl. sich lagern. — tr. lagern, in gehörige lage und stellung bringen.

lëger-bette stn. cubile. **-haft, -haftic** adj. bettlägerig. **-hërre** swm. der ein grosses warenlager hat. **-hort** stm. gelagerter, aufgehäufter schatz. **-stat** stf. lagerstätte, lager; lager eines tieres; grabstätte; heerlager; niederlage der kaufleute. **-suht** stf. ans bett fesselnde krankheit.

legge, leggen s. *lecke, legen.*

lêgiste swm. rechtsgelehrter (mlat. *legista*).

lêhen, lên stn. geliehenes gut, lehn.

lêhenære, lêner stm. darleiher, gläubiger; bergmeister, der die gruben lehnweise vergibt; besitzer eines lehn-, bauerngutes.

lêhen-bære adj. geeignet ein lehn zu besitzen, belehnt zu werden. **-buoch** stn. lehnregister; lehnrecht. **-dinc** stn. lehngericht. **-erbe** stn. ererbtes lehn. **-erbe** swm. lehnserbe. **-gëlt** stn. lehnzins, lehn; *laudemium*. **-guot** stn. lehngut, lehn. **-haft** adj. lehnbar. **-hant** stf. s. v. a. **-hërre** swm. lehnsherr. **-lich** adj. das lehen betreffend. **-liute** pl. zu **-man** stm. lehnsmann. **-rëht** stn. lehnrecht; recht, lehn zu besitzen. **-schaft** stf. belehnung; lehn. **-schafter, lêhner** stm. plur. *concessores*, verleiher einer *lêhenschaft*. **-trager, -treger** stm. der belehnte. **-vrouwe** stf. vermieterin eines hauses; besitzerin eines lehns.

lêhenen, lênen swv. als lehn geben, leihen; belehnen; entlehnen.

lêhenunge, lênunge stf. geliehenes, darlehn; belehnung.

lei s. *leie*.

leibe stf. überbleibsel.

leibelîn stn. dem. zu *leip*.

leiben swv. übrig lassen, schonen (mit dp., gen. part.).

leich stm. tonstück, gespielte melodie; gesang aus ungleichen strophen, epischer gesang zur harfe; das laichen der fische.

leichære, -er stm. spielmann; betrüger.

leichærinne stf. betrügerin.

leichen swv. intr. u. refl. hüpfen, aufsteigen (vom laichen der fische). — refl. gelenkig biegen. — tr. sein spiel mit einem treiben, ihn foppen und betrügen. **leichenîe, leicherîe** stf. fopperei, betrügerei.

leich-notelîn stn. gesangmelodie.

leide stf. leid, schmerz, betrübnis; feindseligkeit, missgunst.

leide stn. totenklage.

leide adv. gegens. zu *liebe* (*leide tuon* mit dat. jem. wehe tun; *mir ist, wirt, geschiht l.* ist trübe zumute, ergeht es traurig). — der komp. *leider* mit abgeschwächter bedeutung: zu meinem unglück, leidwesen; leider.

leidec, leidic adj. in *leit* versetzt, betrübt; mitleidig; *leit* verursachend, schmerzend, tödlich; böse; widerwärtig, unlieb.

leidec-lich adj., **-liche** adv. betrübt.

leidegære stm. der *leit* zufügt.

leidegen, leidigen swv. betrüben, kränken, beleidigen; verletzen, schädigen.

leidegunge stf. beleidigung, verletzung.

leiden swv. intr. mit dat. leid, zuwider, verhasst sein oder werden. — swv. tr. mit od. ohne dp. leid, verhasst machen. — swv. tr. leid antun, betrüben, beleidigen; anklagen, denunzieren. swv. intr. = *lîden* gehn.

leiden-haftec adj. leidbedrückt.

leide-rîche adj. leidensvoll.

leides adv. auf wehtuende weise.

leidic s. *leidec*.

leidunge stf. = *leidegunge*.

leie, lei; leige, leije stf. fels, stein, schieferstein; steinweg; weg, art und weise (*einer, drîer, vier leie* usw.).

leie, leige swm. nichtgeistlicher, laie; ungelehrter (lat. *laicus*); swf. laienschwester.

leie-bære adj. laienhaft.

leien-hërre swm. = *leienvürste*. **-phaffe** swm. weltgeistlicher. **-vürste** swm. weltlicher fürst.

leige, leije s. *leie*.

leige-liute pl. laien.

leiisch, lei-lich adj. aus dem laienstand.

leim, leime stswm. (nbf. *lein*, md. *lêm*) lehm.

leimîn adj. von lehm.

leim-strich stm. lage von lehm. **-var** adj. lehmfarbig.

leinen swv. tr. lehnen; ablehnen. — refl. u. intr. sich lehnen, schmiegen *an, in, über, ûf, zuo*.

leip, *-bes* stm. brotlaib.

leis, leise stswm. geistlicher gesang; gesang überh. (verk. aus *kirleise*, s. *kirjelêîson*).

leis, leise stswf. spur, geleis; bildl. vom niederfallen der lanzensplitter.

leisieren, leischieren swv. das ross mit verhängtem zügel laufen lassen (mit verschwieg. obj. *ros*); aus mfz. *laissier* vom lat. *laxare*).

leist stm. weg, spur; form, leisten des schuhmachers.

leist stmf. leistung.

leist-bære adj. was zu leisten ist, fällig; fähig zu leisten.

leistec adj. leistend.

leisten swv. abs. u. tr. ein gebot befolgen und ausführen, ein versprechen erfüllen, eine pflicht tun (*leisten* oder *mit pferden leisten* das einlager halten, *einen tac leisten* der einladung zu einem *tage* folgen, ihn besuchen, einen hoftag halten, *eine gîselschaft l.* das einlager halten).

leister stm. der *leistet*, obses.

leist-haftic adj. zu leisten schuldig.

leistunge stf. einlager.

leit, *-des* adj. betrübend, leid; widerwärtig, unlieb, verhasst. — subst. stn. leiden, böses, betrübnis, schmerz, krankheit.

leit-bejac stm. *âne l.* leidlos. **-geborn** part. im leide geboren. **-lich** adj. leidvoll, schmerzlich, was man erleidet. **-lîche** adv. auf leidvolle, schmerzliche, betrübende, klägliche weise. **-müetic** adj. molestus. **-roc** stm. trauermantel. **-sam** adj. leid verursachend; geduldig. **-schal** stm. klage. **-spil** stn. leiden, das wie ein zeitvertreib aussieht. **-vertrip** stm. n. vertreibung des leides. **-wende** stf. wendung zur betrübnis, leiden; zufügung von leid.

leitære, -er stm. leiter, führer; verführer.

leitærinne stf. anführerin.

leit-bant stn. = *leitseil*.

leit-bracke swm. = *leithun*

leit-brief stm. geleitsbrief.

leite prät. s. *legen*.

leite stswf. leitung, führung; weg auf dem gefahren, das erz aus dem bau fortgeschafft wird; fuhre, wagenladung; tonne, fass zum verführen einer flüssigkeit.

leite swm. = *leitære*.

leitel swm. führer.

leiten swv. tr. leiten, führen (*daz swert l.* das schwert tragen, ritter werden; *eine linden leiten* die zweige nach einer bestimmten richtung biegen, damit sie dort schatten geben; *eine kuntschaft l.* einen strittigen gegenstand durch beeidete männer besichtigen lassen und sich deren entscheidung unterwerfen; *geziuc l.* zeugnis ablegen, beibringen. — refl. sich richten *nâch*.

leiter, leitere stswf. leiter; wagenleiter.

leites-man stm. führer, wegweiser.

leite-stap stm. leitender stab, führer. **-stërn** stm., **-stërne** swm. der die schiffer leitende polarstern (bildl. von der jungfr. Maria). **-vrouwe** swf. anführerin.

leit-geselle swm. begleiter.

leit-hunt stm. jagdhund, der, am seile geführt, die spur des wildes aufsucht.

leit-rieme swm. = *leitseil*.

leit-sage swm. wegweiser.

leit-schaft stf. leitung.

leit-schrîn stm. reisekasten (vgl. *soumschrîn*).

leit-seil stn. seil, woran der leithund geführt wird.

leit-snuor stf. dasselbe.

leit-vane swm. leitende fahne (von der jungfrau Maria).

leit-vaz stn. = *leite* 2, tonne.

lekerize s. *lakerize*.

lellen s. *lallen*.

lêm s. *leim.*

lembelîn, lembel, lemmelîn, lemmel stn. lämmchen.

lemberîn, lemmerîn adj. vom lamme.

leme, lem, lemede, lemde stf. lähmung, gelähmtes glied.

lemen swv. *lam* machen, lähmen. — intr. = *lamen.*

lemer stm. lähmer.

lemic adj. lahm; lähmend.

lemnisse stfn. lähmung.

lemperûr s. *lampriure.*

lëmptic, lëmtic s. *lëbendec.*

lemunge stf. = *leme.*

lem-wunde stf. ein glied lähmende wunde.

lên s. *lêhen.*

lënc s. *linc.*

lende stn. = *gelende.*

lende, lente stswf. lende.

lende-gelîch s. *landegelîch.*

lendelîn stn. dem. zu *lant.*

lenden, lenten swv. (prät. *lendete, lante,* part. *gelendet, gelant*) abs. tr. ans *lant* kommen machen, landen; ans ziel, zustande bringen, beenden. — refl. sich wenden *ûf.* — intr. angrenzen.

lendenier stm. lendengürtel.

lendern swv. langsam gehn, schlendern.

lende-swër swm. lendenschmerz.

lendisch adj. inländisch.

lêne f. lawine, *heize l.* feuerstrom (s. *lœn*).

lëne stf. lehne; vgl. *line.*

lënen swv. (nbf. *linen*) intr. u. refl. lehnen, sich stützen.

lênen, lêner s. *lêhen-.*

lenge adj. s. *lanc.*

lenge stf. länge, räuml. u. zeitl. (*die lenge* adv. acc. der zeit nach; lange zeit hindurch, auf die länge).

lengede stf. länge.

lengelëht adj. länglich.

lengen s. *langen, lenken.*

lengen swv. tr. u. refl. *lanc* machen, in die länge ziehen, verlängern, aufschieben (räuml. u. zeitl.).

lengern swv. *lenger* machen, verlängern; aufschieben.

lengerunge, lengunge stf. verlängerung.

lenges s. *langes.*

lenke adj. biegsam. — stf. lenkung, geschicklichkeit; taille.

lenken swv. (md. auch *lengen*) tr. refl. intr. biegen, wenden, richten (part. *gelenket* gebogen, gefaltet).

lenne f. hure.

lennelîn stn. dem. zum vorig. (nbf. *lönelîn*).

lente, lenten s. *lende, lenden.*

lenze swm. f. lenz, frühling (vollere form *langez, langeze* stswm. kompositum *langezzît.*).

lenzen swv. frühling werden; ackern um das land zur sommerfrucht zu bestellen.

lêparte s. *lêbart.*

leppelîn stn. läppchen.

leppisch adj. wie ein *lappe,* läppisch.

lëps s. *lëfs.*

lêr stn. modell, richtmass.

lêrære, -er stm. lehrer.

lërc, lirc, lurc, lürc, *-kes,* **lürph** adj. link; lahm.

lerche s. *larche.*

lêrche, lërche, lêrke swf. lerche.

lerchîn adj. von der lärche.

lêre stf., md. auch *lâre, lâr*: lehre, anleitung, unterweisung, unterricht; anordnung, fügung; weisheit, wissenschaft; mass, modell; oft zur umschreibung.

lêre-kint stn., **-knabe** swm. lehrling, schüler. **-knëht** stm. lehrling. **-meister** stm. lehrmeister. **-spruch** stm. regula. **-tohter** stf. weibl. lehrling.

lêren swv. im prät. neben *lêrte* auch *lârte, larte*; part. neben *gelêret, gelêrt* auch *gelârt, gelart*: zurechtweisen, unterweisen, lehren, kennen lehren mit ap., as.; mit dopp. acc., acc. mit infin. od. untergeord. s.; part. *gelêret, -lêrt, -lârt* gelehrt, unterrichtet, bes. des lesens u. schreibens kundig; s. v. a. *lërnen.*

lêrer-meister = *lêremeister.*

lêr-hûs stn. schule.

lêrke s. *lêrche.*

lërken, lirken, lurken swv. stottern.

lerman stm. lärm, geschrei (fz. *alarme*).

lërnære stm. schüler.

lërne, lirne stf. das lernen.

lërnen swv. (nbff. *lirnen, liernen*) lernen, kennen lernen (mit acc., inf.); s. v. a. *lêren.*

lërn-hûs stn. = *lêrhûs.*

lern-knabe, -knëht, -tohter s. *lêre-.*

lërnunge stf. das lernen; ort, wo gelernt wird, schule; was gelernt wird, wissenschaft; das lehren, der unterricht.

lêrunge stf. lehre, unterricht.

lêr-vrouwe swf. lehrerin, schülerin.

lërz adj. link, ndrh. *lorz, lurz.*

lërzen swv. intr. stottern.

lês s. *lêwes.*

lësære, -er stm. leser, vorleser; weinleser; eichelsammler.

lësærinne stf. vorleserin.

leschære, -er stm. löscher.

leschærinne stf. löscherin.

lëschen stv. IV intr. aufhören zu brennen, zu leuchten, zu tönen, zu sein. — tr. für *leschen.*

leschen swv. (prät. *leschete, leschte, laschte* u. *laste*) tr. *lëschen* machen, löschen, auslöschen, stillen; verdunkeln; beendigen, tilgen, vertilgen. — refl. verlöschen, verschwinden.

lëse-lich adj. leserlich.

lese-mânôt stm. dezember (vgl. *lasemânôt*).

lëse-meister stm. lehrer der theologie und philosophie bes. in den klöstern; aufseher bei der weinlese.

lësen stv. V im prät. pl. noch zuweilen *lâren* statt *lâsen* (darnach konj. *lære*) u. part. *gelëren, gelarn* statt *gelësen*: auswählend sammeln, aufheben, an sich nehmen; abs. weinlese halten; refl. sich versammeln, ausschliessen *zuo,* sich trennen *von*; in ordnung bringen, in falten legen; wahrnehmen, erblicken; lesen (urspr. die mit runen bezeichneten stäbe aufheben u. zusammenlegen), vorlesen, als lehrer vortragen; messe lesen; oft gleichbedeut. mit sagen, erzählen, berichten.

lësende part. adj. auslesend, sammelnd; pass. lesbar, deutlich.

lësp s. *lëfs.*

lëspelîn stn. kleine lefze.

lest sup. s. *laz.*

lestec, lestic adj. eine gewisse last habend, schwer.

lesten swv. als *last* wohin legen, legen überh.; beladen *mit*; belasten, belästigen; mit gen. in bezug worauf beschwerde gegen jem. führen, ihn beschuldigen.

lester-lich, lestern s. *last-.*

lesterunge stf. lästerung, opprobrium.

lest-lich adj. schwer, lästig.

letanîe f. litanei, gebet (gr. lat. *le-, litania*).

leteche s. *latech.*

lette swm. lehm.

lettec adj. lehmig.

lettener, letter s. *lecter.*

let-vüezic adj. langsam, schleppend.

lëtze s. *lëcze.*

letze, lez adj. verkehrt, unrichtig, unrecht, schlecht.

letze stf. hinderung, hemmung, beraubung; phlebotomia; was den feind auf- u. abhält, schutzwehr, grenzbefestigung; ende; abschied, abschiedsgeschenk.

letzen swv. tr. *laz* machen, hemmen, aufhalten, hindern; verhindern mit gen.; wovon ausschliessen, berauben mit gen. — refl. sich enthalten von (gen.). — tr. schädigen, verletzen; beenden, zu ende bringen; befreien *ûz*; mit einer *letze* (befestigung) versehen; freundlichkeit wofür erweisen; erfreuend aufrichten, erfrischen. — refl. *laz* werden, nachlassen, aufhören; sich verabschieden; sich (zum abschiede) gütlich tun, sich letzen, erholen; sich (zum abschiede) freundlich erweisen. — intr. u. refl. scheiden *von*.

letzer komp. s. *laz*.

letzeren swv. später machen, zurücksetzen.

letzer-gelt stn. letzte rate.

letz-îsen stn. aderlasseisen.

letzunge stf. verletzung.

leuken s. *lougenen*.

levant m. ostwind (it. *levante*).

lëven s. *lëben*.

lëves s. *lëfs*.

lewe, lebe, löuwe, leu swm. löwe; gehilfe des scharfrichters (Nürnberg).

lewelîn, löuwelîn stn. dem. zu *lëwe*.

lêwer stm. hügel, hügelartiger aufwurf als grenzzeichen (s. *lê*).

lêwes, lês adv. leider, eheu.

lewinne, löuwinne, leuinne stf. löwin.

lez s. *letze*.

lib s. *lîp*.

libec adj. leib, festigkeit habend; beleibt.

lîbelîn, libel stn. dem. zu *lîp*, kleiner, zarter leib.

lîbe-lôs s. *lîplôs*.

lîbe-lôsen swv. entleiben.

lîben stv. I, 1 schonen, verschonen mit dat.

lîben stv. I, 1 übrig bleiben s. *be-, ge-, verlîben*.

liberen swv. gerinnen.

liberen swv. liefern (mlat. *liberare*, fz. *livrer*).

liberîe stf. = fz. *livrée*.

liberîe stf. bücherei (lat. *libraria*).

lîbunge stf. ruhe, schonung.

lîch stf. leib, körper; seine oberfläche, haut und hautfarbe (bes. gesichtsfarbe); leibesgestalt, aussehen; leiche; begräbnis.

lich adj. = *gelîch* (als zweiter teil in composs. übereinstimmung, angehörigkeit, angemessenheit, art u. weise ausdrückend).

lîcham, lîchame stswm. leib, körper, leichnam; körperschaft (mit adjektiv. bildung *lîchnam, lîchname, -nâme*).

lîch-banc stf. totenbahre. **-bevëlhen** stn. begräbnis. **-bevilhede** stf. dasselbe. **-hemede** stn. kleid am leibe. **-hof** stm. gottesacker. **-kar** stn. sarg. **-lege** stf. begräbnis. **-leite** stf. dasselbe. **-liute** pl. trauerleute bei einem begräbnisse **-nam** s. *lîcham*. **-reste** stf. begräbnis. **-stein** stm. leichenstein; polierstein (s. *lîchen* 3). **-zeichen** stn. signum occisionis.

lichen s. *licken*.

lîchen swv. u. st. I, 1 mit dat. gleich, ähnlich sein; gefallen.

lîchen swv. gleich od. ähnlich machen, stellen mit dat.

lîchen swv. eben, glatt machen, polieren.

lichten s. *lîhten* 2.

licken, lichen swv. faktit. zu *lëchen*: durchseihen.

licken swv. locken.

licken s. *ligen*.

lidære stm. leider, dulder.

lîde-bære adj. leidlich, erträglich.

lîdec, lîdic adj. leidend; geduldig; erträglich, leidlich; verhasst, unangenehm. **-lich** adj., **-lîche** adv. geduldig; erträglich. **-heit** stf. entsagung, passivität.

lidec-lîche adv. membratim.

lide-grôz adj. gross von gliedern. **-lam** adj. gliederlahm. **-lôs** adj. *einen l. machen* eines gliedes berauben. **-mâc** stm. blutsverwandter. **-mâz** stnf. gliedmass, glied. **-mæzic** adj. mit geraden gliedern versehen. **-schart** adj. an den gliedern verstümmelt. **-scharte** stf. verletzung eines gliedes. **-siech** adj. gichtbrüchig. **-suht** stf. gicht. **-weich** adj. weich, biegsam in den gliedern.

lîde-(lîden-)haft adj. leidend, leidvoll. **-lich** adj. leidend, für körperl. leiden empfänglich; geduldig, nachsichtig; erträglich, leidlich. **-lîcheit** stf. empfänglichkeit für leiden.

lide-lîche adv. = *ledeclîche*.

lidelîn stn. dem. zu *lit*.

liden swv. gliedern (*zesamene l.* zusammenfügen); zergliedern, vierteilen.

liden swv. mit einem deckel (*lit*) versehen.

lîden stv. I, 1 kontr. *lîn*: intr. gehn, vorübergehn. — abs. u. tr. etw. über sich ergehn lassen, erfahren, ertragen, erdulden, leiden; sich gefallen lassen, gerne haben; mit ap. nicht entfernen, leiden. — refl. sich in geduld schicken, gedulden.

lîden stn. leiden, trübsal.

lidere f. lachsweibchen.

lideren s. *lëderen*.

lideren swv. angliedern.

liderîn, lëderîn adj. von leder.

lidic, lidigen s. *lede-*.

lid-lôn s. *litlôn*.

lîdnisse stf. leiden.

lîdunge stf. leiden, geduldiges ertragen.

lie, liewe stf. laube.

liebarte s. *lêbart*

liebde stf. liebden (in der anrede).

liebe stf. das wohlgefallen, das man über od. durch etw. empfindet, das liebsein, das wohlgefallen, die freude; das liebhaben, die freundlichkeit, gunst, liebe (*durch — liebe* mit gen. zu liebe, zu gefallen, um — willen, ebenso *ze — liebe* mit dat., *umbe — liebe* mit gen.).

liebe adv. mit *liebe*, wohlgefallen, freundlichkeit, lust, freude (*mir ist, wirt l.* ich habe lust an, *mir geschiht l.* mir ergeht es erfreulich, wird wohl zu mute, *einem l. tuon* an jem. mit freundlichkeit u. ihm zur freude handeln, ihm wohl tun); komp. *lieber* zu grösserer freude, mit grösserer lust, eher.

liebe swmf. geliebter, geliebte.

liebe-bære adj. liebenswürdig.

liebe-halp adv. die liebe betreffend.

liebelîn, liebel stn. liebchen, liebling; md. *liebchîn*.

lieben swv. intr. *liep* sein od. werden, behagen, gefallen mit dat.; unpers. mit dat. freude, gefallen haben.

lieben swv. tr. mit ap. *liebe* tun, freundlichkeit erweisen, erfreuen; lieben mit ap. as.; *liep*, angenehm, beliebt machen tr. u. refl. ohne od. mit dp. (*sich einem zuo l.* sich einschmeicheln, *sich mit einem l.* sich in güte mit ihm vergleichen).

liebe-, liep-schaft stf. liebschaft, liebe.

liebunge stf. liebe; gabe, geschenk, verehrung.

liechen s. *lûchen*.

liedelîn, liedel stn. dem. zu *liet*.

lieder-lich adj. leicht und zierlich in wuchs und bewegung; leicht, geringfügig; leichtfertig, liederlich. **-lîche** adv. auf leichte, anmutige weise; leicht; leichthin, unachtsam, überlegungslos, leichtfertig.

liegen, liugen stv. II, 1 intr. eine unwahrheit sagen, lügen; mit dp. belügen, betrügen (*einem eines d. niht l.* es ihm zugestehn od. gewähren). — tr. *lüge liegen* unwahrheit sagen; erlügen (part. *gelogen* erlogen); mit dp. einem etwas versagen, ihn darum betrügen.

lieger stm. lügner.

liehe s. *liene*.

lieht adj. hell, strahlend, blank; bleich; heiter; erleuchtend. — subst. stn. das licht, das leuchten, die helle, der glanz; erleuchtung; tageshelle, tag; licht der augen, gesicht; durch ein fenster fallendes licht, fensteröffnung; einzelnes licht, kerze; bildl. vom leben des menschen.

lieht-blâ adj. hellblau. **-blic** stm. blitz. **-brûn** adj. hellbraun. **-gebære** adj. = *liehtebære*. **-gemâl** adj. glänzend bunt verziert, in farben strahlend, glänzend schön. **-gevar** adj. hellfarbig, glänzend. **-grâ** adj. hellgrau. **-klâr** adj. hell glänzend. **-lôs** adj. ohne *lieht*, finster; blind. **-lüftic** adj. von hellstrahlender luft, ätherisch. **-meister** stm. der für die zum gottesdienste nötigen kerzen sorgt. **-mësse, -misse** stf. lichtmess, fest der reinigung Mariä, an dem in der kathol. kirche die zum jährl. gottesdienste nötigen kerzen geweiht werden. **-pflëger** stm. = *liehtmeister*. **-rîche** adj. lichtreich, strahlend. **-schîn** stm. lichtglanz. **-schît** stn. scheit aus dem lichtspäne geschnitten werden. **-stein** stm. leuchter. **-stërre** swm. glänzender stern. **-stoc, -stuol** stm. leuchter. **-trager, -treger** stm. lichtträger: Lucifer. **-var** adj. = *liehtgevar* **-vaz** stn. gefäss des lichtes, lampe, leuchte. **-wîhe** stn. = *liehtmësse*.

liehte adv. hell.

liehte stf. helligkeit, glanz; tageshelle, tag.

liehte-bære adj., **-bërnde** part. adj. leuchtend, glänzend.

liehtelîn, liehtel stn. dem. zu *lieht*.

liehten swv. *lieht* werden od. sein, leuchten, tagen.

liehter-lohen adv. lichterloh.

liehtunge stf. lichtung, helle.

lien, lîen s. *ligen, lîhen*.

liene, liehe f. wilde sau, bache, vgl. fz. *laie*.

liep, liup, *-bes* adj. lieb, angenehm, erfreulich ohne od. mit dat. (*mir ist etw. liep getân, gewonnen, vernomen* mir ist angenehm, dass etw. getan usw. wird.) — subst. stn. das liebe, angenehme, erfreuliche, die freude, gegens. zu *leit*; geliebter, geliebte.

liep-gedinge stn. hoffnung auf erwiderung der liebe. **-gekôse** stn. hymnus. **-genæme** adj. lieblich, angenehm **-haber** stm. liebender; freund, anhänger. **-holden** swv. huld beweisen. **-kœseler, -kœser** stm. liebkoser. **-kôsen** swv. liebkosen (eig. zu liebe sprechen). **-lich** adj. freundlich, lieblich, angenehm. **-lîche** adv. mit *liebe*, auf freundliche, liebenswürdige weise; auf gütliche weise, durch vergleich. **-lîcheit** stf. gütlicher vergleich. **-nisse** stfn. geschenk um gunst zu erwerben. **-schaft** s. *liebeschaft*. **-swinderinne** stf. die vor liebe stirbt, nachtigall. **-tât** stf. liebesgabe.

lier stn. strahl.

lieren swv. freundlich blicken, hervorschimmern.

liernen s. *lërnen*.

liesen stv. II, 2 s. *verliesen*.

liet, *-des* stn. gesangstrophe; strophisches gedicht, lied, meistens im pl. (strophenreihe); unstrophisches epos oder lehrgedicht; abschnitt eines solchen gedichtes.

liewe s. *lie*.

liezen stv. II, 2 losen, als los zuteilen mit dat. — stn. das losen, teilung durchs los; das wahrsagen, das zaubern, heimliches gemurmel.

lif num. zehn in *ein-, zwelif*.

liften swv. s. *lîhten* 2.

ligelingen adv. liegend.

ligende part. adj. liegend; bergm. *daz ligende* das gestein unter dem gange.

ligen stv. V nbff. *licken*, md. *lihen, lien*, kontr. *lîn*: liegen (*hert l.* mit dat. schwer liegen auf, zur last fallen; *harte l.* schwer fallen; *gelîche l.* auf der wagschale in gleichem gewichte liegen: als gleicher wert, kampfpreis gegeneinander gesetzt sein; *nâhen l.* mit dat. angenehm sein; *eines kindes l.* im kindbett liegen; *ûf einen l.* wider ihn zu feld liegen).

ligerlinc *-ges* stm. bettlägeriger; lagerbalken.

ligric adj. *l. w.* iacēre.

lihen s. *ligen*.

lîhen stv. II, 2 nbff. *liuhen, liuwen, lîen, lîn*; prät. *lêch, lê*: leihen, auf borg geben mit acc. u. dat.; als lehn geben; verleihen; leihen, auf borg nehmen.

lîher stm. darleiher; borger; verleiher des bergbaurechts.

liht-bære adj. leicht. **-gemuot** adj. leichtsinnig. **-müete** stf. leichtsinn. **-müetic** adj. leichtsinnig. **-sam** adj. leicht; gering. **-semfte, -senfte,** adj. nachsichtig, -giebig, milde. **-senfte, -senftecheit** stf. nachsicht, milde. **-vertec** adj. leichtfertig; fein, schwächlich. **-vertec-heit** stf. leichtfertigkeit. **-weigic** adj. leicht schwankend, veränderlich.

lihte adj. glatt.

lîhte, lîht adj. leicht; erleichtert (*lîhtez lëben* durch reue und busse von der sündenschuld befreites leben); leichtfertig; unbeständig; gering, geringfügig. — unfl. neutr. subst. mit gen. eine geringfügigkeit, wenig.

lîhte, lîht adv. leicht, leichtlich; vielleicht, möglicherweise, etwa; iron. sicher; ***vil lîhte*** verst. *lîhte*.

lîhte stf. leichtigkeit; leichtsinn, leichtfertigkeit.

lîhtec adj. leicht. **-heit** stf. = *lîhte*. **-lîche** adv. leichtlich.

lîhtegen swv. leicht machen.

lîhte-gërne stf. begierde nach *lîhte*, leichtfertigkeit.

lîhte-lich adj., **-lîche** adv. leichtlich, kurz, flüchtig.

lîhten swv. leicht machen, intr. leicht werden, sich erleichtern.

lihten swv. md. *lichten*, nd. *liften* glätten; kastrieren.

lîhtern swv. tr. u. refl. *lîhter* machen, erleichtern. — intr. *lîhter* werden.

lîhterunge stf. = *lîhtunge*.

lîhtunge stf. erleichterung.

lîhunge stf. belehnung.

lîlachen s. *lînlachen*.

lilje swf. m. lilie (lat. *lilia*, pl. von *lilium*).

liljen swv. mit lilien versehen.

liljen-var, -wîz adj. lilienfarb.

lîm stm. leim, vogelleim.

limbel, limmel stm. schuhfleck (lat. *limbulus*).

lîmen swv. mit leim bestreichen; zusammenleimen, vereinigen; mit leim fangen (bildl. *gelîmte minne, sinne*).

limit n. docht.

limmen stv. III, 1 knurren, brummen, knirschen, heulen.

limmic adj. brummend.

limpfen stv. III, 1 angemessen sein.

limpfen stv. III, 1 hinken.

lîm-ruote f. leimrute.

lîm-stat stf. vogelherd.

lin s. *line*.

lin, *-wes*, **lîn** adj. lau, matt, schlecht.

lîn stm. lein, flachs; leinenes kleidungsstück (lat. *linum*).

lîn s. *lîden, ligen, lîhen*.

lînach stn. = *lîngewant*.

lîn-bolle swm. leinbolle.

linc, lënc, *-kes* adj. link; linkisch, unwissend.

linde, lint adj. lind, weich, glatt, sanft, zart, milde, wenig gesalzen. — adv. auf weiche, sanfte, milde weise; schlaff. — stf. weichheit, milde.

linde, linte stf. die linde.

lindehe stn. mit linden bestandener platz.

linden, lindern swv. intr. *linde* sein oder werden; nachgiebig werden. — tr. *linde* machen.

linden, lindîn adj. von der linde, aus lindenholz.

lind-lîche adv. gemächlich.

lind-müetic adj. weichmütig.

line, lin stswf. = *lëne*; fenster

mit herausgehendem geländer, balkon, galerie.

lîne swstf. seil, leine.

line-bërge swf. zinne.

linen s. *lënen.*

lînen swv. anseilen.

lînen-wërc stn. handwerk der leinweber.

lîne-, lîn-phat stm. pfad für schiffzugspferde, leinpfad.

lîner stm. leinreiter.

linge swm., **linge** stf. das gelingen, guter erfolg, glück.

linge adj. eilig.

lingen stv.III,1 vorwärts gehn, gedeihen, *lingen lâzen* unpers. mit refl. dat. sich beeilen; unpers. mit dat. (u. gen.) vorwärts kommen, erfolg haben, glücken.

lîn-gewant stn. leinenzeug, -kleidung. **-hose** swf. *h.* von leinwand. **-kappe** swf. *k.* von leinen. **-lachen, lîlachen, -lach** stn. bettuch, leilach. **-sât** stf. leinsaat. **-seil** stn. leine. **-soc** stm. socke aus leinen. **-wât** stf. leinwand. **-wâter** stm. leinweber. **-wëber** stm. dasselbe.

lingieren swv. alligare.

linie swstf. linie (lat. *linea*).

liniere stn. lineal (lat. *linearium*).

lînîn adj. von *lîn*, leinen.

linîn, lînisch adj. weich, schwächlich, träge.

linize = *lunze.*

linse, lins swstf. linse.

linse s. *lîse.*

linse, linze swm. wolfshund (mlat. *linsius*).

linsîn adj. von linsen.

linster adj. link.

lint stm. schlange (in *linttrache, -wurm*).

lint, linte s. *linde.*

lint-trache, lintrache swm., **-wurm** stm. fabelh. tier, halb drache, halb schlange.

linze s. *linse* swm.

lîp, -bes, lîb stm. leben; leib, körper (häufig bezeichnet *lîp* geradezu person, bes. umschreibend mit gen. od. pron. poss.), magen; s. v. a. *lîpdinc, -val.*

lîp-bëte stf. abgabe der leibeigenen. **-bevilhede, vilhe, -vilde** stf. begräbnis. **-dinc, -gedinge** stn. ein auf lebenszeit zur nutzniessung ausbedungenes u. übertragenes gut, leibrente sowie der vertrag darüber. **-eigen** adj. leibeigen. **-erbe** swm. leibeserbe. **-gëbende** part. adj. lebenspendend. **-geduldec** adj. den leiblichen begierden nachgebend. **-geræte** stn. = *lîprât.* **-geselle** swm. genosse. **-geziuc** stn. = *lîpzuht.* **-haft, -haftic** adj. leben habend, lebend, wohlgestalt; leibhaftig, persönlich. **-hafte** stf. leben. **haften, -haftigen** swv. beleben. **-heit** stf. leiblichkeit. **-hërre** swm. herr über leibeigene. **-lege** stf. begräbnisplatz. **-lich** adj., **-liche** adv. körperlich, leiblich, fleischlich; persönlich, leibhaftig; *lîplichez gedinge* = *lîpgedinge.* **-licheit** stf. leiblichkeit, körperlichkeit. **-(libe)-lôs** adj. leblos; lebenssatt. **-löchel** stn. schweisslöchlein, pore. **-nar, -narunge** stf. leibesnahrung, lebensunterhalt. **-rât** stm. = *lîpnar.* **-val** stm. todfall; s. v. a. *besthoubet.* **-var** adj. leibfarbig. **-verloren** part adj. der das leben verloren hat. **-vuore** stf. = *lîpnar.* **-wer** stf. notwehr. **-zuht** stf. lebensunterhalt, bes. der witwe.

lippe s. *lëfs.*

lirc s. *lërc.*

lîre swf. leier (gr. lat. *lyra*).

lîren swv. die *lîren* spielen; bildl. zögern, refl. sich verzögern, nichts daraus werden.

lirken s. *lërken.*

lirn- s. *lërn-.*

lîse, linse adj. leise, geräuschlos, sanft.

lîse, lîs, lîns, lîsliche adv. leise, sanft, langsam, anständig.

lismen swv. stricken.

lispen swv. durch die *lëspe* sprechen, lispeln.

lispendic adj. lispelnd.

list stm. f. weisheit, klugheit, schlauheit; weise, kluge, schlaue absicht od. handlung (*âne list* aufrichtig, wahrhaftig); wissenschaft, kunst, lehre; zauberkunst.

lîste swf. bandförmiger streifen, leiste, saum, borte.

listec, listic adj. weise, klug, schlau. **-heit, listekeit** stf. weisheit, schlauheit. **-lich** adj. = *listec.*

listen swv. *list* üben, schmeicheln.

lîsten swv. mit einer *lîsten* versehen.

liste-riche adj. klug; kunstreich.

listiger stm. überlister.

list-künde adj. mit der kunst vertraut, kunstreich. **-lich** adj. = *listec.* **-machære, -mechære** stm. künstler. **-meister** stm. dasselbe. **-sache** stf. kunst, zauberkunst. **-sinnic** adj. klug, kunstreich. **-viur** stn. durch geheime künste bereitetes feuer. **-vröude** stf. scheinfreude. **-werkære, -würkære** stm. = *listmachære.* **-wërke, -würke, -würhte** swm. dasselbe.

lit, -des stnm. glied, gelenk; zeugungsglied; verwandtschaftsglied, sippe; teil, stück; mitglied, genosse, gehilfe.

lit, -des stn. deckel.

lît, -des stnm. obst-, gewürzwein.

lit = fz. *lit*, bett.

lîte swf. bergabhang, halde (übertr.: höhe; absenkung des wuchses; hüfte); tal; weg durch eine *lîten*, weg überh.

lît-gëbe swm., **-gëber** stm., **li-gëbe** swm. schenkwirt. **-gëbe-hûs** stn. = *lîthûs.* **-gëben** swv. ausschenken. **-gëbinne** stf. schenkwirtin. **-hiusære** stm. schenkwirt. **-hûs** stn. schenke. **-kouf** stm. gelöbnistrunk beim abschluss eines handels, leikauf. **-koufer** stm. = *lîtgëbe.*

lit- (lid-)lôn stmn. dienstbotenlohn. **-(lid-)lœner** stm. lohnarbeiter.

littere f. quelle des dichters.

litze swm. s. *himellitze, liz*; stn. s. *antlitze.*

litze stswf. litze, schnur; schnur als schranke, überh. schranke, zaun, gehege; tuchleiste (fz. *lice*, lat. *licium*).

litzen swv. mit schnüren, mit schranken versehen, einschränken, schädigen; stülpen.

litzen swv. begehren, streben (s. *liz*).

litzen swv. leuchten s. *himel-, wëterlitzen.*

liugen, liuhen s. *liegen, lîhen.*

liuht adj. md. = *lieht.*

liuhtære stm. erleuchter; vorbild; leuchter.

liuhte stf. helligkeit, tageshelle, glanz; leuchte.

liuhtec, -ic adj. leuchtend.

liuhtec-heit stf. erleuchtung.

liuhten swv. leuchten. — refl. lichten.

liuhtene stf. leuchten.

liuhtnisse stf. helle, glanz.

liuhtunge stf. dasselbe.

lium-haftic adj. berühmt mit gen.

liumtic adj. (aus *liumundic*) dasselbe.

liumunt, liument, liumt, liunt; liumde, liunde stswm. ruf, ruhm; unterabteilung einer in bücher u. kapitel zerfallenden schrift (so viel man soll auf einmal lesen hören), distinktion, paragraph.

liune stf. tauwetter.

liunen swv. auftauen.

liunic, liunisch adj. launisch.

liup adj. s. *liep.*

liut stmn. md. *lût* volk; menschengeschlecht; pl. menschen, leute, die vornehmen leute (*arme liute* dienstbare bauern).

liute, lûte, lût stf. lautheit, ton, stimme; laut, inhalt; sage, gerücht.

liute-bar adj. ohne leute; heimlich.

liutech stn. menge von leuten. **liutelîn** stn. dem. zu *liut.*

liuten swv. intr. einen ton von sich geben, läuten. — abs. tr. ertönen lassen, läuten; hören, vernehmen lassen, vorbringen.

liuten swv. bevölkern.

liuter stf. adj. s. *lûter.*

liutern, lûtern swv. tr. reinigen, läutern. — intr. rein, hell werden, sich läutern.

liut-kirche swf. pfarrkirche. **-kraft** stf. menge von menschen. **-lôs** adj. menschenleer. **-priester, liupriester** stm. pfarrer, weltgeistlicher. **-sælde** stf. den menschen wohlgefälliges wesen, anmut. **-sælec, -sælic, -sæliclich** adj. den menschen wohlgefällig, anmutig; niedlich, zierlich. **-sælec-heit** stf. = *liutsælde.* **-stërbe** swm. pestilenz. **-vleisch** stn. menschenfleisch.

liuwen s. *lîhen.*

liuzec adj. schüchtern, furchtsam.

liz stm. antlitz; vgl. *litze* in *antlitze.*

liz, *-tzes* stm., **litze** swm. begehren, streben, laune.

lô s. *lohe, lôch.*

lô, *-wes* stn. gerberlohe.

lob s. *lop.*

lob-brunne swm. lob-, ehrenquelle.

lobe-bære, -haft adj. zu loben, lobenswert, löblich. **-lich** adj. löblich, preiswert; feierlich; mit dat. zum lobe, preise gereichend. **-lîche** adv. auf löbliche, preiswerte, auf verherrlichende, feierliche weise. **-liet** stn. loblied. **-mære** adj. durch lob berühmt. **-rîche** adj. reich an lob, gepriesen, löblich. **-rîs** stn. ehrenzweig. **-sælic** adj. durch lob beglückt. **-sam** adj. = *lobelich.* **-sanc** stmn. lobgesang. **-singære** stm. lobsinger. **-singen** stv. lobsingen mit dat. **-tanz** stm. ehrentanz.

lobelîn, lobel stn. dem. zu *op,* kleines lob.

loben swv. loben, preisen, lobpreisen; feierlich versprechen, geloben (*einen l.* ihm geloben; versprechen ihn zum manne zu nehmen; *eine ze wîbe l.* sich mit einer verloben).

löbic adj. lob habend, löblich.

lobunge stf. lob, lobpreisung.

loc, *-ckes* stm. haarlocke, haar; mähne.

loch stn. (pl. *loch, löcher, lücher*) gefängnis; hölle; verborgener wohnungs- od. aufenthaltsort, versteck, höhle; loch, öffnung.

lôch, *-hes,* **lô** stmn. gebüsch; wald, gehölz.

löchelîn, löchel stn. löchlein.

lochen, löchern swv. tr. durchlöchern. — refl. sich öffnen, auftun.

locherëht, locherëhtec adj. löchrig.

lockelîn, löckel stn. dem. zu *loc.*

locken swv. locken, anlocken, verlocken mit ap.; mit dat. durch lockspeise, lockruf anlocken.

locker adj., md. *loger* locker.

lodære, lodenære, -er stm. wollen-, lodenweber.

lode swm. grobes wollenzeug, loden, zotte; dem. *lödel* stn.

lœdingære, lœnigære, -er stm. ein sturmbock, widder (mit anlehn. an lat. *laniger* vermutl. entst. aus spätroman. *onager* wurfzeug).

lod-weber stm. = *lodære.*

löffel s. *leffel.*

logene s. *lügene.*

loger s. *locker.*

lohe, lô swm. f. lohe, flamme, flammendes leuchten.

lohen swv. flammen, flammend leuchten.

lohezen swv. intens. zu *lohen.*

lôicâ, lôic, lôike f. logik, klugheit, schlauheit.

lol-bruoder stm. begarde.

lol-hart stm. dasselbe.

lomen swv. sausen, klingen.

lomen swv. s. v. a. *lüemen.*

lôn stmn. lohn, belohnung, vergeltung; frachtgut.

lœn s. *lœn.*

lôn-bære adj. lohnwürdig.

lönelîn s. *lennelîn.*

lônen, lœnen swv. *lôn* geben, lohnen (mit dat. u. gen.): mit ap. den taglohn geben.

lôner, lœner stm. belohner, dienstgeber; taglöhner.

lœnigære s. *lœdingære.*

lop, *-bes,* **lob** stnm. lob, preis, lobpreisung (*nâch, ze lobe* lobenswert).

lop-gesanc stnm. = *lobesanc.*

lop-liet stn. dasselbe.

lop-wërt adj. lobwürdig.

lôr-ber stnf. lorbeere. **-boum** stm. lorbeerbaum. **-zwî** stn. lorbeerzweig (als friedenszeichen).

lorz s. *lërz.*

lôs adj. frei, ledig; befreit, beraubt von (gen.); übertr. mutwillig, fröhlich, freundlich, anmutig; leichtfertig, durchtrieben, verschlagen, frech.

losære, -er stm. horcher, lauscher, aufpasser.

lôsære, -er stm. heuchler, schmeichler, loser bube.

lôsære, lœsære, -er stm. befreier, erlöser, heiland; bergm. ablösung für die frühere schicht.

lösche, lösch stn. eine art kostbaren leders, bes. rotes leder, saffian.

loschen swv. versteckt, verborgen sein.

loschieren swv. intr. sich lagern, herbergen; mit dp. einem herberge bereiten, ihn unterbringen (fz. *loger*).

lôse swf. zuchtsau.

lôse adv. auf anmutige, liebliche weise; leichtfertig. — stf. schmeichelei; leichtsinn.

losen swv. abs. u. tr. hörend acht geben, zuhören, horchen, hören.

lôsen swv. los sein od. werden; fröhlich, freundlich sein; part. *gelôset* geziert, geschmückt; schmeicheln, heucheln, lose reden führen.

lœsen, lôsen swv. *lôs* machen, lösen; erlösen, befreien (gen. od. *von*); mit geld lösen, bezahlen für; auslösen, loskaufen (*den eit l.* das eidliche versprechen erfüllen); mit dat. u. acc. einem etw. aus-, einlösen.

lôse-reden swv. *lôse rede* führen.

lœse-schaz stm. lösegeld; einlösungssumme.

lôs-heit stf. leichtfertigkeit, schalkheit.

lôs-, lœs-lich adj., **-lîche** adv. freundlich, anmutig; ausgelassen, leichtfertig, falsch.

losunge stf. losungswort.

lôsunge, lœsunge stf. losmachung, öffnung; erlösung, befreiung; auslösung mit geld; gelöstes geld, geldeinnahme; geldeinnahme durch steuererhebung, bürgerliche abgabe vom vermögen; näherkauf, einlösungsrecht.

lôsunger stm. der die *lôsunge* (steuer) einnimmt u. verwaltet.

lôs-vleisch stn. fleisch von der zuchtsau.

lôt stn. blei, überh. giessbares metall; schlaglot, metallgemisch zum löten; aus metall (blei) gegossenes gewicht; lot im heutigen sinne.

lôt stf. reinigung, brand, vollwichtigkeit des edeln metalles.

lôt adj. beschaffen.

lôt-bühse f. gewehr.

lœte stf. lötung, feste fügung.

lœtec, lœtic adj. vollwichtig, das rechte gewicht edeln metalls enthaltend; bildl. voll u. ganz, fest.

lœten swv. mit *lôt* zusammenlöten; schärfen; ablöschen.

loter adj. locker; leichtsinnig, leichtfertig. — stn. lockeres wesen; nichtsnutzigkeit; gaukelei.

loter, lotter stm. lockerer mensch, taugenichts, gaukler, possenreisser.

loter-bette stn. faul-, ruhebett. **-heit** stf. = *loter* stn. **-holz**

stn. zur gaukelei dienendes holz. **-lich** adj. = *loter*. **-phaffe** swm. *phaffe*, der als *loter* umherzieht. **-ritter** stm. taugenichts von ritter. **-singære** stm. leichtfertiger sänger od. dichter. **-vuore** stf. leben und treiben eines *loters*. **-wîse** stf. dasselbe.

loterîe stf. = *loter* stn.

loterieren stn. gauklerei.

loterûn stm. = *loter*.

lotte swf. laute.

lotze swm. = *lubetsch* (vgl. *luz*).

loube swstf. laube, bedeckte halle, vorhalle; raum unter der stiege einer *kemenâte*; speicher, kornboden; offener gang am obern stockwerk eines hauses, galerie.

loube stf. erlaubnis.

loube swm. = *geloube*.

loubelîn, löubel stn. dem. zu *loube*: abtritt.

louben swv. glauben; erlauben.

louben swv. intr. *loup* bekommen, sich belauben; laub suchen. — tr. ent-, auslauben.

loubenunge stf. erlaubnis.

loube-rât stm. laubhüttenfest.

löubern swv. laubähnlich machen.

loube-schate swm. schatten vom laub.

loubîn adj. von laub.

loubunge stf. erlaubnis.

louc, *-ges* stm. flamme.

louch, *-ches* stm., **louche** stn. lauch.

louchen swv. schliessen.

louc-var adj. feuerfarb.

louf stm. lauf, umlauf; weidm. weg, gangbare stelle; gang, lauf in der musik; vorgang, ereignis (pl. *löufe* ereignisse, zeitläufte).

loufære, löufære, -er stm. läufer (auch im schachspiel), laufender bote; rennpferd, dromedar.

loufe swm. stromschnelle.

löufec, löufic adj. geläufig, gangbar; weltläufig, bewandert, gerieben.

löufel stm. läufer, laufender bote; lauf; läufer im schachspiel.

löufel, loufel f. die grüne hülse namentl. der welschen nuss und der kastanie.

loufe-lich adj. adv. laufend.

löufeln, löufen swv. von der *löufel* befreien.

loufen redv. 3 intr. laufen. — tr. durchlaufen.

louft stm. = *louf*; hülse, bastrohr.

löuftic adj. = *löufec*.

louge stf. das leugnen.

louge stswf. lauge.

lougen swv. flammen.

lougen stn. leugnung, verneinung (*âne l.* unleugbar, fürwahr).

lougenen, lougen, loukenen, louken, leuken swv. leugnen, verneinen, widerrufen abs. od. mit gen.

lougener stm. leugner, verleugner.

lougen-haft adj. leugnend. **-lîche** adv. lügnerisch, unwahr.

lougen-rîbe adj. mit lauge reinigend.

lougenunge stf. das leugnen.

loup, *-bes* stm. erlaubnis s. *urloup*.

loup, *-bes* stn. (pl. *loup* u. *löuber*) laub, blatt.

loup-brost stm. laubbruch, -fall, zeit des laubfalls, oktober; laubhüttenfest. **-rîse** stf. dasselbe. **-var** adj. laubfarb. **-vahs** stm. laubhaar, laubgewinde. **-velle** stf. laubhüttenfest. **-vrosch** stm. laubfrosch. **-wurm** stm. seidenwurm.

löuwe s. *lewe*.

lôwen swv. gerben.

lôwer stm. gerber.

lôȥ stn. das los; das werfen des loses, die auslosung, verlosung; der durchs los gezogene und dem händler zugewiesene standort auf dem marktplatze; weissagung durch das l.; altes herkommen, recht; gerichtl. teilung, erbteilung; losungswort; schicksal. **-buoch** stn. buch zum *lôȥen*, wahrsagen.

lôȥen swv. ein *lôȥ* werfen, durchs l. bestimmen. — tr. durchs los und überh. verteilen.

lôȥunge stf. das loswerfen; die teilung.

luben, lüben swv. = *loben*, geloben, versprechen.

lübestecke swm. liebstöckel (lat. *ligusticum, libusticum, lubisticum*).

lubetsch stm. lapp, simpel (vgl. *lotze, luz*).

luc, *-ges* stm. lug, lüge.

lucërne f. laterne, leuchte (lat. *lucerna*).

lûchen, liechen stv. II, 1 tr. schliessen, zuschliessen; an sich ziehen, zu sich, ins haus nehmen; zupfen, rupfen. — refl. sich zurückziehen, ducken. — intr. schlüpfen.

lucht s. *luft*.

lücke s. *lüge* adj.

lücke, lugge adj. locker.

lücke, lucke stswf. loch, lücke.

lücke stn = *gelücke*.

lückelîn, lückel stn. dem. zu *lücke* f.

lücken swv. tr. eine lücke machen, durchbrechen. — refl. lückenhaft werden, sich mindern.

lücken, lucken swv. locken, mit dp.; mit acc. u. gen. verlocken, täuschen.

lückern, luckern swv. intens. zu *lücken* 1, lockern, vermindern. — zu *lücken* 2, locken.

luckîn stf. lockvogel, gefallsüchtige weibsperson.

luc-wort stn. lügenwort.

ludem, luden stm. rufen, geschrei, lärm.

ludemen, ludmen swv. rufen, schreien, lärmen.

lûden swv. md. rauben, plündern.

lüegel s. *luogelîn*.

lüejen, lüegen, lüewen, lüen, luon swv. brüllen.

lüeme adj. matt, sanft, milde.

lüeme stf. mattigkeit.

lüemen swv. erschlaffen, ermatten.

lûf stm. md. loch, abgrund.

luft stm. f. (md. auch *luf*, ndrh. *lucht*) luft; luftzug, wind.

luftec, luftic, lüftic adj. lufterfüllt, luftig; luftartig; locker.

lüften swv. in die luft heben, auf-, emporheben: *einem etw. l.* ihm in bezug auf etw. eine erleichterung, eine ausnahme vom gesetze gewähren, ihm gestatten.

lufter stm. luftloch.

lüfte-regen stn. bewegung der lüfte.

lufte-süeȥe adj. angenehm durch die luft.

lüftîn adj. aus luft.

luft-löchelîn stn. pore. **-sager** stm. wetterprophet. **-vanc** stm. spiraculum, luftloch. **-var** adj. luftfarb.

lüftunge stf. erlaubnis.

lüge, luge stf. lüge.

lüge, lücke adj. lügnerisch, lügenhaft.

lüge-blic stm. lügenhafter, falscher blick. **-haft, -lich** adj. = *lüge*. **-licheit** stf. lügenhaftigkeit, lüge. **-man** stm. lügner. **-(lügen-)mære** stn. lügenhafte rede, erzählung, erlogene geschichte. **-(lügen-)wîse** adj. sich auf lügen verstehend.

lügelîn stn. dem. zu *lüge*.

lügenære, -er stm. lügner.

lügene lügen, lugene lugen stf. (md. auch *logene, logen*) lüge.

lügen-haftic adj. = *lügehaft*. **-hart** stm. der gern lügt. **-heit** stf. lügenhaftigkeit. **-lefse** swf. lügnerische lippe. **-mælec** adj. durch lüge befleckt. **-sache** stf. lüge. **-siech** adj. verstellter weise krank. **-spël** stn. lügenhafte erdichtung. **-spil** stn. lügnerische possen, lüge. **-spræche** adj. lügnerisch, verlogen. **-varwe** stf. lügenfarbe: lüge. **-vaȥ** stn. lügenfass, lügner.

-vrâʒ stm. lügenfresser: der jede lüge anhört und glaubt.

lugge adj. s. *lücke.*

luhs stm. luchs. **luhsîn** adj. vom luchse, von luchsfell.

lumbe, lumpe swm. lende, weiche (lat. *lumbus*).

lumbel, lummel m. lendenfleisch.

lumben-kleit stn. lendenkleid.

lûmen stm. volumen, band, buch.

lumpe swm. lumpen, fetzen.

lün stn. oberer teil der haube.

lünde, lunde stswf. = *ünde*, welle.

lünden swv. brennen, glimmen.

lundern swv. brausen, brüllen.

lûne stf. mond; mondphase, konstellation; zeit des mondwechsels, neumondes, zeitpunkt überh.; veränderlichkeit, laune des glückes, glück; wechselnde gemütsstimmung, laune, neigung. gesinnung (lat. *luna*).

lûnen swv. part. *gelûnet*, gelaunt; sich wechselnd gestalten; *wol gelûnet* wohlgestaltet.

lunge swf. lunge.

lungel, lungele stswf. dasselbe.

lunger adj. adv. hurtig, schnell.

lunge-siech adj. lungenkrank.

lunz stm. schläfrigkeit.

lunze swf. löwin (vgl. *linize*).

lunzen swv. leicht schlummern, schlummernd verweilen.

luo stf. md. nachstellung, not.

luoc, *-ges* stn. m. (pl. des n. *luoc, luoger, lüeger*, des m. *luoge*) lagerhöhle, lauerhöhle des wildes; höhle, schlupfwinkel, versteck; loch, öffnung.

luoder stn. lockspeise (bildl. lockung im bösen und guten sinne, verlockung, nachstellung); possen, gespötte; schlemmerei, lockeres leben.

luoderære, -er stm. verlocker; schlemmer, weichling.

luoderîe stf. schlemmerei, lockeres, weichliches leben.

luodern swv. tr. mit dem *luoder* abrichten, reizen, locken, verlocken. — intr. schlemmen, ein lockeres leben führen; possen treiben.

luogœre stm. der *luogt.*

luoge, luoke swf. versteck, höhle.

luogelîn, luogel, lüegel stn. dem. zu *luoc.*

luogen swv. aufmerksam (aus dem *luoge*) schauen, lugen.

luon s. *lüejen.*

luot stf. das brüllen.

luot stf. last, masse; grosse menge, schar, rotte.

lupfen, lüpfen swv. tr. in die höhe heben. — intr. sich erheben, sich schleunig bewegen.

lüppe, luppe stnf. salbe, zusammenziehender pflanzensaft, arznei; vergiftung, zauber, zauberei.

lüppec adj. giftig, vergiftet.

lüppelach stn. dem. u. coll. zu *lüppe.*

lüppelærinne stf. zauberin.

lüppen, luppen swv. mit gift bestreichen, vergiften; heilen, vertreiben.

lüpperîe stf. giftmischerei; zauberei.

lurc s. *lërc.*

lûre swstf. nachwein, tresterwein (lat. *lora, lorea*).

lûre, lûr stf. lauer, hinterhalt.

lûre swm. schlauer, hinterlistiger mensch.

lûren swv. lauern (mit gen., *ûf*).

lurken s. *lërken.*

lurz s. *lërz.*

lürzen swv. täuschen, betrügen.

lûrzen, lurzen stn. täuschung, verstellung.

lurz-heit stf. dasselbe.

lûs stf. laus.

lusch stm. md. versteck.

lûsche swm. lauscher.

lûschen swv. lauschen.

lusemen, lusmen, lusenen, lüsenen swv. horchen, lauschen.

lusemer, lusmer, lusener, lüsener stm. horcher, lauscher, aufpasser.

lûsen swv. läuse fangen, lausen mit dp.

lûsic adj. lausig.

lussam s. *lust-sam.*

lust stmf. wohlgefallen, freude, vergnügen; verlangen, begierde, gelüsten.

lust-bære adj. s. *luste.* **-geline** stn. gelungene freude. **-lich** adj. = *luste.* **-sam (lussam)** adj. wohlgefallen erweckend, erfreulich, lieblich, anmutig, schön. **-sam (lussam)** stmn. anmut, schönheit? wohl eher = **lût-stam** populus. **-same (lussame)** stf. dasselbe. **-samec-heit** stf. wohlgefallen, freude. **-samen** swv. erfreuen. **-suocher** stm. vergnügungssüchtiger. **-wërnde** adj. erfreulich.

luste adj. wohlgefallen erregend, anmutig, lieblich, angenehm.

lustec, lustic adj. dasselbe; lustig, heiter, vergnügt; verlangend, begierig. **-lich** adj. = *luste.* **-lîche** adv. mit wohlgefallen, auf gefällige, erfreuliche weise.

lustekeit stf. genuss.

lusten swv. intr. sich freuen.

lüsten, lusten swv. tr. erfreuen; unpers. mit acc. u. gen. (od. *nâch*, inf.) sich freuen über, begehren, verlangen tragen.

lûsteræere, -er stm. horcher, aufpasser bei gericht, schiedsrichter.

lûstern, lustern swv. horchen, lauern, auflauern.

lût, lûte s. *liut, liute.*

lût adj. helltönend, laut (*lût werden* mit gen. sich hören lassen, verlauten lassen); hell für das auge, klar, deutlich. — adv. vernehmlich, sichtlich, öffentlich.

lût stm. laut, ton, stimme, schrei (*nâch lût* nach inhalt, wortlaut).

lût-bære adj. laut, öffentlich. **-bæren** swv. bekanntmachen. **-bærkeit, -bærunge** stf. protestatio. **-brehe, -brehic** adj. ruhmredig. **-haft** adj. lautgebend. **-mære** adj. öffentlich, bekannt. **-mære** stn. gerücht, gerede. **-mæren** swv. kundbar machen, verkünden. **-mærunge** stf. bekanntmachung, bes. die öffentl. bekanntmachung einer verlobung. **-reis, -reisic, -reiste** adj. clamosus.

lûte swf. laute, guitarre (fz. *luth*, afz. *leût*).

lûte adv. auf helltönende, laute weise (weidm. vom hellen, rechtzeitigen anschlagen des spürhundes); auf schöne, gute weise.

lûten swv. intr. einen laut von sich geben, ertönen, lauten. — intr. u. refl. mit subst. präd. heissen, bedeuten — tr. laut werden lassen, ausrufen.

luter stn. unrat, kot.

luter stf. fischotter (lat. *lutra*).

lûter, liuter adj. hell, rein, klar, lauter; frei, rein von (gen., *von*); rein, unvermischt, ausschliesslich, lediglich, bloss. — adv. deutlich, offen, ganz. — stn. das lautere, klare, helle; die lauterkeit, reinheit; das eiweiss. — **lûter(e), liuter** stf. lauterkeit, helligkeit. **-bære** adj. mit lauterkeit verbunden, rein, lauter. **-heit** stf. lauterkeit, reinheit. **-lich** adj. hell, klar, rein, lauter. **-lîche** adv. auf helle, reine, deutliche, aufrichtige weise; ausschliesslich, lediglich, gänzlich. **-tranc** stmn. über kräuter und gewürze abgeklärter rotwein (vgl. *klârêt*). **-var** adj. hell, glänzend.

lûtern s. *liutern.*

lûterunge stf. purgatio.

luter-vêch adj. ottergrau.

lûtes adv. laut; bellend.

lutten swv. brüllen.

lûtunge stf. resonatio; wortlaut.

lütze, lüz adj. klein, gering, wenig.

lützel adj. dasselbe. — neutr. subst. (mit gen.) wenig, wenige u. euphem. kein. — adv. nicht, nie.

lützele stf. kleinheit.

lützelic adj. klein.

lützen swv. klein, gering machen, herabsetzen.

luz, -*zzes* stm. durch das los zugefallener (land-)teil.

luz stm. = *lotze*, s. *lubetsch*.

lüz s. *lütze*.

lûze, lûz stf. versteck; lauer.

lûze swf. eine art fischernetz, lauschnetz.

lûzen swv. verborgen liegen, sich versteckt halten, lauern.

lûzen stn. das heimliche lauern auf wild; das stellen von netzen.

lûzenære stm. der auflauert, lauscht.

lûzer stm. der dem wilde heimlich auflauert.

luz-guot stn. = *luz* stm.

M

mac, -*ges* stm. knabe (erhalten in *magezoge*).

mâc, -*ges* stm., **mâge** swm. blutsverwandte person in der seitenlinie.

mach stmn. = *gemach*.

machen swv. hervorbringen, erschaffen, erzeugen (gebären); machen, bewirken, bereiten, anstellen, zuwege bringen (mit subst. präd. machen zu, mit untergeord. s. bewirken, dass); *m. ze* verwandeln; an-, einmachen, vermischen mit. — refl. entstehn, geschehen; sich bereit machen, rüsten; sich aufmachen, eine richtung einschlagen.

mæchenine, -*ges* stm. schwert.

macher, mecher stm. macher, bewirker, schöpfer.

machide stn. = *gemechede*.

machumbric stf. moschee.

machunge stf. das machen, erschaffen; vermachung.

mâc-schaft stf. verhältnis von verwandten zueinander, verwandtschaft, verwandte.

mâdære, mâder, mæder, mader, meder, mëder stm. mäher, mäder.

made swm. made, wurm; unentwickelte leibesfrucht.

mâde swf. der schwade beim mähen.

madel s. *medel*.

maden swv. voll maden sein, verwesen.

maden-, made-villic adj. eine von *maden* zerfressene haut habend.

mader s. *marder*.

madic adj. voll von maden.

mage swm. magen.

mâge s. *mâc*.

mâge swm., **mâgen, mâhen, mân** stm. mohn.

magedîn magetîn, megedîn megetîn meidîn stn. dem. zu *maget*.

mæge-lich adj. verwandtschaftlich.

magen, mân, main stm. kraft, macht, menge (in zusammenss. den begriff verstärkend).

magen-, mân-kraft stf. grosse kraft, macht, majestät; grosse menge. **-lich, meinlich** adj. gewaltig, mächtig.

magen-vröude stf. freude an genüssen des magens. **-vülle** stf. was den magen füllt.

mager, meger adj. mager.

mageren swv. mager werden.

mâge-sâme swm., **-sât** stf. mohnsame, mohn.

maget, magt, mait, meit stf. pl. *megede, meide*: jungfrau (bes. die jungfrau Maria; übertr. auch vom manne, dann wie adj.: unberührt, unverletzt, rein); die jungfrau im tierkreise; die weibl. scham der jungfrau; unfreies mädchen, dienende jungfrau einer *vrouwe*, dienerin, magd.

maget-heit stf. jungfräulichkeit. **-(meget-, meit-)lich** adj. jungfräulich. **-lîche** adv. jungfräulich, als jungfrau. **-reine** adj. rein wie eine jungfrau. **-schaft** stf. jungfräulichkeit, jungferschaft. **-slôz** stn. jungfräulichkeit, claustrum pudicitiae. **-tuom, magetuom, meituom** stm. n. f. dasselbe (übertr. auch vom manne). **-tuomlich** adj. jungfräulich.

magetlîn, megetlîn stn. dem. zu *maget*.

mage-zoge, meizoge swm. erzieher, erzieherin (entstellt *maget-, meitzoge*).

mage-zoginne, meizoginne stf. erzieherin.

mæginne stf. zu *mâc*.

magistrinne stf. lehrerin (lat. *magistra*).

magnes, magnêt, magnête m. magnet (lat. *magnes, -etis*).

mâg-öl stn. mohnöl.

mahel, mâl stn. gerichtsstätte; gerichtl. verhandlung, gericht; vertrag (nur in zusammenss.). **-kint** stn. ehekind. **-(mehel-)rinc** stm. verlobungs-, vermählungsring. **-schaft** stf. verlobung, vermählung; das verhältnis des oder der verlobten, gemahlschaft. **-(mehel-)schaz, mâlschaz** stm. brautgabe, bes. der verlobungsring. **-(mâl-)stat** stf. gerichts-, richtstätte; platz für eine beratende versammlung; wohnplatz. **-(mâl-)tac** stm. verlobungstag; gerichtstag. **-(mehel-)vingerlîn** stn. = *mahelrinc*.

mahel stm. = *gemahel*.

mahelen, mehelen, mâlen, mêlen swv. vor gericht laden, gerichtl. befragen, anklagen (*gemâlter tac* gerichtstag); versprechen, verloben, vermählen mit acc. u. dat.; mit acc. zur braut, zum weibe, zum gemahl nehmen (erkaufen).

mahel-sloz s. *malchsloz*.

mahelunge stf. verlobung, vermählung.

mâhen s. *mâge*.

mahinande, mahinante stf. = *massenîe*.

maht stf. vermögen, kraft, körperkraft, anstrengung, gewalt (*âne m.* kraftlos, *über maht* aus allen kräften, die kräfte übersteigend); vollmacht; menge, fülle (mit gen.); bes. menge von menschen, von kriegern.

maht-bote swv. bevollmächtigter, gesandter. **-brief** stm. vollmachtsbrief. **-halter** stm. bevollmächtigter. **-heit** stf. macht, gewalt. **-liute** pl. bevollmächtigte. **-lôs** adj. ohne kraft, ohnmächtig; ohne geltung.

mahtic s. *mehtec*.

mait s. *maget*.

mæjen, mæden, mægen, mæwen, mæn; mèigen, meihen, meien swv. mähen.

majestât stswf. m. majestät (lat. *majestas*).

makel stm. macula.

mâl s. *mahel*.

mâl stn. ausgezeichneter punkt, zielpunkt; zeichen, merkmal, fleck; schmuck, zierat bes. an der rüstung; grenzzeichen, grenzstein; zeitpunkt, mal (*von mâle ze mâle* von stunde zu stunde; *des mâles* diesmal, damals; *eines mâles* einmal, mit einem male; *ê mâles* früher, ehemals; *sît mâles* seit der zeit, seitdem; *sint des mâles, sint dem mâle, sintmâl* sintemal, dieweil; *under mâlen* bisweilen; *von dem mâle* seitdem; *ze einem mâle, zeimâle* einstmals, einmal; *ze disem mâle* zu dieser zeit od. gelegenheit; *ze mâle, zemâl* auf einmal zugleich, zusammen, alsbald, plötzlich, gänzlich, gar, sehr, überhaupt); gastmahl, mahlzeit.

mâlære, -er, mæler stm. maler.

mâlærinne stf. malerin, frau des malers; die sich schminkt.

malât, malâde, malâtes adj. aussätzig (fz. *malade*).

malâterîe stswf. aussatz.

malâtzic adj. = *malât*.

malâze f. krankheit.

mâl-bote swm gerichtsbote.

mâl-boum stm. grenzbaum.
malch-, mal-sloȥ stn. schloss an einem mantelsack (*malhe*), überh. vorhängeschloss; auch *mahel-, marhen-, maren-, malensloȥ*.
malder s. *malter*.
mâl-dingen swv. vor gericht verhandeln, richten.
maledîen swv. maledicere.
malefiz stfn. kriminalverbrechen (mlat. *maleficium*).
mâlen s. *mahelen*.
mâlen swv. ein *mâl*, zeichen machen, mit einem zeichen versehen; mit einem grenzzeichen versehen, abgrenzen; bunt verzieren; färben; schminken; malen; bildl. im geiste entwerfen; sticken; schreiben, auf-, verzeichnen.
malen-sloȥ s. *malchsloȥ*.
maler stm. = *malgast*.
mâler, mæler s. *mâlære*.
mal-gast stm. des müllers kunde, mühlgast.
malge s. *meile* 1.
mal-gëlt stn. mahlsteuer.
mâl-gerihte stn. gerichtsversammlung, gericht.
malgram, malgran, malagranât, margram stm. granatbaum, -apfel (lat. *malogranatum*).
malhe swf. ledertasche, mantelsack (davon fz. *malle*).
malhen-slüȥȥel stm. schlüssel zu einem *malchsloȥ*.
mælic adj. ein zeichen tragend.
malie stswf. hitziges gefecht, turnier.
mâligen swv. mit einem *mâl* versehen, beflecken.
malje s. *meile* 1.
mallete f. säckel.
mallich s. *mannelîch*.
mal-liute pl. zu
mal-man stm. = *malgast*.
malmasîer m. malvasier, wein von Napoli di Malvasia.
mal-müle stf. getreidemühle.
maln, malen stv. VI mahlen.
mâl-rein stm. grenzrain.
malsch, malz adj. ndrh. kühn, verwegen.
mâl-schaz, -stat s. *mahel-*.
mal-sloȥ s. *malchsloȥ*.
mâl-stat stf. grenzstätte; bauplatz.
mal-stein stm. = *mülstein*.
mâl-stein stm. grenzstein.
malter, malder stn. ein getreidemass, malter (eig. was man auf einmal zum mahlen gibt); eine gewisse zahl; mahllohn.
mâl-vlëcke swm. schmutzflecken.
mal-wërc stn. mühle.
malz s. *malsch*.
malz adj. hinschmelzend, hinschwindend, kraftlos.
malz stn. malz (davon fz. *malt*).
malzen, melzen swv. zu *malz* dörren, mälzen.
mâl-zît stn. mahlzeit.
mambrîn stf. = *membrâne*.
mammende, mamende adj. zahm, sanftmütig.
mammendic-, memmendicheit stf. sanftmut.
man, -nnes an. m. mensch (*ie man, nie man* irgendein mensch, kein mensch: jemand, niemand); mensch männlichen geschlechtes in gereiftem alter, mann (*waȥ mannes* was für ein mann, wer); tüchtiger mann, bes. tapferer kriegsmann; ehemann; geliebter; verlobter; sohn; dienstmann, diener; lehnsmann, vasall; im schachsp. alle figuren ausser dem könige u. der königin; die venden. — *man* als unbest. pron. (auch mit artikel), proklit. u. enklit. unbetont *men, me* nbf. *wan, wen* (bes. alem.).
man, mane stf. stswm. mähne (*man, -nnes* menschenhaar).
mân s. *mâge, magen*.
mân, mæn s. *mæjen*.
man-bære adj. mannbar; männlich. **-gerihte** stn. judicium feudale, mannorum. **-guot** stn. = *-lêhen*. **-haft, -haftic** adj. mannhaft, standhaft, tapfer. **-haftic-heit** stf. standhaftigkeit. **-heit** stf. männlichkeit, mannhaftes, tapferes wesen, tapferkeit; mannhafte tat; mannesalter; das verhältnis eines dienst- od. lehnsmannes; coll. die mannen. **-kraft** stf. manneskraft; kriegsheer. **-künne, -kunne** stn. menschengeschlecht; männliche nachkommenschaft. **-lêhen** stn. mannslehen, unter der männl. nachkommenschaft erbliches lehn. **-(men-)lich** adj. männlich, dem manne geziemend, mutig, tapfer; wie ein mann geartet; mannbar. **-lich** stn. das dem menschen gleiche, sein bild. **-(men-)liche** adv. in mannes art, auf mutige, tapfere weise. **-rëht** stn. dienstmannen-, vasallengericht; freier stand. **-rihter** stm. richter, den die streitenden lehensleute wählen. **-schaft** stf. verhältnis eines lehnsmannes, lehnspflicht; lehnshuldigung, -eid; coll. mannen, hörige. **-slac** stm. s. v. a. **-slaht** stf. erschlagung eines menschen, totschlag, mord; schlacht. **-slahter, -slehter, -slegære, -slekere** stm. mörder. **-slege, -slegge, -slecke, -slehte** swm. dasselbe. **-slehtic, -slecke** adj. eines mordes schuldig. **-stap** stm. penis. **-tuom** stmn. = *manheit*. **-wërc** stn. als feldmass, soviel an einem tage ein mann mit zwei ochsen pflügen kann. **-wërke** swm., **-wërker** stm., inhaber eines *manwërkes*. **-zal** stf. bestimmte zahl von (bewaffneten) männern; bestand an mannschaft od. mitgliedern einer körperschaft; s. v. a. *marczal*. **-zîtic** adj. mannbar. **-zoge** swm. = *magezoge*.
manc, mang stmf. mangel, gebrechen (fz. *manque*).
manc adj. mangel, gebrechen habend.
manc, mang md. präp. mit dat. zwischen, unter.
mandâte, mandât stfn. die fusswaschung am grünen donnerstage (mlat. *mandatum*); abendmahl.
mandâten swv. das abendmahl nehmen.
mânde, mânt, mônt, -des swstm. mond; monat.
mandel s. *mantel, mangel* 2
mandel stfm. mandel (it. *mandola*).
mandel stf. ? 15 stück.
mandel-kôsen stn. das liebkosen (s. *menden*).
mandeln s. *mangeln* 3.
mandel-nuȥ stf. mandelkern.
mandel-rîs stf. zweig vom mandelbaume.
mandunge, mendunge stf. freude, seligkeit.
mane stf. ermahnung; meinung, gesinnung.
mâne mân, mône môn swstm. f. mond; monat.
manec, manic, menic adj. viel, manch, vielfach, vielgestaltig (komp. *maneger, maniger, meneger, meniger*).
manec-slaht adj. vielfältig. **-valt** adj. mannig-, vielfältig, zahlreich, gross; vielgestaltig, verschiedenartig, ungleich, unbeständig. — adv. auf mannigfaltige weise. — adv. auch *manicvaltes*. **-valtec** adj. mannig-, vielfältig; ungleich, unbeständig. **-valtec-heit** stf. vielheit, menge, gesamtheit. **-valten** swv. vervielfältigen; bunt zusammensetzen. — intr. sich unbeständig zeigen. **-valtigen** swv. vervielfältigen. **-var** adj. verschiedenfarbig. **-virwec, -verwec** adj. dasselbe.
maneger-leie adj. vielfach.
maneger-, manege-wîs adv. in vielen beziehungen.
maneges adv. um manches.
mânelîn stn. dem. zu *mâne*.
manen swv. erinnern, ermahnen, auffordern, antreiben tr. u. refl. (*daȥ ros* (*mit dem sporn*) *m.* od. einfach *m.* mit verschweig. *ros*), mit gs. od. *umbe*.
mang s. *manc*.

mangære, mengære stm. händler.

mange swf. kriegsmaschine steine zu schleudern; glättrolle, glättwalze (mlat. *manga*).

mân-gebrëche swm *eclipsis lunæ*.

mangeiʒ stn. = *manger*.

mangel stm. = *manc*.

mangel, mandel f. = *mange* glättrolle.

mangelen, mangeln swv. mangel haben, leiden; entbehren, vermissen mit gen.

mangelen swv. ringen, handgemein werden.

mangel-korn stn. mischkorn.

mangeln, mandeln swv. auf der mangel glätten.

mangelunge stf. mangel, abgang. — handgemenge.

mangen swv. = *mangelen* 1.

mangen swv. schleudern; auf der *mangen* glätten.

mangen-stein stm. schleuderstein. **-swenkel** stm. strick, schlinge an der *mangen*. **-wurf** stm. das schleudern mit der *mangen*.

manger, mangier, mansier stn. das essen, die speise (fz. *manger*).

mangerie stf. die speisung.

man-golt stm. mangold.

mân-hof stm. mondhof.

manic s. *manec*.

mânic, mænic adj. einen monat dauernd; mondsüchtig.

maniere stswf. art u. weise, manier, betragen (fz. *manière*).

manige s. *menige*.

manikel stf.? armschiene, -leder? (afz. *les manicles* ein teil des frauengewandes).

mæninne, mâninne, mænîn stswf. mond.

mænisch adj. mondsüchtig.

man-knëht s. *menknëht*.

mân-kraft s. *magenkraft*.

manne- (menne-)gelîch, -lîch adj. jeder, jedermann, männiglich (auch *manlîch* assim. *mallîch, menlîch* assim. *melch*).

manne-, man-mât stnf. ein flächenmass für wiesen (eig. die fläche, die ein mann an einem tage abmähen kann).

mannen swv. intr. zum *manne* werden; sich als *man* betragen, zeigen; sich ermannen, aufmachen; zum manne nehmen, heiraten; als lehnsmann huldigen, den lehnseid leisten mit dat. — tr. mit einem manne versehen, bemannen; als ehemann beigesellen mit dat. od. *mit*. — refl. einen mann nehmen; sich zum lehnsträger eines andern machen.

mannes-trôst stm. hilfreicher mann, anrede für den geliebten.

mannîn adj. s. *mennîn*

mânoht adj. mondförmig.

mânôt, mônôt, mênôt, -et stm. n. monat.

mânôt-ganc stm. menstruatio.

mân-schîme swm., **-schîn** stm. mondschein, mond.

mansenîe s. *massenîe*.

mân-siech adj. mondsüchtig.

mansier s. *manger*.

mânt s. *mânde*.

mân-, môn-, mên-tac stm. montag.

mantel, mandel stm. mantel als kleidungsstück der männer wie frauen; überzug eines pelzes; schutzmantel, schirm bei belagerungswerkzeugen; äusserer gang, wachtplatz an burgen; das äussere sorgfältig behandelte mauerwerk eines gebäudes (mlat. *mantellus*, lat. *mantellum*).

mantel, mandel stswf. eine anzahl von 15 stücken (zusammen aufgestellter garben), mandel.

mantel stf. föhre.

mantelach stn. föhrenwald.

mantel-bërc stm. föhrenberg, -wald.

manteler, menteler stm. verkäufer von mänteln u. andern kleidungsstücken.

mantellîn, mentellîn stn. mäntelchen.

manteln, menteln swv. mit einem mantel bekleiden; wie mit einem mantel bedecken.

mantel-ort stm. mantelsaum.

mantel-roc stm. mantel.

mân-töbic adj. mondsüchtig.

manunge stf. mahnung, ermahnung, aufforderung; forderung vor gericht; eine bestimmte geldbusse.

mân-wendic adj. mondsüchtig.

manzal-korn stn. getreidezins der zinsbauern (auch *manzerkorn*).

manzeler stm. der die abgabe in *manzalkorn* erhebt.

man-zît stf. termin.

mar s. *marc* 1.

mar, mare mf. nachtalp.

mar, -wes adj. reif, mürbe, zart.

maras, maraʒ s. *môraz*.

marc, -kes stn. streitross (auch *march, -hes*, md. *mar*).

marc, -ges stn. mark, medulla (auch *march, -hes*).

marc, -kes stn. zeichen (auch *march, -hes*).

marc s. *marke*.

marc-boum stm. grenzbaum. **-dinc, -gedinge** stn. markgericht. **-grâve, margrâve** swm. königl. richter u. verwalter eines grenzlandes, markgraf. **-grâvinne, -grævinne, margrævin** stf. frau eines *marcgrâven*. **-liute** pl. von **-man** stm. grenzmann, grenzhüter; bewohner einer markmärker. **-rëht** stn. märkerrecht; abgabe des märkers od. der gemarkung. **-rihter** stm. richter in marksachen. **-(mar-)scheide** stf. bestimmung der grenze, der abgegrenzte raum selbst. **-(marscheider** stm. markscheider, beamter, der die berge misst) und die grenzen der berge, u. stollen absteckt. **-stein** stm. grenzstein.

march s. *marc, marke*.

marc-haft adj. markig.

marc-vuoter stn. pferdefutter.

marc-zal, marzal stf. zahl nach der proportion (*nâch marczal* nach verhältnis).

marc-zan stm. backenzahn.

marder, merder, mader stm. marder; marderfell.

mare s. *mar, marc* 1.

mære adj. wovon gern u. viel gesprochen wird: bekannt, berühmt, berüchtigt, der rede wert, herrlich, gewaltig, lieb, von wert. — stn. kunde, nachricht, bericht, erzählung, gerücht (häufig im pl.); dichterische erzählung, erzählende dichtung; erdichtung, märchen; gegenstand der erzählung, geschichte, sache, ding. — stf. berühmtheit; mündliche äusserung, rede; kunde, nachricht; erzählung, dichtung; erwägung, absicht; ereignis, umstand, art u. weise.

mærelîn stn. geschichtchen, märchen, erdichtetes.

mæren swv. verkünden, bekannt, berühmt machen.

maren-sloʒ s. *malchsloʒ*.

mærer stm. erzähler, schwätzer; angeber.

mæres-halp adv. von seite der geschichte, erzählung.

margarit stm. perle; magnet.

margarite, margarieʒe swf. perle.

margram, margrât s. *malgram*.

margrâve s. *marcgrâve*.

mær-haft adj. erzählenswert.

marhen-sloʒ s. *malchsloʒ*.

marke, marc, march stf. grenze; grenzland; abgegrenzter landteil, gau, bezirk, gebiet; gesamteigentum einer gemeinde an grund u. boden, bes. an wald.

marke stf. aufmerksamkeit, sinnesschärfe.

marke, marc, march stf. mark, halbes pfund (silbers od. goldes).

market, markt, mart; merket, merk stm. marktplatz; marktflecken; auf dem *m*. getriebener handel; handelsware; marktpreis; auf dem *m*. gebräuchliches mass (lat. *mercatus*).

marketen, marken swv. auf dem markte sich bewegen; handel treiben.

market-rëht stm. recht etw. auf den markt zu bringen, marktgerechtigkeit; recht in einem *m.* zu wohnen; abgabe dafür. **-veile** adj. auf dem markte feil, für jeden käuflich.

markîs stm. markgraf (fz. *marquis* v. deutsch. *marke*).

mærlære stm. geschichtenerfinder, dichter.

marmel, mermel stm. marmor (lat. *marmor*). **-(mermel-)stein** stm. marmor. **-(mermel-)sûl** stf. marmorsäule.

marmelîn, mermelîn adj. von marmor.

marmoset stm. götze (fz. *mahommet*).

marnære, mernære, -er stm. seemann, schiffsherr; als schachfigur zweiter *vende* (mlat. *marinarius*).

marren, marrunge s. *merr-*.

marrobortîn stm. eine maurische goldmünze (mlat. *marobotinus*).

mær-sagen swv. schwatzen.

mær-sager stm. schwätzer.

marschalc stm. aus *marcschalc*, pferdeknecht; marschall, als hof- (od. städtischer) beamter, aufseher über das gesinde auf reisen u. heereszügen, befehlshaber d. waffenfähigen mannschaft des hofes (beim deutschen orden der nächste beamte nach dem grosskomtur.

marschalkin stf. frau des *marschalkes*.

marschandîse stf. kaufmannschaft, handel.

marschant stm. kaufmann (fz. *marchand*).

marstal stm. aus *marc-stal*, pferdestall, marstall.

marstallære, -er stm. pferdeknecht, aufseher über den marstall.

mart s. *market*.

marter, martere, martel, mater stf. das blutzeugnis, bes. die passion; kruzifix; qual, pein, verfolgung, folter (gr. lat. *martyrium*).

marterære, martelære; merterære, mertelære, -er, mertære stswm. pass. märtyrer, blutzeuge, qualvoll leidender. — akt. der marter od. qual zufügt.

marterærinne stf. die blutzeugin, märtyrerin.

marterât stf. md. blutzeugnis, marter, qual.

marter-bilde stn. kruzifix. **-haft** adj. mit marter, qual behaftet. **-kelch** stm. leidenskelch. **-(merter-)lich** adj., **-liche** adv. zum martyrium, zur passion gehörig, qualvoll. **-mâse** swf. wundmal von der marter. **-schrift** stf. die leidensgeschichte Christi. **-tac** stm. karfreitag. **-var** adj. nach der marter aussehend. **-wëc** stm. marter-, leidensweg. **-woche** swf. karwoche.

marterîe stf. martyrium.

martern, marteren, marteln, merteln swv. zum märtyrer machen, ans kreuz schlagen, foltern, plagen, martern.

marterunge stf. das martern, die marter.

martilje swf. ndrh. = *marterîe*.

martsche f. name eines bankettes der strassburgischen geschlechter, ursprünglich im märz (*martius*) gehalten.

marzal s. *marczal*.

masanze, mosanze swm. f. ungesäuerter judenkuchen (hebr. *mazzâh*, s. *matze* 2).

mas-boum s. *mastboum*.

masche swf. masche, schlinge.

mâse swf. wundmal, narbe; entstellender flecken, makel.

mâsec, -ëht, mâsôt adj. fleckig.

mâsegen swv. beflecken.

masel stf. weberschlichte; blutgeschwulst an den knöcheln.

masel-siech adj. aussätzig.

mâsen swv. verwunden; beflecken.

maser stm. maser, knorriger auswuchs an ahorn- u. andern bäumen; becher aus maserholz.

masse stf. ungestalteter stoff, masse, bes. metallklumpen (lat. *massa*).

massenîe, messenîe, mansenîe stf. hausgesinde u. dienerschaft (auch einzelner diener) eines fürstl. herrn, gefolge, hofstaat; ritterl. gesellschaft: *gotes massenîe* die armen, leidenden (mfz. *masnie, maisnie* von *maison*, lat. *mansio*).

mast stmfn. befruchtung, benetzung; befruchtetes, fruchtbares land; futter; frucht; eichelmast, mastrecht; mästung.

mast stm. stange, fahnen-, speerstange; mastbaum.

mast-, mas-boum stm. mastbaum.

masten swv. beleibt werden.

mast-swîn s. *mesteswîn*.

mastunge s. *mestunge*.

mat, -tes, -ttes stm. matt im schachspiele. — adj. matt gesetzt. — interj. zuruf beim schachspiele: *einem mat sagen, sprëchen* (fz. *mat*).

mât, -des stnf. das mähen, die heuernte; das gemähte od. zu mähende: heu, wiese.

mate, matte swstf. wiese.

maten, matten swv. tr. *mat* machen; intr. *mat* werden.

matere, metere f. mutter-, fieberkraut (lat. *matricaria*).

materëlle stf. eine art wurfgeschoss; eine art pfeil (kelt.-lat. *materis, matara*, afz. *materas* wurfspeer).

matërje, matërge stswf. stoff, körper, gegenstand, materie; flüssigkeit im körper, bes. eiter (lat. *materia*).

matraȥ, materaȥ, matreiȥ stm. n. mit wolle gefülltes ruhebett, polsterbett (fz. *materas*, mlat. *matratium*).

mat-schaft stf., ndrh. *matschaf* gemeinsames mahl, gasterei.

mat-schrëcke swm. wiesenhüpfer, heuschrecke.

matte s. *motte*.

matte f. käsematte.

matte, matze swf. decke aus binsen- od. strohgeflecht (lat. *matta*).

matze f. ungesäuertes brot.

matzluwe swf. ? kolben, schlägel (fz. *massue*).

mæwen s. *mæjen*.

maȥ stn. stall, käfig (vgl. fz. *mes* = *maison*).

maȥ, -ȥes, -ȥȥes stn. speise; mahl, mahlzeit.

mâȥ stn. eine bestimmte quantität u. gefäss zum messen; grad, art u. weise.

maȥal-tër m. massholder.

mâȥe stf. mass, zugemessene menge od. ware, richtig gemessene, gehörige grösse, abgegrenzte ausdehnung in raum, zeit, gewicht, kraft (*ze mâȥe, mâȥen* ziemlich, genug, sehr, oft mit ironie: wenig, gar nicht); angemessenheit; art u. weise (*der mâȥe, in der mâȥe*); das masshalten, die sittliche mässigung, bescheidenheit. — adv. mit massen, mässig.

mæȥe stf. das mass.

mæȥe, mæȥec, mæȥic adj. mässig, enthaltsam; gemässigt; gemäss, angemessen, genehm; mass-, anstandsvoll.

mâȥen swv. tr. abmessen; mässigen, verringern, beschränken. — intr. u. refl. mass halten mit etw., sich mässigen, enthalten (mit gen. od. *an*).

maȥ-genôȥe, -geselle swm. tischgenosse. **-leide** stf. widerwille gegen speise (*maȥ*). **-lôs** adj. ohne speise.

mæȥicheit, mâȥekeit stf. s. v. a. *mâȥe*.

mæȥigen swv. abmessen, ermessen, veranschlagen; mässigen. — refl. mit gen. sich enthalten von.

mæȥ-lich adj. von mässiger grösse, gering, klein; mässig, gemässigt. **-liche(n)** adv. mit mass, nicht sehr (ironisch nicht); massvoll, anständig.

maʒʒe sw. = *gemaʒʒe.*
me, mê s. *man, mêr.*
mechele swf. kupplerin.
mecheler stm. unterkäufer, mäkler.
mëchen stv. IV s. *vermëchen.*
mecher s. *macher.*
mech-lîche adv. = *gemechl-.*
mechzen swv. meckern.
mecke swm. ziegenbock.
medel, madel stn. dem. zu *made* würmchen.
medele, melle f. kleine münze, heller (mlat. *medalia, metallia* aus *meditallia*).
mêdeme m. eine auf grundstücken haftende abgabe, urspr. wohl die abgabe der siebenten garbe (*mêdemgarbe*).
mëder, meder s. *madære.*
mederîn s. *merderîn.*
mêdiân stf. die mittelader (mlat. *mediana*).
mefzen stn. gemurmel.
megedîn s. *magedîn.*
megelîn, megel stn. dem. zu *mage*; art wurst.
megen s. *mügen.*
megenen, meinen swv. tr. stark, mächtig, zahlreich machen. — refl. stark werden, sich vermehren.
meger s. *mager.*
megere stf. magerkeit.
megeren swv. *mager* machen.
megetîn s. *magedîn.*
meget-lich adj. jungfräulich.
mehel s. *mahel.*
meheli stf. vermählung.
mehnîe stf. = *mahinande* (afz. *mahnie*) = *massenîe.*
mehtec, mehtic, mahtic adj. macht habend, mächtig, stark; bevollmächtigt.
mehtic-heit, mehtikeit stf. macht, herrschaft; majestät.
mehtic-lich adj. = *mehtec.*
mehtigen swv. tr. bevollmächtigen. — refl. sich verbürgen; mit gs. eigenmächtig verfahren, mit gp. eigenmächtig für einen abwesenden handeln in hoffnung auf dessen genehmigung.
meidelîn, meidel stn. = *magetîn.*
meidem, meiden stm. männl. pferd, hengst od. wallach.
meidenen swv. castrare.
meidîn s. *magedîn.*
mei-dinc stn. ungebotenes, im mai gehaltenes gericht.
meie, meige swm. der monat mai; maibaum; mailied; mai-, frühlingsfest (lat. *maius*).
meien s. *mæjen.*
meien, meigen swv. intr. mai werden; im mai od. wie im mai fröhlich sein. — tr. maiartig schmücken.
maien-anger stm. der anger im frühlingsschmucke. **-bære** adj. mailich, dem mai entsprechend. **-bat** stn. bad im mai. **-blat** stn. das im mai grünende blatt. **-blic** stm. maiblick, -glanz. **-dach** stn. des maien decke, gewand. **-gedinge** stn. = *meidinc.* **-glast** stm. = *m.-blic.* **-rëgen** stm. mairegen. **-ris** stn. im maischmucke prangendes, blühendes reis. **-schîn** stm. = *m.-blic.* **-(mei-)tac** stm. maitag; der erste mai. **-var** adj. maifarb, grün. **-zît** stf. mai-, frühlingszeit. **-zwic** stm. = *meienrîs.*
meienstat stf. maiestas.
meier, meiger stm. meier, oberbauer, der im auftrage des grundherrn die aufsicht über die bewirtung der güter führt, in dessen namen die niedere gerichtsbarkeit ausübt und auch nach umständen die jahresgerichte abhält; amtmann; haushälter (lat. *major*).
meier-ambet stn. das amt eines *meiers.* **-dinc** stn. vom *meier* abgehaltenes gericht. **-hof** stm. meierhof, hof den der *m.* vom grundherrn zur benutzung hat. **-tuom** stn. = *m.-ambet.*
meierie stf. = *meierambet.*
meierinne stf. die frau des *meiers.*
meiesch, meisch adj. zum mai gehörig, wie im mai.
meige, meiger s. *meie, meier.*
meigen s. *mæjen, meien.*
meigramme swm. majoran (mlat. *majorana*).
meihen s. *mæjen.*
meil stn. fleck, mal; sittl. befleckung, sünde, schande.
meile swstf. panzerring, ndrh. *malge, malje* (fz. *maille*).
meile stswf. = *meil.*
meile, meil, meilec, meilic adj. befleckt, schlecht.
meilegen, meiligen swv. beflecken, beschmutzen.
meilen swv. dasselbe; verletzen, verwunden.
meiler, mîler stm. meiler, holzstoss des köhlers, woraus die kohlen gewonnen werden; eine gewisse anzahl (aufgeschichteter) roheisenstangen.
mei-lichen adv. fröhlich wie im mai.
meilîn stn. dem. zu *meil.*
meilinc, *-ges* stm. maifisch.
meil-tætec adj. frevelhaft.
meilunge stf. = *meil*; grenze.
mein s. *magen.*
mein, meine adj. falsch, betrügerisch (*meiner eit* meineid). — *mein* stmn. falschheit, unrecht, frevel; missetat; meineid; schädigung; niederlage, unglück.
meinde stf. = *gemeinde*
meine adj. = *gemeine.*
meine adv. falsch.
meine, mein, alem. **nein** stf. m. falschheit, unrecht.
meine s. *menige.*
meine stf. sinn, bedeutung; gedanke, gesinnung, meinung, absicht, wille; freundl. gesinnung, liebe.
meinec-lich adj. liebend.
meinec-lîche adv. = *gemeineclîche.*
meinec-lîchen adv. falsch, eidbrüchig.
mein-eide, -eidec, -eidic adj. meineidig. **-eiden** swv. intr. einen meineid schwören. — tr. gegen einen falsch schwören. **-eider** stm. meineidiger. **-eit** stm. meineid. **-kouf** stm. betrügerischer handel. **-rât** stm. falscher rat, verrat. **-ræte** adj. verräterisch, hinterlistig. **-swer** stm. meineid. **-swere** swm. meineidiger. **-swerer** stm. dasselbe. **-swern** stn. meineid. **-swüere** swm. meineidiger. **-swüeric** adj. meineidig. **-swuor** stm. meineid. **-tât** stf. falsche, treulose tat, missetat. **-tæte** adj. übeltätig, verbrecherisch ; (swm. übeltäter, verbrecher). **-tætec, -tætic** adj. dasselbe. **-tæter** stm. übeltäter, verbrecher. **-vol** adj. voll frevel. **-zunge** swf. böse zunge, zauberzunge.
meinen s. *megenen, menen.*
meinen swv. sinnen, denken, nachdenken; seine gedanken auf etw. richten, etw. bedenken, berücksichtigen (mit acc. od. präp. *an*); eine gesinnung gegen jem. haben in feindl. od. wohlwollender weise (oft geradezu für lieben); mit dat. einem etw. angenehm machen, einem etw. vermeinen, vermachen; etwas im sinne haben, beabsichtigen, bezwecken, wollen; worauf zielen, bedeuten, einen sinn haben; eine bedeutung unterlegen, etw. auslegen; glauben, wähnen (mit acc., infin. od. untergeord. s.); verursachen, der grund sein.
meinen stn. das meinen, denken; wohlwollende gesinnung, liebe; bedeutung, beachtung; aufmerksamkeit.
meines gen. adv. falsch (*meines swern, reden*).
meinigen s. *menen.*
mein-lich s. *magenlich.*
mein-merke stn. = *gemeinmerke.* — stf. gemeindebesitz, gemeindewald.
mein-same stf. = *gemeinsame.*
meinster s. *meister.*
meinunge stf. sinn, bedeutung; gedanke, gesinnung, meinung, absicht, wille; freundl. gesinnung, freundschaft; liebe.
mei-rëht stn. = *meidinc.*

meisch s. *meiesch.*
meisch stm. maische. – adj. mit heissem wasser überbrüht.
meise swf. meise.
meise swstf. tragkorb, **-reff,** die darauf getragene last.
meise-kar stn. packsattel.
meist adj. grösst, meist (*der meiste* der stärkste, kräftigste; *daz meiste* der grössern anzahl nach, grösstenteils, *ein meistez* die majorität; *bî dem, zuo dem meisten* höchstens).
meiste, meist adv. am meisten, meistens, höchstens, ganz besonders, soviel als, möglichst.
meistec, meistic adj. u. adv. meist, meistens, am höchsten, vorzüglich, zum grössten teil.
meisteil, meistel adv. (aus *meist teil*) meistenteils.
meisteilec adj. adv. = *meistec.*
meister stm., alem. *meinster,* md. *mêster* lehrer, magister, schullehrer, gelehrter, bes. als titel vor eigennamen; gelehrter und gelernter dichter (bürgerl. standes); meistersänger; verfasser eines gedichtes oder sonst eines buches; *m.* als quelle eines andern dichters, erster erzähler der sage; künstler, handwerksmeister; aufseher; s. v. a. *kirchmeister*; anführendes oberhaupt, vorgesetzter, anführer, apostel, kirchenvater; *meister* im städtischen gemeinwesen: gemeindevorstand, bürger-, stadtmeister; ausgezeichneter, als vorbild dienender dichter; der jem. übertrifft, sich worin (gen.) auszeichnet; herr, beherrscher; besitzer, eigentümer (lat. *magister*).
meister-dîe, -heit stf. meisterschaft. **-knappe** swv. der oberste *knappe.* **-knëht** stm. oberknecht; geselle. **-koch** stm. oberkoch. **-kunst** stf. kunst eines *meisters* (dichters). **-lich** adj. meisterhaft, kunstgemäss, künstlich. **-liche** adv. wie ein *meister,* mit gelehrsamkeit und kunst, meisterhaft. **-lôs** adj. ohne *meister*; unerzogen, zuchtlos. **-man** stm. meister; zunftmeister. **-phaffe** swm. gelehrter *phaffe.* **-rëht** stn. das recht meister zu sein und die abgabe dafür. **-sanc** stmn. gesang meisterwürdig ausgezeichneter oder gelehrter und gelernter dichter. **-schaft** stf. unterricht, zucht; höchste gelehrsamkeit oder kunst, kunstfertigkeit; grosse kraft, überlegenheit, oberste leitung, herrschaft, gewalt; vorstandschaft einer stadt, eines klosters usw. und persönl. der vorstand, vorgesetzte, herr; dienstherrschaft. **-scheften** swv. etw. durch macht oder kunst bewirken. **-scheftic** adj. die meisterschaft, herrschaft führend. **-senger-, -singer** stm. der *meistersanc* dichtet. **-site** stm. kunstfertige weise. **-spruch** stm. ausspruch eines meisters. **-stuol** stm. stuhl des *meisters,* lehrers. **-tuom** stmn. die stellung, das amt eines *meisters.* **-zuc** stm. meisterzug (im schachsp.).
meisteric adv. meist, meistenteils.
meisterinne, -în stf. lehrerin, erzieherin; gelehrtes weib; künstlerin; aufseherin, vorsteherin, bes. vorsteherin eines klosters, priorin; übertreffende, vorzüglichste; herrin, herrscherin.
meisterlîn stn. dem. zu *meister.*
meistern swv. lehren, erziehen; erziehend strafen; anordnen, leiten, regieren, beherrschen; kunstreich schaffen, einrichten.
meisterunge stf. belehrung, warnung; meisterschaft, herrschaft.
meit s. *maget.*
meit-kint stn. mädchen.
meit-tuom s. *magettuom.*
meiz stm. einschnitt, verzierung. holzschlag, holzabtrieb.
meizel stm. der meisselt; meissel; instrument des wundarztes zum sondieren der wunde, obsc. penis; abgerupftes, charpie (vgl. *weizel*).
meizeln swv. mit dem *meizel* bearbeiten (die wunde, den verwundeten *meizeln*).
meizel-wunde swf. wunde, die mit dem *meizel* bearbeitet, in die charpie gelegt werden muss.
meizen redv. 4 hauen, schneiden, ab-, einschneiden.
meizoge s. *magezoge.*
meizogen swv. erziehen, mässigen.
mël stn. (gen. *melwes, mels*) mehl; staub, erde, kehricht; gelöschter kalk.
mëlblîn stn. dem. *farinula.*
melch s. *mannelîch.*
mëlch adj. milch gebend.
mëlchen, mëlken stv. III, 2 tr. melken. — intr. milch geben.
mëldære, -er stm. verräter, angeber.
mëlde stf. die melde (pflanze).
mëlde stf. verrat, angeberei, verleumdung (*âne, sunder melde* unverraten, unbemerkt, ohne lüge, fürwahr, gewisslich); gerücht, allgemeines gerede; anzeige, meldung, nachricht; das anmelden (bes. das anmelden durch die *krîe*), hervortreten, kundgebung, aufzug, pomp; laut des jagdhundes, was man durch *melde* erfahren hat, kenntnis, gedächtnis; personif. *vrou Melde* die alles anmeldende, verratende, die fama.
mëldec adj. angeberisch; berühmt.
mëlden swv. tr. u. refl. angeben, verraten; zeigen, ankündigen, verkündigen, nennen.
mëlde-rîche adj. verräterisch.
mëlderin stf. verräterin.
mëldunge stf. verrat, anzeige s. v. a. *offenunge,* weistum.
mële swf. = *milwe.*
mêle, mêlen s. *menel, mahelen.*
mëlken s. *mëlchen.*
melle s. *medele.*
mëlm stm. staub, sand; bildl. *viures m.* funken.
mëlmic adj. staubig.
mêlodîe stf. melodia.
mëlwære, -er stm. mehlhändler.
melzen s. *malzen.*
melzer stm. mälzer.
melz-hûs stn. brauhaus.
mël-zuober stm. *hydria farina.*
membrâne stswf. stück pergament (mlat. *membrana*).
memmendec-heit s. *mamm-.*
men s. *man.*
men-buobe swm. = *menknëht.* **-gart** stm. = *gart.* **-îsen** stn. stimulus. **-(man-)knëht** stm. das zugvieh leitender knecht. **-tac, -tage** stswm. viertel einer *huobe* (eigentl. so viel in einem tage mit dem *gementen* zugvieh kann geackert werden). **-tager** stm. besitzer eines *mentages.* **-wëc** stm. weg auf dem das zugvieh getrieben wird.
mende stf. freude.
mênde stf. = *almeinde.*
mendec adj. freudig.
mendel-bëre stm. mons gaudii. **-trahen** stm. freudenträne.
mendel-tac stm. der grüne donnerstag (vgl. *mandâte*).
menden, mennen swv. intr. u. refl. (ohne od. mit gen.) sich freuen.
mendunge s. *mandunge.*
mene, menî stf., **menine** stswf. fuhre, fuhrwerk, gespann; frondienst mit fuhrwerk.
menede stf. fuhrwerk.
menel stm. stachel; kontr. *mêle, môle* stswm.
menen, mennen swv. (nbff. *meinen, menigen, meinigen*) vorwärts treiben u. führen (bes. das zug- od. reittier mit dem *gart*); auf dem wagen führen, fronfuhre leisten; *gemenet sîn* ein fuhrwerk, gespann besitzen. — intr. *an m.* vorwärts eilen.
mener stm. viehtreiber.
mênet s. *mânôt.*
mengære s. *mangære.*
mengeln, mengern swv. iter. zu

mengen swv. (md. auch *mingen*) tr. u. refl. mischen, mengen, einmischen, vereinigen (s. *manc* präp.).
menger stm. friedensstörer, zwischenträger.
mengerîe stf. friedensstörung, zwischenträgerei.
mengern s. *mengeln.*
menî s. *mene.*
menic s. *manec.*
menige, manige, menje, meine stf. vielheit, grosse zahl, menge, schar.
menigen swv. *multiplicare.*
menigen s. *menen.*
menîne s. *mene.*
menkeler stm. = *mangære.*
men-lich s. *man-, mannelich.*
menne-gelich s. *mannegelich.*
mennelîn, mennel stn. männchen, zwerg.
mennen s. *menden, menen.*
mennîn adj. männlich, nach mannes art.
menninne, -în stf. weib, mannweib.
mennisch adj. menschlich; mannhaft.
mênôt s. *mânôt.*
mensche, mensch swstmn. mensch; mädchen, buhlerin; dienender mensch, magd od. knecht; koll. das menschliche geschlecht.
menschelîn, menschel stn. dem. zu *mensche.*
menschen swv. zum menschen machen.
menschen-got stm. gegensatz zu *gotmensche.* **-kint** stn. mensch. **-künne** stn. menschengeschlecht. **-schîn** stm. menschengestalt. **-stam, -stan** stm. menschengeschlecht.
mensch-heit, menscheit stf. natur u. leben eines menschen; koll. die menschen; mannbarkeit; persönl. der mensch; menschlichkeit, humanitas.
menschieren swv. essen (s. *manger*).
menschiuwer stn. = *manger.*
mensch-lich adj. menschlich, nach, von menschenart. **-liche** adv. in menschenweise, als mensch. **-licheit** stf. menschheit.
menschunge stf. menschwerdung.
mensûr stf. mass; intervall in der musik (lat. *mensura*).
mentel- s. *mantel-.*
mër s. *mir, wir.*
mer stn. das meer (*über mer* über das meer, über dem meere, bes. das gelobte land).
mêr, mê 1. adj. kompar. zu *vil,* mit neuer steigerung *mêrer, mêrre, mërre,* sup. *mêreste, mêrste*: grösser, bedeutender (nach raum, zahl u. wert). — 2. *mêre, mêr, mê* indekl. neutr. mehr mit od. ohne gen. — 3. *mêre, mêr, mê* adv. mehr, in höherem grade; ausserdem, noch dazu; länger, ferner, fernerhin, fortan; sonst, sonst schon, früher schon. — 4. *mêr, mê* konjunkt. sondern, aber, ausser.
mêrære, -er stm. vermehrer, vergrösserer.
mërâte stf. flüssige speise aus brot u. wein, abendmahl (s. *mërôt*).
mer-binz stm. meerbinse. **-feine** f. meerfee. **-garte** swm. die meerumschlossene erdscheibe, das von menschen bewohnte land, erdkreis. **-got** stm., **-göttinne** stf. meergott, meergöttin. **-griez, -grieze** stswm. n. korn des meersandes; perle (mit dieser bed. eine umdeutsch. des lat. *margarita,* s. *margarit*). **-katze** swf. meerkatze. **-kint** stn. meerkind, meerweib. **-küniginne** stf. sirene. **-liute** pl. meerleute, schiffer. **-meit** stf., **-minne** stswf. meerweib. **-ohse** swm. = *merrint.* **-phosse** swf. phoca. **-retich** stm. meerrettich, sumpfrettich. **-rint** stn. meerrind, überseeisches, morgenländisches rind, zugtier (auch elefant); meerkalb, seehund. **-rouber** stm. pirat. **-ruoder** stn. schiffsruder. **-stade** swm., **-stede** stf. meeresufer. **-stat** stf. seestadt. **-stërne, -stërn, -stërre** m. der auf dem meere leitende stern, polar-, nordstern (der name Maria wird als *merstërne* gedeutet). **-strâze** f. seeweg. **-swâz** stm. meerschaum. **-swîn** stn. delphin. **-tier** stn. meer-, seetier. **-ünde** f. meereswoge. **-var** adj. meerfarb. **-vart** stf. eine *vart über mer,* pilgerfahrt ins gelobte land, kreuzzug. **-visch** stm., **-vlozze** swf. meerfisch. **-watære** stm. der das meer durchwatet. **-wîp** stn. meerweib. **-wunder** stn. wunderbares meertier, meermann oder meerweib von halb tierischer gestalt.
merder s. *marder.*
merderîn, mederîn adj. von einem *marder,* aus marderfell.
merdorn stm. = *merbinz*; myrte (umd. des lat. *myrtus*).
mêrec adj. = *mêr.*
mêren swv. tr. vergrössern, vermehren, erhöhen. — refl. u. intr. grösser werden od. sein, sich vermehren.
mergel stm. mergel (mlat. *margila*).
mergeln swv. düngen.
merhe swf. stute, mähre; hure.
merhen-sun stm. hurensohn.
merisch adj. maritimus.
merk s. *market.*
merkære, -er stm. aufpasser; beurteiler von gedichten, tadler.
merkære, -er stm. bewohner der *marke,* berechtigter an einer *marke* (wald).
merke stf. abmessendes zielen, beachtung, wahrnehmung, augenblick, absicht. — adj. verständig, achtsam.
merken swv. (md. auch *mirken*) intr. achtgeben, wohl beachten, beobachten. — tr. beachten, beobachten, wahrnehmen, bemerken; unterscheidend, beurteilend, auslegend, verstehn, erkennen; gedichte beurteilen; mit dat. incomm. etwas für ungehörig beurteilen, einem einen tadel woraus machen; etw. wohlverstanden festhalten, sich einprägen, merken; mit einem zeichen versehen, erkenntlich machen.
merker-dinc stn. = *marc-d.*
merke-rîche swm. = *merkære* 1.
merke-sam adj. aufmerksam
merket s. *market.*
merk-lich adj. pass. wohl zu beachten; bemerkbar; erkenntlich, deutlich; bedeutend, wichtig, gross. — akt. tadelsüchtig.
merk-liche adv. bemerkbar; bedeutend; ausführlich.
merkunge stf. aufmerksamkeit; betrachtung, erwägung, prüfung.
mërl, mërle f. amsel (lat. *merula*).
mêr-lich adj. = *mêr.*
mërlîn stn., md. *merlikîn,* dem. zu *merl.*
mermel s. *marmel.*
mërn swv. brot in wein od. wasser tauchen u. einweichen, so essen (bes. vom abendmahle Christi); umrühren, mischen.
mernære s. *marnære.*
mërôt, mërt, *-des* stm. = *mërâte.*
mêrre, mërre s. *mêr.*
merren, marren, merwen swv. tr. u. refl. halten, behindern; befestigen *an,* anbinden, anschirren *zuo, in*; *sich m. zuo* verbinden, vereinigen; verschwägern. — intr. sich aufhalten, zögern.
merrunge, marrunge stf. zögerung, aufenthalt.
mêr-schaz stm. wucher.
mërt s. *mërot.*
mertel, merter s. *marter.*
merunge stf. kloake.
mërunge stf. = *mërâte.*
mêrunge stf. vergrösserung, vermehrung, werterhöhung; grammat. der plural.
merwen s. *merren.*
merwen swv. *mar* machen.

mërz, mërze stswm. ware; kostbarkeit, schatz, kleinod (lat. *merx*).

merȥe s. *merȥî*.

merze, merz swm. märz (lat. *martius*).

merze-bier stn., **-covent** stn. märzbier. **-brunne** swm. brunnen, der erst im märz fliesst.

mërzeler stm. kleinhändler, krämer, höker.

mërzeln, mërzen swv. handeln, schachern.

mërze-man stm. = *mërzeler*.

mërzeric stf. ware.

merȥî, merȥe = fz. *merci* dank, gnade.

merȥîen swv. danken.

merzic, merzisch adj. zum märz gehörig, märzisch.

meschen swv. *maschen* machen.

meserîn adj. aus maserholz.

mëssachel, missachel stm. messgewand.

messe stf. metallklumpen; eine eisenmasse von bestimmtem gewichte (lat. *massa*). vgl. *masse*.

messe, mess stn. messing.

mësse, misse stf. messe; kirchl. festtag; jahrmarkt (lat. *missa*).

mësse-buoch stn. missale. **-gewant, -gewæte** stn., **-kappe** swf. messgewand. **-tac** stm. kirchl. festtag, kirchweihe. **-zît** stf. zeit, wo messe gelesen wird.

mëssel s. *missehël*.

messen, mëssen s. *messîn*, *mischen*.

messenære, mesnære -er stm. mesner, küster (mlat. *mansionarius*).

messenîe s. *massenîe*.

messîn, messen adj. von messing.

messinc, *-ges* stm. messing; nbf. *missinc, möschinc*.

mëste swf. md. ein hohlmass; salzgefäss.

mesten swv. tr. u. refl. wohl füttern, mästen.

mëster s. *meister*.

mëstern swv. den inhalt messen.

meste-, mest-, mast-swîn stn. mastschwein.

mestunge, mastunge stf. mästung.

mët s. *mit*.

metalle, metele stn. metall (lat. *metallum*).

mët-briuwe swm., **-briuwer** stm. metsieder. **-gëbe, -schenke** swm. metwirt.

mëte, mët stm. met.

metere s. *matere*.

meten, metten, mettîne mettîn mettî stswf. frühmesse, mette

metten-amt stn. frühmesse. **-stërne** m. morgenstern. **-zît** stf. mettenzeit.

mët-wahsen part. adj. mittelgross.

Metze npr. f. koseform für Mechtild. — als appellat. s. v. a. mädchen niedern standes, oft mit dem nebenbegriffe der leichtfertigkeit; hure.

metze, metz stn. messer.

metze swm. kleineres trocken- u. flüssigkeitsmass, metze.

metzeler stm. metzger (mlat. *macellarius*).

metzeln swv. schlachten.

metzjære, -er, metzigcr stm. metzger.

metzje, metzige stf. fleischbank.

metzjen, metzigen swv. schlachten.

mëȥ, *-ȥȥes* stn. das mass, womit etw. anderes gemessen wird, bes. flüssigkeits- od. getreidemass; ausdehnung, richtung, wendung, ziel.

mëȥ-gerte, -ruote swf. messrute. **-meister** stm. = *angieȥer*.

mëȥȥære, -er stm. der messer.

mëȥȥen stv. V messen, ab-, ausmessen, zielen; mit den schritten messen, gehn; messen bei zauberischem heilverfahren; zumessen, zuteilen, geben mit dat.; mitteilen, erzählen: abmessend gestalten, bilden, dichten; bestimmen, verkündigen; vergleichen mit, gleichstellen mit dat.; vergleichend betrachten; erwägen, überdenken, prüfen; messend, prüfend richten.

meȥȥen swv. mässigen.

meȥȥer stn. das messer (bildl. *daȥ m. bî dem hefte hân* die oberhand haben, herrschen; *daȥ lenger m. an henken, tragen* der herr in der ehe sein; *einem daȥ m. bieten* vorlügen). **-blëch** stn. messerklinge. **-stich** stm. stich mit dem messer. **-zoge** stf. das messerzücken.

meȥȥeræere stm. messerschmied.

meȥȥerlîn stn. dem. zu *meȥȥer*.

michel, michelic adj. gross; gegens. zu *junc*; viel, mit gen.

michel adv. sehr; beim kompar.: viel.

michel stf. die grösse.

michelen swv. *michel* machen.

michel-haftigen, micheligen swv. magnificare.

michel-lich adj. = *michel*. **-lîchen** swv. = *michelhaftigen*.

michels adv. (vor kompar.) um vieles.

mîd stm. vermeidung, verschmähung.

mîdære stm. der (die sünde) meidet.

mîdec adj. meidend.

mîden stv. I, 1 tr. einem fern bleiben, etw. vermeiden, lassen, verlassen, unterlassen, entbehren; verschonen mit (gen.). — refl. sich enthalten, schämen (ohne od. mit gen.).

mier s. *mir*.

mies stnm. moos.

mies-bart stm. der einen grauen bart hat.

miesen swv. intr. moosig sein oder werden, vermoosen.

miesic adj. moosig.

mies-var adj. moosfarbig.

mietære stm. mietling.

miete, miet stswf. lohn, belohnung, vergeltung, begabung; beschenkung, bestechung.

miet(e)-gërn adj. lohnbegierig. **-knëht** stm. mercennarius. **-liute** pl. zu **-man** stm. taglöhner. **-nëmer** stm. der lohn od. geschenke nimmt. **-schihter** stm. der in einem bergwerke um lohn arbeitet. **-stat** stf. platz, wo die tagelöhner gedungen werden. **-var** adj. bestechlich. **-wân** stm. erwartung einer *miete*; versprechung einer solchen mit der absicht zu bestechen.

mietelinc, *-ges* stm. mietling.

mieten swv. *miete* geben, lohnen, belohnen, begaben; beschenken; in lohn nehmen, dingen; für einen zins in besitz nehmen, mieten; erkaufen, bestechen.

mietinc, *-ges* stm. = *mietelinc*.

milch, milich stf. milch.

milcherin stf. milchweib.

milch-roum stm. milchrahm. **-schœne** adj. schön wie milch, weiss. **-smalz** stn. butter, rindsschmalz. **-var** adj. milchfarbig, weiss. **-vriedel** stm. unbärtiger geliebter. **-wempel** stn. euter. **-wîȥ** adj. weiss wie milch. **-zende** stm. pl. milchzähne.

mîle, mîl stf. meile (*diutschiu* od. *grôȥiu mîle* die deutsche meile, gegens. *welschiu m.*); s. v. a. *banmîle* (lat. *milia*, näml. *passuum*).

mîle stf. eine art brettspiel (afz. *mine*).

mîlen swv. die *mîle* spielen.

mîler s. *meiler*.

milewe s. *milwe*.

mille swm. unkraut.

milte, milde adj. freundlich, liebreich, gütig, geduldig, barmherzig; wohlgesittet; wohltätig, freigebig (mit gs.); reichlich, ausgiebig. — stf. freundlichkeit, güte, gnade, barmherzigkeit; liebe, zärtlichkeit. sittsamkeit; wohltätigkeit, freigebigkeit.

miltec-heit, miltekeit stf. = *milte*; fülle, reichtum. **-lich** adj. = *milte*. **-liche** adv. auf freundliche, liebevolle, sanftmütige, gnädige weise; freigebig, auf reichliche weise.

milten, milden swv. intr. u. refl. *milte* sein od. werden, sich mildern, besänftigen; sich erniedrigen, demütigen. — tr. *milte* machen, besänftigen.

milte-rîche adj. mildreich, freigebig. **-var** adj. nach freigebigkeit aussehend.

milt-haft, -lich adj. freigebig. **-name** swm. liebkosender beiname.

mil-tou stn. meltau.

milwe, milewe, milve swf. milbe.

milwen swv. zu mehl oder staub machen.

milze, milz stn. milz (*zuo dem milz lân* die milzader öffnen).

milz-sühtic adj. milzkrank, hypochondrisch.

min adv. defect. kompar. weniger, minder (*diu min, dest min* desto weniger mit gen.).

min gen. sing. des pron. der 1. person (in denkm. von nd. färbung zuweilen *mînes*; eine andere bes. md. erweiterung ist *mîner*, woraus nhd. *meiner*).

mîn pron. poss. mein, entweder unflekt. dem subst. vor- oder nachgesetzt, oder flekt. stark und schwach.

minder s. *minner*.

mînen swv. etw. sich als eigentum zueignen, innehaben.

mînent-halben, -halp adv. von meiner seite, von meinetwegen.

mingen s. *mengen*.

mîn-halben, -halp adv. = *mînenthalben*.

miniere stn. mineral (mlat. *minera, minerale*).

minig stm. mennig (nbf. *minwe*), lat. *minium*.

minnære, -er stm. liebender, liebhaber (in weltl. u. geistlichem sinne); unkeuscher mensch, buhler, hurer.

minnærinne, minnerinne stf. liebende, liebhaberin.

minne stswf. freundliches gedenken, erinnerung (*sant Johans, sant Gêrtrûde minne*, oder bloss *die minne trinken, schenken*: den abschiedstrunk trinken, einschenken); das zur erinnerung geschenkte, geschenk überh.; religiöse liebe (*in der minne* geistliche bittformel: um gotteswillen, od. bloss einfache bekräftigung einer bitte; elternliebe; freundschaft, liebe, zuneigung, wohlwollen (iron. grosse feindschaft); das angenehme, wohlgefällige; gefälliges, liebliches aussehen; gütliches übereinkommen, gütliche beilegung; die geschlechtliche, sinnliche liebe (oft geradezu für beischlaf), weidm. die brunft; gegenstand der liebe: geliebte (in der anrede); in der kindersprache: mutter; s. v. a. *merminne*.

minne-bant stn. liebesfessel. **-bære** adj. lieblich; liebevoll, liebreich; liebenswert; mannbar. **-bat** stn. von der salbung durch Maria Magdalena gesagt. **-bërnde** part. adj. liebe als frucht tragend. **-blic** stm. liebesblick. **-bluot** stf. liebesblüte. **-bluot** stn. liebesblut. **-brief** stm. liebesbrief. **-brunst** stf. liebesfeuer. **-büschel** stn. weibl. schamhaar. **-buoch** stn. d. bibl. hohelied. **-diep** stm. liebesdieb, verstohlner liebhaber. **-gelæze** stn. liebesgebaren. **-(minnen-)gëlt** stn. vergeltung der liebe oder durch liebe. **-gër** stf. verlangen nach liebe. **-geræte** stn. liebesanschläge. **-gërnde** part. adj. liebe begehrend. **-geselle** swm. geliebter. **-gir** stf. = *minnegër*. **-glast** stm. liebesglanz. **-gluot** stf. liebesglut. **-gotinne** stf. Venus. **-grüeze** adj. mit liebe grüssend. **-haft** adj. liebend. **-heiz** adj. liebeentzündet. **-hitze** stf. liebesglut. **-huon** stn. = *briutelhuon*. **-kempfer** stm. liebesritter. **-kraft** stf. liebeskraft, heftigkeit **-lich** adj. liebreich. **-liet** stn. liebeslied. **-lôn** stmn. liebeslohn. **-louge** swf. vom tränenstrom der Maria Magdalena gesagt. **-rât** stm. liebesrat, -lehre. **-riche** adj. liebreich. **-rigel** stn. liebesbund. **-sælec** adj. durch liebe beglückt. **-sam** adj. pass. liebenswert, lieblich; akt. liebend, freundlich, liebevoll; adv. *-samlîche(n)*. **-sanc** stmn. liebesgesang (von der sinnl. u. geistl. *minne*). **-schimpf** stm. liebesscherz, -spiel. **-schütze** swm. Cupido. **-schuz** stm. plötzlich treffende liebe (prädik. der jungfr. Maria). **-sê** stm. liebesmeer. **-senger, -singer** stm. liebessänger. **-siech** adj. liebeskrank. **-spil** stn. liebesspiel. **-spruch** stm. schiedsurteil, gütl. vergleich. **-sterken** stn. liebeskraft. **-strâle** stf. liebespfeil. **-stric** stm. = *minnebant*. **-süeze** adj. liebessüss. **-swære** stf. liebesleid. **-tac** stm. versöhnungstag; Johannistag. **-tockel** stn. püppchen, liebchen. **-tôt** adj. vor liebe tot. **-trahen** stm. liebesträne. **-tranc** stnm. liebestrank **-trit** stm. liebestritt. **-trût** stn. geliebte. **-tuc** stm. liebesstreich. **-var** adj. nach liebe od. lieblich aussehend. **-veige** adj. durch liebe dem tode verfallen. **-vingerlîn** stn. ring als liebeszeichen gegeben u. getragen. **-viur** stn. liebesfeuer. **-wërc** stn. liebeswerk. **-wîse** adj. in der liebe erfahren. **-wîse** stf. liebeslied. **-wunde** swf. liebeswunde. **-wunt** adj. von liebe wund. **-zeichen** stn. liebeszeichen (die wundmale Christi). **-zic** stm. liebesdruck, -zeichen. **-zunder** stm. liebeszunder, was die liebe entflammt.

minnec-, minnic-lich adj. zur *minne gehörend*, lieblich, liebenswert, schön, zierlich; gütlich. **-liche** adv. auf liebliche, liebevolle, freundliche, gütliche weise. **-liche** stf. liebreiz.

minnen swv. tr. beschenken (*die boten*); erkenntlich sein für; gütlich vergleichen. — abs. u. tr. lieben (von der religiösen, freundschaftl. und geschlechtl. liebe, oft geradezu für beschlafen).

minnen-ast stm. liebestrieb. **-bleich** adj. vor liebe blass. **-brût** stf. geliebte. **-druc** stm. zwang der minne. **-gëlt** s. *minnegëlt*. **-jeger** stm. liebesjäger, liebender. **-klame** stf. liebesfessel. **-muot** stm. liebessinn. **-slac** stm. liebeswunde. **-solt** stm. liebeslohn. **-stërne** m. der planet Venus. **-trôr** stm. minnetau. **-wort** stn. wort der liebe.

minnende part. adj. liebend (*minnendiu nôt* liebesnot).

minner, minre, minder komp. zu *min* 1. adj. kleiner an grösse, geringer an zahl, geringer an wert, stand, macht (*der minner bruoder* minorit). — 2. subst. neutr. weniger (mit gen.). — 3. adv. weniger (*diu, deste minre* desto weniger).

minnerlîn stn. dem. zu *minnære*.

minnern, minren swv. tr. kleiner, geringer machen, vermindern, verringern, schmälern. — refl. u. intr. kleiner werden, sich vermindern, verringern, abnehmen.

minnernisse stfn. verminderung, schmälerung.

minnerunge stf. dasselbe.

minnest, minst sup. zu *min* 1. adj. kleinst; geringst. — 2. adv. mindest, wenigst.

minr s. *minner*.

minsche s. *mensche*.

minwe s. *minig*.

minze, minz swstf. minze (mlat. *menta*), dem. *minzelîn* stn.

miol stm. pokal, hohes trinkglas ohne fuss (it. *miolo*, lat. *mediolus*).

mir s. *wir*.

mir dat. des pron. der 1. person (zuweilen *mier*, md. auch *mer*).

mirâkel, -wunder, -zeichen

stn. wunderzeichen, wunder (lat. *miraculum*).
mirken s. *merken*.
mirre swmf. myrrhe (bildl. von der jungfrau Maria).
mirrel stn. die frucht des myrrhenbaumes.
mirre-nac stm. myrrhengeruch.
mirren-boum stm. myrrhenbaum. **-vaz** stn. myrrhengefäss (Maria). **-zaher** stm. harz des myrrhenbaumes.
mirtel-boum stm. myrtenbaum.
mis, *-sses* adj. mangel habend, entbehrend mit gen.
mis stf., **mis-** s. *misse*, *misse-*.
misch stm., **mische** stf. mischung.
mischelinc stm. mischkorn.
mischeln swv. s. v. a.
mischen swv. (nbf. *müschen, muschen*, md. auch *missen, mëssen*) tr. u. refl. mischen, mengen.
misckar s. *misencar*.
misel stmn. aussatz (mlat. *misellus*).
miselich adj. aussätzig.
misel-pîn stf. aussatz. **-siech** adj. aussätzig. **-suht** stf. aussatz. **-sühtic**, **-var** adj. aussätzig.
misencar, **misekar** stn. das lange messer, das neben dem schwerte getragen ward (mlat. *misericors*).
mis-lich s. *misselich*.
mispel f. mispel (gr. μεσπίλη).
misper s. *mistber*.
missachel s. *mëssachel*.
mis-sam adj. übel, schlecht, hart.
misse s. *mësse*.
misse, **mis** stf. das fehlen, mangeln.
misse-, **mis-** in zusammenss. wechsel, irrtum, verkehrung ins böse, verneinung bezeichnend.
misse-ahten swv. missachten. **-bære**, **-bâr** stf. übles befinden u. gebärden, leidwesen. klage. **-bâren** swv. sich ungebärdig benehmen, betragen; simulare, dissimulare. **-bërn** stv. mit schmerzen gebären. **-bieten** stv. mit dp. einen auf unglimpfliche weise behandeln, ihm ungebührliches zufügen, ihn angreifen. **-brûch** stm. handlung gegen den guten brauch, missbrauch. **-bû** stm. missbau (schlechte bestellung des feldes, weinberges). **-dâht** stf. verdacht. **-danc** stm. falscher, schlechter gedanke. **-denken** swv. falsch denken, sich irren. **-dienen** swv. einen schlechten dienst leisten, beleidigen mit dat. **-dîhen** stv. missraten, schlecht werden. **-gân**, **-gên** stv. intr. u. unpers. mit dat. übel, fehlgehn, -schlagen. **-gëben** stv. eine sache schlecht machen, das ziel verfehlen. **-gëlten** stv. übel entgelten. **-(ge)-lücken** swv. unpers. unglück haben. **-gemuot** adj. bösegesinnt. **-gengic** adj. fehlerhaft, sündhaft. **-geniezen** stv. schaden haben von. **-geschiht** stf. unglücklich auslaufende begebenheit, missgeschick. **-gihtic** adj. verleugnend mit gen. **-gloube** swm. misstrauen, argwohn. **-glouben** swv. mit dat. glauben weigern. — tr. nicht glauben (s. *misselouben*). **-grîfen** stv. fehlgreifen. **-habe** stf. = *missebære*. **-haben** swv. refl. sich übel befinden; trauern, sich grämen. **-hage** stf. missfälliges benehmen. **-hagen** swv. nicht wohl gefallen, unerfreulich sein. missbehagen mit dat. **-halten** stv. auf fehlerhafte weise halten. — swv. missachten, misshandeln. **-handel** stm. missetat. **-handeln** swv. tr. übel behandeln. — refl. sich im handeln verfehlen, sich vergehn. **-hære** adj. verschiedenhaarig, schillernd. **-hegede** stf. = *missehage*. **-heil** stn. unheil. **-hël** adj. nicht übereinstimmend, misshellig, uneins. **-hël**, *-lles* stm. misshelligkeit, streit (md. *missël, mëssël* stn.). **-hëlle** stf. dasselbe. **-hëllec** adj. = *missehël*. **-hëllen** stv. verschieden tönen, misslauten; nicht übereinstimmen, misshellig sein (mit gen. od. *umbe*); verschieden sein, sich unterscheiden von. **-hëller** stm. der nicht übereinstimmt, streiter. **-hëllunge** stf. misshelligkeit, zwist. **-hoffen** swv. falsch hoffen; verzweifeln. **-hüeten** swv. abs. schlecht acht haben; die herden hüten, wo es nicht erlaubt ist. — tr. u. refl. schlecht hüten, behüten *an*. **-hügen** swv. sich in voraussetzungen irren. **-huote** stf. unachtsamkeit, unvorsichtigkeit. **-jëhen** stv. fälschlich oder mit unrecht sagen, leugnen, mit gen. **-kennen** swv. nicht verstehn, nicht wissen. **-kêren** swv. tr. falsch wenden, umwenden, verkehren. — intr. eine falsche richtung einschlagen. **-komen** stv. mit dat. schlecht, übel bekommen; nicht zukommen od. ziemen. **-lâzen** stv. durch einen fehler vorbeilassen, übersehen. **-(mis-)lich** adj. verschieden, verschiedenartig, mannigfach; ungewiss, zweifelhaft; unbestimmte furcht erregend. **-(mis-)liche** adv. mannigfach wechselnd, verschiedenartig; ungewiss, vielleicht; übel angemessen, übel. **-lichen** swv. missfallen, mit dat. **-linge** stf. schlechter erfolg, unglück. **-lingen** stv. übel gelingen, missglücken, fehlschlagen (ohne od. mit dat). **-louben** swv. nicht glauben, mit gen. **-loufen** redv. fehllaufen. **-machen** swv. übel, schlecht machen; herabsetzen, entehren; erzürnen, erbittern. **-mâl** stn. mangel, makel. **-mâlen** swv. bunt bemalen. **-mælic** adj. ein übles zeichen an sich tragend. **-mannen**, **-wîben** swv. einen *ungenôz*, eine *ungenôzinne* heiraten. **-meil** stn. zum schaden gereichender fleck, schade. **-meilic** adj. durch flecken verdorben, nicht mehr geltend. **-müete** adj. verschieden gesinnt, uneinig; übelgesinnt. **-muot** stm. üble gesinnung. **-nennen** swv. falsch nennen. **-niezen** stv. nachteil, wenig vorteil haben von (gen.); missbrauchen. **-prîs** stm. unehre, schande, tadel. **-prîsen** swv. schmähen, tadeln; geringschätzen. **-rât** stm. falscher, böser rat. **-râten** stv. einen falschen, bösen rat erteilen (abs., mit dp. as.). — intr. an eine falsche stelle geraten, fehlgehn; schlecht, übel ausfallen, missraten. **-rëcherin** stf. falschrechnerin. **-rede** stf. falsche, üble rede. **-reden** swv. übel reden *an*. **-rîten** stv. fehlreiten. **-sagen** swv. etw. unwahres sagen, falsch berichten. **-schëhen** stv. unpers. mit dat. übel ergehn. **-scheide** stf. unterschied. **-schiht** stf. = *missegeschiht*. **-schrîben** stv. falsch, fehlerhaft schreiben. **-schuldic** adj. unschuldig. **-schult** stf. böse verschuldung, sünde; unschuld. **-sëhen** stv. nicht recht, falsch sehen. **-singen** stv. falsch singen. **-smecken** swv. zuwiderschmecken, mit dat. **-sprëchen** stv. unrecht od. übel sprechen (abs. od. mit *an, von*); mit dat. von einem übel sprechen; sich versprechen. **-stân** stv. übel anstehn, nicht gut stehn, nicht ziemen (ohne od. mit dat.). **-stellen** swv. tr. u. refl. entstellen; sich übel gebärden. **-tât** stf. üble tat, vergehn, fehltritt, missetat. **-tæter** stm. übeltäter. **-tætic** adj. übel handelnd; eines vergehns od. verbrechens schuldig. **-tragen** stv. an einen unrechten ort tragen, fehlerhaft tragen, leiten, führen. **-trëten** stv. fehltreten (eig. u. bildl.); mit dp. fehlschlagen, misslingen. **-trit** stm. fehltritt, vergehn. **-triuwe** stf. misstrauen, argwohn; irriges vermuten, grundlose zuversicht. **-triuwer**, **-trûwic** adj. misstrauisch, arg-

wöhnisch. **-trôst** stm. schlechter *trôst*; untröstlichkeit, verzweiflung. **-trœsten** swv. tr. entmutigen.—refl. untröstlich sein, verzweifeln. **-trûwen, -triuwen** swv. misstrauen mit dp. **-tuon** anv. unrecht, übel handeln (*an, gegen, zuo einem*); verunstalten. **-val** stm. missfallen. **-vallen** redv. missfallen, mit dat. **-var** adj. von verschiedenen farben, bunt; von übler farbe, entfärbt, entstellt, fahl, bleich. **-varn** stv. einen falschen weg einschlagen, das ziel verfehlen, sich irren, verirren; unrecht verfahren, sich vergehn; unpers. mit dat. übel ergehn. **-vart** stf. irrfahrt; fehltritt, vergehn. **-varwe** stf. gemischte farbe, buntheit; üble farbe. **-vellic** adj. missfällig. **-verwen** swv. bunt färben; übel färben, durch farben entstellen, beflecken. **-vüegen** swv. übel anstehn, nicht ziemen. **-vüeren** swv. tr. in übeln zustand versetzen. — refl. einen schlechten lebenswandel führen. **-vündic** adj. schlecht oder nicht findbar. **-wahs** stm. misswachs. **-wanc** stm. *âne m.* unverbrüchlich. **-wænunge** stf. missdeutung. **-warn** swv. tr. u. refl. schlecht in acht nehmen (*sich m. an* versündigen). **-wende** stf. unrechte wendung, das abweichen vom bessern zum schlechtern; tadel; makel, schande; untat, schändl. handlung; unheil, unglück, schade. **-wende, -wendec** adj. dem abweichen vom bessern ins schlechtere unterworfen, tadelhaft. **-wendecheit** stf. tadel, makel. **-wenden** swv. intr. vom rechten wege ablenken, umkehren. — tr. übel anwenden; mit dp. abwendig machen, entfremden; zum tadel auslegen, tadeln. **-wenken** swv. einen falschen *wanc* tun, schaden leiden. **-wërn** swv. einem nicht gewähren, abschlagen. **-wîben** swv. s. unter *missemannen*. **-würken** swv. fehlerhaft, schlecht arbeiten. **-zæme** adj. unziemlich, missfällig. **-zëmen** stv. missziemen, ungemäss sein, übel anstehn (ohne od. mit dat.). **-ziehen** stv. schlecht ziehen, eine schlechte wahl treffen. **-zieren** swv. verunzieren.

missec-heit stf. md. verschiedenheit.

missël s. *misse-hël.*

missen s. *mischen.*

missen swv. mit gen. verfehlen; entbehren, vermissen.

missinc s. *messinc.*

missive stswf. sendbrief, beglaubigungsschreiben (mlat. *missiva*).

mist stmn. kot, dünger, misthaufen, mistgrube; unrat, schmutz.

mist-bëlle swmf. hofhund. **-ber, misper** stf. vorrichtung zum misttragen, mistbahre. **-haven** stm. mistgefäss. **-hûfe, -houfe** swm. misthaufe. **-hulwe, -hul** stf. mist-, kotlache. **-kröuwel** stm. mistgabel. **-lache** s. *misthulwe.* **-lege** stf. mistgrube, -platz.

miste, misten swstf. misthaufen, -grube, -platz.

mistel stm. mistel.

misteler stm. misteldrossel.

mistelîn adj. aus mistelholz.

misten swv. ausmisten; düngen.

mistic adj. kotig.

mistunge stf. düngung.

mit präp. (md. auch *mët*) mit dat.: mit (ausdrückend das zusammensein, die engste nähe von personen und sachen: mit, samt, bei, neben; das gegenseitige verhältnis: mit, gegen; begleitende, umstände, art und weise; mit, unter, in; vermittelung, hilfsmittel, werkzeug: durch, mit, mittels, trotz; anfangspunkt eines passiven zustandes: von). — mit instrum. *mit diu* mittlerweile, während; *mit wiu* womit.

mitach, mitche s. *mittewoche.*

mite, mit adv. mit, damit; hinter räuml. adv. (*dâr, der, dâ, hie, wâ, swâ*); bei verben (mit dat.) z. b. *mite gân* einem zur seite gehn, ihm folgen; *hëllen* übereinstimmen; *jëhen* beistimmen.

mite-barmen stn. mitleid. **-burgære, -er** stm. mitbürger. **-burge** swm. mitbürge. **-danc** stm. mitgedanke, gemeinsamer gedanke. **-doln** stn. mitleiden. **-dôn** stm. einklang. **-erbe** swm., **-erbelinc** stm. miterbe. **-êwic** adj. gleich ewig. **-gâbe** stf. mitgift. **-ganc** stm. das mitgehen. **-gengel** stm. mitgänger. **-geselle** swm. gefährte. **-gewëre** swm. = *mitegülte.* **-gliht** stf. übereinstimmung. **-gülte, -gulte** swm. mitschuldner, mitbürge. **-haber** stm. mithalter, teilhaber. **-hafte** swm. dasselbe. **-halter** stm. dasselbe. **-hëlen** stv. in gemeinschaft mit andern hehlen. **-hëlfer** stm. mithelfer. **-hëller** stm. jasager, zustimmer, schmeichler. **-hëllic** adj. zustimmend. **-hëllunge** stf. zu-, übereinstimmung, concordia. **-kemphe** swm. kampfgegner. **-kempfer** kampfgenosse. **-lëben** stn. gemeinsames leben. **-lîdære** stm. mitleider. **-lîde** stf. mitleid. **-lîdec** adj. mitleidig. **-lîden** stn. mitleid, mitleiden, gemeinschaftl. leiden; teilnahme an öffentl. lasten. **-lîdunge** stf. dasselbe. **-liute** stm. pl. mitmenschen. **-lôs** adj. freundlich. **-niez** stm. mitgenuss. **-phliht** stf. sorgende teilnahme, anteil. **-reise** swm. kriegskamerad. **-reste** stf. mitruhe. **-riter** stm. der mitreitet. **-ritter** stm. rittergenosse. **-sacher** stm. = *miteteil.* **-sam** adj. umgänglich, gesellig, freundlich. **-same** stf. umgänglichkeit, freundlichkeit. **-sæze, -sëzze** swm. mitwohner, nachbar. **-schuldener** stm. = *mitegülte.* **-sîn** stn. das mitsein, gesellschaft *mit.* **-slæfel** stm. beischläfer, buhler. **-slüzzel** stm. nachschlüssel. **-teil** stm. teilhaber, verbündeter. **-teiler** stm. dasselbe; der etw. mitteilt. **-teilic** adj. mitteilend. **-trager** stm. mitträger, gehilfe, genosse. **-trûren** stn. mitleid. **-vart** stf. mit-, zusammenfahrt. **-volge** stf. beistimmung. **-volger** stm. anhänger. **-formec** adj. von gleicher *forme.* **-wære** adj. freundlich, sanftmütig. **-wære, -wâre** stf. freundlichkeit, sanftmut. **-wëre** swm. = *mitegewëre.* **-wësen** stn. das zusammensein mit jem., umgang, verkehr; zusatz zu dem wesen. **-wësenheit** stf. gemeinschaft. **-wist** stf. das zusammensein, dabeisein, beiwohnung, teilnahme, gegenwart; zustand, lage. **-wist** stm. mitwisser. **-würken** stn. zusammenarbeiten. **-würker** stm. helfer, mitarbeiter. **-ziuc** stm. mitzeuge.

mit-sam, -sament, -samt, -sant präp. verstärktes *mit*: zusammen mit.

mittach s. *mittewoche.*

mitte adj. in der mitte, mittler, bes. bei zeitbestimmungen (*mitter tac* mittag; *mittiu naht* mitternacht; *mitter sumer, winter* sommer-, wintersonnenwende; *mittiuvaste* mittfasten, sonntag lätare; auch komp. *mitte-, mittentac; mitte-, mitternaht; mittesumer, -winter; mitte-, mit-, mittenvaste*).

mitte stf. mitte, gegens. zu *ort.*

mittel adj. = *mitte.*

mittel stn. mitte; mittel, vermittelung; was trennend und hindernd in der mitte steht (*âne, sunder mittel* unmittelbar).

mittel stf. mitte.

mitteler stm. der in der mitte ist; gewebe mittlerer art; mittler, vermittler.

mittelerinne stf. die mittelader; vermittlerin.

mittel-haft stf. mitte. **-lich** adj. die mitte haltend; vermittelnd. **-lôs** adj. unmittelbar. **-man** stm. schiedsmann, vermittler. **-mâȥ** stn. mittleres mass. **-mâȥe** stf. lage in der mitte zwischen zwei dingen; das rechte masshalten; mittleres verhältnis der temperatur. **-mæȥic** adj. von mittler grösse oder wert, mediocris. **-muot** stm. mittelstimmung. **-nehter** stm. aequinoctialis; **-neigerin** stf. mediclinium. **-swanc** stm. nach der mitte zielender fechterhieb, -stoss (übertr. auf die dichtkunst). **-teil** stn. die mitte. **-wëgen** adv. mitten. **-wehsic** adj. von mittlerem wuchse oder alter.

mittelîe stf. vermittelung.

mitteln adv. mitten.

mitteln swv. tr. in die mitte stellen, vermitteln. — intr. ein mittel sein, vermitteln.

mittelôde, mittelôt stfn. die mitte.

mittelunge stf. vermittelung; die mitte; mittlerer weg.

mitten, mittene adv. in die mitte, mitten (*durch mitten* mitten durch; *ie mitten, mittunt, mittent* mittlerweile, inzwischen).

mitte-naht s. unter *mitte* adj.

mittenen, mitten swv. refl. sich in die mitte setzen.

mitten-tac, -vaste s. unter *mitte* adj.

mitten-tager stm. meridianus.

mitter adj. in der mitte befindlich; mittler; sup. *ze mitterest* adv. in der mitte.

mitter stm. vermittler.

mitter stf. die mitte.

mitterîn stf. vermittlerin.

mitter-lich adj. mittelmässig.

mitter-man stm., pl. **-liute** ministeriale mittlern ranges.

mitter-naht, -vaste s. unter *mitte* adj.

mitterunge stf. vermittelung.

mitte-sumer, -tac, -vaste, -winter s. unter *mitte* adj.

mitte-woche f. m. mittwoch. kontrah. formen: *mitache, mittach, mittiche, mittich, mitteche mitche, mitke.*

miucheler, mûcheler stm. meuchler.

miuchel-gadem stn. gemach zum verstecken (scherzw. für einen weiten ärmel).

miuchelingen adv. heimlich.

miuchel-ræche adj. heimlich rächend, schadend.

miuchel-ræhe adj. steif, hinkend (vom pferde, s. *mûche*).

miullîn stn. kleines maultier.

miullîn stn. mäulchen.

miure, miuren s. *mûre, mûren.*

miurel stn. mäuerlein.

miuse- s. auch *mûs-*.

miuse-balc stm. mäusebalg.

miuse-drëc, -mist stm. mäusekot.

miuselîn stn. mäuschen; s. v. a. *mûsenier.*

miusenier s. *mûsenier.*

miusîn adj. von der maus.

mixtûre stf. mischung, zusammensetzung (lat. *mixtura*).

möbel s. *mubel.*

mocke swm. klumpen, brokken; bildl. plumper, ungebildeter mensch.

mocke swf. sau, zuchtsau.

mocken swv. versteckt liegen.

model stn. m. mass, form, vorbild, modell (lat. *modulus*).

modelen swv. tr. eine form, ein *model* geben.

modelîe stf. mass, form.

moder stm. in verwesung übergegang. körper, moder; sumpfland, moor.

mog-, mög- s. *mug-, müg-.*

môgen s. *müejen.*

mol, molle stswm. eidechse, molch.

molchen molken, mulchen mulken stn. milch und was aus der milch bereitet wird (käse, zieger, butter); käswasser.

môle s. *menel.*

molt-brët stn. streichbrett am pfluge.

molte stswf., **molte, molt** stm. staub, erde, erdboden.

moltic adj. staubig, zu staub geworden.

molt-schëre swm., **-wërf, -wërfe** stswm., **-wurm** stm. das die erde (*molte*) aufwerfende tier: maulwurf (entstellt *mûlwerf, -wurf, mûrwerf, mûwerf, mûlwelf*).

mômente stf. augenblick (fz. *moment*).

môn, mônôt s. *mâne, mânôt.*

monne swf. unke.

monîzirus stm. das einhorn (auch *monocerus, monosceros*), gr. *μονόκερως.*

mônt, môntac s. *mânde, mântac.*

montâne, muntâne stf. berggegend (mlat. *montana*).

mòntât s. *mundâte.*

môr, môre stswm. mohr; teufel (aus mlat. *Maurus*).

môraȥ stnm. maulbeerwein (nbff. *môrȥ, maraȥ, maras, môrat*), aus lat. *moratum.*

mordajô s. *mort.*

mordære, -er stm. mörder; überh. verbrecher, missetäter.

mordærinne, morderinne stf. mörderin.

mordec, mordic, mortic, mürdic adj. mordgierig, blutdürstig, mörderisch. **-heit** stf. mordgier.

morden, mörden s. *mürden.*

morderîe, mörderîe, mürderîe stf. mord, mordtat.

mordern swv. morden.

mordisch, mördisch adj. mörderisch, wild. **-heit** stf. mörderisches wesen, grausamkeit.

more s. *morhe.*

môre swf. sau, zuchtsau (eig. schwarze sau).

mœre, môre stm. pferd, namentl. last-, reisepferd für männer wie für frauen.

morgen stm. morgen, vormittag (adverbiale ausdrücke: *morgenes, morgens* mit art. *des morgens*, kontr. *smorgens*: morgens, morgen, ebenso *ze morgens, morgenst, morndes*; dat. *morgene, morgen*, kontr. *morne, morn* ebenfalls für lat. *mane* u. *cras*, ebenso *mornen, mornend, mornunt*); ein ackermass, jauchart, eig. so viel landes als an einem vormittage mit einem gespanne umgepflügt werden kann. — adj. crastinus.

morgen-blic stm. morgenlicht. **-brôt** stn. frühstück. **-gâbe** stf. geschenk des mannes an die frau am morgen nach dem beilager (später auch geschenk der frau an den mann), im weitern sinne das vermögen der frau und die vorausgabe, abfindung der kinder. **-gâben** swv. die *morgengâbe* reichen. **-kluc** stm. morgenbissen, frühstück. **-küele** stf. die kühle am morgen. **-lich** adj. matutinus u. crastinus. **-lîche** adv. am morgen. **-licht** adj. hell wie zur morgenzeit. **-licht** stn. = *morgenblic.* **-rôt** stmn., **-rœte** stf. morgenrot. **-sanc** stmn. gesang am morgen. **-schîn** stm. morgenschein, -schimmer. **-sëgen** stm. morgensegen, -gebet. **-sprâche** stf. beratung am morgen. **-stërn** stm., **-stërne, -stërre** swm. morgenstern. **-tou** stm. morgentau. **-viuhte** stf. feuchtigkeit am morgen. **-vrüewe** stf. die frühe morgenzeit.

morgenen, morgen swv. tr. auf morgen verschieben. — refl. morgen werden.

morgenic, mornic, morndic adj. crastinus.

môr-gevar adj. mohrenfarb, schwarz.

morhe, morche, more swf. **morch** stf. möhre, mohrrübe und morchel.

morhel, morchel stf. morchel.

mœrinne, -în stf. mohrin.

morkeln swv. *murc* machen.

môrlîn stn. dem. zu *môr.*

môr-liute pl. zu

môr-man stm. mohr.

morn- s. *morgen-*.

morsære, -er, mörser, mörsel, morsel stm. gefäss zum zerstossen und zereiben, mörser; geschütz (mlrat. *mortarius*).

morsël s. *mursël.*

morsel-, mürsel-stein stm. mörser; steinbadewanne.

mort, -des stnm. treulose tötung, mord (auch niedermetzelung in grossem umfange); verrat; missetat; eine pferdekrankheit; *mort* als ausruf: wehe! (mit angehängter interj. *mordajô, mordiô, mordigô*).

mort adj. tot (*einen m. tuon* töten), aus fz. *mort*.

mort stm. der tod (fz. *mort*).

mort-ackes, -ax stf. mord-, streitaxt. **-âhte** stf. ächtung für eine mordtat. **-æhter** stm. der für eine mordtat geächtete. **-bëten** swv. mordgebete halten (durch die man mit zauber einen tot, *mort* beten will). **-brant** stm. brandstiftung mit räuberischem oder überh. feindlichem angriffe. **-brander, -brenner** stm. mordbrenner. **-brennen** swv. *mortbrant* ausüben. **-briuwe** swm. der auf mord sinnt. **-gërnde, -gir, -giric** adj. mordgierig. **-giftic** adj. todbringend. **-gîte, -gîtic** adj. = *-gir*. **-glocke** f. glocke die bei einem aufruhr geläutet wird, sturmglocke. **-grimme, -grimmic** adj. durch mord schrecklich. **-gruobe** f. mordgrube, -höhle. **-haft** adj. mit mord behaftet, zum morde in bezug stehend. **-heit** stf. grimmiges, auf mord gerichtetes wesen; ermordung. **-heȥȥic** adj. todfeindlich. **-hûs** stn. vom tempel gesagt (mördergrube). **-kûle** f. md. mordgrube. **-lich** adj. mörderisch, auf mord bezüglich, mit mord umgehend. **-liche** adv. durch mord, auf mörderische, treulose weise. **-meile, -meilic** adj. mordbefleckt. **-ræche** adj. sich mit mord rächend. **-rât** stm. mordanschlag. **-ræȥe, -ræȥec, -reiȥec** adj. mordgierig. **-sam** adj. mörderisch. **-schâch** stm. raubmord. **-schâchære** stm. raubmörder. **-schal** stm. todesschrei. **-slange** swm. der hinterlistig wie eine schlange mordet. **-tât** stf. mordtat, mord. **-tæte** swm. mörder. **-vreidec** adj. todbringend schrecklich. **-wal** stmn. die richtstätte, das mordfeld. **-wîse** adj. der zu morden versteht.

morter, mortel stm. mörtel (mlat. *mortarium*).

mortic s. *mordec*.

môr-var adj. = *môrgevar*.

môrz s. *môraȥ*.

mos stn. moos; sumpf, moor.

mosanze s. *masanze*.

möschinc s. *messinc*.

mosec, mosic, mosëht adj. mit moos bewachsen; sumpfig, versumpft, morastig.

mosen, mösen swv. mit moos überziehen; nach moor, sumpf riechen od. schmecken.

most stm. weinmost; obstwein (lat. *mustum*).

mosten, mosteln swv. *wînber m.* od. *treten* mosten.

möster stm. der *mostet*.

mostert s. *musthart*.

mot stn. md. moder, schlamm, sumpf.

moten swv. modern.

mouwe stswf. ärmel, bes. weit herabhängender frauenärmel.

môvieren swv. refl. sich bewegen (lat. *movere*).

môven s. *müejen*.

mû s. *müeje*.

mubel, mübel, möbel stm. (spät, mosel- fr.) das fahrende gut (lat. *mobile, mobilia*).

müch- s. *miuch-*.

mûche swf. eine den fuss lähmende krankheit der pferde.

mûchen swv. verstecken, verbergen. dazu **mûcherîe** stf.

mücke mucke, mügge mugge swf. mücke, fliege.

mückelîn stn. kleine *mücke*.

mückin stf. = *mocke* swf.

müede, muode adj. verdrossen, müde, abgemattet (mit gen. od. *an, von*); elend, unglückselig. — stf. müdigkeit.

müedec-heit stf. dasselbe.

müeden swv. tr. *müede* machen, ermüden; intr. s. v. a. *muoden*.

müedic adj. *müede* machend, beschwerlich.

müedigen swv. müde machen.

müedinc, -ges stm. unglücklicher, elender mensch; schurke, schuft, tropf.

müeje, müe stf. beschwerde, mühe, last, not, bekümmernis, verdruss (md. *mûwe, mûhe, mû*).

müejen, müewen, müen swv. (nbff. *muogen, muon, müegen, muonen*, md. *mûwen, môwen, môgen, mûhen, mûn*) tr. u. refl. beschweren, quälen, bekümmern, verdriessen. — refl. sich bemühen.

müejesal, müesal, müenis stf. stn. mühsal, beschwerde, last, verdruss.

müe-lich adj. *müeje* verursachend, beschwerlich, mühsam, lästig, schwer umgänglich. **-lîche** adv. auf mühvolle, beschwerliche, lästige weise, mit mühe (schwerlich, nicht so leicht).

müemelîn, müemel stn. dem. zu *muome* (bes. als kosende anrede).

müemelinc, -ges stm. der od. die verwandte von mütterl. seite.

müeselîn s. *muoselîn*.

müetelîn stn. dem. zu *muot*.

müeterîn, muoterîn adj. vom mutterschweine herrührend.

müeter-lich adj., **-liche** adv. einer mutter geziemend, der mutter, mütterlich.

müeterlîn s. *muoterlîn*.

müeȥec, müeȥic adj. *muoȥe* habend od. sich nehmend, unbeschäftigt, untätig, müssig (*m. gân, sîn* mit gen.); ledig, los, frei mit gen.; einer pers. od. sache *m. gân, stân* davon abstehn, sie aufgeben, sich entschlagen, enthalten; unnütz, überflüssig. **-genger** stm. müssiggänger; leute, die durch ein standesgemässes vermögen berechtigt waren, kein handwerk od. gewerbe zu treiben, die von ihren renten lebten. **-heit** stf. untätigkeit, müssigkeit.

müeȥegære stm. müssiggänger.

müeȥegen, müeȥigen swv. intr. *müeȥec* werden. — tr. *müeȥec* machen, erledigen, befreien (gen. od. *von*); nötigen *zuo*. — refl. mit gen. od. *sich zuo etw. m.* sich die zeit nehmen zu, musse auf etw. verwenden.

müeȥen swv. tr. nötigen, zwingen. — refl. *sich m. zuo* sich die zeit nehmen zu, musse auf etw. verwenden.

müeȥen anv. göttlich bestimmt sein, sollen; mögen, können, dürfen bes. in optativsätzen; notwendigerweise tun, müssen, mit infin., der aber bei räumlicher bestimmung oft ausgelassen wird; manchmal nur zur umschreibung des futurs.

muff s. *mupf*.

müffeln swv. faulig riechen.

müge, möge, md. *muge, moge,* **mügede** stf. macht, kraft, vermögen, fähigkeit.

müge-, müg-lich adj. was geschehen kann, geschehen sollte, was recht u. billig ist, geziemend, gehörig; vermögend.

müge-lîche adv. possibiliter.

mügelicheit stf. vermögen. possibilitas.

mügen, mugen anv. (präs. *mac*, prät. *mahte, mohte, mehte*) kräftig, wirksam sein, vermögen intr. u. tr. mit gen., mit gen. u. dat. incomm. schuld woran sein, wofür können; gelten, preis haben; mächtig, imstande sein, vermögen mit infin. (bei räuml. bestimmung zu ergänzen); möglichkeit haben, können; recht und ursache haben, sollen, dürfen; der möglichkeit gemäss wollen: dafür können.

mugende part. adj. vermögend, könnend; stark, kräftig

mugent, mugent-, mugen-heit stf. = *müge*.

mügge s. *mücke*.

mügic adj. vermögend, kraft habend.

mugent-rât stm. allmacht.

mûhe, mûhen s. *müej-*.

mûl, mûle stn., **mûle** swf. maul, mund.

mûl stmn., **mûle** swm. maultier (lat. *mulus*).

mül, müle stswf. mühle (wahrscheinlich aus roman. *molina*, lat. *mola*).

mulafich s. *mulvane*.

mûl-ber stnf. maulbeere (*mûl* aus lat. *morum*).

mulchen s. *molchen*.

mulde stswf. mulde, halbrundes ausgehöhltes gefäss namentl. zum reinigen des getreides, mehl-, backtrog.

mulefe s. *mulvane*.

mûlëht, mûlet adj. mit grossem munde versehen; mürrisch.

mül-gëlt stn. mühlzins. **-hûs** stn. mühle. **-meister** stm. = *mülnære*. **-rat** stn. mühlrad. **-slac** stm. = *mül-stat*. **-stadel, -stal** stm. s. v. a. **-stat** stf. platz, wo eine mühle steht od. stehn darf. **-stein** stm. mühlstein. **-wërc** stn. vorrichtung zum mahlen, mühle; mühlgerät; erzeugnis einer mühle.

mûlinne, -in stf. mauleselin.

mulken s. *molchen*.

mulle, mul stf. staub, müll.

müllen, müln swv. zerstossen, zermalmen.

mülnære, -er, müller stm. müller (mlat. *molinarius*).

mülnærinne, müllerin stf. müllerin (bildl. von der jungfr. Maria, die das korn der gottheit gedroschen, gemahlen und zu himmelbrot gebacken hat).

mûl-rössel stn. junges maultier.

mûl-slac. -streich stm. maulschelle.

multer stn. mahllohn, mahlmetze.

multer, muolter swstf. = *mulde*; spottweise gebraucht für die gebogenen platten des brustharnisches.

mulvane herrenloses gut, ab intestato relicta (entstellte formen: *mulve, mulvihe, mulefe, mulafich*).

mûl-wëlf, -wërf, -wurf s. *moltwërf*.

mulzen swv. = *malzen*.

mulzer stm. = *melzer*.

mulzer stn. = *multer* stn.

mun stm. gedanke, absicht.

mûn s. *müejen*.

münch s. *münech*.

münchec, münchisch, munclîch adj. mönchisch.

mundâte, muntât, montât stf. abgesteckter u. gefreiter raum, freiung, emunität (lat. *immunitas*).

mündec adj. mündlich.

mündec adj. mündig.; *eines d. m. werden* es zu tun wagen.

mündelîn, mündel stn. mündchen.

mundelinc, -ges stm. vormund; mündel.

munden swv. schützen.

münden swv. mündlich mitteilen.

munder, munter adj. wach, wachsam; frisch, eifrig, lebhaft, aufgeweckt.

mundern swv. tr. *munder* machen, aufwecken. — refl. munter werden, aufwachen.

münech, münich, munich; münch, munch stm. mönch (*grâwer m.* Cistercienser, *swarzer m.* Benedictiner, *wîzer m.* Prämonstratenser); übertragen: verschnittener hengst, wallach; eine art backwerk (lat. *monachus*).

münechen, münchen swv. tr. zum mönche machen; entmannen. — refl. mönch w., nach der (mönchs-)regel zu leben beginnen.

münechîe stf. stand des mönchs.

münechin stf. nonne.

münech-lëben stn., **-lîp** stm. leben, stand eines mönches.

münechlîn stn. mönchlein.

münech-phert stn. verschnittener hengst.

mûnen swv. schützen (lat. *munire*).

münigen swv. erinnern.

munkel stf. mücke.

munkel stmn. heimlicher streich, vertrauliche unterhaltung, kurzweil?

munst stf. liebe, wohlwollen, freude.

münster, munster stn. kloster-, stiftskirche, dom, münster; kloster(gemeinschaft). (lat. *monasterium*).

munt, -des stm. mund (umschreibend für die person); maul; mündung, öffnung. **-loch** stn. mund; bergm. der eingang zu einem stollen vom tage aus. **-rûm** stm. mund. **-schal** stm. gerede. **-slac** stm. = *mûlslac*. **-vol** stm. was auf einmal in den mund genommen wird, den mund voll macht.

munt stmf. hand; schutz, bevormundung; einwilligung, erlaubnis. **-bor** swm. der die hand schützend über einen hält, beschützer, vormund. **-bor-schaft** stf. vormundschaft. **-bürtic** adj. volljährig. **-hërre** swm. schutzherr; vormund. **-knëht** stm. schützling. **-liute** pl. zu *muntman*. **-man** stm. der sich in den schutz eines andern begibt, schützling, klient. **-schaft** stf. vormundschaft. **-schaz** stm. abgabe für den schutz eines höhern, dessen *muntman* man ist; loskauf von der *muntschaft*.

muntadele stf. schutzbewaltete, bevormundete weibl. person. (für *muntalde, -walde*).

muntâne s. *montâne*.

muntât s. *mundâte*.

munter s. *munder*.

muntieren swv. rüsten, ausrüsten (fz. *monter*).

münzære. -er stm. münzer. der geld prägt od. das recht hat geld zu prägen und zu wechseln; als schachfigur zweiter *vende* (lat. *monetarius*).

münze stf. das nach einer bestimmten vorschrift geprägte geld, münze; silbermünze im gegens. zum *guldîn*; münzrecht; münzstätte, -haus (lat. *moneta*).

münzen swv. geld prägen.

münz-gëlt stn. = *slegeschaz*. **-hamer** stm. münzhammer. **-îsen** stn. münz-, prägstempel. **-meister** stm. münzmeister, münzpächter. **-schrîber** stm. buchführer des münzmeisters. **-smite** stf. münzstätte. **-wërc** stn. handwerk der münze.

muoche swm. sauertopf, verdriesslicher mensch.

muode s. *müede*.

muoden swv. *müede* werden, ermatten.

muoder stn. bauch; rundlicher leib, leibesgestalt; oberfläche des körpers, haut; die brust umschliessendes kleidungsstück, leibchen, mieder (auch von der männertracht und von den ringen des panzers); bauchige wölbung des bewegten meeres.

muodern swv. mit einem *muoder* versehen, bekleiden.

muogen, muon s. *müejen*

muolte swf. = *mulde*.

muolter s. *multer* 2.

muome swf. mutterschwester; weibl. verwandte überh.

muomelîn stn., dem. zu *muome*, freundin.

muor adj. = *mürwe*.

muor stn. sumpf, morast, moor; meer.

muorec, muoric adj. morastig, sumpfig.

muos stn. essen, mahlzeit; speise, bes. breiartige speise.

muoselîn, müeselîn, müesel stn. dem. zum vorigen.

muosen swv. intr. essen, eine mahlzeit halten; tr. speisen.

muosen, muosieren swv. als mosaik einlegen, musivisch od. mit stickerei verzieren (durch vermittelung des rom. aus gr. *μουσειόω*).

muos-hûs stn. speisehaus, speisesaal. **-sac** stm. speisesack: magen. **-teile** stf. die hälfte der bei der erbteilung vorhandenen, der frau zufallenden speisevorräte.

muot stm. kraft des denkens, empfindens, wollens, sinn, seele, geist; gemüt, gemütszustand, stimmung, gesinnung (*hôher m.* freudig erhöhte stimmung, hochherzigkeit, über-, hochmut, *mit lachendem muote* lachend); froher mut, über-, hochmut; begehren, verlangen, lust; gedanke einer tat, entschluss, absicht (*muot haben* mit gen., *mir ist m.* mit gen., *ze muote sîn* od. *werden* unpersönl. mit dat. u. gen. od. nachs. mit *daz*; *mit verdâhtem muote* mit vorbedacht); entschlossenheit, mut; trotziger eigenwille, selbstsucht; erwartung; hoffnung; vermutung.

muotære, muoter, md. **mûter** stm. der eine bergbaubewilligung nachsucht.

muot-blint adj. im geiste blind.

muote s. *muoze* 2.

muotec, muotic adj. mutig. **-lîche** adv. gutes muts; mutig.

muoten swv. etw. haben wollen, begehren, verlangen; bergm. d. bergmass, d. berechtigung zum bergbau verlangen. (mit gen., acc., inf. od. *nâch, ze*; die person steht im dat. od. mit *an, von*).

muoten s. *muozen* 2.

muoter stf. an. mutter (von menschen, tieren u. pflanzen); bildl. *diu geistlîche, heilige m.* die christliche kirche; die urheberin, anstifterin; gebärmutter; bach-, flussbett.

muoter-amme swf. mutter, nährmutter. **-bar** adj. mutternackt (nackt wie aus dem mutterleibe gekommen). **-barn** stn. mutter-, menschenkind, mensch. **-blôz** adj. = *muoterbar.* **-halben, -halp** adv. auf od. von der mütterlichen seite, was die mutter betrifft. **-heit** stf. gegens. zu *magettuom.* **-kint** stn. = *muoterbarn.* **-licheit** stf. myst. die empfangende kraft. **-liebe** stf. mütterl. liebe. **-lîp** stm. mutterleib. **-mâc** stm. verwandter von mütterl. seite. **-maget, -meit** stf. prädik. der jungfrau Maria. **-nacket** adj. = *muoterbar.* **-pfert** stn. stute. **-slehtic** adj. matricida effectus.

muoterîn s. *müeterîn.*

muoterlîn, müeterlîn stn. dem. zu *muoter.*

muotes-halp adv. um des *muotes,* der neigung willen.

muot-gedœne stn. lustgetön. **-gelust** stmf. verlangen, gelüste. **-gelüste** stn. dasselbe. **-grimme** adj. wütenden sinnes. **-hart** adj. hartgesinnt. **-(müet-)lich** adj., **-lîche** adv. anmutig. **-lust** stm. = *muotgelust.* **-mâze** stf. teilung nach angemessenheit od. ungefährem überschlage, abschätzung. **-mâzen** swv. abschätzen. **-mâzunge** stf. = *muotmâze.* **-rîche** adj. freudenreich, wohlgemut. **-sælic** adj. innerlich beglückt, erfreut. **-sam** adj. anmutig; aufgeweckt, munter. **-schar, -scharunge** stf. teilung von gesamteigentum durch übereinkunft. **-scharn** swv. als gesamteigentum durch übereinkunft teilen. **-siech** adj. an dem *muote* krank, betrübt, kleinmütig. **-starc** adj mutig. **-trüebe** adj. betrübt. **-vagen** swv. willfahren. **-veste** adj. festes sinnes, unerschütterlich. **-vrî** adj. freiwillig. **-willære, -er** stm. der aus freiem antriebe, nach seiner neigung handelt; der mutwillig handelt, sich auflehnt. **-wille** swm. der eigene freie wille, antrieb sowohl zum guten als zum bösen (in der rechtssprache gegens. zu dem was sich gehört, bes. zum recht); wollust. **-wille, -willec, -willeclich** adj., **-lîche** adv. *muotwillen* habend, mit *m.* verbunden. **-willecheit** stf. s. *muotwille.* **-willen** swv. intr. *muotwillen* treiben. **-willens** adv. freiwillig.

muotunge stf. begehren; bergm. ansuchen um messung und verleihung eines berges, lehens u. dgl.

muoze stf. freie zeit wozu, musse; bequemlichkeit; unbeschädigtheit, untätigkeit.

muoze, muote stf. die begegnung, bes. die begegnung im kampfe, der angriff.

muozec-, müezec-lich adj. mit musse verbunden. **-lîche** adv. mit musse, sich zeit nehmend, langsam; untätig.

muozen swv. freie zeit haben, zur ruhe kommen; mit gen. ablassen von.

muozen, muoten swv. intr. begegnen mit dat.; feindlich entgegen, zum angriff sprengen (mit dat. od. *an, gegen*).

muoz-, müez-lich adj. = *muozeclich*; zukommend, zulässig.

muoz-lîche adv. = *muozecl-*.

muoz-sîn stn. notwendigkeit.

mupf, muff stm. verziehung des mundes, hängemaul.

mupfen, muffen, müffen swv. den mund spottend verziehen (*ûf einen m.*).

mür s. *mürwe.*

mür stf. die mürbe, zartheit, gebrechlichkeit.

mûrære, -er stm. maurer.

mur-brüchic adj. wegen mürbheit zerbrechlich.

murc adj. morsch, mürbe, welk, faul; morastig; schadhaft.

murc stn. morsches, brüchiges land, erde.

mürden, mörden, morden swv. morden, ermorden.

mürderie, mürdic s. *mord-*.

mûre mûr, miure miur stswf. mauer.

mûren, miuren swv. mauern, aufbauen; mit mauern umgeben, versehen.

mûr-hûs stf. haus an der (stadt-)mauer, hurenhaus. **-loch** stn. mauerloch. **-stein** stm. mauerstein. **-want** stf. mauerwand. **-wërc** stn. mauerwerk, mauer.

mûrîn adj. gemauert.

murm stm. s. v. a.

murmel, murmer stmn. gemurre, gemurmel; kampfgetöse; murrender mensch, murrkopf.

murmelât stf. gemurmel, geflüster.

murmeln, murmern swv. murren, murmeln; heimlich untereinander erzählen, verstohlen als gerücht verbreiten.

murmelunge, murmerunge stf. gemurre, gemurmel.

mürmendîn stn. murmeltier (umgedeutscht *murmeltier*), aus it. *murmontana.*

murmerieren stn. gemurmel.

mursël, morsël stn. stückchen, bissen, leckerbissen (mfz. *morcel,* mlat. *morsellus*).

mürsel-stein f. s. *morselstein.*

mürwe, müre, mür, *-wes* adj. zerbrechlich, mürbe; dünn, zart, schwach, welk.

mürwecheit stf. gebrechlichkeit.

mürwen, morwen swv. gebrechlich sein, werden.

mûr-wërf s. *moltwërf.*

murz stm. kurzes, abgeschnittenes stück, stummel (bildl. *den m. sagen* es kurzweg sagen).

murzes gen. adv. gänzlich, bis aufs letzte stück.

mûs stf. maus; muskel bes. am oberarm.

mûs-ar swm. geringerer, von mäusefang lebender falke. **-îsen** stn. eiserner armschutz. **-lîchen** adv. nach mäuseart, heimlich. **-valle** swf. mausfalle.

mûsære, -er stm. = *mûs-ar.*

muscât, muschât stfm. muskatnuss (mlat. *muscata*).

mûscâtel stm. ein süsser ital. wein, muskateller (mlat. *muscatellum vinum*).

musche swm. ndrh. ein kleiner sperling (fz. *mouche*).

muschel swf. muschel (lat. *musculus*).

müschen s. *mischen.*

müschen swv. stossen, zerschlagen, quetschen.

müschunge stf. *m. des geistes* contritio cordis.

mûseke swf., **mûsic** stf. musik (lat. *musica*).

müsel, musel swstf. scheit, abgesägter prügel, klotz.

mûsen swv. intr. mausen, mäuse fangen; (stehlend, suchend) schleichen; listig sein, betrügen; kitzeln.

mûsenier, miusenier stn. eiserne bekleidung der armmuskeln (*mûs*); vgl. *arm-, mûsîsen, brassel.*

muster stn. das äussere aussehen, gestalt; musterung, aufgebot zu den waffen (it. *mostra*, mlat. *monstra*).

mustern swv. mustern, untersuchen.

must-hart, mostert stm. mit most angemachter senf, mostrich (it. *mostarda*).

mut, müt s. *mütte.*

mûtære, -er stm. mauteinnehmer, zöllner.

mûte stf. maut, zoll; mautstätte (mlat. *muta*).

mûten swv. einen zoll erlegen.

mutsche, mutze fm. ein feineres bäckerbrot?

mütschelîn, mutschel, mützel stn. dem. zum vorig.

mütte, mutte, müt, mut stn. stswm. scheffel (lat. *modius*).

mutze s. *mutsche.*

mütze stf. mütze (mlat. *almutium*, s. *almuz*).

mutzen swv. schmücken, putzen.

mûwe, mûwen s. *müej-*.

mû-wërf s. *moltwërf*.

mûzære, -er stm. jagdvogel, der die *mûze* überstanden hat, mindestens ein jahr alt ist.

mûze stf. das mausern, federwechsel der vögel; hautwechsel der amphibien; haarwechsel der landtiere (mlat. *muta*).

mûzen swv. wechseln, tauschen. — refl. die federn wechseln, mausern; die haut wechseln. — tr. in der *mûze* pflegen, warten; bildl. etw. wie die federn od. die haut wechseln, zum vorschein bringen (mlat. *mutare*).

mûzer-sperwære stm. sperber, **-sprinze** swf. sperberweibchen, **-valke** swm. falke, die schon gemausert haben.

mûz-korp stm. käfig für die vögel während der mauser.

müzzel stm. eine wohlriechende substanz.

muzzenier = *mûsenier.*

muzzen-sun stm. hurensohn.

N

nâ s. *nâch, nâhe, nou.*

nabe stswf. nabe.

nabe-, nebe-gêr stm. spitzes eisengerät zum umdrehen, bohrer (entstellt *nage-, negeber, -bor, neper*).

nabel, nabele stswm. nabel.

nabel-suht stf. nabelbruch.

nac, -ckes stm., **nacke** swm. hinterhaupt, nacken.

nac stm. geruch.

nâch, -hes, nâ adj. nahe, kompar. *næher, nâher, nâr*; sup. *næhest, næhst, nâhest, næst, nâst.*

nâch, nâ 1. adv. nahe, beinahe, genau; räumlich und zeitlich bei demonstrat. adv. (*dar, her, hie, hin nâch*). — 2. präp. mit dat. räumlich das streben, die richtung wohin (bildl. das verlangen, die erwartung), zeitl. die folge, modal das vorbild, die art u. weise bezeichnend. — *nâch* als präposit. adv. bei zeitw. (mit dat.) z. b. *nâch donen* anhangen, haften; *hëllen consentire*; *hengen* nachjagen, nacheilen; *jëhen* beistimmen; *reden* übeles nachreden, verleumden; *sîn* nachfolgen; *stân* hernach stehn, nachfolgen, *trëten* nachstellen; *wîsen, einen n. w.* ihm den weg nach einem zeigen.

nac-haft adj. boshaft, hinterlistig, verschlagen.

nâch-bëte stf. = *nâchstiure.* **-bûre, -bûr** swstm. der in der nähe wohnende, der anwohner, nachbar. **-bûrinne** stf. nachbarin. **-bûr-schaft** stf. nachbarschaft. **-erbe** swm. nachfolgender erbe. **-ganc** stm. nachfolge. **-gânde** part. adj. nahegehend. **-geborn** part. adj. nahe verwandt. **-gebûre, -gebûr** swstm. = *nâchbûre.* **-gedinge** stn. = *nâchgerihte.* **-gêer, -genger** stm. nachfolger. **-gerihte** stn. gericht ausser den regelmässigen gerichtstagen od. eine (gewöhnlich 14 tage) nach dem hauptgerichte gehaltene gerichtsversammlung. **-geschicket** part. adj. m. dat. nachgebildet. **-geselle** swm. nachbar. **-gesippe** adj. nahe verwandt. **-gewin** stm. nachträglicher gewinn. **-gëhe** s. *nâchjëhe.* **-giht** stf. bekenntnis. **-grîfer** stm. der nach etw. greift od. greifen will. **-grific** adj. geneigt nach etw. zu greifen. **-hanger** stm. anhänger. **-huote** stf. nachhut des heeres. **-jac** stm., **-jage** stf. das nachjagen, die verfolgung. **-jaget** stn. dasselbe. **-jâr** stn. das darauf folgende jahr. **-jegære** stm. verfolger. **-jëhe, -gëhe** swm. beistimmer, verteidiger. **-klaffer** stm. verleumder. **-klage** stf. eine nach abgemachter sache angestellte neue klage, bes. die gegenklage des beklagten. **-klanc** stm. nachklang, die zweite silbe eines klingenden reimes; das folgende, kommende. **-kome** swm. nachfolger; nachkomme. **-komelinc, -kumelinc** stm. nachfolger (bes. rechtsnachfolger od. nachfolger im amte); nachkömmling. **-kumunge** stf. nachwelt, zukunft. **-kunde** swm. nachforscher. **-kunft, -kumft** stf. nachkommenschaft. **-lich** adj., **-liche** adv. nahe. **-lieger** stm. nachsprecher u. verbreiter einer lüge. **-mâles** adv. nachher. **-name** swm. beiname. **-ranc** adj. einer sache nachstrebend, sie überlegend, listig, schlau. **-ræte, -rætec** adj. bedächtig, überlegend, klug. **-rede** stf. übele nachrede, verleumdung; duplik; nachwort. **-reder** stm. verleumder. **-reise** stf. das nachreisen, -folgen. **-rëht** stn. = *nâchgerihte*; bestimmter anteil der gerichtsdiener an den eingehenden strafgeldern und das recht dazu. **-rihter** stm. scharfrichter, henker; scherge. **-riuwe** swmf. = *after-r.* **-rûnen** stn. das flüstern hinterm rücken. **-schenke** swm. mundschenk. **-setzic** adj. nachstellend. **-sippe** swm. naher verwandter. **-slac** stm. schlag von hinten, bildl. nachrede. **-slüzzel** stm. nachschlüssel, zweiter schlüssel. **-smac** stm. nachgeschmack. **-sprëcher** stm. = *hindersprëcher.* **-stellic, -stendic** adj. rückständig. **-stiure** stf. abzugsgeld des auswandernden für das mitgenommene gut. **-swanc** stm. was sich nachschwingt, schleppe. **-tac** stm. folgender *tac.* **-teidinc** stn. nachverhandlung. **-tihter** stm. sp. dichterepigone. **-var** swstm., **-varer** stm. nachfolger. **-vart** stf. das hinterherkommen, nachlaufen; das gefolge. **-volgære, -er** stm. nachfolger, anhänger; verfolger. **-volge, -volgunge** stf. nachfolge, befolgung. **-vürste** swm. fürstlicher vasall. **-wandel** stm. = *nâchrëht* in d. zweiten bed. **-wende, -wendic** adj. nahe, benachbart; verwandt. **-wint** stm. segelwind. **-wist** stf. das nahesein, die nähe. **-wort** stn. nachträgliche geltendmachung eines anspruches, einer forderung. **-zoge** swm. nachfolger.

nache swm. nachen.

nac-heit stf. bosheit, hinterlist, verschlagenheit.

nâchen adv. beinahe.

nacher stm. lenker eines nachen.

nacken adj. nackt.

nacken-, nacket-blôȥ adj. ganz nackt, ganz bloss.

nacke-slagen swv. auf den *nac* schlagen.

nacket, nackent, nackic, md., ndrh. **nach** adj. unbekleidet, nackt; entblösst (*swert*); entblösst, ledig, frei von (gen.).

nacke-tac, -tage stswm., **nacketuom, nactuom** stm. nacktheit.

nacten, nacken swv. nackt sein.

nactheit, nackenheit, md. **nachtheit** stf. nacktheit.

nâdel, nâdele stswf., **nâlde** swf. nadel, nähnadel; streichnadel; magnetnadel.

nâdeler, nâldener, nêldener stm. nadler.

nâdel-bein stn. beinerne nadelbüchse. **-bic** stm. nadelstich. **-hol** stn. = *nâdel-œre.* **-nacket** adj. bis auf die letzte nadel am kleide entblösst. **-(nâlden-)œre** stn. nadelöhr.

naffe, näffe swf. nachen.

naft präp. md. nach.

nafzen swv. schlummern.

nage stf. das nagen.

nageber s. *nabegêr.*

nagel stm. kontr. *nail, neil, nâl*: nagel an händen und füssen (*nagels künne* verwandtschaft des siebenten grades); nagel od. schraube von metall od. holz um etw. zu befestigen, um. etw. daran zu henken; aststelle im holze; gewürznelke; augenübel der pferde; ein bestimmtes gewicht.

nagelen, negelen swv. nageln, mit nägeln, stiften beschlagen, heften.

nagelîn stn. gewürznelke s. *negellîn.*

nagel-îsen stn. werkzeug in der schmiede. **-mâc, -vriunt** stm. verwandter im siebenten (letzten) grade. **-mâl** stn. nagelzeichen. **-niet** stm. = *niet* 2. **-niuwe** adj. nagelneu. **-wurz** stf. nagelwurzel.

nage-mûs stf. nagende maus.

nagen stv. VI nagen, be-, zernagen, abnagen.

nægen s. *næjen.*

nagunge stf. das nagen, beissen, brennen.

næhære stm. = *næwœre.*

nâhe, -nâ adv. (komp. *nâher næher*, kontr. *nâr*, sup. *nâhste, næhste*, kontr. *nâst, næst*) nahe, in der, in die, aus der nähe räuml.; *n. in* eng eingeschlossen, fest und tief; in innerlich tief berührender, namentlich verletzender, schädlicher weise; genau, nahe ins auge fassend, deutlich; beinahe, fast; wohlfeil, billig.

næhe adj. nahe.

næhe swf. = *nâwe.*

næhe stswf. md. *nâhe, nêhe*, kontr. *nâ, nê*: die nähe (vom orte und von der zeit).

næhede stf. nähe.

nâhen adv. = *nâhe.*

nâhen, nân swv. nahen, sich nähern intr. u. unpers. mit dat. — refl. sich nähern *zuo.*

næhen swv. tr. nah machen, bringen. — intr. u. refl. sich nähern, nahen, mit dat. od. *gegen, zuo*; unpers. mit dat.

nâhenen swv. = *nâhen.*

næhenen swv. = *næhen.*

nâhent, næhent, nâhet adj. adv. nahe; beinahe.

næhern swv. nähern.

næhic adj. nahe, sich nähernd.

naht stf. nacht, abend (*naht unde tac* immer, *guotiu n.* abendlicher abschiedsgruss u. überh. verabschiedung); bei fristbestimmungen wurde nach nächten gerechnet (am häufigsten *vierzehen n.*); der vorhergehende abend.

naht-behalde stf. nachtlager. **-belîp** stmn. dasselbe. **-brant** stm. nächtliche brandlegung, mordbrennerei. **-brenner** stm., nacht-, mordbrenner. **-brût** stf. = *nahtvar.* **-diep** stm. dieb der bei nacht stiehlt. **-einunge, -einigunge** stf. strafgeld für nächtl. übertretung der *einunge.* **-eise** stf. schrecken der nacht. **-etze** stf., **-etzen** stn. weide zur nachtzeit. **-ëȥȥen** stn. abendessen. **-gebëre** stn. nächtliches versteck. **-gëlt** stn. bezahlung für nachtherberge, quartiergeld u. überh. reisediäten; lohn für nächtl. arbeit, für nachtwache. **-gengel, -genger** stm. nachtschwärmer. **-gesihte** stn. traum. **-gewant** stn. nachtkleid. **-ganc** stm., **-gên** stn. nachtschwärmerei; nächtlicher streifzug des richters nach strafbarem. **-glîmel** stn. leuchtwürmchen. **-hirte** swm. nachtwächter. **-hulde** swf. = *nahtvar.* **-huote** stf. nachtwache. **-imbîȥ** stm. abendessen. **-iule, -ûle** swf. nachteule. **-lâge** stf. nachtlager. **-lanc** adv. von jetzt an die nacht hindurch, für diese nacht. **-lôn** stm. lohn für nachtwache. **-mâl** stn. abendessen, abendmahl. **-mare** m. f. der alp. **-maȥ** stn. = *nahtmâl.* **-meister** stm. abtritträumer. **-rabe** swm., **-raben** stm. nachteule. **-reste** stf. nachtruhe. **-roubære** stm. nächtlicher räuber. **-roup** stm. nächtl. raub. **-ruowe** stf. nachtruhe. **-sal** s. *nahtselde.* **-schâch** stm. nächtl. raub. **-schade** swm. nächtl. beschädigung. **-schînende** part. bei der naht leuchtend. **-sëdel, -sidel** stmn. nachtlager, -herberge. **-selde, -sel, -sal** stf. dasselbe (bes. die unentgeltl. beherbergung, wie sie die fürsten in klöstern und ihre beamten bei den untertanen zu nehmen pflegten, dann auch die geldabgabe statt der bestreitung solcher nachtquartiere). **-sidel** s. *nahtsëdel.* **-slichende** part. bei der nacht schleichend. **-trugene** stf. nachtgespenst. **-var** swstf. nachtfahrerin, drude, hexe. **-vogel** stm. eule. **-vorhte** stf. = *nahteise.* **-vrist** stf. aufschub über nacht. **-vrouwe** swf. = *nahtvar.* **-wache, -wahte** stf. nachtwache, -wächter. **-weide** swf. nächtliche jägerin, nachtfahrerin. **-zît** stf. nachtzeit, nacht.

nahte-gal, -gale stswf. nachtigall (die nachtsängerin).

nahten swv. intr. nacht werden, dunkeln; übernachten.

nahtes adv. während der nacht, zur nachtzeit, nachts.

nail s. *nagel.*

næjen, næn swv. nbff. *nægen, næwen, neigen, neien*: nähen; kunstreich nähen, steppen, sticken; die knopflosen kleider zusammenheften oder schnüren, jem. darin einschnüren.

nakeler s. *nôklier.*

nâl, nâlde s. *nagel, nâdel.*

nâldîn adj. von nadeln gemacht.

nâlen swv. = *nâhen.*

nalles s. *alles.*

name, nam swstm. name, benennung (*mit namen* namentlich, nämlich, ausdrücklich, besonders; mit *bî, ze, an dem namen* dem namen nach, mit namen. *in dem namen* in der meinung); geschlecht (*in mannes namen* männl. geschlechtes); rang, würde, stand; person. bes. von den drei göttl. personen; mit gen. od. pron. poss. umschreibend (*mannes, wîbes n.* = *man* usw.; *in mînem, dînem* usw. *n.* um meinet-, deinetwillen).

nâme, nâm stfm. gewaltsames nehmen, raub, beraubung, beute.

name-giric adj. nach einem *name* (rang, würde) begierig.

name-, neme-lich adj. namentlich benannt, bestimmt, ausdrücklich, namhaft, bedeutend; nach *der* u. *dirre*: eben dieser, dieser selbe.

name-, neme-liche adv. um es aus- und nachdrücklich zu nennen oder zu sagen; namentlich, vorzugsweise; fürwahr, gewiss; auf nämliche, gleiche weise.

name-lôs adj. namenlos; wesenlos.

namen swv. nennen, benamsen.

nâmen swv. nehmen; *an n.* beanspruchen.

nam-haft, -haftic adj. einen *namen* habend, mit namen bekannt, namhaft, berühmt.

nân, næn s. *nâhen, næjen.*

nant-lich adj. namhaft.

napf, naph stm. hochfüssiges trinkgefäss, speisenapf.

nar, nare s. *narwe.*

nar stfm. heil, rettung, nahrung, unterhalt.

narde, nardi m. f. narde, aus deren blüte bereiteter balsam (auch *nardus, nardas*); aus gr. lat. *nardus.*

nær-lich adj., **-liche** adv. gering, wenig, notdürftig, knapp, spärlich, genau, gründlich; verletzend, beleidigend.

narre swm. tor, narr (komposs. *narren-kappe, -seil, -spil, -wëc, -wërc* u. a.).

narrec-, narr-heit stf. narrheit.

narrëht adj. töricht, närrisch, verkehrt; *narrehtiu vrouwe* dirne.

narren, nerren swv. knurren.

narte swm. trog, mulde.

narunge, nerunge stf. nahrung, unterhalt.

narwe, nare, nar swstf. swm. narbe.

naschen, neschen swv. leckerbissen geniessen, naschen; verbotene liebesfreuden geniessen, wollust treiben.

nascher, nescher stm. näscher, bes. ehebrecher, wollüstling.

nase swstf. nase; nüster; schneppe; die nase, der näsling (fisch).

nase-bant stn. nasenband, die nase schützender teil des helmes; bildl. schlag ins gesicht. **-bein** stn. nasenknochen, nase. **-drüʒʒel** stm. nüstern. **-loch, -luoc** stn. nasenloch. **-lôs** adj. ohne nase. **-wise** adj. mit feinem geruche begabt, spürnasig.

nasel stf. nase.

nasël stn. = *nasebant* (fz. *nasel*, mlat. *nasale*).

nasen-rimpf stm. das rümpfen der nase; nasenrümpfer.

nas-leich stm. das laichen der näslinge.

nas-rimphen stv. subsannare.

nast = *ast.*

nât stf. die naht; kunstreiche naht, stickerei; zusammenheftung, -schnürung der knopflosen kleider.

nâter, nâtere swf. natter. *diu alte n.* der teufel.

nâter, nâterîn stm. f. näher, näherin.

næter stn. nähkissen, plumarius.

nâtern-vëch adj. bunt wie eine natter. **-houbet** stn. schlangenhaupt, teufel. **-kunigel** stn. basilisk, regulus.

natûre, natiure stswf. natur, angeborene art, beschaffenheit; instinkt; geschlechtstrieb, geschlechtl. vermischung (lat. *natura*).

natûren, natiuren swv. natürl. schaffen, bilden; natur, art und weise verleihen.

natûr-haft adj. adv. natürlich, natürlicher weise, von natur. **-(natiur-)lich** adj., **-lîche** adv. dasselbe. **-lîcheit** stf. naturalitas, leiblichkeit.

natûric,-lich adj. = *natûr-haft.*

natzen swv. bair. schlafen. vgl. *nafzen.*

næwære stm. der eine *nâwen* führt (s. *næhære*).

nâwe, næwe, nêwe swfm. kleineres schiff, bes. fährschiff.

nâwe s. *nou.*

næwen s. *næjen.*

naʒ, -ʒʒes adj. nass, durchnässt (mit gen. od. *von* nass von). — stn. das nass, die flüssigkeit, feuchtigkeit.

naʒʒât? ein seidenbrokatstoff.

naʒʒen swv. nass werden.

ne, en, in negationspartikel, nicht, das verbum od. den ganzen unabhäng. satz negierend (bei *wiʒʒen* kommen verkürzte formen vor: *neizwâ, neizwan, neiʒwar, neiʒwaʒ, neiʒwër, neiʒwie = ich enweiʒ wâ, wan* usw.); in abhängigen sätzen den neg. od. pos. haupts. einschränkend u. bedingend mit bloss angenommener tatsache (aus *ne wære* es wäre denn, ausser, nur entsteht durch zusammenziehung u. entstellung *niuwer, niur*, s. *wësen*); den negat. hauptsatz ergänzend; mit untergeordn. verneinung einzelner begriffe s. *nie, nieman, niemer, nehein* usw.

nê s. *næhe.*

nëbe s. *nëve.*

nebe-gêr s. *nabegêr.*

nëbel stm. nebel, dunkel; staubwolke.

nëbel-briune stf. dunkelheit durch nebel. **-kappe** swf. unsichtbar machender mantel. **-rouch** stm. nebel. **-sünde** stf. schwarze sünde, todsünde. **-tac** stm. nebeltag, dunkler tag. **-var** adj. nebelfarb, düster.

nëbelen s. *nibelen.*

nebelîn stn. dem. zu *nabel.*

nëben, nëbent s. *enëben.*

nëben-ahsel stm. deichselgenosse. **-bürge** swm. mitbürge. **-burger** stm. mitbürger. **-ganc** stm. nebenweg im gegensatz zur rechten bahn. **-genôʒe** swm. mit-, standesgenosse. **-kint** stn. uneheliches kind. **-kristen** stm. mitchrist. **-mensche** swm. mitmensch. **-sîte** f. = *absîte.* **-wëc** stm. seitenweg. **-wende** stf. ausflucht.

nechein s. *nehein.*

neckelîn, neckel stn. dem. zu *nac, nacke.*

necken, neggen swv. beunruhigen, quälen, plagen.

necken swv. intr. geruch, duft von sich geben, riechen; abs. tr. geruch empfinden, riechen (s. *ecken* 2).

neckisch, nec-lich adj. boshaft, neckisch.

nëf, nëfîn s. *nëve, nëvin.*

negeber, -bor s. *nabegêr.*

negel-boum stm. nelkenbaum.

negelen s. *nagelen.*

negelkîn stn. md. gewürznelke (kontr. *neilikîn, neilkîn, nêlikîn*).

negellîn stn. kleiner nagel; gewürznelke; blumenpistill.

nehein, nechein, nihein, nichein, nekein adj. zahlpron. nicht ein, kein (umgestellt *enhein, enkein, inhein, inkein,* abgek. *hein, kein*).

nehten adv. in vergangener nacht, gestern abend.

nehtic adj. *nocturnus; hesternus.*

neien, neigen s. *næjen.*

neige stf. neigung, senkung, endschaft; tiefe.

neige-lîcheit stf. neigung.

neigen swv. tr. *nîgen* machen, neigen, senken, erniedrigen (*daʒ houbet n.* zum zeichen der bitte od. unterwerfung); allgemeiner: eine richtung geben, richten, wenden, hinneigen, zuwenden mit dat.; geneigt machen (*geneiget* geneigt, willig *zuo*; geneigt, günstig, mit dat.). — refl. sich neigen, sinken; sich verneigen zum zeichen des grusses, dankes od. der ehrerbietung u. unterwerfung, mit dat. od. *gegen*; sich neigen, richten, wenden, hinneigen, zuwenden mit dat. od. *gegen, ûf, zuo.* — absol. sich hinneigen, wenden (*abe, an, von*). — intr. für *nîgen.*

neigic adj. günstig.

neigunge stf. zuneigung, gelüsten; zustimmung.

neil s. *nagel.*

neilikîn s. *negelkîn.*

nein negat. antwortsadv. nein, verneinend und ablehnend.

nein stf. s. *meine.*

nein-â, neinc durch *â* verstärktes *nein*, verbittendes nein: nicht doch, ja nicht! manchmal ohne negat. bedeut. als aufmunternder zuruf.

neinen swv. refl. zu *nein* werden.

neizen, neisen swv. bedrängen, plagen, beschädigen, verderben.

neizer, neiser stm. bedränger, verfolger, hasser.

neizw- s. *ne.*

nël, nëlle stswm. spitze, scheitel.

nêldener s. *nadelære.*

nêlikîn s. *negelkîn.*

nëme-lich adj. annehmbar, genehm.

nemelich s. *namelich.*

nëmen stv. IV tr. nehmen, fassen, ergreifen, sich aneignen; einnehmen als medizin; prüfend nehmen, wählen, zielen; unternehmen; sich geben lassen, annehmen, erhalten, empfangen; benehmen, wegnehmen, gewaltsam nehmen, rauben mit dp.; von geistigem annehmen, vernehmen, lernen, ablernen *von*; festsetzen, bestimmen; vornehmen, bedenken, überlegen; auffassen: *vür guot n.* gut aufnehmen, womit fürlieb nehmen. — refl. *sich n. ûz, von* absondern, entfernen, aufhören von: unpers. mit acc. *mich nimt untûr* dünkt gering, *mich nimt wunder.* — intr. (*abe, ûf, zuo nemen*).

nëm-hart stm. der gerne nimmt.

nemmen, nennen swv. einen *namen* geben, beim namen rufen, nennen; festsetzen, bestimmen; zu etw. (*vür, zuo*) ernennen, erklären; rechnen, zählen zu (*in, zuo*); ausrufen, bekanntmachen, rühmen, preisen (*genant* berühmt, bekannt).

nenden swv. mut fassen, sich erkühnen, wagen mit gen.

nennen s. *nemmen.*

neper s. *nabegêr.*

nepfelîn stn. dem. zu *napf.*

neppen swv. hervorstehn machen, mit etwas erhöhtem besetzen.

ner stf. heil, rettung.

nerde stf. nahrung, unterhalt.

nêren, nergen s. *niergen.*

neren s. *nern.*

nerer stm. nährer, ernährer.

nererinne, -in stf. nährerin.

neriz stn. ausschlag.

nern, neren, nerigen, nergen, nerren swv. tr. u. refl. *genësen* machen, heilen, gesund machen; retten, erretten, schützen, am leben erhalten; nähren, ernähren.

nerren s. *narren, nerigen.*

nerren swv. narren.

nerrisch adj. = *narrëht.*

nerrischeit stf. narrheit, torheit, verkehrtheit.

ner-swîn stn. mastschwein.

-varch, -verkel stn. mastferkel.

nerunge s. *narunge.*

nerwen swv. narbig machen.

nesche swm. das niesen; der schlucken.

neschen, nescher s. *nasch-.*

neselîn stn. dem. zu *nase.*

nësen stv. V in *er-, ge-.*

nêser s. *êser.*

nëspel swf. = *mispel.*

nëst, nest, nist stn. nest, vogelnest; lager, schlupfwinkel anderer tiere; lager, bett, wohnung; augenhöhle.

nestel stf. bandschleife, schnürriemen, binde.

nesteln, nesten swv festbinden, schnüren.

nëstlinc, *-ges* stm. nestvogel; kind.

nëter = *ëter.*

netze stf. urin.

netze stn. netz: zum fangen von fischen od. tieren, zum schutz gegen insekten, über kleidern zum schmuck; als haarputz der jungfrauen; netz um die eingeweide; aufzug eines gewebes. **-garn** stn. netz. **-vogel** stm. lockvogel im netze.

netzelîn, netzel stn. dem. zu *netze.*

netzen swv. tr. *naz* machen, netzen, benetzen. — intr. s. v. a. *nazzen* pissen.

neuht, neut s. *niht.*

neur s. *wësen.*

nëve, nëf swm. md. *nëbe*: neffe, meistens der schwestersohn; mutterbruder, oheim; in weiterem sinne: verwandter, vetter, bes. in der anrede.

nëve-schaft stf. neffen-, verwandtschaft.

nëvin, nëfîn stf. nichte.

ne-wære, newer s. *wësen.*

nêwe s. *nâwe.*

ne-, en-wëder adj. zahlpron. keiner von beiden; das neutr. sing. wird als disjunkt. partikel gebraucht: weder mit folgd. *noch*, gewöhnl. mit abgefall. *ne*: *wëder.*

newëder-halp, -halben adv. auf keiner von beiden seiten.

ne-wëht, -wiht s. *niht, niwiht.*

ne-wene s. *niuwan.*

nezze, nezzede stswf. nässe, feuchtigkeit.

nezzel swf. nessel. **-biz** stm. das brennen der nessel. **-krût** stn. nessel.

nezzeln swv. als od. wie eine nessel brennen.

nibelen, nëbelen swv. tr. nebelig, wie nebel, dunkel machen. — intr. u. unpers. nebelig sein, werden.

Nibelunc, *-ges* n. pr. patron. myth. manns- u. geschlechtsname (eig. kind, sohn des nebels, der finsternis).

nibelunge stf. nebel.

nichein s. *nehein.*

nichs s. *niht.*

nicken swv. tr. beugen, niederdrücken. — refl. intr. sich beugen, neigen, nicken.

nickes stn. wassergeist, nix; krokodil.

nickese, nixe swf. weibl. wassergeist, nixe, sirene.

nîdære stm. hasser, neider.

nîde swf. eifer-, scheelsucht.

nîdec, nîdic adj. gehass, feindselig, eifersüchtig, missgönnend, neidisch (ohne od. mit dat. od. *über, ûf*). **-heit** stf. neid, bosheit. **-(nîde-)lîche** adv. auf feindselige weise.

nîden stv. I, 1 u. sw. hassen; mit missgunst, eifersucht sehen, beneiden (*umbe, daz*); intr. mit dat. gehässig werden.

nidenân adv. unten.

nidene, niden adv. unten; nach unten, hernieder, hinunter.

nider adv. hinunter, herunter, nieder, bes. mit acc. des raumes (*nider sich*), hinter *dar, her, hin* und bei zeitww. der bewegung z. b. *nider gân* herabsteigen, zu bette gehn, untergehn; *giezen* intr. niederströmen; *komen* herabkommen, zur erde fallen, bes. vom pferde fallen, zu bette gehn; *legen* niederlegen, besiegen, beseitigen, abstellen, in beschlag nehmen; *rêren* zu falle bringen, niedermachen; *slahen* nieder, zu boden schlagen, schlachten; lagern; *slîfen* niedergleiten, -sinken; *stân* vom pferde steigen, sinken, fallen; *wëgen* intr. sich niederwärts bewegen, hängen; sich endigen.

nidere (nider) adj. unter; nieder, niedrig, tief. — **(nider)** adv. unten; niedrig, tief; s. v. a. *nider.* — stf. niederung, tiefe; niedrigkeit; geringfügigkeit.

nideren, nidern swv. tr. u. refl. *nidere* machen, herabsetzen, darniederdrücken, erniedrigen, zu schanden machen.

niderent s. *niderunt.*

nider-ganc stm. nieder-, untergang (der sonne); herabkunft; höllenfahrt Christi. **-gewant** stn. kleid für den unterleib, hosen. **-gurt** stm., **-gürtel** stmf. = *bruochgürtel.* **-halbe, -halben, -halp** adv. nieder-, unterhalb mit gen. **-hemde** stn. unterhemd. **-kleit** stn. = *nidergewant.* **-lâge** stf. das niederliegen, -sinken; das sichniederlassen, aufenthalt; ruhe; niederlage, clades; das niedermachen, -metzeln; warenniederlage. **-lant** stn. unterland; hölle; *Niderlant* das land am Niederrhein (reich Siegfrieds), Niedersachsen; Niederbaiern; Niederschwaben. **-lâz** stm. das niederlassen, sichniederlassen, niederlassung. **-lege** stf. das niederlegen auf; beschwerung; warenniederlage. **-mort** stm. niedermetzelung; zerstörung. **-muot** stm. demut. **-sâȥe** stf. das sichniederlassen. **-schîn** stm. augenniederschlag (als zeitbestimmung). **-sît** adv. unterhalb. **-slac** stm. schlag, der zu boden wirft, vernichtet. **-stic** stm. gegens. zu *ûfstic*. **-sweif, -swif** stm. md. bewegung nach abwärts, talfahrt. **-trehtic** adj. von oben hinab angesehen, gering geschätzt, verächtlich. **-val** stm. niederfall, niedersturz; der nieder (in die hölle) gefallene. **-vart** stf. niederfahrt. **-velle** stf. das niederfällen; neigung, senkung; strömung des wassers. **-vellic** adj. hinfällig, baufällig. **-wanc** stm. das heruntersinken. **-wât** stf. = *nidergewant*. **-wërt, -wërtes** adv. nieder-, abwärts. **-wint** stm. wind, der über niederes land kommt. **-zuc** stm. das nieder-, zubodenreissen.

niderunge stf. erniedrigung.

niderunt, niderent adv. nieder-, unterhalb.

nîdesch, nîdisch adj. = *nîdec*.

nîde-tât stf. tat aus hass.

nide-wendec, -wendic adv. nieder-, abwärts, unten; unterhalb mit gen.

nîdic s. *nîdec*.

nîdinc, nîdunc, -ges stm. neidischer, neidhart.

nîdunge stf. æmulatio.

nie adv. nie, vernein. zeitadv. bei vergangener, vollendeter u. gegenwärtiger tätigkeit neben u. ohne *ne*.

nieht s. *niht*.

nie-man, -men zählendes pronominalsubst. niemand (ohne od. mit beigesetzter verneinung, häufig mit gen.).

nie-mêr, -mêre adv. nicht mehr, nicht wieder, nicht länger (nbff. *nimêre, nimmêre, niemê, nimê, nimmê, nummê, nümmê*).

niemer, nimmer, nimer adv. nimmer, nie, niemals von beginnender u. zukünftiger tätigkeit (ohne od. mit beigesetzter verneinung); von der vergangenheit kann es nur in drei fällen gebraucht werden: wenn es bedeutet „kein mal, jedesmal nicht“ od. wenn es heisst „niemals seitdem“, od. wenn es zum infin. zu beziehen ist gehäuft mit *mêre*: *niemer mêre* (*mêr, mê*) nimmermehr, nie mehr. **-stunt** adj. dasselbe.

niene adv. nicht, nichts (ohne od. mit gen.).

niener, niender, niendert adv. nirgend, oft nur ein verstärktes nicht: durchaus nicht, keineswegs (nbff. *nienert, nindert, nienâ, nienân, nienen, nienant, nienent*).

niere, nier swstm. niere; lende.

niergen adv. md. nirgend, neben u. ohne *ne* (nbff. *niergent, nirgen, nergen, nieren, nêren, nirne*).

niesen s. *niusen*.

niesen stv. II, 2 niesen.

niese-wurz stf. nieswurz.

niet stm. adj. eifer, eifrig (in *gegenniet, nietlîche*).

niet stmf., **niete** swmf. breit geschlagener nagel, niet.

nieten swv. den nagel um od. breit schlagen; mit *nieten* befestigen, nieten.

nieten swv. refl. eifrig (*niet*) sein, streben, sich befleissen, üben; mit gen. wozu oder worin eifrig sein, mit etw. zu tun, zu schaffen haben (der gegenstand kann angenehmer od. unangenehmer natur sein, daher auch: sich einer sache erfreuen od. sie leiden, ertragen müssen); in fülle geniessen, iron. genug haben, überdrüssig aufgeben; unpers. kümmern, verdriessen.

niet-lich adj. verlangen erweckend, angenehm. **-lîche** adv. mit verlangen, eifer, fleiss.

nie-ware adv. nach keiner seite.

nieweht, niewet s. *niht*.

nie-wërlte adv., md. *nîwërlde*, niemals.

nieȥ stm. das geniessen, die benutzung, der genuss.

nieȥen, nieȥȥen stv. II, 2 tr., selten m. gen. inne haben u. sich zunutze machen, gebrauchen, benutzen, geniessen (bes. vom liebesgenusse); als nahrung brauchen, essen od. trinken; verzehren; absol. von dem anreizenden blut- und fleischgeniessen der jagdhunde.

nieȥunge stf. geniessung, genuss.

niftel, niftele swf. schwestertochter, nichte; mutterschwester; verwandte überh. **-schaft** stf. verwandtschaft.

niftelîn stn. dem. zu *niftel*.

nîgen stv. I, 1 intr. sich neigen, sinken *an, in, ûf, zuo*; sich beugen, verneigen vor (dat.) zum zeichen der zustimmung, des grusses, dankes od. der ehrerbietung und unterwerfung (der dat. kann auch fehlen od. durch ein adv. der richtung vertreten werden; der gegenstand, wofür gedankt wird, steht im gen.). — refl. für *neigen*.

nigromanzîe, -manzî stf. schwarze kunst, zauberei (fz. *nigromancie*).

nihein s. *nehein*.

niht stn. ältere u. nebenformen *niuweht, nieweht, neweht, niuwet, niewet, niwit, niwet, nûwet, nûwit, niuht, neuht, nieht, niet, niut, nît, nit*: 1. als zählendes pronominalsubstant. nicht irgend etwas, nichts mit od. ohne gen., neben od. ohne andere verneinung, verstärkt durch vorangehnden gen. *nihtes niht* (woraus durch zusammenziehung *nihsniht, niutsniut, niutsiut, nihtzit, nist, nüst*); ohne *niht*: *nihtes* (woraus nhd. n i c h t s), *nihts, nichs, nütz*. — 2. *niht* als adv. acc.: nicht, allein od. ein übergeordnetes *ne* verstärkend; elliptisch: nicht so, nein.

nihtec-heit, nihtekeit stf. nichtigkeit, nichts.

nihten swv. zunichte machen, vernichten.

niht-sîn stn. das nichtsein.

nimê, nimmê s. *niemêr*.

nimer, nimmer s. *niemer*.

ninne f. wiege, wiegenkind.

nipfen swv. einnicken; gleiten, stürzen.

nirgen, nirne s. *niergen*.

nische swf. ndrh. nische; fz. *niche*.

nist s. *niht*.

nist s. *nëst*.

nisten swv. ein *nëst* bauen und bewohnen, nisten.

nistern swv. leise od. langsam daher kommen.

nit, nît s. *niht*.

nît, -des stm. feindselige gesinnung im allgemeinen, bes. die gesinnung dem feinde im kampfe zu schaden, der kampfgrimm; groll, eifersucht, missgunst, arg, neid (*âne, sunder nît*: nicht auf etw. neidisch sein, nichts dagegen einzuwenden haben, meinetwegen, gerne); eifer, heftigkeit; pers. der neidische, missgünstige.

nît-balc stm. neidhart. **-galle** swf. bitterer hass, zorn, bildl. ein hasserfüllter mensch. **-lich** adj., **-lîche** adv. feindselig, boshaft. **-lîdære** stm. der den *nît* anderer erträgt. **-mordære** stm. mörder aus *nît*. **-sac** stm. neidsack, neidischer mensch. **-slac** stm. feindseliger, grimmiger schlag. **-spil** stn. *spil* des hasses u. ingrimms, feindseligkeit, kampf. **-sûr** adj. erbittert aus *nît*.

Nît-hart n. pr. m. Neidhart, d. h. der im *nîde* (in feindl. eifer, hass) *harte* starke. — appellat. eine (von Neidhart od. nach seiner art gedichtete) tanzweise, tanz; neidischer und missgünstiger mensch; teufel.

nit-niuwe adj. = *iteniuwe*.

niu s. *niuwe*.

niu-bërnde part adj. neue frucht bringend. **-geborn** =

niuweborn. **-geriute** stn. = *niuweriute.* **-gërnde** part. adj., **-gërne, -gërn** adj. begierig auf neues, neugierig, vorwitzig. **-gërne** stf. neugierde, vorwitz. **-mære** stn. = *niuwez mære*: erzählung von etwas neuem, neuigkeit. **-rât** stf. erstlingsfrüchte. **-riute** s. *niuweriute.* **-vanc** stm. anfänger, neuling; dem wasser neu abgewonnenes erdreich; neugefundenes erzlager. **-venger** stm. entdecker eines neuen erzganges.

niuht s. *niht.*

niun s. *niuwan.*

niun num. card. neun.

niunde num. ord. der neunte.

niun-valt, md. *nûn-slaht* adj. neunfältig. **-zëc, -zic** num. card. neunzig. **-zegest, -zigist** num. ord. der neunzigste. **-zëhen** num. card. neunzehn. **-zëhende, -zëhendest** num. ord. der neunzehnte.

niur s. *wësen.*

niusen, niesen swv. versuchen, erproben.

niut, niutsnit s. *niht.*

niuwan, niewan, niwan (nbff. *newene, niuwen, nûwen, niuwent, nûwent, niuwet, nûwet, numme, nummen, niun, nûn*) adv. nichts als, nur, ohne od. mit gen. — konj. ausser (*niwan daz* ausser dass, ausser wenn mit konj.); nur nicht, ausgenommen; ellipt. mit nom.: wäre nicht, wäre nicht gewesen.

niuwe (niwe, niu) adj. neu, frisch; sich erneuernd, veränderlich mit gen.; als gegens. zu *stæte* u. *getriuwe* unbeständig, wankelmütig, wetterwendisch; sich stets erneuernd, nie veraltend, beständig. **-(niwe)** stf. das neu-, frischsein, neuheit, erneuerung; neumond; veränderlichkeit, unbeständigkeit, untreue, ungehorsam.

niuwe-, niu-born part. adj. neugeboren. **-heit** stf. neuheit. **-lende** stn. = *niuweriute.* **-liche, -liches** adv. erst vor kurzem, kürzlich, jüngst, eben erst; neuerdings. **-lingen, -linges** adv. dasselbe. **-riute** stn. ort, wo durch ausreutung des waldes frisches bauland gewonnen ist, neubruch. **-schorn** part. adj. frisch geschorn. **-sliffen** part. adj. frisch geschliffen, **-spüric** adj. *n. vart* frische fährte. **-tülle** adj. mit einem neuen *tülle* versehen. **-var** adj. neufarbig, von neuem aussehen. **-waschen** part. adj. frisch gewaschen.

niuwec, niuwic adj. neu.

niuwec-heit, niuwekeit stf. neuheit; neuerung.

niuwëht s. *niht.*

niuwen s. *niuwan.*

niuwen, niwen swv. tr. u. refl. *niuwe* machen, erneuen, sich erneuen. — intr. *niuwe* w., sich erneuern. **niuwunge** stf. neuerung.

niuwen, nûwen stv. II, 1 u. sw. zerstossen, zerdrücken, zerreiben, stampfen, bes. auf der stampfmühle enthülsen (bildl. *genouwen* erschöpft, ermattet).

niuwenes, niuwens, niwens gen. adv. kürzlich, jüngst, eben erst; neuerdings.

niuwern swv. tr. neu machen, erneuern.

niuwerunge stf. neuerung; erneuerung.

niuwes gen. adv. = *niuwenes.*

niw- s. *niuw-.*

niwære, niwer s. *wësen.*

ni-wiht, -wëht stn. zählendes pronominalsubst.: nicht etwas (s. *wiht*), nichts, ohne u. neben *ne.* — nbff. *newiht, neweht,* umgestellt *inwiht, enwiht* (gewöhnl. form), *entwiht,* entstellt *einwiht.*

nixe s. *nickese.*

niz, nizze stswf. das lausei, die nisse.

nôbel stswm. eine (urspr. englische) goldmünze, fz. *noble,* mlat. *nobulus*).

noch neg. konj. noch: zur teilung eines satzes mit od. ohne negation (wenn die korrelation ausgedrückt wird, so geschieht es durch *weder* od. *noch*); zur verbindung zweier negat. sätze (verba); zur anknüpfung eines negat. satzes an einen positiven: und nicht, und auch nicht; *n. sûr* nicht einmal.

noch adv. noch, noch heute, jetzt: die fortdauer von einem zeitpunkte an, während einer zeit, bis zu einer od. in einer spätern zeit ausdrückend (beim imperat. doch, doch nur, doch einmal); einen gegens. ausdrückend: gleichwohl, dennoch, dessenungeachtet; wiederholung, hinzufügung (noch einmal) bezeichnend, bes. bei kompar.

noch-dan adv. = *dannoch.*

nôklier stm. (nbf. *nuklir, nakeler, ockerlier*) schiffer, steuermann; als schachfig. zweiter *vende* (mfz. *noclier* vom gr. lat. *nauclerus*).

nol, *-lles* stm. = *nël.*

non = *noch en* noch nicht.

nôn-âbent stm. vorabend des himmelfahrtstages.

nône stf. die neunte stunde (von 6 uhr morgens ab gerechnet), überh. die mittagszeit u. ihre kanonische hore; der himmelfahrtstag (aus lat. *nona,* näml. *hora*). **-(nôn-)tac** stm. himmelfahrtstag. **-(nôn-)zît** stf. n. = *nône* mittag.

nonne s. *nunne.*

nop, noppe stswf. wollknötchen am zeuge, tuchflocke, bildl. gar nichts.

noppen swv. das tuch von den *noppen* reinigen.

noppen swv. stossen (obsc. futuere); stösse bekommen, schaukeln.

norden stn. norden.

norden, nordent adv. von, nach, im norden.

nordener stm. nordwind.

norden-halp adv. nordwärts.

norder adj. nördlich.

norder adv. im norden.

norder-, nort-mer stn. nordmeer.

nordert adj. nördlich.

nordert adv. = *norden.*

norder-, nort-wint stm. nordwind.

noren, norn swv. wühlen.

norme stswf. regel, vorbild, norm (lat. *norma*).

nort, *-des* stn. norden.

nort-mer, -wint s. *norder-.*

norz, nörz s. *nurz.*

nôse stm. ndrh. ärgernis, störung, schaden (fz. *noise*).

nôsen swv. ärgern, stören, schaden, schädigen.

nôt stf. m. eig. die reibung (s. *niuwen* 2 u. *nôtviur*); drangsal, mühe, not, bes. die kampfnot, der kampf (in der rechtsspr. ist *diu rehte* od. *êhafte nôt* die rechtsgültige abhaltung, d. gesetzl. hindernis); nötigung wozu, notwendigkeit (*durch, von nôt, bî nôte* notwendig, notgedrungen, *âne nôt* unnötig, ohne nachteil, ohne schaden; *mir ist, wirdet, gât nôt* ich habe nötig, ich bin gezwungen, ich muss; *nôt tuon* mit dp. einen in Not bringen; *ez geschihet n. eines d.* ist nötig, es ereignet sich, fügt sich); anlass, zweck; dringendes verlangen, eifriges streben u. eilen, beflissenheit (*mir ist, wirdet nôt nâch, ze, ze* u. inf., nachs. mit *daz*); affekt, gemütsstimmung; was notwendig ist, notdurft.

nôt-bëte stf. ausserordentl. steuer, zwangsabgabe. **-bëten** swv. intr. *nôtbëte* zahlen. — tr. brandschatzen. **-bëter** stm. der sich eine *nôtbëte* zahlen lässt. **-bote** swm. der das ausbleiben eines vor gericht geladenen durch *êhafte nôt* entschuldigt. **-brant** stm. gewaltsame verwüstung durch feuer. **-dinc** stn. in notfällen berufenes gericht. **-durft** stf. notwendigkeit (*durch nôtd.* notwendigerweise); not; bedürfnis; natürliches bedürfnis; bedarf an notwendigen dingen, bes. an speise u. trank, lebensunterhalt; was zur verteidigung einer rechtssache erforderlich ist. **-dürftic** adj.

nōtig, notwendig; bedürftig, benötigt (mit gen. od. nachs.). **-dürfticheit** stf. notwendigkeit; bedürfnis, erfordernis; hilfsbedürftigkeit, not. **-erbe** swm. erbe, der nur das pflichtteil bekommt. **-gerihte** stn. = *nôtdinc*. **-geschiht** stf. not. **-geselle** swm. kampfgenosse. **-gestalle** swm. dasselbe (nbff. *nôtgestalde, -gestalte, -gestalt*). **-geverte** swm. dasselbe. **-gewalt** stf. gewaltsame beraubung des rechtes. **-gezoc** stnm. notzucht. **-haft, -haftic** adj. *nôt* habend, leidend, bedrängt, dürftig; *eines kindes n. werden* in kindesnöte kommen, schwanger werden. **-hëlfære** stm. helfer in der *nôt*. **-hëlferinne** stf. helferin in der *nôt:* geliebte; Maria. **-herte** adj. in der not ausdauernd. **-hof** stm. kampfplatz. **-hunger-jâr** stn. jahr der hungersnot. **-klage** stf. wehklage. **-lîdec** adj. notleidend. **-nâme** stf. gewaltsamer raub. **-nar** stf. notwendige nahrung. **-nëmære** stm. notzüchtiger. **-numft, -nunft, -nuft, -nust** stf. gewaltsamer raub, bes. frauenraub u. notzucht. **-phant** stn. aus *nôt* gegebenes, nicht freiwillig versetztes pfand. **-rede** stf. rede, die man notgedrungen tut, erzwungene rede; bes. die rede vor gericht, in einer streitsache, auch der eid den eine partei nach lage des falls zu leisten nötig hat. **-rëht** stn. gerichtszwang; s. v. a. *nôtdinc*; s. v. a. *nôtrede* nötiger eid; s. v. a. *êhaftiu nôt*. **-roup** stm. gewaltsame beraubung. **-ruof** stm. notschrei. **-sache** stf. dringende ursache, angelegenheit. **-schranne** stf. gewaltsam enge umschränkung: hölle. **-stadel** stm. = *nôtgestalle*. **-stal** stm. notstall, gewaltsam enge umschränkung; galgen; schloss an einer kette zum einschliessen od. anfesseln; eine art wurfgeschoss. **-stiure** stf. = *nôtbëte*. **-strëbe** swm. = *nôtgestalle*. **-strëbe** stf. das streben gegen die *nôt*, gegenwehr, bes. der augenblick wo das gejagte wild steht u. sich gegen die hunde zur wehr setzt. **-strît** stm. in not bringender kampf. **-sturm** stm. gewaltsamer kampf, berennung. **-teidinc** stn. = *nôtrede*. **-twanc** stm. notzucht. **-val** stm. notfall, bedrängnis durch naturaufruhr. **-vertrîp** stm. vertreiber der not, vom hlg. abendmahl gesagt. **-veste** adj. fest in der not, im kampfe, bes. als prädikat tapferer streiter. **-veste** stf. festigkeit in der not, standhaftigkeit; kampf. **-viur** stn. notfeuer (durch reibung hervorgebrachtes feuer); in *nôt* bringendes feuer, feuersnot. **-wârheit** stf. notwendige wahrheit, grundwahrheit. **-wer** stf. notwehr, abwehr von gewalt; notwendige verteidigung überh. **-wîn** stm. wein, den man zu geben od. zu trinken gezwungen ist. **-zar** stm., **-zerre, -zerrunge** stf. notzucht. **-zerren** swv. notzüchtigen. **-ziehunge** stf. notzucht. **-zoc** stm., **-zoge** stf. dass. **-zoge** swm., **-zoger** stm. notzüchtiger. **-zogen** swv. gewalttätig behandeln; notzüchtigen. **-züge** stf. = *nôtzoc*. **-zühten, -zühtigen** swv. notzüchtigen.

note swstf. musikalische note; musikal. ton, gespielte melodie (pl.); aus fz. *note*, mlat. *nota*.

nôte, nœte adv. dat. notgedrungen, ungerne; notwendig; mit eifer; *mir ist nôte* sorgenvoll zu mute.

nôtec, nôtic, nœtic adj. not habend, bedrängt, dürftig; nottuend, notwendig, dringend; dringlich; eilig; drängend, bedrängend. **-(nœtec-)heit** stf. bedürftigkeit, armut.

nôtegære stm. bedränger, peiniger.

nôtegen, nôtigen swv. m. gs. zwang antun, zusetzen, nötigen (*zuo*); notzüchtigen.

notel stf. m. schriftliche aufzeichnung; notariatsinstrument; vorläufiger aufsatz zu einer förml. ausfertigung (mlat. *notula*).

notelin, notel stn. dem. zu *note*.

nôten adv. mit not, ungerne.

nôten swv. *nôt* sein od. werden mit dat.

nœten, nôten swv. tr. = *nôtegen* (mit gen., *zuo*, infin.); spez. *einen n.* zum essen nötigen. — refl. mit gen. sich zu etw. zwingen, sich mühe geben, mit eifer befleissen.

nôtes adv. mit gewalt.

notieren swv. anmerken; in (musikal.) noten bringen (mlat. *notare*).

nôt-, nœt-lich adj. mit *nôt* verbunden, gefahrvoll, beschwerlich; durch *nôt* hervorgebracht, nötig, notwendig, dringend; *nôt* habend, dürftig; in *nôt* versetzend, bedrängend gefährlich. **-liche** adv. mit *nôt*, mühselig; kläglich, ärmlich; auf hoffärtige, eitle, prunkvolle weise.

notten swv. sich hin u. her bewegen.

nœtunge stf. notzucht; nötigung, notwendigkeit.

nou, nâ, -wes; nouwe, nâwe adj. enge, genau, sorgfältig. — adv. genau, sorgfältig, knapp, kaum.

nou-vart stf. (aus *enouwe vart*) die fahrt stromabwärts, talfahrt; der fahrweg im strom. s. *ouwe* 1.

nouwe-liche adv. mit mühe, kaum.

novize swm. noviz (mlat. *novicius*).

nôȥ stm. = *genôȥ*.

nôȥ stn. vieh, nutzvieh bes. rind, pferd, esel u. kleineres.

nœȥel stn. dem. zu *nôȥ*.

nôȥen swv. refl. mit dat. sich zugesellen, s. *genôȥen*.

nôȥich stn. = *nœȥel*.

nöȥȥelîn stn. = nössel (flüssigkeitsmass).

nû, nu adv. u. konj. (nbff. *nuo, nuon, nun*) 1. zeitadv. nun, jetzt, eben jetzt; temporal-kausaler fortschritt der erzählung u. rede; vor od. hinter fragewort u. ausrufung (*nu dar* wohlan!). — 2. konj. temporal-kausal u. rel.: nun, da, als nun, während.

nû stn. augenblick, nu.

nücken swv. = *nicken*: nikken, stutzen (vom pferde); einnicken, einschlafen.

nüeht = nüehtern.

nüehter-keit stf. zustand, in dem man nüchtern ist.

nüehtern, nüehter, -lich adj. nüchtern; gegens. zu trunken; einem nüchternen angehörend, von ihm kommend; was des morgens genossen wird.

nüejel, nüegel stn. fug-, nuthobel.

nuklir s. *nôklier*.

nulle swm. scheitel, hinterhaupt, nacken. s. *nël, nol*.

nüllen swv. wühlen.

numen, numer entstellung aus lat. *in nomine* in dem segens-, bekräftigungs- u. verwunderungsruf *numen, numer dumen* (*domini*) *âmen*.

numft, nunft, nuft; numst, nunst, nust stf. das nehmen, das ergreifen einer gelegenheit od. das nehmen einer freiheit (s. die komposs. *huge-, nôt-, sige-, teil-, ver-, zuonunft*).

nummê, numme s. *niemer, niuwan*.

nun, nûn s. *nû, niuwan*.

nunne, nonne swf. nonne; übertr. verschnittenes weibl. schwein (mlat. *nonna*).

nunnen swv. zur nonne machen; ein weibl. tier verschneiden.

nunnen-macher stm. sauschneider. **-wîle** stm. vitta.

nunst s. *numft*.

nunzieren swv. melden (lat. *nuntiare*).

nuo, nuon s. *nû*.
nuoht, nüeht adj. = *nüehtern*.
nuomen swv. nennen, benennen.
nuosch stm. rinne, röhre; rinnenartiger trog fürs vieh.
nuot stf. zusammenfügung zweier bretter, fuge.
nûr s. *wësen*.
nurâ interj. wohlan denn!
nurz, nürz; norz, nörz stm. der kleine fischotter u. dessen glänzender pelz (mlat. *noerza*, aus altsl. *nor'z'*).
nusche stswf. spange, schnalle, die den mantel um den hals festhält.
nüschel, nuschel stm. dass.
nüschelîn stn. dem. zu *nüschel*.
nüschen swv. mit einer *nusche* versehen, damit zuheften, überh. zusammenbinden, verknüpfen (*die munde zesamene n.* sich küssen). — refl. sich die spangen zuheften.
nust, nüst s. *numft, niht*.
nustern swv. raunen, näseln.
nûtrâ interj. = *nurâ*.
nütteln swv. sich hin und her bewegen, etw. schwingend zuschlagen; rütteln.
nutz, nütz s. *nuz, niht*.
nütze adj. nutzen bringend, nützlich, nütze, brauchbar (*nütze sîn* mit dat., *vür, zuo*).
nütze stf. = *nuz*.
nutze-, nütze-bære, -haftec adj., **-bærlîche** adv. nutzen bringend.
nütze-lich adj., **-liche** adv. nutzen bringend, nützlich; genuss bringend, angenehm.
nützen, nutzen swv. gebrauchen, benützen; als nahrung brauchen, essen oder trinken, geniessen (mit gen.). — refl. seine kraft brauchen, sich anstrengen; unpers. *mir* od. *mich nützet* mir ist von nutzen, hilft.
nutz-sam adj. nützlich.
nützunge, nutzunge stf. nutzen; benutzung, nutzniessung.
nûw- s. *niuw-*.
nûwe swm. nacken.
nûwet, nûwit s. *niht*.
nuz, *-tzes*, nutz stm. gebrauch, genuss, nutzen, vorteil, ertrag, einkommen.
nuȥ stf. schalenfrucht wie nuss, mandel; bildl. das geringste; kerbe am armbrustschaft, worin die gespannte sehne ruht. **-boum** stm. nussbaum. **-brëche** swm. nussknacker.
nüȥȥelîn, nüȥȥel stn. dem. zu *nuȥ*.
nuȥȥen swv. nüsse brechen, pflücken.

O

ô interj. vor vokat., vor fragend. ausruf u. vor andern interjj. (*ôhei, ôwê, ôwol*; nachgesetzt z. b. *wâfenô! helfiô, mordiô!*).
obe, ob, op konj. wenn, wenn auch, falls (mit ind. u. konj.); als, wie wenn; *waȥ obe* wie wäre es wenn, wie wenn, vielleicht? ob (in abhäng. zweifelsfrage, kann auch fortfallen).
obe, ob 1. adv. oben, oberhalb, über (bei raumadv. *dar obe, drobe, dort obe* usw.; bei zeitw. z. b. *obe ligen* oben liegen, obsiegen, überwinden mit dp. u. gs.; *obe sitzen, varn* mit dat. übertreffen; *obe wësen* mit dat. über einem sein, ihm beistehn, ihn beschützen; überragen, stärker sein). — 2. präp. über, oberhalb, auf: lokal mit dat.; eine herrschaft, einen vorzug, ein übertreffen ausdrückend mit dat. od. acc. **-dach** stn. dach über etw., obdach, eigentl. u. bildl. (unterkunft, schutz, schirm); überzug; krone, gipfel eines baumes; haupt, kopf. **-man** stm., pl. **-liute** schiedsmann, richter.
oben swv. intr. oben sein, hervorragen, überragen, übertreffen m. dat.; entgegen sein, hemmen.
obenân, obene, oben adv. von oben; oben.
obent-halp adv. = *oberhalp*.
ober adj. ober; sup. oberst, höchst (*der oberste tac* das fest epiphaniä, das grosse neujahr).
ober-âhte stf. höherer grad der acht, aberacht. **-ane** swm. ältester ahne. **-dach** stn. obdach. **-getevele** stn. zimmerdecke. **-gewan** stn. obere bekleidung. **-halbe, -halben, -halp** adv. u. präp. oberhalb mit gen. od. dat. **-hant** stf. aus *obere hant*: oberhand, übermacht. **-hemede** stn. oberhemd. **-lant** stn. oberes, höheres land (Oberdeutschland, Oberbayern, -schwaben); bildl. der himmel. **-lender** stm. bewohner des *oberlandes*. **-lendisch** adj. aus dem oberlande; überirdisch. **-man** stm. = *obeman*. **-sît** adv. = *oberhalp*.
oberec-heit, oberkeit stf. die herrschaftliche gewalt, obrigkeit.
oberen swv. intr. die oberhand haben, siegen über (dat.).
ober-, über-zile swf. alphabet, alphabetische reihenfolge (umged. aus *abc*).
obese, obse stswf. dachrinne, -tranfe (vgl. *hovesache*).

obe-siger stm. obsieger.
obe-siht stf. aufsicht.
obe-, ob-wendic adv. oberhalb, mit gen. od. dat.
obeȥ, obȥ stn. baumfrucht, obst.
obeȥære stm. öbster, obsthändler.
obeȥ-boum stm. obstbaum. **-trehtic** adj. obst tragend.
oblâte, oblât swstf. stn. oblate; hostie; eine art backwerk (mlat. *oblata, oblatum*).
oblei, obleie stnf. opfer, speiseopfer; brotzins, abgabe in lebensmitteln oder geld bes. an eine kirche, kloster usw.; obleiamt, verwaltung solcher abgaben und stiftungen (mlat. *oblagia, obleia* vom gr. *εὐλογία*).
obleier stm. einnehmer und verwalter der *obleien* (mlat. *oblajarius*).
oblei-meister stm. dasselbe.
obletter stm. kuchenbäcker.
ob-meister stm. aufseher.
ob-name swm. beiname.
occident, occidente stswm. okzident, westen (fz. *occident*).
och, ôch s. *ouch*.
och interj. ach.
ocker, ogger stnm. ocker (gr. lat. *ochra*).
ocker stm. penis (vgl. *atigêr*).
ocker, ockers, ockert s. *eht*.
ockerlier stm. steuermann, lotse (frz. *nôclier*).
ode, od, oder konj. oder, oder sonst; im beginn eines vordersatzes: wenn nicht, es wäre denn.
œde adj. leer, öde, unbebaut, unbewohnt; leicht, gering; arm, entblösst; eitel, schwach, gebrechlich; widerwärtig, dumm, töricht. — stf. unbebauter und unbewohnter grund, wüste.
ode-bar swm. storch.
œdec-heit, œdekeit stf. leichtfertiges, albernes betragen. **-lich** adj. eitel, töricht. **-(œde-)lîche** adv. in eitler od. törichter weise.
œden swv. verheeren.
œdene stf. = *œde*.
œderich stm. törichter mensch.
offei interj. traun! (afz. *afoi*).
offen adj. (md. auch *uffen*) offen, geöffnet, nicht geschlossen; geöffnet, ausgebreitet, breit, voll; öffentlich; unverhohlen, erklärt. — adv. offen, öffentlich. **-bære, -bâr, -bar** adj. adv. offen, geöffnet; offen gezeigt, deutlich, sichtbar, offenbar; öffentlich. **-bæren, -bâren, -bærigen** swv. offen zeigen, offenbaren, veröffentlichen **-bâres** adv. öffentlich. **-bârlich, -bærlich** adj., **-bârlîche, -bærlîche** adv. offenbar, öffentlich. **-lich** adj., **-liche** adv.

offenbar, allen wahrnehmbar oder verständlich, unverhohlen; öffentlich. **-schînec** adj. offen zu sehen, öffentlich.

offene stf. öffnung.

offenen, offen swv. (md. auch *uffenen, uffen*) tr. u. refl. öffnen, eröffnen; offenbar machen, zeigen, kundtun, verständlich machen, darlegen (bes. die rechtsverhältnisse darlegen, ein weistum verkündigen); veröffentlichen.

offenunge stf. öffnung, eröffnung; erscheinung, eintritt; verdeutlichung, offenbarung; erleuchtung; darlegung der an einem ort bestehenden rechtsverhältnisse, weistum.

offerende stswf. offerende, messgesang zur opferung.

offern swv. opfern (lat. *offere*).

ofte, oft adv. oft.

ogger s. *ocker*.

œheim, ôheim stm., **œheime, ôheime** swm. mutterbruder, oheim; schwestersohn, neffe; verwandter überh.; in vertraulich ehrender anrede.

ohse swm. ochse; gestirn Bootes. **öhselîn, öhsel** stn. kleiner ochse. **ohsenære** stm. ochsenhirt, -bauer.

ohsen-bein stn. ochsenknochen; würfel. **-diech** stn. ochsenkeule. **-hërter** stm., **-hirte** swm. ochsenhirt. **-houbet** stn. gestirn der Hyaden. **-hût** stf. ochsenhaut. **-joch** stn. joch ochsen. **-kalp** stn. stierkalb. **-trîberlîn** stn. astr. Bootes. **-zagel** stm. astr. colurus.

ohsîn adj. vom ochsen.

ohsisch adj. astr. *borealis*.

oht s. *eht*.

ohteiz interj. der verwunderung, hei!

oi-â interj. dasselbe.

oimê interj. o weh.

oist stn. schafstall.

öl s. *öle*.

olbente, olbende swfm., **olbent** stm., **olbentel** stn. kamel.

olbentier (aus *olbent-tier*) stn. dasselbe.

öl-ber stn. olive. **-bërc** stm. ölberg. **-boum** stm. ölbaum. **-boumîn** adj. vom ölbaum. **-loup** stn. ölzweig. **-rîs** stn. ölzweig; kranz daraus. **-slahe** swf. ölpresse. **-slaher** stm. ölpresser. **-var** adj. ölfarbig. **-vruht** stf. olive. **-zwî** stn. ölzweig.

olde, old, older konj. = *alde*.

öle öl, ole ol, oli olei stn. öl (sinnbild der göttl. barmherzigkeit); vitriolöl (lat. *oleum*).

ole-bach stn. ölquelle. **-bluot** stf. blüte des ölbaumes.

olei-glas stn. ölglas.

olei-man stm. ölhändler.

ölen öln, olen oln, oleien swv. ölen, mit öl zubereiten; salben (von der letzten ölung).

öler, oleier stm. ölmüller.

öle-vaz stn. ölgefäss; öllampe.

olifant, olivante stswm. das horn Rolands; elefant (afz. *olifant*)

olive swstf. swm. ölbaum (lat. *oliva*).

olivêt ölberg (lat. *olivetum*).

ölunge, olunge, oleiunge stf. die letzte ölung.

ome, om swstn. spreu; bildl. nichts; swm. futter, womit die vögel ihre jungen ätzen.

omêlie swf. homilie (mlat. *omelia*).

ônichinus, onichîus, onichûs, ônichel, ônich, ônix stm. onyx (lat. *onichinus*).

op s. *obe*.

opfer, opher stn. (md. auch *opper*) opfer, die einer kirche oder der gottheit dargebrachte gabe; hostie.

opfer-bære adj. zum opfer geeignet; alt genug um an dem opfer teilzunehmen. **-ganc** stm. opfergang. **-golt** stn. als opfer dargebrachtes gold. **-sanc** stmn. gesang beim offertorium der messe. **-sange** swf. opfergarbe. **-vrischinc** stm. opferlamm.

opfern swv. ein *opfer*, als *opfer* darbringen, opfern (lat. *operari*).

opferunge stf. opferung, opfer.

ôr, œr s. *ôre, œre*.

ôr-blâse f. ohren-, trommelfell.

orden stm. regel, ordnung; reihe, reihenfolge, stufe; anordnung, verordnung, auftrag, befehl, gesetz; orden; stand, art (oft nur umschreibend: *kristenlîcher orden* die christen, *keiserlîcher o.* das kaisertum usw.); aus lat. *ordo*. **-brëche** swm. der den *orden* bricht. **-haft** adj. ordensgemäss. **-heit** stf. anordnung. **-lich** adj., **-liche** adv. der ordnung, regel gemäss.

ordenære stm. ordner, anordner; pl. ordensleute.

ordenen, orden swv. ordnen, in ordnung bringen, einrichten; anordnen; anweisen, verordnen, bestimmen; einem orden einverleiben.

ordenunge stf. regel, ordnung; anordnung, verordnung, vorschrift; ordination; rang, stand, bes. von den chören der engel; einrichtung, lebensweise.

ordinieren, ordenieren, ornieren swv. ordnen, in ordnung bringen, einrichten, ausrüsten; anordnen, anweisen, verordnen, bestimmen; ordinieren, zum geistlichen weihen (lat. *ordinare*).

ôre, ôr swstn. ohr (bei menschen und tieren); etwas ohrähnliches.

œre, œr; ôre, ôr stn. ohrartige öffnung woran oder worin: nadelöhr; loch in der axt zum einsetzen des stieles; henkelloch, henkel, handhabe.

ôre, ôr stf. = *hôre*.

ôreht adj. mit ohren versehen, langohrig.

ôrelîn, œrelîn, œrel stn. dem. zu *ôre*.

ôre-lôs adj. ohrenlos; nicht hörend.

ôren-winde swf. ohrfeige.

ôren-wützel stm. ohrwurm.

ôre-vël stn. = *ôrblâse*.

ôre-wetzelîn stn. kleine ohrfeige.

organieren, orgenieren swv. orgeln, pfeifen, musizieren.

organa stf., **organe, orgene** swf. = *orgel* (mlat. *organa*).

organiste swm. organist (mlat. *organista*).

orgel, orgele stswf. orgel.

orgelærinne stf. orgelspielerin.

orgelen, orgeln swv. orgeln.

orgeler stm. organist.

orgel-sanc stmn. orgelklang.

orgel-wërc stn. orgel.

orgenen swv. = *orgelen*.

orgenieren s. *organieren*.

ôr-golt stn. = *ôrrinc*.

ôrgrickel-vinger, ôr-grübel, -grüebel stm. ohrfinger, digitus auricularis.

ôrient, ôrient, ôrjent stm. orient, osten (fz. *orient*).

orke swm. org, elbisches wesen (it. *orco*, lat. *orcus*).

or-kunde s. *urkünde*.

ôr-luoc stn. ohrloch.

ôr-meister stm. uhrmacher.

ornât stmf. amtsschmuck, amtstracht; kirchengewand, -schmuck (lat. *ornatus*).

ornieren swv. schmücken (lat. *ornare*).

ornieren s. *ordinieren*.

ôrolei, ôrlei stn. uhrwerk, uhr (lat. *horologium*).

ôr-rinc stm. ohrring.

ôr-rûne swm., **-rûner** stm. der ins ohr flüstert, geheimer ratgeber.

ors s. *ros*.

ôr-slac stm. ohrfeige. **-slagen, slegen** swv. an die ohren schlagen.

ôr-smër stn. ohrenschmalz.

ort stnm. äusserster (anfang- od. ausgangs-) punkt nach raum und zeit: anfang, ende (*an, ûf, in, unz, unz an ein o.* zu ende, vollständig, ganz und gar); spitze, bes. der waffe, spitzes werkzeug; ecke, winkel; rand, saum, seite; himmelsgegend; (zu äusserst gelegenes) stück landes; angewiesener platz, stelle; stück, teil, vierter teil von mass, gewicht, münze (bes. der vierte teil eines guldens). **-banc** stf. eckbank. **-bant** stn. eisernes band an der spitze der schwertscheide. **-habe** swm., **-haber, -heber** stm. urheber, anführer; *auctoritas*. **-haberin** stf. anführerin. **-habunge** stf. anfang; ansehen, machtvollkommenheit. **-hebic** adj. anfangend. **-hûs** stn. eckhaus. **-îsen** stn. = *ortbant*. **-kint** stn. kind von ungerader zahl. **-man** stm. schiedsmann, dessen stimme bei stimmengleichheit entscheidet. **-mëȥ** stn. richtscheit. **-pic** stm. stich oder hieb mit dem vordern ende des schwertes. **-stein** stm. eckstein. **-vrumære, -vrümære** stm. urheber. **-vrümecliche** adv. von anfang an. **-zan** stm. eckzahn.

ortec, ortic adj. schneidig, scharf.

orte-, örte-lîn stn. dem. zu *ort*.

orten swv. refl. sich erstrekken, auslaufen, zu ende gehen.

ortern, örtern swv. mit spitzen versehen; viereckig machen; genau untersuchen.

ortoht adj. am *orte* befindlich, ungerade; eckig, viereckig.

ôr-vandel stn. = *ôrblâse*.

ôr-vîge stf. md. ohrfeige.

ôr-zeiger stm. uhrzeiger.

orzen swv. mit halbem winde segeln (it. *orzare*).

ôse swstf. öse, griff, henkel, schlinge (lat. *ansa*).

œsen, ôsen swv. leer machen, ausschöpfen; leer, frei machen, lösen; vernichten, berauben.

œserinc, *-ges* stm. eine münze.

ostelie stf. herberge (it. *osteria*, fz. *hôtellerie*).

ôsten, ôst stnm. osten.

ôsten, ôstene adv. nach, im osten.

ôstenân adv. von osten.

ôstener, ôstner stm. ostwind.

ôstent adv. im osten.

ôster adv. im osten. — adj. im osten befindlich, östlich, morgenländisch. — stm. ostwind.

ôster stswf. ostern, osterfest (ostermahl); ostern, frühling (gewöhnl. pl.).

ôster-âbent stm. tag vor ostern. **-ei** stn. zu ostern abzuliefernde zinseier. **-hôchzît, -hôchgezît** stfn. osterfest. **-kërn** stm. das beste der ostern, bezeichnung für Christus. **-kërze** swf. oster-, königskerze. **-lamp** stn. osterlamm. **-lîche** adv. osterlich, wonnig, herrlich. **-lieht** stn. die geweihte osterkerze. **-maȥ** stn. ostermahl. **-spil** stn. spiel oder schauspiel zur frühlingsoder osterfeier; osterscherz, osterfreude; bildl. höchste freude, wonne. **-stoc** stm. = *ôsterlieht*. **-tac** stm. ostertag, -fest; bildl. die höchste freude. **-vire** stf. osterfest. **-wîhe** stf. osterweihe. **-wunne** stf. osterfreude, grösste wonne. **-zît** stfn. osterzeit, osterfest.

ôster-halben, -halp adv. im osten. **-hërre** swm. herr aus einem östlich gelegenen lande; österreich. herr. **-lant** stm. östlich, gelegenes land, Österreich; morgenland, orient. **-linc** stm. bewohner des ostens, orientalis. **-man** stm. Österreicher. **-mer** stn. das östliche, das schwarze meer. **-pflâge** swstf. östliche gegend, osten. **-rîche** stn. das reich im osten; Österreich. **-sahs** stn. österreichisches schwert. **-sê** stf. ostsee. **-sprâche** stf. sprache der Österreicher. **-weiȥe** swm. österreich. weizen. **-wîn** stm. österreich. wein. **-wint** stm. ostwind.

ôsterîn adj. morgenländisch.

ôster-lich adj. östlich; österlich (*ô. tac* bildl. wonniger freudentag, höchste freude).

ôstern adv. von osten; im osten, östlich.

ôstert, ôsteret adv. von osten; ostwärts, nach osten.

ôst-halp adv. ostwärts.

ôst-lant stn. östliches land.

ostie s. *hostie*.

ôt s. *eht*.

oter, otter stm. otter, fischotter.

oterîn adj. vom otter.

oter-vâher, -venger stm. otterfänger.

ôt-müete (-muot) stf., md. *ôtmûte, -mûde, -mût* leichter, williger sinn, mildes gemüt, herablassung, demut. — adj., md. *ôtmûte -mûde* der leichten, willigen sinn hat, sanft, demütig.

ôt-müetec adj., **-heit** stf. = *ôtmüete*. **-lich** adj., **-liche** adv. demütig; milde, gütig.

ôt-müetigen swv. refl. sich erniedrigen.

ôt-muote adv. zu *ôtmüete*.

otter s. *oter*.

ouch, ôch, och konj. auch (um einen neuen satz beizufügen: überdies, zudem, ferner, noch mehr; um einen neuen satz dem vorigen stärker od. schwächer entgegenzustellen: aber auch, dagegen, anderseits, dennoch; um den vorhergehenden satz zu verstärken, zu bestätigen od. zu erklären: und doch, und wirklich auch, und wahr ist es, demnach auch; um den begriff „ebensowohl, gleichfalls" auszudrücken; in der vergleichung; bei zahlw., zeitadv. u. hinter kompar.: noch).

ouche s. *ouke*.

ouchen swv. refl. sich vermehren, vergrössern.

ouf s. *ûf*.

oug-apfel stm. augapfel.

ouge, oug swn. auge, eig. u. bildl. (*in die, under ougen* im od. ins gesicht); auge, punkt des würfels; auge am weinstock.

ouge-brâ stswf. augenbraue. **-lit** stn. augenlid. **-swër** swm. augenschmerz. **-swërnde** part. adj. augenleidend. **-tropfe** swm. träne. **-vane** swm. schleier.

ougel-dienest stm. augendienst, schmeichelei.

öugelîn. öugel stn. dem. zu *ouge*.

öugeln swv. mit augen versehen. — stn. das äugeln, liebäugeln.

öugel-schouwe, -(ougel-)weide stf. = *ougen-*.

ougen, öugen swv. vor augen bringen, zeigen (ohne oder mit dp.).

ougen-blic stm. blick der augen; ganz kurze zeit, augenblick. **-brëhen** stnm., **-glast** stm. glanz der augen. **-rëbe** swfm. auge. **-rëgen** stm. tränen. **-schouwe** stf. anblick für die augen, augenweide. **-sëgen** stm. segensspruch gegen kranke augen. **-sëhen** stn. das sehen mit den augen, die sehkraft. **-spiegel** stm. brille. **-spil** stn. augenwonne. **-vlôȥ** stm. augenfluss, tränen. **-vluot** stf. tränenflut. **-wâc** stm. tränen. **-wanc** stm. wink mit den augen, *o. der zît* momentum temporis. **-waȥȥer** stn. tränen. **-weide** stf. das weiden, umherschweifen der augen, anblick (akt.); weide, erquickung für die augen, überh. anblick (pass.), auch eines unangenehmen gegenstandes. **-wërt** adj. den augen wert, lieb.

ougenede stf. offenbarung.

ougenen, öugenen swv. = *ougen*.

ougest ougeste, ougst ougste, ouwest stswm. august (*der ander ougst* september), ernte.

öugestinne stf. august; september.

oug-stal stm. augenhöhle; eine augenkrankheit der pferde.

ouke, ouche swf. kröte.

oukolf, oucholf stm. (aus *ouk-wolf*) ein scheltwort.

ou-lôse stf. = *zîtlôse*.

ouwe, owe stf. wasser, strom (*in ouwe, enouwe* in, mit der strömung, stromabwärts; bildl. *in ouwe gân* herunterkommen, zugrunde gehn); von wasser umflossenes land, insel od. halbinsel.

ouwe stf. schaf.

ouwê, ôwê, owê interj. der klage, des wunsches, des erstaunens mit dp., ap. u. gs. od. nachsatz mit *daȥ*.

ouwen swv. intr. stromabwärts (*enouwe*) treiben, dem strome nachschwimmen.

ouwest = *ougest*.

ouwî, ôwi, owî interj. = *ouwê*.

oven stm. ofen (zum backen, schmelzen, brennen, heizen); felsenhöhle, fels.

ovenære, -er stm. ofenmacher; bäcker.

ovenærîn stf. ofenheizerin.

oven-hûs stn. backhaus. **-kluft** stf. höhlung des ofens. **-knëht** stm. bäckerknecht. **-stein** stm. ofenkachel. **-stürel** stm. schürstecken.

owe s. *ouwe*.

öwenz-wagen stm. eine art lastwagen.

ôwie, owie interj. o wie!

ôwoch, owach interj. = *ouwê*.

ôwol interj. wohlan, vor vok.; wohl, mit dat. od. acc. od. nachsatz mit *daȥ*.

P

(vgl. auch *B*)

pâcem, pâce, pæce, pêce, petze stn. der friedenskuss bei der messe (aus lat. *pacem dare*).

pafese s. *pavese*.

pagamënt, pagemënt, pagimënt stnm. die art der zahlung bis zum eintritt einer beschlossenen ausserkurssetzung der münzen; geldwährung; ungemünztes silber, bruchsilber (mlat. *pagimentum*).

pagânisch adj. heidnisch.

pagen swv. zahlen, bezahlen (it. *pagare* vom lat. *pacare*).

paland s. = *palus* sumpf.

palas, palast stnm. grösseres gebäude mit einem hauptgemache, das zum empfange der gäste, zur versammlung u. bes. als speisesaal dient; palast (fz. *palais*, lat. *palatium*).

palas, palast, paleis stm. = *balas*.

palatîn, paletîn stm. palatinus, held.

palieren s. *polieren*.

palle f.? altartuch, der opferkelch samt seiner bekleidung (mlat. *palla*).

pálmât, balmât stmnf. eine weiche seidenart und stoff daraus (mlat. *palmacium*).

palmât-side swf. dasselbe.

palm-, palme-boum stm. palmbaum.

palme, balme swm. swstf., **palm, balm** stm. palmbaum; palmenzweig; blütenkätzchen der am palmsonntag geweihten weidenzweige; pl. palmsonntag (lat. *palma*).

palm-ôstern pl. dasselbe. **-rîs** stn. palmzweig. **-tac** stm. palmsonntag.

palte stswm. ein langer, grober wollenrock, pilgerkleid (mlat. *paldo* wollenrock, nd. *palte* lappen).

paltekîn, paltikîn stm. = *baldekîn*.

paltenære, balteniere stm. ein in grobem wollenrocke einhergehender wallfahrer, bettler, landstreicher, krämer (mlat. *paltonarius*).

paltenerie stf. flickerei.

paltenerinne stf. landstreicherin.

palûne s. *pavelûn*.

pampilion, pampilôn indecl. zelt (lt. *papilio*).

panël, banël stn. sattelkissen (afz. *panel*, mlat. *panellum*).

paner, panier, panner = *baniere*.

pantel, panter, pantier stn. panther (umd. des gr. lat. *panther*)

panther, panthers stm. ein (wie ein panther gefleckter) edelstein.

panze stm. wanst, magen (fz. *pance* v. lat. *pantex*).

panzier, panzer stn. panzer (mlat. *pancerium, panceria*).

panzierer stm. panzerträger.

papegân, papigân stm. papagei (afz. *papegai*).

papele, papel swf. pappel; malve (lat. *populus*).

paperen swv. die lippen unverständlich bewegen (mlat. *babare*).

papier stn. papier (lat. *papyrum*).

papierer stm. papiermacher.

par stf. beschaffenheit, art.

pâr, par adj. einem andern gleich. — stn. zwei von gleicher beschaffenheit, paar (lat. *par*).

páradîse paradis, párdîse pardis stn. paradies; bildl. geliebte (gr. lat. *paradisus*).

paradîsen swv. ins paradies bringen, selig machen; refl. das parad. (durch die taufe) erwerben.

pârâge stf. adel (afz. *parage*).

paragraf m. zeichen, buchstabe (gr. lat. *paragraphus*).

paralis, parillis, parlis stn. paralysis.

parât, barât stf. m. verwirrung; ein seltsamer, lärmender, bunter aufzug; list, kniff, betrug, verstellung, falschheit; kunst, kunststück (fechterkunststück), posse, kurzweil (aus mnl. *baraet* = fz. *barat*).

parât-hou stm. paradehieb, klopffechterei sp.

parc, -kes, parchan, parkam stm. eingehegter ort, umzäunung (fz. *parc*, mlat. *parcus* s. *pferrich*).

parde, pardier s. *part*.

pardîse s. *paradîse*.

pardrîs, perdrîs stm. rebhuhn (fz. *perdrix*). dem. **pardrisekîn** stn.

parël s. *barël*.

parelieren swv. zubereiten, schön zurichten, rüsten (afz. *parilier*).

pareliure stm. sprecher, verkünder, prophet (afz. *parleor*).

pâren swv. gesellen *zuo*.

parille = *berille*.

parîsîn adj. aus Paris, nach Pariser art.

parl stm. wortwechsel (vgl. *parol*).

parlamënt stn. besprechung, disputation, versammlung (fz. *parlement*).

parlier, parlierer stm. werkgeselle, der die arbeit anzuordnen u. die aufsicht zu führen hat.

parlieren swv. reden (fz. *parler*).

parlis s. *paralis*.

parol, paroile stswm. wort, rede (fz. *parole*).

parolen swv. reden.

parrieren swv. = *undersnîden*, mit abstechender farbe unterscheiden, schmücken, verschiedenfarbig durcheinander mischen; refl. dp. sich einem zugesellen (mfz. *parier*).

part, -des stm., **parde** swm., **pardier** stm. parder (lat. *pardus*).

parte, part stf. stn. teil, anteil, zugeteiltes; teil, abteilung, partei; das geteilte feld im wappen (fz. *parte*).

partîe stswf. abteilung, partei (fz. *partie*).

partier stm. teil.

partierære, partierre stm. betrüger (fz. *barateur*).

partieren swv. betrügen, bes. durch handel u. tausch (afz. *bareter*, s. *parât*).

partieren swv. teilen (fz. *partir*).

partierunge stf. teilung, teil.

parzivant, persevant stm. unterherold (fz. *poursuivant*).

pas stm. = fz. *pas*; teile der eingeweide des hirsches.

pasche stn. osterfest, -mahl (gr. lat. *pascha*).

passâsche swf. weg, furt (fz. *passage*).

passe swm., **passie** swf., **passiôn** stm. leidensgeschichte, ihre erzählung u. theatral. darstellung (lat. *passio*).

passen swv. ndrh. zum ziele kommen, erreichen (fz. *passer*).

passieren swv., ndrh. *passêren* gehn; sich ereignen (fz. *passer*, lat. *passare*).

passionâl stn. buch der leidensgeschichte, bes. der märtyrer.

pastor stm. pfarrer.

pasturêle stn. hirtenlied (fz. *pastorelle*).

patalje = *batalje*.

patelierre stm. vorkämpfer, plänkler (afz. *batailliere*).

patêne, patên swstf. die patene, oblatentellerchen (mlat. *patena*).

patriarche, -arke, -arc swstm. patriarch, kirchenoberhaupt (gr. lat. *patriarcha*).

patrôn, paterôn, patrône stswm. patronus; schiffspatron, kapitän.

patzeide swstf. ein getränkemass (mlat. *batiaca* weingeschirr).

pavelûn, pavilûn, poulûn stn., **pavelûne, pavilûne, poulûne, palûne** stswf. zelt (fz. *pavillon*).

pavese, pafese swf. eine art grossen schildes, mit einer langen eisernen spitze versehen, mit der er in der erde feststehn und so zur deckung des schützen dienen konnte; ein paar schildförmige, mit dazwischen liegendem kalbshirn od. dgl. gebackene semmelschnitten (it. *pavese*).

pêce s. *pâcem*.

pavimënt stn. estrich (lat. *pavimentum*).

pedûn stm. fussbote, läufer (fz. *pédon*).

peile f. stroh (fz. *paille*).

pêne, pên stswf. strafe (lat. *poena*, vgl. *pîne*).

penich s. *phenich*.

pênitënze, pênitënte stf., **pênitëncie** stswf. poenitentia.

pênitënzier stm. bussprediger.

pënsel, bënsel, pinsel stm. pinsel (mlat. *penicellus*).

pensen, pinsen, pensieren swv. denken, nachdenken, erwägen (fz. *penser*).

pên-val stm. strafgeld, busse.

pên-vellic adj. bussfällig.

pepelære stm. der *pepelt*.

pepelen swv. füttern; mit einem (dat.) zärtlich umgehn, ihn pflegen (mlat. *pappare*).

perdrîs s. *pardrîs*.

pergamënte stn. pergament, kontr. formen: *perment*, *perminte*, *-mint*, *permit*.

persevant s. *parzivant*.

përsône, përsôn stswf. person, bes. von den drei göttl. personen; gestalt, ansehen.

përsônier stn. angenommene gestalt, mummerei.

përsônlicheit stf. personalitas.

përsonieren swv. leiblich gestalten

pertic adj. parteiisch.

perze stf. stechender, durchdringender glanz (fz. *perce*).

pêter stm. münze mit dem bilde des heil. Petrus.

peterære s. *pheterære*.

pêterlîn stn., **pêtersil** stm., **pêtersilje** swf. petersilie (mlat. *petrosilium*).

petît, pitît adj. klein (fz. *petit*).

petschat, betschat stn. petschaft (slav. *pečet*).

petze s. *pâcem*.

pf- s. den anlaut *ph-*.

pfach s. *phiu*.

pflumpfen s. *plumpfen*.

pfrësse s. *prësse*.

phâ s. *phâwe*.

phæch interj. pfui.

phaden swv. einen pfad betreten, gehn, schreiten abs. u. tr.; einen pfad machen, bahnen.

phaffe swm. geistlicher, weltgeistlicher, priester (lat. *papa*).

phaffen-vürste swm. fürst geistlichen standes.

phaffierer stm. pfarrer.

phaf-heit, -schaft stf. die geistlichkeit, priesterschaft, priestertum. **-(phef-)lich** adj., **-lîche** adv. geistlich, priesterlich.

phâhen stv. red. I, 2 = *enphâhen*.

phahte, phaht, phât stf. m. (kaiserliches) recht, gesetz; durch das gesetz bestimmter rang, stand; abgabe von einem zinsgute, pacht (mlat. *pactum*, *pactus*).

phahten swv. tr. in gesetzesform bringen, gesetzlich od. vertraglich bestimmen; ermessen, ergründen. — intr. in genauer verbindung zu etw. stehn (mlat. *pactare*).

phâl stm. pfahl (lat. *palus*).

phâl-burger stm. bürger der ausserhalb der stadtmauer wohnt, pfahlbürger.

phalenze, phalze, phalz stf. wohnung eines weltl. od. geistl. fürsten, pfalz (übertragen auf die himml. wohnung); land eines pfalzgrafen: Rheinpfalz (mlat. *palantium*, *palantia*, *palenca*).

phalenz-grâve swm. pfalzgraf, richter an einem kaiserlichen hofe.

phalzen swv. stützen.

phander s. *phender*.

phandunge, phendunge stf. pfändung; verpfändung; pfand.

phan-hûs stn. das siedehaus in einem salzwerke.

phanne swstf. pfanne (mlat. *panna* aus lat. *patina*).

phant, *-des* stn. was zur sicherung der ansprüche eines andern dient, pfand (gegebenes od. genommenes), unterpfand, bürgschaft (*ezzendez phant* zu pfand genommenes oder gegebenes vieh, das genährt werden muss); pfändung (wohl aus lat. *pignus*).

phant-bære adj. pfandbar u. pfändbar. **-guot** stn. als pfand dienendes, verpfändetes gut. **-lêhen** stn. eine pfandweise vorgenommene belehnung. **-(phent-)lîche** adv. wie es zur pfändung gehört, der pfändung gemäss; pfandweise. **-lœse, -lôse** stf. auslösung eines pfandes, lösegeld. **-rëht** stn. befugnis zu pfänden, ein pfandgeld zu begehren; gebühr des pfandhalters. **-schaft** stf. pfand. **-schaz** stm. pfandgut. **-trager** stm. pfandinhaber.

phan-zëlte swm. pfannkuchen.

phar stm. s. *var*.

phärft, phärit s. *phert*.

phariseilich adj. pharisäisch.

pharrære, -er, pherrer stm. pfarrer.

pharre, pherre swm. dasselbe (mlat. *parochus*).

pharre stswf. pfarre; pfarrkirche (mlat. *parochia*).

pharre-hêrre swm. pfarrer. **-liute** pl. die pfarrgemeinde. **-man** stm. pfarrer; pfarrkind. **-volc** stn. = *pharreliute*.

phasch stm. enger, schmaler weg (fz. *pas*).

phat, *-des* stm. n. fussweg, pfad (gr. πάτος).

phât s. *phahte*.

Phât, *-des* stm. der Po.

phat-hûche swm. räuber, wegelagerer.

phâwe, phâ swm. pfau (lat. *pavo*).

phâwen-huot stm. gestickter pfauenfederhut. **-spiegel** stm. auge der pfauenfeder; das pfauenkraut.

phæwîn adj. aus pfauenfedern gemacht, damit verziert pfauenartig; adv. wie ein pfau.

phæwinne stf. weibl. pfau.

phëch s. *phiu*.

phedelîn stn. dem. zu *phat*.

phedem, phedeme fm. melone, kürbis, gurke (lat. *pepo*, *peponus*). **-apfel** stm. gurke.

pheden swv. ziehen, einziehen.

phederer s. *pheterære*.

phëffer stm. n. pfeffer (*langer*, *runder*, *kleiner*, *rôter pf.*) pfefferbrühe (lat. *piper*).

phëferlinc, phifferlinc *-ges* stm. pfefferschwamm.

phëffern swv. pfeffern, würzen.

pheffinne, -în stf. beischläferin eines *phaffen*; hexe.

pheht stf. das eichen (s. *phahte*).

phehten swv. prüfen, messen, eichen.

phehter stm. pächter; öffentl. abmesser, eicher.

pheit stnf. hemd, hemdähnliches kleidungsstück (vgl. gr. *βαίτη*). dem. **pheitel** stn.

phellel phellôl, phellier phellôr, phelle phell stm. ein feines, kostbares seidenzeug, gewand, decke u. dgl. aus solchem (mlat. *palliolum*).

phellelîn, phellerîn, phellîn adj. von *phellel*.

phende stf. pfändung, beraubung.

phendec, -ic adj. *ph. sîn* mit gen. od. *an* nichts wovon haben.

phenden swv. einem ein pfand abnehmen, ihn pfänden, auspfänden, ihn einer sache (gen. od. präp. *an*) berauben od. ihn davon befreien.

phender, phander stm. inhaber eines pfandes, pfandgläubiger; obmann eines spieles, der die einsätze als pfand an sich nimmt; obrigkeitl. pfänder, auspfänder.

phendunge s. *phandunge*.

phenner stm. salzpfänner.

phenich, phenech, penich; venich, vench stm. fench, eine hirseart (lat. *panicum*).

phenninc, phennic, *-ges* stm. münze, geld (pl.), silberdenar, pfennig, gewichtsmass (ahd. *phantinc, phentinc* zu *phant*?).

phenninc-wërt stn. was einen pfennig wert, dafür zu haben ist, verkaufsartikel, ware (kontr. *phenne-, phenwërt, -bërt*).

phent-amt, phent-meisteramt stn. pfändungsamt.

phent-lîche s. *phantlîche*.

pherdelîn stn. dem. zu *phert*.

pherden swv. refl. sich beritten machen.

pherre, pherrer s. *phar-*.

pherren swv. zum pfarrer bestellen; einpfarren.

pherrich stm. einfriedigung (mlat. *parcus*, vgl. *parc*).

pherrichære stm. pfarrkind.

phërsich stm. pfirsich (lat. *persicum*, näml. *malum*).

phert, *-des* stn. pferd, bes. das reitpferd ausserhalb des streites (ältere nbff. *pferfrit, pferift, pferft, pfärft, pferht, pfärit, pferit*), mlat. *paraveredus, parifredus*.

phert-esel stm. maulesel. **-gereite, -kleit** stn. ausrüstung der pferde mit sattel u. zeug.

pheterære, peterære, -er, pfederer, pheter stm. eine maschine, mit der steine gegen den feind geschleudert wurden (mlat. *petraria*).

phetter stm. taufpate und taufkind (mlat. *patrinus*).

phetzen swv. zupfen, zwicken, kitzeln (zu mlat. *petium* stück, fetzen).

phî s. *phiu*.

phîaz, fîaz stn. das *phî*-rufen.

pfich stn. = *bëch*.

phiesel stm. n. heizbares frauengemach (mlat. *pisale*).

phiesel-gadem stn. dasselbe.

phîfe, phîf swstf. blasinstrument, pfeife (mlat. *pipa*).

phîfen stv. I, 1 u. sw. blasen, pfeifen.

phîfen-sac stm. dudelsack, pfeifensack.

phîfer stm. pfeifer, spielmann.

phifferlinc s. *phëfferlinc*.

phîl stm. pfeil, pfeileisen; pfeiler (lat. *pilum*).

phîlære, -er stm. pfeiler (lat. *pilarius*).

phîlæren swv. mit pfeilern errichten.

phîl-îsen stn. pfeileisen. **-schaft** stm. pfeilschaft.

philôl s. *fillôl*.

phingeste stf. pfingsten, nur im pl. *vor, ze, an pfingesten*; dieser dat. zu einem nom. s. erstarrt *diu pfingesten* (gr. lat. *pentecoste*).

phingest-lich adj. pfingstlich. **-rôse** swf. pfingst-, frühlingsrose. **-(phinges-)tac** stm. pfingsttag, pfingsten.

phinne, vinne stswf. nagel; finne (lat. *pinna*).

phinnic, vinnic adj. finnig.

phinz-tac stm. donnerstag (*phinz* aus *πέμπτη*, der fünfte tag).

phiphiz stm. verhärtung der zungenspitze des federviehs (lat. *pituita, pipita*).

phîsen, phîsten swv. durch laute locken.

phister stm. bäcker (lat. *pistor*). **-meister** stm. bäckermeister.

phistrîne, phisterîe, phistrî, phister stf. bäckerei (lat. *pistrina*).

phiu, phî, fî (nbff. *pfui, pfû, pfuch, pfëch, pfach, fach*): interj. zum ausdrucke des ekels, unwillens, hohnes (lat. *phui, phy*).

phlac, *-ges* stn. aas.

phlâc, *-ges* stm. = *plâge*.

phlacke s. *placke*.

phlâge s. *vlâge* u. *plâge*.

phlâge, plâge stf. md. gegend, weltgegend (lat. *plaga*).

phlâge, plâge = *phlëge*.

phlâgen swv. s. *plâgen*.

phlaht stf. = *phliht*.

phlanz stm. wachstum, gedeihen.

phlanzære, -er stm. pflanzer; junger, gepflanzter stamm; pflanze.

phlanze stf. pflanze; pflanzung; same, abstammung (lat. *planta*).

phlanzen swv. tr. pflanzen, verpflanzen; zieren, schmücken. — intr. schösslinge treiben, wachsen, gedeihen, um sich greifen (lat. *plantare*).

phlaster stn. pflaster, wundpflaster, salbe; zement, mörtel; zementierter od. steinfussboden; strassenpflaster (mlat. *plastrum*).

phlastern swv. mit mörtel aufbauen; ein pflaster auflegen; die strasse pflastern.

phlëgære, -er stm. der etw. von geschäfts oder amts wegen besorgt, leitet, treibt: aufseher über, vormund, verwalter, oberer; als schachfig. = *roch*.

phlëge stswf. liebende besorgung, fürsorge, obhut, vormundschaft, pflege (gewöhnl. im pl.); umgang; persönl. der aufseher; amt, pflegamt, amts- od. herrschaftsbezirk, schuldige leistung, zins, abgabe; sitte, lebensart, gewohnheit, übung, beschäftigung. **-haft** adj. zinspflichtig. **-lich** adj., **-lîche** adv. wie es gewohnheit ist, gewöhnlich, hergebracht.

phlëgede stf. amt, amtsbezirk; = *pflëge*.

phlëgen stv. V, **phlegen** swv. d. verantwortung übernehmen; wofür sorgen, sich mit freundlicher sorge annehmen, pflegen, umgehn od. leben mit (mit gen., mit acc. u. gen.); bes. als geschäft, als pflicht besorgen, aufsicht haben, behüten, beschützen (mit gen., mit inf. ohne od. mit *ze*); umgehn mit, betreiben, üben, tun mit gen. (oft bloss umschreibend); abs. handeln; sich bedienen, brauchen mit gen.; besitzen, haben mit gen.; mit gen. u. dat. geben, gewähren, verabreichen. — refl. mit gen. verbürgen für, versprechen; die sitte, gewohnheit haben (oft bloss umschreibend) mit infin. (lat. *plicare*?).

phlëgenisse stf. pflege, aufsicht, vormundschaft; pflegamt; schuldige leistung, abgabe.

phliht, phlihte stf. freundliche fürsorge, pflege, obhut, aufsicht; verkehr, verbindung, teilnahme, gemeinschaft (*âne pfliht* auf eigene faust); teil; dienst, obliegenheit; sitte, art u. weise (oft nur umschreibend mit adj. od. gen.); recht.

phlihtære stm. der gemeinschaft mit, anteil an etw. hat.

phlihte swf. schiffsschnabel.

phlihten swv. intr. u. refl. sich woran halten, richten nach, anteil nehmen, sich beteiligen, verbinden (*an, mit, zuo*); sich verpflichten zu (*zuo*, mit dat. u. gen.). — refl. sich halten. — tr. für etw. sorgen, es einrichten; in dienst od. besitz übergeben, verbinden, verpflichten *zuo*.

phlihtic adj. schuldig, verbunden, verpflichtet (mit dat. u. gen., inf., *zuo*).

phliht-lôs adj. ohne verbindlichkeit. **-teil** stmn. anteil, gemeinschaft.

phloc, *-ckes* stm., **phlocke** swm. pflock.

phlücken swv., md. *pflocken*, ndrh. *plucken* pflücken.

phlüegen swv. pflügen.

phlûm, vlûm stm., **phlûme, vlûme** swm. stf. strom (lat. *flumen*).

phlûme swf. pflaume (lat. *pruna*, pl. von *prunum*).

phlûme, plûme swf. flaumfeder (lat. *pluma*).

phlûmen swv. ein bett machen.

phlûmît, plûmît stn. mit flaumfedern gefülltes sitzkissen (mlat. *plumatium*).

phluoc, *-ges* stm. pflug; persönl. der pflüger; gewerbe, geschäft, lebensunterhalt; einkommen. **-îsen, -îser** stn. pflugschar.

phluogide, phluogit stn. ein paar pflugochsen.

phnâsen swv. schnauben.

phnast, phnâst stm. das schnauben; dampf, dunst.

phnëhe swm. engbrüstigkeit.

phnëhen stv. V schnell atmen, schnauben, keuchen, schluchzen.

phnechzen, phneschen, phnesten swv. dasselbe.

phnessunge stf. Acheron.

phnist stm. = *phnust*.

phnuht stm. f. das schnauben.

phnurren swv. intr. anschwellen; sich schnurrend drehen, brummen, schnauben. — tr. durch einen plötzlichen ruck wenden u. an sich ziehen.

phnûsen, phûsen swv. intr. niesen; schnauben, schnoppern, ohrenblasen. — refl. sich aufblähen.

phnust stm. unterdrücktes lachen.

phnuten swv. tr. anschnauben.

phoch-snîder stm. beutelschneider.

phorre, porre swm. lauch (lat. *porrum*).

phorte, phorze swstf. pforte (lat. *porta*).

phortenære stm. pförtner.

phorzich stm. vorhaus einer kirche (lat. *porticus*), umged.

phort-hûs stn.

phose swm. gürteltasche; beutel (slav.?).

phost phoste, post poste stswm. stütze, pfosten, balken (lat. *postis*).

photigen swv. quälen, vexare.

phoune swf. südwest-, südwind (lat. *favonius*).

phragen, vragen stm. markt; handel, wucher.

phragener, phregener, vragener stm. kleinhändler, viktualienhändler.

phrancsal stf. s. v. a.

phrange, phrenge stf. einschliessung, beengung, nötigung, drangsal.

phrengen swv. pressen, drängen, bedrücken.

phrenger stm. bedränger.

phretzner stm. = *phragener*.

phrieme, phriem swstm. pfriem, pfriemen; pfriemenkraut, ginster (mlat. *prema*).

phriemen swv. mit einem pfriemen stechen, verwunden.

phrophære, -er stm. pfropfer; pfropfreis.

phrophen swv. pfropfen (lat. *propagare*).

phrüende, phruonde stf. nahrung, unterhalt; die vertragsmässig gereichten lebensmittel, pfründe; geistl. amt u. einkünfte aus einem solchen (mlat. *provenda, praebenda*).

phrüendære, -er; phrüendener stm. pfründner.

phrüenden swv. tr. mit einer *phrüende* versehen.

phu, phuch, pfui s. *phiu*.

phûch interj. vom fauchen der katze.

phûchen, intens. **phûchzen** swv. *phûch* sagen, fauchen.

phulse swf., md. *pulse*, die zum *phulsen* gebrauchte stange.

phulsen swv. mit stangen die fische aufstören, damit sie ins netz gehen (lat. *pulsare*).

phulwe, phülwe swm. n. federkissen, pfühl (lat. *pulvinus*).

phunder stm. ein volles *phunt* enthaltendes mass; übertr. ein gewichtiger mann.

phundic, phündic adj. ein pfund wiegend; das rechte gewicht habend, vollwichtig.

phunt, *-des* stn. ein bestimmtes gewicht, pfund; pfund geldes (höchste münzeinheit); ein gewicht von einer bestimmten anzahl von pfunden od. zentnern; eine bestimmte anzahl von stücken (lat. *pondus*).

phuol stm. pfuhl (lat. *palus*).

phuolec adj. sumpfig.

phurren swv. sich schnell bewegen, sausen.

phûsen s. *phnûsen*.

phütze stswf. brunnen; lache, pfütze (lat. *puteus*).

pigmëntære stm. gewürzkrämer.

pigmënte, -mënt; pimënte, bimënte, -ënt stswf. stn. gewürz, spezerei; gewürzter wein, würziger duft (lat. *pigmentum*).

pigmënten, pimenten swv. würzen.

pil stn. spundloch.

pilg-ei stn. das nestei.

pilgerîm = *bilgerîm*.

pîn stm., **pîne, pîn** stswf. strafe, leibesstrafe (immer fem.); qual, pein; eifer, eifrige bemühung um etw. (lat. *poena*, vgl. *pêne*).

pin-boum stm. fichte (fz. *pin*, lat. *pinus*).

pînec-lich adj. = *pînlich*.

pînede, pînde stf. qual, pein.

pînegen, pînigen, pîngen swv. tr. strafen; quälen, peinigen, martern. — refl. sich abmühen.

pîneger, pîniger stm. quäler, peiniger.

pînegunge, pînunge stf. peinigung, foltergerät.

pînen swv. tr. strafen; quälen, peinigen, martern; nötigen, zwingen *ûf*. — refl. u. intr. sich abmühen (mit gen., mit inf. u. *ze*, mit *durch, nâch, ûf, zuo*).

pîn-lich adj., **-liche** adv. straffällig, -würdig; quälend, peinlich, schmerzlich; quälend, grausam.

pin-rât stm. unter einem *pinboume* gehaltene beratung.

pinsel, pinsen s. *pënsel, pensen*.

pinseln, pinsen swv. malen pinseln.

pint stm. md. nd. penis.

pint stn. = *pigmënte*.

pinte, pint f. ein flüssigkeitsmass (mlat. *pinta*).

pînunge s. *pînegunge*.

pirâte swm. seeräuber (lat. *pirata*).

piscîne swf. badwanne (mlat. *piscina*).

piscîn-vaȥ stn. dasselbe.

pistel swf. epistel.

pitanz, pitanze stf. pitanz, reichlichere portion an kost und wein (mlat. *pitantia*).

pitît s. *petît*.

plack, placke, blacke n. md. tinte.

placke, phlacke swm. fleck, gegend; flicklappen, lumpen (lat. *plaga*).

placken swv. flicken.

plâge s. *phlâge, vlâge*.

plâge, pflâge stswf., **pflâgnüsse, pflâgunge** stf. von gott gesandtes unglück, himmlische strafe, missgeschick, qual, not (lat. *plaga*).

plâgen swv. tr. mit *plâgen* heimsuchen, strafen, züchtigen. — refl. sich abmühen, plagen.

plân stm., **plâne, plân** stf. freier platz, ebene, aue (mfz. *plâne*).

plânen swv. ebenen, glätten, eben, flach niederlegen.

plânêt, plânête stswm. stn. planeta.

plange stm., **plânîe, plânje, plâniure** stf. = *plân.*

planke, blanke swf. dickes brett, planke, im pl. auch plankenzaun, umplankung, befestigung (mlat. *planca*).

planken, blanken swv. planken, verplanken.

plarren swv. gaffen, anstarren.

plasche s. *vlatsche.*

plate s. *blate.*

plaz, *-tzes,* **platz** stm. freier raum, platz; tanzplatz, tanz; spiel (fz. *place,* mlat. *placea,* lat. *platea*). **-hûs** stn. spielhaus. **-loter** stm. herumziehender gaukler. **-meister** stm. aufseher, ordner des tanzes od. spieles.

plecken, blecken swv. blöken.

plecker stm. md. strassenräuber.

pleine adj. = fz. *plein.*

plerge swf. entzündete oder verletzte stelle an der haut (vgl. *vlarre*).

plîalt s. *blîalt.*

plûm- s. *phlûm-.*

plump, plumph adj. roh, plump, stumpf.

plumpf stm. dumpfer schall.

plumpfen, pflumpfen swv. mit dumpfem schalle fallen.

plunder s. *blunder.*

plundern swv. *plunder* nehmen, plündern.

pôdâgrâ stn. podagra.

pôête swm. poeta.

pôfûz stm. eine art *phellel* (afz. *bofuz, boufu*).

poinder, poynder, pondier, ponder, punder stm. stossendes anrennen des reiters; haufe so anrennender reiter; wegmass (so weit ein ross im *p.* laufen kann); fz. *poindre.*

poinder-heit stf. die schnelligkeit, womit der *poinder* geritten wird. **-lich** adj., **-liche** adv. mit der schnelligkeit des *poinders,* heftig rennend, gewaltsam.

poinen swv. = *punieren.*

poisûn stm. gift, zauber-, liebestrank (fz. *poison*).

pôlânisch, pôlênisch adj. polnisch.

polei poleie, pulei puleie stn., **poleie** swf. polei, flöhkraut (lat. *pulegium*).

polieren, palieren swv. glätten, abschleifen, polieren (lat. *polire*).

polite swf. kurzer schriftlicher ausweis, geleitzettel, auch die kanzlei in der die *p.* ausgestellt wird (it. *boletta,* fz. *billet*).

polster s. *bolster.*

pompe, pomp stswf. m. feierliches gepränge, pracht, pomp (lat. *pompa*).

ponze s. *punze.*

popelen swv. sprudeln, bullern.

poppe swm. schwelger, grosssprecher (appell. verwendung des namens *Poppe*).

poppe swm. hinterteil des schiffes (lat. *puppis*).

porre s. *phorre.*

port stm. n., **porte** stswf. hafen (lat. *portus*).

portativ stn. handorgel (mlat. *portativum*).

porte, borte, port swstf. pforte, des *himelrîches p.* Maria; öffnung, mündung überh. (lat. *porta,* s. *phorte*).

portenære, -er stm. pförtner.

portenærinne stf. pförtnerin.

porze, porz swstf. md. = *phorte, porte.*

posse swfm. ein neckischer streich, possen.

post, poste s. *phost.*

posterne stf. hintertür.

poten swv. mnd. pflanzen. vgl. *impfeten.*

potestât, -âte stswm. höchste obrigkeitliche person einer stadt, stadthauptmann (it. *podestà* ∠ mlat. *potestatem*).

poufemîn, poufemîl stm. = *pôfûz.*

poulolîn stn. dem. zu *poulûn.*

poulûn s. *pavelûn.*

povel s. *bovel.*

pover adj. arm (fz. *pauvre*).

pral, *-lles* stm. lärm, schall.

prâlen swv. md. hoffärtig, gross tun; lärmen.

prâm stm. flachbordiges flussschiff mit geringem tiefgang.

pranc stm. bedrängnis.

pranger, branger stm. zwangsbehälter, in dem der verbrecher öffentlich zur schau gestellt, oder pfahl, an den er gefesselt wird.

pranken swv. bedrängen.

prasem stm. ein kostbarer grüner stein (mlat. *prasius*).

predicament stn. anweisung.

predige s. *bredige.*

prêlâte, prêlât swstm. hoher geistlicher, prälat (lat. *praelatus*).

prelle swm. schreier.

prellen swv. intr. auf-, abprallen, zurückfahren; sich schnell fortbewegen, hervorbrechen. — tr. fortstossen, werfen.

preller stm. penis.

premezen swv. md. bändigen.

prêsant, prîsant, prêsënt, prisënt stm. n., **prêsënte, -ënt, prisënt** stf. geschenk (fz. *présent*).

prêsëntieren swv. = praesentare.

prêsënz stf., **prêsënzie** swf. präsenzgeld (lat. *praesentia*).

prësse, pfrësse stf. presse, bes. die weinpresse; schar, gedrängter haufe, gedränge (mlat. *pressa*).

prëssel stfn. siegelpresse; pergamentstreifen, an dem das siegel hängt.

prësseln, prëssen swv. pressen.

prëssiure stf. gedränge.

prêze, prêzel, brêzel, prêzile f. bretzel (mlat. *bracellus*).

priester stm. ordinierter geistlicher, priester (gr. lat. *presbyter*).

priester-ammeht stn. priesteramt. **-lich** adj., **-liche** adv. einem priester gemäss, des priesters. **-schaft** stf. priesterl. amt, würde; koll. priester. **-tuom** stn. gläubige gemeinschaft. **-vürste** swm. hohepriester, mitglied des hohen rats.

priesterinne, -în stf. priesterin, md. *priestersche.*

prime swstf. der grundton; musik. intervall; die erste canon. stunde (lat. *prima*).

prinze swm. fürst, statthalter (fz. *prince*).

prior, prîol stm. prior eines klosters; aufseher (kirchenlat. *prior, priol*).

prîorinne, prîolinne, -in stf. priorin eines nonnenklosters.

prîs stm. lob, ruhm, wert, preis; herrlichkeit; etwas preiswertes; preiswerte beschaffenheit, tat (*nâch, ze prîse* preiswert, vorzüglich); fz. *prix* aus lat. *pretium.*

prîsanten swv. präsentieren, ehrerbietig darbringen.

prîs-bejac stm. ruhmgewinn, oft in adv. ausdruck.

prîse adj. preiswürdig.

prîsen swv. den *prîs* erteilen, loben, rühmen, hochstellen, lobenswert machen, verherrlichen; beurteilen (fz. *priser*).

prîsënt s. *prêsant.*

prisilje, prisel n. brasilienholz (fz. *presil,* mlat. *prisilium*).

prîs-lich adj., **-liche** adv. preiswürdig, herrlich.

prisûn, prisûne stf., **prisûn** stn. gefängnis (fz. *prison,* mlat. *prisuna*).

privêt privête, privât privâte stswn. abtritt (afz. *priveit,* mlat. *privata,* näml. *camera*).

prîvilêgen swv. als vorrecht übertragen.

prîvilêgje, -leige, -leie stn. freibrief, privilegium.

probande s. *profant.*

problêm stn. problema.

procës stm. erlass, gerichtl. entscheidung (lat. *processus*).

procëssje, procësse swf., **procësse, procës, procëssiône** stf. procession (lat. *processio*).

profant stf. proviant; md.

probande, probiande (lat. *providenda*).
prologe swm. prologus.
pronieren swv. progignere.
properheit stf. eigenart.
prophête swm. propheta.
prophêtîe, -cîe, -zîe stswf. prophezeiung.
prophêtieren, -zieren swv. prophezeien.
prophêtin, prophetisse stf. prophetin.
provinciâl(e) m. geistlicher würdenträger, provincialis.
prüeven, brüeven, -fen swv. nachdenken, erwägen, prüfen, erkennen; beweisen, erweisen, dartun, schildern; bemerken, wahrnehmen; erwägen, schätzen; berechnen, nachzählen, zählen; erproben; erwägend veranlassen, hervorbringen, anstiften, zurecht machen, bewirken, rüsten u. schmücken (afz. *prover*, fz. *prouver* v. lat. *probare*).
prüever stm. der prüfer, untersucher; der merker, aufpasser.
prüevunge stf. prüfung; bewährung, erprobung; beweisführung; ausrüstung, schmükkung.
psallieren s. *psalterisieren*.
psalme swm. psalmus (vgl. *salme*).
psalmodîe swf. psalmgesang.
psalter stm. psalmbuch.
psalterje swf. ein besaitetes tonwerkzeug.
psaltieren, psallieren, psalterisieren swv. psalmen singen, auf dem psalterium spielen.
psitich, psitech = *sitich*.
pûkære stm. paukenschläger.
pûke swf. pauke.
pûken swv. pauken.
pulei s. *polei*.
pulinieren swv. = *polieren*.
puljân stm. kuppler s. *buoliân*.
püllisch adj. apulisch.
pulpit, pulpët stn. pult, lese-od. schreibpult (lat. *pulpitum*).
puls stmf. puls, pulsader (fz. *pouls*, lat. *pulsus*).
pulse s. *phulse*.
pulver stm. n. pulver, staub, asche; sand; schiesspulver (mlat. *pulver, pulverium*).
pulvern, pülvern swv. zu *pulver* machen, stossen, reiben, zu asche verbrennen; abs. mit *p*. bestreuen.
pumpen, pumpern, pümpern swv. hämmern, pochen, lärmend fallen.
punct, punkt, punt stm., **puncte** swm. punkt, mittelpunkt; zeitpunkt, augenblick; umstand; abteilung, stück, artikel; abschluss, abmachung (lat. *punctum, punctus*).
punder s. *poinder*.
puneis adj. stinkend (afz. *puneis*).
puneiʒ stm. n. stossendes anrennen auf den gegner, von einzelnen od. von vielen; stoss, anprall, kampf überh.; haufe anrennender reiter; wegstrecke, die man *punierende* durchsprengt (mfz. *poingneis, pougneis* vom lat. *pungere*).
punieren, pungieren swv. intr. auf den gegner stossend anrennen. — tr. anrennen gegen.
punjûr stm. der *puniert*.
punkelîn stn. schlag, stoss.
punkeln swv. pochen, hämmern.
punken swv. tr. stossen, schlagen.
punt s. *punct, spunt*.
punte, punt stf. = *poinder*.
punze, ponze swm. stichel, meissel; (geeichtes, gestempeltes) fass, zwei od. mehr eimer enthaltend (it. *punzone*, fz. *poinçon*).
punzenieren swv. mit dem stichel arbeiten, in metallblech getriebene arbeit machen.
pûr adj. rein, lauter, unverfälscht (fz. *pur*, lat. *purus*).
purdûn stm. dolch.
purdûne swm. pfeife (fz. *bourdon*).
pûren, pûrieren swv. *pûr* machen, läutern.
pûr-heit stf. reinheit, lauterkeit **-(bûr)-lich** adj. purus.
purper, purpur stmf. kostbarer seidenstoff (von verschiedener farbe) u. gewand daraus (lat. *purpura*).
purperîn adj. von *purper*.
purper-rôt adj. purpurrot. **-var** adj. purpurfarbig. **-varwe** stf. purpurfarbe.
purpur adj. = *purperîn*.
purpur-pheller stm. purpurgewand, -decke.
purzel swf. ein kraut zum salat (lat. *portulaca*).
pûse stswf. pause, rast (lat. *pausa*); waage (*pensa*).
pûsen swv. sich aufhalten, rasten.
pûsîn-, -ûn- s. *busîn-*.
pusûnieren swv. = *busînen*.
puzêle, buzêle f. = fz. *pucelle*.

Q

quâder stm. n., **-stein** stm. quaderstein (lat. *quadrus*).
quâdern swv. quadrare.
quadrieren swv. dasselbe.
qual stm. quell.
qual, qualde stf. qual.
quâle s. *twâle*.
quâle quâl, kâle kâl kôle kôl stf., **quâl** stm. beklemmung, marter, qual (umgel. formen: *quæle, quêle, quël, kële*).
qualle swm. grosser kerl.
qualm stm. beklemmung.
quam prät. s. *komen*.
quant stm. md. was nur zum schein etwas ist, betrug.
quappe swm. aalquappe.
quarc s. *twarc*.
quartâne swmf. viertägiges wechselfieber. — swf. kartaune, viertelbüchse (mlat. *quartana*).
quarte, quart stf. n. der vierte teil von etw. (in der musik der vierte ton vom grundtone).
quarter stn. herde (angegl. *quorter*, verschmolzen *korter, korder*).
quartier stn. quartier, viertel (fz. *quartier*).
quartieren swv. vierteilen, bes. den wappenschild in quartiere teilen.
quast s. *queste*.
quât adj. ndrh. böse, schlimm.
quât kât, quôt kôt stn. kot. **-sac** stm. kotsack, bezeichn. des verweslichen menschl. leibes. **-wërc** stn. wurfmaschine, um kot u. dgl. zu werfen.
quatember, kotember stf. quatemberfasten, dann überhaupt für vierteljahr (kirchenlat. *quatuor tempora*).
quater stn. vier augen im würfelspiel (fz. *quatre*).
quatërn stm. lage von vier bogen oder acht blättern (mlat. *quaterna, quaternus*).
quâtic, kâtic adj. kotig.
quatschiure, quaschiure, -iur, twazûr stf. quetschung, wunde (s. *quetzen*).
quâʒ stm. md. gastmahl gasterei, schlemmerei.
quâʒen swv. schlemmen, prassen.
quëc, këc, koc adj. lebendig, frisch; fest, gedrungen; frisch, munter, mutig. — stn. lebendiges tier. **-brunne** swm. lebendiger brunnen, quell. **-(këc-) silber** stn. lebendiges, immer bewegliches silber, quecksilber.
quëcke, këcke stswf. frisches mutiges wesen, tapferkeit.
quëckolter f. wacholder.
quëden stv. V (nbf. mit verschmolz. *u*: *quoden, koden, köden*, ohne *u*: *këden*) sagen, sprechen (*daʒ quît* usw. das heisst, bedeutet); schallen.
quël stf. beklemmung, marter, qual.
quël, quêle s. *quâle*.
quële-haft adj. qualvoll.
queler stm. peiniger.
quëlle f. quelle.
quëllen stv. III, 2 intr. quellen, anschwellen. — refl. *sich in ein qu.* zusammenquellen, wachsen.

quëllic adj. quellend (*quellīger brunne*).

quëln stv. IV (mit verschmolzenem *u*: *koln, kollen*, ohne *u*: *këln*) schmerzen leiden, sich quälen, abmartern; mit dat. schmerzen verursachen.

queln swv. (mit verschmolzenem *u*: *koln, kollen, köln*, ohne *u*: *keln, kellen*) tr. drängen, drücken, zwängen. — abs. u. tr. plagen, quälen, peinigen, martern.

quelnis stn., **quelsunge** stf. qual, marter.

quëmen stv. IV s. *komen*.

quëne s. *kone*.

quënel, quëndel, konel f. quendel (lat. *cunila, conila*).

quëntîne stf. turnierhof, stechbahn (mlat. *quintana*).

quër, quërch s. *twër, twërc, twërch*.

quërder stn. m. (mit verschmolz. *u*: *korder, körder*, mit getilgtem *u*: *kërder*, mit getilgt. *r*: *këder, koder, köder*) lockspeise, köder; flicklappen von leder, tuch.

quërdern, kërdern swv. als köder an die angel stecken; speisen.

quertic adj. eine *quart* haltend.

queste swmf. (mit verschmolz. *u*: *koste, kost*, ohne umlaut *quast, quaste, kaste*) büschel, wedel von einem baume. laubbüschel (*qu.* des baders, badwedel, womit der badende gestrichen, gepeitscht wurde); federbüschel als helmschmuck; bürstenartiges geräte.

questen swv. mit dem badwedel streichen, mit der *questen* bedecken.

questje f. frage (lat. *quaestio*).

quetsch-lich adj. drückend.

quetzen, quetschen, quetschieren swv. schlagen, prägen; stossen, quetschen, zerdrücken, verbeulen, verwunden (lat. *quassare*).

quetzer stm. münzpräger.

quetzunge, quetschunge, quetschiure stf. quetschung, wunde.

quicken swv. (mit verschmolz. *u*: *kücken, kucken, chuchen*, ohne *u*: *kicken*) tr. u. refl. lebendig (*quëc*) machen, beleben, erwecken, erfrischen.

quickendec adj. lebendig.

quicker, kucker stm. beleber, erquicker. **quickerin, kickerin** stf. erquickerin.

quieren swv. md. = *zwieren*.

quil stf. quelle.

quingen s. *twingen*.

quinte, quint stf. musikalische quinte; sekunde (lat. *quinta*).

quintërn stm. lage von fünf bogen oder zehn blättern.

quintërne, -ërn swstf. laute mit fünf saiten (mlat. *quinterna*).

quintërnen swv. auf der *quintërne* spielen.

quintieren swv. in quinten singen; singen überh.

quintîn stn. der vierte (urspr. wohl fünfte) teil eines lotes, quentchen.

quirn-stein s. *kurnestein*.

quît, quit adj. los, ledig, frei (ohne od. mit gen.); fz. *quitte*.

quitanzje, quitanz swstf. quittung (mlat. *quitantia*).

quit-brief stm. dasselbe.

quiten, küten f. quitte (mlat. gr. *cydonia*).

quîten, quiten swv. *quît* machen.

quitteln swv. schwatzen, schnarren, quaken, zwitschern.

quoden s. *quëden*.

quôt s. *quât*.

R

rabe, rape, rappe swf. rübe.

raben stm., **rabe rab, rappe rapp** swm. rabe. — *rappe* name einer zuerst in Freiburg im B. geprägten münze mit einem vogelkopfe.

raben-swarz, -var adj. rabenschwarz.

rabîne rabbîne, rabîn rabbîn stf. das rennen, anrennen des streitrosses, carrière (*ros von ravîne* schnelles ross; mfz. *ravine* v. *raver* rennen, lat. *rapere*).

rac adj. straff, gespannt, steif; rege, beweglich, los, frei.

rach, -hes adj. rauh, steif.

rach stm. = *râche*.

rache swm. rachen.

rache stswf. rede; sache.

râche, râch stf. vergeltung eines unrechtes, strafe, rache; verfolgung (ohne den sinn der wiedervergeltung).

ræchec, ræchic adj. rächend; rachsüchtig.

râcher stm. s. *rëchære*.

ræch-lich adj. rächend.

râchnüsse, râchsal stf. = *râche*.

raciônâl, racjônâl stn. kostbares brustschmuck der hohenpriesterlichen amtskleidung, sodann ein ähnliches gewandstück bei christlichen bischöfen; buch mit vorschriften für die priesterl. kleidung (mlat. *rationale*).

râde stf. = *gerâde*.

rade-ber stf. *bære* 2 mit einem rade, schiebkarren. **-borer** stm. bohrer für räder. **-brëchen** swv. mit dem rade brechen, hinrichten, rädern. **-gëlt** stn. münze mit dem kurmainzischen doppelrade. **-nebigêr** stm. bohrer für räder.

raden swv. sich als rad drehen

râfe s. *râve*.

raffeln swv. lärmen, klappern; schelten.

raffen, reffen swv. zupfen, rupfen, raufen; raffen, eilig an sich reissen; *zesam reffen* zusammenbinden.

rafs-liche adv. scheltend.

rage-hüffe adj. mit emporstehnden hüften.

ragen swv. in die höhe stehn, ragen, hervorragen; *an einander r.* enge aneinander sein, zusammenstossen.

rahe swf. stange; schiffsrahe; ein flächenmass, bes. für weingärten.

ræhe adj. starr, steif, bes. von gliedersteifheit der pferde. — stswf. gliedersteifheit der pferde.

rahsenen, rehsenen, ragsen swv. räuspern, aushusten.

rahten, rahtunge s. *rëht-*.

ram, -mmes stm. angegl. aus *raben* bes. in eigennamen (*Wolf-ram*).

ram, -mmes stm. widder.

ram, rame stf. m., **rame, reme, rem** swmf. stf. stütze, gestell; rahmen zum sticken, weben, bortenwirken.

râm stm., **râme** stf. das ziel, das zielen, trachten, streben.

râm, rân stm. staubiger schmutz (bes. von der rüstung), russ.

rambûȥen swv. wild umherspringen.

râmec, râmic adj. schmutzig, russig.

râmen swv. zielen, trachten, streben (m. gen. od. *an, gegen, nâch, zuo* od. nachs.); treffen (m. gen.). **ræmen** swv. intr. = *râmen* (m. gen., *nâch, zuo* od. nachs.; refl. m. gen.). — tr. etw. als ziel ins auge fassen.

ramft s. *ranft*.

ramme stf. ramme.

rammel stm. widder; ramme.

rammeler, remler stm. widder während der brunstzeit.

rammeln swv. sich begatten (von böcken).

rammen swv. mit der *ramme* einstossen.

ramph, ramphe stswm. krampf; unglück, niederlage.

ram-schoup stm. zum lager dienendes stroh od. ein mit stroh bedecktes, zum lager dienendes gestell (*ram*).

râm-var adj. schmutzig.

ram-wërc stn. arbeit mit der *rame*, das sticken, wirken.

ran adj. schlank, schmächtig.

rân s. *râm* 2.

ranc, -ges stm., **range** swm. einfassung, rand.

ranc, -ges stm. schnelle drehende bewegung.

ranft, ramft stm. einfassung, rand; brotrinde.

range s. *ranc* 1.

range swm. böser bube, range.

rangen swv. ringen, sich hin und her bewegen; mit begierde streben *zuo*.

ranken swv. einen *ranc* tun, sich hin und her bewegen, dehnen, strecken.

rankorn stn. bräune der schweine.

rans stm. = *grans*.

rans stm. bauch, wanst, ranzen.

ransen, ransern s. *rens-*.

rant, *-des* stm. einfassung, rand; bes. der rand des schildes, der schild selbst (*über rant* od. *über schildes rant* über den schild hin, indem man sich schon für den kampf mit dem schilde gedeckt hat).

rante s. *rënte*.

ranz stf. mutterschwein.

ranz stm. heftige bewegung, streit.

ranzen swv. intr. ungestüm hin und her springen. — tr. necken.

ranzen swv. = *rensen*.

rappe s. *raben, rabe*.

rappe swm. der traubenkamm (fz. *râpe*). — swf. raupe (s. *rûpe*). —, **rapfe** swf. räude.

rappen swv. abraupen.

rasch adj. adv. schnell, hurtig, gewandt, kräftig (vgl. *resch, risch, rösch*).

rase swm. rasen (aus mnd. *wrase*).

râsen swv. toben, rasen.

râserîe stf. raserei, dementia.

raspen swv. raffen.

rasper stm. zusammenraffer.

raste, rast stf. ruhe, rast; ein wegmass von verschiedener länge; zeitraum, meile (vgl. *reste*).

rasteln swv. = *razzeln*.

rasten swv. rasten, ruhen (*gerastet* part. adj. ausgeruht); im grabe ruhen (namentl. von heiligen gebraucht).

rast-, rest-lich adj. quietus.

rat, *-des* adj. = *gerat*.

rat, *-des* stn. rad (am wagen, pfluge usw.), mühlrad; das sich wälzende rad des glückes; zur hinrichtung (s. *radebrëchen*).

rat, rate swm., **rate, ratte** swf. ratte.

rât stm. rat, ratschlag, persönl. der ratgeber; lehre, belehrung, oft geradezu befehl; beratschlagung, beratung, überlegung; rätsel; entschluss; beratende versammlung (rat, städtische behörde); für- und vorsorge; zurüstung, vorrat, nahrungsmittel; mittel, vermögen; geräte; hilfe, abhilfe, befreiung wovon (mit gen.); unterlassung, verzicht, entbehrung.

râtære, -er, ræter stm. ratgeber.

rât-bære adj. rat bringend, sich aufs ratgeben verstehend. **-gëbe** swm. ratgeber, rat; ratsherr. **-gëber** stm. ratgeber. **-gëberinne, -gëbinne** stf. ratgeberin. **-genôz, -genôze** stswm. der am rate teil hat, ratsherr. **-geselle** swm. dasselbe. **-hërre** swm. ratsherr. **-hûs** stn. rathaus. **-liet** stn. rätsellied, rätsel. **-liute** pl. zu **-man** stm. ratgeber, rat; schiedsmann; ratsherr. **-meister** stm. rats-, bürgermeister. **-mëzzer** stm. ratgeber. **-miete** stf. lohn für rat. **-vrâge** stf. frage, bitte um rat; ratsverhandlung. **-vrâgen** swv. um rat fragen. **-vriunt** stm. ratsherr.

rate, ratte swm., **raten, ratten** stm. der raden, ein unkraut im korn.

rætec, rætic adj. rat gebend, einen ratschluss fassend.

rætelîn, rætel stn. rätsel.

râten stv. red. I, 2 intr. raten (mit dp.), beraten, überdenken. — tr. raten (in stärkerer bedeutung befehlen), beraten, überdenken, worauf sinnen, bereiten, anraten in wohlwollender oder feindlicher absicht (mit acc., acc. u. dat., mit dat. u. inf. ohne *ze*, mit *an, ûf, umbe, vür, zuo*); erraten.

râtische, rætsche stswf. schwierige frage, rätsel.

rætischen swv. rätsel aufgeben.

ræt-lich adj. was anzuraten, nützlich ist.

râtsal, rætsel stn. rätsel.

ratte, ratten s. *rate*.

râtunge stf. rat; beratung u. ihr ergebnis, plan; rätsel.

ratz, ratze swm. = *rat, rate*.

ratzen swv. kratzen; rasseln.

râve, râfe swm. sparren, dachsparren (*ruoziger r.* für haus, herd).

ravîne s. *rabîne*.

râvît, ravît stnm. streitross (mfz. *arabit* ross aus Arabien).

râw- s. *ruow-*.

râz stn., **râze** stswf. honigwabe; scheiterhaufen.

ræze adj. scharf von geschmack, herbe, ätzend; scharf, hell vom tone; scharf, schneidend; bissig, wild, wütend; heftig, wild, keck (mit gen. od. *an*); rauh, heiser. — stf. schärfe, heftigkeit, wildheit.

ræzec, ræzic adj. = *ræze*, bissig.

râz-köpfe adj. hitzköpfig.

razzeln, razzen swv. toben; rasseln; winden, drehen.

re- präf. s. *ur-*.

rē stn. s. *rêch*.

rê, *-wes* stm. n. leichnam; tod; tötung, mord, persönl. der mörder; grab, begräbnis; totenbahre.

rêb stn. seil in *rêbseil, -snuor*.

rëbe swmf. rebe; reb-, weingarten (pl.); ranken, gewundene linien von goldstickerei auf dem gewande. **-bërc** stm. weinberg.

rebelîn stn. junger *rabe*.

rëben swv. intr. träumen, verwirrt sein (nd. *reven*, fz. *rêver*).

rebîgel f. apfelrose (mlat. *rubiola, rubigula*).

rebenter s. *reventer*.

rëb-liute pl. zu

rëb-man stm. weinbauer.

rëb-mânôt stm. februar; oktober.

rêb-seil stn. bindfaden.

rêb-snuor stf. dasselbe.

rêch, rê, *-hes* stn. reh.

rëchære, -er stm. rächer.

rêch-boc stm. rehbock. **-garn** stn. schlinge, netz zum rehfang. **-geiz** stf. rehgeiss. **-seil** stn. jagdseil für rehe.

rëche swm. der rechen und rechenförmige vorrichtung.

rëchen stv. IV ein unrecht bestrafen, zur vergeltung einem übels zufügen, rache wofür nehmen abs. u. tr. mit as. — refl. od. mit ap. sich od. einen beschädigten rächen, ihm genugtuung verschaffen.

rëchen stv. IV mit den händen zusammenkratzen, raffen, scharren, häufeln.

rëchen swv. mit dem rechen zusammenhäufen.

rechen s. *recken*.

rechenære, -er stm. rechner, berechner, fürsorger.

rechenen, rechen swv. zählen, rechnen, rechenschaft ablegen.

rechen-meister stm. rechenmeister; rentamtmann. **-phennine** stm. rechenmarke.

rechenunge, rechnunge stf. rechnung, berechnung, abrechnung, rechenschaft.

rëcher stm. zusammenrecher.

recher stm. eine art naturalzins.

rêchîn adj. vom reh.

rêchisch adv. wie ein reh.

rëcke s. *ric*.

recke, reke swm. verfolgter, verbannter, fremdling; herumziehender krieger, abenteurer; krieger überh., erprobter krieger, held.

recken, rechen swv. tr. in die höhe bringen, erheben, ausstrecken; erregen, hervorbringen, verursachen; ausstrecken, ausdehnen (*den vuoz r.* sterben); darreichen; (*einem die* *hant* usw.). — refl. sich ausdehnen, ausstrecken. — intr. emporragen; sich erstrecken, reichen *an*; *ûf einen, gegen, zuo einem r.* auf einen losrennen.

recken, rechen swv. sagen, erzählen, darlegen, erklären.

redære, -er stm. = *redenære.*

rede stf. rechenschaft, verantwortung; gebühr, vernunft, verstand; sprache; rede, gespräch, erzählung (rede vor gericht, ein-, widerrede, ausrede; verabredung, gegebenes wort; abkommen, vertrag; nachrede; s. v. a. *mære* erzählung, nachricht, kunde); epos oder lehrgedicht in unstrophischen versen; text eines gedichtes im gegensatz zur melodie; gegenstand der rede, sache (oft nur umschreibend); handlung.

rede-balt adj. kühn mit der rede. **-bære** adj. wovon zu reden ist, der rede wert; verständig, beredt (bes. von boten). **-bote** swm. mandatar eines andern vor gericht, insbes. um dessen ausbleiben zu entschuldigen. **-buole** swm. geliebter, der sich mit verliebtem gespräche begnügt. **-gëbe** adj. beredt. **-genôȥ** stm. s. v. a. **-geselle** swm. einer, mit dem man spricht, sich unterhält. **-haft** adj. redend, beredt. **-halbe** adv. mündlich. **-hûs** stn. besonderer ort im kloster zur unterhaltung mit den laien. **-küene** adj. kühn zu sagen. **-(red)-lich** adj. redend, beredt; vernünftig, verständig; rechtschaffen, brauchbar, wakker, tapfer; wichtig, triftig; ordnungsgemäss, ordentlich, geziemend, angemessen, passend. **-liche** adv. ordentlich, geziemend, gehörig. **-lîche** stf. rechtschaffenheit. **-lîcheit** stf. die fähigkeit zu reden; beredsamkeit; vernunft, vernünftigkeit. **-lôs** adj. ohne *rede*, stumm; s. v. a. *klagelôs*. **-ræte** adj. durch rede nachstellerisch. **-rîche** adj. redselig, beredt; inhaltreich, weitläufig in der erzählung. **-sam** adj. redselig, beredt. **-spæhe** adj. sich aufs reden verstehend, beredt. **-spræche, -spræchic** adj. dasselbe. **-stolz** adj. beredt. **-vënster** stn. sprachgitter in einem kloster.

rëde-biutel stm. beutel zum sieben, mühlbeutel.

redelîn stn. rädchen.

redelitze? pflug.

redeloht adj. radförmig, rund.

rëden stv. V durch das sieb schütteln, sieben, sichten.

reden swv. abs. u. tr. reden, sprechen, sagen; mit dp. versprechen.

redenære stm. redner; anwalt, verteidiger.

redenen swv. = *reden.*

reden-stric stm. argumentatio.

rëder stm. mehlsieber, mühlknecht.

rëderen swv. = *rëden.*

rederen swv. = *radebrechen.*

rëder-knëht stm. = *rëder.*

rëde-vaȥ stn. sieb.

rê-dult stf. leichenfeier.

redunge stf. rede, antwort, unterhandlung.

rëf, *-ffes* stn. stabgestell zum tragen auf dem rücken.

refant, refat, refet s. *reventer.*

reffen s. *raffen.*

reffen, refsen swv. mit worten strafen, tadeln, schelten, züchtigen.

reffental, reffentor s. *reventer.*

refloit stm. refrain u. gesang mit refrain (mfz. *refloit*).

refsalunge, refsunge stf. tadel, strafe, züchtigung.

rege stf. bewegung.

rëgelære, -er stm. mönch, bes. ein *canonicus regularis* der nach der regel des hl. Augustin lebt.

rëgele, rëgel stswf. regel, bes. die ordensregel (lat. *regula*).

rëgel-gëlt stn. geldabgabe an die mönche. **-lêre** stf. ordensvorschrift, ordensregel. **-lich** adj. regularis. **-orden** stm. ordensregel. **-phenninc** stm. = *rëgelgëlt*. **-vaste** stf. fasten der regel.

rege-lich adj. was sich regen kann.

rëgelieren swv. regulieren.

rëgelierer stm. = *rëgelære.*

regen stn. m. die bewegung.

rëgen stm. (md. auch *reigen* kontr. *rein*) regen, eigentl. u. bildl. (bes. von den tränen).

rëgen stv. V intr. sich erheben, emporragen; steif gestreckt sein, starren.

regen swv. *rëgen* machen, aufrichten, in bewegung setzen, bewegen, erregen, erwecken; anrühren; zeigen, aufdecken; anregen, zur anzeige bringen. — refl. sich regen, bewegen.

rëgen-boge swm. regenbogen (*ûf den regenbogen bûwen, setzen, zimbern* luftschlösser bauen). **-dicke** adv. dicht gedrängt wie regentropfen. **-guȥ** stm. regenguss. **-mantel** stm. schutzmantel gegen regen. **-molle** swm. molch. **-tac** stm. regnerischer tag. **-waȥȥer** stn. regenwasser, regen. **-wolken** stn., **-wolke** swf. regenwolke. **-(rein-)wurm** stm. regenwurm.

rëgenen, reinen, rëgen swv. regnen; tr. regnen lassen.

rëgenic, reinic adj. regnicht.

rê-gewant stn. leichenkleid.

regieren swv. abs. regieren, herrschen. — tr. u. refl. herrschen über, beherrschen (lat. *regere*).

regierinne stf. *r. des lîbes* beherrscherin des l.

register stn. verzeichnis, register; protokoll (mlat. *registrum*). vgl. *reister.*

regnieren swv. s. v. a. *regieren* (lat. *regnare*).

rehsenen s. *rahsenen.*

rëht adj. in gerader linie, gerade; sowie es sich nach sitte oder gesetz gebührt; recht, gerecht, gehörig, wahrhaft, wirklich, eigentlich.—stn. was recht u. geziemend ist (adverbial: *bî, mit, nâch, von, ze rehte*); gesamtheit der rechtlichen verhältnisse jemands, was man zu fordern u. zu leisten hat: recht u. pflicht (bes. standesrecht, -pflicht, stand), anspruch und schuld; gesamtheit der gesetzlichen bestimmungen, recht, rechtsbuch; gericht, rechtsverfahren, gerichtl. verhandlung, prozess; rechtsanwendung für einen fall, urteil, urteilsspruch; vollstrekkung eines todesurteils, hinrichtung; reinigungseid.

rëht-brëcher stm. praevaricator, rechtsverletzer. **-brëcherin** stf. corruptela, rechtsverletzerin. **-buoch** stn. rechtsbuch. **-haftigen** swv. rechtfertigen, als richtig erkennen. **-haftunge** stf. rechtfertigung. **-(rëhten-)halp** adv. rechts. **-lich** adj., **-liche** adv. recht, richtig, gerichtlich. **-same** stf. gerechtsame. **-saz** stm. tagsatzung; antrag auf ein urteil. **-schuldic** adj. recht, rechtschaffen, rechtmässig; eines vergehns mit recht überführt, schuldig. **-sitzer** stm. gerichtsbeisitzer, schöffe. **-sprëcher** stm. urteilssprecher, schöffe. **-spruch** stm. rechtsspruch, gegens. zu *minnespruch*. **-tac** stm. rechts-, gerichtstag. **-teidinc** stn. gericht. **-verkêre** swm. rechtsverdreher. **-vertic** adj. gerecht, rechtmässig, rechtschaffen; übereinstimmend mit. **-vertic-heit** stf. gerechtigkeit. **-vertigen** swv. *rëhtvertic* machen; ausfertigen, mit dat. übergeben; rechtfertigen, von schuld befreien (tr. u. refl.); vor gericht vertreten, verteidigen; vor gericht ziehen, gerichtlich behandeln; bestrafen; hinrichten. **-vertigunge** stf. zurechtmachung, instandsetzung; gutheissung; gerichtl. verhandlung u. entscheidung; rechtliche einkünfte.

rëhte swn. des adj. (im gen. *des rehten* u. *rehtens*) s. v. a. *rëht* stn.

rëhte swm. der gerechte.

rëhte, rëht adv. gerade, geradeswegs; zutreffend, gerade, eben; dem recht und der wahrheit gemäss, recht, richtig, zutreffend, genau (verstärkend vor adj. u. adv.).

rëhte stf. die gerade richtung; gerechtigkeit.

rëhtec, rëhtic adj. recht, richtig. **-heit, rëhtekeit, rëhtikeit** stf. das recht; die gerechte sache, das gerechtsein; rechtschaffenheit; gerechtigkeit (die lohn u. strafe austeilt); richtigkeit, wahrheit. **-lich** adj., **-liche** adv. recht, richtig.

rëhtegen, rëhtigen swv. *rëhtec* machen, instificare; *daz r.* der rechtsanspruch.

rëhte-lôs adj. ohne *rëht*; dem sein recht vom gericht verweigert wird.

rëhten, rahten swv. prozessieren; beilegen, schlichten.

rëhter stm. md. = *rihtære.*

rëhte-stuol stm. richterstuhl.

rëhtisch adj. recht, passend.

rëhtunge, rahtunge stf. recht, gericht; rechtsspruch, weistum; gerechtsame; rechtl. anspruch; rechtl. einkünfte, zins; verhandlung; vertrag, gütliche schlichtung eines streites.

rei s. *reie.*

reichen swv. tr. erreichen, erlangen; holen, bringen, darreichen. — intr. wonach langen (*an, nâch, zuo*). — intr. u. refl. sich erstrecken, ausdehnen, reichen (*an, gegen, in, über, ûf, zuo*).

reide adj. s. *reit.*

reide stf. drehung, wendung, krümmung; um-, rückkehr, wiederkunft; das gedrehte, gelockte; was sich dreht.

reideloht, reidelëht adj. = *reit.*

reie, reige swm., **rei** stm. art tanz, reigen, bes. der frühlings- od. sommertanz, wobei man in langer reihe hintereinander über feld zog (*den reien gên, springen, treten*); gesang, melodie zum reigen (*den reien singen, videlen*).

reien, reigen swv. den reigen tanzen; einen tanz veranstalten, tanzen lassen; *reigende* part. tanzend, brünstig (hündin). — tr. im tanze führen.

reien stn. der reigentanz.

reif, -fes stm. seil, strick; streifen; band, fessel; reif, ring; gebinde, fass; kreis.

reifal s. *reinval.*

reifelëht adj. kreisförmig.

reifen swv. biegen, winden.

reigen s. *reien.*

reiger, reigel stm. reiher.

rein stm. s. *rëgen.*

rein stm. begrenzende bodenerhöhung, rain; meeresufer, untiefe. **-brëchen** stn. grenzverletzung. **-stein** stm. grenzstein. **-vane, -van** stswm. rainfarn.

reinâte stf. reinigung und bodensatz davon; reinheit, jungfräulichkeit.

reinde s. *reine* 1.

reine, rein adj. rein, klar, lauter u. in übertrag. bedeut. ohne makel od. sünde, schön, herrlich, vollkommen, gut, keusch. — adv. rein, lauter, ohne falsch, vollkommen, schön; ganz und gar. **-, reinde** stf. reinheit, keuschheit.

reine swm. hengst, beschäler.

reinec, reinic adj. rein. **-heit, reinekeit, reinikeit** stf. reinheit in eig. u. sittl. bedeutung. **-lich** adj. = *rein.*

reinegen, reinigen, reingen swv. *reinec* machen, reinigen.

reinegunge, reinigunge stf. reinigung.

reinen s. *rëgenen.*

reinen swv. intr. grenzen *an.* — tr. abgrenzen, teilen. — abs. die grenzen bezeichnen.

reinen swv. = *reinegen.*

reinic s. *rëgenic, reinec.*

reinisch adj. brünstig; froh, stolzgemut. s. *reine* swm.

rein-lich adj. = *rein.*

reinunge stf. grenze, abgrenzung.

reinunge stf. reinigung.

reinval, -fal, reival, reifal stm. ein kostbarer, süsser wein.

reisære, -er stm. der eine *reise*, einen feldzug macht, krieger.

reis-buoch stn. kriegsbuch; verzeichnis der im kriege gemachten ausgaben. **-jeger** stm. herumziehender, herrenloser kriegsknecht. **-knëht** stm. kriegsknecht. **-man** m., pl. **-liute** kriegsleute; reitende boten. **-wagen** stm. kriegswagen; frachtwagen.

reise, reis stf. aufbruch, zug, reise, bes. kriegs-, heereszug.

reise-bære adj. fähig eine *reise* zu machen, kriegerisch. **-dienest** stm. kriegsdienst. **-geselle** swm. reisegefährte. **-gewant** stn. reisekleid. **-kappe** swf. reisemantel. **-kleit** stn. reisekleid. **-lachen** stn. reisegewand. **-lich** adj. der *reise* angemessen, auf die *r.* bezüglich (*r.vart* aufbruch, reise; *r. dienest* kriegsdienst). **-liche, reislichen** adv. reise-, kriegsgemäss. **-note** stf. melodie, die zum ritterlichen auszuge gespielt wird. **-vri** adj. vom kriegsdienste frei. **-wæte** stn. reisekleidung.

reisec, reisic adj. auf der reise befindlich, reisend; zu kriegszügen dienend, gerüstet, reisig, beritten (*die reisigen* die krieger, die reiter).

reiseler stm. fuhrmann.

reisen swv. tr. bereiten, herrichten, fertig machen. — abs. eine *reise* tun, reisen, bes. einen kriegszug unternehmen, ins feld ziehen; plündern, rauben.

reisen swv. *die harphen r.* die harfe schlagen.

reisten swv. intr. refl. als verkohlter teil abfallen, sprühen.

reister stn. md. = *register:* zeitregister, verzeichnis der ereignisse. — stm. persönlichkeit, die der inbegriff von etw. ist, hauptrepräsentant, lenker, verwalter.

reisunge stf. kriegszug.

reit, -des adj. gedreht, gekräuselt, lockig.

reitach = *reit-tac.*

reit-brief stm. schriftl. rechnung. **-buoch** stn. rechnungsbuch. **-holz** stn. kerbholz. **-tac** stm. rechnungstag.

reit-brûn adj. braungelockt. **-val** adj. fahl u. gelockt. **-var** adj. lockig aussehend. **-ziere** adj. zierlich gelockt.

reite, reit adj. bereit.

reite, reit stf. rechnung (in *reitemeister, reitbrief, -buoch* usw.).

reite adv. schnell, alsbald (in *al-, be-, gereite*).

reitę stf. fahrt, reise; kriegszug, kriegerischer angriff.

reite stn. = *gereite,* bereitschaft.

reite-bâre stf. sänfte. **-kleit** stn. = *reisekleit.* **-man** stm. der auf dem *reitepherde* kriegsdienste tut. **-phert** stn. reit-, kriegspferd.

reitel stm. drehstange, kurze dicke stange, prügel, knüttel; band, reif, womit der scheitel in ordnung gehalten wird (?).

reiteler stm. = *reiseler.*

reite-meister stm. stadtrechner.

reiten swv. tr. *reite* machen, zurüsten; bereiten. — abs. u. tr. zählen, rechnen, berechnen; bezahlen.

reiten swv. *rîten* machen, lassen, als pferd usw. tragen.

reiter stm. rechner, zähler.

reit-geselle swm. der mit einem andern reitet; kriegsgenosse.

reitine swf. verteilung des almosens durch den almosenrechner eines klosters.

reit-lachen stn. = *reiselachen.*

reitunge stf. die rechnung, rechenschaft.

reit-vihe stn. faselvieh.

reit-wagen stm. wagen für eine *reite,* reise-, pack-, kriegswagen; pers. wagenlenker.

reiȥ stm. linie; ritz, kratz; riss, bruch, lücke.

reiȥære stm. reizer, anreizer.

reiȥec adj. verlangend, gierig.

reiȥe-klobe swm. = *reiȥel-k.*

reiȥel, reiȥȥel stmn. reizmittel, lockspeise, bes. die im vogelkloben angebrachte.

reiȥelære stm. der lockspeisen legt, verführer, verlocker.

reiȥel-klobe swm. *klobe* mit lockspeise zum vogelfang. **-valke** swm. lockfalke. **-vogel** stm. lockvogel.

reiȥe-luoder stn. lockspeise.

reiȥen, reizen swv. reizen, anreizen, antreiben zu (gen., inf.), locken, verlocken, erwecken, anregen, erregen. — refl. erregen, aufregen. — unpers. verlangen.

reiȥen-spil stn. verlockendes spiel, verlockung.

reiȥ-lich adj. verlockend.

reiȥunge stf. anreizung.

reke s. *recke.*

rê-kleit stn. = *rêgewant.*

religiôse swm. geistlicher (mlat. *religiosus*).

rêlîn stn. dem. zu *rêch, rê.*

relle swf. schrotmühle.

rellen swv. schroten (vgl. *rendeln*).

rem, reme s. *ram* stf.

remler s. *rammeler.*

rendeln, renlen swv. rändeln, schroten (vgl. *rellen*).

renke s. *rînanke.*

renkelîn stn. dem. zu *ranc.*

renken swv. drehend ziehen, hin und her bewegen; *daȥ r.* die verrenkung.

renle s. *rennelîn.*

rennære, -er stm. der hin u. her rennt, viel beschäftigt ist; reit-, stallknecht; reitender bote; rennpferd.

renne swf. was die milch gerinnen macht, lab.

renne-, rinne-boum stm. schlagbaum.

renne-kleit stn. turniergewand. **-strâȥe** stf. = *rennewëc.* **-vane** swm. kriegs-, heerfahne. **-venlîn** stn. reiterpanier u. die dazu gehörige reiterabteilung. **-wëc** stm. turnierbahn.

rennele swf. mühlbeutel.

rennelîn, renle stn. wundmal.

rennen swv. *rinnen, gerinnen* machen; schnell laufen machen, jagen, treiben; in bewegung bringen; über etw. schütten; anrennen; durchbrennen; scheinbar intr. (mit ausgelass. objekte *ros* usw.) schnell reiten, sprengen, rennen (*gerant* part. adj. schnell geritten, schnell, im laufe).

rennen stn. das rennen, turnier; weidm. hetze, jagd.

renschen swv. wiehern.

rensen, ransen swv. die glieder dehnen u. strecken.

rensern, ransern swv. iter. zum vorigen.

rënte, rënt stf. (nbf. *rante, riante*) einkünfte, ertrag; vorteil, gewinn; geordneter zustand, einrichtung, art und weise; bes. vom geordneten laufe der gestirne (fz. *rente,* mlat. *renta, rendita*).

rënten swv. an renten eintragen.

rënt-kamer f. rentamt. **-kiste** swf. rentkasse. **-meister** stm. rentmeister, reddituarius.

renzeln swv. frequent. zu *ranzen* schwingen (den flachs).

rëp-huon stn. rebhuhn.

reppele stn. dem. zu rappe.

reppen swv. sich bewegen.

rëppen swv. rippenartig machen, steppen, verzieren.

reppic, repfic adj. rappig, räudig.

repsen swv. = *refsen.*

requianz stm. seelmesse (lat. *requiem,* mfz. *requiens* ?).

rêre, rêr stf. das herab-, niederfallen.

rêren swv. tr. fallen machen od. lassen; vergiessen; mit dp. zufliessen, zukommen lassen. — refl. mausern; immer weniger werden. — intr. fallen, träufeln.

rêren swv. blöken, brüllen.

rêric adj. sich mausernd.

rê-rouben swv. einen *rêroup* begehn. **-roup** stm. beraubung eines toten, eines deshalb ermordeten; was ein weib durch feilbieten ihres leibes verdient.

resch, resche adj. schnell, behende, munter, rührig, lebhaft; trocken, spröde (vgl. *rasch, risch, rösch*).

resche, resch adv. schnell, hurtig, rasch.

resch-liche adv. dasselbe.

resîn stf. ? harz (lat. *resina*).

respen swv. = *refsen, repsen.*

rëspen stv. V raffen.

restaur stnf. ersatz, entschädigung (mlat. *restaurum*).

reste, rest stf. ruhe, rast, sicherheit; sicherer platz, ruhestätte, grab; eine strecke (nach zeit u. raum). vgl. *raste.*

resten swv. = *rasten.*

rest-lich s. *rastlich.*

retich stm. rettich (lat. *radix*).

retschen swv. schnarren, schwatzen, quaken.

rettære stm. retter.

retten swv. einem übel entreissen, retten, befreien; löschen (brand, feuer).

rettigunge, rettunge stf. rettung, hilfe.

rê-var adj. leichenfarbig.

rê-veige adj. *die rêveigen* die erschlagenen.

rëvelen swv. nähen, flicken.

rëveler stm. schuhflicker.

reventer, revent stm. n. speisezimmer der mönche, remter; nbff. *reffentor, rebenter, reviter, revental, reffental, reventeil, refant, refat, refet* (umged. aus lat. *refectorium*).

rew- s. *riuw-.*

rêwen swv. auf die bahre legen, als leiche (*rê*) schmücken; ertöten.

rê-wunt adj. zum tode verwundet.

riante s. *rënte.*

ribaldîe stf. landstreicherei, büberei.

ribaldîn, ribalt, *-des* stm. landstreicher, bube, schurke; als schachfig. achter *vende;* eine vorgeschobene belagerungsmaschine (prov. *ribalt,* mlat. *ribaldus*).

ribbalîn stn. eine art stiefel (afz. *revelin*).

ribe, ribbe s. *rippe.*

rîbe swf. prostituta, s. *hove-r.*

rîbe-gërste stf., **-korn** stn. abgabe von gerste und roggen.

rîbel stm. werkzeug zum *rîben.*

rîben stv. I, 1 tr. refl. reiben, bes. vom reiben, frottieren im bade (*geribeniu schœne, varwe* die durch das reiben im bade od. durch schminke erzeugte farbe); als schminke einreiben, schminken; mahlen; mit obj. *eȥ* mit dem fidelbogen streichen, geigen. — abs. tanzen; sich drehen. wenden; brünstig sein, sich begatten. refl. mit *an* sich heften an, ankleben.

rîber stm. reiber, badeknecht; bube, schlechter kerl.

rîberinne, -in stf. reiberin, bademagd.

rîberlîn stn. hure. s. *rîbe.*

rîb-kiule swf., **-kolbe** swm. mörserkeule. **-scherbe,** swm. topf zum reiben.

ric, *-ckes* stm. band, fessel, verstrickung, knoten, schleife; geschlinge der eingeweide; gehege; enger weg, engpass; hinterhalt; wagrechtes gestelle, stange od. latte, um etw. daran zu hängen (ndrh. *ricke, rëcke* swf.).

rich stm. = *gerich.*

riche, rîch, rich adj. von perss.: von hoher abkunft, vornehm, edel, mächtig, gewaltig; fähig zu, mit inf., reich (formelhaft *arme unde rîche* alle welt); mit gs.; bildl. freudenreich, beglückt. — von sachen u. abstraktionen: vornehm, hoch, mächtig gehoben; kräftig; laut, volltönend; reich an, voll mit gen.; reichlich, ansehnlich, gross, kostbar, herrlich. — adv. auf herrliche, stattliche, prächtige, kostbare weise. — stf. der reichtum, das reichsein. **riche, rîch** stn. herrschaft, beherrschtes land, reich; herrschaft, regierung; persönl. das reichsoberhaupt, könig, kaiser; zeichen der herrschaft, reichskleinodien, reichswappen.

rîcheit s. *rîch-heit.*

richel stf.? die egge? bildl. hindernis.

riche-lich, rîlich adj. reich, reichlich, herrlich, kostbar; freigebig. **-liche, rîliche** adv. auf reiche, herrliche, kostbare weise; in vollem masse, reichlich. **-liche, rîliche** stf. reichtum. **-lîcheit, rîlîcheit** stf. reichtum, herrlichkeit; freigebigkeit.

rîchen swv. intr. *rîche* sein od. werden mit gs. od. *an*; herrschen, regieren. — tr. *rîche* machen (mit acc. u. gen. od. *an, mit*). — refl. reich werden, sich mehren.

richern swv. bereichern.

richesære, richser, richsnære stm. herrscher.

richesen, richsen, richsenen rîchsnen swv. herrschen.

rich-heit, richeit stf. das reichsein, der reichtum, gut, besitz, die wohlhabenheit, fülle, pracht.

rich-lich adj. zur rache geneigt.

rich-lôs adj. sehr reich? **-man** stm. reicher mann; höriger des landesherren. **-sælec** adj. glücklich. **-tage** swm., **-tuom** stm. reichtum.

richse swf. reihe, linie.

rich-stat stf. reichsstadt.

rickeln swv. iterat. zu *ricken.*

ricke s. *ric.*

ricken swv. anbinden, fesseln; einfriedigen, einschliessen; häkeln, zusammenschnüren; abtrennen, abschneiden.

ric-seil stn. gestellseil, gurt unter einem *spanbette.*

ridel stm. fieberschauer.

rîden stv. I, 1 tr. winden, durchwinden, -seihen; drehen, wenden. — intr. sich rühren, fortbewegen.

riden, rideren swv. zittern.

ridewanz stm. eine art tanz, vgl. *rotruwange.* **ridewanzel** stm. einer der den *r.* tanzt. **ridewanzen** swv. den *r.* tanzen.

ridieren, ritieren swv. fälteln (fz. *rider*).

ridwen swv. zittern.

riech adj. rauh, starr, steif; scharf, bitter von der speise; rauh, heiser von der stimme.

riechen stv. II, 1 (md. auch *rûchen*) intr. rauchen, dampfen; einen geruch von sich geben, duften. — tr. einen geruch von etw. empfinden, riechen.

riechen stn., **riechunge** stf. geruch; geruchssinn.

riefen swv. zanken, streiten.

rieme swm. das ruder, die ruderstange; ruderer.

rieme swm. band, schmaler streifen, riemen, gürtel.

riemen swv. mit einem riemen versehen, mit r. festbinden.

riemen-snîder stm. corrigiarius.

riemen-, riem-stëchen stn. eine art glücksspiel; davon *riemenstëcher* stm.

riemer stm. = *riemensnîder.*

rienen swv. intr. jammern, klagen, flehentlich bitten. — tr. u. refl. beklagen, bejammern.

riester stfn., **rist** stm. pflugsterz.

riester-brët stn. das streichbrett am pfluge. **-holz** stn. holz, woraus eine *r.* gemacht wird.

riet, *-tes, -des* stn. schilfrohr, sumpf-, riedgras, damit bewachsener grund.

riet stn. ausgereuteter grund, ansiedelung darauf.

rietahe, rietach, rietiche stn. coll. zu *riet* 1.

rieten stv. II, 2 ausrotten, vernichten; part. md. *geroden.*

rietlîn stn. dem. zu *riet* 2.

riet-zûn stm. zaun um ein *riet.*

riez stm. geräusch, lärm; lärmender angriff.

riezen stv. II, 2 intr. fliessen; tränen fliessen lassen, weinen; jammertöne von sich geben. — tr. beweinen.

rif, *-ffes* stn. riff.

rif stf. ufer; ausfuhrzoll (ursprüngl. wohl uferzoll); platz am ufer, wo das getriftete holz aufgeschichtet wird (it. *riva,* lat. *ripa*).

rîfe, rîf swm. gefrorner tau, reif.

rîfe, rîf adj. reif.

rifelen, riffeln swv. durchkämmen, durchhecheln.

rîfen swv. mit reif überzogen werden, gefrieren.

rîfen swv. reif werden.

rige swmf. die fältelung am halsbande, kragensaum.

rige swf. linie, reihe; wasserbach, wassergraben.

rigel stm. riegel (von eisen od. holz), querholz; stange, hebel, walze; riegel-, fachbalken; kleine anhöhe od. steiler absatz eines berges; art kopfbedeckung die man umwindet.

rigelen swv. den riegel vorschieben, verriegeln, verschliessen.

rigel-loch stn. loch, in das der *r.* geschoben wird; maueröffnung zum abflusse vom fussboden. **-stein** stm. rinnstein.

rigen swv. entgegenstreben.

rîhe, rîhen swstf. reihe, linie: schmaler gang zwischen zwei nicht ganz aneinander stehenden häusern, abzugsgraben in einem solchen, rinne; dachrinne(?); die vertiefte linie am menschl. leibe, da, wo sich der bauch an die schenkel schliesst.

rîhe swm. = *rist* des fusses.

rîhen stv. II tr. durch etw. zusammenhaltendes verbinden, auf einen faden ziehen, mit einem faden durchziehen, reihenweise anheften, fälteln. — tr. u. refl. stecken, spiessen *an, in*; bohrend stechen, *durch, in.* — intr. sich anreihen, wenden *zuo.*

rihtære, -er stm. lenker, ordner, oberherr, regent; als schachfig. = der *alte*; richter; scharfrichter; pedell.

rihtærinne stf. richterin.

riht-brief stm. schriftlicher schiedspruch. **-gëlt** stn. gerichtskosten. **-gesæze** stn. richterstuhl. **-haft** adj. buss-, straffällig. **-hûs** stn. gerichtshaus. **-lich** adj. recht, richtig, rechtlich; zu einem ausgleiche, einer versöhnung bereit. **-loube** swf. gerichtshalle. **-man** stm. richter. **-schillinc** stm. gerichts-, vergleichskosten. **-stap** stm. richterstab; jurisdiktion. **-tac** stm. gerichts-, vergleichstag.

rihte, riht stf. geradheit, gerade richtung, gerader weg (*die rihte* abs. acc. die richtung hin, gerade, geradeaus, *in rihte, enriht* räuml. in gerader richtung, gerade, geradeaus; zeitl. alsbald, sogleich, eben); geradheit, offenheit, richtigkeit, rechte weise (*die r. sagen* offen, gerade heraussagen); wonach man sich richtet, vorbild, regel; angerichtete speise, gericht.

rihte, riht stn. gericht; angerichtete speise.

rihtec, rihtic adj. gerade; in die rechte ordnung gebracht, richtig, gut, rechtschaffen.

rihtec-liche adv. recht, richtig, gerade; vor gericht.

rihtegunge stf. vergleich, friedensschluss.

rihten swv. 1. zum adj. *rëht*: recht, gerade machen, richten, in eine richtung bringen, aufrichten, aufstellen; tr. u. refl. in ordnung bringen, schlichten, zurecht u. fertig machen, errichten, einrichten, rüsten, anrichten; richtig machen, wieder gutmachen, vergüten; entrichten, bezahlen; gestalten, dichterisch gestalten; die richtung geben, lenken, wenden, schicken; abs. herrschen, regieren; tr. beherrschen, regieren. — 2. zu *rëht* stn.: abs. als richter entscheiden, recht sprechen, richten; mit dp. recht verschaffen, zum rechte verhelfen, genugtuung gewähren; etw. *r.* beweisen; *einen* od. *über einen r.* an ihm das urteil vollziehen, ihn hinrichten; *ab, über, von einem r.* über einen recht sprechen, ihn verurteilen; *zuo einem r.* ihn gerichtlich belangen od. bestrafen.

rihter-, rihte-stuol stm. richterstuhl.

rihtes adv. geradeswegs.

rihte-schaht stm. senkrechter schacht, **-stëc, -stic** stm. limes, trames.

riht-hamer stm. stimmschlüssel.

rihtunge stf. gericht, gerichtl. entscheidung, urteil; austrag, friedensschluss; *christenlîche r.* sterbsakrament.

rîl- s. *rîchel-*.

rîm, md. **rîn** stm. = *rîfe* (s. *rîmeln*).

rîm stm., sp. **rîmen** reim, reimzeile, -paar.

rîmære stm. reimer, dichter.

rîmeln swv. mit reif überzogen werden.

rîmen swv. reimen, in verse bringen; bildl. vereinigen.

rimph stm. das verziehen des mundes.

rimphen stv III,1 tr. in falten, runzeln zusammenziehen, krümmen, rümpfen. — refl. sich zusammenziehen, krümmen; einschrumpfen, verdorren, runzeln; sich zusammenziehend fortschnellen. — intr. einschrumpfen, runzlig werden (part. *gerumphen* eingeschrumpft, runzlig).

Rîn stm. Rhein (*von dem mere unz an den Rîn* formelhaft, um eine weite strecke zu bezeichnen; *wazzer in den Rîn tragen* etw. nutzloses beginnen).

rîn-anke, renke swm. Rheinanke, renke (vgl. *rîngrâve*).

rinc, *-ges,* **ring** stm. ring: fingerring, ring an einer tür, mit dem man klopfend einlass begehrt od. die tür zumacht; panzerring; überh. etw. ringförmiges (bretzel); kreis, umkreis, umfang (*ze ringe, umbe rinc* im kreise, ringsum); kreisförmig stehende, sitzende, lagernde menschenmenge, bes. die gerichtsversammlung, gericht; raum inmitten einer kreisförmigen menge, kampfplatz; platz überh.

rinc-lîche adv. leicht, leichtlich; auf leichte, unüberlegte, leichtfertige weise.

rinc-liute pl. zeugen der verlobung. **-mûre** stf. die ringsumschliessende mauer, ringmauer, **-wer** stf. *wer* rings um eine stadt.

rincerotes stm. rhinozeros, nashorn.

rinc-verte, -vertic adj. leicht und schnell gehend, handelnd.

rinde, rinte stswf. die rinde.

rindelîn stn. dem. zu *rint.*

rinden-hölric adj. mit löcheriger rinde.

rinder-hor stn. rindermist. **-meninc, -menî** f. frondienst mit rindergespann. **-teisch** stn. rindermist. **-zuc** stm. = *-menî.* **-zwëc** stm. rindskot. **rinderîn, rindîn** adj. vom rinde; von rindsleder. **rinderlîn** stn. kleines rind.

rindîn s. *rinderîn.*

ring s. *rinc.*

ringe, ring adj. unschwer, leicht (*ringer muot* leichter, froher, sorgloser sinn); nicht beschwert, leicht und schnell bereit, behende; leicht, nicht beschwerlich, bequem; klein, wenig, unbedeutend, gering; leichtsinnig, schlecht. — adv. leicht, geringe (*ringe* wohlfeil *koufen*); sup. *ringest* so schnell als möglich. — stf. leichtheit, leichtes gewicht; wohlfeilheit.

ringec-lîche adv. = *rinclîche.*

ringel-bluome swmf., **-krût** stn. ringel-, sonnenblume.

ringele, ringel stf. dasselbe.

ringelîn, ringel stn. dem. zu *rinc.*

ringeln, ringen swv. tr. mit ringen versehen (schweine). — refl. sich ringeln, kräuseln; part. *geringelt, -rinnelt.*

ringe -loht, -lëht adj. mit ringen versehen, geringelt, gekräuselt.

ringen stv. III, 1 intr. sich hin und her bewegen, ringen, kämpfen, sich abmühen (*an, umbe, wider*); mit begierde streben *nâch*; *r. mit* etwas üben, an sich haben. — tr. in einer kreisbiegung bewegen, winden, ringen; kämpfen; abmühen, abquälen.

ringen swv. s. *ringeln.*

ringen swv. tr. *ringe,* leicht machen, erleichtern, abschwächen, besänftigen; mit dp. u. *an* schmälern; abs. mit dat. leicht, sanft machen.

ringer stm. ringer, kämpfer.

ringerinne stf. ringerin.

ringern swv. erleichtern, verringern mit dp.

rîn-grâve swm. Rheinlachs (wegen seiner köstlichkeit so genannt; vgl. *rînanke*).

rînisch, rînsch adj. rheinisch.

rînisch-heit stf. rheinische tracht, mode.

rinke, ringge swstf. swm. spange, schnalle am gürtel, schuh usw.; dem. **rinkel** stn.

rinkeloht adj. mit *rinken* versehen.

rinne swf. wasserfluss, quell; dachtraufe; wasserleitung, -rinne, -röhre.

rinne-boum s. *renneboum.*

rinnelîn stn. rinnlein, bächlein.

rinnen stv. III, 1 intr. rinnen, fliessen; von einer flüssigkeit fortgetragen werden, wegfliessen, schwimmen; triefen; emporwachsen, aufschiessen; laufen, rennen; tr. = *rennen* (*den lîp r.* sich flüchten).

rinne-wîn stm. wein der beim zapfen u. schenken abfliesst.

rinnic adj. fliessend, rinnend; triefend.

rînsch s. *rînisch.*

rint, *-des* stn. rind.

rint-brâte swm. *brâte* vom rinde. **-schar** stf. scharwerk mit rindern. **-schuoch** stm. schuh von rindsleder. **-sûter** stm. der *rintschuohe* macht. **-vleisch** stn. rindfleisch; ein ausgewachsenes rind.

rinte s. *rinde.*

rippe, ribbe, ribe stn. f. rippe (trop. für körper); herkunft, geschlecht.

rippeln swv. iterat. zu *rîben.*

ris, riz, rist stn. stswf. swm. ries papiers (mlat. *rismus*).

rîs stm. n. reis; biermaische (mlat. *risus, risum*).

rîs stn. der fall, das fallen.

rîs, rîz stn. reis, zweig (*rîs* als rechtssymbol wie *halm*); strang aus gedrehten zweigen = *wide*; stange, baum; baumzweige, reisig; gebüsch, gesträuch.

rîsach, rîsech stn. reis, zweig (rechtssymbolisch wie *rîs*); reisig; gebüsch.

risch adj. hurtig, schnell, frisch, keck; trocken, spröde (vgl. *rasch, resch, rösch*).

rische, risch adv. hurtig, schnell. — stf. eile, hurtigkeit.

rischen swv. refl. eilen, stürmen.

risch-lîche adv. = *rische.*

rise swm. riese.

rîse stswf. art herabfallender schleier; im weiteren sinne das ganze *gebende.*

rise stf. wasser-, stein-, holzrinne an einem berge.

rise-bette stn. krankenbett.

rîsel stm. das herabfallende: tau, regen, hagel, schneeflocke; das wegfallende, übrigbleibende.

rîsel stm. regen; *des snêwes r.* schneeflocken.

rîselen swv. intr. tröpfeln, regnen, — tr. den *pfluoc r.* umstürzen; rinnen-, kerbartig machen, verzieren.

rîselîn, rîsel stn. dem zu *rîs* 2.

rîse-loup stn. abgefallenes, dürres laub.

rîsen stv. I, 1 von unten nach oben sich bewegen, steigen, sich erheben; von oben nach unten sich bewegen, fallen (ab-, nieder-, herausfallen, zerfallen); mit dp. zufallen, zuteil werden.

risen-grôȥ, -mæȥe, -mæȥic adj. riesenmässig, gross wie ein r.

risenisch adj. riesenhaft, aus dem geschlechte der riesen stammend.

risisch adj. = *risenisch.*

rispe swf. gezweig, gesträuch.

rispeln, rispen swv. kräuseln.

rist s. *ris, riester.*

rist stmn., **riste** stnf. hand- oder fussgelenk; der gebogene rücken oder die wölbung des fusses (bildl. vom himmelsgewölbe); halsgelenk an der schulter des pferdes.

rîste swf. oben zus. gedrehter büschel gehechelten flachses, reiste.

rîtære, -er; riter, ritter stm. reiter, streiter zu pferde, kämpfer, ritter; springer im schachspiele; münze mit dem bilde eines reiters.

rite swm. reiter.

rite, ritte swm. fieber.

ritec adj. fieberkrank.

rîten stv. I, 1 intr. sich fortbewegen, aufmachen, eine richtung einschlagen, fahren. — tr. mit acc. des gegenstandes, auf dem man sich fortbewegt. — intr. reiten (perf. mit *haben* u. *wesen*). — tr. reitend worauf sitzen, reiten auf; mit acc. des raumes, masses, erfolges, mit inf. — refl. eine richtung einschlagen, sich bewegen.

rîter, riter s. *rîtære.*

riter swf. sieb, reiter.

rîter-, riter-, ritter-lich adj., **-liche** adv. einem ritter geziemend od. eigen, ritterlich; stattlich, herrlich.

rîtern, rittern swv. intr. sich als ritter betragen, ritterlich kämpfen. — tr. mit rittern versehen.

rîtern swv. sieben, reinigen, auslesen.

rîter-, riter-, ritter-schaft stf. ritterlicher brauch und beruf, ritterl. leben und tun, kampf, turnieren; ritterl. stand; persönl. der ritter; menge von rittern.

rîter-, ritter-spil stn. spiel, übung der ritter, turnier usw. **-spîse** stf. speise für vornehme. **-tât** stf. ritterl. tat.

rite-suhten swv. das fieber haben.

rit-gewant stn. reitgewand.

ritieren s. *ridieren.*

rît-kappe stswf. reitkleid.

ritte, ritter s. *rite, rîtære.*

ritter-ambet stn. amt, würde des ritters. **-dinc** stn. aus rittern bestehendes gericht. **-ërnst** stm. ritterkampf. **-kleit** stn. ritterkleid, -rüstung. **-mæȥe, -mæȥec** adj. rittermässig, -bürtig. **-meister** stm. befehlshaber über *ritter*; springer im schachspiele. **-schar** stf. schar von rittern. **-sëgen** stm. einsegnung des ritters. **-scheften** swv. streiten, kämpfen, toben, militare. **-slac** stm. ritterschlag. **-stiure** stf. beihilfe zur erlangung der ritterwürde. **-wîp** stn. frau eines ritters oder von ritterl. geburt.

rittersman stm. md. ritter.

ritze f. ritze, vgl. *riȥȥe.*

ritzel stm. kompass.

ritzeln swv. oscillare.

ritzen swv. abs. u. tr. einen *riz* machen, ritzen, verwunden.

riu s. *riuwe.*

riude, rûde stswf. räude.

riudec, rûdec adj. räudig.

riuhe, rûhe stf. rauheit, behaartheit (schamhaar); rauch-, pelzwerk; rauhe gegend, rauher weg.

riuhelîn stn. dem. zum vorig. (schamhaar).

riuhen swv. tr. rauh machen; leidenschaftlich machen, reizen *ze.* — refl. rauh werden, sich sträuben.

riuschen s. *rûschen.*

riuse, riusche swf. fischreuse.

riusen s. *riuwesen.*

riusen swv. strecken, dehnen.

riuser stm. der mit *riusen* fischt.

riuspeln, riuspern, rûspern swv. räuspern.

riusten, riustern, rûstern swv. dasselbe.

riutære, -er stm. der ausreutet, urbar macht, bauer.

riute stn. stück landes, das durch *riuten* urbar gemacht worden ist.

riute stf. dasselbe; s. v. a.

riute-gëlt stn. abgaben von *niuriuten.*

riutel, rûtel stf. pflugreute, stab zum beseitigen der sich an das pflugbrett hängenden erde.

riutelinc, rûtelinc, *-ges* stm. stechmesser, dolch.

riutel-stap stm. s. v. a. *riutel.*

riuten swv. reuten, ausreuten, urbar machen.

riutine swf. = *riute.*

riut-mat stn. waldwiese.

riut-zëhende swm. = *riutegëlt.*

riuwære, -er, rewer stm. bereuender, büsser.

riuwærinne, -în, rewerin stf. büsserin.

riuwe, riwe, rewe, riu stswf. swm. betrübnis über getanes, reue; betrübnis über etwas geschehenes (verlust), schmerz, kummer, trauer, leid, mitleid; übles aussehen, beschädigung.

riuwe-, riwe-, riu-bære adj. betrübt, kummervoll. **-bærec** adj., **-bërnde** part. adj. dasselbe. **-kleit** stn. trauerkleid. **-kouf** stm. reukauf, entschädigung bei rückgängigem kaufe. **-lich** adj. = *riuweclich.* **-lôs** adj. ohne *riuwe.* **-var** adj. nach *riuwe* gefärbt, von betrübtem, traurigem aussehen (*kleider r.* trauerfarben).

riuwec (riwec) adj. bekümmert, betrübt, traurig (mit gs.); bereuend, reuig, bussfertig. **-lich** adj. dasselbe. **-liche** adv. auf traurige, leidvolle, wehmütige weise; reuig.

riuwelîn stn. dem. zu riuwe.

riuwen, riwen stv. II, 1 tr. (md. auch mit dat.) in betrübnis versetzen, leid sein, dauern, verdriessen, reuen. — refl. sich betrüben, reue empfinden, mit gen. — swv. tr. beklagen, bereuen; leid sein, reuen. — refl. mit gen. klagen, reue empfinden.

riuwen-tragende part. adj. reuig. **-vâr** stf. furcht vor *riuwe.* **-waȥȥer** stn. tränen der reue. **-zeher** stm. dasselbe.

riuwesal stf. reue, bekümmernis.

riuwesære, riusære stm. = *riuwære.*

riuwesen, riusen swv. intr. sich klagend gebärden, jammern. — tr. beklagen, bereuen.

riuȥe swm. = *altriuȥe.*

rivâge swf. = fz. *rivage.*

rîve adj. ndrh. (nd.) reichlich, freigebig mit gs.

rivêrlîn stn. md. bächlein.

rivier stmfn. bach (fz. *rivière*).

riviere, rivier stf. n. gegend, bezirk (fz. *rivière*).

rivieren swv. 1. nachprüfen, zurechtlegen (fz. *reveïr*); 2. den bezirk im gehn mustern (zu *riviere*).

riw- s. *riuw-.*

riȥ, rîȥ s. *ris, rîs* 3.

riȥ stm. riss.

riz, *-tzes* stm. riss, ritze, wunde; umriss, -kreis.

rîȥen stv. I, 1 tr. reissen, zerreissen. — refl. zerrissen werden, zerreissen. — intr. mit heftigkeit, lärmend sich bewegen. — tr. einritzen, schreiben, zeichnen.

rizlîn stn. dem. zu *riz.*

riȥȥe swf. riss; zirkel.

rô s. *rou.*

robâte, robât swstf. nbff. *robolt. rowolt* fronarbeit (slav. *robóta, rabóta*).

robâten swv. frohnen.

robîn s. *rubîn.*

roc, *-ckes* stm. rock; membrane, rinde.

roch s. *ruch.*

roch stnm. der turm im schachspiel; s. v. a. *schâchroch* (fz. *roc*). **-ganc** stm. schachzug mit dem *roch*.
rocke swm. spinnrocken; rocken-, spinnstube.
rocke, rogge swm. roggen.
rocken-gëlt stn., **-zins** stm. roggenzins.
röckelîn, röckel stn. dem. zu *roc*.
röckelîn, röckel stn. aus roggen- und weizenmehl gemischtes brötchen.
rockener stm. der roggenbrot bäckt.
rockîn adj. aus roggen.
rode-ackes stf. md. axt zum roden; **-houwe** swf. md. haue zum roden.
rodel stmf. beschriebene papierrolle, liste, register, urkunde usw. (mlat. *rotulus, rotula*, s. *rolle*).
rôdel, -er s. *ruoder*.
roffez, röpitz ructus.
roffezen, rofzen swv. aufstossen, rülpsen.
rogel adj. nicht fest, locker, lose. **rogelen** swv. locker legen, aufschichten.
rogen, roge stswm. fischeier, rogen, bildl. das beste, d. vorteil. **rogener** stm. weibl. fisch.
rogge s. *rocke* 2.
rohen, ruohen (md. *rûhen*) swv. brüllen, grunzen, lärmen.
rohezen swv. intens. zum vorigen.
rô-lich adj. roh, gottlos.
rolle, rulle swf. verzeichnis, liste; etw. auf-, zusammengerolltes; glättrolle (mlat. *rotula*, s. *rodel*).
rollen swv. rollen; hin und wieder fahren.
rœmesch, rœmisch, rœmsch adj. römisch.
Rôm-vart stf. wallfahrt nach Rom, überh. pilgerfahrt.
ronach stn. coll. zu
rone, ron swstm. umgestürzter baumstamm, klotz.
rone-grôz adj. gross wie ein umgestürzter baumstamm.
ront s. *runt*.
rönic adj. voll *ronen*.
ronse s. *runs*.
rôr stn. rohr, etw. aus rohr gemachtes; pfeife; menge von rohr, röhricht.
rôrach, rœrach stn. röhricht.
rôre, rœre stswf. rohr, röhre; brunnenröhre, luftröhre; harnröhre; orgelpfeife; kanal, gemauerter abzugsgraben.
rôrëht adj. rohrartig.
rœren swv. aus rohr, rohrartig, schlank machen.
rôr-honic stn. wilder honig.
rœrîn adj. aus rohr gemacht.
rôr-tumel, -trumel stm. = *hor-tûbel*.
ros, ors stn. ross, bes. streitross und wagenpferd.
rôsât stm. ein kostbarer seidenstoff (mlat. *rosatus*).
ros-bâre stswf. eine von rossen getragene bahre. **-biz** stm. rosszaum. **-hût** stf. rosshaut. **-isen** stn. ross-, hufeisen. **-knëht** stm. pferdeknecht. **-menine** stf. frondienst mit pferdegespann. **-phert** stn. = *ros*. **-tûscher, -tiuscher** stm. rosstäuscher, -händler. **-vige** swf. pferdekot. **-volc** stn. reiterei. **-waht** stf. die pferdehut. **-wehter** stm. pferdehüter. **-zagel** stm. pferdeschwanz; pl. *die roszegele* die pferdehaare am fiedelbogen.
rösch, rösche, rosch adj. von lebenden wesen: schnell, behende, munter, frisch, wacker, tapfer; aufbrausend, heftig. — von sachen: schnell, reissend; frisch, scharf; hart, spröde (vgl. *rasch, resch, risch*).
rösch adv. wacker, scharf.
rosche rotsche, rusche rütsche rutsche swstf. jäher bergabhang, fels (fz. *roche*).
rosch-heit, roscheit stf. munterkeit.
rösch-liche adv. rasch, munter.
rôse swfm. rose; *die rôten rôsen* die wundmale Christi (lat. *rosa*).
rôse-, (rôsen-)bluome swmf. rosenblume, -blüte, rose. **-bluot** stf. dasselbe. **-boum** stm. rosenstock. **-brunnen** m. pl. d. wundmale Christi. **-dorn** stm. rosenstrauch. **-garte** swm. rosengarten; name geschichtlicher u. sagenhafter lustorte.
rœse-lëht, -loht adj. rosenfarbig, -rot, rosig.
rœselen swv. rötlich werden.
rœselîn, rœsel stn. dem. zu *rôse*.
rœsel-var adj. = *rôsevar*.
roseme, rosem swm. sommersprosse; fleck, makel.
rôsen swv. rosen tragen, zur rose werden. part. *rôsende* rosig, rot.
rœsen swv. tr. mit rosen bedecken, schmücken, überh. zieren, verherrlichen.
rôsen-blat stn. rosenblatt; auch zur negation; dem. **-bletelîn** stn. **-bolle** swm. rosenknospe. **-busch** stm. rosenstrauch. **-büschelîn** stn. rosensträusschen. **-hac** stmn. rosenhecke. **-kint** stn. rosiges, liebliches kind. **-kranz** stm. rosenkranz. **-lachende** part. adj. wie rosen lachend, blühend. **-öl** s. *rôsöl*. **-ris** stn. rosenzweig. **-schapël** stn. rosenkranz. **-smac** stm. rosenduft. **-stoc** stm. rosenstock, -strauch. **-tac** stm. sonntag lætare.
rôsen-, rôs-wurst stf. rot-, blutwurst.
rôse-, rôsen-rôt adj. rosenrot, rosig.
rôse-, rôsen-var, -varwel adj. dasselbe.
rôsic adj. rosig.
rôsîn adj. dasselbe.
rosîn, rusîn f. rosine (mlat. *rosina*).
rôs-, rôsen-öl stn. rosenöl.
rosse-kleit stn. rossdecke, **-louf** stm. rosslauf; soviel ein ross in einem zuge rennen kann: ein längenmass, von dem 16 eine franz. meile ausmachen. **-nagel** stm. hufnagel.
rösselîn rössel stn. dem. zu *ros*.
rössîn s. *rüssîn*.
rost, rust stm. rost.
rôst stm., **rôste** stf. rost, scheiterhaufen; auf eingerammten grundpfählen liegende balken als unterlage; glut, feuer, feuersbrunst. **-brant** stm. feuerbrand von einem scheiterhaufen.
rostec, rostic adj. rostig.
rosten swv. rosten.
rôsten swv. einen *rôst* schlagen, legen.
rœsten swv. tr. auf, in den *rôst* legen, rösten, braten. — intr. auf dem roste liegen, geröstet werden.
rost-var adj. rostfarb.
rôs-wurst s. *rôsenwurst*.
rot stnm. = *rost*.
rôt adj. rot; rothaarig, bildl. falsch, listig. — stn. das rot, rote farbe.
rote s. *rotte*.
rôte swm. rotforelle.
rœte stf. die röte, rote farbe; krankheit mit rotem hautausschlag; zeit in der das wild *rôt* ist; pflanze die rote farbe gibt, krapp.
rote, rotte, rot stswf. schar, abteilung, rotte; gemeinde, markgenossenschaft; anteil jedes genossen in einer markgenossenschaft; ordnung, reihenfolge, in der von jedem eine verrichtung vorzunehmen ist (fz. *rote* vom lat. *rupta*). **-meister** stm. schar-, rottenführer.
rotec, rotic = *rostec*.
rœtec adj. rötlich.
rœte-lëht, -loht adj. dasselbe.
rœtelîn stn. dem. zu *rôte* swm.
rœteline, -ges stm. = *rôte*.
rœtel-wîe swm., **-wîer** stm. rötelweihe.
roten swv. rosten.
rôten, roten, rôtigen swv. *rôt* sein od. werden.
rœten swv. tr. *rôt* machen. — refl. erröten, sich schämen.

rôten-, rôt-haft adj. rötlich.
rotewange s. *rotruwange.*
rôt-gemâl adj. rotfarbig. **-golt** adj. von rotem golde. **-guldîn** adj. dasselbe. **-haft** s. *rôtenhaft.* **-leit** stn. die rote ruhr. **-munt** stm. = *rôter munt.* **-ruor** stf., **-schade** swm. = *rôtleit.* **-smit** stm. rot- od. gelbgiesser. **-süeȥe** adj. durch röte lieblich. **-var** adj. rotfarbig, rot. **-wilt** stn. rotwild. **-wîȥ** adj. rotweiss.
rotieren, rottieren swv. in *roten* teilen, ordnen, scharen, sammeln tr. u. refl.
rœtîn adj. aus röte bestehend.
rotruwange, rotewange stf. bezeichnung einer bestimmten sangweise (afz. *rotruange*). vgl. *ridewanz.*
rotsche s. *rosche.*
rottære stm. harfner.
rottærinne stf. harfnerin.
rotte, rote swf. ein harfenartiges saiteninstrument (mfz. *rote*, mlat. *rotta*).
rotte s. *rote.*
röttelen, rotten, roten swv. auf der *rotte* spielen.
rotten-spil stn. harfenspiel, harfe.
rotumbele tamburin.
rotunde adj. rund (fz. *rotonde*, mlat. *rotundus*). — stf. rotunda.
rot-walsch, -welsch adj. stn. gaunersprache (fremdartige sprache einer *rote*, wovon auch rotw. *rot* gauner, bettler).
rotz, rotzic s. *roz, rützic.*
rötzel stn. dem. zu *roz.*
rou, rô, râ; rôch, rouch adj. roh (eig. u. bildl.).
roub s. *roup.*
roubære, röubære, -er stm. räuber.
roubærinne, röubærinne, -erinne, -erîn, -in stf. räuberin.
roubec, röubic adj. räuberisch; geraubt.
roube-lich adj. räuberisch.
rouben swv. rauben, berauben; *einen rouben von* von etw. abbringen.
roubendic adj. raubend, räuberisch.
rouberîe stf. räuberei.
roubes adv. räuberischer weise.
roubisch, röubisch adj. räuberisch.
roubolt stm. räuberischer mensch.
rouch s. *rûch.*
rouch stm. haarige stelle, schamhaar (vgl. *riuhe*).
rouch stm. dampf, dunst; rauch (übertragen für herd u. die vom herde, hause zu entrichtende abgabe); räucherwerk; geruch.
rouchen, röuchen stw. intr. riechen; einen rauch von sich geben, rauchen. — abs. einen rauch machen. — tr. rauchig machen, räuchern; beräuchern.
rouch-hûs stn. kamin. **-loch** stn. kamin. **-val** stm. abgabe vom *rouche* (herde): hafer, huhn (*rouchhaber, -huon*). **-var** adj. rauchfarb, rostbraun. **-vaȥ** stn. rauchfass.
rouchic adj. rauchig; dunstig, blähend; (übel) riechend.
rouch-naht stf., pl. *rouchnehte* die zwölf nächte u. überh. die zeit vom 25. dezember bis 6. januar.
roufen swv. mit as. raufen, ausreissen (bes. haare), zücken; mit ap. (tr. od. refl.) bei den haaren raufen. — abs. sich bei den haaren raufen; abs. od. refl. sich balgen, raufen.
roum stm. milchrahm; schimmer, vorstellung, täuschendes bild.
roum s. *rûm.*
rounen s. *rûnen.*
roup, *-bes*, **roub** stm. beute, siegesbeute, das geraubte (*roup nemen* auf beute ausgehn, räuberei treiben); raub, räuberei, plünderung; ernte eines feldes.
roup-galîne stf. raubschiff. **-guot** stn. geraubtes gut. **-her** stn räuberschar. **-hûs** stn. raubschloss. **-lich** adj., **-liche** adv. räuberisch. **-vruht** stm. name für Boreas.
röuplinc, *-ges* stm. raufbold.
rouw-, rôw- s. *ruow-.*
rowolt s. *robâte.*
royâm stn. = afz. *roiame* königreich.
roz, rotz stmn. schleim, rotz.
rôȥ adj. mürbe.
rœȥe stf. hanf-, flachsröste; beize der kürschner.
rœȥen, rôȥen, roȥȥen swv. intr. welk, bleich, faul werden. — tr. faulen machen.
rû s. *rûch, ruowe.*
rubeb, rubeba f.; dem. **rubeblîn, rubel** stn. saiteninstrument.
ruben stm. alem. ein grösseres gewicht (mlat. *rubium*, it. *rubbio*).
rubîn, rubbîn, robîn stm. rubin (mlat. *rubinus*).
rubrike, rubrik stswf. rote tinte (mlat. *rubrica*).
ruc, *-ckes* stm. schnelle ortsveränderung, ruck (*hôhen ruc geben* sich hoch aufschwingen).
ruch stm. (nbff. *roch, ruoch*) geruch; dampf, dunst; rauch.
rûch adj. (nbff. *rûhe, rû, rouch*) haarig, struppig, zottig, rauch; rauh, herbe, hart, strenge, unwirsch, ungebildet. **-gemâl** adj. rauh, hässlich. **-wërc** stn. kürschnerhandwerk.
rûchec adj. rauh.
ruchel stf. runzel.
rücheln, rühelen swv. wiehern, brüllen, röcheln.
rûchen s. *riechen.*
ruchtic adj. wohlriechend.
rüchtigen, ruchtigen swv. famare, infamare.
rücke, rucke, rück, ruck; rügge, rugge stswm. der rücken; bildl. schutz, schirm, rückhalt; den rücken schützendes panzerstück.
rücke-bære adj., **-bâre** adv. rücklings. **-bein** stn. rückgrat, wirbelbein, rücken. **-brâte** swm. braten, fleisch vom rückenstück; rücken. **-dorn** stm. rückgrat. **-halben, -halp** adv. von der seite des rückens, rückwärts. **-hâr** stn. *eins swînes r.* schweinsborsten. **-(ruc-)lachen** stn. tuch zwischen rücken u. wand, wandumhang. **-lemic** adj. rückenlahm. **-rieme** swm. rückgrat. **-tuoch** stn. = *rückelachen.* **-wîse** adv. rücklings.
rückelingen, -linges adv. rücklings.
rücken, rucken swv. tr. schiebend an einen andern ort bringen, drängen, fortbewegen, rükken, zücken (waffe). — intr. unaufgehalten den ort verändern, sich fortbewegen, rücken.
ruckezen swv. ruchzen, girren.
rückîn, ruckîn, rüggîn, rockîn, roggîn adj. von roggen.
ruckît stn. chorhemd (fz. *rochet*).
rüde, rude, rüede swm. grosser hetzhund.
rûde s. *riude.*
rüde-lichen adv. wie ein *r.*
rüdisch, rudisch adj. *rüdische hunt* = *rüden*; rauh, grob.
rüebe s. *ruobe.*
rüede s. *rüde.*
rüeden swv. lärmen, sich lärmend bewegen.
rüefen swv. = *ruofen.*
rüefer s. *ruofære.*
rüegære, -er stm. tadler, schelter; ankläger, gerichtl. bestellter angeber.
rüegât stf. unterabteilung eines gerichtsbezirkes.
rüege stf. gerichtl. anklage, anzeige; tadel, rüge; gerichtsbarkeit, -bezirk. **-bære** adj. rügbar. **-lich** adj. anklägerisch. **-liet** stn. scheltlied. **-meister** stm. vorsteher einer *rüegât.*
rüege adj. rührig.
rüegec adj. = *rüege-lich.*
rüegen, ruogen swv. melden, mitteilen, sagen, zu verstehn geben, öffentl. bekanntmachen; anklagen, beschuldigen, tadeln, gerichtlich anzeigen.
rüegerin stf. tadlerin.
rüegunge stf. = *rüege*; strafe, geldbusse; s. v. a. *rüegât*; inbe-

griff der in den gerichten durch aussage u. urteil festgestellten rechte u. rechtsgewohnheiten.

rüejen, rüegen, ruogen swv. rudern.

rüemære, ruomære, -er stm. rühmer, prahler.

rüemec, rüemic adj. ruhmredig, prahlerisch; froh, ausgelassen jubelnd. **-lichen** adv. auf ruhmredige weise.

rüeme-lich adj. rühmlich; prahlerisch.

rüemen, ruomen swv. tr. rühmen, preisen. — refl. mit gen. sich rühmen, prahlen; froh sein, jubeln. — intr. *ruomen* mit gen. wovon ruhm haben; *rüemen von* prahlen.

rüeren, ruoren swv. tr. einen anstoss geben, antreiben, in bewegung setzen (mit ausgelassenem obj. *ros* scheinbar intr. wie *rennen*; mit ausgelassenem obj. *ruoder, schif*; mit obj. *eȥ*); saiten od. ein anderes tongeräte *rüeren*, darauf spielen; abs. aufrühren, wühlen. — refl. sich rühren, bewegen. — tr. anrühren, berühren, treffen, erreichen, ergreifen. — intr. in bewegung kommen, fliessen; reichen an, betreffen; ausgehn, herrühren von. — abs. tasten, fühlen. — stn. das rühren, berühren; das auflockern der erde u. entfernung des unkrautes (im weinberge); der tastsinn, das tasten.

rüeric adj. rührig, beweglich, nicht fest.

rüerunge stf. = *rüeren* stn.

rüetelîn, rüetel stn. dem. zu *ruote*.

rüeȥel, rüȥȥel stm. rüssel.

rüeȥeln swv. *diu swîn r.* = *ringeln*.

ruf, rufe stswf. schorf, aussatz.

ruffiân stm. lotterbube, kuppler, hurenwirt (it. *ruffiano*).

ruffiâner stm. dasselbe.

ruffiânin stf. lena.

rufolc stm. aalraupe

rûge, rûgen s. *ruowe(n)*.

rugelen swv. refl. sich rühren.

rügge s. *rücke*.

rûhe s. *riuhe, rûch*.

rühelen s. *rücheln*.

ruhen, rûhen s. *rohen, ruowen*.

rûh-, rû-grâve swm. raugraf.

rulle s. *rolle*.

rülz stm. roher mensch, derber bauer.

rûm, rûn, roum stm. raum, platz zu freier bewegung od. zum aufenthalte; zeitl. *bî liehtschînes rûme* so lange die sonne scheint, bei tage; was wegzuräumen ist, schutt, kehricht, mist.

rûm, rûme adj. geräumig.

rûme stf. raum, räumung.

rûmen s. *rûnen*.

rûmen swv. freien raum worin schaffen, etw. verlassen, räumen (*eȥ rûmen* den platz räumen, weiterziehen); auf-, wegräumen,. säubern; abs. raum schaffen, platz machen; raum lassen, weichen, fortgehn.

rûmen swv. = *râmen*, anberaumen.

rumôr, rumôre stmnf. lärm, aufstand (lat. *rumor*).

rumpeln, rummeln swv. intr. mit ungestüm, geräuschvoll sich bewegen od. fallen, lärmen, poltern.

rumph adj., md. *rump* gebogen, gekrümmt.

rumph stm., md. *rump* rumpf; leib; grosse hölzerne schüssel.

rümphen swv. tr. rümpfen. — refl. runzlig werden.

rûmunge stf. räumung, flucht.

rûn s. *ruom, ruowen*.

rûn stmf. = *rûne*.

rundâte stf. eine sang- und dichtweise, ähnlich dem frz. *rondeau*.

runde stf. runde. s. *runt*.

rundël stn. kreis, ring; am helm befindl. rundes wappenschild.

runden swv. *runt* machen.

runden adj. = *runt*; *r. grœȥe spera, sphœra*.

runden-grœȥec adj. speralis.

rûne stf. geheimnis, geheime beratung od. rede, geflüster.

rünec adj. gebrechlich, unstät, flüchtig.

runen, rünen swv. wälzen, häufen *ûf*.

rûnen, rounen, rûmen swv. abs. u. tr. heimlich u. leise reden, flüstern, raunen; mit dp. ein-, zuflüstern, zuraunen.

rûner stm. rauner, zuflüsterer, verleumder, susurro.

runge stf. stange; stemmleiste an einem wagen.

runke swf. = *runze*.

rünkeler stm. eine art ketzer (mlat. *runcariolus, runcarius* v. *runcaria* ungereutetes feld).

runken swv. runzeln.

rünne swf. sturmwoge, sturm.

runs, runst stfm., **runse, ronse** stswf. das rinnen, fliessen; das fliessende, der quell, fluss; rinnsal, wassergraben, kanal; flussbett.

runsche s. *runze*.

runsec adf. fliessend.

runselîn, rünselîn stn. dem. zu *runs, runse*.

runt, -des adj., md. auch *ront* rund; geschickt, gewandt (fz. *rond*, lat. *rotundus*). **-tavele, runtavel** f. die rundtafel (*table ronde* d. königs Artus); ein ritterspiel, wobei turniert wird.

runze, runsche swf. runzel.

runzëht adj. = *runzelëht*.

runzel stswf. = *runze*.

runzelëht adj. runzlig.

runzeln swv. runzeln.

runzît, -des, runzîn stn. kleines pferd, klepper, mähre (afz. *roncin*).

ruo s. *ruowe*.

ruobe, rüebe swf. rübe.

ruoch, ruoche stswm. saatkrähe, häher.

ruoch stm., **ruoche** stf. acht, bedacht, besorgung, sorgfalt, sorge, hang (zorniger wie liebender), wunsch (*ruoch, ruoche hân* = *ruochen*).

ruoche-lôs adj. unbekümmert, sorglos.

ruochen swv. seine gedanken auf etw. richten (aus fürsorge od. aus wunsch), bedacht, besorgt sein, sich kümmern, begehren, wünschen mit gen. od. *umbe*, auch mit acc.; wollen, mögen, geruhen, mit inf. ohne od. mit *ze*. — refl. u. unpers. mit acc. berücksichtigen, kümmern.

ruoder, ruodel stn. (md. *rûder, rôder, rûdel, rôdel*) ruder.

ruoder stm. = *truoder*.

ruoderære, ruodeler stm. ruderer.

ruodern, ruodeln swv. rudern.

ruof, ruoft stm. ruf, schrei, geschrei, bes. das feldgeschrei; gesprochenes gebet, gebetlied; gerücht; ruf, leumund, nachrede.

ruofære, rüefære, -er stm. rufer, ausrufer.

ruofe adj. duftend, duftreich.

ruofen redv. 6 u. swv. intr. schreien, rufen, singend rufen od. beten. — tr. ausrufen.

ruogen s. *rüegen, rüejen, ruowen*.

ruohen s. *rohen*.

ruom, ruon stm. lob, lobpreisung, ruhm, ehre, herrlichkeit; selbstlob, prahlerei, überhebung; pracht, gepränge, pomphafter aufzug. **-heit** stf. prahlerei. **-ræȥe, -ræȥec** adj. ruhmgierig, ruhmredig. **-reitec** adj. prahlerisch. **-reiten** swv. sich rühmen, prahlen. **-reitcheit** stf. = *ruomheit*. **-sam** adj. ruhmredig. **-wæhe** adj. aufs prahlen sich verstehend.

ruomen s. *rüemen*.

ruomesære, rüemesære, ruomser, rüemser stm. prahler, prahlhans.

ruome-wât stf. prunkgewand.

ruon s. *ruom, ruowen*.

ruore, ruor stf. 1. zu *rüeren* in bewegung setzen: eilige bewegung zu ross od. fuss; aufruhr; das loslassen, die hatz der hunde auf das wild; die gekoppelten hunde selbst, die meute; koppelseil; auflockerung der erde, das zweite pflügen; bauchfluss, ruhr. — 2. zu *rüeren* berühren: berührung; angrenzung, nähe; strandung eines schiffes; ein fechterausdruck: schlag, streich; durch berührung entstandene spur, bes. wildspur (am laubwerk).

ruoren s. *rüeren.*

ruor-hunt stm. hetzhund.

ruor-tranc stn. laxiertrank.

ruote stswf. gerte, rute, *r. von Yesse* d. jungfrau Maria; bes. die zuchtrute; zauberrute, -stab; wünschelrute; männl. glied; bischöfl. stab; stange, ruderstange, ruder; messstange für längen- und flächenmessung.

ruowe, ruo stf. (nbff. *râwe, rouwe*; md. *rûwe, rûe, rû, rûge, rôwe, rôge, râwe*) ruhe.

ruowec, ruowic adj. ruhig. **-lich** adj., **-liche** adv. ruhig, behaglich.

ruowe-lôs adj. ruhlos. **-stat** stf. ruhestätte. **-tac** stm. ruhetag, sonn-, feiertag.

ruowen, ruon swv. (nbff. *râwen, ruogen, ruowen,* md *rûwen, rûen, rûn, rûgen, rûhen, râwen*) ruhen, ausruhen, mit gen. von etwas ausruhen; part. *ge-ruowet, -ruot*: in ruhe gelassen, ausgeruht, ruhig.

ruowunge stf. die ruhe, das ausruhen.

ruoȥ stm. russ, schmutz.

ruoȥec, ruoȥic adj. russig, schmutzig.

ruoȥen swv. russig machen.

ruoȥ-var adj. = *ruoȥec.*

rupe, ruppe f. aalraupe (mlat. *rubeta,* vgl. *rute*).

rûpe swf. raupe.

rupfen, rüpfen swv. rupfen, zausen, zupfen, pflücken.

rupfîn, rupfen adj. aus werg. — stfn. (näml. *wât, tuoch*), leinwand aus werg; was zum abspinnen an den rocken gebunden wird.

ruppe s. *rupe.*

rus stm. grober bengel, flegel.

rûsch stf. ein teil des helmschmuckes, kopfputzes (benannt nach dem rauschenden ton beim bewegen des kopfes).

rûsch stm. rauschende bewegung, anlauf, angriff.

rusch, -e swf. binse, brüsch (lat. *ruscus*).

ruschart stm. = *banc-hart.*

rusche s. *rosche.*

rûschen, riuschen swv. geräusch machen, rauschen, brausen, prasseln; eilig u. mit geräusch sich bewegen (bes. zu pferde od. schiffe), sausen, stürmen.

rûschieren swv. rauschen.

rûspern s. *riuspern.*

rusîn s. *rosîn.*

rüssîn, rössîn adj. vom rosse.

rüssîn stf. stute.

rust s. *rost.*

rust stf. ruhe, rast (nd. form).

rüste stf. aus-, zurüstung.

rüstec, rüstic adj. rüstig, gerüstet.

rüsten, rusten swv. abs. anstalt treffen; ein gerüste machen. — tr. zurecht machen, bereiten, zurüsten. — refl. anstalt treffen, sich bereit, aufmachen; sich schmücken, kleiden *mit.*

rüster stm. gerüstemacher.

rûstern s. *riustern.*

rüst-holz stn. holz zu od. von einem gerüste.

rüst-phert stn. beschäler.

rute, rutte swf. = *rupe.*

rûte swf. verschobenes viereck, raute (heraldisch und als fensterraute).

rûte swf. raute, eine pflanze (lat. *ruta*).

rûtëht adj. rautenförmig, viereckig.

rûtel, rûtelinc s. *riut-.*

rûtinc, -ges stm. = *riutelinc.*

rûtinger stm. dasselbe.

rutsche, rütsche s. *rosche.*

rutschen, rütschen swv. gleiten, rutschen.

rutte s. *rute.*

rütte, rutte swf. eine belagerungs(schleuder)maschine.

rütteln, rütelen, rütlen, rütten swv. in erschütterung setzen, schütteln, rütteln.

rut-visch stm. (*rute*) aalraupe.

rützic, rotzic adj. mit dem rotz behaftet, rotzig.

rûw- s. *riuw, ruow-.*

rûȥen swv. ein geräusch machen, rauschen; summen; schnarchen; brüllen; eilig u. mit geräusch sich bewegen, stürmen.

rüȥȥel s. *rüeȥel.*

S

sâ s. *sô.*

sâ interj. = *zâ.*

sâ adv., ält. form *sâr,* nebenf. *sân* (md., obd. bes. in pausa) gleich darauf, alsbald, sodann (entweder allein oder verstärkt durch sinnverwandte ausdrücke: *sâ ze hant, ze stunde* usw.); *sâ als, dô* sobald als; *sâ . . . sâ* bald . . . bald. *noch sâ(r)* nicht einmal, ne . . . quidem.

sâbâot, sâbot, sabbat stm. sabbat.

sabel, sebel stm. säbel (slav. *sabla*).

saben stm. feine, weisse leinwand u. daraus verfertigte kleidungsstücke (mlat. *sabanum*). **sabenîn, sabîn** adj. von *saben.* **saben-niuwe** adj. von neuem *s.* **-wîȥ** adj. weiss wie *s.*

sablar n. ? ein kostbares pelzwerk.

sac, -ckes stmn. sack, tasche; sackförmiges netz zum einfangen der tiere; magen, bauch; auch der ganze körper, mit dem nebensinn des wertlosen oder verächtlichen; als schelte, bes. für weiber: hure, buhlerin; grobes sacktuch u. daraus gefertigte kleidungsstücke, trauerkleid (der juden); ein bestimmtes mass od. gewicht; *in den s. legen* sparen; *in den s. schieben, stôȥen* überwältigen (fz. *sac,* gr. lat. *saccus*). **sac-bant** stn. band zum zuschnüren eines sackes. **-gebende** stn. coll. zum vorigen. **-gewant** stn. = *sac* (kleid). **-man** stm. trossknecht, plünderer, räuber; *sacman machen* plündern, rauben. **-phîfe** f. dudelsack. **-roup** stm. *s. nemen* = *sacman machen: s. rîten* auf plünderung reiten. **-trager, -treger, -tregel** stm. sackträger. **-tuoch** stn. sackleinwand.

sache, sach stf., spät auch swf. streit, streitsache, rechtshandel, klage; angelegenheit, sache, ding; *ist [eȥ, daȥ] sache, daȥ* tritt der fall ein, dass = wenn; besteht ein zureichender grund, dass; mit adj. zur umschreibung oder verstärkung des im adj. ausgedrückten begriffs, z. b.: *in dêmüetiger sache* demütig, *menschliche s.* mensch; *umbe tôdes sachen* um [ihn] zu töten; ursache, grund; *von sachen, durch [die] sache* deshalb. **sache** swm. urheber, anstifter. **sachen** swv. intr. streiten, prozessieren; den ursprung nehmen *von.* — tr. schaffen, erzeugen, bewirken, machen; anordnen, zurechtlegen, einrichten; verstehn; darstellen, zeigen, auslegen; vor gericht darlegen, klagen. **sachener** stm. s. v. a. **sacher, secher** stm. der an einem streithandel als kläger od. beklagter beteiligte, pl. die parteien; causidicus; auctor, urheber, anstifter. **sach-haft** adj. was vor gericht anhängig zu machen, klagbar ist; feindselig, der [gefangene] feind; wichtig, bedeutend; **sach-triber** stm. procurator. **sachunge** stf. gerichtl. klage, prozess. **sachwalte, -waltige** swm., **-walter, -waltiger** stm. der einer *sache waltet*: actor, causidicus, procurator, bevollmächtigter geschäftsführer, rechtsverteidiger, überh. einer, den ein rechtshandel angeht, eine partei vor gericht (*des mæres sachwalte* den die erzählung angeht, ihr held).

sacke, sagge swm. weidefläche z. gemeindegebrauch.

sackers stm. eine geringere falkenart (fz. *sacre*). **sacker-valke** swm. dasselbe.

sacramënt stn. sacramentum (bes. d. abendmahl); hostie, monstranz. **sacramënt-lich** adj. sacramentalis. **sacrieren** swv. weihen (lat. *sacrare*). **sacrilêger** stm. kirchenräuber, -schänder (lat. *sacrilegius*). **sacrilêgje** stf. kirchenraub, -schändung (lat. *sacrilegium*). **sacrist** swm. = *sigriste*. **sacristâne, -êne** stf. sakristei (mlat. *sacristania*). **sacristîe** f. dasselbe (mlat. *sacristia*).

sac-wîn s. *seicwîn*.

sadel s. *satel*.

saf, -ffes, saft stn. saft der pflanzen; bildl. blut, tränen, die 'humores' des menschl. körpers; auch bloss umschreibend: *der sünden s.*

safer stn. blauer glasfluss aus kobalt, saflor, zaffer (it. *záffera*). **-glas** stn. dasselbe. **-var** adj. blaufarbig. **saferîn** adj. aus *safer*.

saffec, saffic, seffic adj. saftig. **saffen** s. *seffen*. **saffen** swv. saft gewinnen, saftig sein od. werden.

safrân, saffrân stm. safran, crocus (fz. *safran*).

saf-riche adj. saftreich. **saft, saften** s. *saf, seffen*.

sage s. *sege*.

sage stf. neige (vgl. *sëge* 2, *seige*).

sage, sag stf. das sprechen, die sprache; rede, aussage, erzählung; gerücht; angabe, bericht (auch von büchern), belehrung. *gemeiniu s.* sprichwort. **sage** swm. der erzähler, der nichtgesungene gedichte vorträgt, vgl. *sager*. **sage-bære** adj. von sachen: was sich sagen, erzählen lässt; sagens-, erzählenswert; begründet. — von personen; rühmenswert, berühmt, löblich. **-haft** adj. wovon gesagt wird, berühmt. **-lich** adj. kündenswert. **-liet** stn. erzählendes lied. **-mære** stn. erzählung, bes. lügenhafte erzählung, märchen, leeres gerede; rumor.

sagen s. *segen*.

sagen swv. (md. auch *segen*, kontr. *sein*) mit worten ausdrücken, sagen, erzählen, nennen, rühmen; mit acc. u. gen. anschuldigen; gedichte vorlesen od. zum vorlesen verfassen. *daȥ seit* das bedeutet; *s. abe, umbe* von etw. **sager** stm., md. *seger* erzähler; der gedichte hersagt od. vorliest (vgl. *sage*); angeber, ankläger; schwätzer; schiedsmann.

sagerære, sagrære, -er stm. aufbewahrungsort für heiligtümer u. kirchl. ornamente; sakramentshäuschen, sakristei (mlat. *sacrarium*); bildl. für Maria.

sagge s. *sacke*.

sagisen s. *sëgense*.

sagit, sägit, seit stmn. ein wollenzeug (mlat. *sagetum*, fz. *sayette*); vgl. *sei*.

sagler stm. schneidezahn.

sagrân stm. = *sagerære*.

sagunge stf. = *sage*; dictio, narratio.

saher stm. sumpfgras, schilf.

sahs stn. (md. *sas*) langes messer, kurzes schwert (spez. das schwert Dietrichs von Bern); die eiserne pfeilspitze.

sahs stf. (md. *sas*) fänge der raubvögel. **sahsen-vëder** f. dasselbe.

sæjære, -er stm. sämann.

sæjen, sæwen, sæhen, sæn swv. ausstreuen, säen, besäen; bildl. vom besticken der satteldecke; streuen, schütten. **sæjet, seiet** stm. saatzeit.

sal stmn. wohnsitz, haus, saal, halle (meistens nur einen saal enthaltendes gebäude [gegensatz: *palas*], bes. als gesellschaftl. vereinigungsort, aber auch als speise- oder schlafraum dienend); tempel, kirche; übertr. *der vröuden s.* inbegriff d. f.; *des hërzen s.* geheime tiefe d. h.

sal stm. laut testament zu übergebendes gut; s. v. a. *salhof*. **sal, sale** stf. rechtl. übergabe eines gutes; donatio. **sal** adj. durch rechtl. übergabe zugesprochen, eigen. **-brief** stm. übergabeurkunde, kaufbrief. **-buoch** stn. buch, in das alle einer gemeinschaft gehörenden grundstücke, an diese gemachten schenkungen und die daraus fliessenden einkünfte urkundlich eingeschrieben sind. **-bürge** swm. zeuge bei einer übergabe und bürge dafür. **-(sel-)guot** stn. freies, nicht zinsbares erbliches grundeigentum, herrngut. **-hof** stm. herrnhof. **-(sel-)lant** stn. land, das der grundherr zum eigenbau sich vorbehält, herrngut. **-liute** pl. zu. **-man** stm. mittels- und gewährsmann einer *sal*; testamentsvollstrecker; vormund, schutzherr. **-miete** stf. die bei einer übergabe dem *salmanne* od. dem vermittelnden gerichte zu leistende gebühr. **-phenninc** stm. = *salmiete*. **-wart** stm. vormund.

sal, -wes adj. dunkelfarbig, welk, trübe, schmutzig. **sal, -wes** stm. schmutz.

salamander stm. salamander; ein unverbrennlicher stoff (gr. lat. *salamandra*). **salamandrîn** adj.

salât stm. salat (it. *salata, insalata* v. *salare* salzen).

salbe swf., spät stf. salbe. übertr. vom h. geist, v. Christus vgl. *salp*.

salbeie s. *salveie*.

salben swv. auch red. praet. *sielp, du sielbe*. salben, bestreichen; bildl. schön tun, schmeicheln, bestechen. **salben-eimerlîn** stn. s. v. a. **salben-vaȥ** stn. salbenbüchse.

salbîne f. = *salveie*.

salbunge stf. salbung.

sældærinne stf. beglückerin, heilbringerin. **sælde** stf. güte, wohlgeartetheit; segen, heil, glück (von gott), himmlische seligkeit; personif. *Sælde, vrou Sælde* (auch swf.) die verleiherin aller vollkommenheit, alles segens u. heiles. **sælde-, sælden-bære, -bærlc** adj. *sælde* bringend od. habend. **-bërnde** part. adj. *sælde* bringend, mit sich führend. **-haft** adj. segensreich, glückselig. **-lôs** adj. ohne *sælde*, unglückselig. **sælden** swv. beglücken. **sælden-bar** adj. von *sælde* entblösst. **-kint** stn. glückskind (*Maria*). **-louf** stm. glück, gewinn. **-schrîn** stm. gnadenschrein (*Maria*). **-tac** stm. übertr. von der Venus. **-vaȥ** stn. gnadengefäss (geliebte). **-vlühtic** adj. die *sælde* fliehend, von ihr entfernt. **-vrühtic** adj. *sælde* als frucht habend. **sælde-, sælden-rîche** adj. voll heil, glückselig, bes. von der himml. seligkeit. **sælde-wirdic** adj. des (himml.) heiles würdig. **sældunge** stf. heil.

sale stf. s. *sal*.

sælec, sælic adj. *sælde* habend oder verdienend, gut, wohlgeartet; zum glück bestimmt, glücklich, beglückt, gesegnet (*sæliger wint* günstiger w.; in gruss- u. dankformel, bei beschwörender bitte), selig (in kirchl. sinne = beatus), mit gs. gesegnet an; glückbringend, heilsam; fromm, heilig; selig verstorben; euphemist. verwünschend s. v. a. *unsælec*. **sælec-heit, sælekeit, sælikeit** stf. wohlgeartetheit, vollkommenheit, anmut, beglücktheit, heil, seligkeit; personif. = *vrou Sælde*; *Felicitas diu Sælikeit*. **sælec-lich** adj. = *sælec*.

salen swv. = *sellen*.

salhe swf. salweide (salix).

sæligen, sælgen swv. *sælec* machen, beglücken, segnen; in die himml. seligkeit aufnehmen, verklären.

saliter s. *salniter.*

salliure stf. spottrede (fz. *salure*).

salme, salm stswm. = *psalme,* bes. die sieben busspsalmen; 2. teil einer kanonischen hore.

salmilieren = *psallieren.*

salme, salm sw(st)m. salm (lat. *salmo*).

salminc, *-ges* stm. = *salme* 2.

salm-singer stm. psalmensänger.

salniter, saliter stm. salpeter (lat. *sal nitrum*).

salp, *-bes* stn. = *salbe.*

salpeter stm. salpeter (mlat. *salpetra*).

sal-rëht stn. lex salica.

salse swf. gesalzene brühe, brühe überh. (mlat. *salsa*).

salter stm. = *psalter*; auch einzelner psalm. **salterlîn** stn. dem. zu *salter.* **salter-singer** stm. = *salmsinger.* **-vrouwe** swf. in dem psalter lesende frau; betschwester.

saltner stm. feld-, wald-, weinbergshüter (in Tirol); it. *saltaro,* mlat. *saltuarius* vom lat. *saltus* wald.

salûieren, salvieren, salwieren swv. grüssen, begrüssen (fz. *salver*).

salunge stf. = *sal* stf.

salveie, salbeie, -ei swstf. m. salbei (mlat. *salvia*).

salwen swv. intr. *sal* sein od. werden; tr. = *selwen.*

sal-würke s. *sarwürke.*

salz stn. salz. **salz-brunne** swm. saline. **salzen** redv. 1 salzen, einsalzen. **salzer, selzer** stm. salzverkäufer. **salz-ferker** s. *salzvertiger.* **-grâve** swm. verwalter, vorsteher eines salzwerkes. **-leite** swm. salzführer. **-liute** pl. zu **-man** stm. salzverkäufer. **-meier** stm. = *salzgrâve.* **-mëʒʒer, -mütter** stm. salzmesser. **-schîbe** swf. kompakte scheibenförmige salzmasse von etwa anderthalb zentnern. **-sê** stm. das meer. **-sender** stm. = *salzvertiger.* **-siede, -sôde** f. saline. **-stœʒel, -stœʒer** stm. der zum verkaufe des salzes im kleinen berechtigt ist. **-sûl** stf. salzsäule. **-vertiger, -ferker** stm. salzspeditor. **-wërc** stn. saline.

sam adj. derselbe, nämliche, gleiche; als zweiter teil von zusammenss. gleichheit, ähnlichkeit, vereinigung, besitz, neigung bezeichnend.

sam, same adv. u. konj. ebenso, so wie, wie wenn, als ob. adv. ebenso, betontes so; konj. wie (*alsô . . . same* so . . . wie), in elleptischen beteuerungen so wahr mir [gott helfe] (*sam mir, samir, summer, sem mir* usw.), wie wenn, als ob (mit konjunktiv).

sam präp. mit dat. = *sament, samet* mit, zusammen mit.

sâm s. *sâme.*

samât s. *samît.*

samblanze stf. äusserer schein, anschein (fz. *semblance*).

sambûke stf. ein musikalisches instrument, pauke (fz. *sambuque,* mlat. *sambuca*).

sâme, sâm swm. same, samenkorn (*bluotes s.* tropfen); männl. same; nachkommenschaft; saat, saatfeld; feld, boden überh., bes. der kampfplatz.

samec-heit, samekeit gesamtheit, gemeinsamkeit. **samec-, semec-lich** adj., **-lîche** adv. sämtlich. **same-gunst** stf. zustimmung. **samelen** swv. = *samenen.* **same-lich** s. *sumelich.* **same-, seme-lich** adj., **-lîche** adv. ebenso beschaffen; ebensolch, dergleichen; s. v. a. *samentlîche.* **same-, seme-lîche** stf. was gleich ist, gegenstück. **samelîe** stf. = *samenîe.* **samelieren** swv. sammeln, zusammenbringen, *den turnei s.* od. elliptisch bloss *s.* sich zum turnier sammeln (umd. des fz. *assembler,* mlat. *assimulare* v. lat. *simul*). **samelunge** stf. = *samenunge.*

samen s. *samenen.*

sâmen swv. intr. samen hervorbringen; trans. hervorbringen? **sæmen, sâmen** swv. tr. säen, erwachsen lassen.

samen, samene adj. adv. gesamt, zusammen. **samenære, -er** stm. vereiniger, sammler; der geld sammelt als sparer od. einsammelt als einnehmer. **samenât** stf. garbe. **samenburger** stm. mitbürger. **samenen, samnen, samen** swv. tr. zusammenbringen, -nehmen, -setzen, vereinigen, verbinden, sammeln, versammeln. — refl. sich vereinigen, versammeln, sammeln, rüsten. **samenîe** stf. versammlung, menge.

sâmen-rêren stn. samenfluss, pollutio.

sament, samet, samt, sant adv. bei-, zusammen, zugleich; präp. mit dat. zusammen mit, samt, mit. **sament-haft, -haftic** adj. adv. zusammenhangend, zu-, mitsammen, gesamt. **-heit** stf. zusammengehörigkeit, gemeinschaft. **-kouf** stm. kauf oder verkauf im grossen. **-lich** adj., **-lîche** adv. alle zusammen, sämtlich. **-schaft** stf. gesamtheit. **samenunge, samnunge** stf. sammlung; vereinigung, zusammenkunft, versammlung, allgemeinheit; versammelte menge, schar, gesellschaft, begleitung (dienerschar, bewaffnete schar, das aufgebot, die rüstung einer streitmacht); verein, bes. geistl. kongregation, konvent; coniunctio.

samer = *sam mir,* s. *sam* adv.

same-wiʒʒe stf. gewissen, bewusstsein. **-wiʒʒec** adj. bewusst. **-wiʒʒecheit, -wiʒʒenheit** stf. = *samewiʒʒe.*

sameʒ-, samʒ-tac stm. samstag; *der heilige s.* ostersonnabend; *der andere s.* der jüngste tag (lat. *sabbati dies*).

samfte s. *sanfte.*

sam-haft adj. gänzlich.

samilieren = *psallieren.*

sæmisch adj. fettgar (leder).

samît, samât, semît stm. sammet (prov. *samit,* mlat. *samitum*).

sam-kost stf. gesamtaufwand; entlohnung des lohnarbeiters im bergwerke.

saml-, samn- s. *samel-, samen-.*

sam-stoc stm. opferstock.

samt s. *sament.*

sam-tân part. adj. so beschaffen.

sâm-vëlt stn. saatfeld.

sân adv. = *sâ.*

sân = *sagen.*

sæn s. *sæjen.*

sanc, *-ges* stnm. gesang, lied, musik; mit gesang begleiteter tanz. **sanc-geziuc** stn. musikinstrument. **-hërre** swm. = *-meister.* **-jâr** stn. jubeljahr. **-meister** stm. kantor, musiker. **-wîse** stf. gesangsweise, ton; ein bloss zum gesang bestimmtes lied.

sancte, sante, sant, sente adj. heilig (vor heiligennamen); lat. *sanctus*; fz. *saint.*

sande stf. sendung, gesandtes; erfüllung des gelübdes.

sandec, sandic adj. sandig.

sandunge s. *sendunge.*

sane f. sahne (md. nd.).

sanft adj. s. *senfte.*

sanft stm. bequemlichkeit.

sanfte, samfte adv. mit geringer mühe, bequemlich, leicht; langsam, leise, sachte; bequem, ruhig, angenehm, wohl (*sanfte sîn, werden, tuon* wohl sein, werden, tun mit dat.); milde, sanft.

sange swf. büschel von ähren u. dgl. **sangen** swv. das getreide schneiden und in garben binden.

sangen swv. singen.

sangwîn adj. = lat. *sanguineus.*

sanikel stm. sanicula (pflanze)

sant, sante s. *sament, sancte.*

sant, *-des* stm. (auch stn.), sand, bes. ufersand; strand, ufer, gestade; sandige fläche, kampfplatz, stechbahn.

sant, sante s. *sancte*.

sant-, sende-bote swm. abgesandter. **-brief** stm. sendschreiben.

sant-bühel stm. sandhügel. **-hûfe** swm. sandhaufe. **-wërf** stm. sandbank.

saphîr, saphîre stswm. saphir (gr. lat. *saphirus*). **saphîrîn** adj. dazu.

sappen swv. intr. plump und schwerfällig einhergehn. — tr. erfassen, ergreifen, erwerben, erhalten.

sar, *-wes* stn. kriegsrüstung. **-balc** stm. ledersack zum aufbewahren des harnisches. **-gewæte** stn. coll. zu *sarwât*. **-rinc** stm. panzerring. **-roc** stm. kriegsrock, feldmantel. **-wât** stf. kriegsgewand, -rüstung. **-wërc** stn. was zur rüstung gehört. **-wërke** swm. der rüstungen, panzer oder teile davon verfertigt. **-würhte, -worhte, -(sal-) würke** swm., **-würker** stm. dasselbe.

sâr s. *sâ* adv.

sarbant s. *sërpant*.

sarc, sarch, *-kes, -ges* stm. sarg; schrein, behälter (*sîner pfenninge s.* geldbörse); schrein für ein götzenbild, das götzenbild selbst; badewanne; übertr. *des herzen s.* u. ä.; *mînes lîbes und der sêle s.* anrede an ein mädchen. **-stein** stm. sarg aus stein.

sardîn stm. ein edelstein (mlat. *sardinus*).

sardonîs stm. der edelstein sardonix.

sarf s. *scharpf*.

sarge s. *serge*.

sâr-ie adv. durch *ie* verstärktes *sâ, sâr*: sogleich.

sarjant, serjant, *-des* stm. diener des ritters, knappe; fussknecht, häuptling, unterführer (fz. *sergent*).

sarken s. *serken*.

sarpant s. *sërpant*.

sarph, sarf adj. = *scharpf*.

sarph-heit stf. wildheit.

Sarrazîn, -e stswm. Sarazene; heide; als scheltwort: räuber, mörder (fz. *Sarrasin*); auch in der form *Serze*.

sarwe stf. n. = *sar-wât*; indisches gewebe (als Fahnentuch).

sas s. *sahs*.

sat adj. adv. satt, gesättigt, voll (mit gen. od. *von*); genügend, hinreichend; *einen s. machen mit strîte* ersättigen, *s. werden* mit gen. überdrüssig w. **-blâ** adj. dunkelblau. **-grüene** adj. dunkelgrün. **-heit** stf. sättigung. **-rôt** adj. dunkelrot.

sât stf. das säen, die aussaat; das ausgesäte korn, samenkorn; saat, saatfeld; die getreideernte, kornzins davon; leibesfrucht, nachkommenschaft. *der erbermde s.* Christus; auch bloss umschreibend.

satanâs, satanât, satân stm. satanas.

sate stf. = *sete*, sattheit.

satel stm., md. auch *sadel*, sattel. *s. lâzen* vom pferde stürzen.

sâtel, sâtele stmnf. ein bestimmtes ackermass (mlat. *satellum*).

satel-boge swm. der vordere od. hintere sattelbogen; der raum zwischen den zwei sattelbogen, der sattel selbst. **-decke** f. satteldecke. **satelen, satlen, sateln** swv. satteln. **sateler, seteler** stm. sattler; sattelpferd. **satel-gêre** swm. satteltasche. **-gereite, -geschirre** stn. sattelzeug. **-kleit** stn. = *sateldecke*. **satellîn** stn. dem. zu *satel*. **satel-schëlle** swf., **-geschelle** stn. schelle am reitzeuge. **-tuoch** stn. =*-decke*. **-wërc** stn. sattlerarbeit.

saten swv. intr. *sat* sein oder werden. **saten satten, seten setten** swv. tr. u. refl. *sat* machen, sättigen (mit gs. od. *an, mit*).

sater-tac stm. ndrh. samstag (lat. *dies Saturni*).

satîn stm. ein seidengewebe (fz. *satin*).

sâtrâpas, satrapiste stm. satrap (mlat. *satrapas*).

satunge, setunge stf. sättigung.

satzunge stf. setzung, festsetzung, klostersatzung; gesetzl. bestimmung; vertrag; testament, legat; taxierung; festnehmung, verhaftung; übergabe (eines pfandes), das eingesetzte pfand selbst. **satzunger** stm. der auf pfänder leiht.

saulen swv. sich wie Saulus betragen.

saut afz. = lat. *[deus te] salvet*.

sæwen s. *sæjen*.

saȥ stm. sitz; mass, verhältnis; art und weise.

saz, *-tzes,* **satz** stm. ort, wo etwas hingesetzt ist, sitzt oder liegt; art und weise, wie etw. sitzt oder liegt, lage, stellung; was gesetzt oder hinterlegt ist als unterpfand, als einsatz beim spiele. — das festgesetzte: gesetzl. bestimmung, verordnung, gesetz; vertrag, bündnis; waffenstillstand; festgesetzter wille, testament; festgesetzter preis, tarif; der in worten zusammengefasste ausspruch. — besetzung; vorsatz, entschluss. — satz, sprung. **saz-brief** stm. pfandbrief; vertragsurkunde. **-buoch** stn. hypothekenbuch. **-liute** pl. zu **-man** stm. zeuge, schiedsmann.

sâȥe, sæȥe swm. der sitzende, sasse (in zusammenss.).

sâȥe stf. sitz, wohnsitz, rastort; rast, ruhe; versteck, lauer, hinterhalt, nachstellung; lage, stellung, worin etw. sich befindet, art und weise (mit gen. umschreibend), lebensweise, einrichtung, verhältnis, mass; belagerung.

sæȥe stn. belagerung.

sâȥen swv. tr. setzen, einen sitz, wohnsitz anweisen, — tr. u. refl. besetzen, festsetzen, fertig machen, einrichten; einschränken, ein ziel setzen (z. b. *dîne suht*).

scëpter stn. s. *zëpter*.

schabe swf. schabeisen, hobel; schababfall, spreu; motte, schabe; abgeschabte stelle am gewand (spät).

schaben stv. VI tr. kratzen, radieren, scharren, refl. sich abschaben, schäbig werden; glatt schaben, polieren; stossen, fortstossen, vertreiben, austilgen. — intr. schnell von dannen gehn, sich fortscheren (imper. *schab ab* bezeichnung des abgewiesenseins eines liebhabers, des aus-, zuendeseins; name einer pflanze).

schabernac s. *schavernac*.

schâch stn. m. der könig im schachspiele; schachbrett, -spiel; schachbietender zug, als interj. drohender zuruf gegen die figur des königs im schachsp. (pers. *schâh*). **-buoch** stn. buch das vom schachspiel handelt. **-mat** stm. u. interj. = *schâch unde mat*, schachmatt. **-roch, schâroch** stn. schachbietender zug durch den turm (*roch*). **-spil** stn. **-zabel** stn. schachbrett, spiel auf dem sch. s. *zabel*. **schâchzabel-brët** stn. schachbrett. **schâch-zabelëht** adj. schachbrettförmig, gewürfelt. **-zabelen** swv. spielen auf dem *sch*. **schâchzabel-gesteine** stn. gesamtheit der schachfiguren. **-spil** stn. schachspiel. **-stein** stm. die einzelne schachfigur. **-wîs** adv. schachbrettförmig.

schâch stm. raub, räuberei.

schâch adj. räubermässig.

schâchære, schæchære, -er stm. räuber, schächer. **schâch-banden** swv. wie einen schächer in bande legen. **-blic** stm. räuberblick, feindseliger blick, bildl. gefangen nehmender blick. **-brant** stm. brandstiftung mit raub. **-genôȥ** stm. raubgenosse. **-geselle, -geverte** swm. dasselbe. **-liute** pl. zu **-man** stm. =

schâchære. **-mordære** stm. raubmörder. **-rouber** stm. räuber, raubmörder. **-roup** stm. raubanfall, gewaltsamer raub. **-zant** stm. mord-, hauzahn.

schache swm. einzeln stehendes waldstück oder vorsaum eines waldes.

schâchen swv. schach bieten, bildl. nachstellen mit dp.

schâchen swv. auf raub ausgehn, mit acc. u. dat. rauben. **schâches** gen. adv. auf räuberische weise, raubartig.

schad-buoȝe stf. schadenersatz. **schade** swm. schaden, schädigung, verlust, nachteil, verderben, böses, mühsal; leibesschaden, verwundung; geldschaden, -verlust, kosten (bes. von geliehenem gelde). **schade** swm. schädiger. **schade** adj. adv. schädlich, verderblich. **schade-bære** adj. dasselbe; *die schadebœren* die bösen. **schadegen schadgen, schedegen schedgen** swv. schädigen. **schade-haft** adj. schaden, verlust bringend, schädlich; schaden habend, geschädigt, beschädigt (*einen sch. machen, tuon* in schaden bringen, schädigen; *mir wirt sch.* ich erleide schaden). **schade-lôs** adj. ohne schaden, unschädlich, unnachteilig. **schaden** swv. (praet. *schadete, schatte, schâte,* md. auch *schete*) schaden verursachen, mit dat. **schadenworhte** swm. der schaden zufügt. **schade-rîche** adj. reich an schaden, an verlust. **schadesam** adj. schädlich.

schaf, *-ffes* stn. schaff, gefäss für flüssigkeiten; getreidemass, scheffel.

schâf stn. schaf. **schæfære, -er** stm. schäfer. **schâf-bûch** stm. lammskeule. **schæfelîn, schæfel** stn. dem. zu *schâf.* **schæferîe** stf. schäferei. **schâfhërter** stm., **-hirte** swm. schafhirte. **-hunt** stm. schäferhund. **-hûs** stn. schafstall. **schæfîn** adj. vom schafe, von schafen herrührend; schafmässig, einfältig. **schæflîch** adj. dass. **schâfrüde** swm., md. *schâfrode* schäferhund. **-seite** stf. saite aus schafdarm. **-stal** stm., **-stic** stm. **-stîge** stf. schafstall. **schâf-var** adj. schaffarbig.

schaffære, scheffære, -er stm. schöpfer, bildner; anordner, aufseher, der für das hauswesen sorgende verwalter, schaffner.

schaffe swm. schöpfgefäss.

schaffen stv. VI u. swv. erschaffen; schaffen, gestalten (part. *geschaffen* gestaltet, gebildet); tun, machen, bewirken, ins werk setzen (*wâ man sie hin schuof* stellte), in ordnung bringen, einrichten, bestellen, sorgen für, besorgen (mit dp. verschaffen, vermachen, spez. durch ein testament vermachen); bestimmen, verordnen, befehlen (mit infin. od. untergeord. s.); s. v. a. *scheffen.* — refl. sich gestalten, entstehen; sich bereit machen, einrichten. **schaffenære, scheffenære, -er** stm. anordner, aufseher, verwalter, schaffner. **schaffunge** stf. vermachung, vermächtnis.

schaf-reite stf. gestell, um gefässe darauf zu setzen, küchenschrank.

schaft stm. der schaft am speer; der speer, die lanze selbst (als mass: schaftlänge); fahnenschaft; überh. stange od. stangenähnliches; pflanzenschaft, -stengel; stiefelschaft.

schaft stn. badewanne.

schaft stf. geschöpf; gestalt, bildung, beschaffenheit, eigenschaft.

schaft-höuwe stn. schaftheu.

schâf-zagel, -zabel = *schâchzabel.*

schæhe adj. schielend.

schaht stm. schacht im bergbau; grube.

schaht, schahte stswm. = *schache.*

schahtel swf. schachtel; altes weib; feminal.

schahtël s. *schastël.* **schahtelân, schatelân** stm. = *kastelân,* kastellan, burgvogt (mfz. *chastelain*). **schahteliur, schateliur** stm. dasselbe.

schal adj. schal, trübe; trokken, dürre, leck.

schal, *-lles* stm. schall, lauter ton (von musikalischen instrum.), überh. schall, geräusch, getöse, auch die menge, von der das getöse ausgeht; *sch.* von stimmen; gesang, gelächter, jubel, klage, geschrei, bes. der freudenlärm bei ritterlichen festen u. dgl.; übermütiges lautsein, prahlerei, prahlerisches werk oder tun; ruhm, gerede, gerücht (*mit schalle* laut: froh; jammernd; *mit gemeinem schalle* übereinstimmend; *schal geben* frohlocken; *sch. tuon* rufen; *ze schalle werden* berühmt werden, ins gerede kommen, zum gespött w.; *ze schalle bringen* berühmt machen, ins gerede bringen, lächerlich machen); gegenstand des geredes, spottes. **-bære** adj. laut od. weithin schallend, bekannt, berühmt, ruchbar. **-geschrei** stn. lautes geschrei. **-wort** stn. lautes, in der erregung gesprochenes wort (vgl. *schëllewort*)

schal schale, schâl schâle stswf. schale (hülse einer frucht, eines eies, einer schnecke); die hirnschale; essschale, trinkschale; waagschale; schale des messers; steinplatte; einfassung von brettern, die verschalung; weidm. die hornichten teile am laufe des hirsches; ein gewisser fleischteil an den hüften, am schweif; fleischbank. **-banc** stf. fleischbank. **-hunt** stm. fleischerhund. **-rat** stn. pflugrad.

schalander stm. mfrz. *chalandre* mlat. *chelandium,* mgr. χελάνδιον. waren-, transportschiff.

schalc, *-kes* stm. der leibeigene, knecht, diener, überh. mensch von niedrigem stande (*der pfannen sch.* pfannenknecht: eisernes gestelle, auf dem die pfanne über dem feuer steht): mensch von knechtischer, ungezogener art, böser, ungetreuer, arg-, hinterlistiger, loser mensch; bes. vom teufel gebraucht; possen, schalkheit. **schalc** adj. arg-, hinterlistig, boshaft. **-bære** adj. einfältig; töricht. **-haft** adj. arg-, hinterlistig, boshaft, lose. **-haftic** adj. dasselbe. **-heit** stf. knechtschaft, gefangenschaft; handlungsweise eines *schalkes,* niedrige gesinnung, arglist, bosheit. **-lich** adj., **-liche** adv. knechtisch; venalis; s. v. a. *schalchaft.* **-rede** stf. lose, böse rede. **-tuom** stn. knechtschaft, knechtische lage.

schalden s. *schalten.*

schalkëht adj. = *schalc-haft.*

schalken swv. intr. ein *schalc* sein, wie ein *sch.* sich betragen. — tr. = *schelken,* zum *schalke* machen, einen *sch.* heissen, schelten; betrügen, überlisten; heimlich wegnehmen, veruntreuen.

schalkunge stf. unwürdige behandlung, verhöhnung, beschimpfung.

schallære, -er stm. redner, schwätzer, prahler.

schalle swf. = *schëlle.*

schallec, schallic adj. geschwätzig; adv. schallend, lärmend, laut. **schallec-lich** adj., **-liche** adv. mit schalle, lärmend, laut. **schallen** swv. *schal* machen, erregen (*her schallen* mit geräusch niederfallen); laut rufen, schreien (*über, ûf einen sch.* ihm böses nachsagen, auf ihn schmähen); schreiend lärmen, bes. laute freude zeigen; lauten übermut zeigen, prahlen (*ûf einen sch.* gegen ihn prahlen); *schal* machen mit gesang u. saitenspiel (mit dp. vor einem, über einen singen, ihm lobsingen, ihn preisen). **schallen** stn. das singen, der gesang; das schreiende lärmen, bes. in freude; lautes gerede, ausgelassenheit, übermut, prahlerei; lautes loben, preisen *sin sch. hân* widerhallen. **schal-lich** adj. = *schallechlich.*

schallieren swv. = *schallen.*

schalme s. *schëlme.*

schalmîe swf. rohrpfeife, schalmei (mfz. *chalemie*, mlat. *scalmeia* vom lat. *calamus*). **schalmîen, schalmieren** swv. auf der schalmei blasen. **schalmîer** stm. schalmeibläser.

schaln swv. *schal*, trübe werden.

schalt stm. stoss, schwung. **-boum** stm., **-ruoder** stn. = **schalte** swf. stange zum fortstossen des schiffes. **schalte** swm. kahn. **schalten, schalden** redv. 1 tr. *daz schif, schiffelîn sch.* (od. abs. mit ausgelass. obj.) mit der stange fortstossen, schieben, mit dem ruder in bewegung setzen; *daz viur sch.* unterhalten; überh. stossen, fortstossen, schieben, in bewegung setzen, entfernen, vertreiben, trennen. — refl. u. intr. sich absondern von; davonziehen, abfahren, hinwegeilen. **schalter, schelter** stm. schieber, riegel; führer, beschützer?

schalt-jâr stn. schaltjahr.

schalûne f. stoff zu kleidern und decken aus *Chalons* (*Schalûn*).

scham adj. beschämt. **scham, schame** stf., **schame** swm. scham, schamhaftigkeit, züchtigkeit, keuschheit, scham-, ehrgefühl (*ze schame komen* sich schämen); beschämung (*aller zuht sch.* beschämerin, gipfel a. z.); ärgernis, schmach, schande; scham-, geschlechtsteile. **scham-bære** adj. verschämt, schamhaft; scham erweckend, unzüchtig, schandbar.

schambelieren swv. *mit schenkeln sch.* dem rosse die schenkel geben (aus einem fz. *jambeler* von *jambe* unterschenkel).

schamblât s. *schamelât.*

schame s. *scham.* **schamec, schemec, -ic** adj. schamhaft, verschämt, züchtig; schande bringend, schändlich, schimpflich. **-heit** stf. = *scham.* **schamede, schamde, schemede schemde** stf. = *scham.* **-rôt** stn. schamröte. **schame-heit** stf. *scham.* **-haft, -haftic** adj. schamhaft. **-(scheme-)lich** adj. = *schamec*; der sich schämen soll od. muss. **-lîche** adv. auf schamhafte weise, mit scham, schmerzerfüllt; auf schämenswerte, schmähliche, schändliche weise. **-lop** stn. beschämendes lob. **-lôs** adj. ohne scham. **-nôt** stf. not u. schande. **-rîche** adj. schamvoll, verschämt. **-(scham-)rôt** adj. rot vor scham, schamrot. **-rîse** stf. *rîse* vor die schamteile. **-sam** adj. schamhaft. **-var** adj. schamrot. **scham-gewant** stn. kleidungsstück über die schamteile. **-spil** stn. spiel, dessen man sich zu schämen hat. **-wunde** swf. das antlitz entstellende wunde.

schamel, schemel adj. schamhaft.

schamel, schemel stm. schemel, fussbank (lat. *scamillus*, dem. v. *scamnum*).

schamelære s. *schemelære.*

schamelât, schamlât, schamblât stm. ein aus kamelhaaren gewebtes zeug (fz. *camelot*, mlat. *camallotum*).

schamen swv. sich schämen (refl. ohne od. mit gen. od. *umbe, vor, wider*). **schamende** part. adj. scham empfindend, sich schämend; schüchtern, zaghaft; scham erweckend, beschämend.

schampf stm. = *schimpf.*

schanc s. *schranc.*

schanc, -kes stm. gefäss aus welchem eingeschenkt wird.

schanc stmf. geschenk.

schande stf. schämenswertes tun od. leiden, laster, schande; schamteile; scheltwort: meretrix.

schande swf., **schandel** stf. kerze (fz. *chandelle*).

schande-lôs adj. ohne *sch.* **-meil** stn. schandmal. **-tritt** stm. unehrenhafter schritt. **-vaz** stn. der voll schande ist (teufel).

schanke s. *schranke.*

schant-genôz stm. teilnehmer an der schande. **-hort** stm. ansammlung, fülle von schande.

schantieren swv. singen (fz. *chanter*).

schant-, schent-lich adj., **-lîche** adv. schämenswert, schändlich, schändend, entehrend, schmachvoll.

schanz stm. s. *schenzelîn.*

schanze stf. reiserbündel; schutzbefestigung, schanze; schranke. **schanzen** swv. mit schranken versehen, einfriedigen.

schanze, schanz stf. fall (*der dœne schanz* tonfall, kadenz); fall der würfel, würfelspiel, einsatz bei einem solchen; glücks-, wechselfall, wagnis bei dem es auf gewinn und verlust ankommt (afz. *cheance*, lat. *cadentia*). **schanzen** swv. intr. glücksspiel treiben, hazard spielen. — tr. gewinnen, hervorbringen. — refl. zum ausschlage kommen; mit dat. durch glück zufallen.

schanzûn stn. gesang, lied (fz. *chanson* v. lat. *cantio*).

schâpære, schæpære, -er stm. schafsvliess, -pelz.

schápël, scháppël, tschápël; schépël, scheppël stn. kranz von laub, blumen (natürlichen od. künstlichen) als kopfschmuck, bes. der jungfrauen, daher sinnbild der jungfräulichkeit (afz. *chapel*).

schapëlære, -er stm. der ein *schapël* macht od. trägt.

schapelære, schepelære, -er stm. schulterkleid der ordensgeistlichen, skapulier (mlat. *scapulare*).

schapëllîn, schappëllîn stn. dem. zu *schapël.*

schaperûn, schapperûn, schaprûn stm. kapuze, kurzer mantel (fz. *chaperon*).

schappe swm. rock der geistlichen (fz. *chape*, s. *kappe*).

schar adj. steil, schroff.

schar stn. m. f. schneidendes eisen, pflugschar; schere.

schar stf. schnitt, ernte, ertrag, einkünfte; abteilung des heeres, geordnet aufgestellter heeresteil; schar, menge, haufen überh.; gesellschaft, umgang; in geordneter verteilung umgehende dienst-, fronarbeit, scharwerk; auferlegte strafe. **-genôz, -genôze** stswm. kriegskamerad. **-haft** adv. = *scharëht.* **-hërre** swm. anführer einer *schar.* **-(scher-)lîche** adv. scharenweise. **-meister** stm. anführer (einer heeresabteilung). **-schouwe** stf. anschauung einer schar, menge. **-vart** stf. fronfahrt. **-wagen** stm. fronwagen. **-wahte** stf. umgehende, aus mehreren personen bestehende wache, die entweder zusammen oder der reihe nach patrouillieren. **-wahter, -wehter** stm. scharwächter. **-wërc** stn. fronarbeit.

schâr? stf. fleisch, sterblicher mensch (afz. *char*)? od. ausschnitt, lücke (zu *schërn*)?

scharbe swmf. der schwimmtaucher, die scharbe.

scharben, scherben swv. in kleine stücke, blättchenweise schneiden; schaben.

schære, schær stf. schere; schwert, sichel; abschneiden der haare, tonsur.

scharëht adv. scharenweise.

schærelîn, schærel stn. dem. zu *schære.*

schæren, schâren swv. abs. u. tr. *daz gevidere sch.* die mauser bestehn, bildl. mannbar werden.

scharf s. *scharpf.* **scharfeln** swv. = *scherfeln.*

scharlachen, -lach stn. feines wollenzeug, scharlach (umd. des folgd.).

scharlât stn. dasselbe (mlat. *scarlatum*).

scharleie, -el stf., umged. *scharlach*, scharlei (mlat. *sclareia*, *scarleia*).

scharmutzel, -mützel stm. gefecht zwischen kleineren scharen, scharmützel (it. *scaramuccia*, *schermugio* von *schermire*, s. *schirmen*). **scharmutzeln -mützeln, -mutzen, -mützen** swv. scharmützeln.

***scharn** stv. VI (nur im praet. belegt) = *schërn*.

scharn swv. tr. u. refl. in eine schar bringen, in scharen abteilen, teilen u. ordnen, gesellen (*sch. von* absondern, trennen, *sch. zuo* gesellen, *hin sch.* fortschaffen, mit dat. zuwenden).

scharne, scherne, schirne m. f. md. = *schranne*, fleischbank.

schâroch s. *schâchroch*.

scharpf, scharph, scharf; scherpfe, scherfe, scherf adj., md. auch *scharp*, schneidend, scharf, rauh; eifrig, stark. **-lich** adj., **-lîche** adv. dasselbe. **-sihtic** adj. scharf sehend.

scharren swv. abs. scharren, kratzen. — intr. schnarchen; schroff hervor-, herausragen.

scharrote swf. wagen (fz. *chariot*, vgl. *karrosche*).

schar-sahs, -sas stn. schermesser.

schart adj. zerhauen, schartig, verletzt, verwundet.

schart stmn. röstpfanne.

scharte, schart swstf. durch schneiden, hauen od. bruch hervorgebrachte vertiefung od. öffnung: scharte; ausgebrochenes od. ausgehauenes stück; stück, trumm, teil überh.; scharte (pflanze).

scharten s. *scherten*.

scharz stm. sprung (im schachspiel). **scharzen** swv. springen.

schastël, schahtël stn. schloss (afz. *chastel*).

schate stswm., **schate, schete** stf. schatten (metaphor.: ein nichts; schutz); spiegelbild. **-(schete-)huot** stm. schatten gebender hut; = *sch.-huote* von Gott = schützende behütung.

schatelân, schateliur s. *schahtelân*.

schatewe, schetewe, schete swm. = *schate*.

schatewen, schetewen swv. schatten geben, unpers. schattig, dunkel werden.

schatzære, schetzære, -er stm. schatz-, geldsammler; schätzer, taxator. **schatzen, schetzen** swv. *schatzen*: schätze, geld sammeln, anhäufen. — *schetzen*: das geld abnehmen, beschatzen, besteuern, lösegeld auflegen; nach wert od. zahl anschlagen, schätzen; erwägen; dafür halten, glauben, meinen; mit dopp. acc. für etw. halten.

schatzunge, schetzunge stf. beschatzung; abgenommenes geld (als abgabe, steuer, lösegeld, kontribution, geschäftsgewinn); schätzung, taxierung.

schavelîn, schevelîn stn. jagdspiess (fz. *javeline*).

schavernac, schabernac stm. rauchhaariger, grober (den nakken reibender) winterhut; eine art starken weines; höhnender, neckender streich. **schavernacken** swv. höhnen, verspotten.

schaz, -tzes, schatz stm. verarbeit. edelmetall, schatz, geld und gut, reichtum, vermögen; auflage, tribut, steuer; wert, preis; ein weinbergsmass (der 5. teil eines mannwerkes). **schaz-bære** adj. kostbar. **-gëlt** stn. lösegeld. **-gir, -girec** adj. geldgierig. **-gîtec** adj. dasselbe. **-hûs** stn. schatzkammer. **-stiure** stf. auferlegte steuer.

schebel stm. = schaber, schabhals (?), d. h. wucherer, geizhals.

schebelinc, scheblinc, -ges stm. handschuh.

schebic adj. schäbig, räudig. **-heit** stf. räude.

schechelîn stn. dem. zu *schache*.

schëcke, schëckëht adj. schekkig.

schëcke, schëgge swm. eng anliegender, gestreifter od. durchsteppter leibrock, auch eine art panzer.

schëcken swv. scheckig, bunt machen.

schedegen s. *schadegen*.

schëdel stm. schädel (*alter sch.* greis).

schede-lich adj., **-lîche** adv. schaden bringend, schädlich (*sch. man* der das land unsicher macht, missetäter).

schedelîn stn. dem. zu *schade*.

schëdel-kopf stm. der obere, den schädel deckende und rund zulaufende teil des helms.

schedige stf. schädigung, übel, unglück.

schëf s. *schif*.

scheffære, -er s. *schaffære*.

scheffe, schepfe swf. eine art grosser fischnetze.

scheffe, schepfe, schephe; scheffene, schepfene swm. beisitzender urteilssprecher, schöffe (mlat. *scabinus*).

scheffede stf. = *ge-sch.*

scheffel stm. = *scheffe*, scabinus.

scheffel, schepfel stm. scheffel, getreidemass.

scheffelære, -er stm. schäffler, fassbinder.

scheffelîn, scheffel stn. dem. zu *schaf*.

schëffelîn s. *schiffelîn*.

scheffen, schepfen, schephen swv. schaffen, erschaffen, bilden, machen. vgl. *schaffen*.

scheffenære s. *schaffenære*.

scheffen-(scheffel-)ambet stn. schöffenamt. **scheffen-bære** adj. zum schöffen geeignet. **-meister** stm. obmann der schöffen. **-schrift** stf. schöffenurteil. **-stuol** stm. schöffenstuhl, -gericht.

scheffen-(scheffel-)tuom stmn. schöffentum, -amt.

schef-nisse stn. geschöpf. s. *ge-sch.*

scheftec adj. geschäftig, tätig, wirkend.

scheften, schiften swv. einen schaft machen; mit einem schafte versehen, an einen schaft befestigen, stecken; einem vogel falsche federn ansetzen.

schëgge s. *schëcke*.

schëhen, schên stv. V = *geschëhen*.

schëhen stv.? schnell dahin fahren, jagen, rennen, eilen. **schëhen** stn. das schnelle dahinfahren, rennen, jagen; das zwinkern mit den augen.

scheidære, -er stm. **scheide** swm. scheider; entscheider, vermittler, schiedsrichter; scheidenmacher.

scheide stswf. scheidung, trennung, abschied; tod; sonderung, unterscheidung; schwert-, messerscheide.

scheidec adj. scheidend.

scheide-, scheiden-lich adj., **-lîche** adv. scheidend, trennend; vermittelnd, schlichtend.

scheidel-sâme swm. = *irresâme*, same der zwietracht. **-sât** stf. dasselbe. **-tranc** stm. zwietracht stiftender trank.

scheide-man stm., pl. **-liute** schiedsrichter.

scheiden redv. 4 tr. scheiden, sondern, trennen (*einem daz houbet sch.* scheiteln); entscheiden, beilegen, beenden, schlichten; deuten, auslegen, mit dp. u. abh. satz: bescheid geben; — refl. u. intr. sich trennen, absondern, fortgehn, abschied nehmen, ein ende nehmen, sterben; sich entscheiden, zum austrage kommen.

scheiden swv. trennen, teilen, spalten; entfernen.

scheidenheit stf. = *bescheidenheit*, bedingung.

scheiden-lich s. *scheidelich*.

scheide-vrouwe stf. vermittlerin (Maria).

scheid-gadem stn. scheidkammer, worin die scheidung und reinigung edler metalle geschieht. **-meʒʒer** stn. messer in einer scheide. **-pfâl** stm.

grenzpfahl. **-sâme** swm. = *scheidelsâme*. **-stein** stm. grenzstein.

scheidunge stf. scheidung, trennung; ehescheidung; das scheiden, weggehn, entfernung, abschied; assumptio (*Mariae*); der tod; entscheidung; schlichtung durch die *scheideliute*.

scheim stm. glanz, schimmer; larve, maske; schaum.

scheinen swv. *schînen* machen, sichtbar werden lassen, zeigen, erweisen, kund tun; einem dinge einen andern anschein geben, es fälschen.

schein-lich adj., **-lîche** adv. sichtbar, deutlich, offenbar, öffentlich (vgl. *schînlich*).

scheit, *-des* stm. scheidung, trennung, sonderung, abschied; unterscheidung, unterschied; richterliche entscheidung, schiedsspruch (*sunder sch.* ohne unterschied; ohne unterlass; fürwahr, sicherlich).

scheite swf. holzspan, schindel.

scheitel, scheitele stswf. oberste kopfstelle, an welcher die haare sich scheiden, nach verschiedenen seiten sich legen: kopfwirbel, scheitel; die haarscheide vom wirbel bis zur stirne; kahlkopf, stirne, bildl. berggipfel. **scheitel-bære** adj. einen scheitel tragend, gescheitelt. **-lîn** stn. dem. zu *scheitel*.

scheiteln swv. scheiteln.

scheiȥ stm. darmwind (auch zur verstärk. der negat.).

schël stm. schelm, betrüger (vgl. *schëlme*).

schël, *-lles* adj. laut tönend; aufspringend, auffahrend: sich rasch entzündend (vom schiesspulver); aufgeregt, wild. vgl. *schëllec*.

schël, *-wes*, **schëlwe** adj. s.v.a.

schëlch *-hes* adj. scheel, schielend, quer, schief, krumm.

schëlch stm. männl. jagdtier (hirsch?).

schelch stm. flussfahrzeug, nachen.

schëlden s. *schëlten*.

scheldinc, *-ges* stm. = *schelch*.

schële, schël swm. beschäler, zuchthengst.

schël-haft adj. uneins, zwieträchtig.

schël-hamer stm. schwerer hammer zum zerschlagen der steine.

schëlhes adv. scheel, schief.

schelken swv. zum *schalke* machen: betrügen, beschimpfen, schmähen. **schelkelîn, schelkel** stn. dem. zu *schalc*.

schelkinne stf. zu *schalc*.

schelle stn. = *geschelle*.

schëlle swf. schelle; schlag.

schëllec, schëllic adj. laut tönend; aufspringend, auffahrend, scheu; lärmend, streitend, aufgeregt, wild, toll. vgl. *schël* 2. **-lich** adj., **-lîche** adv. aufgeregt, zornig. **schëlle-horn** stn. posaune. **schëllen** stv. I, 3 schallen, tönen; laut werden, lärmen.

schellen swv. *schëllen* machen, ertönen lassen; mit schall treffen, betäuben, erschüttern; zerschmettern. **schëlle-wort** stn. lautes wort, scheltwort (vgl. *schalwort*).

schëllier s. *schinnelier*.

schëllunge stf. zwist.

schëlme schëlm, schalme schalm swstm. pest, seuche (bes. viehseuche); toter körper, aas (auch als schimpfwort).

schëlmen swv. die haut abziehen, schinden; einen *schëlm* schelten. **schëlme-tac** stm. pest, viehseuche. **schëlmic, schëlmîn** adj. pestisch, verpestet; von einem gefallenen tiere.

scheln swv. abstreifen, schälen; sondern, trennen.

schëlt stm. das tadelnswerte, die sünde. **schëltære, -er** stm. schelter, tadler; lästerer, beschimpfer; herumziehender sänger, der das *schëlten* für lohn übt, schmähdichter. **schëltât** stf. das schelten. **schëlte** swm. schmäh-, strafdichter. **schëlte** stf. scheltwort, schmähung; tadel. **schëlten, schëlden** stv. III, 2 tr. schelten, schmähen, tadeln (*ein urteil sch.* es anfechten, verwerfen; *den tiuvel mit der bîhte sch.* bekämpfen). — refl. mit einem streiten, zanken.

schelter s. *schalter*.

schëltunge stf. schmähung, beschimpfung; tadel; beschuldigung wegen eines verbrechens.

schëlt-wort stn. schelt-, schimpf-, schmähwort, injurie, lästerung.

schelve, schele swf. = *schal* 3.

schëlwe stf.? krümmung(?).

schëlwen swv. *schël* werden.

schem, scheme, schäm(e) stf. scham, beschämung.

schëme, schëm swstm. schatten; ein augenübel; larve.

schëme-, schëm-bart stm. (bärtige) larve, maske.

schemec, schemede s. *scham-*.

schemel s. *schamel*. **schemelære, schamelære, -er** stm. ein krüppel, der auf allen vieren kriecht und zum schutze der hände eine kleine art schemel verwendet (vgl. *stelzære*). **schemelen** swv. mit einem *schamel* versehen.

schemel-heit stf. scham, schamhaftigkeit.

schemen, schämen swv. = *schamen*; trans. schmähen, schänden.

schën s. *schëhen*.

schende stf. schmach, schande, schändung. **schendec, schendic** adj. schändlich, schimpflich; schmähend, beschimpfend. **schendec-lich** adj., **-lîche, schendelîche** adv. = *schantlich*.

schenden swv. zuschanden machen, confundere; entehren, beschimpfen, lästern, schimpfen, verfluchen; tadeln; abs. schande treiben mit (*die sprâche sch.* verwirren). **schender** stm. der andere in schande bringt od. schmäht.

schëneschalt, -schlant s. *seneschalt*.

schenke swm. einschenkender diener, mundschenk (hofamt); diener überh.; als schachfigur achter *vende*; wein, bier usw. ausschenkender wirt; geber, schenker.

schenke, schenk stf. gabe, geschenk; schmaus oder mahl bei gewissen anlässen (bes. hochzeiten), wobei die gäste zu *schenken* pflegen; das schenkmass; wirtshaus, schenke.

schenkel, schinkel stm. schenkel; schinken. **schenkelieren** swv. reitend das ross durch bewegung der schenkel zu schnellem laufe antreiben.

schenken swv. abs. einschenken, mit dp. (obj. ausgelassen) zu trinken geben, tränken od. mit as., as. u. dp.; mit ap. tränken; zum verkaufe ausschenken; schenken, geben, verleihen mit dat. u. acc. (obj. auch ausgelassen; *sch.* mit dp. mit einem verfahren). **schenkevaȥ** stn. gefäss zum einschenken. **schenk-hûs** stn. schenke.

schenkinne stf. schenkin. **schenkkar** stn. gefäss zum einschenken. **schenk-rëht** stn. schankgerechtsame und abgabe dafür. **-tuom** stm. schenkenamt. **-wîn** stm. einzuschenkender od. eingeschenkter wein, auszuschenkender w.; geschenkter, gespendeter wein. **schenkunge** stf. das ein-, ausschenken; das tränken; gabe, geschenk.

schënt = fz. *gent*, volk.

schent-lich s. *schant-lich*.

schenzelîn stn. dem. zu *schanz* stm.: grober arbeits-, bauernkittel.

schenzeln swv. mit schande belegen, beschimpfen. **schenzieren** swv. dasselbe.

schepël, scheppël s. *schap-*.

schepfære, schephære, -er stm. schöpfer (zu *schaffen*); der schenk (zu *schepfen*). — md. *scheppêre, schepper*.

schepfe s. *scheffe*.

schepfe swf. schicksalsgöttin.

schepfel s. *scheffel* 2.

schepfe-lich adj. erschaffbar.

-lîcheit stf. schöpfung. **schepfen** s. *scheffen*.

schepfen swv. schöpfen (haurire).

schepfenisse stf. schöpfung, geschöpf. **schepfenunge, schepfunge** stf. dasselbe.

scher adj. = fz. *cher*.

schër swm. maulwurf; eine art mauerbrecher.

schërære, -er stm. scherer, barbier; tuchscherer (als schachfigur dritter *vende*); wundarzt.

schërbe s. *schirbe*.

scherben s. *scharben*.

schër-brët stn. hackebrett.

schëre stf. felszacke, klippe, schere.

schëre, schër stf. schere.

scherëht adj. scharenweise.

scherf, schërf s. *scharpf, schërpf*.

scherfeln swv. schleppend gehn, scharren.

scherge, scherje swm. gerichtsdiener, -bote, büttel, scherge.

scher-liche s. *scharlîche*.

scherlinc, schirlinc, *-ges* stm. schierling (vgl. *scherninc*).

schërm- s. *schirm-*.

schër-meȥȥer stn. scher-, rasiermesser.

schër-mûs stf. maulwurf.

schërn stv. IV (dazu auch ein praet. nach stv. VI) schneiden, abschneiden, scheren (haare, bart); auch bloss *einem sch.* mit ausgelass. obj.; *einen sch.* durch scheren der tonsur zum mönche machen; *lant sch.* die äcker, die man besät hat, auch abernten; belästigen, bekümmern, schinden, quälen (s. *ungeschorn*); abteilen, ordnen. — intr. schnell eilen, entkommen.

schern swv. teilen, abteilen; wohin schaffen, stellen, anstellen; fortschaffen, absondern, ausschliessen; zuteilen mit dp.

schërn stm. scherz, spott, mutwille.

scherne s. *scharne*.

schërnen swv. scherz, spott, mutwillen treiben. — tr. verspotten, schänden.

scherninc, *-ges* stm. = *scherlinc*.

schërnunge stf. *subsannatio*, verhöhnung.

schërp, *schirp* s. *schirbe*.

schërpf, schërf stn. kleinste münze, scherflein.

scherpfe s. *scharpf*. **scherpfe, scherfe** stf. schärfe; speerspitze.

scherpfen, scherfen swv. *scharpf* machen, schärfen.

schërre f. scharreisen; s. v. a.

schërre-ham swm. eine art fischernetz. **schërren** stv. III, 2 scharren, kratzen, abkratzen; graben.

schertëht adj. schartig.

scherten, scharten swv. abschneiden, lückenhaft machen, schädigen, vermindern; schartig machen, verletzen, verwunden.

schër-weide stf. barbierstube.

schërz stm. scherz, vergnügen, spiel.

schërze swm. abgeschnittenes stück.

schërzel stn. dem. zum vorig.

schërzen stswv. fröhlich springen, hüpfen, sich vergnügen; scherz treiben, scherzen.

scherze-vëder f. meerigel.

schërzic adj. spielend, scherzend, scherzhaft.

schete s. *schate, schatewe*.

schetelîn stn. dem. dazu

scheten swv. = *schatewen*.

schëter, schëtter stm. feine leinwand, glanz-, steifleinwand.

schëter-hemede stn. hemd von *schëter*.

schetewe s. *schatewe*.

schetigen swv. dunkel machen, schattieren.

schêtîs, tschêtîs stm. der arme, unglückliche (fz. *chétif* v. lat. *captivus*).

schetz- s. *schatz-*.

scheu- s. *schiu-*.

scheude s. *schouwede*.

schevalier, schevelier, tschavalier stm. ritter; als schlachtruf in einzelkämpfen u. ritterspielen zwischen zwei scharen (fz. *chevalier*, mlat. *caballarius* v. lat. *caballus*).

schevelîn s. *schavelîn*.

schëver s. *schiver*.

schîbe swf. kugel, scheibe, kreis, rad, walze; bildl. bes. vom rade des glücks *der Sælden sch.* daher *ire schîben* ihre schicksalsbahn; *ûf gewaltes schîben gân* im besitze der macht sein; *des himels sch.*; in übertr. bedeutung auch sonst öfter. — in besonderer anwendung: töpfer-, glas-, wachs-, salzscheibe; scheibe, schnitte; *sch.* am handgriffe des speers, auf der rüstung; platte, teller; tischplatte; bemalte runde tafel.

schîbec, schîbelec, -ic adj. rund, kreis-, scheiben-, walzenförmig. **schîbelëht, -loht** adj. dass. **schîbe-lich** adj. dasselbe.

schîbelîn stn. dem. zu *schîbe*.

schîbel-lanc adj. länglichrund.

schîben stv. I, 1 rollend fortbewegen, rollen lassen, wälzen, drehen, wenden, schieben (absol. kegel schieben). — intr. rollen, sich rollend od. wälzend fortbewegen, wenden, weichen; refl. sich entfernen. **schîben-glas** stn. glasscheibe. **schîber** stm. kegelschieber.

schic, *-ckes* stm. art u. weise, gelegenheit; platz, ort, wohin etwas geschickt od. gestellt wird. **schicken** sw. fakt. zu *schëhen*: machen dass etw. geschieht, schaffen, tun, bewirken, ausrichten, gestalten (*nâch* wie), fügen, ordnen, anordnen, zurechtlegen, bereiten, rüsten (mit dp. zuwenden, verschaffen, zuteil werden lassen, zurüsten für, bes. durch ein testament vermachen; mit refl. acc. sich anschicken zu etw. s. oben part. adj. *geschicket*); bewegen, kehren, wenden, richten (*sînen pfat sch.* s. weg nehmen; *sich sch. ze* s. aufmachen, begeben; *sich wider sch.* zurückkehren; *geschicket gegen* gerichtet nach); abordnen, senden, schicken. **schicken** stn. benehmen; gestalt, aussehen.

schickunge stf. gestaltung, einrichtung, ordnung, anordnung, fügung; vermächtnis, testament.

schide-, schid-lich adj. scheidend, bes. einen streit entscheidend; friedfertig; durch entscheidung angenommen. **schide-, schid-liute** pl. zu **-man** stm. = *scheideman*. **schiden** stv. I, 1 intr. auseinandergehn, scheiden. — tr. deuten, auslegen; entscheiden, bestimmen. **schiden** swv. tr. scheiden, trennen.

schide-zûn stm. grenzzaun.

schid-mûre f. grenzmauer. **schidunge, schiedunge** stf. trennung, scheidung, abschied; tod; unterschied; schieds-, urteilsspruch.

schid-wîn stm. abschiedstrunk.

schie s. *schiech*.

schie, schîge swfm. zaunpfahl, umzäunung von pfählen.

schieben stv. II, 1 schieben, stossen (abs. mit ausgelass. *schif*: *von stade sch.*; *einen sch. gegen einem* ihm gegenüberstellen); aufschieben, verschieben; mit dp. einen heimlich begünstigen, ihm vorschub leisten. — intr. sich schieben, schwingen.

schiec adj. schief, verkehrt.

schiech, *-hes* **schiehe, schie** adj. scheu, verzagt; abschreckend, scheusslich.

schief adj. schief, ungerade, verkehrt, falsch.

schiehen swv. tr. scheuen. — intr. scheu werden, sich scheuen, zurückweichen; schnell dahinfahren, jagen.

schiehes adv. zu *schiech*.

schiel adj. = *schël*.

schiel stm. abgesprungenes od. abgerissenes stück, splitter, klumpen; verächtl. für schädel, kopf.

schiem stm. s. v. a. *schëme*: ein augenübel: rubigo.

schiem-bart stm. = *schëmebart*.

schieme swm. schemel, bank.

schier, tschier stf. freundliche aufnahme, bewirtung (fz. *chère*).

schier adj. schnell, in kurzer zeit erfolgend. **schiere, schier** adv. in kurzer zeit, sogleich, schnell, bald; fast, beinahe. **schier-lîche** adv. sobald, sogleich.

schiet s. *schît.*

schieȥ-bühse f. büchse zum schiessen. **schieȥe, schieȥ** swm. giebelseite eines gebäudes; die seite der zweispitzigen bischofsmütze. **schieȥen** stv. II, 2 abs. u. tr. werfen, schiessen (mit ap. wund od. tot schiessen, erschiessen; *durch ein dinc sch.* durchbohren); schieben, stossen, schleudern. — intr. schnell, wie geschossen sich bewegen, sich schieben, schwingen, herab-, hinauffahren, branden (vom meer). **schieȥ-ziuc, -geziuc** stnm. schiesswaffe.

schif, schëf, *-ffes* stn. schiff (*der genâden sch.* Maria); weberschiff; *schif u. geschirre* alle zur landwirtschaft od. irgendeinem gewerbe erforderlichen werkmittel u. gerätschaften. **schif-bruch** stm. schiffbruch. **-brüche, -brüchic** adj. schiffbrüchig. **-brücke** f. aus fahrzeugen zusammengesetzte brükke, schiffbrücke; schiffsbrücke, vom verdecke des schiffes auf das ufer führend. **-brüstic** adj. = *schifbrüchic.* **schiffelîn schëffelîn, schiffel schëffel** stn. dem. zu *schif.* **schiffen** swv. intr. u. refl. sich einschiffen, zu schiffe fahren (*ane sch.* in see stechen; übertr. *diu nôt sol hin wec sch.* vergehen; *în sch.* kämpfend eindringen); tr. zu schiffe befördern; intr. landen. **schiffer** stm. schiffer; als schachfig. zweiter *vende.* **schiffunge** stf. das schiffen, die schiffahrt, die einschiffung; fähre, schiff, flotte; portus; fahrgelegenheit zu schiff. **schif-geræte, -gereite** stn. was zur ausrüstung eines schiffes f. d. seereise gehört. **-gereise** swm. reisegefährte zu schiffe. **-gesinde** stn. schiffsmannschaft. **-geziuge** stn. schiffsausrüstung. **-hërre** swm. schiffspatron. **-kint** stn. matrose. **-knëht** stm. dasselbe. **-lede** stf. ladeplatz für die schiffe. **-liute** pl. zu **-man** stm. schiffer; steuermann. **-meister** stm. = *schifhërre;* steuermann. **-menige** stf. flotte. **-müede** adj. ermüdet von der schiffahrt. **-ræte, -rætic** adj. schiffbar. **-rëch, -ræch** adj. dass. **-rëht** adj. dasselbe. **-rîche** adj. dass. **-rouber** stm. pirat. **-sanc** stmn. (geistl.) gesang beim besteigen des schiffes. **-strît** stm. seeschlacht. **-tür** stf. schiffseingang. **-vart** stf. schiffahrt, schiffsladung. **-wëc** stm. wasserweg. **-wërc** stn. schifferei. **-wise** stf. = *schifgeræte.*

schiften s. *scheften.*

schîge s. *schîe.*

schiht stf. = *geschiht,* ereignis, begebenheit, geschichte; schickung; eigenschaft, art u. weise; ordnung, anordnung, einteilung; reihe an- und übereinander gelegter dinge, schichte; bergm. bank verschiedener aufeinander liegender gesteinoder erdarten; bestimmte bergmänn. arbeitszeit; die zu jeder *schiht* bestimmten arbeiter.

schihten swv. ein-, abteilen, trennen; *zesamene sch.* sammeln; *gelîche sch.* mit as. dp. vergleichen; refl. sich an etw. machen.

schilf stmn.? schilf.

schilhen swv. (md. *schilwen, schiln*) schielen; blinzeln. **schilher** stm. schieler; eine art taft, schillertaft.

schillier s. *schinnelier.*

schillinc, *-ges* stm. schilling (klingende münze). **schillinc-wërt** stn. was einen schilling wert, dafür zu haben ist. **schillinger** stm. = *schillinc.*

schiln s. *schilhen.*

schilt, *-des, -tes* stm. schild (bildl. schutz, schirm); wappenschild, wappen; *schilt* als zeichen u. symbol des rittertums (*schildes ambet* ritterdienst, rittertum); s. v. a. *herschilt;* metonym: der den schild führt, ritter; umschr. *der vröuden sch.;* eine franz. münze, schildtaler; schild der schaltiere. **schiltære, -er** stm. schildmacher; wappenmaler, maler. **schilt-bære** adj. den *schilt* führend, ritterbürtig. **-bürtic** adj. ritterbürtig. **schiltec, schiltic** adj. mit einem *schilde* versehen. **schiltelîn, schiltel** stn. dem. zu *schilt,* schildchen, kleines wappen. **schilten** swv. mit einem schilde versehen; schützen *vor.* **schilt-gebœȥe** stn. klang beim aufeinanderschlagen der schilde. **-gemælde** stn. wappen eines schildes. **-genôȥe** swm. gefährte. **-geselle, -geverte** swm. genosse bei demselben *herschilde,* kampfgenosse. **-gespenge** stn. coll. zu *schiltspange.* **-gesteine, -steine** stn. edelsteine, mit denen der schild verziert ist. **-geverte** s. *schiltgeselle.* **-halp, -halben** adv. auf der seite des schildes, links. **-hërre** swm. einer vom ritterstande, grundherr. **-knëht** stm. schildtragender diener, diener der rüstung und ross besorgt; ein schildbewehrter kriegsmann, bes. ein räuberischer herumziehender kriegsknecht. **-krote** swf. schildkröte. **-lêhen** stn. lehn, wofür der belehnte kriegsdienste tun muss. **-lich** adj. des schildes, zum schilde gehörend; mit dem schilde, ritterlich. **-man** stm. ritter. **-rieme** swm. = *schiltveȥȥel.* **-spange** f. schildspange, band am schilde. **-steine** s. *schiltgesteine.* **-veȥȥel** stm. band zum umhängen und tragen des schildes; *schilt-, schintveȥȥel* = *schiltknëht.* **-wache, -wahte** stf. wache in vollständiger rüstung, schildwache. **-wahter, -wehter** stm. schildwächter. **-warte** stf. = *schiltwache.* **-wërc** stn. was zum schilde gehört.

schilwen s. *schilhen.*

schim, schime stswm. schatten, schattenbild, täuschung. vgl. *schëme.*

schîm, schîme stswm. strahl, glanz, schimmer. **schîm-bære** adj., **schîmbærlîchen** adv. s. *schîn-.*

schimel stm. schimmel (mucor), übertr. fleck, makel, bes. von der sünde; glanz; weisses pferd, schimmel. **schimel** adj. schimmelig; kahmig; *ein schimel pfert* schimmel. **schimelec, -ic** adj. schimmlig. **schimelen** swv. schimmeln; bildl. verloren gehn. **schimelgen** swv. schimmeln. **schimel-grâ** adj. grau wie *sch.,* mit grauen haaren. **-hâr** stn. graues haar. **-var** adj. = *schimelgrâ.*

schimen stn. das schattengeben, dunkelsein.

schimêre swf. = fz. *chimère.*

schimph, schimpf stm. scherz, kurzweil, spiel, bes. das ritterliche kampfspiel; = *minnespil;* spott, verhöhnung, schmach. **schimphære, -er** stm. scherz-, spassmacher; prahler; spötter. **schimph-bære** adj. scherzhaft. **schimphec, -ic** adj. scherzend, scherzhaft, kurzweilig. **schimphen** swv. intr. scherzen, spielen; zur kurzweil kämpfen; spotten über einen (gen. od. *an*). — tr. verspotten. — **schimph-hûs** stn. haus für spiel u. unterhaltung. **schimphieren** swv. verspotten, höhnen. **schimph-lich** adj., **-lîche** adv. scherzhaft, kurzweilig; schmählich. **-liet** stn. scherz-, spottlied. **-lügene** stf. scherzlüge. **-mære** stn. scherzrede, -gespräch. **-rede** stf. scherzrede, spottrede, kurzweilige erzählung. **-spil** stn. scherzspiel. **-wort** stn. scherzhaftes wort, scherz; spöttisches wort, spott, hohn.

schimpfentiure s. *schumphentiure.*

schin, schine stswf. schiene, röhre; streifen zum flechten; eine verzierung der haube; schienbein; vermessung der bergwerksgruben.

schîn adj. hell, strahlend, leuchtend; sichtbar, augenscheinlich, offenbar (*schîn w.*, *wesen* sich zeigen, bekannt w., *sch. machen, tuon* zu erkennen geben, zeigen, beweisen).

schîn stm. strahl, glanz, helligkeit (*sch. geben* leuchten; *der sunnen sch.* radius solaris, *sînen sch. verliesen* eclipsim pati); sichtbarkeit, gesicht als körperl. sinn (*sch. werden, machen, tuon* wie *schîn* adj.); sichtbarer beweis; schriftl. urkunde, anblick, schau (*ein betrogen sch.* blendung); die art u. weise wie etw. zur erscheinung kommt od. sich zeigt, an-, aussehen, anschein, benehmen (*ein gelîcher sch.* gleichnis), häufig nur umschreibend; form, gestalt, bild, ebenbild, schattenbild.

schîn s. *schrîn.*

schînât stm. eine kostbare fischhaut von dunkler od. blauglänzender farbe zum besetzen u. verbrämen der gewänder.

schîn-bære, -bærec adj. adv. in die augen fallend, leuchtend, glänzend, prächtig; sichtbar, deutlich, vor augen, offenkundig. **-bærlich** adj., **-bærlîche** adv. dasselbe. **-bote** swm. mit einer vollmacht (*schîn*) versehener stellvertreter vor gericht, mandatar. **-brëcherinne** stf. ecliptica. **-brief** stm. schriftl. ausweis, zeugnis, urkunde. **-gebrëche** swm. glanzlosigkeit; stn. eclipsis. **-haft, -haftic** adj. glänzend; offenbar. **-heit** stf. glanz. **-lich** adj., **-liche** adv. leuchtend, glänzend: klar vor augen liegend, sichtbar, offenbar, deutlich. **-licheit** stf. glanz, leuchtkraft. **-phant** stn. schein-, faustpfand.

schindel stswf. schindel (mlat. *scindula*). **schindel-dach** stn. schindeldach. **schindelîn** adj. von schindeln.

schinden, schinten stv. III, 1 (auch swv.) die haut od. rinde abziehen, enthäuten, schälen; bis auf die haut berauben, ganz ausplündern, bis aufs blut peinigen, raub und gewalt antun, hart misshandeln. **schinder** stm. der *schindet*: rindenschäler; schlächter; abdecker; peiniger bis aufs blut, strassenräuber. **schinderîe** stf. strassenräuberei.

schindern swv. polternd schleppen, schleifen.

schine s. *schin.*

schîne swm. schein, glanz, schimmer.

schine-bein stn. schienbein.

schînec, -ic adj. leuchtend, glänzend, sichtbar, deutlich.

schînen stv. I, 1 strahlen, glänzen, leuchten, hervorleuchten; erscheinen, sichtbar werden, sich zeigen, offenbaren, sein; dem schein nach aber nicht in wirklichkeit sein.

schiner stm. markscheider (s. *schin*).

schinier stn. = *schinnelier* (it. *sciniera* beinharnisch, vom deutschen *schin*).

schinke swm. beinröhre; schenkel, schinken. **schinkel** s. *schenkel.*

schinlîn stn. dem. zu *schin*: reifen, auf dem der kranz gewunden wird.

schînlîn stn. dem. zu *schîn.*

schinnelier stn. (auch *schillier, tschillier, schëllier*) ein teil der rüstung, die eisenschale über die kniescheibe (afz. *genouillière*).

schint stf. obstschale.

schinten s. *schinden.*

schint-hûs stn. schlachthaus. **-meʒʒer** stn. messer zum *schinden.*

schint-veʒʒel s. *schiltveʒʒel.*

schînunge stf. micatio; visio.

schîp, -bes stm. schub, wurf, fortbewegende kraft; art sich zu wenden, betragen.

schipfe swmf., md. *schippe* schaufel, grabscheit.

schipfes adv. quer.

schîr adj. md. lauter, rein, glänzend.

schirbe, schërbe swmf. bruchstück, scherbe; topf. **schirben** stf. dasselbe. **schirben** swv. in stücke brechen od. schneiden. **schirbîn** adj. tönern.

schîren swv. *schîr* machen.

schirlinc s. *scherlinc.*

schirm, schërm stm. was zur deckung, zum schutze dient: schild; das vorhalten des schildes, das parieren; schutz, schirm (*schirm unde schaten geben*); persönl. der beschirmer, vormund; schirm-, schutzdach, obdach; schirmdach, -wand bei geschützen; sturmdach; gewähr, verteidigung, welche der verkäufer eines gutes gegen die einsprache anderer übernimmt, sowie derjenige der eingesetzt wird, diesen schutz auszuüben. **schirmære, schërmære, -er** stm. fechter, fechtmeister; schützer, beschützer, schirmherr, verteidiger. **schirm-bære** adj. schutzbringend. **schirm-, schërm-bühse** stf. büchse, geschütz mit einem *schirm.*

schirme stf. schutz, schirm.

schirme-hant stf. obhut, schutz, obergewalt. **schirme-lich** adj. schützend. **schirmen, schërmen** swv. mit dem *schirme* schützen, überh. schützen, verteidigen; mit dem schilde hiebe auffangen, parieren (abs., mit dp., refl.); überh. fechten. **schirm-knabe** swm. lehrling in der fechtkunst. **-meister** stm. fechtmeister. **-rede** stf. schutzrede, verteidigung. **-schilt** stm. schild zum parieren u. zum schutze; bildl. schutz, schirm. **-slac** stm. fechthieb, fechterstreich. **-swërt** stn. fechterschwert.

schirmunge, schërmunge stf. schutz, beschützung, verteidigung. **schirm-wadel** stm. *wadel* zur bedeckung der scham beim baden. **-wâfen** stn. = *schirmswërt.*

schirne s. *scharne.*

schirp, schërp, -bes stmn. = *schirbe.*

schirpe stf. ndrh. die dem pilger um den hals hängende tasche (fz. *echarpe, echerpe*).

schirre stn. = *ge-sch.*

schit, schiet, -des stm. scheidung, richterliche od. schiedsrichterl. entscheidung; unterscheidung.

schît stn. abgespaltenes holzstück, scheit; angel; = *dëhs-schît.*

schîten stv. I, 1 spalten, hauen.

schiter, schitere adj. adv. dünn, mager, nicht dicht, lücken-, mangelhaft.

schiteren swv. *schiter* machen.

schiuften s. *schûften.*

schiuh-bære adj. abschreckend. **schiuhe, schiuwe** stf. scheu, abscheu; schreckbild. **schiuhelinc, -ges** stm. vor dem man scheu od. abscheu empfindet. **schiuhen, schiuwen, schûen** swv. tr. *schiech*, scheu machen, erschrecken; scheuen, aus dem wege gehn, meiden; mit gen. sich scheuen vor; scheuchen, verscheuchen, verjagen. — intr. u. refl. scheu empfinden, sich scheuen. **schiuhic** adj. abschreckend. **schiuh-, schûh-lich** adj. scheu; erschreckend, abschreckend. **-lîche** adv. scheu, furchtsam; langsam, lau; auf abschreckende weise. **schiuhunge** stf. scheu, furcht, grauen.

schiumec adj. schäumig. **schiumelîn** stn. dem. zu *schûm.* **schiume-var** adj. mit *sch.* bedeckt.

schiune, schiun swstf. scheune.

schiure, schiur, schür, schiuwer stswf. scheuer. bildl. *diu guldîn sch.* himmel; umschr. *der sinne sch.*

schiure swstf. becher, pokal.

schiuren s. *schûren.*

schiuren, schûren swv. scheuern, fegen, reinigen.

schiuren, schûren swv. schützen, beschützen. **schiurer** stm.

beschützer. **schiurunge** stf. schutz.

schiuwe, schiuwen s. *schiuh-*.

schiuwer s. *schiure.*

schiuwe-sal stn. vogelscheuche.

schiuz stm., **schiuze** stf. (aus *schiuheze*) grausen, scheusal, abscheu, ekel. **schiuzen** swv. (aus *schiuhezen*) unpers. mit dat. scheu oder abscheu empfinden, grauen. **schiuz-lich** adj., **-liche** adv. scheu, verzagt; abscheulich, hässlich, scheusslich.

schiver schëver, schivere schëvere stswm. stein- oder holzsplitter. **schiveren** swv. splittern, zersplittern. **schiveric** adj. voll splitter.

schîze f. diarrhoea. **schîzen** stv. I, 1 abs. u. tr. cacare.

schoben swv. schubweise wirken, tätig sein.

schober stm. schober, haufen.

schoberen, schuberen swv. zu einem *schober* zusammenbringen, aufhäufen.

schoc, *-ckes* stm., **schocke** stf. schaukel; windstoss.

schoc, *-ckes*, **schoch, schock, schok** stm. haufe; büschel, schopf. — stn. anzahl von 60 stücken, schock.

schoche swm. aufgeschichteter heuhaufe, heuschober.

schochen swv. aufhäufen.

schocken swv. tr. in haufen (*schoc*) setzen.

schocken swv. in schwingender, schaukelnder bewegung sein, sich im tanz wiegen.

schof stn. gedicht, erdichtung (s. *schopfbuoch, schopfen*).

schohe swm. unterer schiffsraum.

schoie, schoye stf. freude (fz. *joie*); schar, menge, heeresmacht (nur im Göttweiger trojanerkrieg, DTM 29).

schol stf. = *scholle* swm.

schol adj. schuldig. **schol** stswm. schuldner; urheber, anstifter. **scholære** stm. schuldner, schuldiger.

scholder, scholler, scholier stm. vorrichtung und veranstaltung zu glücks- oder hazardspielen, ertrag daraus, recht darauf, das spielen selbst. **scholderer, schollerer** stm. veranstalter von glücksspielen, aufseher dabei. **scholdern** swv. mit würfeln usw. spielen.

scholle swm. scholle.

scholle swf. die scholle, platteise.

scholler s. *scholder.*

schol-man = *schultman.*

scholn s. *soln.*

scholt s. *schult.*

schœnde, schônde stf. schönheit. **schœne, schœn** adj. schön, herrlich (mit gen. oder *von* = frei von etw.); glänzend, hell; weiss, fein (*schœnez brôt, gewant*); schonend, freundlich. **schône, schôn** adv. auf schöne, feine, anständige, geziemende, bescheidene, richtige, bedächtige, sorgfältige, freundliche weise; vollständig, ganz und gar; bereits, schon.

schône stf. aufmerksame behandlung, schonung.

schœne stf. schönheit, herrlichkeit; klarheit, weisse, glanz; schönes wetter.

schônen swv. *schône* behandeln, schonen, rücksicht nehmen auf, mit gp. gs. (md. auch mit as.); mit dat. folgen, nachgeben; mit dp. und *mit* verschonen mit.

schœnen swv. *schœne* machen, verschönen, schmücken, verherrlichen. — refl. sich brüsten, prahlen. **schœn-, schônheit** stf. schönheit, herrlichkeit, pracht; zierde, schmuck; unterhaltung, festlichkeit (wobei die teilnehmer geschmückt sind).

schôn-liche stf. herrlichkeit.

schônunge stf. schonung.

schôn-var, *-wes* adj. bunt.

schœn-wërc stn. feines pelzwerk.

schop, *-bes* stmn. ? was hineingestossen, geschoben wird.

schope, schoppe, schôpe swfm. = *gippe, jope.*

schopf stm. haar auf dem kopfe, haarbüschel; vorderkopf.

schopf, schopfe stswm. gebäude ohne (vorder-)wand als scheune, remise oder vorhalle.

schopf-buoch stn. gedichtbuch, die gelehrte lat. quelle eines gedichtes. **schopfen** swv. dichten. **schopf-lich** adj. dichterisch; lügnerisch.

schopfen, schoppen swv. tr. stopfen (*den âtem sch.* keuchen). — intr. geschwellt, aufgeworfen sein.

schoppunge stf. stopfung.

schopz, schöpz stswm. schöps, hammel (slav. *skopec*).

schor f. schaufel; spitzhaue.

schor, schorre stswm. schroffer fels, felszacke; hohes felsichtes ufer.

schorf, schorpf stm. schorf, grind; verächtl. für kopf.

schorge s. *schurge.*

schor-mist stm. strassenkehricht.

schorn swv. mit der schaufel arbeiten, zusammenscharren, kehren; stossen, anstossen, fort-, zusammenschieben.

schornëhtic adj. rauh.

schorpe, scorpe swm. skorpion (gr. lat. *scorpio*); swfn. schildkröte. **schorpelîn** stn. kleine schildkröte. **schorpiôn** m. lat. scorpius, sternbild.

schorpen-angel, -zagel stm. stachel des skorpions.

schorre s. *schor* 2.

schorren swv. schroff hervor-, emporragen.

schor-, schorn-stein stm. auch *schürstein*, schornstein.

schot adj. durch herumwälzen (wie ein schwein) verunreinigt, schmutzig.

schôt, schœt stn. eine bestimmte anzahl von stücken; ein bündel flachs; ein getreidemass.

schôte swf. schote.

schotelen swv. intr. sich schütteln, erschüttert werden, zittern.

schœt-lamp stn. junges noch saugendes lamm.

schottach stn. spreu.

schotte swm. quark von süssen molken; molken.

schottesch adj. schottisch.

schou s. *schouwe.*

schou, *-wes* stm. der anblick den etwas gewährt.

schoube s. *schûbe.*

schöubîn adj. von stroh; mit stroh gedeckt.

schou-gëlt stn. beschautaxe.

schoum s. *schûm.*

schou-meister stm. obrigkeitl. beschauer, untersucher.

schoup, *-bes* stm. gebund, bündel, bes. strohbund, strohwisch (als zeichen od. zum brennen und leuchten aufgesteckt, zum decken von gebäuden, als unterlage u. dgl. — das umkehren des *schoubes* war ein symbol der besitzergreifung od. der erhebung eines anspruches). **-bant** stn. strohband. **-dach** stn. strohdach. **-huot** stm. strohhut.

schour, schoure s. *schûr.*

schouwære, -er stm. der schauende, besichtiger, beschauer; der auf obrigkeitliches geheiss etw. besichtigt, prüft, brot- u. fleischbeschauer usw.

schouwe, schowe, schou stf. akt. suchendes, prüfendes schauen, blick (spez. die besichtigung, prüfung von seite der obrigkeit); das anschauen, der anblick. — pass. das was gesehen wird, anblick den etw. gewährt, aussehen, gestalt. — häufig nur zur umschreibung gebraucht. *in hôher sch. sîn* in ansehen stehn. **schouwede, scheude** stf. das schauen, der anblick. **schouwe-lich** adj. anschauend, beschaulich; ansehnlich. **schouwe-lîcheit** stf. beschaulichkeit. **schouwen** swv. sehen, schauen, ansehen, betrachten (bes. auch in geistl. sinne. *ein schouwende lëben* vita contemplativa); (obrigkeitlich) besichtigen, prüfen; besichtigen, besuchen. — refl. sich beschauen. **schouwen** stn. das sehen, schauen, betrachten, geistl. betrachtung, beschaulichkeit; das besuchen; aussehen, gestalt. **schouwe-spil** stn. schauspiel. **schouwunge** stf. das schauen, betrachten.

schoȥ, *-ȥȥes* stn. schössling.

schoȥ, schôȥ stn. geschoss.

schoȥ stm. geldabgabe, steuer.

schôȥ stmn., **schôȥ, schôȥe** stswf. vom leibe niedergehnder, (in geschossform) gefalteter teil des kleides, (bes. der den schoss deckende teil, auch schürze u. dgl.); den schoss deckender teil der rüstung; schóss (vgl. *gêr*).

schoȥ-bære adj. steuerbar. **-brët** stm. schleusentor. **-bühse** swf. büchse zum schiessen. **-gatter** mn. fallgatter. **-gerte** stf. schössling. **-lade** swf. schublade. **-man** stm. steuereinnehmer. **-porte** swf. falltor. **-ris** stn. schössling. **-(schuȥ-)tor** stn. = *schoȥ-porte*. **-wâge** stf. schnellwaage. **-wort** stn. heftiges, grobes wort.

schœȥelîn, schœȥel stn. dem. zu *schôȥ*.

schôȥen swv. intr. hüpfen; schiessen.

schôȥen, schoȥȥen stn. das schiessen.

schôȥ-vol stm. was auf einmal in den *schôȥ* genommen wird, ihn voll macht.

schoȥȥen s. *schôȥen*.

schoȥȥen swv. intr. keimen, spriessen, aufschiessen. —trans. hervortreiben, drängen.

schoȥȥen swv, steuer geben.

schoȥȥer stm. steuereinnehmer.

schrâ stf. hagel, reif, schnee.

schraf, schraft stm. felskopf, zerklüfteter fels, steingerölle; schneidende kälte; scharfer duft, wohlgeruch.

schraffen, schrapfen swv. schröpfen (s. *schreffen*). **schraffer** stm. schröpfer. **schraffizen, schrafzen** swv. schröpfen; kratzen, blutig schlagen.

schraft s. *schraf*.

schrage swm. schräge oder kreuzweis eingefügte pfähle, bes. kreuzweis stehnde holzfüsse als untergestell eines tisches u. dgl.; haspel, winde (als marterwerkzeug); ein fischnetz von vierseitiger gestalt, das an zwei kreuzweis übereinander liegenden bügeln befestigt ist und an einer stange getragen wird.

schræjen swv. intr. spritzen, triefen, stieben; sprühen, lodern. — tr. spritzen, stieben machen.

schram, *-mmes* stm. felsspalt, loch.

schram, schramme stswf. schramme, lange haut- oder fleischwunde. **schramen** swv. aufreissen, öffnen.

schræmen swv. schräge machen, krümmen, biegen.

schranc-, *-kes* stm., md. auch *schanc*, was absperrt: schranke, gitter, einfriedigung; gestelle, etw. darauf zu henken; umschliessung, umarmung, verschränkung, flechtung, windung; das unterschlagen eines beines; einschränkung; bildl. hintergehung, betrug; ein- u. abgeschlossener raum, schrank.

schranc-boum stm. schlagbaum, schranke.

schrange s. *schranne*.

schranke swmf. gitter, zaun, schranke; verschränkung, umarmung; schrank (md. auch *schanke*).

schranken swv. intr. mit schrägen, wankenden beinen gehn, schwanken, taumeln.

schranne, schrange swstf. bank, tisch, bes. fleisch-, brot- bank usw.; gerichtsbank, gericht; schranke, mit schranken eingefriedigter raum; etw. einengendes: halskragen; s. v. a. *schrunde*. **schrannen-sitzer** stm. gerichtsbeisitzer. **-stap** stm. gerichtsstab.

schranz stm. bruch, riss, spalte, loch, scharte, wunde; schlinge zum vogelfange; junger, geputzter mann (mit geschlitzten kleidern), geck, schranze. *sunder sch.* ganz u. gar (versfüllsel). **schranze** swf. riss, spalte (obsc. für feminal); geschlitztes kleid.

schranze swm. schranze.

schrapfe swm. werkzeug zum kratzen.

schrapfen s. *schraffen*.

schrat, schrate stswm., **schraȥ, schraz** stm., **schrâwaȥ, schrâwaze** stswm. waldteufel, kobold.

schrât, schrâten s. *schrô* . . .

schrât stm. spritzendes wasserteilchen, tropfen.

schratzen swv. ritzen, kratzen.

schrave s. *schroffe*.

schravel adj. schroff, spitzig.

schrâwaȥ s. *schrat*.

schraz, schraȥ s. *schrat*.

schrê s. *schrei*.

schrëcke swm. schrecken; hüpfer, springer s. *höu-*, *matschrëcke*. **schrëcken** stv. IV auffahren, erschrecken. **schrëkken** swv. springen, aufspringen, hüpfen, tanzen. **schrecken** swv. tr. aufspringen machen; in schrecken setzen, erschrecken. — refl. erschrecken. **schrëckerinne** stf. hüpferin, tänzerin. **schrëckhaft** adj. furchtsam.

schreffe swm. spalte, klaffende wunde. **schrëffen, schrëven** stv. III, 2 reissen, ritzen, kratzen. **schreffen, schreven, schrepfen, schröpfen** swv. = *schraffen*. **schreffer** = *schraffer*.

schregen swv. mit schrägen beinen gehn.

schrei, schrê stm. ruf, schrei, geschrei; gerücht.

schreiât stf. vorrichtung zur marter; pranger. **schreien** swv. tr. *schrîen* machen. — intr. s. v. a. *schrîen*. **schreiic** adj. clamosus. **schrei-liute** pl. zu **-man** stm. zeuge, der den notschrei einer person, der gewalt angetan wurde, gehört hat.

schreit adj. breit, ausgedehnt.

schremmen swv. drücken, stossen.

schrenkel stm. verschränkung, schleife, knoten.

schrenken swv. tr. quer und über kreuz setzen, schräg stellen, verschränken, flechten. — intr. seitwärts abweichen. **schrenken** stn. **schrenkunge** stf. intersecatio.

schrenzen swv. tr. u. refl. spalten, reissen, zerreissen, brechen. — intr. brechen, reissen. zerreissen; ein loch machen *in*.

schretelîn, schretel stn. dem. zu *schrat*.

schrëven s. *schrëffen*.

schrewel s. *schröuvel*.

schrezlîn stn. dem. zu *schraz*.

schrî stm. = *schrei*.

schrîbære, -er stm. schreiber, bes. geistlicher niederen grades, wie er andern als schreiber zu dienen pflegt (als schachfig. dritter *vende*); spez. kanzler, notar, schreiblehrer, schriftgelehrter, dichter; tafelaufseher, der das verzeichnis des tafelgeschirrs führte und nach erfolgtem gebrauche es wieder in seinen gewahrsam nahm. **schrîbe** swm. schreiber (lat. *scriba*). **schrîbe-kil** stm. schreibfeder. **schrîben** stv. I, 1 schreiben, aufschreiben, verzeichnen, voll schreiben, beschreiben, zum kriegsdienst aufbieten = conscribere; anordnen, verordnen; nennen, beschreiben, schildern; zeichnen, malen. — refl. sich verschreiben, schriftl. verpflichten; aufgezeichnet sein, zählen; sich schreiben, nennen (lat. *scribere*). **schrîberîe** stf. schreib-, amtstube. **schrîberlich** adj. platt verständig. **schrîbe-tac** stm. der recesstag bei gericht. **schrîb-meister** stm. schreibmeister; schriftgelehrter. **schrîbunge** stf. schrift. **schrîb-vëder** f. schreibfeder.

schric, *-ckes* stm. der sprung, das plötzliche auffahren; sprung, riss; das auffahren, erschrecken, der schreck; plötzliches hervorspringen oder -schiessen, glanz. **schricken** swv. intr. springen, aufspringen; einen sprung oder riss bekommen. — tr. auffahren machen, jagen. **schricker** stm. der sich fürchtet und erschrickt. **schric-lich** adj., **-liche** adv. erschreckend, schrecklich.

schrîen, schrîn stv. I, 2 u. swv. intr. rufen, schreien, jammern. — tr. ausrufen, verkünden; berufen, zusammenrufen; beklagen, beweinen.

schrîer stm. schreier, ausrufer, herold.

schrift stf. geschriebenes, schrift, inschrift; schriftwerk, schriftl. quelle, bes. die heil. schrift; schreibkunst. **-lich** adj. geschrieben. **-vundec** adj. in d. bibel zu finden.

schrigelen swv. *daʒ nest sch.*, bauen.

schrimpf stm., **schrimpfe** swf. schramme, kleine wunde.

schrimpfen stv. III, 1 md. *schrimpen* = *rimphen.*

schrîn s. *schrîen.*

schrîn stm. n. schrein, kasten für kleider, geld, kostbarkeiten; reliquienschrein, sarg; archivschrank. oft bildlich od. auch bloss umschreibend. *in einen sch. legen* aufbewahren, anrechnen (lat. *scrinium*). **schrînære, -er** stm. schreiner.

schrinden stv. III, 1 intr. bersten, sich spalten, risse bekommen.

schrîn-phant stn. lebloser, zum pfande genommener gegenstand.

schrîp-gadem stn. schreibstube. **-geziuc, -ziuc** stmn. schreibzeug. **-gezouwe** stn. dasselbe. **-lich** adj. was aufgeschrieben, durch buchstaben dargestellt werden kann. **-ziuc** s. *schrîpgeziuc.*

schrit stm. schritt, auch als längen- u. flächenmass.

schrîten stv. I, 1 intr. schreisen; steigen, sich schwingen. **schritlingen** adv. schrittlings. **schrit-mâl** stn. schritt als mass. **-schuoch** stm. schuh zu weitem schritt, fliegschuh.

schriubel stn. dem. zu *schrûbe.*

schrôder s. *schrôtære.*

schrof, *-ves* stm. s. v. a.

schroffe, schrove, schrave swm. rauher, zerklüfteter fels, felsklippe, -wand.

schrolle swm. (auch stf.) klumpen, scholle.

schröpfen s. *schraffen.*

schrôt stm., md. auch *schrât* hieb, schnitt, wunde; schnitt der haare, der kleider; abgeschnittenes, abgesägtes usw. stück, spez. das zur geldprägung vom metallstab abgeschnittene stück sowie dessen gehöriges gewicht; stück eines baumstammes, holzprügel, klotz; gefäss, geschirr, eimer, bier-, weinfass. **schrôtære, -er** stm. der kleider zuschneidet, schneider (md. *schrôder*); der den *schrôt* zur münze abschneidet, münzmeister; der fässer auf- und ablädt; hirschkäfer. **schrôtbanc** stf. schnitzbank. **schrôtel** stm. hirschkäfer. **schrôten** redv. 5 hauen, schneiden, abschneiden, spez. mit dem schwerte hauen, zerhauen, verwunden; das haar abschneiden; stoffe zu kleidern zuschneiden (*einem sch.* ihm gewand zuschneiden, bildl. zuteilen), den *schrôt* zur münze abschneiden, geld prägen. — refl. stemmen, sträuben. — tr. rollen, wälzen, bes. wein- u. bierfässer auf- u. abladen od. zu wagen befördern. **schrôt-gadem** stm. werkstätte des münzmeisters. **-meister** stm. münzmeister. **-wërc** stn. schneiderarbeit.

schröuwel, schrowel, schrewel stm. teufel, henker, peiniger.

schrûbe f. md. schraube.

schrûben swv. schrauben.

schruffen swv. spalten.

schrul, *-lles* stm. md. böse laune, dauernde verstimmung, schrulle.

schrunde swstf. riss in der haut, wunde; scharte (des schwertes); spalte; felsspalte, -höhlung. **schründic** adj. mit rissen in der haut versehen.

schû, schuo interj. scheuchlaut.

schûbe, schoube, schûwe swf. langes u. weites überkleid (it. *giubba* s. *jope, schope*).

schübel, schubel stm. büschel von heu usw., womit eine öffnung verstopft wird; was hinein, was vorgeschoben wird, riegel; haufen, menge.

schübelen swv. stopfen, häufen.

schübelinc, *-ges* stm. wurst, bratwurst; hervorgekommener zahn.

schuberen s. *schoberen.*

schube-stein stm. bergm. geschiebe, dessen vorkommen die nähe eines erzganges anzeigt.

schûdern swv. md. schaudern.

schüechelîn, schüechel stn. dem. zu *schuoch.*

schüel- s. *schuol-.*

schüepelîn, schüepel stn. dem. zu *schuope.*

schüepen, schüepeln swv. mit schuppen versehen.

schuf s. *schupf.*

schûf, *-ffes* stm. = *schûft.*

schûfel s. *schûvel.*

schuffen s. *schupfen, schüpfen.*

schûft stm. galopp. **schûften, schiuften** swv. galoppieren. — tr. ans land spülen (vom meer). **schûftes** adv. im galopp.

schûh- s. *schiuh-.*

schuldære, -er stm. schuldiger, schuldner. **schulde, schult (sulde, sult), scholt** stf. das verhältnis dessen, der für etwas als urheber einsteht, daher entweder die verpflichtung zu busse, (beichte?), ersatz, strafe oder auch das verdienst; verpflichtung etwas zu geben, das zu gebende, geldschuld (zu zahlende oder zu fordernde); vergehn, verschuldung sowohl in bezug auf pflicht und sittlichkeit als auf einen bewirkten schaden (*sch. gewinnen* mit gs. sich in etw. verfehlen, *zen schulden komen* schuldig w., *schulden haben ze* schuldig sein, *schulden zîhen* beschuldigen, *sich ûʒ den schulden nemen* sich entschuldigen); bewirkendes zutun überh., ursache, grund (*âne sch.* ohne ursache, ohne grund, *durch sch.* um — willen, *von schulde, schulden* aus zureichendem grunde, mit recht, *von den schulden dîn* deinetwegen, *von den schulden umbe daʒ* aus diesem grunde, *zuo schulden komen* statt haben, der fall sein, *diu wâre schult* der richtige grund, die notwendigkeit); anschuldigung, anklage; angeschuldigtes vergehen. **schuldec, schuldic** adj. schuldig, verpflichtet (zu zahlen od. zu leisten) mit dp. u. as. od. inf.; *sch. sîn an* veranlassung sein für; der urheber eines schadens seiend, sich verfehlt habend (*sich sch. geben, erkennen* seine schuld, sein unrecht eingestehen, *einen sch. geben* für sch. erklären, mit gs. od. *an*; verdient, gebührend. **schuldec-lich** adj. verdient, gebührend; **-liche** adv. mit grund, mit recht. **schulde-, schult-haft, -haftic** adj. mit schuld behaftet; schuldig, verdient. **schulden** swv. intr. schuldig sein, bleiben mit dp.; schuldig sein, sich schuldig machen mit gs.; verpflichtet sein zu (gen.). — tr. beschuldigen, anklagen. **schuldenære, -er** stm. schuldner; gläubiger.

schulder s. *schulter.*

schuldigære, -er stm. ankläger, beschuldiger; angeklagter; schuldner; gläubiger. **schuldigen** swv. beschuldigen, anschul-

digen mit gs. od. *an*, *umbe*.
schuldigunge stf. anschuldigung, anklage.
schule, schüle f. eine maulkrankheit der pferde.
schûlen swv. intr. md. verborgen sein. — tr. im verborgenen auf etw. hören.
schû-lîche s. *schiuhlîche*.
schülle swm. (ein scheltwort) lümmel.
schuln s. *soln*.
schult adj. schuldig.
schulter, schulder swstf. schulter, schulterblatt; (geräucherter) vorderschinken vom schweine. **-bein** stn. schulterknochen. **-blat** stn. schulterblatt.
schult-gemare swm. mitschuldner, schuldner. **-haft** s. *schuldehaft*. **-heize** swm. der verpflichtungen od. leistungen befiehlt, schultheiss. **-hërre** swm. gläubiger. **-knabe** swm. zinsknabe. **-man** stm. schuldner (s. *scholman*). **-turn** stm. schuldgefängnis.
schûm, schoum stm. schaum; metallschlacke. **schûm-blanc** adj. weiss wie schaum. **schûmen** swv. intr. schäumen (bildl. *mir schûmet* erscheint als traumbild). **schûmen, schöumen** swv. tr. den schaum abnehmen. — refl. bildl. sich reinigen *vor*.
schumpfe swf. buhlerin.
schumpfentiure stf. besiegung, niederlage, unfall; *ze sch. komen* besiegt w. (fz. *desconfiture*).
schumpfieren swv. = *ensch.*
schündære, schüntære stm. antreiber, reizer. **schünde** stf. = *schündunge*. **schündec** adj. antreibend, reizend. **schünden, schunden** swv. antreiben, reizen (gs. od. *an*, *zuo*). **schündunge, schüntunge** stf. antreibung, reizung. **schuntsalunge** stf. dasselbe.
schuo s. *schû*.
schuoch, schuo, *-hes*, *-s* stm. schuh als fussbekleidung; als mass. **schuoch-bein** stn. wade. **-büezer** stm. schuhflicker. **-buoze** f. schuhfleck, schuhlappe; ein ackermass, ein kleineres grundstück (*schûchbuze*, *schuoboze*, *schuepisse*, *schuppes*). **-hûs** stn. verkaufshalle der schuster und lederer. **-knëht** stm. schustergeselle. **-macher, -mecher, -man, -meister** stm. schuster. **-nieter** stm. schuhmacher, -flicker. **-richter** stm. schuhmacher. **-rieme** swm. schuhriemen. **-snider** stm. schuster. **-sûtære, -er** stm. schuhnäher, schuster (kontr. *schuochster*, *schuoster*, *sûster*); als schachfig. dritter *vende*. **-würhte, -worhte, -würke** swm. schuhmacher.

schuofe swf. gefäss zum schöpfen, schöpfgelte, wassereimer; becken der pfanne.
schuohen, schuon swv. tr. mit ap. schuhe, fussbekleidung (auch beinbekleidung, hosen) anlegen, beschuhen (*sie schuohten in die îsenhosen*); mit as. schuhe usw. anziehen.
schuolære, schüelære, -er stm. schüler, student (lat. *scolaris*). **schuole, schuol** stf. schule, hohe schule, schulunterricht (auch bildl. = *zuht*, *Zosimas der êren sch.*); *der juden schuole* synagoge (lat. *scola*). **schuolerlîn, schüelerlîn** stn. dem. zu *schuolære*. **schuolganc** stm. schulbesuch. **-genôze, -geselle** swm. mitschüler. **-hërre** swm. = *schuolmeister*. **-lich** adj. der schule gehörend oder gemäss. **-list** stm. wissenschaft od. kunst, die man in der schule od. aus büchern lernt. **-meister** stm. schullehrer; schuldirektor. **-pfaffe** swm. auf schulen erzogener *pf*. **-rëht** stn. schulregel. **-wërc** stn. was man in der schule lernt.
schuon s. *schuohen*.
schuope, schuop swstm. schuppe. **schuopec, schuopëht** adj. schuppig. **schuopen** swv. abschuppen. **schuoplære** stm. verfertiger von schuppenpanzern.
schuo-poze s. *schuochbuoze*.
schuo-pozer, schuopezer stm. inhaber einer *schuopoze*.
schuop-visch stm. schuppfisch.
schuor stm. f. schur; bildl. schererei, plage, not.
schuoster s. *schuochsûtære*.
schup, *-bes* stm. aufschub, fristverlängerung; das schieben der schuld auf einen andern durch beweismittel, sowie das beweismittel selbst; die dem richter zu erlegende strafe, sportel.
schupf, schuf stm. schwung, schaukelnde bewegung. **schupfe, schüpfe** swf. schuppen, scheune. **schupfe, schuppe** swf. wippe, ein schwankes brett, von dem man zur strafe für ein vergehen ins wasser geschnellt wurde; ein gerät zum fischen. **schupfen, schuffen** swv. in schaukelnder, schwankender bewegung sein. **schüpfen, schupfen, schuffen** swv. durch stossen in schaukelnde bewegung bringen, stossen, schleudern; antreiben; wegdrängen; mit der *schupfen* strafen.
schuppes s. *schuochbuoze*.
schûr stm. schutz, schirm, obdach.
schûr schûre, schour schoure stswm. hagel, ungewitter; bildl. leid, verderben, vernichtung; als schelte *der êren*, *sælden sch.*; bildl. für schnelles, heftiges herandringen.
schür s. *schiure*.
schür stf., md. *schur* andrang.
schür stf. haarschur.
schür-brant stm. ein kleiderstoff (vgl. mlat. *scurum*, *panni species*).
schurc s. *schurge*.
schûren s. *schiuren*.
schûren, schiuren swv. hageln; brausen.
schurf stm. bergm. ein graben od. eine grube zur aufschliessung eines erzganges.
schürfen s. *schürpfen*.
schurge, schorge, schurc stf. anstoss, angriff; der verlauf.
schürgen, schurgen swv. schieben, stossen, treiben, verleiten *zuo*.
schûr-hagel stm. hagelschauer.
schürliz, schurliz stm. ein kleiderstoff (auch *schürliztuoch*); ein daraus verfertigtes weiberkamisol (vgl. mlat. *scorlicium*).
schürn swv. einen anstoss geben, antreiben, reizen *zuo*; brennen machen, entzünden, das feuer unterhalten, schüren.
schürpfære, -er stm. schinder, marterknecht, henker.
schürpfen, schürfen swv. aufschneiden, ausweiden; schlagen, (feuer) anschlagen.
schûr-slac stm. hagelschlag.
schür-stap stm. ofenkrücke.
schür-stein s. *schorstein*.
schûr-stein stm. hagelschlosse; donnerkeil. **-sturm** stm. sturm mit hagelschlag. **-tac** stm. aschermittwoch. **-viur** stn. blitz.
schurz adj. (ahd. *scurz*) abgeschnitten, kurz.
schurz stm. kleid, das nur einen teil des untern leibes deckt, also oben und unten abgeschnitten ist, schurz, schürze (als teil der rüstung, der den unterleib der geharnischten reiter deckte); bildl. schutz, schirm.
schurz stm. sprung, lauf.
schürzelîn stn. dem. zu *schurz* 2.
schürzen swv. tr. kürzen, abkürzen. — tr. u. refl. das kleid beim gürten mehr aufwärts nehmen u. damit unten kürzen, schürzen (*geschürzet* mit geschürztem kleide); ziehen, schlingen; bereit machen, rüsten *ûf*, *zuo*.
schust, schuste s. *tjoste*.
schut stm. das schütteln und geschüttelte; die erschütterung.
schüte, schüt stswf. anschwem-

mung, das angeschwemmte erdreich, dadurch gebildete kleine insel; künstlicher erdwall; schutt, unrat; ort wo der schutt abgeladen wird; kornboden. **schütel** stm. das kalte fieber. **schütelen, schütteln** swv. schütteln, erschüttern. **schüten, schütten** swv. schwingen, schütteln, erschüttern; *den valken von der hant sch.*; schütten; spez. vom an- und ablegen der rüstung; das erdreich an- oder aufschwemmen, anhäufen, eindämmen; umdämmen, bewahren, schützen. **schüter, schütter** stm. das einmalige schütteln; der die eicheln von den bäumen schüttelt, eichelsammler. **schüt-karre** swm. karren zur fortschaffung des schuttes.

schutz-brët s. *schoȥbrët.*

schütze swm. armbrust-, büchsenschütze (*verlorne schützen* plänkler); wächter, flur-, waldschütze; der *sch.* im tierkreise; anfänger im lernen, junger schüler. **schütze, schutze** f. weberschifflein.

schützel stm. brusttuch, brustlatz.

schütze-meister stm. der das bogenschiessen od. das verfertigen u. ausbessern der armbrust versteht.

schutzen swv. durch schwung oder stoss in schnelle kurze bewegung setzen, schaukeln.

schützen swv. auf-, ein-, umdämmen; *schutz* gewähren, mit dat. — tr. beschützen, schirmen, verteidigen.

schûvel, schûfel, schûvele schûfele stswf. schaufel.

schûveln, schûfeln swv. schaufeln.

schûwe s. *schûbe.*

schuȥ, -ȥȥes stm. stoss, stich, schuss, pfeilschuss, lanzenwurf usw. (auch zur bezeichnung einer entfernung, schussweite); schnelle bewegung (*des blitzen sch.* blitzstrahl, *sch.* blitz, gewitter; *des wazzers sch.* strömung, *daȥ schif nam behenden sch.*); Christus ist geboren *âne menlichen sch.*; *ein schuȥ brôt* soviel auf einmal in den backofen *geschoȥȥen* wird; rheumat. übel.

schuz, *-tzes* stm. umdämmung, aufstauung des wassers; schutz, schirm.

schuȥ-brët, -tor s. *schoȥ-.* **-lîchen** adv. wie zum schusse.

schuz-genôȥ stm. der mit einem andern zum gegenseitigen schutze verbunden ist. **-hof** stm. pfandhof, hof in dem pfänder aufbewahrt werden. **-lich** adj. schützend. **-wer** stf. schutzwehr; verteidigungsgründe vor gericht.

schüȥȥel stn. dem. zu *schuȥ.*

schüȥȥel, schüȥȥele stswf. schüssel; der gral (lat. *scutula*).

schüȥȥeler stm. schüssler.

schüȥȥelinc, schüȥlinc, *-ges* stm. schössling, reis; sprössling.

schüȥȥel-kar stn. geschirr als schüssel. **-krëbe** swm. schüsselkorb.

schuȥȥer stm. schnellkügelchen.

schüȥȥerlinc, *-ges* stm. junger aufgeschossener mensch.

schuȥ-zil stn. ziel nach dem geschossen wird.

sê interj. siehe da, da, nimm! (2. pl. *sêt, sênt*).

sê, *-wes* stm., **sê** stf. see, landsee; meer. **-barke** swf. seeschiff.

sebel s. *sabel.*

sëben s. *siben.*

seber stm. schmecker, koster.

sê-blat stn. blatt der seerose (als wappenbild).

sëch, sëche stn. (auch f.?) karst; pflugschar.

secher s. *sacher.*

sechic adj. ursächlich.

sëchter s. *sëster.*

seckel stm. säckel, geldbeutel (lat. *sacculus*). **seckelære, -er** stm. säckler, schatzmeister; s. v. a. *seckel.* **seckelîn, seckel** stn. dem. zu *sac.* **seckel-snîder** stm. = *biutelsnîder.*

secken swv. in einen sack stecken; in einem sacke ertränken.

secrête, -êt stn. geheimsiegel; heimliches gemach, abtritt (mlat. *secretum*).

sëcte stswf. sekte (lat. *secta*).

sëctisch adj. ketzerisch.

sëdel stmn. sessel; sattel; sitz, land-, wohnsitz; ruhesitz, lager (*ze sedele gân* vom untergange der sonne oder des mondes). **sëdelære, -er** stm. sitzkissen; *sëdel*macher. **sëdelbanc** stf. sitzbank. **-burc** stf. burg als wohnsitz, residenz. **sëdelen** swv. intr. sich setzen, niederlassen. — tr. einem einen sitz, ein lager anweisen, ihn sich setzen lassen. **sëdel-haft, -haftic** adj. sesshaft, ansässig. **-hof** stm. herrenhof, -sitz. **-hûs** stn. wohnhaus. **-meier** stm. pächter eines *sëdelhoves.* **-stat** swf., **-trôn** stm. thron. **sëdelunge** stf. wohnung.

sêe s. *sëhe.*

seffen, seften, saffen saften swv. mit saft (tränen) anfüllen.

seffic s. *saffec.*

sege, sage stswf. säge und sägeähnliches.

sëge, sege s. *sige, segene.*

sëge stf. neige (vgl. *sage, seige*).

segede stf. das sagen, sprechen.

sëgel, sigel stm. segel; vorhang. **-boum** stm. mastbaum. **-gerte** f. segelstange. **-rieme** swm. segeltau, tauwerk. **-seil** stn. dasselbe. **-tuoch** stn. segel. **-vanc** swm. dasselbe. **-wëter** stn. der seereise günstiges wetter. **-wint** stm. in die segel blasender wind, fahrwind.

segelære stm. schwätzer.

segel-boum stm. = *sevenb.*

sëgelen = *sigelen.*

sëgeler stm. segler.

sege-lich adj. was gesagt, ausgesprochen werden kann.

sëge-lôs s. *sigelôs.*

sege-mül stf. sägmühle.

sege-müller stm. sägmüller.

segen s. *sagen.*

segen, sagen swv. sägen.

sëgen stm. (md. auch *seigen, sein*; *diu segene, seine*) zeichen des kreuzes; segen, segnung, segensspruch, -wunsch (bes. beim abschiede), gnade; *den wîplîchen s. bewarn* ehre; *sant Johannes segen* abschieds-, liebestrunk; segensformel (kirchliche und unkirchliche), zaubersegen, -formel (*den s. tuon* sprechen) (lat. *signum*).

segene, segen, sege stswf. grosses zugnetz (gr. lat. *sagena*).

sëgenen, sëgen swv. (kontr. *sênen, seinen*) abs. tr. u. refl. das zeichen des kreuzes machen, bekreuzigen, segnen (mit oder ohne worte, gebet).

sëgener stm. segensprecher, zauberer.

sëgense, sëgens stswf. sense (kontr. *seinse, sênse, sënse*; umged. *seg-, sagîsen* stn.).

sëgenunge, seinunge stf. das segnen, der segen.

seger s. *sager.*

seger stm. sägmüller.

sêgich s. *eigen* 1.

sëhe, sêje, sêe stf. augapfel, pupille; die sehkraft, das sehen, der blick; die ansicht, der anblick.

sëhen, sên stv. V abs. u. tr. sehen, erblicken (selten auch allg.: wahrnehmen, daher = hören), ansehen, zusammentreffen mit, besuchen (*sehen lâȥen* zeigen, beweisen; pass. mit adv. aussehen). — intr. sehen, blicken, schauen, mit refl. dat. einen erfreuenden, betrübenden anblick haben.

sëhen-lich, sein-lich adj. sichtbar.

sehs num. card. sechs.

sehselîn stn. dem. zu *sahs.*

sëhselinc, *-ges* stm. der sechste teil eines masses.

sëhser stm. sechs kreuzer geltendes münzstück; mitglied

eines sechserkollegiums; eine art von salzschiff.

sehste num. ord. sechste (alem. auch *sehte*).

sëhster, sëster, sister stm. (nbf. *sëhter, sëchter, seihter*) ein trockenmass, scheffel, sester; ein flüssigkeitsmass und gefäss von einem solchen masse; gefäss überh. (mlat. *sextarius*, roman. *sestar*).

sëhunge stf. das sehen, betrachten; visio.

sëh-zec, sëh-zic num. card. sechzig (aus *sëhs-zec*). **-zëhen** num. card. sechzehn. **-zëhende** num. ord. sechzehnte. **-zëhen-dec, -dist** adj. dasselbe. **-zëhener** stm. sechzehn kreuzer geltendes münzstück; ein flüssigkeitsmass.

sei s. *sie*.

sei, sein stmn. ein feiner wollenstoff (fz. *saie*, vgl. *sagit*).

seich stm. **seiche** stf. harn; das harnen.

seichen swv. harnen.

seic-, sac-wîn stm. durchgeseihter, süsser wein; s. v. a. *seiger wîn*.

seiet s. *sæjet*.

seife swf. seife.

seifel stm. speichel.

seifer stm. speichel, geifer. schaum. **seifern** swv. geifern.

seigære, -er stm. waage, bes. die waage zur prüfung des wertes der münzsorten; uhr (urspr. wohl sand- oder wasseruhr); eine falkenart.

seige stf. senkung, neigung; demut; richtung einer waffe; visierung, eichzeichen (vgl. *sage, sëge*).

seigel stm. sprosse, stufe einer leiter oder treppe.

seigen s. *seihen*.

seigen swv. tr. u. refl. *sîgen* machen, senken, neigen. — abs. (eine waffe) schleudern, werfen *an, ûf*; wägen (die waage sinken machen); wägend prüfen, wählen; visieren, eichen.

seiger adj. langsam oder zäh tröpfelnd, matt, schal, bes. von umgeschlagenem, verdorbenem weine.

seigerer stm. der die münzen *seigert*.

seigern swv. = *seigen* (*daz gelt, die phenninge* usw. *seigern* die guten münzsorten von den schlechten sondern, auslesen).

seigunge stf. visierung, eichung.

seihen, seigen swv. seihen; absondern.

seihter s. *sëhster*.

seil stn. schnur, seil, strick, fessel; als symbol bei übergaben und als los oder mass bei teilungen; als längenmass; ein bestimmtes erntemass; übertr. richtlinie (vgl. *sil*).

seilen swv. abs. seile machen, drehen. — tr. mit seilen versehen (*ein pfert s.* aufzäumen); an ein seil, mit einem seile binden, binden oder fesseln überh.; henken.

seiler stm. seiler.

seil-ganger, -genger stm. seiltänzer. **-rëht** stn. abgabe für ein *seil* (erntemass).

seim, sein stm. honigseim.

sein s. *sagen, sëgen, sëhen, sei*. **seind** conj. s. *sint* adv.

seine adj. langsam, träge; klein, gering; zu kurz oder zu eng (von kleidern).

seine adv. auf langsame, träge weise, paulatim; beinahe nicht, kaum, iron. gar nicht.

seinen swv. abs. od. refl. mit gs. verspäten, versäumen, verzögern, aufschieben. — tr. aufhalten, hindern.

seinen s. *sëgenen*.

seinen adj. = *seine*.

sein-lich s. *sëhenlich*.

sein-lich adj. langsam, träge.

seinse s. *sëgense*.

seis stf. probe, silberprobe (it. *sagio*).

seit stmn. s. *sagit*.

seite stswf. swm. strick, schlinge, fallstrick, fessel; saite. [**seiten** swv. bestricken, umschlingen.] Walth. 33. 2 wohl: *seilen*.

seiten-klanc stm. saitenklang.

seite-videl swf. mit saiten bezogene *videl*. **seit-gedœne** stn. saitenspiel.

seit-hûs stn. = *tuochhûs*.

seitiez, seytiez stn. ein leichtes schiff, nachen (afz. *saitie*).

seit-sanc stmn. = *seitenklanc*.

seit-, seite-, seiten-spil stn. saitenspiel: sowohl das spielen auf einem saiteninstrumente wie das instrument selbst; melodie.

sêje s. *sëhe*

sël s. *sëleh*.

sêl-ambaht stn. seelen-, totenamt. **-bat** stn. bad, das jemand zum heil seiner seele für die armen gestiftet hat. **-bewarer** stm. = *sêlwarte*. **-dinc** stn. = *sêlgeræte*. **-geræte** stn. was man zum heil der seele (seiner oder anderer) einer geistl. anstalt für seelenmessen u. dgl. vermacht; eine letztwillige schenkung, testament überh. **-gerætер** stm. der ein *sêlgeræte* stiftet od. verwaltet. **-geschefte** stn. = *sêlgeræte*. **-hûs** stn. wohnung für die *sêlnunnen, -swestern*. **-kraft** stf. seelenkraft. **-lôs** s. *sêlelôs*. **-meister** stm. verwalter eines *sêlgerætes*. **-mësse** stf. messe für einen verstorbenen. **-nunne** swf. in einem *sêlhûse* wohnende arme und unverehelichte person des weibl. geschlechtes, welche für die verstorbenen zu beten hat. **-rihter** stm. = *-warte*. **-swester** stf. = *-nunne*. **-warte** swm., **-warter, -werter** stm. testamentsvollstrecker. **-wîn** stn. bei einem leichenbegängnisse ausgeteilter wein.

sëlb s. *sëlp*.

selben s. *selwen*.

sëlben, sëlber, sëlbert, sëlbes, sëlvest adv. selbst.

sëlbic pron. adj. selbig. **sëlbigest** pron. adj. selbst; adv. *alsô s.* auf diese weise, ebenso.

selde, sölde stswf. wohnung, haus, herberge, lager; königssitz, residenz; bauernhaus, hütte sowie der dazugehörige grund und boden.

selde swm. = *seldener*.

sëlden s. *sëlten*.

seldener stm. bewohner, besitzer einer *selde*, häusler; mietsmann; taglöhner. **selden-hûs** stn. bauernhaus; hütte.

selder stm. = *seldener*. **selde-rëht** stn. aufenthaltsabgabe; recht an eine *selde*, einkünfte davon.

sële s. *sëleh, sil*.

sêle stswf. seele; das innerste eines dinges. *s. tragen* leben.

sêle-brût stf. eine seele, die Christum zu ihrem bräutigam hat. **sêle-buoch** stn. verzeichnis der verstorbenen (eines klosters) sowie der anniversarien.

sele-gelende stn. = *sallant*.

sëleh stm., **sële, sël** swm. seehund (ahd. *sëlah*).

sele-hof stm. = *salhof*.

sêle-(sêl-)lôs adj. leblos; ungeistlich.

sel-guot, -lant s. *sal-*.

sëlhen stv.? **selhen** swv. intr. trocken sein, werden; tr. trokken, dürr machen.

selhîn adj. von der salweide (*salhe*).

selic adj. *einen s. sprechen*, quittieren (zu *sal* adj. von *sal* 2).

sëlken stv. III, 2 tröpfelnd niederfallen, nass niedergehn.

selle swm. = *geselle*.

sellec-heit stf. = *gesellecheit*.

sellen swv. = *gesellen*.

sellen, seln swv. rechtskräftig zum eigentum übergeben, überh. hingeben, übergeben, überliefern; im kleinen verkaufen.

selle-schaft stf. = *ge-s.*

selmelinc, -ges stm. sälmling (vgl. *salminc*).

sëlp, -bes, sëlb pron. adj. selbst, selb. — es steht entweder allein oder vor ordinalzahlen (*selbe ander, selb dritte*: mit einem, mit zwei begleitern), oder bei substantivis, nach persönl. pron. **sëlp-ende** stn. das zettelende an geweben. **-gëlte, -gülte** swm., **-gëlter** stm., **-geschol** swm. = *sëlp-schol*. **-geschôȥ** = *sëlp-schôȥ*. **-gewahsen** = *sëlp-wahsen*. **-gewalt** stmf. eigenmächtige selbsthilfe. **-hart** stm. egoist. **-heit** stf. das selbst. **-hêr, -hërre** adj. sein eigener herr sein wollend, eigenwillig, -mächtig. **-hêrlîche** adv. auf eigenmächtige, -willige, mutwillige weise. **-hërre** swm. eigener herr, eigenwilliger mensch. **-hërrisch** adj. = *selp-hêr*. **-kür** stf. freie wahl aus eigenem entschlusse. **-loufec** adj. *s. stërn* planeta. **-mündic** adj. volljährig. **-sacher** stm. der selbstbeteiligte in einem streithandel. **-schol, -scholle** swm. der selbst für seine verbindlichkeiten ohne bürgen einsteht, selbstschuldner. **-schouwet** part. adj. von selbst erkennbar, selbstverständlich. **-schôȥ** stn. ballista. **-schulde, -schuldige** swm., **-schuldener, -schuldiger** stm. = *sëlp-schol*. **-sëlp** pron. adj. = *sëlp*. **-var** adj. von natürlicher farbe, ungeschminkt. **-viur** stn. von selbst entstandene feuersbrunst. **-wahsen** part. adj. von selbst gewachsen, entstanden; naturwüchsig; ungekünstelt; ungebildet, zuchtlos, verwahrlost. **-wal** stf. = *sëlpkür*. **-walt, -waltic** adj. eigenmächtig. **-warm** adj. von natur warm. **-wege** stf. die von selbst, aus der tiefe herauf, ohne zutun des windes entstehende meeresbewegung. **-wësec** adj. substantialis. **-wësen** stn. substantia. **-wësende** part. adj. von selbst seiend, im eigenen wesen begründet. **-willec** adj. freiwillig.

sëlten, sëlden adv. selten, meist euphem. für nie.

sel-tragære stm. diener.

sëlt-sæne adj. (nbff. *seltsân, -sæme, -sâm, -sîne, -sein*, md. *seltsêne, selzêne* spät *selzen*) seltsam, wunderbar; fremdartig, unbekannt; selten. **sëlt-sæne, -sein** stf. seltsamkeit; seltenheit. **sëltsæn-lich** adj. = *seltsæne*.

sëlver s. *silber*.

selwen, selben swv. tr. u. refl. *sal* machen, verdunkeln, entfärben, trüben, beschmutzen; intr. = *salwen*.

selzer s. *salzer*.

semec-lich s. *sameclich*.

semede, semde, semt stswf. stn. schilf, ried, binse.

sëmelans = *semblanze, simianz*? ebenbild. fz. *semblance*.

sëmel-, simel-brôt stn. semmel.

sëmele, sëmel, simele simel swstf. feines weizenmehl, weizenbrot, semmel; hostie, brot des abendmahlsakraments (lat. *simila*).

sëmeler stm. weissbrotbäcker.

seme-lich s. *same-, sumelich*.

sëmelîn adj. von weizenmehl.

sëmelîn stn. dem. zu *sëmele*.

sëmel-, simel-mël stn. feines weizenmehl.

semfte s. *senfte*.

semftinîr s. *senftenier*.

semir = *sam mir*.

semît s. *samît*.

sëmpære s. *sëntbære*.

sëmper-vrî adj. (aus *sëntbære vrî*) vom höchsten stande der freien, reichsunmittelbar, zur haltung eines *sendes* (landtages), sowie zur teilnahme an einem *sende* (reichstage) berechtigt.

semt s. *semede*.

sen s. *sene*.

sënât stm. senatus; **sënât, sënâte** stswm. senator.

sënâtôr, -ûr stm. senator.

senc-lich adj. sangbar.

sende s. *senende*.

sende, senede stf. = *sene*.

sende-bære, -bërnde adj. *sende* mitführend, hervorbringend.

sende-bote, -brief s. *santb*.

sende-lich adj. = *senelich*.

senden swv. schicken, senden. *s. ûf einen* hetzen. *nâch tôde* s. sterben wollen.

sendenære stm. = *senedære*.

sendunge, sandunge stf. sendung; gesandtes geschenk.

sene, sen stf. das sehnen, verlangen, sehnsucht, kummer, bes. liebendes verlangen, liebes-, sehnsuchtsschmerz. **sene-bære** adj. = *sendebære*. **-genôȥ** stm. genosse in der liebe und im liebesleid. **-gluot** stf. sehnsuchts-, liebesglut. **-(sen-)lich** adj., **-lîche** adv. = *senec*. **-mære** stn. erzählung von liebe und liebesleid. **-rîche** adj. voll *sene*. **-siech** adj. von liebesschmerz krank. **-swære** stf. liebesleid. **-viuwer** stn. liebesfeuer.

sëne s. *sënewe*.

senec, senic adj. sehnend, sehnsüchtig, voll verlangen, verliebt, voll liebesschmerz, schmerzlich.

senec-lich adj. adv. dasselbe.

senedære stm. der *sende* empfindet, liebender.

senede s. *sende, senende*.

sënef, sënf stm. senf (gr. lat. *sinape*). **sënef-mül** f. senfmühle; bildl. *ein sûriu s.* ein sauer aussehender geizhals.

sënen, sênen s. *sënewen, sëgenen*.

senen swv. intr. sich sehnen, härmen, liebendes oder schmerzliches verlangen empfinden. — tr. in *sene* versetzen (*nâch, gegen*).

senende, senede, sende part. adj. = *senec*; lobendes epitheton: edel, trefflich.

sëneschalt, -schlant, -schas stm. seneschall (nbff. *schëneschalt, schëneschlant*), mlat. *senescalcus*, fz. *sénéchal*, eig. der älteste diener: got. *sinista* der älteste u. *skalks* diener (s. *schalc*).

sënewe, sënwe, sënne, sënc swstf. sehne, bogensehne; die einen bogen abschneidende gerade linie; sehne, senne, nerv.

sënewen, sënwen, sënnen, sënen swv. besehnen; refl. sich strecken.

senfte, semfte adj. leicht, bequem; weich, zart, sanft; sanftmütig, zahm, milde, willfährig, freundlich; wohlgefällig, angenehm.

senfte stf. ruhe, ruhiges leben, gemächlichkeit; annehmlichkeit.

senfte-bære, -bërnde adj. *senfte* mit sich führend.

senftec, senftic adj. = *senfte*.

senftec-heit, senftikeit stf. leichtigkeit, sanftheit, erleichterung, linderung; weichheit. bequemlichkeit; ruhe, gemach; annehmlichkeit; milde, sanftmut, versöhnlichkeit. **-lich** adj. gemächlich; sanft, milde. **-lîche** adv. mit leichtigkeit, bequem; gemächlich, ruhig, still, leise; langsam, sachte; auf milde, sanfte weise.

senften, semften swv. tr. *senfte* machen (mit blossem dat. einem linderung verschaffen). — refl. sich besänftigen, lindern. — intr. *senfte* sein, werden.

senftenier stn., md. *semftinîr* ein teil der rüstung (wahrscheinl. eine gepolsterte binde, um den unterleib gegen stösse zu schützen).

senftenisse stf. linderung.

senfterinne stf. die *senfte* macht, *senfte* gibt.

senftern swv. *senfter* machen, besänftigen, lindern, erleichtern. — intr. *senfter* werden.

senfterunge stf. linderung.

senft-gemuot adj. milde gesinnt.

senftigen swv. tr. *senftec* machen; intr. *senftec* werden.

senft-lich adj. = *senfte*.

senft-licheit stf. annehmlichkeit; sanftmut.

senft-, semft-müetec adj. sanft, milde gesinnt, sanftmütig.

senftmüetec-heit stf. sanftmut.

senft-müetigen swv. *senft-müetec* machen.
senftunge stswf. erleichterung; sanftmachung, bezähmung; spät = *senfte* stf.
senge adj. schnittreif (vom getreide).
senge stf. trockenheit, dürre.
sengel stm. = *senger*, sänger.
sengen swv. knistern (*singen*) machen, sengen, brennen.
senger stm. sänger, lyr. dichter; kantor (domherr).
sengerîe stf. amt, pfründe eines kantors.
senger-meister stm. s. v. a. *sancmeister*; *meister* einer sängerkapelle (vgl. *singermeister*).
senke stf. vertiefung, tal; senkung.
senkel stm. senkel, nestel; anker; trichterförmiges mit bleikugeln beschwertes zugnetz (vgl. *sinkel*).
senkel-stein stm. anker.
senken swv. *sinken* machen, senken, niederlassen, zuwenden; zu falle bringen, zu nichte machen. — refl. sich versenken.
sennære stm. hirte, senne.
senne swm. dasselbe. **senne** f. weide, alpenweide.
sënne, sënnen s. *sënewe*, *sënewen*.
sënse, sënse s. *sëgense*.
sënsen-worp stm. sensenstiel.
sen-suht stf. sehnsucht, liebesbegierde.
sënt, *-des* stm. beratende geistliche versammlung, geistl. gericht; beratende versammlung, reichs-, landtag; gericht überh., das jüngste gericht; versammlung überh. (gr. lat. *synodus*). **-bære, sëmpære** adj. berechtigt an dem *sënde* teilzunehmen. **-gerihte** stn. send-, synodalgericht. **-hërre** swm. mitglied des *sëndes*. **-mæȥic** adj. für den *sënt* geeignet. **-phlihte** swm. der beim *sënt* gegenwärtige, mitglied des gerichtes. **-rëht** stn. = *sëntgerihte*. **-scheffe** swm. schöffe beim sendgericht.
sênt interj. s. *sê*.
sente s. *sancte*.
sentîne stf. der untere schiffsraum, der auch als gefängnis dient (afz. *sentaine*, lat. *sentina*).
senunge stf. sehnsüchtiges verlangen, sehnsucht.
sephen swv. refl. sich verbinden *gegen*.
sequenzie swf. kirchengesang, der auf die antiphone folgt (kirchenlat. *sequentia*).
sêr adj. wund, verwundet, verletzt; schmerzen bringend od. leidend; betrübt.
sêr stnm. körperl. u. geistiger schmerz, qual, leid, not.
sërbe, sërben s. *sërw-*.
sêrde stf. versehrung, krankheit, schmerz. **sêre, sêr** adv. mit schmerzen, schmerzlich; gewaltig, heftig, sehr. *s. koufen, verkoufen* teuer. **sêre, sêr** stf. = *sêr* stnm. **sêrec, sêric** adj. = *sêr*. **sêrec-heit** stf. schmerz, wehe. **-(sêre-)liche** adv. schmerzlich, bitter. **sêregunge** stf. = *sêrunge*. **sêren** swv. *sêr* sein od. werden, schmerz leiden. **sêren** swv. *sêr* machen, versehren, verletzen, verwunden, betrüben. **sêre-wunde** swf. tödliche wunde. **-wunt** adj. tödlich verwundet. **sêrezen** swv. schmerzen.
serge, sarge f. ein wollenstoff teils mit leinen teils mit seide gemischt, sarsche, daraus verfertigte decke; unterlage, matratze, strohsack u. dgl. (prov. *serge*, fz. *sarge*, mlat. *sargium*).
sêrigen swv. *sêric* machen, verletzen, verwunden.
serjant s. *sarjant*.
sërje stswf. reihe, streifen; reihenfolge, zeitlauf (lat. *series*).
serken, sarken swv. in den sarg legen.
sermôn stmn. rede (lat. *sermo*).
sê-rouber stm. pirat.
sërpant stm., **sërpente** swm. (auch *daȥ ser-*, *sarpant*, *-bant* mit umdeut. auf deutsch. *bant*): schlange, drache, teufel (fz. *serpent*, lat. *serpens*).
sërpentelîn, sërpentel stn. dem. zum vorigen.
sërten stv. III, 2 stuprare, futire; quälen, plagen, martern, belästigen; schlagen, hauen; zusammenschlagen, -fügen, -leimen; locken, verführen; täuschen, betrügen.
sêrunge stf. verwundung, verletzung, schädigung.
sërwe, sërbe stf. abnahme, entkräftung.
sërwen, sërben swv. intr. innerlich abnehmen, entkräftet werden, dahinwelken, kränkeln, absterben.
serwen swv. bewaffnen, rüsten.
Serze swm. = *Sarrazîn*.
sës stn. die sechs im würfelspiel (afz. *seix*, lat. *sex*).
sessigie stf. sitzung (lat. *sessio*).
sester stn. = *eȥȥischtor*.
sëster s. *sëhster*.
sêt s. *sê*.
sete swf. korb, satte.
sete, sette stf. sättigung, sattheit, fülle; gesättigte, dunkle farbe.
sëtec s. *sitec*.
seteler s. *sateler*.
seten s. *saten*.
sëtich s. *sitich*.
setigen, settigen swv. sättigen.
setin, settin stn. der halbe od. vierte teil eines lotes.
setunge s. *satunge*.
setze stn. = *gesetze*.
setze stf. das setzen; verpfändung, ausleihen auf pfänder; was gesetzt, aufgeladen wird, traglast; ein mit reben besetztes grundstück von bestimmter grösse. **setzelîn** stn. kleiner satz, sprung.
setzen swv. tr. *sitzen* machen, setzen, stellen, legen; besondre anwendungen: *wol s.* schön darstellen; etw. schriftlich oder mündlich ausdrücken, erzählen; einsetzen (als einsatz bei spiel oder streit); als bürge oder pfand setzen, versetzen; bestellen, anstellen, einsetzen; bestimmen, festsetzen, einrichten, anordnen; *einen s.*, *nider s.* zum sitzen auffordern (bes. vor dem mahle, daher auch = bewirten); *eine s.* aussteuern, verheiraten; *einem etw. s.* anrechnen; *an einen s.* anheimstellen, übertragen; *in sînen muot s.* sich vornehmen; *die sinne baȥ s.* besser aufmerken; *den vuoȥ s.* sich begeben; *ein hûs, eine burc, stat s.* erbauen; *ûf s.* aufgeben, verloren geben. abs. sich etw. vornehmen, einen entschluss fassen. intr. sich setzen; *s. nâch* trachten, *von* abfallen, *zuo einem* in sätzen hinzuspringen (hund), *zuosamen s.* zusammenstehen, -halten. — refl. *sich s.* sich niederlassen, s. aufenthalt nehmen; von etw. absehen, aufhören zu handeln; sich widersetzen (mit dp. oder *gegen*, *wider* u. gs.); *sich s. in* sich verwandeln; *sich ze huote s.* sich zur wehr setzen.
setzer stm. setzer, aufsteller; taxator. **setz-phant** stn. eingesetztes pfand. **-schilt** stm., **-tarsche** swf. = *pavese*. **setzunge** stf. das setzen.
seun s. *sewen*.
seven f., **seven-boum** stm. sebenbaum (lat. *sabina*).
sewen, seun swv. refl. u. intr. einen see bilden.
sëxte stswf. die sechste canon. stunde (lat. *sexta hora*).
sëxtern stm. lage von sechs bogen od. zwölf blättern (mlat. *sexternus*).
sëxt-zît stf. = *sëxte*.
sëȥ stnm. sitz, lager, wohnsitz; belagerung. *ûf tugent s. sich halten* es angelegt haben auf t. **sëȥ-bære** adj. angesessen. **-haft** adj. seinen wohnsitz habend, sesshaft; der belagerung zugänglich. **-hûs** stn. wohnhaus. **-lêhen** stn. lehngut, auf dem der inhaber sich persönlich aufhalten muss. **-man**

stm. einwohner; inhaber eines *sëʒlêhens*.

sëʒʒel stm. sessel; unterlage des edelsteins im ringe.

si, sî s. *sie*.

sib s. *sip*. **sibelîn** stn. dem. dazu. **sibelen, siben** swv. sieben (zu *sip*). **sibelen** swv. sibilare (s. *siflen*).

siben num. card. sieben (nbff. *sëben, suben, söben*, md. auch *siven*). *in sibene* in 7 teile. *er kan wol sîniu sibeniu* (sc. artes liberales) er ist sehr schlau, versteht sich auf s. vorteil. **sibende** num. ord. (nbff. *subende, sobende*) siebente; *der sibende man* obmann; *ein sibender* = *sibener*. — *der sibende, sibente* (näml. *tac*) der siebente tag nach der beerdigung eines verstorbenen, an welchem der zweite seelengottesdienst für ihn gehalten wurde. **sibende** swstf. = *der sibende*. **sibenen** swv. refl. sich zu sieben machen. — tr. den angeklagten in gegenwart von sieben zeugen fragen. **sibener** stm. einer von sieben aufgestellten sachverständigen bei besichtigungen; pl. *die sibener* das siebenergericht; einer von den sieben zeugen, mit welchen ein angeklagter überführt wird; münzstück von sieben pfennigen; beiwort Marias. **siben-gâbec** adj. von den 7 gaben des hl. geistes. **-gestirne** stn. die 7 planeten; arcturus; pleiades. **-stërne** stm. septentrio. **-stunt** adv. siebenmal. **-valt, -valtic, -veltic** adj. siebenfältig. **-warf, -weide, -werbe** adv. siebenmal. **-zëhen** num. card. siebzehn. **-zëhende** num. ord., **-zëhendest** adj. siebzehnte. **siben-zec, -zic** num. card. siebenzig.

sic, *-ges* stm. herabfall.

sic, *-ges* s. *sige*.

sich pron. sich, acc. sing. u. pl. von *sîn* (unorg. auch für den dat. wofür sonst, da das dem got. *sis* entspr. *sir* mangelt, *im, ir, in* gebraucht wird; bes. als ethisch. dat. bei intrans. od. pass.).

sich-ein s. *sihein*.

sichel stf. sichel (aus lat. *secula*?). **sichelde** stf. sichelschnitt. **sichelinc, sichlinc,** *-ges* stm. garbe (urspr. so viel man mit der sichel auf einmal abschneidet).

sichem s. *sim*.

sicher adj. sorgenfrei, sorglos, unbesorgt, ohne furcht od. zweifel (mit gs., *an, von, vor*); gesichert, behütet, beschützt vor gefahr od. nachteil (mit gs.); wahrhaft, zuverlässig (*in dem sichern leben* in der ewigen seligkeit); gewiss. **sicher** adv. sicher, gewiss, zuverlässig, wahrhaftig. **sicheræere** stm. vormund. **sicherbote** swm. der sich durch feierl. gelöbnis zu einer leistung verpflichtet; vormund. **-haft** adj. unbesorgt, ohne furcht od. zweifel. **-heit** stf. sicherheit, sorglosigkeit, unbesorgtheit; sicherung, schutz; gewissheit, bestimmtheit; sicherstellung durch das gegebene wort: feierliche bekräftigung, zusage, versicherung, gelöbnis (*s. geben* sich verschwören), verabredung, vertrag, bündnis, spez. das untertänigkeitsgelübde des besiegten u. gefangenen (*einem s. geben, tuon: eines s. nemen*) (vgl. *fianze*). **-lich** adj. = *sicher*. **-lîche** adv. unbesorgt, sicher, in sicherheit, ruhe; zuverlässig, gewiss, wahrhaftig. **-lôs** adj. einer dessen wort u. zusage nicht zu trauen ist.

sichern swv. abs. u. tr. mit ap. sicherstellen, ein versprechen, eine zusage leisten, einen vertrag schliessen; geloben, angeloben mit dp. u. gs. od. nachs. mit *daʒ*. — intr. s. v. a. *sicherheit geben, tuon*, als überwundener dem sieger das untertänigkeitsgelübde leisten mit dp.

sicherunge stf. sicherung, sicherstellung; feste versicherung der untertänigkeit.

side stswf. seide; seidener stoff, seidenes gewand (prov. *seda*, mlat. *seta*).

sidel stn., **sidele** stswf. sitz, sessel, bank (mit polstern), chorstuhl i. d. kirche.

sîdel stn. feine seide; seidenes gewand.

sîdel s. *sîdelîn*.

sidelen swv. abs. *gesidele* errichten mit dp. — tr. einen sitz anweisen, ansiedeln, ansässig machen. — refl. *sich hinder, under einen s.* dessen hinter-, untersasse werden.

sidel-haft adj. = *sëdelhaft*.

sidel-hof stm. = *sëdelhof*.

sîdelîn, sîdel stn. seidel (lat. *situla*).

sîden gen. von *sîde*, in uneig. kompos., um etwas geringes zu bezeichnen od. die negation zu verstärken: *sîden breit, grôʒ* usw.

sîden-gël adj. gelb wie seide. **-hafter, -hefter** stm. seidensticker. **-næjer** stm. = *sîdensticker*. **-seil** stn. seidenschnur. **-spinne** swf. seidenspinnerin; seidenwurm. **-sticker** stm. seidensticker. **-swanz** stm. der in seidenkleidern einherstolziert.

sident s. *sidunt*.

sîden-vadem stm. seidenfaden. **-(sîde-)val** adj. gelb wie seide. **-(sîde-)var** adj. seidenfarbig, vom haar: blond. **-wât** stf. seidengewand. **-wëber** stm. seidenweber. **-wëppe** stn. seidengewebe. **-wërc** stn. seide, seidengewand. **-wîʒ** adj. weiss wie seide. **-wurm** stm. seidenwurm.

sider adv. hernach, später; seither, seitdem. — präp. mit dat. seit. — konj. da.

sîdîn adj. von seide; seidenartig.

sidunt, sident adv. seither.

sie, sî (sei), **si, siu** pron. sie (nom. acc. sing. fem. u. nom. acc. pl. aller geschlechter); substantivisch: das weib, weibchen.

siech adj. krank, siech, bes. aussätzig (mit gs. *freude s.* krank an freuden, freudlos, *s. sîn nâch, von*); *sieche* swmf. der, die kranke, bes. aussätzige. **siech-bette** stn. krankenbett. **sieche-bære** adj. krank. **siecheln** swv. kränkeln, md. *sûcheln*. **siechen** swv. (md. auch *sûchen*) krank sein od. werden; durch krankheit abgehn, entfernt werden *von*. **siech-heit, siechelt** stf. krankheit, siechtum. *vliezendiu s.* = *miselsuht*. **-hûs** stn. krankenhaus bes. für aussätzige. **-lich** adj., **-liche** adv. krank, krankhaft. **-meister** stm. vorsteher eines *siechhûses*. **-sende** part. adj. liebeskrank. **-tac, -tage** stswm. krankheit, siechtum. **-tagen** swv. krank sein. **-tuom** stmn. = *siechtac*. **-var** adj. von krankem aussehen.

sieden stv. II, 2 intr. abs. u. tr. sieden, wallen, kochen.

siede-vleisch stn. zum sieden bestimmtes od. gesottenes fleisch.

siedic adj. siedend.

siel stn. dem. zu *si*, weibchen.

sife swm. langsam fliessender sumpfartiger bach, von einem solchen durchzogene bodenstelle; bergm. das herauswaschen der metalle u. der ort, wo sich waschmetall findet.

sîfen stv. I, 1 tröpfeln, triefen; gleiten, rutschen.

siffeln swv. intr. gleiten, mit den füssen schleifen.

siffen swv. träufeln, tropfend eindringen *in*.

siflen swv. flüstern, zischeln (fz. *siffler*, lat. *sibilare*, s. *sibelen* 2).

sige, sic, *-ges* stm., md. auch *sëge*: sieg (*den sic nemen* den sieg [von gott] empfangen, siegen, *an einem den s. nemen* über ihn den sieg davon tragen, *einem den sige geben, lâʒen* von ihm besiegt werden, *einem des siges jehen* jmd. den sieg zusprechen, sich von ihm für besiegt erklären, *der sic erkiuset, verkiuset einen; sic walten* potestatem habere mit gs.).

sîge s. *sîhe*.

sige-bære adj. siegreich. **-haft, -haftic** adj. den sieg habend, siegreich (*s. wesen, werden* den sieg behaupten, siegen, *an einem* über einen siegen; *s. machen, tuon* mit as. zum siege verhelfen), *der sigehafte* der sieger. **-hefte** adj., md. siegreich. **-heit** stf. sieg. **-lich** adj., **-lîche** adv. siegreich; dem siege gemäss, des siegs. **-liet** stn. siegeslied. **-lôs** adj., md. auch *sëgelôs* des sieges verlustig, beraubt, besiegt; niedergeschlagen **-man** stm. sieger. **-numft, nunft, -nuft, -nuht, -nunst, -nust** stfm. die siegnahme, der sieg. **-numftære, -nü(n)fter** stm. sieger. **-numftec** adj. siegend. **-nüfterîn** stf. siegerin. **-rîche** adj. siegreich. **-rinc** stm. panzer. **-sælec** adj. durch sieg beglückt, siegreich. **-stat** stf. ort eines sieges. **-(sigel-)stein** stm. stein von wunderbarer wirkung, der nicht nur sieg, sondern auch schönheit, jugend usw. verleiht; *stein* als siegesdenkmal. **-vaht** stm. f. siegerfechtung, sieg. **-vane** swm. siegspanier. **-vëhten** stv. den sieg erfechten, siegen. **-vëhter** stm. sieger. **-warte** swm. = *grieʒwarte*.

sigel s. *sëgel*.

sigel stn. siegel, stempel; mit einem siegel versehene urkunde (lat. *sigillum*). **-mæʒic** adj. berechtigt ein eigenes siegel zu führen. **-stein** stm. stein im siegelringe; = *sigestein*. **-tor** stn. aufbewahrungsort der urkunden in der sakristei (ahd. *sigilâri, -târi* umd. des lat. *secretarium*).

sigelât s. *ziklât*.

sigelen swv. intr. segeln, schiffen. — tr. zu schiffe befördern.

sigelen swv. mit einem siegel, stempel versehen, zusiegeln; fig. schliessen, beendigen (lat. *sigillare*).

sigen swv. siegen.

sîgen stv. I, 1 sich senken, niederfallen, sinken; bes. von flüssigkeiten: tropfend fallen, tropfen, fliessen; gleichsam strömend sich bewegen; übertr. abnehmen, aufhören.

sîgen stn. das sinken (*âne, sunder s.* ohne unterlass); das tröpfeln, fliessen.

siger stm. sieger.

sigilât, siglât s. *ziklât*.

signieren swv. abs. ein zeichen geben; tr. anzeigen, zu wissen tun (fz. *signer*, lat. *signare*).

sigriste swm. küster (mlat. *sacrista*).

sigunge stf., md. *sëgunge* sieg.

sîhe, sîge stswf. seihe.

sih-, sich-ein pron. irgend ein (auch *sohein, sochein*).

sîhen stv. I, 2 tr. seihen. — intr. tröpfelnd durch etw. sickern, fliessen.

sîhe-tuoch stn. seihtuch.

siht stf. = *gesiht*; das sehen, ansehen; anblick, vision; *ze sihte* mit gp. coram.

sihte adj. wo das wasser abgelaufen od. in den boden gesunken ist, seicht, nicht tief (eig. u. bildl.). - stf. seichtigkeit, untiefe.

sihtec, sihtic, adj. pass. sichtbar, deutlich, leibhaftig; akt. sehend, ansichtig; *einen s. an w.* jmds. ansichtig w. **-lich** adj., **-lîche** adv. sichtbar, deutlich; sehend.

sihten swv. cribrare.

sîhten swv. *sîhte* machen.

siht-lich adj., **-lîche** adv. sichtbar, leibhaftig.

sil, sile, sële stswm. stnf. seil, riemen, bes. riemenwerk, geschirr für zugvieh (vgl. *seil*), siele.

silber stn. (md. auch *silver, selver*) silber. **-bërc** stm. silberbergwerk. **-drât** stm. silberdraht. **-gelœte** stn. silbergewicht. **-gëlt** stn. silbergeld, silber. **-geschirre** stn. silbernes *geschirre*. **-gesmîde** stn. silbergeschmeide. **-gevar** adj. = *-var*. **-gewihte** stn. = *-gelœte*. **-greber** stm. silbergräber, bergmann. **-hort** stm. silberschatz. **-kamer** stf. schatzkammer, ärar; *k.* für das silberne tafelgeschirr. **-kamerer** stm. aufseher über eine *silberkamer*. **-kiste** swf. silber-, geldkasten. **-kopf** stm. silberner becher. **-plischel** stn. blattsilber, silberdraht. **-punze** swm. silbergefäss. **-schal** f. silberne schale. **-schîn** stm. silberglanz. **-smit** stm. silberschmied. **-var** adj. silberfarb, weiss, glänzend wie silber. **-vaʒ** stn. silbernes gefäss. **-vël** stn. silberblech (als zierat des pferdes). **-wâge** stf. silberwaage. **-wërc** stn. silbergerät. **-wîʒ** adj. = *-var*. **-wîʒe** stf. silberfarbe.

silberîn adj., md. auch *silverîn* von silber, silbern.

silberlîn stn. kleines silberstück.

silberlinc, -ges stm. silberling.

silbern swv. mit *silber* anfüllen; aus *s.* verfertigen.

sil-halse swf. kummet.

sillabe, silbe swf. silbe (gr. lat. *syllaba*).

siln swv. refl. sich in die sielen spannen.

silver s. *silber*.

silvëster stm. waldbewohner.

sim, sichem interj. verwunderter ruf im anfang der rede, ei! hm! auch beteuernd.

simel adj., md. gleich, ähnlich (lat. *similis*). **simele** stf., md. erklärendes gleichnis; **simelen** swv. md. ein erklärendes gleichnis aufstellen, durch ein gleichnis oder überh. erklären.

simele s. *sëmele*.

sime-lich s. *sumelich*.

simeʒ, simʒ stm. sims, gesimse, vorderer teil des gestühles. **simeʒen** swv. mit einem s. versehen.

simonîe, -î stswf. simonie, erteilung od. erwerbung eines geistl. amtes für geld (mlat. *simonia*). **simonîen** swv. simonie treiben. **simonîer, simônjer** stm., **simonîte** swm. der simonie treibt.

simpel adj. einfach, einfältig (fz. *simple*). **-heit** stf. einfalt.

sin kontrah. aus *si in, si ne, si en*.

sin s. *sint*.

sin, -nnes stm. körperlicher, wahrnehmender sinn; sinnlichkeit; der innere sinn (gern im pl.): der denkende geist, verstand (*vremder* [*vremdeclicher*] *s.* vision); bewusstsein, besinnung; weisheit, kunst (*ein fürste sinnes* einer der mit seinem *sinne* alle überragt, iron. ein erznarr; *die siben sinne* die sieben freien künste); gedanke (*ûf den sin vallen* auf den gedanken verfallen; *ze sinnen komen* mit dp. einfallen); begriff; sinn, meinung, ansicht, absicht, bedeutung (*mit sinne* mit überlegung, absicht, bedacht; *alle sinne dar an legen* alles aufbieten); verständige handlung, kunstgriff; gesinnung; verstand, urteil; *die inneren sinne* die geist. kräfte; *die ûʒeren s.* sinnestätigkeiten; *vernunst, sin, girde* die 3 seelenkräfte: vis rationalis, irascibilis, concupiscibilis; *ûf den sin wande* deswegen weil.

sîn gen. des ungeschl. pron. der 3. pers. refl. u. nicht refl. gebraucht; nbff. *sînes, sîner*.

sîn pron. poss. sein (flekt. od. unflekt., dem subst. vor od. nachgesetzt).

sîn anv. sein, bedeuten (part. prät. *gesîn*); *mit einem sîn* mit ihm umgehen; *diu mære sint eines* handeln von ihm; *sîn* mit gen. gehören zu, besitzen. — stn. sein, wesen; aufenthalt.

sîn mfr. = *sëhen*.

sinagôge stf. bethaus der juden; die juden insgesamt.
sin-ambet stn. das amt des *sinners.*
sinbël s. *sinwël.*
sinc, *-ges* stm. das sengen.
sinc-wîse stf. = *sancwîse.*
sinde stn. = *gesinde.*
sinden, sinnen (als stv. III, 1 anzusetzen und) swv. eine richtung nehmen, gehn, wandern, kommen.
sinder, sinter stmn. hammerschlag, metallschlacke; übertr. von der sündenkruste.
sindern swv. refl. sich als *sinder,* als untauglich absondern.
sînec adj. md. seinig.
sînen swv. refl. mit gen. = *gesînen.*
sîner, sînes s. *sîn.*
sînes-heit stf. die (göttliche) wesenheit.
sine-wël, -wëlle s. *sin-w.*
singære, -er stm. sänger, lyr. dichter (bei den meistersingern die nächste stufe unter dem meister); kantor (domherr).
singe-lich adj. cantabilis.
singen stv. III, 1 abs. u. tr. singen (auch mit gen. des inneren obj.: *eines sanges s.*); gesangartig hersagen od. lesen, dichten (*singen unde sagen*); frohlocken; pfeifen, schwirren (v. geschwungenen schwertern); knistern, prasseln, zischen.
singerlîn stn. kleiner sänger.
singe-zît stf. zeit des feierlichen gottesdienstes.
singôȥ, -oȥ stm. kleine glocke; eine art feldgeschütz.
singoȥȥel stn. dem. zum vorig.
sin-grüene adj. stn. immergrün. **-hol** adj. ganz hohl, ganz rund.
sîn-halp adv. von seinetwegen.
sinkel stm. vertiefung (vgl. *senkel*).
sinken stv. III, 1 intr. sinken, sich senken; versinken (im wasser), untersinken; verschwinden. — tr. bergm. einen schacht in die tiefe richten.
sin-lich s. *sinnelich.*
sinne stf. das eichen, visieren.
sinne stf. = *sin.* **sinne-bære** adj. besonnen. **-bote** swm. = *schîn-bote.* **-(sin-)lich** adj., **-liche** adv. sinnlich, durch die sinne geschehend; sinnlich, gegens. zu geistig; s. v. a. *sinneclich* (*mir wirt s.* ich komme auf den gedanken zu; *mir ist etw. s.* ich bin dazu willens). **-licheit** stf. sinnlichkeit. **-lôs** adj. nicht bei verstande, wahnsinnig, bewußtlos, ohnmächtig; unverständig, töricht. **-riche** adj. reich an *sinnen,* sinnreich, verständig, klug, erfahren, scharfsinnig. **-sam** adj. besonnen. **-wilde** adj. unverständig. **-wîse** adj. verständig.
sinnec, sinnic adj. bei verstande (*er wart s.* sensum recepit), verständig, nicht irrsinnig; besonnen, bedächtig, verständig, weise, klug, sinnreich. **-heit** stf. selbstbewusstsein; verständigkeit; sinn, meinung, bedeutung. **-lich** adj., **-liche** adv. besonnen, bedächtig, verständig, klug.
sinnelîn stn. dem. zu *sin.*
sinnen s. *sinden.*
sinnen stv. III, 1 mit den *sinnen* wahrnehmen, merken, verstehn, mit gs.; seine gedanken od. begierden auf etw. richten (mit *nâch, umbe, gegen,* mit gs., as., inf.).
sinnen swv. intr. sinnen, denken *nâch.* — tr. mit *sin* begaben. — refl. sich zum *sinne* gestalten.
sinnen swv. eichen, visieren (fz. *signer,* lat. *signare*).
sinner stm. visierer.
sinnigen swv. verständig machen.
sinopel stm. rote farbe; angemachter roter wein (fz. *sinople,* mlat. *sinoplum*; vgl. *siropel*).
sîns-heit stf. wesenheit.
sint, *-des* stm. (entstellt **sin**) weg, gang, reise, fahrt; richtung, seite; *meres sint* meeresflut, auch bloß *sint, sin* meer.
sint adv. seitdem, darnach, darauf, späterhin. — präp. seit, mit gen. od. dat. — konj. seit, seitdem, nachdem. — kaus. da, weil (auch: *s. daz*).
sinter s. *sinder.*
sint-gewæge stn. sintflut; weltmeer.
sint-mâles adv. später, nachdem.
sint-mê adv. ferner, späterhin.
sin-tuom stn. = *sinambet.*
sint-(sin-)vluot stf., **-(sin-)vlüeten** stn. grosse allgemeine flut od. überschwemmung, bes. die sintflut (entstellt u. umgedeutet *sinflucht, seinflucht, sintvluoht, süntfluot, sintvluȥ*). **-wâc** stm. grosse flut, strudel. **-wæge** stn. coll. zum vor. **-wæge** stf. sintflut.
sin-(sine-)wël, sinbël adj. rund (kugelrund, rollend, walzenförmig rund, in eine runde spitze zulaufend, kreisförmig od. oval, gewölbt, geschweift); bildl. sich rollend, drehend wie eine kugel od. scheibe, unbeständig, veränderlich. **-wël, -wëlle** stf. rundlichkeit, kreis. **-wëllec** adj. = *sinwël.* **-wellecheit** stf. rotunditas. **-wëllen** swv. intr. rund wie eine kugel werden, wie eine kugel rollen. — tr. rund machen.
sip, *-bes,* **sib** stn. sieb.
sip-erbe swm. erbe durch verwandtschaft.
sip-mâȥ stn. der vierte teil eines scheffels.
sippe stf. blutsverwandtschaft; verwandtschaftsgrad; angeborene art. *einem von s. werden* od. *sîn* mit einem verwandt sein. **-** adj. verwandt, blutsverw. mit dp. **-** swmf. der, die blutsverwandte, der bruder. **-bluot** stn. verwandtschaftsblut, verwandtschaft; verwandter. **-brëchen** stv. blutschande treiben. **-brëcher** stm. blutschänder. **-huor** stn. blutschande. **-kraft** stf. die menge der verwandten. **-lich** adj. verwandtschaftlich. **-lit** stn. verwandtschaftsglied, -grad. **-minne** stf. verwandtschaftliche liebe. **-schaft** stf. verwandtschaft, blutsverwandtschaft; verwandtschaftsgrad. **-teil** stnm. f. blutsverwandtschaft; verwandter. **-vriunt** stm. blutsverwandter. **-zal** stf. abstufung, grad der verwandtschaft.
sippec-heit stf. blutsverwandtschaft.
sippen swv. verwandt sein mit einem (dat.). — part. *gesippet, -sipt* = *sippe* adj.
sirêne, syrêne, -ên f. m. sirene; männl. wassergeist; eine schlange.
sirop, syrop, -up; -ope, -upe stswm. süsser saft, sirup (fz. *sirop,* mlat. *siropus*).
siropel, syropel stnm. dasselbe; eine art angemachter wein (vgl. *sinopel*).
sise-gome, -goum swstm. pelikan (ahd. *sisagomo, sisigoumo,* vgl. *hûsegome*).
sister s. *sëhster.*
sît adv. beiseite.
sît adv. seitdem, darauf, nachher, späterhin. — präp. seit, mit gen. dat., instrum. (*sît diu* seitdem). — konj. temp. seit, nachdem; kaus. da, weil; advers. da doch, obgleich, während; explikat. s. v. a. *daȥ.*
site stswm., oft im plural, daher schon spätmhd. stf. art u. weise wie man lebt u. handelt, volksart, -brauch, gewohnheit; beschaffenheit, art u. weise; sanftes und bescheidenes wesen, anstand; *nim dir site* mässige dich. oft nur umschreibend.
sîte, sît swstf. seite eines menschl. od. tierischen körpers (der teil über der hüfte); überh. fläche, seite, richtung von der einen od. andern seite

eines körpers (in beziehung auf zwei feindl. heere: partei). *zen sîten* abseits; *in beiden sît(en)* nach beiden seiten hin.

sitec, sitic adj. sittig, ruhig, bescheiden, anständig; von tieren: ruhig, zahm, zutraulich. **-liche** adv. auf sittige, ruhige, anständige weise; paulatim.

sitech s. *sitich.*

site-lich adj. dem brauche gemäss; ruhig, milde, bescheiden, anständig. **-liche** adv. dem brauche gemäss; auf sittige, ruhige, gelassene, anständige weise; langsam, sachte.

sîte-lîchen adv. = *sîtelingen.*

sîtelinc, *-ges* stm. seitenverwandter.

sitelingen adv. seitlings.

siten-strâfer stm. poeta satiricus.

sitich, sitech, sêtich stm., **sittekoste** swm. papagei (lat. *psittacus,* s. *psitich*).

sitzel stn. dem. zu *siz,* podex.

sitzen stv. V mit j-praes. intr. einen sitz inne haben, sitzen (oft geradezu für das verb. subst.), wohnen; als richter oder herrscher sitzen: zu gericht sitzen, regieren; sich im besitze befinden, ansässig sein, wohnen, sich aufhalten (*hinder, under einem s.* dessen *hindersœze* sein); *s. über* arbeiten an etw.; *bî der ê s.* verehelicht sein; stecken bleiben (teneri); *von rosse s.* absitzen; sich niederlassen, setzen; *ob tisch s.* sich zu tisch setzen. — tr. sitzend einnehmen, besitzen.

sitze-stat stf. stelle zum sitzen; podex; residenz.

siub- s. *sûb-.*

siuche stf. swm., **siuchede** stf. (swf.) krankheit, seuche. *wîbes s.* menstruatio.

siuche-læge adj. krank.

siuch-haft adj. dasselbe.

siufte, siufze swm. seufzer.

siufte-, siufze-bære, -bërnde adj. seufzend; seufzen mit sich führend, voll seufzer, traurig, bejammernswert.

siuftec, siufzec, -ic adj. seufzend, mit seufzern verbunden.

siufte-hûs stn. haus des seufzens, der klage.

siuften, siufzen swv. intr. seufzen. — tr. seufzen über, beseufzen, beklagen.

siufter stm. der seufzende.

siuftunge, siufzunge stf. das seufzen.

siule s. *sûl, siuwele.*

siune, sûne stn. das sehen, gesicht; anblick den etwas gewährt, äusseres ansehen.

siunec, siun-lich adj. sichtbar.

siure, siurde stf. gegens. zu *süeze:* säure, schärfe, bitterkeit; sauerteig.

siure swf. milbe, krätzmilbe (mlat. *siro,* fz. *ciron*).

siuren swv. tr. *sûr* machen; intr. = *sûren.*

siurinc, *-ges* stm. verbitterter mensch, sauertopf.

siusen s. *sûsen.*

siut stm. die naht.

siuwele, siule swf. pfrieme.

siuwen, sûwen, sûen swv. nähen.

siuwîn adj. von einer sau.

siuwisch adj. adv. säuisch.

siven s. *siben.*

Sîvrider stm. eine ketzersekte.

siz, *-tzes* stm. das sitzen, beisammensitzen; sitz; wohnsitz.

skart, scart stf. wache (it. *scorta,* fz. *escorte*).

slâ s. *slage.*

slac, *-ges* stm. schlag (mit der hand, mit einem werkzeuge od. einer waffe), bildl. für etw. schnell vorübergehndes oder vergebliches; *dem herzen einen s. geben* zeichen des schreckens, der verzweiflung; durch schlagen gebildete vertiefung; durch einen schlag versehrte stelle, wunde; das niederschlagen, tödlicher schlag, bildl. plage, krankheit, verderben, unfall, unglück; fall, sturz; techn. die eigene art der tuchmacher das tuch zu falten, faltenschlag; schlagfluss; blitz-, hagelschlag; hufschlag; spur, fährte, weg; art u. weise (vgl. *slahte*); herz-, pulsschlag; schlag der zunge; münzschlag, gepräge; der holzschlag, das holzfällen; zum holzschlage bestimmte oder durch holzfällen gelichtete, urbar gemachte waldstelle; schlagbaum, schranke; der handschlag bei einem kaufe; der kaufpreis. *volles slages* adv. vollständig.

slach adj. schlaff, welk.

slaf, *-ffes* adj. dasselbe.

slâf stm. schlaf; schläfe. **-gadem** stn. schlafgemach. **-gart** stm. = *slâfruote.* **-genôz** stm. schlafgenosse. **-geselle** swm. dasselbe; schlafgenossin. **-geverte** swm. dasselbe. **-hûs** stn. schlafhaus, -gemach. **-kamere** f. schlafkammer. **-lachen** stn. bettuch; leintuch über einem toten. **-lich** adj. schlafend, des schlafes. **-man** stm. unehelicher schlafgenosse. **-ruote** f. in schlaf versetzende zauberrute. **-sache** stf. bettzeug. **-stat** stf. schlafstätte. **-træge** adj. träge vom schlaf. **-trinken** stn. das trinken vor dem schlafengehn, schlaftrunk; bes. der jungen eheleuten in der brautnacht nach dem beilager gereichte trunk. **-vrouwe** swf., **-wîp** stn. beischläferin.

slâfære, slæfære, -er stm. schläfer.

slâfe swf. = *slâf-vrouwe.*

slâfec adj. schläfrig.

slæfelîn stn. dem. zu *slâf.*

slâfen redv. 2 schlafen intr. u. tr. (*den slâf*); *mit einer sl.* sie beschlafen; unpers. mit acc. schläfern.

slæfen swv. einschläfern, s. *entslæfen.*

slâferic, slæferic adj. schläferig.

slæfer-lîche adv. schläferig; einschläfernd.

slâfern swv. schläferig werden, einschlafen; unpers. mit acc. schläfern.

slaffec-, slaf-heit stf. schlaffheit, trägheit.

slæf-lîche adv. durch schlaf; einschläfernd.

slâfrëht adj. schläfrig.

slâfunge stf. das schlafen.

slage, slâge, slâ stf. werkzeug zum schlagen, hammer, bengel; schlag, niederschlag; holzschlag; spur (bes. vom hufschlag der pferde), fährte, weg (meistens in der kontr. form *slâ,* woraus auch die nbf. *slâge* entstanden ist). **-(slege-)brâ** f. augbraue. **-(slege-)brücke** f. zugbrücke. **-(slah-)hûs** stn. schlachthaus. **-lôt** stn. schlaglot, feingehalt einer münze. **-schaz** s. *slegeschaz.* **-(slah-)stube** swf. münz-, prägstube.

slagen swv. schlagen (*mit handen sl.* klatschen); vom keuchen des verfolgten wildes.

slages adv. schlag auf schlag (der hufe), aufs schnellste.

slag-haft adj. *s. werden* in schlägerei geraten.

slah-boum stm. schlagbaum. **-gëlt** stn. = *slegeschaz.* **-glocke** f. schlag-, stundenglocke. **-hûs** s. *slagehûs.* **-schaz** s. *slegeschaz.* **-stube** s. *slagestube.*

slahen, slân stv. VI abs. u. tr. einen schlag geben, schlagen. — tr. u. refl. darnieder schlagen, erschlagen, töten, percutere; schlachten; durch schlagen hervorbringen; schlagend gestalten, verfertigen, schmieden; schlagend verarbeiten, prägen; schlagend befestigen *an, in, ûf;* durch handschlag als eigentum übergeben; schlagend bewegen (*swert sl.* schwingen) und richten, treiben; bes. von musikal. instrumenten. — refl. sich bewegen, eine richtung einschlagen; *sich zuo der erde sl.* sich niederwerfen. — intr. eine richtung nehmen, einen weg einschlagen, auf etw. treffen od. stossen, reichen (von kleidungsstücken), irgendwohin gelangen. *an einen sl.* dessen partei ergreifen, *von einem sl.* von ihm abfallen; *einem an sîn hant sl.* ein geschäft mit jmd. abschliessen; *ze vrumen sl.* zum guten ausschlagen; *in sich sl.* in sich kehren, *sl. nâch* nacharten.

slahen stn. das schlagen, die schlägerei, die schlacht.

slaher stm. schläger; wollschlager.

slaht adj. geartet (in zusamme̱nss.)

slaht stf. das schlagen, die züchtigung, marter, plage; befestigung, bau.

slahtære stm. schlächter.

slahte, slaht stf. tötung, schlachtung. schlacht; schlachtzeit, metzelsuppenzeit; geschlecht, herkunft, stamm: gattung, art, -lei (*maneger slahte* mancherlei).

slahte-hûs stn. = *slagehûs.*

slahten swv. schlachten.

slaht-mânôt stm. dezember.

slahtunge stf. züchtigung, strafe; das töten. schlachten, gemetzel, mord; die schlacht, schlägerei.

slam, *-mmes* stm. schlamm, kot. bildl. *des vleisches sl.*

slamp stm. gelage.

slampen swv. schlaff herabhangen.

slampieren swv. unmässig essen.

slân s. *slahen.*

slanc adj. schlank, mager.

slange swm. (spätmd. stf.) schlange, drache; schlange im paradiese, daher auch zur bezeichnung des teufels; s. v. a. *slangenbühse*, schleuder. **slangen-bühse** swf. eine art langer kanonen. **-vâher, -venger** stm. schlangenfänger.

slangëht, slange-lich adj. schlangenartig.

slappe swf. klappen- oder beutelförmig herunterhangender teil der kopfbedeckung; kopfbedeckung von kappen- od. hutform (nd.).

slarfe swf. abgetretener schuh, pantoffel.

slât, slôt stm. schlot, rauchfang, kamin, ofenloch. übertr. *der tugende sl.* gipfel.

slâte swf. schilfrohr.

slave swm. sklave (eigentl. kriegsgefangener Slave).

slavenîe, slavênje, slevênje slavîne stf. grober wollstoff und daraus verfertigter mantel, wie ihn namentl. pilger und bettler trugen (afz. *esclavine*, mlat. *sclavinia, slavina*).

slâwe f. = *slouwe, slâ,* spur.

slâwe f. = *wisemât,* schwaden.

slê, *-wes* adj. stumpf, matt, kraftlos, träge.

slê-dorn stm. prunus.

slëc, *-ckes* stm. schleckerei, leckerei; näscher, fresser.

slëcken swv. naschen.

slëc-miulen swv. schleckerei treiben.

slëf, *-ffes* stm. loch, wunde.

slege-brâ, -brücke s. *slage-b.*

slegel stm. werkzeug zum schlagen: schlägel, keule, bengel, flegel, schwerer hammer u. dergl.; ort, wo geschlagen od. geschlachtet wird: schmiede, schlachthaus. **-milch** stf. buttermilch.

slege-mæȥic adj. schlachtbar. **-rëgen** stm. platzregen. **-rint** stn. schlachtrind. **-(slage-, slah-) schaz** stm. abgabe an den inhaber des münzrechtes zur vergütung der prägekosten; abgabe von waren, die in die stadt gebracht werden. **-schatzen** swv. den *slegeschaz* entrichten. **-tor** stn. falltor. **-tür** stf. falltür.

sleg-ohse swm. schlachtochse.

slêhe swstf. schlehe. **slêhen-kumpost** stm. eingemachte schlehen. **-tranc** stn. trank, wein aus schlehen gepresst. **-waȥȥer** stn. dasselbe.

slêh-stûde f. schlehdorn.

slëht adj. in gerader fläche od. linie, eben, gerad, glatt (gegens. zu *krump* u. *rûch*); nicht voll, leer mit gen.; bildl. einfältig, gut und recht, aufrichtig, schlicht, einfach, ungekünstelt, gewöhnlich; nicht kraus oder verwirrt, bildl. klar, richtig, geschlichtet; bequem und leicht.

slëhte stf. = *slihte.*

slëhte, slëht adv. gerade, gerade aus; einfach, kunstlos; einfach, schlicht, aufrichtig; geradezu, schlechthin; schlechterdings, gänzlich; unordentlich, schlecht.

slehte stn. = *geslehte.*

slëhtec-heit stf. glätte, ebene; geradheit, aufrichtigkeit. **-lîche** adv. in aufrichtiger weise; in gewöhnlicher weise, schwach, schlecht.

slëhten swv. = *slihten.*

slëhtes gen. adv. gerade, geradeaus, geradeswegs, einfach, kunstlos; geradezu, schlechthin; schlechterdings, gänzlich.

slëht-heit stf. glatte fläche, ebenheit.

slehtigen swv. schlachten.

slëht-lîche adv. eben, gerade; einfach, ohne gepränge; schlechthin, ohne bedingung; in aufrichtiger weise; einfach, ungekünstelt; unordentlich, schlecht. **-müetic** adj. aufrichtig, lauter.

slei-bal (aus *slege-bal*) stm. ball zum schlagen.

sleich stm. tausch.

sleichen swv. *slîchen* machen; heimlich, unversehens irgendwohin bringen oder geben; tauschen. *küsse sl.* k. heimlich tauschen.

sleier s. *slogier.*

sleif adj. glatt, schlüpfrig.

sleife, sleipfe swf. schleife, schlitten; gestell, worauf der pflug oder die egge fortgeführt wird; durch schleifen (des holzes) entstandene spur, weg; rechtl. *der sleifen* (*sleipfen*) *nâch gên, varn, volgen* sich bei einem anspruche an die dem grade nach je nächste person oder sache halten.

sleifen, sleipfen swv. tr. *slîfen*, gleiten machen, lassen; schleifen, schleppen; dem erdboden gleich machen. — refl. *sich sl. ûȥ dem mantel* den mantel ausziehen.

sleiger s. *slogier.*

sleiȥe swf. leuchtspan.

sleiȥen swv. zerreissen, spalten; die rinde abstreifen; zerstören; refl. zugrunde gehn, verfallen.

slêm stm. = *slieme.*

slëmen swv. *slim* machen, umkehren, -stürzen, wenden.

slemmen swv. intr. prassen, schlemmen. — tr. von *slam* reinigen.

slenger, slenker s. *slinger.*

slenken, -ern swv. schwingen, schleudern.

slenzic adj. müssig, träge.

slêpen swv. (nd. form für hd. *sleifen*) schleifen, schleppen.

slêp-sac stm. schleppsack.

slërfen stv. III, 2 die füsse schleppend einhergehen.

slevênje s. *slavenîe.*

slêwe stf. stumpfheit, mattigkeit, lauheit.

slêwe-lich adj. stumpf.

slêwen swv. *slê* werden.

slêwic adj. = *slê.*

slêwic-heit stf. = *slêwe.*

slic, *-ckes* stm. was man auf einmal *slicket:* bissen, trunk, schluck; fresser.

slich stm. leise gleitender gang; schleichweg; gesamtheit der *slîchenden*, zug; spur; bildl. list.

slich, slîch stm. schlick, schlamm.

slîchære stm. der einen schleichweg wandelt, schleicher.

slîche swm. = *blintslîche.*

slichen s. *slicken.*

slîchen stv. I, 1 leise gleitend gehn, feierlich schreiten, schleichen (*âne sl.* unverweilt).

slîch-lîche adv. schleichend, heimlich.

slickelîn stn. dem. zu *slic.*

slicken, slichen swv. schlingen, schlucken, zupfen.

slîe, slîhe, slîge swmf. schleie.

sliechen stv. II, 1 ndrh. = *slîchen* (nbf. zu *sliefen*).

sliefen stv. II, 1 intr. schliefen, schlüpfen. — tr. schliefen durch.

slieme, sliem swstm. netzhaut, zwerchfell; haut, fell, pergament, bes. eine art dünn gegerbter haut in die fenster, fenster überh.

slier, sliere stswm. geschwür, beule, bes. an den schamteilen od. unter den achseln.

slier stmn. lehm, schlamm.

slier-dach stn. dach von stroh, worunter lehm gemengt ist.

slieren swv. schwären.

slieren swv. mit lehm untermengen.

sliezen stv. II, 2 schliessen, verschliessen; in sich schliessen, umfassen, begreifen; fügen, zusammenfügen, aneinander befestigen; bauen. *sich mit der decke sliezen* sich zudecken; *sich dar an sl.* grenzen an.

slif s. *slipf.*

slîfære, -er stm. schleifer.

slîfe swf. schleifmühle.

slîfen stv. I, 1 intr. gleiten, ausglitschen, gleitend sinken, fallen (*sl. lâzen* gleiten, sinken, fahren, hingehn lassen). — tr. gleiten machen (*die tenze sl.* schleifend tanzen); eine waffe usw. *slîfen* gleiten lassend schärfen oder glätten. — refl. sich abschleifen.

slîf-, slîf-stein stm. schleif-, wetzstein; schleifmühle.

slîge, slîhe s. *slîe.*

sliht, slihtec adj. = *slëht.*

slihte stf. glatte fläche, glätte; ebene, ebenheit, geradheit, gerader weg; geradheit, aufrichtigkeit; recht und billigkeit; einfachheit, schlichtheit, einfalt. acc. *die sl.* geradeswegs, sofort; der länge nach.

slihtec-lîche adv. = *slëhtec-lîche.*

slihten swv. *slëht*, gerad machen, in ordnung, zuwege bringen; ebenen, glätten; dem erdboden gleich machen; schleifen, schärfen; recht erteilen, entscheiden; ausgleichen, beilegen, beruhigen, schlichten.

slihter stm. der *slëht* macht.

sliht-heit stf. = *slëhtheit.*

sliht-holz stn. hobel.

slihtinc, *-ges* stm. der einen streit unberufen schlichten will.

slim s. *slimp.*

slîm, slîn stm. schleim, schlamm; klebrige flüssigkeit, schmierige substanz, vogelleim.

slimbes adv. schief, schräge, verkehrt.

slîmec, -ic, slîmëht, slîmëhtec adj. schleimig, kleberig, schlammig.

slimp, *-bes*; **slim,** *-mmes* adj., **slimmec-lîche** adv. schief, schräge; nicht richtig, verkehrt.

slîn s. *slîm.*

slinc, *-ges* stm. schlund (vgl. *slunc*).

slinc-vahs adj. mit losen, sich schlängelnden haaren versehen.

slinden stv. III, 1 schlucken, schlingen, verschlingen.

slingære, -er stm. schleuderer.

slinge swstf. schleuder.

slingen stv. III, 1 tr. hin und her ziehend schwingen, winden, flechten, einweben, stikken; s. v. a. *slinden.* — refl. u. intr. sich schlängelnd winden, kriechen, schleichen.

slinger slinker, slenger slenker stf. schleuder.

slint, *-des* stm. schlund; schlinger.

slint-hart stm. schlemmer.

slipf, slif, *-ffes* stm. die abgeschliffenheit, schlüpfrige stelle; das ausgleiten, fallen.

slipfe, slipfine f. erdrutsch.

slipfec, -ic, slipferec adj. schlüpfrig.

slipfen swv. (intens. zu *slîfen*) ausgleiten, fallen.

slite swm. schleife, schlitten; ein belagerungsgerät. **-reise** stf. schlittenfahrt. **-wëc** stm. schlittenweg.

slîten stv. I, 1 gleiten.

slitzen swv. (intens. zu *slîzen*) schlitzen, zerspalten.

sliude, slûde f. schwertscheide.

sliume, sliune, sloune adv. schleunig, eilig.

sliune, slûne stf. eile.

sliunec adj. schleunig.

sliunen, slûnen, slounen swv. beschleunigen, beeilen mit gen.; vonstatten gehn, gelingen; *mir slûnt* mit gs. ich eile, habe eile, mir geht vonstatten.

sliz, *-tzes* stm. schlitz, spalte; zerreissung, ende, untergang, tod; an der seite sich öffnender schoss eines panzerhemdes oder rockes, mantels.

slîzec, -ic adj. zerrissen, abgenutzt; bildl. mit gen. od. *an.*

slîzen stv. I, 1 intr. spalten, reissen, zerreissen. — tr. abstreifen, -schälen; zerreissen, abnutzen; zerstören, zunichte machen, aufbrauchen, hinbringen; zu ende erklären, deutlich machen mit dp. — refl. zerreissen; sich lösen, abstreifen *von*; zu ende gehn.

slogier, sloiger, sloier, sloir; sleiger, sleier, sleir stm. n. schleier, kopftuch. **sloiger-, sloier-, sleier-tuoch** stn. dasselbe.

slôt s. *slât.*

slôte stf. schlamm, lehm (vgl. *sluot*).

sloten swv. zittern, klopfen.

sloterære stm. schwätzer.

slôter-, slœter-gruobe f. senkgrube.

sloterlîn stn. klapper; schwatzhaftes frauenzimmer.

slotern, slottern, sluttern swv. schlottern, zittern; klappern; schwatzen.

slouf, slûf stm. das öhr; das schlüpfen, entschlüpfen.

sloufe stf. das öhr; öffnung, kreis (*ân alle krumbe sl.* umweg, zwietracht); bekleidung (eines säuglings); swf. durch *sliefen* entstandene spur.

sloufen swv. tr. *sliefen*, schlüpfen machen od. lassen, schieben. — refl. u. intr. schliefen, schlüpfen, dringen (*an, in, ûz, von*); bes. vom an- u. ausziehen der gewänder. — tr. mit as. *ein kleit* usw. *an sich sl.* mit ap. od. refl. einhüllen, kleiden. *ein dinc an einen sl., einen dar în sl.* jmd. mit etw. bekleiden.

sloune, slounen s. *sliume, sliunen.*

slouwe f. = *slâ*, spur, fährte.

sloz, *-zzes*, **slôz** stn. schloss, riegel, band, fessel, ein-, um-, verschliessung; schluss; schlussstein eines gewölbes; schloss, burg. **-bant** stn. festumschliessendes band. **-gëlt** stn. = *slozrëht.* **-haft, -haftic** adj. verschliessbar; verschlossen.

slôz-lich adj. schliessend, umschliessend. **sloz-rede** f. syllogismus. **-rëht** stn. abgabe des gefangenen an den schliesser. **-(slôz-)stein** stm. schlussstein eines gewölbes.

slôz stm., **slôze** swf. hagelkorn, schlosse. **-wëter** stn. hagelwetter.

slozzer stm. schlosser.

sluc stf. schluck.

slûch, sluoch stm. haut, schlangenhaut; schlauch, röhre; schlund, kehle, gurgel der tiere, rüssel des elefanten; schlund, abgrund; persönl. der schwelger, säufer, fresser.

slûchen swv. schlingen, schlucken.

slûcher stm. schlemmer.

slucke f. ein gefälteltes kleid, kittel.

slücke swf. öffnung, lücke, graben.

slucken swv. schlingen, schlucken; schluchzen.

slûde s. *sliude.*

slûder stf. schleuder.

slûder-affe s. *slûraffe*.

slûdern swv. schleudern, schlenkern.

sluf, *-ffes* stm. das schliefen, schlüpfen; schlupfwinkel.

slûf s. *slouf*.

sluft stf. = *sluf*.

sluhtisch adj. träge, faul.

slummen, slummern swv. schlummern.

slummer stm. schlummer.

slump adj. schlumpig.

slûn stm. = *slûr*.

slûn- s. *sliun-*.

slunc, *-ges* stm. schlund (vgl. *slinc*).

slunt, *-des* stm. schluck; schlund, kehle, hals; schlund, kluft, abgrund; schwelgerei, trunkenheit; persönl. schlinger, schwelger, schlemmer. **-hart** stm. = *slinthart*. **-rœre** swf. schlund-, speiseröhre.

sluoch s. *slûch*.

sluoche f. graben, schlucht.

sluot stm. schlutt, schlamm, pfütze (vgl. *slôte*). übertr. beschimpfung.

slupf stm. das schlüpfen; schlupfwinkel; worin man schlüpfen lässt, schlinge, strick um den hals. **-loch** stn. schlupfloch, -winkel.

slüpfen, slupfen swv. schlüpfen. — tr. schlürfen.

sluppern swv. schlürfen.

slûr stm. das schleudern, der stoss; das herumstreifen, faulenzen; langsame, träge, faule od. leichtsinnige person, faulenzer. **-(slûder-)affe** swm. herumschlendernder müssiggänger, schlaraffe.

slurc, *-kes* stm. md. schlund.

slurc-hart stm. = *slinthart*.

slurken swv. schlucken.

sluttern s. *slotern*.

sluȥ, *-ȥȥes* stm. schluss, knoten.

slüȥȥel stm. schlüssel; der drücker, die zunge der armbrust; noten-, musikschlüssel; geigenwirbel. **slüȥȥelære, -er** stm. schlüsselträger, beschliesser. **slüȥȥelîn** stn. dem. zu *slüȥȥel*. **slüȥȥel-trager, -treger** stm. schlüsselträger (St. Peter). **-tragerin** stf. beschliesserin.

smac, smach, *-ckes, -ches* stm., **smacke** swm. der geschmack, geschmackssinn; geschmack den etw. hat; bildl. gelüste; geruch, geruchssinn, witterung; geruch den etw. von sich gibt. **-haft, -haftic** adj. wohlschmeckend; wohlriechend; durch die sinne wahrnehmbar. **-heit** stf. geschmack. **-(smec-)lich** adj. schmeckend; schmackhaft. **-sam** adj. wohlriechend.

smâcheit s. *smâheit*.

smacken, smachen swv. intr. u. tr. schmecken, wahrnehmen, aufspüren; riechen, duften.

smackezen swv. mit wohlgefallen laut essen, schmatzen.

smæhe adj. adv. (*smâhe*) klein; gering, unansehnlich, schlecht; niedrig, verächtlich, schmählich; verachtet. **-, smæhede** stf. geringschätzige, verächtliche behandlung, beschimpfung, schmähung, entehrung, verachtung, schmach, schimpf. **-lich** adj. = *smæhe*. **-liche, -lingen** adv. schmählich, mit verachtung.

smâheit, smâcheit (aus *smâh-, smâchheit*) stf. = *smæhe* stf.

smæheln swv. intens. von *smæhen*.

smâhen swv. gering dünken, verächtlich sein mit dp.

smæhen, smâhen, smæen, smân swv. geringfügig behandeln, verschmähen; verächtlich machen od. behandeln, verachten, schmähen, beschimpfen, entehren.

smæhenisse, smæhen-schaft stf. schmähung, beschimpfung, entehrung.

smâh-liute pl. = *smâhvolc*.

smaht stm. geruch; das schmachten, verschmachten, hoher grad von hunger od. durst.

smahtec adj. wobei man *smaht* leidet, verschmachtet. **-heit** stf. der zustand des schmachtens.

smæhunge stf. schmähung.

smâh-volc stn. kleines, geringes volk.

smæh-wort stn. schmäh-, schimpfwort.

smal adj. klein; gering, kärglich, wenig, knapp; nicht breit, schmal. **-heit** stf. schmal-, knappheit. **-liute** pl. kleine, geringe leute. **-nôȥ** stn. = *-vihe*. **-sât** stf. saat kleiner feldfrüchte. **-sihtic** adj. klein, schmal aussehend. **-vihe** stn. kleineres vieh, schafe, ziegen. **-vogellîn** stn. kleiner vogel.

smaln swv. intr. *smal* sein od. werden; tr. = *smeln*.

smalz stn. ausgelassenes fett, schmalz; fett; butter. **-haft** adj. mit *smalz* versehen, fett.

smalzec, -ic adj. fettig, schmalzig, geschmalzen.

smalzen redv. 1 intr. schmelzen, zerfliessen. — tr. fettig machen, mit fett kochen.

smæn s. *smæhen*.

smant, *-des* stm. milchrahm (böhm. *šmant*).

smarac, smaract, -agt, smarât stm., **smaracte, -agde, smarâde** swm. smaragd (lat. *smaragdus*). **smaractîn** adj. von smaragden, mit smaragden besetzt.

smarle s. *smërl*.

smatzen swv. = *smackezen*; mit schmatzendem laute küssen, mit solchem laute auffallen lassen (vgl. *smetzen*).

smaz, *-tzes* stm. schmatzender kuss.

smeckeler stm. vornehmtuer.

smecken swv. abs. od. mit gs. den geschmack wovon empfinden, schmecken, kosten, versuchen, geniessen. — abs. od. tr. den geruch wovon empfinden, riechen. — **tr. od.** mit gs. überh. durch die sinne wahrnehmen, empfinden. — intr. geschmack von sich geben, schmecken; einen geruch von sich geben, riechen, stinken; empfinden lassen.

smëcker adj. zierlich, schmächtig, eingefallen (vom gesichte).

smec-lich s. *smac-lich*.

smeichære, -er stm. schmeichler.

smeiche-kôsen swv. liebkosen, schmeicheln. **-kôser** stm. schmeichler.

smeicheler stm. = *smeichære*.

smeichelerie, smeichelunge, smeichunge stf. schmeicheln, schmeichelei.

smeichen, smeicheln swv. schmeicheln ohne od. mit dp.

smeichenære stm. = *smeichære*.

smeichen-, smeichel-rede stf. schmeichelrede, schmeichelei.

smeich-hart stm. der gerne schmeichelt. **-liche** adv. schmeichelnd. **-wort** stn. schmeichelwort.

smeiȥen swv. schmeissen, abs. cacare.

smele stf. schmalheit; die taille.

smelehe, smêle swf. schmiele, eine grasart.

smelenge stf. alem. geringe, niedrige weibliche person, magd.

smelern swv. schmälern.

smelhe adj. schmal, gering.

smelhelîn stn. dem. zu *smelehe*.

smeln swv. *smal* machen, schmälern.

smëlzen stv. III, 2 intr. zerfliessen, schmelzen.

smelzen swv. tr. *smëlzen* machen, in fluss bringen, schmelzen; in émaille oder durch metallguss machen; in schmalz rösten, braten; intr. = *smëlzen*.

smëlzer stm. schmelzer.

smëlzic adj. flüssig, geschmolzen.

smenden swv. den *smant* abschöpfen.

smër, *-wes* stn. m. fett,

schmer. **-boum** stm. fruchttragende (schweinemast liefernde) eiche oder buche, wilder obstbaum überh. **-leip** stm. fettklumpen.

smërille, smërle swm. = *smirl.*

smërl, smërle, smarle f. schmerling, gründling.

smërlinc, *-ges* stm. = *smërl.*

smërn s. *smirwen.*

smërwic adj. schmierig.

smërze swm. stf. schmerz.

smërzeldîe stf. schmerz.

smërzen stv. III, 2 schmerzen abs. od. unpers. mit ap., dp.

smerzen swv. in schmerz verwandeln.

smërzic adj. schmerzlich.

smërzigen swv. in schmerz versetzen.

smërz-, smërzen-lich adj. schmerzlich.

smetern swv. klappern, schwatzen.

smetzen swv. = *smackezen*; einen ton des wohlbehagens von sich geben, schmatzen; schwätzen, verleumden (vgl. *smatzen*).

smetzer stm. schwätzer, verleumder.

smicke swf. md. peitsche; schmiss, wunde.

smicke, sminke swf. schminke.

smicken, sminken swv. schminken.

smide stf. metall, schmuck davon.

smide-got stm. gott der schmiede, Vulkan. **-wërc** stn. schmiedearbeit; schmiede.

smiden swv. hämmern, schmieden.

smiechen stv. intr. rauchen.

smiegen stv. II, 1 tr. in etw. eng umschliessendes drücken, schmiegen (part. *gesmogen* angeschmiegt, anliegend; zusammengezogen, -geschmiegt, -gedrückt). — refl. sich zusammenziehen, -schmiegen, -ducken, sich unterwerfen; *sich mit dem tôde s.* sterben.

smiehe swf. eine entenart.

smiel, smier stm. das lächeln. **-hart** stm. der gerne lächelt.

smielen, smieren swv. lächeln (auch von tieren u. leblosen dingen).

smielisch, smier-lich adj. lächelnd.

sminke, sminken s. *smick-.*

smirer s. *smirwer.*

smirken swv. nach fett (*smër*) riechen, ranzig sein.

smirl, smirle stswm., dem. **smirlîn** stn., **smirlîn-tërze** swm., **smirlinc,** *-ges* stm. zwergfalke (mlat. *smerillus*, afz. *esmerillon*, vgl. *smërille*).

smirwe stf. bittergurke.

smirwe stf. schmiere. **smirwen, smirn, smërn** swv. schmieren, salben, bildl. bestechen.

smirwer, smirer stm. schmierer; schmeichler.

smirzen swv. = *smërzen.*

smit, *-des* stm. metallarbeiter, schmied (als schachfigur zweiter *vende*).

smitte swstf. schmiede.

smitze stswf. hieb, streich; fleck, makel.

smitzelîn stn. dem. zu *smitze, smiz.*

smitzen swv. tr. etw. spitziges schnell bewegen, zücken; mit ruten hauen, geisseln, züchtigen; schlagen überh.; anstreichen, beschmieren, bildl. beflecken, beschimpfen, beschädigen. — intr. eilig gehn, laufen.

smiuge stswf. die biegung, krümmung; ärmlichkeit, spärlichkeit, not.

smiz, *-tzes* stm. spitze; streich mit der rute; flecken; läufer, pferd.

smizen stv. I, 1 streichen, schmieren; schlagen.

smogen swv. = *smiegen.*

smollen swv. = *smielen*; aus unwillen schweigen, schmollen; schmarotzen, gieren.

smoln swv. ein brotkrümchen ablösen, verabreichen.

smolz adj. md. lieblich, angenehm; schön.

smorren swv. mfr. verdorren.

smotzen swv. schmutzig sein.

smouch stm. rauch, dunst.

smougen swv. refl. sich ducken.

smuc, *-ckes* stm. das anschmiegen, die umarmung; schmuck.

smücken, smucken swv. tr. in etw. eng umschliessendes drücken, zusammenziehen, an sich drücken, schmiegen (part. *gesmücket, -smuct* zusammengezogen, -geschmiegt; schlank, schmuck; verborgen). — refl. sich zusammenziehen, -schmiegen, ducken. — tr. kleiden, bekleiden *in*; schmücken (md.! dafür obd. *zieren*).

smunzeln, smunzen swv. = *smutzen.*

smurre swf.? wunde.

smurzen swv. schmerzen.

smutze-lachen, -munden swv. schmunzeln.

smutzen swv. den mund zum lachen verziehen, schmunzeln.

smutzen swv. = *smitzen*, streichen, schlagen; beflecken, herabsetzen, beschädigen; intr. in den gliedern reissen, zucken.

smutzer-liche adv. = *smuz-l.*

smutzern swv. schmunzeln.

smuz, *-tzes* stm. kuss.

smuz, *-tzes* stm. schmutz.

smuz-lich adj. lächelnd.

smuz-liche adv. zum küssen geeignet.

snabe stswf. mangel; *sunder sn.* ohne rückhalt.

snabel stm. schnabel; *sn.* an den schuhen, lange u. aufgekrümmte schuhspitze. **-liute** pl. mit einem schnabel versehene leute. **-ræze** adj. mund-, redescharf, geschwätzig, vorlaut. **-rûz** stm. schwätzer. **-snalle** swmf. schwätzer, schwätzerin. **-snellen** swv. schwatzen. **-vihe** stn. = *snabelliute.* **-weide** stf. weide für den mund, speise.

snabelëht adj. geschnäbelt.

snaben, md. auch **sneben** swv. schnelle u. klappende bewegung machen, schnappen, schnauben; hüpfen, springen, eilen; stolpern, straucheln, fallen; not, mangel leiden; wanken, wackeln. — tr. schupfen, stossen.

snacke swm. schwätzer, s. *snatersnacke.* **snacken** swv. md. schwatzen.

snâke swmf. schnake.

snâkelëht adj. hager wie eine schnake.

snal, *-lles* stm. rasche, schnellende bewegung (mit dem finger, der sehne usw.) u. der dadurch entstehnde laut; fang durch hart zusammenklappende eisen, das zuschlagen der falle; schnellgalgen.

snalle swf. schnalle, schuhschnalle; verächtlich für mund; altes geschwätziges weib; wassersuppe.

snallen swv. intr. mit einem *snalle* sich bewegen. — tr. mit geräusch des schnabels trinken. — stn. plötzliche bewegung, schnellen; das knallen.

snap, *-ppes* stm. das schnappen, der strassenraub; geschwätz, gekläffe; stswm. schwätzer. **-han** m. berittener wegelagerer (vgl. *strûchhan*).

snappe-liegen stv. schwatzend lügen.

snappen swv. intr. schnappen; wanken, straucheln; strassenraub treiben; plaudern, schwatzen. — tr. nach einem schnappen, ihn angreifen.

snapper, snepper stm. schwätzer, streiter.

snar, *-rres* stn. das schnarren, schmettern.

snar stf. md. strick, saite.

snarchen, snarcheln swv. schnarchen, schnauben. — stn. sternutatio.

snare s. *snur.*

snar-macher stm. md. seiler.

snarre f. einsaitiges instrument. **snarren** swv. schnarren, schmettern; schwatzen. **snarrenzære** stm. der auf der *snarre* spielt, herumziehender musikant ohne stand u. schule.

snarz stm. schnarre, wachtelkönig; das zwitschern der schwalbe; spottwort, schelte; spott, hohn, schande; unrat, makel, flecken; s. v. a. *nacsnarz* eine art kopfputz, haartracht?

snate, snatte swstf. strieme, wundmal.

snateren swv. schnattern, schwatzen. **snaterie** stf. geschwätz. **snater-snacke** swm. schwätzer.

snatzen swv. md. putzen, frisieren.

snâwen swv. schnauben, schnaufen.

snê, *-wes* stm. schnee. **-balle** swm., dem. **-bellîn** stn. schneeball. **-bërc** stm. schneeberg. **-blanc** adj. schneeweiss. **-blint** adj. geblendet vom schnee. **-dicke** adv. dicht gedrängt wie die schneeflocken. **-gelîche** adj. wie schnee, schneeweiss. **-gelle** swf. schneeschauer. **-gevar** adj. = *snêvar*. **-gris** adj. schneeweiss. **-klôȥ** stm. schneeball. **-sleif** stm. s. v. a. **-sleife, -sleipfe** f. grat eines gebirges, wo der schnee zu beiden seiten herabschmilzt. **-smëlze** f. dasselbe. **-stat** stf. beschneite stelle. **-var** adj. schneeweiss. **-vlocke** swm. schneeflocke. **-wiȥ** adj. schneeweiss, rein, glänzend.

snebelen swv. tr. mit einem *snabel* versehen. — refl. mit dem schnabel putzen. — stn. das schnäbeln.

snebeler stm. = *snabelliute*.

snebelîn stn. dem. zu *snabel*.

sneben s. *snaben*.

snëcke, snëgge swm. schnekke; schildkröte; belagerungsmaschine; eine art schiff; wendeltreppe.

snëgel stm. schnecke; blutegel.

sneise swstf. reihe, schnur, woran etw. gereiht ist.

sneiseln swv. = *sneiteln*.

sneisen swv. tr. aneinander reihen, verbinden; intr. reihenweise gehen, laufen.

sneite stf. durch den wald gehauener weg, durchstich.

sneitec adj. schneidend, scharf.

sneiteln, sneiten swv. schneiden; beschneiden, entästen.

sneit-tisch stm. verkaufstisch der *gewantsnîder*.

sneiȥe stf. = *sneise*.

snël, *-lles* adj. schnell, rasch, behende, frisch u. munter, gewandt, stark, kräftig, streithaft, tapfer, schnell bereit u. begehrend, eifrig (*gegen, ze* od. gen.). **-heit** stf. die eilende bewegung, die schnelligkeit, raschheit; eifer; kraft, streithaftigkeit, tapferkeit.

snëlle, snël adv. schnell, rasch.

snëlle stf. = *snëlheit*.

snëllec-heit, snëllikeit stf. = *snël-heit*. **-lich** adj., **-liche** adv. schnell, rasch, plötzlich.

snellen swv. abs. einen *snal* hervorbringen, schnalzen. — tr. *ein snellîn snellen* ein schnippchen schlagen; schnellen, fortschnellen. — intr. u. refl. fortschnellen, sich rasch bewegen, eilen.

sneller stm. läufer, rennpferd; penis; vorrichtung zum vogelfangen; gatter, fallgatter, bewegliche schranke, schlagbaum; schnellgalgen.

snëlles adv. schnell.

snël-lich adj. = *snëlleclich*.

snellîn stn. dem. zu *snal*, schneller, schnippchen.

snëpfe swm. schnepfe.

snepper s. *snapper*.

sneppisch adj. geschwätzig.

snerche s. *snurche*.

sneren swv. schwatzen, plappern.

snërfen stv. III, 2 refl. sich biegen, krümmen, einschrumpfen.

snërhen stv. III, 2, ahd. *snërhan* binden, knüpfen, zusammenziehen.

snerren swv. schwatzen.

snez, *-tzes* stm. hecht (dem. *snetzlîn*).

snêwec, -ic adj. schneeig; im schnee befindlich.

snidære, -er stm. schneider; s. v. a. *gewant-, tuochsnîder*; abschneider; der einschnitte, furchen macht; schnitter; schnitzer; als schachfig. dritter *vende*.

snide stf. schneide (des schwertes, messers usw.).

snidec, -ic adj. schneidend, scharf; stark, kräftig; zeitig, reif (vom getreide).

snîde-gast stm. kunde des *gewantsnîders*.

snîden stv. I, 1 abs. schneiden, schneidend eindringen *in* (*in diu ougen s.* = in die augen stechen), scharf sein. — tr. schneidend verwunden, verletzen: in teile schneiden, verschneiden (abs. speisen bei tischę zerschneiden; *gewant, tuoch snîden* ausschneiden, nach der elle verkaufen); abschneiden, trennen *von*; getreide usw. abschneiden, ernten abs. u. tr.; beschneiden, behauen; schneidend verfertigen, schnitzen, formen, bes. vom zuschneiden und anfertigen der kleider.

snîder-knappe swm., **-knëht** stm. schneidergeselle. **-meister** stm. schneider.

snîde-tac stm. erntetag.

snîde-wërc stn. schneiderarbeit.

snîe stf. schnee, schneegestöber.

snîen s. *snîwen*.

sniffen swv. zuhalten (die nase).

snipfen swv. md. *snippen* schnappen.

snit stm. schnitt, wunde (bildl. spitzige rede); beschneidung; einschnitt; schnitt mit der säge; schnitt, zuschnitt eines gewandes u. dgl., form überh.; heu- od. getreideschnitt, ernte (auch stn.); zeit der ernte: juli, august; bildl. gewinn; schneide, schärfe.

snitære, -er stm. schnitter.

snit-brôt stn. brot für die schnitter. **-louch** stm. schnittlauch. **-tac** stm. frontag im schnitt.

snite, snitte swf. schnitt, hieb; abgeschnittenes stück, schnitte; eisenschiene.

snittel, snitzel stn. dem. zu *snite* u. *sniz*.

snitzære, -er stm. schnitzer; bildschnitzer; armbrustmacher.

snitzen swv. in stücke schneiden; aus holz schnitzen, bes. bildschnitzen.

snitzerlinc, *-ges* stm. abfall der wolle beim scheren.

sniudel, snûdel stm. = *snûdære*.

sniudeln swv. schnauben (*einen an sn.*).

sniuzen swv. abs. u. tr. schneuzen; durch schneuzen auswerfen. — refl. (mit acc. od. dat.) sich schneuzen.

snîwen, snîen stv. I, 2 (praet. nicht belegt) u. swv. intr. schneien, wie schnee fallen. — tr. *einen snê sn.*

sniz, *-tzes* stm. schnitt; schnitte.

snœde adj. akt. verachtung ausdrückend, vermessen, übermütig, rücksichtslos. — pass. verächtlich, ärmlich und erbärmlich, schlecht, gering.

snœdec-heit, snœdekeit stf. ärmlichkeit, erbärmlichkeit, schlechtigkeit, niedrigkeit. **-lich** adj. ärmlich; **-liche** adv. schlecht.

snodelen swv. durch die (verstopfte) nase den atem einziehen od. ausstoßen.

snœdelinc, *-ges* stm. homo nequam.

snœden swv. vilipendere.

snoderen s. *snuderen*.

snopzen swv. = *snupferen*, s. *snupfen*.

snor s. *snur*.

snorche s. *snurche*.

snôs adj. mit worten anfahrend.
snöuden, snouden swv. schnaufen.
snöuwen, snouwen swv. schnauben, schnaufen; schnappen *nâch.*
snûdære stm., **snûde** swm. schnaufer, alberner mensch, tor.
snûde swf., **snudel** stm. nasenverstopfung, katarrh.
snûdel = *snûdære.*
snûden stv. II, 1 intr. schnaufen, schnarchen; zanken. — tr. spotten, spottend vorbringen.
snuder stmf. = *snudel*, s. *snûde.*
snuderen, snoderen swv. schnaufen, schnarchen.
snüerelîn, snüerlîn stn. dem. zu *snuor.*
snüeren swv. tr. mit schnüren versehen; binden, schnüren; an der schnur lenken, leiten, steuern; mit der schnur abmessen; einrichten. — intr. geleitet, geführt werden, fahren, sich wohin wenden.
snûfen stv. II, 1 schnaufen.
snûfer stm. schnaufer.
snuor s. *snur.*
snuor stf. schnur, band, seil (*sn.* zum umhängen des schildes; helmschnur; *sn.* an kleidungsstücken; haarschnur; bogenschnur; saite an musikal. instrum.; zeltschnur, im pl. auch zelt; seil des seiltänzers; schnur, woran die puppenspieler ihre puppen bewegen; messschnur u. bildl. für gerade richtung; planetenbahn; zona, plaga; richt-, rötelschnur des zimmermanns, bildl. *über die snuor houwen* das rechte mass überschreiten, *von der snuor verzern* vom grundstocke seines vermögens leben); berglehen von 7 klaftern. **-garn** stn. bindfaden. **-slac** stm. schlag mit der richtschnur der zimmerleute; bildl. *den sn. überhouwen* das rechte mass überschreiten. **-slëht, -slëhtes** adv. schnurgerade.
snupfe, snûpfe swmf. schnupfen.
snupfen, snupfezen swv. schnaufen; schluchzen.
snupfer, snûpfer stm. = *snûdære.*
snur, -rres stm. das schnurren.
snur, snuor stf. sohnes frau, schnur (md. auch *snor* u. *snare* swf., lat. nurus); auch meretrix.
snurche, snorche, snerche swf. dasselbe.
snurrære stm. possenreisser.
snurre stf. das schnurren.
snurren swv. intr. rauschen, sausen; sausend schnell fahren und fahren lassen; weidm. vom jagdhunde *sn. nâch* mit schnauben auf der fährte des wildes spüren; tr. durch *sn.* aufstöbern, erreichen.
snurrikeit stf. narrheit.
snürrinc, -ges stm. ein teil des weibl. kopfputzes (vgl. *gesnürre*); possenreisser, tor, narr.
snuz, -tzes stm. = *snûde.*
sô adv. (md. auch *sâ*) 1. demonstr. messend: so, in solchem grade, so sehr; vergleichend: in solcher weise (in beteuerungen: so wahr); auf etw. hinweisend od. hindeutend (ohne od. mit bestimmter beziehung auf ein gesagtes oder im sinne liegendes; anfangsworte eines satzes zusammenfassend; kausal zurückdeutend: dann, darum, deshalb; zeitliche beziehung andeutend: dann, ferner, hierauf; den übergang zu einem gleichmässigen fortschritte der rede andeutend; den übergang zu entgegengesetztem anzeigend: dagegen aber; im nachsatze auf den vordersatz hindeutend). — 2. relat. messend: als, so als; vergleichend: wie; so dass; in beteuerungen: so wahr als; einen gegensatz anzeigend: während doch; zeitl. beziehungen ausdrückend: als; kondit. wenn, so oft als; in kondit. u. konzess. substantiv-, adj.- u. adverbialsätzen vor (urspr. auch hinter) *wër, welch, wâ, war, wie* usw. s. *swër, swelch swâ* usw. — 3. für das pron. relat.
söben s. *siben.*
soc s. *suc.*
soc, socke stswm. socke.
soch-ein s. *sihein.*
söchen, sochen swv. siechen, kränkeln, abmagern; wie ein kranker od. toter liegen. auch unp. **sochunge** stf. das siechen, kränkeln.
söckelîn stn. dem. zu *soc.*
sodâle swm. genosse (lat. *sodalis*).
sœdelîn stn. dem. zu *sôt,* brühe.
sôdem stm. das sodbrennen.
sœden swv. ein *sôt* machen (*die sprewe* s. die spreu mit heissem wasser abbrühen).
sodomît m. sodomita.
sof s. *suf.*
soffel stm. pantoffel.
sô-getân, -tân adj. so beschaffen, solch.
soh-ein s. *sihein.*
sol s. *sul.*
sol, sole swf. schuhsohle; bergm. die grundfläche eines stollens.
sol, söl stm. kotlache.
sólaz stmn.? solatium.
sol-boum stm. schwelle.
solch, sölch s. *solich.*
soldamënt s. *soldimënt.*
soldân stm. sultan.
soldân stm. = *soldenære.*
soldât stm. sold, lohn (mlat. *solidata, soldata* der in einem *solidus* bestehende lohn).
sölde s. *selde.*
solden swv. lohnen, bezahlen. — abs. söldner anwerben, in sold nehmen.
soldenære, -er stm. soldkriegêr, söldner.
soldenen swv. besolden.
soldenier stm. = *soldenære.*
soldîe stf. sold, lohn.
soldier stm. = *soldenære.*
soldieren swv. = *solden.*
soldierse swf. soldatenweib.
soldimënt, soldamënt, -ënte stn. sold, lohn (umged. *soldimiete*).
soldîn stn. kleine münze (it. *soldo*, lat. *solidus*).
sol-gruobe f. kotgrube.
so-lich, solch, solh, sölch, sölh, sulch, sülch pron. adj. so gestaltet, so beschaffen, solch.
soligen, solgen, sulgen swv. tr. u. refl. mit kot beschmutzen, im kote wälzen.
soln, suln swv. dasselbe.
soln, scholn, suln, schuln an. v. verpflichtet, genötigt, bestimmt sein; zugehören; angemessen sein, gebühren, frommen, nützen mit od. ohne dp.; zu bezahlen schuldig sein, schulden mit dat. u. acc. — als hilfsverb müssen, sollen (öfter auch mit dürfen, wollen, werden zu übersetzen); in wunschsätzen s. v. a. konj. mögen; in frage- u. bedingungssätzen; zur umschreib. des futurs: werden, wollen; der konj. *solte* dient zur umschreib. des konj. prät.
sölre, solre, soller, sulre stm. söller, boden über einem gemache od. hause, vorplatz, flur im ersten stockwerke, laube, saal (lat. *solarium*).
sol-schaz stm. schadenersatz.
sol-stücke stn. schwelle.
solt, -des stm. lohn für geleistete dienste, sold; bezahlung; was zu leisten ist, schuld, pflicht, dienst (*durch — solt* um — willen); gabe, geschenk; unterstützung (mit anlehnung an das deutsche *soln* aus fz. *solde*, mlat. *solidus* schilling, löhnung). **-ritter** stm. ritter im solde.
son- s. *sun-.*
sonieren swv. tönen (lat. *sonare*).
sôpân s. *sûpân.*

sopel stn. md. saft, trank.
soppe s. *suppe.*
sôr adj. md. trocken, dürr.
sorc-(sorge-)haft adj. sorgend, besorgt, kummervoll. **-heit, sorkeit** stf. sorge, bitterkeit. **-(sorge-)lich** adj., **-lîche** adv. *sorge* erregend od. damit verbunden, gefährlich, bedenklich; sorge habend, besorgt, bekümmert, ängstlich. **-licheit** stf. gefährlichkeit. **-sam** adj. = *-lich*; sorgfältig, sorgend. **-sami** stf. sorgsamkeit. **-valt, -veltic** adj. sorgfältig, sorgend; besorgt, bekümmert; besorgnis erregend, gefährlich. **-veltekeit** stf. kümmernis, sorge; periculum.
sôren swv. md. *sôr* sein od. werden; tr. vernichten.
sorgære, -er stm. der für etw. sorgt, etw. besorgt; der in sorgen ist, der kummervolle, unglückliche. **sorgærîn** stf. die unglückliche.
sorge stswf. sorge, besorgnis, kummer, furcht; gefahr (bes. des kampfes). *s. hân zuo* sich besorgte gedanken machen über. **-bære** adj. sorge erregend. **-bære** swm. = *sorgære*, der unglückliche. **-haft, -lich** s. *sorc-*. **-lôs** adj. frei von sorge.
sorgen swv. besorgt, bekümmert sein mit gen. od. *nâch, ûf, umbe, ze.* — tr. mit sorge erfüllen.
sorgen-lære adj. = *sorgelôs.* **-riche** adj. reich an sorgen. **-wende** swmf. der od. die den kummer verscheucht.
sort s. *surt.*
sô-sulich, -sulch adj. = *solich.*
sot, sote m. narr, tor (fz. *sot*). **sot** adj. töricht.
sôt, *-des* stmn. das wallen, sieden (auch von hitzigen krankheiten); das aufwallen, bildl. das seufzen, der jammer; siedende flüssigkeit; wasser, in dem etw. gesotten ist, brühe als absud und speise; spülwasser; vom siedenden schwefel und pech der hölle, höllenpfuhl; brunnen, ziehbrunnen. **-brunne** swm. ziehbrunnen.
sô-tân s. *sôgetân.*
sôte swm. das wallen, aufwallen.
sôt-tuoch stn. = *sîhetuoch.*
souc, *-ges* stm. saft.
soufen s. *sûfen.*
soufen swv. untertauchen, versenken *in*, ersäufen; tränken.
sougen, söugen swv. säugen.
soul s. *sûl.*
soum stm. saum, genähter rand eines gewandes, übertr. land, grenze überhaupt: *der erden, des tôdes s.*
soum stm. last eines saumtieres; last als mass, urspr. so viel ein saumtier tragen kann (mit fz. *somme* aus gr. lat. *sagma*); saumtier. **-ros** stn. saumpferd. **-satel** stm. sattel eines saumtiers. **-schrîn** stm. *schrîn* (kasten) der auf ein saumtier geladen wird, reisekasten (vgl. *leitschrîn*).
soumære, söumære, -er stm. führer von saumtieren oder frachtwagen; das saumtier selbst; die last, die es trägt.
soumen swv. als *soum* auf saumtiere legen und fortschaffen.
sôȥe s. *süeȥe.*
spach adj. (nd. *spak*) dürr, trocken. **spache** swmf. dürres reisholz, dürres kleines brennholz. **spachen** swv. bersten machen, spalten. auch intr. sich spalten.
spâcheit s. *spâhheit.*
spacieren s. *spazieren.*
spade swm. spaten.
spæhe adj. von perss. weise, klug, scharfsichtig, schlau; herrlich, schön; wunderlich, launig, üppig. — von sachen: fein, geschickt, kunstvoll, schön; wunderbar, unbegreiflich, seltsam; wunderlich, spöttisch, übermütig, üppig. —, **spâhe** adv. zierlich, kunstvoll; seltsam, sonderbar, übermütig, üppig. — stf. weisheit, scharfsinnigkeit, klugheit, verschlagenheit; kunst, kunstfertigkeit, zierlichkeit; wunderliche, seltsame weise. **-lich** adj., **-lîche** adv. zierlich, kunstvoll.
spæhen swv. *spæhe* machen.
spahen stn. geschwätz.
spâh-heit, spâcheit stf. zierlichkeit, kunstfertigkeit.
spaht stm. geschwätz, lauter gesang.
spaldenier, spalier stnm. (entstellt *spanaröl, spanneröl, sponeröl*) die schultern (unter dem harnisch) deckendes gefüttertes kleidungsstück (afz. *espaulière*, it. *spalliera* schulterharnisch vom lat. *spatula* schulterblatt).
spalt stm. spalte, ritze, schlitz.
spalt stn. das abgespaltene.
spalte stf. spalte. **-korn** stn. spelt.
spalten redv. 1 spalten, zerbrechen, zerhauen (übertr. auch mit gs.?); intr. und refl. auseinanderbrechen, sich spalten.
spaltic adj. spaltbar.
span, *-nnes* stm. spannung; streitigkeit, zerwürfnis. **-banc** stf. *banc* zum spannen der armbrust. **-bette** stn. bett, dessen pfühl auf untergespannten gurten liegt, tragbett. **-gezouwe** stn. fischernetz das ausgespannt wird. **-gürtel** stmf. winde zum spannen der armbrust. **-kriec** stm. dasselbe. **-sënewe, -sënne** swf. sehne die gespannt wird; s. v. a. *spangürtel.*
spân stm. span, bes. holzspan (ein sp. aus der tür oder den pfählen eines hauses galt als symbol der besitznahme od. des dem gläubiger darauf zustehnden rechtes); einschnitt ins kerbholz; verwandtschaftsgrad (nach den einschnitten im kerbholze); hobelspanförmige ringelung der äussersten haare; zwist, streit. **-hâr** stn. caesaries (s. vorletzte bedeut. v. *spân*). **-niuwe** adj. ganz neu. **-wîn** stm. tropfwein.
spanaröl s. *spaldenier.*
spænec adj. streitig.
spænelîn, spænel stn. kleiner span; ringelung der haare.
spanen stv. VI locken, reizen, antreiben *zuo.*
spænen swv. zersplittern; *daȥ hâr sp.* ringeln.
spaneröl s. *spaldenier.*
spange s. *spanne.*
spange swstf. balken, riegel; band, spange, beschlag (bes. schild-, helmspange; zum heften eines kleides oder als schmuck); rand, die äussersten felderreihen des schachbrettes.
spangen stn. das sträuben, widerstandleisten.
spanne, spange stswf. breite der ausgespannten hand. **spanne-breit, -dicke, -lanc** adj. eine spanne breit, dick, lang. **-wît** adj. spannenweit.
spannen redv. 1 abs. u. tr. spannen, überh. jede tätigkeit, mit d. ein ziehen verbunden ist. *den bogen umbe sich sp.* umhängen; *der doner ist gesp.* gespannt (wie ein bogen), um den blitz abzuschiessen. — intr. sich dehnen, gespannt sein; gespannt, begehrlich od. freudig erregt sein.
spannen s. *spennen.*
spanner stm. spanner; ballenbinder und wagenlader.
spar stf. sparsamkeit, mangel. *sp. hân* schonen, sparen; *sunder, âne sp.* ohne verzug (s. *sparn*). **-heit** stf. sparsamkeit, mässigkeit.
spar, spare swm. sperling.
spar-âder f. krampfader.
spære, spêre, spêr f., meist swf. sphäre, ‘hof’ der sonne oder des mondes (gr. lat. *sphaera*, mlat. *sphera, spera*).
spargel, sparger stm. spargel (lat. *asparagus*).
spar-golze, -galze, spur-galze swm. ein teil der beinbekleidung.

spar-kalc stm. gips.
sparke swm. md. funke.
sparlinc, *-ges* stm. die frucht des *spërboumes*.
sparn swv. sparen, schonen, verschonen, erhalten mit acc., gen.; zögern, versparen, aufschieben, unterlassen, *einen sp.* hinhalten, negiert: kurzen prozess mit einem machen (*sunder sparn* ohne verzug; vgl. *spar*).
sparre swm. stange, balken; querbalken in einem wappen.
sparren swv. mit (dach-)balken versehen.
sparwære s. *sperwære*.
sparwe, sperwe swm. = *spar* 2.
spat stmf. kniesucht der pferde.
spât stm. blättricht brechendes gestein; splitter.
spæte adj. —, **spâte, spât** adv. spät. **spæte, spâte** stf. späte zeit, abend-, nachtzeit.
spatel stf. schmales u. flaches schäufelchen (lat. *spatula*).
spâten swv. spät werden.
spæten, spâten swv. tr. etw. zu spät tun. — refl. sich spät einstellen, verspäten. — abs. säumen.
spâtic adj. spät.
spâtic adj. *spât* enthaltend.
spaz, spatze stswm. sperling (obd. koseform zu *spar* 2, vgl. *sperc*).
spazieren, spacieren swv. spazieren (mlat. *spatiari*, it. *spaziare*).
spëc, *-ckes* stmn. speck. **-swin** stn. mastschwein.
spëcie f. spezerei (lat. *species*).
spëcierie, spëzerie stf. dasselbe.
spëciger, spëcier stm. spezereihändler.
spëcke, spicke swf. md. knüppelbrücke, knüppeldamm.
spëculieren swv. speculari.
spëdel s. *spidel*.
spëhære, -er stm. (alem. auch *spieher*) späher, kundschafter, spion; vorausseher.
spëhe stf. prüfendes, aufmerksames betrachten, untersuchung, erforschung, kundschaftung, aufpassen, lauer; persönl. die späher, kundschafter.
spëhen swv. schauen, betrachten (suchend od. kundschaftend, beurteilend oder wählend).
spëhendic adj. prüfend, sich auf etw. verstehend.
spëht stm. specht.
spëht, spëhter stm. schwätzer.
spehten swv. schwatzen.
speiche swf. radspeiche.
speiche, speich m. f., **speichel** swstf. speichel.
speicheln swv. ausspeien.
speicholter stf. = *speichel*.
speien swv. tr. bespeien, verspotten.
spël, *-lles* stn. (dichterische) erzählung, erdichtung, sage, fabel, märchen; leeres und albernes gerede; gegenstand des geredes. **-mære** stn. erdichtete, lügenhafte erzählung.
spëllen swv. abs. erzählen; reden, schwatzen. — refl. märchenhaft werden.
spëlte, spilte swf. abgespaltenes holzstück, bes. lanzensplitter; handgerät der weberei.
spëlte, spëlze f. spelt (lat. *spelta*).
spëltel stn. kleine spalte.
spëlter, spilter m. f. abgespaltenes holzstück, scheit; bes. lanzensplitter; bildl. einer der doppelseitig sich zeigt, spion.
spëlze s. *spëlte*.
spen stf. muttermilch, **-brust** (s. *spünne*).
spënâlde s. *spënel*.
spëndære stm. spender.
spënde stswf., alem. auch *spiend*, geschenk, gabe, almosen sowie die austeilung desselben (mlat. *spenda*). **-meister** stm. almosenpfleger.
spënden swv. als geschenk austeilen, almosen geben (mlat. *spendere* vom lat. *expendere*).
spënder-ambet stn. almosenamt.
spëndiere swm. = *spendære*.
spënel, spëndel f. stecknadel; umgedeutscht *spënâlde* (lat. *spinula*).
spënelinc, spinlinc, spillinc, *-ges* stm. frucht des gemeinen pflaumenbaumes (*spënelinc-*, *spinlinc-*, *spillinc-boum*), spilling.
spenen swv. = *spanen*, lokken, reizen, antreiben *ûf, zuo; ab sp.* abwendig machen; *ein kint sp.* von der mutterbrust entwöhnen.
spenge stn. = *gespenge*.
spengel stm. eine falkenart.
spengeler stm. blechschmied.
spengelin, spengel stn. dem. zu *spange*.
spengeln swv. mit *spangen* versehen oder verbinden.
spengen swv. dasselbe. *in purpur sp.* kleiden. — refl. sich zusammenziehen, sperren, widerstand leisten.
spen-kar stn. gefäss mit einer lockspeise.
spenne stn. coll. zu *span*, zerwürfnis.
spennen, spannen swv. spannen, dehnen.
spennic adj. eine spanne lang.
spennic adj. = *spænec*.
spenst stfn. = *gespenst*, verlockung.
spen-sû stf., **-varch** stn. milchferkel, **-vihe** stn. noch saugendes vieh.
sper s. *spör*. **spêr** s. *spære*.
spër stn. m. speer (die ritterl. waffe zu wurf und stoss), als längenmass, als zeichen der reichsmacht; speerspitze.
sperbære s. *sperwære*.
spër-, spir-boum stm. sperber-, vogelbeerbaum. **-brëchen** stn., **-bruch** stm. das brechen, krachen des speeres od. der speere. **-halp** adv. auf der speerseite, rechts. **-îsen** stn. die eiserne spitze des speers. **-knappe** swm. fusskrieger mit einem speere. **-krach** stm. = *spërbruch* **-lîn** stn. kleiner speer. **-ros** stn. turnierpferd. **-schaft** stm. speerschaft, **-schîbe** swf. die scheibe am griffe des speeres. **-stange** swf., **-stecke** swm. speerschaft. **-stich** stm. speerstich. **-tief** adj. die länge einer speerspitze tief. **-wëhsel** stmn. umtausch von speeren, speerkampf. **-weide** stf. der weg, welchen die speere zu nehmen pflegen. **-wîte** stf. strecke die ein speer durchfliegt.
sperbære s. *sperwære*.
sperc, sperke, sperche m. f. sperling (md. koseform zu *spar*, vgl. *spaz*).
spêre s. *spære*.
sperer stm. sparer.
sper-lachen stn. ausgespanntes tuch.
sper-liche adv. auf spärliche, karge weise.
sperlinc, spirlinc, *-ges* stm. sperling.
sperre stf. klammer, riegel, schloss (eines buches).
sperrëht adj. sparrenartig.
sperren, spirren swv. mit *sparren*, dachbalken versehen; einschliessen (durch einen vorgeschobenen *sparren*, riegel); zuschliessen, verschliessen, sperren; verhindern, verhüten; an-, auseinanderspannen, dehnen. — refl. sich spreizen, widersetzen mit gs.
sperrer stm. verschliesser.
sperr-haft adj. verschliessbar; verschlossen.
sperric adj. worauf beschlag gelegt werden kann, widerstrebend.
sperrunge stf. hinderung; arrestation.
sper-vogel stm. sperling.
sperwære, sparwære, sperbære, -er stm. geringere, von sperlingen (*spar*) lebende falkenart, sperber.
sperwe = *sparwe*., s. *spar* 2.
spëtel s. *spitâl*.
spetel stn. lamm.
spet-knëht stm. knecht für

untergeordnete dienste. **-meister** stm. stellvertreter des vorsitzenden.

spetzelîn, spetzel stn. dem. zu *spaz*.

spëzerîe s. *specierîe*.

spîche swm. = *speich*, speichel.

spîcher stm. speicher.

spîcher, -nagel stm. md. eine art kleiner nägel.

spicke s. *spëcke*.

spicken swv. mit *spëc* bestecken, spicken, bildl. mit etw. gut versehen.

spidel, spëdel stm. splitter; fetzen, lappen.

spie stswf. speichel; das erbrechen.

spiegel stm. spiegel (von metall oder glas), bildl. vorbild, muster, das höchste (*der engele s.* gott); titel verschiedener belehrung gebender bücher; kleiner handspiegel als putzgerätschaft der frauen, in der hand getragen od. an einer seidenen am halse hängenden schnur; brille (it. *speglio* aus einem mlat. *spegulum*, lat. *speculum*). **-brûn** adj. glänzend wie ein *sp*. **-glas** stn. spiegel, glasspiegel; ebenbild; ideal. **-holz** stn. hölzerner spiegelrahmen. **-klâr** adj. adv. hell wie ein *sp*. **-lich** adj. spiegelartig. **-lieht** adj. hell wie ein *sp*. **-lûter** adj. = *-lieht*. **-schîbe** swf. spiegelscheibe, spiegel. **-schîn** stm. spiegelglanz. **-schouwe** stf. das schauen in den spiegel, spiegelbild. **-schouwen** swv. speculari. **-schouwer** stm. speculator. **-smitte** stf. fabrik von metallspiegeln. **-snuor** stf. band zum auf- oder umhängen des spiegels. **-var** adj. spiegelblank. **-vaȥ** stn. ideal (anrede an die frau).

spiegelære, -er stm. spiegelmacher.

spiegelîn adj. spiegelglatt.

spiegellîn stn. dem. zu *spiegel*.

spiegeln swv. intr. wie ein spiegel glänzen. — tr. hell wie einen spiegel machen (part. *gespiegelt* = *spiegelîn*).

spiegelunge stf. glänzender widerschein, spiegelung.

spieher s. *spëhære*.

spiel stm. splitter.

spiend s. *spënde*.

spieȥ stm. spiess (kampf-, jagdspiess); mit einem spiess bewaffneter krieger, spiessträger. **-genôȥ** stm. spiessgeselle.

spieȥe swm. = *spieȥer*.

spieȥen swv. spiessen *ûf*.

spieȥer stm. mit einem spiess bewaffneter krieger.

spieȥlîn stn. dem. zu *spieȥ*.

spil stn. tanz, zeitvertreib, scherz, unterhaltung, vergnügen (*s. trîben ûȥ einem* ihn verspotten); saitenspiel, musik; schauspiel; waffen-, kampfspiel, turnier; spiel zweier um gewinn und verlust auf dem brett, mit würfeln u. dgl.; wettkampf (*spil teilen* zum wettkampf fordern, etw. zur wahl vorlegen; *ungeteilteȥ sp.* ungleiches zur auswahl); euphem. für beischlaf, für weibl. geschlechtsteile. **-bal** stm. spielball. **-brët** stn. spielbrett. **-buoch** stn. spielbuch. **-genôȥ** stm. spielkamerad, gespiele. **-geselle** swm. dasselbe; gespielin; genosse od. gegner im kampfe. **-gevelle** stn. chance im spiel, glückl. spiel. **-grâve** swm. vorgesetzter der spielleute. **-hûs** stn. haus für die schaustellungen der gaukler; gemeinde-, gerichtshaus. **-lichen** adv. auf glänzende, strahlende weise. **-liute** pl. zu **-man** stm. spielmann, fahrender sänger, musikant, gaukler. **-rote** stf. rotte von spielleuten; gesellschaft von spielern. **-schîbe** swf. = *spilbrët*. **-stein** stm. brettstein. **-stube** swf. stube in der man sich vergnügt, bes. mit tanzen. **-vëlt** stn. = *spilbrët*. **-vogel** stm. vogel mit dem man spielt, bildl. geliebter, buhle. **-wîp** stn. musikantin, gauklerin.

spil, spile mf. = *gespil*.

spil stm. spitze.

spilære, -er stm. spieler.

spilde s. *spilnde*.

spilendic adj. spielend.

spilen s. *spiln*.

spil-gewin stm. erwerb mit der spindel (*spille*).

spille s. *spinnel*.

spille-macher stm. spindelmacher, dreher.

spillinc s. *spënelinc*.

spil-mâc s. *spinnelmâc*.

spiln, spilen swv. intr. scherz treiben, sich vergnügen (mit leibesübungen, im ritterlichen kampfspiele, im minnespiel) ohne od. mit gs.; vom brett- od. würfelspiele, mit gen.; sich lebhaft bewegen vor vergnügen oder verlangen (*mit einander sp.* coire); fröhlich sein; zuckend leuchten, blinken. — abs. als *spilman* spielen, musizieren (mit dp. einem etw. vorspielen, überh. eine unterhaltung bereiten). — tr. u. abs. ein spiel machen, spielen (spiel ums geld, wett-, kampf-, schauspiel u. dgl.).

spiln stn. ritterspiel, turnier.

spilnde, spilde part. adj. zu *spiln*.

spilte, spilter s. *spëlt-*.

spin s. *spint*.

spinât stm. spinat (lat. *spinacia*).

spinge swf. ein vogelname (mlat. *spinca, spinga*).

spinlinc s. *spënelinc*.

spinne swf. spinne; spinnerin.

spinnel, spindel, spinele, spille stswf. spindel; etwas spindel-, walzenförmiges. **-sûl** stf. spindelförmige säule.

spinneler, spinler stm. spindelmacher.

spinneln (*spendeln*) swv. mit spindeln versehen.

spinnel-, spil-mâc stm. verwandter von weibl. seite.

spinnen stv. III, 1 spinnen; weben.

spinnerin stf. frau, die sich vom spinnen ernährt.

spinne-(spinnen-)weppe stn. spinnengewebe. **-wët** stn. dasselbe.

spint, -des, spin stm. fett, schmer; der junge, weiche holzstoff zwischen rinde u. kern eines baumes.

spint stn. schrank.

spir-boum s. *spërboum*.

spîre swf. die spier-, turmschwalbe.

spîrer stm. uferschwalbe.

spirlinc s. *spërlinc*.

spirren s. *sperren*.

spirzel stm. speichel.

spirzen, spürzen, spirzeln, spürzeln swv. speien, spucken.

spîsære, -er stm. der speisen verabreicht oder austeilt, speise-, proviantmeister, truchsess; der speise empfängt, pfründner.

spîse stswf. speise, kost, lebensmittel; eigene haushaltung; glockenspeise (mlat. *spesa* für *spensa* von *spendere*, lat. *expendere*). **-brôt** stn. brot für die dienstboten, hausbrot. **-gadem** stn., **-kamer** f. speise-, vorratskammer. **-kouf** stm. handel mit lebensmitteln. **-krût** stn. gewürze für speisen. **-lich** adj. zur speise dienend. **-lôs** adj. ohne *spîse*. **-lust** stf. esslust. **-wagen** stm. proviantwagen. **-wîn** stm. gewöhnlicher tischwein. **-wurz** stf. = *-krût*.

spîsen swv. tr. u. refl. zu essen geben, speisen, beköstigen, nähren; mit lebensmitteln, proviant versehen (*für sich s.* weiterwandern); metalle *spîsen* miteinander mischen.

spîsunge stf. speisung; proviant.

spitâl stm. n. spital, pflege-, krankenhaus, johanniterorden; verkürzt *spitel, spittel*, md. *spëtel* (lat. *hospitale*). **-meister** stm. aufseher, verwalter eines sp.s. **-sieche** swm. kranker in einem sp.

spitâlære, spitteler stm. hospitaliter, Johanniter; vorsteher eines *spitâls* der Johanniter; mitglied des ordens der spitalbrüder in Rom; s. v. a. *siechmeister*.

spitâlisch adj. im spitale liegend, krank.

spitel, spittel s. *spitâl*.

spitz, spitze s. *spiz*.

spitze stswf. spitze, spitzes ende irgendeines d.; astr. polus, vertex, acumen; schnabel an den schuhen; landspitze; keilförmige schlachtordnung.

spitzec, -ic adj. spitzig.

spitzelîn stn. dem. zu *spitze*.

spitzelinc, -*ges* stm. stachel.

spitzen swv. tr. *spiz* machen, spitzen, zuspitzen; mit spitzen versehen, zieren. spitzig reden (intr. u. refl.). refl. *spiz* w.; etw. mit hoffnung u. sehnsucht erwarten, worauf lauern (intr. mit abh. s., mit gen. od. *ûf*).

spitzen-lich adj. = *spiz*.

spitzer stm. der etw. spitzt, zuspitzt.

spitz-liute pl. avantgarde.

spitz-mûs stf. spitzmaus.

spiunge stf. das speien.

spiutzen, spûtzen swv. speien.

spîwen, spîen stv. I, 2 (sg. praet. auch *spei* statt *spê*) u. swv. (md. *spûwen, spûen*) speien, ausspeien; an-, bespeien.

spiz, spitz, *-tzes* stm. spitze; pfahl, palisade; keilförmige schlachtordnung.

spiz, spitze adj. spitz, spitzig. **-liche** adv. spitz.

spiȥ, *-ȥȥes* stm. bratspiess; holzspiess, splitter. **-brâte** swm. spiessbraten. **-glas** stn. spiessglas. **-holz** stn. schlanke und weiche gerte, spiessrute. **-leip** stn. spitzer brotlaib, spitzwecke. **-vogel** stm. vogel der am spiesse gebraten wird. **spiȥȥel** stn. kleiner bratspiess. **spiȥȥen** swv. an den bratspiess stecken.

spliȥe swf. md. abgespaltener span.

spliȥen stv. I, 1 md. tr. spalten, trennen. — intr. sich spalten, abtrennen, bersten.

sponeröl s. *spaldenier*.

sponge swm. schwamm (lat. *spongia*).

spons stf. braut (lat. *sponsa*).

sponsieren, sponzieren, spunzieren swv. verloben, vermählen; tändeln, zärtlich sein als oder wie verlobte untereinander, buhlen (lat. *sponsare*).

spor stn. m. fährte, spur.

spor, spore swm. sporn. **-lôs** adj. ohne sporn. **-niuwe** adj. spornneu, ganz neu (vgl. *nagelniuwe*). **-rat** stn. spornrädchen. **-(sporn-) slac** stm. schlag, druck mit den sporen.

spör, spöre, sper adj. hart vor trockenheit, rauh.

sporære, -er stm. sporenmacher; ein sektenname.

sporlîn stn. kleiner sporn; rittersporn (pflanze).

sporn swv. spornen.

sporte swm. schwanz, schweif; junger galan.

spot, *-ttes* stm. spott, verspottung, hohn, schmach; zweifel, sünde; gegenstand des spottes; scherz, spass (*ûȥ dem spotte gân* ernst werden; *âne, sunder sp.* im ernst). **-haft** adj. spöttisch. **-kleit** stn. der purpurmantel, den die Juden Christo umhängten. **-(spöt-)lich** adj., **-liche** adv. spöttisch, höhnend; verspottenswert, verächtlich. **-liet** stn. spottlied. **-rede** stf. spottrede. **-wort** stn. spöttisches Wort.

spottære, -er stm., **spotte** swm. spötter.

spottec, -ic adj. spöttisch, höhnisch. **-heit** stf. spöttisches wesen, hohn. **-liche** adv. im spott, mit hohn.

spotte-lachen swv. spottend lachen über (gen.). **-spæhe** adj. sich auf spott verstehend.

spöttele swm. spötter.

spotten, spoten swv. hohn, gespött treiben, abs. oder mit gen. — tr. verhöhnen, verspotten; abs. scherzen, spassen.

spotterîe stf. spott.

spöttischen adv. im spott.

spozen swv. md. = *spotten* mit gen. (aus *spotsen*, ahd. *spotisôn*).

sprâche stswf. das vermögen zu sprechen, die sprache; *ander sp.* mit andern worten; sprache als kennzeichen der volkstümlichkeit; art und weise wie man spricht; rede; ansprache; ausspruch; gespräch, besprechung (auch rechtlich ordnende), beratung; rede und gegenrede vor gericht, gerichtl. verhandlung; gericht.

sprâchen swv. tr. sprechen, gespräch halten; abs. reden, schwatzen; abs. u. refl. mit einem ein gespräch haben, sich besprechen, beraten.

sprâch-hûs stn. rathaus; abtritt. **-kamer** f. abtritt. **-lôs** adj. frei von ansprache; der nicht spricht od. antwortet. **-man** stm. redner.

spræchic adj. gesprächig, beredt.

spræjen, spræwen swv. intr. spritzen, stieben. — tr. spritzen, stieben od. sprühen machen, streuen.

sprangen swv. springen, aufspringen.

spranke swf. md. locusta.

spranz stm. spalt, riß, das aufspringen, aufspriessen (der blumen), glanz, zierde; das sich spreizen, zieren; geck, stutzer.

spranze swm. der einherstolziert (s. *sprenze*).

spranzelieren swv. einherstolzieren.

spranzen swv. dasselbe.

sprât stm. das spritzen.

sprauze swm. bürge (böhm. *spráwce*).

spræwen s. *spræjen*.

sprëch stn. das sprechen.

sprëchære, -er stm. sprecher; schwätzer; lied-, spruchsprecher, der gedichte (anderer od. eigene) vorträgt.

sprëche-lich adj. beredt.

sprëchen stv. IV mit persönl. subj. intr. sprechen, sagen, reden (gegens. zu *singen*); *în, ûf, abe* über, von etw. *für sich sp.* fortfahren, weitererzählen; mit dp. von einem sprechen; ihm einen namen geben, ihn nennen (der name im nom. od. dat.). — tr. mit ap. mit einem reden, sich mit ihm besprechen, mit as. (mit od. ohne dp. od. präpp.) sprechen von, aussprechen etc., *einem einen tac, hof, turnier sp.* ansetzen, anberaumen, bestimmen, ansagen; *einem ein dinc spr.* zusprechen; *ein dinc spr., eȥ spr. gein* damit meinen; *ein dinc an einen spr.* verlangen; *eȥ billich spr.* gutheißen; *an eines dinc spr.* sich in jemandes angelegenheiten mischen. — refl. sprechen, sich äußern. — mit sachl. subj. intr. tönen, lauten; bedeuten, heissen.

sprëckel stn. sprenkel.

sprëckelëht, sprickelëht adj. gesprenkelt.

spreide stf. ausdehnung, zerstreuung; strauch, busch.

spreiten swv. spreiten, ausbreiten, überdecken. — refl. sich hinwerfen (zum gebet vor Mohamed).

sprengel stm. büschel, bes. der weihwedel.

sprengen swv. das ross springen lassen, galoppieren (mit od. ohne obj. *ros*); mit ap. einen angreifen u. springen machen; mit as. sprengen, streuen, spritzen, bespritzen; aus verschiedenen farben mischen. bunt machen, sprenkeln.

sprënkelëht adj. = *sprink-*, s. *sprëck-*.

sprenze swm. geck, stutzer (s. *spranze*); regen. **sprenzel, sprenzelære** stm. geck, stutzer. **sprenzelieren** swv. = *spranz-*. **sprenzeln** swv. tr. u. refl. schmücken, putzen.

sprënzen stv. III, 1 intr. in verschiedenen farben glänzen.

sprenzen swv. tr. sprengen, spritzen; bunt schmücken, putzen, sprenkeln. — intr. u. refl. sich spreizen, einherstolzieren.
sprenzinc, *-ges* stm. = *sprenze.*
spretzen swv. spritzen.
sprich-wort stn. geläufiges wort, sprichwörtl. redensart, sprichwort; rätsel.
sprickelëht s. *sprëckelëht.*
sprîden stv. I, 1 sich ausbreiten, sich zerstreuen, zersplittern.
sprieȥ stm. das hervorspriessen, hervorgesprossene (bildl. nutzen), zweig, arabeske; das entspringen (von quellen).
sprieȥen stv. II, 2 (md. *sprûȥen*) spriessen; auseinander, empor wachsen.
sprinc, *-ges* stnm. sprung; quelle. **-lîche** adv. *spr. stân* ungeduldig dastehen. **-burne, -brunne** swm. springbrunnen.
sprindel, sprundel swmf. md. lanzensplitter.
springal, springolf stm. eine wurfmaschine, geschoss dazu (afz. *espringale*)
springen stv. III, 1 intr. springen, tanzen; eilend gehn, laufen (*zesamene spr.* in den kampf eilen, zunächst von zwei kämpfern); entspringen, hervorquellen; wallen; entspriessen, wachsen. — tr. *einen sprunc, reien, tanz spr.*; über etw. springen.
springer stm. springer, tänzer, gaukler. **springerinne** stf. tänzerin (Salome).
sprinke swf. fallschloss. m. heuschreck.
sprinkel stm., **sprinkelëht** adj. s. *sprëck-*. **sprinkelmeil** stn. sommersprossen.
sprinz stm. das aufspringen, -spriessen (der blumen).
sprinze swm. lanzensplitter; flimmerndes stück.
sprinze swf. sperberweibchen (so benannt von der gesprenkelten brust).
sprinzelîn, sprinzel stn. kleiner hautflecken; kleines sperberweibchen.
sprinzeln swv. mit den augen blinzeln.
sprinzen swv. = *sprenzen,* bunt schmücken.
sprîten stv. I, 1 spreiten.
spriu, *-wes* stn., auch stf. spreu; bildl. das geringste.
spriuȥe, spriuȥ stf. stütze, stützbalken; das sichsperren, spreizen.
spriuȥen swv. tr. u. refl. stützen, spreizen, stemmen.
spriȥe swm. **spriȥel** stswm. span, splitter, bes. lanzensplitter.
sprîȥen stv. I, 1 in stücken, splittern, auseinanderfliegen.
sprotzen swv. ausspeien.
sproȥ, sproȥȥe s. *spruȥ.*
sproȥȥe swmf. leitersprosse, stufe.
spruch stm. was gesprochen wird, wort, vers, rede (spez. vom schönen, dichterischen ausdrucke gebraucht); nicht gesungenes kleineres gedicht; ausgezeichneter ausspruch, sinnspruch, sentenz; sprichwort; zauberspruch; richterl. ausspruch; aussprache, locutio; anspruch, rechtl. forderung od. klage. **-brief** stm. schriftl. entscheidung des richters od. schiedsrichters. **-liute** pl. zu **-man** stm. schiedsrichter.
sprunc, *-ges* stm. sprung; sprung eines tieres, bes. galopp des pferdes (*in sprunge, ensprunge gên*); das hervorspriessen; ursprung, quell (*von sprunge gên, varn* beginnen).
sprundel s. *sprindel.*
sprunkelëht adj. = *sprëckelëht.*
sprütze swv. spritze; feuerspritze.
sprützen swv. spritzen; sprossen.
spruȥ spruȥȥe, sproȥ sproȥȥe stswm. was hervorsprosst, schössling.
sprûȥen s. *sprieȥen.*
spruȥ-val adj. md. fahl und gefleckt.
sprüȥȥel stm. leitersprosse, stufe.
spüelach stn. spülicht.
spüelen swv. spülen.
spûen s. *spîwen.*
spulgen swv. pflegen, gewohnt sein, gebrauchen mit gen., mit inf., mit part. od. untergeord. s.
spüne spune, spünne spunne stf. n. mutterbrust, pl. brüste (auch stm.); muttermilch.
spünne-bruoder stm. milchbruder. **-verhelîn** stn. milchferkel.
spünnen swv. säugen.
spunt, *-tes*; **punt,** -e stswm. stn. spund, spundloch; dickes brett mit einem spunde (falz) am rande; eingerammte pfähle eines rostes.
spunzieren s. *sponsieren.*
spuole, spuol swstm. spule, bes. die weberspule; röhre; federkiel.
spuon anv. unpers. mit dat. von statten gehn, gelingen; *im eines d. sp. lâȥen* sich etw. angelegen sein lassen, sich womit sputen, es beschleunigen.
spuot stf., ndrh. *spût* glückliches fortschreiten, gelingen; schnelligkeit, beschleunigung.
spuot adj. glückl. fortgang habend, erfolgreich.
spür, spur stn. f. = *spor* stn. (*mit spur* der spur nach).
spur-galze s. *spargolze.*
spur-halz adj. lahm.
spür-hunt stm. spürhund.
spurkel f. ndrh., **spurkelmânôt** stm. februar.
spürn swv. der fährte des wildes suchend nachgehn, überh. etw. aufsuchen, spüren, wahrnehmen (*einen sp.* seiner spur folgen).
spürnen swv. spornen.
spürzeln, spürzen s. *spirz-*.
spût s. *spuot.*
spûtzen s. *spiutzen.*
spûwen s. *spîwen.*
squâme, squâm f. schuppe (lat. *squama*).
staben swv. intr. starr, steif werden, sich steifen (in *er-, ge-, verstaben*). — tr. mit einem stabe versehen; leiten, anweisen (mit gs. od. *zuo*); zuweisen, einweisen, zu eigen übergeben; *einem den eit staben* od. bloss *einem staben* den eid vorsagen, abnehmen (unter berührung des richterl. stabes); *die rede st.* formulieren.
stabe-swërt stn. dolch.
stabunge stf. beeidigung.
stachel stm. stachel.
stade s. *state.*
stade swm. gestade, ufer.
stadel stm. scheune, scheunenartiges gebäude; herberge, wohnung; *des kriuzes st.* stamm. **-hof** stm. herrenhof, -stall. **-meister** stm. besitzer eines *stadels,* einer herberge. **-trôn** stm. standpunkt eines sternes u. gleichsam dessen thron. **-wîse** stf. melodie zum tanz in der scheune.
stadelære, -er stm. aufseher über den *stadel*; inhaber eines *stadelhoves.*
stadelen swv. vor gericht stellen (vgl. *studelen*).
staden swv. landen, an dem gestade sich sammeln.
stadie stf. stadion (längenmaß).
staf s. *stap.*
staffel s. *stapfel.*
stahel, stâl stmn. stahl; stählerne rüstung, stählerne panzerringe; stahlbogen der armbrust; *st. trennen* turnieren. **-biȥe** swm. stahlbeisser: schwert. **-bleich** adj. bleich wie stahl. **-gewant** stn. stählerne rüstung. **-herte** adj. stahlhart. **-huot** stm. stahlhelm. **-kleit** stn. = *stahelgewant.* **-rinc** stm. panzerring von stahl. **-schal** stm. lärm der stahlrüstung. **-spange** swf. stahlstück an der rüstung. **-stange** f. stange von stahl. **-starc** adj. kräftig wie st. **-vaȥ** stn. stahlgefäss: helm. **-veste** adj. fest, hart wie stahl. **-wât** stf. = *stahelgewant.* **-wërc** stn. dasselbe. **-zein** stm. z. von stahl.

stahelen, -în s. *stehelen, -în.*
stal, -lles stm. n. steh-, sitz-, wohnort; stand; ort zum einstellen des viehes, stall. — *stal* n. (in Compositis:) gestalt, gestelle, stütze. **-boum** stm. hoher alter waldbaum (?), vgl *stele.* **-gëlt** stn. stallgeld; s. v. a. *stantgëlt.* **-gesinde** stn. stallgenossenschaft. **-miete** stf. = *stalgëlt.* **-tage** swm. waffenstillstand, friedensverhandlung.
stâl s. *stahel.*
stalde swm. steiler weg.
stâlen, stælen s. *stehelen.*
stâlîn, stælîn s. *stehelîn.*
stallen s. *stellen.*
stallunge stf. stellung, das sicheinfinden an einem bestimmten orte; waffenstillstand, friedensverhandlung, -vertrag; stallung, stall, ställe; herberge.
stalt stm. besitzer (in *hage-, vrîheitstalt*).
stalt stf. = *gestalt.*
stam, -mmes stm., **stamme** swm. stamm, baumstamm; grund, quelle, ursache; geschlechtsstamm, geschlecht, abstammung; sprössling eines geschlechts; stück, abschnitt (einer erzählung); *des kriuzes st.* arbor crucis.
stamelen, stamlen, stammeln, stammern swv. stammeln.
stameler, stemeler, stamerer stm. stammler.
stammen swv. abstammen *von.*
stampenîe, stempenîe stswf. eine liedergattung heitern inhalts, gewöhnl. zur fiedel gesungen; zeitvertreib, unnützes werk; ein kunstausdruck der meistersinger (wohl die kunst von zerspaltung der lieder); afz. *estampie,* lt. *stampania* vom deutsch. *stampfen.*
stampf stm. werkzeug zum stampfen, stampfmaschine, -mühle, mörserkeule (bildl. u. persönl. klotz); werkzeug zum stempeln; mörser.
stampfen swv. stampfen, zerstossen; enthülsen.
stân, stên, standen anv. (stv. VI) an einer stelle sich befinden, stehn, zur seite stehn, stehn bleiben, stille stehn, beharren, beruhen auf etw. (*lâ stân* lass sein wie es ist, lass genug sein, höre auf!); stand halten, fortbestehn, dauern, *st. in, ûf* beharren; sich verhalten, sich befinden, sein; *st. ûf einen* feindlich entgegentreten; anstehn, ziemen mit dat.; zu stehn kommen, kosten; *st. nâch* streben, gerichtet sein; sich stellen, treten (*von dem rosse st.* absitzen); mit inf. anfangen, beginnen; *ez stât mir wol* es geht mir gut; *wol st.* von der kleidung; *daz rîche stât an einem* hängt von ihm ab; *diu schrift, der brief stât* lautet.
stanc, -kes stm. geruchssinn; wohlgeruch; gestank.
standart s. *stanthart.*
stande swf. stellfass, kufe.
standener, stantner, stentner stm. stellfass, kufe; das stehnbleiben, bes. auf der gasse um zu plaudern.
standert s. *stanthart.*
stange stswf. stange (*st.* in der hand des *griezwarten,* den kampf zu scheiden, daher: *der stangen gern, begern* sich für überwunden erklären); horn, geweih; feder aus einem pfauenschwanze.
stant, -des stm. stand, sitz; statio; schiessstand, -stätte; bestand; das bestehn worauf, innehaltung, besitz; zustand, lebensweise; amt, würde. **-bære** adj. standhaft. **-gëlt** stn. abgabe für den verkaufsplatz.
stanthart stm. ndrh. *standart, standert* standarte (fz. *estendard* v. lat. *extendere*).
stantner s. *standener.*
stap, -bes stm. (md. auch *staf*) stab, stock (zum schlagen, stützen; bildl. stütze); steckenpferd; pilgerstab; *krumber st.* hirtenstab, stab des bischofs u. der hohen geistlichkeit (persönl. der bischof); herrscherstab; *st.* des gesandten, hofbeamten, richters (auch jurisdiktion, gerichtsbarkeit); stab des kreuzes, kreuz; massstab. **-kërze** swf. windlicht. **-reise** stf. auszug innerhalb des gerichtsbezirkes. **-slinge** swf. schleudermaschine. **-swërt** stn. stockdegen.
stapf stm. schritt.
stapfe swm. f. auftreten des fusses, tritt; fussspur; s. v. a. *stigele. in stapfen wîs* gradatim.
stapfel, staffel stswm. stufe, grad; grad einer einteilung; stufe der verwandtschaft; stapelplatz; schuppen, hütte; bein eines hölzernen hausgerätes.
stapfeln swv. mit stufen versehen.
stapfen, stepfen swv. fest auftretend schreiten; *einen an st., gegen einem st.* losgehn auf; *zesamen st.* aufeinander losgehn.
stapfens, stapfes adv. im schritt.
star stn. s. *ster.*
star swm. star (vogel).
star adj. starr, stier, unbeweglich, in:
star-blint adj. staarblind.
starc, -kes adj. stark, gewaltig, kräftig; schwer zu ertragen, schwierig, unlieblich, schlimm, böse. — adv. s. *starke.* **-heit** stf. stärke. **-lîche** s. *sterclîche.* **-muotic** adj. kräftiges sinnes. **-türstic** adj. sehr kühn, verwegen.
staren s. *starren.*
staren, starn swv. mit unbewegten augen blicken, starren, stieren; tr. *an st.*
starke, starc adv. gewaltig, sehr.
starken swv. *starc* sein od. werden.
stærlinc s. *sterlinc.*
starn s. *staren* 2.
starren swv. md. *staren* starr, steif sein od. w.
starzen s. *sterzen.*
stat, -des stm. n. gestade, ufer, landeplatz.
stat stm. stand, zustand, lebensweise, würde.
stat stf. ort, stelle, stätte, (*an — stete* anstatt, *an, in, enstete, ûf, ze* [*der*] *stete* [*stat*] auf der stelle, sogleich); raum (*einem st. geben*); ortschaft, stadt. **-amman** stm. bürgermeister. **-bëte** stf. stadtsteuer. **-buoch** stn. rechtsbuch einer stadt. **-gerihte** stn. stadtgericht. **-gesinde** stn. stadtbevölkerung. **-halter** stm. stellvertreter. **-hüeter** stm. stadtwächter; als schachfig. siebenter *vende.* **-lich** adj. städtisch. **-liute** pl. zu **-man** stm. stadtbewohner. **-meister** stm. befehlshaber einer stadt; bürgermeister; städtischer baumeister od. werkmeister. **-menige** stf. stadtvolk. **-mûre** stf. stadtmauer. **-mûs** stf. stadtmaus, gegens. zu *vëltmûs.* **-porte, -phorte** f. stadttor. **-rât** stm. ratsversammlung einer stadt. **-redener** stm. der im namen der stadt zu sprechen hat. **-rëht** stn. stadtrecht; bürgerrecht u. damit verbundene gerechtsame; eines bürgers abgabe od. leistung für die stadt. **-rihtære, -er** stm. richter einer stadt. **-rûmic** adj. stadtflüchtig. **-schrîber** stm. stadtschreiber, -kanzler. **stat-** (**stete-**)**stiure** stf. stadtsteuer. **-varre** swm. stadtstier (als schimpfwort). **-veste** stf. die *veste* (burg) einer stadt. **-volc** stn. stadtvolk. **-vride** stm. stadtgebiet. **-wahte** stf. stadtwache. **-wandel** stm. städtische geldstrafe. **-wehter** stm. stadtwächter. **-wer** stf. stadtbefestigung. **-zeichen** stn. stadtbanner.
state, stat stf., md. auch *stade* bequemer ort od. zeitpunkt, gute gelegenheit; bedingende verhältnisse, umstände, lage (gerne im pl.); hilfe; *über st.* in hohem masse. **-(stat-) haft, -haftic** adj. der seine *state*

besitzt, in der lage ist etw. zu tun, gerüstet, angesehen, begütert, vermögend, wohlhabend, gewaltig. **-(stat-, stete-) liche** adv. mit *state*, gehörig, angemessen; ruhig, gemach; bequemlich, stattlich.

stæte (stæt) adj. was steht u. besteht, fest, beständig, anhaltend. — adv. fest, beständig, stets. — stf. festigkeit, beständigkeit, dauer (*mit, ze stæte* beständig, für immer); bestätigung. **-haft** adj. = *stæte*. **-lich** adj., **-lîchen** adv. = *stæte*. **-lôs** adj. unbeständig, unzuverlässig.

stætec, -ic adj. = *stæte*. **-heit, stætekeit** stf. festigkeit, beständigkeit; sicherheit, bestimmtheit; bestätigung. **-lich** adj., **-liche** adv. = *stæte*.

staten swv. zu *stat* stf.: an seinen ort bringen, anbringen, verwenden; mit dp. einem stand halten, es mit ihm aufnehmen; erstatten, ersetzen. — zu *state*: wozu verhelfen, zufügen mit dat. u. acc.; zugeben, gestatten mit dp. u. gs., inf. od. untergeord. s.

stæten swv. *stæte* machen, befestigen, bestätigen, bekräftigen.

stætes adv. beständig.

stat-haft s. *statehaft*.

stætigen swv., mfr. *stêdigen* = *stæten*.

stætiges adv. = *stætes*.

stat-liche s. *statelîche*.

statunge stf. erstattung, vergütung.

stætunge stf. befestigung, bestätigung.

statze f. krämerbude, apotheke (lat. *statio*).

statzen swv. aufrecht sitzen, sich brüsten.

statzen swv. stottern.

statziân stf. station des kreuzweges. (lat. *stationem*).

statzionierer stm. reliquienkrämer; **statzûner** krämer, apotheker (mlat. *stationarius*).

stebære, -er, steffer stm. der die eidesformel vorsagt.

stebelære, -er stm. dasselbe; stabtragender beamter oder diener; eine Schweizermünze (auch *steblermünze*, urspr. so benannt nach dem darauf geprägten stabe der bischöfe von Constanz).

stebelen swv. *den eit st.* = *staben*.

stebelîn, stebel stn. dem. zu *stap*.

stebel-meister stm. = *stebelære*, stabträger.

stebene stf. md. schiffsvorderteil, steven.

stebler-münze s. bei *stebelære*.

stëc, -ges stm. schmale brücke, steg, schmaler weg überh.

stëchære, -er, sticher stm. stecher, gedungener mörder, assassine; turnierer; stechende waffe, stechmesser, dolch.

stëchel, stichel, stickel adj. stechend, spitzig; jäh, steil. **-halde** stf. steilhang.

stëchen stv. IV stechen (*diu ougen st. gen* ins auge fassen); bestechen; abs. turnieren. — stecken.

stëchen stn. das stechen; das turnieren.

stechen s. *stecken*.

stëch-hof stm. turnierhof, turnier. **-meʒʒer** stn. dolch. **-ros** stn. turnierpferd. **-schit** stn. grabscheit. **-wort** stn. stichelrede (mnd. *stecke-w.*). **-ziuc** stmn. turnierzeug.

stëcke swm. stickhusten.

stecke swm. stecken, knüttel, pfahl, pflock. **steckelîn, steckel** stn. kleiner *stecke*; knüttel-, prügelholz.

stecken, stechen swv. tr. refl. stecken, stechend befestigen, fest heften; *diu ors st.* spornen. — intr. stechend festsitzen, festhaften, weilen.

steffer s. *stebelære*.

stefninger, stevning stm. eine burgund. münze (lat. *moneta Stephaniensis*, so gen. von d. kathedrale St. Stephan in Besançon).

stëft s. *stift* 1.

stëge swstf. treppe.

stëgelîn stn. dem. zu *stëc*.

stëgen swv. intr. *stëc* oder *stëgen* betreten, überh. gehn, steigen, bildl. streben, trachten *nâch, ze*; als *stëc* führen. — abs. u. tr. *stëc* od. *stëgen* bereiten mit dp. — tr. gehn auf, über; mit einem *stëge* versehn, verbinden; leiten, führen.

stëge-reif stm., ndrh. *stêreip* vom sattel hangender ring zum einsetzen des fusses beim besteigen des pferdes u. beim reiten, steigbügel (*einem den st. haben* zum zeichen d. lehnsuntertänigkeit); *sich nern in, ûʒ, von dem st.* durch umherschweifen zu pferde, durch räuberei sich nähren.

stëgeren swv. aufwärts steigen.

stëger-haft stf. = *stëgereif*.

stëg-rëht stn. eine abgabe der schiffe beim aus- u. einladen.

stehelen, stahelen; kontr. **stælen, stâlen, stêlen** swv. stählen.

stehelîn, stahelîn adj. von *stahel*, wie von *st.* (kontr. *stælîn, stêlîn, stâlîn*).

steic, -ges stm. das emporsteigen (der töne); abgesang.

steide adj. mfr. = *stæte*.

steifen redv. 4 emporsteigen, klettern.

steige stf. steile strasse; steile anhöhe; s. v. a. *steic*.

steigel, steil adj. steil.

steigen swv. tr. *stîgen* machen, aufrichten, erhöhen (*die noten st.* in hohen u. starken tönen spielen); antreiben; bedrängen. — refl. sich erheben, aufsteigen.

steigern swv. erhöhen (den preis).

steigerunge, steigunge stf. erhöhung (des preises).

steigunge stf. erhöhung.

steil s. *steigel*.

steim stm. gewühl, gedränge.

stein stm. fels; hohler stein, felshöhle; felsen-, bergschloss, feste; stein (*stein und bein* totes und lebendiges). — spezielle anwendungen: (steinerne) stufe einer treppe; mühlstein; mauer-, baustein; ziegelstein; opferstein; grabstein; wetz-, probierstein; geschützstein, steinkugel; blasenstein; magnetstein; edelstein. — stein in einer frucht. — hagelschlosse. — figur im schachspiele. — ein gewicht. **-ackes, -ax** stf. steinaxt. **-bërc** stm. petra. **-boc** stm. steinbock. **-boge** swm. *boge*, mit dem steine geschossen w. **-brëche** swf. werkzeug zum steinbrechen; der steinbrech (pflanze, so genannt, weil sie den blasenstein zerbröckeln u. abtreiben soll). **-bruch** stm. steinbruch. **-bückîn** adj. vom steinbocke. **-bühse** f. büchse von stein, salbenbüchse; geschütz, aus dem steinkugeln geschossen w. **-dach** stn. ziegeldach. **-decker** stm. ziegeldachdecker. **-gadem** stn. speisegewölbe. **-geiʒ** stf. steingeiss. **-geschürze** stn. steingerölle. **-gevelle** stn. durch *steine*, losgestürzte felsblöcke unwegsame gegend. **-gruobe** f. steinbruch. **-herte, -hart** adj. steinhart, hart wie stein. **-hërze** n. steinhartes herz. **-hol** stn. felsenhöhle. **-houwe** swm., **-houwer, -höwel** stm. steinmetz, -hauer, -brecher. **-hûfe** swm. steinhaufe. **-huon** stn. steinhuhn. **-hûs** stn. haus von stein, herrenhaus, schloss. **-hütte** swf. steinmetzhütte. **-iule** f. steineule. **-kamer** f. = *steinhütte, -gadem*. **-kole** swf. steinkohle. **-kûle** f. md. steingrube. **-lîchen** adv. wie ein stein. **-man** stm., **-meister** stm., **-meiʒe, -metze** swm. steinmetz, bildhauer. **-meiʒel** stm. dasselbe; werkzeug des steinmetzen. **-rosche, -rotsche, -rusche, -rütsche, -rutsche** swstf. felsenklippe, jäher berg-

abhang mit felsen u. gerölle, höhlen u. spalten. **-schëver** stm. steinsplitter. **-schraft** stf. abgerissenes felsstück. **-schrove** swm. zerklüfteter fels. **-setzer** stm. grenzsteinsetzer. **-strâȥe** stf. steinweg, chaussee. **-want** stf. felsenwand; felsenhöhle; mauer. **-wate** swf. zugnetz, das durch einen daran gehängten stein auf den grund des wassers hinabgesenkt wird. **-wëc** stm. = *-strâȥe*. **-wërc** stn. steine, steinbau, steinmetzarbeit. **-wërker** stm. steinmetz. **-wurf** stm. steinwurf; strecke, so weit ein stein geworfen wird. **-würke** swm. steinmetz.

steinach, steinech stn. gestein.

steinec, -ic adj. steinig.

steinech s. *steinach.*

steinëht adj. = *steinec.*

steinel s. *steinlîn.*

steineln swv. hageln.

steinen s. *steinîn.*

steinen swv. tr. mit steinen, bes. edelsteinen versehen, besetzen. — abs. marksteine setzen. — tr. mit marksteinen versehen, abgrenzen; steinigen. — intr. zu stein w.

steinîn, steinen adj. von stein, steinern.

steinlære stm. der die steine, edelsteine kennt, damit handel treibt.

steinlîn, steinel stn. dem. zu *stein.*

stele swf. hoch an der wand angebrachtes gefach. vgl. *bërc-, himel-st.*

stële-haft adj. gestohlen.

stëlen s. *stehelen.*

stëlen s. *stëln.*

stëler stm. dieb.

stel-hamer stm. = *rihthamer.*

stellec, -ic adj. stillstehend (*st. machen* stillen; mit beschlag belegen).

stellen, stallen swv. tr. refl. zur stelle, an eine stelle (*stal*) bringen, zum stehn bringen, auf-, feststellen; *stellen nâch, ûf, umbe, ze* (mit ausgelass. obj. netz, falle) trachten, streben, nachstellen; vor augen stellen, gestalten, anstellen, machen, tun, vollbringen (part. *gestellet, -stalt* aussehend, gestaltet, beschaffen); in eine richtung bringen, richten, einrichten (part. *gestellet, -stalt* gerichtet, gestimmt). — tr. in einen stall bringen (auch abs. mit dat.), überh. halt machen; *vür einen st.* ersatzmann bei der arbeit sein; *stallen* abs. (vom pferde) harnen.

stëln, stëlen stv. IV tr. heimlich und widerrechtlich sich aneignen, stehlen; überh. etwas heimlich erlangen, tun, verheimlichen. — refl. sich heimlich wegbegeben, verstohlen gehn.

steltnisse stfn. s. *gesteltnisse.*

stelz stn. ein weinmass.

stelzære, -er stm., **stelze** swm. der auf *stelzen* geht (vgl. *schemelære*).

stelze swf. stelze, stelzbein, krücke; schemel auf dem sich ein krüppel fortbewegt; der schmal auslaufende teil eines ackers od. einer wiese von der stelle an, wo das grundstück von der regelmässigen gestalt eines vierecks abweicht.

stelzen swv. auf stelzen gehen.

stemeler s. *stameler.*

stëmen stv. V einhalt tun.

stemmen swv. tr. stehn machen, steif machen, befestigen (die speerspitze an den schaft); *der âventiure prîse st.* dichten. — intr. vom wasser: aufgestaut werden, anschwellen, austreten.

stempenie s. *stampenîe.*

stempfel, stempel stm. stempfel, stössel; grabstichel; münzstempel, prägstock; petschaft; das durch einprägung hervorgebrachte bild; schiefstehender holzstamm zur auszimmerung der gruben im bergbau. **-graber** stm. gravierer des münzstempels.

stempfen swv. stampfen, schlagen, prägen, mit einem gepräge od. stempel versehen, eingraben, auch bildlich: *in daz hërze st.*

stên s. *stân.*

stên-boum stm. stehender baum, waldbaum.

stendel stnm.? = *stande, stander.*

stenen swv. md. stöhnen.

stengel, stingel stm. stengel; angelrute; stange. **-boum** stm. schranke, gerichtsschranke.

stengelîn, stengel stn. dem. zu *stange.*

stengen swv. md. *an st.* antreiben (zur arbeit).

stenke swm. übelriechender atem. — stf. gestank. **-vaȥ** stn. riechfläschchen.

stenken swv. *stinken* machen.

stent-lich adj. stabilis.

stentner s. *standener.*

stentnerlîn stn. dem. zu *standener.*

stepfen s. *stapfen.*

stëppen swv. stellenweise stechen, reihenweise nähen, durchnähen, sticken.

stër swm. = *stör, stür.*

stër, stëre, stërre swm. (stm.) widder.

ster, star stn. ein mass, namentl. für getreide (it. *staro* v. lat. *sextarius*, s. *sëhster*).

stërbe swm., stf. das sterben, der tod; ansteck. krankheit, pest.

stërben stv. III, 2 sterben, häufig mit gen. causae: *des spers, vrostes, hungers st.*; mit ds. = einer sache absterben, durch den todesfall frei werden.

stërben stn. = *stërbe.*

sterben swv. *stërben* machen, töten.

stërben-lich adj. das sterben betreffend.

stërbent stm. = *stërbe.*

stërb-lich adj. sterblich. **-lîcheit** stf. sterblichkeit. **-ohse** swm. ochse als *besthoubet.* **-rëht** stn. das recht ein *besthoubet* zu nehmen.

stërbôt(e) stm. n. = *stërbe.*

stërbunge stf. = *stërbe.*

sterc-lich adj. stark, gewaltig. **-(starc-)lîche** adv. gewaltig, heftig, sehr.

stê-reip s. *stëgereif.*

steren swv. = *staren.*

stërke, stirke swf. md. mutterkalb.

sterke stswf. stärke, gewalt; als kardinaltugend: fortitudo; verstärkung, vermehrung; stärkemehl.

sterkede stf. stärke.

sterken swv. tr. u. refl. *starc* machen, stärken; verstärken, vermehren; aufmuntern, behilflich sein zu (*an, zuo*); mit stärkemehl steif machen, stärken.

sterkerunge stf. stärkung, bekräftigung.

sterkunge stf. stärkung; verstärkung, vermehrung.

stërl stn. kleiner widder (*stër*).

sterl stn. dem. zu *ster* stn.

sterlinc, stærlinc, -ges, sterlinger stm. sterling, eine münze (mlat. *sterlingus, esterlingus*).

stërne, stërre swm., **stërn** stm. stern (*tunkel st.* abendstern, *der lieht st.* morgenstern). **-var** adj. sternfarb, glänzend. **-warter** stm. = *stërnwarte.*

stërn-himel stm. firmamentum. **-kunst** stf. astrologie. **-lebse** stf. astrolabium. **-lieht** adj. hell wie ein stern. **-prüever** stm. mathematicus. **-schôȥ** stn., **-schuȥ** stm. sternschnuppe. **-(stërnen-)sëher** stm. astrolog, astronom. **-vürbe** stf. sternschnuppe. **-warte** swm. sternseher.

stërnen-luoger stm. sternseher. **-pfaffe** swm. astrolog.

stërnlîn stn. dem. zu *stërn.*

sterre adj. starr, steif.

stërre s. *stër, stërne.*

stërre-schieȥe swm. = *stërnschôȥ.*

stërz stm., md. *stërt* schweif; stengel, stiel; pflugsterz.

stërzel, störzel stm. = *stërzer.* **-krût** stn. die fenchelrute, gerte. **-meister** stm. bettelrichter.

stërzen stv. III, 2, **sterzen, starzen** swv. intr. steif emporragen; stelzen; sich rasch bewegen, umherschweifen. — tr. starr aufwärts richten, erigere.

stërzer stm. vagabund, betrügerischer bettler.

stërz-meise f. schwanzmeise.

stete stswf. stätte, platz; gestade, ufer.

stetec, -ic adj. nicht von der stelle zu bringen, bes. von pferden.

stete-lîche s. *stetelîche.*

stetelîn, stetlîn, stetel stn. dem. zu *stat*, kleiner ort, plätzchen; städtchen.

stetenen, steten swv. befestigen; eine stätte geben *in*(acc.).

steter stm. stadtbewohner.

stete-stiure s. *statstiure.*

stetichîn stn. md. städtchen.

stetisch adj. städtisch.

stevel s. *stival.*

stevning s. *stefninger.*

stibel s. *stivel.*

stic stm. s. *stich.*

stic adj.: *stic und vinster* (v. der nacht) so finster, daß man keinen *stic* (punkt), gar nichts sehen kann. vgl. *gesticket* bei *sticken.*

stic s. *stîge* 2.

stic, -ges stm., **stîge** stf. steig, pfad.

stich stm. stich (auch das speerstechen); knoten; punkt (auch *stic*); augenblick; abschüssige stelle, steile anhöhe.

stichel s. *stëchel.*

stichel stm. stachel.

stichelic adj. stechend, spitz.

stichelinc, -ges stm. stachel; ein kleiner fisch mit stacheln auf dem rücken.

sticher s. *stëchære.*

stichel-suht stf. kolik.

stich-mezzer stn. = *stëchmezzer.*

stichten s. *stiften.*

stich-wîn stm. der zur probe mit dem heber aus dem fass genommene (*gestochene*) wein.

stickel s. *stëchel.*

stickel stm. spitzer pfahl, spitze, stimulus; (steiler weg?).

stickel stf. anhöhe.

sticken swv. md. = *stecken* intr.

sticken swv. mit feinen stichen erhobene figuren nähen, sticken; dar-, hinstellen, gestalten; fälteln; mit (zaun-) stecken, pfählen versehen; ersticken; part. *gesticket* auch = *stic* adj.

stic-lëder stn. steigriemen.

stieben, stiuben stv. II, 1 stieben, als od. wie staub umherfliegen; staub von sich geben, stäuben; schnell laufen, rennen, fliegen.

stiel adj. steil.

stief adj. nicht unmittelbar in leibl. verwandtschaft stehend; nur in den komposs. *stiefbruoder, -kint, -muoter, -sun, -swester, -tohter, -vater.*

stiege stswf. = *stëge.*

stiegel stm. grad, stufe; s. v. a. *stigele.*

stieg-lîche adv. gradatim.

stier stm. junges männliches rind; stier (auch im tierkreise).

stierlîn stn. kleiner, junger stier.

stiezen stv. II, 2 stossen.

stîf adj. adv. starr, fest, aufrecht, wacker, stattlich. **-lîche** adv. fest.

stift, stëft stm. stachel, dorn, stift; oberstes ende, spitze; stengel.

stift stfmn. **stiftec** stf. stiftung, veranlassung, gründung, grundlage, bau; bes. geistl. stiftung, gotteshaus; stadt; begründung, bewirkung, anordnung, einrichtung; rechtlich festgestelltes, bes. die feststellung eines pachtvertrages, pacht, miete, sowie der tag, an welchem eine grundherrschaft die pachtzinsen einnimmt, die pachtverhältnisse bestätigt, erneuert od. aufhebt. *diu niuwe (alte) st.* das neue (alte) testament; *des gelouben st.* die heilige schrift?; *der sünden st.* herrschaft, gewalt der s.

stiften swv., ndrh. (md.) *stichten* hin- und feststellen, stiften, gründen, bauen; bewirtschaften, bebauen; bestiften, besetzen mit, einsetzen auf (als nutzniesser, pächter, mieter), belehnen; überh. einrichten, in ordnung bringen; ins werk setzen, veranstalten, veranlassen, anstiften; erdichten, ersinnen, erfinden. — *sich st. ûf* sich auf etw. einstellen.

stifter stm. stifter, gründer, urheber; bestifter, belehner eines gutes; ein- und absetzer (des pächters etc.).

stiftunge stf. stiftung, gründung; bestiftung, belehnung.

stige swstf. = *stîc, stëge, stiege.*

stige, stic stswf. verschlag, stall für kleinvieh.

stigel stm. pflock, spitze.

stigele, stigel swstf. vorrichtung zum übersteigen eines zaunes, einer hecke.

stigeliz, stigliz, -itze stswm. distelfink, stieglitz (slav.).

stîgen stv. intr. steigen, aufsteigen, sich erheben. — tr. be-, ersteigen.

stîger stm. steiger, besteiger; hurer.

stîg-leiter f. steig-, sturmleiter. **-ziuc** stmn. steig-, sturmgerät.

stil stm. stiel, griffel.

stil-heit, stillekeit stf. ruhe, stillschweigen.

stille adj. still, heimlich, ruhig, schweigend.

stille adv. im stillen, geheim, ruhig, schweigend.

stille stswf. ruhe, stillschweigen; zeit nach den letzten propheten; heimlichkeit, verborgenheit (*in stillen* heimlich) s. v. a. *stilmësse.*

stillec-lîche adv. = *stille.*

stillen swv. tr. *stille* machen, zur ruhe, zum schweigen bringen, beruhigen, besänftigen; zurück-, aufhalten, hindern, abbringen *von*; befriedigen; geheim halten. — intr. *st.* werden, zur ruhe kommen, sich besänftigen, aufhören, schweigen, ablassen *von.*

stil-lîche adv. = *stille.*

stillieren swv. destillieren (mlat. *stillare*).

stillingen adv. stille, heimlich.

stillunge stf. das stillmachen; das stillsein, schweigen; s. v. a. *stilmësse.*

stil-mësse stf. der canon missae, der mit dem sanctus beginnt und mit dem pater noster endigt.

stilnisse stn. ruhe, stillschweigen, verstummen; s. v. a. *stilmësse*; geheimnis, verborgenheit.

stîm stm. = *steim.*

stimern swv. spottend lächeln.

stimme stswf. stimme, ton, ruf, schrei; musik. die solmisationssilben.

stimmen swv. intr. eine stimme hören lassen, rufen. — tr. mit einer stimme versehen, erfüllen; anstimmen; gleichstimmend, -lautend machen; nennen, benennen; festsetzen, bestimmen; taxieren, abschätzen.

stingel s. *stengel.*

stinken stv. III, 1 intr. einen geruch von sich geben, riechen; einen üblen geruch von sich geben, stinken. — tr. durch den geruchssinn wahrnehmen, riechen.

stinz, stinze stswm. der stint (fisch).

stiper stf. md. stützholz.

stipern swv. mit *stîpern* stützen.

stirede stn.? widder (s. *stër*).

stirk- s. *sterk-.*

stirne swstf. stirne.

stirner stm. s. v. a.

stirn-stœzel, -stœzer stm. eine art landstreicher.

stiuchelîn stn. dem. zu *stûche*

stiudelîn stn. dem. zu *stûde.*

stiur stn. steuerruder.

stiurære, -er stm. steuermann; beistand bei gericht; steuereinnehmer.
stiur-bære adj. steuerbar, -pflichtig; behilflich.
stiure, stiur, stiuwer stf. stütze; steuerruder; hinterteil des schiffes; anstoss; antrieb; unterstützung, hilfe, gabe, beitrag; s. v. a. *heimstiure;* unterstützung des herrn durch abgabe, steuer; einkommen, erträgnis. — *âne alle st.* ohne erfolg; *nach der lêrer st.* autorität.
stiure swm. steuermann; beistand des anwaltes.
stiuren swv. stützen; das steuer od. mit demselben lenken; lenken, leiten überhaupt; lindern, beschränken, einhalt tun (mit as., ds.), mässigen; treiben, stossen, bedrängen mit dat.; unterstützen, helfen, wozu verhelfen, versehen mit, beschenken, ausstatten. — intr. als abgabe entrichten, steuer zahlen; steuer auflegen, erheben. — tr. versteuern. — refl. sich stützen.
stiuric adj. steuerpflichtig.
stiur-lich adj. zur hilfe gereichend, geeignet. **-man** stm. steuermann. **-meier** stm. steuereinnehmer. **-meister** stm. steuermann; steuereinnehmer. **-rint** stn. zinsrind. **-ruoder, -ruodel** stn. steuerruder. **-wîn** stm. zinswein.
stiurunge stf. stütze; steuer, abgabe.
stiuwer s. *stiure.*
stiuʒ, stouʒ stn. steiss.
stivâl, stival, -el stswm., md. auch *stevel* stiefel (it. *stivale,* fz. *estival* vom lat. *aestivale* aus leichtem leder bestehnde sommerbekleidung des fusses).
stivel stswm., md. *stibel* stütze, bes. hölzerne stütze, stange für den weinstock.
stivelen swv. stützen.
stiven swv. die *stîve* (altfz. *estive*), schalmei blasen.
stöber, stöberer stm. = *stöuber.*
stoc, *-ckes* stm. stock, knüttel, stab; grenzpfahl; weinstock; baumstamm, -stumpf (*des kriuzes st.*); brunnenstock; ambossstock; almosen-, opferstock; bienenstock; block um die füsse der gefangenen, gefängnis überh.; das recht in den *stoc* zu setzen; mauerstock, stockwerk; salzstock; ein teil der geschützausrüstung; stumpf, storren eines zahnes. **-ar** swm. jochgeier. **-brunne** swm. röhrbrunnen. **-guldîn** stm. = *stocmiete.* **-holz** stn. stock-, rammholz. **-houwe** stf. das ausreuten der baumstöcke. **-hûs** stn. stockhaus, gefängnis. **-meister** stm. stock-, gefängniswärter. **-miete** stf. dem *stocmeister* zu entrichtende bezahlung. **-rëht** stn. dasselbe; abgabe für den holzschlag; das recht holz zu schlagen. **-visch** stm. stockfisch. **-warte** swm. = *stocmeister.* **-warter, -werter** stm. dasselbe.
stocken, stöcken, stücken swv. ausreuten, mit grenzpfählen versehen; in den *stoc,* ins gefängnis setzen; steif machen (?); intr. *wider einen stocken* mit einem stocke auf ihn losgehen.
stocker stm. = *stocmeister.*
stockunge stf. das setzen von grenzpfählen.
stôle, stôl stswf. die stola des messpriesters, priesterbinde, -gewand; sinnbild des geistl. amtes, der geistl. gewalt (*diu st. und daʒ swert* papst u. kaiser); geistliches leben (gr. lat. *stola*).
stôlen-wîs nach art einer st.
stolle swm. stütze, gestell, pfosten, fuss (in der kunstsprache der meistersinger sind die *stollen* die zwei gleichen ersten teile einer dreiteiligen strophe, die zusammen den aufgesang bilden); hervorragender teil, spitze, zacke; grosses stück; bildlich stück, streich, schwank; bergm. ein wagrechter gang, der ins gebirge getrieben wird.
stöllelîn stn. dem. zum vorig.; kleines fussgestell.
stollen swv. stützen.
stolz adj. adv. töricht, übermütig; stattlich (*st. um die brust* vollbusig), prächtig, herrlich, hochgemut. **-gemuot** adj. = *stolzmüete.* **-heit** stf. hochmut; stolzes, hochgemutes wesen. **-lich** adj. = *stolz.* **-lîche** adv. stattlich, herrlich, hochgemut; hoch-, übermütig. **-müete** adj. *stolz* gesinnt.
stolzec-heit stf. hochmut, stattlichkeit, pracht, herrlichkeit.
stolzec-lîche adv. stattlich.
stolzen swv. *stolz* sein oder werden; stolz einhergehn.
stolzen swv. hinken (vgl. *stelzen, stülzen*).
stolzieren swv. stolz einhergehn.
stopf stm. kurzer stich oder stoss (vgl. *stupf*).
stopfen swv., md. *stoppen* stechen; stopfen, verstopfen; ausbessern; verbergen.
stopfen swv. = *stüpfen,* stechend stossen.
stör störe, stür stüre swm. der stör (fisch). vgl. *stër.*
stœrære, -er stm. störer, zerstörer; absetzer (gegens. *stifter*); unbefugt ein handwerk treibt; auch handwerker, der in fremden häusern gegen kost und tagelohn arbeitet.
storbisch adj. md. einem gestorbenen angehörend.
storch storche, storc storke stswm. storch.
störchinne stf. weibchen des storchs.
storch-snabel stm. storchschnabel; spitzhammer.
stôre s. *storîe.*
stœre stf. störung, zerstörung.
storen s. *stürn.*
stœren swv. auseinanderstreuen, zerstreuen; hindern, stören, in verwirrung bringen, vertreiben, vernichten, zerstören.
stœric adj. verwirrt, in unordnung gebracht.
storîe, storje, stôre stf. schar, menge, gedränge, bes. kriegerschar; auflauf, tumult, bedrängnis (afz. *estoire,* mlat. *storium*).
storm s. *sturm.*
stœrnisse stf. vernichtung, zerstörung.
storp stm. ndrh. riemen, schlinge.
storre swm. baumstumpf, klotz; zahnstorren, -stumpf.
storren swv. starr sein oder werden, steif hervorstehn.
storunge s. *stürunge.*
stœrunge stf. störung, zerstörung; vertreibung, absetzung.
störzel s. *stërzel.*
storzen swv. strotzen.
stotze swm. stamm, klotz.
stotzen swv. = *storzen.*
stoub s. *stoup.*
stoubec adj. staubig.
stöubelîn stn. dem. zu *stoup.*
stouben, stöuben swv. *stieben* machen, staub erregen, aufwirbeln; fig. trinken, sich betrinken. — tr. staubig machen; aufscheuchen, aufstöbern, aufscheuchend verjagen.
stöuber stm. aufstöbernder jagdhund.
stoubîn adj. von staub.
stouf stm. f. becher ohne fuss; ein bestimmtes mass; hochragender felsen und als berg- und ortsname (davon *Stoufer*).
stöun s. *stöuwen.*
stoup, *-bes,* **stoub** stm. staub; staubmehl, mehlstaub; was stiebt, schnell läuft. **-hüle** stf. = *stoupvël.* **-mël** stn. das feinste mehl; mehlstaub in der mühle. **-müle** stf. mühle für *stoupmël.* **-sünde** stf. sünde des staubes, der niedrigkeit. **-vël** stn. traghimmel.

stöuwen stouwen, stöun stoun swv. klagen über, anklagen, schelten; (scheltend) einhalt tun, gebieten (mit gs.). — refl. sich stauen.

stouz s. *stiuz*.

stôz stm. stich, stoss; das zusammentreffen, begegnen, bes. feindl. zusammenstoss, streit, zank, hader, hindernis; eisstoss; holzstoss; *die stœze* balken, gerippe des schiffes (?).

stœzec adj. in streit befangen, uneins; strittig, angefochten.

stœzel stm. werkzeug zum stossen; der den pflasterern mit dem *stœzel* nachstösst.

stôzen redv. V tr. stossend berühren, bewegen, forttreiben (*diu ros in den wagen st.* einspannen, vom falken herabstossen auf, allgemein von einer bewegung: stellen, setzen, stekken, stopfen usw.); hinzufügen *zuo*; zusammendrängen; stampfen, zerstampfen. — refl. sich stossen, anstoss nehmen, sich zusammendrängen; sich begeben, zutragen; *sich in einen roc st.* — intr. sich anstossend bewegen, wohin gelangen; sich erstrecken, reichen, grenzen; *von dem lande st.* abfahren (vom schiff).

stœzer stm. der stösser, der das salz in die kufen stösst; s. v. a. *stirnstœzer*; klöppel.

stôz-vihe stn. hornvieh.

strabeln swv. zappeln, ringen und trachten *nâch*.

strac adj. gerade, straff, ausgestreckt; stramm, scharf, stark; steif; gerade, unmittelbar. — adv. geradezu, auf der stelle, stracks.

stracken swv. *strac* sein, gestreckt liegen, sich ausdehnen.

strackes adv. = *strac*.

straf, -ffes adj. straff, strenge.

strâfære, -er stm. tadler, schelter; bestrafer, züchtiger.

strâfe stf. schelte, tadel; strafe, züchtigung.

strâfen swv. mit tadelnden worten zurechtweisen, schelten (*ein gerihte, ein urteil st.* es durch berufung anfechten, nicht gelten lassen); *âne, sunder str.* in wahrheit, sicherlich; bestrafen, züchtigen; mit leibesod. geldstrafe belegen; *einen von hinnen str.* verbannen.

strâf-gëlt stn. geldbusse. **-turn** stm. straf-, gefängnisturm.

stræf-lich adj., **-liche** adv. tadelnswert, sträflich.

strâfunge stf. zurechtweisung, tadel (*st. des gerihtes* anfechtung eines urteils desselben); strafe, bestrafung, züchtigung; strafgewalt.

strageln swv. schlagen, stossen, antreiben.

stræl stm. kamm. **strælære** stm. dasselbe; kammacher.

strâle stswf. swm., **strâl** stfm. pfeil; wetterstrahl, blitz; streifen. **strâl-blic** stm. blitzstrahl. **-snitec** adj. mit einem pfeile verwundet.

strælen swv. kämmen; glatt streichen.

strâm, strân stm. das strömen, strömung (*meres str.*); weg, richtung; streifen, lichtstreifen, strahl.

strâmec adj. strömend.

stræmelîn stn. kleiner lichtstreifen, strahl.

strâmes adv. strömend.

stranc, -ges stm., **strange** stswf. swm. strick, strang, seil (spez. brackenseil); haarsträhne; arm eines flusses; streifen (an kleidern); lichtstreifen; strahl; schmaler streifen feldes, streifen erde, den der pflug beim hin- und herfahren umstürzt und deren mehrere das ackerbeet bilden; verknüpfung, verschränkung, knoten, rätsel; strophe.

strandeln swv. wackeln; in der rede stecken bleiben, stottern.

strange s. *stranc, strenge*.

strange adv. gewaltig, stark, sehr; tapfer; strenge, unfreundlich. — swm. tapferer kämpfer.

strankeit s. *strengheit*.

strant, -des stm. strand, küste.

stranz stm. prahlerei, hochmut.

strât stm. bett, bettgewand, decke, laken (mlat. *stratum, stratus*).

strâze stswf. strasse (astr. *diu str. an dem himel* milchstrasse, tierkreis); erdzone; streifen (an kleidern); die unterlagsbalken des schlittens oder wagens in der sägmühle (lat. *strata*, näml. *via*).

strâz-rouben swv. auf strassenraub ausgehn, str. treiben. **-roup** stm. strassenraub.

strëbe swm. streber (in komposs.).

strëbe stf. das streben.

strëbe-katze swf. = *katzenstrëbel*.

strëbel, strëber stm. streber (in komposs.).

strëben swv., md. auch *strëven* intr. sich heftig regen, bewegen, zappeln; widerstand leistend sich aufrichten *gegen, wider*; sich ausstrecken; sich abmühen, ringen, kämpfen; ringen und trachten (*dar, an, nâch, ûf, von*); sich nach einem ziele bewegen, vorwärts dringen, eilen (*gegen, in, vür, ze*); wimmeln, gedrängt voll sein, starren, steif sein, strotzen. — tr. heftig, rasch bewegen.

strecken swv. *strac* machen, gerade machen, ausdehnen, -breiten, -spannen, strecken, wenden; refl. s. v. a. *streckunge tuon*. — stn. *des windes st.* treibende kraft des windes.

streckunge stf. das strecken (*str. tuon* mit ausgebreiteten armen sich nach der länge auf den boden legen); verlängerung, erstreckung.

streich stm. schlag, hieb, streich.

streichëht adj. gestreift.

streichen swv. streifen, berühren; streicheln; glatt streichen; pflegen.

streif stm. streifzug. **-reise** stf. streif-, raubzug.

streifëht adj. = *strîfëht*.

streifen swv. intr. streifen, gleiten; streifen, ziehen, marschieren; mit dem streichgarn fischen. — tr. abhäuten.

streim, streime stswm. (vgl. *strîm*), **streimel** stn. dem. streifen (*weiz str.* milchstrasse).

streimelëht adj. = *strîmelëht*.

strempfel stm. stössel.

strën, strëne swm. strähne, flechte von haaren, flachs usw. (*die wîzen strënen* milchstrasse).

strenge, strange adj. stark, gewaltig, tapfer; hart, unfreundlich, herbe, unerbittlich; schwierig. — stf. das *strenge* sein, die strenge, härte; die kehlsucht der pferde; langfurche, langer und schmaler acker.

strengec-heit stf. das *strenge* sein; strenge, enthaltsame lebensweise. **-lich** adj. = *strenge*. **-(strenge-)liche** adv. = *strange*.

strengen swv. *strenge* machen, kräftig ausüben, verkürzen; abstumpfen; bedrängen, belästigen, strecken, richten nach; intr. *str. wider* sich sträuben.

streng-heit, strenkeit, strankeit stf. = *strengecheit*.

strëven s. *strëben*.

strew- s. *ströuw-*.

stric, -ckes stm. band, strick, fessel, fallstrick und dgl.; knoten, verknüpfung, festknüpfung, umschliessung; argumentatio; häufig zur umschreibung, z. b. *tôtlicher st.* = *tôt*.

strich stm. strich, linie; richtung, weg (mit gen. oft nur umschreibend); landstrich; arm eines flusses; die richtung der fäden eines gewebes der länge nach; das streichen mit dem probiersteine, münzprobe; streich, schlag; *der sinne st.* niedergeschlagenheit.

strîch stm. streich, schlag. **-holz** stn. streichholz des kornmessers. **-kamp** stm. wollkamm. **-mâȥ** stn. ein getreidemaß, vier landmetzen enthaltend. **-nâdel** swf. probiernadel. **-schît** stn. = *-holz*. **-stein** stm. probierstein. **-stoc** stm. = *-holz*. **-tuoch** stn. tuch zum durchstreichen, seihen der speisen.

strîche swm. strich.

strîche swf. streichholz des kornmessers.

strîchen stv. I, 1 abs. striche machen. — tr. streichend bewegen, bes. um etw. scharf zu machen oder zu prüfen (am probiersteine); streichend messen. — tr. u. refl. glatt streichen (kleidung), glätten, ordnen, putzen; *an sich str.* streichend anziehen (kleidung); streichend etw. machen, zeichnen; streichend auftragen (von flüssigkeiten, salben, farben), bestreichen; streichend wegschaffen, bes. mit dem streichholze; streichend berühren, streicheln; auf einem streichinstrumente spielen; streiche geben, schlagen, geisseln. — intr. sich rasch bewegen, herumstreifen, ziehen, eilen, gehn, fliegen (perf. mit *sîn* und *haben*); *st. lâȥen* (näml. die *ros* usw.).

strîch-weide stf. jagdgang.

stricke swf. = *stric*.

stricken swv. abs. zusammenfügen, verknüpfen. — tr. strikkend verfertigen, stricken; festschnüren, heften, schlingen, flechten, binden; be-, verstricken. — refl. sich binden, knüpfen, verbinden (verpflichten).

stricker stm. seiler; der (dem wilde) schlingen legt.

strickerin stf. verstrickerin.

strickunge stf. verbindung, bündnis, vertrag.

striefen stv. II, 1 streifen.

strieme swm. = *streim*.

strîfe swm. streifen.

strîfëht strîfelëht adj. gestreift.

strîfeln swv. gestreift machen, vermischen *mit*.

striffel mn.? streifenbild.

strigel stm. striegel; penis (lat. *strigilis*). **strigelen** swv. striegeln.

strim, strime stswm. = *streim*.

strimel stn. = *streimel*.

strimelëht, strime-lich adj. gestreift.

strit stm. md. schritt (nd. *strede*).

strît, *-tes* stm. streit mit worten (vor gericht) oder mit waffen; *sinnes st.* innerer kampf; widerstand, widerstandskraft (*ûȥer strîte, âne strît* unstreitig); streitmacht, heeresabteilung, schlachtordnung; rache; das streben, begehren nach etw.; wettstreit, -eifer (*in strîte, en strîte, enstrîte, -strît, wider, ze strîte*: wetteifernd, um die wette). **-bære, -bæric** adj. streithaft, zum kampfe dienlich oder gerüstet, des kampfes; strittig. **-bæric-heit, -bærkeit** stf. tauglichkeit zum streite. **-bær-lich** adj. = *strîtbære*. **-genôȥ, -genôȥe** stswm. mitkämpfer; gegner. **-geræte, -geschirre** stn. kampfgerät. **-geselle, -geverte** swm. = *-genôȥ*. **-gewant, -gewæte** stn. kampfrüstung. **-geziuge** stn. kampfgerät. **-got** stm. Mars. **-haft** adj. streithaft. **-heit** stf. kampf, feindl. angriff. **-herte** adj. streithaft, im kampfe ausharrend. **-kleit** stn. = *-gewant*. **-kriege** adj. streithaft. **-küene** adj. zum streiten kühn. **-lich** adj., **-lîche** adv. = *strîteclich, -lîche*. **-liute** pl. zu **-man** stm. krieger. **-müede** adj. vom kampfe ermattet. **-muot** stm. streitsucht. **-schar** stf. kriegsschar. **-schif** stn. kriegsschiff. **-tac** stm. kampftag. **-vane** swm. streit-, kriegsfahne. **-var** adj. zeichen des kampfes an sich tragend. **-wâfen** stn. kampfwaffe. **-wer** stf. kriegsrüstung. **-werlich** adj. streitgerüstet. **-zeichen** stn. horn, posaune, womit das zeichen zum kampfe geblasen wird.

strîte swm. streiter. — **swf.** nebenbuhlerin.

strîtec, -ic adj. streithaft, kampflustig; streitsüchtig, rechthaberisch; ungestüm, unlenksam; ungehorsam mit gen.; eifrig; strebend, begehrend *nâch, ûf*. **-lich** adj. = *strîtbære*. **-lîche** adv. streithaft; mit eifer, sehr; eifersüchtig.

strîten stv. I, 1 kämpfen, streiten (mit worten oder mit waffen); sich eifrig bemühen, streben *nâch, umbe*; wetteifernd etw. tun.

strîter stm. streiter, kämpfer.

strîterin stf. streiterin.

strîtes adv. streitend, mit kampf; *über strîtes* wetteifernd.

striubeln swv. = *strûben*.

striunen swv. neugierig oder verdächtig nach etw. forschen.

striuȥach, strûȥach stn. gebüsch.

striuȥen swv. tr. u. refl. sträuben, spreizen (*sich ûf einen str.* ihn anrennen, mit ihm einen *strûȥ* bestehn).

striuȥîn adj. vom strausse.

strô, *-wes* stn. (nbf. *strou, strouw*) stroh; strohhalm; zur verstärkung der negation; strohlager, ärmliches lager; strohgebund. *bî strô* im winter (gegensatz: *bî grase* im sommer). **-brût** stf. braut die einen strohkranz erhält, die nicht mehr jungfer ist. **-dicke** adv. so dicht wie die halme des getreidefeldes. **-halm** stm. strohhalm; rechtssymb. wie *halm*. **-huot** stm. strohhut. **-meier** stm. ein unterbeamter der kameralverwaltung, dem die aufsicht über die erhebung der zehnten an stroh, d. h. die garbenzählung zugewiesen war. — in Nürnberg waren die *strômeier, strômer* mit dem forstmeisteramte betraut. **-(strou-)sac** stm. strohsack. **-schoup** stm. strohbund. **-vuoter** stn. aus stroh bestehndes futter. **-wëlle** f. strohbündel. **-wërc** stn. stroh, strohbündel. **-win** stn. strohwein (weil man die trauben bis weihnachten auf stroh liegen lässt u. dann erst keltert). **-wisch** stm. strohwisch, -bündel.

strobel, strobelëht adj. struppig.

stroben swv. = *strûben*.

strocken swv. straucheln.

strôel, strôlîn stn. weniges, schlechtes stroh.

strôfen s. *stroufen*.

stroffel-weide stf. streifweide.

strôlich stn. = *strôel*.

strôm s. *stroum*.

strômen s. *strûmen*.

strômer stm. landstreicher.

strômer s. *strômeier*.

strotzen s. *stroȥȥen*.

strou, ströu s. *strô, ströuwe*.

strouben swv. = *strûben*.

strouch s. *strûch*.

ströude stf. das streuen.

ströuf-bêre swm. streifnetz.

stroufe stf. bestreifung: leichte verletzung, schaden, verlust.

stroufen, strôfen swv. tr. streifen, abstreifen, bes. die haut abstreifen, schinden; streifen, schädigen. — refl. mit gen. etw. von sich streifen; *sich in etw. str.* hineinschlüpfen, es über sich streifen. — intr. streifen, ziehen (*ûȥ der hût str.* schlüpfen).

stroum, strôm stm. = *strâm, strûm*; lichtströmung, streif.

strouw s. *strô*.

ströuwe, strewe, ströu stf. streu.

ströuwen, strewen, ströun swv. niederstrecken, zu boden werfen; streuen, ausstreuen, -schütten, vergiessen; ausbreiten, -spannen; abs. *str. nâch* wonach langen, sich strecken; zieraten od. als zierat über ein gewand etc. hinsetzen; unterstreuen, bes. zum lager (abs. mit dat. *dem rosse str.* streu geben); auseinander-, zerstreuen, verbreiten; bestreuen, beschütten, bedecken, belegen.

ströuwesal, ströusel stn. streu.

strœwîn adj. von stroh.

strozze swf. luftröhre, gurgel.

strozzen, strotzen swv. strotzen; aufwallen.

strûbe stswf. das sträuben der federn des habichts; eine art backwerk, spritzkrapfen. -(**strûp**) adj. starrend, rauh emporstehend (von haaren, federn), struppig; lockig, krausköpfig; voll, erfüllt von (gen.).

strûben swv. intr. starren, rauh emporstehn (von haaren, federn). — tr. starr emporrichten, sträuben. — refl. mit *wider* sich widersetzen.

strûch, strouch stm. das straucheln, der sturz. **-gevelle** stn. das straucheln u. fallen.

strûch stm. strauch, gesträuch. **-diep** stm. strauchdieb. **-genger** stm. wegelagerer, strauchdieb. **-han** stm., **-huon** stn. wegelagerer (vgl. *snaphan*). **-morder** stm. strauchmörder.

strûchëht stn. sentes.

strûcheln, strûchen swv. straucheln, stolpern, zu falle kommen, sinken, stürzen (die ursache im gen.).

strudel stm. strudel.

strudeln swv. vor hitze wallen.

strum stn. = *trum.*

strûm stm. = *strâm, stroum.*

strûmen, strômen swv. strömen, hin- u. herfahren, stürmend einherziehen; verzweifeln.

strumpf stm. stummel, stumpf; baumstumpf; verstümmeltes glied; rumpf.

strunc, *-kes* stm. strunk.

strunkeln swv. straucheln, irren.

strunze swm. stumpf; lanzensplitter.

strunzel stf. lanzensplitter.

strunzûn stm. = *trunzûn.*

struot, strût stf. sumpf; gewoge, flut; gebüsch, buschwald, dickicht.

strûp s. *strûbe.*

strupfe swf. strippe, lederschlinge.

strupfen swv. streifen, abrupfen.

struppe swf. ? gestrüpp.

strûtære, -er stm. der gebüsch (*struot*) ausreutet; wegelagerer, buschräuber, -klepper.

strûten swv. md. rauben, plündern. — tr. berauben.

strûterîe stf. md. räuberei, buschklepperei.

strützel, strutzel stm. längliches brot von feinem mehl, stolle.

strûz stm. widerstand, zwist, streit, gefecht; strauch (zu folgern aus *gestriuze* und *striuzach*).

strûz, strûze stswm. der vogel strauss. **strûzes-slaht** adj. straussenartig. **strûz-ei** stn. straussei. **-vëder** f. straussfeder.

strûzach s. *striuzach.*

stube swf. stube, heizbares gemach (spez. badegemach, speisesaal, trinkstube einer zunft, zunftstube, -herberge); kleines wohnhaus. **stuben-glas** stn. fensterglas. **-heie** swm. stubenhocker. **-knëht** stm. diener einer *stube.* **-meister** stm. vorsteher einer zunftstube. **-want** stf. stubenwand.

stübechîn, stübichîn stn. md. dem. zu *stübich*: stübchen, quart, kanne.

stübelîn, stübel stn. dem. zu *stube.*

stübich, stubich stm. packfass (mlat. *stopa, stupa*).

stubich stn. reisig.

stuche swm. schröpfkopf.

stûche swf. m. der weite, herabhängende ärmel an frauenkleidern; kopftuch, schleier; tuch, schürze.

stuchen swv. schröpfen.

stücke stück, stucke stuck stn. teil wovon, stück (bei vorgesetzten zahlen kann das wort auch fehlen s. *endriu, enzwei; daz meiste st.* größtenteils); abschnitt, artikel; der zehnte teil einer mark; ein einzelner ganzer gegenstand. — allgemeiner: ding, sache, angelegenheit, art u. weise; ein stück leinwand, tuch, kleiderstoff; ein bestimmtes mass. **stück-hamer** stm. hammer, womit etw. in stücke zerschlagen wird. **-meister** stm. flickschuster, -schneider. **-mezzer** stn. tranchiermesser.

stückëht adj. von zweierlei stoff od. farbe; adv. stückweise, zerstückt.

stückelëht, -oht adv. in stücken, stückweise.

stückelîn, stückel, stuckel stn. dem. zu *stücke.*

stückeln swv. zerstückeln; flicken.

stücken s. *stocken.*

stücken swv. in stücke brechen, zerteilen.

stud stf. stütze, pfosten, säule. **-vol** adj. ganz voll. **-vûl** adj. sehr faul.

stûdach stn. gesträuch, gebüsch.

stûde swf. staude, strauch, busch; buschichter baum; rute; obsc. für penis.

studel, stuodel stn. f. unterlage, pfosten, säule.

studelen, stuodelen swv. tr. festhalten, nehmen. — intr. sich stellen *ze,* mit dp. einem wozu verhelfen.

stüden stn. feststellung, gesetz.

stûden-stric stm. zusammengeflochtene, als zaun dienende stauden.

studente swm. schüler, student (it. *studente* von lat. *studens*).

studieren swv. studieren (mlat. *studiari*).

studierunge stf. das studieren, die studien.

studium stn. universität.

studorî stf. studier-, schreibstube (mlat. *studorium*).

stüefe, stüef adj. gerade, fest, stark, wacker, tapfer.

stüefen, stuofen swv. hervorbringen, anstiften; stufenweise führen, wozu anstiften.

stüelen, stuolen swv. abs. *stüele, sitze* bereiten. — tr. mit *stüelen,* sitzen versehen; auf einen *stuol* setzen, erheben. — intr. stuhlgang haben.

stum, stump, *-mmes, -bes* adj. stumm.

stumbel, stumpel stm. abgeschnittenes stück, stummel.

stümbeln, stümmeln, stummeln swv. schneiden, abschneiden, beschneiden, bes. ein glied abschneiden, stümmeln, verstümmeln.

stümben, stumben swv. dass.

stum-lich adj. = *stum.*

stumme, stumbe swm. f. ein stummer, eine stumme.

stumme, stumbe swm. stummheit; was keinen klang hat.

stummec adj. stumm.

stummede stf. stummheit.

stummen, stumben swv. intr. *stum* sein; tr. *stum* machen.

stumminne stf. die stumme.

stump s. *stum, stumpf.*

stümper stm. stümper, schwächling.

stumpf adj., md. *stump* verstümmelt, abgestutzt, stumpf, bildl. unvollkommen, schwach (von sinnen, vom auge); übel, böse, hart (vom wetter).

stumpf, stumpfe stswm., md. *stumpe* stumpf, stummel; stoppel; baumstumpf; verstümmeltes glied; beinbekleidung.

stumpfëht, stumpfelëht adj. = *stumpf.*

stumpfelingen, stumpfelinges adv. kurzweg, gerade, schnell, plötzlich.

stumpfen swv. *stumpf* machen.

stumpfes adv. = *stumpfelingen.*

stumpf-, stump-heit stf. stumpfheit.

stumpf-lîche adv. auf stümperhafte, nicht kunstgerechte weise; s. v. a. *stumpfelingen.*

stûn s. *stuwen.*

stunc, -ges stmn.? *in einem stunge* auf einmal, plötzlich.

stunde, stunt stswf. zeitabschnitt, zeitpunkt, zeit (*bî der stunde, bî den stunden* in der, zur zeit, damals, *under stunden* bisweilen, *in der stunde, in stunden* jetzt, *ûf, von der stunt* sofort, *ze stunde, stunden* dann, sogleich); passlicher zeitpunkt, gelegenheit, mal (*nie stunt* niemals, *ê stunt* ehemals, *ein stunt, drî stunt* etc. einmal, dreimal, *einer st.* auf einmal, mit einem schlag); frist, aufschub: *st. geben* frist gewähren, stunden; stunde; *manige übele stunde* viel unangenehmes (? spät!).

stundec, -ic adj. stündlich, immerwährend; gezeitigt, reif.

stundec-lîche adv. zeitig, sofort; zu jeder stunde.

stündelîn, stündel stn. dem. zu *stunde,* kurze zeit.

stunden swv. in st. einteilen. — intr. sich aufhalten, beharren.

stundunge stf. zeitlichkeit; einstellung, aufhebung.

stunen, stunden swv. md. auf etw. losgehn, treiben, stossen, schlagen.

stunge swf. stachel, antrieb, anreizung. vgl. *stunc.*

stungen swv. stechen, stossen, antreiben; vertreiben.

stunt-glocke f. stundenzeitglocke.

stunt-huldunge stf. nur auf gewisse zeit geleistete huldigung.

stunz adj. stumpf, kurz.

stunze swm. kleiner zuber.

stuod- s. *stud-.*

stuof stm. einzelnes stück erz od. metall.

stuofe sw(?)f. stufe, grad.

stuofen s. *stüefen.*

stuol stm. stuhl, sitz (auch für mehrere); *st. halten* sitzen.— in spez. anwendung: *st.* eines herrschers (gottes, des kaisers, königs etc.), thron; richterstuhl (*vrîer st.* freistuhl des westfäl. freigerichts); kanzel, lehr-, singstuhl; weberstuhl; dachstuhl; nachtstuhl; stuhlgang. **-bruoder** stm. mitrichter, gerichtsbeisitzer; laienbruder, kirchendiener. **-ganc** stm. stuhlgang. **-genôz, -genôze** stswm. gerichtsbeisitzer; genosse, gefährte. **-gewant, -gewæte** stn. = *stuollachen.* **-hêrre** swm. herr, besitzer eines freigerichts. **-küssen** stn. stuhlkissen. **-lachen** stn. stuhlteppich, teppich überh. **-sâze, -sæze, -sëzze** swm. gerichtsbeisitzer, schöffe. **-schrîber** stm. gerichtsschreiber oder der für die rechtsparteien schriften verfasst; bücherabschreiber (auch schreiblehrer?). **-stange** f. stuhlbein. **-veste** stf. feier des ehverlöbnisses vor dem pfarrer (*stuol* = *brûtstuol*); einlage in die zunftbüchse. **-vluz** stm. stuhlgang.

stuolen s. *stüelen.*

stuoler stm. stuhlflechter; s. v. a. *stuolbruoder* 2?

stuot stf. herde von zuchtpferden, gestüte; stute; weibl. tier überh. **-garte** swm. gestüthof (davon *Stuttgart*). **-hengest** stm. herdehengst. **-phert** stn. stute. **-ros** stn. beschäler; stf. stute. **-rosser** stm. beschäler. **-weide** stf. weide für eine *stuot.*

stûpe swstf. md. staupe, schandpfahl.

stupf stm. = *stopf.*

stupfe swf., **stupfel** stswf. stoppel.

stupfel-ber f. vom *stupfeler* nachgelesene trauben.

stupfeler stm. der *stupfelt.*

stupfel-, stupfen-halm stm. stoppelhalm, stoppel. **-man** stm. ährenleser.

stüpfelîn adj. von stoppeln.

stupfeln, stüpfeln swv. ähren od. trauben nachlesen.

stupfel-wîn stm. wein aus *stupfelberen.*

stüpfen, stupfen swv. tr. stechend stossen; stacheln, antreiben; mit den fingern berühren (als zeichen des gelöbnisses); wegstossen, heimlich entfernen. — intr. (mit stosse) hervordringen, keimen *ûz.*

stuppe f. werg (lat. *stuppa*).

stüppe, stuppe stn. = *gestüppe*; pulver zu arzenei u. zauber.

stüppelîn stn. stäubchen.

stüppen, stuppen swv. tr. zu staub od. pulver machen. — refl. zu staub werden.

stür, stüre s. *stör.*

sturbec, sturbe-lich adj. sterblich.

stürel stn. werkzeug zum *stürn.*

sturm stm., md. auch *storm,* unruhe, lärm; sturm der elemente, unwetter; kampf, bildl. innerer kampf, heftige gemütsbewegung; sturm auf eine stadt; sturmläuten. **-dinc** stn. sturmgerät. **-gezouwe** stn. sturmgerät. **-genôz** stm. kampfgenoss. **-gewant** stn. kampfrüstung. **-gir, -gîte** adj. kampfbegierig. **-glocke** f. sturm-, lärmglocke. **-grimme** adj. grimm im kampfe. **-herte** adj. = *strîtherte.* **-karc** adj. heftig im kampfe. **-küene** adj. kampfmutig. **-lich** adj., **-lîche** adv. stürmisch, heftig. **-lingen** adv. stürmisch. **-müede** adj. = *strîtmüede.* **-ræze** adj. *ræze* im kampfe. **-recke** swm. kampfheld. **-schal** stm. kampflärm. **-schar** stf. = *strîtschar.* **-starc** adj. *starc* im kampfe. **-stimme** stf. = *sturmschal.* **-tôt** adj. in der schlacht gefallen. **-van** stf., **-vane** swstm. sturm-, kriegsfahne. **-var** adj. nach kampf aussehend, blutgefärbt. **-veste** adj. fest, ausharrend im kampfe. **-vreise** stf. sturmesnot. **-wazzer** stn. stürmisches gewässer. **-weigen** stn. angriff, kampf. **-wëter** stn. sturmwetter, -wind, ungewitter. **-wint** stm. sturmwind, sturm; bildl. persecutio. **-ziuc** stmn. kampf-, sturmgerät.

sturm adj., ndrh. *storm,* stürmisch.

sturm stf. ellipt. für *sturmglocke.*

sturmære, stürmære, -er stm. stürmer, kämpfer.

stürmærinne stf. stürmerin.

stürmec adj. lärmend, stürmisch; zum sturme, zur berennung dienend.

stürmen swv., md. *sturmen, stormen* intr. unruhe machen, lärmen; in menge od. laut sich bewegen, schwirren; wüten, stürmen (von wind u. wasser); streiten, kämpfen. — abs. stürmen, sturm laufen. — tr. berennen; im anlaufe gewinnen. — tr. u. abs. läuten, bes. mit der *sturmglocke.* — abs. = *phulsen.*

stürmen stn. kampf; berennung, sturmlauf.

sturmes adv. im sturme, mit berennung.

stürmische adv. stürmisch.

stürmunge stf. sturm, gewittersturm.

stürn swv., md. *storen,* stochern; stacheln, antreiben.

stürunge stf. störung, aufruhr; md. *storunge* öffnung der ader, aderlass.

sturz stm. sturz, fall (*st. nemen* stürzen, fallen); sturz-, sturmregen; deckel, stürze; schleier, bes. trauerschleier, auch trauerkleid; je eine lage eines zusammengelegten tuchstückes.

stürze swstf. deckel eines gefässes, stürze; deckstein, steinplatte.

stürzel, sturzel stswm. pflanzenstrunk; kamingesims.

stürzen, sturzen swv. tr. fallen machen, stürzen; umwenden; (umwendend) setzen od. decken (*über, ûf, zuo*), überstülpen (v. helm); *korn st.* umwenden, umschaufeln; giessen *in*; mit einem *sturz* bekleiden. — intr. umsinken, fallen, stürzen (*dar under st.* vom rosse springen).

stutze swm. trinkbecher, stutzglas.

stutze swf. gefäss von böttcherarbeit in form eines abgestutzten kegels.

stütze stf. stütze.

stützel stm. stütze, säule; scheibe, marmel, klicker (als kinderspielzeug).

stuwen, stûn swv. md. schröpfen (vgl. *stuchen*).

stuz, *-tzes* stm. stoss, anprall; s. v. a. *stutze* swf.

stûʒ stm. steiss, kruppe des pferdes.

sû stf. (gen. *siuwe, sû,* pl. *siuwe, siu*) sau. **-hirte** swm. sauhirt. **-hût** stf. sauhaut. **-lac** stm. saustall. **-lache** f. saulache.

suben s. *siben.*

sûber, sûver, sûfer adj. sauber, rein, schön. - adv. rein; schön, hübsch; ganz u. gar. **-heit, -keit** stf. reinheit, schönheit; vornehmheit. **-(siuber-)lich** adj. = *sûber*; artig, züchtig, anständig. **-lîche** adv. auf schöne, artige weise. **-lîcheit** stf. sauberkeit.

sûbern, siubern swv. tr. u. refl. *sûber* machen, säubern, reinigen; refl. die nachgeburt ablegen.

sûberunge stf. säuberung, läuterung.

substanzje, substanz swstf. substantia. **substanz-, substenz-lich** adj. substantialis.

subtîl adj. subtilis. **-(subtîlec-)heit** stf. subtilitas. **-(ec)lich** adj. **-(ec)lîche** adv. subtiliter.

suc, soc, *-ges* stmn.? säugung, säugezeit; saft.

sûch- s. *siuch-, siech.*

suckenîe, suggenîe stswf. kleidungsstück für frauen u. männer, das über dem rock u. unter dem mantel getragen wurde (slav.).

sûde swm. schmutzkerl, feigling.

sudelen, suden swv. beschmutzen.

sûden s. *sunden.*

sûdenære stm. südwind.

sûden-wint stm. dasselbe.

süechel m. art dolch.

süel, sûen s. *sûl, siuwen.*

süemen swv. lieblich (*suome*) machen, schmücken.

süene adj. versöhnlich. **-bære** adj. versöhnung bringend, *süeneb. man* = *suonman.*

süenen, suonen swv. abs. tr. refl. versöhnen, ausgleichen (refl. mit dp, *gegen, wider, mit, ûf*). — tr. abhelfen, beseitigen.

süener, suoner stm. sühner, versöhner.

süenerinne, suonerinne stf. sühnerin, versöhnerin.

süen-, suon-lich adj. zur *suone* dienend. **-lîche** adv. in versöhnlicher, friedfertiger weise.

süenunge stf. sühnung, versöhnung, friede.

süeʒ-becke swm. süssbrotbäcker.

süeʒe, suoʒe adj., md. *sûʒe* u. *sôʒe* süss; milde, angenehm, lieblich; freundlich, gütig.

süeʒe, suoʒe stf. süssheit, süssigkeit, lieblichkeit, annehmlichkeit, freundlichkeit, gütigkeit; wohlgeruch.

süeʒec adj. = *süeʒe* 1. **-heit** stf. = *süeʒe* 2. **-lich** adj. = *süeʒe* 1.

süeʒede stf. = *süeʒe* 2.

süeʒelin, süeʒel stn. liebling.

süeʒen, suoʒen swv. tr. *süeʒe,* angenehm machen; erquicken, erfreuen. — intr. *süeʒe,* angenehm sein, werden. — refl. angenehm w., süss schmecken.

süeʒ-lich adj. = *süeʒe* 1.

suf, sof, *-ffes* stm. suff, schlurf.

sûf stm. trank; s. v. a. *sûft.*

sûfe f. suppe.

sûfen, soufen stv. II, 1 tr. schlürfen, trinken. — intr. versinken, untergehn.

sûfen stn. schlürfbare flüssigkeit.

sûfer, sûfern s. *sûb-.*

sûfezen swv. schlürfen.

suf-lich adj. schlürf-, trinkbar.

sûft stm. seufzer (eig. das einschlürfen des atems).

sûgelinc, *-ges* stm. säugling.

sûgen stv. II, 1 saugen intr. u. trans.; *daʒ kint s.* = *sougen.*

suggeln swv. in kleinen zügen saugen.

suggenîe s. *suckenîe.*

suht stf. md. *sucht* (auch stm.) krankheit (spez. pest, aussatz; fieber; rheumatisches übel; tobsucht, wahnsinn). **-brunne** swv. verpesteter brunnen. **-haft, -haftic** adj. krank, krankhaft.

sühtec adj. dass.

sukenîe s. *suck . . .*

sul, sol stf. salzwasser, -brühe.

sûl stf. (nbff. *soul, sûel, siule, sûwel*) säule, pfosten, pfeiler; bildl. stütze; bildsäule; feuer-, wolkensäule; heersäule; aufgerichteter pfahl, bes. schandsäule, pranger. **-stein** stm. steinerne säule.

sulch, sülch s. *solich, sumelich.*

sulde, sult s. *schulde.*

süle swf. = *salhe.*

sulgen s. *soligen.*

sûl-milch s. *sûrmilch.*

suln s. *soln* 1 u. 2.

sulre s. *sölre.*

sülwen, sulwen swv. = *soln* 1.

sulze, sülze, sulz stswf. salzwasser, -sole; sülze, brühe; gallertartige speise, sülze, und die dazu verwendbaren fleischstücke; das schlachtessen (würste u. dgl.).

sulzen, sülzen swv. sülzen.

sulzener, sulzer stm. kuttler.

sulzer stm. hüter od. wärter von gefangenen.

sulz-visch stm. eingesülzter fisch.

sum pron. adj. irgendeiner von allen, mancher; pl. einige, manche, zum teil.

sûm stm. das säumen, zögern.

sumach stm. färber- od. gerberbaum (it. *sommaco*).

sumber, summer sumer, sümmer sümer stmn. geflecht, korb; bienenkorb; getreidemass, obd.: simri; handtrommel, tambourin, pauke. **sumber-dôʒ** stm. trommel-, paukenschall. **-slahen, -slagen** stn. das schlagen des *sumbers.* **-slegge** swm. = *sumberer.*

sumberer stm. trommel-, paukenschläger.

sumbern, summern, sumren swv. den *sumber* schlagen.

sûme stf. = *sûm.*

sume-, süme-lich pron. adj. = *sum* (nbff. *sum-, süm-, sünlich, same-, seme-, ʒemlich, simelich*; kontr. *sulch*).

sûmen swv. tr. mit as. auf-, hinhalten, verzögern; versäumen; mit ap. warten lassen, auf-, abhalten, hindern. — refl. u. intr. sich aufhalten, zögern, säumen, sich verspäten; unpers. mit abh. satz: es dauert.

sumer, sümer s. *sumber.*

sumer stm. sommer; eine fieberkrankheit. **-bluot** stf. sommerblüte. **-hûs** stn. sommerhaus, -laube. **-kleit** stn. kleid für die sommerzeit; kleid des sommers. **-kraft** stf. kraft, fülle des sommers. **-kunft** stf. ankunft des sommers. **-lanc** adj. lang wie im sommer, bildl. sehr lang. **-late, -latte** swf. diesjähriger, in einem sommer gewachsener schössling. **-lëben** stn. sommerliches leben, das aufblühen im sommer. **-lich** adj., **-lîche** adv. sommerlich, des sommers, nach art des sommers. **-lieht** adj. hell wie im sommer. **-mæzec** adj. aestivalis. **-ouwe** f. die aue im sommer. **-saf** stn. sommersaft. **-sanc** stmn. gesang im sommer. **-sâʒe** swm. vieh, das den sommer über auf der weide gewesen ist. **-tac** stm. sommertag, pl. sommer. **-tocke** swf. sommerpuppe: sommerlich herausgeputztes mädchen, geliebte; obsc. für vulva. **-tocken** swv. wie eine *sumertocke* herausputzen. **-var** adj. von sommerlichem aussehen. **-wât** stf. = *sumerkleit*. **-wëter** stn. sommerwetter, sommer. **-wîse** stf. sommermelodie. **-wünne, -wunne** stf. wonne des sommers. **-zeichen** stn. signum australe. **-zît** stf. sommer.

sumeren swv. intr. sommer werden.

sumeric adj. = *sumerlich*.

sumers adv. gen. im sommer.

sûmesal stm. f. n. saumseligkeit, versäumnis; entschuldigung wegen des ausbleibens bei der tagsatzung. **sûmeseli, -sele** stf. saumseligkeit. **sûmeselic** adj. saumselig.

sûm-, sûmic-heit stf. säumigkeit.

sûmic adj. säumig.

sûmige stf. säumigkeit.

sum-, süm-lich s. *sumelich*.

sûm-lich adj., **-liche** adv. säumig.

summe stswf. summe, inbegriff; gesamtzahl; betrag, summe; anzahl, menge (lat. *summa*).

summen swv. summen; *summen* stn. das rasche schwingen eines körpers und das dadurch entstehende geräusch.

summen, summieren swv. summieren (lat. *summare*).

summer, sümmer s. *sumber*.

sûmnisse stf. auf-, hinhaltung, hinderung; säumnis, zögerung.

sumpf, sunpf stm. sumpf.

sûm-tage swm. versäumnis.

sûmunge stf. dasselbe, saumseligkeit.

sun, suon stm., md. auch *son, sûn* sohn; das männl. junge von tieren. **-heit** stf. wesen des sohnes, als sohn. **-lich** adj. einem sohne gemäss, eines sohnes. **-licheit** stf. = *sunheit*.

sun-âbent s. *sunnenâbent*.

sunc stm. das untersinken.

sündære, -er stm. sünder.

sündærinne, -erinne, -în stf. sünderin.

sünde adj. sündlich; *mir ist sünder* ich habe grössere sünde auf mich geladen. - **(sünte, sunte)** stf. sünde. **-bære** adj. sündhaft. **-haft** adj. mit sünde behaftet. **-lich** s. *süntlich*. **-lîn** stn. dem. zu *sünde*. **-lôs** adj. ohne sünde. **-(sunden-) meilic, -mælec** adj. mit sünde befleckt. **-riche** adj. voll sünden. **-siech** adj. sündenkrank. **-sippe** stf. was der sünde verwandt ist, nahe steht.

sündec, -ic adj. sündig, die *sünde* betreffend (*ein s. weinen* ein weinen über die sünden).

sünden, sunden swv. intr. sündigen. — refl. sich versündigen. — tr. mit ap. für einen sünder erklären, ihm zur sünde anrechnen.

sunden, sûden stn. süden. **-(sundenân)** adv. von süden her, südlich. **-wint** stm. südwind.

sünden (sunden) -arm adj. durch s. arm. **-bar, -blôʒ** adj. ohne sünden. **-mâl, -meil** stn., **-mâse** swf. entstellender sündenflecken. **-mæligen** swv. mit s. beflecken. **-reine, -rein** adj. von s. rein. **-riuwic** adj. die sünden bereuend. **-rumpf** stm. sündhafter mensch. **-ruof** stm. ruf der sünden, des sünders. **-ruoʒ** stm. sündenruss, beflekkung durch s. **-sac** stm. sündensack, sünder. **-site** stm. sündhafte gewohnheit. **-stift** stf. anstiftung zur sünde. **-suht** stf. sündenkrankheit, sünde. **-sun** stm. sündensohn (Judas). **-vrî** adj. frei von s. **-vröude** stf. sündliche freude. **-warm** adj. mit frischer sündenschuld beladen. **-wërc** stn. sündige tat. **-worhte** swm. sünder.

sunder adj. abgesondert, allein stehend, einsam, besonder, ausschließlich, eigen; ausgezeichnet. **-(sunderen)** adv. auf eine gesonderte weise, abseits, im einzelnen, für sich, insbesondere, ausschliesslich; vorzüglich, ausgezeichnet, sehr. — präp. mit. acc. ausser, ohne. — konj. ausgenommen, ausser; gleichwohl, vielmehr, indessen, aber; sondern. - stf. besonderheit. **-art** adj. besondere art. **-bar, -bâr** adv. ohne beschränkung, unverzüglich; einzeln, insbesondere, vorzüglich; sondern. **-bære, -bar** adj. besonder, ausgezeichnet; alleinstehend, unverheiratet. **-brôt** stn. *sîn s. haben* sein eigenes brot, seinen eigenen herd haben. **-dröu** stf. besondere drohung. **-ê** stf. besonderes gesetz, privilegium. **-êre** stf. besondere ehre. **-gëlt** stn. besondere bezahlung. **-glast, -gliʒ** stm. besonderer, ausgezeichneter glanz. **-guot** stn. eigenes vermögen. **-haft** adj. abgesondert, ausgeschlossen; gross, ausserordentlich. **-heit** stf. abgesondertheit, besonderheit; *in s.* insbesondere. **-her** stn. besonderes heer. **-holde** swm. besonderer liebling. **-krône** stf. besondere k. **-lant** stn. besonderes, einzelnes, eigenes land **-lëger** stn. abgesondertes lager. **-lich** adj., **-liche** adv. = *sunder*. **-liep** adj. besonders, sehr lieb. **-marke** stf. provinz. **-munt** stm. der den mund nur für sich hat, mit andern nicht spricht oder nicht sprechen kann, da er ihre sprache nicht versteht. **-name** swm. besonderer name für einz. dinge. **-niuwe** adj. ganz neu. **-nôt** stf. ausserordentliche *nôt*. **-rât** stm. abgesonderte, heimliche beratung. **-rede** stf. heimliche unterredung. **-rinc** stm. abgesondertes zeltlager, abgesteckter kampfplatz. **-rote** stf. besondere schar, schar mit einer besonderen bestimmung. **-sæʒe** adj. abgesondert, einzeln wohnend. **-sâʒe** swm. einzelperson. **-schar** stf. = *-rote*. **-schîn** stm. besonderer, ausgezeichneter glanz. **-siech** adj. aussätzig (weil die aussätzigen in abgesonderten häusern untergebracht wurden). **-siz** stm. besonderer sitz. **-slâ** stf. der besondere, eigene weg, den man reitet. **-slâf** stm. das getrenntschlafen der eheleute. **-spîse** stf. = *-brôt*. **-sprâche** stf. besondere sprache, dialekt; geheime unterredung. **-sprâchen** swv. sich heimlich besprechen, beraten. **-storje** stf. besondere kriegsschar. **-sühtige** stf. der aussatz. **-trahte** stf. ein ausgesuchtes, köstliches gericht. **-teil** stm. besonderer teil. **-trût** stmn., **-trûte** swm., **triutel** stn. besonderer liebling. **-varwe** stf. besondere, verschiedene farbe. **-vluʒ** stm. besondere strömung, meeresarm. **-vriunt** stm. besonderer, vorzüglicher freund. **-wal** stf. besondere auswahl. **-wân** stm. hoffärtige zuversicht. **-wanc** stm. *âne s.* sicher, zuversichtlich. **-wësen** stn. eigenart. **-zal** stf. *mit s.* mit zählung jedes einzelnen. **-zunge** stf. = *-sprâche*.

sunder adj. südlich. **-, sundert** adv. nach, von süden, südlich. **-(sünder-)göu** stn. südgau. **-wint** stm. südwind.

sünder-ambet stn. das *ambet* des sünders. **-kempfe** swf. vorkämpferin für die sünder.

sunderic adj. = *sunder* 1.

sunderlinc adj. besonders, einzeln.

sunderlingen adv. = *sunder* 1.

sundern swv. sondern, absondern, trennen, unterscheiden; refl. in geistlichem sinne.

sundern = *sunder* adv., präp., konj.

sundern adv. nach, im süden.

sunders adv. abgesondert, auf besondere weise.

sundert adv. s. *sunder* 2. **-halp** adv. im süden.

sunderunge stf. absonderung, trennung; rechtl. protestatio, renuntiatio.

sündigen swv. sündigen. — retl. sich versündigen.

sûne s. *siune, suone.*

sünelîn stn. dem. zu *sun.*

sunfzen, sünfzen swv. = *siuften.*

sungeln, sunkeln swv. knistern.

sungen, sunken swv. intr. anbrennen, versengt werden.

sun-, sunne-giht stf. sonnengang = *sunnewende.* **-giht-tac** stm. Johannistag.

sün-lich s. *sumelich.*

sun-naht s. sunnen-.

sunne swstf. stswm., md. auch *sonne* sonne; sonnenschein, tageslicht; sonnenbeschienener platz; die östliche himmelsgegend. **-bërnde** part. adj. den sonnenschein bringend, hell. **-giht** s. *sungiht.* **-halben** adv. = *sunnenhalp.* **-(sunnen-)schîn** stm. sonnenschein, tageslicht; sonnenstrahl. **-(sun-, sunnen-) tac** stm. sonntag (*der wîze s.* sonntag invocavit, *swarze* s. der fünfte sonntag in der fasten, weil die altäre schwarz verhüllt sind). **-(sunnen-)var** adj. hell wie die sonne. **-(sun-)wende** stf. sonnenwende im sommer, solstitium, Johannistag; sonnenblume. **-wender** adj. solstitialis. **-went-tac** stm. Johannistag.

sunnec-lich adj. sonnig, sonnenhaft.

sünnelîn stn. dem. zu *sunne.*

sünnen, sunnen swv. der sonne aussetzen.

sunnen-(sun-)âbent stm. sonnabend. **-bære** adj. sonnig. **-blic** stm. sonnenschein, -glanz (adjekt. gebraucht: *ein sunnenblicker schûr* von der sonne beleuchtetes gewitter). **-blint** adj. von der sonne geblendet. **-brât** stn. von der sonne ausgedörrtes land. **-brëhen** stn., **-glanz, glast** stm. sonnenglanz, -schein. **-glas** stn. lichtgefäss der sonne. **-got** stm. sonnengott. **-halp** adv. auf der sonnen-, südseite. **-heiz** adj. sonnenheiss. **-lêhen** stn. ein lehn, worüber man keinen lehnsherrn anerkennt als die sonne. **-lich** adj. heliacus, solaris. **-licht** adj. sonnenhell. **-lieht** stn. sonnenschein. **-naht** stf. nacht zum sonntag, sonntagsnacht, sonntag. **-schîn** s. *sunneschîn.* **-spil** stn. Jesus, gott. **-stërre** m. sonne. **-stoup** stm. sonnenstäubchen. **-stric** stm. heller streifen der sonne, wenn sie wasser zieht. **-stüppe** stn. = *-stoup.* **-tac** s. *sunnetac.* **-wendel** stm. sonnenwende; sonnenblume; ein edelstein. **-wërbel, -wirbel** stm. sonnenwirbel, -blume. **-zeichen** stn. zeichen des tierkreises.

sunpf s. *sumpf.*

sunst s. *sus.*

sunt, *-des* stm. süd.

sunt, *-des* stm. sund.

sunt adj. = *gesunt.* **-lîche** adv. gesund. **-nisse** stf. gesundheit.

sun-tac s. *sunnetac.*

sünte s. *sünde.*

sünt-hûs stn. bordell. **-(sünde-)lich** adj., **-lîche** adv. sündlich sündhaft.

suoch stm. das suchen, nachforschen, die untersuchung; nachricht (*einen s. gedenken* nachsinnen über); benutzung um nahrung od. gewinnes willen: weide, erwerb, zinsen.

suoche, suochede stf. das suchen, nachforschen.

suochen swv. suchen, aufsuchen (*die erde s.* niederfallen); durchsuchen, erforschen; versuchen; sich bemühen, bestreben mit inf.; aufsuchen, besuchen (*heime s.* im hause besuchen, heimsuchen); feindlich anhalten, nachstellen, aufsuchen, mit kriegsgewalt gegen jem. ziehen (*einen heime s.* ihn mit gewalt in od. bei seinem hause anfallen); *ein dinc an einen s.* jmd. für etw. bestrafen.

suocher stm. sucher, erforscher; angreifer, verfolger.

suoch-hunt stm. spürhund. **-man** stm. jäger, der das wild aufsucht. **-stolle** swm. bergm. probierstollen.

suochunge stf. suchung, erforschung; versuchung; anforderung; verfolgung.

suome adj. angenehm, lieb- [lich.

suon s. *sun.*

suon- s. *süen-.*

suon, suone stm. f. urteil, gericht; sühne, versöhnung, frieden, ruhe.

suone-ambet stn. sühnmesse.

suone-brief stm. friedens-, vergleichsurkunde.

suonec-lîche adv. auf versöhnliche weise.

suon-liute pl. schiedsleute, -richter. **-man** stm. versöhner, vermittler; schiedsmann, -richter. **-schaft** stf. versöhnung. **-stat** stf. versöhnungsstätte. **-tac** stm. tag des urteils, des (jüngsten) gerichts. **-zeichen** stn. zeichen der versöhnung.

suot stm. schäumende wogen(?).

suoze s. *süeze.*

suoze adv. auf süsse, liebliche, angenehme weise.

suoz-gemuot, -gemüetec, -müetec adj. liebenswürdig. **-müetecheit** stf. liebenswürdigkeit.

sûpân, suppân, sôpân stm. slavischer edelmann, fürst; verwalter eines gutes (slav. *župan*).

supfen swv. schlürfen.

supparje, suppierre swf. = *suppe.*

suppe, soppe swstf. brühe, suppe; spez. morgensuppe, frühstück; mahlzeit überh.; mistjauche (md. für hd. *supfe,* vgl. *sûfe*).

suppelîn, suplîn stn. süppchen; gift.

suppen-zît stf. frühstück- od. abendbrotzeit.

sûr- s. *siur-.*

sûr, sûwer adj. sauer, herbe, scharf, bitter (bildl. schwer, lästig, mühsam; hart, böse, schlimm, grimmig; grausam, blutgierig). — subst. stn. bitterkeit, übel, nachteil (*ze sûre komen* zum nachteil ausgehen). **-becke** swm. sauerbrotbäcker. **-brôt** stn. brot mit sauerteig gebacken. **-heit** stf. bosheit. **-lîche** adv. herbe, hart. **-(sûl-)milch** stf. saure milch. **-öuge** adj. rinnäugig. **-teic** stm. sauerteig.

surch stm. mohrenhirse, sürch.

sûrde stf. bitterkeit, herbheit.

sûre, sûr adv. auf *sûre* weise.

sûrec adj. sauer, bitter.

sûrec-heit, sûrekeit stf. bitterkeit, herbheit.

sûren, siuren swv. *sûr* sein od. werden, s. schmecken. - stn. feindselige gesinnung.

sürfeln, sürpfeln swv. schlürfen.

surkôt stn. m. oberkleid der männer u. frauen: schleppe (fz. *surcot,* mlat. *surcotium*).

surt, sort stmnf. stuprum (s. *sërten*), dann überh. als schimpfwort u. zur bezeichnung des ganz nichtigen dienend.

surt-hart stm. hurer.

surtôt = *surkôt.*

surzengel stm. obergurt (fz. *sursangle,* vgl. *übergurt*).

surziere f. = fz. *sorciere,* zauberin.

sus, sust, sunst adv. so (in solchem grade, so sehr, in solcher weise, nach beding. vordersatze: so); *umbe sus, sust:* nur um dies selbst, umsonst, ohne grund; ellipse einer negat. bedingung: sonst; gegensatz: so aber.

sûs stm. das sausen, brausen; saus und braus.

sûse swm. eine art jagdhund.

sûsen, siusen swv. sausen, brausen, rauschen, summen,

zischen, knirschen, knarren; sich sausend bewegen (imperat. ausruf *sûsâ!*).

sus-lich adj. = *solich.*

suste swf. niederlagsgebäude (it. *susta*).

suster, süster s. *swester.*

sûster s. *schuochsûter.*

sûsunge stf. das sausen.

sut stm. das sieden; das gekochte, gebraute. **-meister** stm. sied-, braumeister. **sute, sutte** stswf. (siedende) lache, pfütze, bildl. hölle; der unterste schiffsraum; allgemeine krankenstube im spitale (Nürnberg).

sûter stm. schneider, schuster. **-stat** stf. schusterwerkstätte.

sütic adj. siedend heiss.

suttern swv. im kochen überwallen.

sûver, sûver- s. *sûb-.*

sûwel s. *sûl.*

sûwen, sûwer s. *siuwen, sûr.*

sûwer-brunne swm. sauerbrunnen.

swâ, swô konj. (aus *sô wâ,* ältere form *swâr*) wo irgend, wo auch, wo (mit od. ohne korrelat.).

Swâbe s. *Swâp.*

swæbisch adj. schwäbisch.

swach stm. unehre, schmach; verletzung; ab-, auflösung (?). **swach** adj. schlecht, gering, unedel, niedrig, armselig, verachtet (*ein swacher man* von niedrigem stande); kraftlos, schwach. **-gemuot** adj. von niedriger, schlechter gesinnung. **-heit, swacheit** stf. geringheit; unehre, schmach; invalitudo; servitus. **-(swech-)lich** adj., **-lîche** adv. = *swach, swache.*

swache, swach adv. auf *swache* weise (*swache leben* nicht standesgemäss leben). **swache** stf. unehre, schmach.

swachen swv. intr. *swach* sein oder werden. — tr. u. refl. *swach* machen oder achten, verachten, tadeln; schänden; *sich sw. an einem* sich verunehren.

swade swm. md. reihe abgemähten grases oder getreides (bildl. von abgerissenem fleische am körper).

swade, swaden m. md. schwadengras, bluthirse.

swadem, -en stm. dicke ausdünstung, brodem.

swademen, swedemen swv. vaporare.

swader stm. reiter-, flottenabteilung (it. *squadra,* fz. *escadre*).

swaderer stm. schwätzer.

swâger stm. schwager; schwiegervater; schwiegersohn.

swægerinne stf. schwägerin.

swæger-lich adj., **-liche** adv. schwägerlich.

swæher s. *swëher.*

swal s. *swalwe.*

swal, -lles stm. schwall, angeschwollene masse.

swalch, swalc stm. schlund; flut, woge. — *des swalges slunt* höllenschlund.

swalm stm. bienenschwarm.

swalwe swalbe, swale swal swstf. schwalbe; eine art englischer harfe.

swam, -mmes stm. überschwemmung.

swam, -mmes, swamp, -bes stm., **swamme** swm. schwamm, pilz.

swamen swv. schwimmen.

swan s. *swanne.*

swan, swane stswm. schwan.

swanc, -ges, -kes stm. schwingende bewegung, schwingen, schwung (*sw. tuon mit ougen* umherblicken); schicksalsschlag; schlag, wurf, hieb, streich, fechterstreich; lustiger oder neckischer einfall, streich oder erzählung eines solchen.

swanc adj. schwankend, stürmisch; beweglich; biegsam, schlank, dünn, schmächtig.

swaner stm. herde, rudel.

swanger adj. schwanger (mit gen. od. *an, von*); schwankend.

swangern s. *swengern.*

swangern swv. schwanger sein.

swankel adj. = *swanc.*

swankeln, swänkelieren swv. schwanken, taumeln.

swanken swv. dasselbe. — tr. schwingen, schwenken.

swanne, swenne konj. (auch *swann, swan*; *swenn, swen*) wann irgend, wann auch, sobald, wenn.

swannen adv. wenn irgendwoher: woher immer, woher auch, woher (gehäuft *von swannen*).

swant, -des stm. das ausreuten des waldes; s. v. a. *swende*; verwüstung.

swantel stn. schwendholz, gesträuch.

swanz stm. schwenkende, tanzartige bewegung; schleppe, schleppkleid; bildl. schmuck, zierde, glanz, herrlichkeit; zierliches, stutzerhaftes gepränge; schwanz; schlusserweiterung einer lyrischen strophe; männl. glied. **swanzel** s. *swenzel.* **swanzen** swv. intr. schwenkend sich bewegen, hin und her schwanken; umherstreifen. — tr. zierlich und höflich bewegen. — intr. sich zierlich oder geziert, bes. tanzartig bewegen, tanzen, einherstolzieren. **swanzieren** swv. einherstolzieren.

Swâp, -bes stm., **Swâbe** swm. Schwabe; dat. pl. *Swâben* als landsname: Schwaben.

swar konj. wenn irgend wohin: wohin irgend, wohin auch, wohin (mit od. ohne korrelat). — adv. vor präpp. (*swar an, nâch*).

swâr s. *swâ.*

swarc adj. finster (gewölke, gewitter).

swærde stf. schmerz, kummer, leid; schwierigkeit, schwere, gewicht.

swære, swær, swâr adj. weh tuend, schmerzlich, leid, unangenehm, lästig, beschwerlich, widerwärtig (*einem swære machen* machen dass es einem schwer oder drückend wird); bekümmert, betrübt; gewichtig, schwer; schwer, unbehilflich; nicht *ringe,* vornehm, angesehen; schwanger (mit gen. od. *von*).

swâre, swære adv. auf *swære* weise.

swære swm. leid, schmerz, kummer.

swære stf. leid, schmerz, kummer, beschwerde, bedrängnis; grosses gewicht, schwere. *âne sw.* ohne umstände.

swærec-heit stf. schwere; schwierigkeit, hindernis.

swâren, swæren swv. *swære* sein oder werden; vor alter gebrechlich werden.

swæren swv. *swære* machen, in *swære* bringen.

swær-gemüete stn. edelmut, bonitas.

swær-, swâr-heit stf. = *swære* stf.

swær-lich adj., **-liche** adv. = *swære, swâre*; *sw. trahten* tief nachsinnen.

swarm stm. bienenschwarm.

swarmen, swermen swv. schwärmen (bienen).

swær-müetic adj. gedrückten mutes.

swærnisse stf. bedrückung, last.

swâr-suhtec adj. schwerkrank.

swarte, swart swstf. behaarte kopfhaut, menschl. haut überh.; behaarte oder befiederte haut der tiere; speckhäutlein, -rinde; schwartenbrett.

swærunge stf. bedrückung, last.

swarz adj. dunkelfarbig, schwarz (*sw. buoch* nigromantisches buch, zauberbuch. *sw. kunst* zauberkunst; *swarzez gelt* gelt das auf schwarz geprägt ist, mehr kupfer als silber enthält); übertr. vom leumund. **-gevar** adj. = *swarzvar.* **-haft** adj. schwarz. **-heit** stf. schwärze. **-kunster, -künstler** stm. zauberkünstler, **-lieht** adj. glänzend schwarz. **-mâl** adj. schwarzfarbig, schwarz. **-var** adj. dasselbe. **-wilt** stn. schwarzwild.

swarze swm. der schwarze (mohr, teufel).

swarzen swv. schwarz sein oder werden.

swarzlot adj. schwärzlich.

swâs stmn.? heimlicher ort, abtritt; gestank. **-hûs** stn. kloake. **-(swês-)liche** adv. in der stille, heimlich.

swateren swv. rauschen, klappern.

swatic s. *swetic.*

swattgen swv. plätschernd auf dem wasser fahren, schwanken.

swatzen s. *swetzen.*

swaȥ s. *swër.*

swaz, *-tzes* stm. geschwätz.

swâȥ stm. ausguss, -schutt.

swê s. *swie.*

swëbe stf. schwebe. **-holz** stn. schwimmfähiges holz. **-leite** swf. bergm. hängende schicht?

swëbel, swëvel stm. schwefel. **-hitze** stf. schwefelhitze. **swëbelic** adj. schwefelig. **swëbelîn** adj. von schwefel. **swëbellouch** stm. schwefelflamme. **-rinc** stm. pechkranz, -fackel. **-var** adj. schwefelfarb. **-vlieȥ** stn. torrens sulfuris.

swëben swv. (perf. mit *sîn* und *haben*) sich fliessend, schiffend, schwimmend, fliegend hin und her bewegen; in der schwebe, unentschieden sein.

swechen swv. tr. *swach* machen. — refl. sich erniedrigen.

swechenôn swv. duften.

swechern swv. *swach, swecher* machen.

swecherunge stf. herabsetzung, schmälerung.

swech-lich s. *swachlich.*

swedemen s. *swademen.*

swëder pron. condit. u. concess. wenn irgendwelcher von beiden, welcher auch von beiden (ohne od. mit gen.). — unfl. n. *sweder* auf welche von beiden weisen auch, *sweder* — *oder* sei es — oder. **-halp** adv. auf welcher, auf welche von beiden seiten.

swëgel-bein stn. knochenrohr als pfeife. **swëgele, swëgel** swf. eine art flöte; röhre, speiseröhre. **swëgelen** swv. auf der *swëgelen* blasen; pfeifen, blasen überh.

swëger-, swiger-hërre swm. schwiegervater.

swëher, swæher, swëger, swêr stm. schwiegervater.

swei s. *sweige.*

sweibeln swv. schwanken, taumeln.

sweiben swv. intr. sich schwingen, schweben, schweifen, schwanken. — tr. schwenken, schwenkend spülen.

sweichen swv. ermatten, nachlassen; ruhen, liegen.

sweie s. *sweige.*

sweif stm. schwingende bewegung, gang, umschwung, umfang, umkreis; umschlingendes band, besatz eines kleidungsstückes; schwanz; bergm. der ausläufer eines erzganges und die in demselben gefundene erzart.

sweifen redv. 4 tr. in rund umschliessende, drehende bewegung setzen, schweifen, schwingen. — intr. schweifen, bogenförmig gehn, sich schlängeln; schwanken, taumeln; bogenförmig, sich schlängelnd abwärts hangen.

sweifen swv. schweifen, schwingen.

sweige, sweig stf. (auch *sweie, swei*) rinderherde; viehhof, sennerei und dazu gehöriger weideplatz.

sweigen swv. armentari; käse bereiten.

sweigen swv. *swîgen* machen, zum schweigen bringen, stillen (mit priv. gen., mit *an*); verschweigen.

sweiger stm. der *swîgen* macht (die menschen verlockt, nicht zu beichten).

sweiger stm. der als eigentümer, pächter oder knecht eine *sweige* bewirtschaftet, bes. käse bereitet, senne.

sweigerie stf. = *sweige.*

sweigern swv. zum schweigen bringen.

sweig-hof stm. hof, auf dem viel vieh gehalten und käse bereitet wird. **-kæse** stm. auf einer *sweige* bereiteter käse. **-mate** swf. zur viehweide bestimmte matte. **- vihe** stn. vieh einer *sweige.*

sweim stm. das schweben, schweifen, schwingen, der schwung, umschwung.

sweimen swv. sich schwingen, schweben, schweifen, fahren; überfließen.

swein, sweinære, -er stm. hirte, knecht.

sweinen swv. *swinen* machen, verringern, schwächen, verscheuchen, vernichten.

sweiȥ stm. schweiss; blut. **-bader** stm. der ein *sweiȥbat* bereitet. **-bat** stn. schwitzbad. **-loch, -löchel** stn. pore. **-tuoch** stn. schweisstuch. **-vensterlîn** stn. pore. **-var** adj. schweissig. **-wurst** stf. blutwurst.

sweiȥen swv. intr. schweiss vergiessen, schwitzen; nass werden, bes. vom blute nass sein, bluten.

sweiȥen swv. tr. schweiss vergiessen; heiss machen, rösten; schweissen, in glühhitze aneinander hämmern.

sweiȥic adj. von schweisse nass; des schweisses; von blute nass, blutig.

sweiȥigen swv. *sweiȥic* machen.

swel s. *swelch, swil.*

swëlc adj. welk, mürbe.

swelch, swelh, swelich, swel pron. (md. auch *swilch, swilich*) condit. u. concess. wenn irgend welch: welch irgend, welch auch, welch.

swëlch, *-hes* stm., **swëlhe** swm. schlinger, säufer; das saufen, schlemmerei.

swëlge stm. was man einschluckt (vom blumenduft).

swëlgen, swëlhen stv. III, 2 schlucken, verschlucken, saufen.

swëlhe swm. s. *swëlch.*

swëlher stm. säufer.

swëlken swv. intr. *swëlc* werden. — tr. *swëlc* machen.

swëlle swm. geschwulst, schwiele.

swelle stswf. n. balken zum hemmen, schwellen des wassers; balken überh., bes. grundbalken, schwelle.

swëllen stv. III, 2 schwellen, anschwellen; verschmachten (*hungers, von hunger*).

swellen swv. tr. *swëllen* machen; mit *swellen* versehen; aufstauen, bildl. hemmen.

sweller stm. schwelle.

swëlzen stv. III, 2 intr. brennen, verbrennen.

swemme, swem stf. schwemme.

swemmelîn stn. dem. zu *swam.*

swemmen swv. *swimmen* machen: ins wasser tauchen, darin waschen; *durch, über ein waȥȥer sw.* (mit ausgelass. obj. *ros*) darüb. schwimmen, übersetzen; mit räuml. acc. *den sê sw.*; aufschwemmen (*den teic*); in etw. umwälzen.

swemmer stm. schwemmer, mausadler.

swen s. *swanne.*

swendære stm. verschwender.

swendærinne stf. vernichterin.

swende stf. ein durch *swenden*, ausreuten des waldes gewonnenes stück weide oder ackerland; s. v. a. *swendunge*?

swenden swv. *swinden* machen: absol. ausreuten, bes. das unterholz eines waldes; tr. fortschaffen, zu nichte machen, vertilgen, verbrauchen, verschwenden, -zehren; *den walt sw.* hyperbolisch: speere brechen im turnier.

swendunge stf. ausreutung des unterholzes; abmagerung; mühe, anstrengung.

swengel, swenkel stm. was sich schwingt, zipfel (am *bannier*), schwengel; vorrichtung zum schleudern; der, welcher schleudert.

swengeln swv. schwingen.

swengern swv. schwängern.

swenke adj. sich schwingend.

swenken swv. tr. *swingen* machen, in *swanc* bringen, schwenken, hin und her schwingen, schleudern. — intr. einen *swanc* tun, in schwankender bewegung sein, schweifen, schweben, sich schlingen.

swenne s. *swanne.*

swenzel, swanzel stn. = *swenzelîn.*

swenzelieren swv. einherstolzieren.

swenzelîn, swenzel stn. dem. zu *swanz*; schleppkleid, festanzug.

swenzeln, swenzen swv. tr. schwenken; putzen, zieren. — intr. s. v. a. *swanzen.*

swëp, *-bes* stm. schlaf, schlummer.

sweppe s. *swippe.*

swër s. *swëre.*

swër, swaȥ pron. condit. u. concess. wenn irgend wer: wer irgend, wer auch, wer (ohne od. mit gen.); *swaȥ, umbe swiu* adverbial: so sehr als, wie sehr.

swêr s. *swëher.*

swërben stv. III, 2 sich wirbelnd bewegen.

swërc, *-kes* stn. dunkles gewölke, finsternis (s. *swarc*).

swërde swm. stf. leibl. schmerz, leid.

swërde swm. (aus *swërnde*) der schmerz empfindet.

swëre, swër swstm. leibl. schmerz, bes. geschwulst, geschwür.

swëric s. *swiric.*

swermen s. *swarmen.*

swërn stv. IV wehe tun, schmerzen (mit ap., dp.); schmerz empfinden; schwellen, schwären, eitern (mit ap., dp.). *von einem sw.* durch ausschwären heil w.

swern stv. VI mit j- präs. intr. (u. tr.) schwören, eidlich für wahr erklären, versichern, überh. bestimmt aussprechen, behaupten (*meines sw.* falsch schwören); mit dat. huldigen; *sw. ûf* (mit dat.) die hand auf etw. legend schwören, *zuo samene sw.* sich eidlich verbinden, verschwören, *über, ûf, wider einen sw.* sich gegen ihn verschwören. — tr. (ohne od. mit dp.) als wahr, als sicher schwören; zu tun, zu halten schwören, geloben; verloben.

swërt stn. schwert; sinnbild des ritterl. standes (*sw. geben* zum ritter machen, *swert leiten* od. *nemen* zum ritter gemacht werden); sinnbild der weltl. gewalt, s. *stôle*; *friunt nâch dem swert* verwandter von väterlicher seite, vgl. *swërtmâc*; richtschwert. **-balc** stm. schwertscheide. **-brief** stm. geschriebener schwertsegen, der gegen schwerthiebe fest macht. **-brücke** stf. schwertbrücke. **-bruoder** stm. schwertritter. **-dëgen** stm. knappe, der das ritterschwert erhalten soll od. eben erhalten hat. **-genôȥ** stm. der mit einem anderen zugleich ritter geworden ist. **-grimmec** adj. schrecklich durchs schwert. **-halben** adv. von männlicher, väterlicher seite. **-klanc** stm. schwertklang. **-lêhen** stn. mannslehen. **-leite** stf. schwertführung, techn. ausdruck für die schwertumgürtung, wehrhaftmachung, für das ritterwerden. **-leiten** swv. ritter werden. **-mâc, -mâge** stswm. verwandter von väterlicher seite. **-mæȥic** adj. reif für das schwert, für den ritterschlag. **-rüeȥel** stm. schwertfisch. **-scheide** stf. schwertscheide. **-sëgen** stm. schwertsegen (s. *swërtbrief*). **-slac** stm. schwerthieb. **-spil** stn. schwertspiel, kampf. **-stiure** stf. *st.* zur schwertleite. **-swanc** stm. schwerthieb. **-var** adj. schwertfarbig, blank. **-vaȥ** stn. schwertscheide. **-vëger** stm. schwertfeger, waffenschmied. **-veȥȥel** stm. band, mit dem man das schwert umgürtet. **-vürbe** swm., **-vürber** stm. schwertfeger. **-wahs** adj. scharf mit dem schwerte.

swërtel, swërtele f. m. schwertelkraut.

swërtelîn, swërtel stn. dem. zu *swërt.*

swërtlinc, *-ges* stm. = *swërtel.*

swerze stf. schwärze, schwarze farbe (der haut, der federn); stswf. schwarze farbe zum färben oder anstreichen; dunkelheit der nacht, finsternis.

swerzen swv. *swarz* machen, schwärzen.

swês-lîche s. *swâslîche.*

swester stswf. (md. gewöhnl. *suster, süster*) schwester; titel geistl. frauen; klageschwester, -frau. **-barn, -kint** stn. schwesterkind. **-lich** adj. schwesterlich. **-schaft** stf. schwesterschaft, schwester. **-sun** stm. schwestersohn.

swesterlîn stn. dem. zu *swester.*

swetic, swatic adj. weich, morsch, schwammig.

swetzen, swatzen swv. schwatzen. **swetzer** stm. schwätzer. **swetzic** adj. geschwätzig.

swëvel s. *swëbel.*

swî s. *swie.*

swibel, swübel stm. riegel.

swibelen swv. taumeln.

swibelen, swivelen swv. schwefeln.

swibel-swanz stm. schleppkleid, tanzanzug.

swi-boge swm., dem. *swibogelîn* schwibbogen.

swic, *-ges* stm. das stillschweigen, verbot zu sprechen.

swich stm. gang, lauf (der zeit); vgl. *â-, beswîch.*

swiche, swich stf. falschheit, betrug.

swîchen stv. I, 1 intr. im stiche, verderben lassen, entgehen mit dat. — tr. betrügen. heucheln.

swicken swv. intr. hüpfen, tanzen; hineindringen *in.* — tr. winden, binden, heften.

swie = *swiu,* s. *swër.*

swie adv. u. konj. (md. auch *swî, swê*) kondit. u. konzess. wie immer, wie auch; wiewohl, obgleich (mit konj. od. ind.); kondit. wenn irgend, wenn; tempor. sobald.

swîfen stv. I, 1 refl. sich bewegen, sich begeben, sich schwingen.

swifte adj. ruhig, beschwichtigt. -stf. ruhe. **swiften** swv. zum schweigen bringen, beschwichtigen.

swîgære, -er stm. der schweiger, der stumme; der zum schweigen bringt, verstummen macht; böser geist, der die menschen von der beichte abhält; der von ihm besessene.

swîge stswf. = *swîc.*

swîgeli stn., **swîgelichî, swîgelicheit** stf. alem. das schweigen; schweigsamkeit als bußübung.

swîgen stv. I, 1 u. sw. intr. schweigen, verstummen; mit gen. od. präpp. von etw., zu etw. schweigen; mit dat. *dem gruoȥe sw.* den gruss unerwidert lassen, *einem sw.* ihn schweigend anhören, *der werlde sw.* für die welt verstummt sein. — subst. inf. *daȥ sw.* erster teil des messkanons bis zur präfation; *daȥ ander sw.* von der präfation bis zum pater noster; *daȥ dritte sw.* stillgebet nach dem pater noster. — tr. zum schweigen bringen, verschweigen.

swiger stf. schwiegermutter.

swiger-hërre s. *swëgerhërre.*
swig-heit stf. schweigsamkeit.
swil stm. zuchteber, schwein.
swil, swel, swile stm. n. schwiele, geschwulst; fusssohle; übertr. qual?
swilch, swilich s. *swelch.*
swilch adj. schwül. - adv. schwül, ängstlich.
swilich adj. lau. **swilichen** swv. lau sein od. werden.
swîmel, swimmel stm. schwindel.
swîmen stv. I, 1 sich hin und her bewegen, schwanken, schweben. *sw. über* emergere.
swimmen stv. III, 1 schwimmen (mit räuml. acc. *daz wazzer sw.*).
swîn stn. schwein (bild der faulheit, der fruchtbarkeit); wildschwein, eber (bild des mutes); zuchteber. **-âz** stn. schweinefutter. **-gadem** stn. schweinestall. **-gëlt** stn. schweinezins. **-hërte** stf. schweinherde. **-hirte** swm. schweinehirte. **-kobe** swm. schweinestall. **-muoter** stf. = *muoterswîn.* **-rëht** stn. das recht, schweine in die eichelmast zu treiben. **-rüde** swm. saurüde. **-seil** stn. jagdseil für wildschweine. **-spiez** stm. sauspiess. **-zurch** stm. schweinemist.
swinære stm. schweinehirte; ersonn. sektenname.
swinc, *-ges* stm. schwingung, schwung.
swinde, swint adj. gewaltig, stark, heftig, ungestüm, rasch, gewandt, schnell; grimmig, scharf, böse, schlimm, gefährlich, verderblich; hart (eig. und übertr.). - adv. auf *swinde* weise: gewaltig, stark, heftig, leidenschaftlich, ungestüm, gefährlich, schnell, geschwind. - stf. stärke, ungestüm, heftigkeit; raschheit im verfolgen eines zweckes, geschwindigkeit. - stn. schwindsucht.
swindec-heit, swindekeit stf. kühnheit, rasche entschlossenheit, klugheit, list.
swindel stm. schwindel.
swindeln swv. schwindeln.
swindelunge stf. schwindel; schwindsucht.
swinden stv. III, 1 abnehmen, schwinden, vergehn, bes. krankhaft schwinden, abmagern, welken; bewusstlos werden, in ohnmacht fallen (unpers. mit dat.).
swinder stm. heftigkeit, ungestüm; abnahme, verwelkung.
swindes adv. heftig.
swinen stv. I, 1 intr. abnehmen, dahinschwinden, bes. krankhaft schwinden, abmagern, welken; bewusstlos werden, in ohnmacht fallen (unpers. mit dat.); tr. = *sweinen.*
swinge swf. flachs-, hanfschwinge; getreideschwinge; futterschwinge; verächtl. für schwert; tor, torflügel.
swingen stv. III, 1 tr. schwingen, schwingend bewegen, schütteln; mit geschwungenem dinge schlagen. — refl. u. intr. (eigentl. tr. mit ausgelassenem obj. *vlügel*) sich schwingen, fliegen, schweben, schweifen; sich bewegen.
swînîn, -en, swînisch adj. vom schweine.
swînlîn stn. dem. zu *swîn.*
swin-suht stf. schwindsucht.
swint s. *swinde.*
swint-liche adv. = *swinde.*
swint-suht stf. = *swînsuht.*
swippe, sweppe, swope swf. m. md. peitsche.
swir swm. uferpfahl.
swiric, swëric adj. schwärend.
swîster adj. schweigsam.
switzen swv. intr. schwitzen; tr. (obj. *sweiz, bluot*).
switzic adj. schwitzend.
swiu, swie instrum. von *swaz,* s. *swër.*
swivelen s. *swibelen.*
swiz, *-tzes* stm. schweiss.
swô s. *swâ.*
swope s. *swippe.*
swübel s. *swibel.*
swülken swv. nauseare.
swulst stf. schwiele, geschwulst.
swummen swv. md. schwimmen.
swunc, *-ges* stm. schwung.
swüngel stmn.? dasselbe.
swuor stm. eid, schwur; gotteslästerliche rede, fluch.
sy- s. *si-.*
symphonîe stswf. symphonia, ein musikal. instrument (drehleier?).
symphonîen swv. auf der *symphonîe* spielen.
synderesis, synteresis natürliche kraft der seele zum guten (myst.).
szëpter, -ris stn. s. *zëpter.*

T

(vgl. auch *D*)

tabellion m. notar.
taber, teber stm. befestigung, befestigter ort, bes. befestigtes lager, wagenburg u. dgl. (slav. *tabori*). **taberer, teberer** stm. verteidiger des *tabers.*
tabërnakel stm. tabernaculum.
tabulête swf. verzeichnung (des laufes der planeten) auf einer tafel (mlat. *tabulata*).
tac, *-ges,* **tag** stm. tag, tageszeit, zeit überh. (*über t.* den tag über, täglich, *nie tac* niemals, *ze tage* künftighin, *des tages* dann, *in etelichen tagen* einst, einstmals, *âne t.* immerfort, *der oberste t.* dreikönigstag, *verworfene tage* unglückstage); tag, auf den eine rechtl. verhandlung anberaumt ist u. die verhandlung selbst, gerichtstag, gericht; jüngstes gericht; *heilige tage* hohe kirchliche feste; frist, termin, aufschub, waffenstillstand; höheres alter (auch vom greisenalter), mannbarkeit, volljährigkeit; lebensalter, leben; *einen ze übel tagen slahen* tüchtig verprügeln; *ein leider tac* qual, schmerz.
tacke swf. decke, bes. strohdecke, matte.
tadel stm. n. tadel, fehler, makel, gebrechen (körperl. oder geistig); hautflecken, bes. auge od. schorf einer eiterung. **-haft, -haftic** adj. mit *tadel* behaftet.
tadelen swv. tadeln; verunglimpfen.
tagaldi, tagaldie, tageldie, tægarî, tagalt stf. zeitvertreib, spiel, scherz. **tagalten** swv. sich die zeit vertreiben, spielen, scherzen. **tagalter** stm. der *tagalt* treibt. **tagalt-spil** stn. = *tagalt.*
tage-brief stm. citation zu einem rechtstage. **-dienest** stm. tagdienst, frone. **-(tege-)dinc, teidinc** stn. m., **-dinge, -dinc** etc. stf. auf einen tag anberaumte gerichtl. verhandlung, gerichtstag, gericht (übertr. auf den zweikampf, die schlacht); bestimmter tag, termin; frist, aufschub; verhandlung, unterhandlung, übereinkunft, auch besprechende, beratende versammlung od. der dafür bestimmte tag; rede, gerede, worte, wortwechsel; geschäft, händel; schuldige leistung, abtragung einer schuld. **tagedinc-, teidinc-brief** stm. vertragsurkunde. **-liute** pl. zu **-man** stm. mittelsmann, schiedsrichter. **-(tege-)dingen, teidingen** swv. gerichtlich verhandeln, überh. verhandeln, unterhandeln, übereinkunft treffen (mit gp. über einen gericht halten, mit dp. einen tag anberaumen, vor gericht laden); jemandes sache führen; frist geben mit dp.; reden, worte machen. **-(tege-)dinger, teidinger** stm. redner vor gericht, sachwalter; schiedsrichter. **-guot** stn. auf unbestimmte zeit geliehenes gut. **-lanc, tâlanc** adv. von jetzt an, den tag hindurch, zu dieser zeit des tages, heute (entstellt *tâ-*

lung, dâling, tôlung, dôlig; *dolme, talme* = *tâlanc mê*). **-lant, -lêhen** stn. = *tageguot*. **-leisten** swv. = *einen tac leisten*. **-leistunge** stf. tagsatzung; versammlung überh. **-(tege-)lich** adj. den tag hindurch od. alle tage geschehend, täglich. **-(tege-)liche** adv. täglich; nach art des tages. **-(tege-)liches** adv. dass. **-lieht** stn. tageslicht. **-liet** stn. morgengesang des wächters; lied von dem scheiden zweier geliebten bei anbruch des tages. **-lôn** stmn. taglohn. **-menege** stf. höhe des alters. **-mësse** stf. messe, welche um tagesanbruch gelesen wird; die hauptmesse des tages, das hochamt. **-mësser** stm. der eine *tagemësse* liest od. singt. **-rât** stf. md. morgenröte (mndl. *dagherœt*). **-reise, -reste** stf. einen tag dauernde reise; an einem tage zurückgelegte wegstrecke. **-rôt** stn. = *tagerât*. **-schalc** stm. taglöhner. **-stat** stf. ort, wo getagt wird. **-stërne, -stërre** swm. morgenstern. **-vart** stf. s. v. a. *tagereise*; der zur abhaltung des gerichts festgesetzte termin. **-wan, -wen, -won** stm. (kontrah. *tauwen*) tagwerk, arbeit um taglohn, fronarbeit von einem tage; ein flächenmass (eig. so viel als in einem tage von einem geackert, gemäht etc. werden kann, vgl. *winnen*); taglohn; ortsgenossenschaft, kirchengemeinde. **-waner, -wener, -woner** stm. (kontrah. *tauwner, tauner*) fröner, taglöhner. **tagewan-lêhen** stn. mit frondiensten belastetes lehn. **-weide** stf. s. v. a. *tagereise* (urspr. wohl von wanderzügen mit vieh: so weit vieh an einem tage weiden kann). **-wërc** stn. tagwerk, arbeit um taglohn, fronarbeit von einem tage; ein flächenmass. **-wërken** swv. als taglöhner arbeiten. **-wërker** stm. taglöhner. **-wîle** stf. die zeit eines tages. **-wîse** stf. = *tageliet*. **-würhte, -würke** swm. = *tagewërker*. **-zît** stf. n. zeitdauer eines tages; tageszeit; bestimmter tag, termin; eine der sieben kanonischen horen, sowie der gesang, das gebet in derselben.

tagel s. *tagelîn*.

tagelîn, tagel, tegel stn. dem. zu *tac*.

tagen, tegen swv. intr. *tagen*: tag werden (subj. *ez*); leuchten, wie wenn es *taget*, überh. leuchten, scheinen; zutage kommen, sich zeigen; die tage hinbringen, verbleiben; gericht halten, vor gericht verteidigen; vermitteln, unterhandeln, verhandeln; einen tag anberaumen, auf einen bestimmten tag berufen mit dp. — tr. *tagen* u. *tegen* an den tag, zum vorschein bringen; vor gericht bringen; vorladen; vertagen; *ie getaget* ewig.

tages gen. adv. am tage; an diesem tage, heute; *ê tages, vor tages* vor anbruch des tages; *ie tages* an demselben tage.

tahe s. *dahe*.

tâhe, tâhele, tâle swf. dohle.

tâht stm. n. f. docht.

tain s. *tuon*.

tal stn., md. auch stm. **tal** (*allez irdische tal* die ganze welt, *gên tal* nach unten gerichtet, abwärts, *ze tal* hinab, nieder, flussabwärts). **-liute** pl. zu **-man** m. eingesessener bewohner eines tales. **-neige** stf. senkung, tiefe des tals.

tâlanc s. *tagelanc*.

tale stf. md. estrich, fussboden.

tâle s. *tâhele*.

tale-slaht stf. convallis, tal.

talfialte swm. s. v. a. **talfin** stm. dauphin (mfz. *dalphin*, mlat. *delphinus*).

talfinëtte stf. Dauphiné.

talgen swv. kneten.

talier stn. schnittwaren, schmucksachen (vgl. *teller*).

talierer stm., **taliererin** stf. händler, händlerin mit *talieren*.

tal-masge, -masche f. larve.

talmen swv. toben.

talpe swf. pfote, tatze.

tâlung s. *tagelanc*.

tam, *-mmes* stm. damm, deich.

tambûr stmf., **tambûre** stswf. verk. *támbur, támber* handtrommel, tamburin (fz. *tambour*). **tamburære, tambûrer** stm. der den *t.* spielt. **tambûren, tamburieren** swv. den *t.* spielen.

tamer, temer stn. lärm, getöse, aufstand.

tan, *-nnes* stm. n. wald; tannenwald. **-boum** stm. waldbaum; tannenbaum. **-walt** stm. tannenwald.

tân s. *tuon*.

tandaradei interj. der freude (nachahmung eines vogelschlags).

tænec, -ic adj. gestaltet, beschaffen.

tanne stswf. tanne; mastbaum; ausgehöhlter tannenstamm als nachen.

tannen-blat stn. tannennadel.

tanne-wezel stm. eine seuche.

tant stm. leeres geschwätz, tand, possen; *ûf den t.* auf borg. **-man** stm. spieler, possenreisser.

tanten swv. spielen, possen reissen.

tanz stm. tanz (*einen t. machen, treten, trîben*); *ûf den t. ziehen* hinhalten; gesang, spiel zum tanze (fz. *danse*, it. *danza* vom ahd. *dansôn* ziehen, s. *dinsen*). **-geselle** swm. mittänzer. **-hûs** stn. theatrum. **-liet** stn. zum tanz gesungenes lied. **-meister** stm. der beim tanze die aufsicht führt. **-rîmer** stm. tanzlieddichter. **-spil** stn. *t. trîben* ducere choreas. **-wîse** stf. = *-liet*.

tanzen swv. tanzen. — tr. *die wîse, diu liet tanzen* zu einem *tanzliede*, einer *tanzwîse* tanzen.

tanzer s. *tenzer*.

tanzerie stf. tanz, tänzerei.

tâpe swf. pfote, tatze.

taphart, daphart stm. art mantel (fz. *tabard*, mlat. *tabardum*). — ein tier.

tapfer, dapfer adj. fest, gedrungen, voll; gewichtig, wichtig, bedeutend, ansehnlich; anhaltend u. mit nachdruck streitbar; adv. **-liche**.

tæpisch adj. täppisch.

tarant, tarrant, *-tes, -des* stm. skorpion, tarantel, drache; ein belagerungswerkzeug (it. *taranto*, mlat. *tarantula*).

tare-(der-)haft adj. schädlich.

tärkis s. *terkîs*.

tarn, taren swv. schaden mit dp. — tr. schädigen, verletzen.

tarnen, ternen swv. zudecken, verhüllen, -bergen.

tarn-hût stf. unsichtbar machender mantel (von fellen). **-kappe** f., **-kleit** stn. unsichtbar machende *kappe* (mantel).

tarraz s. *tërraz*.

tarsche, tartsche, tarze swf. ein kleinerer, länglichrunder schild (fz. *targe* vom ags. *targa*, s. *zarge*).

Tarte, Tarter s. *Tater*.

tarter stm. Tartarus.

tasche, tesche swstf. tasche; leib, eingeweide; weibl. schamteile; verächtl. weibsperson.

taselen, tiselen swv. tätscheln, tändeln, schäkern.

tasen swv. = *tasten*.

tassël stn. spange am frauenmantel (afz. *tassiel*, mlat. *tassellus*).

tast stm. s. *tëst*.

tasten swv. abs. u. tr. tasten, herumfühlen, befühlen, berühren. — intr. mit einem klatschlaute niederfallen (it. *tastare* vom lat. *taxitare*).

tât, tæte stf. tat, handlung, werk; das tun, betragen.

tatele, tatel swf. = *datel*.

tateler stm. dattelbaum.

tæter stm. täter.

Tater, Tarter, Tarte stswm., **Taterære** stm. Tatar. **tater-man** m. Tatar: kobold; gliederpuppe, figur im puppenspiel, scherzh. vom turnierer.

tateren swv. schwatzen, plappern.

taterisch adj. tatarisch.

tattel-korn stn. heidekorn.

tatze f. tatze, pfote, hand.

tauwen s. *tagewan.*

tavel-bein stn. tischbein. **-blî** stn. blei in tafelform. **-rotunde** f. = *-runde.* **-rundære, -er, -runderære** stm. ritter von der tafelrunde; ritter, der am *-runden* teilnimmt. **-runde, -runne** stswf. die tafelrunde, bes. die *table ronde* des königs Artus; ein ritterspiel, wobei turniert wird. **-runden** stn. ritterspiel, turnier. **-runder** stf. = *-runde.* **-schrage** swm. tischgestelle. **-vaz** stn. schreibtafel. **-wahs** stn. wachs in tafelform.

tavele, tavel swstf. m. tafel: hangende tafel, gemälde, bes. altargemälde, geschnitzte tafel, schnitzwerk; spielbrett; tisch, speisetisch; gerichtstafel; schreibtafel; glastafel (lat. *tabula,* vgl. *zabel*).

tavelen swv. tafel halten, speisen; auf dem brette spielen; durch anschlagen an eine hölzerne tafel ein zeichen geben (statt des läutens).

tavërnære, tabërnære, -er, tavërnierer stm., **tavërniere** swm. schenkwirt; schenkenbesucher.

tavërne, taferne, tabërne; tavërn etc. stswf. schenke (it. *taverna,* lat. *taberna*).

tavërniz stn. schankgerechtsame (mlat. *tabernitium*).

taz stm. abgabe, aufschlag (it. *dazio,* mlat. *dacia* vom lat. *datium*).

teber s. *taber.*

tëchan, dëchan (-ân); tëchant, dëchant, dëchent stm. dechant; führer von zehn mann; vorstand der jahrmarktsbesucher (lat. *decanus*).

tëcher s. *dëcher.*

tedelîn stn. dem. zu *tadel.*

tege-dinc s. *tagedinc.*

tegel s. *tagelîn.*

tëgel, tigel stm. tiegel, schmelztiegel.

tegelich s. *tagelich.*

tegen s. *tagen.*

tëhtier s. *tëstier.*

teic, teig adj. weich, bes. durch fäulnis weich geworden. -, *-ges* stm. teig.

teiche stf. vertiefung im strassenpflaster.

teid- s. *taged-.*

teil stn. m. *daz teil* teil von einem ganzen, stück, seite, abteilung (*âne t.* ungeteilt, einzig und allein, ganz und gar, *ein t.* ein wenig, iron. ziemlich, sehr; mit gen. oft nur umschreibend). — *der teil* anteil, zugeteiltes, eigentum (*ze teile* od. *enteil werden* mit dat. zugeteilt, eigen werden; *ze teile* od. *enteil tuon* zuteilen, schenken); das teilen, die teilung; teil, partei. **-bære** adj. teilbar. **-brief** stm. teilungsurkunde. **-genôze** swm. teilgenosse. **-guot** stn. gut, von dessen ertrag jem. einen gewissen teil zu ziehen berechtigt ist. **-haft, -haftic, -heftic** adj., **-haftecliche** adv. teilhaft, anteil habend od. nehmend, mit gen.; sich mitteilend. **-lich** adj. particularis. **-liute** pl. die eine teilung unter sich machen. **-nümftec, -nünftec** adj. teil habend, nehmend mit gen. **-sam** adj. teilbar, geteilt.

teilære, -er stm. teiler.

teilâte stf. teilung.

teile stf. teilung; zugeteiltes, eigentum.

teilec, -ic adj. teilhaft; teilbar.

teilen swv. teilen, zerteilen, zerstücken, trennen; mit-, zuteilen, zu teil w. lassen, vorschlagen mit dp.; einteilen (kleid in verschiedene farben, wappen in felder); einteilen, anordnen; aus-, verteilen (*swert t.* schwerthiebe austeilen); spez. von der erbteilung; *teilen, ein spil t.* zweierlei zur wahl vorlegen ohne od. mit dp.; urteilen, durch urteil entscheiden; mit dp. durch urteil zuerkennen od. auferlegen.

teilieren swv. teilen.

teilige swm. teilgenosse.

teilunge stf. teilung, trennung, ab-, einteilung, erbteilung.

teisch, teische stn. mist s. *rinder-t.*

tëlben, dëlben stv. III, 2 graben *in, ûz, nâch, zuo.*

telle swstf. schlucht.

teller, teler, telier stn. teller (it. *tagliere,* fz. *tailloir* von *tagliare, tailler* zerschneiden, vgl. *talier*).

tellîn stn. dem. zu *tal.*

telz adj. unausgebacken.

telzen swv. streichen, schmieren, anstreichen.

temer s. *tamer.*

temeren swv. schlagen, klopfen, hämmern.

temmen swv. mit einem *tamme* umgeben; grenze setzen, hindern, endigen

temnitze s. *timenitze.*

tëmpel, tënpel stn. m. tempel; templerorden. *Christi t.* leib Chr. (lat. *templum*). **-bruoder** stm. templer. **-hërre** swm. tempelherr, templer; priester. **-tuoch** stn. vorhang im tempel.

tëmpelære stm. templer, tempelherr; ritter der gralburg.

tëmpeleis, tëmpleis, -e stswm. tempelherr; ritter der gralburg (afz. nach mlat. *templensis*).

tëmperatûr, tëmperîe stf. gehörige, angenehme mischung, mass, mässigkeit, vermischung.

tëmperîen, tëmperieren swv. im gehörigen verhältnisse mischen (mässigen, mildern), überh. mischen, ein-, zurichten (lat. *temperare*).

tëmpern, tënpern swv. = *temperîen*; schaffen, schöpfen; refl. sich mischen, entstehn.

tëmperunge stf. mischung im gehörigen verhältnisse, gehörige beschaffenheit, rechtes mass.

tëmper-vaste swf. = *quatembervaste.*

tëmpleis s. *tëmpeleis.*

tenc, tenk adj. link.

tendeler stm. trödler.

tendelieren swv. feilschen, schachern.

tendel-market stm. trödelmarkt.

tëner stm., **tënre** f. ? die flache hand.

tengelen, tingelen swv. dengeln, klopfen, hämmern; übertr. weiter ausführen, erklären.

tenisch, tensch adj. dänisch.

tenisch stn. das aus der haut des damhirsches verfertigte leder.

tenke swf. die linke hand.

tenne stn. stswm. stswf. tenne.

tennen swv. zur tenne, wie zur tenne machen, fest stampfen, ebenen.

tennîn, tennen adj. von tannenholz, der tanne.

tenôr, tenûr stm. tenorstimme (lat. *tenor*).

tënpel s. *tëmpel.*

tënre s. *tëner.*

tënpern s. *tëmpern.*

tensch s. *tenisch.*

tente, tent swstf. zelt (fz. *tente* vom lat. *tendere*).

tenterîe stf. tändelei.

tenzel stn. dem. zu *tanz.*

tenzeler, tenzer, tanzer stm. tänzer.

tenzerinne stf. tänzerin.

tepich, teppich, tepech, teppech, tepch; tepit, teppit, teppet, tept stmn. teppich (lat. *tapetum*).

tër stf. m. baum, in komposs.

tërciâne s. *tërz.*

teren s. *tern.*

terigen swv. schaden.

terken, derken swv. dunkel machen, besudeln.

terkîs, tärkis stmn. köcher.

tërme, tirme stswf. grenze, sprengel, gebiet; äusserste grenze, höhe; gestalt, beschaffenheit.

tërmen, tirmen swv. an einen bestimmten ort setzen, bestimmen, zuteilen, widmen, weihen; formen, schaffen, bereiten. — refl. sich an einen bestimmten ort begeben (aus lat. *terminare*).

tërmenen swv. bestimmen *zuo*.

tërmenie stswf. grenze, umfang, gebiet, sprengel, bes. der bezirk, innerhalb dessen ein bettelkloster das recht hat almosen zu sammeln, sowie das einsammeln der almosen.

tërmenunge, tërminunge stf. grenze, begrenzung; gebiet, bezirk.

tërminen swv. begrenzen.

tërminieren swv. tr. begrenzen, bestimmen. — intr. in einem bestimmten bezirke almosen einsammeln (für die bettelklöster); eine rundreise machen und dabei amtsgeschäfte verrichten (mlat. *terminare*).

tërminierer stm. mönch, der das einsammeln für die bettelmönche besorgt (mlat. *terminarius*).

tërmunge, tirmunge stf. natürl. beschaffenheit.

tern, teren swv. schaden mit dp.; tr. schädigen, verletzen.

ternen s. *tarnen*.

tërraz, tarraz, -âz stm. n. wall, bastei, bollwerk, barrikade; erhöhter freier platz, erker, altan (fz. *terrace*, mlat. *terratia* v. lat. *terra*). **-bühse** f. festungskanone.

tërre stf. erde, land (fz. *terre*, lat. *terra*).

ters adj. adv. kühn, verwegen.

tërze, tërz swstm. n., **tërzel** stmn. art falke (mlat. *tertius*, weil nach der sage das dritte im neste ein männchen ist).

tërziâne swf. dreitägiges fieber (mlat. *tertiana*).

tërzje (-**zît** stf.), **tërze, tërz** swstf. die dritte kanonische hora; parzelle einer gemeinde (lat. *tertia*, näml. *hora, pars*).

tesche s. *tasche*.

teschelîn stn. dem. zu *tasche*; knospenhülse, kelchblätter.

tësem, tisem(e) stm. moschus.

tëst stm. topf, tiegel; kopf; schlacke, metallschlacke; verworrenes, verflochtenes zeug; die scheibe, wonach man mit pfeilen schiesst (fz. *test*, lat. *testa*).

tëstier, tëhtier stn. kopfbedeckung. meist vom streitross: vorderer teil der *îserkovertiure*. (mfz. *testière*).

tetel stm. väterchen.

tetschen swv. patschen, klatschend sich (im wasser) bewegen.

tevel stn. = *getevel*.

tevelen, täveln swv. glatt einlegen, täfeln.

tevellîn stn. dem. zu *tavel*.

teverîe stf. schankgerechtsame und abgabe dafür (s. *tavërne*).

tîbe stf. buhlerin.

tîch stm. deich, damm; teich; fischteich. **-stat, -stete** stf. teichstätte, teich.

tîchen stv. I, 1 tr. schaffen, treiben, betreiben, ins werk setzen, fördern. — intr. mit gen. wovon zu schaffen haben, wofür leiden, etw. büssen; schleichen, lauern; fliessen, sickern.

tîchen swv. prüfen, versuchen; s. v. a. *îchen*.

tief, tiuf adj. weit, weitläufig; weit herabhangend, lang; breit; tief. **-müetic** adj. tief sinnend.

tiefe, tiufe stf. tiefe, vertiefung, abgrund.

tiefen, tiufen swv. in die tiefe versenken.

tiefene stf. = *tiefe*.

tiehter s. *diehter*.

tîen s. *dîen*.

tier stn. tier, bes. wildes tier (spez. das reh, damwild, hinde). **-bilde** stn. tiergestalt. **-garte** swm. tiergarten; eine art mehlspeise. **-gelich** stn. jedes tier. **-kreiz** stm. zodiacus. **-lich** adj. tierisch. **-lîcheit** stf. animalitas. **-spiez** stm. jagdspiess. **-wëc** stm. wildbahn. **-zirkel** stm. = *-kreiz*.

***tier** mnd. adv. gen. pl. *guoter tiere, tieren* guter art; benignus. = hd. *ziere*.

tierlach, tierlich stn. dem. u. coll. zu *tier* 1.

tierlîn stn. dem. zu *tier* 1.

tievel s. *tiuvel*.

tigel s. *tëgel*.

tigen part. adj. = *digen*.

tigen swv. saugen.

tigere, tiger, -liche adv. md. sorgfältig, gänzlich, völlig.

tiger-tier stn. tiger.

tihtære, -er stm. verfasser, dichter; erdichter.

tihte stf. schriftl. abfassung; das dichten, die dichtung (auch vom malen u. sticken).

tihte, tiht stn. = *getihte*.

tihten swv. absol. u. tr. schreiben, schriftl. abfassen; dichten; dichten über, besingen; überh. (künstlerisch) erfinden und schaffen, hervorbringen, ersinnen, ins werk setzen, anstiften, tun; lügenhaft erfinden und erzählen; *tihten nâch* nachbilden; einrichten, festsetzen, bestimmen (lat. *dictare*).

tihten swv. md. dicht machen.

tihtener stm. = *tihtære*.

tihterie stf. gedicht.

tile, tili s. *dil*.

tiligen, tilgen, tiljen, tillen swv. tilgen, vertilgen, austilgen.

tiliz, diliz, tilniz stm. langes messer.

tille stswf. m. dillkraut.

timber, timmer adj. finster, dunkel, trüb; dumpf, leis erklingend, heiser. - stn. finsternis, dunkelheit. **-haft** adj. finster, dunkel.

timbern, timmern swv. *timber* machen.

timel adj. dunkel, trübe. - stf. dunkelheit, tiefe (des wassers).

timenitze, temnitze f. gefängnis (slav.).

timît, dimît, zimît stm. ein mit doppeltem faden gewebter stoff (gr. *δίμιτος*).

timpel adj. = *timel*.

timpelieren swv. klingen (lat. *timpanare*).

timpentampen ein schallnachahmender term. techn. der falkenjagd.

tin-apfel stm. turmknopf (*tin* nd. = hd. *zin, zinne*).

tincte, tinte, timpte swf. tinte (mlat. *tincta* v. lat. *tingere*).

tingelen s. *tengelen*.

tinke swm. die schleie (lat. *tincus*).

tinne, tinge swstf. stn. stirn; pl. schläfe. **tinne-kleit** stn. von der stirne bis zum fuss herabhängender schleier.

tinten-(-tint-)horn, -vaz stn. tintenhorn, -fass.

tiranne swm. tyrannus.

tirannisch adj. tyrannisch; wild, brünstig (ross).

tirel stf. schmuck, zierat.

tiriac = *trîac* s. *drîakel*.

tirme, tirmen s. *tërm-*.

tirmec adj. an der äussersten grenze befindlich, hoch, erhaben.

tirmer swm. schöpfer.

tirm-stein stm. grenzstein.

tisch stm. tisch, speisetafel; (fig. das essen, die mahlzeit); krämertisch (gr. lat. *discus*). **-geselle** swm. tischgenosse. **-gerihte** stn. speise auf dem tisch. **-krume** stf. tisch-, brotkrume. **-lachen, -lach** stn. tischtuch. **-tuoch** stn. tischtuch.

tischelîn stn. kleiner tisch.

tischer, tischler stm. tischler.

tiselen s. *taselen*.

tisem adv. stille.

tite, titte swm. = *tute*.

titel, tittel stm. titel; s. v. a. *ende*, weil man den *titel* zuletzt schrieb (lat. *titulus*).

titelen swv. (das buch) mit einem titel versehen.

tiubelîn, tiubel stn. dem. zu *tûbe*.

tiuber s. *tûber*.

tiuchel stmf. röhre, bes. für wasserleitungen.

tiuf- s. *tief-*.

tiufede stf. tiefe, abgrund.

tiuhte stf. bedrückung, beschwerde, kummer.

tiurde stf. hoher wert, kostbarkeit.

tiure (tiur) adj. (erweitert *tiwere*, *tiwer*, *tiuwer*) von hohem werte, wertvoll, kostbar; viel od. einen bestimmten preis geltend, herrlich, vortrefflich, ausgezeichnet, vornehm; selten, in geringem masse oder gar nicht vorhanden (mit dat. *mir ist, wirt etw. t.* mir geht ab, fehlt, ist versagt, *einem etw. tiure tuon* machen, dass er es nicht hat). - adv. (erweitert *tiwere*) herrlich; grossen wert worauf legend, hoch und teuer, dringlich, sehr; um hohen preis, teuer; mit seltenheit, in geringem masse, wenig. - stf. hoher wert, kostbarkeit; vortrefflichkeit; teurung.

tiuren, tiuwern swv. tr. *tiure* machen, verherrlichen, ehren, preisen; im werte anschlagen, schätzen; selten machen, benehmen, rauben mit dp. — intr. *tiure* w., sich verschönen; selten, teuer w., mit dp. selten sein, mangeln.

tiures adv. um hohen preis.

tiur-lich adj. kostbar, herrlich, ausgezeichnet. **-lîche** adv. kostbar; *t. sprechen* beteuern. **-mæȥec** adj. teuer.

tiurunge stf. bestimmter wert, preis; teurung.

tiuschære, -er stm. täuscher, betrüger.

tiuschen s. *tûschen*.

tiuschen swv. tr. sein gespött mit jem. treiben, ihn betrügen.

tiuscherîe, tûscherîe stf. täuschung, betrügerei, spiegelfechterei.

tiusen swv. schleichen.

tiuslîn stn. dem. zu *tûs*.

tiuten swv. intr. schallen. — abs. u. tr. schallen machen, [blasen.

tiutsch s. *diutisch*.

tiuvel, tievel, tîvel, tivel stm. teufel (*den tiuvel* nicht das geringste, nichts); *die tiuvel* waldleute, riesen (gr. lat. *diabolus*). **-haft, -haftic** adj. vom teufel besessen; teufelmässig, teuflisch. **-klâwe** swf. scheltwort für putzsüchtige frauen. **-lich** adj. teuflisch. **-spil** stn. betrügerisches spiel. **-sühtic** adj. vom teufel besessen. **-warc** stm. teufelsbösewicht. **-winnic** adj. vom teufel besessen.

tiuvelære stm. teufelsanhänger.

tiuvelîn adj. vom teufel abstammend, teuflisch. **tiuvelinne** stf. teufelin, weibliches ungeheuer. **tiuvelisch, tiuvelsch** adj. teufelmässig, teuflisch.

tiuwer, tiwer s. *tiure*.

tîze stf. kostbarer (weisser?) stoff.

tjoste tjost, tjuste tjust; joste jost, juste just; schuste schust stf. m. ritterlicher zweikampf mit dem speere, speerstoss in einem solchen kampfe (afz. *jouste* vom lat. *juxta*).

tjostieren, jostieren, justieren, schustieren swv. eine *tjoste* kämpfen (nbff. wie bei *tjoste*).

tjostierer stm. der eine *tjoste* kämpft.

tjostiure, tjostiur stm. dasselbe (fz. *jousteur*).

tjostiure stf. = *tjoste*.

tjost-, just-lich adj. der *tjoste* gemäss.

tobe-haft adj. = *tobic*. **-heit** stf. sinnlosigkeit, raserei, tollheit, wut. **-lich** adj. = *tobic*. **-lîche** adv. in unsinniger, toller, heftiger weise. **-sin** stm. tobsucht. **-site** stm. dass. **-suht** stf. wahnsinn, tobsucht, verrücktheit, wut, raserei, besessenheit. **-sühtic** adj. wahnsinnig, wütend, rasend. **-trunken** adj. bis zur tollheit betrunken. **-wüetic** adj. tollwütig. **-zorn** stm. wütender zorn. **-zornic** adj. tobend zornig.

tobel stm. waldtal, schlucht.

tobel stm. ein edelstein.

toben swv. nicht bei verstand sein, unsinnig reden, toben, tollen, rasen (spez. von der rasenden kampflust, *t. an einem* wütend kämpfen mit); *t. nâch* nach etw. leidenschaftlich verlangen, jagen.

tobende part. adj. tobend, rasend, wütend (hund, sturm).

tobendic adj. = *tobic*.

tœber s. *töuber*.

tobesal stn. toben, wut, sturm.

tobic, töbic adj. wahnsinnig, rasend, toll.

tobic-heit stf. = *tobeheit*.

toblier, toplier stm. teller, schüssel (fz. *doublier*, mlat. *dublerius*).

tocke swf. puppe der kinder und im puppenspiel; junges mädchen, schmeichelwort für ein solches; walzenförmiges stück, stützholz, schwungbaum einer wurfmaschine; bündel, büschel.

tocke swstf. mütze, haube (fz. *toque*).

tocke swf. mutterschwein.

tockeler stm. stützpfeiler.

tockelîn stn. dem. zu *tocke* 1.

tockel-mûsen stn. heimlichkeit, duckmauserei. **-mûser** stm. schleicher, heuchler, duckmäuser.

tocken swv. verbergen, versenken *in*.

tocken stn. flatterhaftigkeit.

tocken-lade stf. puppenbehälter. **-spil** stn. puppenspiel. **-wiegel** stn. puppenwiege.

tôdemic, tœdemic adj. storblich; totengleich; dem tode verfallen; tod bringend, tödlich; *der tœdmige* der erlöser Christus. **-heit, tôdenkeit** stf. sterblichkeit.

tœdem-, tœden-lich adj. sterblich.

toderer stm. stotterer, schwätzer.

todern swv. undeutlich reden, stottern.

tœdic s. *tœtic*.

togen s. *tugen*.

tohter an. f. tochter; mädchen (*gemeine, varende t.* hure). **-lich** adj. filialis. **-man** stm. schwiegersohn. **-sun** stm. tochtersohn.

tohterchîn stn. md. dem. zu *tohter*.

tohterlîn, töhterlîn stn. obd. dem. zu *tohter*, töchterlein; mädchen; kuhkälbchen.

toiber s. *töuber*.

tokzelen, tokzen swv. sich hin u. her bewegen, schwanken.

tol s. *twalm*.

tol, dol adj. töricht, unsinnig, toll; von stattlicher schönheit, ansehnlich. **-hart** stm. toller mensch. **-heit** stf. törichtes wesen.

tolc s. *tolke*.

tolde swstf. wipfel oder krone einer pflanze, eines baumes; quaste, franzen. **toldel** stn. dem. dazu; rispe des hafers.

toldeln, tolden swv. zu einer *tolden* bilden.

tole, tol swstf. wasserstrom; abzugsgraben; kanal, rinne; erdgang, mine.

tolke, tolc swstm. dolmetsch; auslegung, erklärung (slav.).

tolken swv. dolmetschen; erzählen, erklären; lallen.

tollen-, tolle-tranc stmn. = *twalmgetranc*.

tolmetze, tolmetsche, tulmetsche swm. dolmetsch (slav.).

tolmetzen swv. übersetzen, erklären, verdolmetschen; kauderwälschen, schwätzen.

tolmetzer stm. dolmetscher.

tölpel stm. = *dorpære*.

tôlung s. *tagelanc*.

tôn, tœn s. *dôn, tuon*.

tonne s. *tunne*.

top, dop, -bes, dob adj. nicht bei verstande, unsinnig; toll (hund).

topasius, topâzîôn (dies auch stn.), **topâzje, topâȥe** stswm. topas.

topel, toppel stm. n. würfelspiel (bildl. vom kampfspiele); einlage bei einem spiele; wettpreis (fz. *doublet* pasch im würfelspiel). **-brët** stn. würfelbrett. **-spil** stn. würfelspiel, hazardspiel überh. **-stein** stm.

würfel; würfelartig gewebter stoff. **-var** adj. würfelartig.

topelære, -er stm. würfelspieler.

topelen swv. würfeln.

topf stm. topf; hirnschale.

topf, topfe stswm. kreisel.

topfe swm. tupf, punkt.

topfe swm. quark, topfen.

töpfer, topfer stm., md. *topper* töpfer.

topf-knabe swm. mit dem kreisel spielender knabe.

topf-stein s. *tupfstein.*

toplier s. *toblier.*

tor stn. tor, tür. **-gat** stn. torverschlag. **-hûs** stn. befestigung über einem burgod. stadttore. **-stadel** stm. md. türpfosten. **-stud** stf. dasselbe. **-sûl** stf. torsäule, -pfosten. **-wahter, -wehter, -wart, -warte, -wartel, -wertel, -warter, -werter** stm. torhüter, pförtner.

tôre, tôr swm. tor, narr, irrsinniger; tauber.

tôrëht tœrëht, tôroht tœroht, tôrëhtic adj. töricht, närrisch, unbesonnen, dumm, verrückt; *tôreht vrouwen* feile dirnen.

tôrelîn, tœrlîn, tœrel stn. dem. zu *tôre.*

tôren swv. ein *tôre* sein oder werden, toll sein, rasen.

tœren, tôren swv. tr. zu einem *tôren* machen, betören, betrügen, hintergehn, äffen.

tôr-haft, -haftic adj. = *tôrëht.* **-heit** stf. torheit, narrheit, verrücktheit.

tœrinne stf. törin, närrin.

tœrisch, tœrsch adj. = *tôrëht.* **tœrisch, tœrischen, tœrschen,** adv. auf törichte, mutwillige weise. **tœrisch-heit** stf. = *tôrheit.* **tœrischen** swv. intr. närrische dinge treiben.

torkel, torkul swf. stm. kelter (lat. *torcular*).

torkelære stm. kelterer.

torkeln swv. hin und her schwanken, taumeln.

torken swv. keltern.

tôrlære stm. der tor.

tôr-lich adj., **-liche** adv. einem toren gemäss, töricht; merkwürdig, eigenartig.

torlîn, törlîn stn. dem. zu *tor.*

torm, torn s. *turn.*

tormënt, tormint stm. sturm (lat. *tormentum*).

tormëntâle stn. pein, marter, marterwerkzeug.

tormëntar, tormitar, dormiter s. *dormënter.*

tornamënt stn. md. turnier (mlat. *tornamentum*).

tornei, tornois s. *turn-.*

törpel, törper s. *dorpære.*

torriure stf. strom, giessbach vgl. fz. *torrent*).

torse swm. kohlstrunk (mlat. *thyrsus*).

tort-hûs stn. folterkammer.

tortuke swf. schildkröte (lat. *tortuca*).

torze, tortsche swf. gewundene wachsfackel (fz. *torche,* mlat. *torchia* vom lat. *torquere*).

tôt part. adj. gestorben, tot, getötet; mit ds. abgestorben; welk, dürre; *tôter kouf* kauf auf ewige zeiten; *t. legen* töten.

tôt, *-des* stm. tod (*der gemeine t.* das natürliche sterben; *ein grôȥer t.* pest, seuche); der tote, der leichnam; corruptio; *der bewegelîche t.* das irdische leben; plur. todesarten.

tôt-arm adj. im höchsten grade *arm.* **-bære** adj. todbringend; todeswürdig. **-besetzen** subst. inf., **-besitzunge** stf. testamentum (Luc. 22, 20; Marc. 14, 24). **-betliute** pl. testamentszeugen. **-bette** stn. sterbe-, todbett. **-bitter** adj. bitter wie der tod. **-bleich** adj. leichenblass. **-bluotec** adj. totenfarbig, bleich, grau (zu *blüejen?*). **-brief** stm. urkunde, womit etw. für ungiltig erklärt, ausser kraft gesetzt wird. **-gebeine** stn. leichnam. **-geschefte** stn. testament. **-geselle** swm. todesgefährte. **-gevar** adj. = *tôtvar.* **-gevêhede** stf. todfeindschaft, blutrache. **-gevelle** stn. tod. **-geverte** swm. = *-geselle.* **-hellic** adj. zu tode erschöpft, gehetzt. **-holz** stn. = *toupholz.* **-leibe** stf. hinterlassenschaft nach dem tode. **-(tœt-)lich** adj. todbringend, tödlich; zum tode bestimmt; eines toten; sterblich. **-(tœt-)liche** adv. tödlich; dem tode gemäss. **-mager** adj. zum sterben mager. **-riuwesære** stm. der todesmatte, lebenssatte büsser. **-sêr** adj. zum tode verwundet. **-siech** adj. zum tode krank. **-siuchede** stf. krankheit zum tode, sterblichkeit. **-slac** stm. totschlag; der leichnam eines erschlagenen. **-slâf** stm. schlafsucht. **-slahen** stv. töten. **-slaher, -slager, -sleger** stm. totschläger, mörder. **-slech** adj. zum tode ermattet. **-stich** stm. stich, wodurch einer getötet wird. **-stumme** swm. ein ganz stummer. **-suht** stf. geistesabwesenheit. **-sühtic** adj. geistesabwesend. **-sünde** stf. sünde, die mit ewigem tode bestraft wird. **-sündec** adj. dazu. **-sünder** stm. der eine *tôtsünde* begeht. **-trüebe** adj. trübe wie der tod. **-val** stm. todes-, sterbfall; ein teil der erbschaft, welcher nach dem tode des eigenmannes der herrschaft fällig ist. **-var** adj. leichenblass. **-vêhe** stf. todfeindschaft. **-vient, -vînt** stm. todfeind. **-vîntschaft** stf. todfeindschaft. **-vinster** adj. finster wie der tod, ganz finster. **-vuoric** adj. todbringend, tödlich. **-wunde** stf. todeswunde. **-wunt** adj. zum tode verwundet.

tote, totte swm. pate, bildl. förderer, beschützer; patenkind. - swf. patin.

tôte swm. toter, tote, leichnam.

tœte stf. tod.

tœteln swv. totengeruch an sich haben, verbreiten.

tôten swv. sterben, absterben.

tœten swv. *tôt* machen, töten; ungültig erklären, ausser kraft setzen, übertreffen.

tôten-bâre f. totenbahre. **-brief** stm. verzeichnis der verstorbenen, für die seelenmessen gelesen, jahrtage gehalten werden sollen. **-buoch** stn. dasselbe. **-gëlt** stn. begräbnisgeld, geld aus der sterbekasse. **-graber, -greber** stm. totengräber. **-grap** stn. grab für einen toten. **-houbet** stn., **-kopf** stm. totenkopf. **-mâl** stn. todeszeichen. **-rouber** stm. leichenräuber. **-suppe** swf. begräbnisschmaus. **-wëc** stm. weg für leichenzüge.

toten-gëlt stn., **-schenke** stf. patengeschenk.

toter, tuter swm. stn. dotter; dotterkraut.

tœter stm. mörder; der einem nach dem leben trachtet.

toter-ei stn. eidotter.

tœterinne stf. mörderin.

tot-gâbe stf. = *toten-gëlt.*

tœt-hëlfer stm. der töten, morden hilft.

tœtic, tœdic adj. todbringend, tödlich.

tœtic-heit stf. sterblichkeit.

tœtigen swv. töten.

tœt-lîche stf. sterblichkeit. **-lîcheit** stf. dasselbe; tod.

tœtunge stf. tötung, totschlag; abtötung; ungiltigkeitserklärung.

totzen stn. dutzend (fz. *douzaine,* mlat. *dozena*).

tou, *-wes* stn. m. tau.

toub s. *toup.*

toube swm. der taube; der empfindungslose, stumpfsinnige.

toube adv. auf tolle, heftige weise.

touben swv. intr. *toup* werden. — tr. (auch *töuben*) *toup* machen, betäuben; empfindungslos machen, abstumpfen; dämpfen, kraftlos, zu nichte machen, vernichten (*den ungelouben t.* mit dp. benehmen); töten.

töuben stn. das blasen, flöten.

töuber, tœber, toiber stm. ein blasender musikant.

töubic adj. stumpfsinnig.

toubieren swv. musizieren (lat. *tubare*).
touc adj. geheimnisvoll, wunderbar.
töude s. *töuwende*.
töude stf. der tau.
touf s. *toufe*.
touf stm. untertauchung, tiefe (des meeres); taufe; taufwasser, dessen weihe am ostersonnabend; die christen, das christentum; *der jungiste t.* letzte ölung. **-bære** adj. der taufe gemäss, die taufe habend, christlich. **-brunne** swm. taufwasser. **-gewant, -gewæte** stn. taufkleid. **-lich** adj. der taufe gemäss. **-mer** stn. tiefes meer. **-napf** stm. gefäss für das taufwasser. **-schenke** stf. patengeschenk. **-stat** stf. taufplatz in der kirche.
toufære, -er stm. täufer.
toufât stf. taufe.
toufe, touf stswf. taufe (*die t. begân, an sich nemen*); taufwasser; taufstein.
toufe-lôs adj. ungetauft.
toufen, töufen swv. untertauchen; taufen; part. *getouft* christlich. — refl. christ werden.
töufunge stf. das taufen.
touge adv. md. heimlich.
touge swm. md. geheimer vertrauter.
touge stf. md. heimlichkeit; geheimnis.
tougen adj. dunkel, finster; verborgen, geheim, heimlich; geheimnisvoll, wunderbar. — adv. heimlich, verborgen, im stillen; ohne aufhebens; geheimnisvoll; auch blosses flickwort.
tougen, tougene stnf. heimlichkeit, geheimnis; einsamkeit; privat(schlaf-?)gemach; wunderkraft, wundertat. - stm. mysterium, sakrament.
tougen s. *dougen, tugen*.
tougen-diep stm. heimlicher dieb. **-heit** stf. heimlichkeit; geheimnis, verborgenheit, geheimnisvolles wesen (*daz buoch der t.* apokalypse). **-lich** adj., **-liche** adv. verborgen, geheim, heimlich (*tougenlich gemach* schlafgemach); geheimnisvoll. **-trage** swm. (ein apostel als) träger des *tougen* (Christi). **-wort** stn. heimliches wort.
tougenen, tougen swv. verheimlichen, verbergen.
tougener stm. bewahrer der göttl. geheimnisse, ein engelchor.
tougenîe stf. heimlichkeit; geheimnis, mysterium; apokalypse.
touhtic adj. feucht.
toum stm. dunst, duft, qualm.
toumen swv. dunsten, qualmen, rauchen.
töun s. *töuwen*.
tou-naz adj. mit tau benetzt.
toup, -bes, toub adj. nicht hörend, taub; nichts empfindend oder denkend, stumpfsinnig; unsinnig, närrisch, toll; was nicht od. worin nichts empfunden od. wahrgenommen wird: ohne leben, tot (ohne od. mit gen., *t. machen* vernichten), öde, wüste, leer, wertlos, nichtig; abgestorben, trocken, dürr (*toubez loup, holz*). **-holz** stn. = *toubez holz*. **-suht** stf. tobsucht.
töupel stf. frauenwirtin, hure.
touwec, -ic adj. tauig, betaut.
touwen swv. intr. tauen, unpers. mit subj. *ez*; tauig sein od. werden.
töuwen, touwen swv. (kontr. *töun, toun*) mit dem tode ringen, dahin sterben.
töuwende, touwende part. mit dem tode ringend, sterbend. — kontr. *töunde, töude*.
tozelære stm. der etw. unausgesetzt verlangt ohne sich abweisen zu lassen, der zudringliche.
trâc, -ges stm. trägheit.
trache tracke, drache dracke swm. drache, teufel (lat. *draco*).
trâc-heit, trâkeit stf. trägheit, verdrossenheit; pigritia.
trachen-stein stm. drachenstein; fels auf dem ein drache haust. **-tier** stn. = *trache*. **-var** adj. wie ein drache gefärbt.
trackelîn, trackel stn. dem. zu *trache*.
træc-lich adj., **-liche** adv. = *træge, trâge*.
trage stf. das getragene, die last.
trage swf. womit, worauf man etw. trägt; kindträgerin, amme.
trage swm. träger; gefäss zum tragen (ein sandmass).
træge adj. träge, langsam, verdrossen (mit gen., *an, gegen, von, ze*).
trâge adv. mit trägheit, langsamkeit, verdrossenheit (iron. gar nicht).
træge stf. trägheit.
trage-bære adj. tragbar. **-(trege-)lich** adj. zu tragen, erträglich.
trage-munt, treimunt stm. langes, schnellfahrendes kriegsschiff (afz. *dromon*).
Tragemunt, Trougemunt eigenname od. personifizierung eines länder- und sprachkundigen pilgers od. fahrenden (mlat. *dragumanus*, it. *dragomanno*, fz. *drogman*, dolmetscher, vom arab. *targomân* ausleger).
tragen stv. VI abs. od. tr., tragen (abs. eine last tragen, schwanger sein *bî einem* von jmd); an sich tragen, haben, besitzen, halten, bringen, führen; bildl. dulden, ertragen (*über ein tr.* übereinkommen, -stimmen, sich vertragen; *enzwei tr.* dissentire, zweierlei sein; *gruoz tr.* entbieten; *einen tac tr.* festsetzen; *zorn tr.* hegen; *jâmer tr.* ertragen, dulden; *einem etw. tr.* reichen, entgegen bringen, zu teil werden lassen; *gelîche tr.* gleiches mass haben, refl. sich gleichen). — refl. sich benehmen, betragen, zeigen; sich erheben; eine richtung nehmen, führen; sich fügen, kommen, gelangen *an*, sich erstrecken, sich beziehen *ûf, ze*.
tragen swv. abs. eine richtung nehmen. — tr. tragen (im mutterleibe, *ze einem tragene* bei einer schwangerschaft), an sich haben, besitzen. — refl. seinen unterhalt haben, sich nähren, leben (mit gen. od. *mit*).
trâgen, trægen swv. *træge* sein od. werden, refl. mit ds. sich entziehen; unpers. mit dat. verdriessen.
trager, treger stm. träger; vertreter, gewährleister.
tragerinne stf. *gotes tr.* gottes gebärerin.
tragnüsse stf. last; erträgnis, einkommen; gewährschaft.
trahen, trân stm. pl. *trahene, trehene, trêne*: träne; tropfen.
trahenen, trehenen swv. weinen.
traher, treher stm. träne.
traht stm. seufzer.
traht stm. = *trahte*, das denken woran.
traht stf. das tragen; schwangerschaft; träger; die last; holz, das bei einer belagerung zusammengetragen wird, um die gräben auszufüllen; belagerung.
trâht s. *drâht*.
trahte, traht stf. aufgetragene speise, gericht.
trahte stf. fischzug.
trahte stf. das denken woran oder worüber; betrachtung, erwägung, das verlorensein in gedanken; das streben.
trahten swv. intr. woran, worüber denken, worauf achten, erwägen, nachsinnen (*nâch, ûf, umbe, von*); trachten, streben (*nâch, ûf, umbe*). — tr. bedenken, erwägen, aussinnen; streben, trachten nach; etw. beachten (mit gs.).
trahter, trehter, trihter stm. trichter (mlat. *tractarius*).
trahtîn s. *truhtîn*.
trahtunge stf. das denken woran od. worüber; erwägung, überlegung; das streben *nâch*.
trâkeit s. *trâcheit*.
trâm s. *drâm*.
tramîner stm. eine trauben- und weinsorte (aus Tramin an d. Etsch).

trampeln swv. derb auftretend sich bewegen.
trân stm. strömung.
trân s. *trahen.*
tranc, -*kes* stnm. trank, getränke; trinken, trinkgelage; trunkenheit. **-gëlt** stn. = *trincgëlt*; zechschuld.
tranklære stm. säufer.
transsumpt stm. beglaubigte abschrift (mlat. *transsumptus*).
trapen = *draben.*
trappe swm. traubenkamm.
trappe, treppe swm. stswf. treppe.
trappe, trap swm. trappgans; tor, tropf.
trappenîe, trapperîe stf. garderobe (aus mlat. *trapus*).
trappierer, drappierer, trappier stm. der für die *trapperîe* sorgt (mlat. *draparius, trappiarius,* fz. *drapier*).
trat stf. das treten, der tritt; weide, viehtrift. **-vëlt** stn. viehtrift.
tratzen, tretzen, trutzen swv. intr. trotz bieten, trotzen (mit dat. od. *mit*). — abs. u. tr. reizen,necken,zum besten haben.
tratzic, tretzic adj., md. *trotzic* trotzig.
traz (truz), *-tzes* stm., md. *troz* widersetzlichkeit, feindseligkeit, trotz. — als interj.: trotz (sei dir geboten)! — praep. mit dat. trotz. - adv. trotzdem. - adj. trotzig. **-(trez-, truz-)lich** adj., **-lîche** adv., md. *trozlîch* trotzig. **-müetic** adj. trotzig, widersetzlich. **-muot** stm. trotz.
treber, trebern pl. treber.
trëchen stv. IV intr. ziehen. — tr. ziehen, zerren, schieben, stossen; *guot zesamen t.* scharren. — *viur t.* mit asche bedecken (um es zu löschen).
trechinne stf. weibl. drache.
trecken swv. ziehen.
trëf, trif, *-ffes* stmn. das zusammentreffen; entscheidender streich, schlag.
trëffære, -er stm. treffer.
trëffen stv. IV abs. *tr. an* ein ziel erreichen, betreffen, *tr. ze* ziel und ende worin finden, betreffen, gehören, sich passen zu, gleichkommen; *mit einem tr.* mit einem feindlich zusammentreffen, kämpfen. — tr. treffen (bes. mit einer waffe); antreffen, finden; angehn, betreffen.
trëf-, trëffe-, trëffen-lich adj., **-liche** adv. trefflich, vortrefflich, wichtig, hauptsächlich, vorzüglich, entsprechend, geeignet.
trëfs, trëfse stswm., md. *trësp* lolch, trespe.
tregec, -ic adj. tragbar.
tregede, treide stfn. was getragen wird, last; was der erdboden trägt, getreide.
tregel stm. träger.
trege-lich s. *tragelich.*
tregelîn stn. kleine tragbahre; asina, asellus.
treger s. *trager.*
treher s. *traher.*
treheren swv. weinen.
trehtec, -ic adj. woran denkend; trachtend, strebend.
trehtec, -ic adj. trächtig, schwanger. **trehtec-heit** stf. schwangerschaft.
trehtelîn stn. dem. zu *trahte,* speise.
trehter s. *trahter.*
trehtîn, trehten s. *truhtîn.*
trei stm. tanz.
treibel stm. treiber.
treide s. *tregede.*
treie s. *troie.*
treif stn.? eine art zelt od. hütte (afz. *tref* vom lat. *trabs*).
treimunt s. *tragemunt.*
treip, *-bes.* stm. viehtrieb.
treiros stm. eine art tanzlied, melodie.
trëmen stv. IV schwanken; tr. erschüttern (?)
tremontâne, trimuntâne, -ân, trumetân stswm. nordwind; nord-, leitstern (it. *tramontana*).
tren, trien swm. brutbiene, drohne; hummel.
trendel, trindel f. kugel, kreisel.
trendelen swv. wirbeln.
trenkære stm. säufer.
trenke stf. tränke.
trenken swv. trinken lassen, tränken; trunken machen; ertränken.
trenne stf. trennung, spaltung.
trennen swv. *trinnen* machen, scheiden, trennen, spalten.
treppe s. *trappe.*
trëse, trise swm., **trësem, trësen, trësel trisel, trisol, trësor trisor** stm. schatz; schatzkammer (fz. *trésor,* lat. *thesaurus*).
trëse-, trise-kamere f. schatzkammer.
trëseler, triseler, trësorer, trisorer stm. schatzmeister.
trësp s. *trëfs.*
trester pl. = *treber.*
trestern swv. intr. sich aufhäufen. — tr. pressen, keltern.
trëten, trëtten stv. V intr. treten (*nâch der gîgen tr.* tanzen, *hinder sich tr.* zurücktreten, *under sich* [*die vüeze*] *tr.* überwinden, *von dem rosse tr.* absitzen). — tr. treten, betreten.
treten, tretten swv. intr. treten, fest auftreten, stampfen. — tr. treten auf, niedertreten, zerstampfen.
trëter stm. treter; tänzer.
tretz- s. *tratz-.*
trëviers, triviers adv. *ze t.* (= fr. *à travers*): einer der 5 stiche im turnier: anreiten von der rechten seite auf die schildseite des gegners zu; der deutsche ausdruck dafür ist *ze twirhes.*
trîak, trîakel s. *drîakel.*
trîant stm. eine art *pfellel*; edelstein (vgl. *drîanthasmê*).
trîbe swf. = *trîberinne*; diarrhöe, kolik.
tribel stm. treibel, schlägel; *der minne tr.* = penis.
tribeln swv. intens. zu *trîben.*
tribel-slage, -wegge swm. reiftreibel des büttners.
trîben stv. I, 1 wenden, treiben (abs. mit ausgelass. obj. *vihe, ros*); zubringen, vertreiben; sich fortgesetzt womit beschäftigen, etw. tun oder treiben. *dâhin, daran tr.* dahin bringen, darauf anlegen dass; *tr. unde tragen* plündern (φέρειν καὶ ἄγειν, ferre et agere). — part. *getriben* vom wege: viel gebraucht, betreten, geebnet. - stn. hinneigung.
trîber stm. treiber.
trîberinne stf. die huren zuführt, kupplerin.
triblât, driblât stm. ein seidenstoff (mlat. *triblathon* ein in drei farben gemusterter damaststoff).
trîboc, drîboc stm. eine belagerungs-, schleudermaschine (mlat. *trabucium, trabuchum, trabuchetum,* afz. *trebuchet*).
tribul, tripol, trippel stn. dreistimmiger musikal. satz (*proportio musicalis tripla*).
trîbunge stf. das treiben, der antrieb.
triefen stv. II, 1 triefen, tropfen. — trotten, trollen.
triegære, -er stm., **triege** swm. trüger, betrüger.
triege-, triegen-heit stf. trug, falschheit. **-listic** adj. dolosus. **-listikeit** stf. dolus.
triegel stm. trüger, betrüger. - stm. n. trug, betrug, trugbild.
triegen stv. II, 1 trügen, betrügen.
triegolf stm. der gerne trügt.
triel stm. lippe; mund; maul, schnauze, rachen.
trieme swm. die gedrehten endfäden des aufzugs am webstuhle, die undurchschossen bleiben.
trien s. *tren.*
triester = *trester* s. *treber.*
trif stm. s. *trëf.*
trift stf. das treiben, schwemmen od. flötzen des holzes; trift, weide; bezirk, abteilung; was getrieben wird, herde; tun, treiben, art und weise, lebensweise (mit gen. oft nur umschreibend) *sunder tr.* ohne übertreibung.
triften swv. treiben, drängen.
triftic adj. treffend, das ziel nicht verfehlend; gehörend, gehörig.
trihter s. *trahter.*

trimuntâne s. *tremontâne.*
trimȥ stm. glanz.
trinc-gëlt stn. trinkgeld. **-geselle** swm. trinkgenosse. **-glas** stn. trinkglas. **-liute** pl. wirtshausgäste. **-stube** swf. trinkstube. **-vaȥ** stn. trinkgefäss.
trindel s. *trendel.*
trinitât stf. dreieinigkeit (lat. *trinitas*).
trinkære, -er stm. trinker, säufer.
trinkel stn. ein getränkmass.
trinken stv. III,1 trinken(abs., tr., mit partit. gen.); refl. seinen durst stillen.
trinken stn. getränke; getränkmass, zwei seidel.
trinkic adj. *tr. guot* getränke, wein etc.
trinnen stv. III, 1 davon gehn, sich absondern, mit dat. entlaufen.
trîp, *-bes* stm. trieb, antrieb.
tripaȥ stm. dreieckiger schild.
tripol, trippel s. *tribul.*
trippenierse (trippânierse) swf. marketenderin (aus mnl. *tripiere* kupplerin, hure).
trip-sant stm. kies.
trisanet stn. trisenet, mit zucker gemischtes gewürzpulver, konfekt (fz. *trisenet*).
trisch stm. aalraupe.
trise, trisel, trisol, trisor s. *trëse.*
trit, *-tes* stm. tritt, schritt; tanz, tanzlied; fusssohle; vorrichtung zum auftreten; fussspur; weg. **-stuol** stm. stuhl, auf dem man steht (beim messerwerfen).
tritel stn. dem. zu *trit.* **-vuoȥ** stm. trippelnder fuss.
triteln swv. kleine tritte machen, trippeln.
tritzen swv. aufwinden; quälen.
triu s. *triuwe.*
triubel stm. (md. *trûbele* swf.) traube, fruchtbüschel; rosine. **-korn** stn. uva. **triubelëht** adj. büschelig.
triubelîn stn. dem. zu *trûbe.*
triun s. *trûwen.*
triure s. *trûre.*
triutærinne stf. liebhaberin; geliebte.
triute stf. liebe, liebkosung; lieblichkeit; hang, neigung. **-bære** adj. lieb (*einem tr. sîn* von ihm geliebt w.).
triutelëht adj. lieblich.
triutelîn, triutel, trûtel stn. dem. von *trût* liebchen.
triuten, trûten, triutelen swv. liebhaben, lieben, liebkosen, umarmen (oft geradezu wie *minnen* für beschlafen); schmeicheln; wert halten.
triutinne stf. geliebte, gattin.
triut-, trût-lich adj., **-lîche** adv. lieblich, lieb; schön, gut von ansehen.

triuwe, triwe, triu stf. wohlmeinenheit, aufrichtigkeit, zuverlässigkeit, treue (überh. das sittliche pflichtverhältnis zwischen allerhand einander zugehörigen); ministerium; gegebenes wort, gelübde, versprechen; waffenstillstand; *an guoten triuwen* in vollem frieden; beteurung: *bî mînen triuwen, in triuwen, entriuwen, triuwen* in wahrheit, traun! **-(triuwen-)bære** adj. treue habend, treu. **-blôȥ** adj. ohne treue. **-brüchic** adj. wortbrüchig, meineidig. **- (triuwen-)halter, -hander, -hender** stm. treuhänder, gewährleister, verpflichteter vollzieher. **-lich** adj., **-lîche, -lîchen** adv. treulich, treu. **-lôs** adj. treulos, wortbrüchig. *-lôsiu kunst* weltliche weisheit. **-rîche** adj. reich an *triuwe,* sehr treu. **-trager, -treger** stm. = *triuwehander.* **-var** adj. treu aussehend.
triuwen s. *trûwen.*
***triuwen** stv. II, 1 (nur *getrûwen* belegt) zutrauen, mit dp.
triviers s. *trëviers.*
troc, *-ges* stm. betrug, dämonisches blendwerk.
troc, *-ges.* stm. trog (futter-, teig-, brunnentrog); sarg.
trocken s. *trucken.*
trôdel m. holzfasern im hanfe, werg.
trofieren s. *trufieren.*
trohsen swv. drucksen, untätig sein.
trohtîn s. *truhtîn*
troi-aldei stm. ein tanzname.
troie, treie swf. jacke, wams (prov. *traia*).
trœl stn. zank, prozess.
trol-gast s. *trulgast.*
trolle, trol swstm. gespenstisches, zauberhaftes ungetüm, unhold; ungeschlachter mensch, tölpel.
trollen swv. intr. sich in kurzen schritten laufend fortbewegen.
trôn stm. thron; wipfel?; engel des obersten chors (gr. lat. *thronus*). **-hërre** swm. ein engel des obersten chors.
trœnen, trônen swv. auf den thron setzen.
tropel stm. einfältiger mensch, tölpel.
tropël, troppël, truppël stm. f. trupp, haufe (prov. *tropel*).
tropfe, trophe swm. tropfe; träne; *tr. der stimme* leiseste stimme; schlagfluss; tropf, armseliger od. dummer mensch.
tröpfelîn, tröpfel stn. kleiner tropfe.
tropfen swv. tropfen.
tropfezen swv. tröpfeln.
tropf-stal stn. raum zur dachtraufe; traufrecht.

trôpisch, trœpisch adj. ungehorsam (aus dem slavischen?)
trôr stm. n. tropfende flüssigkeit: wässerige feuchtigkeit, saft, tau, regen, blut u. dgl.; duft.
trôrec, -ic adj. triefend, bluttriefend.
trôren swv. intr. triefen, tröpfeln (part. *trôrende* = *trôrec*). — tr. beträufeln, übergiessen; vergiessen.
trosse stf. gepäck(mlat. *trossa*).
trossen swv. packen, aufladen (mlat. *trossare*). **trosser, trossierer** stm. trossknecht.
trôst stm. freudige zuversicht, vertrauen, mut; ermutigung, zusagen von hilfe; hilfe; aufbesserung einer pfründe; sicherheit, bürgschaft; persönl. schützer, helfer, helferin, geliebte. **-bære** adj. *trôst* bringend, tröstlich, hilfreich. **-brief** stm. sicherheitsurkunde. **-heilbërnde** part. adj. trost und heil bringend. **-geist** stm. der hl. geist. **-(trœst-)lich** adj., **-lîche** adv. zuversichtlich, mutig; zuverlässig; trost gebend, tröstlich, hilfreich. **-lôs** adj. ohne *trôst,* dazu **-lôsekeit** stf. **-sam** adj. tröstlich.
trœstære, -er stm. tröster, helfer: spez. der hl. geist; gewährleister, bürge.
trœstærinne, trœsterinne, -în stf. trösterin, helferin.
trœstegunge = *trœstunge.*
trœstelîn stn. dem. zu *trôst.*
trœsten, trôsten swv. tr. trösten, zuversichtlich machen, ermutigen, erheitern, vertrösten. — refl. mit gen. seine zuversicht worauf setzen, sich verlassen auf. — tr. sicherheit und schutz, sicheres geleite gewähren; zusichern, geloben, versichern mit gen.; bürgschaft leisten *vür.*
trôstunge, trœstunge stf. trost, tröstung; hilfe, erleichterung; gegenseitiges versprechen, einander keinen schaden zuzufügen; sicherstellung, bürgschaft; sicheres geleit.
trote, trotte swf. kelter. **-boum** stm. kelterbaum. **-hûs** stn. kelterhaus. **-spille** f. tortula.
troten, trotten swv. mit kurzen schritten laufen, traben (mlat. ital. *trottare,* fr. *trotter*).
troter stm. traber; eine art tanz.
trotz- s. *tratz-.*
troube s. *trûbe.*
trouf stn. m. das träufeln, die traufe; das beträufeln.
troufe, trouf stswf. traufe, dachtraufe; streifen des regenbogens; augenbalsam.
troufen, tröufen swv. tr. *triefen* lassen, träufeln; refl. sich unter die traufe begeben; intr. = *triefen.*

troum stm. traum; dem. **troumelîn** stn. **-gesihte** stn. traumbild. **-lich** adj. traumartig. **-sager, -scheidære** stm., **-scheide** swm. traumdeuter.

troumære stm. träumer.

troumen, tröumen swv. (perf. mit *sîn* u. *hân*) träumen.

troumic, tröumic adj. traumerfüllt. - adv. im traume.

troun s. *trûwen*.

trouw- s. *triuw-*.

trûbe, troube swm. swstf. traube; überh. ein ganzes von mehreren zusammenhangenden einzelnen dingen.

trûbele s. *triubel*.

truc, -ges stm. trug, betrug.

trucke, md. *truge* adj. trocken. - stf. trockenheit, trockene stelle.

trucken, trocken adj. trocken (*truckene streiche* schläge oder verletzungen, durch die kein blut fliesst; *truckenez gelt* blosses geld, keine naturalien). **-lich** adj. trocken.

trückene, truckene stf. trokkenheit.

truckene swf. trockentuch.

truckenen, trucken swv. intr. *trucken* werden.

trückenen, trücken, truckenen trucken, trugen swv. *trucken* machen.

trüebe adj. lichtlos, glanzlos, düster, trübe, finster; unlauter; turbidus; traurig, bekümmert, betrübt. - stf. trübheit, unklarheit, finsternis; betrübnis; aufregung. **-haft, -lich** adj. betrübt. **-sam** adj. betrübt.

trüebec, -ic adj. = *trüebe*. **-heit** stf. trauer, trübsal. **-lich** adj., **-lîche** adv. trüb, betrübt.

trüebede, trübekeit stf. = *trüebe*.

trüeben, truoben swv. *trüebe* machen, beunruhigen, verwirren. — refl. sich betrüben.

trüebe-nisse stfn., **-sal** stn. m. f., **-salunge** stf. trübheit, finsternis; trübsal, betrübnis.

trüejen swv. wachsen, gedeihen.

trüel stm. kelter.

truferîe stf. betrug, zauberei.

trufieren, trofieren swv. täuschen, betrügen (mlat. *trufare*, afz. *truffer*).

truge s. *trucke*.

trüge swm. betrüger.

trüge(-ne, truge, -ne), -de, -nîe trug, betrug. **trüge-(truge-)bilde** stn. trugbild. **-dinc** stn. trügerisches ding. **- (trügen-)haft** adj. trügerisch, betrügerisch. **- (trügen-)heit** stf. betrügerisches wesen, betrügerei, falschheit. **-kôse** stf. falsche rede. **- (trügen-)lich** adj., **-lîche** adv. trüglich, betrüglich, trughaft. **- (trügen-)list** stm. betrügerischer *list*. **- (trügen-)mære** stn. trügerisches, falsches *mære*. **-rât** stm. falscher rat. **-sam** adj. trüglich, täuschend. **-site** stm. betrügerische art und weise. **-vriunt** stm. falscher freund. **-vröude** stf. scheinfreude. **- (trügen-)wîse** stf. art und weise des betrügens; spukwerk des teufels.

trugelîn stn. dem. zu *troc*.

trugen s. *trückenen*.

trügenære, trugenære, -er; trügner, trugner stm. betrüger.

trügen-(trugen-)hart stm. der gerne betrügt. **-lêre** stf. irrlehre. **-man** stm. betrüger. **-vol** adj. voll trug.

trügenîe stf. = *trüge* 2.

trügenisse stfn. betrug, einbildung, spuk, blendwerk des teufels.

truhe swf. lade, kiste (geldkiste), schrank; sarg; hölzernes gerinne, in dem ein bach über einen graben geleitet wird.

trühelîn, trühel stn. dem. zu *truhe*.

truht, druht stf. was getragen wird: last, frucht, nachkommenschaft; unterhalt, nahrung. **-(truh-)sæʒe** swm. der die speisen (s. *truht*) aufsetzt, truchsess. **- (truh-)sæʒinne** stf. truchsessin.

truht, druht stf. m. trupp, schar, haufe, volksmenge, kriegerschar; kriegerischer angriff. **-lîche** adv. haufenweise.

truhtîn, trohtîn, trahtîn, trehtîn, trehten stm. kriegsherr, heerfürst, im mhd. immer nur von gott.

trul-, trol-gast stm. ungeladener gast, der durch seine lächerliche kleidung und possen die gesellschaft belustigt.

trülle swstf. kebsweib, hure.

trüllen swv. = *trollen*; gaukeln, spielen. — tr. betrügen, betören.

trüller stm. gaukler, spielmann.

trüllerinne stf. kupplerin.

trüllieren swv. kuppeln.

trum s. *drum*.

trumbe, trumpe, trumme, trume swf. posaune, trompete; trommel; laute (it. *tromba*, fz. *trompe*).

trumbel, trumel stf. trommel; lärm.

trumbelen, trumelen swv. trommeln.

trumbelierer, trumlierer stm. trompeter.

trumbel-nunne swf. begine.

trumben, trumpen, trumen swv. trompeten; trommeln.

trumbiere, trumiere swf. = *trumbe*.

trumeln swv. trampeln.

trûmet, trûmpet swf. trompete (fz. *trompette*). **trûmeten** swv. trompeten. **trûmeter, trûmmeter, trumpter** stm. trompeter; lautenschläger.

trümlen swv. = *türmeln*.

trumpel swf. unzüchtiges weib.

trumpendei = *troppaldei* s. *troi-aldei*.

trumpfen swv. laufen, trollen.

trunc, -kes stm. was man mit einem male trinkt, trunk. **-gëlt, -vaʒ** s. *trinc-*.

trunkelîn stn. dem. zu *trunc*.

trunken part. adj. viel getrunken habend, betrunken. **-bolt** stm., **-bôʒe** swm. trunkenbold. **-heit** stf. trunkenheit; bildl. entzücken über (gen). **-lîche** adv. im rausche. **-meil** stn. laster der trunkenheit. **-slunt** stm. trunkenbold.

trünne stf. laufende schar, schwarm, rudel.

trünnec, -ic adj. flüchtig.

trünnege stf., nd. *drunege* trennung, spaltung.

trunze, drunze, drumze swf., **trunzûn, trunzen** stm. n. abgebrochenes speerstück, splitter (afz. *trons, tronce*). **trunzel, trünzel, trumzel** stn. dem. dazu. aus *trunze, drumze* volksetymolog. auch **drumzei(n)** stn.

trunzen swv. verkürzen.

truobe adv. zu *trüebe*.

truoben s. *trüeben*.

truoben swv. *trüebe* sein oder w., bildl. traurig w., sich betrüben.

truoder, truodel f. m. n. latte, stange, daraus gemachtes gestell oder verzäunung.

truop-heit stf. trübheit.

trupfe, trüpfe stswf. traufe, dachtraufe.

truppël s. *tropël*.

trûrære stm. der trauernde.

trûre, triure stf. trauer. **-lôs** adj. ohne trauer. **-sam** adj. traurig.

trûrec, -ic adj. traurig. **-heit, trûrekeit** stf. traurigkeit. **-lich** adj., **-lîche** adv. = *trûrec*.

trûrede, trûrde stf. trauer.

trûren swv. intr. trauern (mit gen., *nâch, umbe*). — tr. traurig machen; *leit, jâmer tr.* verscheuchen.

trûrenisse stf. traurigkeit.

trûrigen swv. *trûrec* sein, w mit gs.; *tr.* machen.

trûr-lich adj., **-lîche** adv. = *trûreclich, -lîche*.

trüster, drüster stn. haufe. schar; monstrum.

trut s. *trute*.

trut m. der alp.

trût adj. traut, lieb (von personen und sachen). - stmn. *der, daʒ tr.* liebling, geliebter, gemahl; sohn; pl. *trûte* die mannen. - stnf. die geliebte gemahlin. **trût-gebette** swf. liebe bettgenossin. **-gebâren** stn. zärtlichkeit. **-geselle** swm. lieber gefährte, freund, geliebter. **-geselle** swf., **-gesellîn** stf. liebe gefährtin, freundin, geliebte. **-gespil** swmf. = *trûtgeselle*. **-hërre** swm. lieber herr. **-kint** stn. liebes kind. **-liet** stn. liebeslied. **-minne** stf. geliebte, gemahlin. **-muoter** stf. liebe mutter. **-schaft** stf. liebe, liebschaft; persönl. geliebte. **-slac** stm. liebesschlag. **-spël** stn. liebesgeschichte. **-sun** stm. lieber sohn. **-vater** stm. lieber vater. **-zart** adj. lieb.

trûte swm. liebling, geliebter. - swf. geliebte. - stf. trautheit, wert, geschenk. - adv. auf liebliche weise.

trute, trut swstf. unholde, weibl. alp.

trûtel, trûten s. *triut-*.

truten-vuoȥ stm. drudenfuss.

trutschel stf. ? kokette gebärde (der augen). **trutschelloht** adv. auf kokette weise.

trütscheln stn. brettspiel.

trützel-man stm. dolmetsch (umd. des fz. *trucheman* s. *Tragemunt*).

trûwen, triuwen, trouwen, trawen; triun, troun swv. (prät. *trûwete, trûte, troute*) intr. zuversicht haben, hoffen, erwarten, glauben, trauen; mit gen. od. nachs. glauben an, erwarten, vermuten, etw. vorhaben, beabsichtigen; mit inf. hoffen, zu können glauben, sich getrauen; mit dat. u. gen. von jemand glauben, ihm zutrauen, vertrauen, anvertrauen. — tr. mit dat. ehelich verloben, trauen, antrauen.

truz s. *traz*.

tschillier s. *schinnelier*.

tû = fz. *tout*.

tûbe swstf. taube.

tübel stm. dübel, pflock, zapfen, nagel; stössel.

tûbelære, -er stm. taubenhändler.

tûben-bote m. taubenbote, -post.

tûber, tiuber stm. täuber.

tûb-heie swm. taubenhüter: täuber. **-hûs** stn. taubenschlag.

tubieren swv. ausrüsten (afz. *adouber*).

tûbisch adj. taubenartig.

tuc, duc, *-ckes* stm. schlag, stoss, streich; schnelle bewegung, gebärde; handlungsweise, benehmen, tun, gewohnheit; listiger streich, kunstgriff, arglist, tücke.

tûchære, -er stm. tauchente.

tûchen swv. tauchen; *tingere*.

tûcherlîn stn. dem. zu *tûchære*.

tücke, tucke stf. (md., entstanden aus dem pl. von *tuc*) handlungsweise, benehmen, tun, gewohnheit; arglist, tücke.

tücken, tucken swv. eine schnelle bewegung machen bes. nach unten, sich beugen, dukken intr. u. refl.

tückic adj. in plötzlich rascher bewegung. **-heit** stf. plötzlich rasche bewegung.

tuckisch, tückisch adj. adv. plötzlich; tückisch, heimtükkisch.

tüecheler stm. tuchmacher, -händler.

tüechelîn stn. dem. zu *tuoch*.

tüechîn, tuochîn adj. von *tuoch*.

tüele swf. vertiefung; wunde.

tüemen swv. würde geben, ehren, rühmen; ruhmredig sein, prahlen; vor gericht stellen; urteilen, richten.

tuft stm. dunst, nebel, tau, reif.

tüfteln swv. schlagen, klopfen.

tüften, tuften swv. *tuft* von sich geben, dampfen, dünsten.

tüge, tuge stf. tauglichkeit, kraft, giltigkeit. **-lich** adj. tüchtig, tauglich, brauchbar.

tugen, tügen anv. (präs. *touc*, prät. *tohte*, daneben seit dem 13. jh. ein regelm. swv. *tugen, togen, tougen*) von statten gehn, tüchtig, förderlich, brauchbar sein, kraft haben, nützen, angemessen od. schicklich sein (ohne od. mit dat., mit präpp., mit infin.).

tugende-bërnde part. adj. = *tugentbære*.

tugenden swv. tr. mit *tugent* versehen, tüchtig machen. — intr. u. refl. *tugent* zeigen, tüchtig, tugendhaft sein oder werden.

tugent, tugende stf. brauchbarkeit, tauglichkeit; mannesalter; männliche tüchtigkeit, kraft, macht; heldentat; eigenschaft, bes. gute eigenschaft. vorzüglichkeit, tugend; edle, feine sitte u. fertigkeit; engel des zweiten chores, englisches wesen überh. **-bære** adj. tüchtigkeit an sich habend, wacker, edel, fein gesittet und gebildet. **-bilde** stn. vorbild der tugend. **-forme** stf. dasselbe. **-haft, -haftic** adj. = *-bære*; gewaltig, mächtig; tugendhaft. **-heit** stf. männliche tüchtigkeit, kraft; tugend. **-hêr** adj. *hêr* durch *t.* **-lich** adj., **-lîche** adv. tüchtig, wacker, rechtschaffen, gut, feingesittet; tugendhaft. **-lôs** adj. ohne *t.* **-rîche** adj. reich an tüchtigkeit, an edler, feiner sitte; tugendhaft. **-sam** adj. voll edler, feiner sitte; tugendhaft. **-swende** swm. tugendverderber. **-vaȥ** stn. behälter, inbegriff der *t.* **-veste** adj. fest, beharrlich in der *t.* **-vlîȥ** stm. eifer zur tugend. **-vrühtic** adj. *t.* als frucht hervorbringend.

tuht, duht stf. andrang; tüchtigkeit, kraft, gewalt; ruderbank.

tühtic adj. brauchbar, tüchtig, wacker; edel u. fein gesittet, gebildet.

tülle stn. wand od. zaun von brettern od. palisaden, pfahlwerk; vorstadt (die ausserhalb der mauer hinter pfahlwerk liegt); röhre, bes. die röhre od. zwinge, womit eine eisenspitze am schaft (des pfeiles od. speeres) befestigt wird; art steifer kragen. **tüllen** swv. mit einem *tülle* versehen.

tulmetsche s. *tolmetze*.

tult, dult stf. kirchl. fest; jahrmarkt; auf einer *tult* gekaufte ware. **tulten, dulten** swv. kirchlich feiern. **tultic, tult-lich** adj. festlich. **tult-tac** stm. festtag.

tum; tumb s. *tump*.

tumbe stf. unverständigkeit.

tumben swv. sich tummeln.

tumben, tummen swv. intr. *tump* sein od. w. — tr. *t.* machen.

tumbic-heit stf. unverständigkeit; stummheit.

tumbrël stm. = afz. *tomberel* karren, dessen kasten durch umstürzen entladen wird; = *tumeler*.

tumel stm. betäubender schall, lärm. **-slac** stm. donnerschlag.

tumelen stn. subst. inf. clamor.

tumeler, tumerer stm. eine belagerungs-, schleudermaschine.

tûmeln, tûmen swv. saltare; taumeln.

tûmerschîn stf. tänzerin, gauklerin (afz. *tumeresse*).

tum-küene adj. dummdreist.

tummeline stm. törichter mensch.

tummern, tumern swv. klopfen, schlagen; refl. sich herumschlagen.

tump-, *-bes*, tumb, tum, *-mmes* adj. schwach von sinnen od. verstande, dumm, töricht, unbesonnen, einfältig, unklug; unerfahren, jung; ungelehrt; stumm. **-haft** adj. töricht, einfältig. **-heit** stf. unverständigkeit, torheit, dummheit, unbesonnenes, unkluges, einfältiges wesen, törichte handlung; jugendl. sinn, unerfahrenheit. **-lich** adj., **-lîche** adv. unverständig, töricht, einfältig. **-ræȥe** adj. unüberlegt, hitzig, tollkühn, dummdreist.

tümpel stf. weibl. scham, verächtl. für weib.

tümpel-vaȥ stn. rührfass.

tumpf stm. lache, pfütze.

tümpfel stm. tiefe stelle im wasser, strudel.

tunc, *-ges* stm., **tunc** stf. unterirdisches (mit dünger bedecktes) gemach zur winterwohnung, zum weben, zur aufbewahrung der feldfrüchte; gang, höhle unter der erde; abgrund.

tünchen swv. tünchen.

tüne-wenge, -wengel stn. schläfe vgl. *tinne.*

tunge stf. dünger; düngung, bildl. stärkung, erquickung.

tungen, tüngen swv. düngen, bildl. bedecken, bedrücken, beängstigen; erfrischen, stärken.

tunkel, dunkel adj. dunkel, trübe; dumpf, leise (stimme); unklar, unverständlich. **-** stf. dunkelheit. **-bidërbe** adj. dem scheine nach bieder, scheinheilig. **-êre** stf. scheinehre. **-guot** adj. = *-bidërbe.* **-kouf** stm. scheinkauf. **-meister** stm. eingebildeter *m.*, scheinmeister. **-müetekeit** stf. einbildung, eigendünkel, eitelkeit. **-sam** adj. = *tunkel.* **-stërne** swm. MF. 10,1 lies: *sam der tunkele st.*, der mit den augen der geliebten verglichen wird. **-var** adj. dunkelfarbig. **-vriunt** stm. = *trügevriunt.*

tunkeln, dunkeln swv. *tunkel* sein od. werden.

tunken, dunken swv. tunken, tauchen.

tunne swf. sturzsee.

tunne, tonne swstf. tonne (mlat. kelt. *tunna*).

tuoch stn., md. auch m., tuch; stück tuch von bestimmter länge, tuchballen; leinwand. **-gewender** stm. tuchhändler. **-macher, -mecher** stm. tuchweber. **-manger** stm. tuchhändler. **-schëre** swm., **-schërer** stm. tuchscherer.

tuochen swv. abs. tuch weben. — tr. aus tuch verfertigen.

tuocher stm. tuchweber, -händler.

tuochîn s. *tüechîn.*

tuochunge stf. das tuchweben.

tuofære stm. erdloch am fusse einer mauer, um deren einsturz zu bewirken.

tuogen s. *tuon.*

tuom stmn. macht, herrschaft; würde, stand, lebensverhältnisse; würde, besitz, eigentüml. zustand (als zweiter teil zahlreicher komposs.); urteil, gericht (*tuomes tac* jüngster tag).

tuom stm. n. bischöfl. kirche, stiftskirche, dom; dom-, kollegiatstift (lat. *domus*, näml. *dei*). **-brobest, -probest** stm. dompropst. **-meister** stm. dombaumeister. **-hërre** swm. dom-, stiftsherr. **-tëchan, -tëchant** stm. domdechant. **-voget** stm. domvogt. **-vrouwe** swf. dom-, stiftsfrau.

tuomerîe stf. domherrenwürde.

tuon anv. (nbff. *tôn, tœn, tân, tain*, unorg. erweit. *tuogen, tuonen*), präs. *tuon*, prät. *tëte tët, tete tet*, pl. *tâten, teten*; part. *getân, tân*: tun, machen, schaffen, geben (mit acc., mit infin. od. part. praet. zur umschreibung des einfachen vb.). — *tuon* kündigt das vb. eines parallelsatzes an, dient zur vertretung eines vorhergehenden vb., in dessen konstruktion es dann in der regel eintritt. — absol. tun, handeln, verfahren, sich verhalten, befinden; geistlich: (ein sacrament) spenden. — *ze einem t.* mit adv. sich verhalten gegen jmd; *wie tuot der* wie geht es ihm; *umbe hin t.* zurückdrängen (feinde); *mit vride t.* frieden halten; *einem rede t.* für jmd. fürsprecher sein; *die triuwe t.* ein versprechen geben; *vrî t.* mit ap. befreien, erlösen, mit ap. und gs. berauben, mit dp. und as. erlassen, freigeben; *enein t.* = tollere.

tupfen stm. n. topf.

tupf-, topf-stein stm. tuffstein.

tür, türe stf. tür; öffnung, eingang überh. **-rinc** stm. ring an der tür, mit dem man klopft. **-studel, -stuodel** stn. f. türpfosten. **-sûl** stf. dasselbe. **-warte** swm. türhüter.

tûr- s. *tiur-.*

tûr, tûre stf. wertschätzung (*mich nimt eines d. tûr* ich lege wert, achte darauf).

turc, *-kes* stm. md. schwankende bewegung, taumel, sturz, umsturz.

turd stm. trespe, lolch.

tûren s. *dûren.*

tûren swv. *mich tûret ein d.* oder *eines d.* es dünkt mich zu kostbar (*tiure*), dauert mich.

turîn stm. ein edelstein.

türke swm. türkisches pferd.

türkel stm. = *türkîs.*

turke-man stm. kastrierter hengst, wallach.

turkîs, turkoys stm. ein blaugrüner edelstein; ein kostbarer kleiderstoff (fz. *turquois* der türkische, weil er zunächst aus der Türkei kam).

türkisch, türks adj. türkisch.

turkópel stm. leicht bewaffnete krieger (mlat. *turcopulus*, frz. *turcople*); im 15. jahrh. = diener.

turkopelier stm. aufseher über die *turkopel.*

turkoyte swm. leibwächter.

türlîn stn. dem. zu *tür.*

turm s. *turn.*

türmel, turmel stm. schwindel. **türmel, türmelic** adj. schwindelig. **türmeln, turmeln** swv. schwindeln, taumeln. **türmen** swv. dasselbe; schwindelig werden. **türmic** adj. tobend, ungestüm.

turmîs stn. ein kostbarer kleiderstoff.

türmisch adj. schwindelig.

türm-lich adj. sich drehend.

turn stm., md. *turm, torm, torn* turm; gefängnis.

turnei, tornei, turnoi stm. turnier (manchmal auch als ernster kampf), *turneies man* liebhaber von turnieren (prov. *tornie*, fz. *tournoi* vom mlat. *tornare* drehen); = *turnôs.* **turneier** stm. turnierer. **turneiliute** pl. dasselbe. **turneisære** stm. = *turnôs.* **turneisch** adj. turniermässig.

türnen, turnen swv. mit einem turme versehen; in den (gefängnis-)turm setzen.

turner, türner stm. türmer, turmwächter (auf dem wacht- oder im gefängnisturme).

turner s. *turnier.*

turn-hüeter stm. *turner* 1.

turnier stm. turnier; persönl. turnierer. **turnierære, -er** stm. turnierer. **turnieren** swv. das ross tummeln; turnieren (mlat. it. *torneare*).

turn-iule swf. turmeule.

türnlîn stn. dem. zu *turn.*

turn-lœse stf. abgabe eines gefangenen oder gepfändeten, damit er aus dem *turne* entlassen oder nicht in denselben gesperrt wird.

turnôs, turnois, turnes; tornois, tornes stm. *der t.* oder *der grosse* (groschen) *t.*: grossus Turonensis (fz. *gros Tournois*), alte französische silbermünze, die zuerst in Tours geprägt wurde.

türre, dürre adj. kühn, verwegen.

turren anv. (präs. *tar*, pl. *turren*, prät. *torste*) wagen, den mut haben, sich unterstehn, sich getrauen (manchmal auch mit *durfen* vermengt), mit infin., der auch oft zu ergänzen ist.

turren swv. taumeln, stürzen.

türse, turse swm. riese. **türsenmære** stn. riesen-, lügenmäre.

turst stf. m. kühnheit, keckheit, verwegenheit. **türste** adj. kühn, verwegen. **türstecheit** stf. mut, iactantia. **türsten** swv. kühn vollbringen. **türstic, turstic** adj., **türsticlich** adj., **-liche, türst-liche** adv. = *türste.*

turtel stf. turteltaube (lat. *turtur*).

turtel-, türtel-tûbe swf. dasselbe.
tûs, dûs stn. zwei augen im würfelspiel, daus im kartenspiel (mfz. *deus*, fz. *deux*). *tûs es* zwei und eins, also geringer wurf; übertr. das niedere volk.
tûsch stm. spass, gespött, schelmerei; täuschung, betrug; tausch. **-brief** stm. tauschurkunde.
tüscheln swv. verbergen.
tuschen swv. sich still verhalten, verbergen.
tûschen, tiuschen swv. *tûsch* treiben *mit*; tauschen.
tusem adj. sanft, matt. **-** stm. dunst, nebel, caligo. **tusemen (tusmen)** swv. flüstern.
tûsen swv. schallen, sausen.
tûsent num. card. (alem. u. md. *tûsinc, tûseng, tûsig*) tausend. **tûsentste, tûsentiste** num. ord. tausendste. **tûsent-valt, -valtic, -veltic** adj. tausendfältig.
tusen-var adj. isabellfarbig, gilvus (von pferden). **-vêch** adj. aschgrau.
tûsinc s. *tûsent.*
tûsinc, *-ges*, **tûsinger** stm. der zu einer schar von tausend gehört.
tussen swv. s. *tuzzen.*
tuster stn. gespenst, kobold.
tüster-lichen adv. gespenstartig, schauerlich.
tusternis stf. finsternis.
tute, tutte swm. f. brustwarze, weibl. brust.
tütel swm. punkt.
tütelære stm. schmeichler.
tütelen, tütteln swv. schmeicheln.
tütelin, tütel, tüttel stn. dem. zu *tute.*
tuter s. *toter.*
tût-horn stn. horn als blasinstrument.
tützen swv. zum schweigen bringen, beschwichtigen.
tûȥe adv. stille, sanft, ruhig.
tûȥen swv. sich still verhalten; still trauern.
tuȥȥen, tussen swv. verbergen; pressen, drücken.
twahel s. *twehele.*
twahen, dwahen, kontr. **twân, dwân** stv. VI waschen, baden.
twâl stm. = *twalm*, traum.
twâle, twâl stf. m. (md. auch *quâle*) aufenthalt, verzug, säumnis, zögerung.
twâlen swv. intr. sich aufhalten, verziehen, zögern.
twalm stm. n. (nbff. *twalben, twallen*, kontr. *tolm, tol, dol*) betäubung, ohnmacht, schlaf, traum, vision; betäubender dunst, qualm; betäubender oder tötender saft (auch das getränk, dem ein solcher beigemischt ist). **-getranc, -trinken** stn. betäubendes getränk.
twalmic adj. betäubt.
twâl-tranc = *twalmgetranc.*
twâlunge stf. abirrung; zögerung.
twanc, *-ges* stm. zwang (*lîbes tw.* leibesverstopfung), beengung, gewalt, einschränkung; not, bedrängnis, ungemach; verzierung am frauenkleide.
twancsal stn. f. zwang, gewalt, einschränkung (*âne tw.* freiwillig); not, bedrängnis, ungemach. **twangen** stn. zwang, gewalt, einschränkung, selbstüberwindung.
twarc, quarc, *-ges* stm. quarkkäse, topfen.
twâs twas, dwâs dwas stm. ndrh. tor, narr, bösewicht.
twâsen swv. betören.
twehel, zwehel stm. tuch.
twehele twehel, dwehele dwehel, zwehel swstf. (kontr. *twêle, dwêle zwêle*) leinenes tuch, bes. zum abtrocknen nach dem waschen (*twahen*), auch tischtuch, tuch überh.; *twehel zwehel, twahel zwahel* swstf. und stm. ehernes waschbecken (vgl. *twuhel*). **twehelin, twêlelîn** stn. kleines handtuch.
twellen swv. tr. verzögern, aufhalten; plagen, quälen. — intr. sich aufhalten, weilen, zögern **-** stn. aufenthalt.
***twëln** stv. IV in *er-, vertwëln.*
tweln, twelen swv. intr. sich aufhalten, weilen, zögern.
twenge (vgl. *ge-tw.*) stn., **twengel** stm. zwang.
twengen swv. tr. *twanc* antun, drücken, zwängen, einzwängen, zusammenpressen, beengen, bedrängen, bändigen (*getwenget an* gedrückt an, angeschmiegt).
twër, dwër, quër adj. quer, schräge, zwischen inne liegend. — adv. quer, schräge.
twër stf. quere; seitenwind.
twërc, *-ges*, **quërch** stn. (md. stm.) zwerg.
twërch, dwërch, quërch, *-hes* adj. auf die seite gerichtet, verkehrt, schräg, quer; zwischen inne liegend.
twërch-ackes stf. queraxt.
twërc-lich adj. zwergartig.
twëres gen. adv. verkehrt, seitwärts, in die quere, überzwerch.
twërgelin, twirgelin stn. dem. zu *twërc.*
twërgen swv. intr. quer od. schief gehn, irren; tr. quer anschauen.
twërginne, -în stf. zwergin.
twërhe stf. = *twër* 2.
twërhes, twirhes gen. adv. = *twëres* (*tw. über naht* in der nacht zwischen diesem und dem folgd. tage).
twërn, dwërn stv. IV herumdrehn, bohren; quirlen; durcheinander rühren, mischen, mengen.
twinc, *-ges* stm. das zwingende, bedrängende; gerichtsbarkeit und gerichtsbezirk. **-hërre** swm. die gerichtsbarkeit ausübender herr. **-hof** stm. herrenhof, der hörige güter unter sich hat. **-lich** adj. drängend, zwingend, bezwingend, überwältigend. **-lichen** adv. gezwungener weise. **-liet** stn. drängendes, (zur *milte*) nötigendes lied.
twingære, -er, zwinger stm. zwinger, dränger, zwingherr; exactor (Luc. 12, 58); raum zwischen einer stadt- oder schlossmauer u. dem graben, befestigung daselbst.
twingærinne stf. zwingerin.
twingen, dwingen stv. III, 1 (nbff. *quingen, zwingen*) drükken, zusammendrücken, -fügen, pressen; zwängen, beengen, drängen, bedrängen, not u. gewalt antun, bezwingen; wozu drängen, zwingen, nötigen, mit gen., mit inf. u. *ze*, mit nachs.; bedecken, einschließen; beherrschen, bändigen, zaum anlegen.
twirel, twirl, quirel stm. quirl.
twirgelin s. *twërgelin.*
twirhe stf. = *twërhe.* s. *twër* 2.
twirhen swv. tr. quer übereinander legen. — refl. quer, verkehrt gehn.
twirhlingen adv. quer, verkehrt.
twirhes s. *twëres*; *ze twirhes* s. *trëviers.*
twuhel f. badewanne.

U

übel adj., md. *ubel* übel, böse, bösartig, boshaft, grimmig, schlecht. **-** stn. böses, übel, unheil, schlechtigkeit. *eȥ für ü. hân* übel nehmen. **-heit** stf. bosheit. **-lâge** stf. böse nachstellung. **-lich** adj., **-liche** adv. = *übel, übele.* **-listic** adj. boshaft. **-macher** stm. übeltäter. **-tât** stf. böse tat, missetat, verbrechen; verfolgung, heimsuchung. **-tæte** swm., **-tæter** stm. übeltäter, verbrecher. **-tætic** adj. übel-, gewalttätig. **-tætiger** = *übeltæter.* **-tætunge** stf. = *übeltât.* **-var** adj. schlecht, hässlich aussehend. **-wille** swm. böser wille. **-willic** adj. übelwollend, feindselig.
übelære, übeler stm. übel-, gewalttäter.
übele, übel adv., md. *ubele, ubel* auf böse, boshafte art; auf schwierige art, schwer; auf

heftige weise, sehr; schlecht, wenig, gar nicht.

übele, übel stf. schlechtigkeit, bosheit, bösartigkeit, erbostheit.

übelen swv. = *übele tuon.*

übelnisse stf. bösartigkeit.

ûber s. *uover.*

über präp., md. *uber* über mit acc., ausdrückend eine bewegung über eine fläche oder einen zeitraum (bei fristbestimmungen: nach, je nach, während: *über jâr* während des ganzen jahres; *über einen tac* einen tag um den andern), nahe an etw. unten liegendes (abstr. beziehung zu beherrschtem, besorgtem), über eine linie od. einen zeitpunkt hinaus, überschreitung od. verletzung des massgebenden: gegen, wider, trotz. — adv. über, hinüber, herüber: bei advv. (*dar, her, hin über*), bei präpp. (*gegen einem über* einem gegenüber), bei adj. u. adv. über das gewöhnliche hinaus, überaus, sehr, mehr als. — bei verbis z. b. *über belîben* übrig bleiben; *haben* refl. mit gen. sich enthalten von; *müezen* über (einen fluss gesetzt werden) müssen, *sîn* mit gen. überhoben sein; *tragen* intr. zu weit dringen, tr. hinüber tragen; *tuon* übertreiben, sich überheben; *wërden* übrig bleiben, mit gen. überhoben werden, vermeiden.

über-ackern swv. = *über-ern.* **-adeln** swv. an wert und tüchtigkeit übertreffen. **-æhte** stf. = *oberâhte.* **-al** = *über al*: keinen, nichts ausgenommen, alle, alles. **-arbeit** stf. übermässige arbeit. **-âȥ** stn. übermässiges essen. **-æȥe** adj. einer speise überdrüssig. **-bein** stn. überbein, bildl. hindernis, anstoss, unfall. **-bekantlich** adj. über alle erkenntnis. **-bëllen** stv. tr. über etw. hinaus bellen. **-bern** swv. durch schlagen, kämpfen wozu bringen. **-bilde** stn. ein höheres bild od. was durch ein *bilde* nicht darstellbar ist. **-bilden** swv. umgestalten; über *bilde* erhöhen. **-billen** swv. überhauen, glätten. **-biten** stv. durch bitten bewegen. **-biunden** swv. überzäunen, einhegen. **-bîȥen** stv. im beissen übertreffen. **-blenken** swv. an weisse übertreffen. **-blîchen** stv. glänzend überziehen; an glanz übertreffen. **-bœsen** swv. durch böses übertreffen. **-bote** swm. ausserordentlicher bote. **-brâ** f. augenbraue. **-braht** stm. übermässiges, übermütiges schreien und lärmen, ungestüm, das überschreien; das prahlen. **-brast** stm. = *überbraht.* **-brëchen** stv. brechend übertreten. **-breht** stm. das überschreien. **-brehten** swv. überschreien. **-breite** stf. superficies. **-breiten** swv. überbreiten, -decken; an breite übertreffen. **-bringen** stv. überein bringen, vergleichen. **-bruch** stm. übertretung. **-brünstic** adj. überhitzig, übereifrig. **-bû** stmn. überbau, über die senkrechte linie eines hauses hinausreichender, über die strasse oder gemeindetrift vorspringender bau; schädliche einrichtung eines fischbaues; das pflügen über die grenze. **-büegen** swv. refl. zu falle kommen. **-bündic** adj. ausbündig, auserwählt. **-bürdic** adj. überschwer. **-burzeln** swv. intr. kopfüber stürzen. — tr. überspringen. **-bûwen** swv. überziehen, besetzen, bewohnen; *einen überb.* auf dessen grund u. boden etw. erbauen; s. v. a. *über-ern.* **-dach** stn. = *obedach.* **-decken** swv. mit einem *überdache* versehen, überdecken. **-denen** swv. über etw. ausdehnen, überdecken. **-denken** swv. tr. mit gedanken umfassen, ausmessen; nicht daran denken, ausser acht lassen, vergessen. — refl. sich vergessen, irren; die besinnung verlieren. **-derren** swv. übermässig austrocknen. **-dienest** stm. ausserordentliche abgabe. **-dieȥen** stv. überschallen. **-digen** swv. überwinden. **-dîhen** stv. übertreffen; über einen macht gewinnen, ihn zu etw. bewegen. **-dinc** stn. vergleich, vertrag. **-done** swm. worüber ausgespanntes, ausgebreitetes tuch, bahr-, leichentuch. **-dôn** stm. übermässiger *dôn.* **-dœnen** swv. (durch besseren klang) übertreffen. **-draben, -traben** swv. überfallen, überraschen. **-dranc** stm. überwältigung; bedrängnis. **-drangen** swv. überwältigen. **-dringen** stv. bedrängen, überfallen, überwältigen; überraschen. **-drô** stf. übermässige drohung. **-drêȥ** stf. überdruss. **-drücken** swv. überwältigen. **-dûren, -tûren** swv. tr. überdauern, -stehn. **-ein** adv. insgesamt, durchaus; *ü. werden* sich schlüssig w., übereinkommen. **-einzic** adj. übrig, überflüssig. **-êre** stf. höchste ehre; übermässiges ansehen. **-ern** swv. *einen üb.* über die grenze desselben pflügen. **-ëȥȥen** stv. übermässig, zu viel essen. — tr. im essen übertreffen. **-ëȥȥer** stm. der *überiȥȥet.* **-fine** stf. höchste schönheit. **-formelich** adj. überherrlich. **-formen** swv. umgestalten, umgestaltend erheben, in eine höhere *forme* bringen. **-formieren** swv. dass.; überformen, -drucken. **-formunge** stf. höherentwicklung. **-gâhen** swv. refl. sich übereilen. **-gân, -gên** stv. intr. übergehn, -fliessen; vorübergehn, schwinden. — tr. über, durch etwas gehn, schreiten; über etw. gehn oder treten, überkommen, -fallen, -treffen; über etw. sich ausbreiten, es überfliessen, bedecken, (vom tage) aufgehen, heraufkommen; umringen; durchlaufen; über etw. hinausgehn; übergehn, auslassen; übertreten, unterlassen; bewegen, überreden zu (gen.). **-ganc** stm. übergang; übertretung. **-ganger** = *übergêer.* **-gëben** stv. im spiele mehr angeben (ein auge etc.) als der gegenspieler, überbieten, übertreffen; im spiel vorgeben u. sich dadurch schaden; einem zu viel bieten, ihm zu nahe treten, beeinträchtigen, schädigen, verletzen, beschimpfen; sich lossagen von, vernachlässigen, aufgeben, verzichten. — refl. sich überschlagen; sich aufgeben, schuldig bekennen. **-gëbisch** adj. allzuviel gebend, verschwenderisch. **-gëbunge** stf. übergebung; aufgebung, verzichtung. **-gedanclich** adj. über alles denken hinaus. **-gêer** stm. übertreter. **-gelîch** adj. erhaben über die vergleichung mit (dat.); mit pron. poss. durch grössere macht ungleich. **-gëlt** stm. bezahlung über den wert, über die forderung; was eine höhere geltung, einen höheren wert hat. **-gëlten** stv. über den wert od. die forderung hinaus bezahlen, überbieten, genugtuung geben; an wert übersteigen. **-genôȥ, -genôȥe**, stswm. der mehr ist als seinesgleichen, seinesgleichen nicht hat, der vornehmere, mächtigere (unter standesgenossen), einen od. worin übertreffende, mit poss. pron. od. gen., dat. **-genuht** stf. überreiche fülle, überfluss, mehr als genüge. **-gërn** swv. im *gërn* übertreffen. **-gesten** swv. übertreffen, -strahlen, übermässig feiern. **-gêunge** stf. übertretung, sünde. **-gieȥen** stv. intr. überfliessen. — tr. hinüber giessen; überfliessen, -strömen; überziehen, bedecken. **-gift** stf. verschwenderische gabe. **-giftic** adj. verschwenderisch. **-ginen** swv. tr. über etw. das maul aufsperren; im aufsperren des maules übertreffen. **-gîtec** adj. überaus *gîtec.* **-glude** stf. überfluss; übermässige verschwendung. **-giuden, -göuden** swv.

übermässig, vollständig rühmen, preisen; im rühmen, grosstun übertreffen; überbieten. — refl. sich übermässig rühmen, prahlen; an ruhm, preis übertreffen, überh. übertreffen. **-glanz, -glast** stm. übermässiger, alles übertreffender glanz. **-glesten** swv. tr. an glanz übertreffen, überstrahlen. — intr. überaus, überall glänzen. **-glîzen** stv. überstrahlen. **-golt** stn. = *übergulde*. **-goumen** swv. übersehen, nicht beachten, übergehn. **-grâ** adj. durchaus grau. **-grif** stm. ungesetzmässige gewalttätigkeit. **-grîfen** stv. tr. über etw. hin greifen, sich darüber ausbreiten, es bedecken; über etw. hinaus greifen, es nicht beachten; widerrechtlich, gewalttätig angreifen, beschädigen, überlisten, benachteiligen. — refl. zu viel tun, eine befugnis missbrauchen. **-griffenlich** adj. über alles begreifen, unbegreiflich. **-grôz** adj. überaus gross; an grösse überragend, grösser als, mit dat. **-grœzen** swv. überragen, übertreffen *mit*. **-güeten** swv. an *güete* übertreffen; gütlich einen zu etwas vermögen. **-güften** swv. = *übergiuden*. **-gulde** stn. übergoldung. **-gulden, -gülden** swv. über-, vergolden; überbieten. **-gülte, -gülde, -gulde, -gult** stf. was etwas *übergiltet*, mehr wert ist als alles andere, das höchste. **-gülten, -gülden, -gulden** swv. übertreffen. **-guot** adj. alle andern an *güete* übertreffend, überaus gut. **-guot** stn. das höchste gut, was noch mehr ist als gut. **-gurt** stm. obergurt (des pferdes). **-guz** stm. überströmender erguss. **-haben** s. *überheben*. **-habunge** stf. hochmut, überhebung. **-hâhen** redv. überhängen, über-, bedecken. **-hanc** stm. über-, umhang; überhang von obstbäumen; übergewicht, oberhand; s. v. a. *überbû*. **-hant** stf. = *oberhant*. **-hantic** adj. sehr bitter. **-harren** swv. intr. ausharren. — tr. überdauern, überwinden. **-heben** stswv. tr. über etwas hinaus heben, vorziehen mit dat.; über eine gefahr hinweg heben, retten; nicht treffen, verfehlen; sich worüber erheben; sich über etw. weg heben, etw. bezweifeln, übergehn, auslassen, verschweigen; einen über etwas (gen.) hinwegheben, entheben, befreien, verschonen. — refl. sich über etw. wegheben, davon befreien; sich überheben, übermütig, anmassend werden, stolz sein auf, mit gs. **-heil** stn. mehr als heil, höchstes heil. **-heilic** adj. überaus heilig. **-hemede** = *oberhemede*. **-hër** adv. herüber. **-her** stn. überwältigendes heer, übermacht. **-hêr, -hêre** adj. überaus gewaltig; überaus vornehm; übermütig, stolz. **-hêre** stf. übermut, stolz. **-hêren** swv. als vornehmerer und stärkerer (*hêr*) od. als herr (*hêrre*) überwältigen, übertreffen, überragen. **-hern** swv. mit übermacht überziehn, bekriegen, bedrücken, bedrängen, überwältigen. **-hërren** swv. überwältigen. **-herte** adj. sehr hart. **-herten** swv. tr. an *herte* übertreffen; überwältigen, -treffen; drükkend überladen, bedrücken. **-hin** adv. hinüber. **-hitze** stf. zu grosse hitze od. erhitzung. **-hitzen** swv. tr. zu heiss machen. — intr. zu heiss oder hitzig sein, werden. **-hitzic** adj. zu hitzig. **-hiuzen** swv. überwinden, übertreffen. **-hôch** adj., **-hôhe** adv. sehr hoch. **-hoffen** swv. durch hoffnung übertragen *in*. **-hœhen** swv. sehr erhöhen, sehr hoch aufrichten; an höhe übertreffen; überh. überragen, übertreffen; hoffärtiger sein als. **-hœher** stm. der an höhe übertrifft. **-holn** swv. herüber holen (als fährmann). **-hœrde, -hœre** stf. ungehorsam. **-hœren** swv. aufsagen lassen, lesen lassen; befragen, verhören; nicht hören, überhören, nicht beachten od. befolgen. **-hœric** adj. ungehorsam. **-hort** stm. höchster *hort*. **-houbet** stn. oberhaupt; - adv. s. *houbet* **-houwen** stv. *ez überh.* das schlachtfeld hauend durchschreiten; *einen überh.* übertreffen, besiegen; durch holzhieb benachteiligen. **-hubel** stm. md. grosser haufe. **-hubelen** swv. md. überhäufen. **-hûfen** swv. überhäufen, bedecken. **-hügen** swv. worüber hinweg denken, vergessen, einem untreu sein (ehebrechen), mit ap. **-huor** stnmf. ehebruch. **-huorer** stm. ehebrecher. **-huorerinne, -huorin** stf. ehebrecherin. **-hüpfen** swv. intr. hoch hüpfen, sich erhöhen, steigen. — tr. überhüpfen, -springen, -gehn. **-hûren** swv. intr. überwiegen, den sieg gewinnen. — tr. überbieten, -treffen, -tönen. **-îlen** swv. tr. übereilen, einholen, zuvorkommen; überfallen; übervorteilen. — refl. sich beeilen, überstürzen. **-jânen** swv. mühselig gewinnen. **-jâren** swv. das jahr über od. länger als ein jahr bleiben, wohnen. **-jæric** adj. überjährig. **-jëhen** stv. zu viel sagen. **-jësen** stv. überschäumen. **-kempfen** swv. besiegen. **-kepfen** swv. überkippen, **-stürzen**. **-kêre, -kêr** stf. m. überfahrt; bekehrung; wendung. **-kergen** swv. überlisten. **-kiesen** stv. aufgeben, verlieren; verzeihen; = *verkiesen*. **-klage** stf. übermässige, ungerechte klage, beschwerde. **-klâr** adj. sehr klar. **-klæren** swv. *überklâr* machen. **-kleiden** swv. zu prächtig kleiden; an kleiderpracht übertreffen, überh. übertreffen. **-kleit** stn. oberkleid. **-klimmen** stv. höher, hinüber steigen über. **-klingen** stv. übertönen. **-klüegen** swv. an *kluocheit* übertreffen, überlisten. **-komen, -kumen** stv. intr. hinüberkommen; den vorzug haben, die oberhand behalten; verhandeln, verabreden, übereinkommen. — tr. kommen über, hinauskommen über; zu etw. gelangen, etw. gewinnen, in die gewalt bekommen; überfallen; zuvorkommen; übertreffen; überwinden; bezwingen; bestechen; über-, verwinden, überstehn; überreden, vermögen zu (gen. od. nachs.); überweisen, überführen, mit gen. **-komnisse** stn., **-komunge** stf. übereinkunft, vertrag. **-kostelich** adj. zu kostbar. **-kouf** stm. übervorteilung im kauf. **-kraft** stf. überlegene kraft, übermacht, oberhand; übergrosse fülle. **-kreften, -kreftigen** swv. an *kraft* übertreffen, überwältigen, besiegen. **-kreftic** adj., **-krefteclîche** adv. übermächtig, überlegen. **-kreiz** stm. epicyclus. **-kriegen** swv. überwinden, -treffen. **-krigen** stv. überwinden, -wältigen. **-kripfen** s. *-krüpfen*. **-krœnen** swv. überkrönen, verherrlichen; an herrlichkeit übertreffen. **-krüpfe** stf. übermässige anfüllung des kropfes, übersättigung. **-krüpfen** swv. den kropf überfüllen. **-kündigen** swv. überlisten. **-lade, lat** stf. überladung, bedrückung, übermass. **-laden** stv. tr. u. refl. überladen, ladend überdecken, überbürden, -lasten, bedrängen; zu schwer beladen, überfüllen. **-ladunge** = *überlade*. **-laffen** stv. refl. übermässig trinken. **-lanc** adv. sehr lange. **-lant** stn. = *oberlant*, *überlende*. **-last** stm., md. auch f., überaus grosse, zu grosse last od. menge (übermacht), überfülle, -mass; gewalt, vergewaltigung, bedrückung, beschwerde, schaden. — persönl. überwältiger, bezwinger; einer der zur last, überflüssig ist. **-lat** s. *-lade*. **-lëben** swv. länger leben als, überleben. **-lede** stf. = *-lade*. **-legen** swv. überziehen, bedecken, belegen mit; über-, zusammenrechnen. **-leichen** swv. betrügen. **-leit** stn. übermässiges, höchstes leid. **-lende, -lent** stn. lediges, nicht *bestiftez* od. *behûstez* gut, feld. **-lësen** stv. überlesen, ganz durchlesen; lesend, betend aussprechen; überschauen, -zählen. **-leste, -lestic** adj. überaus gross, schwer, drückend, beschwerlich, überaus stark, überlegen *gegen*; übermässig beladen mit (gen.). **-leste** stf. = *-last*. **-lesteclich** adj. überaus groß, schwer. **-lesten** swv. überladen, überfüllen, bedrängen. **-liberen** swv. md. überliefern. **-lîden** stv. über das *lîden* hinwegkommen. **-liebe** stf. übermässige liebe. **-liegen** stv. im lügen übertreffen, mehr lügen als; *etw. überl.* eine noch grössere lüge sagen; anlügen, betrügen; mit lügen überdecken, verbergen. **-lieht** adj. überaus glänzend. **-ligen** stv. tr. liegen über, überlagern, besetzen; worauf liegen; beschlafen, schänden. — *überlegen* part. adj. ungelegen, beschwerlich mit dat. **-linden** swv. an weichheit, milde übertreffen. **-list** stm. höchster *list*. **-listen** swv. durch *list* überwinden, -treffen; mit gs. durch *list* zu etw. bringen. **-listic** adj. sehr *listic*. **-lit** stn. deckel. **-liuhtec, -liuhteclich** adj. sehr, mehr leuchtend als. **-liuhten** swv. be-, durchleuchten; überblicken; mehr leuchten als. **-liute** pl. zu *-man*. **-lobelich** adj. über alles lob erhaben. **-loben** swv. tr. übermässig loben. **-louf** stm. auflauf, tumult; überfall, angriff; überschuss. **-loufen** redv. intr. = überlaufen. — tr. kommen über, treffen, befallen; hinaus laufen über, laufend überholen, bildl. übergehn, auslassen; laufen über, durchlaufen, -gehn (lesend, erzählend), erwägen, darstellen. **-loufer** stm. der etw. in kürze behandelt, durchgeht. **-lüejen** swv. im brüllen übertreffen. **-lust** stm. übergrosse lust. **-lût** adv. allgemein vernehmlich, laut u. deutlich, unumwunden, öffentlich. **-lûzen** swv. lauernd versäumen. **-maht** stf. übergrosse menge, übermacht. — adv. übermässig, gewaltig, sehr. **-mahten** swv. überwältigen. **-maln** stv. wie mit mehlstaub überziehen. **-man** stm. = *obe-m.* **-marken** swv. mit ap. den grenzstein auf jemands grund vorrücken. **-mâze, -mâz** stf. n. übermass, -fluss, das übrige; über-, unmässigkeit. **-mæze** stf. übermass. **-mæzec, -mæzeclich** adj. übergross, übermässig, übertrieben. **-megenen, -megen** swv. an stärke übertreffen. **-mehtic** adj. übermächtig, überlegen. **-meien** swv. den mai, wie den mai an schmuck u. schönheit übertreffen. **-meister** stm. oberster herr. **-menden** swv. sich freuen über (dat.). **-menen** swv. *einen ü.* mit dem zugvieh auf dessen grund fahren; übermässig antreiben u. anstrengen. **-menigen** swv. durch *menge* bewältigen, übermannen. **-mëz** stn. übermass. **-mëzzen** stv. tr. messen über, anmessen mit dp.; über-, ausmessen; mit den augen messend überblicken; über etw. hinwegsehen, es übersehen, versäumen; über ein mass, eine grenze hinausgehn; *einen überm.* übermässig besteuern. — refl. sich überheben. **-milte** adj. sehr *milte*. **-milten** swv. an *milte* übertreffen. **-minnen** swv. durch *minne* überwinden, betören. **-minnic, -minneclich** adj. über die liebe hinausgehend. **-mittez, -mitz** adv. vermittelst mit gen. od. acc. **-müede** adj. überaus müde. **-müeder** stn. leibchen über dem hemde, mieder. **-müete, -muot** adj. stolz, übermütig. **-müete, -muot** stf. = *übermuot*. **-müetec** adj. *übermuot* habend. **-müeten** stn. = *übermuot*. **-mügen** v. an. tr. stärker sein als, überlegen sein, übertreffen, -winden. **-munt** stm. oberlippe. **-muot** stm. stolzer, hochfahrender sinn. **-nahten** swv. die nacht über dauern. **-name** swm. beiname **-nâme** stf. das nehmen über gebühr od. verdienst. **-natûrlich, -natiurlich** adj. übernatürlich. **-nehtic** adj. eine nacht über dauernd, worüber eine nacht vergangen ist. **-nëmen** stv. abs. zu viel nehmen, unternehmen. — tr. die überhand gewinnen über; *einen übern.* von einem zu viel fordern. — refl. sich übernehmen, sich zu viel zumuten; mit gen. übermütig werden. **-nëmunge** stf. überforderung. **-niezen** stv. tr. zu viel nutzen (zins, abgaben) von einem fordern od. nehmen. — refl. durch übermässigen liebesgenuss sich abstumpfen, impotent machen. **-nôt** stf. überaus grosse *nôt*. **-nœten** swv. überaus bedrängen, bedrücken. **-nütze** adj. überaus nützlich. **-nuz** stm. übermässiger ertrag, bes. zinswucher, zinseszins u. zinsen überh. **-oben** swv. übertreffen, -steigen. **-oberen** swv. be-, überwältigen, gewinnen. **-parlieren** swv. überreden zu (gen.). **-pêne** f. konventionalstrafe. **-phliht** stf. überbietende leistung: *der wunder ü.* das grösste wunder. **-rât** stm. f. grosser aufwand, vorrat, überfluss. **-rëchenen** swv. zu viel anrechnen, übervorteilen. **-redelich** adj. über alle rede erhaben. **-reden** swv. tr. mit rede od. durch zeugen überführen, überwinden, widerlegen (gs.); mit rede wozu bewegen, überreden (gs. od. nachs.). **-rëgenen** swv. überregnen. **-reichen** swv. hinaus reichen über; übertreffen. **-reiten** swv. überrechnen, -legen; durch rechnung überführen od. übervorteilen; verführen. **-rennen** swv. tr. rennend überlaufen, -fallen; rennend durcheilen. **-rîche** adj. überaus *rîche*. **-rîchen** swv. tr. an kostbarkeit übertreffen, überh. übertreffen. — refl. prunken, sich zieren mit. **-ringen** stv. mit anstrengung überwinden. **-rinnen** stv. tr. rinnend ganz bedecken. — intr. mit etw. rinnendem ganz bedeckt sein. **-rit** stm. überfall mit reiterei. **-rîten** stv. tr. worüber hin-, hinausreiten; mit reiterei überziehen, -fallen; reitend überwinden; im kampfe besiegen; reitend ein-, überholen. **-rücke** stn. der obere teil des spinnrockens. **-rücke** adv. auf dem rücken, auf den rücken hin, rückwärts. **-rüefen** swv. tr. über etw. hinwegrufen. **-ruofen** stv. tr. an stärke des rufs übertreffen, überschreien. **-rüste** stf. überladung. **-sage** stf. überführung. **-sagen** swv. mit rede, als zeuge oder durch zeugen überführen, überwinden, widerlegen; als zeuge gegen oder für jem. auftreten (gs. und *an*); *übersaget, -seit* part. adj. überwiesen, für gemeinschädlich erklärt; mehr sagen oder angeben (vgl. *übergëben*). **-sager** stm. zeuge. **-sat** adj. der zu viel gegessen hat. **-satunge** stf. vollkommene sättigung. **-sâze** stf. übermass. **-schal** stm. höchste freude; übermut; voluptas. **-schalken** swv. überlisten. **-schallen** swv. übertäuben. **-schar** stf. bergm. die zwischenwand zwischen zwei angrenzenden gruben. **-schëllen** stv. tr. lauter schallen als, übertönen. **-scher** adj. überzählig. **-schettunge** stf. überschattung. **-schetzen** swv. tr. mit allzu harten abgaben belegen; zu hoch schätzen, anschlagen. **-schiezen** stv. tr. über etw. hinwegschiessen; über etw. hinausragen; überragen; mit einem *überschuzze* versehen. **-schîn** stm. alles übertreffender glanz. **-schînen** stv. tr. scheinen über, beleuchten. **-schœne** adj. überaus schön. **-** stf. ausgezeichnete schönheit. **-schœnen** swv. mit schönheit bedecken, verschönern; an schönheit übertreffen. **-schrenken** swv. intersecare. **-** stn. intersectio. **-schrîben** stv. tr. überschreiben, eine über-, aufschrift machen; schriftlich berichten. **-schrift** stf. auf-, inschrift. **-schrîten** stv. tr. schreiten über, überschreiten; über etw. hinaus schreiten: übertreten; besteigen; überreden, bewegen zu. **-schütten** swv. tr. überschütten, -häufen *mit*. — intr. niederstürzen, fallen. **-schuz** stm. das worüber hinaus ragende, der überschuss, bes. der über die senkrechte linie hinausragende teil eines gebäudes. **-schuz** stm. überschuss, rest. **-sëhe** swf. aufseherin. **-sëhen** stv. tr. hinabsehen auf, überschauen; (lesend) überblicken; aufsicht haben über; übersehen, unbeachtet lassen, gering achten, verschmähen; nachsehen, hingehn lassen, ungeahndet lassen, verzeihen; vergessen, versäumen; verzicht leisten auf; verschonen, mit gs. — refl. sich versehen, etw. versäumen. **-sete** stf. übersättigung. **-settet** part. übersättigt. **-setze** swf. die über etw. hinwegsetzt, es überflügelt. **-setzen** swv. hinüber versetzen; schriftlich verfassen; besetzen; übermässig besetzen, überbürden, -lasten, bedrängen. **-sibenen** swv. = *besibenen*. **-sigelen** swv. besiegeln. **-sigen** swv. tr. siegen über, besiegen. — refl. sich schwächen. **-siht** stf. weitsichtigkeit. **-sihtic** adj. weitsichtig. **-silberen** swv. über-, versilbern. **-singen** stv. tr. singend probieren; im singen übertreffen. **-sinnen** stv. tr. über-, ausdenken. — refl. übermässig sinnen. **-sinnic** adj. mit überspannten gedanken, unvernünftig. **-sitzen** stv. tr. sitzen auf, über, besetzen; kommen über, bedrängen; überwinden; sich über etwas wegsetzen, es unbeachtet oder ungeleistet lassen, versäumen; *einen üb.* länger als er (im wirtshause) sitzen. **-siunic** adj. = *übersihtic.* **-slac** stm. überwältigung durch schläge, besiegung; übergewicht; verlauf. **-slâfen** redv. *den tac üb.* den ganzen tag über schlafen. **-slahen** stv. tr. schlagend überziehen, beschlagen *mit*; treibend überziehen (*einen üb.* oder *einen mit vihe üb.* vieh auf dessen weide treiben); schlagend überwältigen, niederwerfen, besiegen; in kürze sagen, erzählen; überschlagen, auslassen; ungefähr berechnen, überdenken, -legen, schätzen. **-slîchen** stv. schleichend überfallen. **-slihten** swv. glatt überziehen. **-slunt** stm. *der sünden ü.* der riesenrachen der s. **-snellen** swv. tr. überstürzen, rücklings niederwerfen; an schnelligkeit übertreffen; übervorteilen, prellen. — intr. auf der wage das übergewicht haben, sinken. **-snîden** stv. tr. *einen üb.* beim schneiden der feldfrüchte auf dessen grund übergreifen; besser schneiden als, bildl. übertreffen. **-snîen** stswv. überschneien, wie mit schnee bedecken. **-solden** swv. übermässig belohnen mit (gen.). **-soum** stm. übermässige last. **-spehtic** adj. hoffärtig. **-spiln** swv. im spiele besiegen, überlisten; überdenken. **-sprëchelich** adj. = *überredelich.* **-sprëchen** stv. tr. sprechend überschlagen, -rechnen; mit rede überwinden, widerlegen; sich im sprechen übereilen, sich versprechen, zu viel und unüberlegt sprechen, abs. u. refl. **-spreiten** swv. spreiten über, überdecken. **-sprengen** swv. überspritzen mit (gen.). **-springen** stv. tr. überspringen, bespringen. **-sprunc** stm. das überspringen; übergewicht. **-starc** adj. übermässig stark. **-stecken** swv. überstecken, besetzen *mit.* **-stëgen** swv. tr. einen *stëc* worüber machen. **-stellic** adj. überreif (obst). **-sterken** swv. an stärke übertreffen. **-sticke** stn. stecken oder stange über den senkrecht in der erde steckenden weingartpfählen. **-sticken** swv. = *überstecken*; *einen üb.* mit dem stickelzaune auf dessen grund hinüberrükken. **-stîgen** stv. höher steigen oder fliegen als, hinausschreiten über; bildl. überwältigen, -treffen; überstehn, aushalten. **-stôzen** redv. stossend überwältigen, niederstossen; über-, bestecken *mit.* **-strëben** swv. durch *streben* über etw. hinwegkommen, mit gegenwehr überwinden; refl. sich eifrigst bestreben. **-strecken** swv. strecken über, ausgestreckt bedecken. **-strîchen** stv. intr. od. abs. streichen über, streichend berühren. — refl. sich im austeilen von streichen übermässig anstrengen. **-strîten** stv. tr. im streite od. wettstreite überwinden, überh. überwinden. — intr. mit dp. einem im streite oder wettstreite überlegen sein. — refl. sich im streite übermässig anstrengen. — tr. mit gs. od. nachs. einen durch streit wovon befreien; überreden zu. **-stützic** adj. überflüssig; stützig (von pferden). **-süeze** adj., **-suoze** adv. überaus süss oder lieblich. **-süezen** swv. tr. *übersüeze* machen; an *süeze* übertreffen, lieblicher sein als. **-summen** swv. überrechnen, -schlagen. **-sünden** swv. durch sünden übertreffen. **-suoch** stm. das streben, trachten, bemühen. **-swal** stm. das überfliessen, -strömen; überfluss. **-swanc** stm. das überfliessen, -strömen; ent-, verzückung. **-swanz** stm. überschwang. **-swære** adj. übermässig schwer. **-swære** stf. übermässige schwere. **-sweif** stm. überragender teil. **-sweifen** swv. tr. u. refl. überschweifen, -schwingen. **-swengel** stm. überschwang, überfluss. **-swenke** adj. überschwänglich, übermässig, übermächtig. **-swenken** swv. tr. *überswenke* machen; weit übertragen. **-swenkic, -swenklich** adj. = *-swenke.* **-tât** stf. unrechtliche tat, verbrechen. **-teil** stn. übermacht? **-teilen** swv. tr. übervorteilen. — refl. übermässig austeilen. **-tiure** adv. allzu teuer. **-tiure, -tiurunge** stf. überhoher wert; überschuss, mehrwert, -erlös, -ertrag. **-tiuren** swv. an wert übertreffen. **-toben** swv. übermässig toben. **-toppeln** swv. im spiel überlisten. **-traben** s. *überdraben.* **-trac** stm. übereinkunft vertrag, vergleich. **-tragen** stv. tr. an eine andere stelle tragen, versetzen; zum tragen auf sich nehmen, ertragen; tragen auf, überziehen (*mit golde übertragen* vergoldet); beladen, belasten, schmücken; durch zu langes tragen abnützen; mit sich herumtragen, überdenken, beraten, übertragen, -geben; zu hoch tragen, übermütig machen; schwerer an gewicht sein, übertreffen; bewahren, schützen, schonen mit gs. (*des tôdes ü. werden* überhoben w.); aufheben, beseitigen, vereiteln; unterlassen; ein übereinkommen treffen, etw. bestimmen, verabreden; wozu vermögen, bestimmen mit gs.; schlichten, versöhnen. — refl. sich überheben. — intr. über ziel und mass hinausreichen, höher (vornehmer) sein; geduld haben; *über ein üb.* ein übereinkommen treffen; *an einander üb.* sich gegenseitig vertragen. **-tragen** swv. tr. überheben, verschonen mit (gen.). **-trahten, -trehten** swv. überdenken, erwägen. **-tranc** stnm. übermass im trinken; betrunkenheit. **-trëffen** stv. überragen, -treffen; hinaustreten über, übertreten. **-trëffic, -trëflich, -trëffenlich** adj. hervorragend, überragend, ausgezeichnet. — **-liche** adv. überaus, sehr. **-trëten** stv. tr. treten auf, darniedertreten, überwinden; über etw. treten, kommen; besteigen; hinaustreten über, übertreten; übertreffen. — refl. u. intr. über die schranken der sitte treten, sich vergehn. **-treten** swv. *einen üb.* vieh auf dessen weide (*trat*) treiben. **-trëter** stm. übertreter (eines gesetzes); überwinder, bezwinger. **-trëtunge** stf. = *-trit.* **-trîben** stv. tr. *einen üb.* vieh auf dessen weide treiben; zu hoch treiben; übertreiben; übermässig antreiben, überanstrengen; zu weit treiben, fortreissen, überladen mit (gen.); bedrängen, beherrschen. **-triegen** stv. überlisten. **-trift** stf. das recht über die weide eines andern auf seine weide zu treiben. **-trinken** stv. refl. zu viel trinken, sich betrinken. **-trinker** stm. der sich *übertrinket.* **-trip** stm. = *übertrift*; widerrechtliches beweiden fremder gründe. **-trit** stm. übertretung, vergehn; übertritt, abfall; überwältigung. **-trunkene, -trunkenheit** stf. betrunkenheit. **-trûren** swv. tr. trauernd sich worüber hinwegsetzen. **-tugende** swm., md. *übertogende* der höheres standes oder mächtiger ist. **-tugenden** swv. an *tugent* übertreffen; zur *tugent* erheben. **-tuoch** stn. = *überdon.* **-tuon** an. v. abs. mehr tun als nötig ist, sich zu viel zutrauen. — tr. übertreten; bedecken *mit.* — refl. sich übermässig hervortun, überheben. **-tür, -türe** stn. oberschwelle der türpfosten. **-tûren** s. *überdûren.* **-twërch** adv. schräg. **-twingen** stv. überwinden, -wältigen. **-üeben** swv. tr. im übermass benutzen. **-ünden** swv. überfluten. **-unst** stf. missgunst. **-vâhen** redv. umfangen, bedecken. **-val** stm. = *anrîs, -val*; über den mantel fallender kragen; kehldeckel. **-vallen** redv. tr. überfallen; intr. überfliessend niederfallen. **-vanc** stm. umfang, umkreis, oberfläche; übergriff auf fremden grund. **-var** stf. überfahrt. landungsplatz. **-var** stn. der platz wo man überfährt. **-varn** stv. tr. über etw. hinfahren; angreifen, bedrängen; auf einer rechtsverletzung betreten, ergreifen; mit worten anfahren, beschimpfen; übergehn, beiseite lassen; worüber hinausgehn, die grenze wovon überschreiten; entgegen handeln, übertreten; mit dp. einem etw. nicht halten; überführen mit gs. **-vart** stf. überfahrt, -gang; s. v. a. *mervart*; ort der überfahrt, furt; übertritt (zum christentume); übermässige erhebung; übergriff auf fremden grund; hingang, tod. **-varunge** stf. überfahrt; übertretung; übervorteilung. **-vasten** swv. etw. durch *vasten* überholen, durch einschränkung noch mehr wieder gewinnen. **-vaȥȥen** swv. refl. sich mehr schmücken als (*gegen*), *sich ü. mit* etw. übermässig tun. **-vëhten** stv. besiegen, refl. sich wehren. **-veigen** swv. einschüchtern. **-vengel** stm. der sich *übervanc* erlaubt, übertreter. **-vieren** swv. überaus stattlich machen. **-vil** adj. übermässig viel. **-viln** swv. erhöhen, mehren *mit.* **-vliegen** stv. intr. vorüber fliegen. — tr. höher fliegen als, bildl. übertreffen; fliegend überfallen. **-vlieȥen** stv. intr. vorüber fliessen; überfliessen, -strömen; überflüssig sein; überfluss haben, reichlicher sein als, mit dat. — tr. überfliessen, -strömen. **-vlücken** swv. tr. überfliegen; höher fliegen als. **-vlüge** stf. überflügelung. **-vluot** stfm., **-vlüete** stf. das überströmen, überströmende menge, überfluss. **-vluoten** swv. intr. überfliessen. **-vluȥ** stm., **-vlüȥȥe** stf. überfluss. **-vlüȥlîchen** adv. überreichlich, im übermasse. **-vlüȥȥe** adj. überflüssig. **-vlüȥȥec** adj. überfliessend, -strömend, bildl. überreichlich; übervoll mit gen.; überflüssig, unnütz. **-vlüȥȥecheit** stf. = *übervluȥ*; *des sweiȥes ü.* hervorbrechen d. schw. **-vlüȥȥeclich** adj., **-liche** adv. überreichlich, -flüssig. **-vol** adj. übervoll mit gen. **-volgen** swv. überholen, übertreffen. **-volle** swm. überfülle. **-vrâge** stf. überflüssige, ungehörige frage oder einrede bei gericht. **-vrâȥ** stm. = *überâȥ.* **-vrîen** swv. abs. die oberhand gewinnen. — tr. werben um. **-vriesen** stv. intr. auf der ganzen oberfläche hin gefrieren. **-vrüejen** swv. intr. sich sehr früh aufmachen. — tr. früher sein als, es einem zuvortun; mit gs. einem zuvorkommen, ihm etwas entreissen. **-vüeren** swv. überführen, anführen, betrügen. **-vülle** stf. überfülle, das übervollsein (von speise u. trank). **-vüllen** swv. übermässig anfüllen, bes. mit speise od. trank. **-wac** stn. übergewicht. **-wachen** swv. zu wenig schlafen, nachtschwärmen. **-wæge** adj zu grosses gewicht habend, zu schwer. **-wæhen** swv. verzieren mit; an zierlichkeit, herrlichkeit übertreffen. **-wahsen** stv. intr. übermässig wachsen, wuchern. — tr. überwachsen. **-wæjen** swv. überwehen. **-wal,** *-lles* stm. das überwallen,-fluten, -treffen. **-walt** stmf. übermacht. **-wandern** swv. darüber hinaus wandern. **-wænec** adj. übermütig, anmassend. **-wænunge** stf. anmassung. **-waten** stv. überwaten. **-wæren** swv. überführen, mit gs. **-wëgen** stv. intr. übergewicht haben mit gs., sich über etw. hinwegsetzen, es verweigern. — tr. schwerer sein als, überwiegen, -treffen; mit übergewicht niederziehen, überwältigen; mehr bezahlen für, mehrfach vergelten; erwägen. — refl. sich überheben. **-weichen** swv. refl. erweichen. **-wellen** swv. überwallen machen, hoffärtig machen. **-wellen** an. v. refl. über etw. hinaus wollen. **-welzen** swv. pertransire. **-wër** stf. sichere gewähr, bürgschaft. **-wer** stf. übermacht. **-wërden** stv. übrigbleiben. **-wërfen** stv. abs. das ross im schwunge umwenden. — tr. verschränken, kreuzen (reime); (werfend) übertreffen, mehr werfen als (beim würfelspiele). — refl. sich schwingend um und um drehen. **-wërn** swv. überdauern. **-wertic** adj. aufwärts gerichtet. **-wësenlich, -wëselich** adj. über das wesen erhaben; überschwenglich. **-wette** stn. f. = *aberw.* **-wîben** swv. intr. übermässig weibisch werden. — tr. ein besseres weib heiraten als. — refl. in unangemessener weise sich verheiraten. **-wieren** swv. mit gold oder edelsteinen besetzen. **-wigen** swv. intr. = *überwëgen.* **-wilden** swv. an seltsamkeit übertreffen. **-windelich** adj. zu überwinden. **-winden** stv. tr. überwältigen, -treffen, besiegen, überstehn; überreden zu, überzeugen von, mit gs. od. nachs.; überführen mit gs. od. *an*; be-, erweisen; verwinden, verschmerzen. **-winder** stm. sieger. **-winnen** stv. überwinden, besiegen; wozu überreden, vermögen. **-wint** stm. überwindung. **-witzen** swv. überklug machen; an *wiz* übertreffen. **-wîȥen** swv. an weisse übertreffen. **-wündec** adj. siegreich. **-wundern** swv. durch *wunder* übertreffen; durch *w.* überwältigen. **-wunne** stf. übergrosse wonne, ausschweifung. **-wunt** stm. das übertreffen, besiegen. **-zaln** swv. mehr zahlen als man schuldig ist. **-zeigen** swv. refl. sich allzu deutlich kundgeben. **-zeln, -zellen** swv. überzählen, ermessen; part. *überzelt* auserwählt. **-ziehen** stv. tr. ziehen über; an sich ziehen, gewinnen; überziehen, bedecken; überfallen, besetzen; übertreffen. **-zierde, -ziere** stf. überaus grosser schmuck. **-zieren** swv. durchaus *ziere* machen. **-zil** stn. höchstes ziel. **-zile** s. *oberzîle*. **-ziln** swv. über etw. als festgesetztes ziel hinweggehn, übertreffen. **-zimber** stn. was auf das fundament gebaut ist, überbau; bau über die grenzlinie hinaus. **-zimbern** swv. mit *zimber* versehen, überdecken; *einen ü.* durch *überzimber* beeinträchtigen. **-zinen** swv. mit zinn überziehen. **-zins** stm. mehr als der gewöhnliche *zins*, bes. eine über den gewöhnlichen *zins* noch an ein gotteshaus etc. zu entrichtende abgabe. **-zîtec** adj. überreif. **-ziugen** swv. mit einem *ziuge* versehen, überziehen; zeugnis ablegen gegen einen; (mit zeugen) überführen, mit gs., *umbe* od. nachs. **-zoc** stm. überfall, feindl. angriff. **-zôch** stm. hindernis. **-zogen** swv. überziehen, -fallen. **-zuc** stm. überzug; s. v. a. *überzoc*. **-zuht** stf. überzug, -gang; s. v. a. *überzoc*; muster, vorbild.

überen swv. übrig sein, eine zeit lang verweilen.

überic, -ich, -ig, -ec, -ech adj. übrig, übrig bleibend; hinreichend, hinlänglich; übergross, übertrieben, übermässig, unverständig; übrig, ausser gebrauch; überflüssig, unnütz. — *der sorgen ü.* überhoben. **überic** adv. übermässig, übergross; überflüssig. — *ü. werden, sîn* mit gen. frei w., überhoben sein.

überigen swv. überwinden, -treffen.

ubering s. *urbarigen*.

ûch interj. = *ach, och.*

üche swf. kröte.

üebe, üebede stf. übung, ausübung, handlung, art.

üeben, uoben swv., md. *ûben*, ndrh. *ûven* tr. als landmann bauen, kultivieren; hegen, pflegen; verehren, anbeten; ins werk setzen, ausüben, verüben, tun, treiben; ergreifen, in bewegung setzen, in tätigkeit bringen, einwirken auf, unterweisen; in beständiger pflege, in beständigem gebrauche haben, gebrauchen; mit dp. vor-, beibringen; verursachen. — abs. u. refl. seine kräfte gebrauchen, sich tätig erweisen, tätig sein, sich hervortun, zeigen; *sich ü. mit einem* gegen jem. verfahren.

üeber stm. ausüber, täter.

üebunge stf. landbau; sorgfalt, eifer, mühe; ausübung, handlung, werk, beständiges tun u. treiben, geschäftigkeit; einwirkung, antrieb; gelegenheit; gebrauch.

üehse s. *uohse*.

üemet stn. = *â-mât.*

ûf, ouf präp. auf, räumlich mit acc. u. dat.; mit acc. einen räuml. oder zeitl. endpunkt oder ausschluss ausdrückend: bis auf; abstr. mit acc. od. infin. einen zweck, eine erwartung (*ûf genâde* in der erwartung *genâde* zu finden), zuversicht od. begründung ausdrückend (*ûf daz* in der absicht, damit); mit dat. zur bekräftigung: *ûf den triuwen mîn* bei m. t.; *daz habet ûf mîner sicherheit* dessen seid versichert. — adv. räuml. auf, hinauf (*wol ûf!* ellipt. zuruf). — bei verbis z. b. *ûf-bâren* auf die bahre legen. — *belîben* beharren — *bereiten* refl. sich rüsten, sich aufmachen. part. aufgeputzt. — *bieten* in die höhe strecken, erheben; anbieten mit dp.; proklamieren, bekannt machen, aufgeben, stellen (fragen); *einem ûf b.* ihn zu den waffen rufen. — *binden* auf etw. setzen u. daran festbinden; in die höhe binden; auf-, losbinden, lösen; zurückhalten; refl. das visier öffnen, die vermummung ablegen. — *blâsen* abs. anfangen zu blasen; tr. blasen; aufblasen, schwellen. — *brëchen* intr. aufbrechen, sich erheben, bes. vom anbruche des tages; aufbrechen, sich öffnen; bekannt werden; tr. aufbrechen, öffnen; deuten, erklären; auseinander reissen; aufbrechen machen; abbrechen; verwenden; refl. sich aufmachen, erheben. — *brëhen* aufleuchten. — *bringen* in die höhe bringen; gross ziehen, pflegen; aufbringen, erfinden; zu stande bringen. — *bürn* tollere. — *dringen* sich erheben, emporsprudeln; trans. emporheben? — *enthalten* tr. zurückhalten, behalten; aufrecht halten; einem aufenthalt, unterhalt geben; refl. sich zurückhalten, mit gs.; aufhalten, widerstand leisten. — *erheben* tr. in die höhe heben, erheben; erheben, gründen. — *gân, gên* hinauf-, aufgehn (von der sonne, von der saat, vom feuer etc.), sich erheben, entstehn, hinausreichen über; zunehmen *an*, gedeihen; darauf gehn, verbraucht werden; *uf gânde brucke* zugbrücke. — *gëben* übergeben, verleihen mit dp.; aufgeben, fahren lassen; anheim stellen. — *geheben* trans. mit dp. vorwerfen. — *haben, hân* halten abs. od. mit gs.; aufhalten abs. u. tr.; festnehmen, verhaften; empfangen; offen halten; in die höhe halten, aufheben; aufrecht halten, erhalten. — *hâhen* bildl. erheben. — *halten* abs. anhalten, halt machen (obj. *ros* zu ergänzen); tr. in die höhe halten, aufrecht halten, erhalten, retten; aufenthalt geben, beherbergen; ab-, zurückhalten, verhindern; festnehmen, verhaften. — *heben* tr. in die höhe heben; erheben, womit beginnen; erheben, einfordern (geld, steuer); aufheben, für nichtig erklären; in die höhe ziehen; auffangen, anhalten, festnehmen, ergreifen, im gedächtnis bewahren; *den tisch ûfh.* die tafel aufheben; vorrücken, zur last legen. — *holn* hervorbringen; an sich ziehen, erwerben. — *horden* thesaurizare. — *komen* auf-, in die höhe kommen; in die höhe kommen, stark werden, heranwachsen; an den tag kommen; aufkommen, entspringen; aufkommen, am leben bleiben; sich öffnen. — *lâzen* empor, aufstehn lassen; im stich lassen, aufgeben; hinterlassen; feierlich aufgeben, in eines andern hand übergeben; refl. aufsteigen. — *legen* auflegen; auslegen, aufstellen, zeigen; ausdenken, ersinnen, erschaffen; anordnen, festsetzen, bestimmen, veranstalten, stiften; *mit einem* ausmachen mit jmd., *sicherheit, vriuntschaft ûf l.* einen bund schließen. — *lûchen* aufschliessen, öffnen; ausziehen, -rupfen. — *machen* tr. errichten, bauen; spalten (holz); aufputzen; abs. vom bettspiel; refl. sich erheben, auf den weg machen, sich aufputzen. — *nëmen* tr. aufnehmen, -heben, in besitz nehmen; abnehmen, merken, erkennen; intr. auf-, zunehmen. — *recken* in die höhe richten, erheben, aufrecken, mit dp. entgegen recken, darreichen. — *rihten* übertr. anstrengen (*sinne, kunst*). — *rücken* tr. in die höhe rücken, erheben; wieder zur sprache bringen, vorrücken; intr. aufrücken, sich erheben. — *sagen* abs. mit der rede beginnen; schwätzen; zum aufbruche rufen; tr. absagen, aufkündigen. — *schieben* aufschieben, verschieben; appellieren *an*; fristen, erhalten. — *sellen* übergeben, bes. rechtskräftig übergeben; aufgeben, entsagen; aufsagen. — *setzen* abs. aufladen; tr. aufs haupt setzen;

einen ûf s. einem geldbedürftigen aufhelfen; *einem etw. ûf s.* zuerkennen; auferlegen; einsetzen, -richten, anordnen, verordnen; einsetzen, aufs spiel setzen; aussetzen, aufgeben; aufsätzig, feindselig behandeln; sich aufmachen (zu pferde steigen). — *slahen* tr. aufschlagen, errichten; aufschieben, verzögern; *viur ûf sl.* anzünden; durch schlagen öffnen, aufschlagen, -schneiden, schürfen; aufspielen (auf der trommel etc.), abs.; auf-, verschieben; vorenthalten; abs. anfangen aufzuspielen; den preis, lohn erhöhen; intr. im preise steigen; refl. sich entschlagen, verzichten; sich erheben. — *stân, stên* aufstehn, sich erheben; *ûf hôher st.* zurücktreten; auftreten, sich erheben, entstehn, erstehn, zu teil w. — *stôzen* tr. aufstossen, öffnen; aufstecken, aufrichten; anfechten, umstossen; abschliessen (*kouf*); intr. begegnen; in streit geraten mit. — *tragen* abs. in die höhe streben, reichen; refl. sich erheben; tr. in die höhe schwingen; auftragen; darbringen, opfern. — *trëten* auftreten, -gehn (sonne), sich erheben; *ûf hôher tr.* zurückweichen; trans. einen hinhalten. — *trîben* tr. in die höhe, emportreiben; errichten, erbauen; aufscheuchen, vertreiben *von*; beunruhigen, stören; auferlegen; refl. sich erheben. — *tuon* tr. u. refl. auftun, öffnen (*wîn ûf t.* anzapfen); sich erheben, aufschwingen *in*. — *vâhen* fest fassen u. halten; fest, gefangen nehmen; einfangen, -friedigen; auf-, wegfangen, aufnehmen. — *varn* sich aufschwingen; aufspringen; aufbrechen; ein besitztum antreten. — *vüeren* assumere (von Maria). — *wahsen* aufwachsen; anwachsen, sich ansammeln. — *wëgen* intr. sich in die höhe bewegen; tr. in die höhe heben; aufwägen. — *wërfen* tr. in die höhe werfen, strecken, erheben; umwenden; auftun, öffnen; refl. aufkommen, gebräuchlich werden; sich empören *wider*; intr. zu werfen (würfeln) beginnen. — *ziehen* intr. sich erheben; tr. in die höhe ziehen, empor schwingen, -heben, -richten; auf-, erziehen; fördern, pflegen, gross machen; an sich ziehen, einziehen, beanspruchen; hinziehen, verschieben; refl. sich in die höhe ziehen, erheben. — *zücken* tr. schnell u. mit gewalt in die höhe ziehen, reissen; erheben.

ûf-baz adv. weiter hinauf.

ûf-behalt stm. aufenthalt.

ûf-bieter stm. der *ûfbietet*, proklamiert.

ûf-blic stm. aufblick (zum himmel).

ûf-bruch stm. aufbruch.

ûf-dinger stm. = *ûfbieter*.

ûfe, ûffe präp. u. adv. = *ûf*.

ûfe stf. md. höhe; erhebung, hochmut.

ûfe s. *ûve*.

ûfe, ûffe; ûfen, ûffen präp. mit acc. od. dat. auf; mit acc. bis auf, gegen.

ûfen, ûffen swv. emporheben, erhöhen; errichten; an-, aufhäufen. — refl. sich emporbringen, erhöhen, wachsen. — intr. aufsteigen, sich erheben; sich mehren, wachsen.

ûfenen, ûfen swv. tr. emporheben, erhöhen.

ûf-enthabe swm. f. aufrechterhalter, -erhalterin.

ûf-enthalt stm. aufenthalt; aufrechthaltung, trost; unterhalt.

ûf-enthalter stm. erhalter, beschirmer.

ûf-erstandenheit, -erstandunge stf., **-erstant** stm., **-erstende, -erstande** stn. f., **-erstentnisse, -erstêunge** stf. auferstehung.

uffen s. *offen*.

ûf-gâbe stf. übergabe.

ûf-ganc stm. das hinaufgehn; vorrichtung zum hinaufgehn; aufgang (der sonne), osten; anfang; das zunehmen, gedeihen; zinsen.

ûf-gëbunge stf. aufgebung, verzicht; übergabe; auferlegung.

ûf-gedrouwen part. erwachsen.

ûf-gëlt stn. darangeld.

ûf-genge stn. vorrichtung zum hinaufgehn.

ûf-gerihtes adv. aufrecht, recte.

ûf-gift stf. n. verzicht.

ûf-habe stf. aufhaltung, *âne û.* ohne unterlass.

ûf-habunge stf. aufhebung, festnehmung, verhaftung.

ûf-halt stm. aufenthalt; aufhaltung, verzögerung; erhaltung. **-halter** stm. erhalter. **-halterin** stf. erhalterin. **-haltunge** stf. erhaltung; aufrechterhaltung; arrestation; hinhaltung, hinderung; das aushalten, ertragen.

ûf-hap stm. stütze; arrestiertes gut; abhub, überrest einer mahlzeit.

ûf-hebunge stf. erhebung; aufhaltung, hemmung.

ûf-hër adv. herauf.

ûf-himil stm. der himmel oben.

ûf-hin adv. hinauf; aufwärts.

ûf-holunge stf. erwerbung.

ûf-hûs stn. saal im obern stockwerke.

ûf-jac stm. erhebung.

ûf-lac stm. beschuldigung.

ûf-lâge stf. befehl, gebot.

ûf-leger stm. auflader.

ûf-legunge stf. auferlegung auflage.

ûf-louf, -louft stm. auflauf, aufruhr.

ûf-macher stm. kuppler, hurenwirt. **-macherinne** stf. die sich aufputzt, schmückt; hurenwirtin.

ûf-mære adj. kund, ruchbar.

ûf-merker stm. aufpasser.

ûf-nëmunge stf. assumptio (Mariae).

ûf-rëht, -rihtic adj. gerade aufwärts gerichtet, aufrecht, empor strebend, schlank; aufrichtig, ohne falsch; unverfälscht.

ûf-reichunge stf. darreichung, übergabe, schenkung.

ûf-rîden stn. das aufkräuseln der haare.

ûf-rihte stf. aufrichtung; gerüst.

ûf-rihtic s. *ûfrëht*.

ûf-runse, -runst stf. aufgang.

ûf-sage stf. = *abesage*.

ûf-satzunge stf. aufstellung, einsetzung; das auflegen von steuern od. abgaben sowie diese selbst; festsetzung, verordnung, bestimmung; betrug, falschmünzerei.

ûf-saz stm. das auflegen von steuern od. abgaben sowie diese selbst; aufgeld, zinsen von dargeliehenem gelde; festsetzung, verordnung, bestimmung, satzung; vorhaben, vorsatz, absicht, plan, list (*âne ûfs.* ohne absicht, hintergedanken); hinterlist, nachstellung, feindschaft, hass; täuschung, fälschung, betrügerei.

ûf-schiube, -schiubunge stf. aufschiebung.

ûf-schup stm. aufschub; bestechung.

ûf-sëhen stn. aufsehen, aufmerksamkeit, achtsamkeit.

ûf-sëher stm. aufseher.

ûf-seilen swv. aufbürden.

ûf-setzer stm. betrüger. **-setzic** adj. hinterlistig, verschlagen; feindselig gesinnt, aufsässig. **-setzunge** stf. errichtung, ein-, festsetzung; anordnung, gesetz; auflage, steuer.

ûf-sitzer stm. der auf einem tiere sitzt oder reitet, berittener söldner.

ûf-slac stm. aufschlag, erhöhung des preises, der abgaben etc.; mehrforderung, spez. die forderung neuer privilegien zu den alten; teppich mit eingewirkten figuren, gobelin;

aufschub, verlängerung der frist, waffenstillstand.
ûf-sluȥ stm. auflösung eines rätsels.
ûf-spëher stm. aufpasser.
ûf-sprunc stm. aufsprung; das emporspriessen, -wachsen.
ûf-stîc stm. das aufsteigen.
ûf-stôȥ stm. feindl. zusammenstoss, streit.
ûf-stœȥer stm. auflader.
ûf-swanc stm. aufschwung.
ûf-trit stm. höhe.
ûfunge stf. erhöhung, mehrung.
ûf-vanc stm. = *învanc.*
ûf-vart stf. die fahrt stromaufwärts; himmelfahrt; aufbau (eines turms); beim ansässigmachen, beim antritte eines gutes dem lehnsherrn zu entrichtende abgabe.
ûf-wal stm. das aufwallen.
ûf-wëhsel stm. agio beim wechseln des geldes; umwechselung, tausch.
ûf-wërt, -wart adv. aufwärts.
ûf-zal stf. bestimmte zahl von münzen, die aus einem bestimmten metallgewichte geprägt werden.
ûf-zoc stm. aufschub, verzug.
ûf-zuc stm. vorrichtung zum aufziehen; aufschub, verzug; anziehung, einfluss.
ûf-zuht stf. das auf-, hinaufziehen.
uhtât stfn. weideplatz.
uhte, uohte swf. zeit der morgendämmerung; nachtweide, weide überh.
uht-, uoht-weide stf. nachtweide.
ûle = *iule.*
ûle swf. topf (mlat. *olla*).
ulmic adj. faulig, von fäulnis angegriffen.
ûlner stm. töpfer.
ülse stm. rüpel, narr?
ülvc swm. alberner, tölpischer mensch, narr.
ülven swv. refl. sich wie ein *ülve* betragen.
umbe umme, ümbe ümme, ump umb um präp. mit acc. räuml. um, im kreise; zeitl. kurz vor- oder nachher, gegen; bei zahlen: ungefähr; um, für (wechsel, tausch, preis, lohn); um, für, wegen, von, in beziehung auf (grund u. zweck od. auch nur den beteiligten gegenstand anzeigend); mit instrum. *umbe diu, wiu* darum, weshalb. — adv. kaus. um, wegen; räuml. um, herum, ringsum. — bei verbis trennbar z. b. *umbe-bringen* abwenden, verwehren; verderben lassen, vergeuden; ums leben bringen. — *gân, gên* umgehn, -laufen, herumgehn, sich drehen; einen umweg machen; zu tun, zu schaffen haben, sich umgeben, umgehn mit; *umbe g. lâȥen* umhertreiben, herumgehn, sich drehen lassen; *mit kinde u. gân* schwanger sein. — *komen* vorüber, zu ende gehn; umkommen, sterben; mit gen. um etw. kommen. — *nëmen* umgeben, umschliessen, -armen. — *sagen* abs. umschweife machen, tr. umher sagen, verbreiten. — *slahen* tr. niederschlagen, besiegen; intr. umschweife machen; intr. u. refl. sich verbreiten; intr. sich ändern, umschlagen, abfallen. — *slîfen* tanzend sich drehen. — *trëten* intr. umher treten, umlaufen; tr. umwenden. — *trîben* beunruhigen, plagen. — *tuon* herumbringen, von einer ansicht abbringen, überwinden. — *ziehen* tr. herumziehen, -zerren; refl. sich winden, spiralförmig in die höhe gehn.
umbe-boln swv. umherzerren.
umbe-gân, -gên stv. tr. umgehn, rund um etw. gehn, umkreisen, umgeben; durchwandern; pflegen, besorgen; etw. umgehn, sich einer sache entziehen.
umbe-ganc stm. das herumgehn, der umgang, -zug; begehung der grenze; hin- u. rückgang, kreislauf, kreis, umkreis, umfang; zeitverlauf; ringsum führender gang, kreuzgang, galerie; um-, seitenweg, schlich.
umbe-gëben stv. umgeben, -schliessen.
umbe-gëlt s. *ungëlt.*
umbe-gêr m. bergm. abdichtung, verschalung.
umbe-graben stv. tr. mit einem graben umgeben. — refl. einen graben um sich ziehen, sich verschanzen.
umbe-grif stm. das umfassen, -fangen, -armen; der umfang; um-, seitenweg. **-grifec** adj. capax. **-grîfen** stv. umfassen, -geben, umarmen.
umbe-gürten swv. umgürten.
umbe-guȥ stm. umguss, veränderung.
umbe-haben swv. umstellt halten, umstellen, umringen.
umbe-hac stm. einhegung. **-hagen** swv. ringsum einhegen, umzäunen.
umbe-hâhen redv. umhängen.
umbe-halben swv. umringen, umgeben, umfassen.
umbe-halsen redv. umhalsen, umfangen.
umbe-halten redv. umgeben, umringen.
umbe-hanc stm. um-, vorhang, bes. rings um die wand od. sonstwie aufgehängter (bilder-)teppich; bildl. *vleisches u.* leib.
umbe-heben stswv. umringen; einhüllen *mit.*
umbe-helsen swv. umhalsen.
umbe-hengen swv. mit teppichen zieren.
umbe-hin adv. hinum; um etw. herum; herum, wieder zurück.
umbe-hüllen swv. um-, einhüllen.
umbe-jage stf. umlauf.
umbe-kêre stf. umkehr,-wendung; wechsel, umschwung.
umbe-kleit stn. kleid, kleidung, bes. mantel; bildl. gestalt.
umbe-komen stv. tr. jem. eine sache auf umwegen beibringen.
umbe-kreiȥ stm. umschliessender kreis, umkreis, -fang; kreisförmiger gang; umweg, -schweif.
umbe-kreiȥen swv. kreisförmig umschliessen. — intr. umhergehen, umschweife machen.
umbe-kützen swv. bekleiden.
umbe-lâge stf. was sich kreisförmig um etw. herumlegt; belagerung.
umbe-lanc adv. ringsum.
umbe-legen swv. belegen, -decken, herumlegen, legend umgeben, umschliessen, rings besetzen; umstellen, belagern.
umbe-lëger stn. belagerung, belagerndes heer.
umbe-lëgern swv. belagern.
umbeler s. *umbrâl.*
umbe-ligen stv. tr. umstellen, belagern; umringen, um — herum wohnen.
umbe-liuhten swv. umleuchten, umstrahlen.
umbe-loben stn. auf alle einzelheiten sich erstreckendes, allseitiges lob.
umbe-louf stm. das laufen im kreise, umlauf; umkreis, -fang, ringsum führender gang, galerie; deck eines schiffes; auflauf. **-loufen** stv. tr. laufen um, umlaufen; überlaufen, -denken; umschweife machen.
umbe-mære stn. weitläufige erzählung.
umbe-miuren, -mûren swv. mit einer mauer, wie mit einer m. umziehen, ummauern.
umbe-rant stm. umgebender rand, bildl. schutz.
umbe-rede stf. umständliche, weitläufige rede, umschreibung; weitschweifige, das ziel od. das wahre auszusprechen sich scheuende rede, streitrede.
umbe-reif stm. umkreis. **-reifen** swv. umspannen, umfassen.
umbe-reise stf. kreislauf.

umbe-rennen swv. reitend umgeben, umringen.
umbe-rêre stf. abfall, überbleibsel.
umbe-rîche stn. reich umher, nachbarreich.
umbe-rîden stv. umdrehen.
umbe-rinc stm. umkreis (bes. der erde); kreislauf.
umbe-ringen swv. umringen, umzingeln.
umbe-rinnen stv. rinnend umgeben.
umbe-rîten stv. umreiten.
umbe-rîȥen stv. umkreisen.
umbe-rüeren swv. umfangen, umschlingen.
umbe-sage stf. umständliche erzählung.
umbe-sæȥe, -sëȥȥe swm. nachbar; auflaurer, nachsteller.
umbe-schatewen, -schetewen swv. umschatten.
umbe-scheide stf. zerteilung rings umher, zerstreuung.
umbe-schern swv. umscharen, -stellen.
umbe-schîmen, -schëmen swv. um-, beschatten.
umbe-schîn stm. das umscheinen, -leuchten.
umbe-schînen stv. umstrahlen, -leuchten.
umbe-schœnen swv. ringsum schön machen.
umbe-schouwe, -schouwunge stf. umschau.
umbe-schranc stm. umschränkung. **-schrenken, -schranken** swv. mit schranken umziehen.
umbe-schrîben stv. ringsum schreiben.
umbe-schrift stf. umschrift.
umbe-schrîten stv. umschreiten, -spannen.
umbe-serken swv. wie mit einem sarge umgeben, umschliessen *mit.*
umbe-setzen swv. rings besetzen, umstellen, -zingeln, belagern.
umbe-sëȥ stn. das herumliegen im kreise.
umbe-sëȥȥe swm. **-sëȥȥer** stm. s. *-sæȥe.*
umbe-sît adv. umher.
umbe-sitzen stv. = *umbesetzen*; *umbesëȥȥen* part. adj. in der gegend liegend, wohnhaft, ansässig.
umbe-sitzer stm. = *-sæȥe.*
umbe-slac stm. umschlag, umhüllung; wendung, umkehr; umschweif, ausflucht; gantversteigerung.
umbe-slahen stv. umgeben, -fassen, -zingeln, -armen; beschlagen; austrommeln, öffentlich verkünden lassen.
umbe-slieȥen stv. umschliessen, -fassen, -armen.

umbe-slîfen stn. das sich drehen beim tanze.
umbe-snîden stv. (an der vorhaut) beschneiden. **-snit** stm. schnitt ringsherum, beschneidung der vorhaut; umfang, -schweif. **-snite** swf. abfall beim schneiden, bildl. abfall der schläge.
umbe-spengen swv. mit *spangen* ringsum versehen.
umbe-spennen swv. umspannen.
umbe-sperren swv. sperrend umgeben, einschliessen *mit.*
umbe-stân stv. tr. umstehn, umgeben. **-stant** stm. das herumstehn; sachverhalt, umstand.
umbe-stecken swv. steckend umgeben *mit.*
umbe-stellen swn. umstellen, -geben; rings besetzen.
umbe-stender stm. beisitzer.
umbe-stîc stm. herumführender pfad.
umbe-strâȥe swf. umweg.
umbe-strich stm. dasselbe.
umbe-strîche stf. streichholz.
umbe-stricken swv. umstrikken, -schlingen *mit.*
umbe-strîten stv. bestreiten.
umbe-suoch stm. das umhersuchen.
umbe-swanc stm. das herumschwingen, bewegung im kreise; das umherschweifen; wendung, umkehr; umfang, ausbreitung, fülle.
umbe-swanz stm. bewegung im kreise; distantia.
umbe-sweif stm. bewegung im kreise, umschwung; um-, einfang; umhüllung, schutz; umweg, umschweif, abschweifung; kreis, umkreis, umfang, ausdehnung. **-sweifen** redv. tr. umschweifen, durchstreifen; umnehmen (mantel, schleier); umschlingen, umarmen. **-sweifen** swv. umfassen, -kreisen. **-sweift** stm. umkreis.
umbe-sweim stm. umschweif.
umbe-swich stm. umlauf.
umbe-swif stm. umschwung, -fahrt, -kreis.
umbe-swimmen swv. tr. umschwimmen.
umbe-swingen stv. tr. umschlingen, -armen. — refl. sich umwenden, hin u. her wälzen.
umbe-tasten swv. umtasten, -fassen, -schlingen *mit.*
umbe-teilen swv. ringsum austeilen.
umbe-tragen stv. um etw. herumtragen, umgeben *mit.*
umbe-traht stf. zerstreuung.
umbe-trëte stf. das herumtreten, -springen. **-trëten** stv. um etw. herumtreten, es umgeben; feindlich umgeben, umringen, belagern.

umbe-trîbe f. diejenige, die einen zum besten hat. **-trîber** stm. vagabund; *u. der liute* der die leute zum besten hat.
umbe-trit stm. umlauf, umfang, umgebung.
umbe-tüllen swv. umzäunen, umgeben, bes. mit pfahlwerk, mit befestigungen.
umbe-turc stm. umsturz, zerstörung.
umbe-türnen swv. mit, wie mit türmen umgeben.
umbe-twingen stv. umfassen, -schlingen.
umbe-vach stn. fach um etw. herum, einschliessung.
umbe-vâhen, -vân redv. tr. umfangen, -geben, -schliessen; umarmen. *mit bete u.* inständig bitten.
umbe-vâher stm. umfänger.
umbe-valten redv. umfalten, umarmen *mit.*
umbe-vanc stm. umfang, kreis; das umfassen, stützen; umhüllung; umarmung.
umbe-vancnis stn. umarmung.
umbe-varn stv. umfahren, -reiten; durchfahren, -wandern; umschiffen; umgeben, -zingeln. -stn. unruhige bewegung. **-vart** stf. das umherwandern; kreislauf; durchgangszoll, ungeld. — *mit wîslîcher u.* mit umsicht.
umbe-venger stm. = *umbevâher.*
umbe-vlëhten stv. umflechten, -zingeln.
umbe-vlieȥen stv. umfliessen.
umbe-vluoten swv. umfluten.
umbe-vrîden swv. umgeben *mit.*
umbe-vüeren swv. rings umziehen *mit*; in schaden bringen.
umbe-want stm. das hin- u. herwenden, überlegen.
um-bewant = *un-b.*
umbe-wëc stm. umweg.
umbe-weif stm. was um den rocken gewunden wird.
umbe-weigen swv. herumschwingen.
umbe-wëllunge stf. umwälzung.
umbe-wort stn. umschweif, trügerische rede.
umbe-würken swv. umgeben, einfassen *mit.*
umbe-ziehen stv. tr. umgeben, -zingeln, überfallen; herumziehen um, umgehn; belästigen (mit klagen vor gericht). — refl. sich umgeben, verschanzen. — *mit laster umbezogen* voll von l. **-zieher** stm. vagabund.
umbe-zil stn. umfang.
umbe-zinnen swv. ringsum mit zinnen umgeben.

umbe-zirkel stm. umkreis. **-zirkeln, -zirken** swv. umzirkeln, umgeben, einfassen.

umbe-ziunen swv. mit einem, wie mit einem *zûne* umgeben.

umbe-zûwen stv. umziehen.

umbrâl, -âle, umbeler, umbler, umerâl stn. humeral, schultertuch bei der messkleidung (mlat. *humerale*).

um-gëlt s. *ungëlt.*

umm- s. *umb-*, *unm-*.

ummer s. *iemer.*

ump s. *umbe.*

um-trant adv. md. ringsum.

un- (vor lippenlauten gern angeglichen *um-*) untrennb. präf. vor subst. adj. adv. partiz. und verben das gegenteil od. die verneinung des einfachen, aufhebung des guten, verstärkung des bösen begriffes ausdrückend, vor part. perf. oft auch die unmöglichkeit bezeichnend.

un-adel stn. m. nicht edles geschlecht od. stand, unedles wesen (*ein unadels man* einer der nicht von adel ist).

un-adellich adj. nicht *a.*

un-ahtbære, -ahtec adj., **-ahtbærliche** adv. gering, unansehnlich; unbeachtet.

un-ahte stf. geringes ansehen; unachtsamkeit.

un-anspræche, -spræchic adj. unangefochten.

un-antlæȥlich adj. wofür kein ablass erteilt wird.

un-arbeitsam adj. unbeschwerlich.

un-art stf. schlechte *art.* - stm. missratener, ungezogener mensch; unhold. **-arten, -erten** swv. aus der *art* schlagen. **-artic, -ertic** adj. nicht von guter *art*, abstammung; der angebornen natur nicht entsprechend, ausgeartet, bösartig. **-artlich, -ertlich** adj. schlecht, widerlich (geruch, geschmack).

un-æȥic adj. ungeniessbar.

un-bære, -bærec adj. unfruchtbar.

un-barmec, -bermic, -barmhërzec adj. unbarmherzig, mitleidslos.

un-bedaht part. adj. unbedeckt; offenkundig, offenbar.

un-bedâht part. adj. ratlos, unwissend, unbesonnen.

ún-bedérbe, -bidérbe adj. adv. untüchtig, schlecht, ungerecht; unbenützbar, unnütz, nutzlos, schlecht.

un-bedinget part. adj. gerichtlich unangefochten.

un-bedroȥȥen part. adj. unverdrossen; überdrüssig. **-bedroȥȥenheit** stf. unverdrossenheit.

un-begëben part. adj. nicht in den geistlichen stand getreten, weltlich; *eines d. unbegëben sîn* es gewährt erhalten.

un-begrifelich (*-begrîchlich*), **-begrîfel** adj. nicht fassbar; nicht zugänglich, nicht teilhaftig mit gen.

un-behaftec, -behaftet adj. deserta (mulier).

un-behage stf. missmut, widerwillen, schmerz. — *eȥ ist mir u.* es ist mir anstössig. **-behagele** adv. ndrh. unmutig.

un-behagen, -behegelich adj. unbehaglich.

un-behangen part. adj. ungeschmückt.

un-behende adj. adv. ohne die hand zu gebrauchen; nicht gut zu handhaben, schwer beweglich, ungefüg; unpassend, unbequem, ungeschickt, unverständig, unangenehm, hart, grob. **-behende, -behendecheit** stf. ungeschicklichkeit.

un-behert part. adj. nicht beraubt mit gs.

un-behiuret part. adj. nicht beglückt durch (gen.).

un-behuot part. adj. unbewahrt, -beschützt, -bewacht.

un-bekant, -kennet part. adj. unerkennbar, unerkannt, unbekannt. **-bekantlich, -bekentlich** adj. dasselbe. **-bekantnisse, -bekentnisse** stnf. das nichterkennen, unkenntnis.

un-bekêret part. adj., **-bekêric** adj. unbeugsam in bezug auf etw. (gen.); unverändert, ungebeugt; noch nicht bekehrt.

un-bekort par. adj. ungeprüft, unversucht.

un-bekumbert part. adj. unbeeinträchtigt.

un-beleidiget part. adj. unverletzt, unbeschädigt.

un-beloubec adj. s. *un-geloube* 2.

un-bendec adj. durch kein band gehalten, unbändig.

un-bequæme adj. unbequem, unpassend, **-bequâme** adv.

un-berat part. adj. ungerettet, nicht befreit.

un-berâten part. adj. ohne rat od. überlegung: ohne *rât* (vorrat), vom nötigsten entblösst, dem mangel preisgegeben, arm; noch nicht mit einem vermögen ausgestattet, unselbständig, unverheiratet.

un-berëhtet, -berëht part. adj. nicht vor gericht, nicht zur gerichtl. verhandlung gebracht.

un-bereit adj. nicht bereitwillig; nicht zugänglich, nicht vorhanden; ungeschickt, nicht fähig *ze*; nicht bereit gemacht, nicht fertig; nicht ausgestattet; ohne bezahlt zu haben. — adv. ungeschickt, unbehilflich; ohne bezahlt zu haben.

un-bërhaft, -bërhaftic adj. unfruchtbar, nicht zeugungsfähig. **-bërhafticheit** stf. unfruchtbarkeit, untauglichkeit.

un-berihtet, -beriht part. adj. nicht geordnet, ungeschlichtet; unberichtigt, ungebüsst; noch nicht besorgt; nicht oder schlecht ausgeführt, vernachlässigt; ungehörig; nicht unterwiesen, unbelehrt; unkundig mit gs.

un-bërlich adj. unfruchtbar.

un-bërnde part. adj. dasselbe.

un-beroubet part. adj. unberaubt, ganz, vollständig; nicht beraubt, versehen mit (gen. od. *an*, *mit*).

un-berüerlich adj. unbeweglich.

un-beruochet part. adj. übersehen, nicht beachtet, vernachlässigt; unversorgt.

un-besachet part. adj. missgestaltet.

un-beschaben part. adj. nicht glatt geschabt, ungeglättet.

un-beschaffen part. adj. nicht erschaffen; missgestaltet.

un-beschart part. adj. ungeschmälert.

un-beschatzet part. adj. unbesteuert; unberaubt, unbeschädigt *an*; nicht nach seinem werte geschätzt.

un-bescheide stn. unkenntnis. **-bescheiden** part adj. nicht zugewiesen, -geteilt; unentschieden, unbestimmt; ohne bescheid, ratlos, masslos,; ungebührlich, unverständig, ungezogen, rücksichtslos, ruchlos. **-bescheidenheit** stf. ungebührlichkeit, unverständigkeit, unüberlegtheit, rücksichtslosigkeit, unziemliche etc. handlung; masslosigkeit (im klagen). **-bescheidenlich** adj. ungebührlich. — **-liche** adv. auf ungebührliche, unbillige, unverständige oder rücksichtslose weise. **-bescheidenunge** stf. ungebührlichkeit, unverständigkeit. **-bescheit** stmn. dasselbe.

un-besiht stf. mangel an umsicht, unvorsichtigkeit, sorglosigkeit, versehen. **-besihtecheit** stf. dass.; ein augenleiden.

un-besinnet, -besint part. adj. ohne besinnung, ohnmächtig; gedankenlos, töricht, einfältig; unsinnig, verrückt.

un-besliffen part. adj. nicht zu fall gekommen.

un-besnabet part. adj. ohne zu straucheln, ohne schaden.

un-besniten part. adj. nicht an der vorhaut beschnitten; ungeglättet, bildl. grob, roh, frech.

un-besorget part. adj. nicht besorgt oder in acht genommen; ohne sorge, unbesorgt; ohne vorsorge getroffen zu haben, rücksichtslos, mit gen. ohne rücksicht auf.

un-bespart part. adj. unverschlossen, offen; uneingesperrt.

un-besprochen part. adj. von übler nachrede frei, unverlästert, unbescholten.

un-bestanden part. adj. unbekämpft, unangefochten.

un-bestatet part. adj. unausgestattet, unverheiratet.

un-bestriten part. adj. unangegriffen, -angefochten.

un-besungen part. adj. nicht mit gesang erfüllt.

un-besuochet part. adj. unbebaut, -bewohnt; unerfahren; ohne ansuchen, auf eigene hand.

un-beswichen part. adj. unbetrogen, unbetört, nicht in schande gebracht.

un-beswîchet part. adj. nicht im stiche gelassen von (gen.).

un-beteilet part. adj. der seinen teil nicht erhalten hat.

unbëtelich adj., **-liche** adv. was sich zu bitten nicht geziemt, unbescheiden.

un-betrâget part. adj. unverdrossen *an.*

un-betrahtet, -betraht part. adj. unüberlegt; unvermutet; ungezählt. **-betrahtunge** stf. unüberlegtheit, unbesonnenheit. **-betrehtic** adj. nicht überlegend, unverständig; mit gedanken unfassbar.

un-betrogen part. adj. nicht zu betrügen; unbetrogen, -getäuscht; klar, rein, untadelhaft; nicht trügerisch, ohne falsch, aufrichtig.

un-betuftet adj. klar, heiter (ein stern).

un-betwungen part. adj. unbedrängt, ohne kummer und sorge; nicht bezwungen oder zu bezwingen, frei; unlenksam, unbändig; von freudigem, tapferen mute; nicht erzwungen, freiwillig; ohne zwang, dem eigenen antriebe folgend, freiwillig; nicht gezwungen zu (gen.). **-betwungenlich** adj., **-liche** adv. nicht bezwungen, frei; freiwillig.

un-bewant part. adj. übel angewendet, erfolglos, unnütz, vergeblich; unverwandt, unablässig.

un-bewart part. adj. unbehütet, -beschützt, -bewacht; ohne seine ehre (durch absage) gewahrt zu haben.

un-bewëgec, -bewëgelich adj., **-liche** adv. unbeweglich. **-bewëgen** part. adj. unbewegt; nicht gleich gewogen oder verteilt. **-bewëget** part. adj. unbewegt, unbeweglich; unberührt.

un-bewerde stf. verwahrlosung.

un-bewîset part. adj. nicht belehrt über (gen.).

un-bewollen part. adj. unbefleckt.

un-bezilt part. adj. ohne ein festgesetztes ziel.

un-bîhtec adj. ungebeichtet.

un-bil adj. ungemäss. — adv. auf unbillige, ungerechte weise. **-bilde** stn. was nicht zum vorbilde taugt: frevel, unrecht, unbill; was über alles mass hinausgeht, ohne beispiel ist: das unbegreifliche, ungeheuerliche, wunder. **-bilden** swv. abs. über gebühr unrecht oder gewalttätig handeln. — tr. etwas als *unbilde,* als unrecht oder missbrauch einführen; nicht *bilden,* abwenden, vereiteln; unpers. mit acc. als unrecht oder unschicklichkeit dünken.

un-billich adj., **-billiche** adv. unrecht, unschicklich, nicht gemäss, auffallend; ungerecht, gewalttätig; unnatürlich.

un-blide adj. unfroh, traurig, grämlich.

un-bû stm. nicht gehöriger, unerlaubter bau; schlechter anbau, vernachlässigung eines feldes, gutes. **-bûhaft** adj. unbewohnbar.

unc, -*kes* stm., **unke** swm. schlange, basilisk.

und s. *unde.*

un-danc stm. kein dank, undank (*einem und. sagen* ihm keinen dank sagen, ihn verwünschen); ungeneigtheit, widerwille (*ze undanke* wider willen, gezwungen). **-danc** adv. unfreiwillig. **-dancbære, -næme** adj. undankbar. **-dankes** adv. ungern, unfreiwillig, unvorsätzlich (*mînes, dînes* etc. *undankes* gegen meinen etc. willen).

un-dære adj. unfreundlich; schmerzlich, unangenehm; unansehnlich, schlecht. **-dâre** adv. unpassend, ungehörig, unfreundlich; betrübt; unansehnlich; wenig, gar nicht.

un-darn s. *undern.*

unde, und, unt konj. und, als copula zwei sätze oder satzstücke verbindend; im anfange des hauptsatzes: absol.; nach einem zwischensatze den unterbrochenen hauptsatz weiter führend, den rest des gleichartigen zusammenfassend: und sonst, und überhaupt; adversativ: und doch, aber auch, indessen, gleichwohl; erklärend: und zwar, nämlich. — vor nachsätzen (für die neuere sprache pleonastisch): vor zeitl. nachs. mit *dô*; vor nachs. mit *der, daz, swer, als, wie:* vor fragen u. bedingenden sätzen: wenn, wenn nur, als, solange als; *und daz* obgleich. — *und* relativisch (sowohl für das relative pronomen als für relative partikeln).

unde präp. unter mit dat. — adv. unten; unter (*dar unde, drunde* darunter); hinunter.

ünde, unde stswf. flut, welle.

ündec adj. flutend, wogend.

ünden, unden swv. intr. fluten, wogen, wellen schlagen.

unden undene, undenân unnen adv. unten; *der unden* darunter.

under s. *unser.*

under präp. unter mit dat. u. acc.; unten an (*under danc* den guten willen nicht erreichend, wider willen); in der mitte, in die mitte zweier (wechselwirkung), zwischen; in der, in die mitte einer grösseren zahl, eines grösseren ganzen (*under stunden* von zeit zu zeit, zuweilen, inzwischen, *under wegen* mitten auf dem wege, unterwegs); zeitl. binnen, während, mit gen., instrum. (*under diu* unterdes), mit adv. (*under dannen, dan* unterdes). — adv. räuml. unten; unter (*dar under, drunder* gegens. von *dar über*); räuml. u. zeitl. in der mitte, zwischen (*hier under* hier zwischen, hierbei); concess. gleichwohl; nach unten hin, trennbar bei verbis (z. b. *under-gân* untergehn. — *graben* in die tiefe graben. — *ligen* nach unten zu liegen kommen, unterliegen; unter einem (dat.) liegen. — *slahen* niederschlagen, unterdrücken, überwinden, -treffen. — *tuon* tr. unterdrücken, überwinden; refl. sich bücken, verbergen, erniedrigen). — *under-*, untereinander, gegenseitig, kompon. mit recipr. verbis (*underbâgen, -bîzen, -grüezen, -kennen* etc.).

under adj. unter.

under-âhte stf. niederer grad der acht (gegens. zu *oberâhte*).

under-bâgen redv. sich gegenseitig schelten.

under-bant stn. verbindendes band, verbindung; zwischenband, trennung; kopfband.

un-derbe stf. untüchtigkeit.

under-bende stn. kopfband; trennung, unterbrechung.

under-biegen stv. sich beugend unterwerfen.

under-binden stv. tr. unter einander verbinden; dazwischen tretend trennen, verbieten.

under-bint stn. was zwischen zwei dingen ist um sie zu verbinden oder zu trennen: verbindung, trennung, grenze, unterschied, gegensatz (*âne, sunder und.* ohne unterschied, ohne unterlass, gleichmässig, ohne verzug); unterbrechung, pause; einlage, interpolation; ende.

under-bitter adj. mässig bitter.

under-bizen stv. refl. sich gegenseitig beissen.

under-bleich adj. mässig bleich.

under-bot stn. vermittelung. **-bote** swm. vermittler; botschafter (*internuntius*).

under-böugen swv. unterwerfen. **-böugic** adj. untertänig, -würfig.

under-bræche stf. unterscheidung. **-brëchen** stv. tr. dazwischen, hineinbrechen; beseitigend wozwischen treten, verhindern; beendigen; *einen mit worten underbr.* ihm eine mündliche botschaft bringen, mit ihm unterhandeln. **-brich** stm. das dazwischentreten, die unterbrechung.

under-briden stv. durchweben, -wirken, -sticken.

under-bruch stm. = *underbrich*; wechsel, verschiedenheit des tones im gesange.

under-bunt stm. trennung, unterschied, gegensatz.

under-dige stf. n. fürbitte, bitte, gebet. **-digen** swv. fürbitten.

under-dinge stf. n. gegenseitig festgesetzte bedingung, abmachung.

under-diuter stm. dolmetscher.

under-dringen stv. tr. mit ap. sich dazwischen drängend beseitigen, wegdrängen, trennen, überwältigen; mit as. etwas durch zwischendrängen wegnehmen, durch betrug gewinnen, und dp. einen von etwas trennen, es ihm wegnehmen, ihn davon befreien. — refl. sich untereinander mischen.

under-drücken swv. unterwerfen, bedrängen, unterdrükken. **-drückunge** stf. beiseiteschaffung.

under-drumen swv. tr. bewirken, dass etw. in stücke fällt; verhindern, vernichten, zerstören, überwältigen.

under-gân, -gên stv. tr. gehn zwischen, die grenze begehn; wozwischen treten; worunter gehn, unterlaufen; überkommen, befallen; hindernd in den weg treten, hintergehn; vertreten, versperren (*wec, tür*); *einem daz swert* etc. *underg.* ins schwert fallen, dadurch den gebrauch desselben hindern; *sich mit einem underg.* schiedsrichterl. vergleichen. **-ganc** stm. untergang der sonne, westen; untergang, verderben; begegnung, umgang; begehung und festsetzung der grenze; unterwerfung; vermittelnde dazwischenkunft; schiedsgericht, schiedsrichterl. vergleich. **-gangen** swv. die grenzen begehn und festsetzen.

under-gebende stn. verbindung; kopfband.

under-gël adj. gelblicht.

under-genger stm. der die grenzen begeht und festsetzt.

under-genôz, -genôze stswm. gegens. zu *übergenôz*.

under-graben stv. untergraben; mit ap. hintergehn; erfüllen *mit:* hintertreiben *mit.*

under-grâzen swv. refl. gegenseitigen übermut zeigen.

under-grifen stv. hinunter greifend erfassen; dazwischen greifend ablenken, verhindern.

under-grüezen swv. refl. sich gegenseitig begrüssen.

under-halben, -halp präp. u. adv. unterhalb.

under-hœret part. adj., **-hœric** adj. untertänig, gehorsam.

under-houwen redv. tr. unterhauen, -graben; begründen, auseinandersetzen mit worten; mischen, zieren *mit*: dazwischen hauend ablenken, verhindern. — refl. sich gegenseitig hauen.

under-komen stv. dazwischen kommen, mit dat. einem entgegentreten; verhindernd dazwischen treten, vorbeugen, verhindern mit gs. od. as., aufheben; überkommen, befallen. — intr. überrascht werden, erschrecken (gs. od. *von*).

under-kouf stm. zwischenhandel, gewinn des zwischenhändlers. **-köufel, -köufer** stm. zwischenhändler, makler.

under-kündel stn. gegenseitiges zündemittel.

under-kunft stf. dazwischenkunft, vermittelung.

unter-künten swv. absol. feuer worunter anzünden.

under-küssen swv. tr. u. refl. gegenseitig küssen.

under-lachen swv. gegenseitig, untereinander lachen.

under-lâz stm. (auch stnf.?) unterbrechung, pause; das beherbergen.

under-leinen swv. stützen, unterstützen *mit.*

under-libe stf. zeitweis eintretende schonung und ruhe.

under-lic stm. niederlage. — *den u. nemen = underligen.* **-ligen** stv. nach unten zu liegen kommen, unterliegen; sich unterwerfen, unterworfen sein.

under-list stm. *âne u.* ohne rückhalt, wahrhaft.

under-louf stm. das dazwischenlaufen; succurs. **-loufen** redv. dazwischen laufend ablenken, verhindern. — refl. sich gegenseitig anlaufen.

under-machen swv. überwältigen, bezwingen; unterziehen, -füttern.

under-mâl stn. zwischenmahlzeit.

under-mâlen swv. unterschreiben, durch unterschrift bestätigen.

under-minnen swv. refl. sich gegenseitig lieben.

under-man stm. zwischenmann, stellvertreter.

under-mische stf. untermischung.

undern swv. erniedrigen, unterwerfen.

undern untern, undarn untarn stm. mittag (*ze undern, z'undern* mittags); mittagessen, vesperbrot.

under-name swm. beiname.

under-neigen swv. herabbeugen; refl. mit dat. zu dienste sein; sich unterwerfen.

under-nëmen stv. tr. abschneiden, unterbrechen, verhindern, wegnehmen. — refl. sich gegenseitig nehmen, fassen, fesseln *mit*; sich unterbrechen, aufhören; mit gp. sich jmds. annehmen, mit gs. etw. übernehmen, antreten.

undern-slâf stm. mittagsschlaf.

under-phant stn. unterpfand d. i. ein pfand, welches der pfandempfänger *under* (hinter) dem verpfänder belässt.

under-rede stf. zwischenrede, vermittelung; unterredung, -handlung, beratung. **-reden** swv. intr. gegenseitig reden, beraten. — abs. u. tr. einreden, in die rede fallen. — tr. durch rede verhindern; *mit worten u.* bekennen, geloben. — refl. sich unterreden, beraten mit gs.

under-reifen swv. umreifen, umspannen.

under-reit stm. einschub.

under-reizen swv. refl. sich gegenseitig reizen.

under-rennen swv. refl. sich gegenseitig anrennen.

under-rihten swv. tr. einrichten, zustande bringen; anweisen, unterrichten; mit wechselrede zurechtweisen.

under-rîten stv. tr. dazwischen reiten, dazwischen reitend trennen, ablenken, verhindern.

under-rôt adj. rötlich.

under-sagen swv. tr. gesprächsweise sagen, mitteilen; untersagen, verbieten.

under-saz stm. untersatz, -lage, stütze; *âne u.* ohne zu zögern.

under-sâꝫe stf. unterlage, stütze. **-sâꝫe, -sæꝫe, -sëꝫꝫe** swm. untergebener, untertan. **-sâꝫen** swv. festhalten, unterstützen; mit gs. wovon abbringen.

under-schaffen stv. tr. sich dazwischen drängen, arg zusetzen; untersagen, verbieten; weiterschaffen.

under-scheide stfn. s. *underscheit*. **-scheiden** redv. tr. auseinander scheiden, trennen; unterscheiden; dazwischen versehen, in zwischenräumen schmücken; ausführlich auseinander setzen, erzählen, erklären; bescheid geben, anweisen, belehren mit gs. — refl. sich unterscheiden. **-scheiden** part. adj. getrennt, unterschieden; bestimmt, deutlich. **-scheidenheit** stf. verschiedenheit, unterschied; bestimmung, festsetzung. **-scheidenlich** adj. unterschieden, verschieden. **-scheidenliche** adv. verschieden, mit unterschied; bestimmt, deutlich, klar. **-scheidunge** stf. unterscheidung, unterschied; vernunft; bedingung. **-scheit, -*des*, -*de*** stmnf., **-scheide** stfn. scheidung, trennung (in der mitte); kapitel (eines buches), zwischenraum, trennende zwischenwand, mittelwand; grenze, lage eines landes; zeitgrenze, periode; pause; unterscheidung, fähigkeit dazu, unterschied, verschiedenheit; unterscheidendes merkmal, charakteristischer zug, symbolische bedeutung, begriff; mannigfaltigkeit, abwechselung, wechsel (in der heraldik die zeichnung des wappens); trennende, ausnehmende bestimmung, bedingung, entscheidung, bescheid; genaue auseinandersetzung, erklärung, belehrung, auslegung; häufig nur phraseologisch die art und weise bezeichnend. — *âne u.* für wahr; ununterbrochen.

under-schicken swv. auseinander teilen, abteilen, trennen.

under-schiden part. adj. unter-, verschieden.

under-schîden stv. unterscheiden.

under-schidunge, -schiedunge stf. = *underscheidunge*.

under-schieben stv. tr. darunter, dazwischen schieben. — refl. sich unterbrechen.

under-schieꝫen stv. tr. durchschiessen (den wollenzettel mit garn); *mit brete u.* contabulare; bekräftigen *mit*. — refl. sich überschlagen, untereinander stürzen.

under-schit, -schiet, -*des* stm., **-schide** stf. = *underscheit*.

under-schoꝫ, -schôꝫ stn. unterlage, stütze.

under-schrôten stv. teilen, zerteilen; auseinander setzen, mitteilen; unterbrechen, hemmen.

under-schup stm. vorschub, hilfe.

under-schuz stm. unterhalt; unterschied, wechsel.

under-sëhen stv. tr. dazwischen sehen, vorkehrung treffen gegen, verhüten. — refl. einander sehen, ansehen.

under-setze stf. unterbrechung. **-setzen** swv. tr. zwischen, unter etw. setzen, stellen, legen, stützen; mit dp. unter einen etw. setzen, es ihm unterwerfen; ins werk setzen, veranstalten. — refl. mit dp. sich unterwerfen.

under-sitzen stv. tr. sich wozwischen setzen; subsidere.

under-slac stm. trennung, scheidung, trennende zwischenwand, mittelwand; einlage, exkurs; interjektion (redeteil).

under-slahen, -slân stv. tr. unter sich schlagen; senken, neigen; beiseite legen, unterschlagen; abseits setzen, verbergen; aufgeben; übergehn; *daꝫ sper u.* unter den arm nehmen u. zum angriffe senken; schlagend zwischen etwas bringen; gewaltsam mitten abbrechen, unterbrechen, trennen, verhindern. — refl. einander schlagen; sich neigen, untergehn; mit gs. sich unterziehen.

under-sleipf, -slouf, -sluf stm. versteck, heimlicher aufenthalt.

under-sliefen stv. hintergehn, betrügen mit gs. (von erbschleicherei).

under-sliufære stm. betrüger.

under-sniden stv. tr. in einzelne stücke zerteilen; schneidend, trennend dazwischen treten; anordnen, bestimmen; gewand mit andern od. aus verschiedenen stoffen mischen, stückweise oder bunt zusammensetzen. **-sniten** part. adj. unterschieden; befleckt, vermischt. **-snit** stm. buntheit, wechsel.

under-sprâche stf. unterbrechendes reden, einspruch. **-sprëchen** stv. abs. u. tr. dazwischen sprechen, in die rede fallen. — refl. sich unterreden.

under-springen stv. dazwischen springend ablenken.

under-stân, -stên stv. intr. *etw. understân lâꝫen* für eine gewisse zeit stille sein, bewenden, unterbleiben lassen. — tr. sich worunter stellen; um einem beizustehn, um etwas an-, aufzuhalten, etwas bewahren, retten, über sich nehmen, unternehmen, zustande bringen, bewirken, erreichen; bestehn, bekämpfen; an sich reissen, mit dp. entreissen; sich wozwischen stellen, abwehren, verhindern. — refl. mit gs. etw. unternehmen, sich einer s. unterziehen, mit gp. geschlechtlich verkehren mit; ohne refl. pron. sich unterstehn (mit inf.). **-stant** stm. stütze; aufenthalt, verhinderung; unterschied.

under-stëchen stv. tr. dazwischen stossen, stecken. — refl. einander stechen.

under-steinen swv. mit marksteinen versehen.

under-stiuren swv. stützen, unterstützen; unterfüttern.

under-stivel stm. stütze. **-stivelen** swv. stützen.

under-stocken swv. mit grenzpfählen versehen.

under-stôꝫ stm. zwischenstoss, unterbrechung, unterschied. **-stôꝫen** redv. dazwischen stossen, stecken, schieben; hineinstecken, vollstopfen *mit:* darunter stossen, stecken; unterstützen; beiseite schieben, verstecken; unterbrechen.

under-strîchen stv. mit abwechselnden farben malen, schminken.

under-strîten stv. überwältigen, besiegen.

under-ströu stf. untergelegte streu, unterlager.

under-swanc stm. das dazwischenschwingen, unterbrechung, hemmung; was man zwischen etw. schwingt.

under-swarz adj. schwärzlich.

under-swingen stv. tr. im ringen unterfassen, bewältigen; sich zwischen etw. schwingen, drängen, untermischen *mit*, mit dp. sich dazwischen schwingend einem etw. unmöglich machen, beeinträchtigen, abhalten, verhindern.

under-tân part. adj. untertänig, untergeben, -worfen; dazwischen getan, untermischt, unter-, verschieden. **-tân** stm., **-tâne** swm. der untergebene, untertan. **-tâne** swf. die untergebene. **-tænec, -ic, -tæneclich** adj. = *undertân*. **-tænecheit** stf. gehorsam. **-tânige, -tænige** swm. = *undertâne*. **-tænigen** swv. *undertænic* machen. **-tænigunge** stf. unterwerfung.

under-tât stn. knorplichte scheidewand zwischen den nasenlöchern, nasenknorpel.

under-teidingen swv. durch *tagedinc* unterhandeln, vermitteln, ausgleichen. **-teidinger** stm. unterhändler, vermittler.

under-teilen swv. sich dazwischen verteilen.

under-tëlben stv. untergraben.

under-tiefe stf. die tiefe darunter.

under-tiefen swv. bergm. abteufen.

under-tragen stv. unterfüttern *mit*; unterbrechen *mit*; unterhandeln *mit*; vorbringen, vortragen mit dp.; schlichten, beilegen.

under-trahte stf. mittagsmahl.

under-trëten stv. darnieder treten, unterdrücken; dazwischen tretend ablenken, -wehren; zwischen etw. treten, es vermitteln. **-trëter** stm. unterdrücker; mittler.

under-tribel stm. anstifter.

under-trit stm. das dazwischentreten, die vermittelung.

under-tuon an. v. verhindern, vereiteln, unterwerfen, -drükken; untermischen, verschieden machen.

under-vâhen, -vân redv. tr. auffangen, -halten, hindernd dazwischen treten, unterbrechen; ein ende machen, verhindern; mit stützpfeilern versehen. — refl. verhindert werden; sich gegenseitig umarmen, mit gs. sich woran machen, unterfangen; in besitz nehmen.

under-val stm. das dazwischenfallen, -treten; unterbrechung, pause; das niederfallen; occasus (solis etc.). **-vallen** redv. occidere.

under-var stf. = *underlouf*. **-varn** stv. mit stützpfeilern versehen; erfassen, überwältigen; erfahren, kennen lernen; dazwischen fahrend ablenken, verhindern; verschieden machen, untermischen.

under-viz stm. zwischenfaden. der die einzelnen *vitze* voneinander trennt; scheidewand.

under-vrâge stf. gegenseitige frage.

under-vrist stf. unterbrechung.

under-walten redv. beherrschen.

under-wart adv. nach unten, unten.

under-wât stf. unterbett.

under-wende stf. unterbrechung. **-wenden** swv. refl. mit gp. sich annehmen.

under-wërfen stv. unterwerfen, -jochen; unter den arm nehmen; in die erbschaftsmasse werfen.

under-wërren stv. refl. sich untereinander wirren, hin und her treiben.

under-wieren swv. tr. abwechselnd als schmuck einfügen *zwischen:* schmückend untermischen *mit*.

under-wîlent adv. bisweilen.

under-winden stv. refl. mit gen. über sich nehmen wofür zu sorgen, etw. zu tun oder zu leiden; in besitz nehmen, sich bemächtigen.

under-wint stm. das unterlassen, der verzug. *u. hân* unterlassen, verzichten.

under-wîsen swv. tr. mit wechselreden zurechtweisen, anweisen, belehren (mit gs. od. *an, mit*); *ein guot u.* als pfand stellen. — refl. sich stellen, halten *zuo*.

under-woner stm. hintersasse.

under-wort stn. zwischen-, wechselrede.

under-wurf stm. das dazwischenwerfen u. dazwischengeworfene; unterwerfung; objekt.

under-würken swv. tr. durchwirken, durchweben *mit*, versehen, beschlagen *mit:* trennen *von*.

under-zeigen swv. tr. zeigen, erklären mit dp.

under-ziehen stv. tr. unterstützen; unterfüttern, ein kleid füttern; abziehen, abbringen von (gen.); entziehen. — refl. mit dp. sich einem entziehen; mit gs. über sich nehmen wofür zu sorgen, etwas zu tun oder zu leiden; in besitz nehmen, sich bemächtigen.

under-zîhen stv. refl. mit gs. sich wozu bekennen.

under-ziuc stm. unterfutter.

under-ziunen swv. durch einen zaun trennen.

under-zoc, -zuc stnm. unterfutter; unterstützung, hilfe; entziehung, verlust.

under-zücken swv. unterdrücken, nicht aussprechen, verschweigen.

under-zweiunge stf. übereinkommen, gebrauch.

ünde-slac stm. wellenschlag.

unde-wendic adv. unterhalb.

un-dienen swv. nicht *dienen*, schaden. **-dienest** stm. gegens. zu *dienest. ich was sîn u.* ich hasste ihn.

un-diet stf. m. schlechtes volk, gesindel, bes. von heiden od. sektierern.

un-dige swm. der nicht von edlem geschlecht ist.

un-dinc stn. schlechtes ding; übel, unrecht; schaden, verderben.

un-dinge stn. = *-ged.* s. *undinc*.

un-döuwe stf. das nichtverdauen, erbrechen. **-döuwen** swv. evomere.

un-dult, -dulde stf. = *ungedult*; ungeduldige, heftige tat. **-dult, -dultec, -duldec** adj. ungeduldig, heftig.

un-durft stf. kein bedürfnis. **-durfte, -durften** adv. unnötig. **-dürftic** adj. nicht bedürftig.

un-durnehtic adj. unvollkommen.

un-ê stf. konkubinat; ehebruch.

un-ëben adj. nicht zusammenpassend, ungleich; unbequem; uneben, bildl. rauh, grausam, schlecht. **-ëbene, -ëben** adv. nicht zusammenpassend, nicht gleichmässig, ungleich; unbequem, ungelegen; ungerade; umsonst, vergebens; uneben, bildl. rauh, grausam, bösartig, schlecht.

un-edel adj. gegens. zu *edel*. **-edele** stf. unedle geburt. **-edellich** adj. = *unadellich*.

un-êhaft adj. unehelich.

un-ehtec adj. von geringem ansehen; unbeachtet. — mit gen. nicht achtend. **-ehtegl** stf. verachtung.

un-eigenliche adv. aequivoce.

un-êlich adj. **-liche** adv. gesetz-, rechtlos; ausser der ehe, unehelich.

un-ende stn. endlosigkeit; unzahl; nichtsnutzigkeit, liederlichkeit, böse streiche. **-endehaft** adj. unendlich; was nicht beendigt, zustande gebracht werden kann; unentschieden; zwecklos, unnütz. **-endelich** adj., **-liche** adv. endlos, zwecklos, zahllos; unvollendet; erfolglos, untüchtig, träge, erbärmlich, liederlich, schlecht. **-endelicheit** stf. unendlichkeit; trägheit. **-endic** adj. unendlich, endlos; verderblich(?).

un-entgolten part. adj. unbezahlt; ohne zahlung, busse zu leisten; ohne in kosten od. schaden zu kommen; nicht verpflichtet.

un-entsaget part. adj. ohne absage geleistet, fehde angekündigt zu haben.

un-erbe swm. der nicht erbt, kein erbgut besitzt.

un-erbolgen, -erbolget part. adj. nicht erzürnt, sanftmütig, zufrieden.

un-erdroȥȥen part. adj. unverdrossen.

un-êre stf. schmähung, kränkung; unehre, schande, schmach; hurerei, ehebruch. **-êren** swv. entehren, beschimpfen, schänden.

un-ergangen part. adj. nicht geschehen oder vollzogen, nicht abgetan.

un-erkant adj. unbekannt, fremd, selten.

un-erladen part. adj. nicht beladen mit (gen.).

un-êrlich adj., **-êrliche** adv. unehre bringend, schimpflich; nicht vornehm.

un-ernert part adj. ohne rettung verloren, nicht beim leben erhalten.

un-errachlich, -errechentlich adj. **-errechet** part. adj. unaussprechlich.

un-errochen part. adj. nicht gerächt, ungerochen.

un-êrsam adj. nicht ehrenwert, unanständig.

un-erschant part. adj. ungeschwächt, vollkommen, ohne tadel.

un-ersolken part. adj. ungemindert.

un-ersuocht part. adj. undurchsucht; unbebaut, unbewohnt.

un-erten s. *-arten*, **-ertisch** adj. = *-artic*. **-ertlich** s. *-artlich*.

un-erværet adj. unbetrogen, untrüglich; unerschrocken.

un-ervorht part. adj. nicht gefürchtet; furchtlos, unerschrocken. **-ervorhten** adj. adv. furchtlos.

un-erwant, -erwendet part. adj. nicht abgewendet, unabwendbar, unbeugsam, unbehindert.

un-erwëgen part. adj. nicht wankend, unerschrocken.

un-erwende adj. unabwendbar, unbeugsam.

un-erwert part. adj. unverwehrt, unbenommen; nicht geschützt vor (gen.).

un-erworden part. adj. unverdorben, ungeschwächt, mit voller kraft. **-erwordenlich** adj. unvergänglich.

un-erworht part. adj. ungeteilt, ganz.

un-êschaft stf. ehebruch.

un-eselen swv. einem esel ungleich machen.

un-gæbe adj. nicht annehmbar; nichts wert, nichtsnutzig, unrein, schlecht; ungewöhnlich, unziemlich.

un-gamper adj. steif.

un-ganz adj. nicht ganz, unvollständig, unvollkommen.

un-gar adj. nicht *gar*, ungekocht oder auf schlechte weise gekocht.

un-gastlich adj. nicht fremd, vertraulich u. innig.

un-gâʒ adj. ohne zu essen od. gegessen zu haben.

un-geahtet, -gahtet part. adj. unermesslich, unerfasslich; nicht geachtet, verachtet.

un-gearn, -garn part. adj. ungepflügt.

un-gearnet part. adj. unverdient.

un-gebachen part. adj. ohne zu backen, ohne backen zu dürfen; unausgebacken, unfertig, ungezogen.

un-gebadet, -gebat part. adj. ohne vom bader auf die gewöhnl. weise besorgt worden zu sein; überh. ungebadet, ungewaschen.

un-gebâr stm. = *ungebærde*. **-gebærde** adj. ungebärdig. **-gebærde, -gebære** stf. übles (unfreundliches, unziemliches, freudeloses, zuchtloses) benehmen u. befinden; hässlichkeit; jammergebärde, wehklagen. **-gebære** adj. unangemessen, ungeziemend. **-gebæren** swv. *ungebære* zeigen.

un-gebeitet, -gebeit part. adj. ungetrieben, ungenötigt, ungesäumt.

un-gebert part. adj. nicht geebnet, nicht ausgetreten.

un-gebihtet adj. ohne gebeichtet zu haben.

un-gebite stf. ungeduld. **-gebiten** part. adj. ohne zu warten auf (gen.).

un-geblant part. adj. ungeblendet.

un-geborn part. adj. nicht geborn; (beim tode des vaters) noch nicht geborn, nachgeborn; unedel geborn, von niedriger herkunft.

un-geboten part. adj. nicht vor gericht geladen; *ungeb. dinc* zu dem niemand besonders geladen wird, sondern die ganze gemeinde von selbst erscheinen muss.

un-gebunden part. adj. nicht zusammen gebunden; nicht verbunden; ungefesselt; ohne *gebende*, ohne den kopfschmuck der verheirateten frauen, unverheiratet; nicht verpflichtet, mit inf.

un-geburt stf. unedle abstammung.

un-gedâht part. adj. *mir ist, ich hân u.* ich denke nicht, mit gs., inf. od. nachs. ich denke nicht an etw., es ist mir undenkbar, kommt mir unerwartet.

un-gedanc stm. übler gedanke; gedankenlosigkeit.

un-gedanket part. ohne gedankt, vergolten zu haben.

un-gedienet part. adj. ohne gedient zu haben; ohne verdient zu haben; unverdient, unverschuldet.

un-gedigen part. adj. ungediegen, untüchtig, unredlich; missgestaltet, hässlich.

un-gedinge stn. = *undinc*.

un-gedult, -gedulde stf. ungeduld, heftigkeit; schmerz, verdruss; was ungeduld erregt, nicht zu ertragen ist. **-gedultic, -geduldic** adj. ungeduldig, heftig; unerträglich.

un-gehabe, -gehabede stf. übles gebärden, aufregung, ungestüm, bes. jammer-, trauergebärde, das aussersichsein, klage, leidwesen, jammer. **-gehaben** stn. schmerz. **-gehaben** part. adj. *u. wîn* gärender wein.

un-gehebe adj. unerträglich, unermesslich, gross; nicht anstellig; unbedeutend, nichts wert.

un-gehebede stf. = *ungehabe*.

un-gehirm stm. ungestüm, roheit, gewalt, unheil. **-gehirme** stnf. rastlosigkeit. - adj. rastlos. nicht ablassend von (gen.); ungestüm, roh, wild, frech.

un-gehiure, -gehiuwer adj. unlieblich; unheimlich, ungeheuer, schrecklich. **-gehiure** stn. swmf. ungeheuer: heide, waldmann, drache, gespenstisches wesen, alp; (sittl.) scheusal.

un-gehîwet, -gehît part. adj. unverheiratet; nicht genotzüchtigt, ungeplagt.

un-gehôrde, -gehœrde stf. md. ungehorsamkeit. **-gehœre** adj. nicht hörend, ungehorsam mit gs. **-gehœret, -gehôrt** part. adj. nicht gehört; noch nicht gehört, unerhört; nicht hörend, taub; ungehorsam. **-gehôrsam** adj. ungehorsam mit gs. od. *ze*. **-gehôrsame** stf. ungehorsamkeit.

un-gehovet. -hoft part. adj. bäurisch.

un-geil adj. unfroh.

un-gelahsen part. adj. ungeschlacht.

un-gelâʒen part. adj. nicht gott ergeben.

un-gelëbet part. adj. ohne lebensart.

un-gelëgen part. adj. nicht beendigt, zu fern gelegen; ungelegen, unbequem. **-gelëgenheit** stf. unwirtliche lage, wildnis.

un-gelenke adj. ungelenk, unbiegsam; ungeschickt.

un-gelîch stfn? ungleichheit, iniquitas. **-gelîch, -glîch** adj. ungleich. **-gelîche, -gelîches** adv. auf ungleiche weise; unverhältnismässig (beim kompar.). **-gelîchen** swv. ungleich machen od. sein.

un-gelimpf stm. unzieml. betragen, unangemessenheit, unangemessenes benehmen od. behandeln, unrecht, schmach, schimpf. **-gelimpfen** swv. unangemessen, schonungslos behandeln, tadelnd vorwerfen.

un-gelinc stm., **-gelinge** swm. stfn. das misslingen, missgeschick, unglück.

un-gelobet, -gelopt part. adj. ungelobt, ruhmlos; nicht gelobt, nicht verabredet.

un-geloube swm. unglaube; ketzerei; aberglaube. **-geloube, -geloubec** adj. nicht glaubend, ungläubig; des unglaubens; abergläubisch; unglaublich. **-gelouplich, -geloubelich** adj. ungläubig; unglaublich.

un-gëlt stnm. abgabe (die eigentl. nicht sein sollte) von einfuhr u. verkauf der lebensmittel, zehr-, verbrauchsteuer, accise (entstellt *umbe-*, *umgelt*). **-gëlter** stm. einnehmer des *ungeltes*.

un-gelücke, -glücke stn. unglück. **-gelücken** swv. unpers. unglücklich ausgehn, misslingen.

un-gelust stm. widerwille, ekel. **-gelusten** swv. unp. mit dat. *ungelust* empfinden. **-gelustic** adj. widerlich.

un-gemach adj. ungestüm; unfreundlich; unbequem, unangenehm, lästig, störend. - stnm. unruhe, verdruss; jammergebärde, klage; unbequemlichkeit, unannehmlichkeit, übelbefinden, leid, unglück (*nâch ungemache* auf unbequeme, störende weise).

un-gemachet part. adj. nicht gemacht; nicht zurecht gemacht, ungefälscht (wein); nicht abgerichtet (falke).

un-gemannet, -gemant, part. adj. ohne mann, unverheirat.

un-gemant part. adj. ohne an etw. gemahnt, erinnert worden zu sein.

un-gemære adj. = *unmære*.

un-gemæȥe, gemâȥ adj. ungleich, nicht zusammenpassend; nicht zu vergleichen; unvergleichlich; unpassend, unziemlich.

un-gemâȥet part. adj. ohne *mâȥe:* unausgemessen, unbeschränkt.

un-gemechlich adj. unbequem, lästig; unpassend, unziemlich, verwerflich.

un-gemeilet, -gemeilt, -gemeiliget part. adj. ohne *meil*, unbefleckt, unschuldig, rein.

un-gemeine adj. ungemeinsam, getrennt, nicht zusammenstimmend, uneins; abgesondert von (dat.); nicht mitgeteilt, entzogen, unbekannt, fremd. **-gemeine, -gemeinde** stf. ungemeinschaftlichkeit.

un-gemeit adj. unfroh, traurig, missvergnügt; unschön, hässlich.

un-gemëldet, -gemëlt part. adj. nicht verraten; verborgen.

un-gemelich, -gemenlich adj. unerfreulich.

un-gemëȥȥen part. adj. ungemessen, unermesslich; nicht heranreichend an, nicht zu vergleichen mit (dat.); masslos, unmässig.

un-geminne adj. nicht in liebe vereinigt, unfreundlich, unliebenswürdig. **-geminnet** part. adj. ungeliebt, verhasst; s. v. a. *ungeminne: ungeminte vische* die noch nicht gelaicht haben.

un-gemische adj. ungemischt, rein.

un-gemüete stn. missstimmung des gemüts: missmut, aufgebrachtheit, verdruss, zorn, kummer, betrübnis, leid. **-gemuot** stm. missmut. **-gemuot** adj. übel gesinnt, böse; übel gestimmt, verdriesslich, zornig, betrübt; anmutlos, widerwärtig.

un-gemuot, -gemüet part. adj. nicht *gemüejet*, unbeschwert, -belästigt, -gestört; ungebraucht; unermüdlich.

un-genâde, -gnâde stf. unruhe, mühsal; ungunst, ungnade, kein erbarmen; trostloser zustand, unheil, missgeschick, unglück (strafe gottes). **-genædec** adj., **-liche** adv. ungnädig, lieblos, grausam, feindselig; unselig, unglücklich.

un-genæme adj. was nicht gerne genommen wird, unannehmbar; unangenehm, widerwillen oder ekel erregend, widerwärtig, abstossend, unlieb, hässlich, wertlos.

un-genande, -genante stfnm. krankheit, deren namen man auszusprechen sich scheut, unheilbare krankheit. **-genant** part. adj. infandus; namenlos; geringfügig. — *der vinger u.* ringfinger.

un-genende adj. unfügsam, widerstrebend. - stf. mutlosigkeit, verzweiflung.

un-genennic adj. unnennbar.

un-genësen part. adj. nicht zu heilen; nicht geheilt, krank, bildl. gekränkt, verloren; mit gs. od. *von* nicht gerettet vor, nicht frei von.

un-genge adj. ungangbar, nicht leicht zu gehn; nicht ohne mühe gehend od. nicht gehn wollend, störrig, träge.

un-genisic, -genislich adj. unheilbar. **-genist** stf. unrettbarkeit, das verlorensein, verderben, unheil.

un-geniten part. adj. unbeneidet, ungehasst.

un-genœtet, -genœt, -genôt part. adj. ungenötigt, -gezwungen, unnötig, freiwillig; unbedrängt, -belästigt.

un-genôȥ adj. ungleich, nicht gleichkommend; zu den hörigen eines andern herrn gehörig. **-genôȥ, -genôȥe** stswm. ungenosse, -gefährte; der nicht seinesgleichen hat; der nicht von gleichem, von geringerem stande ist; auswärtig, fremd; zu den hörigen eines andern herrn gehörig. **-genôȥsame** stf. übertretung der gemeinschaftlichen pflichten einer *genôȥsame:* verehelichung mit einem od. einer *ungenôȥen*, das dafür zu entrichtende strafgeld.

un-genoȥȥen part. adj. nicht genossen habend (blut und fleisch); keinen nutzen od. vorteil habend, unbelohnt.

un-genuht stf. ungenügsamkeit, unenthaltsamkeit, unmässigkeit, unvernunft, unschicklichkeit; ungenügendheit, armut; wucherndes ausbreiten, unkraut; übermass, *mit u.* gar sehr, im überfluss. **-genühtec** adj. ungenügsam, unenthaltsam, unmässig; verwildert *an*, unergiebig (acker). **-genühtecheit** stf. übermass; verwilderung.

un-gephehtet part. adj. in kein gesetz od. mass zu bringen, unmessbar, unergründlich.

un-gephendet, -gephant part. adj. nicht gepfändet, unberaubt mit gs. od. *an*.

un-geprüevet part. adj. ungezählt.

un-gerat, -gerade adj. ungleich, ungerade.

un-geræte stn. mangel an nötigem vorrat od. gehöriger zutat, überh. mangel, armut, armseligkeit, not, unglück, leiden; ratlosigkeit; böser rat od. handlung, die aus solchem hervorgeht.

un-gerâten part. adj. ungeraten, schlecht, bes. verschwenderisch.

un-gerëch adj. nicht in gehörigem zustande befindlich; hässlich, scheusslich. - stnm. missbehagen, kummer. - adverbial *ze ungerëche* in schlechtem zustande, krank.

un-geredet, -geret part. adj. ohne zu reden, sprachlos, stumm; unerwähnt.

un-gerëht adj. unrichtig, nicht gehörig, schlecht; unrecht, ungerecht; ungerechtfertigt, schuldig. - stm. das unzusammengehörige, verkehrte, das gegenteil. **-gerëhtecheit** stf. ungerechtfertigkeit; beschimpfung, beleidigung.

un-gereisic adj. zur kriegsfahrt untauglich, überh. unrüstig, schwach.

un-gereit adj. nicht bereit, ungerüstet; machtlos, unfähig *ze:* unbereit, unzugänglich, nicht zur hand.

un-gereitet, gereit part. adj. ungerechnet, -gezählt; nicht in anschlag kommend, nicht zu vergleichen *gegen*.

un-gerihte, -geriht stn. unrichtigkeit, fehler (im versmasse); unrecht, vergehn, verbrechen krimineller natur; geldstrafe für ein *ungerihte*. **-gerihtec, gerihtet, -geriht** part. adj. nicht *gerihtet*; der ein *ungerihte* begangen hat.

un-geriten part. adj. ohne zu reiten od. sich im reiten geübt zu haben; unberitten.

un-gerochen part. adj. ungerächt, ungestraft.

un-gerüemet part. adj. ohne zu rühmen, zu prahlen; ungerühmt.

un-geruowec adj., -geruowet part. adj. unruhig.

un-gesaget, -geseit part. adj. nicht gesagt, verschwiegen; unverraten; ohne etw. zu sagen, ohne absage geleistet zu haben; mürrisch, schweigsam; unsagbar, schlimm, nicht der redewert.

un-geschaffen part. adj. nicht erschaffen; ungestalt, hässlich. **-geschaffenheit** stf. das nichtgeschaffensein; hässlichkeit. **-geschaffet** part. adj. ungetan; nichts geschafft habend, unverrichteter dinge. **-geschaft** stf. eitles wesen, nichtigkeit.

un-gescheide stf. unterschied. **-gescheiden** part. adj. nicht geschieden, ungetrennt; unentschieden; ungebührlich, unverständig.

un-geschicket part. adj. missgestaltet; ungerüstet, -geordnet ungeschickt, unpassend; ungeschickt, ungebührlich.

un-geschiht stf. untat; missgeschick, unglückl., widerwärtiger zufall (*von ung.* durch einen unglückl. zufall, zufällig).

un-geschorn part. adj. unbelästigt.

un-geschriben part. adj. nicht geschrieben, nicht aufgezeichnet; nicht beschrieben; unbeschrieben, unbekannt; unbeschreiblich.

un-geschuoch adj. unbeschuht.

un-gesëgenet, -seinet part. adj. ungesegnet, ohne segen; ohne abschied.

un-geselle swm. böser *geselle*. **-gesellec** adj. ungesellig. **-gesellеclich** adj., **-liche** adv. was gegen die art der *gesellen* ist, unfreundlich.

un-gesetzet part. adj. nicht ansässig; ohne angewiesenen platz (bei tische).

un-gesëȥȥen part. adj. nicht ansässig.

un-gesihtec, -gesihteclich, -sihtlich adj. unsichtbar; nicht sehend.

un-gesiunlich adj. unsichtbar.

un-geslâfen part. adj. ohne geschlafen zu haben, ohne zu schlafen, schlaflos.

un-geslagen part. adj. nicht geschlagen; unerfüllt; nicht erschlagen.

un-geslaht adj. nicht von derselben familie, demselben geschlechte; von niedrigem geschlechte; übel geartet, unartig, bösartig, roh; roh, unbebaut; knorrig, schwer zu spalten; abgestanden, verdorben (wein).

un-geslëht adj. nicht schlicht, nicht aufrichtig.

un-geslehte stn. unedles geschlecht, niedrige herkunft.

un-geslihte stf. ungeradheit, unrecht.

un-gesliȥȥen part. adj. nicht zu ende gebracht.

un-gesmac, -gesmach adj. widerlich schmeckend oder riechend.

un-gesmæhet part. adj. ungeschmäht; ohne zu tadeln od. zu verschmähen.

un-gesmeichet part. adj. ohne zu schmeicheln.

un-gesmitzet part. adj. unbefleckt; unverletzt, nicht beeinträchtigt *an:* ungestraft.

un-gesniten part. adj. nicht zerschnitten; nicht belästigt, ungeschorn.

un-gesorget part. adj. unbesorgt, ohne sorge zu haben.

un-gesoten part. adj. nicht gesotten, ungebrüht; nicht od. schlecht gekocht; unverdaut.

un-gespannen part. adj. nicht gespannt; nicht auf- oder eingespannt; *ungesp. sîn* kein zugvieh besitzen.

un-gespart part. adj. nicht gespart oder erspart, nicht geschont oder zurückgehalten, nicht vorenthalten, reichlich vorhanden, ohne zu sparen, reichlich; ohne zu warten, ungesäumt.

un-gesperret, -gespart part. adj. unge-, unversperrt.

un-gespotet part. adj. unverspottet; ohne zu spotten.

un-gespræche adj. unberedt; schamlose reden führend. - stf. mangel an beredsamkeit. **-gesprochen** part. adj. nicht gesprochen; nicht genannt; nicht auszusprechen; ohne zu sprechen od. gesprochen zu haben, stumm; ohne sich (durch eine tat) zu äussern, unausgeführt.

un-gestalt part. adj. ungestalt, verunstaltet, hässlich, schmutzig. - stf. missgestalt, übles aussehen; larve.

un-gestelle adj. ungestüm, plump. **-gestellede** stf. missgestalt.

un-gestëmen part. adj. nicht zurückgehalten; ungestüm.

un-gestillet part. adj. nicht stille gemacht; unbefriedigt.

un-gestiure adj. zügellos, ungestüm. - stf. sturm; lärm, ungestüm; unziemliche handlungsweise, gewalttätigkeit; leiden, qual. **-gestiuret** part. adj. unbesteuert, unversteuert.

un-gestöut part. adj. unbehindert.

un-gestriten part. adj. nicht gekämpft, nicht ausgekämpft; ohne gekämpft zu haben, ohne kampf, nicht angegriffen.

un-gestüeme, -stüemec adj. ungestüm, stürmisch; improbus. **-gestüeme** stf. ungestüm, sturm; improbitas. - stn. impetus.

un-gesuht stf., **-gesühte** stn. böses siechtum.

un-gesundert part. adj. ungetrennt (*kinder von dem vatẹr, von dem brôt ung.* noch im väterlichen hause, noch nicht selbständig).

un-gesungen part. adj. nicht gesungen; *ung. sîn* ohne gesang sein, nicht singen; ohne gesungene messe, ohne gottesdienst, im interdikte befindlich sein.

un-gesunt adj. krank, verwundet; krankheit verursachend, unheil bringend; *tôt u.* todkrank; *u. machen* (ein wild) erlegen. - stm. krankheit, unwohlsein, das verwundetsein.

un-geswachet, -geswechet part. adj. ungeschwächt, unbehelligt mit gen. od. *an.*

un-geswâse adv. ndrh. ungestüm.

un-geswichen part. adj. *einem u. sîn* ihn nicht im stiche lassen, ihm treu sein; mit gen. *des lônes u. sîn* den lohn nicht versagen.

un-gesworn part. adj. ohne zu schwören.

un-getân part. adj. ungetan; nicht bearbeitet, unbebaut; nicht schön, missgestaltet, hässlich, ungeschlacht; nicht getan habend, unverrichteter sache. — adv. auf unartige, ungeschlachte weise.

un-getât stf. = *untât:* hässlichkeit. **-getætic** adj. unartig, ungeschlacht.

un-geteilet part. adj. nicht geteilt; *ungeteiltez spil* ungleiche verteilung der parteien im kampfspiel, auch bildl. s. v. a. *unbeteilet.*

un-getëlle adj. adv. ungeschickt, plump, täppisch.

un-getesche adj. missgestaltet.

un-getragen part. adj. ohne zu tragen; nicht getragen.

un-getriuwe, -getriwe, -getriu adj. adv. untreu, treulos

-getriuwe stf. treulosigkeit. **-getriuwelich** adj., **-liche** adv. = *ungetriuwe*.

un-getrunken part. adj. nicht getrunken habend.

un-getwagen part. adj. ungewaschen.

un-getwede adj. störrisch, unverständig.

un-geval stm. n. unfall, unglück, missgeschick.

un-gevangen part. adj. nicht gefangen od. gefesselt, frei; ohne etw. gefangen zu haben.

un-gevar adj. kein gutes aussehen habend, bleich.

un-gevar stn. = *ungeverte*.

un-geværliche adv. = *âne geværde*.

un-gevarn part. adj. noch nicht in der welt herumgekommen, unerfahren.

un-gevêch adj. nicht feindselig.

un-gevëder adj. nicht befiedert.

un-gevelle stn. = *ungeval*; zufall.

un-gevellic adj. unpassend; nicht gefällig, wenig ansprechend; unglücklich.

un-gevelschet part. adj. nicht falsch oder betrügerisch gemacht; ungefälscht, rein, aufrichtig; ungeschminkt; ungeschmäht, unangetastet.

un-geverte stn. reisebeschwerde, überh. beschwerde, schwierigkeit (für das verständnis), ungemach, leid; unwegsame gegend, unwegsamkeit; üble art und weise, übles oder rohes benehmen, böse umstände.

un-gevilde stn. unbebautes und unwegsames land.

un-gevohten part. adj. ohne gefochten zu haben, ohne kampf, unangefochten.

un-gevordert part. adj. nicht gefordert; ohne zu fordern.

un-gevrâget part. adj. ohne gefragt zu sein, ungefragt; ohne zu fragen (*ung. sîn* nicht fragen).

un-gevriet part. adj. nicht frei gemacht; nicht leer gemacht.

un-gevriunt part. adj. ohne freunde und verwandte.

un-gevüege, -gevuoge adj. unartig, unhöflich, unfreundlich, unbeholfen, ungestüm; unanständig, unpasslich; beschwerlich zu handhaben, übermässig gross und schwer, riesig, plump, stark, heftig; böse, schlimm.

un-gevüere adj. unbequem, nachteilig; ausschweifend. - stn. schaden, nachteil, widerwärtigkeit; üble lebensweise. **-gevüerec** adj. sich nicht führen lassend, unfolgsam. **-gevüeret** part. adj. nicht geführt; schlecht geführt, ausschweifend.

un-gevuoc adj. = *ungevüege*. - stm. unhöflichkeit, ungastlichkeit, ungehörigkeit, unfug; ungereimtheit, widersinnigkeit; nachteil, schaden. **-gevuocliche** = **-gevuoge, -gevuogen** adv. unhöflich, unfreundlich, ungestüm, übermässig, überaus; unpasslich, unschön. **-gevuoge, -gevüege** stf. = *ungevuoc, unvuoge:* übermässige klage; jammergebärde; übergrosse menge, übermässige grösse und stärke.

un-gewæge adj. = *ungewëgen*.

un-gewalt stmf. ohnmacht; unfähigkeit; körperl. mangel, gebrechen; *in ungew. komen* in armut geraten. **-gewaltic, -geweltic** adj. machtlos, schwach; nicht mächtig, unvermögend, der gewalt, des besitzes oder gebrauches wovon beraubt, *einen u. tuon* mit gs. berauben.

un-gewande stf. fremde, unheimliche gegend.

un-gewar, -gewaric adj. unvorsichtig, sorglos; unsicher, in gefahr, mit gen. — adv. unvorsichtig, sorglos; unvermerkt.

un-gewære adj. nicht wahrhaft, nicht aufrichtig, unzuverlässig, falsch; mit gen. einer sache ungewiss. **-gewâre** adv. auf unaufrichtige, treulose weise.

un-gewarheit stf. unsicherheit, schutzlosigkeit, die lage in der man nicht gedeckt ist gegen feindl. geschosse.

un-gewarnet part. adj. ohne gewarnt, aufmerksam gemacht worden zu sein, unvorbereitet, überrascht; nicht gehörig geschützt oder gewaffnet; unvorhergesehen, unvermutet; unversorgt, ohne nahrung.

un-gewëgen part. adj. nicht gewogen; nicht gleich gewogen oder verteilt, ungleich, verschieden; nicht hold, ungewogen; ohne gewogen zu haben.

un-geweinet part. adj. unbeweint, -beklagt; ohne zu weinen, zu klagen.

un-gewerde stf. zustand der wehrlosigkeit.

un-gewerlich adj. unsicher, gefährlich; keinen schutz bietend. **-liche** adv. unvorsichtig, sorglos; unweigerlich; unvermerkt.

un-gewërlich (?)adj. nicht auszuhalten; **-lichen** adv. ohne dauer.

un-gewërt part. adj. nicht gewährt, ohne gewährung, unbefriedigt (mit gs., *an*).

un-gewert part. adj. ohne sich zu wehren.

un-gewin stm. schaden, nachteil, unglück, verlust; bes. verlust des sieges, niederlage.

un-gewis adj. unwissend, unklug; keine sicherheit gewährend, unsicher, ungewiss, unzuverlässig (subj. u. obj.). **-gewisheit** stf. unsicherheit, unzuverlässigkeit. **-gewislich** adj. ungültig.

un-gewitere, -gewiter, -gewitter stn. schlechtes wetter, ungewitter, sturm.

un-gewiȥȥen part. adj. wovon man nichts weiss, unbekannt, unverständlich; nicht wissend mit gs.; nicht wissend was sich ziemt, unvernünftig, unverständig, unbesonnen. **-gewiȥȥene, -gewiȥȥen, -gewiȥȥenheit** stf. unwissenheit; mangel an einsicht in das was schicklich ist, unschicklichkeit, beschränktheit.

un-gewon adj. ungewohnt. **-gewonheit** stf. ungewohntheit, was noch nicht vorgekommen ist. **-gewonlich** adj. ungewöhnlich; ungewohnt.

un-gewunnen part. adj. nicht gewonnen, unerobert, unbesiegt; ohne gewonnen, erobert zu haben.

un-gewürme stn. menge von würmern, schlangen.

un-gewürte stn. übler ruf.

un-gezalt, -gezelt part. adj. ungezählt, unzählig; nicht gemessen, unermesslich, unaussprechlich.

un-gezæme adj. nicht geziemend, unangemessen, widrig; nicht gewachsen, nicht tauglich für (dat.).

un-gezësem adj. der geraden linie nicht folgend, überh. abweichend von (dat.).

un-gezibel, -gezibere stn. ungeziefer (eig. unreines, nicht zum opfer geeignetes tier).

un-geziuc stmn. nicht gehörige rüstung.

un-gezogen part. adj. ohne die gehörige bildung, unartig, zuchtlos.

un-gezühte stn. = *unzuht*.

un-gezwîvelt part. adj. ohne zu zweifeln.

un-gëȥȥen part. adj. = *ungâȥ*.

un-gründic adj. unergründlich.

un-gruoȥ stm. kein gruss; böser gruss.

un-güete stf. unfreundlichkeit, härte, bosheit, schlechtigkeit, grausamkeit. **-güetic** adj. impius.

un-gunst stf. nichtbegünstigung, missgunst; missgeschick, übel; bosheit, grausamkeit. **-gunstec** adj. missgünstig, übelwollend; ungünstig, unglücklich. **-gunsten** swv. übelwollend, mürrisch sein, sich verdriessen lassen.

un-guot adj. unfreundlich, übelwollend; übel, böse, schlecht grausam. **-** stn. übel, böses, schlechtigkeit. **-guotlich, -güetlich** adj. = *unguot.*

un-habe stf. = *ungehabe.*

un-hâle, -hælinge, -hæliche adv. unverhohlen.

un-heil stn. unheil, unglück, verderben. **-heiles** adv. unglücklich, zum unglück.

un-heimlich adj. nicht vertraut, fremd.

un-hëlfelich, -hilfelich adj. nicht helfend, unnütz.

un-hôch adj. nicht hoch, niedrig; unfroh mit gen.

un-hoge s. *unhüge.*

un-hôhe, -hô adv. nicht hoch, gering, wenig, nicht.

un-holdære stm. unhold, teufel. **-holde** swm. der unliebe, böse, feindselige; unhold, teufel. **-holde, -hulde** swf. teufelin, hexe, zauberin. **-holt** adj. nicht geneigt, feindlich.

un-holz stn. geringes holz, abfallholz.

un-hœne, un-hônsam adj. nicht hochfahrend, herablassend, zuvorkommend.

un-hœrec adj. unfolgsam.

un-hôrsam adj., **-hôrsame** stf. = *ungeh-.*

un-hou stm. ungünstige zeit für den holzhieb.

un-hovebære, -hovelich, -hövesch adj. dem hofe nicht angemessen, nicht anständig und fein genug.

un-hüge stf., md. *unhoge* trauer, unmut, leidenschaft. **-hügen** swv., md. *unhogen* in unmut, in zorn sein.

un-hulde s. *unholde* 2.

un-hulde stf. ungunst, übelwollen, ungnade, feindseligkeit.

unjô = lat. *unio* m. perle.

un-karc adj. unklug. — adv. reichlich.

unke s. *unc.*

un-kensam adj. unkenntlich.

unker stm. = *unc*; penis.

un-kiuschære stm. unkeuscher, wollüstiger mensch. **-kiusche** adj. unenthaltsam, blinder leidenschaft folgend, unbescheiden, frech; unkeusch. **-kiusche** stf. frechheit; unreine begierde, unkeuschheit; begattung, begattungszeit, empfängnis.

un-klage stf. falsche klage. **-klagebære** adj. nicht beklagenswert; s. v. a. **-klagehaft** adj. *einen u. halten, machen* entschädigen, dass kein grund zur klage mehr vorliegt. **-klagelich, -klegelich** adj. nicht beklagenswert.

un-kôme adv. nicht leicht und bequem.

un-kouf stm. unerlaubter, widerrechtl. kauf und verkauf.

un-kraft stf. kraftlosigkeit, schwäche, ohnmacht; krankheit. **-kreftec, -kreftic** adj. kraftlos, schwach, ohnmächtig; ungiltig. **-kreften, -kreftigen** swv. *unkreftic* machen.

un-kristen adj. nicht christlich, heidnisch, gottlos. **-** stm. nichtchrist, heide.

un-krût stn. unkraut.

un-künde, -kunde stf. unkenntnis, unbekanntschaft; fremdes land, unbekannte gegend; unkraut. **-kündec** adj. unwissend; unbekannt; fremd, seltsam, unheimlich.

un-kunder stn. untier, ungetüm, monstrum.

un-künne stn. unebenbürtiger.

un-kunst stf. mangel an *kunst,* ungeschicklichkeit, unwissenheit, untüchtigkeit.

un-künstec, -künstlich adj. ungelehrt, unklug, ungeschickt; falsch, hinterlistig.

un-kunt adj. unwissend, unberaten; unbekannt; fremd; fremdartig, seltsam. **-kuntlich** adj. unsagbar (*smerzen*).

un-kust stf. mit verstärk. *un*: gute art, vortrefflichkeit. — mit neg. *un*: bosheit, falschheit, hinterlist.

un-küstic, -kustic adj. schlecht, bösartig, falsch, hinterlistig, unkeusch; invidus.

un-lanc adj. nicht lang; nicht von langer dauer. — subst. nicht lange zeit (*über unl.* in kurzer zeit, bald, bald darauf). — adverbial *bî unlangen* nicht lange. **-lange, -langen, -langes** adv. nicht lange, kurze zeit, in kurzer zeit. **-lenge** adj. kurz.

un-laȥ adj. unermüdlich.

un-ledec adj. nicht frei, unbefreit, verhindert; beschäftigt *an, mit.*

un-leidic adj. ohne leiden, unbetrübt.

un-lîdec, -ic, -lîdeclich, -lîdelich adj. frei von leiden, nicht leidend; ungeduldig; unleidlich, unerträglich, schmerzlich.

un-liebe stf. lieblosigkeit, hass, freudlosigkeit. **-liep** adj. *u. hân* nicht leiden können. **-liepliche** adv. *u. hân* unfreundlich behandeln.

un-liumunt, -liumt, -liun stm. übler, schlechter ruf.

un-liutsam adj. den menschen nicht wohlgefällig, nicht zugänglich.

un-lop stn. schmähung, schande.

un-lôs adj. nicht zuchtlos, nicht leichtfertig, nicht verschlagen oder arglistig.

un-lougen stn. = *âne lougen.*

un-lust stm. f. unfreude, missvergnügen, missfallen, widerwille; ungebührlichkeit, gewalttat; was ekel erregt, unrat, aas u. dgl. *mit u.* mit schmach. **-lusten** swv. unpers. mit dat. widerwillen, ekel empfinden. **-lustic, -lustlich, -lüstlich** adj. missvergnügt; *unlust* erregend, unangenehm, widerlich. **-lustigen** swv. *unlustic* machen.

un-lust stf. das nichtaufhorchen, unruhe, lärmen (wodurch eine gerichtl. handlung gestört wird).

un-lûtes adv. ohne laut zu geben (hund).

un-maht, -mahtlich adj. unmöglich. **-maht** stf. machtlosigkeit, kraftlosigkeit, schwäche; erschöpfung der kraft, besinnungslosigkeit.

un-mælic adj. unbefleckt, ohne makel, rein.

un-man stm. böser mensch, übeltäter.

un-manec adj. nicht viel, wenig.

un-manlich, -menlich adj. unmännlich, feige.

un-mære adj. unlieb. unwert, gering geachtet, zu schlecht, zuwider, widerwärtig, verhaßt, gleichgültig. **-mære** stf. unwert, geringachtung, -schätzung, gleichgültigkeit. **-mæren** swv. tr. *unmære* machen; für *unmære* ansehen, verschmähen. — refl. intr. sich *unmære* machen, *unmære* werden.

un-mâȥ adj. ungemässigt, masslos. **-mâȥe** stf. was über das gewöhnl. mass hinausgeht: ausserordentl. menge, masslosigkeit, unermesslichkeit, unmässigkeit, unziemlichkeit (*z'unmâȥe, z'unmâȥen* unmässig). **-mâȥe, -mâȥen** adv. übermässig, ausserordentlich, sehr. **-mæȥe** adj. übermässig, ausserordentlich. **-** stf. unmässigkeit. **-mæȥec** adj. unermesslich, übermässig, masslos; unmässig. **-mæȥecheit** stf. übergrosse menge; unmässigkeit, unermesslichkeit, inmodestia. **-mæȥeclich** adj. = *unmâȥlich.* **-mâȥen** swv. intr. *unmâȥ* sein, das gehörige mass überschreiten. **mâȥlich, -mæȥlich** adj. masslos, übermässig, unermesslich. **-liche** adv. masslos, ausserordentlich, überaus, sehr. **-mæȥlicheit** stf. unermesslichkeit.

un-mehtec, -ic adj. kraftlos, schwach, ohnmächtig. **-mehtecheit** stf. schwachheit. **-mehten** swv. *unmehtec* werden.

un-meilic adj. = *unmælic.*

un-mein, -meine adj. ohne falschheit. **-meine** stf. reinheit, lauterkeit.

un-mensch stn. was nicht den namen mensch verdient. **-menschheit** stf. unmenschlichkeit; sodomie. **-menschlich** adj., **-liche** adv. un-, übermenschlich.

un-merclich adj. insensibilis.

un-mëȥ stn. masslosigkeit. **-mëȥlich** adj. ungemessen, unermesslich; verschwenderisch.

un-milte stf. feindseligkeit, hass. **-** adj. unbarmherzig, hartherzig, grimmig. **-miltecheit** stf. grimmigkeit; unfreigebigkeit.

un-minne stf. unrechte liebe; lieblosigkeit, hass, feindschaft, streit. **-minne, -minnec** adj. unfreundlich; nicht gerne gesehen, unbeliebt. **-minneclich** adj., **-liche** adv. unliebenswürdig, unfreundlich; feindselig.

un-müeȥec adj. unruhig, bewegt; fleissig, beschäftigt, unausgesetzt tätig (vom kampfe); *sich u. machen* sich beschäftigen, *einen unm. tuon* ihn sehr in anspruch nehmen, *einem unm. sîn* sich mit ihm beschäftigen, ihn ins gerede bringen. **-müeȥecheit** stf. arbeit, fleiss.

un-mügelich, -mugelich adj. unmöglich; was nur schwer geschehen kann, ganz ausserordentlich; nicht zu bewältigen, überaus gross. **-mügen** stn. unerwünschtes. **-mügende, -mugende** part. adj. unvermögend, kraftlos, schwach; impotent; ohnmächtig. **-** stf.? abneigung. **-muht** stf. md. (mit verst. *un*) allmacht.

un-mündic, -mundisch adj. unmündig.

un-münec adj. unlustig. **-munst** stm. unfreudigkeit, unlust, trägheit.

un-muosic adj. nicht essbar.

un-muot stm. missmut, missstimmung, aufgebrachtheit, zorn; betrübnis, schrecken. **-muotec** adj. missmutig, aufgebracht, zornig, betrübt. **-muotes** adv. missmutig, zornig, betrübt.

un-muoȥe stf. unruhe, mangel an zeit, beschäftigung, geschäftigkeit, mühe. **-muoȥlich** adj. = *unmüeȥec.*

un-nâch, -næhe adj. nicht nahe, entfernt. **-nâhe, -nâhen, -nâch, -nâ** adv. entfernt, weit ab, bei weitem nicht, kaum (d. h. nicht). **-nâhen** swv. sich entfernen.

unnen s. *unden.*

un-nennelich adj. unnennbar.

un-nôsel adj. unschädlich.

un-nôt stf. nicht not, keine veranlassung. **-nôtdürftic** adj. unnötig. **-nôte** adv. ungenötigt, freiwillig. **-nôtec** adj. der not enthoben, wohlhabend.

un-nutze stf. unnützes handeln. **-nütze, -nutze, nützelich** adj. ohne nutzen, zu nichts zu gebrauchen, zu nichts helfend, untauglich, schädlich. **-nuz** stm. schaden: nichtbenutzung; nicht zu gebrauchendes, wertloses ding.

un-ordenhaft adj. unordentlich, untüchtig; nicht ordensgemäß. **-ordenlich** adj., **-liche** adv. ordnungswidrig, ungehörig, unerlaubt. **-ordent** part. adj. ungeordnet. **-ordenunge** stf. unordnung.

un-phantbære adj. nicht verpfändbar; nichts zu verpfänden habend.

un-phlëc adj. nicht gepflogen, ungewohnt, unmöglich. **-** st. subst. nicht bebautes land. **-phlëge, -phlâge** stf. sorglosigkeit; schlechte pflege. unbequemlichkeit, unlust, not.

un-phliht stf. verletzung der pflicht; ungehörige, drückende verpflichtung oder leistung; s. v. a. *ungëlt.*

un-prîs stm. schande,schimpf, tadel. **-prisen** swv. nicht preisen, schmähen, tadeln, erniedrigen; mit dp. zum vorwurf machen.

un-raste, -reste stf. unruhe, rast- und ruhelosigkeit.

un-rât stm. schlechter rat, kein rat; verrat; keine hilfe, schaden; unfülle, hilflosigkeit, dürftigkeit, mangel, not, unheil, nachteil (*u. sagen* seine not klagen); unkraut; unnützer aufwand, leckerei, naschwerk, backwerk. **-râtbære** adj. zum ratgeben nicht geschickt. **-râtlich, -rætlich** adj. besitz-, hilflos, dürftig; verschwenderisch.

un-rede stf. ungehörige, böse rede. **-redehaft** adj. nicht redend, stumm. **-redelich** adj., **-liche** adv. nicht redend, stumm; ungebührlich, unverständig, unvernünftig; schlecht, verdorben (*fleisch*). **-redelicheit** stf. unvernunft.

un-rëht adj. unrecht, unrichtig, ungerecht, ungebührlich, übertrieben, falsch. *u. kneht* abtrünniger knecht; *u. geist* dämon. — stn. unrecht, ungerechtigkeit, ungebühr; geldbusse für geringere vergehn. *u. hân* nicht richtig handeln, *u. tuon* zu nahe treten, *mit u.* mit unwahrheit. **-rëhte** adv. auf unrechte, unrichtige, ungebührliche weise. **-rëhten** swv. tr. einem unrecht antun. refl. mit *an* sich in einer sache ungerecht zeigen. **-rëhtvertic** adj. unrecht, unrechtmässig; *unrehtvertiger man* übeltäter.

un-reine, -rein adj. nicht rein; nicht gut, böse, unrecht, treulos; unkeusch. *der u.* teufel, dämon. **-reine, -reinde** stf. unreinheit. **-reinecheit** stf. unreinheit, unreinigkeit, schmutz, unrat. **-reineclîche** adv. *u. sünden* widernatürlich sündigen. **-reinen** swv. *unreine* machen (*ein vihe unr.* widernatürliche unzucht mit vieh treiben). — intr. *unreine* werden, sein.

un-reste s. *unraste.*

un-rihte adv. unrecht. **-rihtic** adj. unrecht, unrichtig; ungerecht *gegen*; nicht recht geschaffen, missgestaltet; nicht abgerichtet, aus der richtung gebracht, verrückt; zwiespältig.

un-riuwe stf. starke *riuwe.*

un-ruoch stm. sorglosigkeit, gleichgültigkeit, vernachlässigung; persönl. der etw. vernachlässigt, versäumt, rücksichtslos ist; unglück, leiden, unfall. **-ruoche** stf. sorglosigkeit, gleichgültigkeit, vernachlässigung. **-ruochen** swv. vernachlässigen, unbeachtet lassen. **-ruochlich** adj., **-liche** adv. sorg-, rücksichtslos, geringschätzig. **-ruochlôsecheit** stf. gleichgültigkeit.

un-ruowe, -ruo stf. unruhe, beunruhigung. **-ruowen** swv. beunruhigen, belästigen, plagen.

uns pron. (gen. *unser*, dat. *uns, üns*, acc. *unsich, uns*).

un-sagelich s. *unsegelich.*

un-sælde stf. unglück, -heil. **-sælec, -sælic** adj. unselig, -glücklich; bösartig, verderbenbringend, gottlos. **-sælicheit** stf. unglück, unheil, unseligkeit. **-sæliclich** adj., **-liche** adv. unselig. **-sæligen** swv. *unsælic* machen.

un-sanfte, -samfte adv. zu *unsenfte.*

un-sat adj. nicht gesättigt von (gen.).

un-schadebære adj. unschädlich, unfähig zu etw. bösem; iron. nicht vorteilhaft. **-schadehaft** adj. ohne schaden; keinen schaden verursachend, unschädlich.

un-schamelich, -schemelich adj. keine schande bringend; sich nicht zu schämen brauchend; schamlos. **-schamic, -schemic** adj. sich nicht schämend, schamlos, unkeusch.

un-scheidic adj. untrennbar.

un-schol adj. unschuldig.

un-schœne adj. unschön, hässlich. **-schône** adv. auf unschöne, ungebührliche, schonungslose, grausame weise. **-schœnen** swv. entstellen; schmähen *mit*.

un-schrëvels adv. unverwundet, unversehrt.

un-schulden swv. refl. seine unschuld dartun, sich entschuldigen. **-schuldic, schuldec** adj. akt. frei von schuld, schuldlos, unschuldig. *einem u. sîn* einem nichts schuldig bleiben. — pass. unverschuldet, nicht gebührend, ungehörend. **-schuldicheit** stf. schuldlosigkeit. **-schuldiclîche** adv. in unschuld, unschuldiger, unverdienter weise. **-schuldige** stf. unschuld. **-schuldigen** swv. tr. jemandes unschuld dartun, ihn für unschuldig erklären. — refl. sich von einer schuld reinigen, einer anklage entgehn (durch eid od. gottesurteil). **-schuldunge** stf. schuldlosigkeit. **-schult** adj. schuldlos. **-schult, -schulde** stf. unschuld, schuldlosigkeit (*sîne unsch. tuon* den reinigungseid leisten; *umbe, von unschulde* unschuldiger, unverdienter weise).

un-schundic adj. unverführbar, harmlos.

un-segelich, -sagelich adj. unsäglich, unaussprechlich.

un-sëhelich adj. unsichtbar.

un-senfte adj. unsanft, unlieblich, rauh, drückend, schwer. **-senfte, -senftecheit** stf. unsanftheit, unannehmlichkeit, ungemach, schwierigkeit. **-senftecliche** adv. = *unsanfte*.

unser pron. poss. unser (nbff. *ünser, unse, uns, under*).

un-sete stf. unersättlichkeit.

un-sic, -sige stm. verlust des sieges, niederlage. **-sigehaft** adj. des sieges verlustig; unbesieglich. **-sigende** part. adj. unterliegend, besiegt.

un-sihtec, -ic, -sihteclich, -sihtlich adj. unsichtbar verborgen.

un-sin stm. torheit, raserei, wahnsinn; bewusstlosigkeit. **-sinne** stf. unverstand, torheit; verrücktheit, wahnsinn; besessenheit. **-sinnec, -ic** adj. nicht bei verstande, sinnlos, verrückt, töricht, rasend (*der unsinnige pfinztac* donnerstag vor esto mihi). **-sinnecheit** stf. insipientia. **-sinnen** swv. *unsinnec* sein od. handeln.

un-sippe adj. nicht verwandt.

un-site stm. üble sitte oder gewohnheit, aufgebrachtheit, zorn, unfeines oder grobes benehmen. **-sitec, -ic** adj. mit *unsite*; unfromm, unchristlich. **-siten** swv. *unsite* üben.

un-slëht adj. unaufrichtig; auf falscher fährte befindlich.

un-slihte stf. ungeradheit, unebenheit; ungerechtigkeit.

un-slit stn. unschlitt, talg (nbff. *ünslit, unsliht, unslet, inslet*). **-slitîn** adj. von talg.

un-sliune stf. langsamkeit.

un-slummende part. adj. wachssam.

un-smac stm. schlechter *smac*.

un-smidic adj. ungeschmeidig, grob.

un-spræche adj. sprachlos, stumm; unaussprechlich. **-sprëchelich, -sprëchenlich** adj. unaussprechlich, unsäglich; unbegreiflich.

un-spüric adj. unerforschlich.

unst stf. (in komposs.) gunst, gnade.

un-state stf. pass. hilflosigkeit, ungünstige lage, mangel, ungeschick (*mit unstaten* mit ungeschick, mit mühe, kaum). — akt. (auch swm.?) schlechte hilfleistung, schaden (*ze unstaten komen*). **-statehaft** adj. unvermögend. **-statelîche, -stetelîche** adv. = *ze unstaten, mit unstaten*.

un-stæte, -stætic adj. nicht dauernd, vergänglich, sterblich, unbeständig, untreu; sich unruhig herumtreibend, ausschweifend. **-stæte** stf. unbeständigkeit, wankelmut, untreue. **-stæten** swv. *unstœte* machen.

un-stiure stf. belästigung, beschwerde; schmerzhaftigkeit; unziemliche, ungestüme handlung oder handlungsweise, gewalttätigkeit.

un-sûber, -souber adj. unsauber, unrein, unzüchtig. **-sûberheit, -sûberkeit** stf. unreinheit, unreinigkeit, unrat. **-sûbern** swv. *unsûber* machen.

un-süeȥe adj. nicht süss, bitter, bildl. herbe, unlieblich, unfreundlich. - stf. bitterkeit, widerlichkeit; mühe. **-süeȥen** swv. *unsüeȥe* machen, werden.

un-sûmic adj. nicht säumig.

un-sündic, -sünthaft, -süntlich adj. sündlos.

un-suone stf. streitigkeit.

un-suoȥe adv. auf *unsüeȥe* art. **-suoȥen** swv. *unsüeȥe* werden.

unt s. *unde*.

un-tân s. *un-getân*.

untarn s. *undern*.

un-tât stf. üble tat, missetat, unrecht, verbrechen. **-tætic** adj. eine *untât* begehend, verbrecherisch.

un-teilec, -teilic, -teillich adj. unteilbar, ungeteilt.

untern s. *undern*.

un-tier stn. monstrum (spät).

un-tirmec adj. unbegrenzbar, unendlich.

un-tirmen swv. missbilden, verunstalten.

un-tiure adj. von keinem hohen werte, gering (*mir ist etw. u.* gleichgültig); nicht selten, reichlich; überflüssig. — adv. reichlich; mit geringschätzung (des lebens). - stf. wertlosigkeit. **-tiuren** swv. *untiure* machen.

un-tôdemic, -tœdemic, -tœdemlich adj. unsterblich (*vel u.* unverwundbar).

un-tôtlich, -tœtlich adj. dasselbe.

un-trehter stm. schiedsmann

-trehtic adj. uneinig. **-trehtic** adj. undenkbar, unfasslich.

un-triuwe, -triwe, -triu stf. treulosigkeit, betrug.

un-trôst stm. mutlosigkeit, entmutigung; entmutigende rede, handlung oder lage, trostlosigkeit; persönl. der keinen trost gewährt. **-trœsten** swv. entmutigen; refl. verzweifeln. **-trôstlich, -trœstlich** adj., **-lîche** adv. entmutigend, niederschlagend; mutlos.

un-tugelich, -tugenlich adj. untauglich, unbrauchbar, ungültig.

un-tugenden swv. in *untugent* leben. trans. *den muot u.* schwächen. **-tugent, -tugende** stf. untüchtigkeit, schwäche; untugend, sittenfehler, laster; unedler sinn, mangel an feiner bildung. **-tugenthaft** adj. untüchtig, untauglich, unbrauchbar; tugendlos. **-tugentlich** adj. tugendlos, lasterhaft.

un-tûre, -tûr stf. nichtachtung, geringschätzung (*mich nimt unt.* mich dünkt gering, ich achte nicht auf).

un-übergriflîche adv. ohne etw. zu übertreten od. zu umgehen.

un-val stm. unfall, unglück; pl. *unvelle* zufällige gerichtsbussen.

un-var adj. farblos.

un-varnde part. adj. am gehn, an freier bewegung gehindert (durch krankheit, fesseln usw.); unbeweglich (*habe, guot*).

un-vasel stn. böse frucht, böse nachkommenschaft.

un-veige adj. nicht dem tode verfallen.

un-veile adj. nicht feil, nicht käuflich. **-veiles** adv. ohne zu kaufen, ohne aufwand, umsonst.

un-vellic adj. nicht fallend, fest; unfall habend.

un-verant part. adj. nicht beendet.

un-verbeinet part. adj. unverhärtet.

un-verbolgen part. adj. nicht erzürnt.

un-verborgen part. adj. unverborgen; ungeborgen.

un-verbrochen part. adj. unverbrüchlich, ganz, fest.

un-verbunden part. adj. nicht verbunden; nicht vermummt; nicht geboten; nicht verpflichtet.

un-verdagen swv. nicht verschweigen. — *unverdaget, -verdeit* part. adj. pass. nicht verschwiegen, öffentlich; akt. nicht schweigsam.

un-verdaht part. adj. unbedeckt, unverborgen, offen.

un-verdâht part. adj. unbesonnen, unüberlegt, unerwogen; ohne besinnung; ohne verdacht zu erregen, unverdächtig. **-verdâhtes** adv. unbesonnen, unüberlegt. **-verdæhtliche** adv. dass.; unverhohlen.

un-verderblich adj. unverderblich, unvergänglich; unschädlich.

un-verdrücket part. adj. nicht unterdrückt.

un-verdrumt part. adj. unverstümmelt, ganz.

un-verdûret part. adj. et nuit et jour.

un-verëbenet part. adj. nicht geschlichtet, unbezahlt.

un-verendert part. adj. unverändert, nicht vermummt; nicht verheiratet.

un-vergëben part. adj. nicht weggegeben; unverziehen; ohne verziehen zu haben.

un-vergëʒʒen part. adj. pass. unvergessen. — akt. ohne zu vergessen, eingedenk.

un-vergiftet, -vergift part. adj. pass. nicht vergabt. — akt. ohne (testamentarisch) zu vergeben, zu verfügen.

un-vergihtic adj. *u. werden* nicht zu sagen vermögen.

un-vergolten part. adj. pass. unvergolten, unbezahlt. — akt. ohne bezahlt zu haben.

un-verhaft, -verheft part. adj. nicht fest, unhaltbar; nicht mit beschlag belegt.

un-verhalzen part. adj. unverschnitten. **-verhalzet, -verhelzet** part. adj. nicht lahm gemacht, nicht hinkend; nicht verschnitten, vom gleichen schnitte, gleich.

un-verheilet part. adj. nicht geheilt, unheilbar.

un-verhepfet part. adj. unerschüttert, fest.

un-verhert part. adj. nicht mit heeresmacht überzogen, unverheert; nicht beraubt, mit gen.; unverletzt, ganz.

un-verholn part. adj. adv. nicht verborgen, nicht heimlich.

un-verhouwen part. adj. unverletzt; ungeschmälert, ganz; ungehindert.

un-verirret, -verirt part. adj. ohne sich worin (gen.) zu irren; ohne sich zu verirren; ungestört, ungehindert.

un-verklaget part. adj. nicht verschmerzt; ohne daß vor einem richter geklagt oder ein urteil gefällt wäre.

un-verkorn part. adj. nicht unbeachtet, unvergessen.

un-verkrenket part. adj. ungeschwächt, unverdorben.

un-verkumbert part. adj. nicht mit arrest belegt, unverpfändet.

un-verkust part. adj. nicht abgeküsst, durch küssen nicht verdorben.

un-verladen part. adj. unbelästigt.

un-verlêhent part. adj. nicht belehnt; nicht als lehn gegeben.

un-verlogen part. adj. nicht erlogen; nicht lügenhaft.

un-vermant part. adj. ohne mann, unverheiratet.

un-vermant part. adj. unaufgefordert.

un-vermæret part. adj. unverraten, nicht ins gerede gebracht.

un-vermâset part. adj. unbeschädigt; ohne wundmale.

un-vermeilet part. adj. unbefleckt, rein. **-vermeiliget** part. adj. dasselbe; unbeschädigt.

un-vermeinet part. adj. unbewacht.

un-vermeinet part. adj. ohne falsch.

un-vermëldet, -vermëlt part. adj. unverraten.

un-vermüet part. adj. unermüdet, frisch.

un-vernëmelich adj. nicht verstehend, nicht zu verstehen. **-vernomen** part. adj. unbekannt; besinnungslos.

un-vernunst, -vernunft stf. unverstand, unkenntnis.

un-vërre adj. nicht weit, nahe; adv. *unvërre, -vërren.*

un-verrêret part. adj. unzertrennt, unverletzt.

un-verrihtet, -verriht part. adj. ungeordnet; nicht durch recht festgesetzt.

un-versaget, -verseit part. adj. nicht versagt, unverweigert, gewährt.

un-verschalt part. adj. unerschüttert.

un-verschalten part. adj. nicht weggestossen, gut aufgenommen; unverkürzt *an.*

un-verschart s. *un-verschertet.*

un-verscheiden part. adj. **-verscheidenlich** adj. nicht getrennt; unverschieden, ohne unterschied. **-verscheidenliche** adv. ohne untersch., insgesamt.

un-verschertet, -verschert, -verschart part. adj. nicht schartig gemacht, unverletzt, ganz; unbefleckt, rein.

un-verschrôten part. adj. nicht zerschnitten od. zugeschnitten, ganz; unverletzt, -verwundet; bergm. *ein unv. ganc, berc* ungeöffnet, woraus noch kein erz gewonnen ist.

un-verschulde, -verschuldes adv. unverschuldeter weise, mit unrecht. **-verschuldet, -verschult, -verscholt** part. adj. unverschuldet, unverdient, pass. u. akt.; ohne schuld auf sich zu laden; unvergolten. **-verschuldiget** part. adj. nicht verdient.

un-versent part. adj. nicht abgehärmt.

un-versichert part. adj. ohne bürgschaft geleistet zu haben; unerprobt.

un-versinne stf. unverstand, torheit. (spät).

un-versinnet, -versint part. adj. ohne besinnung, ohnmächtig; wahnsinnig.

un-verslagen part. adj. nicht betrügerisch, vollwichtig geprägt; *die strâʒen unv. lâʒen* den verkehr darauf nicht hindern.

un-versmogen part. adj. unverkrümmt, nicht verborgen.

un-versniten part. adj. unbeschnitten; unberührt, unverletzt; trefflich (*rede u.*).

un-versolken part. adj. nicht vermindert.

un-versolt part. adj. unverschuldet, unverdient.

un-verspart part. adj. pass. nicht ge-, nicht erspart, nicht geschont. — akt. ohne zu sparen, reichlich; ohne zu zögern, ungesäumt.

un-verspart part. adj. unversperrt, -verschlossen, geöffnet; unbedeckt, bloss.

un-versprochen part. adj. nicht zurückgewiesen, nicht abgelehnt; worauf kein anspruch erhoben wird; in gutem rufe stehend, unbescholten. **-versprochenlich** adj. unbescholten. **-versprochenliche** adv. ohne dass anspruch worauf erhoben wird, unangefochten.

un-verstanden part. adj. nicht verstanden, unbegreiflich; unverständig, ohne kenntnis und begriff.

un-versunnen part. adj. ohne besinnung, bewusstlos; in gedanken versunken; unbesonnen, unerfahren, unverständig; verrückt, wahnsinnig; was noch nicht aus- oder nachgesonnen ist.

un-versuochet part. adj. unbebaut, unbewohnt; ununtersucht, ungeprüft; unerprobt, unerfahren.

un-verswigen part. adj. pass. nicht verschwiegen od. verheimlicht, nicht zu verschweigen. — akt. nicht verschweigend, nicht verschwiegen.

un-vertân part. adj. nicht verbraucht, ganz.

un-vertec adj. unwegsam; nicht im stande zu gehn, krank; unrecht, unrechtmässig, nicht recht beschaffen, falsch; nicht rechtschaffen, leichtfertig, lasterhaft (*unvertige liute* verbrecher, *unvertige vrouwen* huren).

un-vertrac stm. unverträglichkeit. **-vertragelich, -tregelich** adj. unerträglich, unverzeihlich; unverträglich. **-vertragen** part. adj. nicht verträglich; nicht ertragen, nicht geduldet, nicht gestattet.

un-vervanc stm. erfolglosigkeit. **-vervanclich, -vervenclich** adj. unnütz, bedeutungs-, wirkungslos. **-vervangen** part. adj. dass.

un-verværet part. adj. unerschrocken, nicht ausser fassung oder zum wanken gebracht.

un-vervorht = *unervorht.*

un-verwælet part. adj. nicht beschädigt.

un-verwânet part. adj. unvermutet.

un-verwant part. adj. unbeteiligt *mit*; nicht abgewandt, unabwendbar; unveränderlich, beständig.

un-verwâȥen part. adj. nicht verflucht, nicht zugrunde gerichtet.

un-verwenket part. adj. ununterbrochen, unerschüttert.

un-verwent part. adj. nicht verwöhnt; nicht ans schlechte gewöhnt, wohlgezogen.

un-verwertet, -verwert part. adj. wohl erhalten, unverwest; unverdorben, unverletzt; unbefleckt, rein.

un-verwildet part. adj. nicht verwildert.

un-verwîpt part. adj. ohne weib, unverheiratet.

un-verwîset part. adj. nicht irre geführt; ohne inne zu werden, ohne absicht.

un-verwist part. adj. nicht gewusst, unbekannt.

un-verwiȥȥen part. adj. ohne zu wissen; unverständig, dumm, rücksichtslos, roh; unberechenbar. **-verwiȥȥenheit** stf. unwissenheit, unkenntnis, mangel an einsicht in das was sich zu tun gehört.

un-verworden part. adj. nicht verdorben, nicht verwest.

un-verworfen part. adj. nicht zurückgewiesen, nicht verdächtig (von zeugen); mit dat. nicht entfremdet.

un-verwürket, -verworht part. adj. nicht verarbeitet; nicht verdorben; unverletzt; unverwirkt.

un-verzigen part. adj. pass. unversagt (*unv. an* reichlich versehen mit). — akt. ohne zu verzichten auf (gen.).

un-verzogen part. adj. nicht aufgeschoben, nicht hingehalten; adv. = *âne verzuc.*

un-veste adj. nicht fest; unsicher, wankend.

un-vihe stn. ungeziefer.

un-vil adv. nicht sehr, iron. gar nicht; zeitl. nicht lange.

un-vindic adj. ungeschickt, unklug.

un-vlât stm. n., **-vlâte, -vlât** stf. schmutz, unsauberkeit, unreinigkeit, bildl. sittl. unreinigkeit, sünde, unkeuschheit; schande, schmach, untat. — pers. unsauberes wesen, auswurf. **-vlætic** adj. schmutzig, unsauber, unrein.

un-vlühtec adj. tapfer.

un-vogel stm. der pelecanus onocrotalus, eine pelikanart.

un-volc stn. = *undiet.*

un-vride stm. unfriede, unsicherheit, unruhe.

un-vriunden swv. tr. feindlich begegnen.

un-vriunt stm. feind.

un-vrô, -vrœlich adj. unfroh, freudelos, betrübt (mit gen., *an*).

un-vrome swm. s. *-vrume.*

un-vröude, -vreude stf. freudlosigkeit, trauer, kummer.

un-vrouwe stf. die den ehrennamen *vrouwe* nicht verdient.

un-vröuwen, -vröun swv. nicht erfreuen, betrüben.

un-vrüete stf. ungedeihen, zustand eines *unvruoten.* **-vrüetic, -vruotic** adj. ungesund.

un-vruht stf. üble frucht. **-vruhtbære** adj. kinderlos. **-vrühtec, -vrühtic** adj. unfruchtbar (*ze kinden*); üble frucht tragend.

un-vrume swm. stf. schaden, unheil, verderben; schlechtigkeit, sünde.

un-vruot adj. unweise, unverständig, töricht, unklug; unedel, unfein, unzart; unfroh, traurig; ungesund, krank. **-vruot** stm. unkluges, unbesonnenes, unfeines wesen. **-vruote** adv. unfroh, traurig.

un-vuoc adj. unpassend, ungeschickt. **-vuoc** stm. unanständigkeit, unziemlichkeit, roheit, schande, frevel. **-vuoge** stf. dasselbe; unnatürlichkeit, ungereimtheit, törichte handlung. **-vuoge** adv. auf unpassende weise. **-vuogen** swv. abs. *unvuoge* zeigen, treiben. — tr. *ungevüege* machen.

un-vuore stf. üble, rohe art, womit etw. geführt wird; üble aufführung, schlechte lebensweise, ausschweifung, unfug; nachteil. **-vuoren** swv. *unvuore* zeigen, treiben. **-vuoric, -vüeric, -vuorlich** adj. schlechten lebenswandel führend, unordentlich.

un-vurt adj. = *âne vurt.* **-vürtic** adj. dasselbe; bildl. unergründlich.

un-wæge adj. unvorteilhaft, unangemessen, unangenehm; nichtswürdig; nicht gewogen, abgeneigt, hinderlich, mit dp. - stf. ungebühr.

un-wæhe adj. unschön, unfein, unansehnlich, gemein, hässlich. - stf. hässlichkeit. **-wæhen** swv. hässlich machen, entstellen.

un-waltic adj. = *ungewaltic.*

un-wandel stm. unbussfertigkeit. **-wandelbære** adj. fest, bestimmt, unabänderlich; unveränderlich, ewig; untadelhaft, makellos.

un-wæne adj. nicht zu vermuten, unwahrscheinlich. **-wænlich** adj. dasselbe; verdächtig, keinen glauben verdienend.

un-wâr stn. unwahrheit. **-wârhaft** adj. unwahr, falsch; nicht wirklich; die wahrheit nicht liebend. **-wârheit** stf. unwahrheit, falschheit.

un-wëc stm. schlechter weg, unwegsame strecke.

un-wëgec, -wëgelich adj. unbeweglich.

un-weiger adv. nicht sehr.

un-wende, -wendec adj. nicht rückgängig zu machen, nicht zu ändern, unabwendbar; unaufhörlich.

un-wërde adv. auf unwürdige, schmachvolle, verächtliche, ärgerliche weise; unbeachtet, verachtet. - stf. unwürdige, schmachvolle lage, schmach; unwürdige, schmähliche behandlung. **-wërdec** adj. missachtet, gering, wertlos; unwillig. **-wërdecheit** stf. geringschätzung, verachtung, schmach; unwürdige, schmähliche behandlung. **-wërdecliche** adv. nicht geziemend, unwürdig, schmachvoll; mit geringschätzung, mit verachtung. **-wërden** swv. intr. *unwërt* sein. — tr. *unwërt* machen. — unpers. mit dat. u. gen. sich ärgern über.

un-wërdenlich adj. nicht werdend, nicht zum werden geeignet.

un-wërhaft adj. nicht dauernd, vergänglich, unbeständig.

un-werhaft adj. nicht wehrhaft od. streithaft. **-werlich** adj. dasselbe; untauglich; ohne widerstand.

un-wërt adj. nicht geachtet, nicht geschätzt, verachtet, unlieb, unangenehm; *mir ist etw. unwërt* es ist mir unangenehm, ich bin unwillig, ärgerlich über etw., *einen u. hân* gering achten; unangemessen, elend; gering, wertlos; unwürdig, mit gs. **-** stm. n. geringschätzung, verachtung, schmach; wertlosigkeit; verächtliches, niedriges ding; unwille, indignation. **-wërtlich** adj. gering geschätzt, niedrig, verächtlich. **-wërtliche** adv. mit geringschätzung; mit unwillen, indigniert; auf unwürdige weise.

un-wësen stn. das nichtsein.

un-wëter stn. schlechte witterung, ungewitter.

un-wiben swv. refl. auf unweibliche weise sich befassen *mit*.

un-widersaget, -widerseit part. adj. ohne fehde, krieg angesagt zu haben.

un-wilden swv. vertraut machen.

un-wille swm. das nichtwollen (*mit unwillen* widerwillig, ungern); übelwollen, groll, feindseligkeit. **-willic** adj. unwillig; veraltet.

un-wille swm. ekel zum erbrechen. **-willen** swv. unpers. mit dat. zum erbrechen ekeln.

un-wîp stn. die den namen *wîp* nicht verdient. **-wîplich** adj. einem *wîbe* nicht geziemend, unfraulich.

un-wirde stf. geringschätzung, verachtung, schmach, unehre, schande; unwille; unwürdige behandlung. **-wirdec** adj. nicht wert, unwürdig. **-wirdecheit** stf. herabsetzung, beschimpfung; vergebung der würde, wegwerfung; unwille. **-wirdeclich** adj. ungeziemend, unwürdig. **-liche** adv. mit geringschätzung, unwürdig, verächtlich; aufgebracht, unwillig. **-wirden** swv. intr. *unwërt* sein oder werden. — tr. u. refl. *unwërt* machen; unwert erachten, verschmähen. **-wirdesch, -wirdisch** adj. verächtlich, schmählich, hässlich; unwillig, zornig, unwirsch. **-wirdigen** swv. intr. unwillig, zornig werden. — tr. herabwürdigen, erniedrigen. **-wirdische, -wirdischheit** stf. unwille, indignation.

un-wis adj. = *ungewis*.

un-wîs, -wîse adj. unerfahren, unkundig, unverständig, töricht; unbekannt; unzüchtig (lied). **-wîsheit** stf. unverstand, torheit. **-wîslich** adj. töricht. **-wîstuom** stm. torheit.

un-wîse stf. schlechte melodie.

un-witer stn. = *unwëter*.

un-witze stf. unwissenheit, unverstand, torheit; besinnungslosigkeit. **-witzen** swv. töricht sein. **-witzic** adj. unverständig, unklug, töricht. **-witzicheit** stf. unverstand. **-wiz, -witze** adj. ohne besinnung.

un-wiʒ adj. nicht gewusst, unbekannt. **-wiʒʒecheit** stf. unwissenheit, unkenntnis. **-wiʒʒen** part. adj. nicht gewusst, unbekannt. **-wiʒʒende** part. adj. u. adv. nicht wissend, ohne zu wissen oder zu kennen, ohne wissen, unbewusst; bewusstlos. **-wiʒʒende, -wiʒʒene** stf. unwissenheit, unkenntnis. **-wiʒʒenheit** stf. dasselbe; leichtsinn. **-wiʒʒens** gen. adv. unbewusst.

un-wol adv. nicht gern.

un-worten swv. böse worte geben, schimpfen, zanken. **-wortlich** adj. nicht durch worte auszudrücken.

un-wünne, -wunne stf. unlust, leid, trauer.

unz s. *unze*.

un-zalhaft, -zallich, -zellich, -zellec adj. unzählbar, unermesslich, unsäglich.

un-zam adj. nicht *zam*.

un-zæme adj. = *ungezæme*.

unze, unz stswf. unze; als flächenmass (lat. *uncia*).

unze, unz präp. bis, bis zu, vor advv. (*unze, unz her, hin*), vor subst. mit andern präpp. (*unz an, in, ûf*). — konj. bis, so lange als, während. — adv. so lange, während dieser zeit.

un-zemde stf. unangemessenheit.

unzer stm. kleine schnellwaage.

un-zerbrochen part. adj. nicht zerbrochen; unverletzt, ganz; nicht unterbrochen.

un-zerganclich, -zergenclich adj. unvergänglich, ewig. **-zerganchelt** stf. unsterblichkeit.

un-zerkloben part. adj. ungespalten, ungeteilt, ganz.

un-zerrüttelich adj. unzerreissbar.

un-zerscheiden part. adj. ungeteilt.

un-zervüeret, -zervuort part. adj. unverwirrt; unzerstört, unverletzt, ganz; unerörtert.

un-zerworht part. adj. nicht zerlegt.

un-ziere adj. unschön; traurig. **-** stf. unschönheit, schmach. **-zieren** swv. unschön machen.

un-zifer stn. = *ungezibere*.

un-zimelich adj., **-zimeliche** adv. unziemlich, ungeziemend.

un-zît stf. nicht die gehörige, unpassende zeit. **-zîtec, -zîtic** adj. nicht zur rechten zeit geschehend, nicht zeitgemäß; unpassend; was noch nicht die gehörige zeit, die gehörige reife erreicht hat.

un-zuht stf. betragen gegen die *zuht*, ungehörigkeit, ungeschicklichkeit, ungezogenheit, ungesittetheit, gewalttätigkeit, roheit; unsittlichkeit; leichteres rechtliches vergehn. *u. begân an einem* unrecht zufügen.

un-zwivelliche adv. ohne widerrede, ohne zaudern; zweifellos, wahrheitsgetreu.

uoben s. *üeben*.

uober adj. tätig.

uohse, üehse swf. achselhöhle.

uoht- s. *uht-*.

uop, -bes stm. landbau; treiben, handlungsweise; gebrauch, übung, sitte. **-lich** adj. üblich.

uo-sëʒʒel stm. aufsatz.

uover stn., md. *ûber*, ufer.

uoveren swv, in md. *zusamne ûberen* an den ufern zusammenfliessen.

üppe, uppe stn. leerheit, vergeblichkeit; eitelkeit. **-** stf. üppigkeit. **üppec, üppic** adj. überflüssig, unnütz; nichtig, leer, eitel; leichtfertig, liederlich; übermütig, hochfahrend. **üppec-heit, üppekeit** stf. leben in überfluss; eitelkeit, nichtigkeit, vergänglichkeit; leichtfertigkeit; übermut. **üppeclich** adj. = *üppec*. **üppigen** swv. tr. unnütz machen, für nichtig, für ungültig erklären.

ûr s. *ûre*.

ûr, ûre stswm. auerochse.

ur-alt adj. sehr alt.

ur-ane, -ene, -aniche swm. urahn.

ur-bar s. *urbor*.

ur-bâren swv. md. intr. u. refl. sich zeigen, zum vorscheine kommen, entstehn. — tr. sehen lassen, zeigen, offenbaren, hervorbringen, anstiften, ausüben, zubringen.

ur-baric adj. **-barigen** (*urbrigen, urbaring, urbering, urbring, ubering, werbering*) adv. unvorhergesehn, plötzlich.

ur-bor, -bar stf. n. zinstragendes grundstück, zinsgut, zins von einem solchen, rente, einkünfte überh.; bildl. besitz, reich (vom himmelreich, gott). **-** swm. der zinspflichtige. **urbor-buoch** stn. verzeichnis von zinsgütern, abgaben und gefällen. **ur-borer, -burer** stm. zinseinnehmer. **urbor-liute** pl. zinspflichtige. **ur-born** swv. tr. etw. als *urbor* inne haben, wovon *urbor* geben oder entnehmen, dann überh. etw. ausnutzen, handhaben, brauchen, üben. — refl. sich hervortun, anstrengen.

ur-bot stn. anerbieten; art und weise wie man aufgenommen wird, behandlungsweise, bewirtung; erlass.

ur-bû stm. = *unbû.*

ur-bunne, -bunst stf. missgunst, neid; feindseligkeit.

ur-burer s. *urborer.*

ur-bûwe, -bû adj. in *urbûwe* befindlich, verfallen, unangebaut, öde.

ur-driuze, -drütze adj. unlust erregend, lästig, peinlich; unlust empfindend, überdrüssig mit gen. od. *an, von.*

ur-drütze stf. n., **-druz, -druz** stm. überdruss, unlust, ekel; langeweile.

ûre s. *ûr.*

ûre, ûr stswf. = *hôre, ôre,* stunde; uhr.

ur-eigen stn. besitz.

ur-ene s. *urane.*

ur-ëz adj. *ich werde urëz* mir wird übel.

ur-ganc stm. gang, ausgang, spaziergang, -weg.

ur-gift stf. einkünfte, einkünfte tragendes gut.

ur-giht stf. aussage, bekenntnis (der sünden); aussage eines missetäters vor gericht.

ur-grôz adj. sehr gross.

ur-gründe stn. erster grund.

ur-gûl stm. alter eber (vgl. *ursûl*).

ur-haf stf. ursache.

ur-haft stf. ursprung.

ur-,ûr-,or-han swm.auerhahn.

ur-hap stmn. sauerteig; aufstand, aufruhr, streit, zank; anfang, ursprung, ursache, anstiftung (persönl. urheber).

ur-heiz adj. sehr heiss.

ur-holz stn. = *unholz.*

ur-hou stm. verhau, grenze.

ur-, ûr-, or-huon stn. auerhuhn.

urinâl stn. harnglas (lat. *urinale*).

ur-kantnis stf. erkenntnis.

ur-kende stf. erkennung, kennzeichen.

ur-kint stn. zwerg.

ur-klege adj. klaglos.

ur-kleine adj. ganz klein.

ur-kundære stm., **-künde, -kunde** swm. zeuge. **-künde** adj. geständig. **-künde, -kunde** stn. f., md. *orkunde* zeichen, anzeichen, kennzeichen, merkmal, zeugnis, beweis, bekundung, angabe, bedeutung; erkundigung; anweisung, wille, befehl; schriftl. zeugnis, urkunde, bibel, altes od. neues testament; *heimelich urk.* geschlechtsteile. **-künden, -kunden** swv. tr. bezeugen; *einen urkunden* ihm den richterl. ausspruch urkundlich mitteilen; *einem sînen willen urk.* zu wissen tun. **-kundic** adj. urkundlich.

ur-kunft stf. das aufkommen, auferstehn.

ur-lage stf. schicksal; krieg.

urle swf. md. türangel, -band.

ur-leibe stf. überbleibsel.

ur-lende adj. ausserhalb des landes.

ur-liugære, -er stm. krieger; der krieg führt. **-liuge, -louge** stn. krieg, kampf, streit, fehde. **-liugen, -lougen** swv. krieg führen, kämpfen, streiten; tr. bekriegen.

ur-lôse stf. erlösung.

ur-loubede stf. = *urloup.* **-louben** swv. tr. erlaubnis wozu geben, erlauben, gestatten, mit infin. u. *ze*, mit abh. s. u. dp.; einem erlaubnis geben zu gehn, ihn verabschieden, entlassen. — intr. u. refl. erlaubnis nehmen zu gehn, sich verabschieden (*sich ze einem url.* von ihm sich verabschieden, subst. inf. abschied); *sich eines d. urlouben* entschlagen. **-loup, -lop, -lob** stmn. erlaubnis, bes. die erlaubnis zu gehn, verabschiedung, abschied (*von einem* oder *ze einem url. nemen* sich von ihm verabschieden).

ur-mære, -mâre, mæric adj. herrlich, berühmt, sehr gross.

ur-mehtec adj. sehr mächtig.

ur-michel adj. sehr gross.

ürn stf. ein flüssigkeitsmass, bes. für wein (lat. *urna*).

urrâ interj. (vgl. *hurrâ*).

ûr-rint stn. auerochse.

ur-sache stf. (swf.) ursache, veranlassung, grund. **-sachen** swv. tr. veranlassen, nötigen. — refl. veranlasst werden, entstehn. **-sacher** stm. urheber.

ur-sage swm. der etw. zuerst gesagt hat, gewährsmann. - stf. aufkündigung der freundschaft, kriegserklärung; die zwischenzeit zwischen dieser und dem beginne der feindseligkeiten.

ur-satzen swv. ersetzen, vergüten; verpfänden. **-saz** stm. ersatz, vergütung; reugeld; unterpfand. **-sæze** adj. = *â-setze.*

ur-schiltes adv. so dass man den schild wegwendet, um zur führung des schlages oder stosses ganz frei zu sein, plötzlich(?)

ur-schîn stn. urglanz, ursprung des lichts.

ur-sete stf. sättigung.

ur-slaht, -sleht stswf. ausschlag (krankheit), pocken.

ur-sorge adj. sorglos, sicher. - stf. sicherheit.

ur-sprinc stmn. das hervorspriessen; ausschlagkrankheit; das hervorspringende, der quell, bildl. ausgangspunkt, ursprung; urheber, erreger. **-springe** stf. der quell. **-sprunc** stmn. quell, bildl. ausgangspunkt, ursprung.

urssier s. *ussier.*

ur-stat stf. unterpfand.

ur-stende stf. n. das erstehn, die entstehung; auferstehung.

ur-sûl stn. alter eber (vgl. *urgûl*).

ur-suoch stm. nachforschung, untersuchung, prüfung; versuch; erstes versuchendes spiel auf einem instrument, vorspiel. **-suoche** stf. was man sucht, wonach man forscht; versuchung; veranlassung; ausflucht, spitzfindigkeit.

ur-tât stf. endgültiger akt, vollzug (*ze urtæte koufen* definitiv, ohne vorbehalt).

ürte, urte swstf. wirtsrechnung, zeche; wirtshaus, in demselben sitzende gesellschaft, zechgelage; gesellschaft, gemeinde. **ürten-meister** stm. zechmeister einer zunft.

ur-teil, -teile, -teilde, urtel stnf. richterliche entscheidung, urteil, verurteilung; jüngstes gericht; meinung, ausspruch, entscheidung. **-teilære, -er** stm. urteiler, richter. **-teilen** swv. tr. beurteilen; urteilen, mit acc. u. infin., urteil sprechen, abs. mit dp. od. *über*, tr. mit as.: verurteilen. **urteil-lich** adj. zum *urteil* in beziehung stehend, des urteils, entscheidend (*der urteillîche tac* der entscheidende tag, das jüngste gericht). **-smit** stm. urteiler, richter.

ur-var stn. stelle am ufer, wo man an- oder überfährt, landeplatz, überfahrt.

ur-vêch adj. frei von feindschaft, unangefochten.

ur-vêhe, -vêhede stf., **-vride** stm. verzicht auf rache für erlittene feindschaft, urfehde.

ur-vuor stn. = *urvar.*

ur-wære adj. nicht wahr, treulos.

ur-weche, -wach adj.schlaflos.

ur-wîse adj. ohne führung.

ur-wîse adj. sehr weise.

ûse f. das durch übung (lat. *usus*) in der musik zu erlernende.

üsele, üsel, usele, usel swstf. (stm.) asche, funkenasche, aschenstäubchen. **usel-var** adj. aschfarb.

ussier, urssier stm. boot, barke (afz. *ussier*).

ûter, iuter stmn. euter.

ûve, ûfe swm. nachteule, uhu.

ûve, ûfe swfm. das zäpflein im halse.

ûȥ, ouȥ präp. mit dat. aus (aus etw. heraus, von innen hervor), von etw. weg, hinaus über (*ûȥ der mâȥe* ausserordentlich), ausserhalb; ursprung, heimat, wohnort, stoff, ursache, mittel, vorzug bezeichnend. — adv. räuml. u. zeitl. aus, heraus, hinaus, draussen, fort, hindurch, zu ende. — bei verbis z. b. *ûȥ-berâten* verheiraten. — *bereiten* fertig machen, ausrüsten; ausschmücken. — *bescheiden* aussondern; bestimmen, festsetzen. — *bilden* eine nachbildung wovon zeigen. — *borgen* tr. ausborgen, gewinnen; durch geld auslösen. — *brëchen* intr. aus-, hervorbrechen, ausgehn, sich zeigen; tr. aus-, herausbrechen, ausreissen; bergm. *einen slac ûȥ br.* auf einem durchbrochenen gange weiter fort brechen. — *brësten* intr. aus-, hervorbrechen; *an dem lîbe ûȥ br.* anschwellen, beulen, ausschlag bekommen. — *bringen* aus-, heraus-, herbringen; hervorbringen, erfinden, austeilen, verwenden; unter die leute bringen, verraten; bekannt machen, preisen; zu ende, zu stande bringen. — *dingen* ausnehmen, vorbehalten, ausbedingen; ausnehmen, sichern, schonen. — *erbrogen* ertrotzen. — *gân, gên* aus-, heraus-, hervorgehn; über die ufer treten; ausgehn, zu ende gehn, verfliessen, sich verlieren; *eines dinges ûȥ g.* ihm ausweichen, sich ihm entziehen; *eines d. ûȥ g.* seine rechtl. ansprüche auf etwas aufgeben; *einem eines d. ûȥ gân* es ihm verweigern, abschlagen. — *gëben* ausgeben, versenden; ausstatten; verheiraten; aufgeben, vorlegen (*frâge*); aussagen, behaupten von, bekannt machen; anfangen. — *gebieten in ein lant* dort verkündigen lassen. — *heben* refl. sich aufmachen. — *klagen* mit gerichtl. klage verfolgen und aus dem besitze setzen. — *komen* aus-, heraus-, loskommen; entstehn, gewohnheit werden; bekannt werden, sich verbreiten; verfliessen, zu ende gehn, aus sein. — *kürnen* esmaillier. — *lâȥen* abs. landen; *den geist û.* aufgeben. — *legen* zum verkauf auslegen, feil halten; besetzen, verbrämen; ausrüsten, erfüllen mit; schmücken; darlegen; an-, festsetzen, bestimmen, verabreden; hinweisen auf, andeuten; auseinander legen, auslegen, erklären. — *lieren* hervorleuchten, -blicken. — *ligen* aussen sein, bleiben; zu felde liegen; bis zu ende (im bette) liegen mit temp. acc. — *machen* vollenden; hervortreten lassen, putzen, zieren; refl. sich aufmachen, ausmarschieren. — *nëmen* tr. aus-, herausnehmen, auslösen; *zins ûȥ n.* erheben; ausnehmen, -schliessen; hervorheben, bestimmen; aus einer grösseren menge herausnehmen, sondern, hervorheben, auswählen, auszeichnen; refl. sich aus-, absondern, losmachen. — *rëhten* aufs rechte bringen, berichtigen; im wege rechtens ausmachen; aus-, entrichten. — *rihten* ausglätten, ausbessern; in ordnung bringen, schlichten, versöhnen; abs. recht sprechen; verwalten, regieren; versorgen, ausstatten, ausrüsten, mit dem nötigen versehen (das abendmahl reichen); besorgen, ausführen, vollbringen; dichterisch gestalten; abfertigen; entrichten, bezahlen, vergüten; erklären, beantworten; loben, preisen, rühmen, tadeln, verspotten, durchhecheln. — *scheiden* auswählen; zuteilen, verleihn. — *schieȥen* tr. auswerfen; hervortreiben (von pflanzen); ausnehmen, -schliessen; aussondern (durch abwägen); refl. sich aus-, absondern; intr. sich erheben, herausschiessen, hervorbrechen; hinausragen. — *schrîen* tr. ausrufen, verkünden; intr. aufschreien. — *seigen, seigern* prüfend wägen und aussondern. — *setzen* absondern, entfernen; ausräumen, leeren; ausstatten, dotieren; verpfänden; festsetzen, bestimmen; ausnehmen; auslegen, verzieren. — *sîn* aussen sein; aus, zu ende sein. — *slahen* tr. ausschlagen, auspressen, -dreschen; umhauen; aus-, zurückschlagen, -weisen; austreiben, verjagen, verbannen; auslassen, frei lassen, entlassen; verwüsten, zerstören; aufschlagen (*gezelt*); intr. nach auswärts schlagen, dringen; ausreissen, fliehen. — *stân* aus-, wegbleiben; ausruhen (vom pferde). — *stôȥen* aus-, hinausstossen, verstossen; hinausstrecken; abs. landen. — *tagedingen, teidingen* durch unterhandlung frei machen, loskaufen; eine sache gerichtlich zu ende führen. — *tagen, tegen* einen *ûȥtac* ansetzen; *die gevangen ûȥ t.* bis auf einen bestimmten tag entlassen. — *tragen* aus-, hinaustragen; *mit worten ûȥ tr.* ausdrücken, *die zît ûȥ tr.* hinbringen; zum austrage bringen, schlichten; ausmachen, festsetzen, bestimmen. — *trëten* aus-, heraus-, hervortreten; auf die seite treten, aus-, abweichen. — *tuon* tr. ausziehen, entkleiden mit ap., as.; ausmachen, -löschen; vollenden; austreiben; ausgehn lassen, ausbringen, verbreiten; verpachten; auftun, -machen, ausleeren; part. *ûȥ getân* der sich hervorgetan hat, ausgezeichnet; refl. sich vernehmen lassen, sich über etw. (gen.) erklären, wozu bereit erklären; sich ausgeben *vür* oder gs.; mit gen. sich einer person oder sache entäussern. — *varn* herausfahren, sich auf den weg machen, ausziehen, reisen; sich seiner haft od. eingegangenen verbindung entledigen, sich frei machen. — *vaȥȥen* ausrüsten. — *warten* acht geben; mit dp. aufwarten, dienen, mit ds. sorgen für, richtig versehen, aufmerksam anwohnen, besuchen. — *wenden* abs. beim bestellen des feldes auf des nachbars acker fahren. — *wërfen*: *sich û. gegen* sich redend gegen jmd. erheben. — *wîsen* abs. ausweisen, beweisen; tr. mit ap. ausweisen, verweisen, -treiben; ausstatten, -steuern; gütlich vergleichen; *ein urteil ûȥ w.* aussprechen, verkünden. — *zeigen* zeigen, weisen; anweisen, zusichern. — *zeln, zellen* im passiv: zu ende sein; auswählen (*ûȥ gezelt* ausgewählt, vorzüglich). — *ziehen* intr. ausziehen; tr. aus-, herausziehen; entkleiden; ausnehmen; befreien; abs. hervorholen, auskramen, erzählen; refl. entkleiden.

ûȥ-baȥ adv. weiter hinaus.

ûȥ-becker stm. bäcker von auswärts.

ûȥ-blâst stm. das ausblasen, ausatmen.

ûȥ-bruch stm. das hervorbrechen, der ursprung.

ûȥ-burger stm. einer, der erworbenes bürgerrecht auch auswärts beibehält.

ûȥ-dinc stn. endtermin.

ûȥe, ouȥe präp. mit dat. aus. —räuml. adv. aussen.

ûȥem, ûȥen = *ûȥdeme, ûȥden.*

ûȥen s. *ûȥenen.*

ûȥen präp. mit dat. aus; ausser, ausserhalb. — adv. aussen, ausserhalb, hinaus.

ûȥenân adv. aussen, ausserhalb.

ûȥenen ûȥen, iuȥenen iuȥen swv. refl. mit gen. sich fortmachen von, sich entäussern, enthalten.

ûȥer = *ûȥ der.*

ûȥer, ouȥer präp. = *ûȥ* mit dat. — adj. äusser, äusserlich; auswärtig, fremd. **-halben, -halbe, -halp** adv. u. präp. mit gen. auf der äussern seite, ausserhalb. **-heit, -keit** stf. aussenseite, äusserlichkeit. **-lich** adj., **-liche** adv. äusserlich, die rechte grenze überschreitend; fremd. **-licheit** stf. äusserlichkeit, aussenwelt. **-man** stm. mann von ausserhalb. **-schame** stf. die scham vor den leuten.

ûȥerunge stf. äusserung, rede; entfernung,ausweisung. **ûȥerunt, ûȥerent** präp.mit dat.ausserhalb.

ûȥern, iuȥern swv. = *ûȥenen*.

ûȥ-ganc stm. das herausgehn, ausgang, -tritt, -zug; durchfall, ruhr; hinein- oder hinausführender weg, tor; ausgang, endpunkt, ende.

ûȥ-gëber stm.austeiler,auszahler, schaffner; anstifter, urheber.

ûȥ-genomen part. adj. ausgezeichnet, vortrefflich.

ûȥ-gesinde stn. was nicht zum gefolge gehört.

ûȥ-gewande swf. ungepflügter streifen zwischen zwei angrenzenden äckern.

ûȥ-guot stn. gut in einem fremden gebiete.

ûȥ-guȥ stm. ausgiessung.

ûȥ-hër adv. heraus.

ûȥ-hilfe stf. aushilfe, beisatz.

ûȥ-hin adv. hinaus.

ûȥ-hûs stn. erker, söller.

ûȥ-kint stn. kind aus der ehe mit *ungenôzen*.

ûȥ-kouf stm. ablösung m. geld.

ûȥ-kundic adj. klug, geschickt.

ûȥ-kürnunge stf. glasur.

ûȥ-ladunge stf. = *überbû* in 1. bedeutung.

ûȥ-leger stm. ausdeuter. **-legunge** stf. auslegung, deutung, übersetzung; beantwortung; offenbarung; geldauslage.

ûȥ-lender stm. ausländer, fremder. **-lendic, -lendisch** adj. ausländisch, fremd.

ûȥ-lîbec adj. *ûȥl. werden* ohne nachkommenschaft sterben.

ûȥ-liute pl. zu *ûȥman*.

ûȥ-louf stm. auszug; durchfall, ruhr.

ûȥ-mælic adj. durch rang od. ansehen hervorragend, ausgezeichnet.

ûȥ-man stm. mann von ausserhalb.

ûȥ-manen stn. aufforderung zum auszug.

ûȥ-mehtec adj. sehr mächtig.

ûȥ-punct stm. excentricitas. **-punctec** adj. excentricus.

ûȥ-reise stf. auszug, abreise; s. v. a. *reisenote*.

ûȥ-rihte adj. tätig, umsichtig *an*. - stf. anweisung, auskunft; zurechtweisung, tadel; vergütung. **-rihter** stm. ausrichter, vollführer; testamentsvollstrekker; schiedsrichter; ausgeber. **-rihtic** adj. akt. ausrichtsam, tätig, umsichtig, geschickt, anstellig. — pass. in die ordnung gebracht, ausgeglichen, vergütet. **-rihtunge** stf. ausrichtung, besorgung,abfertigung; beantwortg.;ausgleichung,schlichtung, entschädigung, bezahlung.

ûȥ-saz stm. aussatz; das heraussetzen, landen des triftholzes; ausnahme, bedingung, bestimmung; ausschnitt am kleide; excentricitas.

ûȥ-sæȥe adj. auswärts wohnend od. ansässig.

ûȥ-scheide stf. ausscheidung, weggang.

ûȥ-schellic adj. verlautbart, bekannt.

ûȥ-schieȥ stm. vorspringender bau, erker, bastion.

ûȥ-schîn stm. das herausleuchten.

ûȥ-schrift stf. abschrift, kopie.

ûȥ-schrit stm. auszug; zug des läufers auf dem schachbrett.

ûȥ-setze, -setzige stf. aussatz. - swm., **-setzel** stm. der aussätzige. **-setzic** adj. aussätzig.

ûȥ-sidel m., **-sidelinc** stm. = *ûȥman*.

ûȥ-sieche swm. der aussätzige.

ûȥ-sloufen swv. ausplündern.

ûȥ-sprâche stf. ausspruch; *û. des rehten* urteil. **-sprëcher** stm. ausrufer; verordneter sprecher einer gemeinde bei einem *teidinge*. **-spruch** stm. ausspruch; schiedsspruch.

ûȥ-sprunc stm. das heraus-, hervorspringen; sprung auf d. schachbrette; das herausfliessen; ursprung, anfang.

ûȥ-stant stm. ausstehndes geld.

ûȥ-stellic adj. ausstehend; festgesetzt, bestimmt.

ûȥ-tac stm. endtermin; schweiz. frühling. **-tagen** swv. unpers. frühling werden.

ûȥ-trac stm. austrag, schlichtung, entscheidung. **-tragen** stn. das hinaustragen, der tod.

ûȥ-trit stm. austritt, -gang; entweichung.

ûȥ-val stm. ausfall; das herausgefallene.

ûȥ-vanc stm. = *ûȥladunge*.

ûȥ-vart stf. das hinausgehn, der auszug, die wegreise; verbannung; hinausführender weg, ausgang.

ûȥ-vlieȥ, -vluȥ stm. ausfluss.

ûȥ-voget stm. vogt ausserhalb der stadt.

ûȥ-wallen redv. überkochen.

ûȥ-wart s. *ûȥ-wërt*.

ûȥ-warte swm. markaufseher.

ûȥ-wëhsel stm. auswechsel, **-tausch**; entschädigung.

ûȥ-wende adv. auswendig. **-wendic** adj. auswendig, äusserlich; auswärtig. — adv. auswendig, äusserlich, von aussen, ausserhalb. — präp. mit gen., dat. ausserhalb.

ûȥ-wërt, -wart adj. auswärtig. **-wërt** adv. äusserlich; auswärts, nach aussen hin. **-wërtic, -wirtic** adj. äusserlich; auswärtig.

ûȥ-wist stf. auskunft, belehrung.

ûȥ-woner stm. gegensatz zu *inwoner*.

ûȥ-zoc stm. auszug; einrede. **-zuc** stm. auszug; einwand, ein-, widerrede, ausflucht, ausnahme; gerichtl. einrede.

VF

fabele, favele, fabe stswf. erdichtete erzählung, märchen; unterhaltung (fz. *fable*, lat. *fabula*). **fabelîe, favelîe** stf. unterhaltendes gespräch. **fabelierære** stm. fabel- od. märchenerzähler. **fabel-lich** adj. märchenhaft. **-sager** stm. fabel- od. märchenerzähler.

vach stn. vorrichtung zum aufstauen des wassers und zum fischfange, fischwehr; fang (der vögel), fangnetz; stück, teil, abteilung (einer räumlichkeit, einer wand, mauer, der rüstung, des schildes usw., falte des schleiers, hemdes). **-boum** stm. baum zum aufstauen des wassers. **vachen** swv. abs. mit einem *vache* fischen. — tr. in *vach* bringen, einteilen, ordnen.

vâch stm. f. fang; capistrum. **-garn** stn. fanggarn. **-valle** swf. falle zum fangen.

vachen swv. ndrh. unpers. schläfern (nd. *vaken*).

vackel stswf. facula. **vackelen** swv. brennen wie eine fackel.

vackel-lieht stn. brennende fackel.

vade, vate swf. zaun, umzäunung.

vadem, vaden stm. faden; garn; schnur; draht. **-rëht** stn., **-rihte** stf. richtschnur, richtung nach derselben.

vagen swv. willfahren, gehorsam sein mit dp.

vager adj. schön, herrlich.

vâhen, vân redv. 2 tr. fassen, fangen, auffangen, greifen, ergreifen, einfangen, -nehmen, gefangen nehmen, festhalten; umfassen, -fangen, einfassen, einhüllen; auffassen, verstehen; anfangen; annehmen, bekommen. — refl. sich fassen, halten *bî, ze handen*; sich hinwenden *zuo*; sich einhüllen *in*. — intr. anfangen, beginnen; *vürbaz̧ v.* (in der erzählung) fortfahren; *an etw. v.* die richtung wohin nehmen, sich wenden zu; *v. nâch* nacharten; *v. ze* wonach greifen u. wozu gelangen, fassen u. an sich ziehen, mit etw. beginnen, anfangen. **vâher** stm. fänger. **vâhunge** stf. das fassen, fangen.

vahs stnm., md. *vas, -sses,* die haupthaare. **-strëne** swm. haarflechte.

faile, vailen s. *vœle, vœlen* 1. **faillieren, fâlieren, fallieren** swv. tr. u. intr. fehlen. — refl. fehl gehn (fr. *faillir,* lat. *fallere*). vgl. *vœlen* 2. **failunge** stf. irrtum, lüge.

vake swm. schwein.

val, *-wes* adj. bleich, entfärbt, fahl, verwelkt; gelb, blond, falb. **vale-hære** adj. blondhaarig. **-vahs** adj. blondhaarig. **val-rôt** adj. hellrot.

val, *-lles* stm. fall (der würfel, des wassers, der töne), mündung (eines flusses), sturz, niederlage, verderben, untergang, tod; abfall; anheimfall eines lehns; straffall, geldbusse, strafe; was dem herrn eines gutes entrichtet wird, wenn dasselbe durch tod (*val*) oder sonstwie den besitzer ändert; anrecht auf eine wasserkraft. **-bære** adj. verpflichtet dem lehnsherren den *val* zu geben; wovon der *val* entrichtet werden muss. **-brücke** f. fall-, zugbrücke. **-guot** stn. = *valbærez̧ guot.* **-isen** stn. türklinke. **-man** stm. der den *val* (abgabe) entrichten muss. **-porte** swf. falltor. **-rëht** stn. recht den *val* zu nehmen. **-stoc** stm. grenzstock eines gerichtssprengels. **-übel** stn. (kontr. *falwel*) = *daz̧ vallende übel.*

vâl stf. s. *vœle.*

vâlant, *-des* stm. teufel teufelähnliches wesen. **vâlantinne, vâlentinne, -dinne, -în** stf. teufelin, teuflisches, wildes weib.

valben s. *valwen.*

vald- s. *valt-.*

vœle, vêle, vêl, veile, faile swstf. mantel (fz. *voile,* lat. *velum*). **vœlen, vailen, feilen** swv. einhüllen; verschleiern, verheimlichen, übergehn.

vœle, vœl, vâl stf. das fehlen, verfehlen. **vœlec** adj. fehlerhaft. **vœlen, vêlen, vâlen, veilen** swv. fehlen, sich irren, trügen; mit as. übergehen; mit dp. fehlen, fehlschlagen, mangeln; fehlen, verfehlen, nicht treffen, abs. od. mit gen. (fz. *faillir,* lat. *fallere*). **vœlic** adj. fehlend *an,* betrügerisch.

valgen, velgen swv. umackern, umgraben.

valiere stf. das ansprengen mit dem pferde.

faljen swv. ndrh. = *failieren.*

valke swm. falke als jagdvogel, als spielzeug der frauen u. als bild des geliebten (lat. *falco*). **valkelîn, velkelîn** stn. dem. zum vorig. **valkenære, velkenære, -er** stm. falkner. **valken-bôz̧** stm. falkenstoss. **-klâr, -lieht** adj. hell wie das falkenauge. **-sëhe** stf. falkenblick. **-tërze, -tërz** m. n. = *tërze.*

valle stswf. falle; türklinke.

vallen redv. 1 fallen (*umbe die burc v.* die stadt belagern), stürzen, sinken, plötzlich kommen; zu falle kommen, sündigen; mit dp. zufallen, -kommen, zuteil werden. *an sîne venje, sîn gebet v.* anfangen zu beten, *an einen v.* um den hals fallen, *v. ûf* auf etw. verfallen. **vallen** swv. einen *val* (abgabe) leisten od. nehmen. — tr. für einen den *val* geben, von einem den *v.* nehmen. **vallende** part. adj. fallend (*vallendiu suht, daz̧ vallende übel, leit* u. bloss *daz̧ vallende* die fallsucht). **valle-tor, valtor, valter** stn. falltor; von selbst zufallendes zauntor.

fallieren s. *failieren.*

valsch. vals adj. akt. treulos, unredlich, unehrenhaft, unwahrhaft. — pass. unecht, nachgemacht, unrichtig, irrig, trügerisch (prov. *fals,* lat. *falsus*). **-** stm. betrügerisches wesen, betrug, unredlichkeit, treulosigkeit; unechtes, gefälschtes metall, falsches geld, falschmünzerei. **valschære, velschære, -er** stm. der treulose, verleumder; betrüger; fälscher, falschmünzer; irrlehrer, ketzer. **valschen** swv. *valsch* sein. **valscherie, velscherie** stf. betrug, fälschung. **valsch-haft (valschaft)** adj. mit *valsch* behaftet, treulos, unredlich, betrügerisch. **-heit (valschęit)** stf. untreue, unredlichkeit, betrug. **valschic** adj. = *valsch.* **valsch-, velschlich** adj., **-lîche** adv. treulos, unredlich, betrügerisch.

falschôn (fatschôn) stm. krummer säbel.

valt stm. falte, faltenwurf. **-stuol** stm. falt-, klappstuhl (daraus afz. *faudestueil,* fz. *fauteuil*). **valte, valde** stswf. falte, faltenwurf; hautfalte; zusammenfaltung, lage eines zusammengelegten kleides, in welcher es aufbewahrt wird, dann überh. aufbewahrung, verschluss; lage eines buches; windung, umschlingung; ecke, winkel. **valten, valden** redv. 1 tr. falten, zusammenfalten, verschränken. — refl. sich falten, umbiegen, krümmen, beugen; sich einhüllen; *ze* sich gesellen zu. **valten, valden** swv. falten.

valter, valtor s. *valletor.*

valwen swv. *val* sein oder werden, sich entfärben, welken.

valwische, velwesche stswf., **valwisch** stm. asche, flugasche, aschenstäubchen.

valz stm., **valze** swm. falz, fuge, bes. die rinnenartige vertiefung längs der fläche oder dem rücken des schwertes.

valz stm. das begatten der vögel, namentl. der auerhähne.

valzen redv. 1 biegen, krümmen.

faminelle stf. frauenkraut, -minze (mlat. *feminella*).

van s. *vane, von.*

vân s. *vâhen.*

vanc, *-ges* stm. der fang, das auf-, umfangende. **vanc-, vencnisse** stf. gefängnis, gefangenschaft; gefangennehmung. **vanc-, vencnissen** swv. verhaften. **vanc-nüssede, -nüst, -nust** stf. n. gefangenschaft. **-sam** adj. *diu v. stat* gefängnis.

vanden, vannen swv. besuchen (nhd. *fahnden*). **vandunge** stf., ndrh. *vandinge,* besuchung.

vane, van swstm. (md. auch stf.) fahne, banner; unter einer fahne stehnde heeresabteilung. **vanen** swv. mit einer fahne versehen, **vanen-meister** stm. fahnenträger. **-vüerer** stm. dasselbe; anführer einer heeresabteilung. **vaner, väner** s. *venre.* **van-lêhen** stn. fahnlehn, ein grosses vom könige unmittelbar einem fürsten mit übergabe einer fahne verliehenes lehn.

vanke swm. funke.

vannen s. *vanden.*

vant, *-des* stmn. naturalerträgnis von grund u. boden, habe u. gut.

fantasie f. **(fantasunge** stf.) einbildung, trugbild, anfechtung (gr. lat. *phantasia*).

vanten s. *venden.*

vanz stm. schalk; betrug. s. *ale-, anvanz, venzelîn.*

var s. *varwe.* **var, vare** adj. (flekt. *varwer, varber, varer*) farbig, gefärbt, gestaltet, aussehend nach (gen. od. *nâch*). **var-lôs** s. *varwelôs.*

var stf. weg, bahn, zug, fahrt, reise; wilde jagd, wildes heer; aufzug, art und weise, *mit aller v.* durchaus. **-** stn. platz wo man überfährt od. landet, ufer, fähre. **-wëc** stm. fahrweg, -straße.

var, phar, *-rres* stm. stier.

varch, *-hes* stn. schwein, ferkel. **-muoter** stf. zuchtsau.

fardël, vardël stn. bündel, ballen, pack (it. *fardello*).

vâre stf., **vâr** stfm. nachstellung, hinterlist, falschheit, betrug (*âne, sunder v.* ohne böse absicht, aufrichtig), gefährdung, gefahr, nachteil; streben, begierde, aufmerksamkeit, eifer (*mit, ze v.* eifrig); furcht, befürchtung; rechtl. arrestationsrecht; strafe. **være** stnf. *etw. ze være tuon* aus böser absicht. **værec, væric** adj. heimlich nachstellend, hinterlistig, feindselig. **vâren** swv. feindlich trachten nach,nachstellen, böses im sinne haben gegen, gefährden mit gp. od. gs.; wonach streben, trachten, worauf achten mit gs.; fürchten. **vâren** stn. nachstellung, hinterlist, betrug; ein hazardspiel; gefahr; furcht. **væren** swv. nachstellen, gefährden mit ap., gs.; wonach (gen.) trachten; strafen. — abs. täuschen. **væringen** adv. aus dem hinterhalte, hinterlistig. **vær-lich** adj. hinterlistig, verfänglich; gefährlich. **vær-lîche** adv. aus dem hinterhalte, hinterlistig, in böser absicht. **vær-licheit** stf. hinterlist, betrug; fährlichkeit, gefahr. **vær-lingen** adv. = *væringen*. **vâr-listic** adj. hinterlistig. **vâr-slac** stm. hinterlistiger schlag. **værunge** stf. bestrafung, strafe.

varm stm. was gefahren wird: nachen, fähre.

varm, varn stm. farnkraut.

varn, varen stv. VI (perf. mit *haben* u. *sîn*) intr. sich von einem ort zum andern bewegen, fahren, wandern, ziehen, gehn, kommen; *varn lâzen* nachlässig sein, geschehen lassen, aufgeben, aufheben, nachlassen, tilgen, ungestraft lassen; gehn, ergehn unpers. u. pers. konstruiert; verfahren, sich benehmen (*v. über* herfallen über); sich befinden, leben. — tr. fahren auf, durch; ausziehen auf, antreten, unternehmen. *ein buoch biz an daz ende v.* ganz durchlesen. **varnde** part. adj. fahrend, wandernd, umherziehend (*die varnden* das umherziehende volk der sänger u. spielleute, ebenso *varndiu diet, varndez volc, varnde liute*; *varnder man* spielmann, vagabund, *varnde frouwen, wîp, töhter* landstreicherinnen, huren); zu gange gebracht; hin u. her fahrend; unsicher, ungefähr; beweglich (*varndez guot, varndiu habe*); vergänglich.

farniz s. *firnîs*.

varre, pharre swm. = *var* stier.

vart stf. fahrt, zug, reise (zweikampf, kriegszug, wallfahrt), gang, lauf, umlauf, weg, fährte; *diu gemeine v.* tod, *d. g. v. varn* sterben. in allgemeinerer bedeutung: *an, ûf die v. bringen* dahin bringen (eig. auf den weg, die fährte); *der, an der, ûf der vart* an der stelle, sogleich; *ein vart* einmal, *alle vart* immer, überhaupt; in formelhaften wendungen zeitpunkt oder gelegenheit bezeichnend; was auf einmal geführt wird. **-genôz** stm., **-geselle** swm. reisegefährte. **-man** an. m. reisender, herumziehender kaufmann. **-müede** adj. müde von der reise. **-wëc** stm. fahrweg.

varvelen pl. suppe mit geriebenem teig, mit gequirlten eiern.

varwe, var stf. farbe (farbe der haut usw., farbe zum anstreichen, schminke; weidm. blut, schweiss); aussehen, glanz und schmuck, schönheit. **varwelîn** stn. dem. zu *varwe*; stückchen farbe. **varwe-, varlôs** adj. farblos, bleich. **varwen** swv. farbe gewinnen, glänzen.

varz stm. furz. **varzen** swv. pedere.

vas s. *vahs*.

fasân, fasant stm. fasan (umged. *vashan*), gr. lat. *fasianus*.

fasch, fasche stswf. binde (lat. *fascia*).

vaschanc, vaschang, vassang stm. fasching, fastnacht.

vase swm. faser; franse; einfassung, saum (des gewandes).

vasel stm. der fortpflanzung dienendes männliches vieh, zuchtstier, -eber u. dgl. - stn. das junge, die nachkommenschaft; gezücht, gesinde. **vaselen** swv. gedeihen, fruchten. **vasel-muoter** f. zuchtsau. **-rint** stn., **-stier** stm. zuchtstier. **-swîn** stn. junges zuchtschwein. **-vihe** stn. zuchtvieh.

vasen, vesen swv. fasern bilden, wurzeln schlagen, sich fortpflanzen, gedeihen.

vaser f. franse.

vashan s. *fasân*.

vas-naht s. *vastnaht*.

fasôl, phasôl swf. bohne (mlat. *faseolus*, s. *visôl*).

vassal, vassel stm. vasall; ritter, junker (mlat. *vasallus*, fz. *vassal*).

vassang s. *vaschanc*.

vassen swv. quaerere, investigare (ahd. *fasôn*).

vast adj. fest, stark, befestigt (vgl. *veste*). **vaste, vast** adv. fest, enge sich anschliessend, nahe an, bis an; stark, gewaltig, schnell, sehr, recht; komp. *vaster* u. *vester* mehr.

vaste stswf. das fasten; fastenzeit; busse. **vastel-muos** stn. fastnachtspeise. **-(vestel-)naht** stf. = *vastnaht*. **-(vestel-)tac** stm. fasttag. **vasten** swv. intr. fasten; mit gen. sich enthalten von. — tr. (mit fasten) büssen für. **vasten-kiuwe** f. fastenspeise. **-mësse** stf. jahrmarkt in der fasten. **vaster** stm. fastender. **vaste-, vast-tac** stm. fasttag. **vast-muos** stn. fastenspeise, hülsenfrüchte. **-(vas-)naht** stf. vorabend vor beginn der fastenzeit, tag vor aschermittwoch (unterschieden werden: *diu rehte v.* dienstag vor aschermittwoch; *diu grôze, diu alte v.* sonntag Invocavit; *der herren, pfaffen v.* sonntag Estomihi; ebenso *aller manne v.*). **-woche** swf. woche in der fasten.

vate s. *vade*.

vater an. m. vater, spez. von gott, vom landesherrn, von geistl. würdenträgern (papst, kardinal, priester, name der ersten einsiedler, der s. g. altväter); pflegevater; pate; vorfahr; kolik. **-bære** adj. vatergemäss. **-halbe, -halp** adv. auf, von väterlicher seite. **-heim, -heime** stnf., **-heimuot** stf. vaterland, heimat. **-heit** stf. vaterschaft; väterlichkeit. **-kraft** stf. väterliche gewalt. **-lant** stn. vaterland, heimat; himmel. **-(veter-)lich** adj., **-lîche** adv. väterlich. **vaterlîn, veterlîn** stn. väterchen. **vater-mâc, -mâge** stswm. verwandter von väterl. seite. **-rîche** stn. vaterland. **-teil** stn. väterl. erbteil. **-wân** stm. glaube, einen vater zu besitzen.

fatzen swv. foppen, necken.

fâve stf. bohne (lat. *faba*).

favele s. *fabele*.

vaz, -zzes stn. fass, gefäss, schrein, instrument usw.; häufig phraseol. **-binder, -bender** stm. büttner. **-zieher** stm. auflader.

vazzer stm. aus- u. einlader (der salzschiffe).

vazzen swv. tr. fassen, erfassen, ergreifen, ein-, zusammenfassen; zusammenpacken und aufladen; bepacken, beladen; mit gold, farbe u. dgl. überziehen; rüsten, kleiden, schmücken. — refl. sich anhäufen; fahren, ziehen *in, über*; sich unterziehen mit gs.; sich bekleiden, schmücken.

vazzunge stf. fass, fässer; bekleidung, schmuck.

febrieren swv. fiebern (lat. *febrire*).

vëch s. *vihe*.

vêch, -hes adj. mehrfarbig, gefleckt, bunt, bes. von pelzwerk; schillernd, die farbe wechselnd. - stn. buntes pelzwerk, bes. vom hermelin; das hermelin. **-gemâl** adj. buntfarbig. **-gemuot** adj. wankel.

mütig. **-mâl** stn. bunter fleck. **-var, -gevar** adj. buntfarbig. **-wërc** stn. buntes pelzwerk. **-wise** stf. bunte wiese.

vêch, -hes adj. feindselig.

vecher stm. aufseher über das *vach* (beim fischfange); der mit einem *v.* fischende.

vedemen swv. fädeln, reihen *an*; einfädeln. — refl. sich einschleichen *in*.

vëdere, vëder stswf. feder (flaum-, schreib-, schwungfeder); flaumiges pelzwerk. **vëder-angel** stm. feine fischangel, welche durch die statt des köders zu beiden seiten angebundenen federchen die gestalt eines fliegenden insektes bekommt und nur auf der oberfläche des wassers hin und her gezuckt wird, so dass die fische darnach schnappen. **-bette** stn. federbett. **-boge** swm. gefiederter, beflügelter *boge*. **-gewant, -gewæte** stn. = *vëderwât*. **-lëse** swm., **-lëser** stm. federleser, schmeichler. **-lësen** stv. federlesen, schmeicheln. **-lëserin** stf. bettlerin durch schmeichelnde dienstleistung. **-slagen, -slahen** swv. flattern. **-snuor** stf. schnur zu dem *vëderangel*. **-spil** stn. zur vogelbeize abgerichteter vogel, falke, sperber, habicht; koll. vögel. **-spiler** stm. falkner. **-stricher** stm. schmeichler. **-vlocken** swv. die flügel zum fluge heben. **-vlücke** stf. das auffliegen. **-wât** stf. tücher zu federbetten, bettzeug; federkleid der vögel. **-wisch** stm. federwisch; die federn an den pfeilen; teufelsname. **vëderich, vëderiht, vëderit** stswm. f. bettzieche. **vëderîn** s. *viderîn*. **vëdrach** stm. federn, flügel.

vege stf. ausfegung, reinigung. **vege-stat** stf., **-viur** stn. fegefeuer. **vegen** swv. fegen, reinigen, putzen, scheuern. — intr. fortwischen, stürmen.

vëh, vëhe s. *vihe*.

vêhe, vêhede, vêde stf. hass, feindschaft, streit, fehde. **vêheden** swv. befehden, bekriegen. **vêheder** stm. feind, befehder. **vêhelich** adj. feindselig. **vêhen** swv. hassen, feindlich behandeln, befehden. **vêhen** stn. hass, feindschaft.

vêhen swv. intr. bunt (*vêch*), fleckicht werden. — tr. bunt machen.

vehsenen vehsen, vessenen vessen swv. fangen; nehmen, in dienst nehmen; einnehmen, einernten, einheimsen. **vehsunge** stf. ernte.

vëhte stf. streit, kampf. **vëhten** stv. IV intr. fechten, streiten, kämpfen, ringen, *ûf, nâch*; unruhig sein; die arme hin und her werfen; sich abarbeiten. — tr. fechten, aus-, erfechten; bekämpfen, besiegen. - stn. das fechten, gefecht, der kampf, streit. **vëhter** stm. fechter, kämpfer; herumziehender, kampfsuchender ritter. **vëht-genôʒe** swm. kampfgenosse. **-îsen** stn. fechteisen, schwert. **-lich** adj. anfechtend, anreizend.

veic-heit stf. unheil. **-lich** adj. todbringend. **-liche** adv. zum tode bestimmt. **-tac, -tage** stswm. todestag, tod.

veichen stn. verstellung, arglist, betrug (betrügerisch gebackenes brot).

feie, fei, feine swstf. fee (mfz. *feie*, mlat. *fata*).

veige adj. pass. der vom schicksale zum tode oder unglücke bestimmt ist, der sterben muss oder unglück haben soll; verwünscht, unselig, verdammt; der hat sterben müssen, tot ist; eingeschüchtert, furchtsam, feige; biegsam, schlank. — akt. tod oder unheil bringend. **veigen** swv. tr. *veige* machen, töten, vernichten, verderben, verwünschen. — intr. *veige* werden, sterben, verderben, zunichte werden. — refl. sich selbst verderben; sich unterwerfen.

veil-bat stn. bad, welches man gegen bezahlung brauchen kann. **-becker** stm., **-becke** swm. bäcker, der brot zum feilhaben bäckt. **-trager** stm. feilbieter, trödler.

veile, veil adj. feil, käuflich; *wol veile, wolveil* leicht zu kaufen, wohlfeil, häufig; *übele veile* teuer; preisgegeben. *sich v. geben* sich bereit erklären, wagen.

veile s. *vœle*. **feilen, veilen** s. *vœlen*.

veilen swv. käuflich machen, käuflich hingeben, verkaufen; geben, hingeben mit dp.; hin-, preisgeben, verlieren, wagen; erkaufen, erwerben. — intr. feil stehn.

veilic s. *vêlic*.

veilic adj. feil, zu haben.

veilsen, veilschen swv. einen preis bieten, um etw. handeln, feilschen.

veim stm. schaum; abschaum **veimen** swv. abschäumen, abfegen. **veimer** stm. eine art fischernetz.

vein adj. fest, unverbrennlich (vom ebenholze?).

feine s. *feie*. **feinen** swv. nach art der feen begaben oder bezaubern, fest machen.

veist stm. = *vist*. **veisten** swv. = *visten*.

feit adj. geschmückt, schön (fz. *fait*, lat. *factus*). **feiten, feitieren** swv. zurecht machen, ausrüsten, schmücken. **feitiure** stf. gestalt, ausrüstung, putz (afz. *faitura*, lat. *factura*).

veiʒ, veiʒe adj. gemästet, beleibt, feist, fett. **veiʒe, veiʒ** stf. fett, feistheit; fülle; zeit für die hirschjagd. **veiʒen** swv. *veiʒ* machen. **veiʒet, veiʒt** adj. = *veiʒ*; fruchtbar, reich, ergiebig (von land, erde und früchten); gesättigt, dunkel (von farben); fettig, mit fett gemischt; dicht. **veiʒete, veiʒte** stswf. = *veiʒe*. **veiʒet-heit** stf. feistheit. **veiʒten** swv. tr. *veiʒt* machen, mästen. — intr. *veiʒt* werden.

vël, -lles stn. haut, fell; leib, person; eine augenkrankheit, die blind macht; pergament; dünne eisdecke.

vêl, vêle s. *vœle*.

vëlber s. *vëlwer*.

vel-boum stm. block, auf dem man glieder und knochen verstümmelte.

vëlden swv. trans. in felder teilen (wappen); bildl. dichterisch darstellen. — intr. zu felde, aussen sein. — refl. zu felde, übers feld gehn. **vëldener** stm. feldner, eine art höriger. **vëldunge** stf. feldbezirk; abgeteilte fläche auf wänden, säulen, wappen.

vëlge stswf. radfelge. **vëlgenhouwer** stm. felgenmacher.

velgen s. *valgen*.

vëlhen stv. IV s. *bevëlhen, enpfëlhen*.

vêlic, veilic adj. sicher, ausser gefahr (nd.).

velis, velîsen stn. mantelsack, felleisen (fz. *valis*, it. *valigia*, mlat. *vallegia, valisia*).

vêl-jâr stn. unfruchtbares jahr.

velkelîn, velkener s. *valk-*.

velle stf. fall, sturz. **vellec, vellic** adj. zu falle kommend, zum fallen geneigt, fallend bes. im kampfe, vor gerichte überwunden; fallend (vom tone); baufällig; hinfällig; verpflichtet den *val* zu geben. **velle-man** stm. fallmeister, schinder. **vellen** swv. tr. fallen lassen; zu falle bringen, fällen, niederwerfen, stürzen, verderben, töten; *den vogel v.* durch die zusammenfallenden netzwände fangen. — refl. sich werfen, stürzen. **vellesal** stn. vernichtung, verderben, persönl. als schelte. **velle-spër** stn. speer zum fällen des gegners. **-tor** stn. falltor.

vel-lich adj. gelegen, passend.

vëllîn stn. dem. zu *vël*.

vels, velse stswm. fels; felsenschloss, feste. **vels-bërc** stm.

felsberg. **-bühel** stm. felshügel. **velsëht** adj. felsicht. **velsen** swv. auf felsen erbauen; aus oder wie aus felsen machen. **velsîn** adj. aus fels, aus felsen bestehend.

velschære s. *valschære*. **velsche** stf. falschheit, treulosigkeit. **velschelære** stm. verleumder. **velschen** swv. fälschen, verfälschen; treulos machen; täuschen, irre führen; für unwahr, treulos, unredlich, schlecht erklären, entehren, herabwürdigen, der falschheit usw. beschuldigen, verleumden.

vel-sloȥ stn. klinke, riegel.

vëlt, *-des* stn. feld, boden, fläche, ebene (lager-, kampf-turnierplatz), das freie überh. (*ze velde bringen* fertigbringen, ausführen, *ze velde tragen* bekannt machen, *an dem velde ligen* draussen stehen, ausgewiesen sein, *sîn velt rihten* belagern); das vom bergmann gebaute feld; feld im wappen, auf dem schilde, der fahne; feld des schachbrettes; seite des würfels. **-bluome** swmf. feld-, wiesenblume. **-bû** stm. feld-, bergbau. **-burc** stf. feldlager. **-bûwære** stm. bergmann. **-gebû** stm. bestelltes feld. **-gerihte** stn. gericht über feldsachen. **-güsse** stf. feldbewässerung; überschwemmung. **-mûs** stf. feldmaus. **-phert, -ros** stn. stute, auf der weide befindliches pferd; streitross. **-rihter** stm. vorsitzer des *vëltgerihtes*. **-siech** adj. aussätzig. **-striche** f. = *vëltphert*. **-strît, -sturm** stm. offene feldschlacht. **-vlühtic** adj. feld-, fahnenflüchtig. **-wal** stn. schlachtfeld. **-weider** stm. abdecker. **-zuc** stm. feldzug.

vëlwe swstf. swm., **vëlwer, vëlber** stm. weidenbaum; geflecht aus weiden zum fischfang. **vëlwîn** adj. von weiden.

velwe, vilwe stf. fahle farbe; krankheit; fehler. **velweloht** adj. etwas fahl. **velwen** swv. *val* machen, entfärben.

velwesche s. *valwische*.

vëlze swm. rinnenartige vertiefung längs der fläche oder dem rücken des schwertes.

velzen swv. an-, ineinander-, ein-, zusammenlegen; passementeriearbeit machen.

vëme stf. verurteilung, strafe; heimliches freigericht, feme. **-dinc** stn. femgericht. **-grâve** swm. vorsitzer des femgerichtes. **-meister** stm. = *vëmer*. **vëmen** swv. verurteilen, strafen. **vëmer** stm. nachrichter, henker. **vëme-stat** stf. richtstätte.

venc-nisse s. *vancnisse*.

venc-vach stn. fangnetz.

vende swm., **vent,** *-des* stm. knabe, junge; fussgänger, -krieger; schachfigur in den vordern reihen, bauer. **vendelîn, vendel** stn. dem. dazu.

venden, vanten swv. einernten, naturalerträgnisse beziehen; auffinden, mit gs. versuchen.

venelîn, venel stn. dem. zu *vane*.

vener s. *venre*.

vënge s. *vënje*.

venge, vengec adj. fangend, fassend, umfassend.

vengen swv. zünden (vgl. *venken*).

vënichel, vënchel stm. fenchel (lat. *foeniculum*).

venîn stn. gift (fz. *venin*, lat. *venenum*). **veninen** swv. vergiften.

fênix, fênîs stm. phönix.

vënje, vënige, vënge stswf. kniefall zum gebet, kniefälliges gebet, bussübung im kloster. *v. nemen* = tun (lat. *venia*). **vënjen, vënigen** swv. kniefällig beten.

venken swv. entzünden.

venne stn. sumpf.

venre, vener, vaner stm. fähnrich.

venre-tac stm. freitag (*dies Veneris*).

venster stn. (md. auch *vinster*); lichtluke, fensteröffnung, fenster; fensternische; öffnung, loch. **-brët** stn. fenster-brett; **-laden.** **vensterëht** adj. löchericht. **vensterlîn** stn. dem. zu *venster*; foramen. **venstern** swv. intr. wie fenster glitzern. — tr. mit fenstern versehen. **venster-schübel** stm. fensterladen. **-stein** stm. fensterrahmen von stein.

vent s. *vende*. **vent-lîche** adv. nach art der *venden*.

venzelîn stn. dem. zu *vanz*, junger schalk, bastard.

ver s. *vere, vërre, vrouwe, vür*.

ver, vere, verje, verige, verge swm. schiffer, fährmann.

ver-affen, -effen swv. intr. töricht werden. — tr. auf törichte weise hinbringen.

ver-aftern, -eftern refl. sich verspäten.

ver-âgëȥȥen swv. vergessen, in vergessenheit bringen.

ver-âhten, -æhten swv. in die acht erklären, ächten; verbannen, ausrotten; mit gs. bringen um, berauben. **ver-âhter** stm. der geächtete. **ver-æhtigen** swv. = *veræhten*. **ver-æhtunge** stf. ächtung.

ver-alten swv. intr. alt, zu alt werden. part. praet. = alt; *diu veralteten reht* das alte testament. — tr. alt machen.

ver-andelangen, -andelagen = *andelangen*.

ver-andern, -endern swv. tr. ändern, verändern, wechseln; bes. an einen andern ort, in andern besitz bringen; *êlîchen v.* verheiraten. — refl. sich ändern verändern; sich umkleiden, verkleiden; einen andern wohnsitz nehmen; reisen, wandern; sich entfernen, abwenden *von*, sich zurückziehen; heiraten; *sich in ein geistlicheȥ leben v.* in den geistlichen stand treten; sterben (genauer: *sich von der erden zuo himele v.*). **ver-anderunge, -enderunge** stf. änderung, veränderung, wechsel.

ver-anderweiden swv. wiederholen.

ver-anlâȥen swv. *ûf einen etw. veranl.* oder *sich ûf einen v.* ihn in einer sache als mittelsperson wählen.

ver-antwürten, -antwurten, -antworten swv. antworten, beantworten; rechtfertigen, verteidigen, vertreten, repraesentare. tr. u. refl. **ver-antwürter** stm. verteidiger, anwalt.

ver-argen swv. *arc* werden.

ver-arken swv. einsargen.

ver-armen swv. in armut, not geraten.

ver-arren swv. tr. durch geben eines darangeldes (*arre*) sichern, verbindlich machen.

ver-bachen, -backen stv. verbacken, zu brot backen; intr. kleben *an*.

ver-backen swv. aufpacken, aufladen.

ver-baden swv. tr. einem ein bad geben oder für ihn bezahlen.

ver-balden swv. intr. übermässig *balt* werden. — refl. sich erkühnen.

ver-ballen swv. tr. zu einem *bal* machen, verkrüppeln; *die zît verb.* mit ballspielen hinbringen.

ver-balmunden swv. für betrügerisch erklären; verleumden.

ver-bannen redv. unter strafandrohung gebieten od. verbieten; verbieten, versagen, entziehen mit dp. (und gs.); verstossen *von*; in den bann tun, verfluchen, verdammen, verwünschen; durch bann zueignen mit dp.

ver-barnen, -bernen swv. versperren, einschliessen.

ver-barren swv. verschanzen; versperren, einsperren.

ver-beinen swv. verknöchern, verhärten (s. *unverbeinet*); verwünschen, verfluchen.

ver-beiten swv. erwarten. **ver-beitunge** stf. erwartung.

ver-bëlgen stv., part. *verbolgen* zornig, erzürnt.

ver-bellen swv. beschädigen so dass eine geschwulst entsteht.

ver-bennen, -bannen swv. = *verbannen* redv.

ver-bëre stmn. versteck. *v. hân* nicht offenbar sein. **-bërgen** stv. beiseite schaffen, aufheben, verbergen, verheimlichen. — refl. sich zurückziehen.

ver-bërn stv. nicht haben; sich enthalten, unterlassen, ablassen von, aufgeben, meiden, unberücksichtigt oder unangefochten lassen, verschonen; mit gs. verschonen mit, überheben (*einen zornes v.* nicht zum zorn reizen). — refl. u. intr. nicht vorhanden sein, unterbleiben.

ver-bernen s. *verbarnen, -brennen.*

ver-besten swv. verbinden.

ver-bëten swv. tr. *bëte* wofür entrichten, versteuern.

ver-beȥȥern swv. gut, besser machen; ausbessern, erneuen; büssen; busse, wergeld zahlen für.

ver-biben swv. zu ende beben.

ver-bichen swv. mit pech überziehen, verpichen.

ver-bicken swv. abs. zerhauen, zuhauen *mit.* — tr. stecken *in.*

ver-biderben, -bidern swv. aufbrauchen, verzehren.

ver-bieten stv. tr. vorladen, vor gericht laden; *ein spil, eȥ verb.* ein höheres gebot als der gegner tun; verhindern, verhüten; anakoluth. für *gebieten*; untersagen; mit beschlag belegen. **-bieten** stn. arrestation. **-bieter** stm. der auf die güter eines andern beschlag legt. **-bietunge** stf. verbot; arrestation.

ver-bilden swv. zu einem bilde gestalten; entstellen, trüben.

ver-binden stv. abs. mit mörtel verbinden; im brettspiele *bünde* gewinnen od. solche würfe der würfel tun, dass die steine zu *bünden* gestellt werden können; weidm. eine bestimmte richtung verfolgen. — tr. fest binden; zusammenbinden, -fügen; zubinden, verhüllen; verstecken, unkenntlich, unsichtbar machen, bezaubern (durch nestelknüpfen); einschliessen, fesseln; rechtl. verpflichten. — refl. sich das haupt verhüllen, sich vermummen; *sich (ze) einem verb.* mit ihm ein bündnis schliessen; sich verpflichten. **-bindunge** stf., **-bint** stn. verpflichtung. **-bintnisse** stfn. dasselbe; bund, bündnis.

ver-birsen swv. durch *birsen* versprengen.

ver-bismen swv. mit *bisam* behandeln.

ver-bîten stv. intr. zu lange oder vergeblich warten auf (gen.). — tr. auf borg geben.

ver-biugen swv. verkaufen, versteigern.

ver-biuschen swv., md. *verbûschen* nicht laut werden lassen, vertuschen, verstecken.

ver-biuten swv. als beute verteilen; md. *verbûten* vertauschen.

ver-bîȥ stn. maulkorb. **-bîȥen** stv. zusammenbeissen; zerbeissen, verzehren; totbeissen, zerstören, vernichten; durch aufeinanderbeissen der zähne zurückhalten, verschweigen.

ver-biȥȥen swv. verkeilen.

ver-blæjen swv. wegblasen.

ver-blâsen redv. tr. wegblasen. — intr. sich verschnaufen (von pferden).

ver-bleichen swv. den glanz verlieren; erbleichen. — tr. bleich machen, verwischen, auslöschen (schrift).

ver-blenden swv. blenden, verblenden, verdunkeln.

ver-blenken swv. verzieren.

ver-blîben stv. verbleiben; ausbleiben.

ver-blîchen stv. den glanz verlieren, verbleichen, verwelken, -schwinden; *verbl. nâch* sterben aus sehnsucht nach.

ver-blîden swv. fröhlich sein, sich freuen, frohlocken intr. u. refl. **-blîdunge** stf. freude

ver-blîhen stv. erlöschen.

ver-blinden swv. intr. blind werden, erblinden. — tr. = *verblenden.*

ver-bliuwen stv. unterschlagen, verschweigen.

ver-blœden swv. *blœde* machen, einschüchtern.

ver-blüejen swv. verblühen.

ver-blüemen swv. verblümen, beschönigen.

ver-bluoten swv. verbluten, intr. u. refl.

ver-bolgen s. *verbëlgen.*

ver-boln swv. verschleudern.

ver-borc stm. das ausleihen, ausgeliehenes geld.

ver-bœren swv. belasten, verwirken.

ver-borgenheit stf. verborgenheit; geheimnis. **-borgenlich** adj., **-liche** adv. verborgen, heimlich.

ver-born swv. an-, durchbohren, bohrend befestigen.

ver-bôsen, -bœsen swv. intr. schlecht werden. — tr. schlecht machen, verleumden, verderben, verführen, verletzen; part. *verbôst* sündhaft. — refl. sich versündigen.

ver-bot stn. verbot; beschlag, arrest; gerichtl. vorladung. **-boten** swv. tr. einem durch mündl. botschaft etw. zu wissen tun; durch einen boten rufen lassen, besenden, ein-, vorladen. — refl. sich zusammenbestellen. **-botenlônen** swv. tr. als botenlohn ausgeben. **-botschaften, -botscheften** swv. = *verboten.* **-botunge** stf. vorladung.

ver-bouwen s. *verbûwen.*

ver-bôȥen stv. zurückschlagen, vernichten.

ver-bræmen swv. mit dornen umstecken, verdornen.

ver-brëchen stv. intr. u. refl. zunichte, schwach werden, aufhören, enden. — tr. zerbrechen, zunichte machen, zerstören, entfernen, aufgeben, enden; etw. gebotenes od. eine verbindlichkeit verletzen, übertreten, brechen; weidm. *die vart. v.* einen zweig mit der spitze, wo er abgebrochen ward, in die fährte legen; refl. als strafe verwirken; bergm. anbrechen; abs. beim fechten eine rasche wendung machen. **-brëcher** stm. übertreter, verletzer.

ver-brennen swv. tr. verbrennen, versengen, durch feuer verwüsten, zerstören, töten; *einen v.* ihn durch brand schädigen; durch feuertod hinrichten; *gelt v.* einschmelzen. — refl. sich verbrennen, übel ankommen. — md. auch intr. für *verbrinnen.*

ver-brieven swv. tr. durch eine urkunde, durch unterschrift u. siegel bekräftigen. — refl. sich durch eine urkunde verpflichten.

ver-bringen an. v. vollbringen, vollenden, ausbauen; zu ende bringen, durchsetzen; vertun; ums leben bringen, töten.

ver-brinnen stv. intr. verbrennen, abbrennen, durch feuer verzehrt werden, umkommen; sich verbrennen, eine brandwunde erhalten, durch sonnenhitze gebräunt werden; durch feuersbrunst schaden leiden. — md. auch tr. für *verbrennen.*

ver-brüejen swv. tr. u. refl. verbrühen, versengen.

ver-brüeten swv. refl. vor hitze vergehn.

ver-brunken swv. des glanzes berauben, auslöschen.

ver-bruodern swv. refl. (vom erbe) sich unter brüdern (*verswistern* unter schwestern) verteilen.

ver-bû stm. unerlaubter bau.

ver-bücken swv. verschliessen (eine lücke).

ver-büegen swv. buglahm machen.

ver-büeȥen swv. abs. eine geldbusse zahlen. — tr. mit as. ausbessern; gut machen; wofür entschädigung geben, busse zahlen; als busse zahlen. — mit ap. einem busse zahlen; für einen busse zahlen. **-büeȥunge** stf. auferlegung von geldstrafen.

ver-bunden part. adj. verhüllt, vermummt, maskiert; vom helm: mit heruntergelassenem visier.

ver-bunden swv. verbinden.

ver-bunnen an. v. missgönnen, nicht glück wozu wünschen, mit dat. u. gen. **-bunst** stf. missgunst.

ver-bunt stm. bund, bündnis. **-buntlich** adj. verpflichtet mit dp. **-buntnisse, -nus** stfn. bund, bündnis; versprechen, verpflichtung. **-buntunge** stf. bund, bündnis.

ver-buoben swv. als *buobe* vertun, verschlemmen.

ver-burcrëhten swv. *ein guot v.* in ein rechtl. verhältnis zum *burcreht* bringen, zu einem *burcreht* machen. — refl. sich verbinden *mit*.

ver-bürge stf. bürgschaft. **-bürgen, -burgen** swv. bürgschaft leisten, verbürgen. — refl. *sich ûȥ verb.* bürgen stellen u. sich dadurch aus gefangenschaft befreien.

ver-burn swv. verwirken.

ver-bürnen, -burnen swv. alem. u. md. für *verbrennen*.

ver-bûten s. *verbiuten*.

ver-bützen, -butzen swv. vermummen; einwickeln *in*.

ver-bûwen, -bouwen an. v. zubauen, zumauern; durch bau versperren, abwehren; bauend verwenden; *einen verb.* zum schaden desselben einen bau aufführen; umbauen, belagern; mit wall und graben umgeben, verschanzen, tr. u. refl.

vërch, -*hes* stn. leib u. leben, fleisch u. blut. - adj. an das leben gehend, tödlich. **-bau** stm. die das leben schützende rüstung. **-bluot** stn. lebens-, herzblut. **-genôȥ** stm., **-geselle** swm. blutsverwandter. **-grimme** adj. bis ans leben wütend, ans leben gehend. **-haft** adj. belebt, beseelt. **-lôs** adj. leblos. **-mâc** stm. nächster blutsverwandter. **-sêr** adj. zum tode verwundet; tödlich verletzend. **-sippe** adj. blutsverwandt. stf. blutsverwandtschaft. **-slac** stm. tödlicher schlag. **-tief** adj. bis aufs leben dringend. **-vient** stm. todfeind. **-wunde** stf. tödliche wunde. **-wunden** swv. tödlich verwunden. **-wunt** adj. zum tode verwundet.

ver-dachen swv. verdecken.

ver-dagen swv. intr. schweigen, verstummen. — tr. schweigen gegen, schweigen über, verschweigen, verhehlen.

ver-dâht part. adj. in gedanken vertieft, nachdenkend, bestürzt; bedacht, besonnen; verdacht habend, argwöhnisch; im verdachte befindlich, beargwohnt, verdächtig; überh. in berührung stehend, beteiligt. - stf. der verdacht. **-dâhtes** adv. bedachtsam, besonnen. **-dæhten** swv. verdächtigen. **-dæhtic** adv. überlegt, vorbedacht; mit gs. denkend an. **-dæhtlich** adj. dasselbe; argwohn erweckend, verdächtig. **-dæhtliche** adv. bedächtlich, wohlüberdacht. **-dæhtnisse** stfn. verdacht.

ver-damme stf. verdammnis. **-damnen, -dampnen, -dammen** swv. verurteilen, verdammen. **-damnisse, -dampnisse** stfn. verdammnis. **-damnunge, -dampnunge** stf. verdammung, verdammnis.

ver-danken swv. zu ende danken.

ver-decken swv. decken; be-, ver-, zudecken, verhüllen.

ver-dëhemen swv. tr. den *dëhem* wofür geben.

ver-dempfen swv. tr. dämpfen, ersticken. — intr. ersticken.

ver-denen swv. tr. dehnen, ausdehnen, -spannen. — refl. sich abmühen; *sich verd. an* seinen ganzen sinn worauf richten.

ver-denken swv. abs. denken, sich erinnern. — tr. mit as. ganz zu ende denken, bedenken, erwägen; mit ap. von einem nachteiliges, übles denken, ihn in verdacht haben, ihm etw. übel nehmen, verargen. — refl. sich besinnen u. entschliessen; *verdâht sîn, werden* in gedanken verloren sein. **-denkunge** stf. trug, täuschung.

ver-dërben stv. unnütz, zunichte werden, zu schaden kommen, umkommen, sterben (mit causal. gen.). **ver-derben** swv. tr. zu schaden bringen, zunichte machen, zugrunde gehn lassen, zugrunde richten, töten, hinrichten. — refl. sich zugrunde richten. **-derber** stm. verderber, vernichter. **-dërp** stm., **-dërpnisse** stfn. verderben, verderbnis.

ver-derren swv. *dürre* machen.

ver-despen swv. verbergen.

ver-dieben, -diuben swv. heimlich wegschaffen, wegstehlen.

ver-dienen swv. tr. durch dienstleistung od. angemessenes handeln etw. erlangen oder sich dessen wert machen; durch dienstleistung erwidern, vergelten; einen dienst leisten für etw., mit dat. als dienstleistung darbringen. — refl. sich verdient machen. **-dienst** stm. verdienst, erwerb. **-dienunge** stf. verdienst.

ver-dieȥen stv. verhallen.

ver-dîhen stv. intr. gedeihen; mit dp. u. gs. zuvorkommen, übertreffen; abnehmen, in verfall geraten. — tr. übertreffen, überwinden.

ver-dimpfen stv. verdampfen.

ver-dinc, -dinge stswm. vertrag, accord, pachtvertrag; kontribution, brandschatzung. **-dingen** swv. durch einen vertrag binden, verpflichten; festsetzen, bestimmen; vertragsmässig erwerben, kaufen, überh. erwerben.

ver-diuhen, -dûhen swv. vollständig drücken; unterdrücken.

ver-doln swv. tr. erleiden, ertragen, geschehen lassen, zulassen. — intr. ausharren.

ver-dœnen swv. tr. verklatschen.

ver-dorren swv. verdorren.

ver-dôsen swv. bei geräusch oder lärm überhören, nicht beachten.

ver-dœsen swv. verschwenderisch austeilen.

ver-doumen swv. verstopfen.

ver-döuwen, -döun swv. verdauen.

ver-draben, -draven swv. intr. u. refl. forttraben, verschwinden.

ver-dræjen swv. verdrehen, verrücken.

ver-drangen stn. bedrängnis.

ver-dræsen swv. refl. verschnauben.

ver-drieȥ stm. verdruss, überdruss, unwillen. **-drieȥen** stv. unpers. mit ap. u. gs. überlästig, zu lange dünken, überdruss od. langeweile erregen. **-drieȥic, -drieȥlich** adj. tedious.

ver-drinc stm. verdrängung. **-dringen** stv. tr. ineinander, zusammendrängen; wegdrängen, verdrängen. — refl. sich hineindrängen; intr. verfliessen (zeit).

ver-driuhen swv. wegfangen, unterdrücken.

ver-drôȥ stm. = *verdrieȥ*.

ver-drôȥen swv. anhalten, warten.

ver-drôȥlich adj. = *verdrieȥlich*.

ver-drôȥnisse stf. verdrossenheit.

ver-droȥȥen part. adj. verdriesslich, träge; langweilig, lästig. **-droȥȥenheit** stf. verdrossenheit, überdruss, unwillen. **-drozzenlich** adj. überdruss erregend, verdriesslich.

ver-drücken, -drucken swv. gewaltsam darnieder drücken, unterdrücken, überwältigen, vernichten, verdrängen, vertreiben *von*; refl. sich ducken, demütigen; zudrücken; zusammendrücken, zerquetschen; heimlich wegbringen, unterschlagen; verbergen, verheimlichen. **-drückunge** stf. überwältigung, unterdrückung; bedrängnis; verheimlichung.

ver-drumen swv. tr. in stücke brechen; abhauen, verstümmeln; zu ende bringen, zerstören, vernichten, — refl. zertrümmern, zu ende gehn.

ver-drütze stn. = *verdriez*, **-drützic** adj. verdriesslich, unwillig; überdruss erregend, mit dp. **-druz** stm. = *verdriez*.

ver-düemen s. *vertüemen*.

ver-dûhen s. *verdiuhen*.

ver-dulden, -dulten swv. = *verdoln*.

ver-dunken swv. den gedanken woran (gen.) fahren lassen, etw. aufgeben. — unpers. mit ap. (u. gs.) übel dünken, wunderlich vorkommen.

ver-dunstern swv. verfinstern.

ver-dürkeln swv. durchlöchern.

ver-dürnen swv. mit dornen bestecken, durch dornhecken einzäunen, absperren.

ver-dustern swv. verfinstern.

ver-dwâsen s. *vertwâsen*.

vere s. *ver*. **vere, ver** stfn. fähre.

ver-ëbenen swv. tr. ausgleichen, schlichten, versöhnen. — refl. sich vergleichen, aussöhnen, übereinkommen; niederfallen. **-ëbenunge** stf. vergleich, vertrag.

verec, veric adj. zur ausfahrt bereit.

ver-edelen swv. intr. aus edler art schlagen; entarten.

ver-effen, -eftern s. *veraf-*.

ver-eiden swv. durch einen eid bekräftigen; durch einen eid binden, verpflichten.

ver-eigenen, -eigen swv. zu eigen geben, machen.

ver-einbæren swv. einträchtig machen, vereinbaren, vereinigen. **-eine** stf. vereinigung, übereinkommen. **-einen** swv. tr. vereinigen, verbinden; einigen, versöhnen; worüber belehren, aufklären mit gs.; allein lassen (part. *vereinet* allein gelassen, vereinsamt; mit gs. od. *an, von* getrennt von). — refl. sich vereinigen, verbinden; in den besitz wovon (gen.) gelangen (part. *vereinet* im besitz); mit andern od. mit sich übereinkommen, sich entschliessen mit gs. oder *daz* (part. *vereinet* entschlossen); *sich v. ûf* seine gedanken worauf richten, sich entschliessen zu. — refl. u. intr. sich vereinsamen. absondern, allein sein. **-einigen** swv. vereinigen, verbinden; einigen, versöhnen. **-einunge** stf. vereinigung.

ver-einzeln swv. an einzelne austeilen, verteilen.

ver-eischen, vreischen redv. swv. vernehmen, erfahren, erfragen, kennen lernen.

ver-eiten swv. verbrennen, mit brand verwüsten.

ver-êlîchen swv. refl. sich verheiraten.

ver-ellenden, -enlenden swv. tr. aus der heimat, in das *ellende* schicken, verbannen. — refl. in die fremde gehn, sich entfremden; aus der fremde kommen.

ver-endede stf. ende. **-enden** swv. tr. ganz beenden u. dartun, vollenden, vollführen; vollständig dartun u. gewiss machen. — refl. sich endigen, in erfüllung gehn; womit zu ende, zu einem entschlusse kommen. — intr. ein ende nehmen, sich endigen; sterben. **-endunge** stf. perseverantia.

ver-endern s. *verandern*.

ver-engesten swv. refl. sich ängstigen.

ver-enlenden s. *verellenden*.

ver-erben swv. als erbe übertragen.

ver-êren swv. beschenken *mit*.

ver-ergern swv. schlechter machen, verderben; fälschen.

ver-ermen swv. *arm* machen.

ver-êrunge stf. geschenk.

ver-erzenien swv. (geld) für arzneien ausgeben.

ver-etzen, vretzen swv. fressen machen od. lassen, abweiden, füttern, verfüttern; mit den zähnen od. dem schnabel packen lassen; mit windhunden od. jagdvögeln jagen; beissen, zerfleischen.

ver-ëzzen, vrëzzen stv. tr. aufessen, verzehren, fressen (von menschen u. tieren); bildl. härmen, abzehren. — refl. sich abhärmen, quälen, plagen; vergehen.

ver-gaffen s. *verkapfen*.

ver-gâhen swv. tr. durch eile verlieren, übereilen. — refl. sich übereilen (mit gen. od. präpp.).

ver-galstern swv. verzaubern.

ver-gân, -gên an. v. vergehn, vorübergehn, aufhören, verschwinden; auseinander gehn, sich verlaufen; schwach, kraftlos werden, schwinden mit dp.; zugrunde gehn, verderben, umkommen, sterben. — tr. vorüber gehn an, übergehn, meiden, verfehlen, entgehn, aufgeben; einstehn, vertreten; hindernd wovor treten mit dp. u. as. — refl. vor sich, von statten gehn; dahinschwinden, zu ende gehn, aufhören (part. adj. *vergangen* fällig, verfallen); auseinander gehn, sich verlaufen; sich verirren; sich vergehn, verfehlen.

ver-ganclich s. *vergenclich*.

ver-gansen swv. tr. dumm wie eine gans machen.

ver-ganten swv. auf der *gant* verkaufen.

ver-gaten swv. md. besorgen, in ordnung bringen (vom nähren und stillen eines kindes gebraucht).

ver-gatern swv. intr. u. refl. sich vereinigen, zusammengeraten, -rennen. — tr. vereinigen, versammeln; *vergetern* mit einem *gater* versehen. **-gaterunge** stf. vereinigung, versammlung.

verge s. *ver*.

ver-gëbelich adj. nachsichtig, verzeihend. **-gëbeliche, -gëbenliche** adv. unentgeltlich; vergeblich, umsonst. **-gëben** stv. hingeben, schenken; zur ehe hingeben, verloben; aufgeben, unterlassen; zugrunde richten. vernichten mit dp.; die strafe wofür schenken, vergeben, verzeihen; abs. mit dp. einem etw. zum verderben geben, ihn vergiften. **-gëben** part. adj. unnütz, vergeblich; vergeblich, nur zum scheine gemacht. **-gëbene, -gëbenes, -gëbens** adv. schenkweise, unentgeltlich; umsonst, unnütz, vergeblich; zufällig. **-gëber** stm. verzeiher; vergifter. **-gëbnisse** stf. verzeihung. **-gëbunge** stf. verzeihung; vergiftung.

ver-geilen swv. refl. übermütig sein, sich in übermut vergessen; intr. zu ende *geilen*, aufhören übermütig zu sein.

ver-geisten swv. geistig machen.

ver-gelîchen swv. ausgleichen; refl. sich vertragen *mit*, zusammenpassen.

ver-gelîchesen swv. betrügen.

ver-gelîchunge stf. verähnlichung.

ver-gellen swv. vergällen, verbittern.

ver-gellen swv. ausklingen lassen.

ver-gëlten stv. zurückerstatten, bezahlen (auch vom kampfe); eintragen, einkünfte bringen. — refl. sich bezahlt machen, empfangene streiche vergelten.

ver-gëlwen swv. *gël* werden.

ver-geizen swv. kastrieren.

ver-gemehelen swv. refl. sich vermählen.

ver-gên s. *vergân.*

ver-genclich, -ganclich adj. vergänglich, irdisch, eitel.

vergenen swv. fangen, erhaschen.

ver-gengen swv. zum vergehn bringen.

vergen-lôn stm. fährlohn.

ver-genzen swv. *ganz* werden, zuwachsen.

ver-gërn stv. ausgären.

ver-gërn swv. aufhören zu *gern.*

ver-gerwen swv. vollständig bereit machen *ze.*

ver-gesten swv. refl. entfremden.

ver-getern s. *vergatern.*

ver-getzen swv. entschädigen.

ver-gewissen swv. *gewis* machen, sicherheit wofür geben, kaution leisten; mit gewissheit kund tun.

ver-gëȝ, -giȝ stm. vergessenheit.

ver-gezoc stm. aufschub.

ver-gëȝȝen stv. aus den gedanken verlieren, vergessen, mit gen. od. acc. — refl. sich in vergessenheit verfehlen. — unpers. mit dp. u. gs. in vergessenheit geraten. — part. adj. vergessen, im stiche gelassen; vergesslich, gedankenlos. **-gëȝȝenheit** stf. vergessenheit, vergesslichkeit. **-gëȝȝenlich, -gëȝȝelich** adj. vergesslich. **-gëȝȝenunge** stf. vergessenheit. **-gëȝȝic** adj. vergesslich. **-gëȝȝunge** stf. das vergessen.

vergieren s. *virgieren.*

ver-gieȝen stv. tr. vergiessen. ausgiessen, verschütten, bildl. ausbreiten, beenden, zerstören, vernichten; begiessen, überschütten; mit blei festgiessen. — refl. sich verschütten, ausbreiten.

ver-gift stf. n. m. gift. **-gifte, -gift** stf. vergiftung. **-giften, -giftigen** swv. tr. schenken, vergeben, vermachen; vergiften, -pesten. **-giftic** adj. giftig, vergiftet. **-giftnisse** stn. gift, vergiftung.

ver-giht stf. ausspruch, aussage, bekenntnis. **-gihten** swv. bekennen. **-gihtic** adj. ein-, zugestehend. **-gihtigen** swv. zum geständnisse bringen.

ver-giht, -gihte stn. zuckungen, krämpfe, gicht. **-giht, -gihtet** part. adj., **-gihtic** adj. gichtbrüchig. **-gihtigen** swv. *vergihtiget w.* an gicht leiden.

ver-gilwen swv. ganz *gël* machen od. werden.

ver-gimmen swv. mit edelsteinen besetzen.

ver-ginen swv. refl. sich vergaffen.

ver-giseln swv. tr. einen zwingen als geisel mitzufahren, das einlager zu halten, bildl. fremder willkür preisgeben, feindl. behandlung aussetzen, hilflos lassen; mit as. etwas durch das versprechen des einlagers sicher stellen. — refl. im einlager zugrunde gehn.

ver-gitern swv. mit einem *giter* versehen.

ver-giȝ stm. s. *vergëȝ.*

vergiȝ-min-niht imperat. blumenname.

ver-glaben swv., part. *verglabet* sinnlos, ohne verstand.

ver-glarren swv. nicht recht sehen, übersehen.

ver-glasen swv. verglasen; mit glasur überziehen.

verg-lêhen stn. belehnung mit einer fähre.

ver-gleifen swv. ganz schief machen.

ver-glîȝen stv. aufhören zu glänzen.

ver-glucken swv. intr. zerbrechen.

ver-golden s. *vergulden.*

ver-goten swv. göttlich machen, in gott verwandeln.

ver-goumen, -göumen swv. tr. übersehen, verpassen.

ver-goumlôsen, -goumsaln swv. vernachlässigen, verwahrlosen.

ver-graben stv. begraben, vergraben; mit einem graben umgeben, durch einen gezogenen graben absperren od. unwegsam machen; refl. sich vergraben; sich verschanzen.

ver-gramazieren swv. durch lug u. trug abwendig machen, abschwindeln.

ver-gramen swv. intr. mit dat. einem gram werden.

ver-grasen swv. mit gras überwachsen.

ver-grâwen swv. alt werden, nach alter riechen.

ver-grempen swv. verschachern.

ver-grieȝen stv. ausstreuen, überschütten.

ver-grif stm. umfang; übereinkunft, vertrag. **-grifen** stv. abs. falsch greifen, fehlgreifen. — refl. sich vergreifen, einen missgriff tun. — tr. einschliessen, einbegreifen.

ver-grimmen s. *verkrimmen.*

ver-grüenen swv. ganz grün machen od. werden.

ver-güeten swv. vergüten; auf zinsen anlegen.

ver-güetern swv. mit gütern belehnen.

ver-güften swv. verschwenden.

ver-gulden, -gülden, -golden swv. vergolden, übergolden.

ver-gülten swv. vergelten, bezahlen (*ein guot verg.* davon die *gülte* geben).

ver-gunnen an. v. missgönnen (mit dp. u. gs.); in güte gestatten, vergönnen. **-gunst** stf. missgunst; erlaubnis. **-günsten** swv. gestatten, vergönnen; refl. sich in gunst bringen, aussöhnen *mit.*

ver-haben swv. zuhalten, verdecken, verschliessen, umschliessen; verhalten, zurückhalten.

ver-hacken swv. auseinander, klein hacken; ausholzen; refl. sich durch hacken verwunden.

ver-haft stm. arrestation.

ver-hagen, -hegen swv. durch einen *hac* versperren, einfriedigen, umzäunen, ein-, umschliessen.

ver-hâhen redv. aufhängen; umhängen, verhängen, -hüllen; s. v. a. *verhengen* geschehen lassen. — intr. hangen bleiben; sich hinziehen.

verhælen swv. tr. verheimlichen. — refl. sich nicht entdecken, zurückhaltend sein.

ver-halten redv. tr. verschlossen halten; versperren, verschliessen; zurückhalten, vorenthalten, verbergen, verheimlichen, verschweigen. — abs. od. intr. sich zurückhalten, zögern, zu spät kommen; einen hinterhalt stellen, auflauern. — refl. sich festsetzen, verborgen halten. — part. adj. dazu (*ein v. ros* das leicht durch das anziehen des zügels zurückzuhalten ist).

ver-halzen s. *verhelzen.*

ver-hamîten swv. durch einen *hamît* absperren.

ver-hancnisse s. *verhencnisse.*

ver-handeln swv. abs. auf verkehrte weise hand anlegen, fehlgreifen, verkehrt oder schlecht handeln, sich vergehn. — tr. handeln, tun; schlecht machen, ins gegenteil verkehren, fälschen; schlecht behandeln. — refl. sich zutragen, verlaufen; auf schlechte weise handeln, sich vergehn; sich ins gegenteil verkehren; *sich verhandeln, -hendeln* sich mit verschränkten händen fassen. **-handelunge** stf. schlechte handlung, vergehn, verbrechen.

ver-hantvesten swv. durch *hantveste* bekräftigen.

ver-harmen swv. durch *harm* zugrundegehn.

ver-harren swv. verharren, bleiben; refl. sich aufhalten.
ver-harschen swv. verhärten, hart werden. *-harschet* part. adj. obstinatus, induratus.
ver-harsten swv. ganz hart werden, erstarren.
ver-harten swv. dasselbe; bildl. hartnäckig, verstockt werden (vgl. *verherten*).
ver-hazzen swv. hassen; *verhazzet* part. adj. verhasst mit dp.
ver-heben stv. tr. zuhalten, verdecken, verschliessen; in die höhe heben; zu hoch heben, bildl. überhebend, übermütig machen; worüber (gen.) hinwegheben, überheben, entheben. — refl. sich die nase zuhalten; sich überheben. — abs. sich zurückhalten, zögern, zu spät kommen. **-hebenisse** stn. überhebung, selbstüberschätzung.
ver-heften swv. einheften, umstricken; fest machen, sichern; verbinden, verpflichten; zurück-, vorenthalten, besetzen; im rechtl. sinne arrestieren. **-heftunge** stf. arrestation.
ver-hegen s. *verhagen*.
ver-heien s. *verhîen*.
ver-heien swv. durch hitze verderben.
ver-heilen swv. heilen intr. u. tr.
ver-heimen swv. einfriedigen.
ver-heit s. *verhîen*. **vër-heit** stf. *in die v.* in longinquum.
ver-heizen redv. tr. verheissen, -sprechen; verloben; ablehnen. — refl. verheissen, geloben.
verhelîn, verlîn, verhel, verl; verkelîn, verkel stn. dem. zu *varch*.
ver-hëllen stv. aussagen, gestehn.
ver-helligen swv. zerstören, verheeren. **-helligunge** stf. zerstörung, verheerung.
ver-hëln stv. verhehlen, verheimlichen, geheim halten, verbergen (*unser vrouwen tac der verholne* Mariä empfängnis), mit acc., mit doppelt. acc., mit acc. u. gen., mit dat. u. acc. — refl. sich verbergen, verstellen; *sich verh. von* sich wovon zurückziehen.
ver-helzen, -halzen swv. ganz *halz* machen, lähmen.
ver-hencnisse, -hancnisse stfn. zulassung, einwilligung, erlaubnis, schickung.
ver-hendeln s. *verhandeln*.
ver-henge, -hengede stf. einwilligung, erlaubnis; verhängnis, fügung. **-hengen** swv. hängen, schiessen lassen (*dem rosse den zoum*), bildl. nachgeben, geschehn lassen, gestatten mit dp.; ergehn lassen, verhängen *über*. **-hengunge** stf. = *verhenge*.
ver-herde stf. verheerung.
ver-hêren swv. tr. verherrlichen; stolz, vornehm machen, aus stolz vorenthalten.
ver-hergern swv. = *verhern*.
verher-muoter stf. = *varchmuoter*.
ver-hern swv. mit heeresmacht überziehen und verderben, besiegen, verwüsten, zerstören; berauben mit gs.
ver-hêrren, -hêrn swv. tr. mit einem herrn begaben. — refl. sich jemand (*an*) als dem herrn ergeben.
ver-herten swv. tr. u. intr. *hart* machen oder werden.
ver-hetzen swv. verhetzen, verfolgen.
ver-hîen, -heien swv. stuprare, bildl. schänden, zu grunde richten, zerstören. — *verhît, -heit* part. adj. entehrt, infam, niederträchtig, heimtückisch.
ver-hîleichen, -hîrâten swv. vermählen.
ver-hôchverten swv. mit *hôchvart* vertun.
ver-hoffen swv. hoffen, erwarten; die hoffnung aufgeben, verzweifeln.
ver-hogen s. *verhügen*.
ver-hœhen swv. überhöhen.
ver-holn swv. tr. erwerben, verdienen. — refl. sich erholen von (gen.).
verholn-bære adj. verborgen, heimlich, rätselhaft **ver-holne, -holn** part. adv., **-holnliche** adv. verhohlner weise, heimlich.
ver-hœnen swv. *hœne* machen, herabsetzen, entehren; verheeren, verderben, verhunzen.
ver-hœr stn. = *verhœrde*. **-horchen** swv. anhören; überhören. **-hœrde, -hœre** stf. verhör. **-hœren** swv. hören, anhören, vernehmen, zu ende hören, prüfen; anhören, erhören; überhören.
ver-houwen stv. tr. zerhauen, hauend verwunden, verletzen, beschädigen, nieder-, weghauen (*einem etw. v.* ihn woran hindern); aushauen, -holzen; durch verhaue versperren; s. v. a. *versnîden* zur zierde aufschneiden, zerschlitzen; zu-, behauen; durch unrechtes hauen oder schneiden verderben. — refl. sich hauend verwunden.
ver-hovet part. adj. gegen die höfische weise gebildet.
ver-hüeten swv. tr. behüten, bewachen, bewahren (mit gs. od. *vor*); aufpassen, auflauern mit acc. od. gen.
ver-hûfen swv. in haufen versammeln; mit haufen umgeben, überdecken.
ver-hügen swv., md. *verhogen* vergessen.
ver-hüllen swv. ver-, umhüllen, einschliessen.
ver-hungern swv. intr. verhungern. — tr. aushungern; verzehren, abweiden.
ver-huoren swv. tr. durch ehebruch entehren; durch *huoren* vertun. — refl. *huor* treiben.
ver-hûren swv. md. verhandeln, verkaufen.
ver-hurten swv. durch *hurten* beschädigen.
verige swm. s. *ver*.
ver-îlen swv. refl. übereilen.
ver-innen swv. in kenntnis setzen, erinnern mit acc. u. gen.
ver-insigelen swv. siegeln, besiegeln.
ver-irren swv. tr. in die irre führen, irremachen, stören, verwirren, zerstreuen; mit gs. worin irreführen, woran hindern, einer sache berauben. — refl. sich verirren, verfehlen *gegen*. — intr. irrewerden, sich irren, verirren, in irrtum fallen.
ver-iuzern, -ûzern swv. tr. veräussern, verkaufen. — refl. sich nach aussen kehren.
ver-jagen swv. tr. in die flucht jagen, vertreiben; über die kräfte vorwärts treiben. — refl. sich jagend zu sehr anstrengen, sich jagend verirren.
ver-jâgen, -jâzen swv. *jâ* sprechen, bejahen.
ver-jâmern swv. refl. sich durch seelenschmerz abhärmen; sich schmerzlich sehnen *nâch*.
ver-jânen swv. verzehren, vertun, verschwenden.
ver-jâren swv. intr. alt werden, verjähren. **-jæren** swv. tr. verjähren lassen, das jahr wofür versäumen. — refl. verjähren.
ver-jâzen s. *verjâgen*.
verje swm. s. *ver*.
ver-jëhen, -jên stv. sagen, erzählen, aussagen, zu erkennen geben, eingestehn, bekennen; versprechen, geloben mit gs.; einem etw. zugestehn, ihm worin beipflichten mit dat. u. gen.; nennen, bekennen, erklären, mit gen. u. *ze*. — refl. sich ausgeben, erklären als. **-jëhnisse, -jëhunge** stf. aussage, bekenntnis.
ver-jësen stv. = *vergërn*.
ver-jöuchen swv. verjagen.
ver-kallen swv. ausschwätzen, verschwätzen, aufhetzen.
ver-kalten swv. ganz *kalt* werden.
ver-kapfen, -kaffen, -gaffen swv. sich in starres schauen verlieren, intr. u. refl.

ver-kargen s. *verkergen*.

ver-kargen swv. aufhören freigebig zu sein.

ver-kasteln, -kasten swv. ein-, umfassen, einschliessen.

ver-kebesen, -kebsen, -kepsen swv. zu einer *kebese* machen; eine *kebese* schelten.

verkelîn s. *verhelîn*.

ferker s. *vertiger*.

ver-kêrære, -er stm. verfälscher, betrüger, verführer, irrlehrer. **-kêrde** stf. üble auslegung, verdrehung. **-kêre** stf. verkehrung. **-kêren** swv. umkehren, -wenden, ändern, verwandeln, verdrehen, ins entgegengesetzte (gute oder böse) verändern (mit dp. übel anrechnen; entziehen; *daz gerihte v.* den urteilsspruch fälschen); an einen andern ort bringen, eine falsche richtung geben, vom rechten oder unrechten abbringen, abwendig machen, verführen (*den witwenstuol v.* wieder heiraten; *den pfleger, amptman verk.* absetzen, neu wählen, *daz gesinde v.* entlassen, *die ketzer v.* bekehren). — refl. sich ändern, umkehren, wenden, verwandeln, ins entgegengesetzte verkehren, vom rechten od. unrechten sich abwenden mit gs.; sich verstellen, verkleiden; sich abwenden, abtrünnig werden. — intr. sich verwandeln *in*. **-kêrlich** adj., **-liche** adv. verkehrt, nicht geziemend; *v. leben* von dem wahren glauben abgewendet. **-kêrnisse** stf. veränderung, veräusserung. **-kêrunge** stf. veränderung, ablenkung von dem rechten; bekehrung.

ver-kergen, -kargen swv. überlisten, betrügen.

ver-keufen s. *verkoufen*.

verkies-brief stm. verzichturkunde.

ver-kiesen stv. wegsehen und nicht erwählen; tr. nicht beachten, verschmähen, verachten, nicht beachtend aufgeben, fahren lassen, verlieren, nachlassen, absprechen, preisgeben, verzichten, verschmerzen, nachsehen, verzeihen (*ûf einen v.* abs. od. tr. ihm verzeihen); *verkorn wort* wort der verachtung, schmähwort. — refl. verzichten, mit gs.

ver-kinden swv. aufhören kind zu sein. **-kindischen** swv. kindisch werden.

ver-kiuten swv. tr. sich wogegen (acc.) erklären.

ver-kiuten, -kûten swv. vertauschen.

ver-klaffen swv. verschwätzen, verraten, verleumden.

ver-klage stf. anklage. **-klagen** swv. tr. mit klagen hinbringen; zu ende klagen, vollständig klagen; aufhören zu beklagen, verschmerzen; anschuldigen, verklagen. — refl. sich durch klagen abhärmen, zugrunde richten; klage vorbringen.

ver-klamben, -klammen swv. tr. fest an- oder zusammendrücken, einklemmen, -engen, umklammern. — refl. sich umklammern, ineinander flechten.

ver-klænen s. *verklënen*.

ver-klæren swv. erhellen, verklären; erklären, erläutern.

ver-kleiben swv. verkleben, verschmieren; mit metall ausgiessen, verlöten.

ver-kleinen swv. klein machen, erniedrigen.

ver-klënen, -klænen swv. verkleben, verschmieren.

ver-klîben stv. stecken bleiben, verkommen.

ver-klimmen stv. tr. fest zusammendrücken, einklammern, umklammern. — refl. sich schlingen, klammern *umbe*.

ver-klimpfen swv. refl. sich zusammenziehen, einschrumpfen.

ver-klüegen swv. beschönigen, bemänteln, vertuschen.

ver-klûsen, -klôsen swv. ein-, um-, verschliessen.

ver-klütern, -klutern swv. verwirren, begaukeln. — refl. sich verwirren, verschlingen.

ver-knüsen swv. zerreiben.

ver-komen stv. intr. vorüber, zu ende gehn; ausgären; übereinkommen *mit*; mit gs. worin entgegenkommen, etw. vergelten. — tr. mit ap. vorangehn, zuvorkommen; sorgend entgegenkommen, zuvorkommend behandeln; mit as. sorgend verhüten, -hindern.

ver-korn part. adj. s. *verkiesen*.

ver-korn swv. s. *verkürn*.

ver-korunge stf. versuchung.

ver-kosten swv. aufwand machen, geld ausgeben, verzehren; kosten wenden *ûf* (od. acc.); beköstigen, unterhalten, besolden. — refl. geld ausgeben, sich unkosten machen; sich zehrung verschaffen, beköstigen.

ver-koufære, -keufære, -er, -köufeler stm. verkäufer. **-koufersche** swf. md. verkäuferin. **-koufen, -keufen** swv. verkaufen, hin-, preisgeben. **-köufnisse** stn., **-koufunge** stf. verkauf.

ver-krâmen swv. abs. einen unnützen kauf machen, sein geld unnütz ausgeben. — tr. verkaufen, hin-, preisgeben, vertändeln.

ver-kreften swv. entkräften, schwächen; überwältigen.

ver-kreizunge stf. ärgerung, ärgernis.

ver-krempfen swv. krampfhaft zusammenziehen.

ver-krenken swv. ganz *kranc* machen; schwächen, herabsetzen, beschimpfen, vernichten.

ver-kretzen swv. verkratzen.

ver-kriegen swv. durch kriegführung verbrauchen, verlieren.

ver-krîgen stv. erhalten.

ver-krimmen, -grimmen stv. abs. mit dp. krampfhaft, krallend ergreifen. — tr. krampfhaft zusammen-, zerdrücken.

ver-kristen stv. ausstöhnen.

ver-krœnen swv. krönen, überkrönen.

ver-krumben, -krummen swv. ganz krumm werden, erlahmen. **-krümben, -krümmen** swv. ganz krumm od. lahm machen.

ver-krumen swv. zerreiben, bildl. vertrödeln.

ver-kumbern, -kümbern; -kummern, -kümmern swv. arrestieren, in beschlag nehmen; auf-, vorenthalten; in die gewalt eines andern geben durch tausch, verpfänden oder verkaufen.

ver-kûmen swv. ganz *kûme* werden.

ver-künden swv. kund tun, wovon kunde geben; öffentlich erklären als, mit dopp. acc.; erkunden, erfahren. **-kündigen** swv. aufkündigen (den frieden).

ver-kunnen anv. nicht kennen, nicht wissen wollen: tr. in zweifel, verzweiflung versetzen; mit acc. u. gen. einem etw. nicht zutrauen; mit dat. u. abh. s. einem etw. nachsehen, verzeihen. — refl. nichts erwarten von (*wider*), die hoffnung aufgeben, mit gs. verzichten auf, verzweifeln an.

ver-kuntschaften swv. durch *kuntschaft* beweisen; durch *kuntschaft* berichten; *einen v.* = *ûf einen kuntschaft bestellen*.

ver-kürn swv., md. *verkorn* refl. sich freiwillig entschliessen; *sich ûf einen v.* ihn zur mittelsperson wählen; *sich mit einem v.* freiwillig ein abkommen treffen.

ver-kürzen, -kurzen swv. kürzen, verkürzen, abschneiden, vermindern, schwächen.

ver-kûten s. *verkiuten* 2.

verl s. *verhelîn*.

ver-lâchen swv. mit *lâchsteinen* abgrenzen.

ver-laden stv. übermässig belasten, beschweren, bedrängen (*mit kinde verladen sîn* schwanger sein).

ver-lamen swv. ganz *lam* werden, erlahmen.
ver-lân s. *verlâȥen.*
ver-langen swv. unpers. mit acc. sehnlichst begehren *nâch*; tr. verlangen. - stn. verlangen; verdruss, kummer.
ver-lankenieren swv. die seiten des rosses mit decken behängen.
ver-lantvriden swv. dem landfrieden gemäss bestimmen und urteilen; mit ap. vom landfrieden ausnehmen, die strafe des landfriedensbruches über einen verhängen.
ver-lâȥ stm. untätigkeit. - stf. hinterlassung, verlassenschaft. **-lâȥen, -lân** redv. tr. fahren lassen, fort-, loslassen, entlassen; mit gs. auf-, preisgeben, frei lassen von (mit gs., *an*); erlassen, anbefehlen; erlassen, nachlassen, verzeihen; lassen, zulassen, geschehen lassen, gestatten; überlassen, übergeben, übertragen, anvertrauen, anheimstellen; übrig lassen; zurücklassen, hinterlassen; verlassen; unterlassen, aufgeben. — refl. sich verlassen, vertrauend hingeben *an, ze*; enden. **-lâȥen** part. adj. ausgelassen, frech, unanständig, weltlich; erlassen, nachgelassen; zurückgelassen, hinterlassen. **-lâȥenheit** stf. ausgelassenheit, frechheit, weltlichkeit; einsamkeit. **-lâȥenlich, -læȥenlich** adj. ausgelassen, frech, unanständig, rücksichtslos; was erlassen, nachgelassen werden kann, lässlich. **-lâȥenliche, -læȥenliche** adv. auf ausgelassene, unanständige, freche, gottlose weise. **-lâȥunge** stf. ausgelassenheit, frechheit; erlassung, nachlassung.
ver-laȥȥen swv. tr. säumig betreiben, verzögern, vernachlässigen; intr. zögern.
ver-lëben swv. tr. verleben; *einen v.* überleben. — intr. ableben, verwelken.
ver-lëchen swv. aus-, vertrocknen.
ver-lege stf. beschlagnahme, pfändung.
ver-lëgen part. adj. durch zu langes liegen in trägheit versunken, entwertet, verdorben.
ver-legen swv. tr. an einen unrechten ort legen, verlegen; verlegen, abschliessen, versperren, hindern; verhaften, arrestieren; entwerten, beseitigen, verdrängen indem man etwas anderes od. besseres an die stelle setzt; die nötigen kosten bestreiten od. borgen, wofür aufkommen, mit ap. für einen geldauslagen machen, ihn mit dem nötigen versehen; ihm zu verdienen geben. — refl. sich begeben *in*; sich beköstigen; eine missheirat tun.
ver-lëgenheit stf. schimpfliche untätigkeit.
ver-lëgenlich = *verlëgen.*
ver-lêhenen, -lênen swv. tr. belehnen; als lehn hingeben, überh. hingeben, verleihen.
ver-leiden swv. leid, verhasst sein, machen; mit leid belasten.
ver-leiden, -leiten swv. anklagen, denunzieren, verleumden.
ver-leidigen swv. verletzen.
ver-leisen swv. spurlos machen.
ver-leisten swv. tr. *die leistunge verl.* das einlager halten; im einlager verbrauchen, abnutzen, zugrunde richten. — refl. im einlager verbraucht werden, zugrunde gehn (pferd).
ver-leiten s. *verleiden* 2.
ver-leiten swv. irreführen, verleiten. **-leiter** stm. verführer.
ver-lemen swv. ganz *lam* machen.
ver-lënen, -linen swv. verstopfen, verschütten; überziehen *mit.*
ver-lênen s. *verlêhenen.*
ver-lengen swv. in die länge ziehen, aufschieben.
ver-lenken swv. verbiegen, verrenken; ablenken, abwenden.
ver-lërzen swv. verstummen.
ver-lëschen stv. intr. erlöschen.
ver-leschen swv. tr. auslöschen.
ver-lësen stv. zugrunderichten, verderben; - stswv. vorlesen, verlesen.
ver-letzen swv. mit einer *letze* umgeben, schützen; verletzen, verwunden, schädigen.
ver-lîben stv. bleiben, verbleiben, verharren; wegbleiben.
ver-lîben swv. einverleiben.
ver-lîden stv. intr. vorübergehn, vergehn; ganz mit leiden, mit schmerz erfüllt sein. — tr. zu ende leiden, aushalten.
ver-liegen stv. tr. lügen über, verleumden. — *verlogen* part. adj. lügenhaft, erlogen.
ver-lies stn. m. verlust; unterlassung, sünde. **-liesære, -er** stm. verlierer, verspieler; verderber, verfolger. **-liesen, vliesen** stv. abs. verlieren, verspielen (beim spiele, kampfe, lose); verloren gehn, verdammt werden, sich verlieren, aufhören. — tr. verlieren, verlustig gehn; dem verderben hingeben, zugrunderichten, töten; mit dp. einen um etw. bringen, es ihm zugrunde richten; unnütz tun, vergebens, ohne erfolg brauchen, part. *verlorn* unnütz, vergeblich; nicht tun, unterlassen. — refl. verloren gehn, sich verlaufen; sich verderben, schaden. **-liesunge** stf. verlust, verderben.
ver-ligen stv. tr. verlegen, versperren; durch zu langes liegen verschlafen, versäumen, überh. versäumen, vernachlässigen. — refl. zu lange liegen bleiben, durch zu langes liegen verderben; durch zu langes liegen in untätigkeit, trägheit versinken, erschlaffen. — intr. liegen bleiben, zurückbleiben; durch zu langes liegen in trägheit versinken.
ver-lîhen stv. als darlehn, als lehn od. in miete geben; geben, schenken, verleihen, zuteil werden lassen, zugestehn, mit dat. u. acc.; mitteilen, zu erkennen geben.
ver-lîhen swv. zugeben, veranlassen.
ver-lîher stm. verleiher.
ver-lîhten swv. erleichtern.
ver-lîmen swv. verleimen.
verlîn s. *verhelîn.*
verlîn stn. dem. zu *var* stierkalb.
ver-linen s. *verlënen.*
ver-listen, -listigen swv. durch *list* überwinden.
ver-lîtgëben swv. ausschenken (*wîn*).
ver-lîtkoufen swv. wofür *lîtkouf* geben.
ver-liuhten swv. be-, erleuchten.
ver-liumunden, -liumden, -liumen swv. in übeln ruf bringen, verleumden. — part. *verliumundet* usw. in schlechtem rufe stehend; in gutem rufe stehend, berühmt.
ver-liuten, -lûten swv. verlautbaren, verkündigen, nennen; in übeln ruf bringen, verleumden; *einen v.* durch glokkengeläute dessen verbannung bekannt machen.
ver-loben swv. tr. übermässig loben; geloben zu tun, versprechen; verloben, vermählen; geloben nicht zu tun, aufgeben, verzichten auf, verschwören mit as.; mit ap. aufgeben, fahren lassen, nicht umgehn mit, abweisen. — refl. sich verloben, sich verpflichten; mit gs. geloben nicht zu tun, verzichten. **-lobnisse** stfn. verlobung.
ver-locken swv. lüstern verlangen mit dp. und *nâch.*
ver-logen part. adj. s. *verliegen.*
ver-lôn = *vergenlôn.*
ver-lônen, -lœnen swv. tr. als *lôn* geben für, bezahlen.

ver-lor (vlor) stm? stn? **-lorn (vlorn)** stn., **-lornisse** stfn. verlust, verderben.

ver-lôsen swv. tr. heucheln, erheucheln.

ver-lœsen, -lôsen swv. auslösen; s. v. a. *verlôsungen*. **-lœser** stm. erlöser. **-lœsunge** stf. erlösung.

ver-lôsungen swv. tr. die *lôsunge* wofür entrichten, etw. versteuern.

ver-louben swv. erlauben.

ver-louben swv. tr. mit laub bedecken. — refl. mit gen. sich wovon lösen, abfallen; sich einer sache entschlagen, sie ablegen, ihr fremd bleiben.

ver-loufen redv. intr. vorüberlaufen, verlaufen. — tr. überlaufen lassen; hindernd vor etwas laufen. — refl. vorüberlaufen, vergehn; sich begeben, geschehen; weglaufen; sich laufend verlieren; sich laufend abnützen.

ver-lougenen, -lougen, -louken swv. tr. leugnen, verneinen, in abrede stellen, ab-, verleugnen, meist mit gen. **-lougener** stm. leugner, verleugner.

ver-lüben swv. refl. sich durch gelübde verpflichten.

ver-lücken swv. verlocken.

ver-lunzen swv. refl. ruhig bleiben, sich still verhalten.

ver-luodern swv. verprassen, verschlemmen.

ver-lüppen swv. mit gift bestreichen, vergiften; verzaubern.

ver-lûren swv. heimlich verbleiben.

ver-lust (vlust) stf. verlust, verschwendung; verderben, schaden. **-lust- (vlust-) bære** adj. *verlust* bringend od. habend. **-lustec, -lüstec (vlustec, vlüstec), -ic** adj. *verlust* erleidend, habend; *verlust* bringend, mit *v*. verbunden. **-lusteclich** adj. *verlust* bringend, mit *v*. verbunden, des verlustes.

ver-lusten swv. unpers. *mich verlustet* mir beliebt, ich will.

ver-lûtbæren swv. verlautbaren.

ver-lûten s. *verliuten*.

ver-lützeln swv. verringern.

ver-lûȥen swv. versteckt halten, verbergen; versäumen.

ver-machen swv. tr. auseinander machen, zertrümmern, verderben, vernichten; festmachen, bekräftigen, bestimmen; zumachen, versperren, -stopfen, abschliessen; einschliessen, -fassen, -hüllen, -packen, vergolden, verbergen; einbalsamieren; durch testament vermachen, überh. schenken, übergeben. — refl. sich verkleiden, vermummen *mit*. **-machunge** stf. verwirkung; schenkung, vermächtnis.

ver-mahelen s. *vermehelen*.

ver-mahelrinc stm. ehering.

ver-maht stf. das können, vermögen.

ver-maledîen, -maldîen swv. verwünschen, verfluchen.

ver-mâlen swv. durch *mâlsteine* abgrenzen; malen.

ver-mâligen swv. = *vermeiligen*.

ver-mâlsteinen swv. = *vermâlen* in 1. bedeutung.

ver-manen swv. tr. nicht woran denken, verachten, verschmähen; zu verstehn geben, kundtun; erinnern, ermahnen, auffordern.

ver-mangelunge stf. md. vermischung, vereinigung.

ver-manicvalten, -valtigen swv. ganz *manicvalt* machen.

ver-mannen swv. tr. *einen v*. als vasallen in pflicht nehmen, ihm ein lehn erteilen; *ein lêhen verm*. für verwirkt erklären u. einziehen. — refl. sich verheiraten; *sich under einen verm*. dessen lehnträger werden.

ver-manunge stf. verachtung, verschmähung; erinnerung, ermahnung, aufforderung.

ver-mæren swv. offenbaren, verkünden, angeben, verraten, ins gerede, in guten od. schlechten ruf bringen, berühmt od. berüchtigt machen. — *vermæret* part. adj. berühmt od. berüchtigt.

ver-marken swv. durch marksteine abgrenzen.

ver-marketen, -marken swv. verhandeln, verkaufen.

ver-mærsagen swv. *die zît v*. mit schwatzen hinbringen.

ver-martern swv. ganz martern.

ver-mâsegen, -mâsgen swv. beflecken, beschädigen. **-mâsunge** stf. befleckung.

ver-mâȥen swv. *einen verm*. ihn worin in ungehörigem masse, in beschämender weise übertreffen.

ver-mëchen stv. md. aufhalten, hindern, schwächen.

ver-mecht stn. vermächtnis.

ver-mehelen, -mahelen swv. verloben, vermählen.

ver-meilen, -meiligen swv. beflecken, -schädigen. **-meilunge** stf. befleckung.

ver-meinbëten swv. *einen v*. beten, dass einer gemeinschaftslos wird. **-meinen** swv. aus der gemeinschaft ausstossen, verbannen, ächten, verwünschen, verfluchen, bestrafen.

ver-meinen swv. durch *mein* verderben, durch missetat beflecken bezaubern, behexen.

ver-meinen swv. meinen, denken, wollen, hoffen; zudenken, -messen mit dat. u. acc.; aus den gedanken schlagen, zurückweisen.

ver-meinsame, -meinsamunge stf. ausschluss aus einer gemeinschaft, exkommunikation. **-meinsamen** swv. = *vermeinen* 1.

ver-meistern swv. durch abrichten verderben.

ver-meiȥ stm. holzschlag.

ver-mëlde swm. angeber. **-mëlden** swv. kund tun wovon andere nichts wissen sollten, angeben, verraten. **-mëlder** stm. angeber. **-mëldunge** stf. das angeben, verraten.

ver-mengeln, -mengen, -menkeln swv. vermengen, vermischen.

ver-menigen swv. unter die menge bringen, verbreiten.

ver-menschen swv. zum menschen machen.

ver-merken swv. merken, bemerken, gewahr werden.

ver-mesten swv. übermästen.

ver-mëȥȥen stv. tr. ausmessen; abmessen, bestimmen, verabreden; zumessen, übergeben; falsch messen, nicht treffen, verfehlen. — refl. das mass seiner kraft zu hoch anschlagen, übermütig, kühn sein, sich rühmen, prahlen; *vermëȥȥen* part. adj. verwegen, kühn, leichtsinnig; sich fest u. kühnlich entschliessen, erkühnen, anheischig machen, anmassen, behaupten, ohne od. mit gen. **-mëȥȥenheit** stf. entschlossenheit, kühnheit, verwegenheit. **-mëȥȥenlich** adj., **-liche** adv. verwegen, kühn, kühnlich.

ver-michellichen swv. vergrössern, vermehren.

ver-mîden stv. tr. fern bleiben von, ausweichen, vermeiden, unterlassen; unwirksam bleiben auf; schonen, verschonen, unbehelligt lassen, mit gs.; fern halten von, nehmen, mit dp. — abs. nicht treffen, fehlen. — refl. fern bleiben von, sich nicht kümmern um (gen.). **-mîdunge** stf. vermeidung.

ver-miesen swv. mit moos, wie mit moos sich überziehen, verwachsen.

ver-mieten swv. tr. verdingen, -mieten. — refl. mit dp.

ver-milten swv. mit *milte* geben, als almosen erteilen; *gegen einem vermiltet werden* gegen ihn zu freigebig sein.

ver-minnen swv. tr. entzweien; gütlich ausgleichen, versöhnen.

ver-mischen swv. tr. mischen, vermischen. — refl. sich geschlechtlich vermischen *mit*; sich verbergen *in*.

ver-missehëllen swv. *widereinander v.* im streite sein.

ver-missen swv. mit gen. nicht treffen, fehlen (im kampfe mit der lanze usw.); nicht finden, verfehlen, nicht wahrnehmen, übersehen; ermangeln, vermissen.

ver-mitteln swv. vermitteln (part. *vermittelt* mittelbar); hindernd wozwischen treten.

ver-miucheln swv. = *vermûchen*.

ver-modelen swv. verunstalten, verderben.

ver-moderen swv. vermodern.

ver-mompern swv. beschützen.

ver-morden s. *vermürden*.

ver-morgengâben swv. als *morgengâbe* geben.

ver-mosen swv. = *vermiesen*.

ver-mûchen swv. heimlich auf die seite schaffen und verstecken.

ver-müeden swv. tr. u. refl. ganz *müede* machen.

ver-müejen, -müegen swv. ganz entkräften. — refl. sich abmühen.

ver-müge, -mügede stf. vermögen, kraft, fähigkeit. **-mügen, -mugen** an. v. intr. vermögen, im stande sein. — tr. vermögen, gewalt haben über, wozu imstande sein mit acc. od. gen.; wozu vermögen, überreden, mit acc. u. infin. — refl. kraft haben, sich verstehn, im stande, im besitze sein, besitzen (mit gen.); mündig sein. **-mügen, -mugen** stn., **-mügent, -mugent, -mügenheit** stf. vermögen, kraft, macht, machtvollkommenheit, fähigkeit. **-mügic** adj. vermögend, stark, mächtig.

ver-müln swv. zerreiben.

ver-munden swv. tr. bevormunden, leiten. — refl. sich in den schirm eines andern begeben.

ver-mundern swv. ganz *munder* machen, aufwecken.

ver-münzen swv. als münze prägen.

ver-mürden, -morden swv. ermorden.

ver-mûren swv. tr. mit einer mauer umgeben, ein-, vermauern; bildl. umzingeln, einschliessen; durch eine mauer abschliessen, versperren; zu einer mauer, beim mauern verbrauchen.

vern swv. intr. fahren; zu schiffe fahren, intr. u. tr.

ver-nâdeln swv. vernähen, flicken.

ver-nagelen, -negelen swv. mit nägeln beschlagen; mit einem nagel durchschlagen, durchnageln.

ver-nahten swv. übernachten; übernächtig werden, erst am folgenden tage beim richter angezeigt werden.

ver-næjen swv. einnähen, ein-, zuschnüren; überall sticken, durchsticken.

ver-namen swv. durch zu häufige nennung missbrauchen; erfahren, vernehmen.

ver-narren swv. ganz zum narren werden.

vërne adv. nbf. zu *vërre* fern.

vërne, vërn, vërnet, vërt, vërnent, vërnt adv. im vorigen jahre. — substantivisch stn. ein verflossenes jahr.

ver-negelen s. *vernagelen*.

ver-neigen swv. herabbeugen, unterdrücken, demütigen.

ver-neinen swv. widersprechen, verneinen; abschlagen, verweigern.

ver-nëmen stv. tr. fest, gefangen nehmen; part. *vernomen* befangen, betrübt, ohnmächtig; berühmt; hören, anhören, vernehmen, erfahren; sehen, riechen; unternehmen, wagen, abs.; erfassen, begreifen, verstehn; abs. verständig werden, sein. — intr. mit dp. hören auf, anhören, auf jem. horchen.

ver-nemes s. *vürnamens*.

vërnen swv. ferne sein mit dp.

ver-nennen swv. nennen.

vërnent, vërnet s. *vërne* 2.

ver-netzen swv. durchnässen u. dadurch verderben.

ver-netzen swv. mit einem netze umstricken.

ver-nicken swv. = *verneigen*.

ver-nîden stv. aus hass umbringen, zugrunde richten.

ver-nideren swv. herabsetzen, verschlechtern.

ver-nieten swv. vernieten.

ver-niezen stv. verbrauchen, verzehren; part. *vernozzen* zerknirscht, reumütig.

ver-nihten (-niuten), -nihtigen (-niutigen) swv. zunichtemachen; für nichts achten.

ver-niugërnen swv. *vern. an* die lust an etw. verlieren.

ver-niuwen swv. tr. u. refl. erneuen; neu od. erneuert hinstellen, auffrischen, restaurieren, reformieren, verjüngen, wiederholen; neu ergründen.

vernîz s. *firnîs*.

ver-noijieren, -noigieren, -nôgieren swv. refl. renegat werden, vom christentum abfallen, überh. abfallen, sich empören; sich erheben, den kampf aufnehmen (afz. *renoier*, lat. *renegare*). **-noijierunge** stf. abfall, apostasie.

ver-nôtboten swv. durch einen *nôtboten* vorladen.

ver-notelen swv. schriftlich festsetzen, urkundlich anfertigen.

vërnt s. *vërne* 2.

ver-nücken swv. tr. durch einnicken, einschlafen versäumen.

ver-nüegen swv. mit ap. u. gs. od. *umbe* befriedigen, zufriedenstellen; mit as. bezahlen.

ver-nüllen swv. zerwühlen.

ver-nunst, -nust; -nunft, -nuft stf. das vernehmen durch äussere od. innere sinnestätigkeit; geistige fähigkeit u. erkenntnis-, unterscheidungs-, urteilskraft, vis rationalis, verständnis, einsicht, klugheit; aufmerksamkeit. **-nunstic, -nunftic, -nünftic** adj. vernünftig, verständig. **-nünsticheit, -nünfticheit** stf. was man vernimmt, die kunde; vernunft. **-nunsticlich, -nunfticlich** adj. wahrnehmbar; vernünftig; wohldenkend. **-nunstlich, -nunftlich** adj. vernünftig; *vernunftliche tugende* virtutes intellectuales.

ver-nützen, -nutzen swv. aufbrauchen, verbrauchen; unnütz brauchen; unnütz zubringen, unbenutzt vorübergehn lassen.

ver-ordenen swv. in unordnung bringen, vernichten.

ver-œsen swv. ganz leer machen; verwüsten, -nichten.

ver-pênen swv. *einen v.* ihm eine geldbusse auferlegen; *einem verpênt sîn* ihm zur strafe verfallen sein; *verpênte gesetze* deren übertretung mit geldbusse bestraft wird.

ver-petschaten swv. versiegeln.

ver-phæhen swv. = *verphîen*.

ver-phælen swv. zu-, einpfählen, einschliessen.

ver-pheden swv. den *phat* versperren.

ver-phehten swv. verpachten.

ver-phenden swv. als pfand setzen, ein pfand wofür geben; als pfand nehmen; durch ein pfand sichern.

ver-phîen swv. tr. vor einem *phî* ausrufen, ihn mit abscheu zurückweisen, verhöhnen.

ver-phlëgen stv. aufhören zu pflegen, sich einer sache entschlagen, sie aufgeben, mit acc. od. gen.; übel, nicht gehörig pflegen, mit gen. — tr. die stelle und pflicht eines andern übernehmen; ihn mit dem nötigen versorgen u. für ihn bürgschaft leisten; aufenthalt geben, verpflegen; zusichern, versichern mit dp. u. gs. — refl. mit gs. sich einer sache entschlagen, sie aufgeben; sich verpflichten, haftbar machen mit gs.

ver-phliht stf. verpflichtung. **-phlihten** swv. tr. in verbindliche gemeinschaft setzen, verbinden mit (*in, ze*), sich verpflichten, haftbar werden für; mit dat. zusichern. — refl. sich in verbindliche gemeinschaft setzen, sich verbindlich machen, verbinden; sich zu etwas verpflichten, versichern, versprechen mit gs., mit infin. od. abh. s.

ver-phuchzen swv. tr. vor einem *phuch* ausrufen.

ver-poppeln swv. tr. = *verbuoben.*

ver-prîsen swv. refl. sein lob verscherzen.

ver-quanten swv. vertauschen, verbergen, -hehlen, -tuschen.

ver-quæzen swv. verprassen.

ver-quëden stv. versagen.

verquëln stv. intr. u. refl. vor qual vergehn, sich in sehnsucht verzehren, abmartern. — *verquoln, -koln* part. adj. leidvoll, gequält; sehnsüchtig, schmerzvoll woran hangend, wornach verlangend: *verquoln, -koln sîn an, nâch, ûf, umbe*; aufgebracht, erzürnt *gegen.*

verqueln swv. tr. einzwängen, fest einschliessen *in*; umarmen; quälen, martern; abquälen, -martern tr. u. refl.

ver-quetschen swv. zerquetschen.

ver-quînen stv. dahin schwinden.

ver-râmen, -ræmen swv. = *berâmen.*

ferrân stm. ein leichter stoff, dessen kette aus seide, der einschlag aus wolle besteht (fz. *ferrandine*).

ver-ranken swv. refl. sich verrenken.

ver-râten redv. durch falschen rat irreleiten, verführen, vernichten; verraten; einen anschlag machen gegen; *ein guot v.* besorgen, nutzbar machen. **-râtenschaft, -rætenschaft** stf. verrat, verräterei. **-râter, -ræter** stm. verräter; wahrsager. **-ræterîe** stf. verrat, verräterei. **-ræterisch, -ræterlich, -rætlich** adj. verräterisch. **-râtnisse, -rætnisse** stn. verrat, verräterei.

vërre adj. fern, entfernt, weit; auswärtig, fremd. **-, vër** adv. fern, entfernt, weit, von weitem; weit, sehr, viel, mit eifer, vor kompar. u. vbb.; nach *sô, alsô, alse, als* demonstr. u. relat. begrenzend: so sehr, insoweit, sofern, nämlich so.

vërre stf. s. *virre.*

ver-rëchen stv. ganz rächen.

ver-rëchen stv. ganz zusammenscharren.

ver-rëchenen, -rëchen swv. = *verreiten.*

ver-recken swv. tr. darreichen; vollstrecken, -ziehen; auseinanderrecken, vernichten. — intr. die glieder starr ausstreckend sterben.

ver-reden swv. tr. zu ende reden; durch reden zu ende bringen, austragen, stillen; ablohnen, zurückweisen, widerlegen; versprechen, geloben. — refl. sich verreden, falsch od. ungerecht reden; versprechen, geloben; sich verloben. **-redunge** stf. verabredung.

ver-rëhten swv. tr. vor gericht bringen, gerichtlich behandeln, verhandeln; durch gerichtl. verhandlung ausgleichen, durch richterl. spruch entscheiden; durch eid rechtfertigen, beweisen; unter eidlicher versicherung versteuern. — abs. ein recht durch rechtsmittel erhärten. **-rëhtigen** swv. gerichtlich verurteilen; hinrichten.

ver-reinen sw. vermarken.

ver-reiteln swv. einhegen, -zäunen.

ver-reiten swv. rechnung ablegen über, verrechnen.

ver-reizen swv. anreizen, verführen; vertun, vergeuden.

vërre-lîche adv. in die ferne. **-lingen** adv. von fern, von weitem. **vërren** adv. fern, von fern, von weitem (*vërrenân* a longe schweiz. hs. 14. jh.): weit weg, weithin, entfernt, mit eifer, sehr. **vërren** swv. intr. in die ferne schweifen. — intr. u. refl. fern werden od. sein, sich entfernen od. fern halten. — tr. in die ferne leiten, führen, schweifen lassen; fern halten, entfernen, entfremden, entziehen; *einen v.* sich von ihm fern halten, ihm ausweichen.

ver-renken swv. tr. u. refl. verbiegen, umbiegen, herumdrehen, verdrehen, verführen.

ver-rennen swv. tr. überrinnen machen, übergiessen, bestreichen; *ein ros v.* übermässig jagen, antreiben. — refl. zu weit rennen, sich reitend verirren.

vërrens gen. adv. fernher, von fern.

ver-renzen swv. verkitten, verkleistern.

ver-rêren swv. tr. dahin fallen lassen, verstreuen, verschütten, -giessen, verlieren. — intr. verrinnen, verderben.

vërre-sieche swm. = *sundersiech.*

ver-rîben stv. tr. aufreiben; part. *verriben* gerieben, durchtrieben. — refl. sich aufreiben, durch reiben verwunden.

ver-ricken swv. ein-, abschliessen, umstricken; ordnen, verteilen.

ver-rîden stv. abwenden; verdrehen, verkehren, verrenken tr. u. refl., bildl. sich verkehren, sich anders wenden.

ver-riechen stv. aufhören einen geruch zu geben.

ver-rigelen swv. verriegeln, versperren, einschliessen.

ver-rihten swv. tr. mit as. zurecht, in ordnung bringen, einrichten, in rechter weise herstellen; entrichten, bezahlen für; ausrüsten, versehen; zu ende führen, ausrichten, vollbringen; beilegen, schlichten; *klage v.* durch rechtsspruch entscheiden. — mit ap. in ordnung, zur besinnung bringen; absolvieren; fertig machen, ausrüsten, bes. mit der letzten wegzehrung ausrüsten; zufriedenstellen; bezahlen; belehren, unterweisen; ausgleichen, versöhnen; verurteilen. — refl. eine richtung einschlagen, sich begeben *in, vür, zuo*; sich einrichten, die nötigen anstalten treffen, sich wieder in die richtige verfassung bringen, sich zurechtfinden, sich zu helfen wissen; sich bewegen, entschliessen *ze*; sich belehren, unterweisen *umbe*; sich fertig machen, rüsten; bes. sich mit der letzten wegzehrung ausrüsten; sich ausgleichen, versöhnen. **-rihtenliche** adv. vergleichsmässig. **-rihter** stm. ordner, verwalter. **-rihtic** adj. recht, ordentlich, verständig; *an etw. v. sîn* es zu verrichten wissen, es verstehn. **-rihticliche** adv. ordentlich, verständig; in ordnender weise. **-rihtigunge, -rihtunge** stf. ausgleichung, versöhnung; vergleich; vertrag; verwaltung.

ver-rinnen stv. intr. wegrinnen, verschwinden. — refl. zu weit laufen, sich verlaufen, herumirren. — tr. reitend absperren, umlagern.

ver-rîsen stv. herabfallen; bildl. vergehn.

ver-rîten stv. intr. auseinanderreiten; ausreiten. — refl. sich beim reiten übermässig anstrengen; zu weit reiten, reitend sich verirren. — tr. reitend abschneiden (weg); reitend überholen; *ein ros v.* übermässig antreiben, zuschandenreiten.

ver-ritzen swv. ritzen, verletzen, -wunden.
ver-riuhen swv. refl. rauh werden, sich belauben.
ver-riuwen stswv. unpers. mit ap. aufhören schmerz zu bereiten; refl. sich ganz dem schmerze hingeben, mit ihm fertig werden.
ver-rîzen stv. zerreissen.
ver-ronen s. *verrunen.*
ver-rosten swv. rosten, verrosten.
ver-rœsten swv. ganz rösten.
ver-roten swv. = *verrosten.*
ver-rœten swv. ganz rot, blutig machen.
ver-rücken, -rucken swv. intr. von der stelle rücken, weichen, abreisen; dahin schwinden, vergehn, sterben. — tr. von der stelle rücken, verrücken, -schieben (*den witwenstuol v.* wieder heiraten); ausser fassung bringen, verwirren; ans ende rücken, beendigen. — refl. sich verrücken, weichen; dahinschwinden, vergehn.
ver-rüefen, -ruofen swv. tr. öffentlich ausrufen, bekannt machen, proklamieren; *eine münze v.* durch öffentl. bekanntmachung ausser kurs setzen; *einen v.* öffentlich ausweisen. — refl. appellieren.
ver-rüegen swv. anklagen; namhaft machen; verraten; denunzieren.
ver-rüemen swv. tr. durch prahlen verscherzen. — refl. sich berühmen mit gs.; öffentlich vor gericht behaupten mit gs. **-rüemet** part. adj. berühmt.
ver-rüeren swv. tr. berühren, berührend verrücken. — intr. überfliessen.
ver-rûmen swv. tr. fortgehend verlassen, räumen. — refl. sich flüchten.
ver-runen, -rünen, -ronen swv. mit *ronen* verdecken, verrammeln, -sperren, eig. u. bildl.; überschütten, bewerfen; *einen mit steinen v.* steinigen.
ver-ruochen swv. tr. sich nicht kümmern um, verachten. — intr. nicht achten, vergessen. — refl. sich nicht kümmern um, entschlagen mit gen. — *verruochet* part. adj. acht-, sorg-, ruchlos; *verruochet, verrachen sîn ûf* versessen sein auf.
ver-ruof stm. verkündigung. **-ruofen** redv. intr. rufen mit dp.
ver-rûschen swv. vorüberrauschen.
vërs stswm. stn. vers; strophe (lat. *versus*).
ver-sachen swv. tr. zu endgültiger entscheidung, zustandebringen, ins werk setzen; befestigen, vermachen; streitig machen mit gs., ableugnen, verleugnen, entsagen mit dat. od. gen. — refl. mit gen. entsagen.
ver-sagen, -segen swv. absägen.
ver-sagen swv. intr. od. abs. absagen, entsagen mit dp. — tr. sagen, an-, aussagen mit adj. präd. des obj. u. dp.; zu ende sagen; ableugnen, verleugnen; nein wozu sagen, versagen, verweigern, abschlagen; verleumden. — refl. *sich einem herren v.* sich von der hörigkeit eines herrn lossagen, sie ableugnen. **-sager** stm. verleumder.
ver-sæjen swv. falsch, umsonst säen.
ver-salwen s. *verselwen.*
ver-salzen redv. ganz salzig machen, versalzen.
ver-samenen swv. vereinigen, versammeln. **-samenunge** stf. zusammenkunft, versammlung.
ver-sarken = *verserken, s. be-s.*
ver-satzen swv. *ein gebot v.* = *versitzen.* **-satzunge** stf., **-saz** stm. versetzung, verpfändung.
ver-sâzen swv. in die gewalt bringen, festhalten, mit dp. einem etw. benehmen, verwehren; *einen v.* ihm den weg verlegen, einen hinterhalt legen.
ver-schaben stv. refl. sich wegschaben, verschwinden; von sich abschaben mit gs.
ver-schaf stn. bestimmung, letztwillige verfügung. **-schaffen** stv. übel und zum verderben schaffen (part. praet. missgestalt); verwandeln, -zaubern; wegschaffen, verderben; zum nachteile, zum verderben machen, bestimmen, mit dp.; anordnen, bestimmen; vermachen, zuteilen, bes. testamentarisch; durch letztwillige bestimmung entziehen; überweisen, schriftlich zusichern. **-schaffen** swv. abschaffen, aufheben; verwandeln; vermachen, zuteilen, bes. testamentarisch.
ver-schalcnisse stf. schmähung. **-schalken** swv. zum *schalke* werden, verderben.
ver-schallen swv. überschallen, -täuben, übertreffen; in *schal* bringen, verschreien; mit *schallen* durchbringen, verjubeln.
ver-schaln swv. ganz *schal* werden.
ver-schalten, -schalden redv. tr. wegstossen, verstossen; vertreiben; verdammen; fehlstossen, verfehlen *an.* — refl. *sich v. an* zugrunde richten.
ver-schamen, -schemen swv. intr. u. refl. in scham (schande) versinken, sich schämen. — refl. über die scham und schande hinwegkommen, aufhören sich zu schämen, schamlos werden; gegen die scham verstossen *mit.* — tr. *einen v.* machen dass er sich schämt, in schande bringen; schamlos machen; *etw. v.* sich worüber zu ende schämen, die scham überwinden. **-schamt, -schemt** part. adj. verschämt; schamlos, unverschämt. **-schamte** adv. verschämter weise.
ver-scharn swv. tr. fortschaffen, absondern, ausschliessen; zerteilen, -streuen, vereiteln; verführen, -leiten; *v. mit* umstellen. — refl. sich fortbegeben, verlieren.
ver-schatzen swv. versteuern.
ver-schaz stm. fährlohn.
ver-schëhen swv. aufhören zu rennen.
ver-scheiden redv. intr. fortgehn, vergehn, verschwinden; sterben. — tr. einrichten, anordnen; gerichtl. oder gütlich entscheiden, beilegen. **-scheidunge** stf. das abscheiden, der tod (vgl. *verschidunge*).
ver-schelken swv. zum *schalc* machen, überlisten, betrügen.
ver-schëllen stv. untergehn.
ver-schellen swv. betäuben; in *schal* bringen, verschreien; mit gewalt auseinander treiben, zum weichen bringen, stürzen, vernichten, zerschellen.
ver-scheln swv. mit brettern vermachen, verschalen.
ver-schelzen swv. intens. zu *verschellen* 2; tr. zerschellen.
ver-schemen s. *verschamen.*
ver-schëmen swv. verschimmeln.
ver-schenden swv. ganz zu schanden machen. — intr. schande treiben.
ver-schenken swv. ausschenken; schenken, geben.
ver-schern swv. ausschliessen von, berauben mit gs.; verletzen.
ver-schërren stv. verscharren.
ver-scherten swv. ganz schartig machen, verwunden, verletzen.
ver-schîben stv. zu ende *schîben* (*die arbeit v.* abtun).
ver-schicken swv. verschikken, fortschicken, in die verbannung schicken; abfertigen, befriedigen; hingeben, vermachen, bes. testamentarisch.
ver-schîden stv. richterlich entscheiden, vergleichen; trennen, ausschliessen von (gen.)
ver-schidunge stf. = *verscheidunge.*
ver-schieben stv. tr. hinschieben *ûf*; aufschieben, verschieben; fort-, wegschieben, -stossen; umschliessen, einschliessen, einsperren; versper-

ren; hineinschieben in, voll-, verstopfen. — refl. zu ende gehn; sich verstopfen. — intr. zu ende gehn, sterben.

ver-schieȥen stv. abs. aufhören zu schiessen. — tr. abschiessen, schleudern; verschiessen, schiessend verbrauchen; ganz wund od. tot schiessen; tief herabschleudern, -stürzen; entziehen, *einem etw.*; verzichten auf, aufgeben, übergeben (durch wegwerfen des halmes). — refl. fehlschiessen, mit dp. fehlschlagen; eilend verfehlen mit gen.; sich entäussern (durch wegwerfen des halmes), mit gen. — intr. schnell wegfliessen, stürzen *in*.

ver-schif stn. fährschiff, fähre.

ver-schimpfen swv. verspotten.

ver-schînboten swv. durch einen *schînboten* melden.

ver-schînen stv. aufhören zu leuchten, erblassen; vergehn, verschmachten; ablaufen, vergehn (von der zeit); in abnahme kommen, vernachlässigt werden; mit temp. acc. *ein jâr v.* ein jahr lang bleiben. **-schînunge** stf. ablauf, verfluss (zeit).

ver-schirmen swv. beschützen, verteidigen.

ver-schiuhen, -schiuwen swv. scheu empfinden.

ver-schîȥen stv. intr. u. tr. zu ende *schîȥen*.

ver-scholn s. *versoln*.

ver-schônen swv. verschonen.

ver-schœnen swv. verschönen, verherrlichen; an schönheit übertreffen.

ver-schopfen, -schoppen swv. verstopfen. **-schopfunge, -schoppunge** stf. verstopfung.

ver-schorn swv. zuschaufeln, verscharren.

ver-schouwære stm. der *verschouwet*. **-schouwen** swv. tr. über etw. hinwegsehen, es verachten, nicht befolgen.

ver-schoȥȥen swv. versteuern.

ver-schragen swv. durch *schragen* einschliessen, verschränken.

ver-schræjen swv. bespritzen.

ver-schramen swv. mit *schramen* versehen.

ver-schrannen swv. ab-, versperren.

ver-schrâȥen swv. verstossen.

ver-schrëcken stv. auffahren, erschrecken.

ver-schrecken swv. in schrekken setzen.

ver-schreien swv. verschreien.

ver-schrenken swv. mit schranken umgeben, einschliessen, -engen, versperren, verschränken.

ver-schrenzen swv. zerreissen, -stören.

ver-schrîben stv. abs. u. tr. schreiben, aufschreiben, verzeichnen, schriftlich festsetzen, beschreiben; proskribieren; schriftlich mitteilen od. befehlen mit dp.; schriftlich vermachen, zuerkennen, abtreten; sich lossagen von; verlustig machen, berauben mit acc. u. gen. — refl. sich schriftlich verpflichten; verzicht worauf (gen.) leisten.

ver-schrîen stswv. verschreien; überschreien.

ver-schrinden stv. risse bekommen, sich spalten, bersten.

ver-schrôten redv. tr. abschneiden; zerhauen, -schneiden, verwunden, -letzen; fehlerhaft schneiden, durch schneiden verderben; zu kleidern verschneiden. — refl. sich verletzen, schaden leiden; fehlhauen, sich irren. — intr. zugrunde gehn. - swv. refl. sich im hauen irren, verhauen.

ver-schroven swv. zerreissen, verderben.

ver-schulden swv. tr. durch schuld verlieren, verwirken; von gutem oder bösem selbst für sich die ursache sein; verdienen, verschulden; eine schuld abtragen, vergelten; schuldig werden in bezug auf, übertreten. — refl. in schuld oder schulden geraten, sich vergehn; part. *verschuldet, -schult* schuldvoll. **-schuldigen** swv. verdienen, verschulden. **-schuldigunge** stf. schuld, vergehn. **-schuldunge** stf. verwirkung; verdienung; beschuldigung.

ver-schünden, -schunden, -schunten swv. antreiben, verführen.

ver-schupfen swv. verstopfen; schleudern, verstossen *in*.

ver-schûren swv. verhageln.

ver-schüten swv. verschütten, verdämmen; verschütten, vergiessen.

ver-schützen swv. beschützen.

verse f. junge kuh.

vërse s. *vërsen* 2.

ver-segen s. *versagen* 1.

ver-sëhen stv. tr. vorher sehen, vorherbestimmen; glauben, rechnen auf; vorsorgend bedenken; abwenden, verhüten; sorgen für, besorgen, ausstatten mit; versorgen, verwalten, beschützen; weisen, anweisen; ansehen für, verwechseln mit; übersehen; verachten; nachsehen, verzeihen. — refl. rechnen auf, sich versehen, vorhersehend hoffen oder fürchten, zuversicht haben, erwarten, mit gs. od. *an, ûf, umbe, ze*.

-sëhenlich, -sëhelich adj., **-liche** adv. mit gewissheit oder wahrscheinlichkeit zu erwarten.

-sëher stm. pfleger.

ver-seigen swv. ausseihen, fliessen machen *ûȥ*.

ver-seilen swv. irre leiten.

ver-seinen s. *versenen*.

ver-seinen swv. refl. säumen, zögern.

ver-seiten swv. binden.

ver-selken swv. *sëlken* machen.

ver-sellen swv. refl. vereinigen *mit*.

ver-sellen, -seln swv. = *sellen*; verkaufen, verhandeln.

ver-selwen, -salwen swv. ganz *sal* machen, beschmutzen, trüben, verdunkeln, bräunen.

vërsen swv. abs. verse machen.

vërsen, vërsene, vërse stswf. ferse.

ver-senden swv. tr. aus-, wegsenden, bes. in die verbannung schicken. — refl. sich verlieren, -tiefen.

ver-senen swv., alem. auch *verseinen*, tr. mit *senen* hinbringen. — refl. von sehnendem verlangen durchdrungen sein, *nâch, ûf*, sich in seelenschmerz verlieren und vertiefen, sich abhärmen.

ver-senften swv. ganz *senfte* machen.

vërsen-gëlt stn.: *vërseng. geben* fliehen.

ver-senken swv. tr. zu falle bringen, verderben, versenken. — refl. zu falle kommen, dahinsinken.

versen-phenninc stm. kuhpfennig (eine abgabe).

ver-sêren swv. tr. u. refl. verstärktes *sêren*.

ver-serken, -sarken swv. = *beserken*.

ver-sërten stv. verst. *sërten*.

ver-sêrunge stf. verletzung, beschädigung.

ver-setzen swv. hinsetzen, legen; als pfand setzen, versetzen, verpfänden; beiseitesetzen, verlieren; ersetzen, vergüten; verwehren; abwehren; parieren; festsetzen, überlegen; hindernd besetzen od. umstellen, bedrängen, versperren.

ver-sibenen swv. = *übersibenen*, s. *be-s*.

ver-sichern swv. *sicher* machen, stellen, schützen gegen; befestigen; sicherheit leisten für; versehen, -sorgen; versuchen, erproben; geloben, versprechen.

ver-siechen swv. intr. u. refl. ganz *siech* sein od. werden, in krankheit vergehn; in krankheit verzehren, verbrauchen.

ver-sieden stv. intr. kochen; tr. verkochen, totkochen; kochend verbrauchen.

ver-sigelen swv. intr. u. refl. sich segelnd verirren, verschlagen werden.

ver-sigelen swv. be-, versiegeln, fest verschliessen, verwahren; besiegeln, bekräftigen; *einen v.* für ihn siegeln; refl. sich einschliessen *in*; *versigelt erde* siegelerde.

ver-sîgen stv. versinken; versiegen (wasser).

ver-sigen swv. besiegen, überwinden (kämpfend od.v.gericht).

ver-sihen stv. versiegen, vertrocknen.

ver-siht stf. einsicht, meinung. **-sihtlich** adj. vorsicht erheischend, schlimm; voraussichtlich.

ver-silbern swv. zu geld machen, verkaufen.

ver-sinken stv. versinken, untertauchen, -gehn; sich vertiefen *in*; in gedanken versunken, bedacht sein auf, mit gen.; tr. = *versenken*; bergm. schächte usw. senkrecht in die tiefe treiben.

ver-sinnen stv. tr. mit den sinnen wahrnehmen, merken. — refl. zur besinnung, zum bewusstsein, verstand kommen; seine gedanken zusammennehmen, sich besinnen, nachdenken, einsichtig sein, begreifen; seine gedanken worauf richten, bedenken, einsehen, merken, verstehn, sich verstehn auf, mit gen., nachs. od. präpp.; hoffen, erwarten mit gen. — intr. zur besinnung kommen. - swv. refl. mit gen. od. nachs. wie das vorige; falsch sinnen, sich irren, fehlen. **-sinnet, -sint** part. adj. in gedanken verloren, verwirrt; bedacht auf, mit gen.; *wol v.* wohlbedacht, besonnen. **-sinnicheit** stf. bewusstsein. **-sinnunge** stf. das *versinnet*-sein, irrtum.

ver-sitzen stv. tr. durch sitzenbleiben etwas übersehen, ausser acht lassen, versäumen, nicht leisten. — refl. zu seinem schaden zu lange sitzen. — intr. sitzen bleiben, zu lange sitzen u. dadurch etw. versäumen; *versëʒʒen sîn* übel niedersitzen, an verkehrter stelle sitzen.

ver-siuren s. *versûren.*

ver-siuwen swv. vernähen, flicken; einnähen *in.*

ver-slâfen redv. tr. verschlafen, schlafend hinbringen oder versäumen. — refl. u. intr. zu lange schlafen.

ver-slahen, -slân stv. tr. zerschlagen; verwunden, erschlagen, töten, verwüsten; abschlagen, abhauen; auseinanderschlagen, -treiben, bildl. auseinandersetzen, erklären, verhandeln; in einer richtung treiben, schieben; vertreiben, -kaufen; zu weit, an einen unrechten ort treiben, verschlagen; zurückschlagen, -treiben, bildl. abschlagen; ablehnen, zurückweisen, vermeiden, verschmähen, gering achten, verachten; wegnehmen, entziehen, unterschlagen; beschlagen; umschmieden; umprägen; schlagend bedecken, beschmutzen; verstecken, -hehlen; gaukelei treiben, betrügen; zuschlagen, versperren, -schliessen, einschliessen, fesseln; durch einen verschlag absperren, bildl. in verfall kommen lassen, abkommen lassen; kirchlich untersagen, mit interdikt belegen; in gedanken überschlagen, anschlagen, achten, erachten; unpers. *mich verslehet* mich dünkt. — refl. sich verstecken; sich bedecken, beschmutzen; in abnahme kommen, schwinden, sich entfernen *von*; sich entschlagen mit gen. **-slahunge** stf. gänzliche abholzung; geringschätzung, herabsetzung; interdikt.

ver-sleichen swv. heimlich wegbringen, vertauschen.

ver-slemmen swv. mit schlamm anfüllen, bedecken.

ver-slicken = *verslucken.*

ver-sliefen stv. intr. u. refl. schlüpfend sich verbergen, sich verkriechen, verlieren; part. *versloffen* verborgen.

ver-sliezen stv. ein-, verschliessen, verbergen (*ein verslozzen frouwe* inclusa); verstopfen.

ver-slîfen stv. intr. dahin gleiten, schwinden. — tr. gleiten machen, vertreiben; wegschleifen. — refl. sich abschleifen, abnutzen.

ver-slihten swv. ganz *slëht* machen, glätten; beilegen, ausgleichen, aussöhnen, auch refl. mit gs.

ver-slinden, -slingen, -slinken stv. verschlingen.

ver-slîʒen stv. intr. sich abnutzen, verderben, zugrundegehn. — tr. zerreissen, bis zum zerreissen abnutzen; unnötig verbrauchen, verzehren; hin-, zubringen (*daʒ leben* usw.). — refl. sich abnützen, alt und runzlicht werden; vergehn, -fliessen (vom leben).

ver-sloffen part. s. *versliefen.*

ver-slûchen swv. verschlingen, verschlucken (*sich in bruochen v.* = **frzs.** habiter).

ver-slucken swv. dasselbe.

ver-smæcheit, -smâcheit stf. schmach, beschimpfung, geringschätzung.

ver-smackunge stf. übeler *smac.*

ver-smæhe adj., **-smâhe** adv. verächtlich. **-smæhe, -smæhede** stf. entehrende geringschätzung, verächtl. behandlung, beschimpfung, verachtung. **-smæheden, -smæhten** swv. schmählich behandeln. **-smæhekeit** stf. schmähliche behandlung. **-smæhe-lich** adj., **-liche** adv. schimpflich, schmachvoll, mit verachtung. **-smæhen, -smâhen; -smæn, -smân** swv. tr ganz *smæhe* machen, in entehrender weise geringschätzen, schmählich behandeln, verschmähen, verstossen, ver-, achten. — part. praet. niedrig, schlecht. **-smâhen, -smân** swv. intr. ganz *smæhe* werden od. sein, verächtl. od. geringfügig erscheinen, dünken, nicht gefallen. *mir versmâht ein dinc, eines dinges* od. abh. satz mir missfällt. **-smæhenisse, -smâhenisse** stfn. verschmähung, verächtliche behandlung u. zurückweisung. **-smæher** stm. der *versmæhet.*

ver-smahten swv. verschmachten.

ver-smæhten s. *versmæheden.*

ver-smehten swv. verschmachten lassen, aushungern.

ver-smëlzen stv. intr. zerschmelzen, auseinanderfliessen. — tr. u. refl. zerschmelzen. **-smelzen** swv. zerschmelzen, vergehn machen, auflösen.

ver-smërzen stv. verschmerzen; aufhören zu schmerzen.

ver-smiden swv. tr. schmiedend verarbeiten; fest schmieden, an-, einschmieden.

ver-smiegen stv. tr. wegdrükken, beseitigen. — tr. u. refl. ein-, zusammenziehen, schmiegen, verbergen.

ver-smirwen swv. zu-, beschmieren.

ver-smorren swv. ganz vertrocknen, einschrumpfen.

ver-smücken, -smucken swv. verst. *smücken*; refl. sich dukken, demütigen.

ver-snellen swv. tr. fortschnellen; zuvorkommen; übereilen, verfehlen; übervorteilen, -listen.

ver-snîden stv. tr. auseinanderschneiden, zerschneiden, -hauen; zuschneiden; fehlerhaft zuschneiden u. anfertigen; s. v. a. *undersnîden* mit verschiedenfarbigen stoffen zusammensetzen; ab-, wegschneiden, bildl. beschränken, schwächen, verkürzen, betrügen; beschneiden (die vorhaut); kastrieren; schneidend verwunden od. töten, vernichten (*daz leben*). — refl. weggeschnitten werden, aufhören; sich im schneiden irren, bildl. sich versehen, in nachteil kommen, betrogen werden; sich verwunden, verletzen.

ver-snîwen, -snîen stswv. tr. ver-, zuschneien. — intr. eingeschneit werden.

ver-snorren s. *versnurren.*

ver-snûden stv. verschnaufen.

ver-snüeren swv. mit schnüren binden, zuschnüren, bildl. beeinträchtigen, schmälern; ineinanderflechten.

ver-snurren, -snorren swv. tr. weidm. die spur des wildes durch den spürhund verfehlen. — refl. fehlschiessen. — intr. aufhören zu *snurren,* abgeschossen sein.

ver-sochen swv. refl. abquälen.

ver-solden swv. bezahlen, belohnen, -schenken; in sold nehmen, besolden. **-soldenen** swv. an *solt* ausgeben. **-soldunge** stf. besoldung.

ver-solgen swv. beschmutzen.

ver-soln, -scholn swv. tr. durch schuld verwirken; verschulden, verlieren; vergelten. — refl. in schuld geraten; part. *verscholt* schuldvoll, frevelhaft.

ver-sorc stm. fürsorge, abhilfe. **-sorcnisse** stf. vormundschaft; bürgschaft; schutzbündnis.

ver-sôren swv. tr. vertrocknen, verdorren.

ver-sorgen swv. intr. aufhören zu sorgen. — tr. = *besorgen*; sicherstellen, bes. hypothekarisch. — refl. sich in sorgen verzehren.

ver-sortenliche adv. eingeschrumpft.

ver-soufen swv. ertränken.

ver-spalten redv. auseinanderspalten, spaltend verderben.

ver-spanen stv. verlocken.

ver-spannen redv. festspannen.

ver-sparn swv. sparen, schonen; aufschieben.

ver-spæten, -spâten swv. tr. u. refl. verspäten, -säumen. — intr. säumen.

ver-spëhen swv. auskundschaften; *mir ist verspeht* ich bin beraten. **-spëher** stm. auskundschafter.

ver-spënden swv. spendend austeilen.

ver-spengen swv. mit spangen verschliessen, verbinden.

ver-spennen swv. verschleiern, verhüllen.

ver-sperren swv. zu-, einschliessen, verschliessen, versperren, verbergen.

ver-spiln swv. spielend hinbringen; spielend verlieren; durch spiel zunichte machen, täuschen.

ver-spirzen, -spürzen swv. anspeien.

ver-spitzen swv. tr. conspuere.

ver-spitzen swv. tr. zu spitz machen. — refl. auf eine spitze auslaufen.

ver-spîwen, -spîen stswv. verspeien, anspeien; verachten, -schmähen.

ver-spot stm. verspottung. **-spotten** swv. verspotten; mit spotten hinbringen.

ver-sprâchen swv. anreden; verloben.

ver-spræjen swv. zerstreuen.

ver-sprangen swv. intr. zu ende springen.

ver-sprëchen stv. intr. *vür einen v.* für ihn ein versprechen leisten, bürgen. — tr. sprechend vertreten, verteidigen, fürsprache tun, entschuldigen; verloben, zur ehe geben, mit gen.; in anspruch nehmen, einfordern, mit beschlag belegen; durch rede festsetzen, bestimmen, versprechen; übel sprechen von, mit worten beschimpfen, beschuldigen mit gs. od. abh. satz; wogegen sprechen, widersprechen, leugnen, verleugnen; verweigern; sprechend ablehnen, verreden, ausschlagen, zurückweisen, verschmähen, verzichten auf. — refl. sich verteidigen; sich verantworten *umbe*; *sich zuo einem v.* sich ihm verdingen; sich verbindlich machen, geloben; *sich einem v.* verloben; unrichtig sprechen; sich zum schaden od. ungebührlich sprechen; sich des sprechens enthalten; verzichten auf, mit gen. **-sprëcher** stm. anwalt, verteidiger, schutzherr. **-sprëchnisse** stfn. fürsprache, verteidigung, schutz; versprechen, gelöbnis; festsetzung, bestimmung.

ver-spreiten swv. ausbreiten, zerstreuen.

ver-springen stv. tr. durch springen verlieren. — intr. fortspringen, vergehn. — refl. *sich v. in* verbinden mit.

ver-spruch stm. fürsprache, verteidigung, schutz. **-spruchnisse** stf. versprechen; festsetzung, bestimmung.

ver-spulgen swv. aufhören zu pflegen, eine gewohnheit ablegen.

ver-spünden swv. verschliessen.

ver-spürzen s. *verspirzen.*

ver-stân, -stên anv. intr. stehnbleiben, aufhören; nicht vorwärts kommen, ausbleiben; über die rechte frist hinaus stehn bleiben und dadurch verfallen (von pfändern). — abs. nützen (mit dat. od. *ze*); verstand haben. — tr. zum stehn bringen, stillen (blut); jemandes stelle vertreten, ihn vor gericht vertreten, verteidigen; stellvertretend, schützend, verbergend, hindernd wovor treten; verstehn, wahrnehmen, vernehmen, merken (auch mit gs.); *einen verstân lâzen* ihm zu verstehn geben, wissen lassen, mitteilen, benachrichtigen. — refl. zu lange stehn und dadurch steif werden; verstehn, einsehen, wahrnehmen, merken, mit gs.; verständig sein. **-standen, -stân** part. adj. verständig, geschickt; verstockt, erstarrt. **-standenheit** stf. verständigkeit, verstand. **-standenlichen** adv. verständig. **-stant** stm. verständnis, verständigung. **-stantnisse, -stentnisse** stfn. geistige fassungskraft, denkvermögen, verständnis, einsicht, verstand.

ver-starren swv. ganz starr werden; eifrig bedacht sein.

ver-stætigen swv. fest machen.

ver-stëchen stv. abs. zu ende stechen. — tr. stechend aufbrauchen, zerbrechen; verstechen, vernähen.

ver-stecken swv. = *erstecken.*

ver-stehelen swv. stählen.

ver-steinecheit, -steinunge stf. verstocktheit. **-steinen** swv. intr. zu stein, hart wie ein stein werden, erstarren, verstocken. — tr. mit steinen versehen, bedecken; mit marksteinen versehen, abgrenzen; steinigen. **-steinigen** swv. steinigen.

ver-stellede stf. entstellung. **-stellen** swv. tr. zum stehn bringen, im fliessen aufhalten, stillen; verwandeln; entstellen, unkenntlich machen. — refl. sich verwandeln; sich verstellen, unkenntlich machen.

ver-stëln stv. heimlich wegnehmen, stehlen; heimlich beibringen, mit acc. u. dat.; geheim halten, verheimlichen. — refl. unbemerkt fort oder wohin gehn.

verstempfen swv. zustampfen.

ver-stên s. *verstân.*

ver-stenden swv. (blut) zum stehen bringen. **-stendic** adj. verständig; aufmerkend; *v. sîn* mit acc. verstehen. **-stendicheit** stf. = *verstantnisse.* **-stentnisse** s. *verstantnisse.* **-stendiclich, stentlich** adj., **-liche** adv. verständlich, verstehend, verständig.

ver-stërben stv. intr. sterben, wegsterben. refl. durch den tod des besitzers frei werden. **-sterben** swv. töten, vernichten.

ver-sterren swv. ganz starr machen.

ver-sticken swv. tr. hineinstecken. — intr. u. tr. ersticken.

ver-stieben stv. intr. wegstieben. — tr. fliehen von.

vërs-tihter stm. dichter.

ver-stillen swv. tr. im fliessen aufhalten, stillen.

ver-stiuren swv. versteuern.

ver-stocken swv. stocken, verstocken, erstarren.

ver-stolne, -stoln part. adv., **-stolnliche** adv. verstohlner weise.

ver-stopfen, -stoppen swv. verstopfen, verschliessen, vorenthalten.

ver-stœren, -stôren swv. zerteilen; vertreiben *von*; stören, beunruhigen, verwirren; verwüsten, zerstören, vernichten. **-stœrer** stm. zerstörer.

ver-storren swv. ganz steif, zu einem *storren* werden.

ver-stœrunge, -stœrnisse stf. verwirrung, zerstörung.

ver-stouben swv. verscheuchen.

ver-stôȥen redv. tr. nach einer richtung bewegen, stossen *in*; weisen, hin-, anweisen; verstecken *in*; etw. aus der richtung bringen, es ändern; wegstossen, vertreiben, entfernen, zurückweisen; mit gs. einem etw. entziehen, ihn berauben, enterben; auseinanderstossen, vertun, vergeuden; zustossen, verstopfen, -schliessen. — refl. eine richtung nehmen, verlaufen; eine andere richtung nehmen; sich irren, einen fehltritt begehn; sich verbergen; sich vertreiben *von*. — intr. irregehn, sich verirren, sich irren, einen fehltritt begehn.

ver-stræten swv. einhalt tun, stillen, heilen; abhalten, vereiteln.

ver-strëben swv. strebend über etw. hinkommen.

ver-strecken swv. tr. erstrekken, verlängern; vollstrecken; vollmachen, begaben mit (gen.). — intr. zögern.

ver-strichen stv. tr. ver-, überstreichen, verschmieren; überstreichend heilen; ausstreichen, vertilgen (schrift). — refl. sich *strîchend* (reitend, turnierend) bewegen u. abmühen, sich eilend od. heimlich fortmachen. — intr. vergehn.

ver-stricken swv. fest zusammenstricken, verflechten, -binden; einsperren, versperren; verbergen, verheimlichen; verbinden, verpflichten, tr. u. refl.; festsetzen, stipulieren; *ein pfant v.* versetzen. **-stricknisse, -strickunge** stf. verbindung, bündnis.

ver-strîten stv. durch kampf ganz vernichten oder abnutzen, verbrauchen.

ver-ströuwen, -ströun swv. auseinanderstreuen, zerstreuen, -trennen.

ver-stüefen swv. zurückdrängen, aufhalten; decken, schützen.

ver-stummen, -stumben swv. intr. ganz still, stumm werden. — tr. ganz stumm, klanglos machen; part. *verstumt* ganz stumm; verstockt, ungläubig.

ver-stumpfen swv. übermässig stumpf machen.

ver-stürn swv. zerstören.

ver-stürzen, -sturzen swv. stürzend umwenden, umstürzen, verkehren, fortschaffen, verderben, vernichten; umstürzend aus-, vergiessen.

ver-süenen, -suonen swv. tr. mit as. sühnen, gutmachen, ausgleichen, stillen; mit ap. aussöhnen, versöhnen. — refl. sich versöhnen. **-süener** stm. versöhner.

ver-sûfen stv. intr. versinken *in*. — tr. ersäufen.

ver-sûgen stv. zu ende saugen, überh. aufhören.

ver-sûme stf. säumnis. **-sûmec, -sûmeclich, -sûmelich** adj., **-liche** adv. säumig, nachlässig. **-sûmecheit** stf. säumigkeit, vernachlässigung; versäumnis. **-sûmen** swv. tr. mit as. ungetan oder unbeachtet lassen, versäumen; verspäten, vernachlässigen; mit ap. saumselig machen, ab-, auf-, zurückhalten, irren, unbeachtet lassen, vernachlässigen, im stiche lassen, durch saumseligkeit in nachteil bringen; mit gs. um etw. bringen. — intr. sich versäumen. — refl. säumen, saumselig sein, sich verspäten. **-sûmheit** stf. = *versûmecheit*. **-sûmnisse** stfn., **-sûmunge** stf. vernachlässigung, versäumnis.

ver-sünden, -sündigen swv. tr. in sünden stürzen, durch sünden verderben. — refl. sich versündigen.

ver-sunnen part. adj. wohlbedacht, besonnen.

ver-sünnen swv. sonnig machen.

ver-sunnenlich adj. bewusstsein seiner selbst habend.

ver-suoch stm. das streben, trachten, unternehmen; prüfung, untersuchung. **-suochen** swv. tr. zu erfahren, kennen zu lernen suchen, forschen nach, prüfen, auf die probe stellen; in versuchung führen; angreifen; zu erlangen od. zu tun suchen (obj. *eȥ*); s. v. a. *besuochen* aufsuchen, besuchen, wohin kommen, bebauen, benutzen, bewohnen. — refl. sich versuchen, einen versuch anstellen; sich suchend verirren. **-suocher** stm. der auf die probe stellt, münz-, weinprobierer; versucher, verführer. **-suochnisse** stfn., **-suochunge** stf. das prüfen, probieren, kosten; das auf die probe stellen; versuchung, prüfung, verführung.

ver-sûren, -siuren swv. ganz *sûr* werden.

ver-swachen swv. intr. ganz *swach* werden. **-swachen, -swechen** swv. tr. ganz *swach* machen, herabsetzen, in den schatten stellen, beschimpfen, verringern; verderben.

ver-sweifen redswv. fortschwingen, wegschleudern.

ver-sweigen swv. zum schweigen bringen.

ver-sweimeln swv. schwindlig werden.

ver-sweinen swv. *verswînen* machen, vernichten; in den schatten stellen, übertreffen; *bluot v.* vergiessen.

ver-swëlhen (-swëlgen) stv. tr. verschlucken, -schlingen. — refl. u. intr. versiegen, vertrocknen, -schwinden.

ver-swëllen stv. übel anschwellen, zuschwellen. **-swellen** swv. anschwellen machen, aufstauen, verdämmen; durch hunger krank machen, verschmachten lassen, verderben.

ver-swemmen swv. wegschwemmen.

ver-swenden swv. *verswinden* machen; zerbrechen, aufbrauchen, verzehren, vernichten, beseitigen, vertreiben, hinbringen, -geben (je nach dem obj.). **-swendunge** stf. *sîn selbes v. machen* detrimentum sui facere.

ver-swenken swv. wegschwenken, beseitigen.

ver-swerer stm. der sich von einem durch einen eidschwur lossagt. **-swern** stv. intr. falsch schwören; mit dp. sich durch eidschwur von einem lossagen. — tr. eidlich angeben; eidlich geloben, versichern; schwören etw. nicht tun oder haben zu wollen, sich durch einen eidschwur lossagen von, verzichten auf, ab-, verschwören. — refl. falsch schwören; sich eidlich verpflichten, einen schwur leisten; eidlich verzichten auf (gen.), sich durch eid lossagen.

ver-swërn stv. zu schmerzen od. zu schwären aufhören, zuschwären; eintrocknen (eiter), vernarben.

ver-swerzen swv. ganz schwarz machen, verfinstern.

ver-swîgen stswv. intr. nicht laut werden, schweigen; *einem v.* ruhig zuhören. — tr. zu nennen unterlassen, mit stillschweigen übergehn, wovon schweigen, verschweigen. — refl. seinen namen nicht nennen; durch schweigen, nichtfordern zu schaden kommen, verlieren. **-swigen** part. adj. schweigsam, verschwiegen.

ver-swiln swv. schwielig werden.

ver-swimen stv. = *verswînen.*

ver-swinden stv. unsichtbar, unwirklich werden (refl. sich unsichtbar machen); vergehn, zunichte werden, verschwinden, umkommen, sterben. — unp. mit dat. ohnmächtig werden.

ver-swînen stv. unsichtbar werden, verschwinden, vergehn; bes. krankhaft schwinden, abmagern.

ver-swingen stv. tr. wegschwenken, im schwunge fortwerfen, *mich verswinget etw.* schwingt sich an mir vorbei, wird mir nicht zuteil. — intr. aufhören zu schwingen, die schwungkraft verlieren. — refl. sich fliegend verirren.

ver-swistern swv. s. **verbruodern.**

ver-switzen swv. refl. verschwitzen, verbluten.

vërt s. *vërne* 2.

ver-tagedingen, -teidingen swv. vor gericht ziehen, laden; vor gericht verhandeln, übereinkommend festsetzen u. ausgleichen; vor gericht verteidigen.

ver-tagen swv. tr. einem einen tag od. termin ansetzen; aufschieben, verschieben; versäumen. — intr. jahr und tag bleiben, wohnen. — refl. (von der zeit) ablaufen.

ver-tammen s. *vertemmen.*

ver-tanzen swv. mit tanzen hinbringen (zeit).

ver-tân part. adj. verflucht s. *vertuon.*

ver-tarnen swv. wohl verbergen, -hüllen.

ver-tarraȥen s. *vertërraȥen.*

ver-tasten swv. betasten, schlagend od. stossend berühren.

verte swm. gefährte. - swf. weg.

ver-teben swv. unterdrücken, verderben.

vertec, vertic adj. gehn könnend, beweglich; gehend, weggehend; im gange, in übung, üblich; zur *vart* bereit oder tüchtig; gang-, fahrbar; in ordnung befindlich, gut, recht beschaffen; rechtschaffen, gut; geschickt, gewandt, tauglich.

vertegen s. *vertigen.*

ver-teidingen s. *vertagedingen.*

ver-teilen swv. ver-, zerteilen; bei der teilung beeinträchtigen od. übergehn, enterben; den anteil absprechen, für verlustig erklären, des anteiles woran berauben, mit acc. u. gen.; durch urteil absprechen, nehmen; recht u. unrecht zu jemandes schaden teilen: ihn zum unglücke bestimmen, verurteilen, verdammen, verfluchen mit dp. ap., mit as. verfluchen, verwünschen. **-teilunge** stf. verurteilung, verdammung.

vertelîn, vertel stn. dem. zu *vart.*

ver-temmen, -tammen swv. mit einem damme versehen; verdämmen, dämpfen, erstikken; hindern.

ver-tennen swv. ganz wie eine *tenne*, ganz eben machen.

ver-terken, -tirken swv. verdunkeln, -hüllen.

ver-tërraȥen, -tarraȥen swv. mit *terraȥen* versehen, verbarrikadieren.

vertic s. *vertec.*

vërtic adj. vorjährig.

ver-tiefen swv. vertiefen, versenken. — refl. sich in sünden verstricken.

vertigen, vertegen swv. *vertic* machen, zur fahrt ausrüsten od. bereit halten, brauchbar machen, zustandebringen; im gerichtl. sinne zufertigen, übertragen, im geistl. sinne absolvieren; schicken, fortschaffen; abfertigen, entsenden, entlassen, verabschieden. **vertiger, ferker** stm. spediteur (s. *salzvertiger*). **vertigunge** stf. ausstattung, -steuer; ausfertigung (*des brieves*); zufertigung, übergabe; abfertigung, entlassung; auftrag, mission; spedition, fracht.

ver-tilger stm. vertilger, vernichter.

ver-tiligen, -tilgen, -tilken; -tiljen, -tiljen, -tilen swv. wegtilgen, vertilgen, vernichten.

ver-tirken s. *verterken.*

ver-tiuchen swv. refl. vertiefen, untertauchen *in.*

ver-tiuren swv. zu *tiure* machen; = *übertiuren.*

ver-tiuvelen swv. teuflisch werden.

ver-toben swv. tr. durch *toben* vertun. — intr. u. refl. aufhören zu *toben*, austoben; übermässig in den zustand des *tobens* geraten, rasen.

ver-tokzen swv. *daȥ guot v.*, durch *tokzen* vertun.

ver-tolken swv. verdolmetschen.

ver-topeln, -toppeln swv. durch würfelspiel verlieren.

ver-tœren swv. intr. vollständig ein *tôre* werden, sich gänzlich vernarren. **-tœren, -tœren** swv. tr. vollständig zum *tôren* machen, vollends betören; alȥ *tôre*, törichter weise vertun. — refl. = intr. *vertôren.*

ver-tœten swv. intr. absterben.

ver-touben swv. intr. ganz *toup* werden. — tr. ganz *toup* machen, betäuben; vernichten, töten. — refl. enden, aufhören.

ver-trac stm. vertrag (*eines v. hân* schonen), verträglichkeit; dauer, bestand; zeitvertreib; eintrag, gewinn.

ver-tragen stv. tr. mit sachl. obj. weg-, forttragen, mit persönl. obj. dahintragen, führen, zu weit oder in falsche richtung führen, verleiten, verleumden; bis ans ende tragen: ertragen, erdulden, geschehen u. sich gefallen lassen, mit acc. u. dat. sich etw. von jemand gefallen lassen, ihm es nachsichtig hingehn lassen, gestatten. — abs. mit dat. mit einem nachsicht u. geduld haben, ihn verschonen; verschonen mit ap.; *eines d. vertragen sîn* damit verschont, davon befreit, dessen überhoben sein; gütlich beilegen; aussöhnen. — abs. *über ein, under ein v.* übereinkommen, einen vertrag schliessen; *mich vertreit* mir gilt viel. — refl. zu ende kommen, vergehn; irregehn; übereinstimmen, gleichlautend sein; *sich mit einem v.* übereinkommen, einen vertrag oder frieden schliessen.

ver-traht stf. m. vertrag, vergleich.

ver-trahten swv. refl. sich in gedanken verlieren, grübeln.

ver-trëchen stv. überziehen, verbergen.

ver-trecken swv. verziehen, verzerren.

ver-, vür-trëffen stv. übertreffen.

ver-tregelich adj. erträglich; verträglich.

ver-tregic adj. verträglich.

ver-trenken swv. tränken, voll tränken; zum sinken bringen, ertränken; durch einen trank vergiften. — refl. sich betrinken; sich ertränken.

ver-trëten stv. intr. dahingehn, enden, verlaufen. — tr. wegtreten, -stossen; verschmähen, verleugnen, entsagen; dazwischentretend verhindern, versperren; niedertreten, zertreten, vernichten; vor einen od. etw. treten, an dessen stelle treten, vertreten; gutstehn für, haften; hinausgehn über. — refl. fehltreten; dahingehn, enden.

ver-treten swv. ver-, zertreten.

ver-tribe swm. vertreiber. **-triben** stv. tr. übermässig treiben; übermässig an-, auseinandertreiben; wegtreiben, vertreiben, -stossen; leermachen, verwüsten; vertun, durchbringen; hinbringen (*daz leben* usw.); verkaufen. — refl. sich verlaufen, verfliessen, vergehn. **-tribenlich** adj. verderblich, zugrunderichtend. **-tribnisse** stfn., **-tribunge** stf. vertreibung.

ver-triegen stv. betrügen.

ver-trinken stv. intr. ertrinken; tr. durch trinken vertun; durch trinken verlieren.

ver-trip stm. vertreibung.

ver-triuten swv. verloben.

ver-triuwen s. *vertrûwen.*

vertrogen part. adj. hinterlistig, betrügerisch.

ver-trœsten swv. abs. bürgschaft leisten *vür.* — tr. mit ap. sicher stellen, einem bürgschaft leisten, mit as. sicherheit wofür gewähren, mit dopp. acc. einem wofür sicherheit gewähren. — refl. mit gen. über den verlust wovon sich trösten, vergessen, verzichten. **-trœstunge** stf. zusage von hilfe.

ver-truckenen swv. vertrocknen (md. *vertrûgen*); trocken machen.

ver-trunkenheit stf. trunksucht.

ver-trûwen, -triuwen swv. intr. trauen, vertrauen. — tr. anvertrauen *einem etw.*; versprechen, geloben; freien um, sich anverloben, **sich** vermählen *mit*; ehelich verloben od. vermählen mit dat. u. acc.; kirchlich trauen. — refl. zuversichtlich sein, mit gen.; gelobt, geschworen werden; sich anvertrauen, angeloben mit dp.; sich ehelich verloben. **-trûwunge** stf. verlobung; vereinigung.

ver-tücken swv. refl. sich beugen, neigen.

ver-tüemen swv. verurteilen, verdammen. **-tüemnisse, -tuomnisse** stn., **-tüemecheit, -tüemunge** stf. verdammung, verdammnis.

ver-tüllen swv. verzäunen, versperren.

ver-tumben, -tummen swv. intr. u. refl. ganz *tump* werden. — tr. in unverstand hinbringen.

ver-tûmelt part. adj. betäubt.

ver-tunkeln swv. verdunkeln.

ver-tuoære stm. verschwender.

ver-tuomlich adj. verdammlich.

ver-tuon an. v. vertun, aufbrauchen, verzehren; hinbringen (von der zeit); vergeblich tun; wegschaffen, hingeben, benehmen mit dp.; vertilgen, verderben; versperren. — refl. sich abseits zusammentun, versammeln; verschwenderisch leben; sich durch handeln verfehlen; part. adj. *vertân* verbrecherisch, schuldig, verflucht, böse.

ver-tûren swv. unpers. = *betûren*, s. *betiuren.*

ver-tûschen swv. vertauschen.

ver-tuzzen, -tussen, -dussen; -tuschen, -tüschen swv. intr. betäubt werden, vor schrecken verstummen, ausser fassung kommen. — tr. zum schweigen, zum aufhören bringen; bedecken, verbergen, verheimlichen; in trauer versetzen, betrüben. — refl. sich verbergen.

ver-twâlen swv. intr. zurückbleiben, von kräften kommen. — refl. sich aufhalten.

ver-twâsen, -dwâsen swv. tr. töricht, nichtig machen. vernichten. — refl. töricht sein.

ver-twëln stv. verschmachten, verkümmern, zugrundegehn.

ver-tweln swv. tr. zurückhalten, verkümmern. — refl. sich aufhalten.

ver-twengen, -zwengen swv. einklammern.

ver-twingen stv. bezwingen, zusammenpressen.

ver-übelen swv. auf böse weise behandeln; an übel übertreffen.

ver-üeben swv. refl. sich zu ende *üeben.*

ver-ultern swv. quälen, plagen, martern.

ver-underphenden swv. zum unterpfande setzen.

ver-ungëlten swv. tr. wofür *ungëlt* zahlen.

ver-ungenædigen swv. ungnädig behandeln.

ver-ungenôzen, -genôzsamen swv. tr. u. refl. mit einem *ungenôzen* verheiraten.

ver-unleitunge stf. falsche leitung, verführung.

ver-unnamen swv. mit einem spottnamen belegen.

ver-unrëhten swv. einem unrecht antun, ihn beeinträchtigen.

ver-unreinen, -unreinigen swv. verunreinigen.

ver-unruochen swv. unbeachtet lassen, verachten.

ver-unsælen swv. verwünschen, verfluchen.

ver-untriuwen swv. tr. mit ap. gegen einen treulos sein, ihn treulos behandeln, schädigen; verraten; einem etw. veruntreuen, ihn bestehlen; mit as. veruntreuen. — refl. sich treulos beweisen *gegen.*

ver-unwërden swv. ganz *unwërt* machen.

ver-urliugen swv. mit krieg überziehen, durch krieg vertreiben, verwüsten.

ver-ursatzen swv. verpfänden.

ver-urteilen swv. richterlich entscheiden, als *urteil* verkünden; verurteilen.

ver-urvêheden swv. *sich gegen einem v.* ihm urfehde schwören.

ver-ûzern s. *veriuzern.*

ver-vachen swv. ab-, hinlegen, verteilen *in.*

ver-vâhen, -vân redv. tr. fassen, erfassen, fangen; weidm. die witterung in die nase fassen, spüren; antreffen, erreichen; erwerben, gewinnen; rechtl. ein entfremdetes gut als eigentum in anspruch nehmen oder gewinnen; beschlag legen auf; einfriedigen, einfassen; zusammenfassen; schriftlich verfassen; vernehmen, wahrnehmen; geistig auffassen, aufnehmen, beurteilen, anrechnen; hart beurteilen, tadeln; fassen u. vorwärts schaffen; zuwegebringen, ausrichten, fördern; mit unpers. subj. förderlich sein, helfen, frommen, nützen, abs. od. mit ap., dp.; *einem etw. v.* zugestehn, ihm gegenüber zu etw. sich verpflichten, ihm etw. benehmen, ihn woran hindern. — refl. sich unterfangen, unter-, übernehmen, beginnen, mit gs.; sich verfangen, verstricken. — refl. sich verpflichten, mit gs.

ver-vælen swv. fehlen, sich irren; fehlen, nicht treffen; unp. fehlschlagen. — refl. fehlen, mangeln, fehlgehn.

ver-vallen redv. intr. zu tief fallen, herab-, hinabfallen, versinken; abfallen *von*; bildl. in schuld od. sünde geraten; verfallen, geraten *in*; ein-, zufallen; zusammenfallen, -stürzen; zu tode fallen, zugrundegehn, verderben; als eigentum zufallen, anheimfallen; zur busse verfallen, schuldig werden. — tr. fallend versperren. — refl. fallen, geraten *in*; zufallen, sich verstopfen; durch fallen zugrundegehn; durch schlechtes fallen (der würfel) verloren gehn.

ver-valten redv. zusammenfalten.

ver-valwen swv. entfärben; *val* werden.

ver-vanc stm. schaden, nachteil.

ver-vanclich, -venclich adj. tauglich, nützlich, wirksam, von erfolg.

ver-væren swv. tr. beunruhigen, erschrecken. — refl. sich fürchten, mit gen.

ver-værlich adj. gefährlich.

ver-varn stv. intr. vorübergehn, vergehn; dahinfahren, verschwinden, euphem. sterben; verlorengehn, verderben; falschen weg gehn, sich verirren. — tr. fahren auf, wandeln (weg, spur); fahrend vermeiden, ausweichen. — refl. sich verirren, mit gs. ausweichen, vermeiden.

ver-vazzen swv. tr. in sich aufnehmen; refl. sich vereinbaren wegen (gen.).

ver-vëhten stv. tr. fechten für, verteidigen; heimlich wegnehmen, stehlen. — refl. sich müde fechten; sich heimlich begeben, stehlen *in*.

ver-veigen swv. ganz *veige* machen.

ver-veilen, -veilsen swv. feilbieten, verkaufen, preisgeben.

ver-vellen swv. tr. auseinanderfallen machen, zum fallen bringen, zu haufen stürzen, verschütten; zu falle bringen, verführen; herausfallen machen, reissen *ûz*; verlieren, verwirken; für verfallen erklären; zugrunde richten, verderben. — refl. versinken, sich verlieren, zugrundegehn.

ver-vellic adj. anfallend, erblich; *einem etw. v. sîn* als busse zahlen müssen.

ver-velschen swv. verfälschen.

ver-velwen swv. ganz *val* machen.

ver-vëmen swv. verurteilen, verfemen.

ver-vendern swv. verhandeln, verkaufen; verwahrlosen.

ver-vërren swv. entfernen. **-vërrunge** stf. entwendung.

ver-verwen swv. tr. verfärben, ein anderes aussehen geben, verändern. — refl. sich färben; entfärben; sich durch farbe unterscheiden, bildl. sich trennen *von*.

ver-vesten, -vestenen swv. festsetzen; festmachen, bekräftigen; *einem ein guot vervesten* es ihm in festen besitz geben; verhaften; ächten. **-vestenunge, -vestunge** stf. ächtung.

ver-viln swv. unp. mit acc. u. gen. zuviel werden od. dünken.

ver-vilzen swv. verfilzen.

ver-virren swv. sehr weit entfernen.

ver-viulen swv. ganz faul machen.

ver-vliegen swv. intr. u. refl. wegfliegen, sich fliegend verirren.

ver-vliezen stv. intr. fliessen, dahinfliessen; zerfliessen; zu ende fliessen, vergehn. — tr. zerfliessen machen, verderben. — refl. vollfliessen, sich anfüllen *mit*.

ver-vlîzen stv. refl. sorgfalt u. eifer anwenden, eifrig bedacht sein. **-vlizzen** part. adj. eifrig.

ver-vlougen swv. dispergere (oves Marc. 14, 27).

ver-vlücken swv. verfliegen; verflackern.

ver-vluht stf. flucht. **-vlühtic** adj. flüchtig.

ver-vluochen swv. intr. mit dat. fluchen. — tr. verfluchen, verwünschen.

ver-volgen swv. intr., mit dat. u. gen. folge leisten, beistimmen; folgen, nachkommen. — tr. befolgen, zugeben, nachkommen; verfolgen. — refl. verlaufen, in erfüllung gehn.

ver-vraten swv. verst. *vraten*, s. *vreten*.

ver-vrevelen swv. tr. durch ein vergehn verlieren; refl. sich vergehn, freventlich benehmen.

ver-vriden swv. einzäunen u. dadurch schützen; ausser frieden setzen, bekriegen.

ver-vriesen stv. erfrieren.

ver-vriunden swv. durch freundschaft verbinden.

ver-vröuwen swv. erfreuen.

ver-vrumen swv. ganz hinderlich sein zu (*an*).

ver-vüegen swv. intr. mit dat. passen, anstehn.

ver-vüeren swv. tr. vollführen, ausüben; wegführen, entführen; versetzen *in*; in die verbannung führen; ächten; irre führen, verführen, -leiten; auseinanderführen, zerreissen, zerstören; durch fahren verderben; fahrend umgehn. — refl. sich entfernen *von*; sich zerstreuen, vergehn. **-vüerunge** stf. vollführung; verführung.

ver-vûlen swv. verfaulen.

ver-vüllen swv. ganz anfüllen, erfüllen; füllen, giessen *in*; erfüllen, befolgen.

ver-vürhten swv. refl. sich fürchten, erschrecken.

ver-vürwitzen swv. seine lust büssen *an*, es satt werden.

ver-wachen swv. bewachen; als *wahtgelt* wofür entrichten.

ver-wâfenen, -wâpenen; -wâfen, -wâpen swv. ganz bewaffnen, wappnen, rüsten; vermachen, -schliessen.

ver-wagen swv. schwanken.

ver-wæhen swv. verunstalten.

ver-wahsen stv. intr. zu-, zusammenwachsen. — tr. u. intr. überwachsen.

ver-wæjen swv. verwehen.

ver-walken redv. zusammenwalken, verfilzen.

ver-wallen redv. aufhören zu *wallen*. *den muot v.* sich beruhigen.

ver-wallen swv. refl. sich wandernd verirren.

ver-waln swv. beim kegeln (*waln*) verspielen.

ver-walten redv. tr. in gewalt haben, verwalten, sorgen für. — refl. gewalt, kraft haben; in gewalt haben, können, verstehn, mit gen.; sich frei bewegen. **-walteren** swv. md. refl. mit gen. in gewalt haben, können, verstehn. **-waltigen, -weltigen** swv. überwältigen, gewalttätig behandeln.

ver-wandelicheit stf. veränderlichkeit.

ver-wandeln swv. tr. umdrehen, herumwerfen; umwenden, zerstören; umwenden, -kehren, verändern, vertauschen, -wechseln, -lassen, vorbeigehn; in das gegenteil verwandeln; *den lîp, daz leben v.* sterben; *den sin v.* von sinnen kommen, den verstand verlieren; *den schaden* usw. *v.* vergüten; als entschädigung, als busse zahlen. — intr. mit gen. *des lîbes, der werlde v.* sterben. **-wandelunge** stf. transsubstantiation.

ver-wandern swv. tr. verändern, verwandeln.

ver-wænen, -wânen swv. tr. hoffen, erwarten; *einen v.* von ihm hoffen, erwarten; überdenken, beachten, mit gen. — refl. vermuten, erwarten, glauben; sich zu hoch meinen, überheben: part. *verwœnet* anmasslich. **-wænunge** stf. zusage, vorausgehnde verabredung.

ver-wâpenen s. *verwâfenen*.

ver-wâr = *vür wâr*.

verwære, -er stm. färber; maler.

ver-wæren swv. als *wâr* dartun, beweisen, versichern.

verwærinne stf. färberin; malerin; die sich schminkt.

ver-warlôsen swv. tr. u. refl. unachtsam behandeln oder betreiben, verwahrlosen; beflekken.

ver-warn swv. behüten, bewahren.

ver-warnen swv. warnen. **-warnunge** stf. warnung, mahnung.

ver-warten swv. intr. warten, bis zu ende warten; warten auf, erwarten, mit dat.; auflauern, mit gen.; sorgen für, behüten, mit dat.; verwahrlosen, mit gen. — tr. zu ende warten, mit temp. acc.; auflauern, sorgen für, behüten.

ver-warunge stf. verwahrung; vorbehalt.

ver-waschen swv. wegwaschen.

ver-wasen swv., part. *verwaset* mit rasen bedeckt u. dadurch unkenntlich gemacht (weg). **-wasic** adj. mit gras, moos bedeckt.

ver-wasten swv. verwüsten.

ver-wâzen redv. tr. zugrunderichten, verderben; verdammen, -fluchen, -wünschen; von sich weisen, verstossen, verbannen. **-wæzen** swv. von sich stossen, verwünschen, -fluchen. **-wâzene, -wâzenunge, -wâzunge** stf. verwünschung, verfluchung.

ver-wëben stv. verweben, vereinigen.

ver-wecken swv. aufwecken; anreizen. **-weckunge** stf. auferweckung.

ver-wëgen stv. tr. an gewicht übertreffen, überwiegen; aufwiegen, mit dp.; unpers. mit acc. u. gen. gewicht haben für, kümmern. — refl. sich auf die glückswage legen, sich (aufs geratewohl) frisch wozu entschliessen, mit gs., inf. od. abh. s.; *verwegen* part. adj. frisch entschlossen, etw. aufs spiel setzend; sich wovon fortbewegen, worauf verzichten, mit gen. **-wëgenheit** stf. entschlossenheit. **-wëgenliche** adv. frisch entschlossen, vermessen, verwegen.

ver-wëhsel stm. tausch, umwechselung. **-wëhseln** swv. wechseln, umwechseln, -tauschen, verwechseln, -tauschen.

verwe-hûs stn. färbhaus, färberei.

ver-weichen swv. auf-, erweichen.

ver-weinen swv. tr. weinend verderben, ausweinen (*ougen*). — refl. sich ausweinen, sich durch weinen entkräften, abhärmen.

ver-weisen swv. intr. u. tr. zum, zur *weisen* werden oder machen, verwaisen.

ver-welben swv. wölben.

ver-welhen swv. tr. verändern. — refl. sich verkleiden, vermummen.

verwelin stn. dem. zu *varwe*.

ver-wëllen stv., part. *verwollen* rund, schön gerundet.

ver-wellen swv. tr. einrollen, absperren *mit*. — refl. sich besudeln *mit*.

ver-wellen swv. refl. sich durch übermässiges aufwallen (einer leidenschaft) schaden tun.

ver-weltigen s. *verwaltigen*.

verwen swv. tr. ein aussehen geben; färben; malen, bemalen; farbig sticken; beschönigen. — refl. sich färben, ein aussehen annehmen; sich schminken.

ver-wendecliche, -en adv. den kopf wendend, zurückschauend; den kopf eitel, hochmütig, trotzig ab- oder umwendend.

ver-wenden swv. tr. rückgängig machen, abwenden, -wehren; abwenden, entfernen *von*; umwenden, -kehren; verwandeln; umkehren, zerstören; widerlegen; *ez v.* auf verkehrte, böse art treiben; verleiten; verweisen, hinweisen *ûf*; an-, unterbringen: verheiraten; ausstatten, schmücken; *verwant* part. adj. in beziehung, in verbindung stehend, verwandt. — refl. sich abwenden von, entschlagen mit gen.; sich verwandeln, eine andere gestalt annehmen.

ver-wenen swv. verwöhnen; in übler weise an etw. (gen.) gewöhnen. **-wenet** part. adj. verwöhnt, bevorzugt, köstlich.

ver-wentlich adj. was sich abgewendet hat, rückgängig geworden ist.

ver-wëpfen swv. umschlagen, kahnig werden (wein).

ver-wërben stv. erwerben; *einem etw. v.* verhandeln, verkaufen.

ver-wërde stf. exitium.

ver-wërden stv. zunichte werden, verderben, verlorengehn.

ver-wërfen stv. tr. ab-, hin-, weg-, niederwerfen; überwinden; wegwerfen, verschleudern; zurückweisen, verschmähen, verweigern, verstossen, -treiben, verwünschen; *verworfen* part. adj. verstossen, ausgesetzt; schlecht, untauglich, armselig; unselig, unglücklich; bedecken, bewerfen; zuwerfen, verschütten; werfend aufbrauchen. — refl. sich stürzen *in*; abfallen *von*; sich verlaufen; ein ende nehmen, sich verlieren; sich entzweien *mit*. **-wërfenunge, -wërfunge** stf. ab-, wegwerfung, zurückweisung; das durcheinanderwerfen.

ver-wërken swv. tr. verarbeiten; vermachen, eindämmen; durch sein tun verlieren, verwirken. — refl. sich hineinschaffen, begeben *in*; sich verfehlen, versündigen *an*.

ver-wërn swv. tr. *einem etw. v.* ihm dafür gewähr leisten. — refl. mit gen. wofür einstehn, etw. unternehmen.

ver-wern swv. tr. abwehren, verhindern; verwehren, abhalten von (inf.).

ver-wërræ̂rinne stf. verwirrerin, bestrickerin. **-wërren** stv. in verwirrung, unordnung, unruhe bringen; erschrecken; unlösbar verwickeln; *sich mit etw. v.* befassen; auseinander bringen, feindselig entzweien. **-werren** swv. in unordnung bringen, verletzen. **-wërrenlich** adj. verwirrend. **-wërrunge** stf. verwirrung, verwicklung.

ver-werten swv. intr. gebrechlich, alt werden. — tr. u. refl. schlecht machen, verderben, verletzen.

ver-werzeln svw., intens. zu *verwërren*, verwirren, schädigen, verletzen.

ver-wësen stv. intr. zunichte werden, vergehn, herunterkommen. — tr. zunichte machen, verderben, aufbrauchen; an jemandes stelle treten, vertreten; verwalten, verwesen, versehen, sorgen für. **-wësen** swv. jemandes stelle vertreten. **-wësenlich** adj. verweslich, vergänglich. **-wëser** stm. stellvertreter; verwalter. **-wësunge** stf. verwesung; verwaltung.

ver-wëten stv. verbinden.

ver-wetten swv. tr. wetten; durch ein pfand sichern, verpfänden; durch eine wette verlieren; als busse zahlen.

verwic, virwic adj. farbig.

ver-wickeln, -wicken swv. wickeln, einwickeln *in*; verwickeln, verstricken.

ver-wicken swv. verzaubern. **-wickunge** stf., md. *vorwickunge* vorhersagung (durch zauber).

ver-widemen swv. zum nutzniess stiften, übergeben; *einen ûf ein guot v.* es ihm als dotation anweisen.

ver-wideren swv. tr. sich sträuben gegen, zurückweisen, ausschlagen, verweigern; widersprechen, verneinen; erwidern, vergelten; rückgängig machen; in rückgang, schaden bringen, hinderlich sein, herabsetzen.

ver-wieren swv. mit gold od. edelsteinen durchlegen, durchwirken, schmücken; gold oder edelsteine einlegen, einwirken (*an, in, ûf*).

ver-wilden swv. tr. *wilde* machen, entfremden; eine fremde gestalt geben, verwandeln. — refl. sich *in die wilde* verlieren, sich verbergen; eine fremde gestalt annehmen, sich verwandeln. — intr. *wilde*, fremd werden, sich entfremden, verwildern.

ver-wîlen swv. intr. säumen, zurückhalten *an*. — tr. zubringen (*daʒ leben*). — refl. sich aufhalten; sich versäumen *an*.

ver-willekürn swv. tr. freiwillig wählen; freiwillig aufgeben, verzichten auf. — refl. freiwillig ein abkommen treffen *mit*; sich freiwillig verpflichten, mit gen. **-willen** swv. refl. sich freiwillig verpflichten, mit inf. u. *ze*; *sich ûf einen v.* ihn freiwillig zum schiedsrichter wählen. **-willigen** swv. intr. zu etw. willig sein, einwilligen, mit gen. od. dat. — tr. bewilligen, zugestehn. — refl. sich willig zeigen zu, einwilligen, mit gen. od. dat. **-willigunge** stf. bewilligung, einwilligung, erlaubnis. **-willunge** stf. dasselbe; freie wahl eines schiedsrichters.

ver-winden stv. tr. windend ausdehnen (faden); einwickeln, umwinden; zusammendrehen; besiegen; überwinden, -wältigen, -stehn; wozu bringen, nötigen; vor gericht besiegen, überführen; verwinden, verschmerzen. — refl. sich wickeln, verwickeln, schmiegen *in*. **-windunge** stf. rechtliche überführung.

ver-winkeln swv. in den *winkel* stecken, verbergen.

ver-winnen stv. tr. überwinden, besiegen; vor gericht besiegen, überführen; übertreffen; wozu bringen, mit gen.; verwinden, verschmerzen. — refl. sich schmiegen *zuo*.

ver-wirken, -würken swv. tr. kunstmässig verarbeiten, prägen; durch kunstarbeit bringen, fassen *in*, einfassen *mit*; vermachen, einschliessen *in*, verwickeln *in*; einfriedigen, umhegen; ins unglück bringen, zugrunde richten, verderben; vorübergehn lassen, versäumen; durch sein tun verlieren, verwirken. — refl. sich ins unglück stürzen; durch sein tun sich verfehlen; durch sein tun verlieren. — *verworht* part. adj. verbrecherisch, böse, verdammt, verflucht; geschändet.

ver-wirren, -würren swv. intr. sich verwickeln. — tr. entzweien.

ver-wîs stm. anweisung, verschreibung eines gutes.

ver-wischen swv. tr. wegwischen, austilgen; vorübergehn an, nicht bekommen, entbehren, verlieren. — intr. (plötzlich) verschwinden, verloren gehn.

ver-wîsen swv. tr. falsch weisen, irre leiten, verführen; ab-, weg-, ausweisen, verbannen; verweigern; überführen, für überführt, verurteilt erklären; hinweisen *an*; zuweisen, übertragen.

ver-wissen swv. durch pfand sichern.

ver-wisunge stf. beweis; ausweisung, verbannung; vermächtnis.

ver-witewen swv. zur witwe machen oder werden.

ver-wiʒ stm. strafender tadel, verweis. **-wîʒen** stv. strafend oder tadelnd vorwerfen, vorrücken, mit dat. u. acc.

ver-wiʒʒen an. v. tr. wissen; *einen eines d. v.* ihn in einer sache für unschuldig halten. — refl. bei verstandeskräften sein. part. adj. verständig.

ver-wollen part. adj. s. *verwëllen*.

ver-worfen part. adj. armselig. **-worfenheit** stf. der zustand wo etw. verworfen ist od. sich verwirft, abscheu. **-worfenlich** adj. abgenutzt.

ver-worht part. adj. s. *verwirken*.

ver-worrenlich adj. in unordnung gebracht, verworren.

ver-worten swv. tr. mit worten, in der sprache missbrauchen; durch worte darlegen, sagen. — refl. *sich an einen v.* sich mit ihm in unterhandlung einlassen.

ver-wüesten, -wüestenen swv. ganz *wüeste* machen, verwüsten; unschön machen, verderben, -letzen, unnütz vertun; einsam machen, verlassen.

ver-wüeten swv. intr. u. refl. ganz in *wuot* geraten, wahnsinnig werden; austoben.

ver-wunden swv. verwunden, verletzen (*die erden v.* den boden in seiner ertragsfähigkeit verschlechtern).

ver-wundern swv. intr. ganz wundervoll sich zeigen; sich verwundern. — refl. sich zu ende wundern, genug wundern; sich verwundern; aufhören sich zu wundern, mit gen. — unpers. *mich verwundert* nimmt wunder; ich wundere mich zu ende, höre auf mich zu wundern über (gen.).

ver-wurfnisse stfn. auswurf.

ver-würken s. *verwirken*.

ver-würren s. *verwirren*.

ver-zabelen swv. intr. u. refl. zu ende zappeln, auszappeln, ruhig werden.

ver-zadelen, -zâdelen swv. refl. vor mangel umkommen, verschmachten. — tr. in dürftigkeit bringen, vor mangel umkommen lassen.

ver-zagelich, -zagenlich adj., **-liche** adv. verzagt, mutlos. **-zagen** swv. intr. ein *zage* werden, den mut, die zuversicht, fassung verlieren, scheu werden, verzagen, ohne od. mit gen. od. mit präpp. — *verzaget*, *-zeit* part. adj. mutlos, verzagt, scheu. **-zagetliche** adv. = *verzagelîche*. **-zagnisse** stf. verzagtheit. **-zegen** swv. verzagt machen.

ver-zëhenden swv. tr. den zehnten wovon geben; den zehnten mann töten.

ver-zeln, -zellen swv. tr. erzählen, berichten; *einem etw. v.* vorzählen, tadelnd vorhalten; *einem etw. v.* vorenthalten; geringschätzen; ausscheiden *von*; verurteilen, -dammen, für verfallen erklären.

vërzen stv. III, 2 bombisare, pedere.

ver-zerer stm. verzehrer, verschwender. **-zerlich** adj. vergänglich, verweslich. **-zern, -zeren** swv. tr. verzehren, aufzehren, aufwenden, verbrauchen, vernichten; hinbringen (*zît, leben* usw.); *einen v.* unterhalten, verköstigen; *mit einem etw. v.* für ihn brauchen zum unterhalt. — refl. seine habe verzehren, nichts mehr zu leben haben; sich abzehren, entkräften; durch überanstrengung schaden leiden, zugrundegehn.

ver-zerren swv. auseinanderzerren, zerreissen.

ver-zerten swv. verweichlichen, verzärteln.

ver-zetten swv. zerstreut fallen lassen, verstreuen, verlieren.

ver-zic stm. verzicht. **-bære** adj. fähig verzicht zu leisten.

ver-zicken swv. bezichtigen, verdächtigen, unredlich behandeln, gefährden.

ver-ziehen stv. tr. untereinander ziehen, mischen; auseinander ziehen, zerstreuen *in*; herausziehen, -zücken; wegziehen, entfernen, beseitigen; wegnehmen, entziehen, verweigern; übergehen *mit*; verleiten; schieben *ûf*,; hinhalten, -ziehen, aufschieben, verzögern; vollziehen. — refl. sich entfernen *von*; sich entziehen, entrinnen, mit dat.; sich hinziehen, verzögern; in verzückung geraten. — intr. warten, verzögern. **-ziehnisse** stf. aufschub.

ver-zigenheit stf. *sîn selbs v.* selbstverleugnung. **-zigenisse** stfn. verzichtleistung. **-zihbrief** stm. verzichtbrief. **-zîhen, -zîen** stv. versagen, abschlagen mit dat. u. acc. od. gen., mit acc. u. gen.; nicht wovon reden wollen, verzichten auf, aufgeben, verlassen, mit gen., mit ap. sich lossagen von, verlassen, verschmähen. — refl. worauf verzichten, sich lossagen von, aufgeben, mit gen.; verzeihen mit dp. **-zîhenisse** stn. = *verzigenisse*. **-zîhenunge** stf. = *verzîhunge*. **-ziht** stf. entsagung, verzichtleistung. **-ziht-brief** stm. = *verzîhbrief*. **-zîhunge** stf. verzichtung.

ver-ziln swv. tr. an einen ort bestellen; aus den augen verlieren, versäumen; s. v. a. *enzwei ziln* zerhauen. — refl. unterbleiben.

ver-zimbern swv. verbauen, zubauen; bauend verbrauchen (*holz*).

ver-zimen swv. unp. mit acc. = *zimen*.

ver-zimieren swv. mit rittermässigem schmucke versehen.

ver-zinen swv. verzinnen.

ver-zingeln swv. verschanzen.

ver-zinsen swv. tr. den *zins* wovon od. wofür bezahlen. — refl. für sich den *zins* bezahlen.

ver-zittern swv. aufhören zu zittern.

ver-ziugen swv. mit zeugnis überwinden, überführen, mit gs.; mit zeugnis gewinnen.

ver-ziunen swv. verzäunen.

ver-zoc, -zuc stm. verzug.

ver-zogen swv. intr. vorbeiziehen; zögern, säumen. — tr. entziehen; verzögern.

ver-zollen swv. tr. den *zol* wovon od. wofür geben. — tr. mit dem massstabe abmessen.

ver-zuc s. *verzoc*.

ver-zücken, -zucken swv. tr. zücken, verdrehen; schnell hinwegnehmen oder hinwegführen, bes. heimlich od. räuberisch; im geiste, durch verzückung entführen, entrücken. — refl. sich verrücken. — intr. verziehen.

ver-zürnen swv. intr. aufhören zu zürnen. — refl. in zorn geraten.

ver-zwicken swv. tr. mit eingefügten *zwecken* ausbessern; mit *z.*, wie mit *z.* befestigen, festnageln, einklemmen, verkeilen.

ver-zwîvel stm. verzweiflung. **-zwîveln** swv. die hoffnung aufgeben, verzweifeln.

vëse swf. hülse des getreidekorns, spreu, bildl. das geringste; der unenthülste spelt.

vësel stn. spreu.

vësel s. *visel*.

vesel, veselic adj. fruchtbar (von tieren).

veseln swv. pflegen, unterhalten.

veseloht adj. voll fasern.

vesen s. *vasen*.

vësper stf. die vorletzte canon. stunde (6 uhr abends) u. der betreffende horagesang (lat. *vespera*). **-lich** adj. abendlich. **-zît** stf. zeit der *vesper*; bildl. der jüngste tag.

vëspereide stf. s. v. a.

vësperîe, vësperî stf. lanzenrennen einzelner am vorabende eines grösseren turniers; das turnier selbst; s. v. a. *vësperzît*.

vessenen, vessen s. *vehsenen*.

fëst, fest stn. festtag (lat. *festum*).

fëste stf. *eines d. feste hân* sich darüber freuen.

veste, vest adj. nicht weich, fest, hart, stark, beständig, eig. u. bildl. (gewaltig, gross, standhaft, tapfer, unerweichlich); ehrenfest; sicher. - adv. = *vaste*. - stf. festigkeit, härte; unerweichlichkeit, beständigkeit; feste, geschlossene schar, reihe; sicherheit, sicherer ort, schutz; befestigter ort, feste stadt, burg; gefängnis; bekräftigung, sicherung; trauung.

vestec-heit stf. festigkeit, stärke; standhaftigkeit; befestigter ort, schloss. **-lich** adj. fest, hart, stark, beständig. standhaft. **-lîche, -en** adv. fest, beständig, standhaft, stark, gewaltiglich, sehr.

vestel-naht, -tac s. *vastel-*.

vestenen, vesten swv. tr. fest u. beständig, standhaft machen, festsetzen, bestätigen, bekräftigen, beglaubigen; an etw. festhalten; woran befestigen; begründen, erbauen; befestigen, verschanzen, als festung erbauen; gefangen setzen; verloben, antrauen, mit dp. — refl. eine befestigte stellung einnehmen, sich verschanzen *vür einen* (ihm gegenüber).

vestene, vesten, vestîn swstf. festung. **vestenunge** stf. befestigung, festung; festsetzung, bestätigung, -kräftigung; festigkeit, kraft; grundfeste. **vestigunge** stf. befestigung, festung. **vestnisse** stf. firmamentum. **vestunge** stf. befestigung; bekräftigung; festigkeit, kraft; grundfeste; s. v. a. *vervestenunge*.

fëstivieren, fëstieren swv. festlich feiern, ein fest begehn; festlich bewirken (lat. *festivare*).

vest-lich adj. fest. **-lîche** adv. fest, stark, sehr.

vet adj. fett (nd.).

vëtach, vëtech, vëtich, vitech, vitich stm., **vëtache, vëteche, viteche** swfm. fittich; eine art schutzwehr.

vetel stf. altes weib, vettel (lat. *vetula*).

vetere, veter swm. vatersbruder, vetter; brudersohn. — pl. stammverwandte. **veteren** swv. intr. mit dp. sich als vater zeigen. **veter-lich** s. *vaterlich*. **-lîcheit** stf. vaterschaft; väterlichkeit.

veterlîn s. *vaterlîn*.

vetten, vetzen swv. fett machen.

vetze swm. fetzen, lumpen.

vetzen swv. reissen, zerfetzen; s. v. a. *vaʒʒen*.

vewen, vowen swv. sieben.

veʒʒât stn.? hinterbacken, hinterer (fz. *fesse*).

veʒʒel stmf. band zum befestigen und festhalten des schwertes, des schildes, des falken.

vëʒʒel, viʒʒel stm. teil des pferdebeines zwischen huf und unterstem gelenk, wo man das pferd beim weiden anzubinden pflegt. **-bant** stn. band zum festhalten des falken.

veʒʒelen, veʒʒenen, veʒʒen, veʒʒeren swv. fesseln.

veʒʒeler stm. fassmacher.

veʒʒelîn, veʒʒel stn. dem. zu *vaʒ*: fässchen, schränkchen, büchschen.

veʒʒer swf. md. fessel.

veʒʒeren s. *veʒʒelen*.

veʒʒich stn. coll. zu *vaʒ*.

fî, fîa s. *phiu*.

vîandinne, vîendinne stf. feindin. **vîant, vîent, vînt** stm. feind. — adjektivisch mit dat. *vînt sîn* (gesteigert *vînder, vîndest*) feind sein.

fianze stf. untertänigkeitsgelübde des entlassenen besiegten od. gefangenen; gelöbnis der schuldpflicht, das der entlassene schuldner dem gläubiger leistet (afz. *fiance*, mlat. *fidentia*, vgl. *sicherheit*).

fîaʒ s. *phîaʒ*.

vîc, -ges stmn. feigwarze (lat. *ficus*, vgl. *fîge*). **-blâter** swf. feigwarze. **-(vîgen-)boum** stm. feigenbaum.

vicâr, vicâri, vicârier stm., **vicârje** swm. stellvertreter, verweser (lat. *vicarius*). **vicârie** stf. amt des vikars.

ficken swv. reiben.

ficken swv. heften (lat. *figere*, it. *ficcare*).

videlære, -er stm. fiedler. **videl-boge** swm. fiedelbogen, obsc. penis. **videle, videl** swf. geige, fiedel (mlat. *vitula, fidula*). **videlen** swv. geigen, fiedeln; obsc. futuere. **videllîn** stn. dem. zu *videle*. **videl-stap** stm. = *videlboge*.

fiden swv. refl. sich verlassen auf.

vider stn. = *gevider*. **videren** swv. mit federn versehen, befiedern; euphem. erdichten, lügen; mit flaumigem pelzwerk besetzen. **viderîn, vëderîn** adj. von federn.

fieber, vieber stn. fieber (lat. *febris*, s. *biever*). **-siech, fieberic** adj. fieberig. **fiebern** swv. fiebern.

viehtach stn. fichtenwald.
viehte swstf. fichte; trinkbecher aus fichtenholz. **viehtîn** adj. von der fichte.

viendinne s. *vîandinne*.

vienen swv. übel, ränkevoll handeln, zum besten haben, betrügen.

vient s. *vîant*.

vient-, vînt-lich adj. feindlich. **-liche** adv. auf feindliche, feindselige weise; gewaltig, heftig, sehr. **-schaft** stf. feindschaft. — astr. oppositio.

fier, vier adj. stolz, stattlich, schön (fz. *fier*, lat. *ferus*).

vier num. card. vier (oft nur formelhaft eine unbestimmte zahl ausdrückend, ähnlich wie nhd. „ein paar"). **-beine** adj. vierbeinig. **-ecke, -eckëht** adj. viereckig. **-halben** adv. nach den vier seiten hin. **vier-halter** stm. = *vierharter*. **-harten** swv. durch kniffe im spiel betrügen (vgl. *viertæten*). **-harter** stm. betrüger im spiel, falscher spieler. **-klê** stm. vierblätteriger klee. **-lanket** adj. vierseitig. **-lei** = *vier leie* (s. *leie*). **-lich** adj. vierfach. **-man** stm. mitglied eines viererkollegiums. **-mâʒ** stn. der vierte teil eines viertels. **-mæʒic** adj. vier *mâʒ* enthaltend. **-ort** stn. viereck. **-ortic** adj. viereckig. **-ortigen,** **-orten** swv. viereckig machen. **-schiltec** adj. von vier ritterl. ahnen abstammend. **-schrœte** adj. viereckig, v. zugehauen; mit vier feldern. **-schrœtic** adj. dasselbe, bildl. von gewaltiger grösse und stärke. **-schutzic** adj. dasselbe. **-site** adv. auf vier seiten. **-spilde** adv. vierfach. **-tage** adj. viertägig. **-tæten** swv. im würfelspiel betrügen (s. *virne* stf.). **-tæter** stm. betrüger im würfelspiel. **-tegic** adj. viertägig. **-tegelich** adj. dasselbe. **-teil, viertel** stn. viertel; bruchteil überh.; als trocken- u. flüssigkeitsmass; als flächenmass. **-teil-** (**viertel-**)**bühse** swf. viertelbüchse, kartaune. **-teilen** swv. vierteilen, bes. in vier stücke reissen u. dadurch töten. **-valt, -valtic, -veltic** adj. vierfältig. **-var** adj. von vier farben. **-(viern-)zal** stf. ein getreidemass. **-zëc, -zic** num. card. vierzig; *vierzec unde vier* für eine unbestimmte grosse zahl. **-zëhen** num. card. vierzehn. **-zëhende, -zëhendest** num. ord. der vierzehnte.

vierde, vierte num. ord. vierte (oft nur für eine unbestimmte zahl). **-halp** adj. drei und ein halber.

vierdelinc, vierlinc, *-ges* stm. viertel eines masses; ein viertel vom hundert.

vierdic adj. *daʒ vierdige teil* ein viertel.

vierdunc, vierdinc, *-ges* stm. viertel eines masses oder gewichtes, namentlich eines pfundes (geldmass).

viere s. *vîre*.

fieren, vieren swv. *fier* machen, schmücken.

vieren swv. refl. je zu vieren sich verbinden, vervierfachen. — tr. unter vier verteilen, vierfach zusammensetzen; viereckig od. würfelförmig machen, viereckig zusammenfügen, festbauen; bildl. *gevieret, -viert* fest, beständig.

vieren s. *vîren*.

vierer stm. eine münze; mitglied eines viererkollegiums.

vierlei s. *firlei*.

vierlinc s. *vierdelinc*.

viern-zal s. *vierzal*.

vierre s. *virre*.

vierst s. *virst*.

vierunge stf. quadrat.

vieʒ, vieʒe stswm. held, schlauer feind, teufelskerl, teufel.

vîge swf. feige; *einem die vîgen bieten, zeigen* ihn höhnen (prov. *figa*, fz. *figue*, vgl. *vîc*).

vîgern s. *vîren*.

figieren swv. treffen wie mit einem geschosse (lat. *figere*, vgl. *fischieren*).

vigilgen swv. aus mnl. *vêligen, veiligen* tr. einem sicheres geleit erteilen; s. *vêlic, veilic*.

vigilje stf. gottesdienst am vorabend eines festes od. bei einer beerdigung, totenamt (lat. *vigilia*).

figûre, figûr stswf. gestalt; symbol, gleichnis, bedeutung; ding überh. (lat. *figura*).

figûren, figûrieren swv. gestalten.

vihe, vëhe stn. tier, vieh. **-halter, -hërter** stm., **-hirte** swm. viehhirte. **-hûs** stn. viehstall. **-krippe** swf. viehkrippe. **-lich** adj., **-liche** adv. tier-, viehartig, viehisch. **-licheit** stf. viehisches wesen. **-liute** pl. stm. hirten. **-maget** stf. vieh-, stallmagd. **-muoter** stf. weibl. gebärendes vieh. **-nôʒ** stn. = *nôʒ*. **-quarter** stf. viehherde. **-stërbe** swm. viehseuche. **-stiure** stf. = *klâstiure*. **-trat** stf., **-treip, -treibe** stswm., **-trift** stf., **-trip, -trip** stm. viehtrift, viehweide. **-warte** swm. viehhirte. **-weide** stf. viehweide.

vihelech stn. dem. u. coll. zu *vihe*.

vihelen s. *vîlen*.

vihelîn stn. dem. zu *vihe*.

vihic adj. viehisch.

vihisch adj. = *vihelich*.

vil, vile adj. adv. viel (substantiv. ohne od. mit gen. viel, vieles, persönl. viele), in fülle, in menge, sehr (zur steigerung von adj. u. adv.), vor kompar. viel. **-bî** adv. beinahe. **-kôse** stf. viele rede. **-nâch** adv. beinahe. **-var** adj. vielfarbig.

vilân, villân stm. dörfler, bauer (fz. *vilain*, lat. *villanus*).

vilânîe stf. = *dörperheit*.

vile stf. vielheit, menge.

vîle stf. feile.

vîlen swv. feilen; ritzen.

vîler stm. feilenhauer.

filje swf. tochter (lat. *filia*).

villâte, villât stf. geisselung, züchtigung.

ville stf. dasselbe.

ville stn. coll. zu *vël*.

ville stswf. dorf (fz. *ville*, lat. *villa*), landgut.

villec adj. eine haut, ein fell habend.

villen swv. das *vël* abziehen, schinden, blutig schlagen, geisseln, stäupen, züchtigen, strafen, quälen.

viller stm. schinder; peiniger.

fillôl, phillôl stmf. geistl. sohn od. tochter, patenkind (lat. *filiolus, -a*).

viln swv. intr. viel werden, sich mehren.

vilwe s. *velwe*.

vilz stm. filz; strohmatte; bildl. grober od. geiziger mensch; moor, moorgrund. **-gebûr, -gebûre** swstm. grober bauer. **-huot** stm. filzhut; persönl. als schelte wie *vilz*.

vilzëht adj. verfilzt.

vilzen swv. zu *vilz*, von *vilz* machen.

vilzîn adj. von filz.

vimel stm. schwanken, schimmern.

vimme f. haufen.

vimpen swv. glühen(?).

fîn, vîn adj. adv. fein, schön (fz. *fin* vom lat. *finitus*). **-gevar** adj. von feiner farbe. **-lich** adj. adv. = *fîn*.

vînæger stm. weinessig (fz. *vinaigre*).

finanzie, finanze swf. unredliches geldgeschäft, wucherei, betrug (mlat. *finantia*).

vindære, -er stm. finder; erfinder, erdichter. **vindærinne** stf. finderin, erfinderin.

vinde stf. findung.

findel s. *fündel*.

vînde-lâge stf. nachstellung der feinde.
vindelîn stn. findling.
vinden stv. III, 1 finden (*sich vinden lâȥen* sich zeigen, erweisen; *vinden an* finden bei, erlangen von, vernehmen von); wahrnehmen; *ein urteil v.* die aus der ganzen verhandlung sich ergebende entscheidung ermitteln und aussprechen; erfinden; dichten, komponieren. — refl. sich erfinden, als wahr herausstellen. **-lich** adj. mit finden verbunden. **vindunge** stf. findung, auffindung; erforschung.
fîne stf. feinheit, schönheit.
fînen swv. *fîn* machen. — intr. *f.* sein.
vinf s. *vünf*.
vinger stm. finger; *der v. ungenant* der vierte finger, der ringfinger; *d. eilfte v.* penis; hand; kralle; fingerring. **-diuten** stn. tadel oder hohn, indem man auf einen mit dem finger deutet. **-grôȥ** adj. fingerdick. **-lësen** stv. mit finger-, zeichensprache sich verständlich machen. **-zam** adj. fingerzahm, so zahm, dass man vom finger frisst, sich mit einem finger leiten, sich um den finger wickeln lässt. **-zeic** stm. = *vingerdiuten*. **-zeige** stf. dasselbe. **-zeigen** swv. abs. u. tr. mit dem finger deuten auf (um zu zeigen oder um zu tadeln, verspotten).
vingerîde, vingerîn, vingerlach stn. fingerring.
vingerler stm. ringfinger.
vingerlîn stn. dem. zu *vinger*; fingerring.
vingerlinc stm. fingerring, siegelring.
vingern swv. abs. mit den fingern zeichen machen. — tr. mit den fingern rühren.
fînieren swv. = *fînen*.
vinke swm. finke.
vinne, vinnic s. *phinn-*.
vinnëht adj. = *phinnic*.
vinsel-wërc stn. spielwerk, tand.
vinster s. *venster*.
vinster adj. dunkel, finster. **-, vinsterîn, vinsteri, vinstere** stf. dunkel, dunkelheit; verfinsterung, finsternis; *eclipsis solis*; hölle; dichte menge, schar (übers. des lat. *legio*). **-heit, vinsteric-heit, vinsterkeit** stf. dunkel, finsternis. **-lich** adj. = *vinster*. **-licht** adj. die finsternis erleuchtend. **-metten** stf. kirchl. chorgesang am karfreitag. **-var** adj. dunkelfarbig. **-wërc** stn. schattenwerk.
vinsterlingen adv. im finstern.
vinstern swv. tr. *vinster* machen. — intr. *vinster* sein, werden.
vinsternisse stfn. dunkelheit, finsternis; dunkelheit, unklarheit; gefängnis; übers. des lat. *legio* (s. *vinster*).
vînt s. *vîant*.
vintâle, -teile, -taile stswf. der teil der *goufe*, der vor das gesicht herabgelassen werden kann. (fz. *ventaille*).
vintnisse stf. das finden, der fund.
vîntselic adj. feindselig.
vintûse swf. schröpfkopf (fz. *ventouse*, mlat. *ventosa*).
vintûsen swv. schröpfen.
viol, viole stm., **viole** swf. viole, veilchen (lat. *viola*). **-bërc** stm. Sion. **-garte** swm. veilchengarten. **-rîche** adj. reich an veilchen (reich an zartheit und bescheidenheit). **-ruch, -smac** stm. veilchengeruch. **-stûde** swf. veilchenstaude (Maria). **-val** adj. veilchenfalb. **-var** adj. veilchenfarbig, veilchenblau. **-vëlt** stn. veilchenfeld.
violât, violate, violet stm. veilchenfarbener kleiderstoff.
viole swf. phiole (mlat. *fiola*).
vîôle swf. ein musikal. blasinstrument; geige.
violieren swv. veilchenartig machen.
violîn stn. dem. zu *vîol*. - adj. veilchenblau. **-brûn** adj. violett. **-gevar** adj. = *violvar*.
viper, vipere, vipper swf. viper, schlange (lat. *vipera*). **-hürnîn** adj. von der hornhaut der viper gearbeitet. **-nâter** swf. viper.
vipperic adj. der viper gleich.
vir, vir- s. *vrouwe, ver-*.
vîr-âbent stm. feierabend, vorabend eines festes.
vîrde stf. = *vîre*.
virdic adj. = *virne*.
vîre, viere, vier stf. festtag, feier; das feiern, ausruhen von der arbeit. - stn. festtag. **-lich** adj. feierlich, festlich. **-(vîr-)naht** stf. vorabend eines festes. **-(vîr-)tac** stm. feier-, festtag. **-tegelich** adj. feiertäglich. — subst. *aller vîretegelich* alle feiertage.
virebel s. *vrevel*.
vîren swv. (nbff. *vîeren, vîgern, virren*) tr. feiern, als feiertag begehn. — intr. feiern, in ruhe, müssig sein; mit gen. (od. *an, vor*) müssig sein in bezug auf.
virgel stfn. = lat. *virgula*.
virgelen, virkeln swv. intr. hin und herfahren, hüpfen. — tr. hin und herziehen; untersuchen, erforschen.
virgieren swv., md. *vergieren* (den wein) mittelst der virgula messen.
virgilje, virilje stf. das siebengestirn (mlat. *vergilia*).
firlei, vierlei, firlefei stm. eine art tanz (wohl gekürzt aus:)
firli-fanz stm.
firmamënt(e) stn. die himmelsfeste; orientierung nach dem kompasse (lat. *firmamentum*).
firmarie stf. krankenstube.
firm-binde f. firmband, firmtuch.
firme stswf. firmament; firmelung (bildl. vom kampfe); s. v. a. *firmbinde*.
firmelunge stf. firmelung.
firmen swv. stärken, bekräftigen, befestigen. — refl. *sich f. vor* bewahren. — abs. tr. refl. firmeln, weihen (bildl. vom kampfe); lat. *firmare*.
firmnisse, firmunge stf. firmelung.
virne adj. alt; erfahren, weise, schlau (ohne od. mit gen.). — md. = *vërre*.
virne stf. missetat, schuld; sünde.
virnen swv. *virne* werden, in *ervirnen*.
firnis, firniȥ, firnes, verniȥ, farniȥ stm. firnis; schminke (mlat. *fernisium*).
virnisch adj. alt (wein).
firnisen swv. mit firnis, wie mit firnis überziehen.
virre, vierre, vërre stf. ferne, weite (*die virre* weit, weithin); das fernsein, der mangel; was sich weithin ausdehnt; strecke, reihe.
virrec, virric adj. weithin verbreitet.
virren, vierren swv. tr. u. refl. entfernen, entfremden, fern halten. — refl. sich weithin erstrecken, ausdehnen. — intr. mit dat. = *vërren*.
virren s. *vîren*.
virsch s. *vrisch*.
virst, vierst, md. **vërst** stm., **virste** stf. spitze des daches, first; spitze des helmes; gebirgskamm. **-sûle** stf. giebelsäule.
vîr-tac s. *vîre-tac*.
virwic s. *verwic*.
vir-witze, -witzecheit, -witzede stf. = *virwiz*. **-wiz, -witze, -witzec** adj. neugierig, fürwitzig. **-wiz** stnm. wissbegierde, neugierde, vorliebe (vgl. *vürwiz*).
visamënte, visamënt, visimënte stn. f. gesicht, physiognomie; aussehen, gestalt, schönheit; modellierung; visierung, einteilung, beschreibung eines wappens (s. *visieren*).
visch stm. fisch (ältere form *visc*). **-banc** stf. m. fischbank, fischtisch auf dem fischmarkte. **-bër** stn. sackförmiges fischernetz. **-ei** stn. pl. fischrogen. **-garn** stn. fischernetz.

-gëlt stn. fischzins. **-grât** stm. fischgräte. **-gülte** stf. = *-gëlt.* **-köufel** stm. fischhändler. **-mâl** stn. fischspeise. **-menger** stm. fischhändler. **-milch** stf. männl. same, samenstrang der fische. **-pfenninc** stm. = *-gëlt.* **-rîche** adj. fischreich. **-rogel, -rogen** stm. fischrogen. **-rudel** stn. stange zum aufstören der fische. **-vloȥȥe** swf. fischflosse. **-weide** stf. fischerei, fischfang, das recht zu fischen. **-wërc** stn. allerlei fische. **-zagel** stm. fischschwanz. **-zülle** swf. fischerboot.

vischære, -er stm. fischer.

vischec adj. *vischege hende* hände mit denen man fische gegessen hat.

vischelech stn. koll. u. dem. zu *visch.*

vischelîn, vischel stn. dem. zu *visch.*

vischen swv. fischen; bildl. *wol v.* einen guten gewinn machen; *vor dem bër v.* etw. verkehrtes, sinnloses unternehmen.

vischenze, vischenz stswf. ort wo gefischt wird, das recht zu fischen (umd. des lat. *piscatio*)

vischerîe stf. fischerei, das recht zu fischen; bildl. raubzug.

vischer-wërc stn. fischerei.

fischieren swv. mit einer spange befestigend gürten (fz. *ficher,* vgl. *figieren*).

vischîn adj. vom fische.

visel, vësel stm. penis.

visel pl. *die viseln* fasern, fransen.

visel stmn. scherz.

viselen swv. nagen, knaupeln.

viselîn stn. dem. zu *visel.*

visiere, visier stnf. helmgitter, visier (fz. *visière*).

visieren swv. modellieren, darstellen, schildern, in kunstgerechter weise beschreiben; abeichen (fz. *viser*).

visierer stm. eichmeister.

visier-ruote swf. visierrute, eichstab; obsc. penis.

fisike swf. naturkunde (mlat. *phisica*).

visimënte s. *visamënte.*

fisiôn stm. kenner der natur.

visiôn, -ûn, -ûne stswf. traumgesicht, vision (lat. *visio*).

visitieren swv. visitare.

visôl stf. = *fasôl.*

vist, vîst stm. fist, crepitus.

fistel stswf. fistel, ein in röhren oder gängen tiefgehndes geschwür (lat. *fistula*).

vîsten stv. I, 1 **visten** swv. fisten.

vitache, vitech, vitich s. *vëtach.*

vite swf. leben, lebensbeschreibung (lat. *vita*).

vitschen-brûn, -vêch s. *viȥȥelbrûn, -vêch.*

vitz, vitze s. *viz.*

vitzelîn stn. fädchen.

vitzen swv. part. *gevitzt* mit künstlich eingewebten mustern versehen.

vitzer swm. pfeil.

viuf s. *vünf.*

viuhte adj. feucht. - stswf. feuchtigkeit; feuchtheit. **-lôs** adj. ohne feuchtigkeit. **viuhtec, viuhtic** adj. feucht. **viuhtegen** swv. *viuhtec* machen. **viuhten** swv. *viuhte* machen, *v.* werden. **viuhtenunge, viuhtunge** stf. feuchtigkeit, befeuchtung.

viule stf. fäule, fäulnis.

viulen swv. tr. fäulen, zugrunde richten.

viumf, viunf s. *vünf.*

viur, viwer, viuwer stn. feuer; *daȥ wilde v., sant Antônjen v.* eine krankheit (erysipelas); scheiterhaufen; s. v. a. *viurglocke.* **-beschouwe** stf. besichtigung der wohnungen zur entdeckung von feuergefährlichkeiten. **-geziuc** stm., **-gezouwe** stn. feuerzeug. **-glocke** f. brand-, sturmglocke; glocke, womit das signal zum austun des feuers bei einbruch der nacht gegeben wird. **-haft** adj. feurig. **-heiȥ** adj. heiss wie feuer. **-holz** stn. brennholz. **-muke** stf. lichtmotte. **-niuwe** adj. von einem feuer neu entzündet. **-niuwen** swv. von neuem anfeuern, entzünden. **-pfîl** stm. brandpfeil, rakete. **-ram** stf. feuerbehälter, gemauertes viereck, in dem feuer brennen kann. **-rôt** adj. von feuer gerötet, feurig rot. **-schabe** swf. lichtmotte. **-schôȥ** stn. brandgeschoss, brandpfeil. **-sëhen** stn. pyromantie. **-stat** stf. feuerstätte, herd; herd als inbegriff der wohnung; haushaltung; stätte des lagerfeuers, lager; brandstätte. **-stële** swf. feuerstehlerin: lichtmotte. **-stëlîn** stf. dasselbe. **-trager** stm. Lucifer. **-vanke, -vunke** swm. feuerfunke. **-var** adj. feuerfarb. **-wërc** stn. brennmaterial. **-wilde** adj. wild wie das feuer. **-ziuc** stmn. feuerzeug.

viurære stm. anfeurer.

viurærinne stf. die feuer oder feurig macht (*Minne*).

viurec, viuric adj. feurig.

viuren swv. intr. feurig werden oder sein, glühen. — tr. feuer oder feurig machen, entzünden, glühen, läutern.

viurîn adj. aus feuer bestehend, feurig.

viurlîn stn. dem. zu *viur.*

viustelîn, viustel stn. dem. zu *vûst.*

viustelinc, *-ges* stm. fausthandschuh; faustrohr, kurzes gewehr.

viusten swv. in die faust nehmen, in der faust halten.

viuwer, viwer s. *viur.*

vî-valter stswm. schmetterling.

fîvel stf. feifel, eine drüsenkrankheit der pferde (mlat. *vivolae*).

fix adv. rasch, schnell (fz. *fixe*).

viz, vitz stm., **vitze** stf. eine beim haspeln durch einen quer darum gewundenen zwischenfaden abgeteilte u. für sich verbundene anzahl fäden.

viȥlach -loch s. *viȥȥeloch* 2.

viztuom stm. statthalter, verwalter (lat. *vicedominus*).

viȥȥel-brûn adj. verst. *brûn* (nbf. *vitschenbrûn*).

viȥȥeloch adj. mit einem *viȥȥeloch* versehen.

viȥȥeloch, viȥloch, viȥlach, viȥȥerleich stn. der kötzenkopf über der fessel des pferdes.

viȥȥel-vêch adj. verst. *vêch* (nbf. *vitschenvêch*).

flac adj. lau.

vlach, flach adj. flach; gerade, glatt; nicht rauh, glatt, von der stimme; bildl. schlicht, platt; konkav. **-smit** stm. kupferschmied.

flacken swv. *flac* sein oder werden.

vlacker stm. das flackern.

vlackern swv. flackern.

vlade swm. breiter, dünner kuchen, fladen; honigscheibe; kuhfladen. **-hûs** stn. kuchenbäckerei.

vladeke, vladike swm. adeliger (slav. *vladika*).

vlader stm. kuchenbäcker.

vlader stm. geädertes holz, maser (vom ahorn, von der eibe, esche).

vlâder stm. eine art fischnetz.

vladeren swv. flattern.

fladesal stn. fladenzeug, fladsel.

vlâge, phlâge, plâge swstf. md. stoss, feindl. angriff, sturm; gewittersturm.

vlâgen swv. quälen.

vlahs stm. (md. *flas, -sses*) flachs. **-manger** stm. flachshändler.

vlæjen, vlæen, vlæn; vlöuwen, vlöun swv. tr. spülen, waschen, säubern. — intr. sich (im wasser) hin u. her bewegen.

vlæjunge, vlæwunge stf. waschung, spülung.

vlam s. *vlamme.*

flæme swf. innere fetthaut.

vlæmen swv. *mit der rede vl.* nach art der Flamänder sprechen.

Vlæminc, *-ges* stm. Flamänder; mann von feiner sitte und bildung.

vlæmisch adj. flämisch. **-heit** stf. art eines Flamänders.

vlamme, vlam stswf. stswm. flamme (lat. *flamma*). **-lich** adj. flammend. **-var** adj. feurig.

vlammen swv. intr. flammen. — refl. sich entzünden.

vlammern swv. intr. flammen. — tr. anzünden.

vlammic adj. flammig.

flamnieren swv. intr. flammen.

vlæn s. *vlæjen.*

vlanc, *-ges* stm. funke.

vlans stm. mund, maul, bes. verzerrtes maul.

vlansch stn. zipfel.

vlarre, vlerre swf. breite, unförmliche wunde.

flas s. *vlahs.*

vlasche s. *vlatsche.*

vlasche, flesche stswf. flasche; schlag, maulschelle (mlat. *flasca, flasco* zu *vlëhten*).

vlaschener, vlaschen-smit stm. flaschner, klempner.

vlaschen-vol adj. betrunken.

vlât stf. sauberkeit, zierlichkeit, schönheit.

vlætec, vlætic adj. sauber, zierlich, schön. **-heit** stf. = *vlât.* **-lich** adj. = *vlætec.*

vlater-tasche swf. plaudertasche.

vlatsche, vletsche swf. schwert mit breiter klinge (auch *vlasche, plasche*).

vlæwunge s. *vlæjunge.*

vlê s. *vlêhe.*

vlëc, *-ckes* stm., **vlëcke** swm. stück zeug, fetzen, lappen; stück haut, schwimmhaut; stück zerschnittenen eingeweides, pl. kaldaunen; stück überh.; stück landes, landstrich; platz, stelle; marktflecken; andersfarbige stelle, fleck; entstellender flecken, beschmutzung, makel; gerstenkorn im auge; breit auffallender schlag; breite wunde; nicht dickes, tellerförmiges brot. **-haft, -haftic** adj. = *vlëckëht.* **-lich** adj. befleckt.

vleche stf. fläche, platz.

vlecke stf. eine art zugnetz.

vlecke swf. brett, bohle.

vlëckëht, vlëkoht, vlëcket adj. fleckig, gesprenkelt; befleckt.

vlëckelîn, vlëckel stn. dem. zu *vlëc, vlëcke.*

vlëcken swv. vom flecke schaffen, fördern; schlagen; beflecken, beschmutzen.

vlëckic adj. = *vlëckëht.*

vledelîn stn. dem. zu *vlade.*

vlëder stm. fähnlein des banners.

vlëderen, vlëdern swv. flattern.

vlederîn adj. von *vlader.*

vlëderîn adj. gefedert, gekräuselt.

vlëder-mûs stf. fledermaus; motte.

vlëder-wisch stm. = *vëderwisch.*

vlegel stm. flegel, dreschflegel.

vlegelen swv. dreschen; flagellare.

vlêhe, vlêge, vlêje, vlê stf. schmeichelndes, demütiges, dringendes bitten, flehen. **-lich** adj., **-liche** adv. flehend, flehentlich.

vlêhec, vlêhic, -lich adj. demütig bittend, flehend.

vlêhede stf. = *vlêhe.*

vlêhen, vlêgen, vlên swv. schmeichelnd, demütig, dringlich bitten, anflehen (die sache wird ausgedrückt durch einen untergeord. s., durch den gen. oder mit *umbe*).

vlêhen-lich adj. = *vlêhe-lich.*

vlehser stm. flachsverkäufer.

vlehsîn adj. von flachs.

vlëhte stswf. flechte, flechtwerk, haarflechte.

vlëhten stv IV drehen, flechten, verflechten, ineinander flechten (bes. vom kampfgewirre), verbinden.

vlêhtic-lîche adv. flehentlich.

vlêhunge stf. = *vlêhe.*

vleisch, fleisch, fleis stn. fleisch des tierischen od. menschlichen körpers; stück fleisches; *vleisch* od. *vleisch unde bein, vl. unde bluot* der menschl. leib; bildl. *vleisch unz an daz bein* fleisch ohne bein: mangellos. untadelhaft; *vleisch* im gegens. zum *geist* das leibliche, sinnliche; fleisch des obstes. **-banc** stf. fleischhalle, schlachthaus. **-hacker, fleischacker** stm. metzger. **-hafte** stf. fleischlichkeit, sterblich-körperliche natur. **-haften** swv. zum menschen machen. **-heckel, -houwer, vleischouwer** stm. fleischer. **-hûs** stn. schlachthaus. **-kouf** stm. kauf und verkauf des fleisches, fleischpreis. **-lich** adj. fleischlich, leiblich, sterblich-körperlich, sinnlich. **-lîcheit** stf. fleischlichkeit, sinnlichkeit. **-man, -manger, -menger** stm. fleischer. **-scharne, -scharre** s. v. a. *scharne.* **- slahter, -slehter** stm. metzger, **-tac** stm. gegens. zu *vastetac.* **-wërc** stn. fleischerhandwerk. **-wërker** stm. fleischer.

vleischelîn, vleischel stn. stückchen fleisch.

vleischen, vleisen swv. tr. mit *vleisch* versehen, überziehen; fleischen, zerfleischen, verwunden; das fleisch von der haut abschaben; schleppen. schleifen. — refl. sich mit fleisch versehen, schlachten; *sich in menschen vleisch v.* mensch werden.

vleischer stm. fleischer; henker.

vleischic adj. fleischig, fett.

vleischîn adj. von fleisch.

vleischunge stf. zerfleischung.

vleisen s. *vleischen.*

flêje s. *vlêhe.*

vlên s. *vlêhen.*

flenner stm. der weint, heult.

vlenselîn, vlensel stn. dem. zu *vlans.*

vlerre s. *vlarre.*

vlerren swv. ausbreiten, spreizen.

vlesche s. *vlasche.*

vleschelîn, vleschel stn. dem. zu *vlasche.*

vlëtach stm. = *vëtach.*

vletsche s. *vlatsche.*

vletschen swv. die zähne weisen. fletschen.

vletze, vlez stn. stswf. geebneter boden: tenne, hausflur, vorhalle, stubenboden, lagerstatt; stelle, platz; ebenes flussufer. **-wît** adj. weit, breit wie ein *vletze.*

vletzen swv. ebenen, ausbreiten.

fleuge s. *vliege.*

vlicken swv. einen *vlëc* ansetzen, flicken, ausbessern.

vlie stf. (md. nd.) ordnung, art und weise.

vliedel stn., **vliedeme, vlieme** swfm. aderlasseisen, fliete (lat. *phlebotamum*).

vliege swstf. fliege (ältere form *fliuga,* darnach später *fleuge, fleug*).

vliegen stv. II, 1 fliegen, gleichsam fliegen.

vliehe-burc stf. = *bërcvrit.*

vliehe-hûs stn. dasselbe.

vliehen, vlien stv. II, 2 abs. fliehen, sich flüchten (*an einen vl.* zu einem zuflucht nehmen); mit lokal. acc. fliehen über. — tr. fliehen vor, sich flüchten, entfernen von.

vlieher stm. der fliehende, flüchtling.

vlieme s. *vliedeme.*

vlien s. *vliehen.*

vlien, vlîhen swv. (md. nd.) = *vlæjen.*

vlies, vlius, vlus stn. vlies.

vliesen s. *verliesen.*

vliez stmn., **vlieze** stf. fluss, rivulus, strömung.

vliezen stv. II, 2 intr. fliessen, strömen, herausströmen; mit gen. voll sein, überfliessen von; vom fliessenden wasser getrieben werden, schwimmen; verfliessen, ablaufen (von der zeit); sich rasch bewegen, schiessen. — tr. fliessen, sich ergiessen über; wegspülen; schmelzen.

flîhe swf. eine art pfeife.
vlihen s. *vlîen.*
vlimen-slac stm. mfr. eisenwunde, stigma (vgl. *vliedeme*).
flinderlîn stn. flinder, flitter.
vlins stm. kiesel, harter stein, fels. **-herte** adj. steinhart. **-hërze** stn. steinhartes herz. **-lich** adj. kieselhart. **-stein** stm. kieselstein.
vlins stm. zitterndes fliessen, schimmern.
vlinsen swv. zittern, schimmern.
vlinsen swv. refl. zu stein werden, sich verhärten.
vlinsic adj. adv. kieselhart, felsenfest.
vlittern swv. flüstern, kichern.
flittich stm. = *vlëtach.*
fliuga s. *vliege.*
vlius s. *vlies.*
vlîȥ stm. beflissenheit, eifer, wetteifer, sorgfalt (*ze vlîȥe* sorgfältig, *mit v.* absichtlich); widerstreit, widerspiel, kontrast, gegensatz. **-haft** adj. beflissen. **-lich** adj. = *vlîȥeclich.* **-liche** adv. = *vlîȥeclîche.*
vlîȥe, vlîȥ adj. adv. eifrig, sorgfältig.
vlîȥe stf. fleiss.
vlîȥec, vlîȥic adj. beflissen zu, eifrig bemüht oder besorgt um, aufmerksam gegen, mit gen. od. *an, gegen, über, ze* od. abh. s. **-heit** stf. = *vlîȥ.* **-lich** adj. = *vlîȥec.* **-liche** adv. mit beflissenheit, eifer, sorgfalt.
vlîȥegen swv. refl. sich befleissigen.
vlîȥen stv. I, 1 u. swv. eifrig sein, mit eifer u. sorgfalt beschäftigt sein, streben, sich bemühen, befleissen, abs. u. refl., mit gen. od. *an. gegen, nâch, ûf, wider, zuo.* — refl. sich eifrig schmücken. — tr. mit eifer wenden *an.*
vlîȥen adv. genau.
vlôch, vlô stm. floh.
vlocke swm., **vloc,** *-ckes* stm. flocke (schneeflocke, von den blüten der bäume, von den funken des feuers); flaum; flockwolle.
vlocken swv. fliegen, sich schwingen, intr. u. refl. — tr. auffliegen machen *gegen*; flokkig machen; pflücken.
vlockîn adj. von flockwolle.
vlôder, vlûder stn. m. f. das fliessen, fluten; gerinne einer mühle; aus baumstämmen verbundenes floss, fracht auf einem solchen.
vlôdern, vlûdern swv. intr. flattern. — tr. flattern mit, schwingen.
vlôder-tocken swv. intr. sich hin u. her bewegen, flattern.

vlôgen s. *vlougen.*
vlœhenen, vlœhen swv. flüchten, durch flucht entfernen, in sicherheit bringen.
floier stmn.? md. kopfputz mit flatternden bändern.
floieren, flogieren, floyieren swv. md. hin und her schwanken, flattern; schmücken (mit dem kopfputze).
vloitære, vlœter, vloitenære, floitierære, floitierre stm. flötenbläser.
vloite, floite, floit, flöute swstf. flöte (afz. *flaüte* aus lat. *flatus*).
floitieren swv. auf der flöte blasen.
vlokzen, vlogzen swv. intens. zu *vlocken*: in zitternder bewegung sein, herumfliegen, flattern.
flôre stswf. blume, blüte (afz. *flor, flour*).
flôren swv. mit blumen oder blumenförmigem zierate schmücken, überh. zieren, schmücken, stattlich kleiden od. ausrüsten, auszeichnen, verherrlichen.
flôrezieren swv. schmücken.
flôrie, flôri stf. blume, blüte, frischer blühender glanz (der haut).
flôrieren swv. = *flôren.*
flôrîn, flôrên stm. die zuerst in Florenz mit dem wappen der stadt, der lilie, geprägte goldene münze, der gulden (mlat. *florinus, florenus*).
flôris adj. geschmückt, schön.
flôrsen stn. schmuck, zierde.
vlosch stm. alem. sickergrube, teich.
vlœter s. *vloitœre.*
flottichen, vlöudern swv. flattern.
vlougen, vlôgen swv. fliegen machen, verscheuchen.
vlöun, vlöuwen s. *vlœjen.*
flöute s. *vloite.*
flöuten swv. flöten.
vlôȥ stm. strömung, flut, strom, fluss, flussbett; rheuma; eine katarrhalische krankheit; floss (stmn.). **-galle** swf. flussgalle, geschwulst am kniegelenk der pferde. **-liute** pl. zu **-man** stm. flösser. **-ougen** swv. weinen. **-wërc** stn. flösserhandwerk, recht es auszuüben.
vlôȥe swf. katarrh.
vlœȥen swv. fliessen machen; wegspülen, fort-, hinabschwemmen; übergiessen, waschen; flüssig machen, untereinander mischen; schmelzen.
vlœȥer stm. flösser.
vlœȥic adj. vom katarrh befallen.
vloȥȥe stswf. kehle.
vloȥȥe swf. flosse.

vluc, *-ges* stm. flug; eiligste bewegung, s. *vluges*; flügel; die flügel einer schar, eines heeres; falkenjagd. **-mære** stn. fliegendes *mœre*, gerücht. **-sinder** stm. fliegender feiner *sinder.* **-viur** stn. flugfeuer.
vlücke adj. befiedert zum ausflug aus dem neste, flügge, fliegend, gleichsam fliegend. - stf. flatternder zipfel an dem kopfschmucke.
vlückec adj. = *vlücke.*
vlücken, vlucken swv. tr. *vlücke* machen; mit flatternden zipfeln schmücken; flackern, lodern machen. — intr. u. refl. *vlücke* sein od. werden, fliegen, flattern, sich schwingen; flakkern, lodern, sprühen.
vlucken-balc stm. mit flokken besetztes pelzwerk.
vlûder, vlûdern s. *vlôd-.*
fluech, flueh s. *vluo.*
vlüejen swv. fliessen, strömen.
vlüet- s. *vluot-.*
vlüge stf. flug; flügel, flügelpaar.
vlügel stm. flügel.
vlügelen swv. mit *vlügeln* versehen.
vlügelingen, vluges adv. fliegend, in eiligster bewegung, flugs.
vluht stf. flucht; zuflucht; ausflucht.
vlühtec, vlühtic adj. fliehend, flüchtig (*vl. werden* fliehen; *einen vl. tuon* in die flucht schlagen; *einem vl. sîn* vor ihm fliehen). **-liche** adv. flüchtig.
vluhtsal, vlühtesal stf. m. flüchtung, flucht, bergung; betrügerische übergabe eines gutes an einen andern zum nachteile der gläubiger, betrug überh.
vluht-same stf. flüchtung, flucht.
vlûm, vlûme s. *phlûm.*
flunst stf. zitterndes fliessen, schimmern.
vluo, fluo stf. hervorstehnde u. jäh abfallende felswand, fels (ältere formen *fluoh flueh, fluoch fluech*).
vluoch stm. verwünschung, verfluchung, fluch.
vluochen swv. fluchen, verfluchen, verwünschen, abs. (mit dat.). — tr. mit ap. verfluchen, -wünschen; mit as. fluchen über.
vluocher stm. der *vluochet.*
fluoh s. *vluo.*
vluor stm. flur, feldflur, saatfeld; saat, samen; boden, bodenfläche (*der werlde vl.* erdboden).
vluorer stm. flurschütze.
vluot stf. m. fliessendes, strömendes wasser, sich aus-

breitende wassermasse, flut; überströmende menge.

vluoten, vlüeten swv. intr. fliessen, strömen, fluten.

vluotic, vlüetic adj. flutend, strömend, überströmend; flöss-, schiffbar.

flûrs stf. blume (fz.).

vlus s. *vlies.*

vluz, -*zzes* stm. das fliessen, die strömung; (erst spät = fliessendes wasser, fluss, strom); guss, erguss, ausströmung (myst.); bildl. einfluss; das schwimmen; rheuma; metallguss, aus metall gegossenes. **-ganc** stm. weg durch den etw. fliesst. **-öuge, -öugic** adj. rinnäugig.

vlüzzec, vlüzzic adj. flüssig, fliessend, sich ergiessend, bildl. vorübergehend, unbeständig; rheumatisch.

fochen swv. fauchen, blasen.

vochenze, vochenz swstf. eine art kuchen od. weissbrot (mlat. *focatia*, aus lat. *focus*).

vocht, vochten s. *vorhte, vürhten.*

vod- s. *vord-.*

vogel stm. vogel, jagdbarer v.; schwimmvogel: gans, ente; fliegendes insekt. **-beize** stf. vogeljagd. **-boum** stm. vogelbeerbaum. **-dœnen, -gedœne** stn., **-gesanc** stmn. vogelgesang. **-grien** stm. = *vogelhërt.* **-heit** stf. zu starker geschlechtstrieb, geilheit. **-hërt** stm. vogelherd. **-hunt** stm. hund zur vogeljagd. **-hurt** stf. hürde, gestelle zum vogelfang. **-hûs** stn. vogelhaus, käfig. **-liche** adv. nach der weise eines vogels. **-riche** adj. reich an vögeln. **-sanc** stmn. gesang der vögel. **-schal** stm. dasselbe. **-spise** stf. vogelbraten. **-vrî** adj. vogelfrei. **-weide** stf. ort, wo wildes geflügel zu weiden u. zu hausen pflegt od. gehegt und gejagt wird; vogeljagd. **-wise** swm., **-wiser** stm. augur.

vogelchîn stn. md. dem. zu *vogel.*

vogelen, voglen swv. abs. vögel fangen; vom begatten der vögel (abs., refl. u. tr.).

vogeler stm., dem. **voglerlîn** stn. vogelfänger, vogelsteller; geflügelhändler; eine art schiesswaffe, kleine kanone; erdichteter sektenname.

vogellîn, vogelîn stn. dem. zu *vogel.*

voget, vogt, voit, vout stm. rechtsbeistand, fürsprecher; vormund; verteidiger, schirmherr, beschützer; patron, schirmherr (eines gotteshauses, einer stadt, der römischen kirche: kaiser od. könig von Rom); landesherr, könig, fürst, herr, gebieter (*der werlte v.* gott, *der helle v.* teufel); statthalter, beaufsichtigender beamter; höherer weltl. richter, gerichtsbeamter (mlat. *vocatus* für *advocatus*). **-bære, -bar** adj. dem *vogete* unterworfen; minorenn; ohne vormund, mündig. **-dinc** stn. vom *vogete* zwei- oder dreimal im jahre gehaltenes gericht. **-hërre** swm. schirm-, gerichtsherr. **-liute** pl. zu **-man** stm. der einem *vogete* unterstellt ist, eigen- od. zinsmann einer vogtei. **-rëht** stn. recht u. einkünfte eines *vogetes.* **-stiure** stf. an den *voget* zu entrichtende steuer.

vogeten vögeten, vogten vögten swv. abs. in schutz und schirm nehmen. — tr. mit einem *vogete* versehen, einem *v.* unterstellen. — refl. *sich an einen vogten* sich seinem schutze unterstellen.

vogetîe, voitîe stf. vogtei: vormundschaft; das amt, der amtsbezirk, die pflichten, rechte und einkünfte eines *vogetes.*

vogetinne, vögetinne stf. fürsprecherin; schirmherrin; königin, herrin (bes. von Maria).

vogetunge stf. gewalt, amt des vogtes.

vohe swf. fuchs, füchsin.

vohelîn stn. füchslein.

vohen-vist stm. der gemeine staubschwamm.

vohinne, vohin stf. füchsin.

voit s. *voget.*

vol swm. s. *vole.*

vol, -*lles* adj. voll, angefüllt, (als präd. adj. ohne od. mit st. sw. flexion) mit gs. od. *von*; gesättigt, berauscht; in fülle vorhanden; vollständig, vollkommen. **vol, volle, vollen** adv. vollständig, gänzlich, vollkommen, vollends, in fülle, zur genüge, sehr (in zusammens. mit adj., adv. u. vbb., um das völlige, vollständige, fertige, durchgeführte zu bezeichnen). **-ahten** swv. die volle zahl, vollständig angeben. **-bat** stn. vollbad. **-bërn** stv. völlig hervorbringen. **-brâht** s. *-bringen.* **-born** stswm. januar; februar. **-bort** stf. n. md. zustimmung, erlaubnis, vollmacht (entstellt *volwort*); macht, fähigkeit, fülle; persönl. der verleiher. **-borten, -borden** swv. md. zulassen, zustimmen, genehmigen. **-brâhtecheit** stf. vollkommenheit. **-brâhtecliche** adv. vollkommen. **-brëchen** stv. geschehen, zustandekommen. **-brinc** stm. vollbringung. **-bringen, -brengen** an. v. an das ende des weges, bis an das ziel bringen; erreichen; bis zu ende führen, ausführen, vollenden; vollständig berichten; zu stande bringen, vollbringen; in der rechtsspr. eine behauptung, klage usw. gerichtlich durchführen, erweisen. — *volbrâht* part. adj. vollendet, vollkommen. **-bringer** stm. vollbringer. **-bringunge** stf. ausführung, vollendung, erfüllung. **-bûwen** swv. fertig bauen, ausbauen. **-danken** swv. vollständig u. gebührend danken. **-denken** swv. vollständig u. zu ende denken. **-dienen** swv. vollständig dienen. **-dinc** stn. das feierliche, ungebotene vollgericht. **-donen** swv. zu ende gehn. **-drücken, -drucken** swv. intr. mit voller kraft und wirkung drücken u. vorwärts, gegeneinander dringen, kämpfen. — tr. vollständig vorwärts dringen mit; kämpfend ganz beiseite drängen, überwinden; zu ende führen, beenden. **-enden** swv. zu vollem ende bringen, ausführen, vollbringen, -enden; vollständig darstellen, beschreiben. **-gân, -gên** anv. vollständig, bis zum ziele gehn; ganz aufgehn; in erfüllung gehn, vollzogen, befriedigt werden, geschehen. **-gëlten** stv. ganz bezahlen. **-grôz** adj. ganz, genug gross. **-gründen** swv. vollständig ergründen. **-haben** swv. in fülle haben. **-harren** swv. bis zum ende bleiben, ausharren. **-heit** stf. das vollsein, die fülle (*volh. der zît* die rechte zeit); völlerei. **-herten** swv. intr. ausdauern, -harren. — tr. bis zum ende aushalten; ganz fest, entschlossen machen. **-herter** stm. der ausharrende. **-hertlich** adj. ausdauernd. **-hertunge** stf. ausdauer. **-jagen** swv. intr. fort- u. zu ende jagen, stürmen. — tr. zu ende führen, vollführen, vollenden. **-klagen** swv. zu ende beklagen; die gerichtl. klage bis zu ende durchführen. **-komen, -kumen** stv. vollständig kommen, zum ende, ziele kommen, vollendet, ausgeführt werden, sich ereignen; voll w.; in der rechtssprache wie *volbringen.* **-komen, -kumen** part. adj. ausgebildet, -gewachsen; vollständig, vollkommen. **-komene** stf. vollkommenheit. **-komenheit** stf. vollkommenheit (*von mehte volkomenheit* mit machtvollkommenheit). **-komenlich** adj., **-liche** adv. vollkommen. **-krüpfe** adj. mit vollem kropfe. **-künden** swv. vollständig kundtun. **-lâgen** swv. durch nachstellung ganz und gar berücken, mit dat. **-langen** swv. intr. bis zu ende reichen. — tr. vollständig erreichen. **-leist, -leiste** stm. f. vollendung, vervollständigung; vollständigkeit, fülle, vorrat; kraft, macht, vermögen etw. zu leisten; hilfe, mithilfe, beistand, unterstützung; pers. ausführer, vollstrecker; hervorbringer, urheber, helfer, mithelfer. **-leisten** swv. vollenden, genug tun, volle hilfe leisten. **-leister** stm. urheber, helfer, mithelfer, beistand. **-leistic** adj. vollständig leistend, entsprechend; behilflich. **-lich** adj. völlig. **-liche** = *vollec-lîche*. **-loben** swv. vollständig loben, ausloben. **-lônen** swv. völlig vergelten. **-loufen** stv. zu ende laufen, den lauf vollenden. **-machen** swv. fertigmachen, vollenden, -bringen. **-machet** part. adj. vollkommen. **-maht** stf. vollmacht, gültigkeit. **-mahtheit** stf. vollkommenheit. **-mâne** m., **-mæne** stn. vollmond. **-mehtic** adj. völlig imstande; bevollmächtigt. **-mëzzen** stv. völlig zu-, ausmessen. **-müete, -müetic** adj. hochgemut, voller begier. **-munt** s. *fundamënt*. **-prisen** swv. vollständig, zu ende preisen. **-prüeven** swv. zu ende prüfen, ausprüfen, erkennen. **-rât** stm. voller, versammelter rat; dezember. **-rëchen** stv. vollständig rächen. **-rechen** s. *vol-recken* 2. **-recken** swv. tr. vollstrecken, vollführen, verrichten, vollenden; vollständig darreichen, vergüten, mit dp. — intr. zum ziele gelangen, die gehörige grösse u. ausbildung erreichen. **-recken, -rechen** swv. ganz sagen, ausführlich erzählen, vollständig erklären. **-reden** swv. aus-, zu ende reden. **-reichen** swv. vollständig erreichen, ermessen, ausdenken; intr. ganz ausreichen; sich erfüllen. **-reiten** swv. zu ende rechnen, zählen, ganz schätzen. **-rennen** swv. bis ans ziel rennen. **-rihten** swv. zu ende richten. **-rîten** stv. intr. ans ende, bis ans ziel reiten; eine sache ausfechten, durchsetzen, vollbringen. — tr. aus-, zu ende reiten. **-rücken** swv. zu ende rücken, vollenden, vollziehen. **-sagen** swv. vollständig sagen, erzählen. **-schaffen** swv. beendigen. **-schînec** adj. vollscheinend. **-schrîben** stv. aus-, zu ende schreiben, vollständig beschreiben. **-sëhen** stv. ganz sehen. **-singen** stv. vollständig singen oder besingen. **-spëhen** swv. vollständig erforschen. **-sprëchen** stv. = *volsagen*. **-stân** stv. bis zu ende stehn, ausharren, bleiben, mit dp. ausharren bei, beistehn, treu bleiben. **-stërben** stv. ganz sterben. **-tihten** swv. zu ende dichten, verfassen, beendigen; dichtend zu ende beschreiben; genügend besingen. **-trahten** swv. völlig zu ende denken, ergründen. **-trëten** stv. tr. zu ende treten, durchschreiten. — intr. ausharren, in erfüllung gehn; ein gebot vollführen. **-trîben** stv. zu ende treiben, vollenden. **-triuwen** swv. völlig trauen. **-tuon** an. v. tr. vollständig tun, vollenden; abs. mit dp. genüge tun, befriedigen, entschädigen. **-varn** stv. bis zum ende fahren, zum ziele kommen; rechtl. seine sache durchführen, sein recht beweisen; mit gen. vollenden, ausführen, erfüllen; vollständig fahren über, überfallen; mit dat. genüge tun, ausführen, in erfüllung gehn. **-vordern** swv. *eine clage v.* vor gericht zu ende führen. **-vüeren** swv. zu ende bringen, vollständig machen, ausführen; rechtl. durchführen, durchsetzen, beweisen. **-vüerer** stm. vollführer, vollstrecker. **-wahs** stm. gegens. zu *missewahs*. **-wahsen** stv. aus-, grosswachsen, erwachsen. **-warten** swv. bis zu ende warten mit gs. **-wërn** swv. vollständig bezahlen, gewähren. **-wërt** stn. volle standesehre. **-wîhen** swv. vollständig oder zu ende segnen. **-wonen** swv. ausharren, bleiben. **-wonunge** stf. immerwährende wohnung. **-wort** s. *volbort*. **-würken** swv. fertig machen, vollenden. **-zeln, -zellen** swv. zu ende, vollständig zählen oder sagen. **-ziehen** stv. tr. vollständig ziehen; vollziehen, ausführen. — intr. mit gen. ausführen helfen, worin unterstützen; mit dat. vollständig schritt womit halten; gewachsen sein, gemäss verfahren, genügen, befriedigen. **-zieren** swv. ganz schmücken. **-zuc** stm. vollziehung; persönl. koll. vollbringer.

volc, *-kes* stn. leute, volk (kriegsvolk, heer, untertanen, dienerschaft), schar, menge, haufen; die schachfiguren ausser dem könige. **-dëgen** stm. held, der alles *volc* überragt, im ganzen *volke* berühmt ist. **-haft** adj. volkreich. **-magen** stm. volksmenge, heeresmacht. **-rîche** adj. bevölkert. **-sturm** stm. volkskampf, kampf an dem ganze völker sich beteiligen. **-swant** stm. volksvertilger. **-wîc** stm. n. kampf zweier heere, grosse schlacht. **-wîp** stn. weib aus dem volke.

vole, vol swm. junges pferd, männl. fohlen; ross, streitross; pferd für frauen.

volgære s. *volger*.

volge stf. gefolge, begleitung; aufgebot, heeresfolge; verfolgung; nachfolge, befolgung; bei-, zustimmung, bes. die rechtl. bei-, abstimmung zur fassung eines urteils (*mit gemeiner v.* einstimmig, *diu mêrer* od. *diu meiste v.* die mehrheit, *diu minner v.* die minderheit der stimmen); im turnier: der stich *zer volge* = der damenstich. **-bant** stn. gängelband.

volgen swv. heerfolge leisten; leiblich folgen, nachgehn, folgen, mit dat.; folgen, nachkommen, beipflichten, bei-, zustimmen, bereit sein zu, gehorchen, mit dat., mit gen. u. dat.; durch rechtliche *volge* zuteil werden mit dp.

volger, volgære stm. der *volget*: begleiter, nachfolger, anhänger, befolger; rechtl. der beistimmende, der urteilsanhänger.

volgerîn stf. nachfolgerin.

volgern swv. folgen.

volgic adj. = *gevolgic*.

volgunge stf. recht, ein aufgebot zu erlassen; abstimmung; exekution des urteils. **v.** *nâch gote* nachfolge gottes.

volkelech stn. s. v. a. **volkelîn** stn. kleines, geringes volk.

volle- s. *vol-*.

volle swm. swstf. fülle, überfluss, genüge, vollkommenheit. — adverbial *den* (*die*) *vollen* (*volle*), *in*, *mit*, *ze vollen* (*volle*) vollständig, gänzlich, vollkommen, zur genüge, in fülle, sehr.

völle swf. asche (lat. *favilla*).

vollec, vollic adj. voll, vollständig, reichlich. — adv. vollständig, zur genüge, völlig. **-heit** stf. vollheit, fülle. **-lich** adj. vollständig, vollkommen, in fülle vorhanden, reichlich, stark. **-lîche** adv. in fülle, reichlich, vollständig, ganz, ausführlich, vollgültig, tüchtig, kräftig.

vollemunt s. *fundamënt*.

vollen- s. *vol-*.

vollen swv. intr. voll werden, sich füllen. — tr. voll machen, füllen.

vollen, vollentlîche adv. vollständig, zur genüge.

vollene, vollen stf. fülle, genügende anzahl; aufwand, pracht.

vollunge stf. das vollsein, die fülle; vollmachung, vervollständigung; gerichtliche anerkennung des anspruches auf ein gut; exekution des urteils (auch *vollenunge*).

voltern s. *vultern*.

vom, vome = *von deme.*

von, vone, van 1. präp. von, aus, mit dat.: räuml. den ausgang, ursprung, stoff, die absonderung, trennung bezeichnend, auch den privat. od. partit. gen. umschreibend; zeitl., den anfangspunkt bezeichnend: von her, von an, seit (*von kinde*); kausal: von, durch, vor, wegen, aus, die ursache oder den urheber, den grund anzeigend, in letzterem fall auch mit instrum. (*von diu* deshalb, relat. weshalb); modal den präd. gen. umschreibend (*von wârheit* in wahrheit). — 2. adv. räuml. mit dat. bei vbb. fern, getrennt von; mit räuml. adv. (*von danne, von hinnen* usw., *dâvon, dar von dervon*); kausal: dadurch, darüber, deshalb, weshalb, fragend *wâ von.*

vonen swv. intr. sich entfernen, fern sein mit dat. od. *von.*

von-kêr stm. abwendung.

fontâne, funtâne, fontenie stswf. quelle (fz. *fontaine*; mlat. *fontana*).

vor s. *vrouwe, vür.*

vor- s. *ver-.*

for s. *vurch.*

vor, vore 1. präp. vor mit dat., gen.: räuml. vor, einen vorzug anzeigend, bei worten der befreiung (*ledec, vrî vor, bewarn vor* usw.); zeitl. vor (*vor des* zuvor, *vor tages, vor mir* eher als ich); kausal bei innern oder im hintergrunde liegenden motiven eines äussern tuns. — 2. adv. räuml. u.zeitl. vor, vorn, voran, voraus, vorher, zuvor, bei verbis (mit dat.) z. b.: *vorbrëchen* hervorbrechen, sich verbreiten; hindurchdringen. — *entsitzen* m. dp. sich behaupten gegen. — *gehaben* abs. standhalten vor; tr. behaupten vor, vorenthalten, ebenso *vor halten.* — *sagen* vor-, vorher sagen. — *sîn* vorgesetzt sein, beschützen. — *sprëchen* abs. vor andern das wort führen; tr. sprechend vorbringen, vorschlagen, empfehlen; voraussagen. — *stân* bevorstehn; sorgen für, regieren — *ziehen* vorenthalten.

vor- s. auch *vür-.*

vor-abe adv. im voraus. **-altern** pl. voreltern. **-bedæhte** stf. vorausgehnde bedachtsamkeit. **-bedæhtic** adj. vorbedächtig. **-bedæhticheit** stf. = *vorbedæhte.* **-bedæhtnisse** stf. dasselbe. **-behüge** stf. vorbedacht **-besiht** stf. das vorhersehen, -wissen, sehergabe; vorsehung, voraussehende fürsorge. **-(vür-) besihtic** adj. vorsichtig. **-besihticheit** stf. = *vorbesiht.* **-besmackunge** stf. vorgeschmack. **-betrahtikeit, -betrehticheit, -betrahtunge** stf. vorbetrachtung, erwägung; vorbedachtsamkeit. **-bëtunge** stf. fürbitte. **-bezeichenunge** stf. vorbedeutung, vorzeichen, -bild. **-bilde** stn. vorbild. **-bildunge** stf. vorbedeutung, vorzeichen. **-bote** swm. der im voraus verkündigt, vorbote. **-brenner** stm. der brennend vorauszieht. **-bû** stmn. vorbau, vorgebäude. **-burc** stf. gebäude, stadtteil ausserhalb der burgmauer. **-bürge** stn. = *-burc*; vorhof. **-gâbe** stf. geschenk, das man vor andern voraus hat, vorzug, vorteil; vorteil im krieg, vorteilhafte stellung; was einer dem andern im (kampf-)spiel vorausgibt. **-ganc** stm. vorgang, -tritt. **-ganger, -genger, -gêer** stm. vorgänger; vorsteher, vorgesetzter. **-gelæze** stn. vorzeichen, prophezeiung. **-geleite** swm. anführer. **-gerihte** stn. vorgericht, das dem gerichte des jüngsten tages vorhergehnde gericht. **-gesiht** stf. prophezeiung. **-getæne** stn. vorbild(?). **-gewerbe** stn. vorspiel; vorrede. **-hanc** s. *vürhanc.* **-helle** stf. vorhölle. **-hin** adv. zeitl. zum voraus, zunächst; vorher, zuvor. — räuml. voraus. **-hocke** swm. = *vürkoufer.* **-hof** stm. vorhof, befestigter hofraum vor einem schlosse. **-holz, -houbet** s. *vür-h.* **-hûs** stn. vorhaus, -halle, vorraum der zelle. **-kempfe** swm. vorkämpfer. **-kirche** swf. vorhalle einer kirche. **-kume** swm. vorgänger. **-lâge** stf. das liegen, gelagertsein vor jemand, den man erwartet. **-lant** stn. acker, auf den der bebauer eines lehngutes besondere rechte hat. **-lêrære** stm. der mit seiner lehre den weg zeigt. **-lës** stn. das vorlesen im weinberge. **-lop** stn. früheres lob. **-loube** swf. vorlaube, vorhalle. **-louf** stm. einleitung; vorläufer; der erste wein beim keltern; s. v. a. *vorlouft.* **-loufe** swm. = *vorlouft.* **-loufer, -löufer** stm. vorläufer, -gänger; s. v. a. **-louft** stm. jagdhund, der auf der spur des wildes der erste ist. **-mâl, -mâles, -mâlens** adv. ehedem, früher. **-munde. -münde** swm. = *vormunt,* **-munden** swv. tr. beschirmen, schützen, bevormunden; intr. *vormunt* sein mit dp. **-munder** stm. = *vormunt.* **-mundic** adj. unter vormundschaft stehend. **-mundunge** stf. vormundschaft; fürsprache. **-munt** stm. fürsprecher, beschützer, vormund. **-muntschaft** stf. schutz, vormundschaft. **-namens, -nems** s. *vürnamens.* **-nemelich** adj. namentlich, bestimmt. **-nunftende** part. adj. verständig, geistig. **-rât** stm. vorrat; vorberatung, vorbedacht, überlegung; anweisung, weistum. **-rede** stf. die vorige rede; einleitende, vorberatende *rede*; verabredung, bedingung. **-redenære, -reder** stm. fürsprecher, wortführer. **-rëgel** stf. anfangsregel. **-rëht** stn. recht, lohn, den man vor andern voraus hat. **-reichen** swv. darreichen, übergeben. **-reise** stf. vorhut; swm. s. v. a. **-reisel, -reiser** stm. wegweiser. **-rîtære, -rîter** stm. der voraus reitet. **-sage** stf. prophezeiung. **-sage** swm., **-sager** stm. prophet. **-saz** s. *vürsaz.* **-sâze** stf. vorsatz. **-senger, -singer** stm. vorsänger. **-sihtic** s. *vürsihtic.* **-sitzer** stm. vorsitzer; aufwärter, kellner. **-slac** stm. erster schlag. **-snit** s. *vürsnit.* **-spil** stn. vorspiel auf einem instrumente; vorzeichen. **-sprëche** s. *vürsprëche.* **-spruch** stm. = *vürsprëche.* **-sprunc** stm. vorsprung. **-stat** stf. vorstadt. **-stêer** stm. vorstand. **-stêerinne** stf. vorsteherin, äbtissin. **-stender** stm. = *vorstêer.* **-steter** stm. bewohner der *vorstat.* **-strît** stm. kampf von vorn; eröffnung des kampfes, angriff. **-ströuwære** stm. der vor einem etw. ausbreitet oder ihm vorhält. **-tanz** stm. vortanz. **-tanzer, -tenzer** stm. vortänzer. **-teil** stmn. teil voraus, vorausempfang; vorteil, vorrecht. **-teiles** adv. im voraus. **-teilisch** adj. betrügerisch. **-tenzel** stm. = *-tanzer.* **-traber** stm. vortraber, einer vom vortrabe. **-trit** stm. vortritt, vortanz. **-urteile** stf. richterliche entscheidung, die dem endurteil vorangeht. **-ûz** adv. voraus, vor andern, im voraus (subst. *der v.* das geld, das die arbeiter voraus erhalten); besonders, vorzüglich. **-var(e)** swm. vorgänger, vorfahr. **-vëhtære, -er** stm., **-vëhte** swm. vorfechter, vorkämpfer. **-vëhten** stn. = *vorstrît.* **-venre** stm. die fahne vorantragender fähnrich. **-vîrâbent** stm., **-vîre** stf. tag vor einem feste. **-vluht** stf. das flüchten. **-vlüge** stf. das voranfliegen. **-vordern** pl. vorfahren. **-vorhte** stf. furcht im voraus. **-wæge** adj. mit übergewicht versehen, nach vorn sich neigend. **-waht** stf. wacht vor mitternacht. **-wërc** stn. vor der stadt gelegenes gehöft, landgut; vorstadt; äusseres festungswerk, bollwerk (bildl. von der rüstung). **-wërken** swv.

das landgut, feld bestellen. **-wickunge** stf. s. *verwickunge*. **-wise** stf. das voranweisen, die vorbezeichnung, bedeutung. **-wiser** stm. wegweiser. **-wisunge** stf. = *vorwîse*. **-witze, -wizzenheit, wizzunge** stf. das vorauswissen, die vorausgehende kunde. **-(vür-)wort** stn. vorausgehndes wort; vorher ausgesprochene bestimmung, verabredung, bedingung, vorbehalt, vertrag. **-(vür-)worten** swv. refl. sich durch worte binden, verabreden. **-wurf** s. *vürwurf*. **-zeichen** stn. vorzeichen, vorbild; prognostikon; was man vorzeigt; ausweis. **-ziln** swv. dp. as. zumessen. **-zins** stm. zins der vor anderen entrichtet werden muss.

vorch s. *vurch*.

vorder- s. auch *vürder-*.

vorder, voder adj. räuml. voranstehnd, -gehnd, vorder; ansehnlich, vorzüglich, vorzüglicher; zeitl. vorangehnd, früher, vorig, vormalig. - stf. forderung, anspruch. -, **vordere** swm. f. vater, mutter; ahne, vorfahr; vorgänger; vorgesetzter. — pl. ahnen, vorfahren, eltern; vorgänger. **-lich** adj. erforderlich; ausgezeichnet, vorzüglich, vornehm, edel. **-liche** adv. vorher, früher: vorzüglich, vorzugsweise, vornehm.

vorder-brief s. *vürderbrief*.

vorderer stm. forderer, kläger.

vorderic adj. vorig.

vordern, vodern swv. verlangen, fordern (mit dp., mit *an* mit acc. od. dat., *von, zuo einem*, mit dat. u. inf.); auf-, herausfordern, kommen lassen, vorladen; rechtlich vor gericht fordern, stellen, bringen.

vorderst sup. adj. vorderst, vornehmst, vorzüglichst. — adv. *ze vorderst* ganz voran, zuvorderst, an der oder die spitze; zuvörderst, vor allem.

vorderunge, voderunge stf. verlangen, forderung, spez. rechtliche forderung, klage.

vorebel s. *vrevel*.

fôrëht, fôrêt stn. = *fôrëst*.

fôrëhtier stm. = *vorstære*.

fôreisære stm. ritter der am *fôreis* teilnimmt.

fôrës(t), fôreis(t), fôrât, fôris, stn. wald, forst; ein ritterspiel im walde (afz. *forest*, mlat. *foresta*).

fôrësten swv. das ritterspiel *fôrest* aufführen.

vorhach stn. coll. zu *vorhe* föhrenwald.

vorhe swf. föhre.

forhe, forhel, förhel swf., **forhen** stf., forelle.

vorhelinc stm. föhrenstamm.

vorhin, vörhin adj. von föhren.

vorht stm. furcht.

vorhte, vorht stf. (md. *vorchte, vorcht, vocht, vorte, vort*) furcht, angst, besorgnis (mit gen. des obj. od. mit *an, von, ze* vor), *gotes v.* gottesfurcht; was furcht erregt, schrecken. **-bære, -bærlich** adj. furcht hervorbringend, furchtbar, schrecklich. **-(vorht-)lich** adj., **-liche** adv. furchtvoll, furchtsam; gefürchtet, fürchterlich, furchtbar.

vorhtec, vorhtic adj. furcht habend, furchtsam; furcht, ehrfurcht habend vor (gott); furchtbar, schrecklich. **-heit** stf. furcht, furchtsamkeit. **-lich** adj. = *vorhtec*.

vorhtelîn stn. dem. zu *vorhte*.

vorhten-lich adj. = *vorhtlich*.

vorhtigære stm. der fürchten macht.

vorht-lûnic adj. blödsinnig. **-(vorhte-)sam** adj. furchtvoll, furchtsam, ängstlich; gottesfürchtig; scheu, unterwürfig; furcht erregend, furchtbar, gewaltsam, tapfer. **-samlich** adj. furchtsam; furcht erregend.

forich s. *vurch*.

forme, form stswf. form, gestalt; vorbild, muster; art und weise (lat. *forma*). **-(form-)lich** adj., **-liche** adv. was die äussere gestalt wovon hat, ein vorbild seiner art ist; herkömmlich, schicklich. **-lôs** adj. ohne *forme*. **-schaft** stf. gestalt.

formen, formieren swv. formen, gestalten, bilden (lat. *formare*).

formunge stf. gestalt; gestaltung, anfertigung.

vornân, vornen adv. vorn.

vorne, vorn adv. räuml. vorn, vor; zeitl. vorher, hievor.

vornes adv. vorn.

vorschære, -er stm. forscher, erforscher.

vorsche, vorsch stf. forschung, nachforschung, frage.

vorschen swv. forschen, fragen (mit gen. od. *nâch, umbe* mit untergeord. s.). — tr. mit as. erforschen, forschend durchziehen, mit ap. ausforschen, peinlich verhören.

forst, vorst stm., **vorste** stswf. = *fôrëst*. **-dinc** stn. waldgericht. **-huobe** f. forsthaus; försterei, forstbezirk. **-meister** stm. förster, oberförster. **-rëht** stn. recht der waldnutzung und abgabe dafür.

forstære, -er stm. förster, forstamtmann.

vort, vorte s. *vorhte, vurt*.

vort adv. räuml. vorwärts, weiter; zeitl. fortan, weiter. **-mêr, -mê** adj. weiterhin, fernerhin, item.

vorten s. *vürhten*.

vorten adv. = *vort*.

fortûne stf., glück; zufall (lat. *fortuna*).

vorz, vorzen s. *varz, varzen*.

fossiure stswf. grotte (fz. *fossure*, lat. *fossura*).

fotze, futze swf. vulva.

foune swf. föhn.

voul s. *vûl*.

voust, vout s. *vûst, voget*.

fowen s. *vewen*.

vrabel s. *vrevel*.

vrademen, vredemen swv. dunsten, duften (vgl. *brâdemen*).

vrag- s. *phrag-*.

vrâgære, -er stm. der fragende, umfragende (*die vrâger* die zwei vorsitzenden, die umfrage haltenden bürgermeister).

vrâge, vrâc stf. frage, nachfrage, forschung (*âne, sunder vr.* ungefragt, *vrâge gewinnen* antwort bekommen, *v. bekant tuon* eine frage beantworten); umfrage, bes. nach einem votum oder urteil; peinliche frage; rätselfrage; beratung; amtsperiode der *vrâger* (bürgermeister). **-bære** adj. fraglich.

vrâgen swv. intr. fragen, forschen, sich erkundigen (mit gs., präpp. od. indir. fragsatze). — tr. fragen, befragen (mit ap. u. gs., präpp. oder mit indir. fragsatze).

vram, fram adv. räuml. vorwärts, fort; zeitl. sofort, sogleich. **-bære** adj. ausgezeichnet, herrlich. **-bære** stf. herrlichkeit. **-leite** stf. verirrung. **-schuz** stm. schuss aus der ferne. **-(fran-)spuot** stf. gelingen, glück (verderbt *fransmuot*). **-spuotic** adj. *framspuot* habend. **-spuoticheit** stf. = *framspuot*. **-spuotigen** swv. fördern. **-wërt, framort** adv. sofort, hinfort, fernerhin.

vrame swm. entfernung.

framort s. *framwërt*.

franc adj. frei (fz. *franc*).

franc-weide stf. = *almende*.

frangel stm. = *franse*.

franke swm. fränkischer wein; frank (die franz. silbermünze).

franse swf. franse, schmuck (fz. *frange*).

franzen swv. mit fransen besetzen.

franzisch adj. französisch.

franzois, franzeis adj. französisch; unfl. n. subst. französische sprache.

franzoisisch, franzoisch adj. französisch.

vrast stf. kühnheit, mut, standhaftigkeit. **-gemunde, -munde** adv. mutig, herzhaft, freimütig. **-munt, -munde** stf. = *vrast*.

vrat stn. verstand, sinn.

vrat adj. halb faul, zerbrökkelnd; wund gerieben, entzündet, bildl. abgerieben, durchtrieben, verschlagen.

vrate, vraten s. *vrete, vreten.*

fraterschëlle swm. mitglied einer sekte, sie sich zum dritten orden des hl. Franziskus bekannte (it. *fraticello*, lat. *fraticellus*).

fratz (aus *ver-atz*) stm. geldabgabe an die obrigkeit.

vrâʒ stm. fresser, vielfrass, nimmersatt; das essen, fressen, gefrässigkeit, schlemmerei. **-ërtac** stm. faschingsdienstag. **-heit** stf. gefrässigkeit, schlemmerei. **-liche** adj. gefrässig. **-mântac** stm. faschingsmontag.

vræʒec, -ic adj. gefrässig.

vræʒec-heit stf. = *vrâʒheit.*

vræʒinne stf. schlemmerin.

vraʒʒenie, -rie s. *vrëʒʒ-.*

vrebel s. *vrevel.*

vrëch adj. mutig, kühn, tapfer, keck, dreist, lebhaft (mit gs. od. *an*). **-gemuot** adj. = *vrëch.* **-heit, vrëcheit** stf. kühnheit, keckheit, verwegenheit. **-lich, -liche** adj. adv. = *vrëch, vrëche.*

vrëche adv. kühn, dreist.

vrëche stf. kühnheit, keckheit.

vrëchen mfr. = *wrëchen* s. *rëchen.*

vrëde s. *vride.*

vredemen s. *vrademen.*

vrëge stf. = *vrâge.*

vrëgen, vrêgen swv. = *vrâgen.*

vreidære stm. apostat.

vreide adj. abtrünnig; flüchtig, geflohen; mutig, kühn. — adv. übermütig, trotzig. - stf. abtrünnigkeit, treulosigkeit; gefährdung, gefahr; mut, kühnheit; wohlgemutheit; übermut, heftigkeit. - swm. übermut, gewalttätigkeit. **-bære** adj. gefahr und verderben bringend, schrecklich.

vreidec, vreidic adj. treulos, abtrünnig, flüchtig; dem rechtmässigen eigentümer entzogen, herrenlos (gut); schrecklich; wild, trotzig, keck, ausgelassen, mutwillig, übermütig, prahlerisch; leichtsinnig; frisch, munter, wohlgemut, mutig, kühn. **-heit, vreidikeit** stf. übermut, trotz, ausgelassenheit; wohlgemutheit, mut, kühnheit, stärke. **-lich** adj., **-liche** adv. mutig, übermütig, keck, heftig.

vreiden stn. = *vreide* swm.

vreidigære stm. frevler, mordknecht.

vreidigen swv. tr. verjagen. — refl. mit dat. fliehen vor.

vreis stm. = *vreise.*

vreisam s. *vreissam.*

vreischen s. *vereischen.*

vreise adj. grausam, schrecklich. - stswf. swm. gefährdung. gefahr, verderben, drangsal, not, schrecken, ungestüm (der tobenden elemente); grausamkeit, frevel; wut, zorn; angst, furcht, schrecken; gericht über leben und tod.

vreisec, -ic, -lich adj. verbrecherisch, straffällig, furchtbar. **-heit** stf. gefahr, drangsal.

vreisen swv. abs. in gefahr u. schrecken bringen, grausam verfahren *an, gegen, ûf*; unpers. mit acc. schaudern.

vreisener stm. = *vreiser* (*des meres v.* seeräuber).

vreisen-riche adj. voll schrekken, schrecklich.

vreiser stm. wüterich, tyrann.

vreis-heit stf. grausamkeit. **-lich** adj. gefahr u. verderben bringend, schrecken erregend, furchtbar, schrecklich, wild, grimmig, verwegen, entsetzlich; zornig, zornmütig. **-lîche** adv. auf verderben bringende, furcht erregende, schreckliche, grausame weise; in erschreckter, ängstlicher weise, über die massen, sehr. **-lîcheit** stf. = *vreisheit.* **-sam, vreisam** adj. = *vreislich.*

vreist, vreiste stf. gefahr, gefährdung, drangsal; grausamkeit.

vreit stm. = *vreide.*

vreit-liche adv. = *vreideclîche.* **-sam** adj. kühn, verwegen, trotzig.

vremde vremede, vrömde vrömede adj. fremd, gegens. von nahe (fern, entfernt von, mit dat.), von eigen (eines andern, einem andern gehörend), von einheimisch, von bekannt und vertraut (mit dat.), von gewöhnlich (auffallend, befremdlich, seltsam, wunderlich, sonder-, wunderbar, selten, nicht vorhanden). - stf. entfernung, trennung; die fremde; unbekanntheit, unvertrautheit; entfremdung, feindschaft.

vremdec-heit stf. entfernung, trennung; fremdheit, wunderbare weise; ungewohnter, beschwerlicher zustand; seltenheit. **-lich** adj. fremd, fremdartig. **-liche** adv. auf fremde, wunderbare, seltsame weise.

vremde-liche adv. dasselbe.

vremdeline, -ges stm. fremdling.

vremden vremeden, vrömden vrömeden swv. tr. *vremd* machen, entfremden, entziehen, fern halten, fern bleiben von, meiden — refl. sich fern halten, mit dp. meiden. — intr. mit dat. fern werden od. sein. - stn. das fernsein, ausbleiben, fremdtun.

vremdnisse stf. entfremdung, feindschaft.

vremdunge stf. = *vremden* stn.

vremen swv. vorwärts schaffen, bringen; vollführen.

frenkisch, frensch adj. fränkisch.

vrete, vrate stf. entzündung, wunde.

vreten, vretten, vraten swv. entzünden, wund reiben, bildl. herumziehen, quälen, plagen.

vreterie, vretunge stf. quälerei, schererei.

vretzen s. *veretzen.*

vreud- s. *vröud-.*

vreun, vreuwen s. *vröuwen.*

vreunt- s. *vriunt-.*

vrevel, vrävel, vrevele adj. (nbff. *vrabel, vrebel, vreven*, md. *virebel, vorebil, vorevil*) mutig, kühn, unerschrocken; gewaltig, übermütig, mutwillig, verwegen, frech. **-haft, -haftic** adj. vermessen, verwegen, kühn. **-heit** stf. kühnheit, verwegenheit, frevel. **-lich** adj. = *vrevel.* **-liche** adv. auf mutige, kühne, unerschrokkene weise; auf vermessene, verwegene, übermütige, mutwillige, freche weise; in rechtverletzender weise. — stf. = *vrevel.* **-man** stm. kühner mann; übeltäter, bösewicht. **-val** stm. geldbusse für einen *vrevel.* **-wandel** stm. dasselbe.

vrevele, vrevel stfm. mut, kühnheit, unerschrockenheit; gewalttätigkeit, vermessenheit, verwegenheit, übermut, frechheit; rechtl. vergehn, bes. ein geringeres, geldsühnbares vergehn, geldstrafe dafür.

vrevelen swv. intr. gewalttätig, vermessen, wider das gesetz handeln. — tr. gewalttätig behandeln, sich vergreifen an, notzüchtigen. *gefrävelt* kühn, abenteuerlich verziert.

vreveler stm. der frevelt.

vreveline swf. = *vrevele* geldstrafe.

vrewen s. *vröuwen.*

vrëʒʒen s. *verëʒʒen.*

vrëʒʒenie, vraʒʒenie; vrëʒʒerie, vraʒʒerie stf. fresserei, schlemmerei.

vri adj. nicht gebunden od. gefangen, ledig, los, unbeschränkt (*gemüetes v.* frech); mit gen. od. präpp. frei von etw., es nicht besitzend; unkundig; frei für etw., zugänglich; freigeboren, adlig; frei von sorgen, unbekümmert (mit gen.), sorglos, froh, ausgelassen, zuchtlos. — stn. freiheit; s. v. a. *vrîguot*. **-bote** swm. unverletzlicher gerichtsbote. **-brief** stm. freibrief, privileg. **-gedinge** stn. freigericht. **-gëlt** stn. abzugsgeld. **-gerihte** stn. freigericht. **-grâve** swm. vorstand des freigerichts. **-guot** stn. freigut, freizinsgut. **-hals** stm. freier mann; freiheit (eig. freier hals, der kein joch, keinen knechtschaftsring trägt). **-hart** stm. berufs- und herrenloser landstreicher, der sich für sold anwerben lässt, vagabund, gaukler, spielmann. **-heit** stm. dasselbe; gerichtsdiener. — stf. landstreicherin. — freiheit; stand eines freien, edeln; emunität, privileg; asyl. **-helse** stf. freiheit, emunität, privileg. **-hërre** swm. freiherr. **-kur, -kurec** adj. freien willen habend, freiwillig. **-kure** stf. freier wille, wahl. **-lâʒ** stm. freilassung. **-lêhen** stn. freies, nicht zu dienst verpflichtetes lehn. **-lich** adj. frei, schrankenlos, unbehindert, unbefangen. **-liche** adv. frei, unbe-, unverhindert, unbekümmert; freimütig, ohne rückhalt; freiwillig, frischweg, ohne zaudern, mutig, kühn; freilich, sicher, allerdings. **-liute** pl. zu **-man** stm. freier mann, nicht leibeigener knecht; scharfrichter. **-market** stm. freimarkt, freimarktskauf. **-müetic** adj. freimütig, standhaft. **-rëht** stn. recht der freien; freiung wovon, abgabe dafür. **-rihter** stm. richter der freien. **-sâʒe, -sæʒe** swm. freisasse. **-schaft** stf. freiheit. **-scheffe, -schepfe** swm. frei-, femschöffe. **-scheftic** adj. frei, nicht hörig. **-stift** stf. freistift, mitbesitz eines von der herrschaft auf widerruf verliehenen gutes und dieses gut selbst. **-stuol** stm. freigericht. **-stuol-sæʒe** swm. beisitzer eines freigerichtes. **-tuom** stm. freiheit; privileg. **-vrouwe** swf. freifrau. **-wip** stn. nicht leibeigene magd; weib eines *vrîmannes*.

vrîât, vrîâte stf. freiheit; privileg.—stf. brautwerbung,freite.

vride, vrit, *-des* stswm. stf., md. auch *vrëde* friede, waffenstillstand, ruhe, sicherheit, schutz; busse für friedensbruch; einfriedigung, eingehegter raum, bezirk. **-ban** stm. friedgebot unter strafandrohung, spez. der befehl das turnier zu endigen. **-bære** adj. friedlich, friedfertig; zu frieden und schutz dienend; geschützt. — stf. friedfertigkeit. **-bot** stn. friedgebot. **-brëche, -bræche** adj. den frieden, den landfrieden brechend. **-brëche** swm., **-brëchel, -brëcher** stm. friedensbrecher. **-brëche** stf. swm. friedensbruch. **-brief** stm. friedensurkunde, bes. schriftl. verordnung des landfriedens. **-bruch** stm. friedensbruch. **-brüchic** adj. = *vridebrëche*. **-buoch** stm. buch mit strafbestimmungen gegen friedensbrecher. **-hac** stm., **-hege** swf. schützende einfriedigung. **-hemede** stn. schirmendes hemd, schutzkleid. **-huot** stm. schützender hut. **-hûs** stn. asyl; friedenshaus, tempel. **-kreiʒ** stm. bannmeile. **-lëben** stn. friedliches, gesichertes leben. **-lich** adj., **-liche** adv. friedlich, friedfertig, ruhig; schutz gewährend, schützend, schliessend. **-lôs** adj. friedlos; aus dem frieden gesetzt, geächtet, vogelfrei. **-macher, -mecher, -man** stm. friedensstifter. **-meister** stm. beschützer. **-mûre** stf. grenzmauer. **-naph** stm. = *vridehuot*. **-phenninc** stm. jährl. abgabe für gewährung von sicherheit und schutz. **-port** stm. friedens-, schutzhafen. **-sam, -samlich** adj. friedlich, friedfertig, ruhig. **-same** stf. friedfertigkeit. **-saz** stm. waffenstillstand. **-schaz** stm. = *vridephenninc*. **-schilt** stm. schützender schild; *einen v. geben* einen schutzbefehl erlassen; schutz, schirm, beschützer, beschützerin (Maria). **-stat** stf. friedensstätte, asyl. **-stein** stm. grenzstein. **-sûl** stf. säule an der grenze der bannmeile. **-tac, -tage** stswm. friede, gottesfriede. **-vëlt** stn. eingezäuntes feld. **-zeichen** stn. friedenszeichen. **-zît** stf. friedenszeit.

vridel s. *vriedel*.

vridelîn stn. dem. zu *vride*; persönl. friedensstifter, zufriedensteller.

vriden swv. tr. in frieden bringen, friedlich beilegen, stillen; versöhnen (tr. od. abs. mit dp.); frieden verschaffen, gebieten, in schutz u. schirm nehmen, schützen, erhalten, retten; einen zaun machen. — refl. *sich mit einem vr.* frieden schliessen; *sich eines d. vr.* davor bewahren.

vrider stm. friedenbringer, friedenstifter, schützer.

vridunge stf. friedensstiftung; schutz.

vrid-ûʒ interj. es sei aus mit dem frieden.

vrie swm. der freigeborne, freiherr. — stf. freiheit; befreiung von (mit gen.)

vrie stswf. liebes-, brautwerbung, heirat. **-bære** adj. heiratsfähig.

vriedel stm., md. *vrîdel* geliebter, buhle, bräutigam, gatte.

vriedele swf. geliebte, braut, gattin. **vriedelinne, -în, -in** stf. dasselbe (auch *vriundelin*, auf *vriunt* bezogen).

vrîen, vrîgen swv. tr. frei machen, erlösen, erretten. — tr. u. refl. mit gs. od. präpp. frei machen, entledigen, berauben von. — tr. frei lassen; mit einem privileg begaben.

vrîen swv. freien, um eine braut werben, heiraten (mit dat. comm.); stuprieren; überh. werben *nâch, umbe*.

vrîer stm. freier, freiwerber.

vriese swm.damm-u.schlammarbeiter.

vriesen, vrieren stv. II, 2 frieren intr. u. unpers. mit acc.; zufrieren.

vrîgen s. *vrîen*.

vrîin stf. freifrau.

vrîlinc, *-ges*. stm. freigelassener.

vrisch adj., md. *virsch* frisch, neu, jung, munter, rüstig, keck. **-gemuot** adj. von keckem mute. **-grüene** adj. frischgrün, jugendlich kräftig. **-heit, vrischeit** stf. frische. **-liche** adv. frisch, frischweg, munter, rüstig, mutig, kecklich.

vrische stf. frische.

vrischen swv. *vrisch* machen, auffrischen, erneuern; intr. *v.* sein.

vrischinc, vrischlinc, *-ges* stm. junges tier (schaf od. schwein), das sich von der mutter getrennt hat, frischling.

vrist stf. m. n. freigegebene zeit, nach deren ablauf ein anderes verhältnis eintritt, aufschub; abgegrenzte zeit überh., anfangender, währender u. abgelaufener zeitraum, frist. **-mâle, -mâl** stn. aufschub, verlängerung, zeitraum bis zu einem termin; erhaltung, bewahrung.

vristen swv. tr. hinhalten, auf-, verschieben; mit acc. u. gen. einen womit hinhalten, ihm es einstweilen vorenthalten; verweilen machen, auf-, zurückhalten; aufrecht erhalten, erhalten, bewahren, schützen, retten, tr. u. refl.; abs. säumen, mit dat. *einem vr. an* längere zeit geben für.

vristunge stf. aufschub, frist; erhaltung, bewahrung, schutz.

vrit s. *vride*.

vrî-tac stm. tag der *Frîa* (gemahlin Wuotans), freitag (*der stille vr.* karfreitag).

vrît-hof stm. vorhof eines tempels; eingefriedeter raum um eine kirche, kirch-, friedhof.

fritschâl stm. ein feines niederländisches tuch gelber od. grüner farbe (mlat. *fritsalum, friscalius*).

vriundelîn s. *vriedelinne.*

vriunden swv. (md. gekürzt *vründen, vrunden*) tr. u. refl. mit *vriunden* versehen; zum *vriunde, gevriunt* machen.

vriundinne, -în, -in stf. freundin, geliebte; gemahlin, beischläferin.

vriunge stf. befreiung von gewissen beschränkungen im handel od. von abgaben (markt-, maut-, zollfreiheit), emunität, privileg; freiungsrecht; freistätte, asyl; stand der freien.

vriunger stm. besitzer einer freistätte.

vriunt, *-des* stm. (md. gekürzt *vrünt, vrunt*) freund; koll. freundschaft; liebhaber, geliebter, auch freundin, geliebte; verwandter. **-bære** adj. freundschaftlich, freundlich. **-gæbe** adj. unter freunden annehmbar, verkaufbar, überh. gut, brauchbar. **-holt** adj. seinen freunden od. verwandten zugetan, ergeben, dienstfertig, überh. freundlich, freundschaftlich. **-hulde** stf. begünstigung der verwandten, standesgenossen. **-lich** adj., **-liche** adv. einem *vriunde* gemäss, nach art der *vriunde,* eines *vriundes*; lieblich, angenehm; mit dat. befreundet mit. **-schaft** stf. freundschaft; liebschaft, liebe; verwandtschaft; bündnis. **-selde** stf. freundeswohnung.

vriuntel stn. dem. zu *vriunt.*

vrô s. *vrouwe.*

vrô adj. (komp. *vrôwer vrœwer, vrôer vrœer*) froh, heiter, erfreut, vergnügt, zufrieden (ohne od. mit gen. od. präpp. *ûf, von,* mit *ze* u. inf., mit abh. s.). **-gemuot, -müete, -muot** adj. frohen mutes, heitern sinnes. **-sanc** stmn. freudengesang, alleluja. **-sangen** stn. dasselbe.

vrô swm. herr (der milde, gnädige).

vrôde, vrœde s. *vröude.*

vröid-, vröiw- s. *vröud-, vröuw-.*

vrœ-lich adj., **-liche** adv. froh, fröhlich, heiter, erfreut.

vrom- s. *vrum-.*

vrömd-, vrömed- s. *vremd-.*

vrôn adj. was den herrn (geistl. od. weltl.) betrifft, ihm gehört: heilig (gottes, Christi), herrschaftlich, öffentlich.

vrôn s. *vrône.*

vrôn, vrône stswm. gerichtsbote, büttel.

vrôn-altâr, -alter stm. heiliger altar, hochaltar. **-ambet** stn. hochamt. **-bërc** stm. herrschaftl. bergwerk. **-(vrône-)bote** swm. bote gottes, von gott; unverletzlicher bote (auch stellvertreter) des richters, amts-, gerichtsbote, büttel. **-dienest** stm. herren-, frondienst. **-gelœte** stn. polizeilich festgesetztes gewicht. **-gerihte** stn. gericht des grundherrn. **-gewihte** stn. = *vrôngelœte.* **-hant** stf. herrnhand, lehnsherr. **-(vrône-)hof** stm. herrnhof; hof, platz um oder an einer kirche. **-holz** stn. = *vrônwalt*; holz aus einem fronwalde. **-höuwer** stm. heumacher als fröner. **-hûs** stn. herrnhaus. **-këller** stm. herrn-, klosterkeller. **-kost** stf. polizeilich festgesetzter preis; abgabe in die herrschaftl. küche. **-kriuze** stn. kreuz des herrn, heiliges kreuz. **-lîcham, -lîchname** swm. Christi leichnam, hostie. **-mâȥ** stn. polizeilich festgesetztes mass. **-mësse** stf. messe auf dem *vrônaltâr,* hochamt. **-mësser** stm. der die *vrônmësse* hält. **-mëȥ** stn. = *vrônmâȥ.* **-rëht** stn. öffentl. recht, stadtrecht; gerichtl. beschlagnahme. **-snitter** stm. schnitter als fröner. **-stap** stm. gerichtsstab. **-tac** stm. frontag. **-tisch** stm. das heilige abendmahl. **-tor** stn. tor des herrschaftshauses od. klosters. **-(vrône-)vaste** swf. heilige fasten, die alle drei monate gehalten wird, quatember. **-vasten-gëlt** stn. quatemberzins. **-veste** stf. öffentl. gefängnis. **-wâc** stm. herrschaftl. fischwasser. **-wâge** stf. öffentl. waage, stadtwaage. **-walt** stm. herrschaftl. wald. **-waȥȥer** stn. = *vrônwâc.* **-weibel** stm. gerichtsdiener. **-zeichen** stn. zeichen der öffentl. beglaubigung bei mass u. gewicht.

vrœnde stf. frondienstiges land; fronarbeit.

vrœnder stm. der frondienst leistet.

vrône, vrôn stf. herrschaft, herrschaftlichkeit, herrlichkeit, heiligkeit; gewaltherrschaft, zwingburg, gefängnis; herren-, frondienst; gerichtl. beschlagnahme u. das in beschlag genommene gut.

vrône-bære adj. mit heiligkeit verbunden, heilig. **-guot** stn. fiskalisches gut. **-kempfe** swm. kämpfer des herrn (gottes). **-kint** stn. christkind. **-kôr** stm. heiliger chor. **-marter** stf. marter Christi. **-reste** stf. geheiligter platz. **-sal** stm. tempel, kirche. **-spîse** stf. das heilige abendmahl. **-stadel** stm. herrenscheuer. **-vaste** s. *vrôn-vaste.*

vrœnen, vrônen swv. tr. zum herrn machen, erhöhen, heiligen, verherrlichen, schmükken; mit dat. u. acc. als abgabe überreichen, geben überh. — abs. u. tr. (für den herrn) in beschlag nehmen, aus-, abpfänden. — intr. ohne od. mit dp. dienen, frondienst leisten.

vrœner, vrôner stm. fröner, arbeiter im herrschaftlichen dienste; diener, beamter; pfänder.

vrœnlinc, *-ges* stm. fröner, dienstmann.

vrœnunge, vrônunge stf. herrschaft, herrschaftl. gebiet; frondienst; gerichtl. beschlagnahme.

vrœren swv. tr. *vriesen* machen; unpers. für *vriesen.*

vrœrer stm. fieberfrost.

vrosch stm. (pl. *vrosche* u. *vrösche*) frosch. **-diech** stn. froschschenkel.

vröschelîn, vröschel stn. dem. zu *vrosch.*

vrost stm. kälte, frost; bildl. kaltsinn, innerer schauer.

vrostec, vrostic adj. kalt, frostig; fröstelnd, schauernd.

vrosten swv. unp. m. ap. frieren.

vrouchîn stn. md. dem. zu *vrouwe.*

vröude, vröide, vreude stswf. (nbff. *vröuwede, fröwede, fröwde. vrouwede, vrowede, vroude, vrôde, froide, frœde, frœd*) frohsinn, freude, erfreuendes, unterhaltendes (gerne im pl.). **-bar** adj. ohne freude. **-(vröuden-)bære** adj. freude habend od. hervorbringend. **-(vröuden-)bërnde** part. adj. freuden hervorbringend. **-(vröuden-)haft** adj. freude habend, froh gestimmt. **-hëlfe** stf. erfreuliche hilfe. **-(vröuden-)lëben** stn. freudenleben. **-lich** adj. wonnig. **-(vröuden-)lôs** adj. freudlos; lebensüberdrüssig. **-mære** stn. erfreuliche nachricht. **-(vröuden-)rîche** adj. reich an freuden, sehr erfreuend. **-væle** stf. freudenmangel. **-wende** stf. vereitelung, störung der freude.

vröudelîn stn. kleine freude.

vröuden-bære stf. das sichtbarwerden der freuden. **-bruch** stm. freudenmangel. **-danc** stm. freudiger dank. **-gëbe** swm. freudenspender. **-halp** adv. von seite der *vröude.* **-hôchgezît** stf. freudenfest, höchste herrlichkeit der freuden. **-hüge** stf. freudige erinnerung. **-künic** stm. freudenkönig, Christus. **-muot** stm. freudiger sinn. **-rôt** adj. rot vor freuden. **-rote** stf. freudenschar. **-sange** swf. freudengarbe (Maria). **-schîn**

stm. freudenschein, -glanz. -spil stn. freudenspiel. -stërn stm. freudenstern (geliebte). -tac stm. freudentag. -trôr stm. freudentau (Maria). -trôst stm. anrede an die geliebte. -wîp stn. freudenweib, -mädchen. -zaher, zâr stf. freudenträne.

vröun s. *vröuwen.*

vrouwe, vrowe swf. (stf.) (vor namen u. in der anrede abgek. *vrou, vrô, vor, vuor, ver, vir, vür*) herrin, gebieterin, geliebte; *unser vr.* Maria; in der anrede u. als titel vor eigennamen; frau oder jungfrau von stande, dame, gegens. zu *wîp*; gemahlin; weib im gegens. zur jungfrau; weibl. wesen überh. (*heilige vrouwen* nonnen, *die gemeinen vrouwen* huren). -(vröuwe-)lich; vrou-, vröulich adj., -lîche adv. einer *vrouwen* gemäss, der *vrouwen,* weiblich.

vrouwelîn, vröuwelîn, vröulîn stn. dem. zu *vrouwe*: herrin, gebieterin, frau od. jungfrau von stande, dame; von der jungfr. Maria; als schmeichelnde anrede für die geliebte niederen standes; herablassende bezeichnung für ein mädchen niederen standes, mägdlein; feile dirne, hure; nachtfahrerin; tierweibchen.

vrouwen swv. zur herrin, zum weibe machen.

vröuwen, vrouwen, vroiwen, vrowen, vreuwen, vrewen; vröun, vreun swv. tr. *vrô* machen, erfreuen. — refl. sich freuen (ohne od. mit gen. od. mit präpp. *an, gegen, ûf, von, ze* u. gen., mit inf., mit untergeordn. s.).

vrouwen-, vroun-bilde stn. = *einer vrouwen bilde,* frauenbild, frau. -diener stm. frauendiener. -dienest stm. das dienen um den liebeslohn einer dame, höfischer frauendienst. -gereite stn. frauenreitzeug, damensattel. -gespünne stn. = *-spünne.* -gewant stn. = *vrouwenwât.* -hâr stn. frauenhaar; pflanzenname. -hûs stn. hurenhaus. -lop stm. lob, preis der frauen; ein lied, spruch, ton des dichters Frauenlob. -minner stm. liebhaber, verehrer der frauen. -name swm. frauenname, frau. -ritter stm. ritter, der einer dame dient; dienstmann eines Marienstifts. -sieche swf. weibl. kranke. -spünne stf. muttermilch. -wât stf. frauenkleidung. -wirt stm. hurenwirt. -zeichen stn. weibl. geschlechtsteile. -zimmer stn frauengemach.

vröuwîn adj. aus *vrouwen* bestehend; *vrouwen* gehörend.

vrow- s. *vrouw-.*

vrowede, vrowen s. *vröude, vröuwen.*

vrüeje, vrüe adj. u. adv. früh (*vr. wesen* früh auf sein).

vrüejen s. *vrüewen.*

vrüelinc, *-ges* stm. frühling.

vrüe-suppe swf. frühstück.

vrüete, vruot stf. verständigkeit, instinkt, weisheit; schönheit; fröhlichkeit; himmlische seligkeit.

vrüete adj. = *vruot* schön, reinlich.

vrüeten swv. *vruot* machen.

vrüetic, vruotic adj. rasch zur tat, eifrig, behende, munter, rüstig, tapfer.

vrüe-ürte f. frühzeche.

vrüewen, vruowen, vrüejen swv. refl. früh werden, als morgen sich zeigen; früh auf sein, sich früh, beizeiten zu etwas halten.

vruht stf. frucht, baum-, feldfrucht (bildl. *âne vr.* ohne nutzen, gewinn, *der sælden vr.* gipfel der vollendung); leibesfrucht; das junge, die brut; kind; sprosse, nachkommenschaft; menschenkind, geschöpf, wesen, bes. in schmeichelnder anrede; abstammung, geschlecht, familie. -bære, -bæric adj. frucht bringend, fruchtbar; nützlich, heilsam. -bærec-heit, -bârkeit stf. fruchtbarkeit. -boum stm. obstbaum. -bræhtec adj. fruchtbar. -bû stm. feldbau. -gëlt stn. fruchtzins. -lich, -sam adj. fruchtbar, zuträglich. -winderin f. verdeutschung für lat. auster.

vrühtec, vrühtic adj. frucht od. nutzen bringend, fruchtbar, ergiebig; schwanger. -heit stf. fruchtbarkeit. -lich adj. = *vrühtec.*

vrühten, vruhten swv. abs. frucht tragen, fruchtbar sein. — tr. als frucht tragen oder zur folge haben, hervortreiben; fruchtbar machen, befruchten; den fruchtgenuss wovon haben. — intr. aufkeimen, emporsprossen.

vrühtigen swv. abs. frucht tragen. — tr. fruchtbar machen, befruchten; mit frucht bestellen.

vrum, vrom adj. von perss.: tüchtig, brav, ehrbar, gut, trefflich, angesehen, vornehm, wacker, tapfer; förderlich, nützlich mit dat.; helfend, nützlich, brauchbar *zuo*; gottgefällig, fromm — von sachen: tüchtig, ausgiebig, wirksam, bedeutend; förderlich, nützlich mit dat.; nützlich, brauchbar *zuo.* -man stm. = *vrumer man.* -wërc stn. bestellte arbeit. -wërker stm. handwerker, der auf bestellung arbeitet.

vrume, vrum, vrome swstm. stf. nutzen, gewinn, vorteil.

vrümec, vrumec, -ic adj. gut, brav, ehrlich, tüchtig, wacker, tapfer, unerschrocken. -heit, vrümekeit stf. gutes, gutheit, bravheit, tüchtigkeit, tapferkeit. -lich, -liche adj. adv. = *vrümec.*

vrümede, vrumede stf. bravheit, tüchtigkeit.

vrume-lich adj. förderlich, nützlich mit dat. -lîche adv. = *vrümec-lîche.*

vrumen, vromen swv. intr. vorwärts kommen *an*; förderlich sein, nützen, frommen, helfen mit dp., ap. und gs.

vrümen, vrumen, vromen swv. tr. vorwärts schaffen, befördern, schicken, schaffen, machen, bereiten, bewirken, tun, bestellen, stiften (mit präd. adj. oder partic., mit inf.); beibringen (*einen slac*).

vrund-, vründ-, vrunt-, vrünt- s. *vriund-, vriunt-.*

vrunzen swv. falten.

vruo adj. u. adv. früh, mit od. ohne bezug auf die tageszeit (*vruo wesen* früh auf sein, *ze vruo wesen, komen* mit dp. nicht zur rechten zeit, ungelegen kommen, nicht passen). -ëzzen stn. frühstück. -imbiz stm. dasselbe. -(vrüe-)mësse f. frühmesse. -(vrüe-)mësser stm. der die frühmesse liest. -morgen stm. der frühe morgen. -(vrüe-)stücke stn. frühstück.

vruot, -lich adj. verständig, weise, klug (mit gen. od. *an, ûf, ze*); schön; gut, edel, brav, tüchtig, wacker, fein, artig, gesittet (mit gen. od. *gegen, nâch, ûf*); froh, frisch, munter, gesund.

vruot, vruotic s. *vrüete, vrüetic.*

vruote adv. munter, frisch.

vruowen s. *vrüewen.*

vüdel, vüdelîn stn. dem. zu *vut*; mädchen, magd. -(fude-)nol stm. mons Veneris.

vuder, vüder-s. *vurder, vürder-.*

vüec-lich, -sam s. *vuoc-.*

vüederic, vuoderic adj. ein *vuoder* als mass haltend, ein *vuoder* schwer; zu einem lastwagen gehörend.

vüederlîn stn. dem. zu *vuoder.*

vüege adj. angemessen, passend.

vüegede stf. verbindung.

vüegel stf. schliesserin, türhüterin.

vüegelerinne stf. dasselbe; kupplerin.

vüege-lich s. *vuoclich.*

vüegen, vuogen swv. tr. passend zusammen-, hinzufügen, verbinden, wohin bringen od. schicken; passlich gestalten, mildern, bessern; machen od. zulassen, dass etwas geschehe, bewerkstelligen, schaffen, ermöglichen, gestatten; mit dp. zufallen lassen, bescheren, zufügen, -teilen, gewähren. — refl. sich fügen, schmiegen, schliessen *an*, *umbe*; nach passlichkeit kommen, sich verfügen, begeben *in*, *von*, *zuo*; sich passen, schicken; sich gestalten, begeben, ereignen, geschehen. — intr. füglich sein, sich passen, schicken, anstehn.

vüegen-lich adj. = *vuoclich*.

vüegerinne stf. zusammenfügerin, schöpferin, urheberin, anordnerin; kupplerin.

vüegunge stf. zusammenfügung, verbindung, art und weise.

vüele stf. das fühlen, gefühl; das kosten, wahrnehmen.

vüelen swv. fühlen, wahrnehmen, empfinden, mit acc. (u. adjekt. präd., infin.) od. gen. oder untergeord. s.

vüerât, vüerâte stf. fuhre.

vüeren swv. *varn* machen, in bewegung setzen, treiben, fortschaffen, führen, leiten, herbeiführen, bringen, ausführen, -üben, tun, stiften; mit, bei oder an sich haben, tragen (als last, kleidung, waffen, schmuck), besitzen. — refl. sich benehmen.

vüerunge stf. führung, leitung; fuhrwerk.

vüet- s. *vuot-*.

vüezelîn, vüezel stn. dem. zu *vuoz*.

vüezen swv. mit füssen versehen.

vuhs, vuohs stm. fuchs. **-balc, -belz** stm. fuchsbalg. **-brûn** adj. fuchsbraun. **-huot** stm. hut, mütze aus fuchspelz. **-hût** stf., **-vêch** stn. fuchspelz. **-zagel** stm. fuchsschwanz. *den v. rîten mit* jem. hintergehn.

vühselîn, vühsel stn. dem. zu *vuhs*.

vühsîn adj. vom fuchse, füchsisch.

vühsinne stf. füchsin.

vühs-lich adj. füchsisch.

vûl, voul adj. morsch, faul, verfault, durch fäulnis verdorben, stinkend; gebrechlich, schwach; träge. **-heit** stf. fäulnis; trägheit. **-lich** adj. faul.

vül s. *vülîn*.

vül swm. = *vole*.

vûlde, vûle stf. fäulnis, verfaultes. — swm. faulenzer (aus *vûlende*).

vûlec-heit, vûlkeit stf. fäulnis, faul-, trägheit.

vûlen swv. faulen, verfaulen; träge sein; zum fäulen bringen.

vûlezen swv. faul schmecken; faulenzen.

vülhe swf. weibl. füllen.

vülîn, vüli, vüln, vüle, vül stn. das füllen.

vülle stf. fülle, menge, überfluss, das gefülltsein, die vollheit; ergänzung; erfüllung; füllung des bauches, frass, völlerei; wurst-, krapfenfülle; pelzfutter; uferbefestigung.

vüllede stf. fülle, menge, überfluss, vollheit; erfüllung.

vulle-, vul-mânot, -mânt stm. september; oktober; november.

vulle-mâne swm. september.

fullemunt s. *fundament*.

fullemunt-lîchen adv. von grund aus.

vüllen swv. tr. *vol* machen, füllen, anfüllen (mit gen. od. *mit*); in ein gefäss tun, einfüllen; *vülle* in etw. hineintun; damit ausfüllen; überziehen, bedecken *mit*; mit einem besatz od. unterfutter versehen. — refl. sich satt essen, übermässig essen u. trinken; *sich an v.* bedecken, bekleiden. — intr. sich betrinken, schwelgen.

vüller stm. fresser u. säufer, schwelger; der den mörtel einfüllt u. den maurern zuträgt.

vuller stm. walker (mlat. *fullare* walken v. lat. *fullo*).

fulle-stein stm. stein zum füllen des gegrabenen fundamentes, grundstein; bruchstein zum ausfüllen bei maueroder fachwerk.

vüllunge stf. anfüllung mit etw.; völlerei.

fulmunt s. *fundamënt*.

vûlnis stf. fäulnis.

vulter stn. rauhes, unreines.

vultern, voltern swv. foltern.

vûlunge stf. das faulen, die fäulnis.

ful-zan, -zant stm. milchzahn eines füllens.

vûm stm. = *veim*.

vûmen swv. = *veimen*.

vunc adj. funkelnd, glänzend.

vunc, *-kes* stm. der glanz, das funkeln.

fundamënt stn. grundmauer, fundament; grundlage, grund (umgedeutscht *daz* und *der fundamunt, fulle-, fulmunt, volle-volmunt*).

vündec, -lich, vündic adj. erfinderisch; findbar (in *misse-v.*).

fündel, findel stf. findelhaus.

vunde-lîche adv. in fundes weise.

vündelîn stn. kleine erfindung; findelkind.

vundelinc, *-ges* stm., **vündel-, vindel-kint** stn. findelkind, findling.

vündeln swv. forschend finden, bes. dichterisch erfinden.

funden, fundieren swv. gründen, stiften (lat. *fundare*).

vünf (nbff. *vunf*, *vümf vumf*, *viunf viumf*, *vinf*, *viuf*; diese nbff. auch bei den komposs.) num. card. fünf. **-man** stm. der entscheidende obmann zu vier richtern. **-teil** stn. der fünfte teil. **-valt** adj. adv. fünffältig, -fach. **-zëc, -zic** num. card. fünfzig. **-zëhen, -zên** num. card. fünfzehn. **-zëhende** num. ord. fünfzehnt. **-ziger** stm. der über fünfzig männer gesetzt ist. **-zigist** num. ord. fünfzigst.

vünfe stf. ein hazardspiel; s. v. a. *vünfergerihte*.

vünfen swv. fünffach zusammensetzen, aufstellen.

vünfer stm. mitglied eines aus fünf männern bestehnden schieds- oder rügegerichtes. **-gerihte** stn. das aus den *vünfern* bestehnde schieds- oder rügegericht, das betr. gerichtshaus. **-stube** f. amtsstube des *vünfergerihtes*.

vünferlîn stn. fünfkreuzerstück.

vünfte num. ord. fünft (nbff. wie bei *vünf*).

vünfte-halp adj. fünfthalb.

vünft-man = *vünf-man*.

vunke swm., **vunkel** stm., dem. **vünkelîn** stn. funke.

vunken swv. intr. u. refl. funken von sich geben; funkenartig schimmern, glänzen. — tr. synon. zu *viuren*. **-glîzen** stv. funkenartig glänzen. **-tac** stm. Martinstag (weil am vorabende festliche feuer angezündet wurden).

vunst s. *vûst*.

vunt, *-des* stm. das finden; der fund, das gefundene; bergm. neuentdeckte lagerstätte, edler aufschluss; erfindung (*niuwe vünde* neue mode); dichterische erfindung, lied; ausgedachtes, ersonnenes, kunstgriff, kniff, ausflucht (*niuwe vünde* unerhörte kniffe); oft zur umschreibung. **-kint** stn. = *vündelkint*. **-rëht** stn. dem finder zukommender anteil.

funtâne s. *fontâne*.

vuoc adj. = *vüege*. —, *-ges* stm. schicklichkeit, angemessenheit, passlichkeit, passende, erwünschte gelegenheit; geschicklichkeit, kunstfertigkeit. **-heit** stf. dasselbe **-(vüec-, vüege-)lich** adj. schicklich, passend, angemessen. **-(vüec-)sam** adj. dasselbe. **-stein** stm. ein auf einen unterbau gefügter stein als grundlage für darüber aufgerichtetes.

vuoder stn. fuder, fuhre, wagenlast, bildl. übergrosse menge. **-mæȥe, -mæȥic** adj. einer wagenlast an grösse gleich, fuderartig.

vuoderic s. *vüederic.*

vuodern s. *vürdern.*

vuoge stf. zusammenfügung, feste vereinigung; stelle ineinandergreifender verbindung zueinander, fuge: passlichkeit, schicklichkeit, passende gelegenheit, gebührende weise, wohlanständigkeit; festsetzung; geschicklichkeit, kunstfertigkeit, kunstgeschick; bewerkstelligung, zutun.

vuoge stf. musikal. fuge (it. *fuga*).

vuogen s. *vüegen.*

vuohs s. *vuhs.*

vuor s. *vrouwe.*

vuore stf. fahrt, weg; fahrweg, strasse; was mit- od. nachfährt, begleitung, gefolge; fuhre, fuhrbenützung; was *varnde* macht, unterhalt, speise, futter; heil, rettung; art zu *varn*, sich zu benehmen, lebensweise, art u. weise überh.

vuoren swv. unterhalten, nähren, speisen, füttern.

vuorer stm. ernährer.

vuor-liute pl. zu *-man.* **-lôn** stm. n. fuhr-, fährlohn; bezahlung für die fütterung des viehes im winter. **-man** stm. fuhrmann, schiffsmann. **-vihe** stn. vieh, das im winter gegen *vuorlôn* gefüttert wird. **-wîn** stm. eine in wein bestehnde abgabe von wein, der ausgeschenkt oder im grossen verkauft wird.

vuorunge stf. nahrung, speisung, ernährung.

vuote stf. nahrung.

vuoten, vüeten swv. unterhalten, nähren, füttern, mästen, weiden; abweiden, ausplündern.

vuoter stm. ernährer.

vuoter stn. nahrung, speise, futter; futterfeld; unterfutter; futteral, schwertscheide. **-ræhe** adj. in den gelenken steif von schlechtem od. unreifem futter. **-rëht** stn. das recht mit futter zu handeln. **-sac** stm. mit viehfutter gefüllter sack. **-stric** stm. strick zum zusammenbinden des viehfutters. **-tuoch** stn. *tuoch* zu unterfutter.

vuoterære, vüeterære, -er stm. fütterer; der im kriege futter auftreibt, fouragiert; der das vieh, bes. die pferde füttert u. besorgt od. der mit futter handelt.

vuotern, vüetern swv. tr. futter geben, füttern, nähren, mästen; *einen v.* auf dessen grund futter schneiden, holen. — intr. mit futter handeln; futter holen, fouragieren; auf fremdem grunde futter schneiden, holen; futter geben mit dat. — tr. unterfüttern; mit etw. überdecken, überziehen, umgeben.

vuoterunge, vüeterunge stf. speise, nahrung, futter, fourage, fütterung, fouragierung, lieferung von futter.

vuotunge stf. ernährung, erziehung.

vuoȥ stm. fuss des menschen od. eines tieres (*über v.* während man mit dem fusse darüber schreitet, sogleich; *eines v. suochen* zu füssen fallen); *v.* als längenmass; fuss eines berges, tisches; metr. fuss, versglied; behälter, kämmerlein auf einem flussschiffe. **-gëlt** stn. marktzoll eines karrenführers. **-gênde, -genge** swm., **-gengel, -genger** stm. fusssoldat. **-gesinde** stn. fussvolk. **-gewant, -gewæte** stn. fussbekleidung. **-her** stn. fussvolk. **-îsen** stn. fusseisen, fessel. **-jeger** stm. jäger zu fuss. **-knëht** stm. fusssoldat. **-kröuwel** stm. fusskralle. **-liute** pl. fussvolk. **-loufer** stm. schnelläufer. **-nagel** stm. nagel einer fusszehe. **-phat** stm. n. fusspfad. **-riste** swm. wölbung des fusses. **-schamel, -schemel** stm. fussbank, -schemel. **-slac** stm., **-spor** stnf., **-staphe** swmf. fussstapfe, -spur. **-stic** stm. fusssteig. **-striter** stm. fusssoldat. **-suht** stf. podagra. **-taphe** swm. = *-staphe.* **-tile** f. gedielter fussboden. **-trit** stm. fusstritt, -spur. **-val** stm. fussfall. **-vallen** redv. zu füssen fallen, mit dp. **-vende** swm. fusssoldat. **-volc** stn. fusssoldaten. **-zol** stm. = *vuoȥgëlt.*

vuoȥen swv. sich stützen, stossen *ûf.* — refl. sich zu füssen legen.

vür s. *vrouwe.*

vür- s. *ver-.*

vür, vüre präp. mit acc. vor, für: räuml. vor etwas hin (bei vbb. der bewegung); entgegentretend (bei *guot, helfen, vrumen* usw.): gegen; zum besten, für, um; stellvertretung u. gleichgeltendes bezeichnend: statt, als, wie, ganz so wie; vorbei an (md. auch mit dat.); räumlich vorwärts, über etw. hinaus; zeitl. fernerhin, von — an, seit (*vür daȥ* von da an dass, seitdem, sobald); übertreffen u. bevorzugung bezeichnend: mehr als, lieber als, vor, über. — adv. vor, nach vorne hin, hervor, hinaus, voraus, vorbei, vorwärts, weiter vorwärts bei advv. (*dar, dâ vür* davor, hervor, voraus, dagegen, statt dessen, *hin vür* nach vorn hin hinaus, *her vür* hervor, heraus), bei vbb., z. b. *vür-bieten* vor sich halten; vorladen. — *brëchen* intr. hervorbrechen, auf-, emporkommen; tr. = *verbrëchen* (weidm.) — *bringen* hervorbringen, ins werk setzen, ausführen; zur welt bringen; darlegen, vortragen, bringen vor (dat.). — *gân* hervortreten, -gehn; vorangehn, vorwärts gehn, fortgang haben; vorübergehn. — *kêren* intr. vorbei, weiter gehn od. reiten; tr. hervorkehren. — *komen* intr. hervorkommen, sich einstellen, erscheinen; herauskommen, bekannt, ruchbar werden; vorauskommen, -gehn, mit dat. weiter kommen, eilen als, zuvorkommen, vorbeugen, verhindern; hinauskommen über, überholen; von der zeit: herbeikommen, gegenwärtig werden, vorübergehn, verfliessen. — *legen* vor augen legen, vor-, darlegen, vorbringen, -stellen, auferlegen. — *nëmen* tr. losgehn auf, angreifen; gerichtlich belangen, vorladen, zitieren; vorgeben, -schützen; intr. zunehmen; refl. voraus sein, hervorragen, sich hervorheben, -tun. — *schieȥen* tr. vorschieben; intr. hervortreten. — *sëhen* intr. vorwärts sehen; refl. sich vorsehen, wofür sorge tragen. — *setzen* vorsetzen, vorlegen, vor augen stellen, den sinn worauf richten, sich vornehmen. — *slahen* tr. vorschlagen; treiben (*vihe*); intr. im übergewichte sein; veranschlagen, rechnen; weidm. die spur des wildes mit den hunden verfolgen. — *teilen* mit dat. zur wahl vorlegen. — *tragen* tr. vornhin tragen, vor augen bringen; auftragen: in worten vorbringen, -tragen; vorbei, vorüber tragen; fördern, nützen, fruchten. — *wëgen* überwiegen, grösser sein als (dat.). — *wërden* vorübergehn; zugrundegehn, verderben, sterben.

vür-an adv. fortan, in zukunft. **-ban** stm. richterl. verkündigung in betreff eines vor gericht unschuldig od. im recht befundenen, dass er gegen den kläger od. angreifer in dem schutz des gerichtes stehe. **-banc** stf. bewegliche bank, die zum sitzen vor etw. gestellt werden kann. **-baȥ, -baȥȥer** komp. adv. mehr vorwärts, fürder, weiter, ferner in raum, zeit u. grad (noch mehr). **-besiht** stf. = *vorbesiht.* **-bëte**

stf. gesuch, bitte; fürbitte. **-bieter** stm. vorlader. **-bite** stf. fürbitte. **-bot** stn. gerichtl. vorladung. **-bote** swm. ein bote od. gesandter, der die sache eines andern führt; unterhändler, vermittler. **-bringer** stm. der *vür bringt*: zeuge, angeber, verleumder. **-büege** stn. vorderzeug der pferde; vorderbug. **-bündic** adj. ausbündig, ausgezeichnet. **-dâhtes** adv. absichtlich. **-dæhtlich** adj. vorausbedenkend. **-danc** stm. = *vürgedanc*. **-dinc** stn. = *vürgedinge*. **-dinger** stm. der vorsitzende des *vürdinges*. **-gâbe** stf. = *vorgâbe*; angabe. **-gân** anv. tr. übertreffen. **-ganc** stm. das vorausgehnde, die einleitung; der vorgang, -tritt; fortgang, fortschritt, erfolg; das heraustreten. **-gebot** stn. = *vürbot*. **-gebüege** stn. = *vürbüege*. **-geburt** stf. erstgeburt. **-gedanc** stm. vorhergehndes denken, vorsatz, überlegung, vorbedacht. **-gedinge** stn. gericht, schöffengericht; im voraus (vor der richterl. entscheidung) geschlossener vertrag; im voraus festgesetzte, an einem bestimmten tage zu leistende abgabe; im voraus gehegte erwartung, zuversicht. **-gespanne** stn. = *vürspan*. **-gespenge** stn. = *vürspange*. **-gewæge** stn. übergewicht. **-gezoc** stm. = *vürzoc*. **-gezœhe** stn. höherhebung. **-glenzen** swv. an glanz übertreffen. **-grif, -grift** stm. übereinkunft zwischen arbeitgeber u. arbeiter, accord. **-habenisse** stn. selbstüberhebung. **-(vor-)hanc** stm. vorhang. **-(vor-)heischunge** stf. vorladung. **-(vor-)holz** stn. vorwald, waldsaum. **-(vor-)houbet** stn. vorderer teil des kopfes, stirn; vor einem acker (gleichsam als dessen kopf) liegendes stück boden; der vorgesetzte. **-houwe** stf. vorheuernte. **-kêr** stm. das vorüberkehren, fortfliehen. **-komen** stv. tr. vorbeikommen an, überholen, zuvorkommen, übertreffen; hindernd od. verhindernd zuvorkommen, sorgend verhüten, -hindern; mit as. verbergen. **-kouf** stm. vorwegkauf zum behuf wucherhaften wiederverkaufs. **-koufe** swm., **-köufel, -köufer** stm. der *vürkouf* treibt. **-köufeler** stm. = *-koufe*; kleinhändler, höker. **-koufen** swv. *vürkouf* treiben. **-kündic** adj. bekannt. **-lâȥ** stm. vogelartiges, an einer dünnen leine in die luft geworfenes gebilde zur abrichtung des jagdvogels; lockmittel, bes. was im kriege zum heranlocken des feindes dient; s. v. a. *verlâȥ*. **-lëder** stn. = *vürvël*. **-lege** stf. mündliche oder schriftl. darlegung, vortrag einer sache. **-leger** stm. wortführer, anwalt. **-legunge** stf. = *vürlege*; das vorgelegte, die frage; vorgelegte speise, bes. von den schaubroten. **-loufen** redv. tr. zuvorlaufen, laufend überholen, übertreffen. **-mûte** stf. wegmaut. **-næme** adj. vorzüglich, ausgezeichnet, vornehm. **-(vor-)namens** adv. vorzugsweise, ganz u. gar, im vollen sinne des wortes, in der tat (gekürzt *vürnamen, vürnames, -nams, -nemes, -nems*). **-næmisch** adj. sich herausnehmend, vermessen. **-nëmen** stv. refl. sich vordrängen. **-phaffe** swm. *phaffe* höheren ranges; vikar. **-phant** stn. unterpfand. **-renner** stm. vorrenner, vorläufer. **-rihter** stm. der die speisen zum auftragen anrichtet. **-rite** swm. vorreiter. **-rîten** stv. tr. reiten gegen; s. v. a. *verrîten*. **-riute** stf. ausgereutete, nicht wieder als wald anzubauende fläche. **-satzunge** stf. pfand. **-saz** stm., md. *vorsaz* vorspann; was sich *vür setzet*, vorsatz, vorhaben, entschluss; was *versetzet* wird, einsatz, pfand, pfandnehmung, -setzung. **-schël** adj. überaus laut tönend, lärmend, toll. **-schëllic** adj. scheu vorwärts springend. **-schilt** stm. zum schutze vorgehaltener schild; bildl. beschützer. **-schranc** stm. ein pfahldamm als uferbefestigung. **-schrift** stf. empfehlungsschreiben. **-schup** stm. riegel; vorschub, hilfe. **-schuz** stm. überschuss; schutzwehr, widerstand; s. v. a. *überschuȥ*. **-sëhen** stv. vorher sehen; voraus ausersehen *ze*; versehen, versorgen *mit*; beschützen. **-sëhunge** stf. für-, obsorge, schutz, vorsehung. **-setzer** stm. vorsetzer; pfandnehmer. **-siht** stf. fürsorge, vorsicht. **-(vor-)sihtic** adj. voraussehend, vorausbedacht, einsichtig, verständig. **-(vor-)sihticheit** stf. voraussicht, vorsicht, vorbedachtsamkeit, einsicht, verständigkeit (auch als titulatur); göttl. vorsehung; das versehen mit etw., vorrat. **-slac** stm. befestigung, einschliessende belagerung; s. v. a. *vürschranc*; überrechnung, berechnung der vorlage. **-slaht** stf. damm, schutzbau; der herrschaft vorbehaltener holzschlag. **-smac** stm. vorgeschmack. **-snalle** swm. vorlauter schwätzer. **-snël** adj. vorschnell. **-(vor-)snit** stm. das recht vor andern zu ernten. **-sorge** stf. auf die zukunft sich erstreckende besorgnis. **-span** stn. das gewand vorn zusammenhaltende spange (bes. als schmuck). **-spange** f. dasselbe. **-(vor-)sprëche** swm., **-sprëcher** stm. der jemand sprechend vertritt, fürsprecher, bes. verteidiger vor gericht, anwalt. **-(vor-)sprëche** swf., **-sprëch(er)inne** stf. fürsprecherin, schutzfrau. **-stân** anv. = *verstân*, vertreten, verteidigen, beschützen. **-stant** stm. vertreter, bürge; vorzug, vorrecht. **-strît** stm. = *vorstrît*. **-strît** stm. vorkämpfer. **-tanzel** stm. = *vortenzel*. **-trager** stm. truchsess **-trahtunge** stf. das vorausdenken, überlegen. **-trëffen** s. *vertrëffen*. **-trëflich, -trëffenlich** adj., **-liche** adv. vortrefflich. **-tregenlich** adj. förderlich, nützlich. **-trehtic** adj. vorwärts trachtend, hinstrebend *nâch*; vorbedacht, behutsam. **-trëten** stv. = *vertrëten*, vertreten. **-tuoch** n. pallarium. **-vâhen** redv. durchaus einnehmen, in beschlag nehmen. **-vanc** stm. beschlagnahme eines gestohlenen gutes sowie die gebühr, die dem richter dafür zu zahlen ist. **-var** stf. vorbeifahrt. **-varn** stv. tr. einem vorangehn *mit*. **-varnde** part. adj. vergangen. **-vart** stf. das vorwärts-, vorsichgehn; eine abgabe für die erlaubnis mit einem schiffe an einer bestimmten ortschaft vorüberzufahren. **-vëhte** swm. = *vorv*. **-vël** stn. schurzfell. **-vuoȥ** stm. socke. **-warnen** swv. voraus verwarnen. **-wëhsel** stm. agio und provision. **-wenden** swv. tr. mit ap. vor gericht zur verantwortung ziehen; mit as. in worten vorbringen, darlegen. **-wërc** stn. = *vorwërc*. **-wërn** swv. überdauern. **-wërt, -wart** adv. räuml. u. zeitl. vorwärts, weiter, fortan. **-wëser** stm. = *verwëser*. **-wîsen** swv. = *verwîsen* verführen; in vorschlag bringen, präsentieren. **-wîsunge** stf. präsentationsrecht. **-witze** stf. = *virwitze*. **-witze, -witzec** adj. = *virwitze, -witzec*. **-wiz** stm. = *virwiz*. **-(vor-)wurf** stm. gegenstand, objekt; vorgesungenes lied als aufforderung zum gesang. **-wurflich** adj. obiectivus. **-würhte** swm., md. *vur-, vor-wurchte* vertreter, bes. im gerichtl. zweikampfe. **-ziehen** stv. = *verziehen* (den weg) versperren, bevorzugen. **-zoc, -zuc** stm. n. verzug, hinderung, gerichtl. einwendung.

vürbe stf. reinigung.

vürben, vurben swv. reinigen säubern, putzen, fegen.

vürber stm. reiniger, putzer. **vürbunge** stf. reinigung.

vurch stf., md. *vurich, forich, vorch, for* furche (mit dem pfluge gezogene vertiefung, dann auch gepflügtes feld); einer furche vergleichbare vertiefung. **-genôʒe** swm. einer dessen acker von dem des andern bloss durch eine furche geschieden ist.

vürder adj. = *vorder*. —, **vurder, vuder** adv. räuml. u. zeitl. weiter nach vorn, vorwärts, fürder, weiterhin, fortan; fort, weg. **-(vorder-)brief** stm. empfehlungsbrief. **-lich** adj. fördernd, förderlich. **-liche** adv. auf fördernde weise; schleunig, alsbald, sofort. **-mâl, -mâle** adv. von jetzt ab, fernerhin.

vürderer stm. förderer, unterstützer.

vürderic adj. fördernd, behilflich.

vürderin adj. förderlich.

vürdern, vurdern, vudern swv. (auch *fürdern, fudern, fuodern*) tr. vorwärts bringen, helfend tätig sein für, fördern, befördern, beschleunigen. — refl. sich sputen, eilen. — intr. vorwärts kommen.

vürdernisse stfn. förderung, unterstützung, beihilfe; empfehlung, fürsprache; erlaubnis, gestattung. **vürdersal** stn. förderung, beihilfe. **vürderunge, vurderunge, vuderunge** stf. förderung, unterstützung, beihilfe.

vürer adj. weiter, ferner.

vürer adv. weiter, fernerhin; mehr, eher.

vüre-wîse adj. falsch geführt, irre geleitet.

furgge s. *furke*.

vurhen swv. furchen ziehen, pflügen.

vürhten, vurhten, vörhten vorhten swv. (md. *vurchten, vorchten, vorten, vochten*) intr. furcht, angst, besorgnis empfinden, mit gen. (für, um, vor); mit refl. dat. sich fürchten, in angst, besorgt sein; staunen *über*. — refl. sich fürchten. — tr. fürchten (mit ap., as., nachs. mit od. ohne *daʒ*, mit inf.).

vürhtunge stf. befürchtung, furcht.

vurich s. *vurch*.

furke, furgge swf. gabel, gabelförmiges (lat. *furca*).

fürken swv. gabeln.

furkîe stf. gabelung, befestigung der eingeweide des hirsches an einer *furken*.

vürlinc, *-ges* stm. vorausgabe; vorzug.

furnieren swv. = *furrieren*.

füro adv. fernerhin, hinfür; weiterhin (räuml.); darüber hinaus, mehr.

furrier stf. unterfutter (fz. *fourrure* vom deutsch. *vuoter*).

furrieren swv. füttern, mit unterfutter beziehen (fz. *fourrer* vom deutsch. *vuotern*); füllen.

vürst sup. adj. erst, vornehmst. — präp. u. konj. *vürst daʒ* od. bloss *vürst* = *vür daʒ* von da an dass, seitdem, sobald; *vürst den tac* von dem tage an. **-(vürsten-)ambet** stn. fürstenamt, fürstenwürde. **-engel** stm. erzengel; engel des chores principatus. **-(vürste-, vürsten-)lich** adj., **-liche** adv. fürstlich, fürstengemäss. **-man** stm. ein fürst der vasall ist. **-tuom, vürstuom** stm. n. (uneig. komp. *vürstentuom* stn.) fürstenstand, -würde, fürstengewalt; von einem *vürsten* regiertes land, fürstentum; engelchor.

vürste swm. der alle andern überragt, -trifft, der vornehmste, höchste; herrscher eines landes (auch von gott, Christus), der ihm an rang zunächst stehnde geistl. oder weltl. lehnsmann. **-bære** adj. fürstenmässig. **-lich** s. *vürstlich*.

vürstec-lich adj. = *vürstlich*.

vürsten swv. tr. zum *vürsten* machen, mit fürstenrang bekleiden; einem fürstentume gleichstellen; mit einem fürsten versehen und dadurch zum fürstentum erheben. — refl. sich zur fürstl. würde erheben.

vürsten-lich s. *vürstlich*. **-rëht** stn. fürstlicher rechtsstand. **-schaft** stf. herrschaft. **-schaften** swv. herrschen über, bei (dat.). **-slaht** adj. aus fürstl. geschlechte entsprossen. **-stift** stm. fürstbistum.

vürstie stf. fürstenwürde.

vürstinne, -în, -in stf. die alle andern übertrifft, die vornehmste; fürstin.

vurt stm. furt; flussbett; bahn, weg.

vürtec, -ic adj. was einen *vurt* hat, durchwatbar.

vürten swv. tr. vermittels einer furt durchwaten, überh. durchwaten, -wandeln, einen weg bahnen.

vurz, vorz stm. = *varz*.

vurzen, vorzen swv. = *varzen*.

vûst, voust stf. faust (alem. auch *vunst*, pl. *vünst*). **-grôʒ** adj. faustgross. **-slac** stm. schlag mit der faust. **-stap** stm. knüttel der die faust füllt. **-streich** stm. faustschlag.

vut stswf. cunnus, vulva; spottname für frauen (vgl. *vüdel*).

futze vgl. *fotze*.

W

wâ, wô, wâr pron. adv. wo; woher (bei *nemen*); abh. fragesatz mit *wâ* hinter *sehen, schouwen, hœren* u. ähnl. als veranschaulichende umschreib. des acc. mit dem inf. (sah liegen, sah wie dort lag usw.); *wâ, wâ nu*! ausruf, eigentl. wo bist du, wo sind usw. dann als interj. wohlan! auf!; irgendwo (*wâ unde wâ* hie und da, an mehreren stellen; *sô wâr* wenn irgendwo, wo irgend). — konj. für *swâ*: wo auch, so fern, wenn, im falle.

wabe swmf. honigwabe.

wabelen, wabern, waberen swv. in geschäftiger bewegung sein.

wac, *-ges* stn. gewicht.

wâc, *-ges* stm., **wâge** stf. (aus dem pl.) bewegtes, wogendes wasser: strömung, flut, woge, strom, fluss, meer, see, teich, wasser überh. (*der ougen w.* tränen). **-gedrenge** stn. zusammendrängen des wassers, flut. **-gewitere** stn. unwetter auf der see, sturm. **-sant** stm. flussufer. **-vlüetec** adj. von wogen fliessend. **-wîse** adj. seekundig.

wach, wâch interj. ausruf des staunens und des unwillens.

wach adj. = *wacker*.

wach stm., **wache** stf. das wachen, die wache.

wâcheit, wâch-heit s. *wæheheit*.

wachen swv. munter sein oder werden, wachen, erwachen.

wach-heit stf. wachsamkeit.

wachunge stf. vigilia.

wacke swm. feldstein; nackt aus dem boden hervorstehnder steinblock.

wackeln, wacken swv. hin und her schwanken, wackeln, wanken.

wackel-sam adj. schwankend.

wacker adj. wach, wachsam; munter, frisch, tüchtig, tapfer (gen. od. *in, ûf, ze*). **-heit** stf. wachsamkeit; munterkeit, frische. **-lich** adj. munter, frisch. **-(wecker-)liche** adv. auf wachsame, muntere, frische, mutige weise.

wade s. *wate*.

wade swm., **-bein** stn. wade. **-schinkel** stm. wade.

wadel adj. mit langen haaren versehen, zotticht; schweifend, unstät. **-, wedel** stm. n. büschelartiges zum hin und herbewegen; pinsel, spreng-, weihwedel, fächer, büschel von federn (als schmuck), buschichter baumwipfel, laubbüschel, büschel von reisern zum streichen und peitschen im bade, (buschichter) schwanz eines tieres, haarbüschel am schwanzende; das schweifen, schwanken, die wanderschaft; *der* u. *daʒ w.* ab- und zunehmen des monds, vollmond; zeitlauf, periode, zustand (auch nur umschreib. mit gen.).

wadelære stm. umherschweifer, flüchtiger.

wadelen, wedelen swv. intr. schweifen, schwanken, flattern, fliessen; in den zunehmenden mond eintreten (monat). — tr. wedeln mit; mit dem *wadel* streichen, peitschen.

wadelic adj. wandelbar, arm, dürftig.

wadelunge stf. schwankung, wasserschwall.

waden s. *waten.*

waden-gezouwe stn. zugnetz (s. *wate*).

wâfen, wâpen stn. waffe (im sing. bes. das schwert), was zur bewaffnung gehört, rüstung (*wâfen tragen, nemen* zum ritter gemacht werden; ellipt. *wâfen, wâfenâ!* not-, hilfs-, wehe- und drohruf); wappen (an schild, rüstung, fahne usw.); ritterstand.

wæfen stn. = *gewæfen.*

wâfenen, wâpenen, wæfenen swv. (im inf. verk. *wâfen, wâpen, wæfen*) waffnen, wappnen, rüsten.

wâfen-(wâpen-)genôʒ adj. stm. zur wappenführung berechtigter, siegelmässiger. **-geschrei** stn. not-, hilfs-, wehe-, drohgeschrei. **-heit** stf. bewaffnung. **-heiʒ** stm. ruf zu den waffen, herausforderung. **-hemde** stn. = *spaldenier.* **-(wâpen-)kleit** stn. an den leib (des mannes, rosses) zu legende schutzwaffe, rüstung. **-(wâpen-)lich** adj. zur bewaffnung, rüstung, zum waffenkampfe gehörend. **-lût** adj. *wâfen!* rufend, wehklagend. **-rieme** swm. riemen zum festbinden der rüstung. **-(wâpen-)roc** stm. über den panzer gezogenes oberkleid (meist von seide und schön verziert). **-ruoft, -schrei** stm. ruf zu den waffen. **-trage** swm., **-trager** stm. waffenträger. **-tuom** stmn. wehgeschrei, jammer.

wâfenunge, wâpenunge stf. bewaffnung.

wage stf. bewegung. **-(wagen-)haft** adj. bewegung habend, sich in bewegung setzend, unruhig.

wage swstf. wiege.

wâge s. *wâc.*

wâge stf. waage (*âne w.* ungewogen); öffentl., städtische waage, waagamt; kippe, bildl. ungewisser ausgang; das aufsspielsetzen, wagnis; gewicht, ein bestimmtes gewicht; vorrichtung zum spannen der grösseren armbrüste; folterwerkzeug. **-gëlt** stn. gebühr fürs wiegen auf einer öffentl. waage. **-meister** stm. = *wæger.*

wæge stn. = *gewæge.*

wæge adj. das übergewicht habend, sich neigend *zuo*; was zu erwarten ist, nahe bevorstehnd mit dp.; ein übergewicht, einen vorteil habend oder gebend, überlegen (mit gen. des masses), vorteilhaft, angemessen, gut, tüchtig; gewogen, geneigt, hold mit dp.

wagen stm. (pl. *wagene, wegene,* kontr. *wâne, waine, weine*) wagen; der wagen oder schlitten in einer sägmühle; der wagen als sternbild, der grosse bär. **-bühse** f. fahrbares geschütz (grösser als die *karrenbühse*). **-burc** stf. wagenburg **-haft** s. *wagehaft.* **-holz** stn. holz zum wagenbau. **-isen** s. *wagense.* **-knëht** stm. fuhrknecht. **-knëhtlîn** stn. astr. Bootes. **-leise** stswf. wagengleis; spurweite eines wagens. **-leist** stmn. wagengleis. **-leite** stf. abgabe für fuhrwerk. **-leiter** f. wagenleiter. **-liute** pl. zu **-man** stm. fuhrmann. **-minnerlîn** stn. astr. Bootes. **-phert, -ros** stn. wagen-, zugpferd. **-rat** stn. wagenrad. **-salbe** swf. wagenschmiere. **-seil** stn. wagenseil. **-smalz** stn., **-smër** stnm. = *-salbe.* **-stërn** m. das siebengestirn (vgl. *wagen*). **-strâʒe** f. fahrstrasse für wagen. **-trîbe** swmf. wagenlenker, -lenkerin. **-trîber, -vüerer** stm. wagenlenker, fuhrmann. **-vurt** stf. *vurt* für wagen. **-vart** stf. *vart* mit wagen, verkehr. **-wëc** stm. = *wagenstrâʒe.* **-zeine** swf. wagenkorb.

wagen swv. tr. bewegen, schütteln; wiegen (in der wiege, auf der waage). — intr. bewegt, erschüttert werden, sich bewegen, schwanken, wackeln.

wâgen swv. tr. u. refl. auf die *wâge* legen, aufs geratewohl daran setzen oder tun, wagen.

wægen s. *wæjen.*

wagener stm., md. kontr. *wainer, weiner* wagenmacher; fuhrmann.

wagense, wagese swm. pflugschar (umgedeutet *wagenîsen, wegîsen*).

wagenunge stf. zank, gebalge.

wâger stm. wager.

wæger stm. wäger, wagemeister an der stadtwaage. **-halp** adv. auf die seite, zugunsten des übergewichts, des bessern teils.

wagese s. *wagense.*

wagunge stf. wagen, frachtwagen, fuhrwerk.

wæhe adj. adv. glänzend, schön, fein, kunstreich, zierlich, kostbar, schmuck, stattlich; sich auf zierliche arbeit verstehend, kunstreich; gut, angemessen, wert, lieb. — stf. schönheit, zierlichkeit, köstlichkeit; verstelltes gebaren, ziererei, schöntun; kunst, kunstvolle ausführung, verherrlichung. **-heit, wæch-heit, wæcheit** stf. = *wæhede.* **-lich** adj. herrlich.

wæhede stf. schönheit, köstlichkeit.

wæhen swv. *wæhe* machen, gestalten, verherrlichen.

wahs adj. s. *was.*

wahs stm. in *beinwahs* u. ä.: das wachsen. **-mündic** adj. erwachsen u. fruchttragend, fruchtbar. **-munde, -munt** stf. fruchtbarkeit. **-tuom** stn. wachstum, fruchtertrag.

wahs stn., md. *was*; *-sses* wachs; schreibtafel mit wachs überzogen; wachsbild. **-gël** adj. wachsgelb. **-gieʒer** stm. wachszieher; der durch wachsgiessen wahrsagt. **-var** adj. wachsfarb. **-zeichen** stn. siegel.

wahsen stv. VI (nbf. *wassen,* prät. *wuos, wuosen*) wachsen, auf-, erwachsen, bildl. entstehn, zum vorschein kommen, zunehmen, sich mehren; sich begeben *dar, in.*

wahst stf. (in komposs.) wachstum, wuchs.

wahtære, wehtære, -er stm. wächter.

wahtærinne stf. wächterin.

waht-bære adj. wache haltend, wachsam. **-gëlt** stn. abgabe für bewachung. **-phenninc** stm. dasselbe; abgabe anstatt des wachtdienstes.

wahte prät. s. *wecken.*

wahte, waht stf. das wachen, wachsein; die wache, wacht, bewachung; ort, wo gewacht wird; abgabe anstatt des wachtdienstes.

wahtel stswf. wachtel. **-bein** stn. (aus einem gänse- oder hasenbein verfertigte) wachtel-, lockpfeife. **-brî** stm. brei aus wachteln. **-sac** stm. sack in dem wachteln stecken; lügensack, lügner. **-stric** stm. fangstrick für wachteln.

wahten swv. wache halten; die *wahte* (abgabe) geben.

wahterlîn stn. kleiner wächter.

waine, wainer s. *wagen, wagener.*

wæjen, wægen, wæn, weien swv. wehen; wehen machen.

wak-hart stm. wackler, behänge an etw. (vgl. *walchart*).

wakzen swv. bewegen.

wal s. *wol.*

wal, *-les* stm. walfisch. **-râm** stm. walrat, öl des pottfischs.

wal, *-lles* stm. das wallen, wogen, aufkochen; erhöhung, wölbung.

wal, *-lles* stnm. wall, ringmauer (aus lat. *vallum*?).

wal, wale stn. m. f. schlachtfeld, walstatt, kampfplatz, dann allgemeiner: feld, au. **-bluot** stn. kampfblut. **-genôȥ** stm. kampfgenosse. **-phat** stm. weg über das schlachtfeld (vgl. *walstrâȥe*). **-(wel-)recke** swm. held der walstatt. **-roup** stm. beraubung der auf der walstatt gefallenen, raub überh. (entst. *waltroup*). **-stat** stf. schlachtfeld, kampfplatz (entst. *waltstat*). **-strâȥe** f. = *-phat.* **-vlôȥ** stm. blutstrom auf dem schlachtfelde.

wal, wale stf. wahl, auswahl, freie selbstbestimmung, verfügung; besondere weise, lage, schicksal. **-hêrre** swm. kurfürst. **-vürste** swm. kurfürst.

walap stm. galopp (nordfz. *walop*, fz. *galop*).

walbe swm. die einbiegung des daches schief herab an der giebelseite eines gebäudes, walm; gewölbtes vorder- oder oberblatt der schuhe.

wal-bruoder s. *wallebruoder.*

walc, walke stswm. kampf, gefecht.

walc, walke stswf. walkmühle.

Walch, Walhe stswm. Welscher, Romane, Italiener od. Franzose. — dat. pl. als landsname.

walch adj. = *walhisch.*

walc-hart stm. pl. die beiden von der bischofsmütze herabhängenden bänder (vgl. *wakhart*).

walden s. *walten.*

waldenære stm. waldbewohner; waldaufseher.

waldenberger stm. tyrann; violens.

wale s. *wal, wol.*

wale swf. wiege.

wâle stf. fächer.

wæle, wæl stf. vorrichtung am helme zur befestigung des helmbusches.

waleis stn., **waleise** stf. schlachtfeld.

wale-kugel = *bôȥkugel.*

walen s. *waln.*

wælen swv. fächeln.

waler stm. kegelspieler.

wale-veige adj. in der schlacht dem tode verfallen.

walgeln stn. kegelspiel.

walgen swv. intr. sich wälzen, rollen, bewegen, wimmeln. — tr. wälzen, rollen; unpers. mit dat. ekel empfinden, sich erbrechen wollen.

walgern, welgern swv. = *walgen.*

walhisch welhisch, walsch welsch adj. welsch: italienisch, französisch, romanisch; *daȥ* od. *diu w.* (näml. *zunge*) die italienische usw. sprache.

walke, walken swstm. balkon (it. *balcone* vom deutschen *balke*).

walke s. *walc.*

walken redv. 1 tr. walken, vertilgen; schlagen, durchbläuen, prügeln.

walker, welker stm. walker.

walkieren swv. dicht machen, dicht durchflechten.

walk-mül, -müle stswf. walkmühle.

wallære, -er stm. fahrender mann, wanderer, pilger, wallfahrer.

walle swm. = *wal* walfisch.

walle- (wal-)bruoder stm. pilger, genosse auf einer pilgerfahrt. **-geheder** stn. wanderkleid. **-kappe** swf. reisemantel. **-sac** stm. pilgertasche. **-(wal-) stap** stm. pilgerstab. **-(wal-) vart** stf. wallfahrt.

wallen redv. 1 intr. wallen, aufwallen, -kochen, sprudeln, wogen. — refl. hin u. her wogen.

wallen swv. (perf. mit *wesen* u. *haben*) wallen, wandern, pilgern wallfahrten.

wallerie stf. pilgerfahrt.

waller-kleit stn. reise-, pilgerkleid.

wallunge stf. wallfahrt.

wallunge stf. das aufwallen.

walm stm. das wallen, sieden; dampf, qualm.

waln, walen swv. tr. wälzen, rollen (*die kugel w.* oder bloss *waln* kegeln). — intr. sich wälzen, rollen.

walopieren swv. = *galop-.*

walsch s. *walhisch.*

wal-stap stm. s. *walle-stap.*

walt, *-des* stm. wald (*den walt swenden, verswenden* viele speere verstechen); waldgebirge; baumstand, waldholz; die laubigen äste und zweige eines baumes. **-affe** swm. waldaffe; riese. **-brobest** stm. waldauffseher. **-bruoder** stm. einsiedler. **-bûr, -bûre** stswm. = *waltgebûr.* **-esel** stm. waldesel. **-eselinne** stf. waldeselin. **-feie, -feine** f. waldfee. **-gast** stm. waldungeheuer. **-gebûr, -gebûre** stswm. waldbauer. **-gedinge** stn. gericht in waldsachen. **-geiȥ** stf. rehgeiss. **-gëlt** stn. abgabe für die erlaubnis zur waldrodung. **-genôȥe** swm. = *waltgeselle*; teilhaber an einem waldrechte. **-gerihte** stn. = *waltgedinge.* **-geselle** swm. der mit andern im walde haust, waldungeheuer. **-gesinde** stn. einwohnerschaft des waldes (vögel). **-gevelle** stn. das umstürzen der bäume im walde; abschüssiges tiefes tal, bergschlucht. **-gevilde** stn. waldung. **-gewilde** stn. bewaldete wildnis. **-heier** stm. waldhüter. **-honic** stm. wilder honig. **-horn** stn. wald-, jagdhorn. **-horn-affe** swm. eine besondere art glasscheiben, vgl. *waltschîbe.* **-houwer** stm. holzfäller. **-hunt** stm. wolf; riese. **-huobe** stf. hufe landes im walde. **-hûs** stn. waldhaus. **-in** adv. waldeinwärts. **-luoder** stn. wilder waldmensch. **-man** stm., pl. **-liute** waldbewohner, waldmensch, waldgeist, satyr; einwohner einer *waltstat*; waldhüter. **-meister** stm. forstmeister. **-mies** stn. waldmoos. **-minne** stswf. waldweib, waldnymphe. **-morder** stm. im walde hausender mörder. **-müede** adj. von der waldreise ermüdet. **-obeȥ** stn. waldfrüchte. **-ohse** swm. = *ûrohse.* **-ohsenzagel** stm. colurus. **-ratte** swm. wilde ratte, waldratte. **-recke** swm. waldrecke, riese. **-rëht** stn. recht der waldbenutzung, abgabe dafür. **-reise** stf. zug in den wald, jagd. **-rihter** stm. richter im *waltgerihte.* **-rint** stn. = *ûrrint.* **-riviere** stf. waldgegend. **-roup** s. *wal-roup.* **-schîbe** swf. eine art glasscheiben (aus dem Schwarzwalde). **-schrate** swm. waldteufel, waldgeist. **-schütze** swm. waldhüter. **-singer** stm. sänger des waldes, vogel. **-smit** stm. bergmann, der das gewonnene eisen selbst schmelzt und verarbeitet. **-stat** s. *walstat.* — stf. ort, ortschaft im walde. **-stic** stm. waldpfad. **-strâȥe** f. strasse durch den wald. **-strômeier, -strômer** stm. = *strômeier* in der letzten bedeutung. **-swende** swm. waldzerstörer, bildl. der viele speere versticht, lanzenbrecher. **-swin** stn. wildschwein. **-tôre** swm. waldmensch. **-trëter** stm. waldwanderer, einsiedler. **-vischer** stm. waldräuber. **-vogel** stm. vogel des waldes. **-vogellîn** stn. dem. zum vorigen. **-vorster, -vürster** stm. waldförster. **-vrouwe** swf. waldweib, waldnymphe. **-waȥȥer** stn. wald-, wildwasser. **-wëc** stm. waldweg. **-weide** swm. der im walde ȿpeise sucht od. lebt, wilder waldmensch. **-wërc** stn. arbeit im walde, holzschlagen. **-wicke** swf. kreuzweg im walde. **-wilde** adj. wild im walde lebend. **-wint** stm. wind vom walde her. **-wîs** adj. wald-, jagdkundig **-wîser** stm. waldaufseher. **-worhte** swm. arbeiter in wald u. berg, bergmann.

walt stmf. = *gewalt*. **-bote** swm. abgesandter stellvertreter des herrschers, bevollmächtigter. **-sam** adj. waltend, mächtig, in sich fassend mit gen

waltære, -er stm. walter herrscher. fürsorger.

waltec, waltic, weltic adj. = *gewaltec*.

walten, walden redv. 1 mit gen. gewalt haben, herrschen; in gewalt haben, mächtig sein, besitzen, haben, gebrauchen; sich mit etw. abgeben, es treiben, üben, tun (oft nur umschreibend z. b. *slâfes w.* schlafen, *des tôdes w.* sterben); sich annehmen, sorgen für, besorgen, pflegen, beschützen, mit gen.; mit dat. comm. unterrichten.

walten swv. walten, mit gen.

waltendic adj. waltend, herrschend.

walte-, walten-wahs, -wahse stswm. nerv, sehne.

waltigen, weltigen swv. tr. einem die gewalt übergeben.

walunge s. *welunge*.

wal-vart s. *wallevart*.

wal-visch stm. walfisch.

walzen redv. 1 intr. sich wälzen, rollen, drehen, wenden. — tr. = *welzen*.

walzer stm. der sich dreht, walzenartig bewegt.

wambe, wampe, wamme stswf. bauch, wanst, bes. mutterleib, -schoss; bauchteil am tierfell; unedle eingeweide geschlachteter tiere.

wambeis, wambis, wambas, wambes stn. bekleidung des rumpfes unter dem panzer, wams (afz. *wambais*, mlat. *wambasium* v. ahd. *wamba*).

wambeiser, wambeiseler stm. verfertiger von wämsen.

wampen-vlëc stm. = *kutelvlëc*.

wan s. *man, wande, wanne, wannen, wante*.

wan adj. nicht voll od. das volle mass nicht haltend, leer; unerfüllt, erfolglos. **-sinnic** adj. irrsinnig.

wan adv. u. konj. (durch verwechselung mit *wanne, wande* die nbff. *wane, wanne, wann, wande wand, wene wen, wenne wenn, wente wend*): *niht wan* od. blosses *wan* als posit. beschränkung eines posit. satzes od. satzgliedes: nur; posit. beschränkung einer negation: ausser, als, als nur; negat. beschränkung eines posit. satzes od. satzgliedes: ausgenommen, ausser, nur nicht; *wan daȥ* od. blosses *wan* vor einem nachs. den vorhergehenden posit. oder negat. hauptsatz beschränkend: aber nur, aber noch, gleichwohl, vielmehr nur, sondern; ellipt. mit nom.: wäre nicht, wäre nicht gewesen; ellipse des negat. satzes; konj. sondern, aber (ohne od. mit freieren ellipt. beziehungen).

wan stm. werk, arbeit (vgl. *tage-wan*).

wân stm. ungewisse, nicht völlig begründete ansicht oder meinung, das blosse vermuten, glauben, erwarten, hoffen, überh. gedanken (*âne, sunder w.* gewisslich, *nâch wâne* aufs ungewisse, auf geratewohl, *ûf wân, ûf den w.* in hoffnung auf, in der absicht; beteuernd *mir ist wân*); schein, vorwand. **-bruoder** stm. vermeintlicher bruder. **-brût** stf. vermeintliche braut, gattin. **-(wæn-)lich** adj. glaublich, wahrscheinlich, zu vermuten. **-priester** stm. einer der durch betrug für einen priester gilt. **-sam** adj. zu erwarten, erdenklich. **-sangen** stn. hoffnungs-, freudengesang. **-schaffen** adj. ungestalt. **-sinnic** adj. s. *wan-s*. **-sippe** stf. vorgetäuschte verwandtschaft. **-triuwe** stf. verdacht. **-zît** stf. zeit, die man zu haben glaubt.

wæn s. *wæjen*.

wân-aldei stm. eine art tanzlied.

wanc, -kes stm. bewegung nach vorne, zur seite oder rückwärts, bildl. unstätigkeit, untreue, zweifel (*âne, sunder w.* ununterbrochen, fest, stät, treu, unzweifelhaft); seiten-, rückweg. **wanc** adj. = *wankel*. **-liche** adv. unstät.

wande s. *wan*.

wande, wand, want fragew. u. konj. (nbff. *wanne, wann, wane, wan, wende, wenne, wenn, wen*): fragew. warum (*wande ne*, mit abgeschliffener oder weggefallener negat. *wanne, wane, wan, wen*: warum nicht, in imperativ. fragen); *wan* in wünschendem ausruf wie das lat. *utinam*. — konj. denn, weil.

wandel stnm. rückgang, rückgängigkeit; änderung, tausch, wechsel; wandelbarkeit, gebrechen, makel, fehler, tadelnswertes, tadel; ersatz eines schadens, vergütung eines unrechts, busse, strafgeld (*ze wandel stân* wofür büssen); handel u. wandel, aufenthalt, umgang, verkehr; art zu gehn, gang; lebenswandel. **-ænic** adj. ohne wandel, unveränderlich. **-bære, -bar, -bærec** adj. veränderlich, wankelmütig, unstät, schadhaft, mangel-, fehlerhaft, tadelnswert, straffällig, busswürdig, böse; gehend, wandelnd; gang-, fahrbar. **-bære, -bæri** stf. wandelbarkeit. **-bërnde** part. adj. fehler und gebrechen an sich tragend. **-blôȥ** adj. untadelig. **-buoch** stn. brevier; strafbuch. **-haft, -haftic** adj. mit fehlern behaftet, böse. **-kêre** stf. veränderung (*des mânen w.* mondwechsel). **-kërze** swf. grössere kerze, die bei einem messamte vor der *wandelunge* angezündet wird u. bis zum ende der *stilmesse* brennt; grössere kerze, windlicht bei prozessionen u. dgl. **-lich, -wandelich** adj., **-liche** adv. = *wandelbære*. **-mælic** adj. ein *mâl* des *wandels* an sich tragend. **-meil** stn. durch *wandel* entstandenes *meil*. **-müetic** adj. unbeständig, untreu. **-(wendel-)muot** stm. unbeständiger sinn, wankelmut, untreue. **-riuwe** stf. wankelmütiges mitleid. **-schulde** stf. verschuldung, vergehn, wofür *wandel* (busse) zu leisten ist. **-stein** stm. grenzstein. **-tac** stm. tag des (mond-)wechsels. **-vellic** adj. buss-, straffällig. **-wertic** adj. wandelbar, veränderlich; buss-, straffällig.

wandelât stf. umänderung.

wandel-bruoder stm. pilger.

wandeler, wendeler stm. wanderer.

wandelieren swv. intr. u. refl. mit schleifenden schritten gehn, wandeln (von den verschlingungen des tanzes). — tr. ändern, tauschen, wechseln (musik. eine melodie in eine andere tonart umsetzen od. statt des hexachords ein anderes nehmen); verwandeln.

wandel-man stm. reisender, pilger.

wandel-mer s. *wendelmer*.

wandeln swv. tr. rückgängig machen, zurücknehmen; tauschen, wechseln, ändern, umändern, verwandeln (spez. von der transsubstantiation); in andere lage bringen, wenden; ins schlechte verkehren; verhandeln, bes. gerichtl. verhandeln, abmachen, vergleichen, überh. vor sich gehn lassen, begehn, treiben, tun; ersatz wofür leisten, vergüten, büssen; mit geldbusse belegen, bestrafen; tadeln, strafen, schlecht behandeln *mit.* — **intr.** wandeln, wandern, reisen, gehn, spez. auf erden wandeln, leben; umgehn, verfahren *mit;* sich bewegen, ändern.

wandelunge stf. änderung, tausch, wechsel, um-, verwandelung (*gegen der w.* gegen den anfang des frühlings); transsubstantiation; gerichtl. verhandlung, vertrag über kauf u. verkauf, verzichtleistung usw.; wandelbarkeit, gebrechen, makel, fehler, tadel; gang, lauf; wandel, lebenswandel, lebensart, umgang, verkehr, aufenthalt; ausübung, begehung; handel.

wander stm. wechsel; fehler; gang, lebenslauf.

wander-man stm. = *wandel-*,

wandern swv. intr. in bewegung sein, gehn, ziehen, wandeln, wandern, reisen (mit zeitl. od. örtl. acc.); leben; — **tr.** verwandeln.

wanderunge stf. verwandlung; wanderung, wandel, lebenswandel.

[**wæne** stf. meinung, vermutung (*in wæne* sicherlich, Haupt zu Obd. Serv. 1332 nach Otfr.)?]

wænec, wænic adj. meinend; vermutend (in komposs.); gedankenlos, töricht.

wænen, wænnen swv. meinen, glauben, vermuten, ahnen, erwarten, hoffen: mit gen., inf. mit od. gewöhnl. ohne *ze*, acc. u. inf., nachs. mit *daz* od. indirekter rede (posit. statt des negat. ausdruckes). — *ich wæne, wæn ich* od. *wæne, wæn* (meistens parenthet.) ich meine, vermute, halte dafür (mit obig. konstrukt. od. mit direkter rede, mit relativ gebautem konj. od. ind. satze).

wane-witzen swv. wahnwitzig sein.

wange swstn. (md. auch f.) wange, backe; antlitz. **-küsselîn** (kontr. *wanküsselîn*) stn. dem. zu **-küssen, -küsse** stn. wangen-, kopfkissen (kontr. *wanküssen, -küssîn*). **-slagen** swv. tr. einen backenstreich geben. **-vleisch** stn. fleisch an den wangen.

wangel s. *wengelîn.*

wangen-bûz stm. backenstreich.

wanger stm. = *wangeküssen.*

wankel (wankelich) adj. schwankend, unbeständig, sittlich unfest. — stm. unbeständigkeit. **-bolt** stm. wankelmütiger. **-haftec** adj. = *wankel.* **-heit** stf. unbeständigkeit. **-müete, -muot** adj. wankelmütig. **-muot** stm. sittlich unfester sinn, wankelmut. **-sam** adj. = *wankel.* **-site** stm. unbeständiges wesen. **-spil** stn. unbeständiges spiel, unbeständigkeit. **-wiz** adj. wankelmütig. **-zît** stn. unbeständige zeit, zeit des ird. lebens.

wankeln swv. wanken.

wanken swv. *wanc* sein, einen *wanc* tun, wanken, schwanken.

wan-küssen s. *wangeküssen.*

wannân s. *wannen.*

wanne s. *wan, wande, wanne, wannen, wante.*

wanne, wenne pron. adv. (gek. *wann wan, wenn wen*) zeitl. fragew. wann, in dir. und indir. fragen. — konj. für *swanne.*

wanne swstf. getreide-, futterschwinge; wasch-, badewanne; langrundes metallgefäss zum backen; flächenmass (lat. *vannus*).

wannëht adj. wie eine *wanne* gestaltet.

wannen swv. in oder mit der futterschwinge schwingen, überh. schwingen.

wannen, wannân pron. adv. (gek. *wanne, wann, wan*) räuml. fragew. woher; für *swannen* woher auch.

wænnen s. *wænen.*

wannen-wëhe swm., **-wëher** stm. turmfalke.

wanner-lôn stm. lohn fürs reinigen des getreides.

wânolf stm. der gerne *wænt* (fing. name).

wanst stm. wanst, bauch, bauchstück.

want stn. = *gewant.*

want stf. wand, seitenfläche, seite eines gebäudes, gemaches od. anderer gegenstände; felswand, steiler abhang; scheidewand; *vleischlîchiu w.* körperliches leben. **-lûs** stf. wanze. **-mûre** stf. mauerwand. **-wurm** stm. = *wantlûs.*

wan-, wen-te adv. u. konj. (assim. *wanne,* abgek. *wan, wen,* erweitert *wen ze, biz*) md. bis.

wante stf. drehung, wendung.

wanten swv. drehen.

wantsal stn. verdrehung, betrügerisches wesen.

wænunge stf. erwartung, hoffnung.

wan-wiz, -witze, -witzic adj. leer an verstand, unsinnig.

wanze f. wanze.

wap, *-bes* stn. gewebe; wuchs.

wâpelîn stn. dem. zu *wâpen.*

wâpen s. *wâfen.* **-knabe, -knappe** swm. schildknappe. **-man** stm. = *wâpenære.* **-schilt** stm. wappenschild. **-volger** stm. = *parzivant.* **-wât** stf. rüstung.

wâpenære, wæpenære, -er stm. gewaffneter, kämpfer zu fuss; waffenträger, schildknappe.

wappen swv. in schwankender bewegung sein.

war pron. adv. wohin.

war, ware stf. m. wahrnehmung, beobachtung, gesichtskreis, acht, aufmerksamkeit, obhut (*war haben, nemen, tuon* mit gen., präpp. od. abh. s.: acht haben auf, sich umsehen od. suchen nach, bemerken, wahrnehmen, beachten, untersuchen, in erwägung ziehen, rücksicht nehmen auf, in pflege oder obhut nehmen, sorgen für, sich hüten). — adj. aufachtend, behutsam (in *gewar*). **-gelcite** stn. wahrzeichen. das dem boten mitgegeben wird. **-lôs** adj. nicht wahrgenommen, unbewusst. **-læse, -lôse** stf. achtlosigkeit, verwahrlosung. **-lôsecheit** stf. unachtsamkeit. **-mâl, -zeichen** stn. erkennungs-, wahrzeichen, merkmal.

war, ware stf. ware, kaufmannsgut, habe.

wâr s. *wâ.*

wâr adj. wahr, wahrhaft, wirklich, gewiss, echt, recht. *der wâre* = Christus. — *wâr* stn. wahrheit, recht (*w. sagen* die wahrheit sagen, wahrsagen, *w. haben* recht haben, *w. lâzen* erfüllen, leisten, *vür w. sagen, sprechen, schrîben* als etwas wahres sagen usw., daraus ellipt. *vür wâr* in wahrheit, wahrlich, fürwahr, ebenso ellipt. *bî wâr, ze wâre, zwâre*). **-bære** adj. wahrhaft. **-bæren** swv. *wârbære* machen. **-bihtec** adj. aufrichtig. **-habe** swm. fidejussor; satisfactor. **-haft, -haftic** adj. wirklichkeit habend; wahrheit liebend und übend, worttreu. **-heit** stf. wahrheit, wirklichkeit, wirklicher sachverhalt, bestätigung, bewährung von etw. (*von der, von wârheit* in wahrheit, wirklich, *diu wort, diu buoch der w.* der heil. schrift); bei den höf. dichtern synon. mit *âventiure:* die rechte quelle, überlieferung; rechtl. beweisführung, zeugnis, eid; wahrhaftigkeit, aufrichtige und treue gesinnung, gegebenes wort (*die w. behalten, læsen* das gegebene wort einlösen, *die w. zerbrechen* nicht wort halten). **-meinec** adj wahres bedeutend, wahrhaftig. **-riuwec** adj. aufrichtig bereuend. **-sage** swm. wahrsager. **-sagen** swv. wahrsagen, prophezeien. **-sagunge** stf. wahrsagung.

warbe s. *warp.*

warbe swf. kreis, versammlung.

warbel adj. beweglich.

warc, *-ges* stm. mensch von roher, verbrecherischer denk-

und handlungsweise, wüterich. teufel, bes. als schelte. **-gengel** stm. würger, neuntöter (der wie ein *warc* einhergeht).

warc, warch stn. eiter.

wardîn stm. münzwardein (aus einem mlat. *wardinus* v. deutsch. *warten*).

wâre stf. vertrag u. daraus herrührender friede.

wære adj. wahr, wahrhaft. — stf. wahrheit, wirklichkeit.

wârëht adj. = *wære*.

waren s. *warn*.

warf s. *warp*.

warf stn. aufzug od. die kette eines gewebes, werfte, zettel, zettelgarn, garnknäuel.

warkus stmn. eine art oberkleid, brustgewand, joppe (mlat. *gardacorsium, wardecorsum*).

wær-lich adj. wahr, wahrhaft. **-liche** adv. der wahrheit gemäss, in wahrheit, wahrhaftig, wahrlich, sicherlich, in der tat (beteuernd).

warm adj. warm; warme empfindung habend oder erregend. **-heit** stf. wärme.

warme adv. warm.

warmen swv. intr. *warm* werden.

warn, waren swv. mit gen. aufmerken auf, achten, beachten.

warne, werne stf. vorsicht, fürsorge; warnung.

warnen swv. refl. sich vorsehen, vorbereiten, versehen mit, rüsten, mit gen. oder präpp.; sich in acht nehmen, hüten *vor*. — tr. mit ap. vorbereiten, rüsten; warnen, behüten, schützen *vor*; mit as. vorbereiten, ausrüsten; durch warnung abwenden, verhüten.

warner stm. warner; spion; beistand vor gericht, beim zweikampfe.

warne-sanc stm. = *tageliet*.

warnunge stf. vorbereitung, zurüstung, versorgung; schutz, vorsicht, achtsamkeit; warnung, warnende nachricht; vorzeichen.

warp, *-bes*, **warf** stm. drehung, wendung; adverbial: mal (*manic warbe, werbe* manches mal, *ander warbe, werbe* zum zweiten male, wieder, *tûsentwarp, -warbe* tausendmal usw.); kreisförmiger gerichts-, kampfplatz; wall; geschäft, gewerbe.

wart s. *wërt, wort*.

warte swm. wärter, aufseher (in komposs.).

warte, wart stf. achtgebendes, erwartendes, spähendes ausschauen, das wachen, bewachen, lauern, bes. die wacht, der vorpostendienst, die rekognoszierung (*w. nemen* mit gs. = *warn*); platz od. gebäude von dem aus gespäht, gelauert wird; weidm. der anstand, trieb und die dazu gehörigen leute; platz von dem aus zugeschaut wird; kampfplatz; aufbewahrungsort; erwartung; rechtl. anwartschaft.

wartel, wertel stm. = *warter*.

warten swv. abs. oder mit nachs. acht haben, spähen, schauen, zuschauen, wahrnehmen; mit gen. acht haben auf, ausschauen nach, lauern, warten auf, gehorchen (*ûf*), wahrnehmen, sich vorsehen, verlassen auf (*an* od. gs.), sorgen für, pflegen; für die zukunft worauf rechnen, anwartschaft haben, erwarten, mit gen.; achten auf, ausschauen nach, beobachten; aufgeben (im ballspiel), untergeben sein, folgen, dienen, mit dp.

warter, werter stm. wärter, hüter, aufseher, fürsprecher; der anwartschaft auf etw. hat.

warterinne stf. wärterin, hüterin; die auf einen wartet, lauert.

warte-spil stn. schauspiel; hoffnung, aussicht auf erbschaft.

wart-hûs stn. warthaus, warte. **-kint** stn. hirtenknabe. **-man** stm. (pl. *wartman, -liute*) mann auf der *warte*, wächter, aufpasser, späher, vorposten, kundschafter.

wartolf stm. eine art netz.

wartunge stf. das achthaben; erwartung, anwartschaft.

warunge stf. bewahrung, vorsicht, richtschnur.

warze, werze swf. warze; brustwarze.

was s. *wahs*.

was, *-sses*, **wasse, wesse; wahs, wehse** adj. schneidend, scharf.

wasch stm. waschung.

waschen, weschen stv. VI waschen, spülen; reinigen (*von*); bildl. schwatzen.

waschunge, weschunge stf. waschung.

wase swm. grasbewachsene erdfläche, rasen (als symbol bei übergabe von grund u. boden ins eigentum).

wasse adj. s. *was*. — stswf. schärfe.

waste stf. u. adj. = *wüeste*.

wastël stn. = *gastël*.

wasten swv. verwüsten.

wât stf. kleidung, kleidungsstück; rüstung; gewandstoff, zeug. **-gadem** stn. tuchladen. **-gademer** stm. tuchhändler. **-liute** pl. zu *wâtman*. **-mâl** stn. wadmal, grobes tuch zur kleidung. **-man** stm. tuchhändler. **-manger, -menger, -mangener** stm. tuchhändler, tuchmanger. **-phelle** swm. zur kleidung bestimmter *phelle*. **-sac** stm. reisetasche, mantelsack. **-sæʒec** adj. als kleidung angemessen. **-schar** stf. zerreissung der kleider; schneiderei. **-scharte** stf. dasselbe. **-schëre, -schære** stf. kleiderschere. **-scherten** swv. tr. eine *wâtscharte* beibringen. **-ziere** adj. kleidgeschmückt, schön gekleidet.

wate, wade stswf. grosses aus zwei wänden u. einem sack in der mitte bestehndes zugnetz.

waten, waden stv. VI intr. waten, schreiten, gehn, dringen. — tr. durchwaten, durchdringen.

wæten swv. kleiden, an-, bekleiden.

wæt-lich adj. schön, stattlich; schön wenn es geschähe, angemessen; leichtlich geschehend od. werdend, wahrscheinlich. **-liche** adv. schön, herrlich; angemessen; leichtlich, wahrscheinlich, vermutlich, iron. (mit konj.) schwerlich. **-lîche** stf. schönheit.

wat-schar stf. abgabenpflichtiges gut, abgabe eines solchen.

waʒ s. *wër*.

wâʒ stm., **wâʒe** swm. das wehen, der sturm; atem, hauch; duft, geruch den etw. von sich gibt; geruchsinn. **-gewitere, -wëter, -witer** stn. sturmwetter. **-witeric** adj. sturmwetter erregend.

wâʒen redv. I, 2 duften, riechen.

waʒerlei = *waʒ der leie* welcherlei.

waʒʒer stn. wasser (als element, als meer, see, fluss usw., als trink-, bade-, waschwasser; *waʒʒer nëmen* vor der mahlzeit sich die hände waschen); augenwasser, tränen; harn; gebranntes wasser; scheidewasser. **-âder** swf. brunnenader, wasserquelle. **-bat** stn. wasserbad. **-bër** swm. wasserbär, eisbär. **-bërlîn, -përlîn** stn. wasserperle. **-bruch** stm. wasserstrudel; überschwemmung, durch überschwemmung angerichteter schaden, erdrutsch. **-dahs** stm. seehund. **-feine** swf. wassernymphe. **-gadem** stn. zisterne. **-galle** f. quellige stelle im erdboden. **-ganc** stm. wasserleitung; wasserfall; wasserweg eines schiffes. **-gelte** swf. wasserkübel. **-grabe** swm. mit wasser gefüllter graben; wasserleitung. **-grâve** swm. geschworner kunstverständiger in sachen des wasserbau- und mühlwesens. **-güsse** f. wolkenbruch, überschwemmung. **-heilige** swm. heiliger, der auf der see angerufen wird. **-holde** swf. wassernymphe. **-huon** stn. wasserhuhn. **-kalp** stn. wassersucht. **-klister** stm. asphalt. **-kruoc** stm. wasserkrug. **-küele** adj. wasserkühl. **-leite** stf. wasserleitung. **-lendelîn** stn. insula. **-lich** adj. voll wasser, wasserreich. **-lôs** adj. ohne wasser. **-lœse** stf. wasserlosigkeit. **-louf**, **-louft** stm. wasserlauf. **-löufel** stm. talpula. **-man** stm. an einem wasser lebendes waldungetüm; schiffer; ein bei der wiesenbewässerung angestellter; *w.* als zeichen des tierkreises. **-mære** stn. schiffermärchen. **-mies** stnm. wassermoos. **-minne** swf. wassernymphe. **-müede** adj. von der wasserreise ermüdet. **-muor** stn. sumpf, moor. **-nixe** swf. sirene. **-nôt** stf. bedrängnis auf dem meere; gefahr durch eindringendes wasser im bergbaue; unmöglichkeit ein wasser zu überschreiten (als *êhafte nôt*). **-përlîn** s. *waʒʒerbërlîn*. **-phert** stn. seepferd. **-rabe**, **-rappe** swm. seerabe. **-ræhe** adj. eine besondere art des steifseins der pferde. **-rat** stn. mühlrad. **-reise** stf. meerreise. **-rîche** adj. reich an wasser. **-rinne** f. wasserrinne, kanal; obsc. vulva. **-rôr** stn., **-rœre** swf. wasserröhre; obsc. penis. **-rouber** stm. seeräuber. **-runs**, **-runst** stmf., **-runse** stswf. bach, wasserlauf, -graben, -leitung, bewässerungsrecht. **-sage** stf. kanal. **-schuc** stm. wasserstoss, welle. **-schuʒ** stm. wasserfall. **-sëgen** stm. segensformel über wasser gesprochen oder zu sprechen. **-seige** stswf. neigung des bodens, der der abfluss des wassers folgt, wasserscheide; bergm. die grundfläche des stollens, worauf das wasser abfliesst. **-siech** adj. wassersüchtig. **-sippe** stf. verwandtschaft durchs taufwasser, gevatterschaft. **-slac** stm. schlag ins wasser. **-slaht** stf. schutzdamm gegen das wasser. **-slange** swm. wasserschlange. **-slinge** f. wasserwirbel. **-sluoht** stf. tiefes wassergerinne. **-snëcke** swm. im wasser lebende schnecke. **-snuor** stf. angelschnur. **-sprinc**, **-sprunc** stm. wasserquelle. **-stade** swm. ufer. **-stange** f., **-stëcke** swm. obsc. penis. **-stein** stm. stein wie er im wasser liegt, kiesel. **-stelze** f. bachstelze. **-stoup** stm. wasserstaub, sprengwasser. **-strâm** stm. wasserstrom, -wirbel. **-strâʒe** f. weg auf dem wasser. **-stube** swf. wasserbehälter, sammelkasten einer wasserleitung; die s. g. arbeitskammer beim bau eines strompfeilers. **-suht** stf. wassersucht. **-sühtic** adj. wassersüchtig. **-tier** stn. wasser-, seetier. **-trager**, **-treger** stm. wasserträger; der wassermann im tierkreis. **-trouf** stm., **-troufe** f. dachtraufe. **-tuft** stf. wasserdunst. **-ünde** stf. wasserwoge. **-urteil**, **-urteile** stnf. gottesurteil durch wasser. **-var** adj. wasserfarb. **-vart** stf. wasserlauf; wasserfahrt, seereise. **-varwe** stf. wasserfarbe. **-vaʒ** stn. wassergefäss. **-veste** adj. durch wassergräben befestigt. **-veste** stf. mit wassergräben umgebene *veste*. **-vlâge** swf. aqua inundans. **-vlieʒ** stm. wasserstrom. **-vlieʒende** part. adj. weinend (augen). **-vlôʒ** stm. überschwemmung. **-vluot** stfm. wasserfluss, -strom; überschwemmung. **-vluʒ** stm. fliessendes wasser, fluss, strom; bach-, flussbett. **-vrouwe** swf. wassernymphe. **-wâc** stm. wasserflut, wasserwoge. **-wëc** stm. weg auf dem wasser; wasserlauf. **-weide** stf. wasserfahrt. **-wilt** stn. wildes seetier. **-wint** stm. fahr-, segelwind; wind der vom wasser herweht, südwind. **-wîp** stn. wassernymphe. **-wolf** stm. der hecht. **-wurm** stm. wasserschlange; blutegel. **-zaher** stm. wassertropfen. **-zol** stm. wasser-, fährzoll. **-zouberære** stm. hydromanticus.

waʒʒerëht adj. wässericht.

waʒʒerer stm. aquarius (sternbild).

waʒʒeric s. *weʒʒeric*.

waʒʒern swv. wässerig sein.

wê s. *wër, wie*.

wê adv. weh (*wê sîn, werden, geschehen, tuon* mit dp.); ellipt. ausruf des schmerzes, unwillens, des staunens oder hohnes ohne od. mit dp., gs. od. mit nachfolgd. fragesatze der verwunderung, des wunsches. — *-wes* stn., **wê** stf., **wêwe**, **wêhe**, **wê** stswm. stswf. wehe, schmerz, leid, krankheit; geburtswehe. **-lich** adj., **-liche** adv. weh, jammervoll. **-müete**, **-muot** stf. wehmut. **-schrei** stm. wehgeschrei. **-tac**, **-tage** stswm. leibl. schmerz, leiden, krankheit. **-tât** stf. das wehtun, der schmerz. **-tuom** stm. schmerz. **-tuon** stn. = *wêtât*. **-tuonde** part. adj. schmerzvoll.

wëbære, **-er** stm. weber; als schachfig. dritter *vende*. **wëberknëht** stm. webergeselle. **-meister** stm. weber. **-tunc** stf. textrina.

webbe s. *weppe*.

wëbe-drât stm. webefaden.

-(wëber-)hûs stn. textrina.

-(wëber-)îsen stn. s. v. a. **-(wëber-)kamp** stm. weberkamm. **-stat** stf. textrina.

wëbelen swv. hin und her schwanken, wackeln.

wëben stv. V intr. hin und her fahrend sich bewegen; weben, wirken, flechten, spinnen.

weben swv. weben.

wëberen swv. in reger geschäftiger bewegung sein, hin und her wandern.

wëberinne stf. weberin.

wëberisch adj. zum weben gehörig.

wëb-netzel stn. spinnennetz.

webse, **webze** s. *wefse*.

wëc, *-ges*, **wëg** stm. weg, strasse (*der gotes w.* kreuz-, wallfahrt; *under wegen blîben* unterbleiben, *lâʒen* unterlassen, übergehn, im stiche lassen, *ze wege* hier am wege, zur stelle, zustande, auf den rechten weg, *beider wege* auf beiden seiten; *alle wege* immer; *under wegen* unterwegs). — adv. weg, fort. **-gerihte** stn. = *dorfgerihte*. **-geselle**, **-geverte** swm. reisegefährte.

wech s. *wehe*.

wech interj. = *wê*.

wëche s. *woche*.

wecheln swv. wehen, flattern.

wechic adj. wachsam.

wëcholter f. = *quëckolter*.

wech-tac stm. eine bes. art zinsgut, von geringerem umfange als die *huobe*.

wecke, **wegge** stswm. keil; keilförmiges zeugstück an der kleidung, zwickel; keilförmiges backwerk, weck.

weckelîn stn. kleiner *wecke*.

wecken swv. keil-, zwickelförmig machen.

wecken swv. (prät. *wacte, wahte*) *wach* machen, wecken; erwecken, erregen, beginnen.

wecker stm. wecker; ein gewisser fechthieb.

wecker-liche s. *wackerlîche*.

wedel s. *wadel*.

wedelieren swv. = *wadelen*.

wedel-schîm stm. mondschein

wëder s. *wider*.

wëder pron. welcher von beiden; welcher von mehreren. — *wëder* unfl. n. als disj. fragewort zur einleitung einer dir. od. indir. doppelfrage (welches von beiden, ob), auch mit auslass. des zweiten gliedes; ausser der frage vor nachfolgd. *oder* (= welches von beiden es sei). **-halp**, **-halbe** adv. s. v. a. **-sît** adj. auf jeder von beiden seiten.

wëde-wal s. *witewal*.

wëfel s. *wëvel*.

wefse, **webse**, **webze**, **wespe**, **vespe** swf. m. wespe.

wëg s. *wëc*.

wëgære, -er stm. wegweiser.

wëgære, -er stm. = *wæger*; helfer, beschützer.

wege stf. = *wage* 1.

wëge-bluome swm. sonnenblume (vgl. *wegewîsbluome*). **-breite, -breit** stf. m. wegebreit (pflanze). **-brôt** stn. viaticum **-(wëg-)gëlt** stn. weggeld, -zoll; geld zur unterhaltung, ausbesserung der wege; = *wâgegëlt*. **-haft** adj. auf dem wege befindlich, gehend. **-lâge** stf. weglagerung. **-lâgen** swv. weglagern. **-lâgerunge, -lâgunge** stf. = *-lâge*. **-lange** swf. gelände am wege hin. **-leite** stf. wegweisung. **-leiter** stm. wegweiser. **-liute** pl. reisende. **-lôn** stm. weggeld. **-lôs** adj. ohne weg, nicht wissend wohin sich zu wenden. **-(wëg-)lœse** stf. abgabe an den guts- oder zinsherrn beim abzuge von einem gute, bei der veräusserung eines solchen. **-man** stm. reisender. **-meister** stm. = *wâgemeister*; weg-, strassenmeister. **-müede, -muode** adj. von der reise ermüdet. **-reise** stf. zug auf dem wege, reise, pilgerfahrt. **-reise** swm., **-reiser** stm. wanderer, pilger. **-rich** stm. = *-breite*. **-rihte** stf. wegrichtung. **-scheide** stswf. wegscheide, scheideweg. **-scheidele** swf. dasselbe. **-schiehe** adj. wegscheu, scheu. **-spîse** stf. wegzehrung. **-stein** stm. stein, in einer gassegesetzt,damit man trocken gehn könne; pflasterstein. **-trëte** swf., **-trit** stm. der wegetritt (pflanze). **-vart** stf. reise. **-vertic** adj. des weges fahrend, reisend. **-vreise** stf. reisegefahr. **-vüerer** stm. wegweiser. **-warte** f. wegwart (pflanze). **-weide** stf. = *-vart*. **-wernde** part. adj. den weg verwehrend. **-wîsbluome** swf. sonnenwirbel, wegweis. **-wîse** adj. wegkundig. **-wîse** swm. wegweiser. **-wîse** swmf. wegweis. **-wîse** stf. weisung des weges; wegzehrung, letztes abendmahl (spät auch stm.). **-wîser** stm. wegweiser. **-wist** stf. m. wegzehrung. **-zil** stn. wegstrecke.

wëge, wëgede stf. hilfe, fürbitte. **-haft** adj. sich für jemand verwendend, helfend. **-(wëgen-)lich** adj. beweglich, hilfreich.

wegelen swv. = *wackeln*.

wegelîn stn. dem. zu *wage* 2.

wegellîn s. *wegenlîn*.

wëgen stv. V, manchmal bes. md. unter einfluss von *gewähenen* nach VI *wuoc* (*wûc*), *wuogen*: intr. u. refl. sich bewegen, die richtung nehmen (*dar, nider, gegen, ûf, von, wider, ze*). — intr. gewicht, zahl, wert haben (ohne od. mit acc. d. masses, dp.); abs. gleichen wert haben; mit dp. helfen, beistehn (für swv. *wëgen*). — tr. in bewegung setzen, richten, bringen; wägen, schwer oder leicht (*hôhe, swære, ringe, lîhte*) an gewicht, an wert anschlagen, schätzen, erachten; unpers. mit dp. dünken, sich kehren an; mit dp. zuwägen, -teilen, geben; auf der folter wägen, foltern; genau festsetzen, bestimmen.

wëgen swv. gewogen sein, helfen, sich verwenden für, beistehn mit dp.

wëgen swv. einen weg bahnen; *wëge w.* wege gehn, betreten; auf einen weg bringen.

wëgen dat. pl. von *wëc*: *von — wëgen* mit dazwischentretendem gen. von — seite, auf anlass, mit rücksicht auf, in betreff, wegen, aus.

wegen swv. *wigen* machen, bewegen, wiegen, schwingen, schütteln; erwägen, bedenken, beraten.

wëgene stf. *in der w.* in der weise.

wëgen-lich s. *wëgelich*.

wegen-lîn, wegellîn, wegelîn stn. dem. zu *wagen*.

wëger s. *wëgære*.

weger stm. beweger.

wëgesalunge stf. wegzehrung.

wegge s. *wecke*. dazu:

weggëht adj. keilförmig.

wegisen s. *wagense*.

wëgunge, wegunge stf. bewegung (*der erde w.* erdbeben).

wehe, wech swm. der weihe.

wêhe s. *wê* 2.

wëhen stv. V blinken, strahlen; *wider w.* mit dat. (mit blanker waffe) kämpfen, sich widersetzen. — swv. ausdruck starker gemütsbewegung: erblühen(wangen), pochen (herz), schmachten; laut werden, anschlagen (der hunde).

wëhen s. *wêwen*.

wehsede stf. wachstum.

wëhsel stm., md. *wechsel, wessel* (auch stn.) wechsel, tausch, austausch, ersatz, handel; vorkaufsrecht; lied in gesprächsform. **-angesiht** stf. wechselndes aussehen. **-balc** stm. wechselbalg. **-banc** stf. tisch des geldwechslers. **-brief** stm. wechselbrief, wechsel. **-hûs** stn. bankhaus. **-kint** stn. = *wëhselbalc*. **-kouf** stm. wechselseitiger kauf, tausch. **-kus** stm. wechselseitiger kuss. **-lich** adj., **-liche** adv. abwechselnd, wechselseitig. **-loube** f. wechselbank. **-mære** stn. wechselgespräch. **-phose** swm. geldbeutel des wechslers od. des kaufmanns. **-rede** stf. wechselrede; veränderliche, sich widersprechende rede. **-rëht** stn. recht und gerechtsame der wechsler. **-sage** stf. wechselrede. **-schaft** stf. wechsel, umtausch. **-schiht** stf. vertauschung. **-site** stm. unbeständigkeit. **-slac** stm. gegenseitiger schlag. **-spil** stn. wankelmut in der *minne*. **-strît** stm. gegenseitiger *strît*. **-wort** stn. wechselwort, -rede.

wëhselære, -er stm. der wechselt, abwechselt; geldwechsler; als schachfigur vierter *vende*.

wëhselât stf. wechsel.

wëhsele, wëhsel stf. tausch, wechsel; wechselbank.

wehselîn stn. dem. zu *wahs*.

wëhseln swv. (alem. auch *wihseln*, md. *wechseln, wesseln*) wechseln, um-, einwechseln, -tauschen, vertauschen, ändern (mit gen., acc.); abs. vom wechsel des wildes.

wëhselunge stf. wechselwirkung.

wehsen, wehsîn adj. von wachs. **-lich** adj. wie von wachs, biegsam, unbeständig.

wehten swv. wache halten.

wehter s. *wahtære*.

wei interj.

weibel stm. gerichtsbote, gerichtsdiener. **-ruote** f. *ruote* (schwert) des weibels.

weiben, weibeln swv. sich hin und her bewegen, drehen, schwanken, schweben.

weibe-zegelen, -zëlen swv. schweifwedeln.

weich adj. weich; biegsam, schwank; nachgiebig, zart, milde; schwach, furchtsam. **-heit, weicheit** stf. weichheit; weichlichkeit. **-liche** adv. auf weiche, milde weise; verweichlicht.

weiche adv. weich; furchtsam, feige. — stf. weichheit; die weiche am menschl. körper. **-gürtel** stmf. gürtel um die weiche.

weichelinc, -ges stm. weibischer mann, weichling.

weichel-muot stm. wankelmut.

weichen swv. intr. *weich* werden. — tr. *weich* machen; lenken; rückgängig machen (urteil).

weichunge stf. erweichung.

weid s. *weit*.

weide, weid stf. futter, speise; nahrungserwerb; weide, weideplatz; tagreise, weg; jagd; fischerei. **-ganc** stm. gang, trieb auf die weide; weiderecht; gang zur jagd. **-gat** stn. = *weideloch*. **-geselle** swm. jagdgefährte. **-geselleschaft** stf. verhältnis von jagdgefährten. **-hûs** stn. jagdhaus. **-lêhen** stn. jagdlehn. **-lich** s. *weidenlich*.

-liute pl. zu *weideman*. **-loch** stn. afterloch des wildes. **-man** stm. jäger, fischer. **-mëʒʒer** stn. jagdmesser. **-nache** swm. fischernachen. **-schif** stn. fischerkahn. **-spieʒ** stm. jagdspiess. **-spruch** stm. jägerspruch, -schrei. **-tac** stm. jagdtag. **-wërc** stn. weidwerk, jägerei; zur jagd gebrauchte tiere. **-zülle** swf. fischerkahn.

weidec-lich adj., **-liche** adv. stattlich.

weidelin stn. kleine weide.

weidelinc, *-ges* stm. fischerkahn, kleiner nachen.

weidel-wërc stn. = *weidewërc*.

weiden swv. weiden tr., intr. u. refl.; ausweiden; refl. m. gs. geniessen.

weidenære, -er stm. fütterer; jäger; jagdmesser, hirschfänger.

weidenen swv. weiden, jagen.

weiden-heit stf. jägerei; schönheit, stattlichkeit. **-(weide-)lich** adj., **-liche** adv. jägermässig, jagdgerecht; frisch, keck, tüchtig, ausgezeichnet, stattlich, schön.

weidenie stf. jagd; fischerei.

weie, weige stf. gewieher.

weien s. *wæjen*.

weien, weijen, weigen swv. wiehern.

weife f. garnwinde, haspel.

weifen swv. haspeln; entfalten, schwingen.

weifier, weifiere stnf.? eine art spitzen (vgl. afz. *guipure* von got. *veipan*, mhd. *wîfen*).

weige, weigen s. *weie, weien*.

weigen swv. intr. schwanken, wackeln; tr. wackelnd bewegen.

weiger stf. das widerstreben. **-lichen** adv. stolz, stattlich; sich widersetzend, verteidigend.

weigern swv. sich widersetzen, weigern; versagen, verweigern mit gs.; *ûf einen w.* in einer sache, die man zu tun sich weigert, auf einen andern sich berufen, ihn vorschieben.

weigerunge stf. weigerung.

weijen s. *weien*.

wein-bærlich adj. kläglich. **-leich** stm. klagegesang. **-(weine-)lich** adj., **-liche** adv. weinend, weinerlich, kläglich, betrübt.

weine stf. n. das weinen.

weine-klagen swv. weinend klagen, beklagen.

weinen, wênen, weinern swv. intr. u. refl. weinen. — tr. weinen um, wegen; beweinen.

weinende, weinde part. adj. weinend, wehklagend; beweinend.

weinendic adj. weinend.

weiner stm. der weinende.

weiner s. *wagener*.

weinic s. *wênec*.

weinôt stm. das weinen.

weise adj. verwaist; beraubt, entblösst. — swmf. waise; der nicht seinesgleichen habende edelstein der deutschen königskrone, diese krone selbst; reimloser vers in einer strophe. **-(weisen-)kint** stn. waisenkind. **-tuom** stn. zustand, lage eines waisen.

weiselîn stn. waise.

weisen swv. *weise*, zum *weisen* machen.

weisen-bære adj. waisenhaft.

weisinne, -in stf. die waise.

weit, weid stm. waid, das färbekraut; befleckung. — adj. blau. **-asche** f. waidasche. **-hâr** adj. mit waidfarbem haare. **-hûs** stn. waidniederlage. **-kouf** stm. waidkauf, waidhandel. **-krût** stn. waidkraut. **-var** adj. = *weitîn*.

weit stn. eine art netz.

weitære stm. der mit dem *weit* fischt.

weitære stm. blaufärber.

weitîn adj. blau, bläulich.

weiʒ-becke swm. weissbrotbäcker. **-brôt** stn. weizenbrot. **-gëlt** stn., **-gülte** f. weizenzins. **-(weiʒen-)korn** stn. weizenkorn. **-(weiʒen-)mël** stn. weizenmehl.

weiʒe, weiʒʒe, weiʒ, weize stswm. weizen.

weiʒel stm. = *meiʒel*, charpie.

weiʒeln swv. = *meiʒeln*.

weiʒen-var adj. weizenfarb.

weiʒîn adj. von weizen.

wel s. *welch*.

wël, *-lles* adj. rund.

wel s. *wele*.

welære,-er, weller stm. wähler.

wëlben stv. III, 2 refl. u. intr. sich in die runde ausdehnen.

welben, welwen swv. bogenförmig gestalten, wölben; wälzen.

wël-boum s. *wëlleboum*.

wëlc, wëlch, wilch adj. feucht; lau; weich, milde, gelinde; welk.

welch, welh, welich, wel; wilech, wilich, wilch, wilh pron. interr. mit subst. wie beschaffen, welch; ohne subst. welch, wer; relat. für *swelch*.

wele, wel stf. = *wal* wahl, auswahl.

wëlede stf. wohlbehagen.

wëledic adj. üppig, behaglich.

welen s. *weln*.

wëlf, wëlfe stswm. n. junges von hunden u. von wilden tieren. — *Welf, Welfe* persönl. u. geschlechtsname. **-lewe** swm. junger löwe.

wëlf adj. s. *gëlf*.

wëlfe stf. = *gëlfe* übermut, gewalt.

wëlfelîn, wëlfel stn. dem. zu *wëlf*.

wëlfen swv. junge werfen.

welgeln swv. wälzen.

wëlgen stv. III, 2 refl. rollen. wälzen.

welgern s. *walgern*.

welhisch s. *walhisch*.

welhischen adv. romanisch.

wëlic adj. reich, im wohl stande lebend.

welich s. *welch*.

welich-heit stf. qualität.

wëlken swv. = *swëlken*.

welker s. *walker*.

wël-kropf s. *wëllekropf*.

wëlle stswf. woge, welle; walze, wellbaum; stroh-, reisigbündel; tuch-, leinwandballen. **-(wël-)boum** stm. walze, wellbaum. **-(wël-)kropf** stm. windenrad zu einer armbrust.

wëllec adj. rund (s. *sinwëllec*). **wellic (wallic)** adj. wallend, siedend.

wëllegen swv. wogen schlagen.

wellen s. *weln*.

wellen, wollen, wöllen, wullen an. v. wollen, beabsichtigen, verlangen, wünschen, abs. (d. h. mit einem zu ergänzenden inf., bes. eines zeitw. der bewegung), mit acc. (wobei auch oft ein vb. der beweg. zu ergänzen ist), mit inf. ohne od. mit *ze*, mit acc. u. inf., mit nachs., die person von der man etwas *wil* im gen.; als hilfsverb des futurums (bes. vermutend), im prät. zur bildung kondit. sätze dienend, zum ausdrucke einer beabsichtigten aber nicht ausgeführten tätigkeit. — der meinung sein, glauben, vermuten, mit inf.; behaupten; bedeuten.

wëllen stv. III, 2 runden, rollen, wälzen (part. *gewollen*); streichen, schmieren.

wellen swv. runden, rollen, wälzen.

wellen swv. *wallen* machen, zum sieden od. schmelzen bringen. — intr. = *wallen* stv.

wëllen-gezouwe stn. eine art zugnetz.

wellent = *swelhen, welhen enden*: nach welcher seite, wohin.

weller s. *welære*.

weln, welen, wellen swv. wählen, er-, auswählen.

wëlp s. *wëlf*.

wel-recke s. *wal-recke*.

wels stm. wels (fisch).

welsch s. *walhisch*.

wëlt s. *wërlt, wërlt-*.

weltic, weltigen s. *waltec, waltigen*.

welunge, walunge stf. wahl, erwählung.

welwen s. *welben*.

welzeln, welzern swv. wälzen — intr. sich umwälzen.

welzen swv. *walzen* machen, wälzen, rollen, drehen; gleichsam abrollend erzählen. — intr. = *walzen*.

welzern swv. s. *welzeln*.

wemmerzen swv. wehklagen.

wempel, wembel stn. dem. zu *wambe*.

wen s. *wan, wande, wanne, wante*.

wen stf. leerheit.

wênc s. *wênec*.

wende s. *wan, want, wande*.

wende stf. wende, rückwendung, -kehr (*âne w.* unabwendbar, unleugbar, sicherlich); ort des wendens; ende, grenze; seite, himmelsgegend; richtung, weise, handlungsweise; schande. **-hôch** stn. hebe- und wendegerät, kran. **-kriec** stm. dasselbe. **-lich** adj. wendbar. **-mül** stf. handmühle. **-zagelen** swv. schweifwedeln.

wendec, wendic adj. rückgängig; abwendig, befreit von (gen., *an*); beendet; gerichtet *ze*.

wendel stm. = *wender*.

wendeler s. *wandeler*.

wendelîn stn. = *gewendelîn*.

wendel-(wandel-)mer stn. das rings um die erde gehnde, sich windende meer, weltmeer. **-muot** s. *wandel-muot*. **-sê** stm. = *wendelmer*. **-stein** stm. wendeltreppe. **-stiege** f. dasselbe.

wenden swv. tr. anrühren, betasten; umwenden, -kehren; rückgängig machen, abwenden, wehren, hindern, verhindern, ohne od. mit dp., mit gs. abwenden von, verhindern an; verwandeln; kehren, richten *an, in, von* usw.; ausrichten (*botschaft*); an-, verwenden, vermachen. — *gewant* part. adj. angebracht, verwendet, ausschlagend *ze*, zuteil geworden, zustehnd mit dat., jem. verhältnissen angemessen, sich verhaltend, bewandt, beschaffen; im verhältnis stehnd zu, geneigt, beteiligt (mit dat. oder *ze*). — intr. (für refl. oder mit zu ergänz. obj. *ros, schif*) eine richtung einschlagen, sich wenden, umkehren; sich erstrecken; grenzen *an*; sich enden, aufhören.

wender stm. wender, hin-, um-, abwender.

wenderinne stf. abwenderin.

wendunge stf. abwendung (des schadens).

wênec, wênic adj. adv. (ält. form *weinic*, nasal. *wêninc*, synkop. *wênc*) akt. weinend, klagend. — pass. zu beweinen, erbarmenswert, unglücklich *wênc, wênq* nach andern interj. ausrufung des leides und des mitleides); klein, gering, schwach. — unflekt n. subst. *wênic, ein w., vil w.* wenig, nichts (meist mit gen.). — adv. wenig, kaum, nicht (*vil w.* durchaus nicht, gar nicht, *w. ieman* kaum jemand, fast niemand, *w. iht* nichts, gar nicht, *w. ie* nie). **-heit** stf. elend, not, unglück; kleinigkeit.

wenen, wennen swv. tr. gewöhnen, gewöhnen an (mit gen. od. *an, nâch, ûf, zuo*, mit inf. od. nachs.); sich angewöhnen. — refl. sich gewöhnen, sich g. an (mit gen., *an, ûf* od. nachs.).

wênen s. *wœnen, weinen*.

wengelîn, wengel, wangel stn. dem. zu *wange*.

wenke stf. wendung.

wenkel stn. dem. zu *wanc*.

wenkelieren swv. = *wenken*.

wenken swv. intr. einen *wanc* tun, wanken, schwanken, weichen, schweifen; eine winkende bewegung machen, winken. — tr. wenden, bewegen; tadeln.

wenkic adj. wankend.

wenne s. *wan, wande*.

wennen s. *wenen*.

wente s. *wan, wante*.

went-lich adj. veränderlich, unbeständig. **-lichen** adv. mit schanden.

wenz adv. u. konj. = *wante*.

wepfe, wepf swm. stn. zettelgarn, einschlag.

wëpfen swv. springen, hüpfen.

weppe, webbe stn. aufzug eines gewebes, das gewebe selbst; spinnengewebe; gürtel; riemen.

wër s. *wir*.

wër, waȥ pron. interr. wer, was (in dir. u. indir. fragen, ohne od. mit gen.) ohne fem. u. pl., die formen des m. gelten auch für das fem. — *waȥ* mit gen. was für, wie viel; *waȥ* adv. wozu, wiefern; in ellipt. verwendung; *waȥ obe* wie wenn, vielleicht; *waȥ denne, danne, dar umbe* u. dgl. was tut es? was liegt daran? meinethalben. — gen. *wës* wessen, wovon; *wës* adv. weshalb. — instr. *an, in, von, mit, ze* usw. *wiu* woran, worin, wozu, womit, weshalb. — *wër, waȥ* als pron. indef. für *etewër, -waȥ* als relat. für *swër, swaȥ*.

wër stm. mann (in *wërgëlt, wërwolf, wërlt*).

wër stf. dauer.—, **wëre** swm. der gewährt od. gewährleistet; gewährsmann, bürge. — stf. gewährung; bürgschaft; bezahlung, wert, preis; geldwährung. **-bære** adj. imstande bürgschaft zu leisten. **-bürge** swm. gewährleister. **-haft, -haftic** adj. dauerhaft; gewährend; gesetzlichen zahlungswert habend (geld). **-lich** adj. einer gewährung würdig. **-liute** pl. zinsleute. **-man** stm. gewährsmann, bürge. **-schaft** stf. gabe, geschenk; bezahlung, sicherstellung, bürgschaft; gewährleistung des besitzrechtes. **-schulde** swm. bürge. **-wort** stn. zusicherndes, gewährleistendes wort.

wer, were stf. = *gewer* 1, investitura, besitzrecht, besitz, gewalt, amt, *phlege*.

wer, were stf. verteidigung, wehr, kampf, widerstand, weigerung; gesamtheit der verteidiger, kriegsmacht, heer; was zur verteidigung dient: waffe, brustwehr, befestigung, hindernis. — stn. waffe; wehr in einem flusse. **-haft, haftic** adj. kampfgerüstet, kampfbereit, bewaffnet, tapfer; auf verteidigung eingerichtet, schutz bietend, befestigt. **-hûs** stn. propugnaculum. **-kampf** stm. wehr-, verteidigungskampf. **-lich** adj., **-liche** adv. = *werhaft*. **-lôs** adj. wehrlos, unbewaffnet; dessen verteidigung vor gericht nicht angehört wird. **-schaft** stf. = *gewerschaft*. **-wort** stn. wort der abwehr, entschuldigung, ausrede, ausflüchte.

wërbære, -er stm. der ein geschäft treibt; der sich um etw. bewirbt.

werbe s. *warp*.

wërbe stn. = *gewërbe*.

wërbe, wërve stf. wirbel, strudel; damm, dammstrasse an einem flusse.

wërbe-lôs adj. ohne gewerbe.

wërben, wërven stv. III, 2 intr. sich (in einer kreislinie, um eine achse) bewegen, drehen; sich umtun, bemühen (*an, ûf, nâch, umbe*), benehmen, tätig sein, streben, handeln, verfahren, sich bewerben. — refl. seinen weg nehmen (von den flüssigkeiten im körper); unpers. *eȥ ist geworben* ergangen, geschehen. — tr. in bewegung setzen; mit ap. sich bewerben um; (durch einen boten) berufen, einladen, bestellen; mit as. ins werk setzen, tun, schaffen, betreiben, ausrichten, sich bemühen, werben um; mit dat. u. acc. für einen (als brautwerber) werben um; ausrichten, besorgen; bittend erwerben, bitten um.

werben swv. wälzen, rollen, drehen.

werbering s. *urbarigen*.

wërberinne stf. werberin, kupplerin.

wërbe-zagel stm. wedelnder schwanz.

wërc, wërch, *-kes, -ches* stn. werk, tat, handlung, geschäft, arbeit; gemachtes, vollendete hand- od. kunstarbeit; bauwerk; zu weiterer verarbeitung zubereiteter rohstoff; was auf einmal verarbeitet wird, bes. die zum ausprägen einer bestimmten anzahl stücke einer geldsorte gemischte masse von silber u. kupfer od. von gold u. silber; werg; maschine, maschinerie, bes. belagerungs-, wurfmaschine; rüstung. **-art** stf. fronarbeit. **-arten** swv. roboten. **-bære** adj. handwerksmässig. **-brët** stn. schutzbrett. **-gadem** stn. arbeitshaus, werkstätte. **-genôȥe** swm. handwerksgenosse. **-gerüste** stn. werkgerät. **-geziuc** = *wërcziuc*. **-holz** stn. nutz-, bauholz. **-hûs** stn. werkstätte; haus für klösterliche handarbeit. **-hütte** swf. bauhütte. **-lich** adj., **-liche** adv. kunstgerecht gemacht, künstlich, wunderbar, wunderlich. **-lîn** stn. dem. zu *wërc*; flocke wergs. **-liute** pl. zu *wërcman*. **-lôn** stn. arbeits-, tagelohn. **-man** stm. schöpfer; werk-, baumeister, künstler (bes. in schmiedearbeit), handwerker, arbeiter, maschinenmeister. **-meister** stm. dasselbe; vorsteher des stadtrates; aufseher über die *mentager*. **-schuoch** stm. schuh als längenmass der zimmerleute und maurer. **-spæhe** adj. = *wërcwîse*. **-stat** stf. werkstätte. **-tac** stm. werk-, arbeitstag. **-wîp** stn. arbeiterin. **-wise** adj. geschickt in der arbeit, kunstfertig. **-woche** swf. arbeitswoche. **-ziuc** stmn. werkzeug; belagerungswerkzeug.

wërde adv. herrlich, zu ehren, zur freude.

wërde, wërdec- s. *wirde, wirdec-*.

werde stf. md. = *wer* 2 verteidigung.

werde swm. = *wert* insel.

wërde-lich adj. zum werden geeignet, werdend.

werdelîn, werdel stn. dem. zu *wert* kleine insel.

wërde-lôs adj. ohne werden.

wërden stv. III, 2 eine richtung einschlagen, kommen, gelangen *ze* (*enein, über ein w.* mit gen. übereinkommen, mit sich selbst eins werden), mit dp. zufallen, widerfahren, zuteil werden, bekommen; mit dat. u. *ze*: werden, ausschlagen, gereichen zu; geboren werden, entstehn, wachsen, zustande kommen; anfangen zu sein, werden, vor sich gehn, geschehen, (mit subst. präd. im nom., mit präd. flekt. od. unflekt. adj., mit part.präs.; durch abschleifung der partic. in die infinitivform entwickelt sich die umschreibung des futurums u. des präteritums; mit part. prät. zur umschreib. des passivums); mit gen. werden zu, gerechnet werden zu; werden aus, geschehen mit.

wërdeu swv. *wërt* halten, würdigen, schätzen, verherrlichen.

werder stm. insel (s. *wert*).

wërdern swv. abschätzen.

wërderunge stf. abschätzung.

wërelt, wërelte s. *wërlt*.

weren, wëren s. *wern, wërn*.

werer stm. gewährleister, bürge; gläubiger.

wërfære, -er stm. werfer.

werfe stswf. = *warf*.

wërfen stv. III,2 tr. in schnelle bewegung setzen, werfen, zur welt bringen, schleudern, stossen, rasch wenden, jagen, streuen u. dgl. — refl. *sich zesamene w.* sich rasch versammeln; *sich von einem w.* abfallen. — abs. (je nach dem ausgelassenen obj.) schleudern, schiessen; steinigen; würfeln, fliegen lassen; bergm. schürfen.

wergel stm. = *warc-gengel*.

wër-gëlt stmn. geldbusse für totschlag (eig. zahlung für einen mann).

***wërgen** stv II, 2 würgen.

wergen swv. reissen. **werigen** s. *wern*.

wërilt s. *wërlt*.

wërke-lîcheit stf. = *wirke-*.

wërkelîn stn. dem. zu *wërc*.

wërke-lôs adj. ohne (gute) werke.

wërkel-tac stm. = *wërctac*.

wërken swv. intr. arbeiten, handeln, wirken. — tr. tun, machen, erzeugen, bearbeiten.

wërkenisse stn.? werktätigkeit.

wërker stm. arbeiter, handwerker.

wërkunge stf. das inswerksetzen, die tat.

wërlde s. *wërlt*.

werlîn stn. kleines wehr in einem flusse.

wërlt stf. (nbff. *wërelt, wërilt, wërlet, wërlit, wërlint, wërnet, wërnt, wëlt*; *wërelte, wërlde, wërlnte, wëlte, wëlde*) zeitalter, jahrhundert, -tausend; die ganze schöpfung, welt, erde als wohnsitz der menschen und als gegens. zum meere; menschengeschlecht, menschheit, volk, leute; weltliches, sündiges leben im gegens. zum geistlichen u. himmlischen. **-affe** swm. = *-tôre*. **-arm** adj. von der ganzen welt verlassen. **-êre** stf. weltliche ehre. **-giric** adj. nach weltl. besitztum gierig. **-got** stm. gott d. welt. **-gouch** stm. weltlicher tor. **-kreiȥ** stm. weltkreis, welt. **-künec** stm. könig der erde. **-(wëlt-)lich** adj., **-liche** adv. (auch *wërnt-, wërtlich*) zur welt, zum leben gehörend, weltlich (gegens. zu geistlich u. himmlisch); weltlich gesinnt. **-licheit** stf. weltlicher stand, laien; weltl. rechte, einkünfte, güter. **-lichtuom** stn. weltlichkeit, weltliches leben. **-lust** stm. freude der welt. **-man** stm. mann, mensch auf erden; weltlich gesinnter mensch. **-mer** stn. weltmeer; bildl. meer der weltlichkeit. **-minnære** stm. liebhaber der welt. **-minne** stf. weltl. liebe. **-narre** swm. = *-tôre*. **-rât** stm. aller nur möglicher vorrat. **-riche** adj. reich an weltl. gütern. **-ruom** stm. weltl. ruhm. **-sache** stf. sache, ding der welt. **-sælde** stf. weltl. glück. **-sælic** adj. weltliches glück habend, in irdischem glücke lebend. **-schal** stm. lärm der welt. **-schande** stf. schande vor aller welt, öffentliche schande. **-siech** adj. aussätzig. **-süeȥe** stf. süssigkeit, lieblichkeit der weltfreuden. **-tôre** swm. tor auf der welt, den die welt betört hat. **-tump** adj. von weltlichem unverstand. **-twenge** swm. weltbedränger. **-vröude** stf. freude der welt. **-wîp** stn. frau, weib auf erden. **-wise** adj. vor allen menschen und nach aller menschen urteil weise. **-wünne, -wunne** stf. freude, wonne dieser welt. **-wuostinne** stf. wüste dieser welt. **-zage** swm. erzfeigling, den alle welt kennt. **-zît** stf. zeit der welt bis zum jüngsten tage.

wërlten, wërlden swv. mit der welt verbinden, in die welt einreihen.

werme, wermede stf. wärme.

wermen swv. *warm* machen, wärmen, erwärmen.

wermunge stf. erwärmung.

wërmuot, wërmuote, -üete stswf. n. wermut (pflanze). **-saf** stn., **-souc** stm. wermutsaft. **-wîn** stm. mit wermut angesetzter wein.

wërn, wëren swv. **1. durare:** von perss. verweilen, ausdauern, bei kräften sein, lebend bleiben; von sachen: bestand haben, dauern, währen, bleiben. — **2. praestare:** abs. zahlen, geben; mit gen. leisten, gewähren, vollziehen. — tr. leisten, gewähren, bezahlen, beschenken (mit ap,. as., acc. u.

gen., dat. u. acc., mit dopp. acc.); gewährleisten, bürgen, sicherstellen.

wern, weren, werigen swv. 1. defendere: schützen, verteidigen (mit dp. verteidigen gegen). — refl. mit gen. sich schützen vor, sich verteidigen, wehren, sträuben gegen — wehren, ver-, abwehren, fern halten, versagen, -bieten, hindern, verhindern (mit dat., mit dat. u. acc.) — 2. investire: in besitz setzen, in die gewalt bringen. *ûf einen w.* etwas auf einen wenden.

werne s. *warne.*

wërnet, wërnt s. *wërlt.*

werpfe swm. = *warf.*

wërre stswf. swm. verwirrung, verwickelung, störung, schaden, not, bedrängnis, leid; ärgernis, zerwürfnis, zwietracht, streit, streitigkeit, aufruhr, krieg; gefecht, scharmützel; vorrichtung zum abschliessen, gatter, falltor (davon mlat. *gwerra*, it. *guerra*, fz. *guerre*).

wërrëht adj. verwirrt, in unordnung.

wërren stv. III, 2 durcheinander bringen, verwickeln, -wirren, uneins machen, in zwietracht bringen. — refl. sich verwirren, -wickeln, veruneinigen. — intr. sich verwickeln, durchschlingen; stören, hindern, schaden, kümmern, verdriessen, mit dat.

wërren swv. hindern.

wërrer stm. der verwirrung, zwietracht stiftet.

wërrunge stf. = *wërre.*

wërs, wërst s. *wirs.*

wërt s. *wirt.*

wërt, -des adj. einen gewissen wert habend, geltend, gekauft od. käuflich für (gen.); substantiviert als unfl. n. (*eines pfenninges* usw. *wert*); würdig zu empfangen, teilhaft zu werden, zu besitzen mit gen. — abs. von hohem werte, kostbar, herrlich, ausgezeichnet, ehrenvoll, angesehen, vornehm, edel; teuer, lieb. — stn. m. kaufpreis, wert; wertsache, ware; standesehre; geltung, ansehen, würdigkeit, herrlichkeit. **-genant** part. adj. als würdig bekannt. **-lich** s. *wërltlich.* **-lich, -sam** adj. = *wërt* 2.

wërt stf. *bi w.* + gp. zu lebzeiten.

wërt, wart adj. gewendet, gerichtet (als adj. nur in komposs.). — adv. die richtung habend, -wärts, nach andern advv. u. präpp.

wert, -des stm. insel, halbinsel, erhöhtes, wasserfreies land zwischen sümpfen; ufer.

wertel, werter s. *wart-.*

werten swv. schädigen, verderben.

wërunge stf. gewährung, bezahlung; sicherstellung, gewährleistung des besitzrechtes; gewährleisteter münzwert, gold-, silberwährung einer stadt od. eines landes.

wërve, wërven s. *wërb-.*

wër-wolf stm. werwolf d. i. mensch (*wër*) der zugleich ein wolf sein kann.

wërz s. *wirz.*

werze s. *warze.*

werzelîn, werzel stn. dem. zu *warze.*

wesche stf. wäsche. — swf. wäscherin. **weschen** s. *waschen.* **wescher** stm. wäscher. **wescherinne** stf. wäscherin. **wesch-hûs** stn. waschhaus. **weschinne** stf. wäscherin.

weschel-zagelen swv. = *wende-zagelen.*

wesëht adj. = *was* adj.

wesel adj. dasselbe.

wesel adj. schwach, matt.

wëse-lich s. *wësent-lich.*

weselîn stn. dem. zu *wase.*

wëse-lôs adj. ohne wesen.

wësen stv. V bleiben, verweilen, sich aufhalten; sein, vorhanden sein, da sein, existieren, bestand haben, dauern, geschehen (mit subst. od. adj. präd., mit partic. präs. zur umschreibung des einfachen vb., wobei das part. auch wie bei *werden* in die infinitivform abgeschleift werden kann; *was* mit part. prät. zur umschreib. des plusquamperf., mit *ze* u. inf. zur umschreib. des pass., passiver möglichkeit od. notwendigkeit; mit gen. um eigentum, eigenschaft, abstammung auszudrücken); *was* mit dp. es ist widerfahren, zu leide geschehen. — der konj. prät. *wære* bezeichnet eine voraussetzung, bedingung od. konzession, eine einschränkung od. ausnahme: es wäre denn, ausser, nur; mit *ne, ni*: *newære, niwære*, verkürzt *niwer, newer, niur, neur, nuor*, md. *nûr* (woraus nhd. nur). — sw. prät. u. part. prät. *weste* u. *gewes(i)t.* — stn. das sein, essentia, verweilen, wohnen, der aufenthalt; aufenthaltsort, wohnung, hauswesen; existenz; wesenheit, leben, art zu sein, eigenschaft, zustand, lage; ding, sache.

wësende part. adj. seiend; anwesend.

wësent-heit stf. wesenheit, wirklichkeit. **-(wësen-, wëse-) lich** adj., **-liche** adv. wesen habend, wesenhaft, wirklich, dauerhaft; mit wesen, häuslich. **-lichelt** stf. = *wësentheit.*

wësenunge stf. dasselbe.

weserëht adj. = *wesëht.*

wespe s. *wefse.*

wësse, wesse prät. adj. s. *wizzen*, *was.*

wëssel s. *wëhsel.*

wëst, wësten stm. westen.

weste-barn s. *westerbarn.*

wësten adv. von, in, nach westen. — *die w.* pl. die westleute. **-wint, wëstener** stm. westwind.

wëster adj. westlich. — adv. westwärts. **-halben, -halp** adv. im westen. **-lant** stn. abendland. **-luft** stf. westen. **-mer** stn. westliches meer. **-riche** stn. das reich im westen. **-site** f. westliche seite, westen. **-wint** = *wëstenwint.*

wester stf. taufkleid. **-bar** stm. md. kind im taufkleide, täufling. **-(weste-)barn** stn. m. dasselbe. **-hemde** stn. taufkleid, taufhemd; glückshaube. **-huot** stm. taufkleid. **-kint** stn. = *westerbarn.* **-kleit** stn. taufkleid. **-lege** stf. die anlegung des taufkleides. **-touf** stm. taufe (im *westerkleide*). **-wât** stf. taufkleid.

wëstert adv. = *wëster.*

wëstvâlen swv. zu einem Westfalen machen.

wësunge stf. wesen, wesenheit, wirklichkeit, dasein, leben.

wet, wete stf. bucht. — s. *wette* 2.

wëten, wëtten stv. V binden, ein-, zusammenjochen, verbinden.

weten, wetten swv. intr. waten, gehn. — tr. gehn machen, treiben; gehn durch, niedertreten.

wëter, wëtter stn. wetter (gutes oder böses), witterung, gewitter, ungewitter; freie luft. **-blic** stm., **-blitzen** stn. blitz. **-glast** stm. blitz. **-han** swm. wetterhahn. **-hërre** swm. *die wetterherren* heilige (namentl. Johann und Paul), die gegen gewitterunglück angerufen werden. **-lëche, -lëch, -liche, -leich** stswm. blitz. **-lëchen, -lichen, -leichen** swv. blitzen, wetterleuchten. **-lich** adj. das wetter betreffend. **-litzen** swv. wetterleuchten. **-liuten** stn. das läuten bei einem gewitter. **-sager** stm. wetterprophet. **-slac** stm. blitzschlag. **-sorgære** stm. der um das wetter besorgt ist; der abergläubisch auf das wetter achtet. **-stæte** adj. im unwetter ausharrend. **-tac** stm. tag mit günstiger witterung. **-var** adj. wetterfarbig, vom wetter gekennzeichnet. **-wîse** adj. wetterkundig.

wëteren swv. tr. in der freien luft trocknen.

wetscher, wetschger s. *wetzger*.

wette adj. abbezahlt, wett.

wette, wete, wet stn. wette, pfandvertrag, rechtsverbindlichkeit, gesetz; zeichen einer rechtsverbindlichkeit, pfand, bes. der einsatz, preis eines wettspieles; wettstreit (*in wette, enwette, ûf, umbe, ze wette* um die wette); spiel überh.; erfüllung und aufhebung einer rechtsverbindlichkeit, bezahlung einer schuld, vergütung eines schadens, ersatz für, beseitigung von (gen.); geldbusse, in die man gegen den richter verfällt, bes. versäumnisstrafe bei nicht geleisteter zahlung. **-gëlt** stn. = *wette* geldbusse. **-haft** adj. des *gewettes* schuldig, straffällig. **-louf, -louft** stm. wettlauf. **-loufer** stm. wettläufer. **-phenninc** stm. = *wettegëlt*. **-phenninger** stm. einnehmer des *wettephenninges*.

wëtten, wetten s. *wëten, weten*.

wetten swv. pfand geben mit dat.; durch ein pfand sichern mit dat. u. acc.; ein pfand einsetzen, wetten (mit gs., nachs. od. *umbe*); *gewette* geben, zahlen.

wetten stn. = *wettunge*.

wëtter s. *wëter*.

wettunge stf. pfandvertrag, wette.

wetze adj. = *was*.

wetzel-stein = *wetzestein*.

wetzen swv. *was* machen, schärfen, schleifen, wetzen; bildl. anfeuern, reizen (*den sin w. nâch, ûf* mit begierde richten). — *sich w. gen einem* angreifen, *an einem* sich reiben an.

wetze-, wetz-stein stm. wetz-, schleifstein.

wetzger, wetzker, wetschger wetscher stm. reisetasche, felleisen (entstellt aus *wâtsac*?).

wëvel, wëfel stn. der einschlag beim gewebe.

wêwe s. *wê* 2.

wêwen, wêhen swv. schmerzen, wehtun mit dat.

wêwic-heit stf. schmerz, leid.

wezzerer stm. wässerer, bewässerer.

wezzeric, wazzeric adj. wässerig, feucht.

wezzerlîn stn. dem. zu *wazzer*.

wezzern swv. wässern, bewässern; dazu **wezzerunge** stf.

wî s. *wir*.

wî interj. = *wê*.

wîære s. *wîwœre*.

wîb s. *wîp*.

wibel stm. wiebel, kornwurm. **-æzic** adj. vom kornkäfer zerressen. **-brôt** stn. brot aus *wibelæzigem* getreide. **-val, -var** adj. fahl wie ein kornwurm.

wibelen swv. wimmeln.

wîbeler stm. durch zu innigen umgang mit weibern weibisch gewordener mann.

wîbelîn, wîbel stn. dem. zu *wîp*.

wîben swv. intr. weiblich sein, für ein weib sich ziemen. — intr. u. refl. sich als *wîp* betragen, zeigen. — tr. zum weibe, weibisch machen; mit einem weibe versehen, vermählen. — intr. u. refl. ein weib nehmen, sich beweiben.

wîbîn adj. weiblich; weibisch.

wîbisch adj. weibisch.

wîc, *-ges* stmn. kampf, krieg, schlacht; anfechtung. **-gar** adj. kampfgerüstet. **-gare** stf. kampfrüstung. **-genôz** stm. kampfgenosse. **-gerüste** stn. kriegsrüstung; kriegsmaschine. **-gesanc** stmn. kampf-, siegeslied. **-geselle** swm. = *wîcgenôz*. **-geserwe** stn. kriegskleidung, kriegsrüstung. **-gewæfen** stn. bewaffnung zum kriege. **-gewant, -gewæte** stn. = *wîcgeserwe*. **-geziuc** stmn. was zur rüstung und bewaffnung gehört. **-got** stm. kriegsgott. **-haft** adj. streithaft, im kriege zu brauchen, befestigt. **-herte** adj. = *strîtherte*. **-horn** stn. kriegs-, schlachthorn. **-hûs** stn. für den krieg festes gebäude, festungsturm, blockhaus u. dgl.; turm auf einem elefanten. **-hûsen** swv. mit verteidigungswerken versehen. **-klamme** stf. kampfschlucht. **-leich** stm., **-leise** swm. = *wîcgesanc*. **-lich** adj. kriegerisch. **-lîche** adv. kampfgerüstet, kriegerisch, tapfer. **-liet** stn. = *wîcgesanc*. **-man** stm. kriegsmann. **-nôtic** adj. im kampfe bedrängt. **-ræze** adj. kampfwild, kampfgierig. **-schar** stf. kriegsschar. **-spæhe** adj. kampfkundig. **-stat** stf. kampfplatz. **-vaz** stn. streitsüchtiger. **-wer** stf. kriegs-, schlachtrüstung; verteidigungswerk.

wîch, wich stm. das weichen, wanken, fliehen. **-haft** adj. weichend, flüchtig. **-lich** adj. weichend, nachgebend.

wîch, *-hes* adj. heilig (*diu wîhe naht* Christnacht, pl. *gegen, ze* usw. *den wîhen nahten, nehten* kompos. *wîhenahten, -nehten, wînnahten, wînahten, -nehten*). **-(wîh-)bischof** stm. weihbischof. **-(wîh-)boum** stm. cassia. **-brunne** swm. weihwasser. **-dorn** stm. = *wîchboum*, kreuzdorn. **-kezzel** stm. weihwasserkessel. **-tuom** stmn. weihe, weihung; zustand der heiligkeit. **-vaste** f. quatemberfaste. **-vleisch** stn. geweihtes fleisch. **-(wîh-)wazzer** stn. = *wîchbrunne*.

wîch stm. wohnsitz, stadt (in kompos.). **-(wîc-)bilde** stn. bild, kreuz zur bezeichnung der grenze des stadtgebietes; stadt-, ortsgebiet; gerichtsbarkeit über stadt und stadtgebiet; stadtrecht; nach stadtrecht besessene liegende güter; bischöfl. sprengel. **-grâve** swm. stadtrichter. **-vride** stm. stadtfriede, stadtschutz.

wîchen s. *wîhen*.

wîchen stv. I, 1 eine richtung nehmen (*nâch einem* folgen), seitwärts od. rückwärts gehn, ausweichen, sich zurückziehen, entweichen, fliehen; mit gen. ablassen von, mit dat. weichen, zurücktreten vor, aus dem wege gehn, platz machen; mit loc. acc. entweichen auf, durch.

wicke s. *wieche*.

wicke swstf. wicke; etwas wertloses. — stf.? schlimme künste, schlechtigkeiten.

wickelîn stn. dem. z. vorigen.

wickeln, wicken swv. wikkeln.

wicken swv. = *meizeln* (wunde).

wicken swv. tanzen, hüpfen.

wicken swv. zaubern, wahrsagen (nd.).

wicker stm. zauberer, wahrsager; gaukler.

wid, wide s. *wit*.

wîdach stn. weidicht.

widder s. *wider*.

wîde swf. weide. **-gerte** f. weidenrute.

widelîn stn. dem. zu *wit*.

wîdelîn stn. weidenrute.

widem-buoch stn. aufzeichnung des *widemen*. **-gëlt** stn. abgabe des *widemers*. **-guot** stn. zu einem *widem* gehöriges, ihm zinsbares gut. **-hof** stm. zu einem *widem* gehöriger hof, pfarrhof. **-rëht** stn. wittumsrecht.

wideme, widem, widen swstm. stf. was bei eingehung der ehe der bräutigam der braut (urspr. als kaufpreis ihrem vater) zu eigen gibt, brautgabe, wittum; dotierung einer kirche, eines klosters bes. mit grundstücken, die zur dotation einer pfarrkirche gestifteten grundstücke oder gebäude, bes. der pfarrhof.

widemen swv. als *widem* stiften, als *w.* zueignen, ausstatten, dotieren.

widemer stm. inhaber eines *widemen*.

widemunge stf. ausstattung, dotierung.

widen swv. mit *widen* binden; drehen *ûz*; mit *widen* schlagen, überh. schlagen, züchtigen, quälen, kasteien.

wider stm. (md. auch *widder*, *wëder* stmn.) widder. **-horn** stn. widderhorn.

wider (md. auch *widder*, *wëder*) 1. präp. mit dat. od. acc. wider, gegen (räuml. und zeitl., eig. und bildl., freundl. u. feindl.); gegenüber mit acc., gegenüber, trotz mit dat.; in vergleichung mit, im gegensatz zu mit dat.; tausch, abwechslung, verhältnis zwischen zweien, gegenseitigkeit ausdrückend, mit dat. acc. (*wider ein* gegen-, untereinander, *wider strît* um die wette); nach, gemäss, mit instrum.; mit adv. gen. gegen (*wider berges, wazzers*). — 2. adv. *wider, widere*: gegen, entgegen (*wider sîn, werden* mit dat. widerwärtig, verhasst sein, verdriessen), zurück, (*w. unde vort* [*vür*] rückwärts u. vorwärts, hin u. her), wieder, wiederum bei demonstr. adv. (*dâ, dar, her, hin wider*) u. bei vbb. (trennbar und untrennbar, was nicht genau zu sondern ist; trennbar z. b. *wider-gëben* zurückgeben; *kêren* zurückkehren; *loufen* zurücklaufen; *sprëchen* entgegnen; *trëten* zurückkehren usw.). **-ahten** swv. zurückweisen, hintertreiben, zunichte machen. **-ahtunge** stf. hintertreibung. **-antwurt** stf. antwort, entgegnung. **-bâbest** stm. gegenpapst. **-bâgen** redv. scheltend widersprechen. **-bëllen** stv. entgegen *bëllen*, heftig widersprechen. **-bërn** stv. von neuem gebären. **-bërnkreiz** stm. circulus antarcticus. **-bic** stm. gegenstich, gegenschlag. **-biegen** stv. zurückbiegen. **-biete** stf. = *widerbot* fehde-, kriegsankündigung. **-bieten** stv. durch botschaft absagen, gegenbefehl erteilen, widerrufen; durch botschaft aufkündigen; fehde oder krieg ankündigen. **-bil** stm. = *widerbillen* stn. **-bîl** stm. streit, trotz; widerwärtigkeit. **-bilde** stn. ab-, ebenbild. **-bildec** adj. abbildlich. **-bilden** swv. tr. ein ebenbild von etw. darstellen. — refl. sich versetzen in, sich etw. vorstellen. **-bildunge** stf. schaffung eines ebenbildes; einbildungskraft. **-bille** adj. entgegenbellend, ergrimmt. **-billen** stn. das entgegenbellen. **-billen** swv. entgegenschlagen, abwehren mit dat. **-biz** stm. gegenbiss. **-bîzen** stv. beissen (vom gewissen). **-blic** stm. gegenblick; reflex; blitz. **-blicken** swv. intr. zurückstrahlen, -scheinen. — tr. wieder anblicken. **-blœze** stf. widerschein, reflex. **-bot** stn. gegengebot, gegeneinsatz im spiel; gegenantrag, antwort; fehde-, kriegsankündigung. **-böuge** (md. **-boige**), **-böugunge** stf. widerstand. **-brëche** stf. = *widerbruht*. **-brëchen** stv. tr. von neuem brechen; refl. widerstreben. **-bredigen** swv. tr. predigen gegen. **-brëhen** stv. intr. u. refl. zurückstrahlen. **-brehten** swv. geschrei erheben gegen (dat.). **-bringen** an. v. wiederbringen; wieder einbringen, wieder herstellen, ersetzen, vergüten; zurückbringen, erlösen, -retten von (gen.). **-bringer** stm. zurückbringer, wiederhersteller. **-bringerinne** stf. erretterin, erlöserin (Maria). **-bringunge** stf. wiederherstellung; zurückbringung, errettung von (gen.). **-bruht** stf. widersetzlichkeit, trotz. **-bruht, -brühtic** adj. widersetzlich, ungehorsam. **-brust** stf. = *w.-bruht*. **-cardinâl** stm. kardinal des gegenpapstes. **-danc** stm. gegendank. **-dienen** swv. durch dienen wieder gutmachen, vergelten. **-dienest** stm. erwiderung des dienstes, gegendienst. **-diez** stm. = *widerdôz*. **-diezen** stv. widerhallen. **-dige** swm. der aus der art geschlagen ist. **-dôn** stm. echo. **-dœnen** swv. widerhallen. **-dôz** stm. gegenschall, widerhall, echo. **-dranc** stm. zurückgewendetes gedränge. **-driez** stmn. verdruss, ärger, groll, beschwerde, was verdruss usw. erregt. **-driezen** stn. dasselbe. **-drô** stf. gegendrohung. **-dröuwen** swv. entgegendrohen. **-drôz** stm. = *widerdriez*. **-gâbe** stf. zurückgabe, rückvergütung. **-galm** stm. widerhall. **-gân, -gên** anv. intr. einen *widerganc* tun; wieder-, zurückkehren; entgegengehn, kommen, begegnen, mit dp.; widerfahren, zustossen, mit dp.; entgegentreten, entgegnen; zuwider sein, mit dat. **-ganc** stm. das entgegengehn, die begegnung; widerstand; weidm. um-, rückkehr, rücklauf, wechsel des wildes; objectum. **-gëben** stv. zurückgeben. — stn. das zurückgeben; gegengabe, lohn; das erbrechen, speien. **-gëber** stm. zurückgeber, wiedererstatter. **-gebot** stn. = *widerbot*. **-gëbunge** stf. = *widergâbe*. **-gëllen** stv. widerhallen. **-gëlt** stmn. gegeneinsatz (im spiele, kampfe), erwiderung, vergeltung, rückerstattung, zurückzahlung, entgelt, schadenersatz. **-gëlten** stv. zurückzahlen, vergelten; wieder einbringen. **-gemechte** stn. = *widerlege*. **-genge, -gengic** adj. rückgängig. **-gesiht** stn. das hingerichtetsein auf einen gegenstand, von dem ein einfluss ausgeht. **-gevüere** stn. vorteil, gewinn. **-gift** stf. gegengabe. **-giht** stf. entgegnung. **-glanz, -glast** stm. widerschein, abglanz. **-glesten** swv. intr. entgegenglänzen mit dat.; tr. u. intr. zurückstrahlen. **-gliz** stm. = *widerglanz*. **-got** stm. Antichrist. **-graben** stv. ausgraben. **-grîn** stm. das gegenbrummen, die gegenwehr. **-grullen** stn. md. das gegengrollen, die gegenwehr. **-gülte** stf. gegenleistung. **-habe** stf. widerstreben, widerstand; rückhalt. **-haben** swv. abs. u. refl. widerstand leisten, sich widersetzen. — refl. sich festhalten *mit*. — tr. aufhalten. **-haft** stf. erwiderung; verzögerung; widerhaken. **-hâke** swm. widerhaken; widerstand **-hal** stm. widerhall, echo. **-hallen** swv. = *widerhëllen*. **-halte** stf. widerstreben. **-halten** redv. abs. gegenstreben, -halten. — tr. erhalten, tragen; zurück-, verhalten. — refl. sich widersetzen. **-hap** stmn. widerstand. **-hærec** adv. gegen das haar, gegen den strich. **-hart** stm. widerstand. **-heben** swv. aufhalten. **-hëllen** stv. widerhallen. **-hëllic** adj. widersprechend, -spenstig. **-hende, -hent** adv. sogleich wieder, sofort, alsbald. **-herten** swv. widerstand leisten, ausdauern. **-hiuze** stf. rivalität. **-hiuzen** swv. gegeneifern, gegenstreben. **-hœre, -hœrec** adj. widerspenstig, ungehorsam. **-hœre** stf. strafe für widerspenstigkeit. **-houwen** redv. zurückschlagen. **-hurten** swv. zurückstossen, -treiben. **-inganc** stm. wiedereintritt. **-jagen** swv. zurückjagen. **-jëhen** stv. widersprechen, als falsch darstellen. **-jungen** swv. wieder jung werden. **-kallen** swv. widerreden. **-kapfen** swv. wieder hineinschauen. **-kempfe** swm. gegner. **-kempfen** swv. tr. kämpfen gegen, bekämpfen. **-kêr** stm., **-kêre, -kêr** stf. das zurückgehn, um-, rückkehr, heimkehr; das hin- und zurückgehn; das aufhören; umkehr, sinnesänderung; rückerstattung, ersatz, entschädigung; das kehren ins gegenteil, umwandelung. **-kêren** swv. tr. zurückwenden -führen, -treiben; zurückgeben, erstatten, vergüten; ins gegenteil verwandeln. — intr. mit gen. von etwas abkommen, abstehn von. — umkehren. **-kêrer** stm. tropicus. **-kêrunge**

stf. = *widerkêre.* **-kicken** s. *widerquicken.* **-kîp** stm. widerstreit, gegenrede. **-klaffen** swv. intr. klaffen, streiten *gegen.* — tr. klaffen gegen, bestreiten. **-klaft** stm. widerspruch. **-klage** stf. gegenklage. **-klanc** stm. echo. **-knote** swm. md. feindl. verbindung, empörung. **-komen** stv. wieder zu sich, zu kräften kommen, sich erholen, in sich gehn, sich bessern; mit gs. zurückkommen, aufgeben, einbringen, bessern; mit dat. begegnen, widerfahren, entgegentreten, entsprechen. **-komen** stn. wiederkunft; ersatz. **-kôsen** stn. gegenrede, anrede. **-kouf** stm. wieder-, rückkauf u. rückkaufsrecht (um dieselbe summe), wiedereinlösung eines pfandes; rückzahlung; wiedervergeltung, entschädigung. **-koufen** swv. zurückkaufen, einlösen. **-köufic, -köuflich** adj. rückkaufbar, einlösbar. **-kraft** stf. gegenkraft, feindl. kraft. **-kriec** stm. gegenkampf, widerstreit, -spruch. **-kriegen** swv. intr. u. tr. widerstreiten. **-kriegende** part. adj. oppositus (astr.). **-krist** stm. Antichrist. **-künden, -kündigen** swv. renuntiare; *briefe w.* für nichtig erklären. **-kunft** stf. rückkehr. **-kür** stf. wiederwahl. **-ladunge** stf. zurückladung, -rufung. **-lâge** stf. widersetzlichkeit. **-last** stn. gegengewicht. **-lâȥen** redv. entgegengehn lassen (blick). **-lëben** swv. intr. das gegenteil tun von leben, das wesen des lebens nicht erfassen; tr. wieder erleben. **-lege** stf. gegengabe, äquivalent, bes. das einer frau zugesicherte äquivalent ihres mitgebrachten, die widerlage. **-legen** swv. eine *widerlege* wofür geben oder zusichern, etw. erstatten, ersetzen, vergüten, wieder gutmachen, vergelten, spez. einer frau als widerlage geben oder zusichern; *die rede w.* darauf antworten. — abs. widerstand leisten, sich widersetzen. — tr. umbiegen, umlegen. **-legunge** stf. = *widerlege.* **-lêren** swv. als gegenteil des gelehrten lehren, zeigen. **-liebe** stf. gegenliebe. **-litzen** swv. tr. streben gegen. **-lôike** f. gegenlogik, gegenschlauheit. **-lôn** stmn. gegenlohn, vergeltung. **-lônen** swv. vergelten. **-lœsunge** stf. wiederkauf, wiedereinlösung. **-louf** stm. gegen-, wieder-, rücklauf (weidm. wie *widerganc*); rückkehr; rekurs, appellation; widerstand. **-loufen** redv. intr. mit dat. entgegenlaufen, -gehn, begegnen. — tr. rückgängig machen, widerrufen. **-lût** stm. widerhall. **-lûten** swv. widerhallen. **-machen** swv. von neuem machen, wiederherstellen. **-machet** part. adj. widernatürlich. **-mære** adj. = *unmære.* **-mære** stn. wiedererzählung. **-meinunge** stf. der rückgedanke, gedankenreflex. **-mëȥȥen** stv. messend vergleichen; gleich messend zurückgeben, vergelten. **-miete** stf. gegenlohn, vergeltung. **-minne** stswf. gegenliebe. **-müete, -muote** stfn., **-muot** stm. widerwärtigkeit, missgeschick, ungemach, trübsal, schwermut; unmut, zorn; widersetzlichkeit, ungehorsam. **-müete** adj. widerwärtig. **-müetic** adj. trübselig, schwermütig. **-mugen** an. v. m. dp. wider jemd. etw. vermögen; m. as. oder ds. entgegenwirken. **-muot** stm. feindseligkeit; schabernack; = **-müete.** **-muoten** stn. widersetzlichkeit. **-murmel** stm. das entgegenmurren. **-natiurlich** adj. wider-, unnatürlich. **-niete** stf. gegenstreben, gegenkampf. **-nis** stn. widrige umstände. **-niuwen** swv. erneuern. **-nüllen** swv. entgegenwühlen, durch eine gegenmine vereiteln. **-ordenunge** stf. unordnung. **-parte, -part** stswf. stswm. gegenpartei, -teil, gegensatz, gegnerschaft, feindschaft, feindseligkeit, zwiespalt, persönl. gegner, feind; widerwärtigkeit. **-partic** adj. gegnerisch. **-partîe** stf. gegenpartei. **-paulen** swv. tr. im gegensatze von Paulus sich zu etw. stellen (vgl. *saulen*). **-phant** stn. gegenpfand, entgelt. **-phlëgen** stv. das gegenteil tun von *phlëgen,* entgegenwirken. **-phliht** stf. gegens. zu *mitephliht.* **-pîn** stm. feindseligkeit. **-punct** stm. nadir. **-quicken, -kicken** swv. wieder beleben. **-râche** stf. gegenrache. **-rangen** swv. intr. sich widersetzen, sträuben. **-rât** stm. abratung. **-râten** redv. tr. wovon abraten. **-rëchen** stv. revindicare. **-rëchenen, -rëchen** swv. = *widerreiten.* **-rede** stf. gegenrede als antwort od. widerspruch, rechtl. antwort, replik des beklagten. **-reden** swv. abs. einspruch oder einwand erheben, widersprechen. — tr. wogegen sprechen, sich ablehnend, verneinend, weigernd verhalten. **-reise** stf. rückfahrt, rückkehr, -zug. **-reiten** swv. gegenrechnen, gegenseitig abrechnen. rechnung, rechenschaft ablegen *von.* **-rigen** swv. gegen ankämpfen, widerstreben. **-rihten** swv. wieder gutmachen (den schaden). **-ringen** stv. intr. gegenkämpfen. **-rîse** stf. md. = *w.-reise.* **-rîten** stv. intr. zurückreiten; entgegenreiten, entgegeneilen, reitend begegnen, mit dat. — refl. gegeneinander reiten. — tr. reitend wiederherstellen, aufhalten, hindern. **-ruc** stm. rückkehr. **-ruof, -ruoft** stm. das gegenrufen; widerspruch, weigerung. **-ruofen, -rüefen** redswv. ab-, zurückrufen; widerrufen, zurücknehmen; absetzen, entthronen; widerlegen. **-ruowe** stf. gegenruhe, ruhe nach der arbeit. **-ruowen** swv. ausruhen. **-sache** swm. gegner in einem rechtshandel, der angeklagte; überh. gegner, widersacher, feind. **-sache** stf. gegenteil; gegenmeinung, widerspruch; feindschaft. **-sachen** swv. widerstreben mit dat.; rückgängig machen. **-sacher, -secher** stm. = *widersache* swm. **-sag-brief** stm. fehdebrief. **-sage** swm. widersprecher, gegner. **-sage** stf. gegenrede, antwort; widerspruch, weigerung; fehde-, kriegsankündigung. **-sagen** swv. das gegenteil von etw. sagen, widersprechen, -rufen, verneinen; aufkündigen, absprechen, abschlagen, versagen mit dat. u. acc.; untersagen, verbieten mit dat. u. inf.; mit dat. entsagen, sich lossagen von, intr. u. refl.; frieden u. freundschaft auf-, fehde u. krieg ankündigen, feind werden. **-sagen** stn. widerspruch; fehde-, kriegsankündigung, feindschaft. **-sager** stm. = *widersage* swm. **-sagunge** stf. widerspruch; entsagung; kriegsankündigung. **-sanc** stmn. ein dreistrophiger gesang. **-satzunge** stf. gegensatz; widerstreben, widersetzlichkeit. **-saz** stm. gegensatz, gegenteil; astr. oppositio; widerwärtigkeit; entgegnung, erwiderung; widerstand, -streben, hindernis, widersetzlichkeit, feindseligkeit, falschheit; gegenpartei, persönl. gegner, feind; das bangesein, entsetzen. **-saȥ** stm. widerstand. **-sâȥe** stf. dasselbe. **-sâȥe** swm. gegner. **-sæȥe, -sæȥic** adj. widersetzlich. **-sâȥen** swv. wieder ersetzen. **-schâch** stm. *âne, sunder w.* ohne feindliche absicht; ohne widerstand zu finden. **-schaffen** stswv. wiederbilden, -erschaffen, -bringen; d. gegenteil von etw. tun, entgegenwirken, rückgängig machen. **-schal** stm. widerhall. **-schëllen** stv. widerhallen; entgegenlauten. **-schëlten** stv. dagegenschelten. **-schërnen** swv. dagegen scherzen, spotten.

-schickunge stf. missgeschick, unfall. **-schilt** stm. gegenschild, schutz. **-schîm, -schîn** stm. widerschein. **-schînen** stv. entgegenglänzen, -leuchten. **-schouwen** swv. zurückschauen; stn. reflex. **-schrîben** stv. schriftlich aufkündigen, ablehnen. **-schric** stm. abschreckung. **-schrift** stf. abschrift, niederschrift, schriftl. antwort, replik. *der minnen w.* die göttliche offenbarung. **-schünden** stn. anreizung zur widersetzlichkeit. **-sëhen** stv. zurücksehen; stn. reflex. **-setzen** swv. refl. widerstand leisten, sich widersetzen. **-setzic** adj. = *widersæzic.* **-siech** adj. rezidiv. **-sin** stm. entgegengesetzter sinn. **-sinden, -sinnen** stv. um-, zurückkehren. **-sinnes** adv. entgegengesetzt, verkehrt. **-sitzen** stv. intr. widerstand leisten mit dat.; bange werden, sich fürchten mit refl. dat. — tr. bange werden, zurückschrecken vor, fürchten. **-slac** stm. wiederholter schlag; das widerstehn; rückschlag, gegenteil, abwehr (beim fechten); widerschein, reflex. **-slahen** stv. tr. zurückschlagen, -weisen, spez. von schall u. licht (*diu horn w.* den schall der hörner erwidern, *daz gesiune w.* blenden). — intr. u. refl. widerhallen; zurückstrahlen, reflektieren. **-snaben** swv. tr. auftreten gegen, widersprechen. **-snellen** swv. widerstreben. **-snîden** stv. nach einem muster schneiden (kleid); refl. sich als ebenbild von etw. darstellen. **-sorge** stf. gegensorge, gegenbedenken. **-spaht** stf. widerrede. **-spân** stm. harter *spân* im holze, der bei der bearbeitung dem beile widerstand leistet; das widerstreben, die widerspenstigkeit, streit, zank; ringelung der locken (s. *spân*). **-spân, -spæne, -spænic, -spænisch** adj. der bearbeitung widerstrebend (holz); widerspenstig. **-spannen** swv. = *widerspenen.* **-spannic** adj. = *widerspenic.* **-spël** stn. wiedererzählung. **-spene, -spenic, -spennic** adj. widerspenstig; widerwärtig. **-spenen** swv. widerspenstig sein, widerstreben mit dat. **-spenicheit, -spennicheit** stf. widerspenstigkeit. **-spenigen** swv. = *widerspenen.* **-spenstic** adj. widerspenstig. **-sperre** stf. das widerstreben. **-sperre, -sperrec** adj. widerstrebend, -spenstig. **-sperren** swv. refl. sich widersetzen, sträuben. **-spîen** stv. tr. speiend abwehren *von.* **-spiener** stm. widerspenstiger. **-spil** stn. gegenteil. *w. sagen* im spiel den kampf aufnehmen. **-spiln** swv. intr. zurückstrahlen. **-spor** stf. gegenspur, falsche fährte. **-spot** stm. gegenspott. **-sprâche, -spræche** stf. gegenrede, einwand, ein-, widerspruch. **-sprëchen** stv. intr. widersprechen (mit dp., gs.). — tr. das gegenteil wovon aussagen, in abrede stellen, verneinen, leugnen; ausschlagen, verschmähen, ablehnen; sich lossagen von, verleugnen. **-spriez** stm. widerspenstiger. **-sprieze** stf., **-spriezen** stn. widerstand, widerspenstigkeit. **-spruch** stm. widerspruch; widerruf. **-sprüchec** adj. widersprechend. **-staben** swv. in hinsicht auf fragliches oder kontroverses (ahd. *widarstab*) den wortlaut ändern. **-stal** stm. entstellung. **-stalt** stf. gegengestalt, unähnlichkeit. — part. adj. widerwärtig. **-stân, -stên** anv. intr. widerstehn, entgegentreten, widerstand leisten, sich widersetzen, mit dat.; widerlich sein, mit dat. — tr. entgegentreten, verhindern. **-standunge** stf. widerstand; auferstehung. **-stant, -stat** stm. widerstand. **-stat** stm., **-state** stf. ersatz, entschädigung. **-staten** swv. wieder erstatten, ersetzen. **-statunge** stf. = *widerstate.* **-stëchen** stv. entgegen-, zurückstechen; mit spitzer rede antworten u. dadurch verletzen. **-stelle, -stellic** adj. widerstrebend. **-stellen** swv. refl. widersetzen. **-stende** stf. = *widerstant.* **-stendic** adj. widerstand leistend; widerlich. **-stentnisse, -stênisse** stfn. = *widerstant.* **-stêunge** stf. auferstehung. **-stich** stm. gegenstich. **-stillen** swv. gegenseitig zum stehen bringen. **-stôz** stm. gegenstoss, gegendruck, feindl. entgegentreten, widerstand, trotz; widerwillen, abneigung; *w. haben* wieder gut gemacht werden. **-stôzen** redv. tr. wogegen stossen; zurückstossen, -treiben. — intr. mit dat. aufstossen, anrühren, begegnen, zurückweisen. **-strâze** stf. gegenstrasse. **-strëbe** stf. widerstreben, -stand. **-strëbe** adj. widerstrebend, unähnlich. **-strëbe** swm. aufständischer; gegner. **-strëben** swv. widerstreben, widerstand leisten gegen (acc. u. dat.). **-strëbic** adj. widerstrebend, -setzlich. **-strît** stm. gegenkampf; widerstreben, -stand, widerstreit mit worten; wettstreit (*in, ze widerstrîte* um die wette); rechtl. wechselseitige anfechtung eines rechtes; gegensatz. **-strît** stm., **-strîte** swm. gegner, feind. **-strîte** swf. gegnerin. **-strîten** stv. intr. u. tr. streiten gegen, sich widersetzen mit dp. — tr. mit gs. einem etw. weigern. **-strîtic** adj. widerstrebend, -setzlich. **-strûben** swv. widersträuben. **-sturm** stm. gegenwehr. **-sturz** stm. umschlag, umsturz; gegenschlag; rückfall (in eine krankheit). **-stürzen** swv. um-, zurückstürzen. **-stuz** stm. widerstand. **-süenerin** stf. aussöhnerin. **-swal** stm. gegenschwall, gegen-, rückströmung. **-swalm** stm. wasserstrudel. **-swanc** stm. rückschwung, rückkehr, rückfall; gegenhieb. **-sweif** stm. rückschwung, -sprung. **-swich** stm. aufenthalt, zögerung. **-tân** part. adj. entgegengesetzt, feindselig. **-tân, -tât, -tôt** stm. widerton (kraut). **-tât** stf. gegentat, vergeltung; widerstand. **-tâte** swm. gegner. **-teil** stmn. gegenteil; misshelligkeit, zwiespalt, feindschaft; gegenpartei, gegner. **-teilen** swv. mit dat. u. acc. (durch urteil) absprechen. **-tengen** swv. abstumpfen. **-tôt** s. *widertân.* **-tragen** stv. tr. zurücktragen; refl. sich zurückbeziehen *ûf*, sich zurückbegeben. **-traht** stm. gegengedanken, bedenken; widerwillen, unzufriedenheit. **-traz** stm. wider-, gegentrotz. **-trëten** stv. entgegentreten mit dp. u. gs.; begegnen. **-trîben** stv. tr. zurücktreiben, rückgängig machen, hintertreiben, abwehren, hindern; zurückgeben, vergelten; widerlegen. — refl. sich widersetzen, nicht gelingen. **-trîp** stm. das zurücktreiben, verhindern. **-trit** stm. rücktritt, rückgang. **-truz, -troz** stm. = *widertraz.* **-tuon** an. v. ungeschehen, rückgängig, wieder gutmachen; aufheben, vernichten; zurückgeben, erstatten, vergelten. **-turc** stm. md. das zurücktaumeln, -fallen; der widerstand. **-twengen** stn. gegenzwang, widerstreben. **-vâhen** redv. entgegenhandeln, aufhalten. **-val** stm. rückfall, bes. rückfall eines lehngutes. **-valt** stm. zurückbiegung, ringelung des haares; das abhauen (des ohres). **-valten** redv. wiederholen, refl. sich zur wehr setzen. **-vanc** stm. entgegengesetzte bewegung (der planeten). **-varn** stv. intr. mit dp. in den weg kommen, entgegentreten (freundlich od. feindlich), begegnen; ins gegenteil ausschlagen. — widerfahren, zuteil werden; abs. vor sich gehn, geschehen. **-vart** stf. rück-, umkehr, rückreise, -weg. — *die widervart* adv. acc. rückwärts; hingegen. **-vêhe** swm. widersacher. **-vêhtære** stm., **-vêhte** swm. gegenkämpfer, gegner. **-vêhte** stf. widerstreben. **-vêhten** stv. intr. mit dat. kämpfen gegen, widerstreben, -stehn. **-vellic** adj. rückfällig. **-vlizen** stv. contra niti. **-vluotic** adj. entgegenströmend. **-vluz** stm. das zurückfliessen. **-vorderunge** stf. zurückforderung. **-vreise** stf. schreckliches unwetter. **-vüegen** swv. ungeziemend heissen, tadeln. **-vüeren** swv. tr. entgegenführen, -tragen, mit dp. **-vuoc** adj. unbequem. **-wac** stm. widerwärtigkeit. **-wâc** stm., **-wâge** stf. gegenströmung. **-wâge** stf., **-wæge** stn. gegengewicht; ersatz, entgelt. **-walte** swm. widersacher. **-walten** redv. zuwiderhandeln. **-wanc** stm. bewegung nach rückwärts, das umwenden, zurückweichen, -treten (bes. im kampfe), die rückkehr. **-want** stf. umkehr; widerstand. **-wart** s. *widerwërt*. **-wart** stf. widerwärtigkeit. **-warte, -wart** swstm. widersacher, gegner, feind (böser feind, teufel). **-warte** stswf. gegnerin, feindin; gegensatz; widerwärtigkeit. **-warte** stf. erwartung, dass zurückerstattet wird. **-wartecheit** stf. ungnade. **-wartes** adv. = *widerwërt*. **-wëc** stm. rückweg, rückkehr. **-wëgen** stv. das gegengewicht halten od. geben, aufwiegen, intr. u. tr. (mit dat.); wägend zurückgeben, erstatten, vergelten. **-wëgunge** stf. erstattung, vergeltung. **-wëhe** swm., **-wëher** stm. widersacher, gegner. **-wëhsel** stm., **-wëhsele** stf. gegen-, umtausch, ersatz, vergeltung. **-wende** stf. das umwenden, zurückweichen, -treten, die rückkehr, das aufhören. **-wende** swm. widersacher. **-wenden** swv. tr. zurück-, abwenden, -wehren; md. intr. = *widerwinden*. **-wer** stf. gegenwehr, verteidigung, widerstand. **-wër** stf. wiedergewährung, vergeltung. **-wërben** stv. zurückkehren, sich erneuern. **-wërc** stn. widerstrebende feindselige tat. **-wërfen** stv. tr. rückgängig machen, zurückweisen, umstossen, verwerfen, anfechten; umwenden (ross); refl. sich umwenden, ins gegenteil verkehren. **-wërfunge** stf. das zurückwerfen; myst. die objektivierung. **-wern** swv. widerstreben. **-wërn** swv. zurückgewähren, -erstatten. **-wërt, -wart** adj. entgegengesetzt, feindlich, zwieträchtig. **-wërt, -wart** adv. entgegen, zurück, wiederum; umgewendet, verkehrt. **-wertic, -wartic** adj. entgegenstrebend, -gesetzt, konträr; widersetzlich, feindlich, feindselig, zwieträchtig; unangenehm, widerwärtig, zuwider. **-werticheit** stf. das entgegengesetztsein, der gegensatz; feindseligkeit; widerwärtigkeit, unglück. **-wertige** swm., **-wertiger** stm. = *widerwarte*. **-wette** stnf. gegeneinsatz, pfand; wettpreis. **-wic** stm. gegenkampf. **-wille** swm. zwist, auflehnung, widersetzlichkeit; unannehmlichkeit, ungemach. **-winc** stm. = *widerwanc*. **-winde** stf. widerstreben, widerstand; widerwärtigkeit. **-winden** stv. intr. sich umwenden, zurückkehren, mit gen. wovon zurückkommen, ablassen; ende oder ziel finden, gehn bis, aufhören, ruhen, fest sitzen, haften. — tr. zurücktreiben, überwinden. — refl. mit gen. wogegen streben, sich widersetzen. **-winken** swv. winkend abwehren. **-winne, -wünne** swm. widersacher, gegner, feind. — adj. widerwärtig, zuwider. **-wint** stm. das sich zurückwenden, aufhören; widerstreben, widerstand, widerspruch; widerwärtigkeit. **-wint** stm. gegenwind, ungünstiger wind; zugwind, zugluft. **-wort** stn. gegenrede als antwort od. widerspruch. **-wünne** s. *widerwinne*. **-wurf** stm. = *widerwërfunge*; obiectum. **-zal** stf. ndrh. widerspruch, widerrede. **-zæme, -zæm** adj. unziemlich, -schicklich, tadelnswert; widerwärtig, widerlich, widerwillen oder ekel erregend, missfällig, unlieb ohne od. mit dat.; gehass, feind, mit dat. **-zæme** stf. missfälligkeit, abscheu; ungehörigkeit. **-zæmen** swv. *widerzæme* machen. **-zæmic** adj. = *-zæme*. **-zæmicheit, zæmunge** stf. = *-zæme*. **-zan** adj. entgegenknurrend, widersetzlich. **-zëme** adj. = *-zæme*. **-zëmen** stv. unziemlich, unschicklich sein; widerstreben, zuwider sein, missfallen, mit dat.; refl. sich widerwärtig machen. **-zenner** stm. herausforderer, angreifer. **-ziehen** stv. zurückziehen, -halten zum stillstand bringen. **-zuc** stm. das zurückziehen; rückkehr, -zug. **-zügel** stm. zügel zum hemmen.

wideren, widern swv. tr. zuwider machen, verleiden; entgegen sein, sich widersetzen, weigern, verweigern, mit acc., refl. mit gen.; rückgängig machen, aufheben, abwenden, hindern; zurückweisen, verachten, verschmähen; erwidern, vergelten, rächen; restituere; wiedergeben, wiedererzählen.

widerîn adj. vom widder.

widerunge stf. das widerstreben, sich bewegen oder stemmen gegen, aufhalten, entgegenhandeln; s. v. a. *vervâhen* ein entfremdetes gut als eigentum in anspruch nehmen.

wid-hopfe s. *witehopfe*.

widîn adj. von weidenholz.

wie s. *wir*.

wie adv. fragewort in dir. und indir. frage: wie, auf welche weise, aus welchem grunde, warum, in welchem grade; in ausrufungen: wie, welch; vergleichend: sowie, als; indef. auf irgendeine weise, irgendwie. — konj. *wie*, gehäuft *wie daz* (mit ind. oder konj.) vor indir. rede = *daz*; wie immer; wiewohl, obgleich; statt *swie*.

wîe, wîge, wîhe, wîwe swm. der weihe.

wieche swstm. f., md. *wicke, wieke, wike* docht von garn gedreht, gedrehte charpie in eine wunde, lunte; zopf.

wieg- s. *wig-*.

wie-lîche, wielîchheit stf. qualitas.

wîen s. *wîhen*.

wîen swv. wie ein *wîe* schreien.

wienisch adj. wienerisch.

wier s. *wir*.

wîer s. *wîwœre*.

wierde s. *wirde*.

wiere stf. geläutertes, feinstes gold (od. gold-, silberdraht?), schmuck aus solchem.

wieren swv. gold läutern; in gold fassen, mit eingelegtem gold, mit goldgefassten edelsteinen schmücken, überh. schmücken, zieren (od. gold und silber zu draht verarbeiten und daraus schmucksachen herstellen?).

wie-tân part. adj. = *wie getân*.

wîerlîn, wîgerlîn stn. kleiner weiher.

wif, -ffes stm. schwung, schnelle bewegung.

wîfe, wîfel f. markzeichen von grundstücken.

wifelen swv. tr. mit der nadel stopfen od. sticken.

wifelîn adj. *w. tuoch* = **wifelinc, -ges** stm. grober zeugstoff, dessen zettel linnengarn, der einschlag wolle ist.

wîfen stv. I, 1 winden, schwingen.

wift stm. faden, zwirn feinster art; honigwabe.

wigant stm. (md. auch sw. *wîgande*) krieger, held.

wige, wiege swstf. wiege.

wîge s. *wîe*.

wige-gëlt stn. = *wâgegëlt*.

wigelen swv. wanken.

wigelîn stn. kleine wiege.
wige-meister stm. = *wâgemeister.*
wigen, wiegen swv. wiegen, sich wiegend bewegen.
wîgen stv. I, 1 streiten, kämpfen; *an wîgen* kriegerisch angreifen.
wîgen swv. verteidigen, bewahren.
wigen-man stm. das christkind in der wiege.
wiger stm. wäger.
wîger s. *wîwære.*
wigerlîn s. *wierlîn.*
wîh-bischof, -boum s. *wîchb-.*
wîhe s. *wîe.*
wîhe adv. zu *wîch*. **-, wîhede** stf. weihung, segnung, einsegnung, (priester)weihe; heiligkeit des gotteshauses. **-kraft** stf. weihende, heiligende kraft.
wihelen, wiheren, wiben swv. (alem. *winhelen*) wiehern.
wîhen stv. I, 2 schwächen, erschöpfen, vernichten.
wîhen, wîen, wîchen swv. weihen, kirchlich segnen, einsegnen. —refl. die (priester-) weihe empfangen.
wîhe-, wîhen-naht s. *wîch* 2.
wihenen swv. = *wihelen.*
wiher s. *wîwære.*
wiheren s. *wihelen.*
wiheren swv. md. hüpfen, springen.
wîh-rouch, wîrouch stm. n. weihrauch.
wihsel, wîssel, wîsel swstf. weichselkirsche.
wihseln s. *wëhseln.*
wihsen swv. mit wachs überziehen, bestreichen.
wiht stmn. *daz w.* geschöpf, wesen, ding, etwas, *ein w.* nichts (s. *iht, niwiht, niht*); *der, daz w.* lebendes wesen, wicht (von menschen, tieren, dämonen, kobolden, zwergen).
wiht stm. docht (vgl. *wieche*).
wihtec adj. was nach dem gewichte verkauft wird.
wihte-gelîch adj. alle geschöpfe, tiere.
wihtelîn, wihtel stn. wichtel, kobold, zwerg; puppe im puppenspiel.
wihte-schal stf. wagschale. **-stein** stm. gewichtstein, gewicht.
wihtinne stf. zu *wiht*, zwergin.
wîh-wazzer s. *wîchwazzer.*
wike s. *wieche.*
wîl s. *wîle.*
wilch s. *wëlc, welch.*
wildære stm. = *wilderære.*
wilde, wilt adj. unangebaut, nicht von menschen gepflegt u. veredelt, wild wachsend (pflanzen u. dgl.); unbewohnt, wüst; abgestorben, faul; ungezähmt, wild, in der *wilde* wohnend, dämonisch; irre, unstät, untreu, unwahr, sittenlos; unbekannt, fremd, ungewohnt, fremdartig, entfremdet, wunderbar, seltsam, unheimlich; entfernt, abgewendet von, mit gen. — adv. auf wilde weise. — stf. wildnis; wildheit, heftigkeit, verkommenheit, wildes, irres wesen; wunderbares, unbegreifliches wesen. **-, wilt-lich** adj., **-liche** adv. = *wilde.*
wildec-heit stf. wildheit, wildes, ausgelassenes wesen. **-lich** adj., **-liche** adv. = *wilde.*
wilden swv. tr. entfremden, entfernen, mit dp. — intr. u. refl. *wilde* sein od. werden ohne od. mit dp.
wildenære stm. wildschütz, jäger; wildbrethändler.
wilderære stm. jäger.
wilderie stf. wildnis.
wildern svw. refl. fremd tun *gegen*, entfremden.
wîle stf. landsitz (lat. *villa*).
wîle, wîl stm. schleier, bes. nonnenschleier, -haube (lat. *velum*).
wîle, wîl stswf. weile, zeit, zeitpunkt, raum, stunde (*in den wîlen* damals, *bî wîle* jetzt, *bî den wîlen* um diese zeit, *bî wîlen* = *be-, biwîlen, under wîlen, underwîlen, -wîlent* inzwischen, von zeit zu zeit, zuweilen. *eine wîle* eine zeitlang, *ein wîl ... ein wîl* bald ... bald. *alle w.* allzeit, *alle die w., die wîle* adv. acc. die zeit hindurch, während dessen, als, konj. solange, während, indem, da, weil; ohne art. *wîle* längst, solange als); fatalist. zeit der geburt, des todes, schicksal.
wilech, wilich s. *welch.*
wîlec-lîche adj. zu jeder zeit, zu jeder stunde.
wîlen swv. tr. verschleiern (mit dem nonnenschleier). — refl. den schleier nehmen (lat. *velare*).
wîlen swv. weilen, sich aufhalten.
wîlen, wîlent dat. adv. vor zeiten, ehe-, vormals; längst; zuweilen; *wîlen ... wîlen* bald ... bald.
wîler stm. n. weiler, einzelnes gehöft, kleineres dorf (mlat. *villare* v. lat. *villa*).
wilge f. salix.
wîl-gelich adj. zeitlich. **-sælde** stf. das von der *wîle* abhängige. durch die zeit der geburt bestimmte schicksal. **-walte** swf. = *wîl-sælde.* **-wertic** adj. in der zeit veränderlich, unsicher und unbeständig.
wil-heit stf. das wollen, der wille. **-kür** s. *willekür.* **-lich** adj., **-liche** adv. willig, freiwillig.
wille swstm. der wille, das wollen, belieben, wünschen, verlangen, entschluss oder geneigtheit etw. zu tun, gesinnung (*gemeiner w.* das gegenseitige wollen, *durch ... willen* um ... willen, wegen. *mit willen* aus freien stücken, gern). **-brief** stm. schriftlicher konsens. **-gunst** stf. zuneigung. **-klage** stf. freiwilliger, verstellter schmerz. **-kome, -kume, -kom, -kum** adj. nach willen, nach wunsch gekommen, willkommen (ellipt.); meist partizipial umgebildet: *wille-, wilkomen* ohne od. mit dat. **-kome** swm., **-komen** stn., **-kum** stm. das willkommensein, bewillkommnung, freundl. begrüssung. **-(wil-)kür** stf., md. *willekure, -kor* freie willenswahl, freier wille, freiwillige entschliessung, neigung, zu-, übereinstimmung, gutdünken; rechtl. autonomisches statut. **-kürde** stf., md. *willekorde* willkür. **-kürer** stm. arbiter. **-küric, -kürlich** adj. freiwillig. **-kürn** swv., md. *willekurn, -korn* tr. freiwillig wählen, belieben, beschliessen, durch freie zustimmung bestätigen, einwilligen in. **-lôs** adj. ohne willen. **-rîche** adj. voll gutes willens, sehr willig. **-tôre** swm. der freiwillige tor.
wille, wülle swm. ekel zum erbrechen.
willec, willic adj. akt. willen habend, willig, gut-, bereit-, dienstwillig, geneigt, freundlich, eifrig, entschlossen; pass. gewollt, gewünscht, beabsichtigt, freiwillig übernommen, freiwillig. — adv. = *-lîche.* **-heit** stf. guter wille, bereit-, freiwilligkeit. **-lich** adj. = *willec.* **-liche** adv. willig, gut-, bereit-, freiwillig, gern.
willen swv. tr. *willec* (akt.) machen. — refl. mit gen. willens sein, sich wozu entschliessen; part. *gewillet, -wilt* geneigt *ze, nâch.*
willen, wüllen swv. part. *wüllende* ekelhaft, unsaubér; unpers. mit dat. zum erbrechen ekeln.
willendes, willens adv. absichtlich, freiwillig.
willen-gëlt stn. taxe für den herrschaftl. konsens.
willent-haft, -lich, -liche adj. adv. freiwillig.
willen-varn stv. zu willen sein, willfahren mit dat.
willigen adv. gern.
willigen swv. tr. *willec* (akt.) machen; *einen mit etw. w.* od. refl. mit dat. einem worin zu willen sein, ihm etw. be-

willigen; *ûf einen etw. w.* ihm zur freien entscheidung übertragen. — intr. *vür einen w.* einwilligen vor ihm zu erscheinen.

wilt adj. s. *wilde.* **wilt,** *-des* stn. wilde tiere, das wild. **-ban** stm. wildhegung, wildpark; jagdbezirk und ausschliessliches recht darin zu jagen. **-bat** stn. natürliches, warmes quellenbad, mineralbad, überhaupt badeanstalt mit warmen bädern. **-brât, -bræte** stn. wildfleisch, wildbret. **-gehac** stn. wildgehege. **-gevar** adj. wild, fremd aussehend. **-geville** stn. felle von wild. **-grâve** swm. = *rûgrâve.* **-huobe** f. jägerhufe. **-huober** stm. inhaber einer *wilthuobe.* **-huon** stn. huhn vom federwild. **-kalp** stn. kalb vom hochwilde. **-lich** s. *wildelich.* **-netze** stn. jagdnetz. **-schiezer** stm., **-schütze** swm. wildschütze, -dieb. **-swîn** stn. wildschwein. **-vanc** stm. = *wiltban;* fremde (gleichsam wie ein wild eingefangene) person. **-vlügel** stm. fremde, nicht bürgerrecht besitzende person. **-vuore** stf. = *wiltban.* **-wërc** stn. wild; weidwerk; pelzwerk. **-wërker** stm. kürschner, pelzhändler. **-wërkîn** adj. von pelzwerk.

wiltnisse stfn. wildnis.

wîl-tüechelîn stn. schleiertüchlein. **-vrouwe** swf. nonne.

wimelen swv. = *wimmen.*

wimer s. *wimmer* 3.

wimmât s. *windemât.*

wimel, wimmel stmn.? wohl = glanz.

wimmel-, windel-, windebote swm. aufseher bei der weinlese.

wimmen swv. sich regen, wimmeln.

wimmen s. *windemen.*

wimmer s. *windemer.*

wimmer stn. gewinsel.

wimmer, wimer stm. knorriger auswuchs an einem baumstamme; warze, bläschen usw. auf der haut.

wimmern swv. zusammenwachsen.

wimmerzen swv. wimmern.

wimmet, wimmôt s. *windemât.*

wimpel, winpel stswf. m. wimpel, stirnbinde, kopftuch; banner, fähnlein; schiffswimpel.

wimpelîn stn. dem. z. vorig.; kleine zeugstreifen, charpie.

win s. *wine.*

win, *-nnes* stm. md. erlangung, gewinn.

wîn stm. wein (*gemachter w.* mit künstlichen zutaten angemachter wein, *gesoten w.* eingekochter wein, der süss bleiben soll, *gebranter w.* branntwein); weinrebe, weintraube. **-ast** stm. weinrebenast. **-ban** stm. weinschankgerechtsame u. abgabe dafür. **-ber, -bere** stn. f. weintraube, -beere (frisch oder gedörrt). **-bërc** stm. weinberg. **-ber-kërn** m., **-korn** stn. weinbeerkern. **-berlîn** stn. dem. zu *wînber;* halszäpfchen. **-biunte** f. weingarten. **-blat** stn. weinblatt. **-bluot** stm. weinblüte. **-boum** stm. weinstock. **-bûwer** stm. weinbauer. **-ern, -erne** stmf. weinlese. **-ezzich** stm. weinessig. **-gart** stm. weinrebe. **-gartbërc** stm., **-garte, -gart** swstm. weingarten, -berg. **-gartener, -gertener, -garter -gerter** stm. winzer. **-gart-liute** pl. zu **-gart-man** stm. winzer. **-gart-stiure** stf. abgabe von weingärten. **-gëlt** stn. weingülte, weinzehent. **-gemechte** stn. was dem weine (zur verbesserung od. verschlechterung) beigemischt wird. **-gërwe** swf. weinhefe. **-gir** adj. weingierig. **-gite** swm. trunkenbold. **-glocke** f. glocke, mit der abends das zeichen zum schliessen der weinhäuser gegeben wird; dies zeichen selbst. **-gülte** f. = *wîngëlt.* **-hefe, -hefen** m. f. weinhefe. **-hof** stm. weinhof, weinschenke. **-holz** stn. weinrebe, rebholz. **-hüeter** stm. weinberghüter. **-hûs** stn. weinhaus, weinschenke. **-kar** stn. weinpresse. **-keller** stm. weinkeller. **-keltere** stf. weinkelter. **-kërn** m. weinbeerkern. **-kieser, -koster** stm. amtlich bestellter weinprüfer. **-kouf** stm. = *lîtkouf;* abgabe (in wein) von einem kauf; weinkauf, -preis. **-korn** stn. = *wînkërn.* **-köufel** stm. = *wînstëcher.* **-krût** stn. weinkraut, ruta. **-lêhen** stn. weinberglehn. **-leite** f. fortführung des weines, weinfuhre. **-lësât, -lëse** stf., **-lësen** stn. weinlese. **-lëser** stm. weinleser. **-liute** pl. zu *wînman.* **-loup** stn. weinlaub. **-lüeme** adj. weinberauscht. **-luoderære** stm. weinsäufer. **-man** stm. weinbauer, winzer; weinhändler, weinschenk; s. v. a. *wînkieser.* **-mânôt** stm. weinmonat, oktober. **-market** stm. weinmarkt. **-mâz** stn. weinmass. **-meister** stm. aufseher, verwalter der weingüter. **-mene** stf. weinfuhre als frondienst. **-mërôt, -mërt** stm., **-mërunge** stf. = *mërâte.* **-mëz** stn. = *wînmâz.* **-mëzzer** stm. amtlich bestellter weinmesser. **-prësse** stf. weinpresse, kelter. **-rëbe, -rëb** f. m. weinrebe. **-rëbîn** adj. von weinreben. **-riche** adj. reich an wein. **-ruofer, -rüefer** stm. ausrufer des zu verkaufenden weines. **-saf** stn. eingekochter traubensaft. **-schanc** stm. weinschank. **-schenke** swm. weinschenk. **-schoz** stn. weinschössling. **-schrôter** stm. der weinfässer auf- und ablädt. **-slûch** stm. weinschlauch. **-slunt** stm. weinschlund, weinsäufer. **-smac** stm. weingeruch. **-stam** stm. weinstock. **-stëcher, -sticher** stm. weinmakler. **-stein** stm. weinstein. **-stoc** stm. weinstock. **-sûf** stm., **-sûfe, -suppe** swf. = *mërâte.* **-tabërne** f. weinschenke. **-trëber** stf. weintreber. **-trenker, -trinker** stm. weintrinker. **-triubel** stm. weintraube. **-trote** swf. weinkelter. **-trûbe, -trûb** swstm. f., **-trûbele** swf. weintraube. **-ungëlt** stn. weinakzise. **-var** adj. weinfarb. **-vaz** stn. weinfass. **-vrouwe** swf. weinwirtin. **-vuore** stf. weinfuhre. **-wahs** stm. f. n. weingarten, weinberg. **-wërc** stn. weinbau. **-wringe** m. md. weinkelter. **-wurm** stm. bibio. **-zapfer, -zepfener** stm. weinverzapfer, weinschenk. **-zëhende** swm. weinzehent. **-zëlle** f. weinkeller. **-zieher** stm. arbeiter bei einer weinniederlage, fasszieher. **-zins** stm. weinzins.

winbrâ s. *wintbrâ.*

winc, *-kes* stm. der wink; das wanken.

winde swf. winde, vorrichtung zum winden, kran; armbrustwinde; in nonnenklöstern die wagerecht drehbare vorrichtung zum ein- und auslassen der dinge; eine vorrichtung am zelte; winde (pflanze).

winde s. *winne.*

winde-bluome swmf. die winde.

winde-bote s. *wimmelbote.*

windec, -ic adj. windig; blähend.

windêht adj. gewunden.

windel, wintel stswf. windel. **-bant** stn. windel-, wickelband. **-snuor** stf. = *windelbant.* **-tuoch** stn. windel.

windel-bote s. *wimmelbote.*

windeln, winteln swv. in windeln einhüllen, -wickeln, überh. einwickeln.

windellîn stn. dem. zu *windel.*

windemât, wimmât, wimmôt, wimmet stm., **windeme** swf. weinlese (lat. *vindemiae*).

windemen, winmen, wimnen, wimmen swv. weinlese halten (lat. *vindemiare*).

windemer, wimmer stm. weinleser.

windemunge stf. = *windemât.*

winde-muos stn. mahl bei der weinlese.

winden, winten stv. III, 1 tr. u. refl. winden, ringen, drehen; wickeln, um-, einwickeln; eine richtung geben, wenden *ze.* — intr. sich umwenden, reichen bis, das ende finden, aufhören; *ane w.* mit acc. sich wenden gegen, feindl. angreifen; gehören zu, angehören.

winden swv. intr. windig sein, wehen. — tr. worfeln.

winder stm. arbeiter an einem krane.

winder s. *winter.*

windin stf. weibl. windhund.

windinc, *-ges* stm. beinbinde, strumpf.

windisch, windesch adj. windisch, wendisch, slavisch. — wetterwendisch.

windume-, winde-mânôt stm. monat der weinlese, oktober.

wine, win stm. freund, geliebter, gatte. —, **winege, winige** stf. geliebte, gattin. **-holt** adj. = *vriuntholt.* **-hulde, -huldunge** stf. = *vriunthulde.* **-lich** adj. freundschaftlich. **-liet** stn. freundschafts-, gesellschafts-, volkslied. **-schaft** stf. freundschaft, liebe, bündnis, gattenverhältnis.

winen swv. intr. nach wein schmecken.

winhelen s. *wihelen.*

winic adj. ganz rein (wein); voll wein, trunken.

winige s. *winege.*

winkel stm. winkel, ecke, ende; abseits gelegener, verborgener raum (*ze w.* beiseite, abseits); schwerverständliche stellen eines buchs. **-banc** stf. bank im winkel. **-diupe** stf. heimlicher diebstahl. **-ê** stf. heimliche ehe. **-haft** adj. winklig. **-halp** adv. in einem winkel, schief. **-isen** stn. eisernes winkelmass. **-lich** adj. winkelig. **-mâȥ** stn., **-mâȥe** stf. winkelmass. **-mæȥic** adj. dem winkelmass entsprechend. **-mëȥ** stn. = *winkelmâȥ.* **-prediger** stm. winkelprediger. **-rât** stm. heimliche ratsversammlung; heimlicher, falscher ratgeber. **-rûmer** stm. abtritträumer. **-slange** swm. winkelschlange: heimlicher verleumder. **-stat** stf. platz im winkel. **-stein** stm. winkel-, eckstein. **-sûl** stf. ecksäule, -pfosten. **-tugent** stf. für winkel passende *tugent.* **-wîp** stn. kupplerin, hure. **-wirt** stm. hurenwirt. **-zan** stm. eckzahn.

winkelëht adj. winkelig.

winkellin, winkelîn stn. dem. zu *winkel.*

winkel-sëhen stv. mit den augen zwinkern, die augen verdrehen. — zu *winc.*

winken swv. (st. praet. *wanc* nur Wigam. 1837) sich seitwärts bewegen, wanken, schwanken, nicken; durch eine bewegung (der augen, der hand) ein zeichen geben, winken mit dp.; herausfordern.

winkunge stf. das winken.

wînlîn stn. dem. zu *wîn.*

winmen s. *windemen.*

winnahten s. *wîch* adj.

winne swm. in *widerwinne.*

winne, entst. **winde, wint** swstf. schmerz.

winne-brôt = frz. gaaignepains.

winnec, winnic, windic adj. wütend, rasend, toll. **-lichen** adv. ohne besinnung.

winne-, wunne-mânôt stm. weide-, wonnemonat, mai.

winnen stv. III, 1 sich abarbeiten, wüten, toben, heulen, rasen, streiten.

winnende part. adj. = *winnec.*

winnunge stf. gewinn, errungenschaft.

winpel s. *wimpel.*

winseln, winsen swv. winseln.

winster adj. link. **-halben, -halp** adv. linkerhand, links.

winstere, winster swstf. die linke (näml. *hant*).

wint s. *winne* f.

wint, *-des* stm. wind (bildl. etwas nichtiges, das nicht in betracht kommt, ohne wirkung bleibt); *des viures, der viurheiȥe, viuwerrôte w.* die von hieben aufsprühenden funken, *der steheline w.* schwerthiebe; blähung im leibe; freie luft; duft, geruch; windhund. **-bant** stn. hundeseil. **-bërge** swf. schutz vor dem winde gewährender ort, mauerzinne. **-brâ, -brâwe, winbrâ** stswf. wimper. **-bracke** swm. windhund. **-bruch** stm. windbruch, vom winde umgestürzte bäume. **-brût** stf. windsbraut. **-burgelin** stn. kleine zinne. **-dürre** adj. vom winde ausgetrocknet. **-gestœze** stn. coll. zu *wintstôȥ,* sturmwint. **-geverte** stn. windrichtung. **-hûs** stn. windkammer eines orgelwerkes, orgel. **-lieht** stn. windlicht, wachsfackel. **-ræhe** adj. eine besondere art des steifseins der pferde. **-schaffen** part. adj. beschaffen, dass es sich wie der wind dreht, wetterwendisch; was sich an der freien luft krumm gezogen hat, verdreht. **-seil** stn. seil, womit das zelt vor dem winde sicher gespannt wird. **-siusen** swv. stürmisch werden. **-snël** adj. schnell wie der *wint.* **-spil** stn. windhund. **-stôȥ, -strûȥ** stm. windstoss. **-val** stm. = *wintbruch.* **-vanc** stm. worin der *wint* sich fängt. **-velle** stn. = *wintval.* **-vlühtic** adj. vor dem wind fliehend, in bewegung. **-wæjen** swv. intr. = *winden* 2. **-warp** stm. windwirbel, sturmwind. **-wëhe** swm., md. *wintwach* = *wannenwëhe.* **-wer** = stf. *wintbërge.* **-werfe** swf. = *wintval.* **-wëter** stn. sturmwetter. **-wurf** stm. = *wintval.* **-zohe, winzohe** swf. windhund.

wintel, winteln s. *wind-.*

winten s. *winden* 1.

winter stn. = got. *weina-triu* weinstock, pl. weinreben. **-butze** swm. vogelscheuche in den reben. **-hol** stn., **-trol** stf., **-trûbe** f. wilder weinstock.

winter, winder stm. winter. **-ban** stf. winter-, schlittenbahn. **-bû** stm. wintersaat. **-kalt** adj. winterlich kalt. **-kleit** stn. winterkleid. **-kloup** stm. der winter als abpflücker, räuber der naturschönheiten. **-korn** stn. wintergetreide. **-lanc** adj. lang als im winter. **-leit** stn. leiden des winters. **-lich** adj., **-liche** adv. winterlich. **-lôn** stm. lohn für arbeit im winter. **-mânôt** stm. wintermonat (schwankend zwischen oktober bis januar). **-reise** stf. reise im winter. **-rife** swm. winterlicher reif. **-saf** stn. wintersaft. **-sât** stf. wintersaat. **-schuoch** stm. winter-, filzschuh. **-sorge** f. sorge im winter. **-sunnewende** stf. solstitium hiemale. **-tac** stm. wintertag. **-trüebe** adj. winterlich trübe. **-vëlt** stn. mit wintersaat bestelltes feld. **-vruht** stf. winterkorn. **-vuore** stf. die fütterung den winter über. **-wërc** stn. winterarbeit. **-zeichen** stn. signum septentrionale. **-zëlge** swf. = *wintervëlt.* **-zît** stf. winterszeit.

winteric, winterisch adj. winterig, des winters.

winterlinc, *-ges* stm. wilder weinstock.

wintern swv. intr. winter, zum w. werden; den winter über bleiben, überwintern. — tr. den winter über einstellen und füttern.

wint-halsen swv. den hals drehen, über die achsel schauen.

wintlinc, *-ges* stm. bohrer; die winde (pflanze).

wints-prût stf. = *windes brût* wirbelwind. **-prûtic** adj. wirbelwindig, wirbelnd.

winzen swv. = *wînen.*

winzer stm. = *wînzürl.*

winzic adj. überaus klein, überaus wenig.

winzohe s. *wint-zohe.*

wînzürl, wînzürle, -zürne stswm. winzer (lat. *vinitor*).

wînzürler stm. dasselbe.

wîp, *-bes*, **wîb** stn. (pl. *wîp*, später auch *wîber*) weib: gegens. zu *man*, zu jungfrau; gemahlin; euphem., kebsweib; gegensatz zu *vrouwe*. **-haft** adj. effeminatus. **-heit** stf. das weibsein, weiblichkeit, rechte weibl. art u. gesinnung; frauentum im gegens. zum *magettuom*; das ganze weibl. geschlecht. **-here** stn. ein heer von frauen. **-hüeter** stm. der ein weib od. weiber hütet, weiberknecht. **-huore** stf. hurerei mit weibern. **-kunne** stn. weibl. geschlecht. **-lich** adj. von weibesart; einem weibe geziemend; des weibes, der weiber. **-liche** adv. in, von, nach weibes art; einem weibe geziemend. **-sælic** adj. durch frauen beglückt. **-schende** swm. der weiber in schande bringt. **-trugenære** stm. betrüger der weiber.

wipf stm. = *wif*.

wipfel stm., md. *wippel* wipfel: spitze eines baumes, eines gebäudes; rute aus schwankenden zweigen.

wipfeler stm. ein *gewipfelter* baum.

wipfelinc, *-ges* stm. baumwipfel.

wipfellîn stn. dem. zu *wipfel*.

wipfeln swv. durch abhauen des wipfels kürzen.

wipfen swv. hüpfen, springen

wip-luppen stn. wipfendes erheben.

wippe, **wüppe** stn. gewebe.

wippel s. *wipfel*.

wir pl. zu *ich* (nbff. *wër*, *wier*, *mir*, *mër*, md. verkürzt *wî*, *wi*, *wie*).

wirbe swf. wirbel, scheitel.

wirbel stm. wirbel, scheitel; am saiteninstrument; spiraltreppe; was sich kreisförmig dreht, bes. die kreisförmige bewegung von wasser u. luft. **-(wirvel-)loc** stm. haarlocke am scheitel. **-suht** stf. epilepsis, frenesis.

wirbic adj. wirblicht, schwindlicht.

wirde, **wierde** (md. *wërde*) stf. wert, wertvolle beschaffenheit, ansehen, würde, ehre, ehrenbezeigung, verehrung (mit einem adj. oft nur zur umschreibung eines adv. dienend). **-bære** adj. *wirde* habend od. bringend. **-lich** adj. = *wirdeclich*. **-riche** adj. reich an *wirde*. **-sam** adj. würdig, geziemend.

wirdec, **wirdic** adj. *wërt* habend, trefflich, angesehen, edel. **-(wërdec-)heit** stf. was wert u. würdig ist, würdigkeit, hohes ansehen, herrlichkeit, amt u. würde, ehre, auszeichnung. **-(wërdec-)lich** adj., **-liche** adv. würdig, ehrenvoll, herrlich.

wirden swv. intr. *wirde* haben, würdig sein. — tr. mit *wirde* versehen, wert, lieb machen, schätzen, ehren, verherrlichen. — refl. sich auszeichnen.

wirdern swv. = *wërdern*.

wirdige stf. würde, rang.

wirdigen swv. *wirdec* machen od. halten.

wiric adj. dauerhaft.

wirke, **würke** swmf. der, die wirkende (in komposs.). **-(würke-)lich** adj. tätig, wirksam, wirkend. **-(würke-)licheit** stf. tätigkeit, wirksamkeit, werktätigkeit.

wirkel stm. hervorbringer, schöpfer.

wirken, **würken**, **wurken** swv. an. (prät. *worhte*, part. *geworht*, *gewirket*, *-würket*, *gewürkt*) abs. tätig sein, handeln, arbeiten, wirken, verfahren. — tr. ins werk setzen, er-, bewirken, schaffen, machen, tun, verfertigen, spez. nähend, stickend, webend verfertigen; be-, verarbeiten.

wirker, **würker** stm. der etw. ins werk setzt, hervorbringt, schafft, arbeitet, bearbeitet, bewirkt. **wirkerinne**, **würkerinne** stf. die etw. wirkt od. bewirkt.

wirkîn adj. von werg.

wirkunge, **würkunge** stf. das wirken, die wirksamkeit, ausübung.

wirme, **wirmen** stf. wärme.

wî-rouch s. *wîhrouch*. **-rouchen** swv. räuchern. **-rouch-vaz** stn. weihrauchgefäss.

wirre adj. verwirrt u. verwirrend, gestört u. störend. — stf. s. *wërre*.

wirren swv. in verwirrung bringen. — refl. sich durcheinander schlingen.

wirs, **würs** (md. auch *wërs*) adv. komp. zu *übele*, gegens. zu *baz*; übler, schlimmer, schlechter, niedriger, weniger. — mit nochmal. steigerung: komp. *wirser*, sup. adj. u. adv. *wirsest*, *wirst*, *würst*, *wërst*.

wirsen, **wirsenen**, **wirsern** swv. übler machen, schädigen, verletzen; ärgern.

wirserunge stf. verschlechterung; ärgernis.

wirsic adj. schlimm, übel.

wirt stm. (md. auch *wërt*) ehemann; männchen eines tierpaares; haus-, burgherr, bes. im gegens. zu *gast*; landesherr, gebieter, herr (*des himels w.* gott, Christus, *der helle w.* teufel); schutzherr; bewirter, gastfreund; begleiter der brautleute, hochzeitsgast; inhaber eines wirtshauses, gasthalter, -wirt; als schachfigur sechster *vende*. **-gëbe** swm. ehemann. **-lich** adj., **-liche** adv. einem *wirte* angemessen. **-liute** pl. eheleute. **-schaft** stf. (md. auch *wërtschaft*) tätigkeit des hausherrn, des wirtes, schenkwirtes; bewirtung u. was zur bewirtung gehört, gastmahl, gasterei, schmaus, überh. fest, festliche freude; einsetzung des hl. abendmahls und dies selbst. **-schaften**, **-scheften** swv. ein gastmahl, eine gasterei halten, schmausen. **-volc** stn. die dienstgeber im gegens. zum *dienestvolc*.

wirt stm. meereswirbel.

wirte swm., **wirtel** stm. wirtel, spindelring.

wirten swv. bewirten.

wirtinne, **-în**, **-in** stf. (md. auch *wërtinne*) ehe-, hausfrau, herrin.

wirvel-loc s. *wirbelloc*.

wirz, **wirz** stn. (md. *wërz*) würze, bes. bier-, metwürze, überh. süsser, aromatischer stoff.

wis adj. = *gewis*.

wis stf. s. *wîse* 3.

wîs, **wîse** adj. verständig, erfahren (alt), klug, kundig, unterrichtet, gelehrt, weise, ohne od. mit gen. **-brief** stm. urteilsurkunde. **weitere Komposita bei** ***wîs-heit.***

wisage s. *wîssage*.

wisant s. *wisent*.

wîsære, **-er** stm. führer, anführer, oberhaupt; lehrer; beiständer; der zeigefinger.

wîsât s. *wîsôt*.

wis-boum stm. wiesbaum.

wisch stm. n. (md. *wusch*) strohwisch.

wischen, **wüschen** swv. (prät. *wischte wiste*, *wüschte wuschte*, *wüste wuste*) tr. refl. wischen, abwischen, reinigen, trocknen. — intr. leicht u. schnell sich bewegen, schlüpfen, entschlüpfen. **wisch-tuoch** stn. tuch zum abwischen, abtrocknen.

wise swstf. wiese. **-bluome** swmf. wiesenblume. **-gëlt** stn. abgabe von wiesen u. grundstücken. **-heie** swm. wiesen-, feldhüter. **-lamp** stn. weidelamm. **-mât**, **-mat**, **wismat** stn. f. wiese die gemäht wird. **-vlëcke** swm. stück wiese, freier platz einer wiese. **-wahs** stm. f. n. ertrag der wiese; die wiese als ertrag gebende. **-wazzer** stn. wiesenwasser, bes. als bild der unzuverlässigkeit.

wîse adj. s. *wîs*.

wîse swm. führer, anführer, oberhaupt.

wîse, **wîs** stf. art u. weise, bes. in adv. ausdrücken (wobei die verkürzte form *wîs* auch als stmn. gebraucht wird, z. b. *in zwei wîs, zwein wîs* zwiefach, *einen, deheine wîs* auf eine, auf keine art, keineswegs); besondere erscheinungsform; melodie, gesangsstück, lied; anweisung.

wîsec-lîche adv. = *wîslîche.*

wîsegen swv. = *wîsen.*

wisel s. *wisele.*

wîsel s. *wîhsel.*

wîsel stm. führer, anführer, oberhaupt; bienenkönigin, weisel. **-lôs** adj. ohne führer.

wisele, wisel swstf. wiesel.

wîselîn stn. dem. zu *wîse.*

wîse-, wîs-lôs adj. ohne führer, nicht geleitet od. gelenkt, irre gehend, hilflos, verlassen, verwaist (*w. ez here* die menschheit); ohne besondere erscheinungsform.

wîsen stv. I, 1 ausweichen, meiden (in *entwîsen*).

wîsen swv. intr. *wîs* werden, — tr. anweisen, belehren, unterrichten, wissen lassen (mit acc. u. gen., mit dopp. acc., mit acc. u. inf., mit nachs.); zeigen, anzeigen, kundtun, offenbaren; dartun, beweisen, mit gen. — tr. weisen, führen, lenken, leiten; warnen, abmahnen *von*; einweisen in, belehnen mit (gen.).

wîsen swv. sehen nach, sich annehmen, besuchen, auf-, heimsuchen (mit gen. od. acc.); suchen *nâch*; mit dat. bei festlicher besuchsgelegenheit ein geschenk (*wîsôt*) bringen.

wisen-blez stm. = *wisevlëcke.*

wisent, wisente, wisant st. swm. wisent, bisonochse. **-horn** stn. horn des *w.* **-hût** stf. haut des *w.* **-tier, wisentier** stn. = *wisent.*

wisen-vlez stm. wiesenboden, wiese.

wîserin stf. leiterin, lehrerin.

wîset s. *wîsôt.*

wîse-tief adj. gründlich weise.

wis-heit stf. = *gewisheit.*

wîs-heit stf. verständigkeit, erfahrung, wissen, gelehrsamkeit. weisheit, kunst; als titulatur gegenüber dem städt. rate. **-lich** adj. = *wîs.* **-liche** adv. auf verständige, kluge weise. **-lôs** s. *wîselôs.* **-man** stm. = *wîser man.* **-rât** stm. ratgeber, beiständer. **-redic** adj. disertus. **-tuom** stm. n. = *wîsheit*; rechtsweisung, urteil.

wis-lichen adv. sicherlich.

wismat s. *wise-mât.*

wîsôt, wîsât, wîset, wîsôde, wîsœde stn. m. f. geschenk od. abgabe (bes. in naturalien) zu festzeiten an braut, kirche, herrn. **-brôt** stn. brot als *wîsôt* (ähnlich *wîsôt-haber, -huon, -kërn*).

wispel stm. das zischeln, pfeifen. **-wort** stn. zauberwort des schlangenbeschwörers.

wispeler stm. der *wispelt*, durch *wispeln* lockt.

wispeln swv. zischeln, pfeifen.

wîssage, wîsage swm. weis-, wahrsager, prophet (entstellt aus ahd. *wîzago, wîzego*). — swf. wahrsagerin, prophetin. — stf. weissagung, prophezeiung.

wîssagen, wîsagen swv. (ältere form *wîzigen*) wahrsagen, prophezeien.

wîssager stm. = *wîssage* swm.

wîssagerinne, wîssaginne, -în stf. = *wîssage* swf.

wîssag-tuom stm. das weissagen.

wîssagunge stf. = *wîssage* stf.

wîssege-lich adj. weissagend.

wissel s. *wihsel.*

wist stm. f. das wissen.

wist stf. aufenthalt, wohnung; lebensunterhalt, nahrung; fürsorge, pflege; welt, menschheit.

wîsunge stf. weisung; offenbarung, ausweis, inhalt; leitung führung; einweisung auf ein rechtl. zugesprochenes od. lehngut; beweisführung, rechtsweisung. — besuch, heimsuchung; s. v. a. *wîsôt.*

wit s. *wite.*

wit, -de, wide, wid stf. flechtreis, strang aus gedrehten reisern (*bî der wide* bei strafe des henkens, bei todesstrafe); band als schmuck.

wît adj. weit, von grosser ausdehnung (mit gen. des masses); weithin wirksam u. bekannt. **-gesazt** part. adj. sich weit erstreckend. **-hendic** adj. von grossem umfang. **-louf, -löuf, -löuftic** adj. weitläufig, -schweifig. **-mære, -mæric** adj. weit bekannt, berühmt. **-reiche** f. bezirk, bereich. **-schellic** adj. weithin besprochen u. ruchbar. **-spür** adj. spuren weit hinterlassend. **-sweife, -sweif, -sweific** adj. umherschweifend (auch: mit den augen); weitschweifend, weitläufig. **-sweife** stf. das umherschweifen; die weite. **-veltic** adj. abschweifend. **-vengec** adj. weit fassend, viel aufnehmend mit gen. **-weide, -weidec** adj. weit hinaus weidend, weit schweifend, weitschweifig.

wit-busch stm. weidenbusch.

wite, wit stm. n. holz, brennholz.

wîte, wît adj. weit, weithin; weither; weit umher. — stf. weite, breite, weiter raum oder umfang, weites offenes feld.

wite-, wit-, wid-hopfe swm. wiedehopf.

wite-manger stm. holzhändler.

wîten swv. intr. u. refl. *wît* werden, sich erweitern. — tr. *wît* machen, erweitern; verbreiten; entfernen *von.*

wîten stf. = *wîte.*

wîten, wîtene adv. räuml. = *wîte*; zeitl. lange.

wîtenân, wîtenen adv. weit, weithin.

wîten-halben adv. weit umher.

witer stn. = *gewiter.*

witern, wittern md. s. *wideren* (repetere).

witeren, witern, wittern swv. mit subj. *ez* wetter sein oder werden. — abs. wetter machen. — tr. zum gewitter machen (*an einem bœse wort w.* ihn mit bösen worten bestürmen); weidm. *an w.* mit acc. als geruch in die nase bekommen.

wîtern swv. intr. u. refl. *wîter* werden. — tr. *wîter* machen, erweitern. — refl. sich entfernen *von.*

wite-, witte-wal (md. *wëdewal*) stm. f. goldamsel.

witewe, witiwe, witwe, witib stswf. witwe. **-lich** adj., **-liche** adv. einer witwe gemäss, nach art einer witwe.

witewelinc, witlinc, -ges stm. witwer.

witewen swv. viduare.

witewen-(witewe-)stuol stm. witwenstuhl, -stand. **-tuom** stmn. witwenstand.

witewer, witwer stm. witwer. **-stuol** stm. witwerstand.

wit-hou stm. holzschlag.

witlinc s. *witwelinc.*

wit-man stm. witwer.

wit-reite, -reitine stswf. ödung, die, urbar gemacht, dem lehnsherrn die *lantgarbe* trägt.

wittern s. *witeren.*

witte-wal s. *witewal.*

wit-trager stm. holzträger.

wîtunge stf. weite, umfang in der weite.

wit-vrouwe f. witwe.

witze, witz stf. wissen, verstand, besinnung, einsicht, klugheit, weisheit (*mit witzen* verständig, klug, *von den, ûz den witzen komen* den verstand, die besinnung verlieren), in verbind. mit einem adj. oft nur zur umschreibung des darin enthaltenen begriffs (*mit zühteclîchen witzen* = *zühteclîche*). **-bërnde** part. adj. weisheitsvoll. **-haft** adj. verstand besitzend. **-(witz-)lich, -liche** adj. adv. = *witzec.* **-lôs** adj. unverständig; besinnungslos. **-riche** adj. reich an *witze.*

witzec, witzic adj. kundig verständig, klug, weise. **-lich, -liche** adj. adv. dasselbe.

witzegen swv. = *witzen.*
witzen swv. *witzec* machen.
wiu instr. s. *wër.*
wîwære, wîwer, wîher, wîger, wîære, wîer stm. weiher (lat. *vivarium*). — dem. *wîerlîn* stn.
wîwe s. *wîe.*
wî-wint stm. sturmwind.
wîȥ adj. weiss, glänzend (*wîȥer phenninc, wîȥeȥ gelt* mehr silber- als kupferhaltiges geld). **-blâ** adj. hellblau. **-brôt** stn. = *wîȥeȥ brôt.* **-dorn** stm. weissdorn. **-gehant** adj. weisshändig. **-gerwer** stm. weissgerber. **-hiutec** adj. weisshäutig. **-mâler** stm. weissgerber. **-niuwe** adj. neu und deshalb noch weiss. **-phenninc** stm. = *wîȥer ph.* **-schîn, -schînic** adj. weiss-, hellfarbig, glänzend. **-var** adj. hellfarbig, weiss.
wîȥære stm. tadler, strafer, peiniger.
wîȥe, wîȥ stn. das weisse (*daȥ wîȥe vür kêren* die augen verdrehen, sterben; *daȥ wîȥe* die blasse gesichtsfarbe als symbol der schuld). — stf. reinheit.
wîȥe stf. n. strafe, bes. fegefeuer-, höllenstrafe, fegefeuer, hölle; peinliche strafe, tortur.
wîȥegære stm. strafer, peiniger; scharfrichter.
wîȥegen swv. strafen, peinigen.
wîȥegunge stf. strafe, pein.
wîȥen stv. I, 1 beachten, bemerken; mit dat. u. acc. (oder präp. *umbe*) jemand einen vorwurf woraus od. weshalb machen, ihm es schuld geben, verweisen; mit ap. bestrafen.
wîȥen swv. intr. weiss sein od. werden, glänzen. — abs. u. tr. weiss machen, tünchen.
wîȥenære stm. = *wîȥegære.*
wîȥene stf. strafe.
wîȥenen swv. = *wîȥegen.*
wiȥigen s. *wîssagen.*
wiȥ-lich s. *wiȥȥelich.*
wîȥlot adj. weisslicht.
wiȥôd, wiȥôt s. *wiȥȥôt.*
wîȥunge stf. = *wîȥegunge.*
wiȥȥec adj. wissend, verständig. **-liche** adv. wissentlich.
wiȥȥe-, wiȥ-lich adj. bewusst, bekannt.
wiȥȥen anv. (präs. *ich weiȥ*, pl. *wiȥȥen*; prät. *wisse we(ë)sse, wiste we(ë)ste, woste, wuste*; part. *gewist, -west,* st. *gewiȥȥen*) abs. u. tr. (auch mit inf., acc. mit inf., mit folgd. direkter rede, mit untergeord. s.) wissen, verstehn, kennen (imp. *wiȥȥe* bei beteuerungen; *ich enweiȥ wâ, war, wer, waȥ, wie* kontr. in *neiȥwâ, neiȥwar, neiȥwer* usw.; *wiȥȥen lân* mit dat. mitteilen, zu wissen tun, *danc w.* mit dat., ohne od. mit gs. danken, erkenntlich sein). — stf. das wissen, die einsicht; gewissenhaftigkeit, redlichkeit; gewissen. **-(wiȥȥent-)haft** adj. bekannt, offenkundig. **-haftic** adj. kundig, erfahren. **-(wiȥȥent-)heit** stf. einsicht, wissen, bewusstsein. **-(wiȥȥent-)lich** adj., **-liche** adv. bewusst, bekannt, offenkundig. **-lôs** adj. ohne wissen. **-(wiȥȥent-)schaft** stf. wissen, vorwissen, genehmigung. **-tuom** stm. weisheit.
wiȥȥende stf. wissen, vorwissen, einsicht.
wiȥȥôt, wiȥôt, wiȥôd stm. n. gesetz; sakrament; das heil. abendmahl.
wô s. *wâ.*
wôch, wôh interj. = *wach.*
woche, wuche, wëche swf. viertel des mondlaufes, woche. **-gelich** adv. jede woche. **-lich** s. *wochenlich.*
wochec-liches adv. wöchentlich.
wochenære, -er stm. der den wochendienst hat.
wochen-gëlt stn. wöchentliche abgabe, wochenzins. **-gerihte** stn. wöchentl. gericht. **-gesuoch** stn. wochenzins. **-halter** stm. = *wochenære.* **-koste** f. wöchentl. ausgaben. **-lanc** adj. adv. eine woche lang dauernd. **-(woche-)lich** adj., **-liche** adv. wöchentlich. **-market** stm. wochenmarkt. **-spîse** stf. speise für eine woche. **-tac** stm. wochentag. **-wërc** stn. vorgeschriebene wochenarbeit.
wôcher s. *wuocher.*
wôchzen swv. *wôch* rufen.
wôh s. *wôch.*
wol, wole, wale, wal adv. gut, wohl, sehr, völlig, gewiss, leichtlich, fast (in ellipt. ausrufungen *wol dan! wol dar! wol her!* usw.; glücklich preisend u. segnend mit dat. oder acc. *wol mir, wol dich*); *swie, wie wol* obwohl, obschon. **-anst** stf. wohlwollen. **-bedâht** part. adj. adv. verständig. **-behagen** stn. md. wohlgefallen, freude. **-bendic** adj. md. zahm. **-bevellecheit** stf. wohlbehagen, selbstgefälligkeit. **-dân** interj. wohlauf, vorwärts! — subst. *der wôldan* kriegshaufe, der auszieht um anzugreifen od. beute zu machen; der zug eines solchen haufens, angriff, losbruch, gefecht. **-erborn** = *hôchgeborn.* **-ganc** stm. wohlergehn, wohlbefinden. **-gebære** adj. von schönem aussehen. **-geborn** part. adj. = *hôchgeborn.* **-gelinc** stm. guter Erfolg. **-gelust** stm. = *wollust.* **-gesit** part. adj. gut gesittet. **-gemeit** adj. verstärktes *gemeit.* **-gemuot** adj. = *wol gemuot.* **-gemuot** stm. wohlgemut (pflanze). **-gên** stn. = *wolganc.* **-gerâten** part. adj. wohlgeraten; wohlversorgt. **-gesmac** adj. wohlschmeckend, -riechend. **-gespræche** stf. wohlredenheit, beredsamkeit. **-gestalt** part. adj. = *wol gestalt* (s. *stellen*). -, **-gestaltheit, -getæne** stf. schöne gestalt, schönheit. **-gevallenheit** stf. gefälligkeit, freundlichkeit, anmut. **-gevar** adj. wohl, schön aussehend. **-gewæge** adj. vollwichtig. **-heit** stf. annehmlichkeit. **-lichen** swv. wohlgefallen. **-lîp** stm. wohlleben. **-lust** stmf. wohlgefallen, freude, vergnügen, lust; wollust, wohlleben, genuss. **-lüste** stf. wollust, genuss. **-lustec** adj. *lust* erweckend, reizend. **-lustecheit** stf. seligkeit (des paradieses). **-mügen** stn. wohlbefinden. **-reden** stn. wohlredenheit. **-smac** stm. wohlgeschmack, -geruch. **-smeckende** part. adj. wohlschmeckend, -riechend. **-tac** stm. freude. **-tât** stf. gutes tun, gute tat, wohltat. **-tætic** adj. milde, rechtschaffen. **-tæter** stm. wohltäter. **-tuon** stn. = *woltât*; das wohltun, die angenehme empfindung. **-varn** stn. wohlfahrt. **-veil** adj. s. *veile.* **-veile** stf. das feilsein, die wohlfeilheit. **-veilen** swv. *w.* verkaufen. **-vertic** adj. verst. *vertic.* **-willic** adj. wohlwollend. **-willicheit** stf. das wohlwollen. **-zuht** stf. gute anweisung, lehre.
wôl s. *wuol.*
wolbe swm. = *walbe.*
wöle f. wohlgefallen, wohlbefinden.
wole-maht stf. gesundheit.
wolf, -ves stm. wolf (alleg. für *merker*); hautentzündung durch reibung, um sich fressendes geschwür; werkzeug zum erz-, steinbrechen; die türpfosten verbindende oberschwelle; fehlerhaft geschnittenes brett; fehler in einem bau. **-angel** stm. wolfseisen, wolfsfalle. **-æȥic** adj. von wölfen angefressen. **-biȥ** stm. wolfsbeissen, wolfseinfall. **-lich** adj., **-liche** adv. = *wolfîn.* **-mânôt** stm. november, dezember, januar. **-milch** stf. wolfsmilch (pflanze). **-sëgen** stm. wolfssegen, spruch um das vieh beim austreiben gegen den wolf zu segnen. **-sëgense** f. = *wolfangel.* **-strâl, -stræl** stm. wolfskamm (pflanze). **-vræȥec** adj. bissig wie ein wolf. **-zant, -zan** stm. wolfszahn; unnatürlicher zahn.
wolfîn, wulfîn, wolfisch adj. wölfisch, wolfartig.

wolgen swv. unp. = *walgen.* **wolgern** swv. unp. = *walgern.* **wolke** swm. stswf. swn., **wolk** stm. = *wolken.*

wolkelîn, wölkelîn, wölkel, wülkelîn stn. kleine wolke.

wolken, wulken stnm. wolke, gewölk. **-blâ** adj. himmelblau. **-brust** stf. wolkenbruch. **-brüstic** adj. wolkenbrüchig. **-duȥ** stm. wolkenschall, donner. **-güsse** stf. wettermachende hexe. **-hël** adj. wolkenfarb. **-lich** adj. wolkenartig. **-lôs** adj. ohne wolken. **-riȥ** stf. wolkenbruch. **-schôȥ** stm. blitz. **-sûl** stf. wolkensäule. **-var** adj. wolkenfarb. **-trüebe** stf. trübe wolken.

wolkenen swv. voll wolken sein.

wolkern swv. mit seiner rede wie in den wolken umherfahren.

wolkern, wulkern stf. trüber, gebrochener harn.

wolkîn adj. von wolken.

wolle swf. wolle. **wolle-, wollen-boge** swm. *boge* des wollenschlägers. **wollener, woller** stm., **wollen-, wolle-slaher, -sleher, -sleger** stm. wollenschläger. **wollen-, wullen-wëber, wollenwërker, -würker** stm. wollenweber.

wollen, wöllen s. *wellen.*

wolnus, wolnust stf. wohlleben, freude, vergnügen.

wolvelîn, wölvelîn stn. dem. zu *wolf*; wolfskraut.

wonder s. *wunder.*

wone, won stf. aufenthalt, wohnung; gewohnheit, gebrauch, sitte. **wonegen** swv. wohnen. **wonen** swv. sich aufhalten, weilen, bleiben, hausen, wohnen, sein (*dem râte mit w.* beistimmen); gewohnt werden od. sein, zu tun pflegen, mit gen., *an*, infin. u. *ze.* **woner** stm. wohner, bewohner. **wongezimber** stn. wohnung. **-haft** adj. wohnung habend, wohnhaft, angesessen; bewohnbar. **-haftic** adj. wohnhaft, angesessen. **-heit** stf. gewohnheit. **-hûs** stn. wohnhaus. **-lich** adj., **-liche** adv. wohnlich, traulich, vertraut. **-licheit** stf. gewohnheit. **-stat** stf. wohnstätte, wohnsitz. **wonunge** stf. bleiben, aufenthalt, wohnung; gegend, himmelsstrich, klima; gewohnheit.

worbele stf. worum sich etw. als um seine achse dreht.

worc, *-ges* stm. das erwürgen.

worfen swv. worfeln.

worgen s. *würgen.*

worgen swv. intr. erwürgt werden, ersticken; mühsam u. bis zum ersticken schlucken, einen laut von sich geben wie ein erstickender, bildl. sich abquälen; sich würgen, mühevoll verschluckt werden.

worht, worhte s. *wurht, würhte, wirken.* **-lich** adj. wirksam.

worst s. *wurst.*

wort stn. (bair. österr. alem. auch *wart*) name; wort, pl. rede (*ein altsprochen w.* sprichwort, *mit ganzen worten* vollständig, ausführlich, *mit kurzen worten* kurz, *ze worte bringen* begrifflich ausdrücken); rede von, ruf (*eines w. tuon* an stelle jmds. reden, *eines w. sprechen* fürsprech sein für jmd., *w. geben* m. dp. nachsagen, *w. hân* in (üblem) rufe stehn, *wort machen* nachrede verursachen, *in wort, ze worte komen, wort gewinnen* ins gerede, in übeln ruf kommen, *von dem worte komen* dem übeln rufe entgehn); verteidigungsrede, verteidigung, fürsprache, entschuldigung (*einem sîn w. sprechen* seine klage vorbringen; einen verteidigen); ausrede, ausflucht, vorwand; verabredung, bedingung (*in den, mit den* od. bloss *den worten, daȥ* unter der bedingung od. in der absicht, dass); zustimmung, erlaubnis; zauberwort, beschwörung, segen; zunge; text eines gedichtes, gedicht (*wort unde wîse* text und melodie); silbe, verssilbe. **worte-arzât** stm. der durch worte heilt. **wortec-liche** adv. mit worten. **worte-lîn wortel, wörtelîn wörtel** stn dem. zu *wort.* **-lôs** adj. unsagbar. **worten** swv. worte machen, sprechen; zanken. **wort-herte** adj. = *-ræȥe.* **wortigen** swv. in worte fassen, aussprechen. **wort-lâge** stf. verfängliche rede. **-lich** adj. wörtlich, durch worte ausgedrückt. **-ræȥe** adj. in worten scharf oder bitter. **-spæhe** adj. zierlich in worten, beredt. **-strît** stm. wortwechsel. **-wëhsellich** adj. mit wortwechsel verbunden. **-wîse** adj. verständig im reden, redegewandt. **-zeichen** stn. zeichen das die stelle der worte vertritt od. in worten gegeben wird; wahr-, kennzeichen, merkmal, erkennungswort, parole; beweis, beispiel.

worte s. *würhte.*

worz s. *wurz.*

wuche s. *woche.* **wüchec** adj. wöchig.

wûchz stm. geschrei. **wûchzen** swv. schreien, brüllen (vgl. *wôchzen*).

wüefen swv. einen *wuof* ausstossen, rufen, schreien, brüllen, jammern, klagen, weinen.

wüegen swv. gedenken machen, in erinnerung bringen.

wüelen swv. wühlen. **wüelschër** swm. maulwurf.

wüer, wüere s. *wuor.* **wüeren** swv. eine *wuor* machen. **wüerslac** stm. wasserdamm, wasserwehr.

wüeste, wuoste adj. wüst, öde, einsam, verlassen, leer (mit gen.); unschön, hässlich; akt. verschwenderisch. **wüeste, wuoste** stf. öde gegend, wildnis, wüste; endlosigkeit; weiche, gegend zwischen weiche u. hüfte; pl. = *kutel-, wampenvlëc.* **wüestec-heit** stf. wüste; unsauberkeit; unsittlichkeit. **wüestede** stf. wüste. **wüesten** swv. *wüeste* machen, verwüsten, ausplündern ausrotten, vernichten, zerstören, vereiteln, mit ap. entstellen verderben; jemandes eigentum od. land verwüsten, ihn ausplündern, brandschatzen. — refl. das eigene land verwüsten; sich schädigen, verderben *an.* **wüestene, wüesten-heit** stf. wüste. **wüestenîe** stf. wüstenei. **wüestenunge** stf. öde gegend, wüste, ödung. **wüest-gëlt** stn. abgabe von urbar gemachtem lande. **wüestunge** stf. = *wüestenunge*; verwüstung, verderben, schaden.

wüetel-, wuote-gôȥ stm. aufgeregter, stürmischer, rasender mensch, wüterich.

wüeteln swv. wimmeln.

wüeten swv. wüten, rasen (mit ds. gegen), bes. von der rasenden kampflust.

wüetendic adj. = *wüetic.*

wüeter stm. wüterich.

wüete-, wuote-rich, -rîch, wüetrich, wuotrich stm. tyrannus; wüterich; scheltwort (ohne prägnante bedeutung); schierling.

wüetic, wuotic adj. wütend, toll, aufgeregt.

wuffun stm. possenreisser, schalksnarr (it. *buffône*).

wulbe swm. = *walbe.*

wulgern = *walgern.*

wulk- s. *wolk-.*

wülle s. *wille.*

wullen- s. *wollen-.*

wullen, wüllen s. *wellen, willen.*

wül-lichen adv. auf ekelerregende weise.

wüllîn, wullîn adj. von wolle; mit wollenem gewande (als büsser) gekleidet.

wüllunge stf. nausea.

wülpe swf. wölfin. **wülpinne** stf. dasselbe; weib von wölfischer art (scheltwort).

wulst stm., **wulste** stf. wulst.

wülven swv. wie ein wolf sich gebärden. **wülvîn** adj. vom wolfe; wolfartig, wölfisch. **wülvinne, -in** stf. wölfin. **wülvischen** adv. wölfisch.

wundât, -âte stswf. wunde, verwundung. **wunde** swstf. wunde. **wunden** swv. verwunden. **wunden-swĕr** swm. wundenschmerz. **wunder** stm. der verwundet.

wunder stn. (md. auch *wonder*) verwunderung, neugier (unpers. *mich ist, hât, nimt w.* oder persönl. *ich hân, nime w.* mit gen., präpp. od. nachs. ich wundere mich, bin neugierig zu erfahren); gegenstand der verwunderung: tat, ereignis, wesen, eigenschaft von aussergewöhnlicher art, monstrum, wunder, neuigkeit; aussergewöhnlich grosse menge, unmasse, unzahl (in komposs. erstaunlich, überaus, sehr; *wunderalt, -arm, -breit, -enge, -guot, -kleine, -küene* etc., vgl. *wundern* adj.). **wunderære, -er** stm. der wunder oder wunderbare taten tut, wunderbar lebt; der sich wundert. **wunderât** s. *wunderôt*. **wunder-bære** adj. wunderbar. **-haft, haftic** adj. wunderbar; sich wundernd. **-heit** stf. wunderbares unbegreifliches wesen. **-lich** adj. obj. wunderbar, seltsam; subj. sich leicht verwundernd, reizbar, launisch. **-liche, -lichen** adv. wunderbarlich; erstaunlich, überaus, sehr. **-lîcheit** stf. was zum verwundern ist. **-sache** stf. wunderbare sache, wunder. **-sanc** stmn. wunderbarer gesang. **-spil** stn. wunderbares spiel, wunder. **-wërc** stn. wunderbare tat, wunder. **-zeichen** stn. wunderzeichen, wunder. **wunderlîn** stn. kleines wunder. **wundern** swv. intr. u. refl. in verwunderung geraten, sich wundern, zu wissen gespannt sein (*über, von, in*, mit nachs., gen.), ebenso unpers. mit acc. u. gen. (nom.) od. nachs. — tr. bewundern. — abs. u. tr. wunder wirken, auf wunderbare weise tun oder machen. **wundern** adj. wunderbar: als erster teil in komposs. wie *wunder* zur verstärkung des begriffes (erstaunlich, überaus, sehr: *wundernalt, -arm, -küene, -schœne*). **wunderôt** stf. verwunderung; md. *wunderât* wundertat. **wunderunge** stf. verwunderung, bewunderung; wunderzeichen.

wundic adj. verwundet.

wune stswf. wuhne, in das eis eines wassers gehauenes loch.

wünne, wunne stf. augen- und seelenweide, freude, lust, wonne, herrlichkeit, das schönste und beste. **wünne-(wunne-)bære** adj., **-bërnde** part. adj. *wünne* hervorbringend oder besitzend. **wunne-garte** swm. lustgarten. **-jâr** stn. jubeljahr. **-mânôt** s. *winnemânôt*. **-miete** stf. bezahlung für weide. **wünnen, wunnen** swv. intr. in wonne sein; mit dp. lobpreisen. — unpers. mit acc. freuen. — tr. erfreuen, wonniglich behandeln; zur wonne machen, gestalten. **wünne-(wunne-)riche** adj. reich an *wünne*. **-sælic** adj. wonniglich. **-(wunne-)sam** adj. = *wünneclich*. **wunne-same** adv. wonniglich. **-samen** swv. mit wonne erfüllen. **-schaft** stf. wonne. **wünne-(wunne-)spil** stn. freudenspiel, hohe freude. **-(wunne-)var** adj. wonnig anzusehen. **wunne-weide** stf. paradies.

wünnec adj. wonniglich. **-heit** stf. wonne, freude. **-(wunnec-)lich** adj., **-liche** adv. mit *wunne* verbunden, *w.* erregend, wonniglich. **wunnec-liche** stf. anmut, herrlichkeit.

wunsch stm. vermögen etw. aussergewöhnliches zu schaffen, personif. schöpfer und verleiher aller vollkommenheit, alles segens und heiles; kraft dieses vermögens ausgesprochenes begehren, wunsch; inbegriff des schönsten, besten, vollkommensten: ideal (*ze wunsche* vollkommen); mittel etw. aussergewöhnliches zu schaffen: zauberstab, wünschelrute; glückwunsch, segen. **-amie** swf. ein ideal, muster einer geliebten. **-kint** stn. ein ideal, muster einer jungen dame. **-lëben** stn. das vollkommenste, glücklichste leben. **-lich** adj., **-liche** adv. was *ze wunsche* beschaffen ist. **-spil** stn. ein muster von einem *spil*, ein rechtes kampfspiel. **-wint** stm. günstiger fahrwind. **wünschel-gerte** f. = *wünschelrîs*. **-rîs** stn. wünschelrute. **-ruote** f. dasselbe; penis. **-stap** stm. penis. **-wîp** stn. wunschweib, schwanjungfrau. **-zwî** stn. wünschelrute. **wünschelîn** stn. dem. zu *wunsch*. **wünschen, wunschen** swv. intr. einen *wunsch* tun, wünschen, verlangen (*nâch*, gen.). — tr. auf wunderbare und vollkommene weise schaffen, *ze wunsche* gestalten; verlangen, wünschen ohne oder mit dp.; adoptieren. **wünscher** stm. der wünscht. **wünschunge** stf. optio, adoptio.

wunt, -des adj. wund, verwundet. **-arzât** stm. wundarzt. **-îsen** stn. wundeisen, sonde. **-sëgen** stm. segensformel zur heilung einer wunde. **-suht** stf. wundfieber. **-tranc** stn. m. heiltrank für eine wunde.

wuoc prät. s. (*ge*)*wähenen, wëgen*.

wuocher stmn. (md. *wûcher, wôcher*) ertrag, frucht; leibesfrucht, kind, nachkommenschaft; zuchtvieh, zuchtstier; gewinn, profit, bes. zinsprozent von ausgeliehenem gelde (*w. geben abe* zins von etw. zahlen); übermässige und unerlaubte zinsen, wucher. **-ban** stm. über den wucher ausgesprochener bann. **-bære** adj. fruchtbringend. **-boum** stm. fruchtbaum. **-guot** stn. durch wucher erworbenes gut. **-haft** adj. frucht- od. gewinnbringend, habend, fruchtbar. **-haftige** stf. fruchtbarkeit. **-heit** stf. frucht. **-meister** stm. aufseher über das zuchtvieh. **-rint** stn. zuchtstier. **-schaz** stm. durch wucher erworbenes vermögen. **-spil** stn. wucher. **-stier** stm. zuchtstier. **-swîn** stn. zuchtschwein. **-vihe** stn. zuchtvieh. **wuocherære** stm. wucherer. **wuocherie** stf. wucher. **wuochern** swv. intr. frucht bringen; wachsen, gedeihen *an*. — tr. als frucht hervorbringen, tragen; als bodenertrag bringen; gewinnen, erwerben, retten. — intr. gewinn suchen, wucher treiben; seinen besitz mehren. **wuocherunge** stf. das *wuochern*.

wuof stm. geschrei, bes. jammergeschrei, klage. **-klam** stm., **-klamme** stf. jammerschlucht, -tal. **-tal** stn. jammertal. **wuofen** stv. red. I, 3 schreien, jammern, klagen, weinen. **wuoft** stm. = *wuof*. **wuofzen** stn. wehklage.

wuohs-haft adj. gut wachsend.

wuol stm. (md. *wûl, wôl*) niederlage, verderben; sitz, thron; befehlerisches wesen.

wuol-lache f. = *sû-lache*.

wuor wuore, wüer wüere stmn. f. damm im wasser, wehr zum abhalten od. ableiten des wassers.

wuos prät. s. *wahsen*.

wuost- s. *wüest-*. **wuost** stm. verwüstung; wust, schutt. **wuosten, wuostinne, wuostnüsse** stf. wüste.

wuot stf. heftige bewegung; heftige gemütsaufregung, wut, raserei; heftiges verlangen. **wuot-** s. *wüet-*. **-grimme** adj. wutgrimmig. **-scherlinc** stm. wutschierling, wutscherling. **wuote-gôz** s. *wüetelgôz*.

wüppe s. *wippe*.

wurf, -fes stm. wurf, bes. der *w.* beim würfelspiele (in bildl. anwendung auf den kampf); bei der falkenbeize; fischerei mit dem *wurfgarn*; bergm. schürfung. **-ackes** stf., **-barte** swf., **-bihel, -bil** stn. wurf-, streitaxt. **-garn** stn. wurf-, zugnetz. **-hacke** swf. = *wurfbîhel.* **-spër** stn. wurfspeer. **-stein** stm. geschleuderter stein. **-zabel** stn. würfelspiel. triktrak.

würfel stm. würfel; etwas würfelförmiges. **-bein** stn. würfel. **-klouber** stm. würfelspieler. **-leger, lîher** stm. würfelleiher, veranstalter eines würfelspiels. **-spil** stn. würfelspiel. **-zinke** swm. die fünf auf dem würfel. **würfelære, -er** stm. würfelspieler; veranstalter und aufseher eines würfelspiels; würfelmacher. **würfelëht** adj. würfelförmig. **würfeln** swv. würfeln.

würgel, würger stm. würger, henker. **würgen** swv. (md. *wurgen, worgen*) tr. an der kehle zusammenpressen, würgen; ersticken, erwürgen; heftig reissen, zerren; zusammenpressend, mühevoll aussprechen. — refl. sich abquälen.

wurht, worht stf. das wirkende, die ursache. **würhte, worhte** swm., md. *worte* täter, diener, gehilfe; verfertiger, arbeiter (in komposs.).

würk- s. *wirk-*.

wurm stm. wurm, insekt (auch fliegendes); natter, schlange, drache, bildl. teufel (von der schlange im paradiese); um sich fressendes geschwür, eine pferdekrankheit. **-æȥe, -æȥic** adj. wurmstichig. **-beiȥ** stm. schlangenbiss. **-biȥic** adj. = *wurmæȥic*; mit dem *wurme* (pferdekrankheit) behaftet. **-garte** swm. wo gehegte schlangen oder wilde tiere liegen, schlangengarten, bildl. die erde. **-lâge** stf. = *wurmgarte*. **-ouwe** stf. schlangenaue. **-stichic, -vræȥic** = *-æȥic*. **wurmec, würmic** adj. wurmstichig, voll würmer. **würmelin, würmel** stn. dem. zu *wurm*. **würmelin** adj. = *würmîn*. **wurmen** swv. verminare. **würmîn** adj. vom wurme, des wurms. **würminne** stf. weibl. wurm, drache.

wurpôȥ stm. md. wurzelstock eines baumes (nd. *worbôte*).

würs s. *wirs*.

wurst stf. (md. auch *worst*) wurst; obsc. für penis.

wurz stf. (md. auch *worz*), **wurze** swstf. pflanze, kraut; wurzel. **-(wurze-)garte** swm. garten, in dem (wohlschmeckende und wohlriechende) kräuter gezogen werden. **-wîhe** stf. wurzweihe, das fest Mariä himmelfahrt. **würz-krâm** stm. würzkram, gewürzladen. **würze würz, wurze wurz** stf. kraut, wurzel; gewürzkraut, würze; aroma; was mit *w.* angemacht wird, gebräu; frucht, obst. **wurze-lôs** adj. wurzellos. **-salbe** swf. kräutersalbe. **-smac** stm. pflanzenduft. **-stein** stm. mörser. **wurzel** stswf. wurzel. übertr. geschlecht. **-kraft** stf. kraft der wurzel od. kraft wurzel zu fassen. **-saft** stnm. von der wurzel aufsteigender saft. **-smac** stm. geruch von wurzeln. **-vëse** swf. wurzelfaser. **wurzelîn, würzelîn** stn. dem zu *wurz wurze*. **wurzeln, wurzelen** swv. intr. wurzel fassen, wurzeln. — tr. wie durch wurzelfassen befestigen. **wurzen, würzen** swv. wurzel fassen, wurzeln, übertr. seinen ursprung nehmen. **würzen, wurzen** swv. mit *würze* bereiten, würzen; balsamieren. **wurzerin, würzerin** stf. gemüseverkäuferin.

wusch s. *wisch*.

wüschen s. *wischen*.

wutsch stm. die ohreule.

Y

ym(m)is, ympnus m. hymnus, 7. und letzter Teil einer kanon. hore.

Z

zâ, zazâ interj. aufmunterungsruf beim kampfe; lockruf für hunde.

zabel s. *zobel*.

zabel stn. spielbrett und brettspiel (lat. *tabula*). **-brët, zâlbrët** stn. spielbrett. **-hûs** stn. spielhaus. **-rede** stf. rede wie man sie beim brettspiele zu führen pflegt, scherzrede. **-spil** stn. brettspiel; bildl. vom *minnespil*. **-stein** stm. brettstein, schachfigur. **-wort** stn. = *zabelrede*.

zabel stn. das zappeln.

zabelære stm. brettspieler.

zabelen, zabeln swv. auf dem brette spielen.

zabelen, zabeln swv. mit den gliedern hin und her fahren, zappeln (auch *zaplen, zappeln*), ruhelos tätig sein; im zweifel sein, schwanken.

zabelîn stn. dem. zu *zabel* 1.

zâber s. *zouber*.

zâch, zæch s. *zæhe*.

zâch, zâhe stswm. docht, lunte.

zacke swf. zacke.

zadel, zâdel stm. gebrechen, abgang, mangel bes. an lebensmitteln, das hungerleiden. **-wurm** stm. hungerwurm, hunger. **zadelen** swv. refl. in *zadel* leben.

zâfe, zaf stf., **zâf** stmf. anbau (v. äckern); pflege, schmuck.

zâfel, zâvel stm. putz, schmuck. **-rede** stf. schmuckrede.

zâfen, zâven swv. (md. auch *zôfen, zoffen*) intr. ziehen. — tr. ziehen, erziehen; in zucht halten, züchtigen; hervorbringen; in aufnahme bringen, passend einrichten, pflegen; zieren, schmücken.

zaft stf. zug, anleitung, zierde, schmuck.

zage adj. hasenmässig, mattherzig, zaghaft, verzagt, feige. — swm. verzagter, feiger mensch, überh. als schimpfwort: elender geselle, durchtriebener kerl, faulpelz und dgl. **-bære** adv. zaghaft, feige. **-(zag-)haft, -haftic** adj. = *zage*. **-(zag-)heit** stf. hasenherzigkeit, feigheit, verzagtheit. **-(zege-)lich** adj., **-liche** adv. hasenmässig, feige, verzagt, des feiglings.

zagel stm., kontr. *zail, zeil* schwanz, schweif; wimpel (pl. *die zegel* der helmbusch; die beiden bänder an der bischofsmütze); männliches glied; stachel der biene usw.; der nachtrab des heeres der letzte einer schar, ende eines dinges. **-bein** stn. schwanzbein, schwanzstück. **-holz** stn. wipfelholz. **-strumpf** stm. schwanzstumpf. **-vihe** stn. vieh mit einem *zagel*, rinder und pferde. **-weiben** swv. mit dem *z.* wedeln. **zagelëht** adj. geschwänzt.

zagen swv. *zage* sein.

zagnisse stf. verzagtheit, feigheit.

zâh s. *zâî*.

zâhe s. *zâch*.

zæhe, zæh, zæch, zâch adj. zäh, was sich langsam ausdehnt, ziehen lässt, nicht leicht bricht, geschmeidig ist; was sich anhängt, schleimig oder klebrig ist. — stf. zähigkeit. **zæhen** swv. *zæhe* machen.

zaher, zeher stm. (md. auch f. u. kontr. *zâr*, pl. *zêre, zâre*) zähre; tropfen, tropfende flüssigkeit überh.; bildl. von blitzstrahlen, feuersfunken. **-güsse** stf. zährenflut. **-naȥ** adj. tränenfeucht. **-rêre** stf. das herabfallen der zähren.

zâî, zay, zâhî, zahî, zâh interj. heissa.

zail s. *zagel*.

zal, zale stf. zahl, bestimmte oder unbestimmte anzahl, menge (auch bei nicht zählbaren dingen: *bluotes z.*), schar; zählung, berechnung, aufzählung (*ûȥ der zal* nicht mitgezählt, ausgeschlossen, *nâch rehter z.* richtig berechnet, *âne, sunder z.* ohne zu zählen, ungezählt, unermesslich, *diu mêrer, diu minner z.* die zählung oder zeitrechnung nach jahrhunderten, innerhalb eines jahrhunderts); zahl der jahre, alter; bericht, erzählung, rede (*z. sprechen*, *tuon* erzählen, *volle zale tuon* zu ende erzählen, *der zal buoch* chronik); sprache. **-bære** adj. vollzählig. **-brët** stn. zahltisch. **-buoch** stn. zinsbuch.

zâl stf. nachstellung, gefahr.

zalas stm. herberge (ung. *szállas*).

zâl-brët s. *zabelbrët*.

zale-haft adj. geschwätzig, prahlerisch; ermesslich, zählbar.

zaler stm. zahler; schuldner.

zaln, zalen swv. zählen, rechnen, berechnen, aufzählen; berichten, erzählen von.

zâl-sam adj. gefahrvoll.

zalunge stf. zahlung, bezahlung.

zam adj. zahm, gezähmt; willfährig, mit dat.; vertraut, wohlbekannt, mit dat.; geziemend, angemessen. - stn. zahmes tier. **-lôs** adj. ungezähmt, wild.

zâm s. *zoum*.

zæme adj. = *gezæme*.

zamen s. *zesamene*.

zamen swv. intr. *zam*, vertraut werden (mit dat. od. *an*). — refl. sich bezähmen, enthalten *von*. — tr. = *zemen*.

zamunge stf. mansuetudo.

zan s. *zant*.

zan-bîȥen stn. zähneknirschen

zander swm. glühende kohle?

zane-biben stn. zähneklappern.

zanegen, zangen swv. intr. = *zannen*.

zanen swv. intr. kauen *an*. — tr. part. *gezanet* = *gezan*.

zange stswf. zange; lichtputze.

zangen swv. ziehen, fassen, zerren.

zanger, zenger adj. beissend, scharf (von geschmack, geruch, stimme); bildl. frisch, munter, lebhaft, rührig. **-heit** stf. pertinacia.

zanke swm. zacken, spitze.

zankëht adj. zackicht.

zanken, zenken swv. zanken.

zanne stf. heulen, keifen.

zannen swv. knurren, heulen, weinen; den mund verziehen; sich spaltend voneinander stehn, klaffen.

zant, *-des*, **zan** stm. (pl. *zende zend zande, zene zane*) zahn. **-(zan-)klaffen** swv. mit den zähnen klappern; beim spotten und lachen die zähne zeigen. **-klaffer** stm. der mit den zähnen klappert. **-(zan-)lôs** adj. zahnlos. **-siechtuom** stm. zahnkrankheit. **-smërze** swm. zahnschmerz. **-(zan-)swër** swm. zahnschmerz; zahngeschwür. **-(zan-)vleisch** stn. zahnfleisch. **-wê** stm. zahnschmerz.

zapfe swm., md. *zappe* zapfen; bier-, weinzapfen, ausschank; schankgerechtsame; fruchttraube.

zapfen, zepfen swv. mit zapfen versehen; anzapfen, vom zapfen schenken.

zapfenære stm. weinzapfer.

zapien, zappeln s. *zabelen*.

zar, *-rres* stm. der riss, das abgerissene.

zâr s. *zaher*. **-lich** s. *zeher-l*.

zarge stswf. seiteneinfassung, seitenwand, zarge (um einen mühlstein, turm, um ein zelt; *z.* des helms, des tamburins; bildl. menschl. körper, als schelte für ein altes weib); mauer, wall, umwallung; bildl.: etwas niedriges; ein getreidemass.

zarren s. *zerren*.

zarren swv. intr. einfallen, einschrumpfen.

zart adj. lieb, geliebt, teuer, vertraut; lieblich, schön, fein. stattlich; zärtlich; zart, schwächlich, weich; weichlich. — stm. zärtlichkeit, liebkosung. liebevolle und wohlwollende behandlung oder gesinnung schonung; das zarttun, die zierrei; zierlichkeit, schönheit anmut; lust, vergnügen. wohlleben, weichlichkeit. — stm. f. lieber, liebling, geliebter, geliebte. **zarte, zart** adv. zärtlich, liebevoll, wohlwollend; weichlich. **zartec-, zertec-liche** adv. dasselbe.

zarten swv. freundlich sein, wohlwollen zeigen, liebkosen, schmeicheln ohne od. mit dp.; weichlich sein od. werden. — intr. mit dat. u. tr. sorgsam behandeln, pflegen. — tr. verweichlichen. — refl. mit dat. sich beliebt machen, einschmeicheln. **zarten** stn. liebkosung.

zart-heit stf. feinheit, schönheit; wohlleben, weichlichkeit. **-(zert-)lich** adj., **-liche** adv. zart, anmutig, lieblich, liebevoll, wohlwollend, zärtlich; weich, sanft, milde; weichlich. **-lust** stm. lieblichkeit, wollust. **-(zert-)nisse** stfn. dasselbe. **-wunne** stf. = *zartlust*.

zaspen swv. scharren; schleifend gehn.

zâv- s. *zâf-*.

zâwe, zawen s. *zouwe, zouwen*.

ze, zuo (md. *zu, zû, zô*) präp. mit dat. (instrum.), nur md. bisweilen mit acc.: räuml. bezeichnet es ein räumliches ziel der bewegung od. ein ziel unräumlicher u. unsinnlicher tätigkeit sowie den punkt des verweilens: zu, in, an, bei; hinzufügung: samt, nebst, ausser; vor adj. u. adv. hinzufügung zu dem rechten mass, übermass: mehr als genug (*niht ze* gar nicht), md. vor kompar. um so, desto. — zeitl. die zeitdauer (bis zum endpunkt), den zeitraum, -punkt bezeichnend. — abstraktere verhältnisse bezeichnend: zweck, erfolg oder begleitende wirkung der tätigkeit oder begleitende umstände, betreff, rücksicht, art und weise (*ze strîte* im wettstreit, *ze vlîȥe* sorgfältig), vor inf. (*ze gebenne*); zahl, grad, rangordnung bezeichnend vor zahlww. u. adverb. superlativen.

ze- präf. s. *zer-*.

zê s. *zêhe*.

zëc, *-ckes* stm. ein kinderspiel.

-zec, -zic zahlw. zehn: zur bildung der komposs. (*zweinzec, ahtzec* usw.).

zëch-ambet stn. kasse und verwaltung einer *zeche*; seelenmesse für *zechliute*. **zëchære** stm. anordner, ordner. **zëche, zëch** stswf. verrichtung, die in einer bestimmten folge unter mehreren umgeht (wachtdienst usw.); ordnung nach einander, reihenfolge, reihe, stufe (*ze zeche, von zeche, zechen* der reihe nach, *eines zechen verstân, vertreten* jmd. vertreten); anordnung, veranstaltung, einrichtung; gesamtheit von personen desselben standes, vereinigung mehrerer zu gemeinsamen zwecken, auf gemeinschaftliche kosten (trink-, zechgesellschaft, zunft, verein, bruderschaft, kirchgemeinde, bergwerksgenossenschaft u. das ihr verliehene feld), ort ihrer zusammenkunft; geldbeitrag zu einer *zeche*, vermögen derselben, bes. geldbeitrag zu gemeinsamer zehrung, gelage oder gemeinsamer schmaus einer gesellschaft; wirtsrechnung für gelage und schmaus; bestimmter geldeinsatz bei einem spiele. **zëchen** swv. tr. fügen, verfügen, anordnen, schaffen, veranstalten, ins werk setzen, zustandebringen; befördern, schicken; sich fügen, verfügen intr. u. refl.; auf wirtshausrechnung trinken, zechen, intr. u. tr.; tränken *mit*. **zëch-liute** pl. zu **-man** stm. vorstand, ausschussmitglied, genosse einer *zeche*. **-meister** stm. vorstand und verwalter einer *zeche*. **-ürte** f. ein gelage in oder seitens der *zeche*.

zëche, zëcke swmf. zecke, holzbock; eine art unkraut.

zecken swv. einen leichten stoss oder schlag geben, reizen, necken; zücken, rauben. — stn. geplänkel, scharmützel. **zekketzen, zetzen** swv. intens. zu *zecken*. — refl. *sich mit einem z.* scharmützeln.

zedele, zedel, zetel stswf. m. n. beschriebenes od. zu beschreibendes blatt, zettel, schriftl. instrument (lat. *schedula*). **zedelen** swv. ein schriftl. instrument verfertigen. **zedelîn** stn. dem. zu *zedele.*

zêder, cêder stm. zeder (gr. lat. *cedrus*). **zêderîn, zêdrîn** adj. von zedernholz, der zeder.

ze-gater adv. md. insgesamt.

ze-gegen, -gegene, -gagen, -gagene, -gein adv. gegen, entgegen mit dat.; gegenüber mit dat. od. acc.; gegenwärtig, zugegen.

zegelen swv. tr. an etw. einen *zagel* machen.

zege-lich s. *zagelich.*

zegellîn, zegelîn stn. dem. zu *zagel.*

zegerîe stf. zaghaftigkeit.

zeginer s. *zigîner.*

ze-hant adv. auf der stelle, sogleich, alsbald; sobald als.

zêhe, zëhe, zê swstf. zehe; kralle.

zëhen (zehen), zên, zîn (md.) num. card. zehn, grosse zahl überh. **zëhende, zëhente, zênde** num. ord. der zehnte. **zëhende, zëheute, zênde, zëhent** swstm. der zehnte teil bes. als abgabe von vieh und früchten (*daz was sîn zehende und sîn reht* er hatte das recht, den zehnten verurteilten mann frei zu geben); bezeichnung eines distriktes um die stadt Augsburg. **zëhenden** swv. abs. den zehnten geben. — tr. den zehnten wovon geben. **zëhendenære, zëhendære, -er** stm. zehntmann, zehntpflichtiger; zehnteinnehmer. **zëhener** stm. zehner, eine münze; dem beim bestschiessen zehn treffer gelingen; zehntherr. **zëhengrêve** swm. centurio. **zëhenste, zëhendiste** num. ord. = *zëhente.* **zëhen-teil** stn. zehntel. **-valt, -valtic, -veltic** adj. adv. zehnfalt. **-valten, -valtigen** *zëhenvalt* machen. **-zec, -zic, zênzic** num. card. hundert. **zëhenzec-valt, -valtic** adj. adv. hundertfalt. **zëhenzec-valten** swv. hundertfältig machen. **zëhen-zigest** num. ord. hundertst.

zeher s. *zaher.* **zeheren** swv. tränen vergiessen, weinen; triefen. **zeher-lich** adj. tränend, kontr. *zêr-, zârlich.* **-naz** adj. von tränen benetzt. **-rîche** adj. tränenreich.

zeichen stn. zeichen, anzeichen, beispiel, merkmal, stigma; vorzeichen; symbol; feldzeichen; wappenbild; gepräge; siegel; schriftzüge eines buches; feldgeschrei, parole; bild des tierkreises; wunderzeichen, wunder. **-bære** adj. symbolisch bedeutsam. **-haft, -haftic** adj. wundertätig. **-lich** adj., **-liche** adv. worin ein zeichen oder wunder liegt, symbolisch bedeutsam, wunderbar. **-ruote** stf. stab zum zeichengeben. **-trager** stm. signifer. **zeichenære** stm. der zeichen und wunder tut. **zeichenen, zeichen** swv. mit einem *zeichen* versehen, zeichnen, bezeichnen; aufschreiben, verzeichnen; abs. wunder tun. **zeichenisse** stf. verzeichnis; schriftcharakter. **zeichenlîn** stn. dem. zu *zeichen.*

zeicher stm. schwager.

zeige st(sw)f. weisung (des weges), anweisung. **zeigec, -ic** adj. offenbar. **zeigel** stm. zeigefinger; aushängeschild eines wirtshauses. **zeigen** swv. abs. zeigen, deuten; mit dat. den weg zeigen, anweisung geben. *einem z. von* jmd. unterrichten über. — tr. zeigen, weisen, anzeigen, bezeichnen. — refl. sich zeigen, zum vorschein kommen. **zeiger** stm. zeiger, an-, vorzeiger; zeigefinger; wegweiser; aushängeschild eines wirtshauses; zeichen, signal; uhrzeiger, uhr.

zeil s. *zagel.*

zein stm. n. reis, rute, rohr, stäbchen, stab; männliches glied; pfeilschaft, pfeil; strahl, strahlenschein; metallstäbchen, metallspange. **zeine** swstf. m. geflecht aus *zeinen*, korb u. dgl. **zeinelîn, zeinel** stn. dem. zu *zeine.* **zeinen** swv. (metall in *zeine*) schmieden; *die korbe z.* flechten. **zeiner** stm. zeinschmied. **zeinler** stm. korbflechter.

zeisel stf. karde, distel.

zeisen redv. 4 (auch swv.) zausen, zupfen bes. wolle (*mit einem z.* in streit geraten).

zeiz adj. zart, anmutig, angenehm, lieb.

zëlch stm., **zëlche** swm. zweig, ast.

zëlden s. *zëlten.*

zelebrant m. ein fabelhafter fisch (lat. *piscis celebrandus*).

zelen s. *zeln.*

zeler, zeller stm. zähler, rechner.

zëlge swm. = *zëlch.*

zëlge swf. pflugarbeit zur saat; bestelltes feld bes. als der dritte teil der gesamtflur bei anwendung der dreifelderwirtschaft.

zëlle, cëlle stswf. wohngemach, kammer, zelle; kapelle. tempel; zelle in einem bienenstocke usw.; kleines nebenkloster, klostergut (lat. *cella*).

zellen, zeller s. *zeln, zeler.*

zel-lich adj. zählbar.

zeln, zelen, zellen swv. zählen, rechnen, berechnen, vergleichen, halten od. betrachten als, erklären für, ernennen zu, einreihen in (*vür, ze*); zuzählen, als anteil geben, beilegen, bestimmen mit dp. (*einem sælde z.* ihm glück zuschreiben, ihn glücklich preisen); *z. von* ausnehmen, *hin z.* beiseite lassen, übergehn; aufzählen, erzählen, überh. mündlich mitteilen, sagen, sprechen, nennen.

zëlt stn. zelt. **-snuor** stf. seil zum ausspannen u. zur befestigung des zeltes. **-stange** f. zeltstange.

zëlt stm. passgang. **zëlten, zëltenen, zëlden** swv. intr. den *zëlt* gehn. — tr. den *zëlt* gehn lassen. **zëltener** stm. = *zëlter.* **zëlten-phert** stn. (aus *zeltend phert*) s. v. a. **zëlter** stm. passgänger, zelter.

zëlte swm. flaches backwerk, kuchen, fladen.

zember stn. zirbelnuss (lat. *cembra*).

zemde stf. zahmheit.

zëmen stv. IV ziemen, passen, zukommen, angemessen sein, eigen sein, dürfen, sich eignen, taugen (*ze*), scheinen, dünken, geziemend dünken, wohlgefallen, behagen: mit persönl. od. sächl. subj. (inf.) ohne od. mit dat. (acc.) od. präpp., unpers. mit dat., acc. od. präpp. (gs., inf. od. nachs.).

zemen swv. *zam* machen; zähmen; locken, verlocken, reizen.

zemen, zemne s. *zesamene.*

cêmënt s. *zimënte.*

zem-lich adj. zähmbar.

zên s. *zëhen.*

zëndâl, -ât, zëndel s. *zindâl.*

zëndel-dach stn. dach von *zindâl.*

zenden swv. mit zähnen versehen.

zendlîn, zenlîn, zendel stn. dem. zu *zant.*

zendrinc, zentrinc, -ges stm. stück fleisch, zum räuchern bestimmt od. geräuchert. **-zu** *zander.*

zenen, zennen swv. reizen, locken.

zengelîn, zengel stn. dem. zu *zange.*

zenger s. *zanger.* **zengern** swv. *zanger* sein.

zenken s. *zanken.*

zen-stürn stn. zahnstochern.

zënt, cënt stf. gerichtsbezirk (urspr. von hundert ortschaften). gericht (mlat. *centa*). **zënte, zënten** swstm. zentner; hundert stück (mlat. *centenarius*). **zëntenære, -er, zëntner** stm. zentner; centrichter. **zënter** stm. zentner. **zënter** stn.

centrum. **zënt-gerihte** stn. centgericht. **-grâve** swm. centrichter. **-scheffe** swm. schöffe beim centgericht. **zëntnerin** stf. geschütz, das einen zentner schiesst.

zentrinc s. *zendrinc*.

zënzic s. *zëhenzëc*.

zepfe swm. traube, rispe, ähre.

zepfelîn, zepfel stn. dem. zu *zapfe*.

zepfeln swv. putzen, zieren.

zepfen s. *zapfen*.

zeppel stm. zank, streit.

zeppeln swv. streiten, rechten.

zëpter, cëpter stmn., **-ris** stn. zepter (gr. lat. *sceptrum*).

zer s. *zere*.

zer-, ze- (md. *zur-, zu-*) präf. bei verbis, eine ab- u. auflösung bedeutend (bei den folgd. komposs. ist nur *zer-* angesetzt).

zer-bâgen redv. refl. durch hadern in feindschaft geraten.

zerbenzerî, zerbentîne, zerbenzîne stswf. eine spezerei, zerebinthe (mlat. *tere-, cerebintina*).

zer-bern swv. zerschlagen, zerbläuen, zertreten.

zer-bicken swv. zerstechen, zerhauen.

zer-binden stv. auseinanderbinden.

zer-biuten swv., md. *zubûten* (als beute) verteilen.

zer-blæjen, -blægen, -blæn swv. tr. auseinanderblasen, zerteilen; aufblasen, aufblähen, aufschwellen. — refl. sich aufblähen.

zer-blâsen redv. auseinanderblasen; aufblasen.

zer-bletzen swv. in stücke hauen.

zer-blîchen stv. ganz verblassen, verbleichen.

zer-bliuwen stv. zerbläuen.

zer-boln swv. zerstreuen, ausbreiten.

zer-bôzen redv. zerklopfen, zerstossen.

zer-brëchen stv. intr. entzweibrechen, zerbrechen, auseinanderfallen, bersten; part. praet. unvollkommen; sündig (*herze*). — tr. brechen, entzweibrechen, zerbrechen; zerreissen, zerrupfen; zerkratzen; verletzen, schädigen, bildl. verletzen, übertreten, nicht halten; abtun, beendigen, beilegen; zunichte machen, vernichten, niederreissen, zerstören, verwüsten.

zer-breiten swv. auseinander breiten, ausbreiten, verbreiten.

zer-brësten stv. intr. zerbrechen, zerreissen, zerbersten, platzen.

zer-brinnen stv. = *verbrinnen*.

zer-brîsen stv. losschnüren, lockern.

zer-brücken swv. zerbröckeln.

zer-denen, -dennen swv. auseinanderdehnen, spannen, reissen.

zer-diezen stv. aufschwellen machen, ausdehnen.

zer-dinsen stv. hin und her ziehen, schleppen.

zer-dræjen swv. auseinanderdrehen.

zer-drëschen stv. zerdreschen, zerbläuen.

zer-drinden stv. schwellend aufgetrieben werden, an-, auseinanderschwellen.

zer-drümelen, -drumen, -dromen swv. in stücke hauen, zertrümmern.

zere, zer stf. was man zehrt, mahlzeit; auf-, verzehrung; lebensunterhalt, nahrung; kosten, aufwand bes. für essen und trinken. **zeren** s. *zern*. **zerer** stm. der grossen aufwand macht; zecher. **zer-gadem** stn. speisekammer, speisemagazin. **-gëlt** stn. zehrgeld. **-geselle** swm. zehrgenosse. **-haft, -haftic** adj. sumptuosus. **-lich** adj. was zur zehrung, nahrung dient. **-sac** stm. reisesack mit lebensmitteln. **-tuoch** stn. tischtuch.

zer-gân, -gên stv. intr. auseinandergehn, zergehn (schmelzen), aufhören, ein ende nehmen, in verfall geraten, ver-, untergehn. — unpers. mit gen. aus-, zu ende gehn, mangeln. — intr. untereinandergehn *in*, sich vermischen. **-ganc** stm. das zer-, vergehn. **-ganclich, -genclich** adj. vergänglich, eitel. **-gancnisse, -gencnisse** stfn. vergänglichkeit, untergang.

zer-gëben stv. tr. auseinander geben, verteilen. — refl. sich zerteilen, verbreiten.

zer-geiseln swv. mit geisselhieben ganz zerschlagen.

zer-genclicheit stf. vergänglichkeit. **-gengen** swv. *zergân* machen, zerstören, vernichten. **-gênlich** adj. = *zerganclich*.

zer-genzen swv. zerstückeln.

zer-giezen stv. auseinandergiessen, giessend verbreiten; zerschmelzen.

zer-gliden swv. = *zerliden*.

zer-glîten stv. auseinandergleiten, verschwinden; vergehn.

zer-glôsen swv. erklären.

zer-hacken swv. zerhacken, zerhauen.

zer-hadern swv. zerfetzen.

zer-hangen part. adj. zerfetzt.

zer-hëllen stv. nicht übereinstimmen, misshellig sein.

zer-houwen redv. zerhauen, zerschneiden, tothauen; (gewand zur zierde) aufschneiden, schlitzen; bergm. den gang gänzlich aushauen.

zer-hüllen swv. aufdecken, erklären.

zer-hurten, -hurtieren swv. = *verhurten*.

zer-jouchen, -jochen swv. auseinanderjagen.

zer-kînen stv. intr. auseinanderspalten, bersten; anschwellen, quellen.

zer-kiuwen, -kiun stv. zerkauen, zerbeissen.

zer-klecken swv. zerschellen, zerbersten.

zer-klîben stv. vergehn. **-klieben** stv. tr. intr. refl. spalten, zerreissen; zerspringen.

zer-klucken, -klocken swv. tr. zerklopfen, -brechen. — intr. zerbrechen (bes. von eiern).

zer-knëllen stv. intr. mit geräusch zerspringen. — tr. zerdrücken, zerquetschen.

zer-knîfen stv. zerkneifen, zerkratzen.

zer-knisten s. *zerknürsen*.

zer-knitschen swv. zerdrükken, zerquetschen.

zer-knüllen swv. zerschlagen, durchprügeln.

zer-knürsen, -knüsen, -knüsten, -knisten, -knüstern, -knutzen swv. zerdrücken, zerquetschen.

zer-krachen swv. zerspringen.

zer-kratzen, -kretzen, -krellen swv. zerkratzen.

zer-kriegen swv. refl. entzweien, in streit geraten *mit*.

zer-krimmen stv. zerdrücken, zerkneipen, zerkratzen.

zer-küssen swv. mit küssen bedecken.

zer-lâzen, -lân redv. tr. auseinandergehn lassen, entlassen; expandere; aufweichen, -lösen, schmelzen. — refl. auseinandergehn, sich trennen, zerstreuen, schmelzen, sich ausbreiten, auflösen, enden.

zer-lëchen, -lëchzen swv. vor trockenheit risse bekommen u. flüssigkeit durchlassen.

zer-ledigen swv. = *erledigen*.

zer-legen swv. tr. auseinanderlegen, beilegen, schlichten. — refl. sich zerteilen.

zer-lëschen stv. = *erleschen*.

zêr-lich s. *zeherlich*.

zer-liden swv. zergliedern, zerlegen.

zer-lœsen swv. tr. losmachen, auflösen, lösen; auseinandersetzen, erklären; abtun, beilegen, vergüten; verderben, vernichten. — refl. sich auflösen, aufhören; sich erklären *gegen*.

zer-loufen redv. auseinanderlaufen, zer-, vergehn.
zer-lûchen stv. durchlöchern.
zer-lûhten swv. zerzupfen, zerzausen.
zer-maln stv. zermahlen, zermalmen.
zer-milwen swv. zu *mël* machen.
zer-mischen s. *zermürsen.*
zer-mucken swv. zerdrücken, zermalmen.
zer-müeden swv. ganz ermüden.
zer-mülln, -müllen, -mülmen swv. tr. zerreiben, zerquetschen, zermalmen.
zer-mürfen swv., md. *zumurfen* mürbe machen, zerquetschen.
zer-mürsen, -müschen, -mischen swv. zerdrücken, zerquetschen.
zërn stv. IV s. *zer-zërn.*
zern, zeren swv. abs. für essen und trinken aufwand machen, auftreten, leben. — tr. mit as. auf-, verzehren, sich nähren von; verbrauchen, hinbringen (zeit); mit ap. verköstigen; vernichten, töten. — refl. sich aufzehren, enden.
zer-nagen stv. zernagen.
zer-næjen swv. tr. stickend nähen auf, besticken.
zer-niuwen, -nûwen stv. zerstampfen, zerschlagen.
zerper stn. stechmesser (vgl. fz. *serpe*).
zer-quaschieren, -quatschieren, -quetzen, -quetschen, -queschen swv. zerquetschen.
zer-recken swv. zerdehnen.
zer-reden swv. refl. in wortstreit geraten, sich entzweien. **-rednisse** stf. zerwürfnis.
zerren swv., md. auch *zarren* abs. zerren, einen riss machen (*miteinander z.* streiten, zanken). — tr. u. refl. zerren, reissen, zerreissen, vertreiben, zerspalten; sich zerteilen, sich öffnen.
zer-rennen swv. *zerrinnen* machen.
zerrer stm. zerrer, abreisser.
zer-rêren swv. intr. auseinanderrinnen, verderben.
zer-rîben stv. auf-, zerreiben.
zer-rieȥen stv. zerfließen.
zer-rinnen stv. zu ende gehn, auseinandergehn, ausgehn, mangeln, persönl. u. unpers. mit ap. (od. relativs.), mit dp.
zer-rîsen stv. zerfallen.
zer-rîten stv. intr. auseinander-, wegreiten. — tr. zerreiten, reitend zerstören.
zer-riuten swv. zerreuten, zerraufen.
zer-riveren swv. zersplittern.
zer-rîȥen stv. zerreissen, zerzupfen, zerfetzen, zerfleischen; zerstören, verwüsten.
zer-roufen swv. zerraufen.
zer-rücken swv. auseinanderrücken, zerteilen, -streuen, zerreissen.
zer-rüeren swv. herumstreuen; verwüsten.
zerrunge stf. das auseinanderzerren.
zer-rüsten swv. zerrütten, zerstören.
zer-rütten swv. tr. u. refl. zerrütten, -stören, verderben; deflorare. — refl. entzweien *gegen, mit.* **-rüttunge** stf. zerrüttung, zerstörung.
zërs stm. männl. glied.
zer-sæjen, -sægen swv. auseinandersäen, zerstreuen; stikken (auf die satteldecke).
zer-samenen swv. = *versamenen.*
zer-schëllen stv. zerspringen.
zer-scherten swv. zerhauen, verwunden.
zer-schieȥen stv. durch schiessen zerstören, verderben.
zer-schîten stv. zerspalten, zerhauen.
zer-schiveren swv. intr. zersplittern, zerbröckeln.
zer-schræjen swv. auseinanderfahren, -spritzen; scharten bekommen, zersplittern, zerbrechen.
zer-schrenken swv. in unordnung und verwirrung bringen.
zer-schrenzen swv. tr. zerspalten, zerreissen, zerbrechen.
zer-schrepfen swv. durch einschnitte zerreissen
zer-schricken swv. zerspringen, bersten.
zer-schrinden stv. intr. risse bekommen, aufspringen. — tr. durchstechen.
zer-schrôten redv. zerhauen, zerschneiden.
zer-schürn swv. auseinanderschüren, auslöschen (feuer).
zer-schüten swv. auseinanderschütteln.
zer-senden swv. auseinandersenden, zerstreuen, -teilen.
zer-sërten stv. tr. schartig machen, zerhauen, verderben. — intr. scharten bekommen, verderben.
zërsic adj. den *zërs* betreffend.
zer-sîgen stv. zerfliessen, schwinden.
zer-slahen, -slân stv. auseinander schlagen, ausbreitend auslesen; zerschlagen, zerbläuen, bildl. nicht zustande kommen lassen, vereiteln. — intr. sich nicht einigen, nicht zustande kommen, sich zerschlagen.
zer-sleifen swv. dem erdboden gleich machen, schleifen; zerbrechen, -stören.
zer-sleiȥen swv. *zersliȥen* machen.
zer-slichen stv. zergehn, zerschmelzen; zerfallen, zerbrechen.
zer-slîfen stv. intr. auseinandergehn; zerfallen, vergehn, verschwinden. — tr. = *zersleifen.*
zer-slihten swv. = *verslihten.*
zërslin stn. dem. zu *zërs.*
zer-sliȥen stv. intr. u. tr. zerschleissen, zerreissen. — tr. hinbringen (zeit).
zer-smëlzen stv. zerfliessen, zerschmelzen.
zer-smelzen swv. *zersmëlzen* machen.
zer-snîden stv. zerschneiden, zerhauen; zur zierde aus-, aufschneiden (gewand).
zer-snitzeln swv. = *zersnîden* (gewand).
zer-snurren swv. mit geräusch auseinanderfahren.
zer-spalten redv. intr. tr. refl. zerspalten.
zer-spænen swv. tr. zersplittern.
zer-spannen redv. auseinander spannen, dehnen; dadurch zerstören.
zer-spelten swv. tr. *zerspalten* machen.
zer-spënden swv. tr. als geschenk verteilen; als beute verteilen, überh. zerstreuen, verschleppen.
zer-spennen swv. = *zerspannen.*
zer-sperren swv. auseinandersperren, spreizen.
zer-spliȥen stv. tr. zerspalten.
zer-spræjen swv. auseinanderspreiten, streuen. *den lôn z.* verteilen.
zer-spreiten swv. auseinanderspreiten, dehnen; aus-, verbreiten, zerstreuen. **-spreitunge** stf. zerstreuung.
zer-sprengen swv. *zerspringen* machen, auseinandersprengen, zerstreuen.
zer-springen stv. zerspringen.
zer-spriȥen stv. intr. zersplittern. - swv. tr. zersplittern.
zer-stân, -stên anv. auseinander-, wegtreten, weggehn, ende nehmen, vergehn, intr. u. unpers. mit gen.; fehlen, mangeln mit dp.
zer-stëchen stv. tr. zer-, durchstechen; stechend zersplittern (*sper*).
zer-stieben stv. intr. auseinander stieben, zersplittern.
zer-stœren swv. vollständig auseinander bringen u. zerstreuen, in zwietracht, verwir-

rung, verfall u. verderben bringen, zunichte machen, zerstören, verwüsten; mit ap. und gs. verlustig machen, berauben. — refl. schwach werden. **-stœrer** stm. zerstörer, vernichter. **-stœrerinne** stf. vernichterin.

zer-stôȥen redv. zerstossen, stossend vernichten.

zer-strëben swv. auseinanderstreben.

zer-strichen stv. mit ruten zerpeitschen.

zer-strîfen swv. streifenweise, aus verschiedenem tuch zusammensetzen (gewand).

zer-strobelen, -strouben swv. struppig machen, zerzausen.

zer-ströuwen, -ströun swv. hin und her streuen, zerstreuen; ausbreiten, -spreizen; auflösen (*hâr*); zerspalten, zerstückeln; zerstören. **-ströuwunge** stf. zerstreuung; uneinigkeit.

zer-stücken swv. zerstückeln, zerspalten; s. v. a. *zerstrîfen*.

zer-stürmen swv. im *sturme* od. wie im *st.* zerstören.

zer-sweifen redv. auseinanderfliessen.

zer-swëllen stv. auseinanderschwellen, schwellend sich erweitern.

zer-swellen swv. *zerswëllen* machen.

zer-swingen stv. auseinanderschwingen.

zerte stf. liebkosung, zärtlichkeit, liebe; zartheit, zierlichkeit, schönheit.

zer-teilen swv. entzweiteilen, in teile zerlegen, zerteilen; trennen, uneins machen; trennen von (gen.); ausdehnen, erweitern; zerstreuen, verteilen; auseinanderstreuen, vernichten; austeilen (*schaz, hort*).

zertel stn. liebchen. **zertelinc**, *-ges* stm. verweichlichter mensch, zärtling. **zerteln** swv. intr. zart, schwächlich sein. **zerten** swv. intr. zärtlich sein, liebkosen. **zert-lich** s. *zartlich*. **zert-licheit** stf. lieblichkeit, anmut.

zer-tragen stv. auseinandertragen, zerstreuen, -reissen, vernichten; austragen, ausgleichen. — refl. uneins werden, sich entzweien *mit*.

zer-trëchen stv. auseinanderziehen, zerreissen, -brechen.

zer-treigeleu, -tregelen, -trögelen, -treigen, -treien swv. zerstreuen. **-treiger** stm. zerstreuer, verschwender.

zer-trennen swv. auseinander-, auftrennen, -lösen, zerstreuen, -hauen, -reissen, zerbrechen.

zer-trëten stv. zertreten, zerstampfen.

zer-treten, -tretten swv. dasselbe.

zer-trîben stv. auseinandertreiben, zerstreuen; vertreiben, vernichten; breittreten; in unordnung bringen, verwirren; abnutzen; flüssig machen; reibend od. rührend vermischen *in*.

zer-tuon an. v. tr. auseinander tun, ausbreiten, öffnen. — refl. sich ausbreiten, zerstreuen

zer-tuschen swv. zerschlagen.

ze-rücke = *ze rücke* zurück, rückwärts, hinter sich.

zerunge stf. nahrung, ausgaben dafür, aufwand, unkosten; zehrgeld, reisegeld.

zer-vallen redv. auseinanderfallen, zerbrechen, ein-, verfallen.

zer-varn stv. auseinander-, in stücke gehn, zerbrechen, zerfallen, vergehn.

zer-vellen swv. *zervallen* machen, zerfällen, auseinandernehmen; zerteilen, zerlegen (*visch*).

zer-vieren swv. in vier stücke zerteilen, vierteilen.

zer-vîlen swv. zerfeilen.

zer-vitzen swv. tr. in fetzen reissen.

zer-vlëcken swv. zerschlagen, zerhauen, zerspalten; aus flekken zusammensetzen.

zer-vlëhten stv. auseinanderflechten, aufflechten.

zer-vlerren swv. zerreissen, zerfetzen.

zer-vlieȥen stv. intr. auseinanderfliessen, zergehn, schmelzen; vergehn, schwinden. — abs. flüssig machen, schmelzen. — tr. zergehn machen.

zer-vlocken swv. in *vlocken* zerteilen, zerzausen.

zer-vlockeren swv. hin und her u. aneinanderflattern.

zer-vlœȥen swv. *zervlieȥen* machen, schmelzen.

zer-vüeren swv. *zervarn* machen: auseinanderbringen, zerstreuen, -trennen, -reissen, auflösen; mit gen. trennen von, berauben; in unordnung bringen, zerzausen, verwirren; vertun, verschwenden; zergehn machen, beenden, beilegen, schlichten; zerstören; verwüsten, verderben, -nichten. — refl. ein ende nehmen.

zer-vûlen swv. verfaulen.

zer-wæjen swv. tr. auseinander wehen.

zer-walken redv. gründlich durchwalken, prügeln.

zer-weichen swv. etw. so erweichen, dass es zergeht.

zer-wërfen stv. tr. auseinanderwerfen, ausspreiten; hin und her, durcheinanderwerfen, zerstreuen; in unordnung bringen, verwirren, zerzausen; werfend zerbrechen, zunichte machen. — refl. u. intr. sich entzweien, streiten, zanken; mit gs. im zweifel sein über. **-wërfnisse** stf. zerwürfnis, zwiespalt, streit.

zer-wërren stv. in unordnung bringen, verwirren.

zer-widen swv. zerschlagen.

zer-wirken, -würken swv. zerhauen, zerschneiden, zerlegen, bes. weidm. zerlegen.

zer-wiȥen swv. etw. rotes ganz weiss, bleich machen und dadurch entstellen.

zer-wüelen swv. durch-, auseinanderwühlen.

zer-wurft stf. zerwürfnis, streit.

zer-zanegen, -zanken swv. mit den zähnen zerreissen.

zer-zeisen swv. zerzausen, zerzupfen.

zer-zërn stv. zerreissen.

zer-zerren swv. auseinanderzerren, zerreissen, -stücken, zertrümmern; uneins machen; abquälen, martern.

zer-ziehen stv. hin und her, auseinanderziehen, zerstreuen; ausspannen, zerdehnen.

zer-zîhen stv. = *verzîhen*.

zer-zücken swv. auseinanderziehen, zerreissen.

ze-samene, -samne, -samen adv. zusammen (kontr. *zamen, zemne, zemen*); mit verben komponiert: *-behalten* zusammenfassen, *-wenden* zusammenfügen.

ze-sament, -samt adv. zusammen, zugleich mit (dat.).

***zëse** adj. (flekt. *zesewer, zeswer*, auch *zësem, zesm, zesen*) recht, dexter. — *zësewe, zëswe* (näml. *hant, sîte*) swf.

zësem, zësen stm. ununterbrochene linie od. reihe; firmament, himmel.

zesîn stm. dukaten (it. *zechino*).

zësper stmn. md. rasen, rasenplatz (lat. *cespes*).

zësse stf. brausende woge, unwetter.

zëswe swf. s. *zëse*.

zëswen-halben, -halp adv. rechter hand, rechts. **-kraft** stf. kraft der rechten hand.

zête, cête swm. grosser fisch od. fischartiges tier (gr. lat. *cetus*).

zete-brief stm. brief-, amuletverteiler, wahrsager.

zetel s. *zedele*.

zeten s. *zetten*.

zêter, zêther, zetter interj. hilf-, klage- u. erstaunensruf.

zettel stm., **-garn** stn. aufzug od. kette eines gewebes. **-wolle**

f. wolle als *zettel*. **zettelen** swv. den *zettel* machen, zu einem gewebe aufziehen. **zetten, zeten** swv. streuen, zerstreut fallen lassen, ausbreiten.

zetzen s. *zeckezen*.

zevalier stm. = *schevalier*.

ze-vorn adv. voran, zum voraus, vorher.

ziber, zifer stn. opfertier (in *ungezibere, unzifer*).

zibolle s. *zwibolle*.

zibôrje (ziborne) stswf. n. hostienkelch mit baldachinartigem deckel, säulenhäuschen (für heiligenbilder u. dgl.), baldachinartige krönung (gr. lat. *ciborium*).

ziburgel stn. dasselbe.

zic, *-ckes* stm. leise berührung, leichter stoss od. druck, neckerei; fehler, makel; arglistiges benehmen, unredliche handlung.

zic, *-ges* stm. beschuldigung, anklage.

zich stf. aussage, beweis; auszeichnung, ansehen, ruhm.

zichâ, zickâ interj. = *zâhî*.

zickelîn, zickel stn. zicklein.

zickeln swv. abs. zicklein werfen.

zicken swv. abs. *zicken vür* hinausgreifen über. — tr. u. refl. stossen, necken.

zîdelære, zîdler stm. zeidler, bienenzüchter, zur bienenzucht im walde berechtigter (slav.?).

zîdel-gerihte stn. gericht, vor dem klagen der zeidler vorgebracht wurden. **-huobe** stf. *huobe* mit der berechtigung zur bienenzucht. **-meister** stm. vorgesetzter oder richter der zeidler. **-weide** stf. bienenzucht u. waldbezirk, in welchem sie betrieben wird; recht zur waldbienenzucht. **-wërc** stn. bienenzucht.

zîdel-bast stm. seidelbast, kellerhals.

zidele stf. = *citôl*.

ziech-brunne swm. ziehbrunnen.

zieche, ziech swstf. zieche, bettdecken-, kissenüberzug; sack (gr. lat. *theca*). **ziechener** stm. ziechenweber.

ziegel stm. ziegel, dach- u. mauerziegel (lat. *tegula*). **-bacher, -becker** stm. ziegelbrenner. **-dach** stn. ziegeldach. **-decker** stm. dachdecker. **-eite** stf. das ziegelbrennen. **-hûs** stn. ziegelei. **-meister** stm. laterator. **-oven** stm. ziegelofen. **-rôt** adj. rot wie ein *z*. **-stein** stm. backstein. **-stiure** stf. abgabe an ziegeln. **-var** adj. ziegelfarb. **ziegeler, ziegler** stm. ziegelbrenner. **ziegelîn** adj. von ziegeln.

ziehen stv. II, 2 (md. *zîhen, zihen, zien*) intr. (perf. mit *haben*, obj. *wëc* u. dgl.) ziehen, einen weg einschlagen, sich begeben, bewegen (*hin z.* sich hinweg begeben, das übergewicht erlangen), spez. ins feld ziehen; sich hinziehen, erstrecken, reichen; *ziehen ze* ausschlagen od. gereichen zu, sich beziehen auf, passen zu, ein zeichen sein von; *ziehen an* sich einer sache wegen berufen auf, appellieren an. — refl. den weg nehmen, sich begeben, ziehen (*sich ze hôhe z.* zu hoch streben, hoffärtig sein, *sich einem gelîch z.* vergleichbar sein, *sich zierlîche z.* ornari); sich hinausziehen, erstrecken; *sich z. ze* ausschlagen od. gereichen zu, sich beziehen auf, sich an einen machen, zur last fallen, sich an etw. machen, sich daran halten, sich begeben; *sich z. an* sich einer sache wegen (gen.) berufen auf, appellieren; *sich z. ze* vor gericht als sein eigen nachweisen, anspruch machen auf, in besitz nehmen; sich erziehen, bilden; *sich z. von* oder *abe* mit dp. sich entziehen, sich fernhalten. — tr. ziehen führen, leiten, bringen, richten (je nach dem obj.); entrücken (*ûf gezogen sîn* verzückt sein, *in sich gezogen werden* in betrachtung versinken); *under sich z.* unterwerfen, *bluot zer erden z.* vergiessen, *rede z. în* erklärungen einschieben; *an einen etw. z.* auf ihn beziehen, mit ihm vergleichen, sich einer sache wegen auf ihn berufen, an ihn appellieren; auf-, grossziehen, erziehen; belehren, bilden; ernähren, füttern, unterhalten, pflegen. — abs. (je nach dem ausgelass. obj.) rudern, segeln; schach spielen; ein ross vorführen; in den letzten zügen liegen.

zieher stm. der welcher zieht, der aufziehende pfleger.

ziemer stm. krammetsvogel.

zierde, ziere, zier stf. schmuck, schönheit, pracht, herrlichkeit. **ziere, zier** adj. prächtig, kostbar, herrlich, schön, schmuck; froh mit gs. **ziere** adv. prächtig, schön. **zieren** swv. *ziere* machen, zieren, putzen, schmücken, verherrlichen; *z. in* worein kleidend schmücken; rühmen, preisen; zur zierde gereichen. — refl. sich zieren, schmücken für *gegen*; sich rühmen. **zier-garte** swm. schmuck-, lustgarten. **-heit** stf. zierde, schmuck (schmuckgegenstände, kostbarkeiten), ausschmückung, schönheit, pracht, herrlichkeit. **-kemmîn** stn. schornstein-, türmchenartige verzierung an häusern, ähnlich wie *cibôrje*. **-lich, -lîche** adj. adv. = *ziere*. **-licheit** stf. geschmücktheit, schönheit, gepränge. **-sam** adj. = *ziere*. **zierôt** stm. zierat. **zierunge** stf. schmuck.

zieter stmn. deichsel für vorspann, vordeichsel.

zifer s. *ziber*.

zifer, ziffer stf. ziffer (it. *cifra*).

zige swf. ziege.

zigeiner s. *zigîner*.

zigen-bein stn. ziegenbein (als waffe, vgl. *geizvuoz*). **-bône** swf. ziegenkot. **-milch** stn. ziegenmilch.

zigener stm. = *ziger*.

zigenîn s. *zigîn*.

ziger stswm. die festere masse, die sich beim gerinnen der molken ausscheidet, quark. **-brüe** stf. käswasser. **-kæse** stm. käse aus *ziger*. **zigere** swf. butter.

zigerîn adj. aus *ziger* bereitet.

zigerlinc, *-ges* stm. = *z.-kæse*.

zigîn, zigenîn adj. von der ziege.

zigîner, zigeiner, zigeuner, ziginger, zegîner stm. zigeuner (it. *zingano, zingaro*).

zîhen stv. I, 2 tr. aussagen von, zeihen, beschuldigen (mit gs., as., inf., nachs.). — refl. mit gs. sich denken, einbilden. **zîher** stm. der zeiht und beschuldigt, lästermaul. **zîh-lichen** adv. auf eine weise, die eine beschuldigung in sich schliesst. **ziht** stf. beschuldigung, anklage.

ziklât, ciclât, ciclâs; siglât, sigelât, sigilât, sigilôt stm. kostbarer, golddurchwirkter seidenstoff (mlat. *cyclas, cyclatum*, afz. *siglaton*). **ziklâtîn** stm. gewand aus *ziklât*. **ziklât-sîde** f. = *ziklât*.

zil stnm. ziel, ziel des laufens, schiessens, angreifens usw.; festsetzung, bestimmung, zweck, absicht; festgesetzter, abschliessender od. abgegrenzter zeitpunkt, ende, frist, termin (*âne, sunder z.* unaufhörlich, *ûf daz zil, daz* so lange bis, *von kindes z.* von jugend auf); grenze, abgegrenzter raum, mass (*über der sinne z.* über das geistige vermögen hinausgehend, *âne, über z.* unermesslich viel); art und weise, mit gen od. adj. meist nur umschreibend (*nâch rîchlîchen ziln* in kostbarer weise). **-besitzer** stm. der das ziel erreicht hat. **-brunne** swm. brunnen als grenzzeichen. **-loufer** stm. der nach dem ziele läuft. **-stat** stf. zielstätte, ziel. **-strecke** stf. bestimmte strecke weges.

zîl s. *zîle*.

zîl stmn. dornbusch, hecke.
zîlach stn. dorngebüsch.
zîlant stm. seidelbast.
zîlde stn. md. zeitpunkt.
zîle, zîl stf. reihe, linie (auch gebogene); gasse.
zîlëht adj. am ziele befindlich, grenzständig (baum).
zîlëht adj. in reihen oder streifen geteilt.
zîlen swv. tr. u. refl. reihen, in reihen stellen.
zîler stm. zieler, der die auf die scheibe gefallenen schüsse markiert.
zilge swm. md. = *zëlge* 1.
zilic adj. mässig gross, mittelmässig, schmächtig, klein.
zilige stf. schindel des wundarztes. **ziligen** swv. schindeln.
ziln, zilen, zillen swv. intr. zielen, ringen, streben (*an, gegen, nâch*); mit dat. (an einen ort) bestellen. — tr. als *zil* aufstellen, fest machen, feststellen, -setzen, einrichten, angeben, bestimmen, zumessen ohne od. mit dp.; *z. von* entfernen; bestellen *ûf*; abgrenzen; hervorbringen, erzielen, bewirken, machen, zeugen; *enzwei z.* mit der waffe zerhauen; zusammenstellen, vergleichen, es so nennen, mit dat. od. *gegen.* — refl. eine richtung nehmen *gegen.*
zimbal, zimbel, zimel stm. n. kleinere (mit einem hammer geschlagene) glocke, schelle (gr. lat. *cymbalum*). **zimbele, zimmele** swf. dasselbe; becken als tongerät. **zimbellîn** stn. glöckchen.
zimber, zimmer, zimer stn. m. bauholz; holzbekleidung eines stollens; bau, gebäude (von holz), wohnung; haufe; vierzig stück pelzwerk. **-holz** stn. bauholz. **-man** stm., pl. **-liute** zimmermann; als schachfig. zweiter *vende.* **-snuor** stf. richtschnur der zimmerleute. **-stiure** stf. beihilfe zum hausbau (mit bauholz). **-wërc** stn. zimmermannsarbeit, -handwerk. **-ziuc** stm. handwerkszeug des zimmermanns.
zimbere, zimere swf. rückenstück des hirsches od. rehes, ziemer; zeugungsglied des hirsches (fz. *cimier*).
zimbern, zimpern, zimmern swv. mit der zimmeraxt behauen; bauen, erbauen.
zime- (zim-)lich adj. schicklich, passlich, gebührend, geziemend, angemessen; mässig, billig, nicht zu hoch od. zu teuer; gefällig, angenehm, entsprechend, zuträglich. **-(zim-)liche** adv. schicklich, passlich, angemessen; mässig; gleichmässig; billig, nicht zu teuer.
-liche, -licheit stf. schicklichkeit.
zimen swv. refl. mit gen. sich dünken für.
zimënte, zimënt, cimënte, cêment stnm. cement; eine art beize zum scheiden od. reinigen der metalle (fz. *cément*, lat. *caementum*). **zimënten** swv. beizen, scheiden, reinigen; mit mörtel versehen.
zimer, zimere s. *zimb-*.
zimet s. *zinemîn.*
zim-haft adj. = *zimelich.*
zimier, zimiere, zimierde stn. zimier, helmschmuck u. sonstiger ritterlicher aufputz an mann und ross, schmuck überh. (fz. *cimière* v. *cime* gipfel). **zimieren** swv. mit dem *zimiere*, mit ritterlichem schmucke versehen, überh. schmücken; zum *zimier* machen, als *z.* nehmen, wählen.
zimîn s. *zinemîn.*
zimmer, zimmern s. *zimb-*.
zimît s. *timît.*
zim-lich s. *zime-*.
zimmele s. *zimbele.*
zimpern s. *zimbern.*
zin, cin stn. zinn.
zîn s. *zëhen.*
cinamôm s. *zinemîn.*
zincibër stm. = *ingewër.*
zindâl zindel, zëndâl zëndel, sindâl sëndel stm., **zindât zëndât** stf. zindel, eine art taffet (it. *zindalo, zendalo*, afz. *cendal* von gr. lat. *sindon*). **zindâlîn, zëndalîn** adj. von *zindâl.*
zindeln, zinneln swv. zacken-, kammförmig machen.
zinden, zinnen stv. 1,3 brennen, glühen.
zinel, zinnel n. büschel od. gebinde flachs.
zinemîn, zimîn, zinmënt, zinmint, zimet stm. zimmt (auch *cinamôm, cynamôme* swm.), mlat. *cynamonium*, gr. *κίνναμον.*
zinen swv. verzinnen. **ziner** stm. zinngiesser.
zingel stn. kleiner zacken, häkchen.
zingel stm. f. sattelgurt; äussere verschanzungsmauer einer stadt od. burg; stadtgebiet (lat. *cingulus, -a*). **zingeln** swv. abs. eine verschanzung machen.
zinîn adj. von zinn.
zinke swm. zacken, zinke, spitze; blashorn.
zinke swm. weisser fleck im auge.
zinke swm. die fünf auf dem würfel (fz. *cinq* von lat. *quinque*).
zinkelëht adj. mit widerhaken versehen.
zinken swv. verfünffachen.
zinne swstf. zinne. **zinnelëht** adj. zackig.
zinnel s. *zinel.*
zinneln s. *zindeln.*
zinnen s. *zinden.*
zinnen swv. mit zinnen versehen; zinnenförmig machen od. hinsetzen.
zinober, zinopel stm. zinnober (mlat. *cenobrium* v. gr. *κιννάβαρι*). **-rôt** adj. rot von od. wie *z.*
zins stm. abgabe, tribut, zins; oft auch nur phraseolog. *in den z. schrîben* ins steuerverzeichnis aufnehmen (lat. *census*). **-acker** stm. zinsbringender acker. **-banc** stf. verkaufsbank, für die zins bezahlt wird. **-bære** adj. zinspflichtig. **-buoch** stn. buch für die zinseinnahme. **-gëbe** swm. zinsgeber, zinszahler. **-gedinge** stn. vertragsmässiger zins. **-gëlt** stn. zinsgeld, zins. **-gëlte** swm. = *-gëbe.* **-gëltic, -gültic** adj. zinspflichtig. **-guot** stn. zinspflichtiges gut; was als zins gegeben wird. **-haft, -haftic** adj. zins-, tributpflichtig. **-hêrre** swm. *h.* dem zins entrichtet wird. **-jâr** stn. *Rœmer z.* = *R. zinszal.* **-knabe** swm. zinspflichtiger junger mensch. **-lant** stn. zinsgebendes *lant.* **-lêhen** stn. zins-, erbzinslehn. **-lich** adj. als zins gegeben, zinsartig. **-man** stm , pl. *-liute*, zinsmann, zinspflichtiger. **-meister** stm. zinseinnehmer, -einforderer. **-phenninc** stm. zinsgeld, abgabe vom zinslehn. **-rëht** stn. zinsrecht; vertragsmässig zu leistender zins. **-stiure** stf. *Rœmer z.* = *R. zinszal.* **-tac** stm. tag an dem zins bezahlt wird. **-vellic** adj. zinsfällig, nach dem zinsvertrage verfallend. **-wîn** stm. wein der als *zins* gegeben wird. **-zal** stf. *Rœmer z., rœmische z.* indiktion, eine zeit von 15 jahren (in welcher die röm. kaiser dreimal, von fünf zu fünf jahren einen gewissen kopfzins einfordern liessen).
zinsære, -er stm. zinsgeber, zinspflichtiger; zinseinnehmer, -einforderer.
zinsærîn stf. zinsgeberin.
zinsec, -ic adj. zinsgebend, tributpflichtig; ergiebig.
zinsel = *zîsel*, s. *zîse.*
zinsel stf. rauchfass (mlat. *incensarium*).
zinselîn s. *zîselîn.*
zinsen swv. abs. den *zins* geben, zahlen. — refl. für sich den *zins* geben; sich verzinsen, zinsen tragen, mit as. abwerfen; mit dp. jmd. zinspflichtig sein. — tr. als *zins* geben, überh. hin-, preisgeben; *etw. zinsen mit* bezahlen.
zins-tac s. *zins-* u. *zîstac.*

zint, *-des* stm. zacken, zinke; zindel-, zingelfisch, eine art barsch; ein blasinstrument.

zin-wërc stn. zinnbergwerk.

zinn-wërt stnm. zinnware, zinngeschirr.

zinzel stm. ein runder gegenstand, obsc. wohl für cunnus. **zinzelëht** adj. rundlicht. **zinzeln** swv. schmeicheln, kosen; sich leise, schmeichlerisch bewegen.

zinzer-lich adj. niedlich, zärtlich.

ziper-boum stm. = *zipres-b.*

zipf stm. punica (pflanze).

zipf stm. spitzes ende, zipfel. **zipfel** stm. dasselbe; anhangender od. zwischeneingehnder land-, waldstreifen. **zipfelëht** adj. mit zipfeln versehen. **zipfeler** stm. schmarotzer. **zipfellîn, zipfelîn** stn. md. *cippelîn* zipfelchen. **zipfeln** swv. mit zipfeln versehen. **zipfel-riuwe** stf. reue auf dem sterbebett (wenn der sterbende mit den fingern an der bettdecke zupft). **-wërc** stn. schmarotzerei. **-(zippel-)zêhen** swv. trippelnd auf den zehen gehn (beim getretenen tanze).

zipfen swv. in kleinen ansätzen gehn, trippeln.

cippelêrin stf. schülerin (nach lat. *discipula*).

cippelîn s. *zipfellîn.*

zippel-trit stm. trippeltritt.

zipperlîn stn. podagra.

zippern swv. etw. nützen, eintragen.

zipres, zipresse stswm., **zipres-, zipressen-boum** stm. cypresse (lat. *cypressus*). **zipressîn** adj. von cypressenholz. **cypriân** stm. cypresse.

zir- präf. = *zer-.*

zirbel stswm. wirbel; werkzeug zum fischen (vgl. *zwirbel*). **-wint** stm. wirbelwind.

zirben swv. im kreise herumdrehen, wirbeln.

zirben, zirm stfm. zirbelkiefer (lat. *pinus cembra*).

zirc, zirk stm. kreis, zirkel, umkreis, bezirk (lat. *circus*). **zirk** stf. rund-, streifwache. **zirkære** stm. der die runde macht, patrouille. **zirke** swm. kreis, zirkel, kranz. **zirkel** stm. kreis, zirkel; kreislauf; rund-, streifwache; goldener reif als hauptschmuck der könige und königinnen; zirkel als instrument zum ziehen eines kreises (lat. *circulus*). **-kreiȥ** stm. kreis. **-krumpe** stf. kreisform. **-mâȥe, mâȥ** stf. zirkelmass, kreis. **zirkelëht** adj. kreisförmig. **zirkeler** stm. = *zirkære.* **zirkelerinne** stf. die die runde macht (im kloster). **zirkeln, zirken** swv. intr. die runde machen, patrouillieren — tr. mit dem zirkel messen, nach dem zirkelmasse verfertigen. **zirkener** stm. = *zirkære.*

zirm stfm. s. *zirben* 2.

zise swf. accise (mlat. *accisia*).

zîse stswf. zeisig (slav.).

zîsec, zîsic stm. dasselbe.

zisel stm. penis (mischung von *zërs* u. *fisel*?).

zisel stm. = *zisemûs.*

zîsel, zinsel stmf. = *zîse.*

zîselîn, zinselîn stn. dem. zu *zîse, zîsel.*

zîsel-wërc stn. **pfuscharbeit.**

zisemen swv. in gerader richtung gehn, nachfolgen, nacharten (*nâch einem*).

zise-mûs stm. zieselmaus. (mlat. *cisimus, mus citellus*).

zisenlîn, zisendlîn stn. eine art speise.

ziser s. *kicher.*

zisma stn. schisma, zwietracht (gr. lat. *scisma*).

zispen swv. intr. schleifend gehn. — tr. treten auf.

zispezen swv. zischeln.

zis-tac stm., verderbt *zinstac* dienstag (tag des gottes *Ziu*).

zistel stf. korb (lat. *cistella*).

zistërne, zistërn swstf. zisterne (lat. *cisterna*).

zît stf. n. (stm. sommerszeit) zeit, zeitalter, lebensalter, leben, lebensumstände, das zeitliche leben; jahres-, tageszeit, stunde, betzeit, kanon. hore (*begân* = halten), zeitpunkt (*dise z.* das zeitl. leben; *guote zîte* angenehme stunden; *ein z. . . . ein z.* die eine . . . die andere zeit; *alle z.* jedesmal, immer; *nie, kein z.* niemals; *bî zîten, bî den zîten* damals; *in zît, in der zît* bei zeit, sogleich; damals, zugleich; *ê zît* vor der zeit; *bezîte* adv. bei zeiten; *bezîtes* adv. früh). **-buoch** stn. zeitbuch, chronik. **-glocke** f. stundenglocke. **-kleit** stn. der jahreszeit entsprechendes kleid. **-kuo** stf. zweijährige, zur nachzucht reife kuh. **-kürzel** stn. zeitkürzerin, geliebte. **-lich** adj. der endlichkeit angehörend, zeitlich, weltlich; erntbar, reif; was an der zeit ist, den umständen entspricht, zeitgemäss, angemessen. **-lîche, -en** adv. beizeiten, frühzeitig; zeitgemäss, angemessen. **-licheit** stf. zeitlichkeit. **-lôse** s. *zîtelôse.* **-lôselîn** stn. kleine *zîtlôse.* **-vange** adj. ausgewachsen, reif. **-vertrîp** stm. zeitvertreib, kurzweil. **-vogel** stm. vogel, der flügge wird.

zîte adv. frühzeitig.

zîtec, -ic adj. was die rechte zeit erreicht hat, ausgewachsen, reif; zur rechten zeit geschehend, zeitgemäss; der jahreszeit entsprechend; den verhältnissen entsprechend, reiflich überlegt.

zîtegen swv. intr. reif werden. — tr. reif machen.

zîte-lich adj. s. *zît-lich.*

zîte-, zît-lôse swf. m. eine weisse od. gelbe frühlingsblume, krokus, narzisse.

zîten swv. intr. reif werden; mit subj. *eȥ* zeit sein.

ziter, zitter stm. das zittern, beben. **ziterære** stm. zitterer. **zitern, zittern** swv. zittern, beben. **ziteroch, ziteroche** stswm. flechtenartiger ausschlag, zittermal. **ziterunge, zitterunge** stf. das zittern. **ziterwîse** stf. das zittern.

zitôl, zitôle, zitolle stswf. zither (gr. lat. *cithara*). **zitôlen** swv. z. spielen. **zitôlîn** stn. dem. zum vorig.

zitter s. *ziter.*

zitter-mâl stn. = *ziteroch.*

zîtunge stswf. nachricht, kunde, botschaft.

zitwar, zitwan stm. zitwer, ein früher gebräuchliches heilmittel u. gewürz (mlat. *zeduarium* v. arab. *zedwâr*).

zitze swf. (m.) weibl. brust, saugwarze (vgl. *tute*).

zitzern swv. zwitschern.

ziu interj. (aus *zahiu*).

ziuc, *-ges*, **ziug** stm. n. handwerkszeug, gerät; ausrüstung, rüstung u. waffen aller art, geschütz; gerüstete kriegerschar; zeug, stoff, material; zeugnis, beweis; zeuge. **ziug-bære** adj. durch zeugen erweisen. **-holz** stn. werk-, nutzholz. **-same, -schaft** stf. zeugnis, beweis. **ziuge** swm. zeuge. — stf. zeugenbeweis. **ziugen** swv. zeugen, erzeugen; verfertigen, herstellen, machen lassen, die kosten wovon bestreiten; verfassen (*buoch*); anschaffen, sich verschaffen, erwerben; ausrüsten; zeugnis ablegen, bezeugen, -weisen; *an einen z. daȥ* zum zeugen anrufen für, *etw. z. ûf* sich auf jem. als den zeugen, auf etw. als das zeugnis wofür berufen, etwas als zeugnis gegen jmd. aussagen. **ziugnisse** stfn., **ziugunge** stf. das machen, tun; zeugnis.

ziunelîn, ziunlîn stn. dem. zu *zûn.* **ziunen** swv. zäunen, flechten; umzäunen, -flechten; einschliessen. **ziunîn** adj. geflochten. **ziununge** stf. umzäunung.

ziuschen swv. brennenden wundschmerz (durch rasche, die haut schindende bewegung) erzeugen.

zô s. *ze, zuo.*

zobel stm. (md. auch *zabel*) zobel; zobelfell, -pelz (slav).

-swarz adj. schwarz wie *zobel.* **-tier** stn. zobel. **-var** adj. = *zobelswarz.* **zobelîn** adj. von zobel.

zoc, *-ges,* **zog** stm. das ziehen, der zug (im schachspiele); appellation; auszug, kriegszug; gefolge, schar; die spannung (des bogens); schlägerei, balgerei.

zoche swf. knüttel, prügel.

zockel swfm. holzschuh.

zocken, zochen swv. ziehen, zerren, reissen; locken, reizen.

zoc-ohse swm. md. = *zugohse.*

zôfen, zoffen s. *zâfen.*

zoge-brücke swf. md. zugbrücke.

zogel stm. md. der zieht, an sich zieht, sammelt.

zogelen swv. md. intr. ziehen.

zogen swv. intr. sich auf den weg machen, ziehen, gehn, marschieren, eilen, laufen. — unpers. mit dat. (*mir zoget, ich lâze mir z.*) u. gs. (womit) eilig sein, eilen; persönl. mit refl. gen. *zoget iuwer!* beeilt euch. — refl. den weg nehmen, sich begeben, kommen; sich hinziehen, verzögern; sich zanken, raufen. — tr. zerren, zupfen, reissen, raufen; hinziehen, -halten, verzögern, verschieben.

zogeren swv. zerren, herumzerren.

zôhe swf. hündin. **zôhenkrote** swf. hundskröte (schelte). **-sun** stm. hundesohn (schelte).

zœhen swv. ziehen machen, ziehen, führen, treiben.

zœhin stf. = *zôhe.*

zoigen, zöigen s. *zöugen.*

zol, *-lles* stm. cylinderförmiges stück; baumklotz, baumstamm; kurbel.

zol *-lles* stm. f. zoll als mass.

zol, *-lles* stm. n. zoll als abgabe (*ungevüegen z. geben* grossen verlust haben, unterliegen); zollamt, -stelle (gr. lat. *telonium*). **-bære** adj. zollpflichtig. **-schrîber** stm. zolleinnehmer u. verrechner. **-vrî** adj. zollfrei.

zolch stm. klotz (als schimpfwort), s. *zol* 1.

zolle swf. ein Kinderspielzeug.

zollen swv. abs. zoll geben, zahlen. — tr. zoll wovon geben; als zoll geben, zahlen; zoll fordern, auferlegen.

zoller stm. zolleinnehmer, zöllner.

zolnære, -er stm. dasselbe (lat. *telonarius*).

zôm s. *zoum.*

zônen s. *zounen.*

zopf, zoph md. *zop* stm. zopf; zopfförmig geflochtenes backwerk; hinterstes ende, schwanz, zipfel.

zopfen swv. mit einem *zopfe* versehen.

zopfen, zoppen stn. springtanz.

zorfen stn. heller laut, schall.

zorftel adj. hell, leuchtend, glänzend.

zorftel stn., **zorftele** stf. helligkeit, glanz.

zorn stm. (md. auch *zorne* swm.) plötzlich entstandener unwille, heftigkeit, zorn, wut; worüber man aufgebracht ist, beleidigung; heftiger wortwechsel, zank, streit; von elementen: wut, heftigkeit, ungestüm. **zorn, zorne** adj. adv. (das adjektivisch u. adv. ausgedeutete subst. *zorn*) zornig, erzürnt (*ich bin, werde z.* zornig, aufgebracht; *mir ist, wirt, tuot zorn* es erzürnt mich, ich werde zornig über; es tut mir leid). **zorn-(zorne-)bære** adj. zornig. **-bleich** adj. blass vor zorn. **-drô** stf. zornige drohung. **-druc** stm. zorniger druck. **zornec, zornic** adj. zornig, zürnend, erzürnt; heftig, grimmig. **-lich** adj. dasselbe. **-liche** adv. mit zorn, ungestüm. **zornelîn, zörnelîn** stn. kleiner *zorn.* **zornen, zörner** s. *zürnen, zürner.* **zorn-galle** swf. bitterer zorn. **-haft, -haftic** adj. = *zornec.* **-herte** adj. im zorn heftig. **-lich** adj., **-lîche** adv. = *zorneclich, -lîche.* **-mære** stn. zornrede. **-müetic** adj. erzürnt, erbittert. **-muot** stm. = *zorniger muot.* **-râche** stf. die im zorn beschlossene rache. **-rede** stf. zornige rede. **-schal** stm. lauter ausbruch des zorns. **-sin** stm. = *zorniger sin.* **-sûs** stm. = *-schal.* **-tac** stm. tag des zorns, jüngster tag. **-var** adj. zornfarb, -rot, nach zorn aussehend. **-vluoch** stm. im zorn gesprochener fluch. **-wæhe** adj. sich auf zorn verstehend.

zote, zotte swf. m. was zotticht herabhangt, zotte, flausch.

zotëht, zottëht adj. zotticht.

zoten swv. in zotten niederhangen; herabhangen, anhangen; langsam gehn, schlendern.

zouber stnm. (nbff. *zouver, zâber*) zauber, zauberei; zaubermittel, -spruch. **-brief** stm. geschriebener zauberspruch. **-buoch** stn. zauberbuch. **-gerte** stf. zauberrute. **-kunst** stf. = *-list.* **-küsselîn** stn. kleines zauberkissen. **-lich** adj., **-liche** adv. zauber betreffend, zauberisch, zaubermässig. **-linde** stf. linde, bei der zauber im spiele ist. **-list** stm. f. zauberkunst, zauberei. **-listic** adj. zauberkundig. **-mære** stf. zauberrede. **-sache** stf. zauberbehandlung. **-salbe** f. zaubersalbe. **-schaft** stf. zauberei. **-schrift** stf. zauberschrift. **-spil** stn. zauberei. **-stein** stm. zauberstein, d. i. bernstein. **-wërc** stn. zauberei. **-wort** stn. zauberwort. **-wurz** stf. zauberkraut. **zouberære, -er** stm. zauberer. **zouberærinne** stf. zaubrerin. **zouberât** stf. zauberei. **zouberic** adj. zauberisch. **zouberie** stf. zauberei, zaubermittel, -spruch. **zouberlehe** stn. zauberei. **zoubern** swv. intr. zaubern, durch zauberei bewirken; tr. bezaubern. **zoubernisse** stfn. zauberei. **zouberunge** stf. das zaubern.

zöugen, zougen, zoigen, zöigen swv. vor augen bringen, zeigen; erzeigen, erweisen mit dp.

zouke swf. schnabel einer kanne.

zou-liche s. *zouwelîche.*

zoum, zôm, zâm stm. zaum, zügel; wurfriemen; *z.* an einer *winden.* **-diep** stm. zaumdieb. **-haft** stf. fesselung vermittelst eines zaumes. **-strenge** adj. fest im zaume. **-vüerer** stm. zaumführer. **zoumelîn** stn. kleiner, schlechter zaum. **zöumen, zoumen** swv. tr. den zaum anlegen, zäumen; im z. halten; *ein ros z.* am zaume führen; *einen z.* einen gefangen nehmen, indem man den zaum seines rosses ergreift, ihn gefangen fortführen, überh. zu pferde fortführen; *einen z.* sein pferd am zaume führen (aus ehrerbietung); mit dem zaume lenken, reiten auf.

zoumer stm. zaummacher.

zoun s. *zûn.*

zounen, zônen swv. md. sehen lassen, zeigen, offenbaren.

zouver s. *zouber.*

zouwe, zâwe stn. = *gezouwe.*

zouwe stf. eile. **-(zowe-, zou-)liche** adv. eilig, schnell, mit gutem gelingen.

zouwen, zowen, zawen swv. intr. von statten gehn, gelingen pers. od. unpers. mit dat. (u. gen. od. infin. mit *ze*); eilig ziehen, marschieren; eilig sein, eilen, sich beeilen mit gs.; mit refl. gen. sich beeilen; *zouwen lâzen* eilig sein, eilen (mit refl. dat. u. gs.). — unpers. mit dat. (acc.) u. gen. womit eilig sein, eifrig verlangen nach.

zöuwen, zouwen swv. abtun, verfahren. — tr. machen, fertig machen, bereiten. — refl. sich bereit machen, schmücken, rüsten, aufmachen, beeilen.

zouwer stm. art tuchweber.

zouwic, zawic adj. bei der hand, eilig.

zubel s. *zwibolle.*

zûber, zuber, zuober, zwuber, md. *zober* (ahd. *zwibar*) stm.

gefäss mit zwei handhaben, zuber. **-wîn** stn. für die dienstboten bestimmter, schlechter wein, tropfwein. **zuberlîn** stn. kleiner zuber.

zuc, *-ges,* **zug** stm. handlung des ziehens, zug (des zügels, netzes, ruders, fiedelbogens, streich, schlag, zug auf dem schachbrette), bewegung, griff (nach dem schwerte); atemzug; winkelzug, kunstgriff; aufschub, verzug, frist; appellation; unterhalt, unterhaltungskosten; vorrichtung zum ziehen, aufziehen, ziehgerät; gespann; ort, wo ein schiff ans land gezogen wird; bewegung nach einer richtung fort, wanderung, reise, weg, pfad, zug bes. gegen den feind (kriegs-, kreuzzug); weg, art u. weise (mit einem adj. umschreibend); gezogene od. sich ziehende linie, schriftzug; bereich, landstrich, gegend.

zuc, *-ckes* stm. kurzes, geschwindes, heftiges ziehen oder reissen; verzückung.

zücken, zucken swv. schnell und mit gewalt ziehen (empor, heraus, zurück, fort); schnell ergreifen, an sich reissen, fortreissen, entrücken, wegnehmen, entreissen, rauben, stehlen. — refl. sich zerren; *sich mit einem z.* mit ihm tanzen usw. *sich ane z.* anspruch worauf machen, sich aneignen mit gen., acc. — intr. *hin z.* von dannen ziehen.

zücker, zucker stm. räuber.

zucker, zuker stm. zucker (mlat. *zucara* vom arab. *sokkar*). **zucker-balsam** stm. süsser balsam. **-honec** stm. zuckersüsser honig. **-huot** stm. zuckerhut. **-linde** adj. mild wie zucker. **-mæze, -mæzic** adj. wie zucker, zuckersüss. **-mël** stn. gestossener zucker. **-munt** stm. zuckersüsser mund. **-nar** stf. zuckerspeise. **-rôr** stn. m. zuckerrohr. **-rôsat** stm. mit zucker angemachter rosensaft. **-sâme** swm. zuckersame, -mehl. **-schîbe** stf., **-stücke** stn. stück zucker. **-stûde** swf. zuckerstaude. **-süeze** adj. süss wie zucker. — stf. zuckersüssigkeit. **-vîolët, -vîolât** stf. mit zucker angemachter veilchensaft. **-wabe** swf. zuckersüsse honigwabe. **zuckern** swv. verzuckern, zukkersüss machen.

zuc-lich adj., **-lîche** adv. rapidus, rapide.

zuc-rîhe stf. gewisse reihenfolge.

zuc-wandel stm. geldbusse für das zücken von waffen.

zûder stm. eine gerichtsperson (böhm. *cûdăr*).

züge stf. zug.

zügel stm., md. *zugel* zügel; wurfriemen; riemen, strick, band überh., woran etw. hängt, womit etw. umwunden wird; die zucht, das gezüchtete. **-brëche** swm. der wie ein wildes pferd den zügel zerreisst.

zügelen swv. züchten.

zugen swv. intr. = *zogen.*

zuge-seil stn. zugseil.

zuge-weich adj. schwank, biegsam; für den zügel empfindlich, weichmäulig.

zug-gerihte stn. gericht höherer instanz.

zug-nôz stn. zugvieh.

zug-ohse swm. zugochse.

zug-rëht stn. recht zu appellieren.

zuht stf. das ziehen, zerren; zug, richtung, weg, gang (*des weges z.* reise); appellation; das schaffen, bilden; erziehung; züchtigung, strafe; bildung des innern und äußern menschen, wohlgezogenheit, feine sitte und lebensart, sittsamkeit, höflichkeit, liebenswürdigkeit, anstand (*in hôhen zühten* mit vollem anstande, *ûz den zühten* mit hintansetzung der gewöhnlichen sittsamkeit; *sîne z. mêren an* einen edel behandeln); ernährung, unterhalt, nahrung; abstammung; das gezogene, gezüchtete; kind, junges, brut, nachkommenschaft, frucht; ort wo junge gross gezogen werden, brutplatz; ort wohin das unreine wasser sich zieht, senkgrube; wasserlauf, -leitung, darüber festgesetzte ordnung. **-ban** stm. busse für eine gesetzwidrigkeit. **-bære** adj. *zuht* habend, darauf hindeutend, mit z. verbunden. **-bëseme** swm. zuchtrute. **zühtec, -ic** adj. züchtigend; wohlgezogen, artig, höflich, von feinem anstande, gesittet; gedeihlich, fruchtbringend. **-heit** stf. = *zuht,* wohlgezogenheit usw. **-lich** adj., **-liche** adv. = *zühtec,* wohlgezogen usw. **zühtegen, zühtigen** swv. tr. züchtigen, strafen. — refl. sich ziehen, bilden. **zühteger, zühtiger** stm. züchtiger; scharfrichter, henker; büttel. **zühtegunge** stf. züchtigung, strafe. **zuhten** intr. sich mit *zuht* benehmen. **zühten** swv. nähren, aufziehen, züchten. **zühter** stm. der junge tiere aufzieht. **zühte-riche** adj. reich an *zuht,* sehr wohlgezogen usw. **zuht-lich** adj., **-lîche** adv. = *zühteclich, -lîche.* **-lôs** adj. ungezogen, rücksichtslos. **-meister** stm. erzieher. **-meisterinne** stf. erzieherin. **-merkære** stm. der auf anstand aufpasst. **-muoter** stf. zuchtmutter, erzieherin; zuchtsau, sau die geworfen hat. **-sal** stn. unterhalt, nahrung; stoff, element. **-swîn** stn. zuchtschwein. **-vlieher** stm. der vor dem anstand flieht, von ihm nichts wissen will. **-wîse** adj. in anstand erfahren.

zülle, zulle swf. flussnachen, flussschiff (*du bodemlôse zülle* als schelte).

zümfen, zumft s. *zünfen, zunft.*

zumpf, zumpfe; zump, -e stswm. das männl. glied. **zumpfelîn** stn. dem. zum vorig. **zumpfen-hüetelîn** stn. vorhaut.

zûn, zoun stm. hecke, gehege, zaun, umzäunung, verpalisadierung. **-brüchel** stm. zaunbrecher, -beschädiger. **-gerte** swf. zaungerte. **-heit** stf. was zur verzäunung gehört. **-holz** stn. holz zu einem zaune. **-reite** swf. ein umzäunter raum. **-schranc** stm. zaun als schranke. **-slüpfel** stm. zaunkönig. **-stal** stn., **-stat** stf. platz wo ein zaun steht, stehn soll oder darf. **-stecke** swm. zaunpfahl; bildl. plumper mensch. **-stelle** stf. durch einen zaun bezeichnete grenze. **-vride** stm. einfriedigung durch einen zaun.

zündec, -ic adj. akt. entzündend. — pass. entzündet, brennend.

zundel stm. = *zunder.*

zündel stm. anzünder, entflammer.

zünden, zunden, zünten swv. tr. entzünden, anzünden. — abs. sich entzünden, brennen, leuchten.

zunder stm. n. feuerschwamm; zunder bes. brennender, daher auch feuer, brand. **-minne** stf. leicht entzündbare *minne.* **-rôt** adj. feuerrot. **-var** adj. feuer-, brandrot.

zündesal stn. feuersbrunst.

zunël, zünël stn. schelle am pferdezeug (mlat. *cinalum* aus *cymbalum*).

zünfen, zümfen swv. abs. mit dp. der schicklichkeit und wahrheit gemäss mitteilen, überliefern.

zunft, zumft stf. regel, schicklichkeit, würde; nach bestimmten regeln eingerichtete gesellschaft, zunft, verein oder gesellschaft überh. (*des tôdes z. enphâhen* sterben). **-brief** stm. stiftungs- und bestätigungsurkunde einer handwerkszunft. **-bruoder** stm. zunftgenosse. **-gëlt** stn. geldbeitrag der zunftgenossen. **-genôze** swm. zunftgenosse. **-geselle** swm. dasselbe; handwerksgeselle. **zünftic** adj. einer zunft angehörend. **zunft-knëht** stm. handwerksgesellе. **-liute** pl. zunftgenossen. **-meister** stm. städt. vorgesetzter des zunftwesens. **-rëht** stn. rechte und pflichten einer zunft.

zunge swstf. zunge, bes. als werkzeug der sprache, die sprache selbst, der sprechende mensch (*mit gemeiner, gelîcher z.* einstimmig), bes. die gemeinschaftl. sprache eines volkes; volk; land, heimât; zungenähnliches (bes. in pflanzennamen); rüssel des elefanten.

züngelære stm. schwätzer, verleumder, **zunge-lich** adj. linguosus. **zungelîn, züngelîn, zungel züngel** stn. kleine zunge. **zunge-, zungen-lôs** adj. ohne zunge. **zungen-klaffer** stm. = *züngelære.*

zunt, *-des* stm. = *zunder.*

zünten s. *zünden.* **zünt-loch** stn. zündloch eines geschützes. **-pulver** stn. pulver fürs zündloch.

zuo s. *ze.*

zuo adv. (md. *zû, zô*) räuml. zu, hinzu, herzu bei advv. (*her hie hin dar dâ war zuo,* vorangestellt *zuo her, hin*), bei verbis z. b. *zuo-bringen* herbei bringen; zuwege, zustande bringen, vollenden. — *boten* m. dp. verkünden. — *dringen* sich hinzudrängen, mit dat. zusetzen, überwältigen; m. dp. u. as. einem etw. aufdrängen. - *eischen* trans m. dp. etw. von jmd. verlangen. — *gân, gên* herzu, herangehn, kommen; herannahen; vor sich gehn, sich ereignen; untergehn (sonne); zugehn, sich schliessen; mit dp. zu einem gehn, ihm zusetzen, ihm zu teil werden, *zuo g. lâȥen* mit dat. zukommen lassen. — *gebâren* m. dp. sich einem gegenüber benehmen. — *gestên* m. dp. u. gs. mit jmd. einmütig sein in etw. — *grîfen* abs. zugreifen, hand anlegen, anfangen; mit dat. greifen zu, in angriff nehmen. — *hœren* zuhören; angehören; zustehen. — *komen* heran-, herzukommen, eintreten, part. praes. zukünftig; mit dp. kommen zu, an, begegnen, dem eigentume eines rechtlich beikommen; zu etw. kommen, damit auskommen; zugehn, geschehen. — *legen* abs. zunehmen, kräftiger werden, gedeihen, sich vervollkommnen; hinzusetzen, legen, mit dp. einem zusetzen, ihn bestrafen, verfolgen; jemandes kraft und macht verstärken, partei für ihn ergreifen, ihm helfen; tr. zusammenlegen, zusammenfalten, mit dp. anlegen, -ziehen; erlauben, gestatten; beimessen, schuld geben, bezichtigen; beilegen, vermählen; refl. beilager halten. — *losen* zuhören. — *nëmen* intr. zunehmen, wachsen. — *phlihten* m. dp. u. as. zuteilen. — *reiten* tr. hinzurechnen, mit dp. zurechnen; refl. rüsten. — *sagen* abs. mit gen. zustimmen; zusagen, versprechen, als eigentum zusprechen; bekennen, gestehn; ankündigen (*vîntschaft*). — *sëhen* betrachten, sich überlegen; m. ds. auf etw. achten, sorgen für, sich beschäftigen mit. — *seilen* zuerteilen, übergeben. — *sîgen* herannahen, hereinbrechen; zufliessen, -strömen mit dp. — *slâfen* einschlafen. — *slahen* tr. zuschlagen; *die spîse z. sl.* für die mahlzeit zurichten; abs. zuschlagen, drauflos schlagen; intr. heran-, zusammenkommen, refl. sich zugesellen. — *sprëchen* mit dat. zu einem sprechen, ihm zusprechen, -reden; anfordern, anklagen *umbe*; mit dat. u. acc. zu einem etw. (*wort*) sprechen. — *stân* zu, verschlossen sein; mit dp. zu einem treten, ihm beistehn, ihm zuteil werden; zustehn, -kommen, angehören, zuständig sein. — *vâhen* zugreifen, anfangen; empfangen. — *vallen* hinzukommen, sich ereignen. — *varn* herzu fahren, kommen; sich aufmachen, rasch zu werke gehn, etw. unternehmen. — *wellen* anv. mit dat. sich machen an, es abgesehen haben auf. — *zeln* trans. zuerteilen, anvertrauen; refl. sich zutrauen. — bei ellipt. zurufe (mit ausgelass. vb. der bewegung): *nu zuo* wohlan. — zeitl. *immer zuo, immer mêr zuo* immerfort.

zuober s. *zûber.*

zuo-bereitunge stf. vorbereitung.

zuo-binden stn. verbindung.

zuo-bindunge stf. verbindung, verpflichtung.

zuo-blæser stm. conflator.

zuo-bote swm. hilfsbote.

zuo-bringære stm. ψυχοπόμπος.

zuo-bringerin stf. zuträgerin; kupplerin.

zuo-brôt stn. zubrot, zukost.

zuo-buoȥ stm., **-buoȥe** stf. zugabe, -wage.

zuo-gâbe stf. zugabe; mitgift.

zuo-ganc stm. zugang, -tritt; herankunft; abgabe bei dem antritte eines besitzes; untergang (der sonne).

zuo-gedranc stm. das drängen *zuo.*

zuo-gegen adv. gegenwärtig.

zuo-gehœre stnf., **-gehœrde, -gehœrunge** stf. zubehör; wohin man gehört.

zuo-gëlt stn. heiratsgut, mitgift.

zuo-genôȥ stm. mitgenosse. **-genôȥen** swv. refl. beigesellen mit dat.

zuo-geschiht stf. zutat.

zuo-geselle swm. mitgenosse; hilfsgeistlicher.

zuo-gesinde stn. beigegebene dienerschaft.

zuo-gewanteswm. = *verwante.*

zuo-gift stf. zugabe.

zuo-grif stm. das zunehmen; das zugreifen, wegnehmen, arrestieren; feindlicher einfall.

zuo-haften stn. anhänglichkeit.

zuo-hal stm. widerhall.

zuo-halt stm. zugehörigkeit, zuflucht, schutz; das hinzukommen.

zuo-haltunge stf. assensus.

zuo-hëllunge stf. zustimmung; widerhall.

zuo-kapfer stm. zuschauer.

zuo-kêr, -kêre stmf., **-kêrunge** stf. hinwendung, einkehr, zufluchtsort.

zuo-kint stn. unehel. kind.

zuo-kirche swf. filialkirche.

zuo-klünzer stm. zubläser, verleumder.

zuo-knëht stm. mit-, beiknecht.

zuo-kunft, -kumft stf. das kommen, herzukommen, die ankunft, herabkunft (gottes usw.); verfolgung; zukunft. **-künftic** adj. kommend, künftig, nächstkünftig, noch zu erwarten.

zuo-leger stm. beiständer, helfer, parteimann. **-legunge** stf. hinzulegung; beistand, hilfe.

zuo-lêhen stn. bauernlehn.

zuo-lende stn. landung, landungsplatz. **-lendic** adj. zur landung geeignet.

zuo-lich adj. schmiegsam; weich.

zuo-louf stm. zulauf, andrang; das hinzulaufen, nachspringen; anlauf zum sprunge; zuflucht.

zuo-luoger stm. zuschauer.

zuo-man stm. beimann, cicisbeo.

zuo-maȥ stn. zur zuspeise dienende viktualien.

zuo-müese, -muose stn. zuspeise; feldfrüchte außer getreide.

zuo-müller stm. gehilfe des müllers.

zuo-name swm. beiname. **-namen, -nemen** swv. einen beinamen geben.

zuo-neigen stn. zuneigung.

zuo-nëmen stn. zunahme, wachstum. **-nëmer** stm. zunehmer. **-nëmunge** stf. zu-

nehmung, vermehrung. **-nunft** stf. die zunahme.
zuo-nuz stm. hinzukommender nutzen.
zuo-phîfer stm. zuflüsterer, verleumder.
zuo-phlëge stf. lebens-, handlungsweise.
zuo-phliht stf. hingebender eifer, gemeinsamkeit, art und weise. **-phlihtecheit** stf. dienstbeflissenheit.
zuo-punctec adj. concentricus.
zuo-quinkler stm. zublinzler, schmeichler.
zuo-rede stf. zusatz in der rede. **-redener** stm. allocutor.
zuo-sage, -sagunge stf. zusage, versprechen. **-sager** stm. aus-, vorhersager.
zuo-salunge stf. zugabe.
zuo-samen = *zesamene.*
zuosamen-hëllunge stf. übereinstimmung, **-stôȥ** stm. zusammenlegung, gütergemeinschaft der eheleute.
zuo-saz stm. zusatz, hinzufügung, bes. die legierung; beihilfe, aushelfende person; hilfstruppen; besatzung (mit hilfstruppen); beigeordneter, beisitzer.
zuosaz-liute pl. beigeordnete.
zuo-schaz stn. = *zuogëlt.*
zuo-schouwe swm. zuschauer.
zuo-schrîber stm. hilfsschreiber.
zuo-schrôter stm. fleischhacker.
zuo-schup stm. hilfe, bes. heimliche hilfe, begünstigung, vorschub.
zuo-schuȥ stm. dasselbe; das losfahren auf einen.
zuo-schuz stm. schutz.
zuo-sëhære stm. zuschauer.
zuo-sîtec adj. conterminalis.
zuo-slâfe swf. beischläferin.
zuo-smeicher stm. der sich anschmeichelt.
zuo-sprâche stf. das zureden, ermahnen; einsprache, -rede; s. v. a. *zuospruch.* **-sprëcher** stm. ansprecher; der einen anspruch, eine anklage erhebt. **-sprëchunge** stf. ermahnung. **-spruch** stm. anspruch, rechtliche forderung oder klage.
zuo-stôȥ stm. anbau, nebengebäude.
zuo-sunne swf. nebensonne.
zuo-tal stn. convallis.
zuo-tætic adj. zutätig, sich anschmiegend, umgänglich, einnehmend.
zuo-trager stm. zuträger, klätscher.
zuo-trîben stn. suggestio. **-trîber** stm. zustandebringer; der huren zuführt, kuppler. **-trîberinne** stf. kupplerin.
zuo-trit stm. anfang, angriff.
zuo-tuon stn. zutun, beihilfe; verlängerung.
zuo-tütelen stn. das anschmeicheln. **-tütler, -tutler** stm. = *zuosmeicher.*
zuo-vâhen stn. empfängnis.
zuo-val stm. zufall, veränderlichkeit, wandel; accidens; das zuteilwerden; was einem zufällt als abgabe oder einnahme, bes. nebeneinkünfte; beifall, zustimmung, anschluss, bes. die bei stimmengleichheit die majorität bewirkende stimme des obmanns; anfall, angriff.
zuo-varre swm. zweiter zuchtstier.
zuo-vart stf. zu-, eingang, einfahrt; landung; das herbeiziehen, herzukommen, die ankunft.
zuo-vellic adj. zufallend, zufällig; hinfällig.
zuo-verlâȥ stm. zuversicht, zuflucht.
zuo-versiht stf. hinblick auf künftiges, was man zu erwarten, wes man sich zu versehen hat, gewisse erwartung (von etw. gutem oder bösem), hoffnung (als kardinaltugend = spes), zuversicht und dasjenige worauf sich diese gründet (unterstützung, zuflucht); zuverlässigkeit; dauer.
zuo-vlicker stm. schmeichler.
zuo-vlieȥ stm. zufluss.
zuo-vluht stf. zuflucht.
zuo-vluȥ stm. zufluss. **-vlüȥzec** adj. herausströmend, reichlich vorhanden.
zuo-vor, -vorn adv. zuvor, im voraus.
zuo-vrouwe swf. kebsweib.
zuo-vüegunge stf. zusammenfügung, verbindung.
zuo-vuoc stm. verbindung; konjunktion (redeteil).
zuo-wart adv. zuwärts.
zuo-warte, -wart stf. anwartschaft.
zuo-wendec adj. conterminalis.
zuo-wenunge stf. angewöhnung.
zuo-wîp stn. kebsweib.
zuo-wort stn. adverb (redeteil); beistimmung, lob.
zuo-wurf stm. zusammenwurf, vereinigung (der länder).
zuo-ze praep. zu.
zuo-zuc stm. instinctus.
zuo-zuht stf. zusammenzug, zusammentreffen; was mit aufgezüchtet, desselben tiergeschlechts ist.
zûpe swf. hündin.
zürch, zurch stm. kot (von pferden, schweinen, schafen).
zürchen swv. den kot von sich lassen, misten.
zurn stm. = *zorn.* **zürnec, -ic** adj. = *zornec.* **zürnen** swv. (md. *zurnen, zornen*) tr. zürnen, aufgebracht sein über. — abs. zürnen, aufgebracht sein, streiten (mit gs. od. *an, mit, über, ûf, umbe, wider* od. nachs.). — refl. sich erzürnen (mit gs. od. *umbe*). — intr. mit dat. = *zorn tuon.* **zürner, zörner** stm. der zürnt, ein zornmütiger. **zürnerîn** stf zürnerin.
zürzerôn swv. = *kürzern* kürzer machen.
zûs stm. das zausen.
zûsach stn. gestrüppe.
züschen s. *zwisc.*
zûse stswf. gestrüppe; haarlocke, haarstrang.
zusse f. = *kotze* 2.
zutȥel stm. sauglappen.
zûwen stv. II, 1 intr. ziehen.
zvâl stm. der planet Saturn (arab. *zuhal*).
zw- s. auch *tw-.*
zwac stm. biss.
zwach-tuoch stn. handtuch.
zwacken swv. zwacken, zupfen, zerren.
zwahen stv. = *twahen.*
zwanc, *-ges* stm. n. = *twanc.*
zwange swf. zange.
zwangen swv. tr. = *twengen,* kneipen.
zwatzler, zwetzler stm. penis.
zwëc, *-ckes* stm. nagel von holz oder eisen, bolzen; euphem. dreck; nagel inmitten der zielscheibe, zielpunkt; kegel.
zwëck-silber = *quëcsilber.*
zwêgen s. *zweien.*
zwei s. *zwêne. diu zwei* sternbild der zwillinge. **zweie** stf. zweiheit, alternative. **zweiec** adj. entzweit. **zweien** swv. tr. (nbf. *zweigen, zwêgen, zweihen*) zu zweien vereinigen, gesellen; in zwei teile zerlegen, scheiden, entscheiden, sondern, trennen (*in gezweietem muote* in geteilter stimmung; *gezweiet sitzen* gegenübersitzen). — refl. sich zu zweien vereinigen, sich paaren; sich scheiden, unterscheiden, verschieden oder zwiespältig sein, sich entzweien. — intr. sich scheiden, verschieden sein; sich entzweien, streiten. **zweien** stn. vereinigung, paarung; entzweiung, streit. **zweies** gen. adv. zweimal. **zweigen, zweihen** s. *zweien.* **zwei-jæric** adj. zweijährig. **zweilinc,** *-ges* stm. zweier (münze); ein zwei zoll dickes brett. **zweinen** swv. refl. sich entzweien. **zweinunge** stf. entzweiung. **zwein-, zwën-zec, -zic** num. card. zwanzig. **zweinzegest, -zigest** num. ord. zwanzigst. **zweinziger** stm. zwanziger, aus 20 kleineren münzen bestehende münze. **zwei-russer** stm. der zweispännige. **-rüssic**

adj. zweispännig. **-schëllic** adj. uneins, zwiespältig. **-schëllicheit, -schëllunge** stf. widersprechende meinung, zwiespalt. **-spaltic** adj. zwiespältig. **-teil** stn. hälfte. **zwei-trac** stm. = *zwitraht*. **zwei-traht** s. *zwitraht*. **zweiunge** stf. entzweiung, zwiespalt, streit; schisma; (unter kindern) verschiedenheit eines der eltern. **zwei-zuht** stf. zwietracht.

zwelf, zwe-lif, -lef, zwolf, zwölf num. card. zwölf. **zwelfbote** swm. apostel (sing. aus pl. *die zwelf boten*). **zwelfbotentuom** stm. das apostelamt. **zwelf-jæric** adj. zwölf jahre alt. **zwelft** num. ord. zwölft; *der zwelefte* (näml. der zwölfte tag nach dem weihnachtstage) epiphanias. **zwelf-teil** stn. zwölftel. **zwelver** stm. mitglied eines zwölferkollegiums.

zwêne m., **zwô, zwuo** f., **zwei** n. num. card. zwei.

zwërchen swv. = *twërchen;* refl. kreuzen.

zwërgen stv. III. 2 drücken, kneten, kneifen.

zwërn stv. IV = *twërn* durcheinander rühren.

zwër-wâfen stn. queraxt.

zwetzler s. *zwatzler*.

zwî stn. zweig, reis; pfropf-, setzreis.

zwîbel s. *zwîvel*.

zwibolle, zibolle swm. (stf.) zwiebel (auch *zwivolle, zwivulle, zwival, zwifel, zwibel, zubel* u.a.; umd. aus lat. *caepulla*).

zwi-brüsten swv. *an einander zw.* sich umarmen.

zwic, *-ckes* stm. nagel, bolzen; zwickel, zwickelartige falte an einem kittel; einmaliges zwicken mit der zange, kniff, schlag, schmiss.

zwîc, *-ges* stn. m. = *zwî*.

zwickel stm. keil.

zwicken swv. tr. mit nägeln, wie mit nägeln befestigen; einklemmen, -keilen; stechen; mit eindrücken, tupfen versehen; mit zwickeln versehen, fälteln; packen, fest einhüllen; zwicken, zupfen, rupfen, zerren.

zwîden swv. willfahren, gewähren, erhören. **zwîdesal** stn. gewährung, geschenk.

zwîel stn. dem. zu *zwî*.

zwîen swv. pfropfen; zweigen, verzweigen, ausdehnen.

zwier s. *zwir*.

zwieren swv. das auge blinzelnd zusammenkneifend, verstohlen blicken.

zwifel s. *zwibolle*.

zwi-gebel adj. zweizackicht, wie eine *gabele*.

zwîgelîn, zwîgel stn. dem zu *zwîc* zweiglein.

zwi-gëlt stn. doppelte zahlung, doppelter ersatz. **-gëlte, -gëlten** adv. doppelt bezahlend.

zwîgen swv. = *zwîen* pfropfen, pflanzen; hervorbringen; abzwicken, pflücken; wie zweige ausstrecken; mit zweigen (geweih) versehen. — intr. zweige treiben.

zwîgen swv. = *zwîden*. (aus *zwîdigen*).

zwi-genge adj. zwiefach gehend, doppelt.

zwi-gülte stf. = *zwigëlt*. **-gülten** swv. doppelt bezahlen oder ersetzen.

zwi-kœse stf. zwiegespräch.

zwilehinc stm. = *zwilich*.

zwilhen swv. zweifädig weben, bildl. verdoppeln.

zwi-lich, zwilch adj. doppel-, zweifädig; zwiefach; aus zwilch gemacht. — stm. zweifädiges gewebe, zwilch.

zwilich-kint stn. zwilling.

zwilinc s. *zwinelinc*.

zwi-louf, -louft stm. zwist, zwietracht. **-löufic, -löuftic** adj. zwistig, zwieträchtig.

zwinelîn stn., **zwinelinc, zwillinc, zwilinc**, *-ges* stm. zwilling.

zwing- s. *twing-*.

zwingel-hof stm. zidatelle.

zwingolf stm. = *zwinger* antemurale.

zwinken swv. blinzeln.

zwinzen swv. (aus *zwinkezen*) intens. zu *zwinken*.

zwir, zwier, zwire adv. zweimal; zweifach.

zwirbel stm. kreisförmige bewegung.

zwirben, zwirbeln swv. = *zirben*.

zwirch adj. = *twërch*.

zwiren, zwirôn swv. ausgehn, gebrechen, mangeln.

zwiren zwirn, zwirent zwirnt, zwirunt, zwürent adv. = *zwir*.

zwir-halben, -halp adv. zwiefach.

zwir-liche adv. indem einem etwas ausgeht, aus mangel (an stoff).

zwirn stm. zweidrähtiger faden, zwirn.

zwirnen swv. je zwei fäden zusammendrehen, zwirnen.

zwirôn swv. s. *zwiren* 1.

zwis adv. md. zweimal.

zwisc, zwisch adj. zwiefach, je zwei; pl. beide (*under iu zwisc* zwischen euch; *under zwisken, zwischen* in der mitte beider; gegenseitig, untereinander; tempor. indes, inzwischen; *in zwischen, enzwischen* od. bloss *zwischen*, auch *zwüschen, züschen*, md. *zwuschen, zuschen* als präp. mit dat. acc. gen. zwischen); *dâ, dar zwischen* adv. räuml. und zeitl. dazwischen, inzwischen.

zwi-scharf adj. zweischneidig.

zwischel, zwiskel, zwischelic adj. zwiefach.

zwischeln swv. *zwischel* machen.

zwischen-komen stv. interponere.

zwischen-liebe stf. gegenseitige liebe.

zwischen-lieht stn. zwielicht.

zwischen-saz stm. interpositio.

zwischen-würken swv. vermitteln.

zwisel adj. doppelt.

zwisele, zwisel stf. gabel, etw. gabelförmiges. **zwiselec, zwiselëht** adj. gabelförmig. **zwiselen** swv. gabelförmig spalten.

zwiselinc = *zwinelinc*

zwiselisch adj. zwiefach.

zwis-golt stn. zweifarbiges gold.

zwi-slehtic adj. von doppeltem geschlecht, zwitterhaft.

zwi-span stm. streitigkeit, streitsache.

zwi-spël adj. zwiefach.

zwi-spëln s. *zwispilden*.

zwispeln swv. flüstern.

zwi-spil stn. das doppelte; doppelter betrag. **-spil** adv. zwiefach, doppelt. **-spilde, -spilt** adj. adv. dasselbe, **-spilde** stf. = *zwispil* 1. **-spilden, -spilten, -spëln** swv. in zwei teilen; verzwiefachen, -doppeln; doppelt vergüten. — refl. sich verdoppeln.

zwi-spiz stm. stein-, spitzhaue.

zwist stm. entzweiung, zwist.

zwitarn, zwitorn stm. zwitter, bastard.

zwi-teilen swv. entzwei teilen.

zwi-, zwei-traht stf. uneinigkeit, zwietracht. **-trehten** swv. refl. sich entzweien **-(zwei-)trehtic** adj. zwieträchtig; zwiefältig. **-trehticheit** stf. zwietracht, entzweiung.

zwitzen swv. klaffen, schwatzen.

zwitzern swv. int. zwitschern; zittern, flimmern. — tr. etw. schwingen, dass es saust oder flimmert.

zwitzieren swv. zwitschern.

zwiu = *ze wiu* s. *wër*.

zwîunge stf. insertio, plantatio.

zwi-vach, -vachtic adj. zwiefach. **-vachen** swv. intr. *zwivach* werden.

zwival s. *zwibolle*.

zwi-valt stf. zwiespältigkeit. **-valt, -valtic. -veltic** adj. zwiefach, doppelt. **zwi-valten, -valden, -valtigen** swv. verdoppeln; doppelt vergelten. — refl.

sich entwickeln, entfalten. **-valtes** gen. adv. um das doppelte. **zwivaltic-lich** adj. = *zwivalt*.

zwivel s. *zwibolle*.

zwîvel adj. ungewiss, zweifelhaft. **zwîvel** stm. (md. auch *zwîbel*) zweifel als ungewissheit, besorglichkeit, misstrauen, unsicherheit, hin- und herschwanken, wankelmut, unbeständigkeit, untreue, verzweiflung. **zwîvelære, -er** stm. der zweifelt oder verzweifelt. **zwîvelât** stf. ungewissheit, zweifel. **zwîvel-bërc** stm. erfülltsein mit *z*. **-bürde** stf. last des zweifels, der ungewissheit. **zwîvelen** s. *zwîveln*. **zwîvel-haft, -haftic** adj. ungewiss, zweifelhaft (akt. u. pass.). **zwîvelic** adj. dasselbe. **zwîvel-lëben** stn. ungewisses und unbeständiges leben. **-lich** adj., **-liche** adv. = *-haft*; ohne feste zuversicht, verzagt, verzweifelnd; besorgnis erregend, peinlich; hoffnungslos, zum verzweifeln. **-lop** stn. zweifelhaftes, zweideutiges lob. **-mære** stn. zweifelhafte erzählung. **-muot** stm. zweifelnder sinn, unentschlossenheit, verzagtheit. **zwîveln, zwîvelôn, zwîvelen** swv. intr. in ungewissheit sein, zweifeln (mit gen. od. *an*); wankelmütig, untreu werden an; verzagen, -zweifeln. — unpers. mit dp. zweifelhaft sein. — tr. einen bezweifeln, in verdacht haben. **zwîvel-nôt** stf. die pein des zweifelns. **zwîvelôn** s. *zwîveln*. **zwîvel-slac** stm. mit verzweiflung geführter schlag. **-sünde** stf. sünde des zweifelns und verzweifelns. **zwîvelunge** stf. zweifel, verzweiflung. **zwîvel-vart** stf. ungewisse, bedenkliche, gefahrvolle reise. **-wân** stm. bange ansicht der zukunft.

zwi-veltigen, -veldigen swv. *zwivaltic* machen, verdoppeln; doppelt bezahlen.

zwivolle, -vulle s. *zwibolle*.

zwi-was, -wahs adj. zweischneidig.

zwi-wurft stf. zerwürfnis, zwiespalt, feindschaft.

zwô s *zwêne*.

zwolf, zwölf s. *zwelf*.

zwô-zal stf. zwei drittel.

zwuber s. *zûber*.

zwungen-schaft stf. zwang.

zwuo s. *zwêne*.

zwürent adv. s. *zwiren*.

zwüschen s. *zwisc*.

cyplîne swf. züchtigung (lat. *disciplina*).

BERICHTIGUNGEN ZUM UNVERÄNDERTEN NEUDRUCK DES HAUPTTEILS

aber-âhte	*verstärkte acht* zufügen!
ach	**anch** streichen!
adel-wîp	und **-vruht** umstellen!
æderlîn	und **æderîn** umstellen!
æderîn	statt *aus seillitze* Bedeutung *aus sehnen verfertigt* einsetzen!
agelster	**ageleister** zufügen!
agene	*grashalm* zufügen!
aht-bære	*wertvoll* zufügen!
ahte	*zustand, beschaffenheit* zufügen! âne ahte *unbestimmbar (von gott)* zufügen!
ahten	*für etwas halten* zufügen!
ahtode	*ahtende* als nebenform, *der achte tag* und *oktave* als Bedeutung zufügen!
â-keit	ganzen Artikel streichen!
alevanz	*bestechung* zufügen!
ant-werc	statt *berufsmäßige arbeit mit werkzeugen* einfach *handwerk*!
ant-vâher	**-t-** streichen!
apfel-tranc	*apfelwein* nicht *äpfelwein*!
armuot	*auch stm.* zufügen!
asch-man	*stn.* zufügen!
bade-gewant	*vestis mutatoria* zufügen!
banc-kleit	ganzen Artikel streichen!
banc-zins	nach **banc-hart** einordnen!
baz	*adj.* streichen!
be-nîden	*stv.* zufügen!
berc-mæzic	in **-ze(c)** ändern!
bescheiden *redv.*	die letzten 4 Zeilen sind nicht reflexiver, sondern transitiver Gebrauch!
be-schouwelich	in **be-schouwe(n)lich** ändern!
be-trüebede	**-trüebesal** streichen!
be-velhen	*swv.* zufügen!
bider-man	in **bider(b)-man** ändern!
bîzen	statt II lies I!
bluom-var	in **bluom(en)-var** ändern!
bringen	brëngen streichen!
briuwen	statt III lies II!
der, diu, daz	**daz** als konjunktion auch konditional.
diutsch	**dûze** zufügen!
don	*stf.* streichen! dafür *stm.* einsetzen!
drîzigeste	*swm.* streichen! dafür *swn.* einsetzen!

durch *adv.* zufügen: durch-*komposita besonders beliebt im geblümten stil, z. b. minneburg, oft reines verstärkungssuffix!*
durchmirken lies **durchmerken!**
durch-schœne **durch-schœnen** *swv.* zufügen!
eben-hellungo lies **ebenhellunge!**
eben-teil *auch stm.*
edeline lies **edelinc!**
ei, eiâ **ey, eyâ** zufügen!
en-eben **nement** zufügen!
eninkel statt *onkel* lies *enkel!*
en-kleiden **ent-kleiden** und *auch refl.* zufügen!
ent-schepfen *stv.* zufügen!
êr *adv.* streiche: *mit nachfolgd. komparativsatz!*
er-bîten hinter *mit gs.: oder mit* zuo einfügen!
êre *auch swf.* zufügen!
er-gremmen ganzen Artikel streichen!
er-lingen *swv.* streichen! dafür *stv.* einsetzen!
ermel **erbel** zufügen!
er-schreien hinter *rufen: singen* einsetzen!
ersigen streiche: ersigen *erschöpft!*
ert-bibe **ert-bebunge** zufügen!
er-weigen *refl. schmerzen* streichen! dafür *ins wanken bringen; refl. wakkeln (von zähnen)* einsetzen!
êwartlich **-eclich** zufügen!
gâbe *swf.* zufügen!
galiôt **galiotte** ohne Akzent!
galmen ganzen Artikel streichen!
gar-lîche in **gar-lîche(n)** ändern!
gazze *stf.* zufügen!
ge-dinge[3] *gedanke* streichen!
ge-dultsame in **ge-dul(t)same** ändern!
ge-loube in **ge-loube(n)** ändern!
gelouben *auch ap.* zufügen!
ge-meinlîche in **ge-meinlîche(n)** ändern!
ge-muozen **ge-müezegen** einfügen!
ge-nasche in **ge-nasch(e)** ändern! *auch stm.* zufügen!
ge-nühtec **ge-nuhtlich** *adj.* zufügen!
ge-ruoweclîche in **ge-ruoweclîche(n)** ändern!
ge-sellen statt *paarweise* lies: *sich mit andern freundschaftlich verbinden!*
ge-selline lies: **ge-sellinne!**
ge-slithe in **ge-slihte** ändern!
gevilde *gelegentlich auch swn.* zufügen!
ge-vratet in **ge-vrat(et)** ändern!
ge-win **ge-winne** *swm.* zufügen!
gift *stn.* streichen! dafür *stf.* einsetzen!
giht[3] ganzen Artikel streichen!
gimme *swm.* zufügen!
ginster ganzen Artikel streichen!
girde *auch swf.* zufügen!
giric-heit zweites **-r-** streichen!
glas *stm.* zufügen!
glast *stf.* zufügen!
glitze[1] *speer* zufügen!

glitze[2]	*glanz* umstellen!
gliz	lies **glitz**!
hant-werhte	lies **hant-worhte**!
herhaft	streiche: *gewaffnet und*!
herzen-jâmer	in **herze(n)-jâmer** ändern!
hin-lâzen	ganzen Artikel streichen!
hin-legen	ganzen Artikel streichen!
hiuren	*beglücken, beseligen* streichen! dafür *schön machen, erheben, adeln* einsetzen!
hôhunge	*stf.* zufügen!
inbîz	lies **inbiz**!
îsenhert	lies **îsenherte**!
kembel	**kemmel** als erstes Stichwort einsetzen, **kembel** nachordnen!
kembelîn	dasselbe!
kêren	lies *swv. trans. u. refl.*!
kiusche	*adj.;* am Schluß *aus conscius* zufügen!
knappe-schaft	vor **knarpeln** einordnen!
contrârie	ganzen Artikel streichen!
kriuselen	statt *zucken* lies *jucken*!
lîp-heit	lies **-haftecheit**!
liumunt	*unterabteilung* bis *paragraph* streichen!
mage-zoginne	**mei-zoginne** in **mei(t)-zoginne** ändern!
manec-valtigen	lies **-valten**!
meie	*auch stm.* zufügen!
mêr	4. *konjunkt. vielmehr* zufügen!
mer-ruoder	ganzen Artikel streichen!
misse-wende *stf.*	*das abweichen vom rechten wege* einsetzen!
mite-slüzzel	ganzen Artikel streichen!
molte	*swm.* zufügen!
mœre, mêre	**mære** zufügen!
ôster-lant	*stm.* streichen! dafür *stn.* einsetzen!
presse	*swf.* zufügen!
ran	streichen! dafür **ranc** einsetzen!
rœseleht, -loht	**rôseliht** zufügen!
rüeren	*scheinbar* streichen! dafür *anscheinend* einsetzen!
schanze	die beiden Artikel umstellen und vereinen! *reiserbündel* streichen!
schîn *adj.*	im ersten Teil der Klammer lies: schîn wesen *sich zeigen, bekannt werden*!
schrîten	lies *schreiten* statt *schreisen*!
serge	nach *prov.*: *serga* für *serge* einsetzen!
slieme	*in die fenster* streichen! dafür *in den fenstern* einsetzen!
smerzen *swv.*	ganzen Artikel streichen!
sorge-bære *adj.*	in **sorge(n)bære** ändern!
strich	*auch stn.* zufügen!
sunne-wende	**sunnen-wende** zufügen!
teic	*auch stn.* zufügen!
teller	*stm.* zufügen!
titel	*stfn.* zufügen!
tohter	*auch swf.* zufügen!
tunkel-sterne	ganzen Artikel streichen!
under-reit	*einschub* streichen! dafür *zwischenritt* einfügen!

understân	statt *um einen ...* bis *aufzuhalten* lies: beistehen!
un-gemach	*adj.;* ganzen Artikel streichen!
un-genande	*f.* streichen! *swmn.* zufügen!
uop-lich	*üblich* streichen! dafür *festlich* einsetzen!
uo-sezzel	in **uo-setzel** ändern! *stn.* und *flicklappen* zufügen!
vale-hære	ganzen Artikel streichen!
vater	streiche *kolik.*!
ver-graben	*swv.* zufügen!
ver-schern	*verletzen* streichen!
versigelen	streiche: einen v. *für ihn siegeln*!
ver-tân	vor **ver-tanzen** einordnen!
ver-vriden	*außer frieden setzen* streichen!
veste *stf.*	*auch swf.* zufügen!
vetach	*auch stn.* zufügen!
vimpen	ganzen Artikel streichen!
flôrin	*swm.* zufügen!
vluht	*auch m.* zufügen!
vor-gesiht	*stn.* zufügen!
vorhte	*swf.* zufügen!
vor-ziln	ganzen Artikel streichen!
furke	lies *gabelförmiges instrument*!
wal *stf.*	*stn.* zufügen!
waten	*swv.* zufügen!
wê-tac	*auch stf.* zufügen!
wec	nebenform **wëg** streichen!
wërren *swv.*	als **werren** ansetzen!
wîch-tuom	*zustand der heiligkeit* streichen!
wîe	*auch stm.* zufügen!
wimel	*wohl* streichen!
winden[1]	von ane w. bis *angehören* streichen!
winkel-prediger	in **winkel-brediger** ändern!
wipluppen	statt *wipfendes* lies *wippendes*!
wîte	statt *adj.* lies *adv.*
wolken-var	und **wolken-trüebe** umstellen!
zûhten	*swv.* zufügen!

NACHTRÄGE ZUM MITTELHOCHDEUTSCHEN TASCHENWÖRTERBUCH

UNTER MITHILFE VON
DOROTHEA HANNOVER UND RENA LEPPIN
NEUBEARBEITET
UND AUS DEN QUELLEN ERGÄNZT
VON

ULRICH PRETZEL

An der 1. Auflage hatte Wolfgang Bachofer, an der Neubearbeitung hat zuletzt Christa Hepfer mitgeholfen

VORWORT
ZUR NEUBEARBEITUNG DER NACHTRÄGE

Als wir vor vierzehn Jahren die ersten, lange sehnlichst erwarteten Nachträge zum „Kleinen Lexer“ zusammenstellten und dabei vor allem auch die bis dahin nur spärlich verwendeten Sonderglossare der inzwischen neugedruckten Texte aller Art nutzten, sahen wir es als unsere Hauptaufgabe an, den reichen Wortbestand des Mittelalters auch anderen Wissenschaften, die mit mittelhochdeutschen Quellen umgehen müssen, zugänglich zu machen, also auch Historikern, Theologen und Juristen neues, lexikalisch freilich sehr ungleiches Material in Auswahl darzubieten; besonders die in spätmittelhochdeutscher Zeit schon reiche Fülle von Verbalkompositis sind damals etwas vollständiger registriert worden. Außerdem waren wir darauf bedacht, die oft sehr zufällige Auswahl Lexers aus dem schon bekannten Wortmaterial wenigstens hie und da zu ergänzen. Die Rücksicht auf den vom Neuhochdeutschen abweichenden Bedeutungsgehalt, auf die feinere Bedeutungsbegrenzung, die sorgfältigerer Interpretation mittelhochdeutscher Dichtung dient, stand damals noch zurück. Bei der Neubearbeitung und Erweiterung unserer „Nachträge“ haben wir diesmal besonders wieder die Germanisten im engeren Sinne im Auge gehabt, und vor allen Dingen haben wir die damals erst begonnene Einfügung kurzer syntaktischer Verbindungen und innerlich oder äußerlich verbundener Sinngruppen stärker vermehrt (wie die damaligen Artikel brechen, bringen, haben, hant, kêren, muot, sin, süeze, wec). Zu diesem Zwecke haben wir gleich nach Erscheinen der ersten Nachträge noch einmal die wichtigsten Dichtungen der mittelhochdeutschen Blütezeit: das ganze Nibelungenlied, Minnesangs Frühling, die Legenden Hartmanns, mehrere Hauptbücher des Parzival und später vor allem Gottfrieds Tristan, der lexikalisch noch längst nicht nach Gebühr ausgeschöpft ist, genauer erfaßt; Erek und Iwein, Walther von der Vogelweide und andere waren schon im alten Mittelhochdeutschen Wörterbuch reicher und zuverlässiger interpretiert. Andere Dichtungen sind daneben gelegentlich in knapper Auswahl berücksichtigt worden. Auf diese Weise sollte das Buch nun auch wieder für den germanistischen Unterricht ein verbessertes Hilfsmittel werden, obwohl immer noch die Crux der Zweiteiligkeit weiterbesteht und wir ja nur Ergänzungen zu dem ersten allzu knappen, im Breviaturstil gehaltenen Teil des Wörterbuchs liefern. Für die damaligen Bearbeiter war ja der Vorsatz, den Umfang nicht zu erweitern, ein außerordentliches Hemmnis.

Da wir nun doch ein neues Manuskript für unsere Nachträge herstellen mußten, haben wir die Gelegenheit benutzt, noch einmal die damaligen Neuaufnahmen sorgfältig zu überprüfen und dabei auch in der Auswertung der schon gedruckten Sonderglossare, die noch viele Irrtümer offenbarten, kritischer zu verfahren, als es seinerzeit möglich gewesen war. So ist auch z. B. dem mystischen Wortmaterial sorgfältiger nachgespürt worden; Quints verdienstvolle Register geben ja leider keine Bedeutung an, und gerade sie richtig und sinngemäß zu greifen, ist natürlich oft besonders schwer.

Daneben haben wir nicht versäumt, auch noch wieder einen Teil der seinerzeit fortgelassenen Wörter des „Großen Lexer" nachzuprüfen und nachzutragen, obwohl unsere Arbeit weiterhin an dem Auswahlprinzip festhalten mußte. Um so lebendiger ist im Laufe der Arbeit der Wunsch in uns wach geworden, endlich einmal durch Zusammenfügung und Ausgleichung der beiden Teile und Neubearbeitung des ersten Teils von Grund auf, wie sie Henschel und Kienast seinerzeit nicht vornehmen konnten, ein immer noch handliches, aber nicht kompendiöses mittelhochdeutsches Wörterbuch zu schaffen, wie es den drei Herausgebern des großen Mittelhochdeutschen Wörterbuchs vor nunmehr fünfundvierzig Jahren vorgeschwebt hatte.

Die Arbeit an diesem war in der damaligen Akademie der Wissenschaften in Berlin auf Anregung von Arthur Hübner 1936 begonnen und nach zeitbedingten Unterbrechungen erst in Berlin und nach dem Kriege auch in Hamburg fortgesetzt worden. Daß dieses in seinem ersten Teil, dem „Frühmittelhochdeutschen Wörterbuch", schon weit vorgeschrittene Werk 1961 stillgelegt wurde, ist im Interesse unserer Wissenschaft sehr zu bedauern. Wenn man es für eine Hauptaufgabe der Sprachwissenschaft, gerade auch der Lexikographie, hält, uns Gehalte und Inhalte richtig verstehen zu lehren, müssen Bedeutungswörterbücher mithelfen, uns einen reichen Besitz, die geistigen Schätze des deutschen Mittelalters, lebendig zu erhalten.

Die kritische Mithilfe jedes Benutzers wird uns weiterhin willkommen sein.

Inzwischen ist der eine der drei Männer, die im Jahre 1928 den Plan zu einem Mittelhochdeutschen Wörterbuch faßten, von uns gegangen: Erich Henschel, der an der vor dreizehn Jahren schon zum Druck fertiggestellten ersten Lieferung des Frühmittelhochdeutschen Wörterbuchs maßgeblich beteiligt war. Er ist im Dezember 1971 gestorben.

Bis zuletzt lebte er in der Hoffnung, daß dies Wörterbuch doch endlich seine Weiterführung und allmähliche Vollendung erleben könnte. Seine Arbeit daran soll nicht vergessen werden.

Hamburg, im Februar 1973

Ulrich Pretzel

abbeteie, abbetîe *stf. abtei.*

abbet-stap *stm. stab des abtes.*

abe *adv.* eintweder abe oder an *so oder so.*

abe *adv. bei verben:*

-æhten *swv. zugrunde richten.*

-bediuten *swv. deutend abfordern.*

-beheben *stv. entziehen, wegnehmen.*

-bellen *swv. anbellen.*

-bern *stv. abnehmen.*

-bern *swv. abhauen.*

-betwingen *stv. abnötigen.*

-biegen *stv. tr. abbrechen (einen zweig).*

-bieten *stv. abschaffen, verbieten.*

-binden *stv. abbinden (helm).*

-biten *stv. dp. durch bitten abverlangen; ap. freibitten.*

-blundern *swv. rauben, wegnehmen.*

-brennen *swv. durch feuer zerstören.*

-bresten *stv. intr. abbrechen.*

-brevieren *swv. im auszug abschreiben.*

-buosemen *swv. aus dem busen ziehen.*

-decken *swv. abdecken (tisch).*

-dieben *swv. stehlen.*

-dingen *swv. rechtlich übereinkommen, ausbedingen; durch versprechen eines lohnes abwendig machen.*

-döuwen *swv. verdauen.*

-dringen *stv. abnötigen.*

-dröuwen *swv. durch drohen abzwingen.*

-drücken *swv. herunterschlucken (das essen), „verdrücken“.*

-drumen *swv. abschlagen, abhauen (wald).*

-eischen *swv. abfordern, die herausgabe fordern.*

-entrinnen *stv. sterben.*

-entrîten *stv. wegreiten.*

-entvâhen *redv.* der sünde a. *befreien von.*

-entwîchen *stv. gs. verzichten auf.*

-erbeizen *swv. absitzen.*

-erbiten *stv. abbitten; abhandeln.*

-erbrogen *swv. abtrotzen; rauben.*

-erdræjen *swv. durch drehen abgewinnen.*

-erdröuwen *swv. durch drohungen abwenden, abbringen.*

-ergrînen *stv. durch greinen abnötigen.*

-erîlen *swv. (einem etw.) abjagen.*

-erkennen *swv. abschaffen.*

-erkôsen *swv. abschwatzen.*

-erlecken *swv. übertr. durch betteln abgewinnen.*

-erliegen *stv. durch lügen abgewinnen.*

-erlôsen *swv. abgewinnen, abluchsen, abschwindeln.*

abe-ern *redv. abpflügen, abernten.*

-ernœten *swv. abzwingen.*

-ersterben *stv. absterben, hinsterben.*

-erstrîten *stv. im kampf abgewinnen.*

-ertriegen *stv. durch trug abgewinnen.*

-ertwingen *stv. im kampf abgewinnen* (lant).

-ervehten *stv. im kampf erwerben, jem. etwas abkämpfen.*

-ervlêhen *swv. durch bitten erlangen.*

-ervrîen *swv. durch werben gewinnen.*

-erzürnen *swv. (gott etw.) abringen.*

-etzen *swv. abweiden.*

-ezzen *stv. trans. essen, abfressen; refl. bildl.: sich besänftigen.*

-gân *redv. aufhören; sich entfernen, fehlen, ablassen von; mit gs. oder ds. aufgeben; unpers.* a. an hôher wirde *dp. einbüßen an.*

-gebaden *swv. auch übertr. abwaschen.*

-gebern *stv. abnehmen(?).*

-gebinden *stv. abbinden (helm).*

-gebrechen *stv.* guot a. *wegnehmen, rauben.*

-gegân *redv. gp. aufgeben, verlassen.*

-gelegen *swv.* gebresten a. *fehler ablegen, abschaffen.*

abe-geliden *swv. ablösen.*
-gelten *stv. abzahlen, bezahlen.*
-gemerren *swv. losbinden.*
-genemen *stv.* stunde a. *dp. zeit vertreiben; intr.* an der varwe a. *sein gesundes aussehen verlieren.*
-gereden *swv. absprechen.*
-gerihten *swv. abtragen, gutmachen.*
-gerîzen *stv. abreißen, vom leibe reißen.*
-geschinden *swv. as. dp. bildl. wegnehmen (geld, vgl. das fell über die ohren ziehen).*
-geschrôten *redv.* hâr a. *abschneiden.*
-gesitzen *stv. absitzen, vom rosse steigen.*
-geslahen *stv. abschlagen.*
-gespüelen *swv.* schüzzel a. *abspülen.*
-gestân *anv. gs. ablassen, aufgeben;* lîbes a. *sein leben hingeben, verlieren; dp. im stich lassen, verzichten auf; gs. dp. leugnen.*
-gestrîchen *stv. verscheuchen.*
-gestrûchen *swv. sinken,* genzlichen a. *vollends zu boden fallen.*
-getreten *stv. dp. abfallen von.*
-getuon *anv. abschaffen; refl. mit gen. sich trennen von.*
-gewenken *swv.*[1] *ap. abborgen von.*
-gewenken *swv.*[2] *schwanken;* a. an *ds. ablassen von.*
-gewinnen *stv. dp. as. erlangen von.*
-gewischen *swv. auch übertr. abwischen.*
-geziehen *stv. ausziehen* (gewant); *dp. abnehmen* (krône).
-geziugen *swv. durch zeugnis abgewinnen (jur).*
-gezwicken *swv. abziehen (panzerringe).*
-glipfen *swv. abgleiten.*
-güeten *swv. vergüten.*
-gunnen *anv. dp. gs. mißgönnen.*
-gürten *swv. entgürten.*
-haben *swv. abhalten.*
-hacken *swv. abschneiden (haare); amputare, detruncare.*
-heben *stv. herunterheben.*
-helfen *stv. herunterhelfen (vom pferde, sessel); dp. gs. freimachen, erlösen von etw.*
-hîrâten *swv. wegheiraten (den eltern die kinder).*
-houwen *redv. übertr.* kurzlich a. *as. kurz abmachen, abhandeln.*
-îlen *swv. durch überrumpelung wegnehmen.*
-jeten *stv. abpflücken.*
-kennen *swv. aberkennen.*
-kêren *swv. declinare; (vom schiff) an land gehen, anlegen.*
-klûben *swv. abpflücken.*
-klucken *swv.* = abe brechen; *abbrechen (hals); wegnehmen (besitz).*
-komen *stv. mit gen. oder* von: *aufgeben, hinwegkommen über, loskommen von; dp. entkommen;* niht a. lâzen *gs. beisammen halten;* der wunden a. *genesen;* eines kindelîns a. *gebären; mit as.:* sînen lîp a. *sein leben verlieren.*
-koufen *swv. übertr. as. dp. (be)nehmen (schmerzen, durch schmerzensgeld).*
-kriechen *stv. sich verkriechen.*
-lâzen *redv. trans. ablassen, nachlassen, aufhören, aufgeben, fahren lassen, loslassen;* den rât setzen und a. *den rat einsetzen und absetzen; niederlassen (die brücke); refl. abtrünnig werden.*
-ledigen *swv. ablösen.*
-legen *swv. übertr. as. (meist mit dp.) abwenden, ablegen, erstatten, entschädigen.*
-leiten *swv. abführen, eindämmen (auch bildl. vom zorn); von der klage abhalten.*
-leschen *swv. auslöschen.*
-lesen *stv. abernten.*
-lônen *swv. ablohnen.*
-lœsen *swv. ap. einlösen; ablösen; abtragen (einen turm); losbinden.*
-mæjen *swv. auch bildhaft abmähen.*
-maln *stv. ausmahlen (von getreide).*
-meizen *redv. schlagen (holz).*
-mezzen *stv.* erbe a. *den besitz (durch falsches vermessen) mindern.*
-nagen *stv. abnutzen (zähne); durch leid abnagen, aufzehren (herz).*
-næjen *swv. abnähen (joppe).*
-nemen *stv. abschlachten (vieh).*
-niezen *stv. abs. essen und trinken; trans. verzehren, als futter verbrauchen.*
-nœten *swv. abzwingen.*
-œden *swv. (ein gut) verkommen lassen.*
-phanden *swv. abpfänden.*
-phehten *swv. eichen (maß).*
-pressen *stv. auspressen, keltern (wein).*
-raffen *swv. wegnehmen.*
-rechen, -rechenen *swv. abrechnen.*

abe-reden *swv. verabreden, hin und her reden; refl. sich herausreden; gs. abschlagen.*

-reichen *swv. intr. herunterreichen.*

-reinegen *swv. dp. durch grenzziehung zuteilen.*

-reiten *swv. abrechnen (mit jmd.); bezahlen.*

-reizen *swv. ablocken, „abluchsen".*

-rîben *stv. durch reiben entfernen (z.b. rost); übertr.: sünden.*

-rihten *swv. ausstatten; intr. eine spur aufnehmen (vom hunde).*

-rîsen *stv.* allenthalben a. *überfließen; abfallen.*

-rîten *stv. intr. wegreiten; trans. durch niederreiten verderben.*

-riuten, -routen *swv. ausreißen, -reuten, -roden.*

-rîzen *stv. herabreißen* (gebende); *rauben (absol. oder as., auch übertr.); auch subst. raub, betrug.*

-rouben *swv. einem etw. rauben.*

-rücken *swv. trans. ausziehen (rock, gewand), wegziehen, entfernen.*

-rüefen *swv. trans. abrufen, absetzen.*

-rûmen *swv. abräumen, spez.: den* aberûm *eines steinbruchs wegnehmen; abbrechen (bau).*

-sagen *swv.* leben a. *dp. jem. zum tode verurteilen; subst.* = abesage.

-schaben *stv. trans. (geschriebenes) ausradieren, übertr. tilgen; vertreiben; intr. sich fortbegeben (vgl. „schab ab!").*

-schatzen, -schetzen *swv. taxieren; (geld, beute) gewinnen;* (erbe) *wegnehmen, rauben.*

-scheiden *redv. intr. discedere; trans. lostrennen, entfernen, entlassen, verabschieden; subst. trennung von eheleuten.*

-scheln *swv. abschälen.*

-schern *stv. abscheren (auch übertr.), abrasieren.*

-scherren *swv. abscharren, -kratzen.*

-scherten *swv. abnagen (einen baum).*

-schieben *stv. trans. entfernen.*

-schiezen *stv. intr. abfallen, schadhaft werden; trans. abschlagen* (houbet).

-schimpfen *swv. scherzhaft abgewinnen (gruß).*

-schinden *stswv. abhäuten;* hût a. *haut abziehen.*

-schrecken *swv. as. dp. durch drohung abnehmen; blümelnd:* daz leben a. *dp. töten.*

-schrîben *stv. abschreiben, auch: abstreichen.*

-schrôten *redv. übertr. abschneiden, verkürzen (lebenszeit, ehre).*

-schüten *swv. abschütteln, sich entschlagen; ablegen (harnisch u. ä.).*

-segen *swv. absägen.*

-sengen *swv. versengen.*

-setzen *swv. ap. vom pferde setzen; (die pferde) ausspannen; von einem amt absetzen; as. für ungültig erklären (brief); an gehalt verringern (münze).*

-sîgen *stv. fallen.*

-singen *stv. absingen (stollen); subst. abgesang.*

-sinnen *swv. in gedankensünden geraten.*

-sitzen *stv. absitzen (vom pferd).*

-sleifen *swv. verwirtschaften (ein gut).*

-sleizen *swv. abreißen, zerreißen.*

-slîchen *stv. intr. weggehen, sich entfernen.*

abe-slîfen *stv. unpers. dp. entgehen.*

-slîzen *stv. abstreifen, abreißen, verschleißen.*

-sloufen *swv. abziehen.*

-smelzen *swv. abschmelzen (eis der sünde).*

-sneiteln, -sneiten *swv. abhauen (äste).*

-snîden *stv. auch übertr. abnehmen, abwerfen, zerstören, befreien von.*

-spannen *redv. detendere, abspannen.*

-spenen *swv. der mutterbrust entwöhnen; übertr. abwendig machen.*

-spennen *swv. übertr. unterbrechen, rauben.*

-sprechen *stv. absprechen, ableugnen.*

-springen *stv. absitzen (von den rossen).*

-spüelen *swv. abspülen, abwaschen.*

-stân *anv. intr. absteigen vom pferd, abtreten von einem amte; im rückstand bleiben, fehlen;* mit dem tôde a. *sterben; dp. abfallen; gen. verzichten, abstehen von; trans. aus dem wege räumen;* mir stât daz urteil abe *ich bin nicht einverstanden.*

-stechen *stv. vom roß herunterstechen, töten;* sich den vuoz a. *beim stechen (turnier) den fuß verlieren.*

-steinen *swv. durch steine abgrenzen.*

-stellen *swv. absetzen, entfernen; abbrechen (gebäude).*

-steln *stv. refl. sich wegstehlen.*

-sterben *stv. aussterben.*

-stiften *swv. verliehene güter entziehen.*

-stîgen *stv. herab-, hinabsteigen; übertr.* an vröuden a. *traurig werden.*

abe-stiuren *swv. aussteuern (töchter).*

-stöcken *swv. baumstamm fällen.*

-stræelen *swv. abkämmen.*

-streifen *swv. dp. abnehmen (geld).*

-strîchen *stv. abstreichen, abstreifen, nehmen, rauben;* dem wirt daz trinken a. *zechprellen.*

-stricken *swv. abwenden, wegnehmen.*

-strîfen *stv.* schult a. *befreien von.*

-strîten *stv. as. dp. durch kampf abgewinnen.*

-stroufen *swv. abstreifen (kleidung u. ä.); aus den händen reißen, übertr. befreien von; pass. verlustig gehen.*

-strumpen *swv. abhauen.*

-sûbern *swv. säubern.*

-sundern *swv. abreißen;* der werlte abgesundert sîn *‚der welt abhanden gekommen sein.'*

-swenken *swv. abreißen (harnisch); etw. durch einen schwung des schwertes abschlagen.*

-swern *stv.* êre unde guot a. *dp. jem. (durch meineid) um ehre und gut bringen; ds. verzichten auf; verschwören, abiurare.*

-swîchen *stv. untreu werden, im stiche lassen.*

-swinden *stv. übertr. an wert verlieren.*

-swingen *stv. trans. herabschütteln, -schlagen; durch einen schwung des schwertes abschlagen; intr. herabfliegen.*

-tîligen, tilgen *swv.* sünde a. *auslöschen.*

-traben *swv. wegreiten.*

-tragen *stv.* kouf a. *ausladen (aus dem schiff).*

-trennen *swv. abtrennen, an sich reißen.*

abe-treten *stv. intr.: ab-, zurückweichen; enden; dp.: abfallen von; gs.: etw. abtreten (an jmd.); trans.: betreten; übertr.: verzichten auf, abstehen von, verlassen;* die stîge a. *dp. den weg abschneiden.*

-trîben *stv. ab-, wegtreiben.*

-trinken *stv.* gelt a. *dp. jem. arm trinken.*

-trôren *swv.* obez a. *herunterwerfen, -schütteln.*

-trossen *swv. abladen.*

-troufen *swv. abträufeln.*

-trucken(en) *swv. abstergere, abwischen, abtrocknen.*

-trumen *swv.* die rede a. *das gedicht abschließen.*

-tuon *anv. trans.: wegschaffen; (ein tier) schlachten; dp. as. wegnehmen, befreien von, refl.: gs. sich entäußern, etw. zurückweisen, aufhören, etw. zu tun; gp. sich trennen, sich absondern von.*

-twahen *stv. abwaschen (schminke, salbe).*

-twingen *stv. dp. as. gewaltsam wegnehmen.*

-vâhen *redv. ab-, wegfangen (dp.);* die hunde a. *von der koppel loslassen.*

-vallen *redv. abfallen; vom pferde steigen.*

-varn *stv. abfahren; spez.: von seinem besitztum* a. *es verkaufen; mit dat. abfallen.*

-vellen *swv. aus dem sattel heben, zu boden strecken.*

-vergelten *stv. refl. seine schuld bezahlen.*

-veretzen, -vretzen *swv. abweiden.*

-versteln *stv.* den muot a. *das herz rauben.*

-vîlen *swv. abschleifen; übertr.* laster a.

abe-vlæjen, -vlöuwen *swv.* sünden a. *abwaschen.*

-vremden *swv. refl. sich entfernen, abweichen.*

-vüeren *swv. abführen, wegnehmen.*

-vûlen *swv. abfaulen.*

-wahsen *stv.* an vröuden a. *arm werden an.*

-wæjen *swv. abreißen (durch wind).*

-walgen *swv. wegwälzen.*

-walzen *redv. wegwälzen.*

-waschen *stv. übertr. (von sünden).*

-wehseln *swv. umtauschen.*

-wellen *stv. abwälzen.*

-welzen *swv. herabrollen, -stürzen.*

-wenden *swv.* stein a. *wegwälzen.*

-wenken *swv. abtrünnig, wankelmütig machen.*

-werben *stv. abwendig machen.*

-werken *swv. abhauen.*

-wesen *stv. fehlen; gs. verzichten auf; sich fernhalten von; dp. gs. mangeln, ledig sein.*

-wîchen *stv. abtreten, abziehen.*

-winden *stv. herabwinden; abnehmen* (gebende).

-winnen *stv. dp. abjagen (ein pferd).*

-wischen *swv. abwischen.*

-würgen *swv.* hals a.

-zeisen *swv. abzupfen.*

-zeln *swv. dp. abnehmen, entziehen; ap. absetzen, abberufen.*

-zerbrechen *stv. abbrechen.*

-zerren *swv. ab-, wegreißen, entreißen; auch subst. raub.*

-ziehen *stv. in harte zucht nehmen;* a. an spîse *dp. einem abzüge machen in der verpflegung, ihn schlecht verpflegen.*

abe-ziugen *swv. (das gut) durch zeugnis vor gericht zu erlangen suchen.*

-zücken *swv. entreißen.*

-zwacken *swv. herunterreißen.*

abebreche *swf. emunctorium, lichtschere.*

abebrecher, âbrecher *stm. der abbruch tut, den armen das gebührende vorenthält, räuber, verleumder u. ä.*

abebrechunge *stf. die enthaltsamkeit, das fasten, knausern.*

abebruch *stm. vollgesponnene spindel.*

abebû *stm.* in a. komen *ungepflegt verkommen (z. b. von häusern).*

abeburt *stf. fehlgeburt.*

â-bê-cê *stn. das abc.*

abeduche *swf. senkgrube.*

abegengec *adj.* a. werden *verloren gehen.*

abegesaget *part. adj. (feind) der absage geleistet hat.*

abegeschaben *part. adj. verbraucht;* alt unde a. *am ende.*

abegescheidenlîche(n) *adv.* a. stân *der welt abgestorben sein (vom geist).*

abegescherpfet *part. adj.* sinewel a. *abgerundet (von den hufen des pferdes).*

abegeschriben *part. adj.* der ist a. *erledigt (von personen).*

abegeschrift *stf. transscriptum, abschrift.*

abegesetze *stn. absatz, strophe.*

abegezogen *part. adj.* mit abegezogener rede *oratione abstracta.*

abegezogenheit *stf.* in der a. *in abstracto.*

abeheldecheit *stf. proclivitas, abschüssige lage.*

abehellec *adj. mißtönend.*

abeher *adv. hinab, herunter.*

abekêrec *adj. abtrünnig.*

abekêrunge *stf. unbeständigkeit, abfall.*

abekündunge *stf. abkündigung.*

abekünftec *adj. abstammend.*

abelâz *stm. das ablassen, aufhören.*

abelæzec *adj. entsagend.*

abelæzecheit *stf. nachlassen, nachlässigkeit.*

abeleger *stm. auf- und ablader.*

abelegunge *stf. vergütung;* schuole der a. *schule der selbstentäußerung.*

abeleibe *stf. s.* âleibe.

abeleiten *stn.* ein a. geben *ausrede machen;* abeleitens list *kunst der ablenkung.*

abelœse *stf. kreuzabnahme.*

abelœser *stm. schimpfwort, etwa: zerstörer.*

abelœsunge *stf. auflösung, ablösung; kreuzabnahme.*

abelougenunge *stf. verleugnung.*

abelûtec *adj. mißtönend.*

abemeizunge *stf. das abholzen.*

abenâme *stf. abnahme.*

abeneigen *stn. declinatio.*

abeneigunge *stf.* a. der sunnen *das sinken.*

abenemer *stm. berauber.*

abenemunge *stf. verminderung; tabescentia, detrimentum.*

âbent *stm. westen.*

âbentgespræche *stn. collatio, das abendgespräch.*

âbenthan *swm. hahn, welcher am abend kräht.*

âbentimbîz *stn. abendessen.*

âbentiur *stf. s.* âventiure.

âbentkeller *stm. nach westen gelegener keller.*

âbentlanc *adv. im laufe des abends.*

âbentlieht *stn. cognitio vespertina; vgl.* â.-schouwen.

âbentmærlîn *stn.* ein â. welzen *abenderzählung* (âventiure) *zum besten geben.*

âbentmaz *stn. abendessen.*

âbentopfer *stn. abendliches opfer.*

ab-entrunne *swm. abtrünniger.*

ab-entrünner *stm. der abtrünnige* (gotes a.).

âbentruowe *stf. abendruhe.*

âbentsanc *stm. abendgebet.*

âbentscheme *swm. abendschatten.*

âbentschouwen *stn. das schauen am abend; myst. für: cognitio vespertina.*

âbentsenende *part. adj.* â. klage *nächtliche liebesklage.*

âbentsolt *stm. nächtlicher liebeslohn.*

âbentsterne *swm. abendstern.*

âbentstunde *stswf. abendstunde.*

âbentsunne *swstfm. abendsonne.*

âbentsunnenschîn *stm. übertr. abendsonne des lebens.*

âbenttanz *stm. tanz am abend.*

âbenttisch *stm. abendmahl.*

âbenttranc *stm. abendgelage, collatio.*

âbenttückelîn *stn.* (ein â. begân) *coitio.*

âbenttunkele *swf. abenddämmerung.*

âbentvesper *stf. abendessen.*

âbentwirtschaft *stf. auch: heiliges abendmahl.*

âbentwolf *stm. nachtwolf.*

âbentzît *stf. abendzeit, lebensabend.*

abenutz *stm. nießbrauch.*

abepfundec *adj.* a. machen *entwenden, wegnehmen.*

aber *adv. u. konj. außerdem;* a. und iemer *immer wieder;* a. mê *noch mehr;* a. etewaz *noch etwas.*

aberâhtbrief *stm. ächtungsbrief.*

aberæhter *stm. der mit der* aberâhte *belegt ist, der geächtete.*

aberane *swm. urgroßvater.*

aberedec *adj.* a. sîn *leugnen.*

aberedunge *stf. verabredung.*

aberellenschîn *stm.* der volle mône des a.-s *(april).*

aberêr *stf. (n.?) abfall.*

aberihtunge *stf. entrichtung, bezahlung.*

aberîsel *stm. das herabtröpfeln, -fallen.*

aberîzer *stm. betrüger, räuber, dieb.*

aberkennunge *stf. nichtigkeitserklärung.*

aberlist *stm. wiederholte list, unklugheit.*

æbern *swv. auftauen, sichtbar werden.*

aberrûte, affrûsch *pflanzenname (abrotanum).*

aberûmunge *stf. wegräumung, abbruch.*

ab-erwenken *stn.* âne allez a. *beständig.*

abesage *stf. zurücknahme eines gegebenen wortes.*

abesaz *stm. auch: entlegener, sicherer ort.*

abeschache *stm. abgrund.*

abeschar *stf. ernte.*

abescheiden *stn. beendigung, weggang.*

abescheidenheit *stf. abgeschiedenheit* (in a. leben).

abescheidenlîche *adv. abgeschieden, abseits.*

abescheidunge *stf. abschied; bescheid, reichstagsbeschluß.*

abescheit *stm.* = abescheidunge; *unterschied; tod.*

abeschiht *stf. mangel.*

abeschît *stm. abschied.*

abeschrift *stf. abschrift.*

abeschuz *stm. schuß.*

abesetzunge *stf. absetzung, entsetzung.*

abeslage *stf.* âne a. *ohne abzug.*

abeslahunge *stf. ableitung eines gewässers.*

abesleipfunge *stf. abwirtschaftung.*

abesneite *stf. abfall beim schneiden.*

abesnîdunge *stf. precisio, sustinentia; verhinderung.*

abesnitz *stm. holzschnitzel.*

abespil *stn. abfall.*

abesteic *stm. das fallen der töne.*

abestendec *adj. abgestanden (vom wein);* a. werden *gs. zurücktreten (vom dienst), abfallen.*

abesterben *stn. tod.*

abestîc *stm. weggang.*

abestich *stm. oberster teil des steinbruchs; abgestecktes maß;* aller sorge a. *tod aller sorgen.*

abestô *stm. ein edelstein.*

abestrich *stm. abstrich, reinigung.*

abeteil *stmn. abspaltung.*

abeteiler *stm. schismaticus.*

abetilgunge *stf. aufhebung.*

abetragunge *stf.* = abetrac *wegnahme.*

abetreger *stm. dieb, räuber.*

abetreter *stm. abtrünniger.*

abetrinner *stm. der abtrünnige, apostata.*

abetritec *adj. abtrünnig.*

abetrünnecheit *stf. abtrünnigkeit, apostasie.*

abetwingunge *stf. erpressung.*

abevellec *adj. abtrünnig, treulos.*

abevlühtec *adj. flüchtig.*

abewahsen *stn. deminutio, verkürzung, verlust.*

abewazzer *stn. abfließendes wasser einer mühle.*

abewec, -wege *adv. hinweg.*

abewesecheit *stf. abwesenheit.*

abewesen *stn. dass.*

abewesunge *stf. dass.*

abewîse *stf. s.* âwîse.

abewîsec *adj. verirrt; subst. der verirrte.*

abewîsunge *stf. abweisung.*

abezelunge *stf. abzählung.*

abezoge *swm. räuber.*

abezuht *stf. discessus, abitus, abgang.*

abgoter *stm. götzendiener.*

abgothûs *stn. heidnischer tempel.*

abgründecheit *stf. grundlose tiefe gottes.*

abgrüntlich *adj. abgrundtief.*

abgrüntlicheit *stf. grundlose tiefe gottes.*

abher adv. *herab.*

abît *stm. auch: habitus mentis, geistige haltung.*

ablager *stn.* klage a. *stätte des schmerzes.*

ablegec *adj. feige.*

ablegecheit *stf. desidia, trägheit, müßiggang.*

ablenges *adv. abwärts.*

abluoge *stf. verleugnung.*
abkünftec *adj. später geboren.*
abneigunge *stf. senkung.*
âbrahæmisch *adj. hebräisch.*
âbrech(e) *swf. s.* abebreche.
âbrich *stm. abfall beim dreschen* (abebrich?); *vollgesponnene spindel.*
âbrust *stm. diebstahl.*
absagebrief *stm. fehdebrief.*
absager *stm. abdicator.*
absaz *stm. verringerung, verschlechterung der münze.*
abschabunge *stf. was beim schaben abfällt, späne.*
abscheide *f. ende.*
abschinder *stm. abhäuter; bildl. verschwender.*
absent, absentz *stf. pfründe, die nicht durch persönliche anwesenheit wahrgenommen wird.*
absist *stm. ein edelstein (absint).*
absîten *adv. abseits.*
absolutîe *stf. absolution.*
abstinencie *f. myst. kasteiung.*
abtessin *stf. s.* eppetisse.
abtîchunge *stf. abmessung, visierung (der gewichte).*
abeturne *adj.* = abetrünne.
âbunstikeit *stf. mißgunst.*
abwaschunge *stf. abwaschung.*
abwende *stf. wasserstauwerk, wehr.*
abwendec *adj. flüchtig.*
abwendunge *stf. umkehrung, abwendung.*
abwerf *stm. plunder.*
abwerfunge *stf. das abwerfen.*
abwertes *adv. abwärts.*
achat(es) *stm. (edelstein).*
achgrunt *stm. tal mit bach.*
achmardî(n) *stn. grünes seidenzeug aus Arabien.*
achmuoter *f. bett eines baches.*
achstein *stm.* = agestein.
achter-rîten *stv. durch reiten einholen.*
ack *stm. aas.*
ackerbolz *stm. tribula, dreschflegel.*
ackerer *stm. bauer.*
ackerguot *stn. bauerngut.*
ackergurlach *stn. ackergaul.*
ackergurre *swf. dass.*
ackerhöu *stn. heu.*
ackerknabe *swm. bauer.*
ackerkneht *stm. knecht.*
ackerkunst *stf. feldbau.*
ackerlenge *stf. (wegmaß).*
ackerlôn *stmn. agrarium (bodensteuer).*
ackermâze *stf. aussehen, das der boden durch das pflügen erhält; schon vermessenes ackerstück.*
ackerrûte *swf. ackerraute.*
ackerspîse *stswf. feldfrüchte.*
ackerstube *swf. knechtstube.*
ackervelt *stn. acker.*
ackerwerc *stn. ackerbau.*
ackerwurm *stm. tirus (schlange).*
ackerwurz *stf. origanum (wohlgemut).*
ackerzins *stm. ackersteuer.*
ackesen *swv. mit der axt bearbeiten.*
ackesstil *stm. stiel der axt.*
adamantenstückel *stn. diamantbruchstück.*
adamantîn *adj. diamanten.*
adamas *stm. auch: stählerner helm.*
adê *interj. aus frz. à dieu; s.* aldê.
adel *stm. edle gestalt.*
adelbruoder *stm. leiblicher bruder.*
adelerbe *swm. rechtmäßiger erbe.*
adelerbe *stn. rechtmäßiges erbe.*
adelhaftec *adj.* = adelhaft.
adelkleit *stn. dem adel geziemendes kleid.*
adelman *stm. fürst.*
adelsarc *stm. edler, kostbarer schrein.*
adelschaft *stf. procerietas, nachkommenschaft.*
adelspar *stm. edler sperling oder vogel.*
adelunge *stf. edle abkunft oder gesinnung.*
adelvater *stm. rechtmäßiger vater.*
adelvrî *adj. persönl. frei (vom besitzer eines freien erbgutes).*
adelwise *swstf. ererbte wiese.*
âder *stf. muskel;* al mîns herzen â. *mein ganzes herz.*
âdereht, æderic *adj. nervosus, sehnig.*
æderîn *adj. aus muskeln oder sehnen gefertigt.*
âderlâzen *redv. subst. aderlaß.*
âderlâzer *stm. der zur ader läßt.*
ædern *swv. mit linien bemalen.*
âderslac *stm. schlag mit peitsche aus sehnen.*
âderstôz *stm. pulsschlag, herzschlag; bildl.* âne â. *ohne mit der wimper zu zucken.*
âdersuht *stf. arthritis.*
âderwurz *stf. (pflanze).*
afe, af- *s.* abe, abe-, ab-.
affalterboum *stm. apfelbaum.*

affe, äffelîn, effelîn *stn. (schimpfwort).*
affeclich *adj. töricht.*
affehte *adv. auf törichte weise.*
affenbanc *stf. narren-, spötterbank.*
affenbêre *swm. ein fischernetz.*
affengezouwe *stn. dass.*
affengot *stm.* = abgot.
affenhût *stf. narrenhaut, -kleid.*
affenkleit *stn. narrenkleid.*
affen-, effenlich *adj.* **-lîche** *adv. närrisch, unsinnig, töricht, albern.*
affenmuot *stm. torheit(?).*
affenrât *stm. rat der toren.*
affensalbe *stf. betrügerische salbe; auch übertr.: falsches lob.*
affenseil *stn. narrenseil.*
affensmalz *stn.* = affensalbe.
affenspîse *stf. narrenspeise.*
affental *stn. irrenanstalt.*
affentanz *stm. abschätzig vom glanz der welt.*
affentier *stn. affe.*
affenvuore *stf. albernheit, torheit.*
affenwort *stn. narrenwort.*
affenzagel *stm. abschätzig für wertlose dinge.*
afferîe, efferîe *stf. äfferei.*
aften *adv. u. präp.* a. des *hernach.*
after *präp. mit dat. über – hin, durch – hin, über – hinaus;* a. lande *auch: im ganzen lande.*
afterâder *swf. hämorrhoide.*
afterdeheme *m. nachmast der schweine.*
aftererbe *swm. proheres, erbe zweiten grades oder der an stelle des ersten erben bestimmte.*
aftergir *stf. hinterlistiges verlangen.*
afterhêrre *swm. der gericht und herrschaft zu lehen hat.*
afterkapf *stm. einer, der das nachsehen hat.*
afterklage *stf. nachklage.*
afterkœse *stn. nachrede.*
afterkumelinc *stm. nachkomme.*
afterkünde *stn.* = afterkünne.
aftermuoder *stn. hinterer teil des gewandes.*
afterreif *stm. schwanzriemen der pferde; ring am schwert.*
afterruom *stm. nachruhm.*
aftersil *swm. das hintere riemenzeug.*
afterslage *stswf. abfallholz.*
aftersnit *stm. verleumdung.*
afterspil *stn. verleumdung.*
aftersprâchen *swv. nachreden.*
afterstellec *adj. rückständig.*
afterstranc *stm. strang von geringerer sorte.*
aftertagezît *stf. nachmittag.*
aftertal *stn. hinteres tal.*
ageleie *f. akelei.*
ageleistervar *adj. bunt wie eine elster.*
agelsternest *stn. elsternest.*
agelsterouge *swn. hühnerauge.*
agenhuof *adj. mit splitter im huf.*
agewîs *adj.* = egewîs.
âgezzelec *adj. vergeßlich.*
âgezzelheit *stf. vergessenheit.*
âgezzellen *swv. vergessen.*
âgezzelunge *stf. das vergessen.*
âgreifen *swv. fehlgreifen, nicht treffen.*
ahâ *interj. des staunens.*
ahei, aheiâ *interj.*
aher *stn.* = eher, *ähre.*
ahorn *stm. ahorn.*
ahornboum *stm.*
ahörnîn *adj. aus ahorn.*
ahsel *f.* über a. blicken *sich umsehen.*
ahselnote *swm. name eines tanzes.*
ahselspange *f. armspange.*
ahsendrum *stn. für beinstumpf oder holzbein.*
ahtbære, -per *adj. wertvoll.*
ahtbærecheit *stf. ansehen.*
ahtbærlîche *adv. ehrenhaft, angesehen.*
âhtbuoze *stf. ächtung.*
ahte *stf. zustand, beschaffenheit;* in der a. *so beschaffen;* a. gewinnen ze *verfallen auf;* ûz sîner a. lâzen *nicht daran denken;* in der a. mîn *wie ich glaube;* in eines a. sîn *unter der botmäßigkeit stehen;* âne a. *unbestimmbar (von gott), ohne rücksicht auf;* sunder a., ûzer a. *unwillkürlich, unbewußt;* ûz der a. *über alles ermessen, zahllos.*
âhtebrief *stm. ächtungsbrief.*
âhtebuoch *stn. buch, in welches die geächteten eingetragen werden.*
ahtecke *adj. achtschneidig; achteckig.*
âhteclich *adj. die acht (ächtung) betreffend.*
ahtellec *adj. acht ellen weit.*
ahten *swv. bestaunen, bewundern;* a. *as.* ze *dp.*

jem. etw. zumuten; as. dp. etwas als charakteristisch ansehen für jem.

âhtesalîn *stf. verfolgung, strafe.*

âhtetac *stm. frontag.*

ahtetage *pl. woche* (innerhalp den a.-n).

æhtigen *swv.* = âhten.

ahtjærec *adj. acht jahre alt.*

ahtode, ahtede *swm. achter tag; oktave.*

ahtsamekeit *stf. achtsamkeit.*

âhtsniter *stm. schnitter im frondienst.*

ahu, ahui *interj.*

âkambîn *adj.* â. tuoch *tuch aus* âkambe.

âkust *stf. laster; gegensatz zu tugend.*

âküsteclîchen *adv. arglistig.*

albar *adj. ganz nackt.*

albesunder *adj.adv. jeder einzeln; alle ausnahmslos.*

albiz *konj. bis daß.*

albizher *adv. bis hierher.*

albrehende *part. adj. ganz glänzend.*

alchimiste *swm. alchimist.*

aldâ *adv. auf der stelle (sogleich).*

aldare *adv. dorthin.*

aldê *interj. aus frz.* à *dieu; adieu.*

aldeste *adv.* a. baz *um so mehr.*

aldô *adv. darauf, dann.*

aleine, -ein *adv. nur, zumal, insgesamt;* des a. *davon ganz abgesehen; konj. dagegen.*

alevanzer *stm. possenreißer.*

alfart, alfurt *stn. vogel strauß (arab. arbat).*

algâhens, -gâhes *adv. schnell, plötzlich.*

algar(e) *adv. verstärktes* gar.

algemeine *adj.* nû jach ir a.-r. munt *sie sagten übereinstimmend.*

algemeinlich *adj. gemeinsam, gesamt.*

algenuht *stf. volle genüge.*

algernde *part. adj. voll verlangen.*

allentac *adv. von tag zu tag.*

allerdinge *adv. gänzlich.*

allerêrst *adv. erst jetzt.*

allerhêrest *adj.* daz a. *das vornehmste, wichtigste.*

allerkrenkest *adj. der allerkränkste, -schwächste.*

allermeist *adv. hauptsächlich.*

allernâhest *adv. letzthin;* a. gân *dp. für jem. lebenswichtig sein (hilfe).*

allertegelîche *adv. verstärktes* tagelîche.

allerverrest *adv. (schon) von weitem.*

allerwegen *adv. überall.*

almehtec *adj. (von gott).*

almechtecheit *stf. allmacht.*

almechteclich *adj. allmächtig.*

almeistlîche(n) *adv. hauptsächlich, größtenteils.*

almitten *adv. ganz in der mitte.*

alrihte *adv.* in a. *sogleich.*

al(le)sam(e)t *adj. adv. alle zusammen.*

al(le)sament *adj. adv. dass.*

alsôtân *part. adj.* = sôgetân.

alsus *adv. auch: in solcher verfassung.*

alt *adj. erwachsen,* endelîchen a. *steinalt;* in a.-en tagen *für den rest unserer tage.*

altegelich *adj. (all)-täglich.*

alter *stn.* a.-s entgelten *veralten.*

alterhûs *stn. presbyterium; altarraum.*

altertwehele *stf. altartuch.*

altervater *stm. großvater.*

alterzît *stf.* in a. *im alter.*

altiste *swm. altist.*

alwære *adj. unsinnig.*

alwegen *adv. überall, immer, zugleich, zusammen überhaupt.*

alzemâle *adv. zugleich, zusammen, überhaupt.*

alzît *adv. immer.*

ambet, (ambahte) *stn. dienstauftrag.*

ambethêrre *swm. ritterl. dienstmann.*

ambetliute *pl.* des küniges a. *hofbeamte.*

âmehtec *adj. kraftlos, schwach.*

âmehtecheit *stf. ohnmacht.*

âmen *(gebetsschluß).*

amerat *stm.* = amiral.

amesiere *stf.* bluotige a. *verletzung, wunde.*

amîs *stm.* = vriunt unde ritter.

ampellîn *stn. kleine lampe.*

amsel *stf. amsel.*

âmügel *adj. debilis, schwach.*

amûrschaft *stf.* a. mîden *keinen geliebten haben.*

analter *stm. vorfahr.*

âname *swm. beiname.*

anbegenge *stn. anfang, schöpfung.*

anbetunge *stf. anbetung.*

anclîche(n) *adv.* a. ahten *sorgfältig überlegen.*

ancsmer *stmn. butterschmalz.*

andâht *stf. absicht, vorhaben.*

andæhtecheit *stf. andacht.*

andæhteclich *adj.* -lîche *adv. religiosus.*

ande *swm. auch: heimweh.*

anden *swv. auch: sich sehnen.*

ander *adj.* daz steinlîn gap ûz der vinster schîn reht als ein ander gänsterlîn *wie ein richtiger funke;* des a.-n tages *auch: tags zuvor;* Adam, der a. *umschreibung für Christus;* a.-iu lant *ferne, weite länder;* ich bin iemer a. *zu zweit.*

anderleiweide *adv. zum zweitenmal.*

anderstunt *adv. dass.*

anderswâ *adv. anderswo, anderswie.*

anderswar *adv. anderswohin.*

anderwarbe, -werbe *adv. s.* warp.

andorn *stmn. (eine pflanze).*

ane *swmf. pl. großeltern.*

ane *adv.* eintweder abe oder a. *so oder so.*

ane *adv. bei verben:*

-begân *redv.* dinc a. *anstellen.*

-beginnen *stv. anfangen.*

-behaben *swv.* den sic a. *dp. jem. besiegen, gewinnen.*

-behalten *redv.* sînen roc a.

-beten *swv. anbeten.*

-bieten *stv. as. dp. od. dopp. acc. anbieten.*

-bilden *swv. ein gleichnis sein für.*

-bîzen *stv. anbeißen.*

-blâsen *redv.* tac a. *durch blasen ankündigen.*

-blicken *swv. anblicken.*

-bôzen *redv. swv. (an)-stoßen.*

-brîsen *stv.* hosen a. *die beinschienen mit schnüren festbinden.*

-digen *swv. anrufen.*

-erben *swv. (mit ap. oder dp.:) als erbe zufallen (von der erbschaft), auf einen vererben (vom erblasser gesagt).*

-erbern *stv.* ez ist in erborn an.

-erbiten *stv. anflehen.*

-erdringen *stv. erfolgreich abfordern.*

-erliegen *stv. as. dp.* einen stich a. *dp. jem. einen stich durch eine finte beibringen.*

-ersehen *stv. erblicken.*

-ersterben *stv.* durch tôt a. *an jem. fallen (erbschaft).*

-erstrîten *stv. im kampf abgewinnen.*

-ezzen *stv. anfangen zu essen.*

-gân *redv. angehen, betreffen.*

-gehœren *swv. dp. od. ap. zukommen, ziemen.*

-gelachen *swv. ap. freundlich anlächeln.*

-gerâten *redv. ap. antreffen, im kampf aneinandergeraten, angreifen.*

-gesehen *stv. anschauen, ansichtig werden.*

-gesigen *swv. dp. besiegen; as. oder gs. durch sieg erzwingen.*

-gesinnen *stv. ap. ein ansinnen stellen.*

-gestrîten *stv. dp. bedrängen, überwältigen, etwas im kampf abringen.*

-getragen *stv. tragen (kleider); etwas ersinnen, ins werk setzen, zuwege bringen.*

-getrîben *stv. beginnen.*

-gevallen *ap. fallen auf; zufallen (z. b. erbe, lehen).*

-geziehen *stv. unpers. ap. zustehen, sich schicken.*

-gucken *swv. ansehen.*

-haben *swv. trans. sich an etw. halten, jem. angreifen.*

-hâhen *redv. anhängen, aufhängen.*

ane-hangen *swv. anhaften; sich anschließen, sich hingeben.*

-harpfen *swv. mit dem harfenspiel beginnen.*

-heften *swv. anlegen (vom schiff).*

-hellen *stv. nacheifern.*

-herten *swv. beharren.*

-hœren *swv. ap. jem. (an)gehören.*

-hûchen *swv. anfauchen.*

-huohen, -huochzen *swv. verspotten.*

-kapfen *swv. anstarren.*

-kêren swv. *trans. angehen, ansprechen* (umb hilfe).

-klîben *stv. anhaften.*

-klocken *swv. anklopfen.*

-komen *stv. ap. an oder über einen (plötzlich) kommen, hereinbrechen; sich nähern; as. anfangen, angreifen; auf etw. eingehen;* tiure a. *ap. teuer zu stehen kommen.*

-künten *swv. anzünden.*

-lachen *swv. anlachen.*

-legen *swv. angedeihen lassen, gestatten;* guot a. *verwalten;* wunden a. *dp. jem. verwunden.*

-liegen *stv. refl. sich selbst betrügen.*

-ligen *stv. (stets mit dp.) jem. angelegentlich bitten, antreiben, sich bemühen um jem.; von sachen: auf jem. lasten, ihm bevorstehen.*

-lîhen *stv. leihen, borgen.*

-machen *swv. refl. sich putzen, zurechtmachen.*

-muoten *swv. dp. gs. zumuten.*

-nemen *stv. refl. sich abgeben mit; sich bemühen um, auf sich beziehen, sich betroffen fühlen, sich kümmern; sich den anschein geben, sich eine rolle anmaßen (mit gen. oder präp.).*

ane-râten *redv. anraten.*
-recken *swv. anrühren.*
-rennen *swv. angreifen (zu pferde).*
-rihten *swv. einrichten.*
-rîten *stv. zu roß angreifen.*
-rüeren *swv. treffen, betreffen; anrennen, angreifen.*
-ruofen *redv. anrufen (bes. gott).*
-sagen *swv. nachsagen.*
-schicken *swv. lenken.*
-schiezen *stv. trans. bildl. mit einem schuß treffen (von den augen); heimsuchen; anbauen (erker).*
-schiffen *swv. abstoßen.*
-schimpfen *swv. verspotten.*
-schrîben *stv. aufschreiben, verzeichnen.*
-schrîen *stv. anrufen (bes. gott).*
-schuochen *swv. anlegen (beinschienen, waffen).*
-sehen *stv. erstreben; untersuchen.*
-seigen *swv. bewerfen (mit geschossen).*
-setzen *swv. ansetzen, angreifen, anstellen, ins werk setzen.*
-sîgen *stv.* diu naht beginnet a. *sinkt herab.*
-sinnen *stv. ansinnen, zumuten.*
-spannen *redv. anschnallen (sporn); übertr. zusammentun (z. b. ein ungleiches paar).*
-sprechen *stv. ansagen, erzählen, berichten;* mir ist angesprochen *mir ist bestimmt.*
-staren *swv. anblicken.*
-stellen *swv. einstellen, aufschieben.*
-stôzen *redv. intr. beginnen; in see stechen; trans.* fingerlîn a. *anstekken; ap. befallen (von krankheit u. ä.);* viur a. *anstecken.*
-stricken *swv. as. dp. jem. etw. anhängen, jem. verdächtigen.*
-stürmen *swv. angreifen.*
-suochen *swv. belästigen, anstellen.*
-teilen *swv.* spil a. *die wahl geben.*
-tragen *stv. überreden; as. dp. schenken, darbringen; refl. dp. sich anbieten.*
-treffen *stv. betreffen.*
-trîben *stv. etw. intensiv tun; anstiften, ausüben, tätigen, fortsetzen.*
-varn *stv. in besitz nehmen.*
-vîenden *swv. anschwärzen.*
-vüegen *swv. intr. sich anschmiegen (gewand).*
-wæjen *swv. anwehen.*
-wænen *swv. verdächtigen.*
-weigen *swv. angreifen, verfolgen; betreffen; berühren.*
-weinen *swv. weinend anrufen.*
-werden *stv. hinzufügen.*
-wîgen *stv. subst. anfechtung; s.* wîgen.
-winden *stv. tr. zugehören, angehören; sich wenden gegen, angreifen.*
-wîsen *swv. aufklären, hinweisen auf.*
-ziehen *stv. refl. sich berufen auf.*
-zücken *swv. refl. sich anmaßen.*
-zünden *swv. auch übertragen.*
âne *präp. unabhängig von; abgesehen von;* er starp âne alle missetât *absolviert von allen sünden; adv. mit gen.:* âne werden *verlieren, einbüßen;* âne tuon *befreien von, abtun, hinwegtun, berauben;* güeter â. haben *ap. güter rauben.*
anebete *stfn. das angebetete.*
anedûht *stf. gedanke.*
anedunst *stmf. anhauch.*
aneganc *stm. auch: element.*
anegenge *stnf. pl. urelemente der schöpfung.*
anehaft *stf. verbundenheit.*
anehanc *stm. beziehung, anhänglichkeit, vertraulichkeit.*
anehou *stm. amboß.*
anelich *adj. großväterlich.*
ânen *swv. refl. sich lösen von.*
ânendecheit *stf. unendlichkeit.*
aneruofunge *stf. anrufung (gottes).*
anevengic *adj. anfänglich.*
anewande *stf. randstreifen des ackers, wo der pflug wendet; bildl. ende.*
ange *swm.* ûz dem a.-n varn *außer rand und band geraten.*
ange *adv. unentrinnbar, ausweglos; peinvoll; unaufhaltsam.* dô dâhte ich mir vil a. *da erwog ich ernstlich.*
angeborn *part. adj. angeboren, ererbt; verwandt.*
angeburt *stf. abstammung.*
angedenclich *adj. eingedenk.*
angelsnuor *stf. angelschnur.*
angen *swv. tr. quälen, bedrängen; stechen (vom dornbusch); mit refl. dat. fürchten.*
angenomen *part. adj.* a. ûfsetze *zusätzliche gebote, regeln.*
angenomenheit *stf. myst. das aufgenommensein.*

anger *stm. wiese.*
angescheftec *adj. beschäftigt.*
angeschrîe *stn. das schelten.*
angest *stf. gefahr, schrekken, todesnot;* dich bestuont diu a. *befiel die krankheit.*
angestlich *adj.* ein a.-er slac *tödlicher schlag;* a.-iu nôt *drangsal, pein.*
angestlîche *adv.* a. strîten *gefährlichen kampf auf sich nehmen.*
angewin *stm. gewinn.*
anhaftunge *stf.* vestiu a. *innige verbindung.*
anhellic *adj.* a. sin *verlangen nach, anhängen.*
anhenclicheit *stf. anhänglichkeit.*
anklebelich, -klebric *adj. anhaftend.*
anloufunge *stf. überschwemmung.*
annæmlich *adj. zur annahme bereit, fähig.*
annîdunge *stf. anfeindung.*
anpfanclich *adj. annehmbar.*
anruofunge *stf. anrufung.*
anschouwede *stf. anschauung.*
anschouwelich *adj. contemplativus.*
ansehen *stn.* gotes a. *angesicht, anblick.*
ansehende *part. adj. auch pass. sichtbar.*
ansiht *stf. angesicht.*
ansihteclîche(n) *adv. sichtbarlich.*
anspræche *stf. anfechtung, anklage.*
ansuochunge *stf. versuchung, angriff.*
antbære *stf. benehmen.*
anteilec *adj. anteil habend;* a. tuon *gs. ap. jem. etw. mitteilen.*
antheiz *stm.* a. tragen *mit einem versprechen beladen sein.*
antheize *adj. durch versprechen verpflichtet.*
antiste *swm. prälat (lat. antistes).*
antlâz *stm. abendmahl.*
antlæzec *adj. geringfügig, erlaßbar, erläßlich.*
antlæzlich *adj. (er)läßlich.*
antlâzvart *stf. fahrt, um ablaß zu erhalten.*
antlâzwoche *stf. karwoche.*
antragerinne *stf. kupplerin.*
antreitære *stm. ordner.*
antreitunge *stf. anordnung.*
antrîber *stm. anstifter.*
antrip *stm. weideplatz.*
antsage, -sege *stf. entschuldigung.*
antsæzec *adj. mutig.*
antvogel *stm. ente.*
antwerc *stn. erfindung, einrichtung.*
antwerckneht *stm. handwerksgeselle.*
antwercman *stm. handwerker.*
antwercmeister *stm. zeugmeister.*
antwürker *stm. handwerksknecht.*
antwürte *stf. anwesenheit;* zantwurte sîn *zugegen sein.*
antwürten *swv. richterlich zuerkennen;* a. vür *als ersatzmann antreten.*
antwürter *stm. beklagter.*
anval *stm. versuchung.*
anvaller *stm. angreifer.*
ânvar *adj. ohne farbe, bleich.*
anvehtære *stm. bekämpfer.*
anvengec *adj. s.* anevengic.
anvengunge *stf. gefangennahme.*
anvorderunge *stf. rechtmäßiger anspruch.*
anvrouwe *stf. ahnfrau, großmutter.*
anwegunge *stf. irritatio.*
anwirkunge *stf. leitung; einwirkung.*
apfelbiz *stm.* frouwen Even a.
apfelbluot *stmf. apfelblüte.*
apfelmuos *stn. apfelmus.*
aquilôn *m. nordwind.*
apostate *swm. abtrünniger.*
apostolisch *adj.* der a.-e stuol *oder* vater.
apotêker *stm. apotheker, spezereihändler.*
appellieren *swv.* a. an *ap.*
árabesch, arâbisch *adj.*
arbeit *stf. körperliche bewegung, anstrengung, strapaze;* grôze a. hân *auch: sich zu schaffen machen;* in minniclîcher a. *in mühsamer minneschule;* senlichiu a. *liebesnot;* vröude âne a. *ohne qual.*
arbeiten *swv. refl. sich in den kampf stürzen.*
arc *adj.* guot unde a. *als gegensatzpaar;* an die ergern hant vallen *zu den unfreien gehören;* zer ergern hant reizen *zum schlimmen reizen.*
archeit *stf. bosheit, niedertracht, schlechtigkeit.*
archerzec *adj. böse.*
archerzecheit *stf. bosheit.*
arclistec *adj. arglistig.*
arclistecheit *stf. arglist.*
arcspreche *swm. lästerer.*
arcwænec *adj. zweifelhaft, ungewiß.*
arcwænunge *stf. argwohn.*
ar(e)nvlügel *stm. adlerflügel.*
argument *n.* ein a. lêren.
argumentiste *swm.* argumentierer.

arlinc *stm. pflug.*

arm *adj. bedauernswert;* vröiden a. *unglücklich;* a.-e sêle *allgem. von der seele eines verstorbenen.*

arm *stm.* an den a., zwischen sîne a.-e nemen *umarmen;* under a.-n condewieren *umgefaßt.*

arme *swm.* die armen unde die hêren *herren und knechte.*

armeclich *adj.* a.-ez leben *leben der armut und weltentsagung.*

armgestelle *stn. (gestell an den schilden für die arme).*

armkneht *stm. leibeigener.*

armsêlgeræte *stn. was den armen seelen zustatten kommt.*

armstarc *adj. stark in den armen.*

armwîp *stn. arme frau.*

arômât, arômatâ *stmnf. duftendes kraut.*

aromâten, arômatieren *swv. balsamieren, einbalsamieren.*

art *stf. oft nur umschreibend (z. b.* unstætiu art = unstæte); diu Gahmuretes a. *das erbe G.-s;* sîn (gottes) hôher a. *sein lieber sohn; in künstlicher komposition:* artspilman, artribalt *der gelernte spielmann.*

arten *swv. vererben (von eigenschaften).*

arthaftec *adj.* a. lant *pflugland.*

artikel *stm. schriftabschnitt; übertr. erscheinungsform.*

artîsen *stn. pflugschar.*

artlant *stn. bau-, ackerland.*

arzât *stm., nb.-form* **arzeder** *arzt.*

arzâtliute *pl. ärzte.*

arzâtman *stm* = arzât.

arzebote *swm.* erzebote.

arzenîe *f. heilung.*

arzetbuoch *stn. arzneibuch.*

arzetgelt *stn. geld für arzt oder arznei.*

arzetlist *stm. kunst des arztes.*

aschenhûfelîn *stn. kleiner aschenhaufen.*

aschenwazzer *stn. lauge.*

ascherbrôt *stn. röstbrot.*

asisch *adj. asiatisch.*

âsmeckec *adj. ohne geschmack.*

aspe *swf. natter.*

astelîn *stm. kleiner ast.*

astrologî(e) *stf. astrologie.*

âswîchunge *stf. schande, laster.*

âtemschal *stm.* = âtemzuc.

âtemstanc *stm. stinkender atem.*

atte *swm. auch: großvater.*

attravers *adv.* = treviers.

âtüeme *adj. ungewöhnlich, auffällig, unziemlich; kraftlos.*

atzeln *swv. törichtes zeug schwatzen.*

augustîn *m. augustinermönch.*

augustîner *stm. dass.*

auster *m. südwind.*

austerwint *stm. dass.*

auwich *adj.* = ebech.

avê *das lat. Ave.*

âventiure *stf. glück, glückliches geschick, glücksfall; erfolg* (â. haben; âne â.); liebiu â. *liebesglück, erfüllung;* sîn â. *sein roman, seine liebesgeschichte, liebesaffäre; etwas geheimnisvoll anlockendes, ungewöhnliches, unerklärliches; von leblosem gegenstand, geheimnis, geheimnisvolle eigenschaften.* - von, durch â. *durch zufall, unbeabsichtigt;* nâch â. *auf gut glück;* an â. geben *as. wagen, aufs spiel setzen;* sich an die â. ergeben *ins blinde schicksal;* (ein) â. sîn *dp.,* dunken *unglaublich, unwahrscheinlich vorkommen; übertr.:* â. suochen, wie ... *auf (ausgefallene) möglichkeiten, mittel sinnen, wie ...; als präd. nom. (oder adj.?) auch: abenteuerlich, verwirrend, verwunschen* (gar â. ist diz lant).

âwicke *stn. weglose wildnis.*

âwitzec *adj. unverständig, närrisch.*

B

bâbes *stm.; nbff.* **pâbis, pâves**

bac *stm. backe.*

bach *stmf. fließendes gewässer.*

bachoven *stm. backofen.*

backenzant *stm. backenzahn.*

badegelt *stn. geld zum baden (für handwerker).*

badekleit *stn. badekleid.*

badekneht *stm. badediener.*

bademuolter *swstf. badewanne.*

badevaz *stn. badewanne.*

badewîbel *stn. badefrau.*

bâgen *stn.* âne b. *ohne widerrede.*

bæhen *swv. dämpfen, schmoren, rösten.*

balde *stf. mut, kühnheit.*

balde *adv.* vil b. *ungeduldig, aufgeregt, entschlossen;* ir sult iuch vröuwen b. *wirklich, von herzen freuen;*

ich mac wol weinen b. *sehr weinen.*

baldeclîche *adv. mutig, eifrig.*

balderîche(n), belderîchen *adv. iron. noch in alter bedeutung: mutig.*

balîe *stf. ballei, ordensbezirk.*

balmunt *stm. ungetreuer vormund; übertr. rechte eines vogtes.*

balsamgarte *swm. balsamgarten.*

balsamlich *adj. balsamreich.*

balsammæzec *adj.* b. stæte *treue anhaltend wie b.-duft*

balsamrebe *swf. balsamrebe.*

balsamsaf *stn. saft des balsams.*

balsamschrîn *stm. auch übertr. (von Maria).*

balsamsmac *stm. balsamduft.*

balsamstoc *stm. balsamstaude.*

balsamtranc *stn.* daz wazzer smackte als b.

balsamtropfe *swm. auch übertr. (mariengruß).*

balsamtrôr *stmn. balsamduft.*

balsamvaz *stn. balsamgefäß.*

balster *stm. beule.*

balt *adj. frohen mutes, getrost, lebenslustig, gewandt, geistig lebendig;* jâmers b. *dem schmerz hingegeben.*

balteclich *adj. eifrig.*

baltlîche *adv. dreist, frech, unbedenklich.*

baltsprâche *stf.* rehtiu b. *freimütige rede.*

baltspræche *adj. gewagt redend, verfänglich.*

balz *stm. balz; auch von der hirschbrunst.*

ban *stm. einberufung zum waffendienst;* den b. künden *dp. jem. verwünschen;* in dem banne sîn *verachtet werden.*

bancschabe *f. werkzeug zum reinigen der fleischbänke.*

bande *swf. übertr. dienerschar.*

banec *adj. mit dem bann belegt.*

banen *swv.* den walt b. *sich (eigenmächtig) einen weg bahnen durch den wald.*

banholz *stn. zum holzschlag nicht freigegebener wald.*

baniervelt *stn. wappenfeld im banner.*

banmîle *stf. bannmeile.*

bannen *redv., auch swv. gs. berauben; gerichtlich vorladen.*

bant *stn. übertr. beschaffenheit, gefüge.*

banvîretac *stm. gebotener feiertag.*

banvisch *stm. (fisch als abgabeleistung).*

banvorst *stm.* = banholz.

baptiste *swm. täufer (Joh. Bapt.).*

bar *stf.* b. decken *blöße decken, sich in acht nehmen.*

barbarîn *adj. fremd.*

barbarisch *adj. barbarisch.*

bârbret *stn. bahre.*

barc *stm.(?) getreidemaß.*

barchanttuoch *stn. barchent.*

bâre *stswf. baldachin.*

bærec *adj. schwanger, trächtig.*

barel, barellîn *stn. pokal, becher.*

bærerinne *stf. mutter.*

bârhiuselîn *stn. leichenhaus.*

barhoubet *adj. mit entblößtem haupt.*

barke *stswf. auch größeres schiff (für truppenbeförderung).*

bârkleit *stn. totenkleid.*

bärlich, -lîche *adv. genau, einzig und allein.*

barlîche *adv.* b. getân *entblößt.*

barmeclîche *adv. erbarmen erregend.*

barmherzede *stf. mitleid.*

barmherzecheit *stf. dass.*

barmherzunge *stf. dass.*

barn *stnm. tochter, menschenkind.*

barn *swv. refl. sich entledigen.*

barône *swm.* = barûn.

barrüsse *adj. adv. auf ungesatteltem pferd* (b. rîten).

bars *stm. barsch.*

barschenkel *adj. mit bloßen schenkeln.*

bart *stm.* grâwen b. tragen *übertr. alt sein.*

bartbruoder *stm. laienbruder.*

bartlôs *adj. ohne bart.*

bârucambetstuol *stm. kalifenthron.*

barvüeze *swm. barfüßermönch.*

barvuoz *adj. barfuß.*

barvuozenbruoder *stm. barfüßermönch.*

base *swf. tante.*

baselîn *stswn. dem. zu* base.

basenkint *stn. nichte.*

basiliske *swm. basilisk.*

basis *f. architekton.* ein b. mit sûln zwô und drîzec.

bast *stmn.* es ist mir als ein b. *damit ist mir nicht geholfen.*

bastîe *swm. bastei.*

batêle *swm. kleines boot.*

batstande *stf. badekufe.*

baz *adv. bei verben der bewegung: schneller; aber auch: weiter* (si fuorte in ein wênic in den garten b.); *mit adj. zur verstärkung des komparativs;* deste b. *um so mehr;* wem ist deste b. *wer kann da noch froh sein;* mir ist nihtes deste b. *damit ist mir nicht geholfen.*

bebergen *stv. verbergen.*

bebirsen *swv. anpirschen, nachspüren; übertr.: sich anzueignen versuchen.*

beblüejen *swv.* bebluotsîn *mit blüten bedeckt sein.*

beboten *swv. benachrichtigen.*

bebreiten *swv. bedecken.*

bechen *swv. wie pech brennen.*

becher *stm. (auch zum würfeln).*

bechswarz *adj. pechschwarz.*

becherweide *stf. zechgelage.*

bechvalle *stf. hölle.*

beckenhûs *stn. backhaus.*

bedaht *part. adj.* mit b.-en worten *verhüllt.*

bedâht *part. adj. bedenklich.*

bedæhtec *adj. aufmerksam, zartfühlend.*

bedæhticheit *stf. das eingedenksein (mit gs.).*

bedæhticlîche *adv. vorsichtig, aufmerksam.*

bedenken *swv. ap. sich jem.s annehmen; ap. gs. einem etw. verdenken, verargen.*

bedenknüsse *stf. gedächtnis.*

bederbenen *swv. etw. zum nießbrauch übergeben.*

bedespen *swv. verbergen, begraben.*

bediutærinne *stf.* diu zunge, des herzen b. *dolmetscherin.*

t **bediutecheit** *stf. bedeuung.*

bediuteclîchen *adv. verständlich.*

bediuten *swv. pass. gehalten werden für.*

bediutunge *stf. bedeutung, auch: auslegung.*

bedonen *swv. streben; leben führen.*

bedraben *swv.* daz mer b. *befahren.*

bedriezen *stv. subst. verdruß.*

bedrozzen *part. adj. verdrossen.*

bedrückede *stf. bedrückung.*

bedrückunge *stf. beschwernis; auflage.*

bedûht *stf. verzückung.*

bedunc *stm. meinung.*

bedunken *swv. auch subst.*

bedûseln *swv. betäuben.*

b(e)eigenen *swv. erwerben.*

beellenden *swv. unpers. sich sehnen.*

begâbunge *stf. beschenkung.*

begalen *swv. bezaubern.*

begân *redv. refl. sich abgeben mit; sich ernähren von.*

beganc *stm. kult eines heiligen an seinem feste.*

begangen *part. adj. betroffen, in verlegenheit.*

begare *adj. bereit, gerüstet.*

begatern *swv. umgittern.*

begeben *stv. auch: verzeihen; freilassen; ap. gs. befreien von.*

begedemen *swv. in ein* gadem *bringen.*

begegenunge *stf. begegnung.*

begerlichheit *stf. begierde.*

begerwen *swv. mit priester- oder meßgewand bekleiden.*

begien *stv. mfr.* = bejehen.

begiezen *stv. oft bildl., z. b.* mit gnâden b.

begin *stm. mithilfe, wirkung.*

beginnærinne *stf. anfängerin.*

beginnen *stv. mit gen. oder inf. oft nur umschreibend.*

beginner *stm.* unseres heiles b. *(von Joseph).*

beginstnisse *stf. anfang.*

beglîmunge *stf. erleuchtung.*

begnâdunge *stf. begnadung* (gotes küniclichiu b.)

begoumen *swv. achthaben auf.*

begraben *stn. begräbnis.*

begrebnis(se) *stf. grabstätte; begräbnis.*

begreifen *swv. ergreifen.*

begreinen *swv. beweinen.*

begrîfære *stm. der zu begreifen versucht, nachdenkt.*

begrîfen *stv. finden; subst. begriffsvermögen; part.* mit siechtagen begriffen *krank.*

begriffenlich *adj. leicht fassend.*

begrîflicheit *stf. tastsinn.*

begripfen *swv. rasch und wiederholt ergreifen.*

begrüenen *swv. grün machen, grünen lassen (wald u. feld).*

begründen *swv. begründen, befestigen.*

begruonen *swv. grünen, ersprießen (bildl. von der freude).*

begrûsen *swv. refl. grausen empfinden.*

begüeten *swv. begütigen.*

behaben *swv. md. auch* beheven; reise b. *weg bahnen.*

behabnus(t) *stf. vollstreckbares urteil.*

behabunge *stf. beweisführung.*

behaft *stm. das verharren.*

behaftec *adj. vom teufel besessen.*

behaften *swv. haften bleiben.*

behagel *adj. stolz und froh.*

behagen *swv. dp. jem. froh machen; würdig dastehen vor, angemessen erscheinen;* wol b. *dp. edel, vornehm scheinen (von kleidung);* sich wol b. lâzen *ap. glücklich werden mit.*

behagenlich *adj.* = behagelich.

behagenlîche *adv. auf wohlgefällige weise.*

behagunge *stf. das behagen (myst.).*

behalbe *präp. md. ohne.*

behalben *adv. zur seite.*

behalten *redv. intr. stehen bleiben; trans. festnehmen; beachten (von festen); erlangen, erreichen (jahre); einhalt gebieten; einbalsamieren; refl. sich behaupten;* diu ros b. *die pferde gut versorgen;* sîne tarnkappe er ze b. truoc *brachte er weg, um sie zu verwahren.*

behaltsam *adj. heilsam.*

behaltunge *stf. befolgung der gebote; ausübung.*

behanc *stm. vorhang des tempels.*

behangen *swv. hängen bleiben.*

behebnisse *stf. haft.*

behefte *stf. das verbleiben, verharren;* b. der müede *fessel der müdigkeit.*

beheigen *swv. bewachen.*

beheiligen *swv. heiligen.*

beheimen *swv. versorgen.*

behelfunge *stf. behelf, hilfe.*

behelmen *swv. mit einem helm versehen.*

behelsunge *stf. umhalsung, umschließung.*

behendeclich *adj.* = behendec; mit b.-en rîmen *mit eleganten versen.*

behendeclîche(n) *adv. geschickt; schnell; sogleich.*

behentlich *adj. listig.*

behêret *part. adj.* der lîcham b. *heilig.*

behêrren *swv. ap. ermächtigen, erheben.*

beherzen *swv. as. zu etwas stehen, beherzigen.*

behilfec *adj.* = behülfec.

behinden *adv. hinten.*

behinder *adj. hinter, nachfolgend.*

behinder *adv. nach; hinterher (laufen, dp.).*

behirten *swv. (be)hüten, pflegen.*

behitzen *swv. erhitzen.*

behiuten *swv. schinden.*

behorden *swv. ansammeln (schatz).*

behœrlich *adj. schicklich.*

behœrlicheit *stf.* nâch b. *nach allgemeiner auffassung.*

behûchen *swv. behauchen.*

behüeten *swv.* daz er sich wol behüete *er möge beruhigt sein;* ez wirt behuot *es unterbleibt.*

behügen *swv. bedenken.*

behügnisse *stf. (form der) beglaubigung.*

behuot *stm. schutz.*

behuot *part. adj.* b. vor *ds. frei von.*

behuotsamlîche *adv.* sîniu werc b. tuon *ohne hast.*

behuotunge *stf. bewahrung; bewachung.*

behûsunge *stf. herberge, wohnung, (auch von einem schloß).*

beide *num.* b. . . . und *sowohl . . . als auch.*

beidentsamen *adv. beide zusammen.*

beidentsît *adv. beiderseits.*

beidersît *adv. dass.*

beidesamt *adv. beide zusammen.*

beierisch *adj. bayrisch.*

bein *stn.* ze b. und ze vuoze *zu fuß.*

beinîsen *stn. fußfessel.*

beite *stf. frist, aufschub, erwartung.*

beizman *stm. falkner.*

beizunge *stf. beizjagd.*

bejac *stm.* in der minnen b. *in reichweite des liebenden?*

bejagen *swv. tr.* swaz si mugen b. *alles, was in ihre reichweite kommt; refl. sich bemühen; gs. sich etw. zu verschaffen wissen; subst.* sîn b. trîben *seinen vorteil suchen.*

bejâmeren *swv. unpers. gs. leid tun.*

bejâren *swv. altern.*

bejehen *stv. mfr.* begien.

bejehunge *stf. bekenntnis.*

bekant *part. adj.* mir ist b. *ich besitze,* den êre was b.; b. tuon *dp. as. bescheid geben (über), bekannt machen.*

bekantlich *adj. erkennbar.*

bekantunge *stf. erkennungszeichen.*

bekennec *adj. bekannt.*

bekennecliche *adv. erkennbar.*

bekennelich *adj. bekannt.*

bekennelichheit *stf. offenbarung.*

bekennen *swv. erfahren, in erfahrung bringen, kennen lernen, wissen,* daz hæte ich gerne bekant *bitte mich darüber aufzuklären!* – tugent, werdekeit bekennen *oder* bekant haben *besitzen; dp. gs. zuerkennen (ehre, ruhm).*

bekennisse *stf. erkenntnis.*

bekêren *swv.* die sinne b. *sich entschließen.*

bekerzen *swv. mit kerzen versehen.*

beklagen *swv. refl. gs. sich anklagen wegen.*

bekleiden *swv. (eigentl. und bildl.).*

beklemmen *swv. zusammenpressen.*

beklenen *swv. beschmieren.*

beklieben *stv. spalten.*

beklûsen *swv. in eine klause einschließen.*

beknehten *swv. refl. sich mit einem knappen versehen.*

beknopfen *swv. knospen bekommen.*

beknüdelen *swv. refl. sich in einer schlinge verfangen.*

beknüseln *swv. beschmutzen.*

bekomen *stv. abstammen.*

bekorn *swv. beschließen;* den tôt b. *sterben.*

bekorn *stn.* in mînem b. *nach meinem dafürhalten;* daz ist mir ein niuwez b. *das ist eine neue erfahrung.*

bekorunge *stf. begier.*

bekoufen *swv. verkaufen.*

bekriechen *stv. bekriechen (von spinnen).*

bekrîzen *stv. refl. sich durch einen beschwörungskreis sichern.*

bekumbernisse *stf. kummer.*

bekûmern *swv. occupare, mit beschlag belegen.*

be-kützen *swv. ap. übertr. n anspruch nehmen; refl. sich abgeben.*

bekützet *part. adj. ausgestattet mit.*

belachen *swv. belachen, verlachen.*

belancnüsse *stf. verlangen.*

belangen *adv. endlich, allmählich.*

belannen *swv. anketten.*

belasten *swv. refl. sich abgeben.*

belde – *s.* balde –.

belêhenen *swv. belehnen.*

beleiden *swv. mit leid beschwert werden.*

beleinen *swv. schmücken.*

beleiten *stn. eigensinnigkeit, fehlerhaftigkeit.*

beleitunge *stf. begleitung.*

belesten *swv. belästigen.*

belîben *stv. unterkunft finden, unterkommen; liegen bleiben;* sîner vart b. *seine fahrt aufgeben; unpers.* ez ist hier an beliben *damit hat es sein bewenden;* er was slâfende beliben *schließlich eingeschlafen.*

be-licken *swv. verlocken.*

belieben *swv. ap. der liebe teilhaftig machen.*

beliumen *swv.* beliumet sîn *in schlechtem leumund stehen.*

beliuten *swv. mit glokkengeläut ehren.*

belle *f. hinterbacken.*

bellîn *stn. dem. warenballen.*

beloben *swv. refl. sich rühmen.*

belônen *swv.* grôz lôn b. *zahlen.*

belœsen *swv. ap. gs. jmd. von etw. befreien, iron.: ihm beim spiel etw. abgewinnen, abnehmen.*

belouben *swv. mit laub versehen.*

belougen *swv. leugnen.*

beltlich *s.* baltlich.

belzboum *stm. frisch gepfropfter baum.*

belzvêch *adj. bunt von pelz.*

bemachen *swv. festmachen, beschützen.*

bemangen *swv. mangeln.*

bemerken *swv.* starke b. *sich über etwas aufhalten.*

beminnen *swv. beschlafen.*

bemüejen *swv. belästigen.*

benæjen *swv. benähen, einnähen, einschnüren.*

beneichen (en) *swv. weihen, widmen.*

benennen *swv. darlegen; vereinbaren* (ein gelübede).

benîchen *stv. sich neigen, sinken.*

beniden, biniden *adv. unterhalb.*

benider *adv. dass.*

benihte *adv. auf keine weise.*

bennige *f. die angetraute.*

benôt *part. adj. arm, in not befindlich.*

benôtec *adj. nötig.*

benœten *swv. ap. überführen.*

benüegelich *adj. zweckmäßig, sachgemäß.*

benüegen *swv. ausreichen.*

benunft *stf.* in b.-e, daz *in hinsicht darauf, daß.*

benützen *swv. benutzen.*

beprüeven *swv. prüfen, visitare.*

bequæmelich *adj.* = bequæme.

ber *stnf.* niht ein b. *gar nichts;* umb ein b. *um nichts.*

berâtenlîche *adv. mit vorbedacht, überlegung.*

berætlîche *adv. dass.*

berc *stmn. versteck.*

bercknappe *swm. bergmann.*

bercmeister *stm. vorsteher eines bergwerks od. weinbergs.*

bercreht *stn. vom weinberg zu entrichtende abgabe.*

bercrint *stn. (schimpfwort).*

bercwerc *stn. bergwerk.*

berechen *stv. begraben.*

beredære *stm. der etw. beredet, über etw. spricht.*

bereden *swv. rechtsanspruch erheben auf.*

berednüsse *stf. verabredung, vertrag, reinigung, entschuldigung.*

bereffunge *stf. tadel.*

berefsunge *stf. bestrafung, increpatio.*

beregenen *swv. beregnen; auch übertr.*

berehtunge *stf. anspruch, forderung.*

bereit *adj.* b. sîn *dp. zu gebote stehen (von fähigkeiten).*

bereite *adv.* daz er b. hin zim sprach *jederzeit, bequem mit ihm sprechen konnte.*

bereiten *swv.* sich dan b. *sich zur abreise rüsten;* übeler mære b. *ap. jem. eine lektion erteilen.*

bereiter *stm. pferdeknecht;* spîse b. *koch.*

bereitlîchen *adv. bereitwillig.*

bereitschaft *stf. erfordernis; ausstattung.*

bereitunge *stf. propagatio, entwicklung; zubereitung.*

berenthaft *adj. fruchtbar.*

bergen *stv. urspr.: etwas schützen, indem man es auf einen berg trägt;* lieht b. *licht löschen.*

bergewert *adv. bergwärts, aufwärts.*

berhafte *stf. fruchtbarkeit.*

berhaftec, -heftic *adj. fruchtbar.*

berhafteclich *adj. dass.*

berhaftikeit *stf. fruchtbarkeit.*

berhtec *adj. glanzvoll.*

berhtheit *stf. glanz.*

berigelen *swv. auch vom brief.*

berihten *swv. ap. einem etw. mitteilen; refl.* ûz *einen ausweg aus einer lage finden.*

berihter *stm. pfleger (von bäumen).*

berihterinne *stf.* b. der tugende *(von der vernunft) ordnerin.*

berihtes *adv. richtig.*

berihtigunge *stf. vertrag.*

berihtnusse *stf. gütlicher vergleich.*

berillîn *adj. aus beryllus.*

beriuwesen, -riusen *swv. beklagen, betrauern.*

berleht *adj. mit perlen besetzt.*

bermde *stf. güte (dritte person der trinität).*

bermelich *adj. erbarmen erregend.*

bermit *s.* pergamente.

bern *stv.* êre b. *dp. ehre erweisen;* vride b. *dp. jem. schonen.*

bernerlîn *stn. (kleine münze).*

bernvuoz *stm. bärenfuß.*

berœten *swv.* mit bluot b. *rot färben.*

beroufen = berouben.

berücke *adv. rückwärts, hinten.*

berüemunge *stf. ruhmredigkeit.*

berunen *swv. mit* ronen *bedecken.*

beruofunge *stf. ausrufung, verkündigung, appellation.*

berwîn *stm. traubenwein (?).*

besachen *swv. begünstigen.*

besagen *swv. refl. sich einem verschreiben.*

besæjen *swv. besäen.*

besan *stm. besinnung, eingebung* (aller guter werc b., *vom hl. geist).*

besâzen *swv. in seine gewalt bringen.*

beschaben *stv. übertr. ap. ausnützen, ausbeuten.*

beschaffen *stv. ordnen, verwalten.*

beschaffenheit *stf. schöpfung.*

beschaffenlich *adj. vorherbestimmt.*

beschaffunge *stf. beschaffenheit, schöpfung, geschöpf.*

beschatzen *swv. berauben.*

bescheiden *redv. als morgengabe geben; empfehlen; offenbaren;* troum b. *deuten;* als ich iu b.-e *folgendermaßen.*

bescheidenhaft *adj. bescheiden.*

bescheidenheit *stf. vernünftiger beweggrund, vernünftiges maß.*

bescheidenlich *adj. verschieden, unterschiedlich (die evangelien).*

bescheidenlîche *adv. angemessen;* dîn (gotes) kint bin ich b. *ganz gewiß, – bei aller bescheidenheit;* b. vrâgen *um bescheid zu erhalten, d. h. mit überlegung.*

bescheidenunge *stf. verstand, einsicht.*

bescheitnisse *stf. bescheid, bestimmung.*

bescheln *swv. berauben.*

beschernen *swv. verhöhnen.*

beschetzer *stm. der kontributionen auferlegt.*

beschiht *stf. zufall, ereignis, casus, hergang.*

beschilden *swv. mit schilden versehen.*

beschimpfen *swv. verspotten.*

beschizzer *stm. betrüger.*
beschollen *swv. anhäufen.*
beschorn *part. adj.* hôhe b. sîn *ein vornehmer geistlicher, vornehm sein; vgl.* hôchbeschorn.
beschœnigen *swv. s.* beschoenen.
beschœnunge *stf. beschönigung.*
beschouwecheit *stf. betrachtung.*
beschouwen *swv. besuchen;* begrüezen unde b. *besuch machen bei; refl. sich umsehen.*
beschrenkede *stf. heuchlerischer betrug, supplantatio.*
beschuldecheit *stf. entschuldigung.*
beschuoben *swv. begraben.*
beschützen *swv.* êweclich b. *für das künftige leben erretten.*
besehen *stv. einsehen (intellegere).*
besetzen *swv. ausfüllen; zum pfand setzen;* sînen sin b. *sich entschließen;* sînen muot b. *sich den kopf zerbrechen.*
besez *stnm. unglück, prüfung.*
besigelen *swv.* mer b. *segeln.*
besihȝecliche *adv. auf fürsorgliche, vorsichtige weise.*
besitz *stm. (sitz)platz.*
besitzen *stv. erringen;* spil b. *(aus)üben.*
beslahen *stv. beschlagen (pferd).*
beslegede *stn. verzierung.*
besliezen *stn. verschließen; einkäfigen (vögel);* hort der nibelunge beslozzen hât sîn hant *hat er in festem besitz.*
besliezerin *stf. beschließerin.*
besliezunge *stf. verschließung, einschließung (z. b.* diu b. des ezzens in dem leibe); *verstopfung (z. b.* der nâslöcher); *conclusio, abschluß (des psalters).*
beslihten *swv. klären; beschwichtigen.*
beslozzen *part. adj. fest umschlossen, verschlossen und befestigt.*
beslozzenheit *stf. umschließung (myst.).*
beslozzenliche *adv. verschlossen.*
besluzzede *stf. abschluß, beschließung.*
besmerunge *stf. verspottung, lästerung.*
besmitzunge *stf. sündhaftigkeit.*
besnîdunge *stf. beschneidung.*
besniten *part. adj. geschnitzt; bildl.* wol b. *bescheiden, wohlgesetzt (rede).*
besnitzet *part. adj.* ebene b. *fein geschnitten (nase).*
besorgen *swv. sorglich behandeln.*
besorgsamkeit *stf. sorge, qual.*
besoufen *stv.* sich in der werlte b. *untertauchen.*
bespannen *redv.* mit ketenen b. *fesseln.*
bespehen *swv. prüfend beschauen.*
bespîsen *swv. verproviantieren (schiff).*
besprechen *stv. tadeln;* den kampf b. *rechtliche bedingungen des kampfes bestimmen;* besprochen sîn *im gerede sein.*
bespringen *stv. besprengen, benetzen.*
bespunnen *part. adj. versehen mit.*
bestân *stv. trans. beginnen, zufügen;* ez bestât uns ze nihte *oder* kleine *es geht uns nichts an; intr.* ob mir mîn lîp bestât *wenn ich am leben bleibe;* mich bestât ze *mit inf. ich bin imstande zu.*
bestandunge *stf. zustand* (meitliche b.).
bestantman *stm. pächter.*
bestechen *stv. refl.* mit dem kriuze b. *sich bekreuzigen.*
bestellen *swv. holen lassen.*
bestendecheit *stf. beständigkeit;* êwigiu b. *ewigkeit.*
bestendigen *swv. befestigen.*
besterinne *stf. flickerin.*
besteten, -stetenen *swv. s.* bestaten.
besteuwen *swv. besetzen.*
bestinken *stv. beriechen.*
bestreben *swv. refl. sich mühe geben* (mit minne *als liebender*).
bestrîchen *stv.* mit kunst b. *as. geschickt vertuschen.*
bestüelde *stn. mit stühlen versehenes hohes brettergerüst.*
bestummen *swv. stumm werden.*
bestützen *swv. (unter-) stützen.*
besüln *swv. besudeln.*
besunderliche *adv. abgesondert, besonders.*
besunderunge *stf. privileg.*
besunnenheit *stf.* in b. sîn *aufmerken.*
besuochen *swv. aussuchen, ersuchen.*
beswærde *stf. kränkung.*
beswæren *swv. unterdrücken, peinigen, beunruhigen.*
beswærunge *stf.* b. der sêle *belastung.*
besweben *swv. umfluten, umschweben.*
beswern *stv. besprechen von krankheiten.*

beswîchede *stf. betrug.*
beswiften *swv. beschwichtigen.*
betagen *swv. bis tagesanbruch verweilen.*
betasten *swv. (iron.) heimsuchen; ebenso* mit swertes slac b. *ap.*
betehûs *stv. auch von christlichen kirchen.*
betelærinne *stf. bettlerin.*
betelbrôt *stn. bettelbrot.*
betelken *swv. grob anrühren.*
betelman *stm. bettelmann.*
betelorden *stm. bettelorden.*
betelsac *stm. auch als schimpfwort.*
betelstab *stm. bettelstab.*
betelstücke *stn. almosen.*
betelwîp *stn. bettelweib.*
betemesse *stf. bittmesse.*
betenbrôt *stn.* = botenbrot.
betesal *stm. betsaal.*
betestiure *stf. erbetene hilfe.*
betouben *swv.*[1] *verpesten (die luft).*
betragen *stv.* mit geiseln b. *geißeln.*
betrahte *stf. erkenntniskraft, denkfähigkeit.*
betrahtec *adj. zuo ds. erpicht auf.*
betrahtegen *swv.* nâch *as. trachten; refl. überlegen.*
betrahten *swv. as. sich vorstellen, durchschauen.*
betrehteclîche(n) *adv. einsichtig; mit überlegung.*
betriegen *stv. hinters licht führen; im stich lassen* (sælde hât dich niht betrogen); betrogen sîn *iron.: s. u.*
betriuc *stm. betrug.*
betriuten *swv. beschützen.*
betrogen *part. adj. irregeleitet* (ein b. klôsterman); b. an *ds. vorsätzlich in unwissenheit gehalten über, hinters licht geführt* (wie bin ich dâr an sô b.!), *vorsätzlich ferngehalten von etw. (ein königsohn* an künecliche vuore b.); niht b. von *ds. iron.: nicht arm an* (von gezierde daz bette niht was b.)
betrogene *stf. betrug.*
betrogenheit *stf. unzuverlässigkeit.*
betrogenlich *adj. töricht.*
betrogenlîche *adv. töricht, als opfer eines plumpen betruges (etw. behaupten).*
betrüebe *stf. bedrängnis.*
betrüebec *adj. betrübt.*
betrüebecheit *stf. trübsal.*
betrüebelich *adj. betrübt, traurig.*
betrüebeclîche *adv. dass.*
betrüebelichkeit *stf. betrübnis.*
betrüeben *stn. betrübnis.*
betrüebenisse *stf. dass.*
betrüeber *stm. störer, beleidiger.*
betrüebesal *stn. bosheit, ärgernis.*
betrüebunge *stf. verwirrung, erzürnung, beleidigung.*
betswester *stf. nonne.*
bettegelt *stn. übertr. für die ‚bezahlung' im bett.*
bettegenôz *swm. mitschläfer, bettgenosse.*
bettegeræte *stn. bettzeug.*
bettegeselle *swm.* = bettegenôz; *pl. mann u. frau.*
bettekamere *stf. schlafzimmer.*
bettemunt *stm. ehebettzins.*
betterisec *adj.* = betteris.
bettesac *stm. bettsack.*
betteschuoch *stm. pantoffel.*
bettestal *stn. bettstelle.*
betwingen *stv. erobern;* mit gerihte b. *überführen, strafen, (der regel) unterwerfen.*
betwungenheit *stf. bezwingung.*
betzel *swf. haube.*
beunreinen *swv. refl. sich versündigen.*
bevaehede *stf. netz zum fangen.*
bevâhen *redv. abschirmen (lichter);* mit rede b. *ap. ansprechen.*
bevâhunge *stf. das begreifen.*
bevangenheit *stf. einschränkung.*
bevazzen *swv. einfassen.*
bevelhen *stv. auch swv.;* vlîzeclîche b. *ans herz legen.*
bevelhnüsse *stf. auftrag, befehl.*
bevellec *adj.* b. sîn *dp. gefallen.*
bevestenunge *stf. schutz.*
bevestunge *stf. schutzwall.*
befieren *swv. verschönern.*
bevillen *swv. schinden.*
bevindunge *stf. empfindung, wahrnehmung.*
bevintnisse *stf. billigung, anerkennung.*
bevleckunge *stf. makel.*
bevollen *adv. völlig.*
bevrâgen *swv. befragen; refl. sich erkundigen.*
bevreischen *redv. erfahren.*
bevüegen *swv. refl. eine befugnis ausüben.*
bevürhten *swv. befürchten.*
bewallen *redv. hervorsprossen.*
bewæret *part. adj. (wohl-)begründet.*
bewarn *swv. refl. seine rechte wahren, seine pflichten erfüllen; sich schützen.*

bewærunge *stf. bewährung, erprobung; auslegung; beweis.*

bewasen *swv. mit rasen bedecken.*

bewasenen *swv.* wonunge b. *beräuchern.*

bewegen *stswv. refl.; as. sich hinwegsetzen über, mißachten; gs.* an *dp. aufkündigen, entziehen;* sich antlitzes b. *(menschen-)gestalt annehmen;* sich zornes b. *zornig werden.*

bewegunge *stf. körperliche bewegung.*

beweisen *swv. zur waise machen.*

bewellen *stv.* mit gesmelze bewollen *emailliert.*

bewenden *swv. dp. jem. etw. auslegen.*

bewerde *stf. versehung mit sterbesakramenten, communion.*

bewickelen *swv. einwickeln.*

bewîhen *swv. weihen.*

bewinden *stv. intr. umkehren.*

bewirren *swv. in verwirrung geraten.*

bewîsen *swv.*[1] *ap. aufklären.*

bewollen *part. adj. unrein.*

bewollenheit *stf. befleckung;* bœse b. *verlokkung, lust.*

beworrenlîche *adv. verwirrt.*

bewüefen *swv. beklagen.*

bezâfen *swv. pflegen, schmücken, zieren.*

bezaln *swv.* der den prîs hât bezalt *der (durch seine leistung im kampf) das anrecht auf den siegespreis erworben hat, der sieger.*

bezeichenhaft *adj. symbolisch.*

bezeichenisse *stf. sinnbildliche bedeutung.*

bezeichenlîche(n) *adv. sinnbildlich.*

bezeigen *swv. rechtlich zuweisen, übereignen.*

beziehen *stv. beziehen; auch vom anbringen des köders am angelhaken.*

bezîte, -zît *adv. früh.*

bezouwen *swv. bereiten.*

bezûnen *swv. s.* beziunen.

bezzern *swv. vervollständigen, vervollkommnen, durch unterricht fördern.*

bezzerunge *stv. vervollkommnung;* ze b. komen *sich vervollkommnen.*

bezzist, best *adj. superl. subst.:* die besten algemeine *die vornehme gesellschaft;* daz beste *die edelsten eigenschaften.*

bî *präp.* bî den jâren *damals;* bî ein *miteinander;* liep unde leit bî ein getragen *miteinander tragen;* bî spote sîn *zu spott aufgelegt sein.*

bî *adv. bei verben:*

-hellen *stv. dp. zustimmen, beistimmen.*

-legen *swv.refl. sich hinzulegen.*

-lûten *swv. im laut übereinstimmen.*

-sîn *anv. beistehen.*

-stân *stv. dp. gs. einem etw. zugestehen.*

-wesen *stv. dp. besitzen;* sanfte b. *dp. freundlich zu jem. stehen.*

-wonen *swv. dabeisein, beistehen.*

bîben *swv.* = biben *beben.*

bickelhiubel *stn. helm.*

bickelhûbe *stf. dass.*

bickelwort *stn. unverständliches, hingewürfeltes wort.*

biderbe *adj. mfr. auch* birve; *gescheit, vernünftig.*

biderben *swv. für den hausgebrauch schlachten.*

bidervrouwe *swf. ehrbare (ehe-)frau.*

bidewen *swv.* = bidemen.

biegen *stv. auch refl.*

biegunge *stf. verbeugung.*

biet *stm.* in keinem b. *unter keiner bedingung, in keiner weise.*

bieten *stv. tr. umschreibend:* genâde b. *danken;* lougen b. *ableugnen;* stiure bieten ze *verhelfen zu. – refl. (mit bezeichnung einer richtung) sich wohin bewegen, begeben, beugen:* sich an den wec b. *auf den weg machen,* sich zu lande b. *aufs land begeben,* sich engegen b. *sich widersetzen;* sich zem slage b. *ausholen;* sich in den tôt b. *den tod auf sich nehmen.*

bietunge *stf. anerbietung, verheißung.*

bîgelegen *part. adj. benachbart.*

bîgesellec *adj. zugesellt.*

bîgesezze *swm. tischgenosse.*

bîgestendec *adj.* b. sîn *dp. beistehen.*

bîgiht, bîhte *stf.* bîhte ruofen *beichte halten.*

bîhtât *stf. beichte.*

bilde *stn. zeichen;* vriundes b. tragen *sich den anschein eines freundes geben; phraseol.:* gelückes b. = gelücke.

bilden *swv. tr. zum vorbild nehmen, nachahmen; refl. sich einprägen.*

bildesam *adj. vorbild gebend.*

billich *stm. schicksal oder bedeutsamer zufall;* nâch dem b. -e *wie es zu gehen pflegt.*

billîche *adv. verdientermaßen; ziemlich, einigermaßen,* b. wol *ziemlich gut.*

billîchen *swv. dp. as. jem. etw. zubilligen.*

bilungs *adv. (halb-) kreisförmig gebogen; auch:* in b.; *(heraldischer terminus).*

bînâhe *adv. beinahe.*

binden *stv.* ze beine b. *auf sich nehmen, sich belasten mit, ,ans bein binden'.*

binezîn *adj. aus binsen* (körbelîn b.).

biniden *adv.* (= beniden) *unterhalb.*

bînider *adv. dass.*

bîrede *stf. sprichwort.*

birnenkumpost *stm. birnenkompott.*

birse, berse *stf. (pirsch-) jagd.*

bîschaft *stf. beispiel.*

bîslâfelinge *stf.* = bîslâfe *concubina.*

bîspeln *swv. in gleichnissen reden.*

biten *stv. bitten auch mit ap. as; werben um (gp.); beten* (umbe *ap. für jem.); absol. auch: betteln.*

bîten *stv. dp. gs. frist geben zu etw.*

bitter *adj. scharf und unbarmherzig, schneidend (schwert, hagelschauer); spitzig, stechend (nägel); bissig, reißend (raubtier); erbittert, ergrimmt (zorn, schlacht).*

bitter(e) *stf. qual (höllenpein).*

bitterlich *adj. bitterlich, schwer, grausam, scharf* (nôt, tôt, swert).

bitterlîche *adv. schwer, hart, grausam, scharf, oft nur verstärkend.*

bitterunge *stf.* der mirre b. *das bittermachen (des Christus gebrachten trankes).*

biut *stf.* = biet.

bîvart *stf. umweg.*

bîvuoz *stm.* (= bîbôz) beifuß.

bîwerf *stm. rost, schmutz.*

bîwesen *stn. nähe, gegenwärtigkeit.*

bîwesunge *stf. pl. umstände.*

bîzen *stv.* des trankes b. *trinken.*

bizze *swm.* bizzen *(akk.) negiert: nicht ein bißchen, gar nicht,* du bist niendert bissen wunt, daz ist nirgen bissen wâr.

blæjunge *stf. blähung.*

blanc *adj. blank; farblos;* b. werden *beraubt werden.*

blancgevar *adj.* = blanc *(harnisch; tischtuch).*

blatern, (platern) *swv. refl. sich glätten.*

blâvuoz *stm. blaufuß (falkenart).*

blechrinc *stm. panzerring.*

blecket *adj. blank, rein.*

blende *stf. blendwerk.*

blendunge *stf. (Christi geißelung)* mit b. sîner ougen *so daß er kaum noch sehen konnte.*

blîblende, plîlinde *swf. bleiblende, bleiglanz; bleierz.*

blic *stm.* durch die blicke *um ihres anblicks willen.*

blîche *stf.* ze b. an sich nemen *sich schminken.*

blickelîn *stn. demin. zu* blic.

blîelîn *adj. bleiern.*

blindelingen *adv. blindlings.*

blint *adj. ohne, frei von (gs. oder* an *ds.),* an êren b . *keinen anstand habend,* des gelouben b.; sie mahte im alle sorgen b. *befreite ihn;* blinde vrechheit *tollkühnheit, verblendung.*

blœde *adj. vergänglich.*

blœdinc *stm. blödkopf.*

blotschen, plotzen *swv. mit lärm hinfallen.*

blôz *adj. armselig; offenbar;* an vröuden b. *ohne freude, glücklos;* b.-ez gevilde *freies gelände.*

blunderspil *stn.* b. trîben *(unbest. bedeutung).*

bluomballe *swm. blumenknospe.*

bluomenrîs *stn. (bildhaft) blütenzweig.*

bluomenschapel *stn. blumenkranz.*

bluotbach *stm. blutstrom.*

bluotgiezendc part. *adj. blutend.*

bluotgiezer *stm.* der b. Judas *mörder.*

bluotsweizec *adj. blutüberströmt, blutend.*

bluotvergiezen *stn. blutvergießen.*

bluotvergiezer *stm. mörder, blutvergießer.*

bluotverswender *stm. dass.*

blûweclîche *adv.* = blûclîche.

bockelære *stm. bock (als schimpfwort).*

bodemlôs *adj. bodenlos (vom abgrund).*

boge *swm. brückenbogen.*

bogelîn *stn. schlinge beim vogelfang.*

bogen *swv. refl. sich beugen.*

bol *adj. geschwollen.*

bolgen *swv. zürnen.*

bolsterhundelîn *stn. schoßhund.*

bolz *stm.* **bolze** *swm. pfeil.*

bölzelîn *stn. demin. zu* bolz.

borc *stm.* borges phlegen *sich geld borgen.*

bordûne *swf. lange trompete (frz. bourdon).*

borgære *stm. gläubiger.*

bormære *adj. iron.: gleichgültig.*

bort *stmn.* geselleclîchen über b. gân *vor herzlichkeit überströmen.*

bœse *adj. krank (z. b. vom magen); iron.:* b.-r rât *keine hilfe;* bœsiu mære *dummes gerede;* b.-z bilde nemen *falsches vorbild.*

bote *swm. abgesandter;* einen b.-n tuon *dp. jem. benachrichtigen.*

botenlôn *stm. botenlohn.*

boteschaft *stf. auch: brief.*

boum *stm. säule.*

boumach *stn. weingarten.*

boume *swm. paradiesbaum.*

boumgarte *swm. auch: zwinger.*

boumöl *stn. harz.*

boumwolle *swf. baumwolle.*

boumwollîn *adj.* pheit b. *kleid aus baumwolle.*

bovelvolc *stn. pöbel.*

bræhen *swv. md. dünsten.*

braht *stmf.* ane b. belîben *geheim bleiben.*

brahtunge *stf. geschrei, lärm.*

brantlich *adj.* b. haz *brennend.*

brasteln *swv. schreien.*

brâtvisch *stm. bratfisch.*

bratze *swf.* = bratsche.

brechen *stv. trans. unterbrechen* (rede); *übertreffen* (den wurf mit sprunge); *brechen, verletzen, nicht einhalten, aufheben (recht, versprechen, abmachung); as. dp. jem. etw. abstreiten, sich ihm in etw. widersetzen; intr.* in ir herze b. *ihr herz gewinnen; refl.* diu rede sich ze kampfe brach *lief hinaus auf; sich treiben, hinreißen lassen (zu sünden);* sich von d. bœsen zu d. guoten b. *sich durchringen; absol. die treue brechen, jem. betrügen, hintergehen.*

brechenlich *adj. schadhaft.*

brechîsen *stn. brecheisen.*

bredigunge *stf. predigt.*

breit *adj.* eines hâres b. *nur ein bißchen.*

brennen *swv. trans. ap.* ûf der hürden b. *auf dem scheiterhaufen verbrennen.*

brennoven *stm. ofen.*

bresse *stf.* = presse.

brestelîn *stn. kleiner kummer.*

bretsnîder *stm. sägemüller.*

brief *stm. zeugnis, beweis;* einen b. lesen *dp. eine lektion erteilen.*

bringen *anv. herbringen, holen; hervorbringen (frucht), vollbringen (wunder); übertragen, übersetzen* (von kriechischer zunge in kaldäisch; ze tiutsche); *aufweisen, an sich haben* (varwe, spæhe); zeinem ende b. *as. aus-, durchführen, vollziehen* (*auch* minne); ze gîsele b. *ap.*; ze liehte b. an *ap. etw. zu erkennen geben* (minne); ze wegen b. *zuwege bringen;* an ritters namen b. *ap. zum ritter machen.*

briuten *swv. liebkosen.*

briuwen *stv.* ein wunder b. (an *dp.*) *ein wunder vollbringen.*

brochsen *stn. krach, lärm.*

brœde *adj. brüchig (erde, lehm);* b. oder balt *zaghaft oder kühn.*

brosche *swf.* bratsche.

brôt *stn.* niht ein b. *adverbiell gar nichts;* daz b. ûflegen *den tisch decken.*

brôtsac *stm. brotbeutel.*

brôttisch *stm. brotbank.*

brôtvar *adj. in gestalt des brotes.*

bruch *adj. mfr. brüchig.*

brûchlîchen *adv. wie es sich gehört.*

brücke *stswf. schiffsbrücke.*

bruckentor *stn. tor an der fallbrücke.*

brüeten *swv. auch übertr.* tugenden im herzen b.

brûn *adj. auch blau oder violett.*

brunn(en)âder *stswf. quellader (bild für Maria).*

brûnrôt *adj. braunrot (vom sardonyx).*

brunst *stf. auch: glanz.*

brünsten *swv. (vom hirsch).*

bruoch *stf. unterhose.*

bruochrieme *swm. hosengurt.*

bruoderschaft *stf. leibliche oder geistige bruderschaft; gemeinschaft von klosterbrüdern;* b. swern.

bruoderwîp *stn. schwägerin.*

bruothenne *stswf. bruthenne.*

brustbilde *stn. (als reliquienbehälter).*

brüstec *adj. brüchig.*

brustleder *stn. brustpanzer aus leder.*

brustsloz *stn. harnisch.*

brustswer *swm. brustschmerz.*

brûtbette *stn. brautbett.*

brûtkleit *stn. brautkleid.*

bû *stmn. hof, besitz* (einen von sînem bûwe dringen).

bûchswer *swm. bauchschmerz.*

buckære *stm. trompeter.*

bucke *swf. schild.*

bûden *swv. auch: trommeln.*

büezen *swv. geldstrafe zahlen;* viur b. *feuer nähren;* sînen hunger b. *stillen, sich satt essen.*

bühsenstein *stm. ein durch ein feuerrohr geschleuderter stein.*

buntgevar *adj.* = bunt.
buntlich, -lîche *adj., adv. bündig, endgültig, klipp und klar.*
buoch *stn. lit. quelle;* zen b.-en twingen *zur schularbeit zwingen;* diu b. lêren *lesen u. schreiben beibringen.*
buochmachære *stm. schriftsteller.*
buochvinke *swm. buchfink.*
buolære *stm. buhler; auch: liebesdichter.*
buolbrief *stm. liebesbrief.*
buole *swm. schwager.*
buosem *stm.* in sînem b. haben *übertr.: sicher in seinen besitz sich einverleibt haben (der teufel einen menschen).*
buosemluoc *stnm. ‚dekolleté'.*
buoz *stm. unpers. dp. gs. frei sein von* (mir ist kumbers b.).
buozære *stm. reuiger sünder.*
buoze *stf. heilung.*
buozlîche *adv. durch, in buße.*
burcberc *stm. burgberg.*
burcgesinde *stn. burgbewohner.*
burczinne *stswf. burgzinne.*
bürde *stswf.* in menschlicher b. *in menschlicher gestalt;* der minne b. *liebeskummer.*
bûretrol *stm. bauerntölpel.*
burgære *stm. einwohner.*
burgerinne *stf. bürgerin.*
bûsache *stf. baumaterial.*
busûnschal *stm. posaunenschall.*
but *stn. angebot.*
bütelære *stm. büttel.*
bûvellic *adj. baufällig.*
bûwen *swv., auch st. part. prät.;* den arcwân b. *das mißtrauen nähren;* dar ane b. *as. etw. darauf gründen.*
bûwerc *stn. baukunst.*

D

dach *stm. oberstoff.*
daffer *s.* taverne.
damnunge *stf. verdammnis* (êwige d.).
dampf *stm. bildl.: not, pein.*
dampfec *adj. dampfend; asthmatisch, schwindsüchtig.*
dampfen *swv. an der schwindsucht leiden.*
dan *m. vor namen: herr.*
danc *stm. das denken;* einem ze danke *mit jmds. wunsch übereinstimmend;* mit d. *freiwillig;* âne d. *gegen den willen, unabsichtlich, versehentlich;* iemer d. hân *(etw.) nicht vergessen.*
dancbærkeit *stf. dankbarkeit;* d. der gâbe *fruchtbarkeit der gabe.*
dancnæmelîche *adv. freiwillig, offenherzig; willkommen, dankbar.*
dancwille *swm. freier wille.*
dancwillen *adv. freiwillig, aus freien stücken.*
danken *swv. auch: loben.*
dankêr, danekêr *stm.* den d. tuon *umkehren.*
dankes *gen. adv. absichtlich.*
dankunge *f. bedankung.*
danne *adv. demonstr.* ouch danne *obendrein, noch dazu; rel.* (al)sô danne *sobald (neben seltenerem* alsô balde, alsô schiere); *interj.* waz denne *was macht das schon.*
dannen komen *stv. heil davonkommen, überleben.*
dannenscheide *stf. das hinscheiden.*
dannenscheiden, danscheiden *stn. das weggehen; abschied.*
dannenwanc *stm. das fortgehen.*
dannoch *adv. späterhin; selbst dann.*
dâr, dâ, dar *adv. verbunden mit adv. (oder konj.):*
-engegene *adv. dagegen; in erwartung dessen.*
-under *adv. u. konj. trotzdem, außerdem, dabei, inzwischen, gleichwohl.*
-von *adv.* d. (ge)sîn *es vermeiden, davon frei bleiben.*
-wider *konj. anderseits.*
-zuo *adv.* d. sprechen (= dar sprechen) *für etw. sprechen; dazu raten.*
darbetac *stm. notstand.*
darbunge *stf. mangel.*
dare, dar *adv.* d. dienen *s.* dienen; d. trinken *drauflos trinken;* d. sprechen = dar zuo sprechen; *(vgl. die trennbaren verbalkomposita im folgenden). In verbindung mit einem adv. nicht immer von* dâr *abzugrenzen:*
darübere *adv. hinüber. trennbare verbalkomposita:*
-schieben *stv. bis zuletzt aufschieben.*
-tragen *stv. refl. unpers. sich zutragen.*
dâre *adv. zu* dære; *decenter, geziemend.*
darkunft *stf. das kommen.*
darsetzer *stm. betrüger.*
darwert *adv. dorthin.*
decke *auch swf.*
deckekleit *stn. schutzgewand, decke.*
deckemantel *stm. übertr.* gelîchsenheite d. *deckmantel der heuchelei.*

deckementelîn *stn. ebenfalls übertr.*

decken *swv. auch: flikken.*

degen *stm.* ein d. sîn *ein mann, ein kerl, tüchtig sein.*

degenbalt *adj. kühn wie ein held, männlich, tapfer.*

degenhaft *adj. tapfer.*

degenîn *stf. heldin.*

degenlîche *adv. tapfer.*

degenschaft *stf. heldenhaftigkeit.*

degentuom *stn. reinheit.*

deheinest, dekeinest *adv. irgendeinmal, jemals, niemals.*

dehsenmist *stm. dünger aus zweigen von nadelholz.*

demant, dement *stm. diamant.*

dencliche *adv.* d. erkennen *anerkennen.*

denen *swv.* sînen lîp d. *sich anstrengen; refl. übertr. vom herzen: weit werden.*

denke *stf.* in d. sîn *eingedenk sein, sich erinnern.*

denken *swv. as. bedenken; gs. auch meinen;* d. zuo *nachdenken über (einen ausweg);* mir ist gedâht *ich beabsichtige, habe zu erwarten.*

derhalben, -halp *adv. auf dieser seite.*

derp *adj. hart, tüchtig.*

derren *swv. häufig übertragen.*

dîamant(e) *stswm. diamant.*

dîasper *m. feiner wollstoff.*

dicke *adj.* dicker munt *volle lippen;* dicker schilt *von gediegener arbeit.*

dicke *adv. immer wieder.*

dickeleht *adj. ein wenig dick, voll.*

dickewerf *adv. oftmals.*

dictieren *swv. diktieren.*

diehterîn *stf. enkelin.*

dielich *adj. knechtisch.*

diemüete *adj. freundlich, gnädig.*

diemüete *stf. auch: gottesdienst, geistliche amtspflicht.*

diemüetecheit *stf. bescheidenheit (z. b. von kleidern).*

diemüeteclich *adj.*, **diemüeteclîche** *adv. demütig.*

diemuotlîche *adv. gnädig, herablassend.*

dienen *swv. sich widmen; untertan sein (von ländern oder völkern)* diu zwei lant solten d. dîner hant; *trans:* einem daz lant d. *zum dienst bestellen, untertan machen;* dar d. *hilfe leisten bei etw. (bes. im kriege);* nâch tôde d. *die letzte ehre erweisen.*

dienest *stmn.* d. gegen *bemühung um;* einen ze dienste an sich ziehen *jem. einen dienst abverlangen;* getriuwelîcher d. *huldvoller gruß;* d. sagen, enbieten *ergebene grüße senden, sich empfehlen;* im ze d. *ihm zuliebe;* durch den d. mîn *bitte!*

dienestheit *stf.* gestalt der d. *knechtsgestalt.*

dienestkneht *stm. diener, knecht* (der getriuwe d.).

dienestlich *adj.* d.e reht (leisten) *dienstpflichten.*

dienestmaget *stf. dienstmagd.*

diep *stm. räuber, hehler; betrüger, hinterlistiger; verschwender, schlemmer.*

dieplîche(n) *adv. heimlich;* d. entragen *stehlen.*

dierne *stswf. für die hl. jungfrau.*

diet-eltiste *swm. ältester im volk.*

dietlant *stn. volk.*

dîhen *stv.* unschône d. *übel ausgehen.*

dinc *stn. schicksal;* kristenlich d. *bischöfliches sendgericht; das, worauf man einen rechtsanspruch hat:* ir ziehet an iuch iuwer dinc *macht euer recht geltend;* mîniu d. *geschäfte;* sîniu d. schaffen *anordnungen treffen;* wie mîn d. stê *wie es mir geht;* mîn d. stât dar *mich zieht es dorthin;* ein schœnez d. *geschichte, erzählung; phraseol.:* schemelichez d. *schande, schmach;* vür lîhtiu d. hân *für gering, schlecht halten;* in disen dingen *unterdessen;* (uns) ze guoten dingen *zum glück, zu unserm besten.*

dinge *stn.* = gedinge.

dingen[2] *swv. versammlung abhalten.*

dinster *adj. link.*

dinster(e) *stf. dunkelheit, finsternis.*

discantieren *swv. diskant singen.*

dise, diser *pron. demonstr. in der anrede:* dise degene *ihr männer!*

disehalp *adv. diesseits.*

disputieren *swv. diskutieren.*

diuhen *swv. auch: tauchen.*

diutære *stm. dolmetscher.*

diute *stfn. meinung:* ze diute sagen, schrîben *erzählen, sagen.*

diutecliche(n) *adv. klar, deutlich.*

diuten *swv. meinen, verdeutlichen, andeuten;* waz tiutet ir? *was meint ihr?*

diutunge *stf. offenbarung.*

dô *adv. (in der erzählung) jetzt, jetzt plötzlich; zur gleichen zeit.*

doch *adv. verstärkend: im ganzen; allerdings, freilich, wirklich.*

doctor *stm.* ein d. aller wîsheit *umschreibung für gott.*

dol *stf. phraseol.:* mit gernder d. *wie er es sich wünschte.*

dollîche *stf. duldsamkeit* (mantel der d.).

doln *swv.* wol d. *erwartungsfroh sein.*

dôn *stm.* windes d. *windesbrausen;* tôdes d. *todesschrei;* in engelischem d.-e *in der sprache der engel;* in einem slehten dône *schlicht.*

doner *stm. auch blitzschlag.*

donergebirge *stn. feuerberg.*

donerlich *adj. donnernd, dräuend.*

donerschal *stm. donner(schall).*

dorfgebûre *stm. dorfbewohner.*

dorfkrage *swm. verächtlich für bauer.*

dornouwe *stf. dornenhag.*

dörpecheit *stf.* = dörperheit.

dörpelsite *stm. bäurisches benehmen.*

dörperheit, -keit, -echeit *stf. ungehöriges oder unedles benehmen; grobe verfehlung, entgleisung (spez. vom ehebruch).*

dörperîe *stf.* daz ist michel d. *ist ganz unziemlich.*

dortenhalben *adv. dort; jenseits.*

douwunge *stf. verdauung.*

dræjen *swv. modellieren; part.* gedræt *rund.*

drangen *swv. refl.* sich nâch minne dr. *dem drang nach liebe nachgeben.*

dræte *stf. strömung des flusses.*

drîe *stf. trinität.*

drîecke, -eckeht *adj. dreieckig.*

drîen *swv. verdreifachen; dritteln (tr. und refl.).*

drîerleie *adj. dreierlei.*

drîheht *adj. spitz, stachlig.*

drîhürnec *adj. dreihörnig, dreieckig.*

drîjærec *adj. drei jahre alt.*

drînamet *adj.drei namen führend.*

dringen *stv. sich (im kampfe) tummeln; ap. bedrängen; subst.: gedränge; zudringlichkeit.*

drîsinnec *adj. dreier sprachen kundig.*

drîstrenge *adj. dreisträngig.*

drîwarp, -warf *adv. dreimal.*

drîwegec *adj. dreifältig.*

drîweide *adv. dreimal.*

drîzec *num. card. formelhaft für eine hohe zahl.*

drô *auch stm.*

droschelîn *stn. drossel.*

drouwe, drô *stf. sorge, befürchtung.*

drouwelîche, drôlîche *adv. bedrohlich.*

druc *stm. zärtliches ansichdrücken.*

drücken *swv.* paniere d. *senken.*

drumeren *swv. zertrümmern.*

druppe *swf. mfr.* = trupfe.

dult *stf. s.* tult.

dultec *adj. geduldig.*

dulteclîche *adv. geduldig.*

dulten *swv. s.* tulten.

dultunge *stf. passion.*

duncnis *stf. meinung, ansicht.*

dünne *adj. sparsam; kärglich; spärlich; gelichtet (z. b. vom haar); leicht (vom schlaf); fadenscheinig (auch übertr.).*

dupple *stn.? (frz. doublé) plattierung mit gold oder silber, unechtes gold.*

durch *präp. zum andenken an;* er starp durch den bâruc *im kampf für den Baruch; oft final:* durch suone *in versöhnender absicht;* durch daz *auch: damit, weil.*

durchædern *swv. part.: geädert.*

durchblüemen *swv. mit blumen zieren.*

durchborn *swv. durchbohren.*

durchbrehen *stv. durchglänzen.*

durchbresten *stv. auseinanderbrechen, aufbrechen* (daz der himel niht durchbrast).

durchbûwet *part. adj. solide gebaut.*

durchdenken *swv. durchdenken.*

durcherlûht *part.adj.* d.-e vrouwe *erhabene herrin.*

durchflôren *swv. mit blumen schmücken.*

durchflôrieren *swv. dass.*

durchformen *swv. durchsetzen, -tränken.*

durchgarnen *swv. durchweben.*

durchgenzen *swv. völlig durchsetzen.*

durchgræte(c) *adj.* von sunden d. *von sünden durchsetzt wie ein grätiger fisch.*

durchgründe(c) *adj. tiefgründig.*

durchgründen *swv. von grund auf erfüllen* (mit liebe gar durchgründet).

durchguot *adj. vollständig, ganz gut.*

durchhecheln *swv. durch und durch weich schlagen.*

durchhitzen *swv. erhitzen, auch übertr. auf personen.*

durchhol *adj. durch und durch hohl.*

durchjagen *swv. übertr.: durchdringen.*

durchkernen *swv. erfüllen.*

durchkirnen *swv. durchdenken.*

durchklæren, -klârieren *swv. erläutern.*

durchklingen *stv. vom ruhm:* die heidenschaft d.

durchkomen *stv. ap. durchdringen.*

durchkrispen *swv. durchkräuseln.*

durchkrüllen *swv. dass.*

durchlesen *stv. durchlesen;* sîn herze d. *intensiv nachdenken.*

durchlieht *adj. lichtdurchlässig* (daz d.-e glas).

durchliuhtecheit *stf.* d. des gemüetes *contemplatio.*

durchliuhte(c)lich *adj. hell, strahlend* (ir minneclichiu varwe gap d.-en schîn); *klar, durchsichtig* (wîsheit durchliuhtlich ûz und innen).

durchliuhtet *part. adj. dp. verständlich.*

durchliutern *swv. völlig klar machen, läutern.*

durchloufen *stv.* (diu zeichen, die diu sunne durchloufet).

durchmâlen *swv. intens. zu* mâlen.

durchmeistert *part. adj. vollkommen.*

durchmerken *swv. erforschen, ergründen (z. b. das herz).*

durchmezzen *stv. durchmessen, ermessen.*

durchmilte *adj. gütig, freigebig.*

durchmischen *swv. durchmischen, versetzen.*

durchnagelen *swv. (bei Christi kreuzigung).*

durchprüeven *swv. durchprüfen.*

durchrinnen *stv. as. durchfließen;* bluotes d. *von blut überströmt werden.*

durchrîset *part. adj. reich verzweigt.*

durchrunsec *adj.* (d. wazzer) *fließend.*

durchschenden *swv. ganz zu schanden machen.*

durchschouwec *adj. durchsichtig, durchschaubar.*

durchsihteclîche *adv. einsichtsvoll.*

durchsoten *part. adj.* durchsoten golt, gimme rein.

durchsprechen *stv. durchsprechen, bereden; verkündigen.*

durchstecken *swv.* die wiesen mit bluomen durchstecket *über und über besät.*

durchsuochen *swv. durchprüfen; nachforschen.*

durchswachen *swv. ganz entehren.*

durchvallen *part. adj. zerrissen (vom schuh).*

durchvarlich *adj. durchdringend.*

durchvellec *adj. zerbrochen (schwert); übertr. vom glück.*

durchvertec *adj. porös (vom schwamm).*

durchvertlich *adj. durchdringend, scharf.*

durchvlehten *stv. refl. sich hindurchwinden (von adern).*

durchvliegen *stv. bildl. gedanklich durchdringen.*

durchvluoten *swv. bildl.* die sêle d. *(gott reinigt die seele).*

durchwahsen *part. adj.* d.-er walt *dicht.*

durchwandern *swv.* ein buoch tihtende d. *damit zu rande kommen.*

durchwern *swv. gs. reichlich versehen mit.*

durchwitern *swv. durchbleuen.*

durchzoc *stm. durchzug, vorübergehen.*

dûren *swv. tr. aufschieben.*

durft, durf *auch stm.*

durnehteclich *adj. rein, edel.*

durnehte(c)lîche(n), -nehtlîche(n) *adv. vollständig, ganz und gar; ex integro; von ganzem herzen, ganzer seele . . .*

durnehtunge *stf. vollkommenheit.*

dürre *adj. übertr.: kraftlos (vom alter).*

dürrecheit *stf. trockenheit; unfruchtbarkeit.*

dürrunge *stf.* in d. *vertrocknet.*

durstebernde *adj.* d. smerzen *durstig machend.*

dûze *adv.* = dâ ûze.

E

ê *adv. rechtzeitig; zunächst einmal.*

ê *konj. ohne daß.*

eben *adj. deutlich.*

eben, ebene *adv. ebenfalls;* e. gân *im schritt gehen (von pferden);* e. ligen *in ordnung sein;* e. stân *ausgeglichen sein (bildl., vom gemüt).* – eben *steht in mehr oder minder fester komposition mit adjektiven und adverbien:* ebenbrûn *ebenso violett,* -dicke *gleichmäßig oft;* -genôzsam; -gerâde gotes e.-r rât; mit e.-m rât *in der gleichen absicht;* -gewalteclîch(e); -grüene; -guot; -hellec *übereinstimmend*; -hôh(e); -holt *gleich freundlich;* -klâr *gleich hell;* -kunt *ebenso bekannt;* -kurz; -lanc; -lieht; -mehtec *gleich kräftig;* -niuwe *gleich, entsprechend neu;* -schœne; -snelle; -starc; -strenge *gleich gewaltig*; -suoze; -swære; -vol *gleichmäßig voll;* -wahsen: ein e. man *nicht zu groß, nicht zu klein;* -wîse; -ziere *gleich schmuck.*

ebenbarmede *stf. erbarmen mit dem mitmenschen.*

ebenbildec *adj. vorbildlich.*

ebenbilden *swv. refl. configurare; gleichgestimmt werden.*

ebendoln *swv. dp. bemitleiden.*

ebendolunge *stf. duldsamkeit.*

ebenes, ebens *adv. gerade.*

ebengelîche *adj. subst. (m. gen.) ebensoviel.*

ebengelîchnis *stf. ähnlichkeit.*

ebengenôz *stm. der von gleichem stande ist.*

ebengewizzede *stn. gewissen.*

ebenhiuzec *adj. nebenbuhlerisch.*

ebenhiuzeclich *adj. dass.*

ebenlîche *stf.* in e. *adverbial: in gleicher art und weise.*

ebenmagenkraft *stf. (die* e. *von gottvater und sohn).*

ebenmâzen *swv. refl. sich angleichen.*

ebenmâzunge *stf. gleichnis.*

ebenrîchen *swv. refl. dp. sich vergleichen.*

ebenschœne *stf. gleiche schönheit.*

ebenverrer, -verrerinne *stmf. paralleli quasi aequidistantes (astron.).*

ebenvröuwen *swv. refl. sich mitfreuen.*

ebenwîse *stf. konformität (von den drei personen der trinität).*

ebenwizzene *stf. gewissen.*

eberzant *stm. eberzahn.*

êbrêisch *adj. hebräisch.*

echzen *swv. ächzen.*

edele, edel *stf. kraft.*

edelen *swv. erheben, adeln.*

edelhaft *adj.* = adelhaft.

edellîche(n) *adv. vorzüglich, herrlich.*

edelman *stm. edelmann.*

edelsanc *stm.* mit e. ze himelrîche gân *lobpreisung.*

edelstein *stm. edelstein.*

edeltuom *stmn. adel.*

edelvalke *swm. edelfalke.*

edelvrî *adj. adlig frei.*

êdoch *adv.* = iedoch *dennoch.*

effede *stf. torheit.*

effenlîche *adv. s.* affenlîche

egewîs *adj. schrecklich, furchtbar.*

êhaft *adj.* ê.-iu nôt *notstand, höhere gewalt (im jurist. sinne); unausweichliche, höchste not; unabdingbares schicksal; todeskampf.*

êhaltec *adj. dem gesetz gehorsam.*

êhaltecheit *stf. religio, glaubensübung.*

eht *adv. wiederum, wieder.*

ehten *swv.*[1] *fühlen.*

ehten *swv.*[2] *heiraten.*

eiermuos *stn. (eine eierspeise).*

eigen *stn. unbewegliches vermögen.*

eigen *swmf. leibeigener, -eigene.*

eigenen *swv. intr.: zu eigen sein; tr.: unterwerfen; überantworten.*

eigenlant *stn. stammland (kompositum?).*

eigenlicheit *stf. eigenheit, eigenschaft, eigentümlichkeit; selbstigkeit.*

eigenlîn *stn. kleines besitztum.*

eigenschaft *stf. das eigentliche wesen.*

eigenscheftlichkeit *stf. gebundenheit an das eigne ich.*

ein *num. u. art.:* in e. schînen *gleich bleiben, unverändert aussehen;* in e. setzen *(die füße) nebeneinandersetzen;* under e. *miteinander. – als unbest. pron.: jeder, alle. – wie frz. art. partitif verwendet:* rôt als e. bluot *rot wie blut. – in stark demonstr. sinn:* ein zuht *das richtige verhalten,* ein rîchiu küniginne *die königin des landes; sogar superlativisch:* ein nôt *der schwerste kampf, auch für das possessivum und in der anrede:* Michael, ein engel hêr *du herrlicher engel! – in demonstrativer umschreibung für den namen:* ein Guntheres man *Hagen.*

ein *stn. einheit.*

einbære *adj. vollkommen eines sinnes, einträchtig.*

einbærelîche *adv. durch und durch, gänzlich.*

einbærunge *stf. vereinigung.*

einborn *part. adj. einzig (sohn).*

einec *adj.* e. vrouwe *alleinstehende frau;* e. tuon *gs. befreien von.*

eineclich *adj. einzigartig.*

eineclîche *adv. in einem fort.*

einegen *swv. auch mit dp.*

einegunge *stf. übereinkunft; vereinigung.*

einerhaft *adv. allein, nur* (sô . . . e.; niht e.).

eingemuot *adj. einträchtig.*

einhellecheit *stf. übereinstimmung.*

einhellunge *stf. einmütigkeit.*

einlich *adj. u. adv. eine einheit bildend.*

einlicheit *stf. vereinzelung.*

einlœtec *adj. aus gleichförmiger masse gebildet.*

einmüetecheit *stf. übereinstimmung.*

einmüeteclîche *adv. übereinstimmend.*

einmuot, -muote *stmf. einmütigkeit, eintracht.*

einmuoten (geeinmuoten) *swv. überein bringen* (alle zungen geinmuotet ze einer zungen).

einmuoterleine *adj. mutterseelenallein.*

einouget *adj. einäugig.*

einrihte *stf. eigensinn.*

eintrehtecheit *stf. mystische einheit.*

eintrehteclîche(n), eintrehtlîche *adv. einträchtig.*

eintwederhalp *adv. weder auf der einen noch auf der andern seite.*

einüsse, einüsside *stf. einheit.*

einvalt(ec) *adj. aufrichtig, rückhaltlos zugetan (dp.).*

einvalteclîche(n) *adv. einfach, ordentlich, ungeteilt, durchaus; aufrichtig, arglos, ohne vorbehalt* (e. tuon an einem).

einvaltende *part. adj. einfach, einzig (von gott).*

einvaltlîche(n) *adv.* = einvalteclîche(n).

einvar *adj. von einer gestalt; wolkenlos (vom sternenhimmel).*

einvart *adv. einmal(?).*

einwelec *adj. einstimmig gewählt.*

einwîclich *adj. einzeln.*

einzeclîche *adv. einzig und allein.*

eise *adj. schrecklich.*

eistlich = eislich.

eit *stm. anrufung des göttlichen gerichts;* ûf mînen e. sagen *schwören;* mit triuwen und mit eide *auf treu und glauben.*

eiterbîzec *adj. von giftigem biß verletzt.*

eitergiftec *adj. giftig.*

eiterklôz *stm. giftballen.*

eiterlich *adj. giftig; eitrig(?).*

eitgeselleschaft *stf. schwurbrüderschaft.*

eizlich *adj. eiterbeulig.*

ekub *afz. aucube, zelt.*

electuârje *swf. s.* latwârje.

element *gelegentl. masc.*

êlich *adj.* ê. wort *gesetz, gebot;* ê. dinc *ordentliches schöffengericht;* ê. machen *legitimare;* ê. jâr *volljährigkeit.*

êlîche *swm. ehemann.*

êlîche(n), êlich *adv. gegesetzlich, ehelich;* ê. gehîen, ê. nemen *ap. heiraten.*

êlîcheit *stf. ehestand.*

êliep *adj.* êlieber man *lieber ehemann.*

ellenbreit *adj. ellenbreit (bart).*

ellende *stn. auch das jenseits.*

ellende *adj. der heimat beraubt; verlassen; subst.: fremdling; übertr.:* e. mit gedanken sîn *seine gedanken schweifen lassen.*

ellendesanc *stn. klagelied (des heimatlosen).*

ellenlanc *adj. ellenlang.*

ellenmâz *stn.(f.?) elle.*

ellenthaft, -hafte *adv. mannhaft, tapfer, kühn.*

ellenwît *adj. ellenbreit.*

em(e)de *swf. unglück.*

emzeclîche(n) *adv. häufig.*

emzigen *swv. häufig aufsuchen.*

enantworten *swv. überantworten; gefangennehmen.*

enbieten *stv. mitteilen lassen.*

enbîten *stv. mit acc.: erwarten.*

enblanden *redv. part.* enblanden *beschwert.*

enbore *adv.* e. gân *weitergehen;* ûf e. *höher, weiter.*

enbrechen *stv. mangeln, gebrechen.*

enbrehen *stv. hervorstrahlen, aufleuchten.*

ende *stn. rand, ort, stelle;* des e.-s sîn *an dem betr. ort sein;* von e. unz e. *von anfang bis zu ende;* von e. her *von anfang an;* swelhes e.-s *wohin auch immer;* unz an ir e.-s zît *zeitlebens;* zem urteillichen e. *beim jüngsten gericht;* zeinem e. bringen *aus-, durchführen;* ze e. komen *gs. zu rande kommen mit, sich klar werden über etw.;* ûf dem e. sîn *klar sehen, seiner sache gewiß sein;* ûf ein e. *absichtlich.*

endecken *swv. entblößen; part:* diu heide was endecket *kahl, nackt.*

endehaft *adj. unumstößlich abgemacht, festgesetzt; in ordnung.*

endelest *adj.* der e.-e ort *rand der welt, äußerster winkel.*

endelîche *adv. kurzum, endgültig, zu guter letzt.*

endelhen *swv. aufdecken, aufgraben.*

endelôs *adj. ziellos, vergeblich.*

ender *stf. änderung.*

endestat *stf. endziel.*

endrumeren *swv. zertrümmern.*

enein, in ein(e) *adv. zusammen, miteinander;* e. gehaben *vereinigen, übereinbringen;* e. werden *(be)merken; mit sich eins werden, sich entschließen zu (gs);* e. sîn *entschlossen sein; s. auch* ein *num. u. art.*

engân *stv. dp. vergehen (schmerzen);* mit rehte e. *im rechtsweg entbunden werden.*

enge *adj. knapp, dicht;* enger rât *kabinettsitzung.*

enge *stf. gedränge, bedrängnis.*

engegenen *swv. begegnen.*

engegenwert *adv. entgegen.*

engellant *stn. land der engel; England.*

engellende(r) *stm. engländer.*

engelschar *stf. schar der engel.*

engelt *stm. kapital, einkünfte.*

engen *swv. (be)hindern* (ane).

engenôte *stf. enge.*

engésten *swv.*[2] *ap. oder refl. rüstung abnehmen, ablegen; auch übertr.*

engestlich *s.* angestlich.

englisch *adj. englisch.*

engstel *stn. dem. zu* angster.

enhant *adv.* e. gân *als sklave verkauft werden.*

eninne *s.* ininnen *adv.*

enkeinest *adv. niemals.*

enkeren *s.* ankern.

enklemen *swv. gewaltsam verbiegen.*

enphâhen, entvâhen *redv. as. als geschenk erhalten; rechtl. etwas zulassen; mit ap. oder dp.: willkommen heißen;* sich e. *einander begrüßen.*

enphallen, entvallen *redv. entgehen, sich entziehen (dp.); erschrecken.*

enphelhen *stv. anvertrauen, etw. auftragen, empfehlen;* der erden e. *begraben; refl. sich hingeben, in die gewalt begeben;* got enpholhen sîn *gott ergeben sein.*

enphelhnisse *stf. empfehlung.*

enphelhunge *stf. dass.*

enphengære *stm.* ein e. der minnen *der die liebe entzündet (vom heiligen geist).*

enphinden, entvinden *stn. tastsinn, gefühl.*

enphliehen, entvliehen *stv. phraseol. umschreibend:* den rîchiu kost niht enpflôch *der sehr kostbar war.*

enphlocken *swv. refl. sich entfalten, öffnen (von der rose).*

enphreiden *swv. ausschließen, verstoßen.*

enphüeren, entvüeren *swv. entführen;* zol e. *zoll unterschlagen.*

enrihte, in rihte *adv. s.* rihte *stf.*

ensament *präp. mitsamt, zugleich mit.*

enste *stf. erbarmen;* durch sîne e. *um seinetwillen.*

enstec *adj. voll erbarmen.*

ensteclich *adj. dass.*

ensten *swv. dp. jmd. wohlgefallen, jmds. wohlgefallen erwerben.*

enstlich *adj.* = enstec, enteclich.

enstundelîchen *adv. sofort, sogleich.*

entblüemunge *stf. defloratio.*

enthaben *swv. subst.: selbstbeherrschung.*

enthabnüsse *stf. enthaltung, enthaltsamkeit.*

enthalt *stm. stütze, fester halt, ausdauer, widerstand.*

enthebec *adj. enthaltsam.*

enthebede *stf. zurückhaltung, bescheidenheit.*

entheben *swv. refl. sich beherrschen.*

entheften *swv. haften.*

entheizen *stv. absprechen; bekennen.*

enthellen *swv. sich entzweien.*

entheln *stv. aus dem grabe nehmen.*

enthüllen *swv. aufdekken (auch von gräbern).*

entjehen *stv. gp. lossagen von.*

entkomen *stv. entkommen.*

entkreften *swv.* ir kraft sich gar e. sol.

entkreftigen *swv. befreien von.*

entlêhenen, -lêhen *swv. dp. entlehnen von.*

entleiten *swv. herausführen, befreien.*

entlesten *stv. refl. gs. sich entledigen; tr. befreien, entsetzen (eine burg).*

entlîben *stv. erbarmen; sparen, zurückhalten, schonen (gs.), auch übertr., z.b.* der ruote e.

entlichesen *swv. unkenntlich machen, verhehlen.*

entlîmen *stv. dp. nachlassen, schwinden (von schmerzen).*

entlînen *stv. abweichen von.*

entliuten *swv.* entliutet werden *der läuterung nicht teilhaftig werden.*

entlochen *part. adj. aufgeschlossen, geöffnet (von rosen).*

entlôsen *swv. intr.: gehen.*

entloufen *redv. dp.: ent-*

fliehen, entgehen (jmdn., etw.) fliehen, bildl: mir entlief der slâf.

entmachunge *stf. abfall (von gott); vernichtung.*

entnafzen *swv. entschlummern.*

entordenunge *stf. verwirrung.*

entquellen *swv. entrinnen.*

entragen *stv. nehmen.*

entrâten *stv. gs. verzichten auf.*

en-trennen *swv. ap. ds. abwendig machen; as.* von *dp. fernhalten, ersparen; refl.: sich trennen, lösen (z. b. freundschaft).*

entrihtec *adj. geschickt.*

entrîsen *stv. ausfallen (vom haar).*

entrücken *swv. forttragen; übertr.:* der sinnen entrücket *entrückt.*

en-trünne *adj. abtrünnig.*

entsachen *swv. vernichten.*

entsagunge *stf. excusatio;* ân aller untsagunge drow *ohne kriegserklärung.*

entsâzen *swv. refl. sich entsetzen.*

entschaffen *stv. part.:* e. sîn *entstellt sein.*

entscharn *swv. refl. sich auseinanderformieren.*

entscheidenheit *stf. entscheidung, entscheid.*

entscheinen *swv. offenbaren.*

entschuldec *adj.* sich e. geben *sich entschuldigen.*

entschulden, -schuldigen *swv. refl. sich rechtfertigen, von einer anschuldigung reinigen.*

entsebunge *stf. sinnen und trachten.*

entsegelen *swv. davonsegeln.*

entsêren *swv. verwunden.*

entserwen *swv. vergehen.*

entsetzen *swv. aus dem sattel werfen.*

entsigelen *swv. entsiegeln.*

entsinnen *stv. refl. sich erinnern.*

entsinnet *part. adj. von sinnen.*

entsitzen *stv. aus dem sattel fallen.*

entslâfen *redv. übertr.: ersterben.*

entslahen *stv. refl. sich enthalten, abstehen von.*

entsliezen *stv. ausschließen, auch i. s. v. dissimulare.*

entslihten *swv. eben machen; subst.: vernichtung.*

entsperren *swv. dp. eröffnen (mitteilung);* entsperret werden *dp. bekannt werden, befallen (subj. z. b. kummer).*

entspriezen, -spriuzen *stv. entsprießen; aufgehen (vom samenkorn); tr.: offenbaren, aussagen.*

entstân *stv. auferstehen.*

entstandunge *stf. auferstehung.*

entstoppen *swv. enthüllen.*

entstricken *swv. oft bildl. oder übertr.: befreien (von sünden), lösen (treueid, konflikt, rätsel).*

entstrickunge *stf. auflösung.*

entvâhen *s.* enphâhen.

entvallen *s.* enpfallen.

entvalten *swv. erklären.*

entvliehen *s.* enphliehen.

entvüeren *s.* enphüeren.

entvürhten *swv. fürchten.*

entwahsen *stv. part.:* entwahsen, *mit ds. außer reichweite.*

entwerdunge *stf. erlösung(?).*

entwerfen *stv. anfangen;* sîne mære e. *vermutungen anstellen; (ein geweih)* kûme wider entworfen *eben erst neugebildet.*

entwîchen *stv. mit dat.: den vorrang lassen.*

entwirken *s.* entwürken.

entwurzeln *swv. bildl.: von grund auf beseitigen (z. b. eine feindschaft).*

envar *adv.* in varre *weithin, im gange, im schwange.*

envollen *adv.* e. vruo *früh genug.*

envor *adv.* hie e. *früher, ehemals, vormals.*

envreise *adv.* sînes lîbes e. *mit gefahr seines lebens.*

enwar *adv.* e. werden = gewar werden.

enwec *adv. in mehr oder minder fester komposition mit verben:* -gân *redv.;* -geben *stv.;* -loufen *redv.;* -tragen *stv.;* -vliehen *stv.*

enwette *adv. um die wette.*

enwiderstrît *adv. wetteifernd, um die wette.*

enzelt *adv.* e. gân, varn *den passgang gehen etc.*

enzemen, entzemen *stv.* = zemen *(mit dat.).*

enziehen *stv. rauben.*

enzît *adv. bald, beizeiten.*

enzwei *adv. in allmählich fester werdender komposition mit verben:* -brechen *stv. auch: zerstören;* -klouben *swv.;* -rîzen *stv.;* -slahen *stv.;* -snîden *stv.;* -spalten *redv.;* -teilen *swv.;* -tragen *stv.*

epistel(e) *stswf. brief.*

êr *stn.* ein slac ist von êre *er trifft.*

êr *adv., präp., konj.* ê(r) . . . denne, . . . des *bevor, ehe.*

êrbære *adj. untadelig.*

êrbærlîche(n) *adv. angemessen, stattlich.*

erbarmer *stm. der sich erbarmende (gott); miserator.*

erbarmecheit, erbermekeit *stf. etwas erbarmungswürdiges.*

erbarmeclîche, -berme(c)lîche *adv. voll mitleid; erbarmenswert, mitleiderregend.*

erbe *stn. pl. reich.*

erbeclîche *adv. erbmäßig.*

erbegebreste *swm. bildl.: erbsünde.*

erbehaz *stm. ererbter haß.*

erbeizen *swv. halten.*

erbeknabe *swm. erbsohn.*

erbelgen *stv. auch tr.: erzürnen.*

erben *swv. intr. und im passiv auch: dauern.*

erbenôz *stm. miterbe.*

erbermeclich *adj. s.* erbarmeclich.

erbermeclîche, erbermelîche *s.* erbarmeclîche.

erbern *stv. intr.* wol e. *gelingen.*

erbert *part. adj.*[1] *entblößt (zu* erbarn *swv.).*

erbert *part. adj.*[2] *erschlagen, gelähmt.*

erbeschaft *stf.* e. sprechen ûf *als erbe beanspruchen.*

erbestat *stf. (gott ist)* der sêle rehtiu e. *angestammte heimat.*

erbesünde *stf. erbsünde.*

erbetelen *swv. erbetteln.*

erbetôt *stm.* unser e. *unser (ererbter) ewiger tod.*

erbevater *stm.* ich wil dîn e. sîn *dich als sohn und erben annehmen.*

erbeveste *stf. ererbte burg.*

erbevîntschaft *stf. erbfeindschaft.*

erbevoget *stm.*, **-vogetîn** *stf. alleinherrscher(in).*

erbicken, (erpicken) *swv. (mit dem schnabel) aufhacken.*

erbieten *stv. trans. dp.: bringen, zufügen, antun (tod, leid);* kumpanîe e. *dp. sich zugesellen; refl.: sich zeigen, erscheinen.*

erbietunge *stf. anerbieten, darreichung.*

erbinden *stv. tr. gs. lösen, befreien; refl.* zuo *ds. sich verpflichten zu.*

erb-insigel *stm. ererbtes siegel.*

erbittern *swv. konkret: bitter machen; ap. peinigen, martern.*

erbizzen *part. adj. zerbissen.*

erblant *part. adj.* sîner witze was er e. *nicht herr seiner sinne.*

erblecken *swv. entblößt, der kleider beraubt werden.*

erblîchen *stv. verbleichen, verblassen; auch refl.*

erborn *part. adj.* erborner mâc *blutsverwandter.*

erbôzen *redv. herausstoßen* (ûz).

erbschulde *stf. erbsünde.*

erbûwen *anv.* den muot hôhe e. *erheben, aufrichten;* klage e. *klage erheben.*

erdâht *part. adj. ausgeklügelt, vorsätzlich* (e.-er spot).

erde *stswf.* ein e. *ein stück land (spez.: 3 joch);* tiuschiu e. *Deutschland;* zer e. *zu fall, nieder etc.;* ûf die e.-n geborn *zur welt gekommen.*

erden *swv. intr. zu erde werden.*

erdenbodem *stm. s.* ertbodem.

erdenklôz *stmn. erdklümpchen, tonklumpen; übertr.: mensch* (sæleclichez e.); *erdball.*

erdenlast *stf. erde* (himel unde e.).

erdenmezzer *stm. geometer.*

erdenmezzerinne *stf. geometrie.*

erdenplân *stm. erde.*

erdenschate *swm. erdschatten.*

erdentuom *stn.* der wunsch ûf e. *höchstes glück auf erden.*

erdenvruht *stf. feld-, gartenfrucht (?)*

erdesippe *swm. (Christus)* du e. muoterhalp.

erdiezen *stv. widerhallen, ertosen; (herab)-strömen, emporquellen, aufwallen.*

erdoln *swv. ertragen.*

erdreschen *stv. totschlagen.*

ere *stf. erde*

êre *stf.* ê. bieten *jur. abbitte leisten;* ez stêt im zen êren *seine ehre steht auf dem spiel;* in êren last sitzen *in angesehener stellung leben, sein;* nâch êren *standesgemäß;* herze an ê.-n dürre *herz, dessen feingefühl verdorrt ist.*

êr(e)absnîderinne *stf. ehrabschneiderin.*

êrebernde *part. adj. ehre bringend.*

êregernde *part. adj. nach ehre strebend.*

êren *swv. gehorchen, willfahren; ehrenvoll empfangen, ehre erweisen;* einen ê. mit *ds. ihm etw. ‚verehren‘, ihn mit etw. beschenken.*

êrenbote *swm. (in bez. auf Maria); beiname Reinmars von Zweter.*

êrenbrecher *stm. ehrabschneider.*

êrengir *adj. ehrgeizig, -begierig.*

êrentrôn *stm. übertr.:*

ûf ê. sitzen *höchste würde innehaben.*

êrenwîse *stf. ehrenhaftes betragen.*

êreveige *adj. ehrlos, ehrvergessen, ruchlos.*

ergân *anv. intr.: sich erfüllen;* swiez ergê *was auch kommen mag; tr.:* ir gedanke e. *ihre gedanken in beschlag nehmen.*

ergateren *swv. erzittern, erschrecken.*

erge *adj.* = arc; e.-r sin.

ergeben *stv. tr.: as. erzählend wiedergeben;* rede e. *rechenschaft ablegen; refl.: wahrnehmbar sein, sich bemerkbar machen (erdbeben, geruch, leuchten);* sich ze valle e. *sich fallenlassen.*

ergelten *stv. bezahlen.*

ergen *swv. verringern.*

erger *stm. bösewicht, aufrührer.*

ergern *swv. jur. beschädigen.*

ergernis *stf.* e. lîden.

ergerwen *swv. erwerben.*

ergetac *s.* ertac.

ergetzerinne *stf. die entschädigt, vergessen macht.*

ergetzunge *stf. freude.*

ergiezen *stv. refl. überfließen (z. b. augen); hervorquellen, -brechen;* in die sêle mac sich got e. *hinüberfließen.*

ergiezunge *stf.* des meres e. *anprall der wogen.*

ergischen *swv. auch subst.*

ergitzen *swv. stammeln, stottern.*

ergiuden *swv. aufjauchzen.*

erglemmen *swv. trans. in brand setzen.*

ergozzen *part. adj. gegossen* (e., niht gemâlet; als ein bilde e.).

ergraben *part. adj. geschnitzt, gemeißelt, ziseliert (von bildern u. ä.); übertr.: eingeprägt (von gedanken, vorstellungen); verbohrt, vertieft, versessen (wille).*

ergramt *part. adj. vergrämt; dp. gram.*

ergrîfen *stv.* den list e. *dahinterkommen;* die vart e. *sich aufmachen.*

ergrînen *stv. tr. zum weinen bringen.*

êrgrittec *adj. ehrsüchtig.*

ergrûsen *swv. erschauern, schaudern; tr. schaudern machen.*

ergüften *swv. intr. hoch aufjubeln.*

ergürten *swv.* einem daz vel e. *schinden.*

êrhafte *adv. ehrenvoll (leben, begrüßen); prächtig (kleiden).*

êrhaftecheit *stf. ehre.*

erharten *swv. hart werden.*

erheben *stv.* den tisch e. *die tafel aufheben; intr.:* unhôhe e. *dp. gleichgültig sein.*

erheben *auch swv.*

erhebunge *stf. überheblichkeit.*

erherten *swv.* erhertet werden *sich verhärten (übertr., vom herzen u. ä.).*

êrhin *adv. früher.*

erhitzen *swv. intr.: erglühen (vor erregung, scham); refl. oder* erhitzet sîn ûf *darauf brennen, glühend darauf versessen sein.*

erhœhen *swv.* erhœhet sîn vür *oder* sich e. vür *as. überragen.*

erholeren *swv. unterkellern.*

erholn[2] *swv. dass. (zu* hol *adj. u. subst.).*

erholn[1] *swv. (zu* holn *holen); tr.: etw. verschulden, verdienen, ‚sich einbrocken'* (wie wol siz erholte, daz leit daz si nû dolte!); *refl.: sich entschuldigen* (wider einen).

erhœren *swv. zu hören bekommen; (part.:)* erschollen und erhôrt *weithin berühmt, gerühmt.*

erhügen *swv. erquicken, bestärken.*

erîlen *swv. überholen; bildl.: mit worten heranreichen.*

erjagen *swv. bildl.* = erîlen.

erjeten *stv. part.* erjeten *bildl.: nicht vorhanden,* e. vor *ds. frei von.*

erkalten *swv. part.* erkaltet *erkältet. – meist bildl.: erkalten (liebe), sich beruhigen (furcht) u. ä.*

erkant *part. adj. dp. wohlbekannt.*

erkante *swm.* sînen e.-n *seinen bekannten.*

erkantnisse *stfn. bekanntschaft.*

erkargen *swv. tr.* waz er het erkarget *sich vom munde abgespart hatte.*

erkempfen *swv. erkämpfen, erstreiten.*

erkennec *adj. kenntlich.*

erkenneclich *adj. wunderbar, bewunderungswürdig.*

erkenneclîchen, erkenelîche *adv.* e. ansehen *ap. mit dem ausdruck des wiedererkennens anblicken;* sich e. wîsen *dp. sich zu erkennen geben.*

erkennen *swv. (nebenform:* erkenden) an prîse e. *ap. jmds. ruhm anerkennen; mit ap. und gs. jmd. etw. zutrauen, es bei ihm voraussetzen, kennen;* erkant werden vor *dp. sich unterscheiden lassen von;* erkant werden vür *as.*

allgemein gelten als, bekannt sein als.

erkennerîn *stf. das vermögen des erkennens.*

erkenntnisse *stf. (er)kenntnis.*

erkerren *stv. wiehern; subst.: gewieher.*

erkiesen *stswv.* lop e. *sich ruhm erringen;* erkorn sîn ze *bestimmt sein für.*

erkînen, -kîmen *stv. keimen, ausschlagen.*

erkirnen *swv. begreifen, erkennen.*

erklæren *swv. erleuchten.*

erknellen *stv. laut schlagen, klopfen (herz); knallen, dröhnen* (lâ swertes knopf ûf brust e.).

erkomen *stv. sterben.*

erkomelîchen, erkomenlîche *adv. schrecklich; erschrocken.*

erküelen *swv. intr. u. refl. sich abkühlen.*

erkünden *swv. auskundschaften.*

erlachen *swv. dp. jmdm. ‚lachen', gewogen sein (glück u. ä.);* inneclîche wider sich e. *in sich hineinlachen.*

erlangen *swv. zu ende führen.*

erlâzen *redv. (ap. gs.) jmdm. etw. ersparen.*

erledigunge *stf. befreiung.*

erlegen *swv. ap. zum erliegen, zusammenbrechen bringen (einen kranken, durch überanstrengung).*

erleschen *stv. oft bildl. od. übertr.: intr. enden, sich legen (gefahr, zorn);* daz im muost daz lieht e. *(lebenslicht); tr.: as. beschwichtigen u. ä.; ap. in den schatten stellen, des lichtes berauben, verdunkeln.*

erleschunge *stf.* bœser girde e. *auslöschung.*

erlesen *stv.* ein urteil e. *dp. jmdm. ein urteil verkünden, sprechen;* zu teile erlesen werden *dp. zuteil werden (schicksal u. ä.).*

êrlich *adj. kostbar; beträchtlich, prächtig.*

erlîden *stv. durchstehen (kampf); durchmachen (leiden);* niht e. mugen *nicht leiden mögen (jmd., etw.).*

erliegen *stv. zur lüge machen, brechen (gelübde).*

erligen *stv. intr. sterben (Christus am kreuz);* niht erlegen sîn an *ds. reichlich haben* (an vröuden wâren si niht erlegen). – *tr. überwinden (leid).*

erlimmen *stv. donnern (vom gewitter).*

erliuhtegunge *stf. erleuchtung.*

erliuhtet, erliuht *part. adj. erleuchtet* (muot, man); erliuhtet in bescheidenheit *wissend kraft innerer erleuchtung.*

erliuhter *stm. erleuchter (Hl. geist).*

erliuhterîn *stf. erleuchterin.*

êrlôse *stf. ehrlosigkeit.*

erlœsen *swv. dp. as. auflösen, offenbaren* (nû erlôste im got die geschiht).

erlœserinne *stf. erlöserin (Maria).*

erlœsunge *stf. erlösung.*

erlouben *swv.* daz lant e. *zur plünderung freigeben;* e. *dp.* über einen *jmdm. einen ausliefern, zur bestrafung überlassen;* sô ist über die cristen erloubet *solcherart werden die christen ihren verfolgern ausgeliefert.*

erloufen *redv. erjagen, erhaschen (glück);* erwerben *(himmelreich, irdisch gut);* von dem wîn erloffen *mit wein ‚vollgelaufen'.*

erlouge(ne)n *swv. ableugnen.*

erlouplich *adj.* niht e. *dp. nicht erlaubt, gesetzlich nicht zugestanden.*

erlüften *swv. in die luft heben.*

erlüftigen *swv. erfrischen* (die leblichen geist *lebensgeister*).

erluodern *swv. refl. (mit gen.) schwelgen, sich sättigen (übertr. von den augen).*

erlustigen *swv. ap. erfreuen, beglücken.*

ermachunge *stf.* labunge und e. *erfrischung und stärkung.*

êrmâlen *adv. früher.*

ermanen *swv. antreiben; mit gs. oder* daz-*satz: zu etw. bewegen, veranlassen; part.:* hôhe ermant *tief bewegt.*

erme = ermede.

ermenden *swv. froh werden.*

ermezzen *stv. metiri; subst.: das ermessen* (über allez e.).

ermic *adj. arm (bedauernswert)* (mîn e. herze unruowe treit).

ermôvieren *swv. refl.* = sich baneken *sich tummeln.*

ermurren *swv. erdröhnen.*

ernacken *swv. entkleiden.*

erne *stf.* niuwe e. *junge brut.*

ernenden *swv.* ûf *ap. auch: (im sturm) angreifen;* ûf *as.: herausfordern* (gotes zorn).

ernern *swv. bewahren, erneuern, erhalten (einen gegenstand).*

ernest *stm. strenge, entschlossenheit, ernst;* von e.-e gân *tödlich ernst sein (die liebe). – ein übergang zum adj. zeigt sich in verbindungen wie* mir ist e. *ich bin fest entschlossen, mir ist ernst.*

ernest *adj. ernsthaft.*

ernesthafte *adv. ernsthaft, mit ernstem eifer, ernst(lich), eindringlich;* e. engegen treten *dp. zum kampf.*

ernestheit *stf.* mit e. *ernsthaft.*

ernestlich *adj.* e. geschiht *zwingender grund;* e.-e ritterschaft *ernstkampf.*

ernestlîche(n) *adv. ernst(lich), eindringlich, unnachgiebig (sprechen, fordern);* an formen erneslich gevar *mit ernstem gesichtsausdruck.*

erniuwen *swv. wiederholen.*

ernüehtern *swv. wieder zu sinnen kommen.*

eroffenen *stv. refl. dp. sich offenbaren.*

erougen *swv.* lieben wân e. *dp. hoffnungen wecken.*

erquicken *swv.* kint, diu von mînem lîbe sint gewahsen unde erquicket *von mir (selbst) in die welt gesetzt sind.*

erraehet *part. adj.* mîn ros ist e. *von der pferdesteifheit befallen.*

errâten *redv.* zuo der sîten ern erriet *(mit dem schwert) er traf ihn (gezielt) in die seite.*

errechen *stv. rächen; bestrafen.*

erreden *swv.* sich mit einem e. *besprechen.*

erringen *stv. erreichen (konkr. und übertr.); erwerben (nahrung); sich anmaßen (ein amt); gewinnen (wettkampf, spiel).*

errinnen *stv. aufgehen (vom samenkorn, von pflanzen);* daz ist von Ruolante errunnen *das haben wir R. zu verdanken (iron.).*

ersalwen *swv. schmutzig werden, part.* ersalwet *beschmutzt, schmutzig (hände).*

êrsam *adj. (im unterschied zu* êrlich *hauptsächl. auf die person selbst bezogen) angesehen.*

êrsame *adv. ehrenvoll, angesehen.*

êrsamlîchen *adv. ehrbar.*

erschaffen *stv. erschaffen (himmel u. erde).*

erschamen *swv.* sich vor leide e. *durch ein unglück eingeschüchtert sein.*

erscheiden *redv. deuten (träume).*

erscheinen *swv. subst.: erscheinung, traumgesicht.*

erschellen *swv. erschüttern (den gegner, durch anrennen).*

erschiezen *stv. ausmachen. verschlagen, ins gewicht fallen* (als wênig als ein tropfli erschüsset in der hôhen tiefe des meres); *dp. anschlagen* daz im der wîn ze wol erschôz *(iron.: zu gut bekam.)*

erschînunge *stf. sichtbarwerdung, erscheinung.*

erschreckelich *adj. schrecklich.*

erschrecken *stv. subst.:* mit e. *vor angst schlotternd.*

erschrecknisse *stf. schrecken.*

erschrinden *stv. intr. aufreißen, sich klaffend auftun (gräber).*

erschrocken *part. adj. verstört, verängstigt.*

erschrockenlîche *adv. erschreckt, verstört, verängstigt, zu tode erschrocken.*

erschrüdelen *swv. scrutari, erforschen.*

ersehen *stv. tr. finden, entdecken;* nû enkunder niht e., wie ... *konnte sich aber nicht vorstellen;* e. vür *ansehen, halten für; refl. sich in anschauung verlieren, sich nicht sattsehen können.*

ersenden *swv.* ein lant e. nâch *dp. es durchforschen lassen nach jmdm.*

ersîgen *stv. ins grab sinken* (sîn lop mit im ersîget).

erslahen *stv. refl. kämpfen, sich ‚schlagen', d. h. verteidigen.*

ersparn *swv. absparen* (über iren munt *vom munde).*

erspiln *swv. springen (fische).*

erspringen *stv.* mit rede was ersprungen, daz ... *es war ‚herausgekommen', bekanntgeworden.*

êrst *adj. superl.* zem êrsten, des êrsten *zuerst;* von êrste *eben erst.*

erstandunge, -stendunge *stf. auferstehung.*

erstantnisse *stf. dass.*

erstarken *swv. größer werden, erstarken (von heranwachsenden tieren, früchten; vom frühen tage); obrigescere.*

erstarren *swv. starr werden.*

êrste *adv. erst, zuerst, zum ersten mal; nun erst, jetzt erst richtig.*

êrstebarn *stn. erster sohn.*

êrstecheit *stf. ursprung, vorrang.*

êrsten *adv. erst.*

ersterben *stv. auch: umkommen; part.* erstorben:

(längst) tot, umgekommen, verstorben; auch übertr.: ,(er)sterben'.

ersterben *swv. tr. zunichte machen.*

êrstgeburt *stf. erstgeburt (Esaus).*

erstreben *swv. erreichen.*

erstrîchen *stv. streicheln.*

erswechen *swv. kraftlos machen, schwächen.*

erswelken *swv. welken; auch von der weinbeere im reif.*

erswern *stv.* = swern, *schwören.*

ertbewegunge *stf. erdbeben.*

ertbodem *stm. erde, welt.*

ertecheit *stf. gute beschaffenheit.*

erteilen *swv. gestatten; antworten.*

ertgruobe *stf. erdgrube.*

ertkrote *stf. erdkröte.*

ertoln *swv. den verstand verlieren.*

ertoplen *swv. ap. im würfelspiel besiegen.*

ertôren *swv. betäuben; taub werden.*

ertouwen *swv. sich mit tau bedecken.*

ertragen *stv. ertragen (leid); aufrecht erhalten, durchführen.*

ertropfen *swv. abtropfen.*

ertrüeben *swv. kränken.*

ervarn *stv.* e. an *dp. erfahren von jem.*

erveilen *swv. erkaufen, erwerben.*

ervinden *stv. mit den sinnen (mit allen sinnen) wahrnehmen; erkennen, beweisen, begreifen.*

ervindunge *stf. versuch.*

erviuhtigen *swv. feucht machen.*

ervolgec *adj.* e. sîn *folgen.*

ervolleclîche *adv.* singe wir demo herro e. *zu seinem ruhm.*

ervorscher *stm.* der erden e.

ervorschunge *stf. nachforschung.*

ervüelen *swv. merken, wahrnehmen.*

ervüllunge *stf. fülle, erfüllung.*

erwallen *stv. zusammenfließen, sich vermengen.*

erwalten *stv. ausführen, unternehmen.*

erwalter *stm, unternehmer.*

erwaltunge *stf. praesumptio, vermessenheit.*

erweln *swv. as. sich entscheiden für.*

erwelunge *stf. erwählung, erwähltsein.*

erwenden *swv. wegschütten.*

erwern *swv.*[2] *gewähren.*

erwern *swv.*[3] *ap. ds. schützen, bewahren vor.*

erweschen *swv. abwaschen (sünden).*

erwinden *stv. intr. etw. auf sich beruhen lassen.*

erwinnen *stv. in wut geraten.*

erwirbec *adj.* ein e. bote (zuo *dp., gs.*) *erfolgreich.*

êrwirdecheit *stf. verehrung, ehrfurcht.*

êrwirdeclîche *adv. ehrerbietig(?).*

erzebote *swm. bezeichnung für die ersten apostel.*

erzebistuom *stn. erzbistum.*

erzebuobe, erzbuobe *swm.* ir erzbuoben und schelke!

erzeigunge *stf.* ein e. der werk *daß man werke tut, aufzuweisen hat.*

erzengel *stm. erzengel.*

erzenlich *adj. heilkräftig.*

erzetugent *stf. kardinaltugend.*

erzhuore *stf. (schimpfwort).*

erziehen *stv. züchtigen; (das schwert) zücken.*

erziteren, -zittern *swv. erzittern; erbeben (von der erde).*

erziugen *swv. herstellen, verfertigen; erzielen (einen ertrag); leisten (dienst).*

esel(e) *stf. eselin.*

esten *swv.* e. unde umbevâhen *bildl., von tugenden (eig. äste bekommen, sich verzweigen, d. h. wachsen), sich steigern.*

esterîche *adj. dicht belaubt.*

est(e)rîchen *swv. pflastern.*

eteslich *adj. jeweilig, entsprechend.*

êther *m. äther.*

êwangêli, êwangelje *stn. evangelium.*

êwangelier *stm. evangelist.*

êwangelista, -e *swm. dass.*

êwangelje *swm. Levit; evangelist.*

êwe *swm. prophet.*

êwe, ê *stf. sitte, weise;* sîne ê behaben *die eheliche treue halten;* ê lêren *tugendlehre beibringen.*

êwede *stf. ewigkeit* (von êwedon ze êwedon).

êwelîche *adv.* = êwiclîche; ê. leben *gesetzestreu, nach gottes gebot.*

êwerc *stn. eheliches leben.*

êwic-, êweclîche(n) *adv. ewiglich, (für) alle zeit.*

êwirdec *adj.* = êrwirdec *(in der anrede); heilig.*

êwirdecheit *stf. ehrfurcht.*

êwirdeclich *adj. erhaben, feierlich.*

êwirdeclîchen *adv. ehrfürchtig;* ê. haben *ap. in hohen ehren halten, verehren.*

êworhte *stm. der die gebote befolgt.*

exempel *stn. muster, zeichen, vorbild; grundriß; beispiel.*

exemplâr *stn. vorbild; literar. quelle; exemplar.*

experimenten *swv. beweisen.*

ezzelich *adj. eßbar.*

ezzen *stv. oft absol.; (vom vieh:) fressen, weiden; -trans.: übertr.:* sîne arbeit, sîn almûsen e. *sich nähren, leben, existieren von;* sich selben e. *sich verzehren (aus gram, wut).*

ezzenkochen *stn.* daz e. in dem magen *die verdauung.*

ezzenmacher *stm.* eines vürsten e. *koch.*

ezzenzît *stf. essenszeit.*

ezzich *stm.* den e. in den ougen tragen *sauer sehen.*

ezzichen *swv. trans. mit essig zubereiten.*

ezzichtranc *stm.* Christus mit galle und e. laben *bildl. für: beleidigen.*

G

gæbe *adj.* gæbiu phant *wertvolle pfänder.*

gâberîche *adj. wohltätig.*

gâbunge *stf. beschenkung.*

gâchmüete *adj. jähzornig.*

gâchmuotecheit *stf. eilfertigkeit.*

gâchsprunc *stm. übereilter, unüberlegter sprung.*

gack *interj. (ruf des huhns).*

gadem *stnm. kaufladen, krambude* (g. ûf tuon).

gæhe *stf.* in einer g. sprechen *ungestüm, schnell.*

gâhe *adv. sofort.*

gâhen *swv. inständig, innig streben.*

galtbrunne *swm. trokkener brunnen.*

gamanje *stf. weiblicher hofstaat.*

gamenen *swv. bespotten.*

gampel *stf. scherz, possenspiel.*

gampelvröude *stswf. ausgelassene freude.*

gân *redv.* sitzen g. *platz nehmen;* hinder sich g. *zurückschreiten;* g. an *reichen, grenzen an as.;* über ein g. *übereinstimmen;* vür sich g. *zur wirkung kommen;* g. ûf *sich beziehen auf; zur last fallen;* an daz leben g.; ez gât mir an den lîp! *es geht mich (in hohem grade) an!*

ganc *stm. lauf eines flusses; bewegung eines sterns.*

ganchaft *adj. (vom bergbau).*

ganz *adj.* mit ganzen worten *unverkürzt, ausführlich;* g.-er wirde ruom *unbeschränkte herrschermacht, herrscherstellung.*

ganzecheit *stf. ganzheit.*

ganzlîche(n) *adv. gänzlich, vollständig.*

gar *adj. fertig;* g. machen *abrichten (jagdvogel).*

garnrocke(n) *swm. garnrocken.*

garnspinnerîn *stf. garnspinnerin.*

garst *adj. bitter.*

garte *swm.* beslozzen g. *(für Maria).*

gartwîn *stm. selbstgebauter wein.*

gast *stm. besucher; mit gen.* g. sîn *nicht besitzen;* g. tuon *berauben;* g. werden *im stich lassen; mit dat.: fehlen, abgehen.*

gasteclîche(n) *adv. feindlich(?).*

gastliche *adv. in der art eines fremden; gastlich, freundlich.*

gastwîse *adv. als fremder.*

ge- *präf. bei verben oft nur zur kennzeichnung des plusquamperfekts, z. b.* als er gebadete *(gebadet hatte),* daz ezzen was bereite.

geæder *stn. arabeske.*

geæhten *swv. verfolgen.*

geahten *swv. erkennen, bemerken; nachrechnen, abschätzen.*

gearten *swv. sich in gute art verwandeln* (daz iemer unart g. müge).

gebærde *stf. auch swn.?*

gebære *adj. geeignet; mit ds. gehörig zu, sich beziehend auf:* morde g. *verbrecherisch.*

gebâren, -bæren *swv.* wol g. *freude zeigen;* ir munt kan niht g. mit lachen *sie hat das lachen verlernt.*

gebecken *swv.* = bicken, becken; *(immer wieder) stechen, hacken.*

gebeidet *part. adj. doppelt.*

gebeizen *swv. peinigen.*

geben *stv. intr. u. absol. geschenke machen* (mir gît diu muoter mîn); ze gebene hân *mittel in der hand haben. – trans. verleihen, anvertrauen;* g. vür *als ersatz schenken für;* g. umbe *opfern, hingeben für;* mit sale g. *(länder) rechtlich übermachen;* spîse g. *bewirten; dp. as. über jem. etw. verhängen; (ein mädchen)* zeinem manne g. *verheiraten;* phliht g. *dp. umgang pflegen mit;* rîterschaft g. *kämpfen;* die vluht g. *fliehen, flüchten;* den zorn g. *dp. jem. zuliebe den zorn aufgeben;* viur g. *feuer speien; (vom echo)* einander g. *einander zuwerfen; refl. sich verhalten, sich auf etw. verlegen.*

gebenedîunge *stf. segen.*

geberc *stmn. zuflucht; heimlicher gedanke, vorbehalt, hintergedanke.*

gebere *stm. geburt od. sohn.*

geberinne *stf. (von der liebe).*

geberlîche(n) *adv. schöpferisch.*

gebern *stv. intr. entstammen; tr.* wurzelîn g. *wurzeln schlagen.*

gebernisse *stn. das gebären.*

gebieten *stv. erschaffen, werden lassen* (got der himel und erde gebôt); *dp. macht gewinnen über;* swenne ir gebietet *wenn ihr erlauben wollt;* gebietet mir *abschiedsformel (etwa: „erlaubt, daß ich abschied nehme“).*

gebilden *swv. (er)rechnen.*

gebirgit *part. adj. gebirgig.*

gebite *stf. benehmen.*

gebîtec *adj. langmütig.*

gebiurischlîche *adv.* mit worten g. ûzlegen *naiv interpretieren.*

gebiuwe *stn. erbauung.*

geblüemet *part. adj. geschmückt, auch als fachausdruck der poetik.*

gebluowet *part. adj. verblüht.*

gebornheit *stf. geburt, geborensein.*

gebœsern *swv. schlechter machen.*

gebot *stn. befehl, anweisung, botschaft.*

gebote *swm. bote.*

geböugen *swv. biegen.*

gebrech *adj. gebrechlich, schwach.*

gebreche *swm. verbrecher, sünder.*

gebrechen *stv. trans. dp. entziehen;* das herze enzwei g. *in zwei teile aufbrechen; refl.* von *dp. sich lösen, sich abkehren (von gott).*

gebrenge *stn. prunk, lärm.*

gebrest, gebreste *stswm. bruchstück, splitter; scharte;* ein ganzer misvalle der g.-en *zerknirschung über die schwächen, sünden.*

gebresten *stv. unpers. dp.: die besinnung verlieren; unpers. dp. gs.: verborgen,; vorenthalten bleiben unpers. dp.* an *ds. es fehlen lassen an, versagen in.*

gebrestunge *stf. mangel.*

gebröhsel *stn. lärm.*

gebrouchlich *adj. biegsam, nachgiebig.*

gebruch *stn. sumpf.*

gebrümme *stn. etwa: laute werberufe.*

gebüezen *swv. dp. gs. einem helfen von.*

gebürde *stfn. geschöpf.*

geburst *adj. borstig.*

geburt *stf.* dîne g. *dein eignes kind.*

gedanc *stm.* mit gedanken umbegân *grübeln.*

gedanchaft *adj.* g. sîn zuo *beabsichtigen, daran denken.*

gedegenet *part. adj. tapfer.*

gedenke *stn. das denken.*

gedenken *swv. bedenken;* ich gedenke *mir kommt die erkenntnis;* einem an sîne êre g. *seine ehre antasten;* gedenc-an-mich *als blumenname (nicht vergißmeinnicht).*

gedihte *adj. dicht.*

gedinc-, gedingetac *stm. gerichtstag.*

gedinge *swm. gottvertrauen; hoffnungsvolle nachricht;* g.-en hân ûf *hoffen auf;* hân mit *anwartschaft haben auf.*

gedinster *adj. dunkel.*

gedornech *stn. dornengestrüpp.*

gedorren *swv. dürr, trocken werden.*

gedrange *adj. fest, innig.*

gedrange *adv.* g. tuon *dp. jem. bedrängen.*

gedrangen *swv. intr. im gedränge sein; tr. bedrängen, belästigen, zur last fallen.*

gedrâte *adv.* = drâte.

gedræte *adj.* = dræte.

gedrîet *part. adj. dreieinig* (got).

gedrücken *swv. refl. sich demütigen; dulden.*

gedulteclich *adj. geduldig.*

gedulten *swv. mit refl. dat. ruhig werden.*

gedul(t)sam *adj. geduldig.*

gedul(t)same *adv. dass.*

gedunken *swv. an.* = dunken.

gedurfen *anv.* = bedurfen.

geehtlicheit *stf. vorstellung.*

geeischen, geischen *redv. fordern, verlangen.*

geenden *swv. auch: in einklang bringen.*

geern *swv. ernten.*

gegen *präp.* gên den lüften *an der (die) frische(n) luft;* gein dem winde *in den luftzug.*

gegenleder *stn. zugriemen.*

gegenlich *adj. gegenseitig.*

gegenniet *stm.* ein g. sîn

ds. etw. aushalten, ihm standhalten (Parzivâles hôhiu brust was ein g. manger tjost).

gegensetzunge *stf. gegensatz.*

gegenswanc *stm.* g. tuon *gp. aufdringlich grüßen.*

gegenwertec *adj. gleichzeitig, auch: gegensätzlich.*

gegenwertecliche(n) *adv. gegenwärtig, leibhaftig.*

gegenwertigen, -würtigen *swv. gegenüberstellen.*

gegenwürten *swv. vergegenwärtigen, praesentare.*

gegern *swv.* = gern.

gegerwet *part. adj.* bereit unde g. *(hendiadyoin).*

gegettere *stn. coll. zu* gater.

gegiht *adj. gelähmt.*

gegot(t)et *part. adj. gott gleich.*

gegründen *swv. grund finden.*

gegunnen *anv. gönnen.*

gegzen *swv. subst. (vom schreien der elster).*

gehaben *swv.* rihter g. *einen richter erlangen.*

gehaften *swv. haften bleiben.*

gehæle *adv. heimlich.*

gehalter *stm. besitzer.*

gehandeln *swv. verhandeln.*

gehaz *adj. gehässig;* g. sîn *dp. feindschaft erklären; verachten.*

geheften *swv.* sîn herze g. *sein inneres darauf richten; refl.* an *sich binden an.*

geheim *stm.* g. verjehen *geheimnis verraten.*

geheimen *swv. refl. heimisch machen.*

geheize *stnf. auch m.*

gehelfen *stv. dp. as. jem. verhelfen zu.*

gehellen *swv.* in ein g. *zustimmen.*

geherbergen *swv.* = herbergen.

gehêre *adj. heilig.*

gehêret *part. adj. hehr.*

geherzec *adj. beherzt.*

geherzet *part. adj. dass.*

gehît *part. adj.* niulich g. *jung verheiratet.*

gehiure *adj. verlockend.*

gehiurlîche *adv. anmutig.*

gehoffen *swv.* = hoffen.

gehorden *swv. sammeln.*

gehœren *swv. gs. aufhören mit.*

gehôrsamecheit, gehôrsamkeit *stf. gehorsam, gelübde.*

gehôrsamheit *stf. gehorsam.*

gehôrsamîn *f. klosterregel, (mönchs-) gelübde* (g. emphâhen, geheizen).

gehûfen *swv. refl.* = hûfen.

gehügec *adj. eingedenk.*

gehugnisse *stfn.* g. machen *mentionem facere, erinnern.*

gehürne *stn. blashörner.*

geil *adj. hoffnungsfroh;* des wære ich g. *das wäre mir eine labsal.*

geilerinne *swf. die frohmütige, leichtsinnige.*

geilunge *stf. übermut, ausgelassenheit.*

ge-irren *swv. irre machen, stören, hindern, in verwirrung bringen.*

geiseln *swv. auch subst. geißelung.*

geiselstap *stm. peitschenstiel.*

geislerin *stf. (zu* geiseler *stm.)* begîne und geislerin.

geist *stm. plur. auch: lebensgeister.*

geistlîche *adv. mystisch.*

geist(e)lôs *adj.* g. werden *oder* stân *den menschlichen geist dem göttlichen hingeben (myst.).*

geizvellîn *stn. ziegenfellchen.*

gejâhêrren *swv. schmeicheln, ja sagen.*

gejehen *stv. zusagen; gs. bekennen; gs. dp. zugestehen, zuerkennen.*

gekallen *swv. bellen.*

gekennen *swv. erkennen.*

geklepper *stn. geklapper.*

gekræjen *swv.* = kræjen.

gekriuzegen *swv.* = kriuzegen.

gekrümbet *part. adj.* g. ohse *ein sternbild.*

gelachen *swv. gs. und gp. lachen über;* g. an *ap. anlachen; subst. das lachen.*

gelangen *swv. sich erstrecken.*

gelâz *stm. haltung; sinnbild* (ein g. der kiusche); *raum, vorratskammer.*

gelæzec *adj. ds. entsprechend, angemessen* (ritters art g.).

gelâzen *part. adj. gottergeben (myst.).*

gelegen *swv. as.* an *ap. jem. mit etw. begaben, ihm etw. zuteil werden lassen,* daz vremde wunder *(die wundersame ähnlichkeit),* daz von gelîcheite got an si geleite; sîn houbet g. *sich zur ruhe begeben.*

gelegene *swf. nachbarin, verwandte.*

gelegenheit *stf. gesellschaftlicher stand;* verre g. *getrennte lagerung, entferntheit;* mit waz g.-e *auf welche weise;* in der g. *in derselben weise;* dehein g. an wegen *keinerlei zugang.*

gelegenlîche *adv. angrenzend.*

geleist stf. *das wirken.*

gelengec *adj. verlangend, begierig.*

gelêret *part. adj. subst.: gelehrter.*

gelf, gelpf, gelph *adj.* mit g.-en ougen *mit leuchtenden augen.*

gelfe *stf. (hilfs)bereitschaft, eifer.*

gelfen *stn. glanz, schimmer.*

gelfheit *stf. glanz, pracht.*

gelfwort *stn. übermütige rede.*

gelîch(e) *adj. identisch; substantivisch mit instr. pron.:* diu g. *oder im gen.:* des gelîches *dergleichen;* diu g. tuon *sich entsprechend verhalten; subst. mit poss.:* alle sîne g.-en *alle in gleicher lage.*

gelîche *adv.* der *oder* des *oder* dem g. *ebenso; übereinstimmend;* g. ligen *gleich viel gelten.*

gelîche *stf. abbild, götzenbild; astron. aequans, norden(?).*

gelîchnisse, gelîchnussede *stfn. rätsel, erzählung;* in der g. *im verhältnis.*

gelîchsame stfn. *gleichnis, ebenbild, persona.*

gelîchsât *stf. heuchelei.*

gelîchsenunge *stf. gleißnerei, heuchelei.*

gelieben *swv.* daz geliepte im *er wurde froh darüber.*

geliegen *stv. lügen; dp. vorlügen.*

geligen *stv. perfektiv: aufhören, sich legen (sturm, zorn, unbill); zum (er)liegen, zur ruhe kommen; krank darniederliegen; tot hingestreckt liegen;* vür tôt g. *wie tot liegenbleiben. (an einem zeitpunkt) liegen, (auf einen zeitpunkt) fallen.* (eines kindes) *niederkommen.* nâhe g. *(m. dat.) ans innere greifen.*

gelîhten *swv. leicht machen.*

gelîmen *swv. leimen.*

gelimpf *stswm. unbefangenheit;* guot g. *feingefühl, einfühlung;* senften g. geben *schonend behandeln.*

gelimpfen *swv.* ze tugenden g. *as. dp. als vorzug auslegen oder anrechnen.*

gelingen *stv. schicksal, ausgang haben;* wie mir gelinget *wie es mir ergeht. – auch subst.*

gelit *stn. inneres organ., jur.: verwandtschaftsgrad.*

gellecht *adj. mit gallen (geschwülsten) behaftet.*

geloben *swv. verabreden, übereinkommen.*

gelogen *part. adj. verlogen.*

gelohen, -lochzen *swv. flammen.*

gelouben *swv.* von einem g.; *dp. jem. gehör schenken, rücksichtsvoll sein gegen, vertrauen;* vrouwe ir sult g. *ihr müßt zugeben;* sich g. *gs. aufhören mit.*

gelten *stv. helfen, wirksam sein.*

geltschuldec *adj. subst. plur. leute, die schulden machen.*

gelübnis *stn. versprechen.*

gelücke *stn. glückliches gelingen;* mîn g. *das, woran sich mein schicksal entscheidet (schicksalswende, chance).*

gelück(e)sælec *adj. glückselig.*

gelust *stmf. auch mit gp.*

gelutter *stn. schlechte ware, unrat.*

gemach *stmn.* ez ist sîn g. *tut ihm wohl, ist ihm erwünscht; phraseol.:* solches wunders g. *etw. so wundersames.* – an g. ziehen *in den stall bringen (pferde).*

gemachen *swv. bewerkstelligen, etwas ausmachen.*

gemagen *swv. mächtig werden.*

gemaht *stf. macht.*

gemæle *stn. münzprägung.*

gemanecvaltet *part. adj. bunt zusammengeflickt.*

geman(e)de *stn. ermahnung.*

gemanen *swv.* mich gemanet *(gs.) mir fällt ein.*

gemechede *stn. liebchen.*

gemehelîn *stf. alem. ehe.*

gemeine *adj. üblich, regelmäßig, natürlich; allgemein verfügbar;* mir ist g. *ich habe anteil an;* g.-r nutz *öffentl. einkommen;* mit g.-m râte (biten) *übereinstimmend;* g. werden *sich versammeln, vereinigen.*

gemeine *stf. kirchliche gemeinde.* – g. hân mit *sich beziehen auf.*

gemelich *adj. rücksichtsvoll, schonend;* nâch g.-er sache *um sich zu erholen.*

gemelîche *adv. auch: grotesk.*

gemêren *swv. stärken.*

gemerke *stn. das zielen;* des selben g.-s *ebenso bemerkenswert, kostbar.*

gemezzen *stv. ermessen, abschätzen; aufteilen* (lant), *in übereinstimmung bringen.*

gemezzen *part. adj. dp. jemdm. gewachsen.*

gemezzenlich *adj. mittelmäßig.*

gemilder(e)n *swv. refl. sich mildern* (gegen *dp.*).

geminner(e)n *swv. verringern.*

gemischet *part. adj. rosa, rosig (rose, wangen).*

gemodelen *swv. refl. sich vergleichen.*

gemüejen *swv. bekümmern, beschweren, in not bringen, kränken.*

gemüete *stn. bereitschaft;* g. hôhe tragen *den kopf hoch tragen.*

gemuot *adj. unbeirrt, unbekümmert.*

genâde *stf. jur. guter wille, billiges ermessen* (an eines g.-n stân); g. bieten *danken;* ûf g. geben, komen, dienen *u. a. m. ausgeliefert an, im vertrauen auf jem.s schutz, verschwiegenheit usw.;* ûf g. sagen *streng vertraulich;* g. unde guot *hilfsbereitschaft.*

genædec *adj. segen spendend (von reliquien).*

genædecheit *stf. gnade, nachsicht, milde, gewogenheit* (sîner vrouwen dienen ûf g.); *als anrede:* deiner g. *vestrae clementiae.*

genâden *swv. dp.* genâde in got! *(formelhaft); auch mit ap.*

genâdenbære *adj. gnadenvoll.*

genâdenviur *stn. begeisterung.*

genâdenzît *stf. prägn. für tempus novi testamenti.*

genâhen, -næhen *swv. intr. und refl., mit dat. oder* ze: *sich nähern; treffen, stoßen auf; übertr. mit worten heranreichen an.*

genæmen *swv.* genæme *machen.*

geneigen *swv.* prîs g. *dp. ruhm mindern.*

geneizen *swv. verfolgen.*

genemen *stv.* sîn reht g. *sein recht wahrnehmen.*

genende *adj. auch mit* ze: ze gote g. *zu gott verlangend.*

genenden *swv. sich verlassen auf.*

genesen stv. mit einem g. *gut auskommen, glücklich sein;* eines kindes g. *ein kind gebären.*

geniezen *stv. genießen im neutr. sinne, zu sich nehmen (wasser).* – g. lân *ap. gs. zum guten anrechnen;* niht g. lân *ap. gs. nicht entgelten lassen;* dâ wil ich g. ir bescheidenheit *ich vertraue auf ihre einsicht.*

genihte *stn. nichts.*

genist *stf. auch stm.*

genisten *swv. nest bauen.*

genôte *adv. streng, genau.*

genœte *adj. gs. erpicht auf.*

genôz(e) *stswm. ehegemahl; auch weidegenosse.* – des hasen g. *ein hasenfuß.*

genôzsamen *swv. gleichmachen.*

gensebrâte *swm. gänsebraten.*

gensemære *stn. dummes geschwätz, „ente".*

genüege *adj. zufrieden.*

genüegen *swv. subst. auch: vergnügen.*

genuht *stf.* mit g. *in reichlichem maße.*

genühtecheit *stf. abundantia, überfluß.*

genühteclich *adj. reichlich.*

genuhtsameclich, -lîche *adj., adv. im überfluß.*

genuhtsamen *swv. abundare, überfluß haben.*

genuocsameclîche *adv.* = genuhtsameclîche.

genuocsamen *swv. überhand nehmen.*

genuomen *swv. nennen.*

genuz *stm. nutzen, vorteil; lebensunterhalt.*

genzec *adj. vollkommen.*

geordenet *part. adj.* g.-e liute *ordensleute.*

gephlanzen *swv.* = phlanzen.

gepredigen *swv.* = bredigen.

geprüeven *swm. ap.* ze *dp. jem. ausweisen als.*

gequeclich, -lîch(e) *adj., adv. kühn, dreist, frech.*

gequeln *swv. tr. u. absol. quälen, martern.*

ger *adj.* = gir.

ger *stf. trieb, gemütsbewegung;* rîcher g. wesen *ehrgeizig, machtsüchtig sein;* in (mit) inneclicher, vriuntlicher, mildeclicher g. *phraseol.: innig, freundlich, gütig (adverbiell).*

gerach *stf. rache.*

geraht *part. adj. zu* gerecken *swv.* wol g. *in guter haltung.*

gerasten *swv. gs. ablassen von.*

gerastet *part. adj. geruhsam* (g.-er vride).

geræte *stn. unterhalt; die erforderlichen mittel, hilfsmittel; urteil.*

gerâten *stv. schlüssig werden über; veranlassen, ursache sein zu; zu etw. werden;* einen wec g. *zufällig auf einen weg stoßen.*

gerech *stnm. das zum lebensunterhalt notwendige.*

gereche *adv. zufällig.*

gereden *swv. auseinandersetzen, erörtern.*

gereht *adj.* g. ûf *geeicht auf.*

gerehtecheit *stf. iron. selbstgefälligkeit.*

gerehten *swv. refl.* gegen *dp. sich rechtfertigen vor.*

gerehtheit *stf. gleichheit, gerechtigkeit, rechtfertigung.*

gerehtec *adj. gerecht.*

gerehtvertigen *swv. sich rechtfertigen.*

gereise *swmf. gefährte, weggenosse.*

gerîben *stv.* = rîben.

gerich *stmn. zorn;* g. kêren an *büßen lassen.*

gerîch(e)sen *swv. reich werden.*

gerihte *stn. entscheidung, buße;* g. haben *rechtshandlung (lehnsverteilung) vornehmen;* von g.-s halben *auf grund eines gerichtsurteils; – gerüst.*

gerihtec *adj. bei sinnen, „ganz richtig“.*

gerihten *swv.* widere g. *zurücklenken (schiff).*

geringe *adj. adv.* mir ist g. *ich bin bestrebt.*

gerische *adv.* = rische.

geriten *part. adj. befahren (straße).*

geriute *stn. rodung.*

gerjen *swv.* = gerwen.

gerlich *adj. zu* gern *swv.* zu gerlicher geluste *(das kruzifix erhalten) zur erbauung.*

gern *s.* geern *swv.*

gern *swv. gs. inständig bitten um; gp.* ze *ds.* (eines ze dem grâle g.) *berufen, auserwählen zu;* niht g. *nicht brauchen.*

gernde *part. adj. bereitwillig.*

gerne *adv. freiwillig.*

geröuche *stn.* = gerouche.

gerren s. kerren *stv.*

gerücken *swv.* den schilt g. *(zum schutz) hochreißen.*

gerüeren *swv. berühren; refl. sich bewegen.*

gerûmen *swv. in'r. dp. platz machen, ausweichen;* unz uns diu naht gerûmet *bis es tag wird; absol.: abziehen, das feld räumen, fortgehen; ebenso:* ez g.; – *tr. as. räumen, säubern (straße); verlassen (land, raum).*

gerûnen *swv. raunen, flüstern; dp. zuflüstern* (swaz der hl. geist dem herzen gerûnet).

geruochen *swv. gs. in anspruch nehmen, annehmen.*

geruowelîche *adv. ruhig.*

gerütz *stn. sputum.*

gesamenen *swv. vereinigen, sammeln, versammeln; refl. auch: sich freundschaftlich treffen.*

gesametheit *stf.* in der g. *in concreto.*

gesanc *stnm. auch spiel von instrumenten.*

gesâzelîchen *adv. besonnen, ruhig.*

geschaden *swv. schaden verursachen (dp.).*

geschaffen *stv. erschaffen; machen, bewirken; verrichten,* niht g. an *ds. nichts ausrichten gegen; anordnen, besorgen.*

geschaffen *part. adj. beschaffen;* g. creatûre *irdische kreatur.*

geschaffenheit *stf. natur, zustand.*

geschamen, -schemen *swv. refl. sich schämen; negiert: sich nicht zu schämen brauchen.*

gescheffen, -schepfen *stswv. schaffen, erschaffen.*

geschehen *stv. erfüllt werden (wunsch);* sinneclîchen im geschach *ihm kam ein kluger gedanke;* mir geschiht sanfte *ich werde gut behandelt, mir wird wohl.*

gescheide, gescheit *stn. trennung, abschied.*

gescheiden *redv. tr. hindern; intr. sterben, verscheiden.*

geschelle *stn. musik.*

geschenden *swv.* = schenden; *blamieren.*

geschicke *stn.* von g. *zufällig.*

geschicketheit *stf. inneres verhalten.*

geschicknisse *stf. zustand.*

geschîde, -schide *adv. genau, entschieden, getrennt, einzeln.*

geschidecheit *stf. gescheitheit.*

geschiezen *stv. tr. und absol. schießen, treffen; intr. eilen; refl. sich aussondern* (ûz).

geschiht *stf.* an der g. *bei der gelegenheit.*

geschihteclich *adj. zufällig.*

geschînen *stv. leuchten, erscheinen.*

geschiuhen *swv. trans. meiden; einer sache aus dem wege gehen.*

geschrenken *swv. einfangen, einsperren.*

geschrîben *stv. beschreiben, aufzeichnen, schildern.*

geschrift *stf. literar. gesamtwerk, „schriften“ (als quelle).*

geschrocke *stm. schrekken.*

geschütze *stn. geschütz.*

gesegede *stfn. gerede.*

gesehen *stv. besuchen; wiedersehen; subst.: augenlicht; formelhaft:* gesach in got *etwa: ‚wohl ihm‘ (gott hat ihn angesehen).*

geselle *swm. kompagnon; mitglied eines kollegiums; gegner im kampf.*

geselle *swf. freundin, geliebte.*

geselleclich *adj. liebend vereint;* g. sîn *dp. gemeinschaft haben mit.*

gesellecliche *adv. liebend vereint;* g. gân *zusammen gehen.*

gesellen *swv. refl. mit dp. oder* zuo *sich auf jmds. seite stellen.*

geselleschaft *stf. begleitung; heeresabteilung; handelsgesellschaft, -flotte;* g. geben dp. *gesellschaft leisten;* geselleschefte phlegen *brüderlich teilen.*

gesellinne *stf.* g. ze dem venster *pförtnerin, spez. im kloster.*

gesetze *stn.* daz alte unt niuwe g. *testament.*

gesetzet *part. adj. besonnen, ruhig.*

gesez *stn. stadt, burg.*

gesezzen *part. adj. dp. benachbart; untertänig, hörig.*

gesidele, -sedele *stn. zuschauertribüne.*

gesîhen *stv.* = sîhen.

gesiht *stf.* **gesiht (e)** *stn.* zu gesihte *vor augen, vor aller augen;* die g. werfen ûf *blicke schweifen lassen über.*

gesîn *anv.* = sîn.

gesinde *stn. geschlecht, stamm;* g. sîn *zum hause, hofe gehören.*

gesingen *stv. in einem liede sagen.*

gesippe *adj. angestammt, natürlich.*

gesitzen *stv. abs. im sattel (sitzen) bleiben.*

geslahen *stv.* daz sper undern arm g. *(festklemmen).*

geslehte *stn.*[2] *gattung, sorte.*

gesliefen *stv. hineinfließen (myst.).*

geslihte *stf. rechtlichkeit.*

gesloufen *swv.* = sloufen.

geslozze *stn. auch allgem.: knochen.*

gesmie *stn. metall.*

gesmiegen *stv.* = smiegen.

gesmuc *stm. putzsucht.*

gesnetze *stn.* = gesmetze.

gesoten *part. adj.* gebrâten unt g.

gespan *stm. verlockung.*

gespan *stn. bergmänn. werkzeug.*

gespænec *adj. strittig.*

gespanst *stf. suggestio, eingebung.*

gespil(e)de *f. gespielin.*

gesprechen *stv. tr. ap. sich besprechen mit; zu hilfe rufen; intr.* ûf *ap. anspruch erheben auf;* an den lîp g. *dp. zum tode verurteilen.*

gespreide *stn. busch, gebüsch, gesträuch.*

gestalten *swv.* gestalt(et) sîn *gestalt haben.*

gestân *stv. aufhören* (dô gestuont ir klage niemer mêre); g. in *geraten in; dp. gs. jmdm. für etw. gut stehen, bürgen;* g. vor *ds. sich retten vor;* ez hierane g. lâzen *sich damit zufrieden geben, einverstanden erklären; ds. zustimmen, beistimmen* (einer rede); ze staten g. *dp. zustatten kommen;* ze rede g. *gs. etw. bekennen, eingestehen.*

gestanden *part. adj.* g.-er muot *standhaftigkeit, standhafter charakter.*

gestarken *swv. intr. erstarken, convalescere.*

gestæten *swv. bestärken, rechtsgültig festmachen, rechtsgültig übertragen (z.b. morgengabe).*

gestecken *swv.* diu ougen g. an got *fest auf gott richten (myst.).*

gesteigen *swv. steigern, erhöhen (abgaben); hinausschieben, verzögern.*

gesteinen *swv.* = steinen.

gestelle *stn. das aussehen.*

gesten *swv.*[1] *refl.* sich an wîsheit g. *sich der weisheit begeben,* sich an liebe g. *in der liebe zurückhaltend sein.*

gester *adv.* hiute lieber denne g. *lieber heute als morgen.*

gesternet *part. adj. mit sternen versehen (krone).*

gestetet *part. adj.* g. stern *fixstern.*

gestift *stfn. naturbeschaffenheit; das anstiften;* altez g. *altes testament.*

gestirre *stn.* = gestirne.

gestirn(e)t *part. adj.* g. himel.

gestrandelen *swv. wanken.*

gestrange *adv. heftig.*

gestrenc *adj.* = gestrenge.

gestrengecheit *stf. strenge, gewalt, enthaltsame lebensweise.*

gestrengeclîche(n) *adv.* = strengelîche.

gestrichen *part. adj.* = gestreichet.

gestüele *stn.* g. des obersten gotes *(Maria).*

gestunge *stf. reue (compunctio).*

gestungede *stf. intentio, andacht, hingabe.*

gesüen(d)e *stf. versöhnung.*

gesüezet *part. adj.* = süeze.

gesûmen *swv. ap. warten lassen, hinhalten, hindern (auch mit gs. oder* an*); as. dp. vorenthalten, verweigern; refl. gs. aufgehalten, verhindert werden.*

gesunt *stm.* læzet mir got mîn(en) g. *bleibe ich am leben;* den g. nemen *dp. den todesstoß geben.*

gesuntheit *stf. gesundheit.*

gesuntmachunge *stf. heilung.*

gesuoch *stm. wucher.*

geswellen *swv. intr. verschmachten; trans. verwunden* (sîn houbet er im geswalt).

geswîchen *stv.* daz müeze dir got g. *gott soll dich dafür strafen.*

geswîgen *stv. schweigen, verstummen;* g. heizen *dp. jmdm. gehör, stille verschaffen; von, zu etw. schweigen oder verschweigen (mit gs. oder auch trans.).*

geswîgen *swv. schweigen; dp. jmd. ruhig anhören.*

geswindeclich *adj. schnell, geschwind, kühn.*

geswinden *stv. unpers. dp. bewußtlos werden; subst. bewußtlosigkeit* (in einem g. ligen).

geswistrîde *stn.* = geswister.

gesworn *part. adj. dp. (mit) jmdm. verlobt.*

getæne *stfn.* dîn trûrec g. *deine angst, bedrückung.*

getasten *swv. anfassen, befühlen.*

getât *stf. befinden.*

geteilet *part. adj.* g. herze *zwiespältig.*

geteilte *stn. zugeteilte aufgabe.*

getelîche *adv. in richtiger weise.*

getempfe *stn. dampf.*

getihte *stn. spez. versdichtung; rechtsspruch; trugbild.*

getihten *swv. auch: vorschreiben, ersinnen (recht).*

getiuret *part. adj. wert.*

getorste *stn. kühnheit.*

getragen *stv. verst.* tragen; *intr.:* der slac getruoc *„saß"; trans.:* in die werlt g. *zur welt bringen;* in ein g. *as. vermitteln, zustande bringen;* den rât in ein g., daz ... *gemeinsam beschließen, übereinkommen; refl.: sich betragen, verhalten; sich zutragen, fügen;* (ob sich diu zît alsô getrage, daz ... *es mit sich bringt*).

getrahten *swv. bedenken, sinnen, erwägen.*

getranc *stn.* ein g. lîren *ein rezept (einen heiltrank) sagen.*

getreffen *stv. verst.* treffen; an einen g. *jem. (als erbschaft) zufallen.*

getregede *stn. phraseol.* vil wünneclich g. = wünne.

getriuwe *adj. fürsorglich, liebevoll.*

getriuwe *stn. vertrauen.*

getriuweclîche *adv.* = getriuwelîche.

getriuwelich *adj.* g.-er tôt *tod aus liebe.*

getriuwelîche(n) *adv. in treuer, anständiger gesinnung* (sprechen); *treuherzig; ganz ehrlich.*

getrûwen *stn. das vertrauen.*

getugendet *part. adj. epitheton ornans.*

getünche *stn. versammlung von kutten (für: kloster).*

getünge *stn. dung.*

getuoche *stn. leichentuch (Christi).*

getuon *anv.* = tuon; *dp. auch jem. etwas ‚tun'.*

geturst *auch stm.*

getürstecliche *adv. verwegen, dreist.*

getwenge *adv. eingeengt.*

getwungenlîche *adv. eingend.*

getzen *swv. nebenform von* gatzen.

getzsal *stn. trost (des vergessens); freude.*

ge-un- *in zahlreichen bildungen kann* -un- *zwischen präfix und wurzel treten. z. b.:*

ge-unreinen *swv. refl. verunreinigen, beflecken.*

ge-unsinnen *swv. sich geistig verirren.*

ge-unvrumen *swv. verhöhnen, beschimpfen.*

gevâhen *redv. wiedererlangen;* eine strâze g. *auf eine straße stoßen, geraten.*

gevahse *stn. haar.*

geval *stmn.* nâch allem ir g.-le *zu ihrer freien verfügung.*

gevælen *swv. sich irren* (an).

gevallen *redv. von sachen: dp. vorkommen, begegnen; zur verfügung stehen, vorbehalten sein; von personen:* g. an *verfallen auf, kommen auf, ermitteln;* vil gar daran g. *sich ganz dem gedanken hingeben.*

gevallesam *adj. angemessen.*

gevalwen *swv. fahl werden.*

gevancnisse, -nüste *stfn. auch bildl. für sündhaftigkeit.*

gevangen(e) *swm. der gefangene* (sîn gesicherter gevangen).

gevangenschaft *stf. gefangenschaft.*

gevanger *stm. gefangener.*

gevâren *swv. forschen, rechnen, berechnen, suchen(?);* wie sol ich des g. *wie soll ich das bewerkstelligen.*

gevaterschaft *stf.* von g. *als pate, patin.*

gevederet *part. adj.* vogel g. *gefiedert.*

gevelle *stn. unglück, abgrund; das „fällen" des hirsches bei der jagd.*

gevelleclich *adj. schicklich, passend.*

gevelleclîche(n) *adv. auf passende weise.*

gevelse *stn.* = vels.

gevelze *stn. eingelegte arbeit.*

geverte *swm. begleiter (z. b. einer dame, bei einem aufzug); gefährte.*

geverte *stn. das verfahren; die erlebnisse.*

gevierecket *part. adj. viereckig.*

gevieret *part. adj. durchtrieben, verschlagen; vierschrötig.*

gevirren *swv. trans. fernhalten, entfernen; intr. fern sein, fehlen.*

gefloire *stn. kopfputz, blumenschmuck.*

geflôret *part. adj. geschmückt (epitheton ornans).*

gevlühtic *adj.* = vlühtec.

gevluote *stn. zu* vluot; *übertr. gewimmel, gewühl:* der nâtern g. *„otterngezücht".*

gevolgen *swv. gp. zustimmen; dp. gs. jmdm. etw. glauben;* der mirs g. wolde *glaubt mir nur!*

gevolgunge *stf. übereinstimmung.*

gevöllec, -lich *adj. vollständig.*

gevrâgen *swv. negiert, gs. nicht fragen nach, sich nicht kümmern um.*

gevratet, -vrat *part. adj. bescholten.*

gevregen *swv. fragen.*

gevremeden *swv.* von gote g. *abspenstig machen.*

gevriden *swv. trans. beschützen; intr. ruhe finden.*

gevruhten *swv. frucht bringen.*

gevüegen *swv. verschaffen; refl.* ze *sich einstellen auf.*

gevüere *stn.* ein g. sîn *dp. gs. jem. etw. einbringen.*

gevülle *stf. erfüllung.*

gevuocheit *stf. kunstgriff.*

gevuoclîche *adv. behutsam.*

gevuoge *adv. mäßig, behutsam.*

gevuoge *stf. anmut, liebreiz.*

gevuogen *swv. meistern, zu handhaben wissen, beherrschen (sprache).*

gewähenen *stv.* lachens g. *zu lachen wagen.*

gewahsen *stv. erwachsen werden, aufwachsen.*

gewahsen *part. adj. erwachsen,* wol g. *voll erwachsen.*

gewalt *stmf. heeresmacht; hohes amt (des papstes);* g. hân an *dp. macht haben über;* in sîne g. gewinnen *besitzer werden;* lâ mir daz ze g.-e *erlaube mir;* g. tuon *grausam sein.*

gewaltec *adj. subst. potestates, rang der engelhierarchie.*

gewalteclich *adj. gewaltig.*

gewalteclîche *adv. mit gewalt.*

gewaltigen *swv. intr. macht haben; herrschen.*

gewaltnisse *stf. gewaltanwendung.*

gewalzen *redv.* von *dp. von jmdm. wegrollen (rad der fortuna).*

gewanden *swv. kleiden.*

gewandeln *swv.* den lîp g. *sterben.*

gewandern *swv. wandern.*

gewant *part. adj. verwandt.*

gewant *stn. (als bezeichnung für:) reisegepäck.*

gewantbanc *stf. verkaufstische der tuchhändler(?).*

gewanthûs *stn. tuchhaus, gewandhaus.*

gewantkamer *stf. tuchmagazin(?).*

gewantloube *swf. verkaufsstand für tuche.*

gewantmeister *stm. aufseher der kleiderkammer* (in der sêle clôster sol demüetecheit g. sîn).

geware *adv. vorsichtig, trefflich, gut, edel, bedachtsam.*

gewære, -wâre *adj.* got der g. *der getreue gott.*

gewârec *adj. wahr.*

gewæren *swv. probare, als wahr erkennen.*

gewârhaften *swv. sichern.*

gewarheit *stf. vorsorglichkeit;* sich guote g. schaffen *für sich sorgen, vorsorge treffen;* nâch g. *ordnungsgemäß.*

gewærlîche *adv. in wahrheit, sicherlich.*

gewarsamkeit *stf.* = gewarheit.

gewegen *swv.*[3] *trans. auf die waage legen; refl.* an *sich mit dem gedanken an etw. vertraut machen; refl. gs. sich entschließen zu.*

gewegenlich *adj. beweglich (myst.).*

geweide *stn. weide(-land).*

gewelbe *stn. schatzkammer.*

gewelle *stn. wind, sturm, procella.*

gewellen *swv. refl.* in *as. sich mischen mit.*

gewende *stn.* êrstez g. *anfang;* letztez g. *jüngster tag.*

gewende *stf.* g. nemen *umkehren.*

gewenden *swv. abwendig machen.*

gewenen *swv. refl.* ûf *sich einstellen auf.*

gewer, gewere *stf.*[1] g. hân *gewähr haben;* g. hân an *rechtsanspruch haben auf.*

gewerdec *adj. würdig.*

gewerden *swv. gewähren.*

gewerf, gewerp *stm. anliegen.*

gewerlich *adj.* g.-e wege *sichere wege.*

gewerlîche *adv. aufmerksam, behutsam, vorsichtig, sicher.*

gewern *swv.*[2] *ap. befriedigen.*

gewerren *stv.* hin unde her g. *durcheinanderschütteln, übertr. hin u. her bedenken, erwägen.*

gewert *adj. wert.*

gewesche *stn.* g. nemen *sich waschen.*

gewîchen *stv. intr. weichen, seinen platz verlassen; mit dat.: entweichen; ausweichen, zurückweichen vor (dp. oder* vor); niht g. *dp. immer gegenwärtig sein, nie verlassen:* dem nie geweich diu wârheit.

gewidemen *swv. übereignen.*

gewideren *swv. zurückbringen.*

gewîhede *stf. ordinatio; priesterweihe.*

gewîhet *part. adj. heilig.*

gewîht *stf. sacerdotium, priesteramt.*

gewilde *adj. wild.*

gewin *stm. auch stn. besitz, habe; preis, wert, einkünfte; ergebnis, resultat; fang, fund;* ze g.-ne kêren *auf zins legen;* den g. lâzen *auf triumph verzichten;* heiles g. *seelenheil.*

gewinden *stv. wickeln.*

gewinne *swm. gewinn.*

gewinnec *adj. gewinnsüchtig.*

gewinnen *stv. im prät. oft rein phraseol. für: haben, besitzen;* daz lant zuo sich g. *die herrschaft übernehmen;* für sich g. *ap. vor sich kommen lassen.*

gewinner *stm. gewinner, lucrator; als berufsname nicht ganz eindeutig (vielleicht auf pacht- oder dienstverhältnis beruhend); frühmhd.* gewinnære *vielleicht noch: „vorkämpfer".*

gewinnunge *stf. (mit gs.) adquisitio, das streben nach etw. (gegensatz zu* vermeidunge); *zuwachs (an ehre, neid).*

gewis *adj.* g. sîn *überzeugt sein;* g. tuon *gs. ap. jem. etw. zusichern, eine rechtskräftige zusicherung geben.*

gewîsen *swv.*[1] *ap.* von *ds. abbringen von.*

gewisheit *stf. wahrer glaube;* g. tuon *gs. dp. sich jem. durch sein wort verpflichten, etw. auf seinen eid nehmen.*

gewispelen *swv. subst. geheimnisvolles rauschen.*

gewitern *swv. gewittern* (wie dâ was gewittert).

gewizzen *part. adj.* der sünden g. sîn *gs. sich einer sünde bewußt sein.*

gewizzende *part. adj. bekannt, bewußt.*

gewizzende, gewizzene *stf. „das innere".*

gewizzenheit *stf. erfahrung.*

gewürhte *stn. anlage, begabung.*

gewürken *swv. hervorbringen, wirken,* tugend g. *üben;* g. an *acc. einwirken auf.*

gewürze *stn. gewürz.*

gewurzen *swv. wurzel schlagen, festwurzeln; auch übertr.:* daz ir saelde dester baz muge g. *ihr heil umso sicherer (befestigt) würde.*

gezal *m. schar, gruppe.*

gezeigen *swv. zeigen, vorweisen.*

gezeln *swv.* g. ûz *herausnehmen.*

gezeltrîme *swm. zeltspruch.*

gezemen *stv. erwünscht, willkommen sein; gefällig, willfährig sein; zustehen.*

geziehen *stv. sich hinziehen, ausdehnen; ausfallen.*

gezieret *part. adj.* geziertiu wort *aufgeputzt, geschraubt.*

gezierlich *adj. schön.*

geziln *swv.* kint g. *zeugen.*

gezîte *adv.* deste gezîter *umso rascher, so rasch wie möglich.*

gezît-zal *stf. zeitzählung, -ordnung, kalender.*

geziuc *stm. märtyrer.*

geziuch *stm.* ze g. *als zeugnis.*

geziucnisse *stfn. zeugenschaft; beispiel;* diu wâre g. = diu wâre ê.

geziuge *stn. werkzeug (des arztes, des fischers).*

geziugen *swv. (be)zeugen, erzeugen.*

gezöumen *swv. einfassen.*

gezouwen *swv. sich beeilen.*

gezühtec *adj. anständig, gesittet.*

gezweiet *part. adj. zwiespältig.*

gezwinelîn *stn. zwilling.*

gezwîvalten *swv. verdoppeln.*

gibel *stm. spitze.*

gief *stm.* der starke ein g. *schwächling.*

giel *stm. gefräßigkeit.*

giez *stm. wasserflut.*

giezen *stv. vom wasser auch: rauschen;* ez giuzet *es regnet.*

gift *stf.* hœhste g. *jüngstes gericht; verderben.*

giftec *adj.* g. sîn *geben, spenden.*

giftecheit *stf. giftigkeit.*

gifteclich *adj. giftig* (unkrût, slange).

gîgelîn *stn. kleine geige.*
gigirsch *adj.* = girisch.
gigirschheit *stf. gier, habgier.*
giht *stf. das jasagen.*
gihtigen *swv.* g. mit kampfe *(eine aussage) durch gerichtl. zweikampf erhärten.*
gil, -les *stm. lärm, geschrei;* heimelîchen sunder gil *unvermerkt.*
gil s. giel.
gîle *stf.* durch g. *wahrhaftig.*
giljenvar *adj. lilienfarben.*
ginnunge *stf. klaffender grund.*
gippentuoch *stn. jakkenstoff.*
gir *stf.* (*vgl.* ger *stf.*) mit guoter g. *mit gutem willen;* diu ritterliche g. *der wunschtraum ein ritter zu sein.*
gîraffe *stf. giraffe.*
girden *swv. begierig sein, verlangen* (nâch mordes werc).
girheit *stf. begehrlichkeit.*
girlande stf. *blumengewinde, kranz (kopfschmuck).*
girse *swm. falkenart.*
gîseler *stm. geißler.*
gît *stm.* êren g. *ehrgeiz.*
gîteclîche *adv. gierig, habgierig.*
gîtege *stf. geiz, habsucht.*
gîtlîchen *adv. gierig.*
gîtslundec *adj. gierig schluckend.*
giudeclîche *adv. verschwenderisch, prahlerisch.*
giudenlich *adj. prahlerisch.*
giuder *stm. verschwender.*
giudunge *stf. verschwendung, vergeudung.*
gîz *stm. geiz.*
glanst *adj. glänzend.*
glanz *stm.* himlischer g. *erscheinung,* sunder g. *ohne heuchelei.*
glanzheit *stf. schönheit.*
glanzrîche *adj. glänzend; klar; auch übertr.:* mit einem g.-n, liehten underscheide *etwa: (begabt mit) klarer erkenntnisgabe.*
glaseschîbe *stf. glasscheibe.*
glasevaz *stn. glasgefäß.*
glaseväzzelîn *stn. demin.*
glasîn, -erîn *adj.* = glesîn, -erîn *(gläsern).*
glaslieht *stn.* = ampel *(ewige lampe).*
glast *stm. blendender (d. h. störender) lichtschein.*
glasvar *adj. durchsichtig.*
glene *stswf. lanze.*
glenzezît *stfn. frühlingszeit.*
glesîn *adj. gläsern, zerbrechlich, unbeständig* (diu g. saelde, *ggs.:* diu staete saelde); g. vingerlîn (*inbegriff der nichtigkeit).*
glimmern *swv. glühen, leuchten.*
glinstern *swv. glänzen, strahlen.*
glinsterwîz *adj. glänzend weiß.*
glîten *stv. subst. der sturz.*
globede *stfn.* = gelübede.
gloc-hûs *stn. glockenhaus, glockenturm.*
glockensnuor *stf. glokkenseil.*
glockenstranc *stm. dass.*
glockenturm *stm. glokkenturm.*
glohzen, glotzen *swv. flammend leuchten.*
glorificieren *swv.* glorifizieret werden *des himmlischen ruhmes teilhaftig werden.*
glôriôs *adj. ruhmvoll.*
glôriôslich *adj. dass.*
glosenzunder *stm. feuerschwamm.*
glüejen *swv. tr. auch faktitiv: zum glühen bringen.*
gluothert *stm. feuerherd.*
gnittern *swv. krachen.*
gogelmære *stn. ausgelassene geschichte.*
gogelrîche *adj. sehr ausgelassen.*
gol *stm. schlemmer, prasser.*
golfe *swm. golf.*
golt *stn. goldener ring.*
goltgebirge *stn. (für den Kaukasus).*
goltgewant *stn. golddurchwirktes gewand.*
goltrant *stm. (eines schildes).*
goltreif *stm. goldreif.*
goltrîche *adj. reich an gold.*
goltrinc *stm. (als kopfschmuck); aureole.*
goltsmidinne *stf. goldschmiedin.*
goltsnuor *stswf. (als gürtel).*
got *stm.* ein g. *der liebe gott; formeln:* nâch g.-es genâden *gottseidank;* gote weiz! *oder* weiz got!; sô dir got! *(beteuerung).*
gotelicheit *stf. göttlichkeit; religio.*
gotelop *interj. gottlob!*
gotergebunge *stf. religio.*
gotesacker *stm. friedhof.*
gotesdienest *stm. gottesdienst.*
gotes-ê *stf. sakrament.*
gotesgâbe *stf. pfründe.*
goteshûs *stn.* = gothûs.
goteskaste *swm. opferstock.*
goteskint *stn. christ.*
gotesreht *stn. sakrament.*
gotesrîche *stn. reich gottes.*
gotesritter *stm. ordensritter.*

gotessun *stm. gottessohn.*
gotestrût *stf. (die seele).*
gotesvart *stf. kreuzzug.*
goteswec *stm. wallfahrt.*
goteswint *stm. hauch gottes.*
goteswort *stn. wort gottes.*
goteswunne *stf. wonne oder seligkeit in gott.*
gotformec *adj. göttlichkeit besitzend (von Christi leichnam).*
gotformecheit *stf. gottebenbildlichkeit.*
gotgebildet *part. adj. nach gott gebildet* (g. mensche).
gotgeformt *part. adj. dass.*
got(e)leidec *adj. verdammt, verworfen.*
got(e)leit *adj. gott widerwärtig; subst. (für sünder).*
gotlîche *stf. göttlichkeit.*
gotmeinunge *stf. liebe zu gott.*
gotminnende *part. adj.* ein g. sêle *(myst.).*
göubühel *stm. gauhügel.*
gouch *stm.* tumber g. *dummer junge, dummkopf.*
gouchheit *stf. narrheit.*
gouclich *adj.* g.-e arbeit *narretei.*
goukelærinne *stf. zauberin.*
goukelblic *stm. durch zauberei hervorgebrachtes bild.*
goukelheit *stf. betrug.*
goukelkappe *swstf. gauklergewand (von einer als verkleidung dienenden mönchskutte).*
goukelkunst *stf. zauberei.*
goukellist *stmf. dass.*
goukelmære *stn. lüge.*
goukelwîse *stf. gaukelei.*
goukelwort *stn. zauberformel.*
goume *stfm.* g. haben, nemen, tuon *mit gs. oder* umbe *sich befassen mit, achthaben auf, wahrnehmen;* mit g. *oder* sunder g. *flickwendung.*
gouse *stf.* = goufe.
göutôre *swm. dummer bauernjunge.*
gôz *stmn. schlußstein.*
grabe *swm. grab.*
graben *stv.* in daz herze g. *einprägen.*
grach *stn. gras.*
gracken *swv. krächzen.*
grâdal *stn. meßgesang (lat. graduale).*
grâgevar *adj. grau.*
gral *stm. lärm.*
gram *adj.* g. sin *ds. gefeit gegen.*
gramatica *stf. grammatik.*
gramaticus *stm. der sich auf lesen und schreiben und auf die latein. sprache versteht;* dehein bezzer g. *kein tüchtigerer schüler, ‚lateiner‘.*
gramelich *adj.* = gremelich.
gramerzîen *swv. dank sagen.*
gran, grane *stswf. wimper.*
grânâtstein *stm. granat.*
grant *stm. zorn.*
gras *stn. wiese.*
grasgrüene *adj. grün wie gras.*
gras(e)wec *stm.* an dem g. varn *auf abwege geraten.*
grât[1] *stm.* über g. *übermäßig.*
grât[2] *stm.* tôdes g. *stachel des todes; abgrenzung; dachfirst.*
grâve *auch stm.*
grævelîn *stn. kleiner graf.*
grâzen *stn. wut, zorn, schrei.*
grellecheit *stf. groll, zorn.*
grellen *stv. jaulen (von hunden).*
gremelîche, gremlîche(n) *adv. erzürnt, grimmig, schrecklich; gramvoll.*
grienen *swv. toben, wüten.*
griez *stmn. spez. staub, in den sich der leib des menschen auflöst.*
grîfeklâ *stf. greifenklaue.*
grîfen *stv.* vürbaz g. *in der erzählung „ausgreifen, ausholen“.*
grîfengevidere *stn. greifengefieder.*
grîfenvuoz *stm. greifenfuß.*
griffelvuoter *stn. griffelfutteral.*
grimlichen *adv. grimmig.*
grimme *adv. (als verstärkung:)* g. leit *ganz zuwider.*
grimmec *adj. grausam.*
grîsgevar *adj. grau (haar).*
grisgrînen *stv.* = grisgramen.
grîtecheit *stf.* = gîteheit.
griteliche *adv. rittlings, mit gespreizten beinen.*
gritelingen *adv. dass.*
griuselîche *stf. grauen.*
griuslîchen *adv. grausen erregend.*
griuwelich *adj. grausam, unerbittlich.*
griuwelîche(n), griulîche *adv. schrecken erregend, grausig, grausam, unerbittlich.*
griuwelîche *stf. wildheit.*
griuwelicheit, griulichheit *stf. dass.; grausigkeit.*
grop *adj. übermäßig.*
grosse *swm.? feige (lat. grossus).*
grotzen *swv. rülpsen.*
grôz *adj. breit (fluß); „wunderbar“; subst.* die grôzen *die mächtigen.*

grôze, grôzen *adv. groß-zügig, aufwendig; in großer zahl.*

grœze *stf. etw.* (rechen, besem) *oder jmdn.* bî der g. begrîfen *am kopfende, beim schopf packen.*

grôzgemuot *adj. hochgesinnt.*

grôzheit *stf. größe.*

grôzhêrre *swm. großvater.*

grôzlich *adj. außerordentlich;* g.-en sin haben zuo *ds. besonders viel von etw. verstehen.*

grôzlîche(n) *adv. „gröblich";* g. schînen *eindrucksvoll in erscheinung treten* (*Brunhilds* kraft).

grôzmüetec *adj. mutig, beherzt.*

grôztürstec *adj. sehr kühn.*

grôzwille *swm. starker wille.*

grüebelîn *stn. grübchen.*

grüene *adj. unreif (vom korn).*

grüen(e) *stn.* spenisch g. *grünspan.*

grüengevar *adj. grün.*

grüenlîchen *adv. grün.*

grüenspeht *stm. grünspecht.*

grüenunge *stf. das grünen oder das grüne laub.*

grüezære *stm. begrüßer.*

grüezen *swv. begrüßen; zum reden bringen;* ich wil den künec g. *sprechen;* mit guote g. *ap. sich um jem. kümmern, für ihn sorgen; – subst.: gruß;* swachez g. *unfreundlichkeit.*

grüezenlîche *adv. grüßend.*

grummen *swv. subst. brummen, grollen, nörgeln.*

grunt *stm. md. auch stf.*

gruntboum *stm. balken des brückenjochs.*

gruntlîche *adv.* g. schaffen = gründen.

gruntvestigen *swv. gründen.*

gruntvestigunge *stf.* = gruntveste.

gruobe *stswf. fallgrube, graben, grab.*

gruonen *swv. sprießen.*

gruoz *stm. begrüßung,* hôher g. *ehrenvolle,* schœner g. *freundliche,* swacher g. *nicht geziemende begrüßung;* engelisch g. *Ave Maria;* ez bringen ze, komen ze iemannes g. *von jem. begrüßt, aufgesucht werden, ihn treffen;* gotes g. *gottes gnade (billigung, anerkennung);* sô nâhet iu der gotes g. *spricht gott aus euch;* sîne grüeze *sein präludieren (auf einem instrument).*

grûs *stm.* veiger g.! *(scheltwort);* manigen (harten, scharfen *o. ä.*) g. dulden *böse worte.*

grûsamheit *stf. schrekken.*

grûsamlîche *adv. auf schrecken erregende weise.*

grüsch *stn. auch zur bezeichnung des geringen:* umb ein g.

grûsenlîche *adv. grausen erregend.*

grütze *stf. grützbrei.*

grûwen *swv. auch substantiviert.*

gubernieren *swv. regieren.*

güete *stf. auch: gunst der frau; vollkommenheit des wesens.*

güetegen *swv. begütigen.*

güeten *swv. begütigen, beschwichtigen.*

güffen *swv. refl. sich rühmen.*

guft *stfm. bestreben, wunsch;* durch g. *oft nur flickwendung.*

guld(e)locht *adj. goldig.*

gülte *swm. schuldner.*

gumpelære *stm. etwa: lockerer vogel.*

gumpelvuore *stf.* = gampelvuore.

gumpelwîse *stf. ausgelassenes treiben.*

gunnen *anv. schenken;* vil leides g. *„bescheren".*

gunseln *swv. winseln.*

gunst *stfm. vorteil.*

günsteclich *adj. wohlwollend.*

guome *swstm. kehle, rachen.*

guot *adj. (für viele bedeutungen): „soziale grundlage auch des ethischen" (Trier); wertvoll (vom waffenrock);* g.-e liute *auch: die gutgesinnten und wohlwollenden;* mit g.-en siten *in aller form;* g.-en teil haben *gerechten anteil;* g. gelücke *gnade des schicksals;* g.-e sinne hân *sich richtig überlegen;* z'ebenmâzene g. *zum vergleich geeignet;* vür g. nemen *freundlich aufnehmen. subst. pl. penates.*

guot *stn.* varndiu g. *bewegliche habe, güter, übertr.: glücksgüter;* daz hœhste (oberste) g. *summum bonum;* lûter g. *(von gott, myst.);* genâde unde g. *hilfsbereitschaft;* ze g.-e gedenken *dankbar sein.*

guotelach, -lech *stn.* werltlich g. *coll. zu* guot *stn.*

guoten *swv. wohltun.*

guotherzecheit *stf. gutherzigkeit.*

guotkeller *stm. vorratskeller.*

guotlich *adj. alem. nebenform* guonlich; *freundschaftlich; passend.*

guotlîche *adv. liebevoll; beglückend.*

guotlîchen *swv. auch:* güenlichen *(alem.); refl. sich rühmen.*

guotlich(k)eit *stf. güte.*

guotnisse *stf. güte.*

guotwillekeit *stf. benevolentia, gewogenheit, milde.*

gürtelære *stm. gürtler.*

gürten *swv. auch öfter bildl.:* sich mit tugenden g. *sich stark machen.*

güsse *stf. überfluß.*

gützen *swv. vergießen; speien, sich erbrechen.*

H

habe *stf. substantia; preis, wert;* bî h. sîn *in guten lebensumständen sein.*

habech *stm. md. kurzform* hock.

habechschelle *swf. ein den abgerichteten habicht schmückendes glöckchen.*

haben, hân *swv.* I. *trans.* 1. *halten, festhalten, behaupten;* 2. *haben, besitzen, empfangen (z. b.* minne, rât); *erringen (z. b.* êre, prîs); *etw. davontragen; mit ap. verheiratet sein mit jem.;* haben soln *as. brauchen, benötigen;* 3. *häufige verbindungen:* a) *mit subst.:* ende h.; namen h. *führen;* reht h.; danc h. *verdanken;* goume h. *wahrnehmen;* künde h. *erfahren;* pflihte h. *teilhaben;* sicherheit h. *unterwerfung annehmen;* ich hân zît *es ist die höchste zeit;* b) *mit adj. oder adv.:* liep h. *lieb haben;* wert h.; smæhe, unmære h. *verabscheuen;* veile h. *feilbieten;* hæle h. *verheimlichen;* gewis h. *für sicher nehmen, halten;* baz h. *auch: behandeln;* daz man mich sinnelôsen hât *für unverständig hält.* c) *mit präp.:* h. an *(etw.) einwenden gegen, entgegenhalten;* daz hab ûf mir *darin verlaß dich auf mich;* habt ez ze mir *haltet euch an mich; – überwiegend mit* vür *oder* ze: *haben, ansehen als, halten für:* vür einen man, einen zagen, vür spil, lîhtiu dinc, êre, lüge, schande; ez dâ vür haben *fest überzeugt sein;* ze got, ze hêrren, zeinem lügenære, ze trôste, ze nîde *(sich ärgern). mit gerundiv:* etewaz ze gebene, sagene, klagene h. d) *unpers.* mich hât gâch = mir ist gâch; mich hât wunder *ich möchte gern wissen, es interessiert mich (selten: mich wundert).* e) daz habe dir *‚habeas'.* II. *intr. halten, aufenthalt, stellung nehmen, stehen;* stille h. *halt machen;* habe vür hin *eile!;* habe ûf mich *rechne auf mich, glaube mir.* III. *refl. sich verhalten, betragen; sich halten, festhalten an* (ane, ûf); *sich beugen* (über).

habeniht *stm. habenichts.*

habenisse *stn. tenaculum, halter.*

haberacker *stm. haferfeld.*

haberaugust *stm. juli.*

haberbrîe *stm. haferbrei.*

haberjœl, habriol *stn. teil der ritterrüstung (wohl aus frz. halbergeon).*

haberkorn *stn.* vür ein h. *für ein nichts.*

habermâne *stm. juli.*

habermel *stn. hafermehl, -brei.*

haberoust, -ougest *stm. juli; auch für september.*

haberstrô *stn. haferstroh.*

habît(e) *stn. kleid, gewohnheit; s.:* abît.

habunge *stf. haltung.*

hachelwerc *stn. außenwerk der festung.*

haderspil *stn. streit, rauferei.*

haderunge *stf. zank, streit.*

hafer(e) *swstm.* = habere, haber.

haft *stm. anhalt;* niht ein kleiner h. *kein geringer halt; hebel.*

haftec *adj. beharrlich, stark.*

haftunge *stf. (myst. vom haften der seele an gott).*

hage *stf.* zeiner h. *zur stärkung, zum trost.*

hagel *stm. bildl.:* h. an rîterschaft *sturmwetter im kampf.*

hagen *stm.*[1] *dichtes gehölz zur befestigung.*

hâkenspiez *stm. spieß mit widerhaken.*

halbenteil *adv. zur hälfte.*

halbes *adv. halb.*

hæle *stf. heimlichkeit.*

hælinc *stm. heimliches wegschleichen* (zuo *dp.*).

halm *stm.* den h. durch den munt ziehen *schmeicheln, betrügen;* den h. vor ziehen *dp. (wie einer katze) jem. foppen, übervorteilen.*

halmel *stn.* daz h. vor ziehen *dp. jem. foppen, übers ohr hauen.*

halpgrâ *adj.* h.-wer man *(gegens. zu* kint).

halphêrre *swm. unebenbürtiger sohn eines geistlichen od. ritters.*

halpkraft *stf. halbe kraft.*

halpnacket *adj. halbnackt.*

hals *stm.* schilt ze h.-e nemen *sich den ritterstand anmaßen.*

halsblech *stn. teil der rüstung.*

hâlscharlich *adj. heimtückisch, hinterlistig.*

halsen *auch swv.*

halsgezierde, halszierde *stf. halsschmuck.*

halshâr *stn. nackenhaar.*

halskrage *swm. teil der rüstung.*

halsslac *stm. ritterschlag.*

halssnuor *stf. halsschnur, -kette.*

halsunge *stf. umarmung.*

halsvahs *stn.* = halshâr.

halswide *stf. strang zum hängen.*

halt *adv. etwa, wohl.*

haltec *adj. haltend, festhaltend.*

halten *redv. aufbewahren, beherbergen, aufnehmen; beobachten;* den strît h. *die oberhand im kampfe haben;* meisterschaft h. sîme lîbe *herr sein über sich;* daz rîch h. *beherrschen; feiertage, gesetze, capitel, regeln (ein)-halten, heilig halten;* orden h.; h. *ap.* ze *jem. zu etw. anhalten;* got halt iuch! *gott schütze euch! – subst.: sparsamkeit.*

haltnusse *stf. halt.*

hâltürlîn *stn. verborgenes pförtlein.*

hamersmit *stm. schmied in einem hammerwerk; übertr.* mîner sinnen h.

hamerunge *stf. das hämmern, schmieden.*

handeln *swv. verkaufen; subst. handlung, auch rein phraseol.*

handelôs *adj. ohne hand, hände.*

hanenstein *stm. im hahnenmagen gefundener edelstein.*

hanerei(e) *swm. hahnrei.*

hanfsâme *swm. hanfsamen.*

hanfswinge *swf. hanfschwinge (gerät).*

hanse *stf. handelsabgabe, handelsrecht.*

hant *stf. in festen verbindungen: (mit einem adj.):* bezzer h. *rechte hand;* bluotige h. *henker;* lebende h. *person, die eigentum veräußert;* mit ûfgehapter h. *mit einem eid;* ûz voller h. (geben) *reichlich;* mit kreftiger h. (rîten) *mit starker heeresmacht; (mit einem verb):* die (sîne) hende valten *dp. jem. huldigen, ihm danken, für ihn beten;* hende winden *ausdruck des schmerzes, der reue; (mit einer präp.):* an die h. geloben *mit handschlag;* bî der h. geben *ap. dp. in jem.s gewalt geben;* in h. gân *in gefangenschaft geraten;* mit henden unde vüezen; under handen *in jem.s gewalt, mitten unter;* vor handen hân *sich beschäftigen mit;* vür die h. nemen *as. zu (be)arbeiten anfangen;* hant wider hende *mann gegen mann;* ze getriuwen henden; ze handen nemen *ap. od. as. sich vornehmen, zuwenden, widmen;* sich ze handen nemen *sich vereinigen;* ze handen komen *dp. zuteil werden, begegnen;* ze h. wesen *zur stelle, anwesend sein;* ze (eines) handen stân *jem. untertan sein;* ze sînen handen haben *aufzuweisen haben;* zer ergeren h. reizen *zum schlimmen treiben;* allez zeiner h. gân lâzen, kêren *nicht mehr unterscheiden, alles in allem nehmen;* – welher hande *welches geschlechts; jur. übergabe; als maßbegriff: eine handvoll.*

hantgemahelschaft *stf. der handschlag als versprechen.*

hantgetriuwe *swm. testamentsvollstrecker.*

hantreichunge *stf. hilfeleistung.*

hanttuoch *stn. handtuch.*

hantveste *stf. schuldurkunde.*

hantvollecht *adj. handvoll.*

hantwerkec *adj.* hantwerkige liute *handwerker.*

hantwerkkneht *stm. gehilfe.*

hâr *stn.* eines h.-es breit *nur ein bißchen;* solher h. *von solcher art.*

hære *swf. haardecke aus kilikischem ziegenhaar.*

hârlachen *stn. härenes tuch.*

harmmantel *stm. hermelinmantel.*

harmsal *stn. missetat.*

harmval *adj. weiß wie hermelin(?).*

harmvel *stn. hermelinfell.*

harmwîz *adj.* = harmblanc, *weiß wie ein hermelin.*

harnas *stnm. raum für die rüstung, rüstkammer.*

harnaschkneht *stm. geharnischter knecht.*

harnaschmeister *stm. zeugmeister.*

harnaschrâmec *adj. von* harnaschrâm *beschmutzt.*

harnaschrinc *stm. panzerring.*

harnaschroc *stm. rock, der über den harnisch gezogen wird.*

harnscharlich *adj.* h. vâr *beschwerliche nachstellung.*

harpfenklanc *stm. harfenklang.*

harpfenseite *stf. harfensaite.*

harpfenspil *stn. harfenspiel; harfe.*

harrunge *stf. das verlangen; das beharren.*
hârschopf *stm. haarschopf.*
harte *adv.* sam h. sô *kaum daß.*
hartebî *adv. nahebei.*
harteclîche *adv.* = herteclîche.
harteleben *stn. bußleben.*
hartheit *stf. härte.*
hase *swm.* eines h.-n genôz *ein hasenfuß.*
hasel *stswf. haselwurz.*
haselbluome *swmf.haselblume.*
haselhuon *stn. haselhuhn.*
hasenswanz *stm.* h. senden *(einem feigen).*
havenschirbe *swm. tonscherbe (topfscherbe).*
havenslec, -slecke *stswm. topfgucker, topfauslecker (als schimpfwort).*
havenziegel *stm. dachziegel* (hûs bedaht von rôten h.-n).
haz *stm. verfolgung, vorwurf, tadel;* spot unde h. dulden *unwillen und verachtung;* h. tragen *dp. schlecht zu sprechen sein auf jem.;* âne h. lâzen *as. sich gefallen lassen, hinnehmen.*
hazlich, hezzelich *adj. tückisch, schlimm (schwertschlag);* der h.-e vluoch *die gottesstrafe.*
hazlîche, hezzelîche(n) *adv. feindselig, haßerfüllt, gehässig, zornig, böse, ergrimmt; lästerlich.*
hazzærinne *stf. des hassers weib.*
hebede *stf. gabe.*
hebelbrôt *stn. gesäuertes brot.*
heben *stv. mit* haben *vermischt; refl. hervorquellen (vom blut).*
hecke *swm. übertr.: stich des herzens.*
hecken *swv.*[1] *zwischen.*
hecken *swv.*[2] *ausbrüten.*
heckunge *stf. stich, biß; nachkommenschaft.*
hederich *stm. hederich.*
hefelen *swv. säuern,* gehefelt brôt.
heften *swv.* h. ûf *sich verlassen auf.*
hegeln *swv. schichten.*
heiden *stm.*[1] übel h. *teufel.*
heidenher *stn. heiden-, sarazenenheer.*
heidenlant *stn. heidenland (z. b. Ägypten).*
heil *stn. schicksal; vorteil, privilegium; ewiges heil, seligkeit.*
heilære *stm.* ein h. der sêle wunden *(vom papst).*
heile *stf. rettung aus der hölle.*
heilec *adj.* heilige tage = gebundene tage (*s.* tac).
heilecheit *stf. wunder, heiliges geheimnis, göttlichkeit.*
heilecmachunge *stf. heiligung.*
heilectuom *stn. monstranz.*
heilîche *stf. günstige gelegenheit;* h. suochen.
heiligunge *stf. heiligkeit.*
heilsalbe *swf.* h. der sêle *(von Christi blut).*
heilsamlîche(n) *adv. heilsam, gesund.*
heilschouwunge *stf. weissagung.*
heilunge *stf. heilung, heilbehandlung.*
heilvüerec *adj. heilsam, heilbringend, wohltätig* (heilvuoriger regen).
heime *adv.* dâ heime *zu hause.*
heimelich *adj. ungestört;* h. sîn *dp. freien zugang haben zu jem.*
heimelîche *adv. ungestört.*
heimelîche *stf.* ze sîner h. gewinnen *ap. ins vertrauen ziehen;* h. hân *wohnen.*
heimelîcheit *stf.* = heimelîchkeit.
heimelîchen *swv. refl. sich häuslich niederlassen.*
heimetze, heimtze *sw. subst. ein getreidemaß.*
heimgevert(e) *stn. heimfahrt.*
heimholde *swmf. hausgenosse, -genossin.*
heim-île *stf. heimreise.*
heimladunge *stf.* gotes h. *heimrufung zu gott.*
heimlichære *stm. heimlichtuer, schmeichler.*
heisen *swv. heiser sein.*
heiterlîche(n) *adv. heiter;* h. stân *(vom himmel); klar, deutlich,* h. gesehen *deutlich sehen, sehvermögen erlangen.*
heitrîn *stf.* = heitere.
heiz *adj. warm;* mir ist h. *ich bin begierig.*
heizen *redv. bedeuten; ap. anweisen;* liegen h. *ap. der lüge zeihen, lügen strafen.*
heizlich *adj. hitzig.*
heizmüetec *adj. heftig od. leidenschaftlich aufbrausend.*
heizmüetecheit *stf. jähzorn.*
heizmuot *stm. auch: (todes)not.*
hel *stm. stimme.*
helde *swstf.* = halde.
helfe *stf.* ze h. komen *dp. (mit sachl. subj.) zustatten kommen.*
helfen *stv. dp.: verhelfen zu, mit gs. präp. oder abh. satz; abhalten von (gegen).*
hellebodem *stm. höllengrund.*
hellegrîfe *swm. höllenhund (teufel).*

hellegruobe *stf. höllenabgrund* (allerniderostc h.; in die h. varn).

hellehaft *stf. höllenfessel, gefangenschaft.*

hellekarkære *stm. kerker der hölle.*

hellekraft *stf. höllengewalt, -macht.*

hellekrücke *swf. schimpfwort.*

helletür *stf. höllentor.*

hellevreise *stf. höllenverderbnis.*

hellevreiserinne *stf. zerstörerin der hölle (von Maria).*

hellevürste *swm. von Luzifer.*

hellen *swv.*[2] *verdammen.*

hellen *swv.*[4] *bekannt machen, preisen; refl. sich bemerkbar machen.*

helm *stm.* under h.-e gân *gewaffnet.*

helmackes, helmaxt *stf. stielaxt.*

heln *stv. refl. sich zurückhalten, vorsicht üben.*

hemeide *stswf. hindernis.*

hemde *stn. untergewand.*

hemischeit *stf.* in h. *mit gespielter freundlichkeit.*

hemischlîchen *adv. auf boshafte, heimtückische weise.*

hendeblôz *adj. ganz arm; mit leeren händen.*

hengen *swv.* klage h. über *anklage veranlassen, erheben gegen.*

hengunge *stf. spez. freiwillige hingabe an das böse (permissio).*

henkerinne *stf. henkerin.*

her *stn. heerlager;* mit lîbes her *aus leibeskräften;* nôtec h. *menschen in bedrängnis.*

her *adv.* her und dar, *alem.* har und dar *hierhin und dorthin, hin und her, hie und da, überall. als verstärkendes adv. vor zahlreichen verbalen kompositis:* -bî, -durch, -nider, -über, -ûf, -ûz, -vür, -wider, -zuo.

hêr *adj. kühn.*

herberge *stswf.* h. nemen *quartier machen.*

herb(e)sten *swv. wein lesen.*

herbestzit *stf. herbst.*

her(e)horn *stn. posaune des jüngsten gerichts.*

herîn *adv. verbale komposita mit* herîn (-gelangen, -gelâzen, -getreten, -kapfen, -kêren, komen, -leiten, -luogen, -rüefen, -sehen, -setzen, -slahen, -vallen, -werfen, -ziehen) *sind in der myst. sprache Taulers sehr häufig.*

hern *swv. schmälern.*

hernâch *adv. in zukunft, von jetzt ab.*

hêrre *swm. schirmherr gegen unrecht; adliger; gemahl;* unser h. *Christus;* unsern h.-n emphân *das heilige abendmahl empfangen.*

hêrschaft *stf.* übervlüzzege h. üeben *freigebigkeit üben;* diu Etzelen h. *die würde von Etzels namen;* die vil edele h. *die gottesholden.*

hêrschaftsam *adj. mächtig, gewaltig.*

hêrschunge *stf. herrschaft, herrschen.*

hêrsedel, hêrsidel *stn.* = hêrstuol.

herstiure *stf. hilfe für ausrüstung, kriegssteuer.*

hêrtac *stm. pl. feiertage.*

herte *adj. tapfer, streng.*

herte *stf. tapferkeit;* h. des lîbes *verstopfung.*

hertecheit *stf. strenge, hartherzigkeit.*

hêrtuom *stnm. reliquie.*

herunder *adv. inzwischen.*

herwecheit *stf. schärfe.*

herze *swn. gelegentl. stn.* h. unde kraft *die seelische u. körperliche kraft, widerstandskraft;* wîsez h. *(als gabe des dichters);* an daz h. gân *zu herzen gehen;* sînes h.-n sinne abe komen *seinen verstand verlieren;* in sîn h. lesen *as. sich vorstellen, ausmalen, ‚nachvollziehen';* von ir h.-n *aus freiem willen.*

herzeblic *stm. mit tiefen* herzeblicken *beten.*

herzebrecher *stm. (vom Rheinländer).*

herzegunst *stf. freundlichkeit.*

herzekünic *stm. (als anrede).*

herzeleide *stf. auch: heimweh.*

herze(n)lich *adj. beherzt, herzhaft.*

herzeliep *stn.* zwei h. *zwei liebende.*

herzelôs *adj. verstört, verängstigt; geistlos, seelenlos.*

herzenreine *adj. reines herzens.*

herzenschœne *adj.* h. degenkint *edle knaben.*

herzeschric *stm. tiefe besorgnis.*

herzevriuntschaft *stf. herzliche freundschaft.*

herzevrouwelîn *stn. dem. zu* herzevrouwe.

heschen *swv. nach atem ringen.*

hetze *stf. elster.*

hetzengeil *adj. ausgelassen.*

hewe *swf. splitter.*

hie-ûf *adv. mit, in bezug darauf.*

hie-umbe *adv. darum.*

hie-vor *adv. davor.*

himel *stm. verstärkungselement in zusammensetzungen.*

himelahse *stf. himmels- oder weltachse.*

himelbluome *swmf. (von Maria).*

himelisch *adj.* h.-e krône.

himelkörper *stm.pl. planeten.*

himellouf *stm. motus im astron. sinne.*

himelsnuor *stf. breitengrad.*

himelsphêre f. *konstellation der gestirne.*

himelstec *stm. enger weg zum himmel.*

himelsterne *swm. stern.*

himelstîge *swf. weg zum himmel.*

himelstîgunge *stf. himmelfahrt.*

himelsunne *stswf. (für Christus).*

himelwîz *adj.* h.-e schar *engel.*

himelzelt *stn. himmelszelt.*

hin *adv.* h. unde her; sus h. *hinfort.*

bei verben:

-brechen *stv. zusammenstürzen; refl. sich hinwenden.*

-gân *redv. trans.:* h. lâzen *verzichten auf, nicht beachten; intr.: vergehen (von zeitabschnitten); dp. verloren gehen, entgehen;* ez engienc sô niht hin . . . *es blieb nicht aus . . ., war unvermeidlich; absol.:* h. lâzen *laufen, rennen, vorwärtsstürzen; auch ellipt.: das pferd antreiben.*

-geben *stv. veräußern (jur.), preisgeben, verraten.*

-giezen *stv. intr. triefen.*

-helfen *stv. weiterhelfen.*

-komen *stv. fort-, durchkommen.*

hin-lâzen *redv. vermieten, verleihen.*

-legen *swv. beilegen (jur.); absehen von; erledigen, bereinigen;* zwîvel h. *aufgeben; auch syn. mit* verstôzen.

-rûmen *swv. intr. vergehen.*

-schieben *stv. ap. einem vorschub leisten.*

-sîgen *stv. triefen, fließen.*

-tragen *stv. refl. sich begeben.*

-tuon *anv. beenden; überwinden, absetzen.*

-vallen *redv. umfallen;* h. gegen *dp. jem. zu füßen fallen.*

-varn *stv. verscheiden.*

-volgen *swv. ds. kämpfen um, verfolgen.*

-warten *swv. ds. entgegensehen, voraussehen.*

-werfen *stv. wegwerfen, ablegen; abwerfen (geweih).*

-ziehen *stv. verscheiden* daz herze h. *anziehen, anlocken.*

-zücken *swv. fortreißen.*

hinabe *adv. hinab.*

hinbaz *adv. hinweg.*

hindanne *adv. abseits.*

hindenân *adv. zurück.*

hindennâch *adv. nachher.*

hinder *präp. auch: unter (inter).*

hinderganc *stm. rückbewegung (von sternen).*

hindergêer *stm. rückwärtsläufer (von sternen).*

hindergesæze *stn. das hintenaufsitzen.*

hinderkomen *stv. trans. überkommen, überwältigen.*

hinderunge *stf. hemmnis.*

hinderwertec, -lîchen *adv. von hinten.*

hinderwerten *adv. von hinten.*

hinevart *stf. untergang.*

hinvür *adv. voran.*

hinvürdec *adv. in zukunft.*

hinwesunge *stf. abwesenheit.*

hirne *stn. schädel.*

hirres *stm.* = hirz.

hirse *stswf. hirse.*

hirtenhûs *stn. hirtenhütte.*

hirtenphat *stm. hirtenpfad.*

hirzgewîge *stn. hirschgeweih.*

hirzîn *adj. von hirschleder.*

hitze *swf. fieber, flamme.*

hitzelîche(n) *adv. mit feuer, eifer.*

hiune *swm.* gewahsen als ein h. *hühnenhaft, stattlich.*

hiuselîn *stn.* armez h. *ärmliche kate.*

hiute, hiuten *adv. auch kurzform* hie; als h. *heute vor . . . jahren (am jahrestag eines vergangenen ereignisses gesagt).*

hiutestages *adv. noch jetzt, heutzutage.*

hiuze *adj. arg.*

hiuzen *swv.*[2] *wetteifern.*

hôch *adj.* h. und nider *hoch und niedrig, arm und reich;* hôhiu vart *fahrt mit hohem ziel;* hôher gruoz *ehrenvoller empfang;* hôhe vürche *tiefe furchen. sehr häufig als bloße verstärkung in meist übertragener bedeutung.*

hôcherwelt *part. adj. (vom kaiser).*

hôchgebære *adj. vornehm.*

hôchgebirge *stn. hochgebirge.*

hôchgesalbet *adj. (von Christus).*

hôchgescheft *stfn. schwierige aufgaben.*

hôchgetât *stf. großtat.*

hôchgetriben *part. adj.* ein sabbat h. *hoher feiertag.*

hôchgewin *stm. höchstes ziel; höchster preis.*

hôchgewirdet *part. adj. hochgeehrt.*

hôchgezalt *part. adj. angesehen.*

hôchgezelt *stn. vornehmes, prächtiges zelt.*

hôchgezît *stfn.* vröuden h. *höchstes glück.*

hôchgezîtlich *adj. festlich.*

hôchgezîtlîche(n) *adv. dass.*

hôchgülte *stf. kostspieligkeit.*

hôchheilec *adj. (von der dreifaltigkeit).*

hôchlîche(n) *adv. auf höchste weise.*

hôchmittac *stm. hohe mittagszeit.*

hôchmüeteclîche *adv. hochgemut, stolz; hochmütig, arrogant.*

hôchvertec *adj. gewaltsam.*

hôchwert *adj. hoch angesehen.*

hôchwirdecheit *stf.* die h. der beschouwung *altitudo contemplationis; majestät (anrede).*

hof *stm.* ze hove erloubet sîn *dp. vor den herrscher treten dürfen;* ze hove gân *am hofe erscheinen; honneurs machen;* deist niht dâ her von hove getân *das war unhöflich.*

hoffenunge *stf. zuversicht, vertrauen.*

hôhe *adv.* h. stân *ap. teuer zu stehen kommen;* gemüete h. tragen *kopf hoch tragen; komp.:* hôher baz *in einiger entfernung;* (ûf) hôher stân *zurück-, beiseitetreten;* (ûf) hôher wîchen *zurückweichen, sich zurückziehen.*

hœhe *stf.* der h. gern *nach einem hohen ziel greifen.*

hœheleht *adv. erweiterte bildung zu* hôch, *alem.*

hœhen *swv. steigern* (ir lop h. *sie noch höher preisen); aufrichten* (hœhe im sîn gemüete!); *stolz machen* (mich hœhet, daz ... *ich bin stolz darauf);* sîn leben h. *sich hervortun.*

hoi, hoy *interj.*

holn swv.[1] âventiure h. *bestehen.*

holt *adj.* h. sîn *dp. jem.s freund, jem. ergeben sein.*

holtlich *adj. liebevoll.*

holzackes *stf. axt.*

holzdorn *stm. stachel.*

holzheit *stf. holzsubstanz.*

hône *adv. zu* hœne; h. sprechen und gedenken.

honec-krâten *swmf. gebäck aus honig.*

honec-kuochelîn *stn. honigkuchen.*

honecregen *stm. (vom himmel).*

honectrân *stm. honigtropfen, wabenhonig.*

hônheit *stf. verspottung.*

horaspehen *swv. sterne beobachten.*

hœren *swv. dp. jem. (genau) zuhören;* h. lân *öffentlich bekennen, zu seiner behauptung stehen;* h. ûf *ap. jem. gehören, gebühren;* dâ vür *oder* dâ wider hœret dehein list *dagegen hilft keine kunst.*

horn *stn. hornhaut.*

horngebläse *stn.* h. und busûnen *(der engel).*

hornvel *stn. hornhaut (einer riesin).*

hortelære *stm.* = hortære.

horvaz *stn. schmutzfaß.*

houbet *stn.* über h. *ganz und gar, bestimmt;* über h. gewinnen *im sturm nehmen; hauptstadt.*

houbetküssen *stn. kopfkissen.*

houbetlene *stf. lagerstatt; stelle, wo man das haupt bettet; übertr. von Maria als hauptstütze der trinität.*

houbetlist *stm. das wesentliche einer sache.*

houbetman *stm.* h. der wâren zuht *vorbild.*

houbetpîn *stm. hölle.*

houbetswîn *stn. großes wildschwein.*

houbetvürste *swm. stammesfürst.*

houbetwegen *stn.* âne h. gân *ohne sich umzusehen.*

höubluome *stm. wiesenblume.*

hourecher *stm. der heu zusammenharkt.*

hovedinc *stn. gericht am hof.*

hovejuncvrouwe *swf. hoffräulein.*

hovelecheit *stf. höflichkeit.*

hovelen *swv. den hof machen.*

hovelîche *adv.* daz kunde er h. *das verstand er ausgezeichnet.*

hovemeisterinne *stf. erzieherin.*

hövesch *adj. liebenswürdig; fein;* höfschiu! *(anrede) teure! liebe!,* dîn h.-er vater *dein herr vater;* der h.-e lügenære *der elegante flunkerer.*

höveschheit *stf. freundlichkeit, liebenswürdigkeit; großmut; spez.: höfische liebesaffären.*

höveschlîche *adv. höflich, freundlich.*

hovieren *swv. einherstolzieren.*

hübesche *stswf. buhlerin, buhlverhältnis.*

hüeten *swv. verhüten; (gp.:) schutz gewähren; vor der welt verbergen (eine frau, durch* huote); *iron.:* mit nîde h. *aufs korn nehmen.*

hûfe *swm.* (in) den h.-n brechen *die feindliche schar sprengen.*

hûfen *swv. refl. sich häufen; zusammenkommen; auch übertr.: sich vermehren.*

hügel *stm. hügel.*

hui *interj.* (hui, wie schutten sie die sper!); *auch subst.*

hulde *stf. gehorsam;* h. swern *(vom könig gegenüber dem land);* h. tuon *dp. (einem herrscher) huldigen;* ûz ir h.-n komen *ihrer gunst unwürdig werden.*

hüle *stf., auch sw. spez.: gebirgskluft.*

hülse *swf. decke, schleier.*

hülwec *adj. sumpfig.*

hülwen *adj. sumpfig.*

hundetrîber *stm. treiber.*

hungermælec *adj. vom hunger gezeichnet.*

hungersnôt *stf.* = hungernôt.

hungervar *adj. hungrig.*

huntvliege *stf. hundsfliege, cynomia.*

huobe *stswf. acker.*

huofslac *stm.* stîc âne h. *fußweg.*

huorærinne *stf. buhlerin (von Venus).*

huorensun *stm. (schimpfwort).*

huote *stf. schutz, hüteplatz, talisman;* h. hân *sich in acht nehmen; auch von der fesselung, bindung durch die liebe.*

hürde *swf.* = hurt; *scheiterhaufen.*

hurgen *swv.* = horgen; *schmutzig machen.*

hurten *swv. angreifen.*

hurtlich *adj.* = hurteclich.

hûs *stm.* der diutschen h. *deutschorden;* h. haben *wohnen;* ze h.-e ziehen *einzug halten;* ze h.-e komen *heimkehren;* ze h.-e laden *zu sich nehmen;* mit h.-e wesen *seinen sitz haben, residieren (vom könig); refl.* sich mit h.-e nider lâzen *residieren.*

hûsgenôz(e) *stswm. pl. landsleute.*

hûsgeræte *stn. wohnung.*

hûsrouch *stm. rauch aus dem hausschornstein.*

hût *stf.* ez gât dir ûf dîne h. *es geht dir ans fell;* sich ze h.-e und ze hâre wern *sich mit händen und füßen seiner haut wehren.*

hütten *swv. seine zelte aufschlagen, sich lagern, kampieren.*

I

ie *adv. immerfort.*

iedoch, êdoch *adv. jeden augenblick; allerdings, freilich.*

iemerleben *stn.* ûf i. *auf ewig.*

iemernôt *stf. ewige pein.*

iemitten *s.* mitten.

ierne *adv.* = iergen; *mfr.* girgen.

iesâ(n) *adv. alsbald.*

ievor *adv. vor langer zeit.*

iewerlde *adv. immerzu.*

ieze *adv.* = iezuo.

îferlich *adj. leidenschaftlich.*

igelinne *stf. igelin.*

iht *stn. myst. gegensatz von* niht; *wesenheit, sein;* gotes ungeschaffenez iht *gottes ursein.*

îhten *swv.* = îchen.

île *stf.*[1] *geschäft.*

îleclich *adj. eilig.*

îlentlîche *adv. eilig, eilends.*

ilg, îlig *adj. stumpf (von zähnen).*

ilgern *swv. obstupescere; stumpf werden.*

illuminieren *swv. schmücken.*

îlunge *stf. eile, eifer, bemühung.*

impfeter *stm. impfreis.*

în *adv. bei verbis:*

-bevâhen *redv.* die grebnis î. *die gruft abschließen.*

-bezûnen *swv. einzäunen.*

-biegen *stv. einbeulen (vom helm).*

-blâsen *redv. dp. as. einhauchen; übertr. anraten, anstacheln.*

-blatzen *anv. angestürzt kommen.*

-bringen *anv. einbringen, gewinnen.*

-brocken *swv. einbrokken.*

-diezen *stv. hereinströmen (von menschen).*

-drücken *swv. eintauchen (vom ruder).*

-erquicken *swv.* leben î. *dp. wieder zum leben bringen.*

-geben *stv. übergeben.*

-gebern *swv. (myst.)* wider î. *(etwas empfangenes) austragen;* daz mir îngeborn wirt *innerlich einverleibt wird.*

-geisten *swv. eingeben, inspirare.*

-gesehen *stv. genau betrachten.*

-gevazzen *swv.* got in sich î. *in sich aufnehmen (myst.).*

-gevüllen *swv. einfüllen.*

in-gewinden *stv. einhüllen.*
-gewinnen *stv. in besitz nehmen.*
-giezen *stv. übertr. eingießen (vom geist);* wazzer î. *einflößen.*
-graben *stv.* schuld î. *begraben sein lassen.*
-heischen *redv. einlaß begehren.*
-kêren *swv. hineingehen, umkehren; heimkehren; übertr. sich hinwenden zu.*
-klingen *stv.* î. lâzen *anstimmen (einen* leich).
-knüpfen *swv.* in gotes hant îngeknüpfet werden.
-komen *stv. hereinkommen (oft bildlich);* daz wort kumt niht wider în *gesagt ist gesagt.*
-laden *stv. einladen.*
-lâzen *redv. einlassen.*
-legen *swv. einfassen (von edelsteinen).*
-lîben *swv. einverleiben.*
-loufen *redv. hineinlaufen.*
-mezzen *stv. übertr. zumessen* (wie du ûzmissest, alsô wirt dir wider îngemessen).
-nemen *stv.* burgeschaft î. *bürgschaft annehmen.*
-ruofen *redv. dp. jem. berufen.*
-schatzen *swv. schätze anhäufen.*
-schiezen *stv. übertr. (vom geist).*
-schînen *stv. übertr. (von göttl. sonne).*
-segenen *swv. einweihen.*
-senden *swv. einflößen; hineinschicken; inspirieren.*
-senken *swv. versenken.*
-sîgen *stv. einsinken.*
-sitzen *stv.* î. in sich selbe *(von gott) sich selbst genug sein (myst.).*
-slahen *stv. hineinschlagen; sporen geben;* îngeslagen sîn *(vom anker) grund fassen.*
-sleichen *swv. tr. unvermerkt hineinführen.*
-slîchen *stv. sich einschleichen (von der minne).*
-sliefen *stv. hineinschlüpfen.*
-slinden *swv. verschlingen.*
-smelzen *swv. myst. eingehen.*
-smiden *swv. in fesseln schmieden.*
-snîden *stv. einernten.*
-spannen *swv. einspannen, einschließen.*
-sperren *swv. einsperren.*
-stapfen *swv. im schritt hineinreiten.*
-stecken *swv. hineinstecken.*
-stîgen *stv. hineinsteigen.*
-stôzen *redv. eintauchen; einstecken, einflößen (brei).*
-strîchen *stv. hineinstreichen.*
-ströuwen *swv. refl. sich einbetten.*
-tragen *stv. einbringen; dp. nützen;* mit golde î. *hineinwirken.*
-trîben *stv. vergelten.*
-troufen *swv. einträpfeln.*
-tunken *swv.* brôt î. *(vom abendmahl).*
-tuon *anv.* wider î. *ap. zurücktreiben.*
-vâhen *redv. einschließen;* mit mûre î. *(ein gebiet) einfassen.*
-valten *redv. zusammenfalten;* zwîvel î. *einflößen.*
-varn *stv. einfahren.*
-verlâzen *redv. hineinlassen.*
-versenken *swv. refl. sich versenken (myst.).*
-versinken *stv. (myst.). subst.: versenkung* (in got).
-vlehten *stv. hineinflechten (bildl.).*
in-vliegen *stv.* i. lâzen *einfließen lassen (wörter).*
-vliezen *stv. hineinfließen (myst.).*
-vordern *swv. einfordern, eintreiben.*
-vüeren *swv. hineinführen.*
-werfen *stv. hineinwerfen; gefangen setzen.*
-weten *stv. refl. sich einmischen.*
-winden *stv. einwickeln, umwinden.*
-wischen *swv. intr. hineinschlüpfen.*
-wonen *swv. bewohnen* (daz lant î.).
-wurzelen *swv.* nôt î. *dp. (von der erbsünde);* der natûren îngewurzelt sîn *eingewurzelt sein.*
-ziehen *stv.* gedanken î. *auf sich ziehen.*
inane, ienan *konj. daher, also.*
inbarmen *swv. erbarmen.*
inbinnen *adv. u. präp.* = enbinnen.
inbîzzît *stf. essenszeit; vesper.*
înblicken *stn. einblick.*
inboven *adv. u. präp.* = enbobene.
inbrünsteclîche *adv. heiß verlangend.*
inbrünstlîche *adv.* i. gedenken an *ap.*
indenke *adj. s.* indæhtic.
indîâsch(e) *adj. indisch.*
inein *adv. s.* enein.
înerliuhtunge *stf. illuminatio, innere erleuchtung (myst.).*
înformunge *stf.* himelische î. *aufnahme* gotlîcher formen *in die seele.*
îngeberunge *stf. eingeborenheit.*
îngedrucketheit *stf. eingedrungensein (myst.).*
îngegeistecheit *stf.* î. go-

tes *die verborgene geistigkeit gottes (myst.).*

ingehiuse *stn. inneres gemach.*

îngeistunge *stf. inspiratio, einhauchung des heiligen geistes (myst.).*

îngêndic *adj.* daz î. jâr *das anfangende jahr.*

îngenôte *s.* iegenôte.

ingesin(ne) *stn. ingesinde.*

îngeslozzenheit *stf. inbegriff (myst.).*

îngesmogen *part. adj. eingefallen (vom pferd).*

îngevelle *stn. einfall.*

îngevlozzenheit *stf.* î. mit engeln *(myst.).*

îngezunge *stf. eingeborenheit.*

ingruntlîchen *adv. aus dem innersten grunde.*

ininnen *adv. inne(n).*

inkomen *stn. ankunft.*

inlachenes *adv. innerhalb (eigentl. des gewandes).*

înleiter *stm. führer (myst.).*

inne *präp. acc. in.*

inne *adv. bei verbis:*

innebehalten *redv.* = inne halten.

-bringen *anv. überzeugen.*

-gesitzen *stv. (vom verbleiben des mönchs innerhalb des klosters).*

-haben *swv. innehaben.*

-halten *redv. obtinere, bringen; ap. gs. überzeugen, kennen lehren.*

-ligen *stv. zu bett liegen;* kindelbettes i. *im wochenbett liegen.*

-werden *stv. gewahr werden, bemerken.*

-wonen *swv. übertr.* got innewonet in einem liehte.

innebelîben *stn.* ein i. in gote *innerliches einssein mit gott.*

innecheit *stf. das seeleninnere (myst.), auch der aus der unio sich ergebende zustand des beglücktseins.*

inneclich, innerclich *adj.* i. gedanc *fähigkeit des miterlebens.*

innen *adv. von innen.*

innen *swv. inne werden.*

innentzuo *adv. inwendig, von innen.*

inner(e), inrent, inrunt *adv.* her i. komen *hier herein kommen.*

innerec *adj. innerlich.*

innern *swv. gs. mahnen.*

innerwertes *adv. inwärtig.*

înrîsen *stn. das hinzutreten (myst.).*

inschrift *stf. inschrift.*

insigelære *stm. siegelträger, -hersteller.*

însîn *stn. das in gott sein (myst.).*

însitzen *stn. das einwohnen, die einheit (myst.).*

însliezen *stn. vereinigung (myst.).*

însliezunge *stf. verbindung (myst.).*

înstân *stn. das in-sich-selbst-sein (myst.).*

înswebunge *stf. die einbezogenheit in gott (myst.).*

interpretieren *swv. deuten, erklären.*

întrit *stm.* î. des rîches *grenze.*

învalschaft *stf. zusammentreffen, einheit (myst.).*

învliezunge *stf. (myst.) für die zeugung des gottessohns.*

învluot *stf.* ûzvluot und î. des meres *die gezeiten.*

învlüzzec *adj.* î. werden *gs. unter dem einfluß stehen.*

învlüzzecheit *stf. einwirkung (myst.).*

inwendiclîche(n) *adv. innerhalb, innerlich.*

inwert *adv. innerhalb.*

înwesen *stn. das in gott sein (myst.).*

înwesende *part. adj. darinseiend.*

irdenschlich *adj. irdisch.*

irre *adj. mit gen. frei:* eins herren i. varn *nicht im herrendienst stehen;* irre sterne *planeten.*

irrec *adj. zornig.*

irreclîche *adv. umherirrend.*

irredraben *stn. verwirrung.*

irren *swv. auf-, abhalten;* den wec i. *dp.*; des weges i. *ap. jem. den weg versperren;* poinder i. *das kampfgewühl durchbrechen.*

irrevüeren *swv.* den lîp *oder* sich i. *ein anstößiges leben führen.*

îs *stn. auch für glatteis.*

îsackes *stf. eispickel.*

îsenbant *stn. fessel;* besliezen in ein î.

îsenblech *stn. eisenblech.*

îsenbruoch *stf. eisenhose.*

îsenbû *stm. eisernes rüstzeug, gerät.*

îsengrâ *adj. eisengrau.*

îsenhamer *stm. eisenhammer.*

îsenhose *swf. eisenhose.*

îsenketene *swstf. eisenkette.*

îsenkolbe *swm. kolben von eisen.*

îsenlaz *stm. eiserne fessel.*

îsenpanzer *stn. rüstung.*

îsenrâmec *adj. von* harnaschrâm *beschmutzt.*

îsenrinc *stm. (eiserne) fessel.*

îsenspiez *stm. eiserner spieß.*

îserkovertiure *stf. pferdedecke aus eisen.*

ismahêlisch *adj. ismaelisch.*

ispanisch *adj. spanisch.*

îtelhant *adj. mit leerer hand.*

îtelschaft *stf. nichtigkeit.*

iuwelnouge *swn. eulenauge.*

iuwelnslaht *adj. eulengleich.*

J

jâ *interj. ausruf der überraschung.*

jage *stf. zeitlauf.*

jagegeselle *swm. jagdgenosse.*

jagetac *stm. jagdtag.*

jâmer *stmn. calamitas, unglück;* mit j. *auf grausame weise.*

jâmerbanc *stf. klagebank.*

jâmerblic *stm. blick voll jammer.*

jâmerburde *stf. bürde des leidens.*

jâmercheit *stf. betrübnis.*

jâmerclîche *adv.* = jâmerlîche.

jâmergrunt *stm.* ûz herzen jâmergrunde *aus tiefer herzensnot.*

jâmerkrî *stm. wehgeschrei.*

jâmerleben *stn. schmerzensreiches leben.*

jâmerleit *stn.* j. doln *schmerz leiden.*

jâmerlich *adj.* j.-iu wort sprechen *die totenklage erheben.*

jæmerlîche *adv.* j. var *krank aussehend.*

jâmerlîp *stm. jammerleben.*

jâmerpîn *stf. herzeleid, qual.*

jâmerquâl *stf. schmerzensqual.*

jâmerrede *stf. klage.*

jâmerriuwe *stf. betrübnis, schmerz, kummer.*

jâmerschar *stf. beklagenswerte schar.*

jâmersiufzen *stn. klageseufzer.*

jâmersorge *swf. drückende sorge.*

jâmerstimme *stf. klagende stimme, jammergeschrei.*

jâmerstunde *stf. stunde der pein.*

jâmerwê *stn. herzeleid.*

jâmerweinen *stn. schmerzliches weinen.*

jâmerwerc *stn.* j. tuon *dp. schmerzliches unrecht tun.*

jâmerzeichen *stn. zeichen der trauer.*

jârgelîch, jærgelîch, -lîches *adv. jährlich, alle jahre.*

jârgezal *stf.* = jârzal.

jârrente *stf. jährliche einnahme.*

jaspis *stm. ein edelstein.*

jâzint *stm.* = jâchant.

jegerstranc *stm.* einen j. legen *eine schlinge legen.*

jehe *stf. behauptung.*

jehen *stv. mfr. auch* gên, gien; *eingeständnis machen;* an daz wort j. *einer aussage zustimmen;* an einen geweren j. *sich auf einen gewährsmann berufen;* eines dinges j. ze *etw. beanspruchen als;* ze bewærde j. *gs. etw. als zeugnis anführen;* der krône j. *dp. jmd. die krone antragen;* ze konen j. *gp. als frau erwählen;* ze kirchen der ê j. *dp. (einer frau) in der kirche das eheversprechen geben;* Kriemhilde vür Brünhilde j. *K. den vorzug geben vor B.*

jeinec *pron. jemals irgendeiner.*

jeithof *stm. jagdhof.*

jerachîtes *m. ein edelstein.*

jerarchîe, gerarchîe *swf. himmlische rangordnung, himmel (auch in halblat. form* jerarchîa).

joch, jouch *adv. konj. doch.*

jochen *swv. ins joch spannen.*

jochrieme *swm. jochriemen.*

jochtier *stn. jochtier.*

jopel *stn. dem. zu* jope.

juden *swm.* = jude.

judenhûs *stn. auch* jodenhûs *judenhaus.*

judenkint *stn. judenkind.*

judenkleit *stn. judenkleid.*

judenschade *swm. judenzins, schulden bei einem juden.*

judenschar *stf. judenschar.*

judenvolc, -vulc *stn. judenvolk.*

jüdeschlich *adj. jüdisch.*

judiste *swm. wucherer.*

jugentlich *adj.* j.-e zît *jugend.*

jugenunge *stf. verjüngung.*

junc *adj.* mîne junge stunde *meine jugend; superl.* daz jungeste guot, der jungeste schatz *das höchste gut, der höchste schatz;* diu jungeste mittel *äußerste, genaue mitte (des mondes);* ze jungest *am ende, am jünsten tag.*

juncvrouschaft *stf. (von Maria) jungfräulichkeit.*

junge *swm. auch: sohn.*

junge *swf.* diu süeze j. *das liebe mädchen.*

juppenkleit *stn. joppe.*

justen *swv. s.* gusten *oder* tjostieren.

jûvente *stf.* = jugent.

jûwezunge *stf.* (*zu* jûwen) *jubelruf.*

K

kabel *stfmn. bildl.* der triuwen anker unde kabel.

kabezblat *stn. weißkohlblatt.*

kacheloven *stm. kachelofen.*

calandbruoder *stm. angehöriger einer religiösen bruderschaft.*

kalb(e)slebere *swf. kalbsleber.*

kalc *stm. auch als gift; als schminke.*

calcedôn *stm. ein edelstein.*

kalcgruobe *stf. kalkgrube.*

calcofôn *stm. ein edelstein.*

kalcoven *stm. ofen zum kalkbrennen, kalkbrennerei.*

kalcstein *stm. kalkstein.*

kalîf *m. kalif.*

kaltherzec *adj. kaltherzig.*

kaltnisse *stf. kälte.*

kamere *stswf.* die k. gewinnen *zum kämmerer ernannt werden;* ze k. empfâhen *ap. in seine wohnung aufnehmen.*

kamerlêhen *stn. kleine leihsumme; kleines ackerlehen.*

kamerlinc *stm.* = kemerlinc.

kamertür *stf. kammertür.*

kampf *stm. gottesurteil;* mit k.-e gihtigen *durch gottesurteil (zweikampf) überführen;* offenlîcher k. *offene auseinandersetzung.*

kampfmeister *stm. kampfrichter.*

kampfrahe *stswf. stange zum kämpfen, knüppel.*

kampfros *stn. streitroß.*

kampfslac *stm. schlag im kampf.*

kampfzît *stf.* ze guoter k. komen *rechtzeitig zum zweikampf kommen.*

kane *swm. kahn.*

kanonike *swm. kanonikus.*

canoniziere *f. kanonisierung.*

canonizieren *swv. kanonisieren; heiligsprechen; dogmatisch anerkennen.*

kantnusse, kannusse *stf.* = kantnisse.

kanzelærinne *stf. übertr. sachwalterin.*

kanzelschrîber *stm. kanzlist.*

kapellelîn *stn. kleine kapelle.*

kapitelbruoder *stm. mitglied eines kapitels.*

kapitelhûs *stn. capitularium, kapitelhaus.*

kappe *swstf. mönchskutte.*

kar *adj. zu* kar *stf.;* der kare vrîtac *der karfreitag.*

karacter *stswm.* k. buochstap *zauberbuchstabe.*

karbûn *stf. kohle.*

karc *adj. sparsam; auch: verständig, vorsichtig.*

karc *stm. list.*

karclich *adj.* = kerclich.

kardenâl *stm. in kompositionen zur verstärkung; auch adjektivisch* diu kardenæle tugent.

karfunkelklâr *adj. rotleuchtend wie ein rubin.*

karfunkelvar *adj. rubinrot.*

karte *swf.*[1] *kardendistel.*

kartenspil *stn. kartenspiel; ein spiel karten.*

karthiuser *stm. karthäusermönch.*

kæsebrüeje *stf. molken.*

kastânenboum *stm. kastanienbaum.*

katzenhuot *stm. hut aus katzenfell.*

katzensmer *stn. katzenfett.*

katzenspil *stn. neckspiel mit einer katze (als bild für den lohn der welt).*

katzenvaz *stn. katzennapf.*

katzenvensterlîn *stn. katzenloch in einer tür.*

kebeshalben, -halp *adv. unehelich.*

kebeslîche *adv. unehelich* (k. kint erwerben).

keffech *stn.* = kefach.

kegelspil *stn. kegelspiel.*

cegôlite *swm. ein edelstein.*

keiserambet *stn. amt des kaisers.*

kelchvaz *stn. kelchgefäß.*

kellerkneht *stm. kellerknecht.*

kellerschrîber *stm. schreiber eines kellermeisters.*

kellertür *stf. kellertür.*

keltuoch *stn. halstuch.*

kembelhâr, kem(m)elhâr *stn. kamelhaar.*

kembunge *stf. das kämmen des haares.*

kemenâte *swstf. auch coll. für die frauen.*

kemmelwolle *swf. kamelhaar.*

kempfe *swm. favorit, champion.*

kempferinne *stf. kämpferin.*

kempfinne *stf.* = kempferinne.

kenne *stf. kenntnis, erkennung.*

kennec *adj.* k. werden *kennen lernen; hören, vernehmen.*

kennen *swv.* kenne got *vergelt's gott.*

kenner *stm. erkenner.*

kenneschaft *stf. erkennungsvermögen.*

kennunge *stf. bekanntschaft (mitteldeutsch).*

kerbelîn *stn. kleine einkerbung (am kinn).*

kerclîche(n) *adv. listig, schlau.*

kerdern *swv.* = querdern.

kêren *swv. mit angabe der richtung, des ziels: 1. intr. und refl.: seinen weg nehmen;* ze himele k. *ins himmelreich eingehen;* sich ûf die rehten vart k. *den rechten weg einschlagen;* sich (niht) kêren an *sich (nicht) kümmern um. 2. (trans.):* sînen muot k. ze *sich verstehen zu;* sîn gemüete k. *sich bekehren. 3. trans.: lenken, steuern (z. b. ein schiff);* einen an schildes ambet k. *bringen, berufen zu;* von einander k. *(kämpfende) trennen;* ze nutze k. *as. nützlich an-, verwenden;* grôz rîchheit k. an *as. daran wenden; übersetzen* (in tiutische zunge; ûz der welsche). *ohne richtungs-, zielangabe; part. prät., unpers.:* ez ist gekart umbe *ist bestellt um, hat eine bewandtnis mit.*

kerlinc *stm. mann des niederen volkes oder typus des fahrenden.*

kerlingisch *adj. französisch.*

kern *swv. das pferd* kert *(leckt) die hand seines herrn.*

kers(e)boum *stm. kirschbaum.*

kers(e)negelkîn, -neilchen *stn. kirschnelke.*

kers(e)wîn *stm. ein mit kirschsaft vermischter wein.*

kerzenstadel *stm.* = kerzestal.

kerzlach *stn. kleine kerze.*

kesser *stm. fangnetz.*

kesteltuoch *stn. kostbares tuch.*

kestigerinne *stf. peinigerin.*

kestenblat *stn. kastanienblatt.*

kestenunge *swf.* = kestigunge.

kestenwalt *stm. kastanienwald.*

ketenhantschuoch *stm. kettenhandschuh.*

ketzergeloube *swm. ketzerglaube(n).*

ketzerinne *stf. ketzerin.*

ketzerisch *adj. ketzerisch.*

ketzerkint *stn. ketzerkind.*

ketzern *swv. hetzen.*

kezzelkrût *stn. im kessel gekochtes kohlgericht.*

kezzelîn *stn. kleiner kessel.*

kîchen *stn.* tôdes k. *todesröcheln.*

kicher *stswfm.* niht ein k. *gar nichts.*

kîdekorn *stn. kohlsamenkorn;* niht ein k. *nicht ein bißchen (verstärkung der negation).*

kiel *stm. coll. für die auf dem schiff fahrenden.*

kiesen *stv. spüren;* k. lâzen *zeigen;* bilde k. bî *beispiel nehmen an;* schaden k. *unglück haben.*

kieserinne *stf. prüferin.*

kimmîsen *stn. stemmeisen.*

kindegelîch *jedes kind.*

kindelgeschrei *stn. geschrei eines kindes.*

kindelîn *stn. knappe.*

kindelrede *stf. kindische rede.*

kindeltouf *stm. kindtaufe.*

kinderen *swv. ein kind gebären.*

kindesjugent *stf.* von der k. *von kind an.*

kindeskint *stn. enkel.*

kindeslich *adj. jung;* von k.-en jâren *von jungen jahren.*

kindischeit *stf. kindheit.*

kintwesen *stn. kindheit.*

kintwesende *part. adj. als kind.*

kîp *stm. zank, streit.*

kiperisch *adj. aus Cypern.*

kipfe *swm. kleines weizenbrot.*

kippendorn *stm. hagebutte.*

kirche *später auch stf.*

kirchenkôr *stm. kirchenchor, kirche.*

kirchenvaz *stn. abendmahlskelch, auch allg. altargerät.*

kirchenvîster(inne) *stmf. eifrige(r) kirchgänger(in).*

kirchenvride *stm. schutz vor strafverfolgung im bereich des kirchengebäudes.*

kirchgerüste *stn. auch ausstattung für den kirchgang.*

kirchschatz *stm. kirchenschatz.*

kirchtür *stf. kirchentür.*

kirchwîhunge *stf.* = kirchwîhe.

kiste *stswf. auch ins geistl. übertr.: gefäß.*

kît *adj. schlank, gelenkig.*

kittelîn *stn. kleiner kittel.*

kitze, kiz *stn. zicklein, böckchen.*

kitzevel *stn. fell eines zickleins.*

kiusche *adj. zart, fein, besonnen; sündenlos;* k.-z herze *demut; subst.:* der k. und der vrâz *der bescheidene und der nimmersatt.*

kiuschеclîche(n) *adv. jungfräulich, rein.*

kiuschede *stf.* = kiusche.

kiuschlîche *adv.* k. smielen *zart lächeln.*

kiutel *stn. spreu;* niht ein k. sprechen *nicht ein wörtchen sprechen.*

klaffen *swv. auch bloßes sprechen.*

klâfterlanc *adj. eine klafter lang.*

klâfterlenge *stf. klafterlänge.*

klage *stf. ärger; schmerz;* mit k. sîn *tief bekümmert sein.*

klagegesanc *stnm. gesungene totenklage.*

klagegewant *stn. trauerkleidung.*

klagelîche(n), klegelîche(n) *adv.* k. klagen *wehklagen; gerichtlich anklagen.*

klageliedel *stn. klagelied.*

klagemüede *adj. vom klagen ermüdet.*

klagen *swv. schmerz empfinden;* k. von *dp. sich beschweren über;* k. helfen *im leid beistehen;* nâch genâden k. *um gnade bitten; ap. bedauern.*

klagen *stn. trauer.*

klagerede *stf. klagegesang, klagelied.*

klagesingen *stn.* des wehtæres k. *der trauer wekkende wächterruf.*

klagetwanc *stm. schmerzenspein.*

klanc *stm.* mîne niuwen klenge *neuen gesänge.*

klapfelîn *stn.* ein k. slahen *dp. bildl. jem. verleumden.*

klâre *adv.* der mâne schein vil k. *hell.*

klârecheit *stf. verklärung (Christi).*

klârheit *stf.* geburte k. *adel.*

klavicimbel *stn. klavizimbel.*

kleben *swv. bildl.* an einem hâre k. *an einem haar hängen;* an der sîten k. *dp. jem. nicht von der seite weichen.*

kleberec *adj. übertr. hartnäckig, zäh.*

klêblat *stn. kleeblatt, klee.*

kleffeln *swv. klappern.*

kleiderchîn *stn. kleidchen.*

kleiderlîn *stn. kleidchen.*

kleidertuoch *stn. stück tuch, lappen, flicken.*

kleine *adj.* mit k.-n sinnen ûfgeleit und vorbedâht *vom minnetrank; iron.* k.-n sin hân ûf *as. nicht auf den gedanken kommen;* kleine unde grôz *alles ohne unterschied.*

kleinecheit *stf.* mîne k. *meine wenigkeit.*

kleinecliche *adv. wenig.*

kleinmuoticheit *stf. kleinmut, verzagtheit.*

kleinôt *stn. coll. schatz, schmuck.*

kleinouge *adj. kleinäugig.*

kleinvel *adj. in zusammensetzungen wie* kl.-rôter munt *zarthäutig.*

kleinvüege *adj. geringfügig; genau.*

kleinvüegec *adj. zart, fein (von der weinbeere).*

kleinvüegunge *stf. kleinste unkörperliche gestaltung.*

kleit *stn. auch für kopfbedeckung;* îsens kleider *panzer; pluralisch (kleit) für das auf einer fahrt mitgeführte ‚gepäck', ‚sachen'; bildl. von der natur:* des maien k., *(des waldes)* grüeniu kleider; k. tragen *die rüstung anlegen (zum ritterschlag).*

klenc *adj.* klenger bart *struppig.*

kleric, cleric *stm. kleriker.*

klie (clie) *stf. eine art pfeife.*

klieben *stv. refl. sich entfalten (von blumen).*

klimmen *stv. kriechen (vom käfer).*

klimmen *swv. nebenform zu* klemmen.

klingenpfat *stm. fußpfad durch eine schlucht* (klinge).

klingenrieme *swm. schwertriemen.*

klingensmit *stm. klingenschmied; schwertschleifer.*

klinken *stv.* = klingen.

kliusel(în) *stn. kleine klause.*

kliusenclîche *adv. auf schmeichelnde art.*

klôse *swf. übertr. auch potestas.*

klôsterbruoder *stm. mönch.*

klôstergiege *swm. klosternarr.*

klôsterhof *stm. klosterhof.*

klôsterknappe *swm. spöttische benennung eines mönchs.*

klôsterleben *stn. leben im kloster.*

klôsterman *stm. klosterbruder.*

klôstermûre *stf. klostermauer.*

klôsternarre *swm. klosternarr.*

klôsterpîn *stm. mühsal des klosterlebens.*

klôsterpriester *stm. mönch.*

klôsterwort *stn.* klôsterzuht und k. *das, was für mönche zu reden sich gehört.*

klôt *stm.* = klôz.

klöuwen *swv. klagen.*

klûbisch *stm. bündel, büschel.*

klüege *adj.* = kluoc.

kluff *stm.* = klupf *schreck.*

klumpern *swv. klimpern.*

klumpf = klupf.

klungeler *stf. troddel, quaste.*

klungelîn *stn. knäuel.*

klunkel *stn.* = klungelîn.

kluoc *adj. fröhlich, munter; diskret.*

klûterhaft *adj. unrein.*

klutterât *stf. arglistiger anschlag.*

knabende *part. adj.* der was kleine k. *kaum knappe geworden.*

knappenschappelîn *stn. kopfschmuck eines knappen.*

knarren *swv. knarren.*

knehtchîn *stn. md. knäblein.*

knehtlîcheit *stf. knechtisches wesen.*

knirsen *swv. knirschen.*

knolle *swm. md. auch knospe* (= bolle).

knopfen *swv. knospen.*

knôst *m. knorren.*

knoter *stm. knotenstrick.*

knüpfel, knipfel *stm. knüttel.*

knütelholz *stn. prügel.*

knütelhübesch *adj.* sich k. dünken *wunder wie hübsch.*

knütelwerc *stn.* k. wirken *prügel verabreichen.*

kocke *swm. segel.*

koffelîn *stn. hure.*

kolbengerihte *stn. lynchjustiz.*

kolbenslac *stm. kolbenhieb* (einen k. geben *oder* wegen).

kolbenstreich *stm. dass.*

kolc *stm. wasserloch.*

kôlegruobe *stf. leidensgrube (für das erdenleben).*

kolswarz *adj. schwarz wie kohle.*

koltrager *stm. kohlenträger.*

komen *stv. dp. zu statten kommen;* k. ûf *stoßen auf; mit ap. auch jem. vertrauen, sich verlassen auf;* mir kumt baz *mir wird besser;* mir kumet niemer baz *eine so günstige gelegenheit kommt mir nicht wieder;* rehte k. *dp. geeignet sein für, passen;* ze rede k. *sich verantworten;* von sîner varwe k. *erbleichen;* von sîner schœne k. *seine schönheit verlieren;* von sîner kraft k. *besiegt werden, unterliegen;* von dem wâne k. *von dem irrtum frei werden;* ze orse k. *aufsitzen;* über ein k. *mit gen. od. abhängig. satz eine sache austragen.*

komende *part. adj. künftig.*

comête *swm. komet.*

komît *stn. begleitung.*

kompânîe *stf.* k. erbieten *dp. sich jem. zugesellen.*

kompâninne *swf. gefährtin.*

kompânjûn, kumpânjûn *stm.* = kompân; *getreuer, kamerad.*

compilieren *swv. schriftstellerisch arbeiten.*

còmplêtzît *stf. zeit in der die* còmplêt *gesungen wird.*

komplieren *swv. aus complere; erfüllen (pflicht, stundengebet).*

concipieren *swv. empfangen (ein kind).*

concordanz *stf. konkordanz.*

concordieren *swv. einträchtig sein.*

concubîne *swf. konkubine.*

condiment *stn. gewürz.*

konelîche *adv. ehelich.*

confect *stn. medikament.*

confession *stf. beichte, bekenntnis.*

consul *m. konsul.*

contenanze *stf. haltung.*

conventbruoder *stm. klosterbruder.*

kôr *stm. auch von der schafherde.*

körbel *stn.* = körbelîn.

korber *stm. korbmacher.*

korelle *swstm.* = *koralle.*

kôrganc *stm. das hingehen zum chor.*

kôrgesinde *stn.* geschaffen ze k. *zum geistlichen stand vorbestimmt.*

kôrgewant *stn. chorhemd.*

korn *stn. als kleinstes maß.*

kornbolle *swf. ein unkraut im getreide.*

korneôl, korniôl *m. ein edelstein.*

kornûfschütter *stm. kornwucherer.*

kornvar *adj. von der sonne gebräunt (von Christi haut).*

körperlich *adj.* k.-e natûre *körpergestalt.*

körperlîn *stn. dem. zu* körper.

kôrpfaffe *swm. chorgeistlicher.*

corporâlgewæte *stn.* = corporâl.

kôrröckelîn *stn. chorrock.*

kœsede *stf. gespräch.*

kôsen *swv.* mit gote k. *(myst.).*

koste *stf.* die k. geben *etwas stiften.*

kostebærec *adj. köstlich* (k. mâl).

kostgelt *stn. kostgeld.*

kostelîchheit *stf. köstlichkeit, kostbarkeit.*

kôsunge *stf. vertrauliches reden.*

kotte *swm.* = kotze.

kötze *stswf. korb.*

koufen *swv. eintauschen;* êre k. *ansehen erwerben.*

koufkneht *stm.* dîn *(gottes)* armer k. *dein knecht, den du losgekauft hast.*

koufschanze *stf. gewagter handel.*

koufschiff *stn. handelsschiff.*

koufunge *stf. handel.*

covertiure *stf. auch pars pro toto: berittener krieger.*

krachen, krechen *stn. das krachen, brechen.*

kraft *stf. wirkung, bedeutung;* k. begân *heldentaten begehen;* von sîner k. komen *besiegt werden, unterliegen;* durch liebe k. *freudig.*

krage *swm.* die k.-n abesnîden *dp. hals abschneiden;* der tôt mir sitzet ûf dem k.-n *sitzt mir im nacken.*

kræjen *swv. subst.* sîn k. tuon *krähen.*

kræjennest *stn. krähennest.*

kraken *swv. kratzen.*

krâmerzunft *stf. krämerinnung.*

krampf *stm.* der minne k. *liebesleidenschaft.*

krâmstat *stf. krambude.*

kranc *adj.* kranker sin *verblendung, trotz;* kranken sin, kranke sinne hân *unreif, kleinmütig sein, auch iron.: nicht daran denken;* kranker muot *kleinmut.*

krancgemuot *adj.* = krancmüetec.

krancheit *stf.* k. begân *unzucht treiben.*

kranclîche *adv.* k. sprechen *mit schwacher stimme.*

krancvar *adj. schwach aussehend, blaß.*

kranechhals *stm. kranichhals.*

krangeln *swv. zudringlich bitten.*

krast *stm.* einen k. tuon *krachend zerspringen.*

kratzeln *swv. kraulen.*

kratzen *swv.* dar wider k. *sich gegen etw. sträuben.*

kraz *stm.* der huofslage k. *hufspur.*

crêatiure *swstf.* menschliche c.

crêdo *stn. glaube, credo.*

krefte(n)rîche *adj. kräftig, kraftvoll, zahlreich (heer), mächtig (minne).*

kreftic *adj. reich (städte, länder).*

krefticheit *stf. stärke, gesundheit.*

kreftigunge *stf. macht, kraft; jur. spez. rechtskraft.*

krempel *stmn. übertr. geringfügige sache.*

krenken *swv.* den sin k. *das herz schwer machen;* stæten lîp k. *standhaftigkeit erschüttern.*

krepfen *swv.* k. und roufen *sich haken.*

kribeln *swv. md.* krebeln; *unpers.* ez kribelt im in dem nacken *etwa: es lief ihm kalt den rücken hinunter.*

krîdenwîs *adj. kreideweiß.*

kriec *stm. trotz, hartnäckigkeit;* den k. lân *dp. jem. den sieg, preis überlassen;* den k. verlân *dp. das feld räumen.*

kriecgemuot *adj. kriegerisch gesonnen.*

kriefen *swv. kriechen;* k.-de tier *reptilien.*

kriegen *swv.* in ein k. *miteinander wetteifern*

kriegen *stn. eifer;* k. der planêten *der den sternen entgegengesetzte lauf der planeten.*

kriegunge *stf. streit.*

kriepen *stv.* = kriechen.

krimmec *adj.* = grimmec.

kringeleht *adj. kreisförmig; rund.*

krinnel *stm. strähne, locke.*

krip *stf. pferdekruppe.*

krippelîn *stn. (kleine) krippe.*

krisem *stm. salböl, übertr.* der vröiden k.

krisemhuot *stm. kopfbedeckung des (gesalbten) täuflings.*

krisempfeit (lîn) *stn. taufhemd.*

krisopras *stm. ein edelstein.*

krispelieren *swv.* = krispen.

kristâbent *stm. abend vor weihnachten.*

kristenbarn *stn. christenmensch.*

kristenbluot *stn. christenblut.*

kristendiet *stf. christenheit.*

kristengot *stm. gott der christen.*

kristenheit *stf.* k. empfahen *den christl. glauben empfangen, getauft werden.*

kristenkint *stn. christ.*

kristenkirche *swf. die christl. kirche.*

kristenlant *stn. christenland.*

kristenleben *stn. christenheit.*

kristenmensche *swm. christ.*

kristenname *swm.* k.-n hân *christ sein.*

kristenvolc *stn. christenheit.*

kristmesse *stf. weihnachtsmesse.*

kristnaht *stf. christnacht.*

kristtac *stm. weihnachtstag.*

kriuze *stn. auch zeichen der gerichtlichen beschlagnahme von immobilien durch fronboten;* k. nemen *od.* tragen *auf den kreuzzug ziehen;* in k.-s wîse *od.* stal ligen *beim beten in form des kreuzes liegen.*

kriuzerorden *stm. orden der kreuzherren od. ordensritter.*

kriuzigunge *stf. kreuzigung.*

kriuzlîche *adv. kreuzartig.*

kriuzwurz *stf. kreuzkraut.*

krockeleht *adj. runzlig.*

krône *stswf. bildl. das höchste, z. b.* aller wîbe k.; under k. gân *könig(in) sein.*

krœnen *swv.*[1] *beklagen.*

krônetrage *swm. kaiser oder könig.*

krônhêrre *swm. herrscher, kaiser oder könig.*

krotelich *adj. beschwerlich.*

kröuwel *stm. teufelskralle.*

krûchen *stv. md. nebenform von* kriechen.

krucken *swv. auf krükken gehen.*

krümbunge, krümmunge *stf.* k. der gelider, *verkrümmung.*

krump *adj.* (werc) *unredlich.*

krümpel *adj. krumm.*

krümpeleht *adj. krumm.*

krupfei *stm. satter stolzer hahn.*

krûsel *stf. md.* = kriusel.

kruseln *swv. jucken (des herzens vor minne).*

krûspen *swv.* gekrûspet hâr *gelockt.*

krût *stn. laubbüschel; heilmittel; würzkonfekt.*

krûtec *adj. krautig.*

krûtenære *stm. apotheker.*

krûtmezzer *stn. messer zum krautschneiden.*

krûtvaz *stn. faß für sauerkraut.*

küchel *stf.* = küchen(e).

küchelære *stm. koch.*

küchelmel *stn. küchenmehl.*

küchendienest *stm.* = küchenstiure.

kûfen, kuofen *swv. untertauchen der seele (myst.).*

kugelhuot *stm. kopfbedeckung (von mönchen).*

kûlen *swv. in der grube liegen.*

kulterlîn *stn. kleine steppdecke.*

kumber *stm. beschwerde.*

kumberbüezec *adj. von kummer befreiend.*

kumberhaft *adj.* k. wesen mit *dp. sich jem. widmen, sich einlassen, sich unterhalten mit.*

kumberpîn, -pîne *stmf. verst.* pîn.

kumbe(r)rîche *adj. mühselig.*

kumbersal *stn. bekümmernis.*

kumbersmerze *swm. schwerer kummer.*

kûme *adv. nahezu.*

künde *adj.* kündiu mære *(pl.) eine bestimmte tatsache.*

künde *stfn. mitteilung, bericht; bekanntsein;* k. hân *erfahren, sich auskennen;* k. hân gp. *mit jem. umgehen.*

kündec *adj.* k. sîn *erfahrung haben.*

kundeclîche *adv. öffentlich.*

künicane *swm. ahne eines königs.*

künicgerte *stf. szepter.*

künicrîche *stn.* k. besetzen *thron besetzen.*

künicslaht *adj. von königlichem geschlecht.*

künne *stn. art.*

kunnen *anv.* k. mit *bescheid wissen über.*

kunrieren *swv. refl. sich ausruhen.*

kunst *stf. gelehrsamkeit, wissenschaft; begriffsvermögen; einsicht; geisteskraft;* meisterliche k. *philosophie; auch phraseol.* guote k. = güete.

kunstehalbe *adv. was die kunst betrifft.*

kunstlôs, künstelôs *adj. ungeübt.*

kunt *adj.* k. werden *dp. zuteil werden.*

kunterfeit *stn. falscher edelstein.*

kuntlicheit *stf. kenntnis.*

kuntvêch *adj.* ein kuntvêche katze *gefleckt.*

kuolnisse *stf. kühlung.*

kuomûl *stn. kuhmaul (als minderwertige nahrung).*

kupfermünze *stf. kupfermünze.*

kupferrôt *adj. kupferrot.*

kuppelærinne *stf. kupplerin.*

kuppelspil *stn. kuppelei.*

kür *stf.* willige k. *einwilligung;* mit willen k. *mit bereitwilligkeit;* von hôher k. *hochgeboren, erlaucht;* diu beste k. *die beste lösung.*

kûren *swv. spähen.*

kurhêrre *swm. kurfürst.*

kürst *stf. wahl.*

kürsten *swv. wählen.*

kurtieren *swv. zieren, schmücken.*

kurtîse *swf. freundin, geliebte.*

kurtlîche *adv.* = kurzlîche.

kurvürstentuom *stn. kurfürstentum.*

kurz *adj.* ze kurzen wîlen *für kurze zeit;* in kurzen zîten *kürzlich, vor kurzem;* k. gedinge *kleine hoffnung.*

kurzeclich *adj. kurz.*

kurzeclîche *adv. kurz.*

kurzgewant *stn. kurzes gewand.*

kurzlîches *adv. in kurzer zeit.*

kurzsprecher *stm. (von den niederländern).*

kürzunge *stf. verkürzung.*

kurzwîle *stf. fest; kampfspiel* (k. vlîzen); *minne.*

kûte *f. ableger von weinstöcken.*

kuttentuoch *stn. tuch zu einer kutte.*

L

lâ *stn. ton der musikalischen skala.*

laben *swv. md.* milch l. *gerinnen machen.*

labesal *stn. was zur erquickung dient (wohl konkret).*

lachen *swv.* vor liebe l. *vor freude strahlen;* mit l.-dem muote *voll freude; subst.* l. bieten *dp. jem. anlächeln;* minneclich l. *freundliches lächeln.*

lachendic *adj.* lachendige erben.

lâchentuom *stn. medizin.*

laden *stn. verlockung.*

lâgen *swv. listig umstellen.*

lâgunge *stf. bedrängnis durch die sinne;* l. des tiuvels *nachstellung.*

lahs *stm. spez. als fastenspeise.*

lâhter *stswf.* = klâfter.

lam *adj.* l. an *ds. einer sache beraubt, ohne.*

lampenvaz *stn. leuchte.*

lanc *adv.* l. gewahsen *groß;* ze l. hân *langweilen;* ie l. baz *immer besser.*

lancbeinic *adj. langbeinig.*

lancmüetec *adj. auch ausdauernd.*

lancsêr *stm. hüftschmerz.*

lancsîte *swf. langschiff.*

lancslâfen *stn. langes schlafen (als laster).*

lancstundec *adj. weitschweifig.*

lange *adv.* langer *in zukunft;* bî lengest, belangen *endlich;* niht lange sîn *nicht lange auf sich warten lassen.*

lanke *stswf. niere.*

lanken *swv. umschlingen.*

lant *stn. pl. auch: völker;* in daz l. komen *heimkehren;* von lande vüeren *mitnehmen;* ze lande bringen *bei uns einführen;* ein l. besitzen *ein königreich regieren;* in eteslîche l. *irgendwohin.*

lantbescheidunge *stf. grenzbestimmung.*

lantgesinde *stn. landsleute.*

lantliute *pl. menschen.*

lantmaget *stf. jungfrau(en) eines landes.*

lantman *stm. freier gemeindegenosse.*

lantmarschalc *stm. landmarschall.*

lantreht *stn. iron.* lâ dîn l. *hör auf zu rechten.*

lantrinc *stm.* in ir lantringe belîben *im bereich ihres landes (ihrer länder) verweilen.*

lantschaft *stf. auch: landschaftsbild.*

lantschal *stm. skandal.*

lantschande *stf. (gegensatz zu:* werltlichiu schande).

lantschouwer *stm. einer, der fremde länder sieht.*

lantstrîcher *stm. landstreicher.*

lantsweifer *stm. vagabund.*

lantveste *stn. landbesitz.*

lantvogetinne *stf. (zu* lantvoget).

lantwîp *stn. landsmännin.*

læren *swv.* vröuden l. *glück rauben.*

larrûn *stm. räuber.*

last *stm.* in êren l. sitzen *in angesehener stellung leben.*

lasterære *stm.* der gote l. *lästerer der götter;* die laster der l. *schmähungen derer, die dich schmähen.*

lasterbærlich *adj. tadelnswert.*

lasterbart *stm. schimpfwort.*

lasterkleit *stn. schandkleid (vom geiz).*

lastermez *stn. schandmaß.*

lastermunt *stm. lästermaul.*

lasternôt *stf.m. kränkung.*

lastersac *stm.* der schanden l. *schimpfwort.*

lasterspot *stm. lästerung.*

lasterstat *stf.* des kriuzes l. *richtstätte, schandstätte.*

lastervuore *stf. schimpfl. charakter.*

lasterwerc *stn. schändliches werk.*

lasterwunde *stf. übertr.*

lâsûrîn *adj. farbig wie lasur.*

lavande *stf. lavendel (zu ital. lavanda).*

laz *adj.* l. werden *vergehen;* geburt ein wênic l. *nicht von hoher geburt; superl. adverbiell:* ze lezzes(t).

lâz *stm. loslassen eines hundes von der koppel.*

lâzen *redv. hinterlassen (erbschaft);* ez an etwaz lân *etwas wagen, sich für etw. entscheiden; spez.: (loslassen) abschießen (pfeil).*

lâzunge *stf. (myst.). das sich selbst überlassen an gott.*

lebeküechelîn *stn. lebkuchen.*

lebelich *adj.* l. kraft *vegetative kraft (animalis);*

l. gebâren *ein geordnetes leben führen.*

leben *stn. lebensunterhalt; lebzeit* (ze sînem l.-e); reinez l. *(heiliges) leben als mönch;* senftez l. *glück, liebesglück; phraseol.* daz wünnecliche l. = wünne, *liebesfreuden.*

lebende *part. adj.* l.-z wazzer; in mînen l.-n jâren *zu meinen lebzeiten.*

lebenhaftic *adj.* mach mich l. *erfülle mich mit leben.*

lebenkreiz *stm. circulus zodiacus.*

lebenthaft *adj. lebendig.*

lebenzeichen *stn. lebenszeichen.*

leberlîn *stn. kleine leber; gericht aus leber.*

leckerheit *stf. verschlagenheit, zügellosigkeit, gaunerei.*

leckerlîche *adv. auf essen u. trinken gierig (auch von tieren).*

lectuârie *stswf.* = latwârje.

lecze *swstf.m.* einen leczen lesen *dp. strafpredigt halten.*

ledec *adj.* = lûter *(myst. von gott); rein, frei von allen* zuovellen, wîsen und werken, *bereit zur unio (myst. von der seele).*

ledeclîche *adv. unverheiratet.*

ledecvrî *adj. frei.*

ledegen *swv. erlösen.*

lederbant *stn. als bestandteil der rüstung.*

ledersac *stm. sack aus leder.*

ledervel *stn. lederdecke.*

ledervrâz *stm. redensartl.* er sî ein l. *er hat leder gefressen.*

leffel *stm. die ohren des hasen.*

leffeler *stm. löffelmacher.*

legede *swf. niederung, wiese.*

legen *swv. einen termin festlegen oder aufschieben;* opfer l. *opfer bringen;* (die geste) schône l. *gut unterbringen; ap. zu fall bringen;* in sîn herze l. *ap. in sein herz schließen;* (bürge unde lant) wüeste l. *zerstören;* etwaz an iem. l. *ihm zuwenden.*

legende *f. lesung, lektüre, heiligengeschichte.*

lêhen *stn. jur. formel* (l. noch eigen).

lêhenrehtbuoch *stn. lehnsrechtbuch.*

lêhensatzunge *stf. lehensatzung.*

lêhenvorderunge *stf. lehenforderung.*

leibelîn *stn.* l.-s brôt *brotlaib.*

leichen *swv. täuschen.*

leichen *stn. laichen der fische.*

leide *stf. unheil* (mir troumte l.).

leide *adv. unerquicklich.*

leidebernde *part. adj. betrübend.*

leidegunge *stf. schmerzen.*

leiden *swv. ap. jem. sorge machen.*

leidesmort *stm.* aller manne l. *(von der frau).*

leienbruoder *stm. an. laienbruder.*

leienswester *stf. nbff.* leiswester, leigenswester *laienschwester.*

leigelich *adj.* = leiisch.

leimgruobe *stswf. lehmgrube.*

leimhûs *stn. lehmhütte.*

leimvüerer *stm. der eine lehmfuhre fährt.*

leisten *swv. (waffen) stellen;* iemannes gebot l. *in seinem dienst stehen.*

leit *stn. sorge; auch: unheil; beleidigung;* verholnez l. *gewissensqual;* sich ze leide nemen *as. bereuen;* ze leide ergân *gefährlich werden.*

leit *adj.* daz ist mir l. *dagegen lehne ich mich auf;* daz was im sider l. *wurde ihm zum verhängnis;* im ist l. *er bedauert.*

leitbuoch *stn. leitbuch (z. b. zur hausordnung).*

leite *stswf. berglehne.*

leiten *swv.* l. von *ds. abbringen von;* lûterliche minne l. *treu lieben;* tôt unde leben l. *leben und sterben.*

leiterboum *stm. leiterstange.*

leitgemuot *adj. schmerzerfüllt.*

leiting *stm. polarstern.*

leitrechen *stv. subst.* l. vristen *vergeltung aufschieben.*

leitsam *adj. böse, schmerzlich; traurig.*

leittuon *anv. unrecht handeln.*

leitunge *stf.* l. geben *leiten.*

leme *stf.* diu getâne l. *jur. körperverletzung.*

lemen *swv. verwunden.*

lemmet *stn. baumwollfaden als docht für öllampe.*

lendebrâte *swm. lendenfleisch.*

lenden *swv. heimkehren.*

lendenierstric *stm. die den lendengürtel haltende schnur.*

lenken *swv. auch: zuschneiden (von kleidungsstücken).*

lerchboum *stm. lärche.*

lêrche *auch masc.*

lêrchenmunt *stm. kosewort.*

lêre *stf. anweisung, befehl, ratschlag; bildung.*

lêrec *adj.* von lêriger unkunst *unerfahrenheit in der christl. lehre.*
lêren *swv. wissen lassen, mitteilen; veranlassen; zwingen; auch: imbuere, einweihen, vertraut machen, gewöhnen an; as. ap. zulassen, erlauben.*
lêrjunger *stm. jünger.*
lernen *swv. subst. eifer.*
lernerinne *stf. lehrerin (von Maria).*
lerze *stf. das linkische.*
lerzec, -ic *adj. linkisch, ungelenk.*
lesen *stv. predigen;* einen brief, einen leczen l. *dp. eine lektion, einen sermon halten;* sîn gebet l. *beten;* lesen unde singen *obsequien halten;* gelesen hân *as.* von *ds. etw. wissen, verstehen von;* ze herzen l. *as. sich erinnern an;* in sîn herze l. *as. sich etw. einprägen, vorstellen;* zwîvel in sîn herze l. *zweifeln;* hin heime l. *as. sich zu eigen machen;* iemannes sicherheit an sich l. *jmds. unterwerfung erzwingen;* sîn herze an sich l. *sich aufrichten.*
lesen *stn. lehrfach, lehre, unterricht.*
lesenlich *adj. lesbar.*
leste *stf.* des lebens l. *ende des lebens.*
lesunge *stf. lectio, das lesen.*
lette *swm. tonmergel.*
lettenacker *stm. töpferacker.*
letter *stn. auch: zinne.*
letzen *swv.* leben l. *leben nehmen;* an lîbe l. *mit krankheit schlagen.*
letzer *swm.* snœder l. *als schimpfwort.*
levite *swm.* priester und leviten; die l.-n lesen.
lewengeslehte *stn. löwengeschlecht.*
lewengruobe *f. löwengrube.*
lewenherze *stn. löwenherz.*
lewenkint *stn. auch übertr.*
lewenkraft *stf. löwenkraft.*
lewenzan *stm. zahn des löwen.*
lezzec, -ic *adj. müde, lässig;* l. gegen got *lau.*
liberen *swv.*[1] *gerinnen (vom blut).*
lîbesher *stn. fülle der körperkraft.*
lîcham *stswm.* gotes l. *heiliges abendmahl.*
lîchenhaft *adj.* l. sîn mit *leiblich zusammensein mit.*
lîchlachen *stn.* = lînlachen.
lîchnisse, -nüsse *stf.* = gelîchnisse.
lîdærinne *stf. dulderin.*
lidebrechen *stn. brechen der glieder.*
lidelîche *adv. glied für glied.*
lîden *stv. fahren (bes. noch rhein.); stn. unrecht.*
lîdenhaftec *adj. leidend.*
lîdenis, -nus *stfn. compassio, das (mit)leiden.*
lîdenlîchen *adv. unbekümmert um leiden; geduldig;* êre l. lîden *ehren als peinlich empfinden.*
lidernacket *adj. splitternackt.*
lideschertic *adj. verstümmelt.*
lîdsamheit *stf. md. patientia, geduld, langmut.*
lîdunge *stf. leid, schmerz.*
liebe *stf. liebeszuversicht, glückliche liebe;* vor l. *aus freude und dankbarkeit.*
liebegernde *part. adj. freude suchend; nach liebe strebend.*
liebelôs *adj. freudlos, lieblos.*
lieben *swv. as. sich zu eigen machen* (triuwe).
liebesdiep *stm. heimlicher liebhaber.*
liederbuoch *stn. liederbuch.*
liegen *stv. sich aufspielen; vorgaukeln; sein spiel treiben mit;* daz ist gar gelogen *reine phantasie (reiner schwindel);* an einen l. *jem. etw. unterstellen; subst.* l. heizen *ap. der lüge zeihen.*
lieht *adj. kahl (von bäumen);* mit liehten ougen *sehenden auges.*
liehtebrehende *part. adj. hell strahlend.*
liehtecheit *stf.* = liuhtecheit.
liehtgemâl *adj. epith. ornans.*
liehtgrüene *adj. hellgrün.*
liehtval *adj.* l.-ez hâr *blond.*
liep *adj. gott wohlgefällig, fromm; angenehm; verehrt; verliebt* (mit lieben ougen ansehen); dû bist mir l. *ich liebe dich;* als l. ich dir sî *wenn du mir den gefallen tun willst.*
liep *stn. liebe.*
liephaberinne *stf. liebhaberin.*
lieplich *adj. liebevoll.*
liepsælec *adj. durch liebe beglückt.*
ligen *stv. wohnen;* sunder l. *einzeln gefangen liegen;* an einem l. *von jmd. abhängen, beruhen auf;* an sînem zorne l. *sich seiner wut überlassen;* als daz reht was gelegen *wie das recht herrschte.*
lîhen *stv. zur verfügung stellen.*
lîhte *stf. erleichterung.*

lîhteclîche *adv.* l. varndiu maht *leichtbewaffnetes heer.*

lîhtmüeticheit *stf. leichtsinn, unbescheidenheit.*

liljenblat *stn. lilienblatt.*

liljenbluome *swm. übertr. für keuschheit.*

liljengarte *swm. übertr. für Maria.*

liljenglîz *stm. lilienglanz.*

liljenkrût *stn. übertr. für Maria.*

liljenöle *stn. lilienöl (*als *heilmittel).*

liljenrôse *swf. lilie.*

liljenrôsevarwe *stf. aus lilien und rosen gemischte farbe.*

liljensaf *stm. liliensaft (als heilmittel).*

liljenstengel *stm. übertr. (Maria, keuschheit).*

lîm *stn.* = lün.

lîmen *swv. auch: beweglich, gelenkig machen (magisch, mit göttlicher hilfe).*

limmen *stv.* mit strîte l. *wüten.*

linde *adj. köstlich, fein.*

lindecheit *swf. weichheit, schlaffheit.*

lindeclîche *adv. sanft.*

lindenblat *stn. lindenblatt.*

lindenloup *stn. lindenlaub.*

lindenrîs *stn. lindenreis.*

lineberge *swf. erkerfenster; ruhebank.*

lingen *md. auch swv.*

linienstrich *stm. grenze, linie.*

liniieren *swv. (von der bemalung der neger).*

lînöle *stn. leinöl.*

linsenkoch *stn. speise von linsen.*

linsenkorn *stn. linsenkorn.*

linsîn *adj.* l. muos.

lînwâttuoch *stn. leinwand.*

lîp *stm.* des lîbes *ein lebelang;* ze lîbe kêren *ins leben zurückkehren, wieder gesund werden;* l. bestân *leben bleiben;* an den l. gebieten *bei todesstrafe.*

lîpgedinge *stn. altenteil; lebenshoffnung.*

lîpgesinde *stn. leibwache.*

lîpkranc *adj. kränklich, leidend.*

lîplôs *adj. entrückt; sich vom leben abwendend.*

lîpnarunge *stf. lebensrettung.*

lippenlappen *swv. faseln.*

lîpvarwe *stf. körper-, hautfarbe.*

lîre *swf. zupfinstrument.*

lîse *adj. langsam.*

lîse *adv. heimlich, leicht, schnell;* l. blicken *unauffällig, unmerklich.*

lispen *swv. stammeln, sich versprechen (bildl. für ‚sich irren‘).*

list *stmf. gesammelte erfahrung; das erkennen im bibl. sinne; erkenntnisdrang;* valscher l. *reine heuchelei;* âne valschen l. *aufrichtig;* durch einen l. *mit bedacht, mit absicht, bewußt, aus vorsicht;* einen l. hân vür *ein mittel haben gegen;* vrâgen mit listen *mit allen mitteln zu erfahren suchen.*

listebære *adj. klug.*

listeclîche *adv. klugerweise, scharfsinnig.*

listelîn, lüstelîn *stn.* l.-s spil *ein hazardspiel.*

listwürke *stm. artifex, künstler.*

lit *stn. auch: grabplatte.*

liuhtærinne *stf. (von Maria)* in der vinster l.

liuhteclîche *adv. leuchtend.*

liuhtevaz *stn.* = liehtvaz.

liumunden, liumden, liumen *swv. in schlechten ruf bringen.*

liumunt *stswm. meinung, sinn, nachrede.*

liut *stmn.* mîn l. *meine leute (meine dienerschar);* ez ist der l.-en gelîch *hat menschengestalt;* got und ouch die liute *gott und die welt (verlieren).*

liutære *stm. mesner.*

liuthûs *stn. gast- oder wirtshaus; vgl.* lîthûs.

liutisch *adj.* l. leben *das menschliche leben.*

liutsælechaft *adj. anmutig, wohlgefällig.*

liutsæleclîche *adv. auf gewinnende weise.*

liutschiech *adj. menschenscheu.*

lobebære *adj. berühmt, ruhmvoll.*

lobelich *adj. ehrenvoll.*

lobelîche *adv. auf ehrenvolle weise.*

lobemunt *stm.* = liumunt.

loben *swv. zustimmen; ansagen, anbefehlen;* an die hant l. *mit handschlag versprechen.*

loberede *stf. lobrede.*

loberîe *stf. das rühmen.*

lobesam *adj.* engel l. *heiliger engel.*

lobesame *adv. löblich, preisenswert.*

lobesmære *stn. lobrede.*

lochereht *adj.* l.-e zunge *lockere zunge.*

lockeht *adj. lockig.*

locuste *stf. heuschrecke.*

lois *(= frz. loi)* l. und lantreht *gesetz.*

lomen *swv.*[1] *subst. geräusch.*

lônerin *stf. die belohnende.*

lônhêrre *swm. handwerksmeister.*

lonker *stm.* = lœdingære.
lônkneht *stm. mietsknecht; geselle.*
lop *stnm. auch: das verheißene.*
lopbuoch *stn. das Hohelied, cantica canticorum.*
lôrloup *stn. lorbeerlaub.*
lôrölboum *stm. lorbeerbaum.*
lôrschappelekîn *stn. lorbeerkranz.*
lôs *adj. (subst.)* munt des l.-en *falsches maul.*
lôsærinne, lœsærinne *stf. erlöserin.*
lôse *stf.* âne l. *aufrichtig.*
lœselich *adj. anmutig, lieblich.*
lœsen *swv.* ertrîche l. *grund und boden an sich nehmen; refl. sich abwenden von.*
lôsheit *stf. ausgelassenheit, übermut.*
lôt *stn. lot (auch münzbezeichnung).*
lœten *swv.* swert l. *härten.*
loufen *redv.* ez enloufet die lenge niht *geht auf die dauer nicht gut.*
löuferhunt *stm. jagdhund.*
louferinne *f. botin, vorbotin: krankheit und alter als* l. *des todes.*
lougen *stn.* l. bieten *unschuld beteuern* (si buten vaste ir l.).
lougenen *swv. mfr.* lounen, lônen; *subst.* daz l. begân *oder* betuon *leugnen.*
loug(e)nis *stn. verleugnung.*
loum *m. dampf, dunst.*
loupgrüene *adj. grün belaubt* (l. este).
lôzwerfære *stm. eine best. art von wahrsager.*
lübede *stfn.* = gelübede.
lücke *adj. schwach.*
lûfern *swv. md.* = liberen[2].
luft *stmf. luftraum; duft;* gên den lüften *in frische(r) luft.*
lufteclich *adj. luftig.*
lüge *stf.* vür l. hân *leugnen, nicht glauben.*
lügebære *adj. lügnerisch.*
lüge(n)geist *stm. allegorische gestalt.*
lügeliche(n) *adv. lügnerisch, lügenhaft.*
lüge(n)list *stm. lüge.*
lügeman *stm. lügner.*
lügenære *stm. angeber, schwindler.*
lügenærinne *stf. lügnerin, betrügerin (von der minne).*
lügenmâl *stn. beflekkung durch lügen.*
lügenpfütze *stf. lügenpfuhl* (l. der hôchvart).
lügensprâche *stf. lüge.*
lügenstrâfen *swv. ap. der lüge zeihen; verleumden.*
lügentihter *stm. verleumder.*
lügespræche *stm. leugner.*
lüge(n)wort *stn. lüge.*
lügewürhte *stn. lügengespinst.*
lüg(e)nisse *stf. lug, trug.*
lulecke *swm. ein unkraut.*
lunder *stm. brand; übertr.* minnen l.
lûne *stf.* gedanken l. *pl. wahnvorstellungen.*
lünec *adj. glühend, sinnverwirrt.*
luoder *stn.* mit l. *hinterhältig;* sunder *oder* âne l. *ganz offen (formelhaft);* der werlte l. *,allerweltslüderjan'.*
luof *stm. abgrund (von der hölle).*
luogen *swv. md.* lûgen; *ausschau halten.*
lüppen *swv.* gelüppet *part. adj. vergiftet, verfälscht;* der g.-e eit *bildl. vom doppelsinnigen reinigungseid.*
lüppecheit *stf. giftigkeit.*
lüppeclîchen *adv. wenig, gering.*
lürpen *swv. mit der zunge anstoßen.*
lust *stf. md. gehör;* l. geben *dp. gehör schenken.*
lustbærekeit *stf. lust, wohlgefallen, freude.*
lustbærlich *adj. wohlgefallen erregend, reizend.*
lusterîche *adj. anmutig, lieblich.*
lustgevar *adj. lieblich.*
lustgezierde *stf. freude erregende pracht.*
lusthaft *adj. wohlgefällig.*
lustigen *swv. froh machen; auch lustig sein.*
lustlîche *adv. mit wohlgefallen.*
lustsam *adj. reizend.*
lût *stm. lautung.*
lût *adj.* l. werden *(vom hunde) laut geben.*
lûtbernde *part. adj. laut.*
lûtbreht *adj. offenbar.*
lûterbrûn *adj.* l. als ein glas *(vom helm) stahlblau.*
lutergrâ *adj. ottergrau.*
lûterkeit *stf.* starke l. *konzentriertheit (vom wein);* l. des herzen *(bes. myst.).*
lûterschaft *stf. lauterkeit.*
lûtersnel *adj. klar und schnell fließend.*
lûthaft *adj.* l. sîn *ertönen.*
lûtisch *adj.* = liutech.
lützen *swv. nbf. zu* lüejen.
lûzen *swv. heimlich wohnen; herumhocken.*

M

machen *swv.* den schaden m. *dp. jem. ins unglück bringen;* einen leich m. *spielen (auf der harfe); subst.:* ein natürlich m. *beginnen.*

machmetiste *swm. mohammedaner.*

magenkraft *stf. spez. anrede an gott.*

magenkreftic *adj. stark.*

magensêr *stm. magenschmerz.*

magetbære *adj. jungfräulich.*

magetlichheit *stf. jungfräulichkeit.*

maget-, meitzoginne *stf. mädchenerzieherin.*

magistrieren *swv. lehren.*

mâhenkörnelîn *stn. mohnkorn.*

mahelkôsen *swv. liebkosen.*

maht *stf.* ze sîner m. komen *zu kräften kommen;* mit vlîzeclîcher m. *sorgfältig, eifrig.*

mahtlîche *adv.* = mehtlîche.

mâl *stn.* niht zeinem m.-e *mehr als einmal.*

malât *stn. lepra.*

malâtsuht *stf. dass.*

malgram *stm. auch:* most von m. *(granatäpfeln).*

malhe *swv. stand im pferdestall.*

maltersac *stm. maltersack.*

malzant *stm.* malzende der lewen *gebiß der löwen.*

mammende, mamende *stf. sanftmut.*

man *stm.* zeinem manne geben *(ein mädchen) verheiraten;* der guote m. *spez. der klausner;* m.-nes hant *menschenhand.*

man *unbest. pron.* sô man saget *wie die quelle sagt.*

manære *stm. mahner.*

manærinne *stf. mahnerin.*

manbete *stf. kopfsteuer.*

manchersît *adv. an vielen stellen.*

mandâte *stfn.* m. tuon *übertr. mahlzeit halten.*

mandelboum *stn. mandelbaum.*

mandelbluot *stf. mandelblüte (von Maria).*

mandelkæse *stm. (speise aus mandeln, milch und eiern).*

mandelkern(e) *stswm.* (minne) der süeze ein m.

mandelkuoche *swm. mandelkuchen.*

mandelmilch *stf. mandelmilch.*

mandelmuos *stn. mandelmus (aus mandelmilch, semmeln und äpfeln).*

mænec *adj. lunaticus, mondsüchtig, geisteskrank.*

manecformeclich *adj. multiformis, vielförmig.*

manechornec *adj. vielhörnig.*

maneclich *s.* mannegelîch.

manectûsentvalt *adj. vieltausendfältig.*

manecvach *adj. vielfältig.*

manecvalt(e) *stf. vielfältigkeit.*

manecvalteclîche *adv. auf vielfältige weise.*

manecvar *adj. buntfarbig, bunt.*

mânedeg(e)lîch *adj. monatlich.*

mangerîe *stf. nahrung, ernährung.*

manlich *adj.* ez ist vil m. *es ehrt einen mann.*

manlicheit *stf. mannhaftigkeit, tapferkeit.*

manna *n. manna.*

mannabrôt *stn.* got, dû mannabrôt!

mannasmac *stm. mannageschmack, -aroma* (ditz wazzer hât m.).

mannebilde *stn. mann.*

mannesname *swm. männliches geschlecht.*

manschier *stn.* = manger, mangier.

manschieren *swv. kauen.*

mantelsnuor *stf. mantelschnur (als verschluß).*

manunge *stf. erinnerung.*

marcrîche *adj.* m.-r koste wert *viele mark kostend, teuer.*

mardel *stm.* = marder.

mære *adj.* m. werden, m. komen *bekannt werden (nachricht, neuigkeit);* daz ist alsô m. *eins so lieb wie das andere, einerlei.*

mære *stnf. literarische quelle; sinn, verkündigung* (der wâren buoche m. *der sinn der bibel*); *ankündigung, benachrichtigung* (sich sûmen mit den m.-n); *vermutung* (sîne m. machen, entwerfen); *frage* (ir aller m.-n antwurten); *fall, angelegenheit, vorfall* (dem m. nâch gên); einen der m. vrâgen *oder ohne pers. obj.* m. vrâgen *fragen, sich erkundigen; behauptung* (m. machen, (ze) m. sagen, *mit abh. satz: behaupten, erzählen*); ein verlogenez m. *wahnidee; leumund, verdacht, gerede* (in daz m., ze m.-n komen; einen ze m. bringen); ze m. komen *dp. zu ohren kommen (von einer nachrede);* eteslîche m. *dies und das.*

mæregrôz *adj. sehr groß.*

marke *stf.*[1] *auch: markgrafschaft.*

market *stn. geschäft* (den m. schaffen); *marketenderwagen.*

marketliute *pl. durchreisende handelsleute.*

marketmære *stn. geschwätz.*

marketmeister *stm. marktaufseher.*

markettac *stm. markttag.*

marmel-, (mermel)-herte *adj. hart wie marmor* (herze).

marmels *adv. betäubt.*

marmel-, (mermel)-steinîn *adj. aus marmor.*

marnærinne *stf. schiffsführerin (für Maria).*

marocheise *swm. Marokkaner.*

marschalcambet *stn. amt des marschalks.*

marsche *stf. marsch, reise.*

marterbære *adj. qualvoll.*

marterbürde *stf. schwere der marter.*

marterkestigunge *stf. kasteiung.*

marterkrône *stswf. krone des märtyrers.*

marternôt *stf. martervolle not.*

marterpîn *stf. qual der marter.*

marterstat *stf. stätte des martyriums.*

marterstunde *stf. todesstunde Christi.*

marterzît *stfn. passionszeit.*

maselsühtec *adj.* = miselsühtec.

massenie *stf. lebens- und wohngemeinschaft;* er ist hie m. *ist mitglied der gemeinschaft, ist uns vertraut.*

materjelich *adj. stofflich.*

materjelichheit *stf. stofflichkeit, materialität* (verre aller m.).

materjer, materger *stm. mitwirker.*

maz *stn.*[1] *krippe.*

mâze *stf. mit gs. ein hohes maß an, viel von;* ûz der m.-n, ûz der m.-n wol *außerordentlich, überaus;* ze m.-n alt *in mittlerem alter;* ze m.-n sîn *dp. erträglich sein;* m. nemen *gs. mäßigen (oft iron.); phraseol.:* der wege m. nemen *einen weg einschlagen, verfolgen,* der reise m. nemen *eine reise antreten.*

mæzeclîche(n) *adv. maßvoll.*

mâzelôse *stf. maßlosigkeit.*

mâzen *swv.* einen wurf m. *zum (gezielten) wurf ausholen;* sich m. *gs. iron.: etw. bleiben lassen.*

mâzen *adv.* = mâze.

mâzhaftec *adj. abgemessen.*

mæzlîche *stf. enthaltsamkeit.*

mæzlîn *stn. ein trinkgefäß.*

meditieren *swv. nachsinnen.*

medizinære *stm. arzt.*

megelech *stn. kleiner magen.*

megeren *swv. refl. sich kasteien.*

mehteclîche(n) *adv. mit heeresmacht.*

mehtlîche *adv. dass.*

meidichîn *stn. dem. zu* maget.

meienbluot *stmf. maienblüte; übertr.* daz mære wirt im ein m.

meienkranz *stm. übertr.* aller manne schœne ein m. *(vom antlitz).*

meientou *stn. tau im mai.*

meientouwec *adj. naß vom maientau.*

meientouwen *swv.* alsam ez meigentouwete *(erquickt werden) wie vom maientau.*

meil *stn.* âne m. *makellos.*

meilnis *stf. bosheit.*

mein *stmn. gebrechen, fehler.*

meine *stf.* âne m. *ohne innere beteiligung (z. b. weinen).*

meinen *swv. ap. es auf jem. abgesehen haben.*

meingewelde *stn. gemeindewald.*

meinstrenge *adj. tapfer.*

meinswern *stv. falsch schwören.*

meinwerc *stn. übeltat.*

meist *adj. einzig (z.b.* ir meistiu zuoversiht *einzige hoffnung); subst.* daz meiste *auch ‚das schlimmste'.*

meister *stm. spez. rechtsgelehrter, urheber von gesetzen; arzt, doktor; auch vom papst;* m. gewinnen an *ds. übertroffen werden in;* m. sîn *gp. sieger sein über.*

meisterambet *stn. amt des ordensmeisters.*

meisterarzât *stm. gelehrter, meisterhafter arzt.*

meisterbredigære *stm. meisterprediger.*

meistergeselle *swm. schüler.*

meisterhant *stf. meisterhand* (des smides m.).

meisterköchinne *stf. oberste köchin.*

meisterschaft *stf. versammlung der lehrmeister; kunst, können;* âne m. *unvollkommen;* m. hân mit *gemeinschaft haben mit.*

meisterschütze *swm. meisterschütze.*

meisterspil *stn. (von den wunderzeichen Christi).*

meistersterne *stm. hauptstern.*

meisterwerfer *stm. meister im steinwerfen.*

meiten, gemeiten *swv. froh machen.*

meitmuoter *stf. jungfräuliche mutter (Maria).*

melancolîe *stf. melancholie.*

melde *stf.*[2] ze m. komen *verraten, angegeben werden.*

melissenwazzer *stn. melissenwasser (-geist); übertr.* daz m. ir güete.

melkede *stn. das melken.*

melm *stm.* ûf dem m. *metaphor. für turnierfeld.*

menclich, meneclich *s.* mannegelîch.

mengart *stm.* = gart, *übertr. stachel.*

mengeln *swv. subst. zerstreuung, ablenkung.*

mengen *swv. durchsetzen (z. b. mit edelsteinen).*

mengunge *stf. mischung.*

menige *stf. ausmaß.*

menniclîchen *adv. männlich, tapfer.*

menschenantlitze *stn. menschliches angesicht.*

menschenar *swm. menschenadler (bezeichnung für Johannes Evangelista).*

menschenâtem *stm. atem des menschen.*

menschenbære *adj. menschliche gestalt tragend.*

menschenbilde *stn. menschliche gestalt.*

menschenbluot *stn. menschenblut.*

menschenforme *stf. menschliche gestalt.*

menschenheil *stn.* dû krône m.-s! *(Parzival als gralskönig).*

menschenherze *swn. menschenherz.*

menschenleben *stn. lebensdauer eines menschen.*

menschenlîp *stm. mensch.*

menschenmunt *stm. menschenmund.*

menschenouge *swn. menschenauge.*

menschenpersône *swf. rolle, ansehen des menschen.*

menschensêle *stf. menschenseele.*

menschensin *stm. menschlicher verstand.*

menschensippe *stf.* nâch m. *art des menschen.*

menschenspîse *stf. speise, die menschen gebührt.*

menschentier *stn. etwa: menschliche kreatur.*

menschenvleisch *stn. menschenfleisch.*

menschenvrâz *stm. menschenfresser.*

menschenwîse *stf.* in menschenwîs *auf menschliche art und weise (gekleidet).*

menschheit *stf. menschliche wesensart, menschsein, menschliche gestalt (Christi);* sîne m. laben *für sein leibliches wohl sorgen.*

mensch-, (mens)-lîche *stf. humanitas, menschlichkeit, freundlichkeit.*

mer *stn. als grenze; spez.: das mittelmeer.*

merblâ *adj. meerblau.*

mêre *adv. um so mehr als; lieber, vielmehr.*

mêren *swv.* ir varwe mêrte sich *sie errötete; subst. fruchtbarkeit.*

mergans *stf. meergans.*

mergras *stn. alge.*

mergrunt *stm. nbf.* merigrunt *meeresgrund.*

merhunt *stm. canis maris, seehund.*

merjuncvrouwe *swf. sirene.*

merken *swv. subst.: zielen, treffen (als bild für geistige konzentration auf ein ziel).*

merküniginne *stf. meergöttin.*

merlen *swv.* slüzzel gemerlet harte reine *sorgfältig gefeilt.*

mermuschel *swf. seemuschel.*

mersalz *stn. meersalz.*

merschal(e) *stf. muschel.*

merslange *swmf. meerschlange, meerungeheuer.*

mersnecke *swm. testudo, ostrea, torpedo.*

merspinne *swf. meerspinne, seekrebs.*

mêrteil *stn. der größere oder größte teil.*

mervarer, -verer *stm. seefahrer.*

mervrouwe *stf. meerweib.*

merwazzer *stn. meerwasser.*

messe *stf.*[2] unser vrouwen m. *(das fest) Mariä himmelfahrt.*

messegelt *stn. marktgeld.*

messenærinne *stf. mesnerin, küsterin.*

messepriester *stm. meßpriester.*

messincsmit *stm. messingschmied.*

mête *f. zielpunkt, ende (aus lt. meta).*

metsieder *stm. metsieder (vgl.* metbriuwe*).*

mettenbuoch *stn. mettenbuch.*

metzelîn *stn. mägdlein, spez. dorfmädchen.*

metzelvleisch *stn. opferfleisch.*

mezzen *stv. intr.* hin unde her m. *überlegen; tr.* ein bilde m. *dp. vorbild geben;* etw. m. gein *ds. anwenden auf.*

mezzer *stn.* m. zücken; m. werfen *(auch als bild für das dichten).*

michel *stf. nbf.* michele.

michelheit *stf. dauer, größe, ausmaß.*

michelmüetec *adj. großmütig.*

mîden *stv. meiden;* mit

gruoze m. *ap. nicht ansprechen;* abgote m. *ihnen abschwören.*

milchkamer *stf. milchkammer.*

milchlinc *stm. weichling, milchbübchen.*

mîle *stf.*[1] *zeit, in der man eine meile geht.*

milte *adj.* m. oder karc *verschwenderisch oder sparsam.*

miltecheit *stf. sanftmut, pietas.*

milteclich *adj. sanftmütig, liebevoll.*

miltmüetec *adj.* (miltmüetige senftikeit).

minne *stswf.* ze liep und ze m. *aus liebe;* stæte m. *ehe;* ze minnen *zum dank;* mit mînen m.-n *mit meinem einverständnis;* ze m.-n komen *übereinkommen.*

minnebolt *stm. minneheld.*

minnelast *stf. liebeslast.*

minnelîche *adv.* = minneclîche.

minnelîm *stm. das, was gott und die seele zusammenzwingt (myst.).*

minnen *swv. zur ehe nehmen; as.* m. an *ap. jem. erkenntlich sein für.*

minnenbrunst *stm. minneglut.*

minnenreht *stn. liebesrecht.*

minnenrite *swm. minnefieber.*

minnerbruoder *m. minorit.*

minnesuht *stf. liebeskrankheit.*

minnesühtec *adj. liebeskrank.*

mirren, myrren *swv. mit myrrhen salben;* (wîn m.) *mit myrrhen durchsetzen.*

mirre(n)smac *stm. myrrhenduft.*

mirre(n)wîn *stm. myrrhenwein, -saft(?).*

mischen *swv. zusammensetzen, -fügen, -geben;* klârheit m. = trüeben; sich zesamene m. *sich aneinander schmiegen.*

miselec *adj. aussätzig.*

miselsühtecheit *stf. aussatz.*

miserisch *adj. elend (als schimpfwort).*

missebieten *stv. dp. (mit worten) zu nahe treten, beleidigen.*

missedraben *swv. fehlgehen.*

missegengic, misgengic *adj. in falscher richtung gehend.*

misse-, misgetuon *anv. übel tun.*

misse-, misgevüeren *swv. refl. sich versündigen.*

misse-, misgewirken *swv. refl. dass.*

misse-, misgezemen *swv. mißfallen.*

missehellede *stf. dissensio, zwietracht.*

misselîche *adv.* m. sprechen *abweichend urteilen.*

misselich-, mislîcheit *stf. verschiedenartigkeit.*

missemüete *adj. unselig.*

misserede *stf. böses wort (über jem.).*

misse-, missage *stf. falsche behauptung.*

missetân *part. adj. verunstaltet (aussätzig und blind).*

missetât *stf. unrecht, sünde, falsches tun.*

missetuon *stv. eine sünde auf sich laden.*

mis(se)valle *swm.* ein misfalle der gebresten *zerknirschung, reue über sünden.*

missevellen *swv. mißglücken, mißraten.*

missewende *stf.* âne m. *auf schickliche weise.*

missewendelich *adj. schändlich.*

mist *st. mn. staub, erde; nebel.*

mistbreiter *stm. miststreuer.*

mistgruobe *stswf. mistgrube.*

mistkorp *stm. mistkorb.*

mit *präp.* m. ein *auf einmal, zusammen.*

mît *stm. vermeidung, unterlassung.*

mitalle *adv. gänzlich, durchaus; stracks, unverweilt.*

mite *als adv. bei verben:*

-doln *swv. mitdulden.*

-gâhen *swv. mit-, nacheilen.*

-gân *redv. folgen, befolgen; ds. oder dp. umgehen mit, sich befassen mit;* einem site m. *einer gepflogenheit treu bleiben.*

-gegân *redv. dass.*

-gereden *swv.* si gerette im niht vil mite *sprach nicht viel mit ihm.*

-gestrîten *stv. mit einem kämpfen, ihn bekämpfen.*

-geteilen *swv. refl. sich mitteilen.*

-gevarn *stv.* einem übele m. *ihm schaden verursachen.*

-haften *swv. anhängen, anhaften, hängen bleiben an.*

-hellen *stv. zusammenklingen; subst. zustimmung.*

-hengen *swv. nachgeben.*

-kêren *swv. mitziehen.*

-lîden *stv. subst. mitleid.*

-loufen *redv. mitlaufen;* der tôt lief im mite *er mußte sterben.*

-lûten *swv. consonare.*

-nemen *stv. mitnehmen.*

mite-rîchen *swv. zusammen regieren, mitregieren.*
-rûnen *swv. geheimnisse austauschen.*
-sîn *anv. gesellschaft leisten; anhaften; dp. gs. gestatten.*
-spiln *swv. jem. mitspielen;* des selben m. *ebenso behandeln.*
-teilen *swv.* rât m. *rat geben;* lant, guot m. *übergeben.*
-trûren *swv. zusammen mit jem. trauern, contristari.*
-varn *stv. mitfahren; verbunden sein mit; behandeln, handeln an.*
-vehten *stv. kämpfen mit.*
-volgen *swv. beistimmen.*
-vüeren *swv. (etw. für jem.) mitführen.*
-wandeln *swv. conversari, umgang haben.*
-wesen *stv.* = mite sîn; *begleiten.*
-wonen *swv. jem. eignen, zu eigen sein (tugenden); zuteil werden (hilfe); getragen werden (rüstung).*
-ziehen *stv.* dem tôde m. *mit dem tode leben.*
-zogen *swv. folgen (der tag der nacht).*
mitehaft *stm. conjunctio, verbindung.*
mitehandel *stm.* m. hân *teilen.*
miteheller *stm. vertrauter freund.*
mitejunger *stm. mitjünger.*
mit(e)lidenlich *adj. mitleidend.*
miteredec *adj. unterhaltsam, leutselig.*
miteredunge *stf. confabulatio, gespräch.*
miterihtære *stm. mitrichter (beim jüngsten gericht).*
mit(e)samen(e) *adv.* m. ligen *beilager halten.*
miteslüzzel *stm. gemeinsamer schlüssel; mitbewohner.*
mit(e)spilære *stm. mitspieler.*
mit(e)vröude *stf. gemeinsames glück (myst.).*
mitewandelunge *stf. umgang, verkehr.*
mitte *stf.* sînen sin in die m. werfen *sich auf dem goldenen mittelweg halten.*
mittelôde *stf.* m. der sêle *(myst.) das innerste.*
mittelort *stm. fachausdruck der zimmerleute.*
mittelpunct *stm. zentrum (astron.).*
mittelschaft *stf. mittelweg.*
mittelverre *adj. in der mitte befindlich;* der m. buochstap *(das v in ave).*
mittelvinger *stm. mittelfinger.*
mittelvrîe *swm. halbfreier (rechtsbezeichnung).*
mitten *adv. mitteninne;* ie m. stân *zwischen vergangenheit und zukunft stehen.*
mitterman *stm. der zwischen den parteien stehende.*
mittewahsen *part. adj. von mittlerer größe.*
miuchel-, mûchelzelle *stf. ‚naschzelle' o.ä. (ort des verbotenen genusses).*
molchen-, molkendiep *stm. ‚milchdieb', schmetterling.*
molchen-, molkenstæle *swm. dass.* du ungetruwe molkenstellen! *(zu einem flatterhaften gesagt).*
molle *swm. schweinskeule.*
monarchîe *stf. herrschaft* (diu m. über al der erde hêrschaft *die herrschaft über alle fürsten der erde).*
montâne *stf. nbff.* montanîe, montange, muntâne.
morderære *stm. mörder.*
morderhant *stf. mörderhand.*
morderhol *stn. räuberhöhle, mördergrube.*
morgenstunde *stf. morgenzeit, morgenstunde.*
môrkint *stn. mohrenkind.*
môrlant *stn. mohrenland.*
mort *stnm.* daz ist ein m. *ist eine todsünde.*
mortgalle *swf. teuflisches oder tödliches gift.*
mortgeil *adj. mordlustig.*
mortgeselle *swm. spießgeselle.*
mortgesinde *stn. mördergesindel (von den ‚mördern' Christi).*
mortgiriclich *adj. mordgierig.*
mortgîticlîchen *adv. zum vorigen.*
morthunt *stm. mordhund (schimpfwort).*
mortloch *stn. mördergrube.*
mortmezzer *stn. mordmesser.*
mortræte *adj. mordstiftend.*
mortschade *swm. mörderisches gemetzel.*
mortswert *stn. mordschwert.*
mortswinde *adj. gewalttätig.*
mosgras *stn. sumpfgras.*
mostvaz *stn. faß für most.*
mouchelzelle *s.* miuchelzelle.
mouwe *stswf. auch als wappenbild.*
müechen *swv.* = müejen.

müede *stf. erschöpfung.*

müejen *swv. refl. sich vergebens abmühen.*

müenis *stf. mühsal.*

müeten *swv.* = muoten; *(den mut) stärken.*

müezecgang *stm. müßiggang;* sich dem m. ergeben.

mügelich *adj. wahrscheinlich.*

mügelîche *adv. verdientermaßen, mit recht verdient, nach vermögen.*

mügen *anv. subst. vermögen, kraft.*

mugenheit *stf.* = müge; *potentia (in der trinitätsformel).*

mun *stm. gesinnung, erinnerung.*

münec *adj.* m. ûf *as. bedacht auf; (mit gs.):* witzen m. *scharf an geist, scharfsinnig; auch: mutig, tapfer.*

münechgenôz *stm.* niht m. sîn *kein wahrer mönch sein.*

munt *stm.* dicker m. *volle lippen;* eines mannes m. *ein mensch (bei verben des sagens)*; bî, mit, ûz einem *oder* gemeinem munde *einhellig, einstimmig (sprechen);* m. halten *den mund halten;* mit dem munde, von munde *mündlich (z. b. grüßen).*

muntaffen *swv. maulaffen feilhalten.*

muntkur(e) *stf.* ze m. bringen *ins gerede bringen.*

muntrûm *stm. mund* (ûz sînem mundrûme vand er vil kûme mit sneller rede unterschaid *konnte er nicht so schnell die passenden worte hervorbringen, äußern).*

muoder *stn.* mang m. mensch *(kompos.?) menschenkind, -bild, allerlei volk.*

muot *stm.* grimmiger m. *zorn;* guoter m. *auch: gutwilligkeit;* hôher m. *stolz;* kranker m. *kleinmut;* milter m. *güte;* senfter m. *geduld;* stæter m. *treue, gewissen;* tougenlichen m. tragen *dp. heimliche neigung hegen für;* durch tugentlichen m. *um der moral willen;* vrîer m. *freie entscheidung;* vrœlichen m. tragen *glücklich sein;* williger m. *willenskraft;* wunniclicher m. *lebensfreude;* rât ze m.-e bern *ermutigung geben, ermutigend sein;* m. haben *gs. beabsichtigen, streben nach, sich entschließen zu;* ze m.-e sîn *oder* werden *unpersönl. mit dp. und gs. oder abh. satz: jmds. absicht sein* (des ist mir ze m.-e *das ist meine absicht);* einen m. hân *einträchtig handeln, einmütig sein;* er sprach durch sînen m. *wie es ihm einkam, unbekümmert;* âne m. *ohne innere beteiligung, zwingendes bedürfnis;* sînen m. sagen *dp. seine meinung sagen;* mit endehaftem m.-e *(jem. lieben) entschlossen, unerschütterlich.*

muoterstille *adv.* m. swîgen *ganz still.*

muotertohter *f. lediges mädchen, das mutter wird.*

muotertuom *stm. mutterschaft.*

muotgedœne *stn. seelenmelodie.*

muotgelust *stmf. lust, freude, vergnügen; willkür.*

muotgelüste(n) *stn. dass.;* herzen m. *herzenslust.*

muotlich *adj. gemütvoll.*

muotlôs *adj. entmutigt.*

muotwilligen *adv. freiwillig.*

muozec-,müezeclîche(n) *adv. allmählich, nach und nach.*

mûrbreche *stf. belagerungsgerät.*

murmelære *stm. murmelnder, murrer.*

murmeln *swv. subst. gemurre, gemurmel.*

murren *swv. stöhnen.*

murrot *adj. stumpfnasig*

murtlich = mortlich.

murzeln *swv. zerreiben, zermürben.*

muscâtblüete, -bluot *stf. muskatblüte; bildl.* ir lîp ist guot sam m.

muscâtboum *stm. muskatbaum.*

muscâtnegel, -negelîn *stn. muskatnelke.*

muscâtstengel, -stingel *stm. muskatstengel.*

müseln *swv. beflecken.*

mûshunt *stm. katze.*

mûsloch *stn. mauseloch.*

myrre *s.* mirre.

N

nâch *präp. in verbindung mit substantiven, die eine aktion ausdrücken, bezeichnet* nâch *zugleich mit der zielrichtung der bewegung auch ihren zweck:* nâch stichen *(aufeinander zureiten): zum zwecke des stoßes; mit nachgestelltem* wegen*: auf grund von.*

nâch *adv. bei verben:*

-bilden *swv. tr. imitari, nachahmen.*

-bringen *swv. mit dat. nachbringen.*

-gân, gegân *redv. hinterhergehen; mit dat. folgen, befolgen;* dem mære n. *es* *verfolgen;* guotlîchen n. *dp. gütig im auge behalten, acht haben auf.*

nâch-geben *stv. mit dat. nachgeben.*

-giezen *stv. nachgießen.*

-heben *stv.* sich ûf die slâ n. *der spur nachfolgen.*

-hengen *swv. dp. gs. einwilligen.*

-hupfen *swv. dp. nachfolgen.*

-îlen *swv. mit dat. verfolgen.*

-kapfen *swv. mit dat. nachspähen.*

-kêren *swv. folgen, hinterherziehen.*

-komen *stv. nachkommen, folgen; übertr.* einer bete n.

-kôsen *swv. dp. nachreden.*

-kriegen *swv. dp. nachstreben.*

-lâzen *redv. (mit acc.) aufgeben.*

-loufen *redv. (mit dat.) verfolgen, hinterherlaufen.*

-luogen *swv. mit dat. aufmerksam nachschauen.*

-machen *swv. nachmachen, -bilden* (ein ding, dabî man ein ander ding schephet und nâch machet, daz heizet ein regula).

-rinnen *stv. nachschwimmen.*

-rîten *stv. (mit dat.) nachreiten, verfolgen.*

-schieben *stv. übertr. nachhelfen.*

-schouwen *swv. trans.: nachweisen* (wer kan im daz n.).

-schürgen *swv. nachstoßen.*

-sehen *stv. (mit dat.) nachschauen;* hinwarten unde n. *ds. etw. voraussehend durchdenken.*

nâch-senden *swv. nachsenden.*

-singen *stv. nachsingen* (vorsingen – nâchsingen).

-sinnen *stv. ds. nachgrübeln.*

-slîchen *stv. (mit dat.) nachgehen, -folgen;* tougen n. *nachschleichen.*

-sliechen *stv.* = -sliefen *folgen, verfolgen.*

-sloufen *swv. trans. hinter sich herschleifen.*

-sprechen *stv. (mit dat.) hinterherrufen.*

-stapfen *swv. nachreiten.*

-stellen *swv. danach trachten (im feindlichen sinn).*

-streifen *swv. nachreiten, folgen.*

-strîchen *stv. (mit dat.) hinterherjagen.*

-swimmen *stv. (mit dat.) hinterherschwimmen.*

-swingen *stv. nachfliegen.*

-trüllen *swv. nachtrollen.*

-tuon *anv. (gebete) nachsenden.*

-varn *stv. mit dat. folgen.*

-volgen *swv. dass.*

-wæjen *swv. nachwehen (vom wind).*

-wandern *swv. folgen.*

-warten *swv. nachblikken.*

-ziehen *stv. folgen; dp. auch: auf jemandes handlungsweise eingehen.*

-zogen *swv. folgen.*

nâchbildec *adj.* n. sîn *nachbilden.*

nâchgebûr(e) *swstm.* herzen n. sîn *sich im herzen festnisten.*

nâch-, nâhegesezze *stm. nachbar.*

nâchkünftic *adj.* n. geschiht *künftiges ereignis.*

nâchlôn *stm. künftiger lohn.*

nâchsage *stf. nachrede.*

nacke *s.* nac.

nackensnuor *stf. haarband.*

nacketage *stswm. übertr. abgerissene kleidung.*

nacketvar *adj. nackt.*

nâdelkar *stn. nadelbüchse.*

nâdelnacket *adj. splitternackt.*

nagelgebende *stn. von den am kreuz befestigten händen Christi.*

nâhe(n) *adv.* n. gân *(dp.) bedrängen, ins innerste dringen, schaden;* einen rât n. tragen *beherzigen;* n. sprechen *(dp.) jem. durch worte verletzen;* nâher gênde sîn *einen bevorzugten platz im herzen einnehmen; komp. oft durch* baz *verstärkt; komp. auch allg.: weiter weg.*

nâhen(en) *swv. nahe bevorstehen.*

næherunge *stf. näherung (myst.).*

nâhest *adv. letzthin, jüngst.*

nahtgruobe *stf. jagdgrube zum nächtlichen fang.*

nahtlich *adj. nocturnus, nächtlich.*

nahtlieht *stn. nachtlicht (am altar).*

nahtschûr(e) *stswm. schauerliche nacht.*

nahttropfe *swm. tau.*

nahttroum *stm. alptraum.*

name *stswm. begriff;* in eime n.-n *aus einemmunde, zugleich;* ritters n. *ritterstand;* des n.-n phlegen *seine standespflicht erfüllen;* dem n.-n widersagen *gegen seine standespflicht verstoßen;* mit n.-n *fürwahr.*

namelîche *adv. sicherlich.*

namen *swv. berufen;* lobelîche n. *ruhmvoll feiern.*

nanne *m. vater.*

narren *swv. narr werden.*

narre(n)fex *m. tor, narr.*

narrenwagen *stm.* n. trîben *narrenpossen treiben.*

naschen *swv. betteln, stehlen.*

nasebôz *stnm. schnupfen.*

nasewîse *adj. vorschnell urteilend.*

nâter *swf. auch von einem aal.*

nâterngesiehte *stn. ‚otterngezücht'.*

nâternzagel *stm. schwanz einer natter.*

natûre *stswf. das sinnliche wesen des menschen, körperliches befinden; naturreich.*

natûrlich *adj. der wesenheit gemäß, sinnlich; zum naturreich gehörig.*

natzen *swv. einschlummern, einnicken.*

naz *adj. auch betrunken.*

nebel *stm. ausdünstung; rauch, dunst, qualm.*

nebeldunst *stm. staubwolke.*

nebensternunge *stf. konstellation.*

neben-dringen *stv. durchsickern (des wassers).*

nebentür *stf. zweiter ausgang.*

necromatîe *s.* nigromanzîe.

nehticlîche(n) *adv. jeden abend;* aller n. *dass.*

neigen *swv. unterdrükken; zu fall bringen.*

nemen *stv. mit ap. jem. bei der hand nehmen, beiseiteführen; jem. heiraten, zum mann, zur frau nehmen;* einen dar abe, dar von n. *jem. von etw. abraten, abbringen, befreien; mit ap. oder as.* an sich n. *verantwortung übernehmen für; mit as.* in sînen muot n. *hoffen auf;* den prîs n. *den sieg erringen;* minne n. *sich hingeben; unpers.* mich nimet angest *mich ängstigt;* mich nimet vürwitze *ich bin neugierig (ob . . .); – spez. zielen* (ûf die brust n. *ap.*); ze blicke an sich n. *(puder od. schminke) ‚auflegen', sich schminken.*

nement *adv. u. präp.* = eneben, neben(t).

nemnen *swv.* = nemmen, nennen.

nennelich *adj. nennbar.*

nennunge *stf. benennung.*

nern *swv.* sich n. *sich durchschlagen.*

nevemez *stn. handvoll.*

newan *adv. u. konj.* = niuwan.

nîdeclich *adj. feindselig.*

nîden *stv. u. swv. ap. mit haß verfolgen; subst.* daz n. *die feindschaft der welt.*

nider *adv. (grundbedeutung: hinab u. ä.) prägn.: zugrunde* (himel unde erde müeze ê n. *müßten eher zugrunde gehen*). *– (grundbedeutung: niedrig, tief)* hôch unde n. *laut und leise, in allen tönen* (ruofen); dâ n. ligen (muot).

nider *als adv. bei verben:*

-biegen *stv. tr. u. refl. niederbeugen.*

-brechen *stv. tr. niederbrechen; übertr. unterdrükken; intr. u. refl. sich herabsenken.*

-bersten *stv. intr. niederstürzen.*

-bringen *anv. trans. zu boden schlagen.*

-bücken, -bocken *swv. tr. niederbeugen; intr. sich beugen.*

-dringen *stv. tr. eindrücken (tür).*

nider-drücken *swv. tr. unterdrücken;* den bart n. *den bart streichen; refl. sich herunterbeugen;* nider gedrucket *part. adj. demütig.*

-drumen *swv. tr. niederhauen, niederwerfen; auch übertr. unterdrücken.*

-erbieten *stv. tr. niederhängen lassen.*

-gâhen *swv. von bord eilen.*

-gân *redv.* aber n. *wieder umfallen, hinfallen.*

-gelegen *swv. tr. friedlich beilegen, beschwichtigen.*

-geligen *stv. zu fall kommen (nach hochfahrt).*

-gemachen *swv. refl. sich herablassen (übertr.).*

-gesitzen *stv. sich hinsetzen.*

-geslahen *stv. tr. zugrunde richten, niederschmettern.*

-getreten *stv. auftreten;* ze keiner stunde unsanfte n. *vor allen härten bewahrt bleiben.*

-hagelen *swv. tr. niederwerfen, besiegen.*

-hegen *swv. tr. fällen (bäume).*

-helfen *stv. dp. zu bett helfen, bringen.*

-henken *swv. tr. hängen lassen* (houbet).

-houwen *redv. tr. niederhauen, fällen.*

-hurten *swv. tr. mit der lanze vom pferd stoßen (vgl.* hurt).

-kêren *swv. tr. u. refl. herabsenken, -wenden.*

-kniewen *swv. niederknien.*

-komen *stv.* kindes n. *ein kind gebären;* an guot n. *sozial sinken.*

-laden *stv. tr. abladen.*

-lâzen *redv. tr. herablassen, senken (brücke, tor;*

die finger beim eid); beenden (gebet, rede); ablegen (ungemüete); sînen muot n. *seinen entschluß aufgeben, sich bescheiden; refl. sich herablassen, niedergehen (von vögeln); sich (häuslich) niederlassen, stellung beziehen, aufenthalt nehmen (auch bildl.);* sich ze vüezen n. *herabsteigen (vom pferd), um zu fuß zu gehen, ‚sich auf seine füße verlassen'.*

nider-legen *swv. tr. übertr. (jemandem) unrecht tun, abbruch tun; passivisch:* nidergeleit werden *schaden nehmen, ansehen einbüßen; etw. beilegen (fehde), abbrechen (rede), aufgeben* (den herschilt).

-leiten *swv. tr. hinunterleiten (wasser).*

-ligen *stv. zu fall kommen; niedersteigen; unterliegen, liegen bleiben;* der vride nider lac *lag im argen.*

-mæjen *swv. tr. niedermähen (bildl.).*

-meizen *redv. tr. niederschlagen (bäume).*

-morden *swv. tr. niedermetzeln.*

-neigen *swv. tr. senken* (houbet, sper); *refl. sich demütigen.*

-nicken *swv. absol. den blick senken; intr.* mit den ougen n. *dass.; tr. neigen* (daz houbet n.).

-nîgen *stv. intr.* zer erden n. *sich beugen, niederbeugen.*

-rîsen *stv. niederfallen (vom tau).*

-rîten *stv. intr. hinunterreiten; tr. niederreiten.*

-riuten *swv. tr. niedermähen.*

-schiezen *stv. intr. niederstürzen.*

nider-schouwen *swv. hinuntersehen.*

-schrôten *stv. niederhauen, zu boden werfen.*

-sehen *stv. den blick senken, hinuntersehen.*

-senken *swv. tr. senken* (houbet, schaft); *versenken (schiff).*

-setzen *swv. tr. u. refl. hinsetzen.*

-sidelen *swv. sich niederlassen, sich ansiedeln.*

-sîgen *stv. niedersinken, absinken; refl. sich niederbeugen.*

-sinken *stv. niederfallen.*

-sitzen *stv. sich (hin)setzen; sich senken.*

-slahen *stv. hinmähen;* daz leben n. *das leben hinbringen.*

-smücken *swv. refl. niederkauern.*

-snaben *swv. straucheln, übertr. in sünde fallen.*

-springen *stv. hinunterspringen.*

-stechen *stv. tr. vom pferde stechen.*

-stîgen *stv. hinuntergehen, -steigen.*

-stôzen *redv. niederstoßen (im kampf).*

-strecken *swv. tr. u. refl. hinlegen.*

-strîchen *stv. glatt streichen (kleid).*

-strûchen *swv. straucheln, niederfallen.*

-stürzen *swv. niederstürzen; auch refl.*

-swîfen *stv. refl. sich herabschwingen, sich vom pferd schwingen.*

-tragen *stv. schwer sein, tief gehen* (der slac truoc sêre n.).

-treten *stswv. tr. niedertreten; vertuschen.*

-tuon *anv. trans. übertr. abbringen von; mit gs.* einen sîner hôchmuot n.; *refl. nach unten streben.*

nider-vallen *redv. niederfallen, stürzen* (an die knie; ûf daz gras); *untergehen (gestirne); krank werden; vom pferd steigen.*

-varn *stv. hinab-, herabsteigen (z. b. in die hölle).*

-vellen *swv. tr. zu fall bringen; erschlagen.*

-vliezen *stv. herabfließen (blut).*

-werfen *stv. tr. niederwerfen.*

-ziehen *stv. trans. u. absol. herunterziehen; (bild der waagschale: Evas)* apfel, der uns alle vröude nider zôch; *(stimmen eines saiteninstruments:)* dise *(saiten u. wirbel)* zôch er nider, jene hôher.

-zücken *swv. tr. herunterreißen.*

-zünden *swv. dp. jem. zu bett leuchten.*

niderbaz *adv. weiter unten.*

niderbrüstec *adj. niederbrechend, -stürzend.*

niderduz *stm. das herabströmen;* des sweizes n. *schweißausbruch.*

niderec *adj. niedrig.*

nidergewæte *stn. unterkleidung.*

niderguz *stm. niederströmen des regens.*

niderhanc *stm.* mit des houbtes n. stân *mit gesenktem haupt.*

niderlant *stn.* hie in niderlanden *hienieden.*

niderlegunge *stf. niederlage; beschlagnahme; beherbergung.*

niderlender *stm. bewohner des* niderlandes.

niderlendisch *adj. im tal wohnend.*

niderteil *stn. der untere teil.*

nidertrit *stm. (stelle zum) abstieg.*

nie *adv.* nie sô vaste *noch so sehr, um so mehr;* nie vor disem tac *nie zuvor.*

niemêr *adv. als interj. keineswegs!*

niener *adv. niemals.*

nieten *swv.*[2] *refl. auch rein phraseol.* sich sterbens n. *sterben.*

niezen *stv.* vröude n. *glücklich sein; subst.* andâht mit gerndem n. *(beim empfang des leibes Christi).*

niftel *swf. base.*

nîgen *stv. danken;* ze gote n. *gott danken.*

niht *stn. das nichts; (sündhafte) nichtigkeit.*

nît *stm. streben; ehrgeiz; streitbegehr; bosheit;* n. reden *böse gedanken aussprechen.*

nîtspil *stn. kriegsunternehmen.*

niumâne *stm. neumond.*

niunslaht *adj. neunfach.*

noch *adv. immer noch* (= noch ie); *bislang, bisher; schon;* noch wannen *noch irgendwann, in futuro; noch eher,* morgen oder noch *spätestens morgen.*

noch *konj.* noch ... noch *weder ... noch.*

nochdan *adv. immer noch; überdies.*

nordenwint = norderwint.

nordîn *adj.* n. wint *nordwind.*

nôsekeit *stf. lässigkeit, ‚nusseligkeit' oder genußsucht?* (nœzekeit).

nôselich *adj. gleichgültig, lau; genußsüchtig* (nœzelich).

nôt *stf. notlage; zwangslage, höhere gewalt; verhängnis;* gerihtes n. *zwang, gebot, befehl;* lîbes n. *lebensgefahr; spez. kindbett; redewendungen:* ez tuot im n. *ist unvermeidlich, er kann nicht anders, kann nichts dafür;* mit micheler, maneger n. *mit müh und not;* grôze n. hân *sich abquälen;* grôze n. machen *aufhebens machen;* âne n. *ungerechtfertigt, sinnlos;* âne n. lâzen *in ruhe lassen;* ze n. antwurten *nur das nötigste antworten.*

nôtdurft *stf.* durch, von n. *nötigerweise.*

nôte *adv. schwerlich; komp. unpers.* dô wart ir nœter vil dan ê *verlangte sie noch dringender* (nach . . .).

nôteclîche *adv.* n. leben *in bedürftigkeit, in not.*

nôthaft *adj.* n. sîn *ein kümmerliches dasein führen.*

nœten *swv.* niht n. *ap. einem nichts anhaben.*

nôtnemen *stv. tr.* = nôtzogen.

nôtrede *stf. schiedsrichterliche entscheidung.*

nôtsweiz *stm. angstschweiß.*

nouwecheit *stf. mühsal.*

novizenmeisterin *stf. erzieherin der novizen.*

nû *konj.* nû . . . denne *bald . . . bald.*

nû *stn.* nû der êwicheit *nunc aeternitatis;* in eime einzigen nû.

nüehterlîche *adv. mäßig;* ezzen und trinken n. *(als gebot).*

nulle *swm. hals.*

nuofer = uover.

nuos = nuosch.

nutzebære *stf. brauchbarkeit, fruchtbarkeit.*

nützecheit *stf. nutzen, nutzbarkeit.*

nützelich *adj.* mit n.-em sinne *praktisch.*

nutzhaft *adj. nützlich.*

nutzheit *stf. nutzen.*

nuzgarte *swm. obstgarten od. nuß(baum)garten.*

nuzkerne *swm. nußkern.*

nuzschale *stf. nußschale;* niht ein n. *gar nichts.*

O

obe, ube *konj.* o. schône *wennschon, obschon, obgleich (vereinz. seit 13. jh.).*

obe *präp. über; gelegentl. mit gen.* dû sihst den rihter ob dîn.

obe *präposit. adv. bei verben:*

obe haben *swv. as. ds.* disen dingen hât diu welt niht o. *höheres kennt die welt nicht.*

-sweben *swv. ds. übertreffen;* (lop) daz der mâze swebet o. *das alles gewohnte maß übersteigt.*

-sweimen *swv. überragen (an).*

-vliegen *stv. mit dat. überflügeln, übertreffen.*

obene *adv.* daz mære von o. hin ze grunde sagen *gründlich u. genau.*

oberbild(e) *stn. eine spielkarte (dame).*

oberbrahten *swv. übermäßig lärmen.*

oberdach *stn. (bildl.:) krone, krönung, gipfel* (aller schônde ein o.).

obergewant *stn. bettdecke.*

oberhêrre *swm. oberherr, lehnsherr.*

oberhimel *stm. fixsternhimmel, firmament.*

oberschepfe *stm. oberschöffe.*

obersnabel *stm. (des adlers) oberschnabel.*

oberteil *stn. oberteil, oberseite (z. b. des würfels).*

obese *stswf. vorhalle.*

obic *adj. ober, höher;* o. rîche *regnum aeternum; himmelreich, Olymp.*

ochezen *swv. och rufen; vgl.* ach(ez)en *wehklagen.*

octâv *stf. oktave; sopran(?).*

ode *konj.* weder . . o. *weder . . . noch;* ê . . . ode *eh . . . eh, lieber . . . als.*

of *konj. md. oder.*

offen *adj. offenkundig;* o. urkunde *manifestum argumentum, beweisendes zeugnis.*

offenbâr *adv. laut, vernehmlich* (singen).

offenbære *adj. unbefangen, frei.*

offenen *swv.* die strâzen o. *den weg freigeben.*

offenlich *adj.* o.-er kampf *offene auseinandersetzung.*

offer *s.* opfer.

offerende *f. opfergabe.*

olanglich *adj. s.* alanc *vollkommen.*

olbentîn *stn.* = olbente *kamel.*

ölbrunne *swm. ölquelle.*

öle *stn.* das heiz ö. *(von geschmolzenem blei gesagt).*

ölvarwe *stf.* si ist gefirnüsset mit guter glantzer ö. *(d. h. schminke).*

opfer, offer *stn.* o. tragen *opfergeld spenden; ‚opfern'.*

opferdienest *stm. opfer, opferdienst.*

orden *stm. sitte, art, religion, konfession;* den o. anlegen *dp. ordenskleid.*

ordensman *stm. mitglied eines ordens.*

orizon *m. horizont.*

orthabe *swm. oberhaupt, ‚spitze':* daz houpt, ein o. des lîbes ob allen den geliden.

ortvrumunge *stf. auctoritas, urheberschaft.*

ôse *swstf. schöpfeimer.*

ôsterbrôt *stn. osterbrot.*

ôstergelt *stn. osterzins.*

ôstergloie *swf. frühlingslilie.*

ôsterheilec *adj.* die ôsterheiligen tage *osterfeiertage.*

ôsterimbîz *stn. ostermahl.*

ôsterisch *adj. österlich* (daz ô.-e pascha).

ôstermâl *stn. ostermahl.*

ôstermorgen *stm. ostermorgen (auferstehung).*

ôsternaht *stf. osternacht.*

ôsterspîse *stf. ostermahl.*

ôstersunne *stf. ostersonne.*

ôsterteil *stn. osten.*

ôstertulde *stf. osterfest.*

ouge *swn.* mit den o.-n vremeden *ap. jemds. anblick meiden;* under o.-n ane sehen *ap. jem. ins gesicht sehen, auge in auge gegenübertreten;* an den o.-n ligen *dp. deutlich vor augen stehen;* âne o.-n wesen *blind sein;* mit liehten o.-n *sehenden auges;* sîn o. lâzen in *as. hineinspähen;* under o.-n legen *as. dp. jem. etw. (tadelnd) vorhalten;* mit den o.-n sehen *ap.,* daz… *jem. so ansehen, als ob…*

ougebein *stn. stirnbein.*

ougeglas *stn. brille.*

ougen *swv. refl. sich zeigen, erscheinen; zum vorschein kommen (sterne).*

ougenbilde *stn. augenlicht, augen;* bî iuwerm o. = bî iuwern ougen.

ougenender *stm. horizont.*

ougengruobe *stswf. augenhöhle.*

ougenmeil *stn. augenfehler.*

ougensalbe *swf. salbe für die augen; auch übertr.*

ougenschalc *stm. augendiener, schmeichler.*

ougenschîn *stm. augenschein, (an)blick* (in den o. komen); sînes herzen o. *sein geistiges auge; das beschauen; autopsie.*

ougenswanc *stm.* nie ein einic o. *nicht ein einziger blick oder lidschlag.*

ougentrôst *stm. augentrost (heilpflanze).*

ougepfelîn *stn. dem. zu* ougapfel.

ougesêre *stm. augenleiden.*

öust *stn. schafherde.*

ovenviur *stn. feuer im (schmelz)ofen.*

P

palas *stnm. schloß.*

paliure *f. blässe.*

palm(e)âbent *stm. vorabend des palmsonntags.*

palmbluot *stmf. palmblüte.*

palmwîn *stm. palmwein.*

papelrôse *swf. stockrose, malve.*

paradîsapfel *stm. paradiesapfel; granatapfel.*

paradîsîn *adj. paradiesisch (beiwort für Maria).*

pære *stf.* = bære³ *(zu* bar *adj.) kahle stelle am weinberg.*

parisapfel *stm. apfel des Paris.*

parlieren *swv. tuscheln.*

paternoster *stn. pater noster, vaterunser.*

pech *s.* bech.

pel(l)ikân, pel(l)ikîn *stm. pelikan.*

pennic *stm.* = phenninc umb einen rehten p. *für einen passenden kaufpreis.*

peregrîn *stm. pilger.*

perle *s.* berle.

persich *stm. eine fischart, (vgl.* bars, bersich).

petschaft *s.* petschat.

perûle *stf.* = berle *perle.*

pf- *vgl. im hauptteil* ph.

pfaffensamenunge *stf. konzil.*

pfaffenwîhe *stf. priesterweihe.*

pfælen *swv. pfähle machen, (im weingarten) pfähle stecken.*

pfâlholz *stn. holzpfahl (zum brückenbau).*

pfankuoche *swm. pfannkuchen.*

pfannensmit, -smet *stm. pfannenschmied.*

pfannenstil *stm. pfannenstiel.*

pfant *stn. beutestück;* ze pfande setzen *as. sich verbürgen mit etw.;* zwîfels pf. machen *dp. jem. von zweifel befreien.*

pfatgewant *stm. reisekleid.*

pfâwenvedere *stf. pfauenfeder.*

pfefferkorn *stn. pfefferkorn.*

pfeffersac *stm. pfeffersack (als schimpfwort).*

pfellel-, pfellenkleit *stn. festliches (seiden)gewand; auch übertr.*

pfellel-, pfellorrock *stm. purpurgewand.*

pfellelvar *adj. purpurfarbig.*

pfellelvarwe *stf. farbe des blauen purpurs.*

pfenden *swv. ap. gs. einem etw. abgewinnen.*

pfenninc, pfennic, pfenninge *stm. jur. geldforderung.*

pfennincdiep *stm. gelddieb.*

pfennincrîche *adj. reich;* ein pf.-r man *mann, der viel geld hat.*

pfennincstiure *stf. geldsteuer.*

pfîen *swv. verspotten, pfui rufen.*

pfîfenschal *stm. pfeifenklang.*

pfîlsegen *stm. pfeilsegen (beim ausziehen des pfeils aus der wunde).*

pfimpfen *swv. vor hitze dampfen.*

pfingestâbent *stm. abend vor pfingsten.*

pfingestheilic *adj.* die pfingestheiligen tage *pfingstfeiertage.*

pfitzen *swv.* = pfîen.

pflanz(e)rîs *stn. steckling.*

pflegære *stm. beschützer, bewahrer, wächter.*

pflege *stf. versorgung, verpflegung;* unwerdiu *oder* swachiu p. *mangelnde pflege, vernachlässigung;* in sîner p. haben *as. verfügung, gewalt haben über (z. b. ein kastell).*

pflegen *stv. mit gen. verehren; vormundschaft üben über;* der lande pfl. *das reich verwalten;* sîn selbes pfl. *sich schützen;* sîner zungen pfl. *seine zunge hüten;* rehter dinge pfl. *gerechtigleit walten lassen;* guotes pfl. *sich um besitz kümmern;* der triuwen pfl. *sich freundlich zeigen;* schalles pfl. *einen festtag halten; – tr.* in banden pfl. *ap. in banden halten.*

pflegunge *stf. fürsorge, obhut.*

pfliht *stf. pflicht, aufgabe, verpflichtung, umgang; anteil, anspruch;* pfl. nemen *gs. anstoß nehmen; phraseologisch:* in leides pfl. *in schmerzen;* in troumes pfl. *im traum.*

pflihteclich *adj. verpflichtend.*

pfluocrat *stn. rad am pflug.*

pfochsnîden *stn. beutelschneiderei.*

pfrille *swm. (eine fischart).*

pfropflinc *stm. pfropfreis.*

phariseus *stm. pharisäer.*

philosophie *stf. philosophie.*

physike *swf. heilkunde.*

pillele pillule *swf. pille.*

pinol *name eines weines.*

pinselwerc *stn. gemälde.*

plân *stm. kampfplatz, schlachtfeld; bildl.* ûf der minnen pl. gân; *phras.* ûf. der trugen pl. *heimtückisch.*

plange, planie auch swf.

plânîe *swf.* = plân.

planken *swv. (md; vgl. mnd.* plengen) bôsheit pl. *anstiften.*

platzen *s.* blatzen.

plecketzen *swv. intensiviertes* plecken, *blöken.*

poinder *stm. schlachtgewühl.*

pol, pôl *stm. spitze.*

port *stmn.* in herzen p. *im tiefsten herzen.*

posûn *s.* poisûn.

prasen *nbf. zu* prasem.

predigâte *s.* bredigâte.

predigunge *s. bredigunge.*

pregant(e) *swm. fußsoldat; brigant.*

presse *stswf. kelter:* die p. treten; *übertr. quälender kummer.*

prîe *s.* brîe.

primâte *swm. primas.*

prîm(e)zît *stfn. erste kanonische stunde.*

principât *stm. oberste herrschaft.*

prîs *stm. ansehen;* bî p.-e sîn *sich (im kampfe) auszeichnen.*

prîsen *swv. refl. sich anmaßend benehmen, selbstgefühl zeigen;* sich pr. mit *sich auszeichnen durch.*

prîsûner *stm. gefangener.*

probieren *swv. beweisen, prüfen; refl. sich erweisen als.*

provincie *stf. provinz, landesteil.*

prüevelich *adj.* p.-er tîch *probatica piscina, teich für die ausgewählten (opferschafe).*

prüeven *swv. (sich) überzeugen; beurteilen;* wunder p. *etw. wunderbares erfahren;* wât p. *dp. kleider anmessen, anfertigen lassen, jem. einkleiden.*

psalmenklanc *stm.* gesanc von dem sußen p. *etwa: feierliches psalmodieren.*

psalmiste *swm. psalmist.*

psalter *stm.* p. lesen *beten.*

pühel *s.* buchel, *fackel.*

pûkendôz *stm. paukenschlag.*

pünctelîn *stn. dem. zu* punct.

punieren *swv. auch einfach: reiten.*

purper-, purpurkleit *stn. purpurgewand.*

pûse *stswf. wägung, pfund.*

pütze, bütze *s.* phütze.

Q

quadrant *stm. quaderstein.*

quadrante *swm. meßinstrument.*

quallen *s.* quellen.

quant *stm.* sunder qu. *phraseologische flickwendung in vielfältiger bed.*

quecke, kecke *adv. munter.*

quecke *f. (unkraut).*

quecsilber *stn. nbf.* kocsilber.

queln *stv.* qu. nâch *sich sehnen nach.*

quelsunge *stf. qual, marter.*

quetschiure *s.* quatschiure.

quick *stm. erquickung.*

quicken *swv.* qu. unde reizen (zuo) *anregen, anspornen (z. b. zum bösen).*

quil *stf. schmerz, qual.*

quît *adj.*[2] qu. werden *oder* sîn *mit gen. verlieren;* qu. machen *as. begleichen.*

quortel *s.* quarter.

R

rampant *adj. aufrecht, aufgerichtet:* ein löwe r. *(fachausdr. der heraldik).*

rangen *swv. (vor freude) hin u. her springen;* mit einem r. *buhlen.*

râsen *swv. subst.* vîentlichez r. *ansturm.*

râsende *part. adj. tobsüchtig; auch subst.*

raspe *swf. eine pflanzenart (taubhafer); gesträuch* (= rispe), *bildl.:* der minnen r. mich überwuchs.

rast *swm.* = raste.

raste *stf.* sîne r. enphâhen *herberge finden.*

rastebreit *adj. oder adv.* dâ vor lac r. ein plân.

rastelanc *adv.* si wâren wol r. gevarn *(vgl.* raste.*)*

rât *stm. urteil, urteilsvermögen; pl.* ræte *anschlag, ränke;* r.-es hân *sich (bei jem.) rat holen;* r. hân *mit gs. oder* umbe *oder abh. satz: verzichten auf, nicht nötig haben, die fülle haben; auch: sich etw. verbitten;* – r. tuon *dp. gs. (oder mit präp.) jem. von etw. befreien;* ze r.-e tuon *gs. ein ende machen mit;* einen r. tuon *dp.* umbe *as. jem. mit etw. aushelfen; unpers.* r. werden *gp. wohlergehen;* des enwas dehein r. *es mußte so sein oder: es half alles nichts.*

râtbuoch *stn. ratsprotokoll.*

rate *swf. auch molch.*

ræteclîche *adv. verständig.*

rætelbuoch *stn. rätselbuch.*

rætelnisse *stf. rätsel.*

râten *redv. dp. helfen; dp. as. jem. etw. eingeben, nahelegen; dp.* zuo *ds. jem. zu etw. verhelfen;* iemannes vrâge r. *sie hilfreich beantworten, sein ‚problem' lösen.*

râtgedinge *stn. ratsgericht.*

râtglocke *swf. glocke am rathaus, (die zur ratsversammlung ruft).*

râtische, rætsche *stswf. weitere nbff.:* ræters, rætersche, retelse.

râtkamer *stf. beratungsraum, secretarium; als coll. übertr.:* r. der götelichen drîvalt.

rætlich *adj. ratsam:* daz ist r. getân *ist das klügste; mit rat und tat zur stelle.*

râtmæzec *adj. von personen: dem rate angehörend; zu weisem rat befähigt.*

râtnüsse, -nusse, -nisse *stfn. rätsel.*

râtpalas *stn. rathaus.*

râtschaz *stm. eine festgesetzte abgabe.*

râtschranne *f. gerichtshaus.*

râtslac *stm.* in r. gên *sich beratschlagen.*

râtslagen *swv. beratschlagen.*

râtslagunge *stf. beratung.*

ratsmit *stm. radschmied, wagner.*

râtstube, -stabe *swf. ratsstube.*

râtwort *stn. ratschluß.*

ravenne (?) *ein musikinstrument.*

râwen *swv. klagend schreien, heulen (lautmalend, bes. von tieren).*

rê *stm.* an den rê komen *den tod erleiden.*

rechære *stm. aufrührer, friedensbrecher.*

rechen *stv.*[1] *ap. strafen, schelten; as. tadeln, übelnehmen; sich auflehnen gegen* (sîn leit r.); *as.* an *dp. jem. entgelten lassen für etw.;* an im selben r. *as. sich ungelegenheiten machen um etw.*

rechenschaft *stf.* r. geben *dp. rechenschaft geben.*

rêchkitze *stn. rehkitz.*

rêchlîn *stn. rehlein.*

reckholter, rekolte(r) *stm. wacholder, -zweig.*

rede *stf. beratung, zusammenkunft; thema; erzählte geschichte; gedicht; lied; stil; grundsatz; umschreibend:* waz der r. *was wie die sache stand;* ûf die r. bringen *dazu bringen;* ze r. komen *sich verantworten;* mit r. *ausdrücklich;* der r. wert sîn *der rede wert sein, lohnen;* âne r. lâzen *ohne nachrede lassen;* in eine grôze r. bringen *in schlimmes gerede bringen.*

redebære *adj.* r. machen *ap. sprache verleihen.*

redelich *adj. wahrhaft (eine geschichte); aufrichtig* (danc).

redelîche *stf. ratio, vernunft.*

reden *swv. mit sich selbst zwiesprache halten, räsonieren;* r.-de gân zuo *dp. jem. nach dem munde reden;* r., daz . . . *vorschlagen, raten; pass. unpers.* mir wirt geredet an *as. mir wird gerichtlich anberaumt (ein zweikampf);* mit den engeln redende sîn *gleich den engeln sprachmächtig sein.*

rederîch *adj. redemächtig.*

redewîsheit *stf. rhetorik (als lehrfach).*

redewort *stn. wort, (pl.) rede.*

regele, regel *stswf. vorschrift, norm, maß;* windes r. *segelkunst.*

regelzuht *stf. correctio regularis, klosterregel.*

regenen *swv.* swenne ez r. wolte *wenn es nach regen aussah.*

regenlich *adj.* r.-er dôz *gewitter(regen).*

regenrisel *stm. regenschauer* (kalter r.).

regenwetter *stn. regenwetter.*

regiererinne *s.* regierinne.

reht *adj.* mit r.-en triuwen *aus voller überzeugung, aus innerem herzen;* rehte(re) hant *rechte hand;* rehte sîte *rechte seite.*

reht *stn. natur der dinge; wesensart; natürliches anrecht;* r. der natûre *gesetz der natur;* von r.-e *seiner natur nach;* mit r.-e *wie zu erwarten, wie es natürlich ist;* wider ritter r.-e *unritterlich;* r. gewinnen *sein recht suchen, holen;* ze r.-e komen *zu seinem recht gelangen;* gotes r. *kirchenrecht;* daz r. tuon über *ap. jem. vor gericht stellen;* sîn r. begân *seine pflicht tun.*

rehtbot *stn. rechtliche entscheidung.*

rehte *adv. dem wunsch gemäß.*

rehthaftic *adj.* rehthaftigez bluot *blut der gerechten.*

rehtlêrer *stm. jurist.*

rehtlîche, -lîchen *adv. von natur.*

rehtmeister *stm. jurist.*

rehtschrîbære *stm. schriftgelehrter.*

reichen *swv.* verre r. vür *weit übertreffen; refl.* gegen *ds. sich beziehen auf.*

reif *stm.* der sunnen und des mânen r. *kreisförmige bahn;* mit r.-e gân *könig sein.*

reigern *swv.* (= reien) *reigen tanzen.*

reine *adj.* r.-z leben *(heiliges) leben als mönch.*

reineclîchen *adv. aus tiefem herzen* (minnen); *aufrichtig (beichten).*

reinegen *swv. läutern.*

reise *stf. werbefahrt, brautfahrt; tagesreise (als zeit- u. wegmaß);* die r. schicken *(mit adv. des zieles) den weg (wohin) richten, nehmen.*

reisen *swv.*[1] *marschieren* (durch).

reisenote *stf. auch: einzugsmarsch* (ein r. blasen).

reisgezelt *stn. kriegszelt.*

reismantel *stn. reisemantel.*

reiten *swv.*[1] *vorrechnen.*

rêkleit *stn. totenhemd.*

remedie, remedige(n) *stn. eindeutschung von remedium, heilmittel.*

reste *stf.* juncvrouwen r. *nonnenkloster.*

restunge *stf. ruhe.*

ric *stm. vogelstange.*

ric *s.* rücke.

richart *stm. eichelhäher.*

rîche *adj. gut gestellt; selbständig; großzügig; hochmögend;* under ougen r. *mit edlen gesichtszügen;* r.-r ger (sîn) *ehrgeizig, machtsüchtig;* r.-s muotes *stolz, froh, glücklich;* vröiden r. *glückspendend;* der r. dürftige *der königliche bettler;* r. loupvahse *dichtbelaubte zweige.*

rîche *adv.* r. nîgen *lauten od. großzügigen beifall spenden.*

rîchen *swv. beschenken; reichlich versehen* (den sal mit gesidelen r.).

rîchesen *swv. thronen.*

rîchheit *stf. hohe stellung; herrschaft.*

rîchsenunge *stf. herrschaft.*

rîchtuom *stn. himmelreich.*

riebe *swf.* = rippe.

riechlich *adj. rauh.*

rienen *swv. flüstern.*

riet-heige(r) *stm. ein vogelname.*

rîfe *swm. auch: frost.*

rihtære *stm. vom papst: religiöses oberhaupt.*

rihte *stf.* si legete sich an r. *sie legte sich zum sterben bereit.*

rihte *stn. richtplatz.*

rihtecheit *stf. gerechtes urteil.*

rihteclîche *adv. geradeaus.*

rihtegunge *stf. regierung;* r. der hêrschunge *ausübung der herrschaft.*

rihtelîn *stn. kostprobe.*

rihten *swv. refl.* sich von dan r. *sich abwenden.*

rihtunge *stf. führung im leben;* r. des urlouges *kriegsführung.*

rîm *stm.*[2] *vers.*

rinc *stm.* in einem ringe *zugleich.*

rindshâr *stn. pl. rinderhaare.*

rindsmarc *stn. rindermark (zur salbenherstellung).*

rîneschheit *stf. rheinische tracht und mode.*

ringe *adv. flink, schnell.*

ringe *stf. leichte bekömmlichkeit.*

ringen *stv.* einander r. *sich umarmt halten.*

ringen *swv.*[2] *gering achten.*

rinnen *stv.* an die erde r. *vom pferde fallen.*

rinôceros *n. rhinozeros.*

risch *adj. gewandt.*

rise *swm. bildl.:* aller zühtecheit *oder* êren ein r. sîn *von strengster ehrenhaftigkeit sein.*

rîsen *stv. überlaufen (gefäß).*

rîtære *stm.* in rîters wîs alt werden *umschreibend für: nie lesen lernen.*

rîten *stv. traben (vom kamel); gleiten (speerschaft in der hand); spez. im turnier reiten.*

ritterlich *adj. hochgemut (von einer frau gesagt); elegant (von frauengewändern).*

ritterlîche(n) *adv. wie ein echter ritter.*

ritterleben *stn. ritterliches leben.*

ritterschaft *stf. ritterliche kultur; kämpferisches meisterstück (auch iron.);* r. geben *satisfaktion geben.*

rittervart *stf. übertr. von der bewegung des königs im schachspiel.*

ritterwerc *stn. (pl.) rittertaten.*

riuten *swv.* steine r. *für: steine häufen.*

riuwe *stswf. qual;* âne r. *gern; phraseol.* sunder valsche r. *ohne falsch.*

riuwen *stv.* daz ez got iemer riuwe *erbarme.*

riuwesærinne *stf. büßerin.*

riuwetrahen *stm. träne der reue.*

rivier *stmfn. fluß.*

rîzen *stv. refl. sich spalten* (alle steine rîzent sich in gelîcher stücke viere).

robede *f. kleidfutter.*

roc *stm. kleid.*

rockenmel *stn. roggenmehl.*

roden (**rôden**) *swv. md.* (= riuten) *urbar machen.*

rode(n)bruch *stm. eine bruchpflanze.*

roie *m. könig* (Salomon, der wîsheit ein r.).

rôr *stn., auch m.! vorschrift, richtlinie.*

rœselieren *swv.* gerœselierter munt *rosenrot geschminkt.*

rôse(n)blüende *part. adj. wie rosen blühend.*

rôsenbusch, rôsbusch *swm. rosenstrauch, dornbusch (Moses sah)* einen rôsenbuschen brinnen.

rôsengertelîn *stn. rosengarten.*

rôsenkrenzelîn *stn. rosenkranz (als zierde; als geschenk).*

rôsenmunt *stm. rosenmund.*

rôsensâme *swm. rosensamen.*

rôsenwange *stswn. rosenwange.*

rôsenwazzer *stn. rosenwasser.*

rossemarket *stm. pferdemarkt.*

rôt *adj. schamrot.*

roten, rotten *swv.*^{2} *trans.* an sich roten *um sich scharen; intr. sich versammeln* (mit tiuvels knehten r.).

rottenvisch *stm. eine fischart, salmo alpinus.*

rôtwîn *stm. rotwein.*

rotze *s.* rosche

rouch *stm.* r. in sich vazzen *sich benebeln lassen.*

rouchholz *stn. brennholz.*

roupgîtec *adj. räuberisch.*

roupnis, -nus *stf. übertr. das fehlen, nichtvorhandensein.*

rubînvar *adj. rubinrot.*

ruchbære *adj. duftend.*

rûchen *swv. rauh werden.*

rücke *swm. alem. auch* ric.

rückeholz *stn. stamm des kreuzes.*

rücken *swv. im allg. vorwärts rücken, bewegen; aber auch:* ie baz r. *sich immer weiter zurückziehen.*

rüefunge *s.* ruofunge.

rüeren *swv. ap. angehen, betreffen;* snellîche hin r. *los-, entgegenrennen, -rasen;* her gerüeret komen *dahergerannt, angebraust kommen;* ze Weisefort în r. *hereinreiten;* mit sporn r. *(ohne obj.) dem roß die sporen geben.*

rûm *stm. öffnung (einer tür, eines türschlosses);* den r. wîten *den kampfraum ausweiten.*

rûmen *swv.* daz lant r. *aufbrechen;* sin guot r. mit spil *seinen besitz verspielen.*

rumpeln *swv. irruere, einstürzen.*

rundengrœze *stf. sphaera, himmelskugel.*

rundengrœzec *adj. sphaeralis, kugelförmig.*

rûnen *swv. tuscheln (von den merkern).*

runzenvar *adj. runzlig.*

ruoch *stm.* mit vlîzeclichem r.-e *mit aufmerksamer hingabe.*

ruoche *stf.* durch r. *fürsorglich.*

ruochelôse *adv.* r. lân *vernachlässigen.*

ruochen *swv.* ich enruoche *es ist mir gleich(gültig) (mit abh. satz).*

ruofen *redv.* nâher r. *dp. herbeirufen.*

ruofunge, rüefunge *stf. das rufen; berufung.*

ruore, ruor(e)de, ruor *stf.* r. des bûches, r. des lîbes *solutio ventris (als medizinische maßnahme).*

ruowe *stf.* sich eine r. nemen, eine r. halten *halt machen, eine erholungspause einlegen.*

ruowen *swv. sich erholen; part.* geruowet *erholt;* geruowet lân *in ruhe lassen.*

rupte, ropte *stf. felsstück, steinmasse.*

ruschâ *interj. (ausruf der ermunterung).*

rûschen *swv. flitzen.*

rusten *swv. rasten.*

S

sâ *adv.* sâ ... sâ *sowohl ... als auch.*

sacroubære *stm. plünderer, räuber.*

sacrouben *swv. plündern, rauben.*

sacröubisch *adj. räuberisch.*

sache *stf.* von swachen s.-n *aus schlechtem, geringem material (gold machen wollen);* dîn *(Alexanders)* jærlich ergangen sach *annales historiae; geschichten, anekdoten; (beides)* was gezilt mit einen s.-n *hatte die gleiche ursache.*

sachen *swv. veranlassen;* zesamene s. *mischen;* etewaz s. zuo *dp. zum vorwurf machen;* an einen s. umbe *as. etw. erbitten von; auch* = besachen.

sachunge *stf. wirkung* (ein sache aller s. *die ursache aller wirkung*).

sacken *swv. tr. mit säkken beladen (esel).*

safrângel *adj. safrangelb.*

sage *stf.* der liute s. *urteil der menschen;* nâch *oder* von s. *vom hörensagen.*

sagen *swv.* s. *as.* ûf *ap. jem. einer sache bezichtigen;* s. *as. dp.* zuo *ds., z. b.* einem etw. ze trügeheite s. *auslegen als betrug. – subst. bzw. gerund.:* mit s. *mündlich;* ze s.-ne sîn *mitteilbar sein.*

sal *stmn. vielfach bildl.,* s. des lîbes *(raum des körpers);* der vrône s. *himmelreich.*

salben *swv.* (mit mirre) *einbalsamieren.*

sælde *stf. schicksal.*

sældekunst *stf. hohe (dicht)kunst.*

sældenarm *adj. glücklos, unglücklich.*

sældenbarn *stn. sonntagskind.*

sældenkraft *stf. das vermögen,* sælde *zu erringen.*

sældenruote *stf. strafe, die zum heil gereicht.*

sældenvlühtic *adj.* s. mâl *zeichen des unheils.*

sældenvingerlîn *stn. glücksring.*

sælec *adj. glücklich zu preisen; (anrede an frauen)* sæligiu massenie! *etwa: meine hochverehrten.*

sælecheit *stf. gnadengabe, charisma; rettung, paradies;* (dienest) âne s. *ohne himmlischen lohn.*

sælecliche *adv. segensreich;* daz kint ist s. getân *ein holdes gottesgeschenk.*

salzstein *stm. salzsäule.*

sambalde *adv. alsbald, sogleich.*

sambesttac *s.* sameztac.

samenen *swv. tr.* schaz s. *sparen; absol.* in ein scheide s. *unter einer decke stecken (redensartlich).*

samenieren *swv. refl. sich zusammenschließen, sammeln* (sich s. zu einem hûfen).

sament, samet *adv.* samet unde sunder *samt und sonders.*

samenunge *stf. auch für monasterium.*

samitroc *stm. gewand aus samt.*

sanc *stm. dichtung, dichten.*

sanfte *adv. gern; komp.* s.-r lieber (sô wære ich s.-r tôt); *sanfte* gemuot *friedlich* (ein lützel s.-r gemuot werden).

santvüerer *stm. sandfahrer.*

saphîrblâ *adj. saphirblau.*

saphîrvarwe *stf. saphirfarbe (symbol der treue).*

sargewant *stn. kampfgewand, rüstung.*

sarrazînesch *adj. sarazenisch* (wir vernæmen s. baz *etwa: das ist uns böhmisch).*

sarwerhter *stm. verfertiger von rüstungen.*

sarwürhter *m. dass.*

satelkneht *stm. reitknecht.*

satelruc *stm. hinterer teil des sattels.*

sateltasche *swstf. satteltasche.*

satsamecheit *stf. sättigung, sattheit.*

saz, satzes *stm. stand, status;* den alten s. tragen *den alten kleidervorrat tr.*

schaben *swv.* die armen sch. und schinden *quälen und schinden.*

schâch *stmn.* sunder krieges sch. *ohne wortstreit;* ir süezen ougen sch. *ihr blick, der mir die besinnung raubt* (= schâchblic).

schâcherîe, schæcherîe *stf. (straßen)raub.*

schade *swm.*[1] *niederlage; unglück; verlust des lebens, auch direkt: tod.*

schadec, schedec *adj. schädlich; geschädigt.*

schaffen *stv.* sch. umbe *as. sich bemühen um etw.;* ez endelich wol sch. *es zu einem guten ende bringen, selig sterben.*

schaffunge *stf. dispositio, ordnung, satzung.*

schâflembelîn *stn. schaflämmchen.*

schal *stm.* sch.-les phlegen *einen festtag halten.*

schalchaft *adj. roh, brutal.*

schalclich *adj. listig, schlau (ohne abwertenden sinn).*

schalen *swv. trübe werden (augen).*

schalholz *stn. trockenes holz (z. b. zum brückenbau).*

schaltwort *stn. s.* scheltwort.

schamegen *swv.* = schamec machen, schamec werden.

schamelich *adj.* sch.-e bürde *schande (z. b. der armut).*

schamunge *stf. schmähung.*

schande *stf.* âne alle sch. *in allen ehren;* âne sch. belîben *ehre einlegen.*

schandenvar *adj.* sch. werden *sich entehren.*

schandenvezzel *stm. als schimpfwort (für lüsternen pfaffen).*

schantwagen *stm. der schande mit sich führt (schimpfwort).*

schanze *stf.*[2] *wechselnde lage;* der welte sch. *der welt lauf.*

schápel *stn. stirnband diadem.*

schapelbluome *swf. blume im kranz.*

schapelkleit *stn.* sch. tragen *für: jungfrau sein.*

schar *stf. tonsur;* ein werlîchiu sch. *ein kriegerorden;* des grâles sch. *die gralsgemeinschaft.*

scharben *swv.*[1] *unterscheiden, verstehen.*

scharben *swv.*[2] *refl. sich gesellen zu.*

schardrun *stn. teil einer schar, abteilung (vgl. schwadron).*

scharpf *adj. gehässig* (sch. werden *dp. gegen jem.*).

schatehuot *stm. baldachin.*

schavernac *stm. wein aus Chiavenna.*

schazhalterinne *f. schatzmeisterin,* sch. der kunst und der wîsheit *(vom gedächtnis).*

schazkiste *swf. schatzkiste.*

schazmeister *stm.* sch. der gemeine *steuereinnehmer o. ä.*

schechen *swv. prügeln.*

schedelich *adj. peinigend, schmerzlich, gefährlich.*

schedelîche(n) *adv.* sch. erwerben *unter verlusten erwerben;* sch. komen *dp. teuer zu stehen kommen.*

schefe, schöpfe *nbff. zu* scheffe *swm.*

scheffe *stfn. schöpfung, geschöpf.*

scheffelbrief *stm. vom schöffen ausgestellte urkunde.*

schehenzen *swv.* = schâchen²; *subst. freibeuterei.*

scheide *stf.* in ein sch. samenen *unter einer decke stecken.*

scheiden *redv. ap.* von *ds. jem. etw. entziehen, rauben (ehre, rechte), ihn vertreiben von (besitz), befreien von (kummer); – part. adj.* gescheiden *entzweit;* von witzen g. *ohne verstand; – subst. trennung.*

schêlen *swv. md. schielen.*

schellebære *adj.* sch. tavele *tabula sonora, gong.*

schellen *swv. refl. sich hören lassen.*

schellenklanc *stm. klang von glöckchen.*

scheller *stm. ausschreier.*

scheltec *adj.* sch. wort *blasphemisch.*

schelten *stv. lästern; subst. für vituperatio, (gerichtliche) anklage.*

scheltlich *adj. lästerlich.*

scheltlîche *adv. auf tadelnde weise.*

scheltman *stm. mann, der tadel verdient.*

scheltmære *stn. üble nachrede.*

schem(e) *stf. schande, blamage.*

schemelbanc *stf. schemel.*

schemelich *s.* schamelich.

schemen *swv. refl. gs. etw. als schande empfinden.*

schenel *stm. schienbein.*

schenken *swv. mit ausgelassenem objekt auch (mit dp.) den willkommenstrunk reichen; – subst. freie bewirtung mit getränken;* minneclichez sch. *liebesopfer (von Christi blut).*

schenker *stm. ausschenker, schenke, spender,* gnâdenwînes sch. *(von Christus).*

schentlich *adj.* sch.-iu nôt *schande.*

schepfærinne *stf.* mîner vröud ein sch. *urheberin meines glücks.*

schepfen *swv. bilden, herstellen, erzeugen; bestätigen, fördern; refl. sich bilden (fruchtknoten).*

scherflôn *stmn. lohn des steinmetzen.*

scherlôn *stmn. lohn für einen schneider.*

scherpfe *stf. grausamkeit.*

scherremeister *stm. s.* schirremeister.

schicken *swv. unpers.* ez schicket mich wol *steht mir gut, ziert mich.*

schicknisse *stf. geschick, schicksal.*

schieben *stv.* in den sac sch. *ap. in den sack stecken, redensartl. für: jem. überlegen sein.*

schieches *adv. scheu.*

schiere *adv. früh;* als sch. sô *sobald als;* nie sô sch. sô *kaum daß.*

schifambet *stn.* der des sch.-s phliget *der fährmann.*

schifbreche *stf. naufragium, schiffbruch.*

schifbrechunge *stf. dass.*

schif-, schefbret *stn. schiffsbalken, -planke.*

schiffelîn *stn. ruderboot.*

schifgrabe *swm. kanal.*

schifhaven *stm. hafen.*

schifladunge *stf. das beladen des schiffes.*

schiflôn *stm. schiffslohn, fährgeld.*

schifmiete *stf. dass.*

schifwant *stf. schiffswand.*

schift *stf. abschüssige stelle.*

schilhende *part. adj. schief,* sch.-r kreiz *ellipse.*

schilt *stm.* under sch.-en rîten *kampfbereit reiten.*

schiltreht *stn. recht der ritter.*

schimber, schimmer *stm. schimmer, glanz.*

schimbern, schimmern *swv. subst.* (der ougen sch.) = schimber.

schimpf *stm.* in sch.-e (sprechen) *anzüglich, nekkend.*

schimpfelieren *swv. minnespiel treiben.*

schimpfheit *stf. schande.*

schîn *stm.* sînen sch. üeben *leuchten.*

schîn *adj.* sch. sîn vor *dp. erscheinen, hintreten vor.*

schînbærecheit *stf. erscheinung.*

schînen *stv. subst.* nâch dem sch. *dem anschein nach.*

schînunge *stf. äußere erscheinung,* allein an der sch. *nur scheinbar.*

schirmen *swv. (gs.) bewahren, hüten.*

schirremeister *stm. schirrmeister* (sch. der pferde).

schivilier *m.* = schevalier.

schnipschnap *interj.* sch. gân *hops, futsch gehen.*

schochen *swv.* = schiuhen *scheuchen.*

schodel *stm. troddel.*

scholderphenninc *stm. im glücksspiel* (scholder) *gewonnenes geld.*

schœne *adj. stattlich;* sch. sîn *sich sehen lassen können;* sch.-r sin *klugheit;* sch.-r gruoz *eindrucksvolle begrüßung.*

schône *adv.* sch. sprechen *etw. gutes reden;* sch. stân *obenauf sein.*

schœnen *swv. intr. schön werden; leuchten* (die wisen grüenent und schœnent).

schottel *stn. quark.*

schou *stm.* von lobelichem sch.-we *herrlich anzusehen.*

schouben *swv. zusammenbinden, bündeln (stroh).*

schoup *stm. stroh; strohfackel.*

schouwe *stf.* sch. nemen *umschau halten.*

schouwen *swv. absol. ausschau halten (aus dem fenster).*

schrâ *stf. gestöber;* spor sunder sch. *nicht zugeschneite spur.*

schrecke *swm. auch bedrohung.*

schreck(e)sal *stf. schrecknis (z. b. für sturm u. unwetter).*

schreck(e)salunge *stf. dass.*

schregeln *swv. vgl.* schrigelen; *kreuzweise verbinden (holz).*

schrenken *swv. übergehen, hinüberschreiten, transire.*

schrîben *stv.* in sîn geselleschaft sch. *ap. aufnehmen;* geschrîben sîn an *as. gehören zu.*

schrieten *stv. fallen.*

schrift *stf. schriftabschnitt;* in der sch. *im gesetzbuch (vom röm. recht);* hôhe sch. *Hoheslied;* sch. des grâles *gralsgesetz.*

schriftelîn *stn. schrift, inschrift.*

schrinnen *nbf. zu* schrinden.

schrîpstuol *stm. schreibsessel.*

schrîpvaz *stn. tintenfaß.*

schrôtlôn *stm. schneiderlohn.*

schüffe *stswf.* = schuofe.

schuldære *stm. auch gläubiger.*

schulde *stf.* âne sch. *unverdient.*

schuldehaft *adj. gebührend.*

schultheize *swm. richter.*

schultheiz(en)ambet *stn. richteramt.*

schünden *swv. ermahnen; verlocken.*

schuochbant *stn. schuhband.*

schuochgewant *stn. schuhzeug.*

schuochwerc *stn. schusterarbeit, schuhe.*

schuofen *swv. (zu* schuofe) *schöpfen.*

schuolbuoch *stn. schulbuch.*

schuolkint *stn. schulkind, schüler.*

schûp *s.* schûbe.

schûrbôz *stm. hagelschlag, auch übertr.*

schürzetuoch *stn. schürze.*

schützec *adj. ergiebig, ersprießlich, vorteilhaft; dauerhaft, haltbar* (brôt).

schützelîn *stn. sternbild des schützen.*

schûvel, schüffel *stswf. grabschaufel;* sch. unde houwe *umschreibung für grab oder tod.*

schuz *stm.*[1] *stechender schmerz.*

schüzzec *adj.* sch. werden *hervorschießen (vom wasser).*

schüzzelîn *stn. schüssel.*

schüzzelknabe *swm. küchenjunge.*

scorpe, scarpe *swm.* = schorpe *skorpion als sternbild.*

scorpiôn *m. ein züchtigungsgerät* (mit sc.-en slahen).

scrupelen *swv. zweifeln.*

sechlichkeit *stf. causalitas, ursächlichkeit.*

seckeltreger *stm.* (= bursenære), *geldverwalter* (der s. Judas).

sectenhûs *stn. tempel einer alttestamentlichen sekte.*

sedel *stmn.* von dem s.-e stân *absitzen.*

segel *stm. auch allg. schiffsgerät.*

segen *stm.* s.-es wort *zauberwort;* des swertes s. *schwertzauber;* den s. lâzen *(dp.) die erlösung schenken.*

segenruof *stm. segensruf, glückwunsch* (des volkes s.).

segete *stf. eine schiffsart.*

sehen *stv. tr. erkennen, ausmachen; mit ansehen;* daz sæhe ich gerne *möchte ich noch erleben; – pass.* ze s.-ne *dp. vor jemds. augen;* gesehen werden vür *gehalten, angesehen werden für;* lange tôt gesehen sîn *phraseol. lange tot sein; absol.* der gerne s.-de man *der schaulustige; – imper.:* sehet, sêt *explizierend: nämlich;* si, sich nû! *ecce! bedenke! – intr. dreinschauen; – in präp. verbindungen* s. zuo *ds. sich kümmern um, achten auf, sich angelegen sein lassen;* in daz herze s. *ins innerste treffen oder das innerste betreffen; – subst. sehkraft, gesicht, gesichtssinn.*

sehsjæric *adj. sechs jahre alt.*

seicsam *adj. langsam tröpfelnd.*

seifengolt *stn. waschgold.*

seigermacher *stm. der den* seiger *herstellt.*

seilerinne *f. seilerin (allegor. für die göttliche liebe).*

seim *stm. trug, falschheit;* sunder s. *formelhaft: wahrhaftig.*

seitenspan *stm. saitenspannung.*

sêlant *stn. küstenland.*

selbestâunge *stf. hypostasis, (Christi)* s. oder persôn *das auf-sich-selbst-beruhen.*

sêle *stswf. die seele eines verstorbenen im jenseits;* der s. warten *dp. (eines todkranken) ende erwarten;* die s. verliesen *sein seelenheil aufgeben;* bî der s. mîn *meiner treu.*

selplîche *adv. zu* selp.

selpvundec *adj.* s. sîn *sich von selbst verstehen, selbstverständlich sein.*

selpwillære *stm. der seinem eigenen willen folgt (ein sektenname).*

selpwillen *adv. freiwillig.*

selter *s.* salter.

selwe *stf. schmutz; formelhaft:* âne s. *rein.*

sendec, senedec *adj.* = senec.

sendeclich *adj. dass.*

senden *swv.* s. nâch *dp. jem. einladen; as.* an *ap. jem. etw. übertragen, überlassen.*

sendesiech, senedesiech *adj. sehnsuchstkrank.*

senelich *adj.* s. gebende *(kopfbedeckung einer trauernden).*

senelîche *adv. gramvoll; verhärmt (im sinne von asketisch, entsagend).*

senen *swv. auch refl.*

senende *adj.* s.-r kumber *liebesschmerz.*

senende, senede *swm. der liebende.*

senfte *adj. weichlich, schwächlich (gegens.:* geherzet); *glücklich* (s.-r tac, s. naht); s.-n muot hân *sich gedulden;* ein s.-z spil = senftenunge.

senfte *stf. erleichterung;* ze s. *zum trost.*

senften *swv. mildern;* daz leben s. *in glücklichere bahnen lenken.*

senftenunge *stf. erleichterung, linderung.*

senftmüete *adj. sanftmütig.*

sengerinne *stf. sängerin;* oberste s. *vorsängerin.*

senken *swv. subst.* der sêle s. *das versenkt werden, untergang der seele.*

sensine *nbf. zu* segense.

sentole *swf. ein musikinstrument.*

sentstuol *stm. gerichtsstuhl.*

sêr *adj. todwund.*

sêr *stnmf.* s. hân (nâch *dp.*) *schmerzliche sehnsucht haben.*

seravîn *stm. ein edelstein.*

serclîn *stn. dem. zu* sarc; s. des lîbes *(leib als sarg der seele).*

sêre *adv. konsequent, radikal; grausam; schrecklich, furchtbar.*

serf *stm.* = seravîn (?).

sêrlich *adj.* = sêr (s.-e smerzen, s.-iu nôt).

serpentîn (?) *(ein mittel zum schlangenfang).*

serpfîn *stf. s.* scherpfe.

serwec *adj. dahingewelkt, verstorben.*

setzen *swv.* ze pfande s. *as. sich mit etw. verbürgen; refl. sich aussetzen (se exponere); abschwellen (geschwulst).*

sibenhornec *adj. siebenhörnig (übertr. vom lamm gottes).*

sibenlei, sebenlei *adj. siebenerlei.*

sibenougec *adj. siebenäugig (übertr. vom lamm gottes).*

sibenslâfære *stm. siebenschläfer (pl. für das datum).*

sibentegic *adj. sieben tage alt.*

sibenvalt *stm. siebenfältigkeit.*

sibenzal *stf. die sieben gaben des heiligen geistes.*

sibenzît *stf. die sieben kanonischen horen.*

sicherheit *stf. gottvertrauen;* diu getriuweliche s. *der treubund.*

sicherlîche *adv. unter eid;* s. bestân *ap. ohne gefahr, bestimmt mit jem. fertig werden.*

sicherlinc *stm. verschwörer, (jem., der seine* sicherheit *gegeben, sich jem. zu etw. verpflichtet, verschworen hat);* sicherlinge des mordes ûf daz leben mîn *mitglieder des mordanschlages auf mich.*

sîdebluome *swm. seidenblume (blumenart).*

sider *adv. vorher.*

siechmeisterinne *stf. oberste krankenpflegerin.*

siechstube *swf. krankenstube.*

sieden *stv. tr. (leichen) verbrennen.*

sige *stm.* s. erringen an *dp. (den sieg über jem.).*

sigen *swv.* s. an *dp. jem. besiegen.*

sîgen *stv. sich (behutsam) niederlassen.*

sihtec *adj. klar erkennend.*

sihtecheit *stf. sehkraft.*

sîhtern *swv. refl. seichter werden.*

sihthaft *adj. deutlich.*

silbererze *stn. silbererz.*

silberpfenninc *stm. silbergroschen.*

silberwurm *stm. silberner wurm (als schmuckelement).*

sin *stm.* daz wære ein s. *wäre das vernünftigste;* âne s. *ohne vernünftige überlegung;* durch welhen s.? *zu welchem zweck?;* durch ir schœnen s. *weil sie klug war;* tobenden s. gevâhen *in wut geraten;* mit allen s.-nen *mit allen kräften;* von allen mînen s.-nen *von ganzem herzen;* guote s.-ne hân *gesunden gemütes sein;* kranker s., kranke s.-ne *verblendung, verwirrung der gefühle;* kranken s., keine s.-ne hân *(gs. od. präp.) gar nicht denken an;* s. hân zuo *ds. begabung, fähigkeit haben für;* die s.-ne hân, daz . . . *so klug, sensibel sein, so feines gefühl haben, daß . . .;* s. hân *mit abh. satz willens sein;* s. gebender geist *(vieldeutig, nicht nur ‚verstand verleihend')*.

sîn *anv.* niht gar von manne sîn *nicht nur für den mann gelten.*

singen *stv. absol. oft für ‚messe singen';* nâch helfe s. *rufen, schreien nach.*

sinheit *stf. eigentliches wesen.*

sinnec *adj. zart empfindend.*

sinneclîche *adv. wohlweislich;* s. verstân *as. mit voller deutlichkeit verstehen.*

sinnen *stv. gs. dp. einem etw. zudenken.*

sinnenrîch *adj. nachdenklich; beziehungsreich (worte).*

sinneshalp *adv. von seiten der sinne.*

sinode *stf. synode.*

sinwel, -welle *stf.* s. der himel *sphaera, himmelswölbung.*

sippeschaft *stf. freundschaft.*

sît *adv.* sît her *seither.*

site *stswm. altes recht;* hêrlich s. *fürstliche, königliche haltung;* sich s. nieten *sich höflich benehmen;* mit guoten s.-n *in aller form; umschreibend: umstand, tatsache.*

sîte *stswf.* einander an den s.-n wonen *seite an seite leben.*

sitecheit *stf. bescheidenheit; auch personifiziert.*

sitzen *stv.* ûf daz ros s. *aufsitzen;* mit urliuge s. gegen *krieg führen gegen.*

siuftec *adj.* s. sîn *seufzen müssen.*

siuftôt *stm. der seufzer.*

slac *stm.* ez wære ein s. *wäre unangenehm (dp.);* sünden s. *sündenfall;* minnen s. *stachel der liebe;* êren s. *schande.*

slacregen *stm. wolkenbruch, platzregen.*

slâf *stm.* s. wenden *dp. den schlaf rauben.*

slæferinne *stf. bettenmacherin* (= slâfmeisterinne); *(übertr. von der keuschheit).*

slâfernis *stn. schläfrigkeit.*

slâfgebet *stn. nachtgebet.*

slâfmeisterinne *f. vorsteherin des schlafgemaches.*

slâftrâcheit *stf. trägheit.*

slâftranc *stm. schlaftrank, (-mittel).*

slahen *stv.* sl. zuo *dp. zustoßen;* mit handen *in die hände klatschen;* ze *dp. (mit einem bogen, bogenschuß) jem. treffen.*

slahte *stf.* aller sl. *jeder art.*

slahunge *stf. das pochen (der schläfe).*

slam, slamme *swm. übertr.* der sunden slam.

slangîn *adj.* sl. zagel *schlangenschwanz.*

slê *stf. schlehe;* alsô breit sam ein slê *(als bezeichnung des geringsten ausmaßes).*

sleckern *nbf. zu* slecken.

slegel *stm.* den sl. werfen *jem. herausfordern, ihm etwas überantworten.*

slegel(e)n *swv. dreschen.*

slehte, slihte *adv.* sl. geschriben *deutlich sichtbar.*

slenginne *f. schlange (neid,* diu hübsche sl.).

slenken *swv. besprengen.*

slenzen *swv. liebkosen (md.).*

slich *stm. ausweg.*

slîchære *stm. schleichender dieb.*

slîfen *stv. entschlüpfen.*

slihter *stm. auch als helfer des dichters, der stil und vers glättet.*

slîmec *adj.* slîmegez siechtuom *schleimkrankheit (terminus der säftelehre).*

slingen *stv. sich drehen.*

slinnec *adj. schnell.*

sloufluoc *stm. unterschlupf, schlupfloch, versteck.*

sluc *stf.* in der slücke *während des schluckens.*

slûch *stm. verächtlich für bauch.*

smæhe *adj. schändlich;* sm. sîn *(iron.) nicht vorhanden sein.*

smæhede *stf. ärger.*

smakostern *swv. mit ruten schlagen (osterbrauch).*

smecken *swv. (intr.) mit dp. auch: zuwider sein.*

smeichenhaft *adj. schmeichelhaft.*

smeichenheit *stf. schmeichelei.*

smeichenlîche *adv. schmeichlerisch.*

smerze *swm. elend; krankheit.*

smerzecheit *stf. schmerz.*

smerzlîche *adv. schmerzhaft.*
smierlîche *adv. ironisch lächelnd.*
smit *stm.* der hœhste sm. *(für gott, den schöpfer).*
smöckære *stm. knickriger mensch.*
smuger *adj. md. lecker, lüstern.*
snateren *swv. klappern (vom storch, mit dem schnabel).*
snatz *stm.* arm. sn. *vergängliches gut.*
snecken-, sneggenhûs *stn. schneckenhaus;* in daz sn. ziehen *sich zurückziehen.*
sneckenschâle *stf. muschel.*
sneisen *swv. auch absondern, trennen.*
snel *adj.* gein prîse sn. *auf ruhm bedacht.*
sneter *nbf. zu* snitære.
snêwazzer *stn. schmelzwasser.*
snîdemezzer *stm. messer (des chirurgen).*
snîden *stv.* wol oder wît gesniten an *ap. passend, reichlich für jem. zugeschnitten.*
snüerel *stn.* hänfîn sn. *schnur.*
sôgetân *adj. derartig.*
soldanîe *stf. sultanat.*
soldaninne *stf. sultanin.*
soldiment *stn.* (*wie* solt) *auch phraseol.*
solicheit *stf. so beschaffenheit, individualität.*
sollempnizieren *swv. festlich begehen.*
solt *stm.* zinses s. *(lehns)-tribut.*
sorclich *adj.* sorclich ervinden *as. als unheimlich empfinden.*
sorge *stswf. unbill; leid.*
sorgen *swv. subst.* minne gerndez s. *liebeskummer.*
sorgenbrunst *stf. brennende sorge.*
sorgenjoch *stn. last der sorgen.*
sorgenslac *stm.* in s. tuon *ap. (dem geliebten) kummer zufügen.*
soumlade *stswf. lastbehälter (für kamele).*
spache *swmf. span, splitter.*
spæhe *adj.* spæhiu rede *gewandte rede;* der sp. videlære *der sangeskundige spielmann;* sp.-r sin *klugheit.*
spæhe *stf. auch: schimpfliche erniedrigung; prüfung, versuchung.*
spæheliche *adv. verschlagen, schlau.*
spân *stm.* unz an den eilften sp. *bis ins elfte glied.*
spangel *stn. spange.*
spângrüen *stn. grünspan.*
spænisch *adj.* sp. grüene = spângrüen.
spannen *redv. eng verbinden, festmachen, verspannen;* bouge, ringe an die hant sp. *(armringe) überstreifen;* die scher sp. *(krebsscheren) weit öffnen.*
sparkruoc *stm. sparbüchse.*
sparn *swv.* schilde sp. *dem kampf ausweichen.*
spat(e) *swm. spaten.*
spâte *adv. iron. nie, nie mehr.*
spatschît *stn. spaten.*
spehærinne *stf.* sp. der götlîchen tougen *erkennerin des göttl. geheimnisses.*
spehen *swv.* mit worten sp. *ausfragen;* wunder sp. an *sich vergaffen in.*
spel *stn. auch: warnendes beispiel.*
spelten *swv. (sprachlich) ableiten* (von).
spengen *swv. einzwängen.*
speræere *stm. speermacher.*
sperren *stn.* sp.-s rât hân *nicht zuschließen.*
spertuoch *stn. vorhang.*
speteleht *adj. aussätzig.*
spiegel *stm.* ein sp. *gottes ebenbild (von der frau gesagt).*
spiegelglas *stn.* der werlte vröude ein sp. *verkörperung der lebensfreude.*
spiegellich *adj. vorbildlich.*
spiezstich *stm. stich mit der lanze.*
spil *stn. freude, wonne u. ä.;* mînes herzen sp., sîner ougen sp. *herzenswonne, augenweide;* ein sp. vor teilen *dp. jem. vor eine entscheidung stellen;* daz ist mir ein swærez sp. *(ein hartes los), das ist zu hart;* ûz dem sp. gân, bringen *(as.) ernst werden, ernst machen mit.*
spilærinne *stf. musikantin (organistin).*
spillust *stf. lust zum minnespiel.*
spiln *swv. tanzen; hüpfen; wedeln, schöntun (wie ein hündlein);* sp. gegen *(mit dat.) entgegenhüpfen, übertr. (von gedanken) sich befassen mit;* wol sp. *dp. jem. einen gefallen tun, eine freude machen;* unz an den ort sp. *as. sehr weit treiben, weitgehen mit etw.;* sîn spilndiu jugent *seine strahlende jugend.*
spilstap *m. stößer beim billard.*
spilwîp *stn. tänzerin.*
spin-gewürme *stn. pl. ungeziefer, spinnen.*
spîsen *swv. mit mörtelspeise binden (ziegelsteine).*

spitâlbruoder *stm. Johanniter; krankenpfleger.*

spitâlgruobe *stf. grab der spitalinsassen.*

spitâl-, spittelhêrre *swm. leiter eines krankenhauses.*

spitâlhof *stm. spitalhof.*

spitâlkirchhof *stm. spitalkirchhof.*

spitâlliute *pl. ordensbrüder.*

spitâlmünich *stm. spitalmönch.*

splizze *stf. schälmesser.*

spor *stn. fußstapfe;* sîn sp. zeigen *dp. mit eigenem beispiel vorangehen.*

spot *stm. auch: schelte;* kindes sp. trîben *spielen;* sp. üeben an *dp. spott treiben mit;* bî spotte sîn *gern spotten;* âne sp. *auch: ganz aufrichtig.*

spottærinne *stf. verspotterin* (sp. ander liute).

sprâche *stswf.* die sp. brechen *dp. am sprechen hindern, die stimme brechen* (wand ir der sûft die sp. brach); von maniger sp. *aus vieler herren länder.*

spranz *stm. formelhaft:* wârheit ân allen sp. *die reine wahrheit.*

spræwunge *stf. das sprühen.*

sprechen *stv.* sp. wider *ap. einem erwidern;* wol sp. *dp. gutes nachsagen, rühmen;* jâ sp. *ds. begrüßen, ja sagen zu;* sp. nâch *ds. oder dp. anspruch erheben auf, für sich verlangen;* sp. an, ûf *as. oder ap. dass.;* sp. *dp.* an *as.* (*z. b.* einem an sîne triuwe sp.) *jem. etw. absprechen, in frage stellen, anzweifeln, antasten;* – *subst.* mîn sp. *meine poetische schilderung.*

sprîzen *stv. refl. zersplittern.*

spruch *stm. auch: behauptung, gerede, beleidigung;* ze sp.-e lâzen *zu worte kommen lassen.*

sprunc *stm. anfang, beginn.*

spünec *adj. muttermilch gebend; bildl. honig spendend, honigfließend.*

stache *swm. stange (vom zaun).*

stacheldorn *stm. dorniges unkraut (übertr.).*

stachelic *adj. dornig (übertr. von der sünde).*

stacken *swv. intr. stekken* (in).

stagelen *swv. stottern.*

stahelbant *stn. stahlband.*

stahelblech *stn. stahlblech* (hosen von st.).

stahelgrâ *adj. stahlgrau (augenfarbe).*

stahelherteclîche *adv.* si *(die geliebte)* ist mir in mîn herze st. gedrücket *eingraviert.*

stahelmeize *swm. stahlmeißel.*

stahelmeizel *stm. dass.*

stahelnapf *stm. napf aus stahl.*

stahelnât *stf. stahlscharniere.*

stahelruote *stf. stahlrute (als waffe).*

stahelschôz *stm. teil der rüstung.*

stahelslôz *stn. stahlschloß.*

stahelviurîsen *stn. feuerstahl zum feuerschlagen am* viurstein.

stâle *stf. diebstahl.*

stamgelt *stn. anteil des försters am erlös für bäume.*

stamkünic *stm. gründer eines königsgeschlechtes.*

stamstecke *swm. zaunpfahl.*

stân *anv.* st. von, ûz *u. ä. aufstehen, sich erheben* (von dem sedele), *auferstehen* (ûz dem grabe); von leger st. *(wild) aufgetrieben werden;* st. von *übertr. abstehen von;* stille st. *sich aufhalten, verweilen;* schône st. *obenauf sein, unversehrt sein;* st. vor (den sternen) *überstrahlen, verdunkeln;* st. nâch *streben nach, trachten nach;* ze wer st. *sich zur wehr setzen, sich verteidigen;* ze staten st. *dp. helfen, zu hilfe kommen, zustatten kommen, nützen;* ze rehte st. *sich vor gericht verantworten;* st. âne *as. oder ap. etw. od. jem. nicht haben, entbehren müssen;* âne lougen st. *gs. etw. frei bekennen;* niht z'enberne st. *zur verfügung stehen;* st. umbe *as. sich beziehen auf, sich handeln um* (dem ez umbe daz leben stuont *dessen leben auf dem spiele stand*); *kosten* (ez stê wênic oder vil).

stap *stm.* holer st. *blasrohr; schwertscheide;* an einem stabe gân *am stock gehen, zu fuß gehen (als ausdr. für soziale schwäche).*

stapfen *swv. stapfen; auch von langsamer gangart beim reiten; übertr.:* sanfte st. *bedachtsam, nicht überstürzt vorgehen.*

starc *adj. gesund;* starkez schiffelîn *seetüchtig, seefest;* niemen lebet sô starker, ern müese ligen tôt *niemand ist gegen den tod gefeit;* starkiu reise *anstrengend,* starkiu mære *gewichtige kunde;* starkiu wunde *todeswunde;* starker vîant *todfeind;* daz starke hazzen *unnachgiebiger haß.*

starcgemuot *adj. mutig.*

starcmüetecheit *stf. standhaftigkeit.*

starke *adv. (bes. vor verben); kräftig; fest, eindringlich; nachdrücklich.*

star(r)unge *stf.* st. der hende unt vüeze *starrwerden, krampf; contemplacio, unverwandtes hinschauen auf gott (myst.).*

stat *stmn.* stades varn *ans ufer streben, bildl. für: sich retten wollen.*

stat *stf. platz;* ze stete stân *unbeweglich stehen (bleiben);* vaste ze stete treten *fest auftreten, aus dem stand zum sprung ansetzen;* ein heimlich st. *pudenda, schamteile.*

state *stf. möglichkeit;* ze st.-n (ge)stân, komen *dp. helfen, zustatten kommen, nützen;* daz sol ze guoten st.-n gestân *schön und gut!;* ze st.-n und ze nôt *(antworten) passend und knapp;* über st. und über maht *(synon.) mit aller kraft.*

stæte *adj. standhaft;* st.-r lîp *standhaftigkeit;* st. sîn *dp. zu jem. halten;* st. sîn *(von sachverhalten) rechtskräftig, bindend;* st. machen *(as. dp.) vertraglich bestätigen;* st. minne *ehe.*

stæte *stf.* st. gewinnen bî *dp. sich festsetzen.*

stætecgemuot *adj. von beständiger, treuer gesinnung.*

stætegemuot *adj. dass.*

stætecheit *stf. treue.*

stæten *swv.* den rât st. *den beschluß fassen.*

statgrabe *swm. stadtgraben.*

stathêrre *swm. bürger.*

statkneht *stm. büttel.*

statschuoch *stm. schuh als längenmaß in einer bestimmten stadt.*

steckenholz *stn. stangenholz.*

stêer *stm. stationarius (planet in bestimmter stellung).*

stegegelt *stn. abgabe zur erhaltung der stege.*

stein *stm. gefäß aus stein, steinschale; steinschwelle; als gewichtsmaß: ein viertelzentner.*

steinacker *stm. steiniger acker.*

steinalter *stn. das höchste alter.*

steinber *stf. schiebkarre für steine.*

steinbrecher *stm. als berufsbezeichnung.*

steinbrücke *stf. steinerne brücke.*

steinen *swv. pflastern.*

steinharte *adv.* st. tôt ligen *tot liegen wie ein stein.*

steinherzec *adj. hartherzig.*

steinkeller *stm. felsenkeller.*

steinmûre *stf. ziegelsteinmauer.*

steinnapf *stm. napf aus steingut.*

steinobez *stn. steinobst (ggs. zu kernobst).*

steinoven *stm. steinerner ofen.*

steinrîche *adj. reich an steinen; sehr reich.*

steinritze *stf. felsspalte.*

steinvalke *swm. steinfalke.*

stellemacher, -mecher *stm. stellmacher.*

stellen *swv.* den eit st. *formulieren, eidesformel aufsetzen;* jâmer st. *schmerz zeigen;* wunder st. an *dp. an jem. wunder vollbringen; part.* wol gestalt zuo *befähigt zu.*

steln *stv.* minne st. *redensartl. für: sich heimlichem liebesgenuß hingeben.*

stercnis *stf. stärkung.*

sterke *stswf. auch: stimmkraft;* mannes st. *männlichkeit.*

sterkern *swv. confortare, stärken.*

sternec *adj.* diu siben sternigen zeichen *signa septentrionalia.*

sternenerkenner *stm. astrologe.*

stern(en)kunst *stf. astrologie.*

sternenschîn *stm. sternenglanz.*

sternglanz *stm. sternenglanz (von Maria).*

sternseherinne *stf. astronomin.*

sternstœzer *stm. sternschnuppe.*

sterz *stm. strunk.*

sterzen *stv. stolzieren.*

stetenen *swv.* sîn gesiht st. an *as. den blick heften, unverwandt richten auf.*

stîc *stm.* st. âne huofslac *fußpfad;* stîge abetreten *dp. weg abschneiden.*

stich *stm. (speer)stoß.*

stillec *adj.* = stille.

stillen *adv. nbf. zu* stille.

stilmüetec *adj. still, ruhig (von worten).*

stimme *stf. gesang.*

stirp *adj. unfruchtbar.*

stiure *stf. spende, gebühr, stipendium;* mit st. unt mit bete *mit abgaben und forderungen;* ze st. hân *verfügen über.*

stîve *f. dudelsack.*

stîven *swv. dudelsack blasen.*

stoc *stm. holzklotz; fußbank; pflock; götze;* st. unt stein *(in verschiedenen wendungen) stock und stein.*

stolzen *swv. stolz machen.*

stolzlîche *adv. frohgemut.*

stôz *stm. windstoß.*

stôzen *redv. intr. bzw. absol.:* an den sê st. *in see stechen; tr.:* st. an *as. schieben, stecken auf;* zil st. *dp. oder* vür *ap. jem. leiten, ihm ein leitbild hinstellen.*

stôzleder *stn. teil der ritterrüstung.*

strâferinne *stf.* der kinde str. *ermahnerin (allegorie der buße).*

stræhlunge *stf. das kämmen.*

strâmgolt *stn. flußgold.*

streben *swv. sich strekken.*

strecken *swv. tr. hinstrecken; eine art des folterns;* die schenkel st. *für: schnell laufen; refl. sich strecken.*

strenge *stf. stärke.*

strengelîche *adv. auf harte weise.*

stric *stm. verstrickung.*

strît *stm. konflikt; ringen; schlacht;* st. leisten *kämpfen;* mit st.-e bestân *ap. kämpfen gegen;* st.-es beginnen an, gegen; den st. halten *sich behaupten;* den st. lân *dp. von jem. ablassen, ihn aufgeben;* den st. lân, *‚aufgeben', einer sache den abschied geben, sie ablegen;* âne st. *(etw. finden) widerstandslos, friedlich, ohne anstrengung;* âne (sunder, ûzer) st. *unbestreitbar.*

strîtbanîer *stfn. kampffahne, kriegsfahne.*

strîten *stv. uneins sein;* st. umbe *as. sich mit etw. auseinandersetzen;* st. an *ap. mit jem. kämpfen.*

strîtgernde *part. adj. streit begehrend.*

strîthaft *adj.* st.-iu nôt *kampf.*

strîtlöufe *adj. kampferfahren.*

strîtscheiden *stn. schlichten des kampfes;* str.-s verzagen *nicht den schiedsrichter spielen.*

strîtwort *stn. streitgespräch* (mit str.-en *kriegen).*

strôdach *stn. strohdach.*

stroufen *swv. umherstreifen.*

strûten *swv. durchsuchen, untersuchen; ausmessen.*

strûzenei *stn.* = strûzei, *straußenei* grôz als ein st.

stûche *swfm. halstuch.*

studel *stnf. gestell des webstuhls.*

studelen *swv.* darûf st., daz *in gedanken damit umgehen.*

stûf *adj. stumpf.*

stummen *swv. subst. stummheit.*

stunde *stf.* mîn vlîz und mîne st. *all meine zeit und mühe;* mîn junge st. *meine jugend;* an den st.-n *gerade jetzt;* keine st. *keinen augenblick;* ze manigen st.-n *oft;* in kurzer stunt *bald, rasch;* von stunt *sofort;* zaller st. *fortwährend, jederzeit.*

stundelîche *adv. sofort.*

stunt *adv. längst.*

stuntwîle *stf. augenblick.*

stunz *adj. abgestumpft.*

stunze *stf. lanzenstumpf.*

stuol *stm.* einen st. nemen *platz nehmen.*

stuolmacher *stm. stuhlmacher.*

sturmschal *stm. warnruf der kriegsfanfare, auch bildl.*

sturmwâc *stm. sturmflut; bildl.:* die sturmwæg der bôsheit.

stürzeln *swv. stürzen; subst.*

stutz *stm.* in einem st. *plötzlich.*

sublimieren *swv. veredeln, verherrlichen:* mit varwen s.

subprîor *stm. unterprior.*

subprîolin *stf. unterpriorin.*

sûdenlant *stn. südliches land.*

süeze *adj. bezeichnet heiligkeit, göttlichkeit, gottbezogenheit; häufiges attr. zu* got *oder* Krist; – ein s.-r donreslac *(der gnade gottes) heilig;* ein süeziu stunde *die heiligste stunde;* ein offen s. wirtes wîp *die in der heiligen ehe offen, rechtsgültig angetraute frau;* süeziu vart *heilige erdenwanderung (Christi);* s.-z geverte *kreuzzug;* daz s. liet *das Hohelied;* süeziu minne *gottesminne (myst.)* süeziu lêre *für: evangelium, weihnachtsbotschaft; religiöses epos, heiligenlegende;* Bedas süeziu lêre *kirchengeschichte;* süeziu rede *geistliche dichtung; erbarmungsvoll* (der s. gott); *himmlischen trost spendend, heilsam, rein* (s. luft; dîn süeziu jugent); ûz s.-m munde *mit frommem, reinem munde;* nâch s.-m lanclîbe *langem, gott wohlgefälligem leben;* süeziu arbeit *bemühung im dienste gottes;* s.-r wille *christliche gesinnung;* der s. Anfortas *der heilige dulder A.;* diu s. *(selige)* Herzeloyde; süeziu rede *auch: scheinheilig;* süeziu wort *auch: verführerische worte.*

süeze *stf.* weltliche s. *irdisches glück;* durch die s. *um des schönen aussehens willen.*

süezeclîche *adv.* got s. minnen *mit inbrunst, inbrünstig.*

süezgesanc *stm. harmonie.*
süezmüete *stf. gnade, güte (gottes).*
süezmüetec *adj. liebreich.*
süfflîn *stn. tränklein.*
süffer, soffer *stm. säufer.*
suht *stf. übertr. gift, plage* (huote, diu wâre s. der minne).
sûler *stm. schattenformen bei sonnen- und mondfinsternis.*
sûlvuoz *stm. basis der säule.*
sum *pron. adj. ein gewisser.*
sûmede *stf.* = sûm.
sumelich *pron. adj.* s. ... s. *die einen ... die andern.*
sûmen *swv. refl. sich selbst od. seine zeit unnütz vertun.*
sumer *stm. frühling und sommer.*
sumerbernde *part. adj. sommerlich.*
sumerblüemelîn *stn. frühlings- oder sommerblume.*
sumerbluome *stf. dass.*
sumerdorn *stm. löwenzahn.*
sumererne *stf. sommerliche ernte.*
sumergetreide *stn. sommergetreide.*
sumergewant *stn. sommerkleidung, -gewand.*
sumergruoz *stm. frühlings-, sommergruß (der lerchen).*
sumerspil *stn. frühlings-, sommerspiel (vom ballspiel).*
sumersüeze *adj. sommerlich mild, lieblich* (des meien s. wunne).
sumersunne *swf. sommersonne.*
sumertou *stm. sommertau.*
sumerwant *stn. sommerkleid(ung).*
sun *stm. auch von geistlicher kindschaft.*
sünde *stf. schuld;* sîner s.-n verjehen *sündenbekenntnis ablegen.*
sündecheit *stf. sünde, sündhaftigkeit.*
sündeclich *adj. sündhaft, sündig.*
sunden *swv. ap. gesund machen, heilen (von salbe).*
sünden *swv. refl. eine schuld auf sich laden, unrecht tun, schändlich handeln.*
sündenbürde *stf. sündenlast.*
sündenleben *stn. sündiges leben.*
sündenschric *stm. jäher überfall der sünde* (mînes lîbes s.).
sündensumpf *stm. sündenpfuhl.*
sündenval *stm. sündenfall.*
sündenvaz *stn. sündengefäß (der mensch).*
sündenvlec *stm. sündenbefleckung, sündigkeit;* Adames s.
sündenvlecke *swm. dass.;* s.-n âne *rein, frei von sünden.*
sunder *adj.* samet unde s. *samt und sonders; als verstärkungskomponente in nicht immer eindeutig fester komposition:*
sundergewalt *stf.* monarchîa, daz ist in tiusche s. *(z.b. des Perserkönigs).*
sundericheit *stf.* in s. *im besonderen.*
sunderkraft *stf.* mit maniger s. *auf grund vieler vereinzelter kräfte, mächte.*
sunderleben *stn. besondere art, daseinsform, sonderstellung (der amazonen, der samariter);* sich in ein s. ergeben *sich absondern.*
sunderlop *stn. besonderer (besonders lauter) lobpreis.*
sundermære *stf. besonderer bericht, besondere darstellung.*
sundermarke *stf. auch: südliche grenze.*
sunderscheidenlich *adj. unterschiedlich.*
sunderstrît *stm. einzelkampf.*
sunderwerc *stn. arbeit, die nicht der allgemeinheit gilt;* sunderwerkes pflegen *selbstisches eigenleben führen.*
sunderwort *stn.* hövische s. *gewählte worte.*
sunneheiz *adj.* = sunnenheiz.
sunnendach *stn. firmament.*
sunnenklâr *adj.* = sunnenlûter, *sonnenklar (von seelen).*
sunnenlouf *stm. sonnenlauf, -bahn.*
sunnenlûter *adj. rein wie die sonne (von der gottheit).*
sunnenparadîse *stn. etwa: paradies des ewigen lichtes.*
sunnenstift *stm. sonnenstich.*
sunnenwagen *stm. sonnenwagen (myth.).*
sunnenwendic *adj.* s.-wendiger punct *höchster stand der sonne bei sommeranfang.*
sunne(n)wentâbent *stm. vorabend des johannistages.*
sunnewentviur *stn. sonnwendfeuer.*
sunschaft *stf. sohnschaft.*
suochen *swv. urspr.: aufspüren, angreifen; ap. angehen, bitten; as. zu-*

sammensuchen; diu kleit s. *‚packen‘, reisegepäck vorbereiten.*

suochunge *stf. angriff.*

suone, süene *stf. abrechnung;* zeiner s. legen *as. beilegen, zum ausgleich bringen;* s. vüegen *sich versöhnen;* ein s. machen *einen vergleich schließen;* in valscher s. stân *(durch vertragsbrüchigen partner) hintergangen werden.*

suonestac *stm. gerichtstag, ‚todesurteil‘.*

suppen, soppen *swv. eintauchen, -tunken.*

sûrgemuot *adj. böse, hartherzig, zornig.*

sus *adv.* sus hin *im übrigen, hinfort, künftig.*

sustân *part. adj.* = sôgetân.

sute, sutte *swf. schiffsjauche.*

sutentür *stf. tür zum unteren schiffsraum.*

swach *adj.* von swachen sachen *aus schlechtem, geringem material;* swacher gruoz, swaches grüezen *unfreundlichkeit, höhnische anrede, beleidigung;* swachez leben *dürftiges leben;* swachiu bete *bescheidene bitte.*

swachlich *adj. geringfügig, unerheblich.*

swal(we) *swstf.* alsam ein swal *sinnbildl. für plötzlichen wechsel, unstetigkeit, untreue.*

swalwenzagel *stm. schwalbenschwanz; schwalbendreck.*

swanc *stm. anfechtung.*

swandelieren *swv. einherstolzieren.*

swanz *stm. der rockteil des kleides* (hemdes).

swære *adj.* ein swærez spil *gefährliches, schwieriges spiel; hartes los;* swæriu zît *schlechte jahreszeit, winter.*

swære *stf. überfülle, schwerfälligkeit; schwermut; verzweiflung; not, erdenleid, schwierigkeit, schaden; schwerer traum, alptraum;* senende s. *liebesqual.*

swærmüetecheit *stf. schwermut.*

swarz *adj.* sw.-ez leben hân *umschreibung für: dem Benediktinerorden angehören.*

swarzen *swv. trübe, dunkel werden.*

swâsheit *stf. privatzimmer, abort.*

swaten *swv.* in sich sw. *as. in sich hineinschlingen.*

swebeboum *stm. schwebebaum.*

swebelkerze, swefelkerze *swf. schwefelkerze.*

swebelstinkende *part. adj. nach schwefel stinkend;* sw.-r mist *(von der hölle).*

sweben *swv. sich schwebend stille verhalten; vom wasser: flimmern, sich kräuseln o. ä.* (eine lachen sw. sehen); sîn gemüete beginnet im sw. *sein verstand wird getrübt (beschwipst).*

swede *swf. wundpflaster.*

sweimes *adv.* sw. varn *schweben.*

sweiz *stm.* blanker sw. *blanker schweiß.*

swellenlâge *stf.* nâch sw. *(parallel zu den grundbalken des hauses), horizontal, grundrißartig.*

swere *swm. schwörer.*

swerer, swerære *stm. dass.*

swert *stn.* swert ûfgeben *nicht mehr den ritterberuf üben; auch für schwertschlag:* diu sw. vielen genôte *(dicht.).*

swertgürtel *stm. schwertgürtel.*

swîc *stm.* sînen sw. halten *oder* brechen *schweigegelöbnis.*

swîclich *adj. schweigsam.*

swîcliche *stf. das schweigen, die schweigsamkeit.*

swie *konj.* swie aber *(aber) wie auch immer.*

swîm *stm. s.* swîmel *schwindel.*

swînbære *adj. hinwelkend, verfallend.*

swînesmage *swm. schweinsmagen (als minderwertige speise).*

swingen *stf.* gâbe von hende sw. *großzügig schenken.*

swînhaz *stfm. sauhatz, wildschweinjagd.*

swip, swîp *stm. schwung, heftige bewegung.*

swirbelen *swv. schwanken, taumeln.*

T

tac *stm.* von tage ze tage *tag für tag aufs neue;* nâch disen tagen *in einiger zeit;* des ist manic t. *das ist lange her;* in allen mînen tagen *mein ganzes leben lang, meiner lebtage;* ich bin in den tagen, daz *bin alt genug;* etewaz unz ûf den t. bringen, daz *soweit bringen, daß; etw.* ze tage tragen *ans tageslicht ziehen;* sich ze tage bieten *sich verhandlungsbereit erklären;* mîn t. *tag meiner niederkunft;* heilige tage = gebundene tage *(dies feriati), zeit* *eingeschränkter gerichtstätigkeit;* mit swæren tagen = mit swære *in drangsal.*

taczal *stf.* dîner tage t. *die zahl deiner tage.*

tagedingerinne *stf. sachwalterin.*

tagehorn *stn. eine form des tageliedes.*

tagelanc, tâlanc *adv.* tâlanc deste ê *so lange zuvor, viel zu früh.*

tagelinc *stm. tagelöhner.*

tagelôner *stm. dass.*

tagen *swv. von der sonne: aufgehen.*

tageweide *stf. tagesration.*

tagezîter *stm. tagelöhner.*

tal *stn.* ze t. setzen *as. auf den boden setzen, niedersetzen;* ze t. sitzen *sich niedersetzen;* her ze tal (spot bieten) *von (dort) oben herab.*

talganc *stm. feldweg.*

talmut, talamuot *m. talmud.*

tamburîn, tamerîn *stn. tamburin.*

tämris *ein baumname bei Wolfram.*

tanelier *stm. kavalier.*

tarsche *swf. ein münzname.*

tartarisch *adj. tartarisch.*

tast *stm. tastsinn; berührung (mit der hand).*

tate *swm. vater.*

tateleboum *stm. dattelbaum.*

tavele *swstf. eine art gong:* t. geslahen.

tavelgolt *stn. goldtafel, -platte.*

tegant *nbf. zu* techan.

teil *stnm. gebühr;* ein t. *etwas, etwas bestimmtes;* t. haben *gs. iron.: ganz besitzen.*

teilec *adj. mit gs. teilhaftig.*

teilen *swv. absol.:* ob ich t. unde welen solde *wenn ich die wahl hätte; trans. mit as. auch: anordnung treffen über;* sich t. *as. sich etwas versprechen (z. b. das himmelreich);* ungerehte t. *ap. ungerecht, zu unrecht verurteilen.*

teiler *stm. vermittler.*

teilerinne *stf. austeilerin (alleg. von der liebe).*

teilhaftic *adj. adv. teilweise.*

teilhafticheit *stf. (mit gen.) das teilhaftwerden (an).*

teilsamkeit *stf. das teilhaben.*

teingen *s.* tagedingen.

teischen *swv. herauskriechen.*

tempelhûs *stn. tempel.*

tempelmeister *stm. heidnischer oberpriester.*

tempelorden *stm.*

tempeltrete *stf. ‚kirchenläuferin'.*

tempelwerc *stn. tempelbau.*

tempern *swv. part. adj.* getempert *milde, leicht (nahrung), lind (lenz);* getempertiu mâze *ausgeglichene lebensweise.*

tengen *swv. beginnen.*

tenne *stmn. fußboden.*

tennebanse *stm. weiter scheunenraum zur seite der tenne.*

tervaltecheit *s.* drîvaltecheit.

tesemtier *stn. moschusochse.*

tetzman *stm. verballhornt aus decima; der zehnte:* t. geben.

text *stm. text.*

tîch *stm. sumpf.*

tief *adj. übertr.: bedeutungsvoll, wichtig, schwer, tief;* tiefer wec *hohlweg; morastiger weg.*

tiefen *swv. ergründen.*

tiefunge *stf. tiefe, abgrund.*

tierbluot *stn. tierblut (z. b. als dünger).*

tierisch *adj. tierisch, sinnlich.*

tiermist *stm. mist, dung.*

tiername *swm. tiername.*

tihtecheit *stf. das dichten.*

tihtenære *stm. dichter.*

tihtlich *adj.* ein t. kunst *dichtung.*

tîligen *swv. auslöschen* (namen, schrift, sünden).

timbern *swv. subst. das dunkel; bildl.* der sorgen t.

timlitze *nbf. zu* timenitze.

tiure *adj. schätzbar;* t. hân, nemen *wert halten.*

tiure *adv.* t. geben umbe *teuer bezahlen für.*

tiurlich *adj. häufig als beiwort für personen, bes. im heldenepos.*

tiuten *s.* diuten.

tiutschlant *stn. deutschland.*

tiuvellîn *stn. teufelchen.*

tiuvelschünde *stf.* der t. luoder *teufelsköder.*

tobe *swm. unsinniger.*

tobegesühte *stf. schwermütigkeit.*

tobelîche(n) *adv. außer sich vor wahnsinnigem schmerz.*

toben *swv. subst. formelhaft:* sunder t.

tobewüetende *part. adj.* t. suht *tobsucht.*

tocken *swv. mit puppen spielen.*

tôdesangel *stm. todesstachel.*

tôdeshalben *adv. nach dem tode.*

tol *adj. mutig.*

tol *stfm. übermut.*

topelstein *stm. topas.*

topf *stswm. dübel.*

topmuot *stm. raserei, zorn, wut.*

tôre *swm. taubstummer.*

tôrensin *stm. torheit.*

tôrenspil *stn. gaukelspiel.*

tôrenspîse *stf. speise für toren.*

tôrenvedere *stf. narrenfeder* (t. ûf die hüete stecken).

torglocke *swf. torglocke;* von einer t. zuo der andern *zeit zwischen schließung und öffnung der stadttore.*

tôrheit *stf. lächerlichkeit.*

torste *stf.* mit t.-n *mit kühnheit.*

torwahte *swm. torwächter.*

torwartelinne *stf. torwächterin;* t. der helle *(bildl. von der sinnenlust).*

tôt *part. adj.* t. belîben *sterben;* t. ligen *gestorben sein; phraseol.* t. vunden werden *gestorben sein.*

tôt *stm.* mit tôde vallen *tot umsinken;* an sîme tôde ligen *im sterben liegen.*

tôtbant *stn. fessel des todes.*

tôtbringære *stm. übers. von lat. letifer (auf Lucifer bezogen).*

tœten *swv. bildl.: marter bereiten; auch subst.*

tôtengebeine *stn. totengebein.*

tôtenkleit *stn. totenhemd.*

tôtenknoche *swm. pl. totengebeine.*

tôtenschedel *stm. totenschädel.*

tôtenschilt *stm. gedenktafel für tote (in der kirche).*

tôtentuoch *stn. leichentuch.*

tôtgiftec *adj. todbringend, tödlich giftig;* tôtgiftigez eiter.

tœtic *adj. sterblich.*

tôtlich *adj.* t. gevar = tôtvar.

tôtmiete *stf. bestechungsgeld für erlassung der todesstrafe.*

tôtsiufzec *adj.* t. herzeleit *tödlicher schmerz.*

tôtsweiz *stm. todesschweiß.*

tôtvîendinne *stf. todfeindin.*

touben *swv. zum schweigen bringen.*

toufbottech, -bottege *swf. taufbecken.*

toufkerze *swf. taufkerze.*

toufname *swm. taufname.*

toufvaz *stn. taufbecken.*

toufwazzer *stn. taufwasser.*

tougen *swv. wirksam, fruchtbar machen.*

tougenbuoch *stn. buch der apokalypse.*

tougenheit *stf. heimliches stelldichein; das eigenste, persönliche, die dinge des herzens.*

tougenlîche *adv. stillschweigend.*

touwen *swv. heruntertröpfeln, -rieseln u. ä.*

trachenbluot *stn. drachenblut.*

trachenhoubet *stn. drachenhaupt (z. b. als helmschmuck).*

trachenkel *swm. schlund des drachen;* als ein t. glüejen *(vor liebe).*

trachensweiz *stm. drachenschweiß (oder -blut), (ein schimpfwort).*

trage *auch stf. hab und gut.*

træge *adj.* t. zuo *oder* gegen *ds. ungeschickt, untauglich für; nicht bereit zu, ohne* (gein valschheit tr.).

tragen *stv. mit as. (ein geheimnis) bewahren, für sich behalten;* krône tr. *gekrönt sein, könig sein; übertr.* krône tr. ob, über, vor *(mit dat.) übertreffen;* ûf sîner hant tr. *ap. ‚auf händen tragen‘;* ze ôren tr. *as. dp. ins ohr raunen, zutragen;* nâhe tr. *as. zu herzen nehmen;* in ein tr. *as. dp. vermitteln, erwirken, in die wege leiten für jem.;* holden muot tr. *dp. lieben;* haz tr. *dp. feind sein;* sînem lîbe vorhte tr. *um sein leben bangen;* wân tr. ûf *as. bedacht sein auf, sich vorgenommen haben;* werre tr. zwischen vriunden *zwietracht säen;* sich tr. mit *sich beschäftigen mit.*

trâgesære *stm. zauderer.*

trahen, trân *stm. honigtropfen, honig.*

trahte *stf.*[3] *sehnsucht, verlangen, begehren;* in sîne tr. nemen *(ap.) nicht vergessen, gedenken.*

trahthaft *adj.* tr. sîn *streben, trachten.*

trancvaz *stn. trinkgefäß.*

transfigûren, -figurieren *swv. verklären (myst.).*

transformieren *swv. transformieren, verwandeln,* wir werden transformieret in got *(myst).*

traz *stm.* mir ze tratze, ûf mînen traz *mir zum trotz;* ze tratze *dp. auch: zum ärger.*

traz *präp. trotz, auch schon mit gen.*

trechen *stv. mitnehmen.*

treffen *stv. bedeuten;* eine vart tr. *einen weg einschlagen, geraten auf.*

trehernaz *adj. tränenfeucht* (trehernazziu ougen).

treiden *swv. schwanken:* hin und her tr.

treigern *swv. prüfen.*

tresenîe *stf. schatz.*

trîbe *stswf. triebkraft, schubkraft;* in starker tr. *mit gewalt* (die sêle ûz dem lîbe jagen).

trîben *stv.* einen site tr. *einen brauch üben;* inein tr. *as. durchsetzen.*

tribulieren *swv. plagen.*

triegærinne *stf. betrügerin.*

triegen *stv.* ir rîcheit niemen trouc *diese pracht war kein falscher schein;* sich tr. ûf *(mit acc.) sich fälschlich verlassen auf.*

trift *stf. strömendes wasser.*

trincgevæze *stn. (coll. zu* trincvaz) *trinkgeschirr.*

trincmâz *stn. trinkgefäß.*

trincpfenninc *stm. trinkgeld.*

trinkunge *stf. das trinken* (diu tr. des kalten wazzers).

triute *adj.* tr. sîn *dp. jem. lieb und wert sein, beliebt bei.*

triuten *swv. (begrüßung:)* zuo sich tr. *ap. an sich drücken, umarmen; ebenso* sich an einander tr. *einander um den hals fallen.*

triuwe *stf. mitleid, liebe, güte, das gute, tugend; charakter; gewissen; eid* (ûf sîne tr. nemen *as.*); mit rehten tr.-n *aus innerstem herzen;* der triuwen pflegen *sich freundlich zeigen;* tr. leisten *dp. liebe zeigen;* âne tr. *hinterhältig;* ûf guote tr. *in freundschaftlicher gesinnung, absicht,* (ûf guote tr. her gesant *mit einer freundschaftsbotschaft).*

triuwebernde *part. adj. treu.*

trôn *stm. himmelsthron; thronhimmel* (under einem tr.-e sitzen).

tropfe *swm. mit neg.: nichts.*

tropfeleht *adj. adv. tropfenweise, in tropfen.*

trôst *stm. auch: genugtuung.*

trôstbernde *part. adj. trostspendend.*

trœsten *swv. auch; helfen.*

trôsthaft, trôstehaft *adj.* tr. sîn *dp. jem. beschützen.*

troum *stm. trugbild, phantasiegebilde, phantom;* des blinden tr. *erscheinungsbild, vorstellung des blinden von der welt.*

truckenlîchen *adv. mit kurzen, trockenen worten* (sagen).

truckenscherer *stm. bartscherer.*

trüeben *swv. trüben:* dô wart getrüebet in der schal *(ihre fröhlichkeit).*

trüge *stf. von der trügerischen aufmachung der frauen:* man kôs an ir lîbe dekeiner slahte tr. *nichts künstliches, nichts trügerisches;* in trügen *heimtückisch;* ûf der tr.-n plân *(erschlagen werden) dass.*

trugel *stm. ein edelstein,* ein liehter tr. graw (*ev. metathese aus* türkel).

trügenærinne *stf. betrügerin.*

trügenetze *stn.* die tr. setzen vür *ap. (um ihn in die fallgrube der verführung zu bringen), vgl. etwa: ‚fallstricke legen‘.*

trügespot *stm.* sich des velschlichen tr.-tes abe tuon *dem albernen trug (des irrglaubens) entsagen.*

trügevaz *stn. behältnis des bösen.*

truhter *nbf. zu* trahter.

trumpte *nbf. zu* trumbe.

truop *stm.* durch hezzigen tr. *in gehässiger, böser absicht.*

trûrec *adj. zornig, wütend; bedrückt.*

trûren *swv. das haupt senken, sinnieren; subst. verzweiflung; sehnsucht.*

trûresam *adj. niedergeschlagen.*

trûrôt *stm. alem. trauer.*

trüster, drüster *stn. heuschrecke(?).*

trûtelbrût *stf. bräutliche geliebte.*

trûwen *swv. mit gen. bauen auf.*

tûchære *stm. taucher;* sîne t. an den grunt *(des meeres)* senden.

tugent *stf. charakter, wesen; gutes herz; tatenruhm;* âne t. ligen *ohnmächtig;* t. mit zeichen tuon *große wunder wirken.*

tugentkempfer *stm. tapferer kämpfer, held.*

tugentlîche(n) *adv.* ez t. bieten *dp. jem. großzügig, anständig, gut behandeln.*

tugentlôs *adj.* t. sîn *nichts taugen.*

tugentsite *swm. edle, feine sitte.*

tumelen *swv. subst. lärmen, tumult.*

tump *adj. kindisch;* tumber antheiz *sinnloses gelübde (in kindischer unverantwortlichkeit geleistet).*

tunkelblâ *adj. dunkelblau, violett.*

tunkelî *stf. alem. dunkelheit.*

tunne, tonne, tyne *swstf. auch: bottich.*

tuolîche *stf. tätigkeit.*

tuon *anv.* vrî t. *ap. gs. auch: bewahren vor;* erkant t. *dp. as. bekannt machen;* der ez dir hât getân *dir dies angetan hat;* iemannes wort t. zuo *dp. jemandes fürsprecher sein bei, ein wort für ihn einlegen;* ez guot t. *seine sache gut machen, bes.: erfolgreich kämpfen;* wol t. *dp. hochgefühl, freude bereiten; refl.:* sich nider t. *sich niederziehen lassen;* sich ûf t. *sich erheben;* sich dannen t. *sich zurückziehen, zurückspringen; (ähnl. auch:* tuo her! *komm schon her!);* sich t. ze *sich verwandeln in.*

tuonihtbaz *m. tunichtgut.*

tuounge *stf. das tun, vollziehen;* diu t. des willen.

tuowelich *adj. tätig.*

tupfen *swv. tupfen, rühren.*

turkîsborte *swm. borte aus (dem gewebe)* turkîs*(?)*; t.-n wirken.

türkneht *stm. türdiener.*

türrigel *stm. türriegel, -klinke.*

tûsentbar *adv. tausendfach.*

tûsentleie *adv.* t. var *tausendfach.*

twâle, twâl *stf.* sunder tw. *unverzüglich, gleich.*

tweln *swv. trans.: irreführen.*

twingen *stv. mit ap. auch: unwiderstehlich ziehen, treiben:* daz vingerlîn in gein dem bette twanc; die hende gezogenlîche vür sich tw. *vor sich ineinanderlegen, falten.*

U

übel *adj. gefährlich* (ein ü. man).

übel *stn.* ez vür ü. hân *daran anstoß nehmen.*

übele *adv. leider, zum unglück; schlimm, schrecklich u. ä.;* mich dürstet ü. *sehr.*

übellich *adj.* mit ü.-en mæren anekomen *(ap. oder dp.) schwierigkeiten bereiten.*

übeltu(o)er *stm. übeltäter, verbrecher.*

über *präp. auch: wegen;* ü. tac *tag für tag;* ü. sê *jenseits des meeres.*

über *adv. trennbar bei verben (ob trennbar oder nicht trennbar, nicht immer eindeutig festzustellen):*

-bringen *swv. an. hinüberbringen, übersetzen (über einen fluß).*

-brücken *swv. as. ds. (eine brücke einen fluß) überspannen, überwölben o. ä. (vgl. jedoch* überbrücken *swv.).*

-diezen *stv. aufplatzen, überquellen.*

-gân *anv. hinübergehen; überlaufen (z. b. galle).*

-kêren *swv.* wider ü. *wieder zurück ans andere ufer kehren.*

-komen *stv. hinüberkommen; überlaufen (gefäß).*

-loufen *redv. überlaufen (gefäß, augen); übrigbleiben (besitz).*

-rinnen *stv. überlaufen (gefäß, augen).*

-schiezen *stv. übrigbleiben, übrigsein (geld).*

-schiffen *swv. intr. übersetzen* (mit kielen ü.).

-schûmen, -schiumen *swv. intr. überschäumen, aufwallen* daz ir gemüete über schiumet in die hœhe über al.

-segelen *swv. intr. übersetzen.*

-setzen *swv. übersetzen (ü. einen fluß);* ein hennen ü. ze brüeten *auf die eier setzen;* übergesetzt werden in got *überführt werden, eingehen in gott.*

-sîn *anv. gs. überhoben sein; mit inf. und* ze *unterlassen.*

-slahen *stv. überströmen.*

-spreiten *swv. überbreiten, -decken.*

-sweimen *swv. überfließen.*

-swingen *stv.* den schilt ü. *über sich reißen; refl. sich hinüberschwingen* gein osten er *(der mond)* sich überswanc; *tr.* sîn gemüete ü. in die hœhe *(myst.) hinaufschwingen lassen.*

-treten *stv. hinübertreten.*

-varn *stv. intr. hinüberfahren, übersetzen.*

-vliezen *stv. überfließen, -strömen; mit gs. bildl.:* genâden ü.

-vüeren *swv. hinüberbringen.*

-wallen *redv. übergehen (augen).*

-zogen *swv. intr. hinüberziehen (ein heer über eine brücke).*

überal *adv. alles in allem; samt und sonders; überhaupt; ohne weiteres;* ü. und al *ganz und gar;* niht ü. *beileibe nicht.*

überbildelich *adj. übersinnlich.*

überbreit *adj. sehr breit; (Christus)* ein vürst überlanc und ü.

überbrücken *swv. eine brücke schlagen über.*

überdreschen *stv. ausdreschen; auch bildl.*

überdrücken *swv. unterdrücken; vergewaltigen.*

überdrüzzec *adj. mit gen. überdrüssig.*

übergân *redv. as. übertr.: ernsthaft betrachten, recht bedenken; ap. täuschen.*

übergeschrift *stf. überschrift, titel (eines buches).*

übergewin *stm. höchster besitz.*

übergleste *swm.* der sunnen ü. *der die sonne überstrahlt (Christus).*

überhellen *swv. überleuchten; heraldisch:* banervelt mit barellen überhelt.

überhœhe *stf.* rîchheit ü. *überfluß an pracht.*

überhœrde *stf. examen.*

überkapfen *swv.* niht ü. *nichts übersehen, übergehen; subst. das allzu lange schauen.*

überklæren *swv. ganz verklären, erleuchten;* von der gotheit durchklæret und überklæret werden; mit worten überklært *(grüßen).*

überkomen *stv.* lützel dâmit ü. *wenig dabei gewinnen, nichts dabei herauskommen sehen.*

überkrefticlich *adj.* mit ü.-er hant *mit großer übermacht (gewaffnet).*

überlanc *adj. sehr lang (vgl.* überbreit*).*

überlâzen *redv. aufgeben, verzichten auf.*

überlengen *swv. ap.* an *ds. jemandem sein recht auf etwas kürzen; part.* überlengt *überlang, überhoch.*

überlestigen *swv.* = überlesten.

überlîhen *stv. überlassen.*

überliuhten *swv. überstrahlen.*

überloufen *redv.* dô in der tôt überlief *überkam.*

überlût *adv.* stille und ü., überstille und ü. *formelhaft: laut und leise, d. h. geheim und öffentlich, in jeder weise.*

übermachen *swv.* mit strô ü. *umwinden.*

übermangen *swv. aufwiegen mit.*

übermeister *stm. vorgesetzter.*

übermüete *adj. verblendet; hoch gestimmt; (komp.* übermüeter*).*

übermüete *stf. vermessenheit; frevel.*

übemüeten *swv. subst. das prahlen.*

übernæjen *swv. übernähen, übersticken.*

übernemmen *swv. einen* übernamen *geben.*

überphellen *swv. mit einem* phellel *überziehen.*

überphleger *stm. jur. vormund über mündige, aber noch nicht volljährige personen.*

überprîsen *swv. tr.* an prîs *übertreffen.*

überriuhen *swv. übermäßig rauh machen; auch übertr.*

überrœren *swv.* mit zucker überrœret *überschüttet, bestreut.*

überrüemen *swv. refl. sich zu sehr rühmen.*

übersachen *swv. überwinden, übertreffen.*

übersæjen *swv. übersäen.*

überscharf *adj. sehr scharf;* ein ü.-ez swert.

überschatewen *swv. überschatten;* daz er *(hl. geist)* si *(Maria)* überschate.

überschenken *swv. ap. im schenken übertreffen.*

überschînen *stv. bestrahlen.*

überschouwen *swv. as.* an *dp. etw. allenthalben an jem. erblicken.*

übersenden *swv. übersenden.*

übersezze *stm. usurpator.*

übersiuren *swv. tr. übermäßig sauer machen; ap. übertr.: überlisten.*

überslac *stm. sprung, überschlag;* einen ü. tuon in daz gotliche abgründe *(myst.).*

überslíezen *stv.* ein lant mit gewalte ü. *unterwerfen, beherrschen.*

überstân *anv.* er überstuont die vierzic tage *er stand die vierzig tage lang (im wasser);* ü. lâzen *as. anstehen lassen;* ein reht ü. *dafür einstehen, es vertreten.*

überstille *adv.* ü. und überlût *(formelhaft) geheim und öffentlich.*

überströuwen *swv. gs. überstreuen mit,* daz velt lac tôter überstreut.

überstrûmen *swv. tr. überströmen, überziehen.*

überstürzen *swv. kopfüber stürzen.*

übersüeze *stf. übermäßige süßigkeit; auch übertr.*

überswanc *stm. myst.:* einen ü. tuon *sich hinüberschwingen, ‚stürzen', sich fallen lassen* (in).

überswenke *stf.* des meres ü. *überwallen, flut.*

überswenklichkeit *stf.* ü. des liehtes *übermacht des (göttl.) lichtes (myst.).*

überswimmen *stv. tr. über-, durchschwimmen.*

überswindeclîchen *adv.* ü. starc *übermäßig.*

überswingunge *stf. das sich hinüber- oder hinausschwingen.*

übertihten *swv. tr. (eine geschichte)* mit bîspel ü. *mit beispielen versehen.*

übertiure *adj. unschätzbar, höchst wertvoll.*

übertolden *swv. (zweig)* mit rôsen blüete übertoldet *dicht voller rosenblüten.*

übertougen *adv. ganz geheim:* überlût und ü.

übertragen *part. adj. abgetragen:* ein übertragenez wambes.

übertrût *adj.* vor allen vrouwen du ü. *(Maria) am meisten geliebte.*

überünstic *adj. mißgünstig.*

übervart *stf. übergang; verwandlung;* ü. in ein gotformic wesen *(myst.).*

übervasten *swv.* ez ü. *sich durch überhohe buße freikaufen (z. b. hohen wehrausgleich zahlen).*

übervertigen *swv.* gebot ü. *übertreten, verstoßen gegen.*

übervluotec *adj. überfließend.*

übervlüzzecheit *stf.* die ü. vürben *(medizin.) schädliche überflüssige stoffe und säfte entfernen.*

überwæge *stf.* der lazheit ü. *übergroße faulheit.*

überwalgen *swv. tr. sich über etwas wälzen.*

überwallen *redv.* = über wallen; man sach des küniges ougen mit wazzer ü. *man sah den könig tränenüberströmt;* diu nase im mit bluote überwiel *war blutüberströmt.*

überwalten *redv. tr. überwältigen, bezwingen u. ä.;* daz daz wazzer daz schif niht überwaldet *mit sich reißt;* sîne *(gottes)* gewalt kein man überwaldet.

überwandelen *swv. verwandeln.*

überwandelunge *stf. verwandlung.*

überwê *adv. interj.* wê und ü.! *weh und nochmals weh.*

überwelben *swv. überwölben.*

überwendec *adj. adv. scheel, abschätzig musternd:* ü. durch die brâ anesehen *ap.*

überwendeclîche *adv. dass.;* ü. empfâhen *ap. kühl, scheel blicken.*

überwern *swv. ap. abwehren, fernhalten, loswerden.*

überwirdec *adj. überaus würdig, hochwürdig, heilig;* gotes oberwirdige êre.

überwîse *adj. überklug; hochweise; subst.:* die ü.-n *die weisen dieser welt.*

überwîsen *stv. jur. überführen.*

überwüeten *swv. mit wüten übertreffen.*

überzal *stf. mit gen. überfluß.*

überzart *adj. über alles geliebt; sehr zart (als poetischer terminus:* Frouwenlobs ü.-er dôn*).*

überzeln *swv.* iht ü. *dp. zu viel anrechnen, überfordern.*

üeben *swv. tr.* jâmer ü. *trauern; refl. sich regen;* sich ü. ûf *as. sich üben in.*

ûf *adv.* ûf hôher *zurück;* ûf und abe reden *hin und her reden; trennbar bei verben (nicht immer eindeutig festzustellen, ob trennbar oder untrennbar):*

-antworten *swv.* ein amt û. *wieder abgeben.*

-betagen *swv. part.* ûf betaget sîn *herangewachsen sein.*

-biegen *stv. part.* ûf gebogen *hochgebogen (ohren); refl. aufsteigen (rauch).*

-blæjen *swv. tr. aufblasen.*

-blicken *swv. aufblikken, bes. zum himmel aufblicken.*

-blüejen *swv. aufblühen; übertr.* in den ûf blüejenden jâren *(kindheit und jugend).*

-bochen *swv. tr. as. aufbrechen, -schlagen.*

-breiten *swv. ausbreiten (hände, tuch).*

-brennen *swv. tr. anzünden.*

-bresten *stv. aufbrechen, sich erheben (morgenstern).*

-briezen *stv. refl. übertr. sich aufblähen, sich brüsten.*

-brinnen *stv. von abend- und morgenröte: erglühen, aufleuchten; auch bildl. vom erröten.*

-briuwen *swv. aufrühren, anstiften.*

-brogen *swv. übermütig sich erheben* (über).

-diezen *stv. aufschwellen.*

-entheben *stv. enthalten;* daz leben, daz den lîp *(den körper, d. h. das leibliche leben)* ûf enthebet.

-entliunen *swv. auftauen.*

-entwinden *stv. aufwinden, losmachen.*

-entzünden *swv. entzünden.*

-erben *swv. ap. jemdm. erblich zufallen, zukommen; ap. as. jem. etwas vererben.*

-erbieten *stv.* = ûf bieten; mit ûf erboten vingern *(schwören).*

-erblicken *swv.* = ûf blicken.

-erbœren *swv. erheben,* mit ûferbôrtem swerte; *refl. sich empören.*

-erbrechen *stv. refl. sich erheben, hochschießen (von einer feuersäule).*

-erbürn *swv. erheben* (hant, swert).

-erbûwen *stv. aufbauen, gründen, errichten (bauerngehöft).*

ûf-erdiezen *stv. aufrauschen, in die höhe quellen.*
-ergeben *stv. aufgeben* (mînen lîp, *d. h. sterben*).
-erquicken *swv. auferwecken.*
-errinnen *stv. aufgehen (sonne).*
-erschrecken *swv. trans. (aus dem schlafe) aufschrecken.*
-erschricken *swv. auffahren.*
-erstân *anv. sich erheben; erstehen; entstehen; vom grabe auferstehen; (plötzlich) geschehen.*
-erstîgen *stv. aufsteigen* (zuo).
-erwahsen *stv. aufwachsen.*
-erwarten *swv. intr. aufschrecken, sich ängstigen* (vor).
-erwecken *swv. aufscheuchen, aufwecken.*
-erwegen *swv. aufrichten;* ein stam glîch *(senkrecht)* ûf erweget.
-ezzen *stv. aufessen.*
-geben *stv. as. dp. jem. etwas zur aufbewahrung geben; auf etwas zu jemandes gunsten verzichten.*
-geblicken *swv. aufschauen.*
-geborn *swv. aufbrechen (eherne tore).*
-gebrechen *stv.* diu ougen û. *emporblicken.*
-gegân *redv. aufgehen (same).*
-gehaben *swv. trans. aushalten, ertragen (schmerzen); refl. sich aufrecht halten; refl. mit gs. aufhören,* sich weinens û.; *absol. mit dat.:* dem rosse û. *es zügeln, zurückhalzen.*
-gehalten *redv. aufrecht halten; ap. aufnehmen, beherbergen.*
-geheben *swv. aufheben (tafel); ap. erheben, erhöhen.*
-gehœren *swv. aufhören.*
-gelegen *swv. as. sich ausdenken.*
-genemen *stv. annehmen, gelten lassen.*
-gerihten *swv. trans. und refl. aufrichten, erheben.*
-gerücken *swv. aufrichten.*
-gesehen *stv. aufblicken.*
-gesetzen *swv. aufsetzen, aufstellen.*
-gesitzen *stv. aufs roß steigen.*
-gesliezen *stv. aufschließen (den himmel).*
-gesnîden *stv. aufschneiden.*
-gespringen *stv. aufspringen.*
-gestân *anv. aufstehen, sich erheben; entstehen.*
-gestôzen *redv. aufpflanzen (fahne).*
-gestricken *swv. aufknoten (schnüre).*
-getrîben *stv. aufrichten, errichten (gebäude).*
-getuon *anv. öffnen.*
-gevâhen *redv. in die höhe heben.*
-gewegen *swv., auch st.; refl. sich aufrichten, sich erheben.*
-gewinnen *stv. überwinden.*
-geziehen *stv. refl. sich hinziehen.*
-giezen *stv.* die leck û. *auf heiße steine in der badewanne wasser gießen.*
-ginen *swv. gähnen.*
-glesten *swv. aufleuchten.*
-gnepfen *swv. intr. sich aufbäumen.*
-gogelen *swv.* sich über einen û. *übermütig erheben.*
-goumen *swv. intr. aufmerken, aufpassen; dp. aufwarten, pflegen; refl. sich aufschwingen.*
ûf-graben, gegraben *stv. aufgraben, ausheben (grube, grab).*
-gumpen *swv. in die höhe hüpfen.*
-gürten *swv. aufgürten, aufschürzen.*
-hacken *swv. aufbrechen.*
-hâhen *redv. aufhängen.*
-heben *stv. refl. sich erheben, sich aufmachen; absol. anheben, das wort nehmen:* si huop ûf unde sprach.
-heien *swv. schützen, fördern.*
-helfen *stv. dp. einem aufstehen helfen, aufhelfen.*
-henken, hengen *swv. suspendere, aufhängen.*
-hœhen *swv. erhöhen.*
-hœren *swv. aufhören, unterlassen; auch refl.*
-houwen *redv. aufhauen, -brechen; umhauen; abbrechen (gebäude); aushauen, zerteilen (fleisch).*
-hûfen *swv. aufhäufen, anhäufen.*
-hüpfen *swv. emporspringen, -hüpfen.*
-îlen *swv. sich eilig aufmachen.*
-jagen *swv. anspornen, anstacheln.*
-kapfen *swv. in die höhe schauen, starren.*
-kepfen *swv. ragend in die höhe stehen.*
-kêren *swv. in die höhe richten.*
-kîmen *stv. aufkeimen.*
-kînen *stv. zerspringen, sich spalten.*
-klaffen *swv. auseinanderklaffen.*
-klenken *swv. zum klingen bringen.*
-klieben *stv. sich spalten; auch refl.*
-klimmen *stv. ersteigen; auch übertr.*

ûf-klinken *swv. aufklinken (tür).*

-klœzen *swv. aufbrechen (siegel).*

-klûben *swv. aufheben, -klauben.*

-knöufeln, knöufen *swv. enodare, aufknoten, -knüpfen, -knöpfen.*

-komen *stv.* lebende û. *auferstehen.*

-kriegen *swv.* den berc û. *den berg emporstreben;* ûf kriegendiu kraft *aufstrebende, aufbrausende kraft (myst.).*

-krümben *swv. aufschlagen (hutkrempe).*

-künten *swv. anzünden.*

-laden *stv. aufladen.*

-laden *stswv. einladen, beherbergen.*

-legen *swv. as. dp. zudenken, aufbürden; auferlegen, vorschreiben (eidesformel).*

-leinen *swv. anlehnen, befestigen; refl. sich aufrichten; sich auflehnen (gegen).*

-lenken *swv.* mündlîn ûf und zuo l. *plappern.*

-lesen *stv. auflesen, aufheben, aufsammeln.*

-liegen *stv. ap. anlügen.*

-liuhten *swv. aufdämmern.*

-liunen *swv. auftauen.*

-losen *swv. aufhorchen, achtgeben.*

-lœsen *swv. auflösen; losbinden;* daz pfert û. *ihm den halfter lösen.*

-louchen *swv. öffnen.*

-loufen *redv. einen auflauf bilden; auflaufen, anschwellen, anwachsen.*

-luogen *swv. aufblicken; aufpassen.*

-mæren *swv. bekannt machen.*

-merken *swv. aufmerken, bedacht sein auf.*

ûf-mieten *swv. mieten.*

-mûren *swv. obenauf zumauern, bildl. vom obstverkäufer, der das schlechte obst mit gutem bedeckt.*

-mutzen, mützen *swv. ausschmücken; auch refl.*

-nemen *stv. as. einnehmen; annehmen; verstehen; in den himmel entführen.*

-nesteln *swv. aufnesteln.*

-offenen *swv. öffnen.*

-opfern *swv. (den eigenen freien willen gott) opfern.*

-phanden *swv. durch pfändung aufbringen.*

-phîfen *swv. zum tanze pfeifen, aufspielen.*

-phlanzen *swv. refl. sich aufputzen.*

-popelen *swv. aufsprudeln.*

-prellen *swv. intr. hervorbrechen; tr.* die êre û. *aufs spiel setzen, wegwerfen.*

-quellen *stv. emporquellen, sich heben, schwellen (herz).*

-ragen *swv.* ûf ragendez hâr sam die sweinporsten.

-rechen *swv. aufschüren;* daz viur mitten ûf r.

-reden *swv.* ûf und abe reden *hin und her reden.*

-regen *stv.* = regen.

-reichen *swv. darreichen, übergeben.*

-rennen *swv. abs. feindlich angreifen.*

-rîden *stv. aufdrehen.*

-riechen *stv. aufstoßen.*

-rihten *swv. tr. u. refl. aufrichten, aufstellen; ersetzen (einen schaden).*

-rimphen *swv.* die nasen û. *rümpfen.*

-ringen *stv. abs.* daz ir herze ûf rang *sich zusammenkrampfte.*

ûf-rinnen *stv. aufgehen (sonne); antreiben, angeschwemmt werden.*

-rîsen *stv. dp. zufallen, zuteil werden.*

-rîten *stv. in reih und glied vorreiten, sich zu pferde versammeln.*

-rîzen *stv. aufreißen.*

-rûmen *swv. abs. aufräumen, ein ende machen; tr.* rinder û. *wegtreiben.*

-ruofen *redv. dp. jem. auffordern aufzustehen.*

-rüsten *swv. ausrüsten (esel, wagen); veranstalten (ein stechen); refl. sich bereit machen; sich schmücken.*

-samen *swv. aufsammeln.*

-schallen *swv. herausblöken, -brüllen* (er schallet ûf sam er tobe).

-schalten *redv. aufbewahren;* den himel û. *erschaffen (von gott).*

-schellen *swv. erschallen (trommel, pfeifen); die stimme erheben (von vögeln).*

-schiezen *stv. in die höhe wachsen; aufschießen.*

-schiffen *swv. ins schiff laden.*

-schiuhen *swv. aufschrecken.*

-schorn *swv. reinigen (das pflaster).*

-schræjen *swv. emporspritzen.*

-schrecken *swv.*[1] *intr. aufhüpfen.*

-schrecken *swv.*[2] *tr. aufspringen, auffliegen machen.*

-schrîen *stv. aufschreien.*

-schrîten *stv. aufsteigen.*

-schrôten *redv. aufladen.*

-schupfen *swv. intr.* abe und û. *auf und nieder hüpfen, hopsen.*

-schürfen *swv. aufschneiden.*

ûf-schürzen *swv. aufschürzen; aufschieben (gerichtstag).*

-schüten *swv. emporschwingen (lanze); aufspeichern (getreide).*

-sehen *stv. aufschauen; die augen aufmachen.*

-seilen *swv. dp. aufbinden; aufbürden; zuteilen.*

-senden *swv. aussenden, ausgehen lassen (briefe); jur. aufkündigen, aufsagen* (lîpgedinge, lêhen).

-sîn *anv. aufstehen, sich aufmachen.*

-sinnen *stv. nachdenken, aussinnen.*

-sitzen *stv. aufsitzen, zu pferde steigen; sich einschiffen; auf der schneiderbank sitzen = als schneider arbeiten.*

-siufzegen *swv. aufseufzen.*

-siulen *swv. bildl.: wieder aufrichten, auferbauen;* daz mich ûf siulet mîn einiger helfære.

-sleichen *swv. refl. sich langsam emporrichten, in die höhe wachsen.*

-slîchen *stv. langsam heraufkommen, anbrechen (tag).*

-sliezen *stv. aufschließen, öffnen;* schrift û. *deuten;* den haft û. für *ein rätsel lösen.*

-slihten *swv. geraderücken, geradebiegen.*

-sloufen *swv. die kleider ausziehen.*

-smücken *swv. refl. sich herausputzen.*

-snîden *stv. aufschneiden.*

-snüeren *swv. aufschnüren.*

-snurren *swv. intr. in die höhe schnellen.*

-soumen *swv. as. auf saumtiere laden.*

ûf-spalten *red. refl. aufklaffen, sich öffnen (erdboden).*

-spannen *redv. aufspannen (zelt, segel).*

-sparn *swv. aufsparen.*

-spehen *swv. aufschauen; auflauern.*

-spennen *swv.* = ûf spannen.

-sperren *swv. tr. und refl. aufsperren, öffnen; dehnen.*

-spitzen *swv. aufstacheln.*

-spræjen *swv. intr. aufspritzen.*

-spreiten *swv.* segel û. *segel setzen;* die hende û. *(im tode).*

-sprenzen *swv. aufspreizen.*

-springen *stv. aufspringen, sich erheben.*

-staben *swv. auseinanderspreizen (von den händen Christi).*

-stechen *stv. tr. aufstecken (fahnen); intr. aufgehen (sonne).*

-stecken *swv. aufstellen (ziel);* gesidele û. *wohnstätte aufschlagen.*

-stegen *swv. erhöhen, erheben, aufsteigen lassen (jemandes ruhm).*

-steigen *swv. aufsteigen.*

-stellen *swv. refl. sich emporrichten.*

-sterzen *swv. steil in die höhe stellen;* den pfluoc û. *aufstellen.*

-stieben *stv. als staub oder wie staub auffliegen.*

-stîgen *stv. aufsteigen, sich erheben;* an gewalte û. *an macht zunehmen.*

-stolzen, -stolzieren *swv. sich stolz erheben.*

-stœren *swv. tr. aufbrechen, einbrechen in (haus).*

-stouben *swv. tr. aufscheuchen (enten).*

ûf-streben *swv. in die höhe streben.*

-strecken *swv. emporstrecken.*

-strîchen *stv. auf saiteninstrument spielen; aufspielen, auch tr.* tanz û. *(zum tanz).*

-stricken *swv. aufbinden.*

-striuzen *swv. refl. sich erheben, empören (gegen).*

-stürzen *swv. überstülpen, aufsetzen (helm).*

-stützen *swv. refl. sich aufstauen, aufsteigen;* daz mer stützet sich ûf über alle berge.

-sweiben *swv. intr. sich in die lüfte aufschwingen.*

-sweifen *redv. tr. in die höhe ziehen, zurückschlagen (gewand); mit gewalt öffnen (tor); refl. in die höhe gehen (zugbrücke).*

-swellen *stv. auf-, anschwellen.*

-swenken *swv.* ze berge û. *in die höhe wallen, sich emporschwingen (feuer, luft).*

-swenzeln *swv. tr. aufputzen.*

-swern *swv. aufschwellen, sich entzünden (wunde).*

-swingen *stv. intr. u. refl. auffliegen, sich aufschwingen, erheben; tr. aufschlagen.*

-telben, -delben *stv. aufgraben (grab).*

-trechen *stv. as. dp. jemandem etwas anrichten, ‚einbrocken';* sich schaden û. *auf sich ziehen.*

-treigen *swv. refl. sich erheben.*

-trennen *swv. auftrennen, spalten.*

-trîben *stv. ap. hinhalten; aufziehen, verspotten.*

-trossen *swv. aufpakken, -laden.*

ûf-trüllen *swv. aufspielen; betrügen, betören.*

-trumeten *swv. zum aufbruch blasen.*

-tüemen *swv. refl. sich überheben, prahlen.*

-tuon *anv. as. darlegen, erklären.*

-twingen *stv. mühsam öffnen* (diu ougen).

-vazzen *swv.* schilt û. *erheben.*

-videren *swv. part. prät.* ûf gevideret *mit flügeln in die höhe getragen.*

-vlammen *swv. aufflammen:* ûf vlammendez herze.

-vliegen *stv. sich emporschwingen, in die höhe fliegen.*

-vriesen *stv. auftauen.*

-wallen *redv. aufwallen.*

-warten *swv. dp. acht haben auf, dienen.*

-weigen *swv. refl. sich in die brust werfen.*

-wellen *stv. aufrollen.*

-wesen *stv. aufstehen, aufbrechen; aufgehen (sonne).*

-wetten *swv. verpfänden.*

-winden *stv. refl. sich aufschwingen (die lerchen);* stange û. *weit ausholen mit der stange.*

-wischen *swv. intr. auffahren, in die höhe schnellen.*

-zaln *swv. as. dp. etwas für jem. zahlen.*

-zeigen *swv. as. dp. zeigen, aufweisen.*

-zerren *swv. aufzerren, aufreißen* (mûl û.).

-ziln *swv. refl. sich losmachen, sich lösen, aufgehen.*

-zocken *swv. aufreizen.*

-zogen *swv. aufhalten.*

-zügeln *swv. kultivieren.*

-zünden *swv. anzünden.*

ûf-zwacken *swv. aufziehen, aufkneifen (nägel).*

ûfduz *stm. das aufwallen; schmerzausbruch.*

ûferborn *part. adj. angeboren.*

ûferhaben *part. adj. (myst.) abgelöst, erhoben (geist, gemüt).*

uffe *präp. nbf. zu* ûfe.

ûfgedrollen *part. adj. gerundet, rundlich; vgl.* gedrollen.

ûfgeschrift *stf. überschrift.*

ûfgeswommen *part. adj.* vaste û. *mächtig angewachsen (v.d. bevölkerung).*

ûfgevlogen *part. adj.* krûs und û. *mit krausem, losem haar.*

ûfgewollen *part. adj. mit schönen rundungen.*

ûfleite *stf.* der grêde û. *treppenaufgang.*

ûfreht *adv. senkrecht.*

ûfrihtunge *stf. aufrichtung,* ein û. des gemüetes in got; *auch astron. fachausdr. für eine aufsteigende planetenbahn.*

ûfstandunge *stf. auferstehung.*

ûftuounge *stf. das öffnen,* û. der adern *aderlaß.*

ûfvliegunge *stf. aufschwung.*

ultern *swv. aus mlat. ultrare; stoßen, schlagen.*

umbe *adv. trennbar bei verbis (nicht immer eindeutig festzustellen, ob trennbar oder untrennbar):*

-ackern *swv. umpflügen; auch bildl.*

-bekêren *swv. intr. sich umwenden; tr. as. von grund auf umkehren.*

-bevâhen *redv. umarmen.*

-bewahsen *stv. umwachsen,* den sê ein walt hât umbebewahsen.

umbe-binden *stv. umbinden, umgürten (schwert).*

-bisen *swv. umherrennen, umherschweifen.*

-bliuwen *stv. hin und her werfen.*

-boln *swv. umherschleudern.*

-brechen *stv. tr. fällen (baum); refl. sich aufraffen.*

-dræjen *swv. tr. umdrehen, umwenden; intr. und refl. sich umdrehen.*

-ern *swv. umpflügen.*

-gân *redv.* eines u. *einmal eine runde, ein tänzchen machen;* u. mit *sich beschäftigen mit, erfüllt sein von;* mit witzen u. *seinen verstand gebrauchen;* u. mit *ap. auf schritt und tritt begleiten;* wildeclîchen u. bî den vüezen *lose umherschwingen (rockfalten).*

-geben *stv.* almuosen u. *nach allen seiten hin geben.*

-gebinden *stv.* = umbe binden.

-gesehen *stv.* = umbe sehen.

-gestricken *swv.* = umbe stricken.

-gevliegen *stv.* = umbe vliegen.

-giezen *stv. as. etw. rundherum eingießen, einschenken.*

-graben *stv. umgraben (erde); fällen (baum); schleifen (festungen).*

-gumpen *swv. umherspringen, -hüpfen.*

-gürten *swv. umbinden, -gürten (gürtel, schwert).*

-hâhen *redv. umhängen.*

-jagen *swv. intr. umherjagen, -rennen; auch bildl. vom geistigen irren oder unruhigsein; tr. in bewegung, umdrehung (ver)setzen (rad des henkers).*

umbe-kapfen *swv.* lâ dîn u. *schau nicht rechts und links.*

-kêren *swv. intr. umkehren; tr. umkehren, -wenden, -kippen u. ä.; entwurzeln (bäume); ap. zum rückzug zwingen; refl.* umbegekârt hân si sich ûz irer ordenunge *sie sind ihrem gesetz untreu geworden; part. prät* (umbekârt), *umgedreht, umgekehrt (daliegen).*

-krabeln *swv. umherkriechen;* in dem mist u.

-leiten *swv. herumführen.*

-lingen *stv. umherspringen.*

-lœren *swv. hinhalten, foppen.*

-loufen *redv. umlaufen (vom jahr und vom rad der Fortuna).*

-lûren *swv. umherlauern.*

-pfadelen *swv. umherpaddeln (käfer im tau).*

-reden *swv. disputieren.*

-rennen *swv. umherziehen.*

-rîben *stv. umdrehen (das schwert im leibe).*

-rîden *stv. tr. und refl. umdrehen (z. b. schlüssel).*

-rîten *stv. zurückreiten, umkehren.*

-rîzen *stv. umreißen, umbrechen.*

-rüeren *swv. herumrollen.*

-rûmen *swv.* rûmet umbe! *verzieht euch!, macht platz!*

-sappen *swv. herumtappen.*

-schîben *stv. umdrehen, umkippen, -werfen (schüssel, tisch).*

-schiezen *stv. refl. sich plötzlich herumwerfen (pferd).*

umbe-schouwen *swv. sich umsehen.*

-sehen *stv. refl. sich umblicken, sehen; übertr. aufmerken; aufpassen; sich vorsehen.*

-sîgen *stv. umfallen.*

-slahen *stv. hin- und herschlagen, -treiben (ball).*

-sleichen *swv. subst.* langez u. *große umschweife.*

-sleifen *swv. umherschleifen.*

-slingen *stv. im kreise herumschwingen.*

-snüeren *swv. nach allen seiten forteilen.*

-snurren *swv. herumsausen.*

-spannen *redv. umschnallen (sporen).*

-spehen *swv. umherschauen.*

-springen *stv. herumspringen.*

-spürn *swv. herumsuchen.*

-stân *anv. im werte abnehmen, schlechter werden.*

-stechen *stv. ap. (in einem stechen) den gegner gänzlich niederwerfen.*

-stôzen *redv. umstoßen, -stürzen; niederwerfen, besiegen.*

-stricken *swv. umbinden, umgürten (schwert).*

-ströuwen *swv. ausstreuen* (gâben milteclîche u.).

-strûmen *swv.* die wîl diu reis *(heerfahrt)* umb strûmt *solange der krieg im gange ist.*

-stürmen *swv. umherstürmen, -ziehen.*

-stürzen *swv. intr., tr. und refl. umstürzen, hinstürzen.*

-swanzen *swv. umhertanzen, -schlendern.*

-sweimen *swv. in der höhe schwebend kreisen.*

umbe-swenken *swv. intr. herumschwingen, -gehen (sterne); tr. herumschwenken.*

-swingen *stv. umherfliegen, -schweifen.*

-tieren *swv. refl. sich rasch herumbewegen.*

-tragen *stv. ap. übertr. beunruhigen;* wie sich diu vluot *(die vier ströme des hl. geistes)* ummetreit *ausbreitet, fortpflanzt.*

-trîben *stv. tr. herumtreiben, umherjagen, in (kreisförmige) bewegung bringen, in umdrehung halten (kreisel, ball, sternenlauf).*

-vâhen *redv. sich ausbreiten.*

-vellen *swv. umstoßen.*

-vliegen *stv. herum-, umherfliegen.*

-vüeren *swv. herumführen, im kreis bewegen.*

-wagen *swv. umstimmen.*

-wallen *redv. umherwabern, -schwappen;* daz hirn im *(einem betrunkenen)* al umbe wiel.

-walzen *redv. sich drehen (rad, augen in der augenhöhle); sich herumwälzen.*

-wandern *swv. umherstreifen.*

-warten *swv. sich umschauen, umherschauen.*

-waschen *stv. circumluere, um und um waschen, abspülen.*

-waten *stv. umherwaten, -schreiten.*

-wegen *swv. umdrehen.*

-welben *redv. u. swv. in umlauf setzen (gott die planetenbahnen); von gefäßen: umstürzen, ausleeren.*

-welzen *swv. herumwälzen.*

umbe-wenden *swv. herumdrehen, umwenden.*

-werben *stv. refl. ein heer (rundum) anwerben.*

-werfen *stv. tr. herumwerfen, umdrehen, -wenden (das schwert im kampfe, das roß,* diu bleter *buchseiten); refl. sich rasch umwenden,* von *dp. jemdm. abtrünnig werden.*

-wîchen *stv. aus dem wege gehen; von seiner meinung abgehen, andern sinnes werden.*

-wispen *swv. sich hin und her bewegen (von haferrispen).*

-wüefen *swv. oder* **-wuofen** *redv. sich heulend, rauschend überschlagen (meereswogen).*

-zoten *swv. herumziehen.*

umbeborten *swv. einfassen.*

umbebrechen *stv. übertr.* mit sünden umbbrochen *niedergebrochen.*

umbedraben *swv. umreiten (das schlachtfeld).*

umbedringen *stv. umdrängen, von allen seiten andrängen gegen.*

umbegâhen *swv. durcheilen (ein heer, um es zu inspizieren).*

umbegegende *stf. gegend.*

umbegelegen *part. adj. umliegend;* diu u. lant.

umbegiezen *stv. umfließen, myst. vom feuer der gottheit.*

umbehouwen *stswv. (be)hacken, umhacken (weinstöcke).*

umbekleit *stn. übertr.: verhüllung, erscheinungsform, gestalt,* manic u. haben *vielerlei gestalten, formen; (Christus)* der an sich nam dîn *(Mariä)* u. *sich in dich einhüllte, in dir wohnte.*

umbeleiter *stm.* ein umbetrîber und u. der liute *einer, der die leute an der nase herumführt.*

umbelûren *swv. ap. umlauern.*

umbemachen *swv.* = umbevâhen.

umbemezzen *stv. (gott)* hât die erde u. *rundum abgemessen; umgeben, umspannen.*

umbenæjen *swv. umnähen, einfassen, besetzen (z. b. mit borte).*

umbenemen *stv.* = umbevâhen, *einfassen, umgeben;* ein anger umbenomen mit einem rîchen bouwe.

umbeplanken, -blanken *swv. mit* planken *schützend umgeben.*

umberede *stf. abschweifung.*

umbereichen *swv. umfassen, übergreifen, in sich begreifen können;* alliu dinc u. *(von gott).*

umberunnen *part. adj.* mit sweiz u. sîn *schwitzen.*

umbesehen *stv. refl. sich vorsehen:* umbsehet iuch.

umbesehen *stn. das aufsehen:* sich huop ein grôz ummesên; ein u. tuon *umschau halten, nach dem rechten sehen.*

umbeserten *swv.* = serten *stv.*

umbeslengen *swv. umschlingen;* mit geiseln u. *geißeln, peitschen.*

umbesliezen *stv. erfassen; begreifen.*

umbeslinge *stf. spira, spirale (astron.).*

umbespannen *redv. umspannen.*

umbesticken *swv.* = umbestecken.

umbesunst, -sus, -sust *s.* sus.

umbeswebende *part. adj.* mit eim umbswebenden kleit *in losem oder bauschigem gewand.*

umbesweif *stm. umlaufbahn (der sonne, des mondes).*

umbetreten *stv. trans. zerknirschen:* diu vorhte sîn herze umbetrat.

umbevâhen *redv. subst. umarmung; myst.* gotes u.

umbevart *stf. herumtreiberei.*

umbevazzen *swv. umfassen, umarmen.*

umbewandeln *swv. umwandeln; durchwandeln:* alle dise erde u.

umbewandern *swv. umwandern; durchwandern.*

umbewelben *swv. umwölben.*

umbewellen *stv. tr. und refl.* = bewellen, *besudeln (mit sünden); refl. sich abgeben* (mit wîben).

umbewüelen *swv. umwühlen, durchwühlen* (ertreich).

umbezimbern *swv. mit einem bau, einer umzäunung umgeben.*

umbezirge *stf. umgegend.*

umbezoc *stm. umschweif.*

unabscheidlich *adj. untrennbar.*

unabziehelich *adj. unablenkbar, unverrückbar, sicher, fest.*

unadelen *swv. des adels berauben.*

unahtsamkeit *stf. unachtsamkeit.*

unanesihtic, -ansihtic *adj. unsichtbar.*

unangestlîche(n) *adv. keine gefahr befürchtend; ungescheut, frank und frei (etwas sagen); ohne weiteres (sich etwas nehmen).*

unart *stf. entartung.*

unarticheit *stf. schlechtigkeit.*

unæze *adj. ungenießbar.*

unbedâht *part. adj. undurchdacht;* niht u. lâzen *bedenken.*

unbedæhteclîche *adv. ohne überlegung, spontan, unbedenklich.*

unbedrungen *part. adj. freiwillig.*

unbegâbet *part. adj.* u. belîben *kein geschenk erhalten.*

unbegangen *part. adj. nicht begangen, vollzogen (gottesdienst).*

unbegriffen *part .adj. nicht begreifbar, nicht faßbar (menschliche seele).*

unbegriffic *adj. unbegreiflich (menschenherz, naturgeheimnis).*

unbehagen *swv. nicht behagen, zuwider sein.*

unbehilflich *adj. dp. nicht behilflich.*

unbehuot *part. adj. ohne deckung preisgegeben (wild); nicht eingehalten (eid).*

unbehuotheit *stf. unbehütetheit; unvorsichtigkeit.*

unbehuotlîche(n) *adv. unbewacht, unbehütet.*

unbekibelt *part. adj. unbescholten.*

unbeklecket *part. adj. unbefleckt, unbeschmutzt.*

unbekoselt *part. adj. dass.*

unbenant, -benennet *part. adj. unbekannt, nicht namentlich genannt.*

unbequâme *adv. unwillig.*

unbequæme *adj.*

unberâten *part. adj. unversorgt* (ros).

unbereit *adj. unsicher, ungewiß* (lôn).

unberuochet *part. adj. mit gs.* wîsheit u. *unerfahren.*

unberuoret *part. adj. jungfräulich* (erde, maget).

unbesatzt, -besetzet *part. adj. unbewohnt.*

unbescheidenlich *adj. unvernünftig (die tiere).*

unbeschirmet *part. adj.* niht u. lân *ap.* (wider *as.*) *nicht schutzlos überlassen.*

unbescholten *part. adj. ungescholten, unbescholten.*

unbeschœnet *part. adj. unbeschönigt; tatsächlich;* ez ist u. *ist leider wahr!*

unbeschorn *part. adj. bärtig, mit vollem bart.*

unbesezzen *part. adj.* u. mit *nicht befaßt mit, unabhängig von (z. b. irdischen bedürfnissen);* an vorhte u. *frei von furcht; subst.:* die u. *die asketisch lebenden, die genügsamen.*

unbeslozzen *part. adj. nicht verschlossen.*

unbesprochenlîche *adv. frei von übler nachrede (leben).*

unbestoben *part. adj. unbestaubt, übertr.: rein;* ir lop u. *ihr tadelloser ruf.*

unbeswæret *part. adj. unbehelligt, verschont:* u. belîben von *dp; weise, wissend;* lâz uns u. *mach uns nicht dumm.*

unbetôret, -betœret *part. adj. klug, weise.*

unbetoubet *part. adj. munter (vögel).*

unbetrahtlich, -betrehtlich *adj. incogitabilis; unfaßbar.*

unbetrüebet *part. adj. nicht betrübt, ungetrübt, heiter, klar, rein (gemüt, luft, licht der gottheit).*

unbetwagen *part. adj. ungewaschen, nicht gesäubert.*

unbevangen *part. adj.* u. sîn mit *ds. nichts gemeinsam haben mit.*

unbewaget *part. adj. unerschüttert;* stille und u. stân *(schlachtreihen).*

unbeweclich *adj.* got ist ein u. guot *der feststehende grund, das unverrückbare fundament.*

unbeworren *part. adj. unbehelligt;* u. mit *unbekümmert um.*

unbiltlich *adj. unbildlich, -körperlich, nicht im bilde dar-, vorstellbar.*

unbiltlîche(n) *adv. dass.*

unbliuclich, -blûclich *adj. u. adv. ohne scheu (sprechen, handeln).*

unbruoderlîche *adv. unbrüderlich;* u. begân *ap. behandeln.*

unbuozwirdec *adj. der besserung nicht bedürftig, untadelig;* u. sîn an *ds. (kleidung, benehmen).*

undanc *stm.* der habe u. *der sei verflucht.*

under *präp.* u. in zwein *miteinander;* u. sîne arme nemen *in die arme.*

under *adv. trennbar bei verben (trennbarkeit und untrennbarkeit nicht immer zu unterscheiden):*

-bocken *swv. sich ducken (z. b. vor der übermacht).*

-brechen *stv.* daz ich dise rede underbrach *(in mein gedicht) einschaltete.*

-bringen *swv. an. dp. unterwerfen (burgen).*

-drücken, -gedrücken *swv. unterdrücken; verschweigen.*

-gebrechen *stv. ap. niederwerfen.*

-geligen *stv. unterliegen.*

-kêren *swv. tr. umdrehen.*

-lâzen *redv. refl. von der sonne: untergehen.*

under-legen *swv. as. dp. jem. auf etwas betten;* triuwe u. *ein treueverhältnis aufgeben.*

-schieben *stv. part. prät.* under geschuben *unterfüttert.*

-senken *swv. versinken machen, zum sinken bringen (schiff).*

-setzen *swv. refl. sich weigern, widersetzen (mit gen.).*

-sîgen *stv. untersinken; untergehen (sonne).*

-sinken *stv. hinunter-, untersinken, sich versenken (myst.).*

-slîchen *stv. dazwischen schleichen, sich einschleichen; überhand nehmen.*

-spreiten *swv. unter-, darunterbreiten.*

-steigen *swv. hinuntersteigen, untergehen (sterne).*

-stôzen *redv. zu sich stecken.*

-ströuwen *swv. dp. as. (als lager) unterstreuen.*

-treten *stv. (tr.) niedertreten, darauftreten.*

-tûchen *swv. tr. und refl. untertauchen.*

-tuon *anv.* mit rede u. *ap. zum schweigen bringen.*

-vallen *redv. herunterfallen, entfallen;* daz wort viel im under *versagte sich ihm.*

-wesen *stv. untertan sein (mit dat.).*

-ziehen *stv. trans. herunterziehen (in den abgrund);* die sonne u. *verdunkeln (vom mond).*

underbaneken *swv. sich untereinander, miteinander erlustigen.*

underben *swv.* sînen *(Christi)* namen u. von der werlde gehuht *aus dem bewußtsein der menschen auslöschen.*

underbilde *stn. eine spielkarte (bube).*

underbilden *swv. unterteilen, aufteilen* in *(von der trinität).*

underbint *stn. vermittler (im kauf);* wunderlîchiu u. *neuartige unterweisungen.*

underblæjen *swv. von unten anblasen (mit dem blasebalg).*

underblâsen *redv.* er liez in u. *vom winde durchwehen.*

underblenket *part. adj. mit heller farbe vermengt, aufgehellt,* rœte wol u. *zart hellrot, rosa.*

underbulzen *swv. abstützen;* mit sparren underpulzt; *übertr. refl.* sich mit einem u. *ein geheimes abkommen treffen mit jem.*

underbûwen, underbûwet *part. adj. untermauert, mit festem fundament versehen.*

underdenken *swv. an. bedenken, erdenken.*

underdingen *swv. ap. (durch preisdrückung) zugrunde richten; as.* (des hêrren zorn) *sich zuziehen.*

underganc *stm. unterwürfigkeit, unterordnung.*

undergeben *stv. as. sich etwas gegenseitig geben; refl. sich unterordnen, unterstellen* (dem dienst, dem rîche).

undergesinde *stn. dienerschaft (am hofe).*

undergewant *stn. unterzeug.*

undergiezen *stv. tr. u. refl. benetzen, anfeuchten, durchtränken, begießen (refl.: gegenseitig).*

underhanden *adv.* u. geben *as. dp. jem. etwas zur verfügung stellen.*

underhap *stm.* mit solichem u. *unter der bedingung.*

underhimel *stm. unterhimmel, empyreum (wohnung der engel).*

underjunger *stm. untergebener junger knappe.*

underkennen *swv. refl. sich gegenseitig erkennen.*

underkêren *swv. tr. umschlagen (schiff), zum kentern bringen.*

underklaffen *swv. dazwischenreden.*

underkleit *stn. kleid, das unterm mantel oder* roc *(überkleid) getragen wird.*

underkôsen *swv. refl. sich vertraut unterreden (mit gott im gebet).*

underkünic *stm. dem kaiser untergebener könig.*

underlâzen *redv. unterlassen.*

underlegen *swv. abstützen* (tisch); *dp.* sîn wort u. *jem. widerlegen, zum schweigen bringen.*

underlesen *stv. auslesen.*

underlîbunge *stf.* = underlîbe; *unterbrechung, pause.*

underlôsunge *stf. erfrischung, erholung.*

undermâze *stf. (gegens.* übermâze); *zu wenig, weniger als das übliche maß.*

undermengen *swv. vermischen, versetzen* (mit).

undermezzen *stv. im rechten maße versehen mit* (porten mit zinnen u.).

undermischen *swv. vermischen; refl. sich zusammenfügen:* gotes majestât, diu sich undermischet hât mit drîn persônen vaste.

undermûren *swv. untermauern.*

undernemen *stv.* ez u. zwischen *unterscheiden zwischen.*

underordinieren *swv. zweckmäßig einrichten, ordnen.*

underparieren *swv. gleichmäßig mischen.*

underpfælen *swv. durch pfähle und faschinen befestigen.*

underprîsen *swv. unter wert anschlagen, unterschätzen.*

underrüsten *swv.* himel und erde ist underrüstet mit sînem *(gottes)* gewalt *von seiner kraft zusammengehalten.*

underschackieren *swv. buntscheckig machen.*

underscharn *swv. untermischen.*

underscheiden *redv. as. dp. den unterschied klar machen zwischen; subst. unterschied, unterscheidung.*

underscheidenhaft *adj. unterschiedlich.*

underscheit *stf.* die u. sagen *dp.*, wie . . . *genau berichten;* ân u. *unbedingt.*

underschelten *stv. refl. sich gegenseitig beschimpfen.*

underschenke *swm. unterschenke (hofamt).*

underschrenken *swv. verschränken (die füße); eine schranke aufrichten, eigentl. und bildl.*

underschrîben *stv. niederschreiben, festsetzen;* got mit drîn persônen underschriben *(von der trinität) in drei personen manifestiert.*

underschüten *swv.* eine schar *(feindliche heerschar)* mit mannen u. *durchbrechen.*

underselwen *swv. verunzieren.*

undersitz *stm. zwischenwand, stützfüllung.*

undersiulen *swv. as.* mit *ds. abstützen mit (z. b. einen saal mit pfeilern).*

underslac *stm. unterbrechung.*

underslîchen *stv. tr. schleichen zwischen, schleichend verhindern; mit ap. von einer erkenntnis: jemdm. plötzlich kommen, einfallen, aufgehen.*

underslîfen *stv. verhindern.*

undersmücken *swv. niederdrücken, -beugen.*

undersnîden *stv. vermischen* der sîn êweclich gotheit mit der menschheit undersneit.

underspicken *swv. untermischen* (mit, von).

undersprâche *stf. absprache, unterredung;* ân u. *im stillen für sich (etw. aussinnen).*

undersprengen *swv.* mit saphiren undersprenget *(hier und da) besetzt, verziert;* rôt und wîz undersprenget *gemischt, rosafarbig.*

undersprinc *stm.* gelider und leib ân u. *einheitlich, als ganzheit.*

undersprîten *stv. dazwischen ausbreiten.*

underspriuzen *swv. unterstützen.*

understân *stv.* ez u. *sich ins mittel legen, ausgleichend vermitteln.*

understat *stf. eine stadt, die der hauptstadt untergeordnet ist.*

understecken *swv. bestecken, schmücken:* mîn wine der understecket mich mit bluomen.

understellen *swv.* alsô ist ez understellet *das steht fest.*

understrich *stm.* âne u. *ohne einschränkung, abstrich.*

understricken *swv. (untereinander) verbinden, verstricken.*

underströuwen *swv. durchsetzen mit, dazwischenmengen; refl. mit dat. von personen: sich mischen unter.*

understützen *swv. (ab)stützen (bau); unterstützen.*

undertân *part. adj.* u. sîn *dp. jem. verpflichtet sein; jem. als frau angehören; mit sachl. subj.: zur verfügung stehen,* dir wirt mîn gâbe u.

underteil *stm. grundlage, -fläche, untergrund.*

underteil *stn. (gegens. zu* oberteil*) unterteil; untere fläche (z. b. des würfels).*

undertelben, -delben *stv. untergraben* (vels).

undertragen *part. adj.* von berlîn u. *mit perlen besetzt, bestickt.*

undervar *stm. oder n. unterschied, besonderheit, ausnahme.*

undervazzen *swv. umfassen, ergreifen.*

undervlehten *stv. durchflechten; as. dp. (argumentierend widerlegen.*

underwahsen *part. adj. durchwachsen.*

underwæjen *swv. durchwehen.*

underweben *stv.* (mit) *mit einem einschlag versehen, durchsetzen, durchflechten, eigentl. und bildl.*

underwegen *adv. s.* wec.

underwerfen *stv. refl. dp. sich jemdm. unterwerfen.*

underwinden *stv. refl. gs. anspruch erheben auf;* sich der tôrheit u. *sich der lächerlichkeit aussetzen; gp. sich jemds. annehmen.*

underworfenheit *stf. freiwilliges sich unterwerfen, ergebenheit* (under gotes willen).

underzwischen *swv. refl. dazwischentreten.*

undöuwunge *stf.* = undöuwe; u. üeben *(als medizin. maßnahme).*

undulten *swv. unruhig sein;* sêre u. *sich aufbäumen (pferde); beben (erde).*

undurnehticheit *stf. unvollkommenheit, unzulänglichkeit.*

unehten *swv. geringschätzen.*

unendehafte, -haftî *stf. unendlichkeit;* diu u. sîner wîsheit.

unentheltlich *adj. unaufhaltsam.*

unêrbære *adj. schändlich, verrucht (von personen), auch subst.*

unêrbæreclich *adj. unanständig, nicht ehrbar (kleidung).*

unêrbærecliche *adv. dass.;* harte u. gân *(höchst unanständig gekleidet).*

unerbarmec, -bermic *adj. unbarmherzig; erbarmungslos.*

unerbarmeclîche *adv. dass.*

unerbouwen, -bûwen *part. adj. nicht bestellt, bebaut (acker);* u. strâze rîten *einen ungebahnten weg einschlagen.*

unêren *swv. in schlechten ruf bringen.*

unerkant *adj. heimlich;* mir ist u. *ich weiß nichts von.*

unerkantlich *adj. nicht zu begreifen.*

unerkantnisse *stfn. unwissenheit, uneinsichtigkeit.*

unerkomen *part. adj. unerschrocken.*

unerlôst *part. adj.* vor klage u. *nicht frei von schmerz.*

unerstorben *part. adj.* des lîbes u. leben *nur körperlich noch leben.*

unervarn *part. adj. unbescholten; nicht überführt, ertappt.*

unervirnet *part. adj. nicht alt geworden.*

unervolgec *adj. unerforschlich.*

unervolgenlich *adj. unerforschlich.*

unervollet *part. unerfüllt, unausgeführt.*

unervorht *part. adj. unbekümmert.*

unervüllec *adj. unersättlich:* diu unervüllige gîtecheit.

unervundec *adj. unerforschlich.*

unervunden *part. adj.* = unervarn.

unformelich *adj. gestaltlos (myst.).*

ungancheit *stf. ungeeignetheit.*

ungebant *part. adj. ungebahnt.*

ungebærde *stf. kummer; enttäuschung; zorn.*

ungebit *stm. ungeduld.*

ungeblâsen *part. nicht geblasen* (horn).

ungebrechlich *adj. fehlerlos.*

ungebrechlicheit *stf. integrität, unbescholtenheit.*

ungebresthaft *adj. makellos, vollkommen.*

ungebrestelich *adj. dass.*

ungebrievet *part. adj. unverbrieft, unverbucht.*

ungebrosten *part.* u. sîn *dp. gs. zur verfügung stehen.*

ungebrûch *adj. unbrauchbar, untauglich.*

ungebûwet *part. adj. unbestellt (acker); ungebahnt, unbetreten, unbenutzt (straße).*

ungedanc *stm. pl. dumme gedanken; sturm der gedanken.*

ungedenklich *adj. unerforschlich.*

ungedenklîche(n) *adv. unvorstellbar.*

ungedol(t) *stf.* = ungedult.

ungedöuwet *part. adj. unverdaut.*

ungedulticheit *stf. ungeduld.*

ungeêret *part. adj. schändlich; subst.* der u. *der ruchlose.*

ungeglôset *part. adj. unerklärt, unkommentiert:* die rede u. hie bestân lâzen.

ungehaft *part. adj.* u.-er muot *ungestümer tatendrang.*

ungehaltec *adj.* u. sîn ze *ds. ohne ausdauer sein bei.*

ungehalten *part. adj. unbeherrscht.*

ungeheilet *part. adj. heillos (seele); unheilbar verloren.*

ungehiure *adj.* des lîbes u. sîn *ungeheuer groß sein.*

ungehiurlich *adj. ungeheuerlich.*

ungehœrec *adj. ungehorsam:* u. wesen *dp.*

ungekloben *part. adj. ungespalten; ungebrochen* (muot).

ungekoufet *part. adj.* er belîbet u. *es gelingt ihm nicht, etwas zu kaufen.*

ungelabet *part. adj. unbefriedigt, ungelabt;* u. belîben *seinen durst nicht stillen können.*

ungelâz *stmn. unruhe.*

ungelâzenheit *stf. (vgl. myst.* gelâzenheit*) unruhe, selbstbezogenheit, mangeln-*

de gottergebenheit, mangelndes gottvertrauen.

ungelêret *part. adj. ungelehrt, ungebildet.*

ungeletzet *part. adj. unverletzt; oft übertr. phraseol. (mit gs. oder* ane) *z. b.* an triegen u. *voller trug.*

ungelîch *stn. unrecht.*

ungelîchheit *stf. unregelmäßigkeit, unbeständigkeit.*

ungelimpfe *swm. unangemessenes benehmen.*

ungelimpfen *swv. mit dp. auch: verübeln; subst. mißbilligung:* sîn u. zeigen *dp.*

ungelogen *part. adj. wahr.*

ungelônet *part. adj. ohne lohn.*

ungeloupbære *adj. unglaublich.*

ungelücke *stn. unseliges schicksal;* ein u.-s gruoz *grausamer schicksalschlag.*

ungemach *stnm. unruhiges treiben;* u. haben *gs. angst haben vor, befürchten; schwierigkeit;* hellisch u. *höllenqualen;* mit u.-e berâten *unfreundlich behandeln.*

ungemaht *stf. ohnmacht.*

ungemâlet *part. adj. ungeschminkt; ungezeichnet (wäsche).*

ungemeiliget *part. adj. unversehrt.*

ungemeine *adj. unsozial, ungesellig, unfreundschaftlich.*

ungemeinet *part. adj. unerwartet.*

ungemist (et) *part. adj. ungedüngt.*

ungemüete *stn. hoffnungslosigkeit;* in u. komen *seiner sinne nicht mehr mächtig sein.*

ungemundert *part. adj. ungeweckt;* sînes sinnes u. *unverständig, hirnlos.*

ungemuot *adj.* u. werden *ergrimmen.*

ungenâde *stf. undankbarkeit.*

ungenâdelich *adj. feindselig, grausam;* u.-en gewalt lîden.

ungenetzet *part. adj. nicht naß gemacht, trocken (z. b. rasieren).*

ungenge *adj. zwecklos, vergeblich (gute werke ohne gottesfurcht); gottlos; subst.* die ungengen âne zuht.

ungenôz *adj.* der gnâde u. *der gnade nicht würdig.*

ungenüege *stf. ungenügsamkeit, unmäßigkeit.*

ungeoffenet *part. adj. unausgesprochen;* dehein dinc u. lâzen *nichts verschweigen (in der beichte).*

ungeraht *part. adj. unzubereitet.*

ungeranc *stn. unrecht, unheil* (lîden, rihten).

ungerehte *adv.* u. teilen *ap. jem. zu unrecht verurteilen.*

ungereizet *part. adj.* u. lâzen *nicht herausfordern.*

ungerihte *adv.* u. gân wider *ap. angreifen (mit worten).*

ungerihtec *adj. unentschieden, unausgetragen.*

ungerne *adv. widerstrebend; keineswegs absichtlich; allgemein umschreibend für stark negiertes wünschen, wollen, beabsichtigen (ersatz eines übergeordneten verbums), z. b.* gar u. ich dich betrüge *ich will dich keinesfalls (nie und nimmer, gewiß nicht) betrügen.*

ungeruochheit *stf. nachlässigkeit.*

ungeruowet *part. adj. kampfmüde; als adv. gebraucht: sogleich, eifrig.*

ungesalzen *part. adj. ungesalzen; übertr.* ein u. man *mann ohne feine sitten.*

ungesamenet *part. adj. nicht einhellig* (rât).

ungesât *part. adj. unausgesät (unkraut); unbebaut, nicht angepflanzt (acker).*

ungeschadehaft *adj. ungeschädigt.*

ungeschant *part. adj. ohne schande, ohne makel.*

ungeschart, -geschertet *part. adj. nicht schartig; unversehrt, unverletzt, unbelästigt.*

ungescheiden *part. adj.* er sach den strît u. *sah, daß der kampf nicht zu schlichten war.*

ungeschendet *part. adj. nicht entehrt, ohne schmach und schande.*

ungeschic *stn.* von ungeschicke(n) *unglücklicherweise.*

ungeschickelich *adj. ungehörig.*

ungeschicketheit *stf.* u. ze allem guote *unfähigkeit zu allem guten.*

ungeschîde *adj. schlimm.*

ungeschiht *stf. ungeschickte äußerung, geste* (u., die er gehœret oder gesiht).

ungeschriben *part. adj.* iemer u. *nicht zu beschreiben.*

ungesehende *part. adj. blind.*

ungeselwet *part. adj.* an vröuden u. *ungetrübt in seinem glück.*

ungesinnet *part. adj. unverständig.*

ungestaltecheit *stf. mißgestalt.*

ungestalthaft *adj. ohne körper (vom teufel).*

ungestaltlich *adj. körperlos.*

ungestaltlicheit *stf. deformitas, formlosigkeit.*

ungesunde *stf. krankheit.*

ungesundert *part. adj. nicht zu unterscheiden, völlig gleich.*

ungesunt *adj. tödlich,* die wunden *(der minne)* sîn u.; *dem tode verfallen;* des wart ir rücke u. *mußte leiden (bekam schläge).*

ungesunt *stm. schädlichkeit.*

ungetesche *adj. ungehörig.*

ungetougen *adv. (ganz) offen.*

ungetriulîche *adv. heimtückisch.*

ungetrunken *part. adj.* u. sîn *nichts trinken, nichts zu trinken haben, ohne getränk bleiben.*

ungetüeme *stn.* der minne u. *ungeheure gewalt.*

ungetürstic, -getorstic *adj. mutlos.*

ungeüebet *part. adj. nicht beansprucht, im natürlichen zustand.*

ungeurteilt *part. adj.* u. belîben *nicht verurteilt werden.*

ungevalt, -gevelt *adj. unzerstört.*

ungevalwet *part. adj. unverwelkt.*

ungevazzet *part. adj. unberührt.*

ungevellelich *adj. nicht gefallend, mißfallend.*

ungevellicheit *stf. gesundheitliche störung; unglück.*

ungevröuwet *part. adj. nicht erfreut, ohne freude.*

ungevüege *adj. ungeschickt* (hant); *ungereimt* (mære); ungevüeger uop *derber streich;* u.-r haz *wilde feindschaft.*

ungevuoge *stf. adverbiell:* mit u. *heftig.*

ungevuogen *swv. aufbegehren;* an *dp. böses antun.*

ungewanct *part. adj. unwandelbar, unerschütterlich:* u.-e stæte.

ungewant, ungcwendet *part. adj. unverändert.*

ungewarlich *adj.* = ungewerlich[1].

ungeweget *part. adj. unbewegt, unerschüttert, unwandelbar.*

ungewenket *part. adj. s.* ungewanct.

ungewilt *part. adj. nicht willig.*

ungewin *stm. schmerz; schmarotzer(tum);* u. geben *benachteiligen.*

ungewislîche(n) *adv.* u. werben, loufen, arbeiten *ein risiko eingehen.*

ungewitzet *part. adj. ohne verstand.*

ungewonde *stf.* in u. komen *ungewohnt werden.*

ungezalt *part. adj. unausgesprochen, unerwähnt.*

ungezert *part. adj.* u. belîben *unzerteilt (Christi rock).*

ungezoc *stnm.* mit ungezoge *ohne gefolge.*

ungezogenlîche *adv. roh, ungebührlich.*

ungirde *stf. gehemmtes verlangen, abneigung (zu beten).*

ungiudeclîchen *adv.* u. leben *unverschwenderisch leben.*

ungrüntlich *adj. unergründlich.*

ungruoz *stm. haß, abneigung.*

ungunst *stf. feindschaft.*

unguot *stn. unglück.*

unguotlîche *adv. unfreundlich, heftig, übel.*

unhant *stf.* ze unhanden werden *verderben, zugrunde gehen.*

unhêre *adj. lieblos.*

unhêren *swv. in schande bringen.*

unhöveschheit *stf. ungeschliffenheit; ungehöriges benehmen; rohheit.*

unkec *adj. feige.*

unkleine *adj.* u. an guote *freigebig mit seinem besitz.*

unkreftige *stf. schwäche.*

unkünde *adj. unbekannt, unheimlich.*

unkunt *adj.* unkunder gast *fremder, der sich nicht auskennt.*

unlanc *adj.* in unlanger zîte *unlängst.*

unloben *swv. tadeln.*

unlustsam *adj. widerwärtig.*

unmanec *adj. beliebt (alem.).*

unmære *adj. nicht willkommen, nicht gern gesehen; unbekannt; lästig.*

unmâz *stn. unermeßlichkeit.*

unmilte *adj. karg;* u. sîn *geizen.*

unminnen *swv. hassen; schaden.*

unmittellich *adj. unmittelbar.*

unmittellîchen *adv. dass.*

unmüezec *adj. geschäftig;* u. sîn lâzen *ap.* mit *nicht in ruhe lassen mit.*

unmüezecheit *stf. tätigkeit; geschäftigkeit, geschäfte; beschäftigung;* eine u. geben, vürlegen *dp. aufgabe stellen.*

unmüezeclîche *adv. dringlich.*

unmügelich *adj. (präd.) ‚ein unding‘.*

unmugen *stn. unvermögen.*

unmuotecheit *stf.* = unmuot.

unmuoze *stf. umständlichkeiten; von der minne:* der werlde u. *die aufrührerin der welt.*

unnâhe(n) *adv.* u. ligen *dp. nicht ins innere dringen;* sîn drôwort im u. lac.

unnôt *adj. unnötig.*

unnütze *adj. nutzlos vertan.*

unordenlicheit *stf. ungehorsam.*

unpînlich *adj. unverletzlich.*

unprîslich *adj. tadelnswert.*

unrehte *adv.* u. sagen ûf *ap. falsche beschuldigungen erheben gegen;* u. wîsen *einen falschen weg weisen.*

unreinlich *adj. unrein.*

unrîche *adj.* in sinnen u. *kraftlos, hilflos.*

unrihten *swv.* reht u. *recht in unrecht verkehren.*

unritterlich *adj. einem ritter unangemessen.*

unriuwe *stf. reuelosigkeit.*

unruochescheit *stf. leichtsinn.*

unruochsam *adj. gs. gleichgültig gegen.*

unsagehaft *adj.* u.-er list *unaussprechliche weisheit.*

unsælde *stf. verhängnis.*

unsælden *swv. sich unselig machen.*

unsælec, -ic *adj.* diser unsaelige man *'diese traurige figur'.*

unsælicheit *stf. gottverlassenheit; böses schicksal.*

unsanfte *adv. schwerlich*

unschamheit *stf. rücksichtslosigkeit.*

unscheid(e)haft *adj. untrennbar.*

unscheidelich *adj. dass.*

unscheidenlichkeit *stf. untrennbarkeit.*

unschemel *stm. schamlosigkeit.*

unschic *stn.* von unschicke *unglücklicherweise.*

unschînbære *adj. unsichtbar.*

unschônende *part. adj. schonungslos.*

unschuldec *adj. nicht verpflichtet;* u. sîn *gs. nichts zu tun haben mit.*

unschult *stf. entschuldigung, rechtfertigung.*

unsenfte *adj. bitter, schmerzlich;* ein u.-z spil *eine schwere, grausame entscheidung.*

unserheit *stf. unser eigenes selbst; egoismus.*

unsihthaft *adj. unsichtbar.*

unsin *stm. unvernunft.*

unsinneclich *adj. ohne verstand;* daz tier u. *unvernünftig.*

unsinnelich *adj. unsinnig.*

unsite *stm.* in grôzen u.-n *aufgeregt.*

unsitecheit *stf. unsittlichkeit.*

unsitelich *adj. ungezogen.*

unsitelîche *adv. ungestüm; zornig.*

unsmachaft *adj. ungenießbar.*

unsmachaftic *adj. ohne sinneswahrnehmung, apathisch.*

unsperlîchen *adv. nicht karg, reichlich.*

unstate *stf.* z'unstaten stân *dp. feind sein.*

unstæte *adj. ungebunden, sich nicht gebunden (verpflichtet) fühlend.*

unstætecheit *stf. untreue, wankelmut.*

unsterbelich *adj. unsterblich.*

unstræflich *adj. nicht strafbar.*

unstrîtlîche *adv. unstreitig.*

unsüeze *adj.* unsüeziu wort *verfluchungen.*

unsüeze *stf. sündhaftigkeit, unheiligkeit.*

unsûr *adj. überaus bitter.*

untât *stf. irrtum; schmach; etwas ehrenrühriges.*

untæter *stm. der verbrecher (iniustus).*

untœdec, -tœtec *adj. unsterblich.*

untôtlichkeit *stf.* der sêle u. *unsterblichkeit.*

untougen *adv. offen, öffentlich, offenbar.*

untræge *adj. wacker, unverdrossen; ohne zögern.*

untriuwe *stf.* mit u.-n *in böser absicht;* âne u. *in aller redlichkeit;* u. anetragen *verrat anstiften;* u. in niht verbirt *er ist böse (teufel).*

unüebunge *stf. mangel an übung.*

unvalschlich *adj. redlich, wahr.*

unveraffet *part. adj. ungeschmäht.*

unverbannen *part. adj. unverboten.*

unverbelt *part. adj. unverletzt.*

unverbrâht *part. adj. unvollkommen;* mîn u. menscheit *meine (menschliche) unvollkommenheit, unzulänglichkeit.*

unverderbet *part. adj. unbeschädigt* (vor *von);* der was vil u. an manheit *war ein tapferer mann;* u. lâzen *as. die finger lassen von (z. b. der kunst);* u. belîben lâzen *ap. in frieden lassen* (gegen *mit*).

unverdienet *part. adj. unverdient; ohne anrecht, ohne schuld.*

unverdorben *part. adj. frisch, unversehrt, unangetastet, intakt* (rôse, lop, magetuom, vride); u. sîn, belîben mit, von *ds. sich gut stehen, gut fahren mit etwas; phraseol.:* an êren, an manheit, an milte u. *voll ehre, tapferkeit, freigebigkeit.*

unverdrozzen *part. adj. unverdrossen, unermüdlich, ausdauernd, tapfer; unbekümmert; rücksichtslos, mit grausamer härte.*

unverdrozzenheit *stf. unermüdlichkeit, unverdrossenheit.*

unverdrozzenlich *adj. dass.;* u. sîn *dp. nicht über, nicht lästig sein;* u. hân *as. unersättlich sein nach.*

unverdrozzenlîche *adv. zum vorigen.*

unverendet *part. adj. nicht vollendet, ohne erfolg, ergebnis; immerwährend.*

unvergellet *part. adj. unvergällt;* honec u. *nicht mit galle versetzt.*

unvergenclich *adj. unvergänglich (gut, leben).*

unvergenclicheit *stf. unsterblichkeit.*

unvergolten *part. adj. ungebüßt.*

unverhalten *part. adj.* u. werden *dp. nicht vorenthalten werden.*

unverhôrt *adj. unerhört, wunderbar;* u.-e zeichen wirken.

unverkêret *part. adj. unverändert; unwandelbar.*

unvermezzen *part. adj. ungeschmälert; ruhig, fest, wacker.*

unvermezzen *adv. unvermittelt; unbeirrt, überlegt.*

unvermügen *stn. unvermögen, schwäche, ohnmacht.*

unvernünftic, -vernunftic, -vernupftic *adj. unvernünftig (tier); dp. unverständlich.*

unverschraht *part. adj. unerschrocken.*

unversehens, -verseins *adv. unversehens.*

unversêret *part. adj. unversehrt, -verletzt, -beschädigt.*

unversihteclîche *adv. unversehens; unvorsichtigerweise.*

unversihtlich *adj. unvorsichtig.*

unverstœret *part. adj. unzerstört (das reich); unverletzt* (an *ds.*).

unverswachet *part. adj. unverdorben, unverletzt; unbeeinträchtigt.*

unverswant *part. adj. unverzehrt (z.b. durch feuer).*

unvertragenlich *adj.* = unvertragelich.

unvervlizzen *part. adj. nicht bedacht* (ûf); *unbedacht.*

unverwandelet *part. adj. unverändert; unwandelbar; beständig.*

unverwandelich *adj. unveränderlich.*

unverwartenlich *adj. unzerstörbar, unvergänglich (gut).*

unverwegen *part. adj.* ein helt des lîbes u. *ohne todesfurcht.*

unverwert *part. adj.* = unerwert.

unverwert(et) *part. adj. unbenutzt, unangetastet.*

unverwintlich, -verwinlich *adj. unüberwindlich.*

unverwizzenheit *stf. das nicht wissenswerte; das nicht zu wissen erlaubte.*

unverwizzenlîche *adv. ungeschickt, taktlos.*

unverworren *part. adj.* u. lân *unbehelligt lassen.*

unverzaget *part. adj. kühn, mutig;* des lîbes u. *furchtlos, ohne todesfurcht;* sîn helfe ist iemer u. *er ist immer zu hilfe bereit.*

unverzilt *part. adj. ohne ende, ganz; unangefochten* (vor *von*).

unvlæticheit *stf. unsauberkeit, unreinlichkeit; sünde.*

unvlîz *stm. mangelnde sorgfalt.*

unvluot *stm.* = unvlât.

unvluotic *adj. nicht überströmend, dürftig* (lop).

unvolgic *adj. dp. ungehorsam.*

unvolkomen *part. adj. unvollkommen.*

unvolkumelîche *adv. dass.*

unvram *adv.* u. sîn *zur stelle sein.*

unvridesam *adj. unfriedfertig.*

unvriuntlîche *adv. nicht in der art eines verwandten.*

unvundic *adj. unerfindlich, unergründbar.*

unvuoclîche *adv. ungehörig; unvereinbar.*

unvuoge *stf.* dû kanst u. tuon! *beherrsche dich! (verdirb uns nicht die stimmung).*

unvürsihtic *adj. unvorhergesehen.*

unwacker *adj. müde; unlustig.*

unwandelbære *adj. unbeirrbar, standhaft.*

unwandelhaft *adj. makellos.*

unwâr *adj. unwahr* (sage, rede).

unwegehaft *adj. unbeweglich.*

unwendeclîche *adv. unablässig.*
unwer *stf. wehrlosigkeit.*
unwerde *adv. peinlich, unangenehm; unsanft (fallen); ärgerlich;* dô wart ime u. *ärgerte er sich.*
unwerlich *adj. zeitlos, dem zeitablauf entzogen (v. d. seele).*
unwertecheit *stf. gefühl der vergeblichkeit; gleichgültigkeit.*
unwertlicheit *stf.* ein u. tuon *dp. unfreundlichkeit erweisen.*
unwertsameclîche *adv. ärgerlich, unfreundlich, unwillig.*
unwertsamekeit *stf. gleichgültigkeit, unwille.*
unwîben *swv. refl. sich weiblicher art entschlagen, unweiblich sein.*
unwigelich *adj. unwägbar.*
unwirdeschlîche(n) *adv. zornig.*
unwirdigisch *adj.* = unwirdesch.
unwirs *adj. dass.*
unwîslîche *adv. töricht.*
unwitziclich *adj.* = unwitzic; niht u. *nicht sinnlos.*
unwizzen *stn. unwissen; unglauben.*
unwizzende *part. adj. wie im traum; ohne absicht, vorsatz.*
unwizzenhaft *adj. unverständig, töricht; ohne absicht, unbewußt.*
unwonlich *adj. unbewohnbar; ungewohnt.*
unzalhaftec *adj.* = unzalhaft *unerzählbar.*
unze *adv. bevor.*
unzemuote *adv.* u. sîn *dp. nicht zu mute sein (gs. nach etwas).*
unzerbrechelich *adj. unzerstörbar (himmelreich, ewiges leben).*
unzerganclîche *adv. unvergänglich.*
unzerlœset *part. adj.* u. blîben *unaufgelöst, unauflösbar (knoten).*
unzertrant *part. adj. unzerstört* (sterke).
unzühtec *adj. ungezogen, undiszipliniert; unzüchtig;* u. leben *unzucht.*
uober *adj.* munter unde u. *tätig.*
uohaltec *adj. ds. geneigt zu.*
uoplich *adj.* u.-er tac *feiertag.*
uosaz *stm. flicken, lappen, stück tuch.*
üppec *adj.* üppege sprüche *unverantwortliches gerede.*
üppecheit, üppescheit *stf. ausschweifender lebenswandel.*
üppeclich *adj.* ich jage ein ü.-en vart *jage übermütig einem unerreichbaren ziel nach.*
üppeclîche *adv. prächtig; überflüssig; leichtfertig.*
urbor *stfn.* ze u.-n jehen *gs. etwas sein eigen nennen.*
urbreit *adj. sehr ausgedehnt* (rîche).
urdriuzec, -drützec *adj.* = urdriuze, -drütze.
urhaben *part. adj.* = erhaben; u. brot *gesäuertes brot.*
urlôsede *stf. alem.* = urlôse.
urloup *stmn.* ir sult uns u. geben *wir möchten uns verabschieden;* nâch urloube gân *der einladung folgen.*
urlouplich *adj. erlaubt.*
urpfliht *stn. gesetzlicher, gerichtlicher anteil.*
urstentlich *adj.* u. van *auferstehungsfahne;* den u.-en van beziugen *das österliche banner als wahrzeichen des christentums entfalten.*
ursuoche *stf. mittel, jem. hinterrücks auf die probe zu stellen, falle:* u. legen *dp.*
urteildære *stm.* = urteilære *richter.*
urteillich *adj.* zem urteillichen ende *beim jüngsten gericht.*
urvunt *stm. anstiftung, ursache:* jene, die er weste ein u. wesen Danielis nôt.
urwære *adj. wortbrüchig.*
ûz *adv. trennbar bei verben (die entscheidung über trennbarkeit nicht immer sicher; die* ge- *komposita z. t. beim einfachen kompositum):*
ûzarbeiten *swv. ausarbeiten.*
-bedingen *swv. ausbedingen.*
-berihten *swv. abfertigen.*
-besliezen *stv. refl. sich versagen, sich ausschließen.*
-besundern *swv. auswählen.*
-beten *swv. zu ende beten.*
-bezeichenen *swv. durch ein zeichen kenntlich machen.*
-bieten *stv. abs. dp. auffordern;* den dienst û. *dp. anbieten.*
-binden *stv. ausbedingen.*
-bîzen *stv. herausbeißen.*
-blâsen *redv. durch hornblasen verkünden.*
-blîchen *stv. zum vorschein kommen.*
-blicken *swv. hervorblicken, -scheinen.*
-born *swv. aufbringen, erheben (steuern).*

ûz-breiten *swv. verbreiten.*

-brennen *swv. trans. ausbrennen; auch vom branntweinbrennen.*

-briezen *stv. hervorsprießen.*

-brüejen *swv. ausbrühen, -brennen.*

-brüeten *swv. abs. zu ende brüten; trans. ausbrüten; auch übertr.*

-denen *swv. ausspannen (netz).*

-diezen *stv. abs. über die ufer treten; trans. überfluten, überschwemmen.*

-dingen *stv.* sîn reht û. *pflichtsumme auszahlen.*

-draben *swv. ausreiten.*

-dræjen *swv. schleifen (edelsteine).*

-dreschen *stv. ausdreschen.*

-drillen *stv. schwellen; part. prät.* ûzgedrollen *fein ausgeformt.*

-dringen *stv. hervorsprießen.*

-drücken *swv. ausdrükken; part. prät.* ûzgedrükket *ausdrücklich.*

-dunsten *swv. verdunsten.*

-ecken *swv. überprüfen.*

-entspringen *stv. springen (von den springern im schachspiel).*

-erdiezen *stv. ausströmen.*

-erdröuwen *swv. durch drohung abnötigen.*

-ergân *redv.* ze vröuden û. *dp. zum glück ausschlagen, gereichen.*

-erheben *stv. refl. sich auf den weg machen.*

-erjeten *stv. auswählen.*

-erkiesen *stv. auswählen.*

-erkirnen *swv. auslegen, -deuten.*

-erlesen *stv.* sunder û. *ap. jem. besonders ins herz schließen.*

ûz-erschellen *stv. kund werden.*

-erstrîten *stv. übertreffen.*

-ertwingen *stv. abzwingen, abnötigen.*

-erwegen *stv. trans. u. refl. in bewegung setzen; loslösen.*

-etzen *swv. wegätzen; übertr.:* bœsez û.

-ezzen *stv. aufessen.*

-gân *redv. trans. erledigen, entscheiden (frage, problem, urteil).*

-geben *stv.* sich û. *sich verausgaben.*

-gebern *stv. trans. gebären, zur welt bringen (myst.).*

-geborgen *swv. auf sicherheit entlehnen.*

-gebôzen *swv. ausdreschen.*

-gedingen *swv. ausbedingen; zusagen.*

-gedrücken *swv. ausdrücken* (mit worten).

-gegân *redv. hinausgehen.*

-gegiezen *stv.* mit worten û. *ausdrücken.*

-gekriegen *swv. trans. mit krieg bezwingen.*

-gelegen *swv. auslegen, ausdeuten.*

-gelœsen *swv. (heraus)lösen.*

-gerachsenen *swv. ausräuspern, -husten.*

-gerihten *swv. ausgleichen, schlichten; absolvieren; auseinandersetzen, erklären;* eine vrâge û. *beantworten.*

-geschellen *swv. verbreiten, verkünden.*

-gestôzen *redv. intr. landen, vor anker gehen.*

-gewegen *stv.* als mîn muot glîche ûzgewigt *ins gleichgewicht kommt.*

-gewenken *swv. entschlüpfen.*

ûz-gewinnen *stv.* daz mezzer û. *ziehen; ap. befreien; as. dp. erwerben, borgen.*

-giezen *stv. trans. ausgießen, vergießen; intr. ausströmen, überfließen; refl. sich ergießen.*

-graben *stv. ausgraben; bildl.* von dem ubelen û. *ap. befreien von.*

-gründen *swv. ergründen.*

-güeten *swv. ap. (wegen eines anspruchs auf ein gut) abfinden.*

-haben *swv. as. beenden.*

-haften *swv. ap. aus der haft nehmen.*

-halten *redv. in stand halten, ap. verpflegen.*

-hangen *swv. aushängen (zum verkauf).*

-herten *swv. mit beharrlichkeit zu ende führen.*

-hinken *stv. heraushüpfen, -hinken (auf einem bein).*

-hîstiuren *swv. aussteuern.*

-hiuten *swv. refl. die haut abstreifen, sich häuten.*

-holn *swv. herausholen, auswählen.*

-houwen *redv. aushauen, ausschlachten (tiere).*

-hüeten *swv. abweiden.*

-hungern *swv. trans. aushungern (stadt).*

-jagen *swv. herausjagen, -treiben.*

-jeten *swv. ausjäten.*

-jungen *swv. refl. sich verjüngen, auferstehen (phönix).*

-kapfen *swv. ausschauen.*

-kêren *swv. herauskehren, zutage fördern.*

-kernen *swv. entkernen, herausschälen.*

ûz-klingelen *swv. hervorrauschen.*

-knopfen *swv. intr. ausschlagen (sträucher).*

-koufen *swv. abkaufen.*

-kratzen *swv. herauskratzen, -zerren.*

-krouwen *swv. auskratzen, -zupfen (haare).*

-künden *swv. verkünden, ausrufen lassen (neuigkeit).*

-künten *swv. trans. ausbrennen.*

-laden *stv. übertr. abladen* (vorht).

-lâzen *redv. auslassen; übergehen; freilassen.*

-leiten *swv. herausführen.*

-lenken *swv. (ein kleid) ausschneiden, dekolletieren;* rât û. *ersinnen.*

-lesen, gelesen *stv. zu ende lesen; auswählen; als vorzüglich hervorheben.*

-lîhen *stv. auf zinsen leihen.*

-liuten *swv. zu grabe läuten (dp.); bildl.:* dem ist ûz geliutet *der ist zugrunde gerichtet.*

-locken *swv. hervorlocken, -rufen (as.* an *dp. aus, bei jem.).*

-losen *swv. hinaushorchen.*

-loufen *redv. hinauslaufen; aus dem hause laufen; umherlaufen; entlaufen, aus dem kloster entweichen.*

-maln *stv. zu ende mahlen; ausmahlen.*

-merken *swv. auswählen, (heraus)finden; ap. dp. (eine frau für jem.).*

-mezzen, -gemezzen *stv. ausmessen; übertr. prüfend betrachten; überlegen, beraten;* îtele wort û. *unsinn vorbringen, schwatzen;* die reise û. *ausführen.*

ûz-nemen *stv. wahrnehmen.*

-ôsen *swv. ausschöpfen; ausrotten.*

-pflücken *swv. ausrupfen (federn).*

-pressen *swv. auspressen.*

-prüeven *swv. trans. offenbaren, bekanntmachen; refl. sich auszeichnen, sich schmücken.*

-quellen *stv. übertr.* niht û. noch ûzvliezen *herausquellen (myst. von dem besitz der göttl. gnade).*

-recken *swv. refl. sich ausdehnen.*

-reden *stv. aus-, durchsieben.*

-reden *swv. as. aussprechen; as.* mit *dp. mit jem. etwas verabreden, eine übereinkunft treffen;* sich û. *gs. sich reinigen von etwas (anklage, schuld).*

-regen *stv. ausstrecken.*

-reifen *swv. refl. sich abhaspeln.*

-reinen *swv. ausgrenzen, abgrenzen.*

-reisen *swv. ins feld ziehen.*

-reiten *swv. ausrechnen, berechnen; bezahlen; refl. sich ausrüsten.*

-rennen *swv. part. prät.* ûzgerennet *hervorgesprossen (laub).*

-rêren *swv. trans. herausfallen lassen, ausstreuen (z. b. samen).*

-rîben *stv. auswinden, ausdrücken.*

-rîden *stv. auswinden, -wringen.*

-rinnen *stv. entspringen; herausfließen.*

-rîsen *stv. ausfallen (haare).*

-rîten *stv. ausreiten, wegreiten.*

-riuten *swv. ausreuten.*

ûz-rîzen *stv. abreißen, -ziehen (haut).*

-roufen *swv. ausraufen, -rupfen (haare, federn).*

-rücken *swv. trans. herausreißen.*

-rûmen *swv. absol. dp. platz machen; trans. as. wegräumen.*

-rupfen *swv. ausrupfen (gefieder).*

-rüsten *swv. ausrüsten.*

-sagen *swv. aussprechen; aufsagen;* rât û. *rat erteilen.*

-schalten *redv. ap. fernhalten, wegschicken.*

-scharn *swv. aus der schar (der gefangenen) herausholen, herausgeben (dp.), freigeben.*

-scheiden *redv. fortgehen, abschied nehmen.*

-schellen *stv. bekannt werden* (mære, rede).

-schellen, geschellen *swv. trans. verbreiten, bekannt machen, verkündigen; ausschwatzen.*

-scheln *swv. herausschälen; übertr. auswählen.*

-schenken *swv. trans. ausschenken* (wîn).

-schîben *swv.* die werlt û. *sich von der welt abkehren.*

-schicken *swv. hinausschicken.*

-schieben *stv. herausschieben.*

-schiffen *swv. refl.* an daz lant *sich ausschiffen, an land gehen.*

-schînen *stv. durchschimmern, hervorsehen.*

-schrîten, geschrîten *stv. hinaus-, herausgehen;* von dem schiffe û.

-schuochen *swv. refl. seine schuhe ausziehen.*

-schüten *swv. ap. jem. des panzers entkleiden, ausziehen; übertr. redensartl.:*

jem. den geldbeutel leeren, ihn ‚ausziehen'; ûzgeschüttet lachen *ausgelassenes lachen.*

-sehen *stv. hinaussehen.*

-senden *stv. aussenden, -schicken.*

-serwen *swv. ap. auszehren, entkräften.*

-singen, gesingen *stv. zu ende singen;* ez ist ûz gesungen *die messe ist beendet, übertr. auch allg. es ist zu ende.*

-slahen, geslahen *stv. intr. hervorbrechen; trans. überwuchern; ausklopfen (gewand).*

-sleifen *swv. (als strafe aus der stadt zum galgen) schleifen.*

-sliefen *stv. herausschlüpfen, ausschlüpfen.*

-sliezen, gesliezen *stv. ausschließen; entfernen;* nihtes niht ûz geslozzen *nichts ausgenommen.*

-slîzen *stv. verschleißen.*

-sloufen *swv. trans. u. refl. ausziehen, entkleiden.*

-smelzen *stv. intr. ausschmelzen, -fließen.*

-smücken, gesmücken *swv. trans. u. refl. schmükken, ausschmücken; übertr. näher ausführen.*

-snellen *swv. heraussprießen.*

-snîden, gesnîden *stv. herausschneiden; absol. dp. kastrieren;* gewant û. *tuch verkaufen; absol.* mit der ellen û. *dass.; übertr. freimachen (vom übel).*

-speicheln *swv. ausspeien.*

-spitzen *swv. trans. u. refl. zuspitzen.*

-spîwen, -spîen *stv. ausspeien, erbrechen.*

-sprechen, gesprechen *stv. trans. aussprechen; intr. zu ende sprechen; einen schiedsspruch fällen.*

ûz-spreiten *swv. ausbreiten, -spreiten.*

-sprenzen *swv. refl. sich putzen, ausschmücken.*

-spriezen *stv. ausschlagen, sprießen; übertr.: neu wachsen.*

-springen, gespringen *stv. sich verbreiten* (mære); *aussatz bekommen.*

-sprützen *swv. herausspritzen.*

-spürn *swv. auskundschaften, ermitteln; ap. jemandes spur finden.*

-stapfen *swv. langsam hinausreiten.*

-stecken *swv. aufstekken; (den turnierplatz) markieren; -stellen; übertr.* sîn panier û.

-steln *stv. refl. sich hinausstehlen, -schleichen.*

-stieben *stv. als staub, wie staub auffliegen.*

-stiften *swv. auslegen.*

-stiuren *swv. aussteuern, ausstatten.*

-strîchen *stv. ausmalen;* fîn û. *(augenbrauen).*

-strûben *stswv. hervorstehen, sich hervorsträuben (haare).*

-sûfen *stv. austrinken, -saufen.*

-sûgen *stswv. aussaugen.*

-sundern, gesundern *swv. aussondern, auslesen; refl. dp. sich für jem. entscheiden.*

-swern *stv.*[1] *herauseitern, verfaulen:* daz mir diu zunge ûz swære.

-swern *stv.*[2] *refl. sich durch einen eid freimachen; abs. einen eid leisten, nicht mehr in die stadt zu kommen.*

-swingen *stv. trans. ausdreschen; refl. die flügel breiten.*

-switzen *swv. ausschwitzen.*

ûz-teilen *swv. ap. aussteuern.*

-telben, -delben *stv. ausgraben.*

-tihten *swv. erdichten; fertig schreiben, vollenden (buch).*

-traben *swv. ausreiten.*

-tragen *stv. trans. as. dp. eintragen, einbringen; absol.: keinen ertrag mehr bringen (acker).*

-trecken *swv. ausziehen.*

-trîben, getrîben *stv. auf die weide treiben (rinder); austreiben (z. b. den teufel).*

-trinken, getrinken *stv. austrinken; bildl.:* der zorn ûztrinket mînen geist *verzehrt.*

-trotten *swv. intr. hinausziehen, ausziehen.*

-tuon *anv. refl. sich anmaßen (mit gen. oder abh. satz).*

-vâhen *redv. ap. gefangen hinausführen.*

-vallen *redv. intr. ausfallen; trans. ausrenken* (vuoz).

-varn *stv. austreten:* ûz dem klôster û.

-vehten *stv. herausdringen; überfließen (v. wein).*

-veilen *swv. feil halten.*

-vertigen *swv. abordnen, entsenden.*

-vliegen *stv. ausfliegen; sich verbreiten* (mære).

-vliezen *stv. ausströmen; oft übertr.*

-vriden *swv. ap. oder dp. sich gegen jem. abgrenzen, jem. ausfrieden (durch einen zaun).*

-vrumen *swv. ausschikken, -senden.*

-vüeren *swv. as.: mit sich führen, tragen (mantel, hut);* ez û. *ausführen, durchführen; ap.: entführen (ein mädchen); ge-*

fangen abführen; zu einem verbrechen anführen.

-wahsen *stv. ausschlagen (pflanze).*

-wallen *redv. aufwallen, heraussprudeln, überkochen.*

-wandern *swv. auswandern.*

-wegen *stv. trans. auswiegen; übertr. auswählen.*

-wegen, gewegen *swv. intr. u. refl. sich fortbewegen; sich aufmachen.*

-wehseln *swv. austauschen.*

-wellen *swv. herausfließen lassen.*

-weln *swv. auswählen.*

-werfen, -gewerfen *stv. trans. auswerfen (netze); austreiben (teufel); (menschen) verstoßen;* die geburt û. *abtreiben; übertr.* herzeleit û. *sich freimachen von; refl. sich verschwenden (von der liebe).*

-winden *stv. auspressen.*

-wirken, -würken *swv. ausführen, erledigen* (gedanc, werc); *anullieren, ‚erledigen' (sünde durch beichte); herausschneiden; refl. sich freimachen (von anklage).*

-wischen *swv. intr. hervorschießen (vom blut); aufwischen; trans. auswischen, löschen (geschriebenes); reinigen, polieren.*

-wurzeln *swv. mit der wurzel ausreißen; an der wurzel angreifen; entwurzeln, eigentl. u. bildl.*

-zeichenen *swv. auswählen.*

-zeln *swv. erklären.*

-zerren *swv. herausreißen.*

-ziln *swv.* nâch topels reht û. *auswürfeln.*

-zocken *swv. trans. (pfeil) u. intr. ausziehen.*

ûz-zogen *swv. ap. ausziehen.*

-zücken *swv. trans. herausziehen.*

ûz *adv. als präfix auch in steigernder bedeutung, z.b.* ûzgelenke.

ûzbunt *stm. beispiel, vorbild.*

ûzehalben *adv.* = ûzerhalben.

ûzen *adv. äußerlich.*

ûzenthalben, ûzernthalben *adv.* = ûzerhalben.

ûzer *adj.* ûzer trôst *weltliche tröstung.*

ûzerhalp *präp.* û. des herzen *nicht von herzen, nur zum schein.*

ûz-erkant *part. adj. auserwählt, vorzüglich, berühmt.*

ûz-erkorn *part. adj. auserwählt, auserkoren.*

ûz-erlesen *part. adj. auserwählt, vortrefflich.*

ûzerlich *adj.* ûzerliche minne *untreue, ehebruch.*

ûzerlîche *adv. schlicht, einfach, nicht symbolisch.*

ûz-erwelt *part. adj. auserwählt, ausgezeichnet.*

ûz-erwünschet *part. adj. auserwählt.*

ûzgâunge *stf. ausgang; entstehung.*

ûzgeblüemet *part. adj. ausgelesen:* der recke sunder û.

ûzgelenke *adj. außerordentlich gewandt.*

ûzgemâlet *part. adj.* vor den andern û. *(durch besonderes merkmal) ausgezeichnet.*

ûzgenomen *part. adj. abgemacht, ausbedungen;* mit û.-er rede *unter dieser bedingung.*

ûzgenomenheit *stf. besonderheit, auszeichnung; als persönliche kollektivbezeichnung: die andersgläubigen.*

ûzgenomenlîche *adv. ausgezeichnet, vortrefflich.*

ûzgescheiden *part. adj.* mit û.-en worten *ausdrücklich.*

ûzgcscheidenlîchen *adv.* û. sagen *genau, ausführlich, ausdrücklich.*

ûzgeschœnet *part. adj.* diu ist û. vür alle wîp *übertrifft alle an schönheit.*

ûzgesundert *part. adj. außerordentlich; besonders gestellt, privilegiert; unterschieden, verschieden.*

ûzgewahsen *part. adj. (üppig) ins kraut geschossen.*

ûzhalp *adv.* = ûzerhalben.

ûzkündunge *stf. verkündigung;* û. der apostele.

ûzloufunge *stf. irrweg.*

ûzmerkic *adj. aussätzig.*

ûzrede *stf. ausrede.*

ûzropfunge *stf. aufstoßen.*

ûzsetzicheit *stf. aussatz.*

ûzstrackunge *stf.* û. der gelider *recken der glieder (beim aufstehen).*

ûzstreckunge *stf. ausdehnung.*

ûztrunc *stm. das leertrinken (als zeichen des aufhörens).*

ûzvliez *stm. offenbarung (myst.).*

ûzvluot *stf. s.* învluot.

ûzvundic *adj. nach außen gekehrt, äußerlich.*

V

vadem *stm. bildl. für das geringste.*

vâhâ *interj. hilfe! rettung!*

vâhen *redv.* herberge v. *wohnung nehmen.*

val *stm. sündenfall;* guoter v. *glück (beim würfeln); zufall, allg. angelegenheit; phraseol.* vröuden val *lebensfreude.*

val *stn. tal* (lat. *vallis*).

væle *stf.* sunder v. *unfehlbar.*

valieren *swv. ansprengen.*

valkenouge *swn. auch bildl. falkenauge.*

vallen *redv. vom münden der flüsse* (in den sê v.); v. ûf *ap. zufallen (durch erbschaft);* nâhen an sîn herze v. *nahe gehen.*

valsch, velsch *adj.* v.-e diet *falschheit der welt;* durch v.-en muot *hinterrücks.*

valsch stm. allg. *böses,* ân allen v.

valschec *adj. unredlich, falsch.*

valte *swf. truhe.*

valten *redv.* ze sich v. *an sich nehmen.*

valten *swv. teilen.*

vanentreger *stm. bannerträger.*

var *adj.* jæmerlîche v. *von leidendem aussehen.*

var *stf. s.* envar.

vâre *stf.* ze v. *zum verderb;* niht ze v. stân *nützlich sein;* sîne v. legen *dp. jem.* bedauern; *übertr.* ein michel v. *eine völkerwanderung.*

varel *stn. dem. zu* varch *ferkel.*

vâren *swv.* zît unde state v. *zeit und gelegenheit suchen.*

vârheit *stf.* = vâre.

vârîs *stn. (arab.) leichtes pferd.*

varn *stv. abschied nehmen;* rehte v. *richtig handeln;* vröude und angest vert dâ bî *gehören dazu;* swar ich var *wohin ich auch schweife;* mit gedanken v. umbe *ap. kreisen um;* slâfen v. *schlafen gehen;* nû lâ v.! *laß sein!; phraseol.* mit zouber v. *zaubern.*

varnde *part. adj.* v. vröude *flüchtiges glück;* ein v. leit *ein chronischer schmerz.*

vart *stf. unternehmung, raubzug;* ûf der verte *unterwegs;* manic v. (vert) *auf mancherlei art und weise;* rehte v. *rechter weg;* mit der verte *oder* vart *sogleich; phraseol.* sælige v. *glück;* veige v. *irrweg.*

vârunge *stf. illusio, verführung (des teufels).*

varwe *stf. gestalt;* ir v. mêrte sich *sie errötete;* walt in grüener v. *in grünem kleid;* von v. komen *erbleichen.*

vaschangtac *stm. faschingtag.*

vaschangzît *stf. faschingszeit.*

vasewîsen *swv. subst. umschweife.*

vaste, vast *adv., beinahe; md.* nie sô vast *um so mehr, um so stärker.*

vastelman *stm. mann, der fastet.*

vastmuotic *adj. beständig.*

vas(t)nahtbutz(e) *swm. larve.*

vat *stn.* sunder v. *ohne trug.*

vater *stm.* vater aller tugende *inbegriff aller vollkommenheit.*

vaterschaft *stf. (gottes).*

vatzen *swv. fett werden.*

vau-vau *interj. (klageruf).*

vaz *stn.* daz wenige v. *das kleine kästchen; auch sarg.*

vazzer *stm. der den wein in gefäße tut.*

vechelîn *stn. schleier der jungfrauen, nonnen (lat. velum).*

vêchmarder *stm. bunter marder.*

vederkil *stm. schreibfeder.*

vederklûben *swv. schmeicheln.*

vederklûber *stm. schmeichler.*

vederspil *stn.* der minnen v. *(von einer person) jagdfalke der minne.*

vederwât *stf. federbett.*

vegeviuren *swv.* gevegeviuret werden *im fegefeuer geläutert werden.*

vêhen *swv.*[1] *anklagen.*

vehteclîche *adv. kampfbereit.*

vehtunge *stf. streit, kampf.*

veige *adj.* v. sagen *beleidigen; refl. sich entehren;* v. vart *irrweg.*

veile *adj. verfügbar.*

veilen *swv. refl. sich ausgeben für; feilbieten;* geveilet sîn *zur verfügung stehen.*

feineclîchen *adv. auf feenhafte weise.*

velle *stn. gefälle.*

velleclich *adj. minderwertig, hinfällig.*

vellen *swv. ins verderben stürzen; von tränen: vergießen.*

vellunge *stf. verfehlung, irreführung.*

velt *stn.* ze velde komen *zum kampf, turnier antreten.*

veltgebûre *swm. (grober) bauer.*

veltgelende *stn.* holz unt v. *wald und feld.*

velthuon *stn. rebhuhn.*

veltkoch *stm. marketender.*

veltlatuc(ke) *stm. wilder lattich.*

venediger *stm. eine geldmünze.*

venjenval *stm. kniefall.*

venster *stn. erker.*

venstererin *stf. nonne, die am redefenster auskunft gibt.*

verarbeiten, -erbeiten *swv. trans. verarbeiten; refl. sich abplagen.*

verarmet *part. adj.* an kräften v. *kraftlos.*

verbarmen *swv.* lâz v. dich *erbarmen.*

verbarrieren *swv. refl. sich verschanzen.*

verbergen *stv.* diu schif v. *in sicherheit bringen.*

verbern *stv. übergehen.*

verbezzern *swv. gegen besseres vertauschen.*

verbieten *stv.* vröide v. *glück zerstören.*

verbildunge *stf. abbild.*

verbizzen *part. adj.* gegen got v. sîn *verhärtet sein.*

verblindekeit *stf. verblendung.*

verblint *adj. erblindet, blind.*

verbliuwen *stv. zerschlagen.*

verbüezen *swv. abbüßen, verbüßen.*

verbunnen *anv. verbieten.*

verbuntlicheit *stf. dienstbarkeit.*

verch *stn.* ir herzen v. *ihr innerstes.*

verchvîentlich *adj.* mit verchvîentlichen slegen *mit tödlichen schlägen.*

verdagen *swv.* daz möht ir gerne hân verdaget *das solltet ihr wohl verschweigen; das zu sagen, geht wohl zu weit.*

verdâht *part. adj.* an die harpfen v. *dem harfenspiel aufmerksam lauschend;* ich bin v. *ich denke nicht richtig.*

verdeckunge *stf.* got muoz etwaz v. an sich nemen *sich verhüllen (damit wir nicht geblendet werden);* âne v. sîn *nichts verschweigen (von der beichte).*

verdenen *swv. refl. sich vergeuden, sich verschenken.*

verdenken *swv. refl. sich vorsehen.*

verderben *stv. zu schanden werden;* des kindes v. *bei der geburt umkommen.*

verderben *swv.* verderbet sîn *erniedrigt sein.*

verderplich *adj. gefährlich.*

verderplichkeit *stf. verderben, schaden.*

verdieben *swv. heimlich beobachten.*

verdienen *swv. verschulden; as. sich erkenntlich zeigen für;* haz v. *sich feindschaft zuziehen;* etewaz v. umbe *ap. bei jem. verdienen.*

verdigen *swv. überwältigen.*

verdinstern *swv. verdunkeln.*

verdoln *swv. tr. aushalten.*

verdriez *stm.* v. han *gp. genug haben von.*

verdriezen *stv. unpers. ap. leid tun; auch iron.* (aller schimphe si verdrôz *alle lust, freude war ihr vergangen*); *traurig sein;* ûf dem mer v. *seekrank werden;* niht v. *rein phraseol. umschreibung.*

verdrücken *swv.* êre v. *ansehen herabsetzen, mindern.*

verdrumen *swv. verurteilen, verfluchen.*

verduldecheit *stf. geduld.*

verdult *stf. geduld.*

vereinecheit *stf. einheit.*

vereinen *swv. subst. einssein.*

vereiner *stm. (von Christus).*

vereinerin *stf. (von der gott und die seele einenden* minne).

vereinschaft *stf. gemeinschaft* (der heiligen).

verenden *swv. tr. zu einem guten ende bringen; erfüllen.*

vereschern *swv. einäschern.*

vergâhen *swv. refl. sich vergehen an.*

vergangenheit *stf. vergehen, vergänglichkeit;* zîtliche v. *irdisches hinscheiden.*

vergeben *auch swv. verleihen;* mit rede v. *dp. verwirren.*

vergebens *adv. unbelastet; sinnlos.*

vergeilen *swv. tr. erfreuen.*

vergelimpfen *swv. verunglimpfen; subst. verunglimpfung.*

vergellen *swv.*[2] die nôten v. *verklingen lassen.*

vergelten *stv. vergüten, ersetzen.*

vergelter *stm.* v. der schult *(von Christus).*

vergênis *stf. hinfälligkeit.*

vergezzen *stv.* niht ze guote v. *gp. gut behandeln, fördern; refl.* v. an *dp. ein unrecht begehen an.*

vergiezen *stv. auch intr. verschüttet werden (vom wein).*

vergiezunge *stf. (vom blut der heiligen).*

vergiftlich *adj.* = vergiftic.

vergipnisse *stf.* = vergiftnisse.

vergîseln *swv. als geisel versprechen.*

vergiuden *swv. vergeuden.*

verglasen *swv. bildl. verschließen.*

vergliten *stv. zu ende gehen.*

vergouchen *swv. mit narreteien zubringen.*

vergraben *stv. übertr. vergessen.*

vergrîsen *swv. ergrauen.*

vergrôzen *swv. groß werden.*

vergründen *swv. ergründen.*

verguot *adj.* = vür guot; v. haben an *dp. as. jem. das verdienst für etwas zuerkennen.*

vergurren *swv. schlecht werden.*

verhâhen *redv. übertr. dp. über jem. entscheiden (von gott).*

verhangen *part. adj.* v. mit *bekleidet mit.*

verhegelen *swv. versperren.*

verheiset *part. adj. heiser geworden.*

verhelfen *stv. dp. gs. verhelfen zu.*

verhenket *part. adj. verschleiert, verhüllt.*

verherde *stf.* v. des tiuvels *verfolgung, knechtschaft.*

verhûren *swv. vermieten.*

verhützeln *swv. übertr. schrumpelig machen auch bildl.:* vröude v.

verirren *swv.* ir aller lop v. *sie übertreffen.*

veriteniuwen *swv. überdrüssig werden.*

verjærunge *stf.* v. der gewonheit *abschaffung eines brauches.*

verjehen *stv. gs. (jur.) anerkennen; prophezeien;* sich selbem v. *sich fest vornehmen; dp. gs. zutrauen;* sîner sünden v. *ein sündenbekenntnis ablegen.*

verjungest *adv. zuletzt.*

verkelken *swv. einmauern, übertünchen.*

verkelten *swv. intrans. kalt werden.*

verkêren *swv. as. dp. falsch auslegen;* daz leben v. *sterben; refl. zu ende gehen.*

verkiesen *stv. verlassen; verleugnen;* schult v. *sich eines vergehens anklagen.*

verkleiden *swv. refl. bekleiden.*

verkoufen *swv. eintauschen, opfern; übertr.:* dâmit verkouften si vil *gaben ihrem verhalten einen unverfänglichen anstrich.*

verkrenken *swv.* verkrenket sîn *zu kurz kommen.*

verkrîen *stv. durch zuruf abschrecken.*

verlaffen *part. adj. betrunken.*

verlangen *swv. unpers. sich langweilen;* sich verlangen lân *sich zu lang werden, verdrießen lassen.*

verlasten *swv. belasten.*

verlâz *stf. verlassenheit (Christi am kreuz).*

verlâzen *redv. verlangsamen; einbüßen;* diu ors in den walap v. *den pferden die zügel (zum galopp) freigeben;* den sin v. an *sein herz verlieren an;* sîne arme v. an *jmd. umarmen;* ez wart daran verlân *man verblieb dabei;* sich an den val v. *sich fallen lassen (müssen).*

verleiben *swv. übriglassen.*

verlemden *swv.* = verliumunden.

verliesen *stv. vergessen;* verlorn werden *sterben.*

verligen *stv. zögern; refl. sich der liebe hingeben; sich aufs faulbett legen.*

verlingen *stv. dp. gelingen.*

verlogen *part. adj.* v.-ez mære *wahnidee.*

verlor *stmn. untergang, tod.*

verlorn *part. adj. umsonst;* er ist v. *er gilt nichts, ist verraten und verkauft.*

verlornisse *stf. verkommenheit.*

verloufen *redv.* daz jâr v. *vorübergehen lassen.*

verlougnis, -nus *stf. verleugnung.*

verlust *stf.* unser v. *verdammnis (geistl.).*

vermælen *swv. mit einem mal, zeichen versehen.*

vermanunge *sf. schmähung.*

vermærunge *stf. verleumdung.*

vermeizen *redv. abschneiden, einschneiden.*

ferment *stn.* brôt âne f. *sauerteig.*

vermezzen *stv. refl. gs. sich aufraffen; fälschlich glauben.*

vermezzen *part. adj. allg. epith. ornans.*

vermezzern *swv.* = verschrôten; *auch übertr.*

vermîden *stv. phraseol.* etlichez sterben wart vermiten *einige starben nicht;* strîten niht v. *kämpfen;* rede v. *ruhe geben.*

vermûchen *swv. verschweigen.*

vermügen *anv. refl.* sich v. an ds. *besitzen.*

vermüseln *swv. beschmieren.*

vermûten *swv. verlangen.*

verne *adv.*[2] *ehedem.*

vernemelîche *adv. deutlich.*

vernemen *stv.* die rede v. *recht verstehen.*
vernewîn *stn. firnwein.*
verniuwen *swv. refl. sich verändern.*
vernozzen *part. adj. abgenutzt; s.* verniezen.
vernunst *stf.* v. verlân *ohnmächtig werden.*
vernünstic-, -nünfticheit *stf. seelengrund (die kraft der gotteserkenntnis; myst.).*
vernunstic-, -nunftic-lîche(n) *adv.* v. sagen *deutlich, genau.*
verœden *swv. zerstören.*
verpflocken *swv. (mit einem pflock) befestigen; fesseln; auch übertr.* in sünden v.
verpînen *swv. peinigen, quälen, strafen.*
verplengen *swv. md. durch verleumden erzürnen.*
verrâten *redv. ins gerede bringen.*
verrâtunge *stf. verrat.*
verre *adv. weitum, überall;* v. stân *dp. teuer zu stehen kommen.*
verre *swm. md. fremder.*
verreheit *stf. fernsein.*
verreiden *swv. refl. kraus, welk werden.*
verren(e) *f. abstand, entfernung.*
verrîben *stv.* mit strîte verriben sîn *abgekämpft sein.*
verrîdunge *stf. umdrehung (astronom.).*
verriht *stf. verrichtung.*
verrihten *swv.* den muot v. *den sinn belasten; refl. sich sein recht verschaffen.*
verrihtet *part. adj. unterrichtet.*
verrihticheit *stf. verständigkeit, fähigkeit.*
verrinnen *stv.* sich her v. *„hergelaufen kommen“.*
verrüeren *swv. refl. sich bewegen.*
verrunge *stf. entfernung der tierkreiszeichen (astronom.).*
verruodern *swv. refl. auf abwege geraten.*
versagen *swv.*[2] *verheimlichen.*
versagunge *stf.* v. des willen *bändigung.*
verschamt *part. adj.* verschamter lîp *ein mensch, der das gefühl für gut und böse nicht besitzt.*
verscharten *md.* = verscherten.
verschelten *stv. intens. zu* schelten; *schmähen, lästern.*
verschemen *swv. refl. s.* verschamt.
verscherzen *swv. durch leichtfertigkeit verlieren, verscherzen.*
verschimeln *swv. übertr. verderben.*
versehen *stv. gp. verleugnen;* sich v. *gs. sich etwas einbilden; etwas fälschlich annehmen;* sich wol v. *fest überzeugt sein;* ich sol mich des v. *ich darf glauben.*
versellen, -verseln *swv. überantworten;* verselt tuon *null und nichtig machen.*
versengen *swv.* niht ein hâr v. *nicht ein haar krümmen.*
versetzen *swv. einsetzen (von edelsteinen).*
versinnen *stv. refl. gs. sich einbilden, sich vergegenwärtigen;* sich niht v. *nicht mehr wissen.*
verslahen *stv. aus dem umlauf ziehen (von münzen).*
verslegen *swv.* strazen v. *versperren.*
verslihten *swv. erklären;* in diutsche buoch (büecher) v. *ins deutsche übersetzen.*
versmacken *swv. schmecken.*
versmæhen, -smâhen *swv. verhöhnen, beleidigen.*
versmâhet *part. adj.* derst der v.-e vor gote *der geringste.*
versmæhunge *stf. verachtung, verschmähung.*
versoln *swv. verdienen.*
verspannen *redv.* mit glas v. *verglasen (von fenstern).*
versparn *swv. dp. as. jem. etwas vorenthalten; refl. sich verhüllen.*
verspinneln *swv. mit spindelförmigen säulen versehen (gralstempel).*
versprechen *stv. verwünschen; refl. mit seinen worten zu weit gehen.*
versprochen *part. adj. übel beleumdet (jur.).*
verstân *anv. vorstehen, beherrschen;* den orden v. *vertreten, verwalten; refl. hoffen;* den wec v. *dp. jem. in den weg kommen.*
versterbnisse *stf. das sterben.*
verstocket *part. adj. hartnäckig.*
verstôzenunge *stf. verstoßung.*
versûm(e)de *stf. versäumnis, nachlässigkeit.*
versûmen *swv. trans. und refl. mit gen. oder präp. jem. von etwas abhalten:* ieman an vröude v. *jem. um sein glück bringen;* sich v. *sich zu lange aufhalten, zu lange warten lassen.*
verswachen *swv. tr. vernachlässigen, schmälern.*
verswæren *swv. beschweren.*
verswendunge *stf.* v. des bluotes *vergießen des blutes.*

verswern *stv. as. dp. jem. etwas versagen.*

vertân *part. adj. böse, sündig.*

vertîligen *swv. verwischen, auslöschen, auch übertr.*

vertôret *part. adj.* vertôret sîn *ein tor sein.*

vertracsam *adj. verträglich(?).*

vertracsamekeit *stf.* gotlichiu v. *frieden, verträglichkeit.*

vertragen *stv. vertragen, aushalten; sich über etwas zu trösten wissen.*

vertrunken *part. adj. betrunken.*

vertrûwen *swv.* sîn gerihte v. *das gottesgericht annehmen, sich dazu bereit erklären.*

vertumphen *swv. dumpf werden.*

vertuomnis (se) *stfn. verdammung.*

vertûren, -dûren *swv. unpers. gs. in sorge sein über.*

verunliutern *swv. verunreinigen.*

verüppegen *swv.* eit v. *den eid brechen.*

vervarn *stv. nicht wiederkehren.*

vervehten *stv. bekämpfen.*

ververgen *swv. zu weit führen.*

vervinstern *swv. verfinstern.*

vervliehen *stv. vergehen (von jahr und tag).*

vervlizzen *part. adj.* an minne v. sîn *der minne verfallen sein.*

vervlozzenheit *stf. vergänglichkeit der irdischen zeit.*

verwære *stm. umschreibung für den dichter.*

verwegen *stv.* sich tôdes v. *bereit sein zu;* sich lebenes v. *verzweifeln an, aufgeben.*

verwegen *swv.* slege v. *austeilen, zuteilen.*

verweisen *swv.* zer helle v. *verbannen.*

verweiset *part. adj.* an kräften v. *kraftlos (vom alter).*

verwelken *swv. verwelken.*

verwelschen *swv.* den namen v. *umformen.*

verwerfen *stv.* ein rint, daz ez hat verworfen *das sein kalb tot zur welt gebracht hat.*

verwerren *stv. verführen.*

verwertenlich *adj. verderblich, wertlos.*

verwertunge *stf. verderbnis, verfall.*

verwesen *stv. mißachten.*

verwideren *swv. vermeiden.*

verwindeln *swv.* muot v. *den sinn verwirren, auch refl.*

verwinden *stv. abwenden, zurückwenden.*

verwirren *swv. verdrehen (worte).*

verwitzet *part.* verwitzet sîn *ein narr sein.*

verwizzen *part. adj. bekannt.*

verworhte *swm. teufel.*

verwünschet *part. adj. erwünscht.*

verwurzelen *swv. bildl.* in daz herze verwurzelt sîn.

verzac *stm. verzicht.*

verzagelichkeit *stf. verzagtheit.*

verzagen *swv. verzweifeln;* an gote v. *untreu werden;* an etwaz v. *nicht an den erfolg glauben; etwas zu tun ablehnen;* râtes nicht verzagen *jem. hilfe nicht vorenthalten;* verzaget sîn *mit pers. subjekt auch: nicht besitzen; mit sachl. subjekt: nicht vorhanden sein.*

verzart *part. adj. verschlissen (von kleidern).*

verzeichenen *swv. durch zeichen ankündigen.*

verzeisen *redv. swv. zerzausen.*

verzemen *stv.* aller vröuden v. *traurig werden.*

verzererinne *stf.* aller dinge ein v. *die alles wieder in sich aufnimmt (von der erde).*

verzerlichkeit *stf.* des lebenes ein v. *(von dem menschen, dessen leben nutzlos hinschwindet).*

verziben *swv. verkümmern, absterben.*

verziehen *stn. verzug, aufschub.*

verzîhen *stv. ap. mißachtend behandeln; vorenthalten.*

verzillen *swv. auf einer zille verfrachten.*

verzinsen *swv. abgelten.*

verzirken *swv. refl. sich einschließen.*

verzîsen *stv. erklären.*

verzücken *swv. intr. sich hinweg machen, fortstehlen (vom sterbenden gesagt).*

verzückunge *stf.* geistlichiu v., der sêle v. *verzückung, entrückung, auch von der himmelfahrt Christi.*

verzwîvelnisse *stf. verzweiflung.*

vesperîe *stf. spätnachmittag.*

vespersterne *swm. abendstern.*

veste *adj. starrköpfig.*

vestenunge *stf. himmelsfirmament.*

vestigen *swv. begründen, erbauen.*

vestmüetecheit *stf.* durch ein v. *festen mutes.*
vetach *stn. pl. von engelsflügeln.*
veterwîse *stf.* alte v. *dichtungsweise aus der väterzeit.*
vettekeit *stf. fettigkeit.*
vetzen *swv. zusammenraffen;* sînen willen v. *durchsetzen; refl. ds. oder gs. sich abgeben mit.*
vezzelîn *stn. kästchen.*
vîant *stm. teufel.*
videlære *stm. spielmann als bote.*
fidunge *stf. vertrauen.*
fieberhitze *stf. bildl.* f. der smerzen.
fiebersuht *stf. fieber.*
vîentschaftlich *adj.* v.-e verrætnisse *feindlicher verrat.*
fier *adj. mächtig, wirksam (von der kraft gottes).*
vieren *swv. part.* gevieret *rechteckig, auch bildl.*
vierleiartic *adj. vierfach;* der menscheit v. vluz *die vier verschiedenen temperamente des menschen.*
vierstrengic *adj.* v.-e geisel *(rute des todes).*
vierteil-, viertellôn *stn. ein viertellohn.*
viervalticlich *adj. vierfach.*
figieren *swv.* mit rede f. *mit klaren worten ausdrükken.*
vigilje *stf. nachtwache.*
figûrieren *swv. symbolisch darstellen, bedeuten.*
vihe, vich, vîe, viech *stn.*
vihebône *stswf. viehbohne, lupine.*
vihteclîche *adv. nebenform von* vehteclîche *kampfbereit.*
vilecket *adj. vieleckig (vom himmel).*
villen *stn.* der helle v. *strafe, züchtigung, plage.*
filosofîe *stf. s.* philosophie.
vilt, vilde *stn.* = gevilde.
vilz *stm.* nazzer v. *betrunkener lümmel.*
vindære *stm.* v. wilder mære *verfasser phantastischer geschichten.*
vinden *stv. sehen, erblicken, entdecken; aufsuchen, antreffen; jur. ertappen.*
vînec *adj.* = fîn.
vinger *stm. allgem. für das kleinste glied, den kleinsten teil, ein teilchen, ein quentchen.*
vingerbar *adj. splitternackt.*
vingerblôz *adj. dass.*
vingerhuot *stm. pflanze; fingerhut aus leder; bildl. für etwas kleines, geringes.*
vinkelvar *adj. glänzend oder rot (?).*
vinster(e) *stf. finsternis.*
vinsternissen *swv. finster werden.*
vîolchen *stn. veilchen.*
vîolette *f. veilchen.*
vîolisch *adj. veilchenfarben.*
vîolke *stn. md., s.* vîolchen.
vîr *stm.* = vîre.
vîretacgewant *stn. festkleid.*
vîretegelich *adj.* v.-e müezecheit *sonntägliche muße.*
vîrewoche *swf.* ôsterliche v. *osterwoche.*
virne *swf.* mit v.-n *klug.*
virrec *adj. weitreichend;* lûter v. als ein valkensehe *(falkenauge).*
visamî, visonomîe *stf. physiognomie.*
vischbant *stn. fischernetz.*
vischelôs *adj. ohne fische.*
vischgruobe *swf. fischteich.*
vischlêhen *stn. fischabgabe.*
vischmarket *stm. fischmarkt.*
vischsac *stm. fischnetz.*
vischschiflîn *stn. fischerboot.*
vischtîch *stm. fischteich.*
visitacîe *swf.* tac der v. *prüfung.*
viuht *stm. feuchtigkeit.*
viuhte *stf. pl. humores körpersäfte nach der säftelehre.*
viuhtekeit *stf. feuchtigkeit* der erden v.
viurblic *stm. feuerblick.*
viuren *swv.* herze unde muot v. *warm halten (von der* minne *gesagt).*
viurhâke *swm. feuerhaken.*
viurkugel *stf. ein belagerungswerkzeug.*
viurlîche *adv. feurig.*
viurlunder *stm. feuerbrand.*
viurmûre *stm. schornstein.*
viurram *stm. rauchfang.*
viurschober *stm. brennender schober.*
viurstein *stm. feuerstein.*
viurzeichen *stn. lichtzeichen, -signal.*
vîvel(e)n *swv.* mit der rede v. *herumreden.*
vlachrôr *stn. ein musikinstrument.*
vladerholz *stn.* = vlader².
vlêhticlich *adj. flehentlich.*
vleischgeborn *part. adj. menschlich.*
vleischhaft *adj. von fleisch und blut.*
vleischheit *stf.* = vleischlîcheit.
vleischlîchen *adv. fleischlich.*
vleischmetzige, -metzge *stf. schlachthaus.*

vleischoht *adj. fleischlich oder fleischig.*

vleschen *swv. lächeln.*

vlî *stn. md. haut; übertr. schleier vor den augen.*

vliche *swf. flügel.*

vliegennetze *stn. fliegennetz.*

vliegenpîn *stmf. fliegenplage.*

vliehen *stv.* v. vor *dp. jem. meiden;* v. unde jagen *übertr. hin- und hergerissen sein.*

vliehunge *stf. flucht.*

vlîen *swv. putzen, einrichten; auch refl.*

vliez *stmn.* der wârheit v. *lauterkeit.*

vlieze *stf.* die v. nemen *(vom schiff) flott werden.*

vliezen *stn. strömung, fluß.*

vlindern *swv. flimmern.*

vlinsîn *adj. steinhart.*

vlîz *stm.* v. kêren an *as. sich einer sache befleißigen; oft paraphrastisch;* an manheit v. kêren *tapfer sein;* ze v.-e anesehen *genau ansehen.*

vlîzeclîche *adv. aufmerksam, intensiv, angelegentlich.*

vloitenspil *stn. flötenspiel.*

flôrette *f. kleine blume.*

vlôzbrücke *swf. brücke aus flößen.*

vlucengel *stm. geflügelter engel (von St. Michael).*

vlücken *swv. übertr. verstreichen, vorübergehen (von der zeit).*

vluges *adv. sogleich.*

vluht *stf.* v. hân *ausrücken.*

vlühtegen *swv. in die flucht schlagen.*

vlühten *swv. fliehen, flüchten.*

vluorreht *stn. regelung der abgabe von naturalien.*

vluorschütze *stm. flurschütze.*

vluoten *swv. (ziellos) dahintreiben.*

vluz *stm.* den v. nemen *(vom schiff) flott werden; übertr.* guoten v. geben *guten fortgang versprechen;* der menscheit vierleiartic vluz *die vier temperamente.*

vogelbolz *stm. vogelbolzen.*

vogelklâ *stf. vogelkralle, -klaue.*

vogelnetze *stn. vogelnetz, vogelgarn.*

vogelschrei *stm. vogelgesang.*

vogelsingen *stn. dass.*

vogelspil *stn.* ein ieclich v. *alle vogelarten.*

vogelvanc *stm. vogelfang.*

vogelzunge *swf. vogelkehle; pflanzenname: vogelwicke.*

voget *stm. herrscher.*

vol *stm. erfüllung, vollendung.*

volbringen *anv. leisten; ausstatten.*

volbüezen *swv. volle buße leisten.*

volenden *swv. intr. sterben;* swan sich ir liep volendet *wenn ihrer liebe glück erfüllt ist.*

volêren *swv. ap. angemessen ehren.*

volgâhen *swv. vorwegeilen;* ez v. *es übereilen.*

volge *stf.* der v. verjehen *dp. jem. glauben.*

volgen *swv. begleiten;* volge dînen sachen *bleib bei der sache.*

volhelfen *stv. dp. jem. mit aller kraft helfen, nützen.*

volhertec *adj. beharrlich.*

volhertecheit *stf. beharrlichkeit.*

volhertunge *stf. standhaftigkeit.*

volkêren *swv. ganz umwenden.*

volkreftic *adj. sehr wirksam (vom himmelserbe).*

vollecliche, vollenclîche(n) *adv. vollkommen.*

volmerken *swv. ganz, voll ermessen.*

volmügen *anv. fertigbringen.*

volreisen *swv.* den weg der sünde v. *zu ende gehen.*

volrîche *adj.* ein volrîchez leben *das leben im himmelreich.*

volrîfen *swv. ganz zur reife kommen.*

volschepfen *swv. bildl. ausschöpfen* (gotes wîsheit).

volstæte *adj. ganz zuverlässig.*

volstrîten *stv. zu ende kämpfen.*

voltætec *adj.* v. sîn *vollständig ausführen.*

voltragen *stv.* die nôt v. *bis zu ende ertragen; auch übertr.*

voltriuwen *dp. sich jem. ganz anvertrauen.*

volvüererinne *stf. vollstreckerin.*

volwerben *stv. etwas vollbringen.*

von *präp.* v. des *von da an;* v. den kiel werfen *über bord werfen.*

vor *adv.* vor hin *zuvor; vor verben nicht immer eindeutig zu entscheiden, ob trennbar oder untrennbar:*

-brechen *stv. verkünden.*

-bringen *anv.* rede v. *vortragen,* sünde v. *begehen; ap. jem. verführen.*

-denken *swv. im voraus denken, planen.*

-gân *redv. zurhandgehen.*

vor-geloben *swv. vorher versprechen.*

-gesîn *anv. dp. jem. beschützen.*

-gesprengen *swv. dp. voranreiten, auch bildl. vorangehen.*

-haben *swv. dp. as. jem. etwas vorenthalten.*

-halten *redv. vorenthalten.*

-lâzen *redv. ap. jem. den vorrang überlassen.*

-legen *swv.* wort v. *vortragen, darlegen.*

-loufen *redv. vorhergehen.*

-pfaden *swv. dp. vorangehen.*

-sagen *swv. verkünden.*

-schrîben *stv.*, **vorgeschriben** *part. oben erwähnt.*

-sehen *stv. refl. sorgfältig, in acht nehmen.*

-setzen *swv. vor einem aufstellen, vorspannen (von pferden).*

-slîchen *stv. flüchten.*

-sparn *swv. dp. as. jem. etwas vorenthalten.*

-sprechen *stv.* vorgesprocheniu wort *vorhergesagte worte.*

-stân *stv. vorn angesetzt sein (zobelfell).*

-teilen *swv.* ein spil v. *dp. jem. vor die wahl stellen.*

-tragen *stv.* ein leben v. *vorleben (von Christus).*

-treten *stv.* die pfat v. *den weg vorangehen.*

-tuon *anv. dp. jem. mit etwas vorangehen.*

-varn *stv. voraneilen, „aufkreuzen".*

-zeln *swv. trans. ap. dp. jem. einem vorziehen.*

-ziln *swv. dp. zumessen.*

-zücken *swv. refl. sich vordrängen.*

voranger *stm.* v. des tempels *vorhof.*

vorbedâht *part. adj. vorausbedacht, vorsichtig; oben erwähnt.*

vorbedenken *swv. vorher (oben) erwähnen.*

vorbedunken *swv. subst. vorahnung.*

vorbedunkunge *stf. voraussicht, ahnung.*

vorbehalten *redv. vorenthalten, ersparen.*

vorbenant *part. adj. oben genannt.*

vorbenennen *swv. vorher sagen.*

vorbesehen *stv. im voraus sehen; subst. vorsehung.*

vorbewachen *swv. im voraus auf etwas achten.*

vorbilde *stn. vorbedeutung, vorzeichen.*

vorganc *stm.* aller pfaffen ein spiegel und ein v. *vorbild.*

vorgedâht *part. adj. im voraus bedacht.*

vorgenant *part. adj. vorher erwähnt; auch substantiviert.*

vorgeordenet *part. adj. vorausbestimmt.*

vorgesatzt *part. adj.* v.-e sicherheit *im voraus gegebenes versprechen;* v.-er orden *vorbestimmte regel.*

vorgesiht *stf. voraussicht.*

vorgesmackunge *stf. vorgeschmack.*

vorgesprochen *part. adj. zuvor erwähnt.*

vorhte *stf.* mit vorhten undertân sîn *in ehrfurcht dienen;* mit v.-n luogen *schüchtern blicken;* durch v. *aus vorsicht;* sîme lîbe v. tragen *um sein leben bangen.*

vorhteclîche(n) *adv. furchtsam, aus furcht.*

vorht(e)haft *adj. furchtsam.*

vorhtende *part. adj. voll scheu.*

vorhtlich *adj.* vorhtlîchez gebot *strenges gebot.*

vorhtnisse *stf. furcht.*

vorhtsam *adj. gefürchtet;* v. werden *autorität erwerben.*

vorklûben *swv. hervorsuchen.*

vorkünftec *adj. als kommend vorausgesagt.*

vorleiten *swv. vorführen, zuführen.*

vorliebcn *stv.* des goldes tiurede v. *an kostbarkeit übertreffen.*

vorliuhten *swv. voranleuchten (vom licht Christi).*

formenlust *stm. schönheit.*

vormûre *swf. (schützende) mauer.*

vorschiezen *stv. dp. bildl. jem. übertreffen.*

vorschunge *stf.* v. der nâtûre *erforschung.*

vorsehen *stv. rechtl. erkundigungen einziehen;* der mære v. *die lage auskundschaften.*

vorspan *stn. spange am gewand, auch symb. für reinheit.*

vorstân *stv. dp. jem. beschützen.*

vortan *adv. weiter.*

vorvater *anm. praedecessor, vorgänger.*

vorweserin *stf. advocata, anwältin.*

vorwerken *swv. etwas verdienen;* darzuo v. *darauf hinarbeiten.*

vrâge *stf. bitte, flehen, erkundigung;* vr. begân *frage stellen.*

vrâgenis *stf. frage.*

vrâgewort *stn. frage.*

vrahtliute *pl. die eigentümer der schiffsfracht.*

vrâl *stm. ritter.*

vram *auch adj.* michel unde vram *groß und weitläufig (von einer wüste);* wunder michel unde vram *große, herrliche wunder.*

vramspuot *stf. eile.*

vramspuote(c)lich *adj. gedeihlich, glücklich.*

vramspuotigen *swv. gedeihen.*

frank(en)wîn *stm.* vaz fr. *frankenwein.*

vransmuotecheit *stf. freude, glück* = vranspuotecheit.

vranspuot *stf. eile.*

vranspuotec *adj.* vranspuotiger wint *günstiger wind.*

vranzen *swv.* gefranzet *gefältelt, zusammengehalten (kleid).*

vrast *stf. kraft.*

vras(t)munt (*auch* vrastgemunt) *stf. zuversicht, kraft, seelenstärke, auch vermessenheit.*

vrastmuotec *adj.* vr. werden *wohl geraten.*

vrâz *stm. auch als schimpfwort.*

vræze *adj. überdrüssig.*

vrehter *stm. steuereinnehmer.*

vreise *stswf. ohnmacht.*

vreisen *swv. abschrecken.*

vreislîche *adv. üppig.*

vremede *adj.* in vr.-r gebâre *verwirrt;* in wære noch vr. der tôt *sie wären noch am leben;* vr. sîn *dp. sich fernhalten von.*

vremede *stf. zurückhaltung, scheu, befangenheit.*

vrêt *stn. lat. fretum, wasser als element.*

vrevelsünde *stf. vorsätzliche sünde.*

vrî *adj.* vrî tuon *ap. gs. jem. bewahren vor;* mir ist vrî *mit steht etwas zu gebote, ist etwas erlaubt.*

vride *stswm. freies geleit;* vride bern *dp. jem. schonen.*

vridebant *stn. übertr. von einer person gebraucht: der friedensstifter.*

vridelich *adj.* vr.-e hende zeigen *friedliche absicht kundtun.*

vridelichkeit *stf. friedfertigkeit.*

vrideliute *pl. männer des friedens.*

vriden *swv. schutz gewähren.*

vridesamkeit *stf. friedfertigkeit.*

vridevan(e) *stswf. friedensfahne, friedensbringer (von Christus).*

vrîgegeben *part. adj. freigelassen; auch subst.*

vrist *stf.* guotiu vr. *guter augenblick;* in einer vr. *gleichzeitig;* vr. bringen *retten;* vr. treffen *gelegenheit finden.*

vriunt *stm. mann eines fürsten;* mîne vriunde *die meinen;* vriundes wort *liebendes wort;* vr. wesen *sich aussöhnen.*

vriuntlich *adj. freundschaftlich;* vr.-e dinc *liebesangelegenheiten;* vr.-er muot *liebesgedanken;* vr.-e pfliht *liebe, verbundenheit.*

vriuntlîche *adv. liebevoll; als verwandter oder freund;* den schilt vr. vüeren *als freundesgabe tragen.*

vriuntschaft *stf.* vr. werben *verwandtschaft eingehen;* grôze vr. *nahe verwandtschaftliche verbindung.*

vrô *adj.* vrô werden *aufatmen.*

vrœlich *adj. beglückend;* vr.-en muot tragen *fröhlich sein.*

vrœlîche(n) *adv. gutes mutes; (vom laub) üppig und frisch.*

vrœlichkeit *stf.* götliche vr., vr. in gote.

vrômüetecheit *stf. prosperitas, glück, gedeihen.*

vrôn *adj. göttlich (vom heiland);* der tisch vrône *altar.*

vrost *stm. schüttelfrost.*

vröude *stswf. genugtuung;* vr.-n schal *frohe feste;* vr. hân ûf *sich freuen auf;* mit vr.-n sîn *froh sein.*

vröudecliche *adv.* vr. sprechen *begeistert reden.*

vröudenbraht *stmf. freudengeschrei.*

vröudenburc *stf. die fröhliche stadt (Damascus).*

vröudengesanc *stmn.* daz v. alleluja.

vröudenheil *stn.* der sêle vr. *höchstes glück.*

vröudenjâr *stn. jahr des glücks.*

vröudenkrône *stswf. freudenkrone (im himmelreich).*

vröudenkus *stm. kuß Christi beim empfang der seelenbraut.*

vröudenlieht *stn. licht ewiger freude (mystisch).*

vröudenlust *stm. freude.*

vröudenprîs *stm. bezeichnung für Maria.*

vröudenrîche *stn. das himmelreich.*

vröudenschal *stm.* mit vr. *unter lauter freude.*

vröudenschatz *stm. anrede an die geliebte.*

vröudenswende *stf. glücksverlust, unglück.*

vrouwenêre *stf. ehre der frau.*

vrouwengebende *stn. übertr.* ein hartez vr. *fessel für die frau.*

vrouwengunst *stf. neigung einer frau.*

vrouewnhulde *stf. dass.*

vrouwenkneht *stm. frauenheld* (ein v. der bœsen welt).

vrouwenlôn *stmn. frauenlohn.*

vrouwenmantel *stm. frauenmantel.*

vrouwenmære *stn. weibergeschwätz.*

vrouwenritter *stm. frauenheld.*

vrouwenschar *stf.* diu minneclichste v. *die schönsten frauen.*

vrouwenschender *stm. frauenschmäher.*

vrouwenzimmer *stn. als coll. bezeichnung für frauen; auch für die einzelne frau (auf* frou Aventiure *und* frou Venus *angewandt).*

vruhtbærlîche *adv.* vr. schrîben *ausführlich oder nutzbringend.*

vruhtbluome *swmf. baumblüte, bildl.* der minnen vr. *(von personen).*

vrühtelôs *adj. kinderlos (von der heil. Anna).*

vrühterîche *adj. befruchtend, fruchtbar, auch übertr.* vr.-e tugende.

vruhtlich *adj. nutzbringend.*

vruhtrîche *adj. fruchtbar (vom saft der bäume).*

vrumen *swv.*[2] *leisten, ausführen;* mort, sünde vr. *verüben,* ungemach vr. *unheil anrichten.*

vruo *adv. morgen früh.*

vruot *adj. tapfer, reif im geist, sinn.*

vüegen *swv. intr. genau ineinander passen.*

vüelich *adj. fühlbar.*

vüelnisse *stf.* diu wâre v. *das sichere gefühl.*

vüeren *swv. ap. jem. behandeln.*

vüerer *stm. astron. fachausdruck: einer der drei planetenkreise.*

vuhsvar *adj.* v.-wes hâr *rote haare.*

vûleclîche *adv. träge, mühsam.*

vülîn, vülhîn *adj. ledern* (hautschuoch v.).

vûlen *stn. fäulnis.*

vüllemunden *swv. fundare, gründen.*

vüllewîn *stm. wein zum nach- und auffüllen.*

vulter *stn. lehnwort aus lat. fultrum filz;* deckelachen âne v. *ohne eine rauhe stelle, übertr.* herze âne v. *ohne makel.*

vulterlôs *adj.* des v.-en herzen schrîn *makellos.*

vunkeln *swv.* entvlammen unde v. *(von der minneglut).*

vunt *stm. zustand, befund.*

vuoge *stf. feine bildung;* vuoge hân *angebracht sein;* ez hât guote v. *es ist alles in ordnung.*

vuore *stf.* künecliche v. *erziehung eines königssohnes; phraseol.* armer v. sîn *ärmlich aussehen.*

vuoren *swv. refl. oder pass. übertr.* mit vleisch und bluot Christi, mit gotes wort, mit tugenden v. *sich nähren oder genährt werden.*

vuorunge *stf. spez. nahrung des feuers, zündstoff.*

vuoterbarn *stm. futterkrippe.*

vuoterkruppe *swf. dass.*

vuotervaz *stn. futteral.*

vuoz *stm.* sich ze vüezen bieten *zu füßen fallen;* under vüeze zücken *in seine gewalt zwingen;* vür den v. setzen *auf den boden setzen;* nie v. treten ûz *nie abweichen von;* siben vüeze lanc *umschreibung für das grab.*

vuozholz *stn. fuß des kreuzes Christi.*

vuozkus *stm. kuß auf den fuß.*

vuozlôs *adj.* v. werden *seinen fuß verlieren.*

vuozman *stm. fußgänger.*

vuozspor *stnf. auch krankheitsname: fußkrampf.*

vür *präp.* v. den tac *von dem tage an;* vür lanc *vorlängst;* vür sich lesen *in der silbenfolge lesen.*

vür *adv.* vür und wider sehen *nach allen seiten ausschauen; trennbar vor verben:*

-bescheiden *redv. vorladen.*

-besehen *stv. voraussehen.*

-bieten *stv. zuriegeln; refl. sich zur schau stellen, prunken.*

-breiten *swv. ausbreiten, vorlegen.*

-bringen *anv. beseitigen.*

-denken *swv. im voraus bedenken.*

-draben *swv. vorauseilen.*

-dringen *stv. zum vorschein kommen.*

-gân *redv. aus den gemächern gehen; (in großer prozession) aufziehen; (von der sonne) untergehen.*

-geben *stv. vorgeben, für wirklich ausgeben; in vorschlag bringen;* ezzen v. *vorsetzen.*

-gebieten *stv. vorladen.*

-gedenken *swv. im voraus denken; subst. überlegung, vorsatz.*

-gehalten *redv. vorenthalten.*

-getragen *stv. vorsetzen (von speise und trank); refl. sich zutragen.*

-gewinnen *stv. einen vorsprung gewinnen.*

vür-gezeln *swv.* kein bezzers v. *dp. nichts besseres für jem. finden.*

-grîfen *stv. vorausschauen, voreilig sein.*

-halten *redv. vorenthalten; auflauern.*

-heben *stv. vorsetzen; dp. jem. auseinandersetzen, darlegen.*

-heischen *redv. vorladen.*

-îlen *swv. vorauseilen.*

-kêren *swv. als fördernd anwenden, übertreffen.*

-komen *stv. dp. zustoßen.*

-laden *swv. vor gericht laden.*

-lâzen *redv. vor-, vorauslassen.*

-legen *swv. ap. dp. voranstellen; as. nahe legen, anbieten, ausliefern;* die rede v. *einen vorschlag machen;* valschheit v. *dp. jem. eine treulosigkeit zumuten.*

-lesen *stv. vorlesen.*

-loufen *redv. vorbeiziehen.*

-luogen *swv. nachsehen.*

-machen *swv. refl. sich fortbegeben, sich auf den weg machen.*

-nemen *stv. refl.* vor *dp. jem. vorauseilen.*

-rennen *swv. hervor-, vorbeirennen, angreifen.*

-rihten *swv. refl. sich auszeichnen.*

-rîten *stv. vorbeireiten.*

-rîzen *stv. an sich reißen.*

-rüeren *swv. intrans. voreilen.*

-ruofen *redv. dp. anrufen.*

-sagen *swv. vor-, voraussagen.*

-schalten *redv.* schilt v. *vor sich reißen.*

-schicken *swv. vorausschicken.*

-schieben *stv.* rigel v. *verriegeln.*

vür-schrîten *stv. vor-, vorangehen.*

-senden *swv. voraussenden.*

-snern *swv. dp. vorschwatzen.*

-spannen *redv. vorspannen.*

-spitzen *swv. vorne zuspitzen.*

-sprechen *stv. dp. zugunsten sprechen.*

-spreiten *swv. vorlegen, auseinanderspreiten.*

-sprengen *swv. vor-, voransprengen.*

-steln *stv. refl. sich vorbeistehlen.*

-strecken *swv.* guot v. *geld vorschießen.*

-suochen *swv. nachforschen, nachprüfen.*

-swingen *stv. refl. sich von selbst vorschieben (vom riegel).*

-tagen *swv. dp. oder ap. vor gericht laden.*

-tragen *stv. ap. gs. jem. einer sache beschuldigen.*

-trahten *swv. vorausdenken.*

-treffen *stv. die oberhand behalten.*

-treten *stv. vor- oder hervortreten.*

-vâhen *redv. wachsen, gedeihen.*

-vallen *redv.* v. vor *dp. vor jem. niederfallen.*

-varn *stv. vorbei-, vorüberfahren, vorbei-, vorübergehen.*

-vliegen *stv. vorausfliegen, auch übertr. vom ruhm.*

-wæjen *swv.* wint, der vür wæjet *rückenwind.*

-weln *swv. im voraus erwählen.*

-werfen *stv. heftig vorwerfen (riegel); as. dp. jem. etwas in vorschlag bringen.*

-wesen *stv. vorüber sein.*

vür-wizzen *anv. voraussissen.*

-ziehen *stv. dp. vorführen (roß);* ein ebenmâz v. *ein beispiel geben;* ein spil v. *beginnen; intrans. vorübergehen.*

-zogen *swv. hervorkehren; subst. das hinauszögern.*

-zücken *swv.* sich selben v. *sich anmaßend benehmen.*

vürbaz *adv. in zukunft, später, anderswo, höher hinauf;* v. grîfen *vorgreifen, weitergehen.*

vürben *swv. refl. sich reinigen.*

vürbenant *part. adj. vorher genannt.*

vürbetrehtec *adj. im voraus überlegend, bedächtig.*

vürbunge *stf. purgativ.*

vürder *adv.; bei verben:*

-brechen *stv. aufbrechen (vom siegel); abbrechen.*

-gân *redv. weggehen.*

-komen *stv.* lebendec v. *lebend davonkommen.*

-machen *swv. fördern.*

-nemen *stv. fortnehmen.*

-rûmen *swv. ausräumen (den saal).*

-sagen *swv. fortfahren.*

-schalten *redv. wegtreiben.*

-slîchen *stv. vorbeigehen, auch übertr. von krankheit.*

-stân *stv. weggehen, verschwinden.*

-strîchen *stv. dass., auch von krankheiten.*

-tragen *stv. forttragen.*

-tuon *anv. ap. jem. wegschicken; as. etwas ablegen, beseitigen* (arcwân).

-varn *stv. weggehen.*

-vüeren *swv. wegführen.*

-wenken *swv. sich zurückziehen.*

vürder-wîchen *stv. weggehen, verschwinden, auch von krankheiten.*

-ziehen *stv. dass.*

vürdern *swv.* ze grabe v. *ins grab bringen.*

vürganc *stm.* unser vrouwen v. *die vorzüge, tugenden (Marias);* v. hân *erfolg haben.*

vürgespil *stn. vorspiel in der minne.*

vürhin *adv. vorher, zuvor;* sich v. drengen *nach vorn drängen.*

vürhten *swv. ehrfurcht erweisen.*

vurhtsam *adj. s.* vorhtsam.

vürkempfe *swm. vorkämpfer.*

vürkomenlich *adj.* dîn genâde v. *die im voraus gewährte gnade.*

vürmehtec *adj. hervorragend.*

vürmuotec *adj. vorsichtig, scheu.*

vürsagunge *stf. voraussage (prophezeiung) der propheten.*

vürsatzunge *stf. vorzeichen vor einer zahl.*

vürsetzunge *stf. festsetzung.*

vürsihtec *adj. auch: verdächtig.*

vürsihteclîchen *adv. vorsichtig, vorausschauend, vorsorglich.*

vürslac *stm.* v. gewinnen *übergewicht gewinnen (auf der waage).*

vürslehtes *adv. durchaus.*

vürsnîder *stm. der vorschneider (bei tisch).*

vürstenlêhen *stn. lehnswürde; übertr.:* got empfienc sîn v. von Jesu Christo.

vürstenschatz *stm. fürstlicher reichtum.*

vürtrager *stm. der die speisen bei tisch aufträgt.*

vürtrehteclich *adj.* v. vor *etwas übertreffend.*

vürwurflîchen *adv.* v. gekêrt sîn *aufwärts gerichtet sein.*

vürwurflichkeit *stf. verworfensein, gefährdung, verdamnis.*

vürzuc *stm. entschuldigung (als ausrede).*

W

wâ *pron. adv.* wâ (lît ez) hin? *wo ungefähr?* wâ von? *warum? auch modal: wie.*

wachalter *s.* queckolter.

wachalterboum *stm. wacholderbaum.*

wachegelt *stn. wachgeld, wachlohn.*

wadelen *swv. schweben.*

wâfen *stn.* sunder w. *ohne werkzeug (z. b. für die axt); auch* wâpen.

wâfengenôz(e) *stswm. waffenbruder; auch* wâpengenôz.

wâfengewant *stn. rüstung; auch* wâpengewant.

wâfengürtel *stm. gürtel an der rüstung; auch* wâpengürtel.

wâfenôt *interj. weheruf.*

wâge *stf. waagschale, gerechtes abwägen,* in manneger w. *von verschiedener art;* in solcher w. *in solcher weise;* nâch sîner w. *nach seinem gutdünken;* ze gelîcher w. *in derselben weise;* sîn leben an eine w. setzen *sein leben aufs spiel setzen.*

wæge *adj.* w. sîn *dp. dankbar sein.*

wâgen *swv. erwägen.*

wagenerkneht *stm. fuhrknecht.*

wagenkorp *stm. wagenkorb.*

wag(en)lîn, weg(en)lîn *stn. wägelchen.*

wagentuoch *stn. wagenplane;* lînwât zu w.

wagenvane *swm. fahnenwagen, kampfwagen.*

wæhe *adj. vornehm.*

wæhe *stf.* diu vremde w. *das fremdtun.*

wahsklôz *stm. wachsklumpen.*

wahstavellîn *stn. wachstafel als schreibtafel.*

wahsen *stv. zunehmen (vom mond).*

wæjen *swv. fliegen, sausen (von gegenständen); hervorschießen, -spritzen (vom blut).*

walheiz *adj. stark erhitzt (eig. siedend heiß).*

walhisch, welhisch *adj.* in welhischer stimme *in keltischer sprache (sprache des Artus).*

walken *redv.* ez w. *dreinschlagen, kämpfen.*

walle *stf. glut;* w. des blîes *flüssiges blei.*

walrât *fettstoff im leib der wale, ambra (auch heilmittel).*

walteclich *adj.* = gewalteclich.

walten *redv.* der krîe w. *schlachtrufe ausstoßen.*

waltende *part. adj.* der w. got *der allmächtige gott; auch subst.*

walzern *swv. rollen (vom apfel).*

wan *konj. mit folgendem konjunktiv: utinam, o daß doch!*

wân *stm. traum, illusion;* bester w. *einzige hoffnung;* tumber w. *törichte verblendung, kindische vermessenheit, frommer wunsch;* vester w. *feste überzeugung;* nâch w.-e *nach gutdünken (auch juristisch);* ûf den w. *vorsorglich;* w. hân *fürchten;* w. tragen ûf *as. bedacht sein auf;* in des tôdes w.-e *scheintot.*

wanc *stm.* ân ew. *auch: fehlerlos.*

wanczageln *swv. schweifwedeln.*

wandel *stm.* w. der missetât *erlösung von der sünde;* w. hân *recht zum rücktritt (juristisch) haben.*

wandelbære *adj. subst. das böse.*

wandelhaft *adj. wankelmütig, unstät.*

wandelheit *stf. wankelmütigkeit.*

wandelieren *swv. variieren.*

wandeln *swv. dp. jem. abhilfe schaffen.*

wandelunge *stf. veränderung;* wunder sô maniger w. *die (wunder)fülle der ausdrucksvariation (von der dichtung).*

wandelvrî *adj. verläßlich, untadelig; auch subst.*

wanderer *stm. wanderer.*

wandererin(ne) *stf. wanderin (auch* wendererinne).

wænec *adj.* w. sîn *wähnen, glauben (gegensatz zu* wizzen).

waneheil *adj. schwach, kränklich.*

wænen *swv. träumen; mit sachl. subjekt: scheinen;* mînes tôdes wânde ich baz ... *ich wünschte lieber zu sterben als ...;* (ich) wæn(e) *auch bloßes adv.: wohl, traun, fürwahr.*

wankelieren *swv. wankelmütig sein.*

wanken *swv. subst.* âne argez w. *ohne treuloses schwanken.*

wânlich *adj.* w.-ez kint *hoffnungsvoll.*

want *stf.* ze beiden wenden *nach beiden seiten; (beim saiteninstrument) vom baß bis zum diskant.*

wânvater *stm. vermeintlicher vater.*

wânwîse *stf. gedicht ohne realen hintergrund.*

wâpengewant *stn. s.* wâfengewant.

wâpengürtel *stm. s.* wâfengürtel.

wâpenhelt *stm.* der minnekneht und w. *diener der minne und held im kampf.*

wâr *adj.* vür w. sagen *als wahrheit auftischen;* daz ist wâr *wirklich;* w. verlâzen *as. etwas wahr machen, als gültig bestehen lassen.*

warâ *interj. aufgepaßt!*

wârbære *adj.* w. machen *beweisen.*

wârbæren *swv.* ir unwârheit w. *ihre lüge als wahrheit deklarieren.*

wæren *swv. als wahr, wirklich dartun.*

wârgeleite *stn. zeichen (als ausweis).*

wârheit *stf. zeugnis, gewißheit, tatsache;* eine w. sagen *genauen bericht geben;* mit *oder* durch w. *(adverbiell) ehrlich; heilige schrift, evangelium;* êwige w. *bezeichnung Christi;* rehte w. *göttliches gesetz.*

warp *stm.* sibenzic warbe siben stunt *70 mal 7 mal.*

wartâ *interj.* wartâ wâ *warte nur ab.*

warten *swv. blicken, ausblick gewähren;* hôher êren w. *hohe stellung einnehmen.*

warthaft *adj.* w. sîn *dp. verantwortlich, untertan sein.*

warzuo *adv.* w. guot sîn *wofür, wozu geeignet sein.*

waschelôn *stm. wäschelohn.*

waschhûs *stn. bildlich für die beichte: reinigung.*

wât *stf.* w. prüeven *dp. einkleiden, ausrüsten.*

wæte *stn.* = gewæte.

wætlîche *adv. sicher, unvermeidlich, strikt.*

waz *pron. adv. warum.*

wazzer *stn. auch regen.*

wazzerbluome *swm. wasserpflanze.*

wazzerbrunne *swm. quell.*

wazzergot *stm. meeresgott.*

wazzerpfant *stn. wassersteuer.*

wazzerseim *stm. eine pflanze.*

wazzersiuche *stf. wassersucht.*

wazzertranc *stnm. w.* geben *wasser zu trinken geben.*

wê *adv. dp. unpers.* wê sîn *krank sein; in sog. ironie:* an ir hôhem vluge wart ir *(der wildgans)* wê *sie konnte nicht mehr fliegen;* w. tuon *dp. auch schlagen.*

weben *stv. subst. in übertrag. sinne oft fast synonym mit* leben: engelischez w., tugentlichez w.; geweben sîn *beschaffen sein.*

wec *stm.* abe wege gân *sich verbergen;* abe wege varn *nach hause gehen;* after wege(n) *hinweg-* (varn, rîten, sich heben); in wege sîn *auf der fahrt sein;* in al wege *in jeder hinsicht;* in manegen wegen, in vil wege(n) *auf vielerlei art;* ûf disen wegen *auf diese weise;* under wegen belîben *auch sterben;* ûzer wege komen *aus dem geleis geraten, verwirrt sein;*

von wec *abseits;* von wege gân *bei seite gehen;* ze wege komen *dp. begegnen;* sich ze wege heben *sich auf den weg machen; speziell der rechte weg:* wider ze wege kêren, komen, *oder* zu wege helfen *dp.*

weckern *swv. wackeln.*

weder *pron. auch: jeder von beiden.*

wefsennest *stn. wespennest.*

wegære *stm.*[3] der êrste w. *der alles bewegt (von gott gesagt).*

wegesalunge *stf. (geistliche) wegzehrung.*

wegeschîn *stm. licht (des mondes), das den weg erleuchtet; augenlicht, soweit es zum finden des weges nötig ist.*

wegeveste *stf. sicherung des vormarschs.*

wegevreise *stf. schrecknis (auf dem wege).*

wehsel *stm. das miteinander; der unterschied.*

wehseln *swv.* unmuoze w. *sich abwechseln.*

wehselgelt *stn. wechselgeld.*

weichtac *stm. weichheit, schwäche.*

weiden *swv. übertr. schweifen.*

weid(e)ohse *swm. mastochse.*

weigerlîchen *adv. stolz und aufgebläht.*

weinen *swv. tr. beklagen.*

weiner *stm.* w. sîn umbe *as. etwas beklagen.*

wellelîn *stn. kleines bündel.*

wellen *anv. erfordern, voraussetzen (sachl. subject).*

welschwîn *stn. italienischer wein.*

wendec *adj.* w. sîn, werden *mit sachl. subj. unterbleiben; aufgegeben werden.*

wenden *swv. mit wänden umgeben;* (gotes) gebot w. *ins gegenteil verkehren;* vlühteclîchen w. *fliehen.*

wênecheit *stf.* mîn w. *demutsformel;* ein w. *ein bißchen.*

wênege *stf. wenigkeit, geringe zahl.*

wenen *swv.* ein zil w. *ds. maß bestimmen.*

wenken *swv.* vürder w. *sich zurückziehen, weggehen; subst.* sunder w. *fortwährend, unablässig.*

wer *stf.* zu w. komen *zum angriff antreten;* ze w. stân *sich verteidigen;* ûzer w. bringen *ap. jemandes gegenwehr brechen.*

werbære *adj. widerstandsfähig.*

werben *stv. vorhaben, im sinn haben;* w. an *oder* gein *dp. wünschen; as. dp. etwas für jem. ausführen, durchsetzen;* wie habt ir sô geworben *was habt ihr angerichtet!;* schaden w. *böses im sinne haben;* vriuntschaft w. *verwandtschaft eingehen;* mit rossen w. *auf den pferdehandel ausziehen; part. praes.:* nâch werbender ê *nach geltendem recht; handel und gewerbe treibend:* ein w.-der man, werbende liute.

werben *stn. das bemühen, betreiben;* mit willeclîchem w. *mit willen und vorsatz.*

werc *stn. gewerk (im bergwerk); das gewebe des stoffes;* diu vil hêrlîchen werc tuon *heldentaten vollbringen.*

wercbærkeit *stf. handwerkliche tätigkeit.*

wercmeister *stm. bauherr; auch übertr. auf Christus.*

werden *swv. an wert gewinnen.*

werfen *stv.* diu ougen danne w. *brüsk abwenden.*

werfunge *stf. das werfen, richten (der gedanken auf gott).*

werhorn *st. schutz- oder verteidigungshorn des tieres.*

werkerin(ne) *stf.* ein w. in den geloubigen *kraftspenderin der gläubigen (von der gottesliebe).*

werlt *stf. die höfische ritterliche gesellschaft;* diu michel w. *die ‚große welt';* zer werlde bringen *gebären.*

werlthêrre *swm. weltlicher herr.*

werltvinstere *stf. bildl. von der sündhaftigkeit der menschen.*

werltzunge *swf. (die schöpfung)* die kein w. mit worten mac beschrîben *menschliche sprache.*

wermuot, wurmuot, wermuote *stswf. bitteres getränk; übertr. auf die bitternis der welt.*

wern *swv.*[1] wer(re) got *bei gott.*

wern *swv.*[2,1] dem jâmer w. *die trauer abwehren.*

wern, werigen *swv.*[2,2] *kleiden.*

wernvast *adj. wehrhaft.*

werp *stm. s.* warp *mal.*

wert *adj.* w. hân *ap. jem. hochschätzen;* dem riete ich sô, daz ez der rede wære w. *erfolg hätte.*

wert *stm.* nâch werde *nach verdienst.*

wert *stm. gefilde, landzunge, uferstreifen.*

werunge *stf. dauerhaftigkeit.*

werwort *stn. ausrede (des Judas).*

weschestange *stf. stange eines walkers.*

weseht *adj. mit rasen* (wase) *bewachsen.*

wesen *anv.* der was da wol des hoves *war wohl gelitten am hofe;* wesen mit *versehen sein mit, besitzen, enthalten.*

wesen *stn.* ein heimlich w. bouwen *schlupfwinkel.*

wesenuste *stf. wesenheit.*

westenkünec *stm. könig im westen.*

westvælinc *stm. Westfale.*

westvælisch *adj. w.*-ez lant *Westfalen.*

wesunge *stf. befinden.*

wetergruoz *stm.* der süeze w. *der labende segen des regens.*

wetersturm *stm. orkan, unwetter.*

wetervar *adj. von wind und wetter gebräunt.*

wette *stnf. urkunde, mitteilung.*

wettevast *adj. gesetzestreu.*

wêwe *swm.* vallender w. *fallsucht.*

wîbesname *swm. weib.*

wîchtuom *stmn. ort für weihung; reliquien, spez. reichsinsignien und reichsheiligtümer.*

wickenblat *stn.* niht ein w. *bildhafte umschreibung für „nichts“.*

wickenstrô *stn. in der gleichen bedeutung.*

wide *stf. strick.*

wider *präp.* w. baches *stromaufwärts;* sprechen wider *ap. zu jem. sagen;* gedingen wider *ap. mit jem. etwas ausmachen.*

wider *adv.* w. unde dan *stromauf und stromab; vor verben (nicht immer eindeutig, ob trennbares oder untrennbares kompositum):*

wider-antwurten *swv. zurückliefern.*

-böugen *swv.* ûf sich selber widergebäuget sîn *auf sich selbst bezogen sein.*

-bringen *anv. ap. jem. wieder zu sich bringen, zum bewußtsein bringen.*

-gâhen *swv. zurückeilen.*

-gân *redv. zurückgehen.*

-gebern *stv. wiedergebären.*

-gehaben *swv. ap. gs. jem. zurückhalten von, hindern an; refl. ds. sich zurückhalten von, widerstand leisten.*

-gereiten *swv. zurückzahlen, rechenschaft ablegen über.*

-gewinnen *stv. zurückgewinnen.*

-geziehen *stv. zurückziehen.*

-grisgen *swv. dp. stechen (von dornen).*

-haben *swv. intr. zurückbleiben, steckenbleiben (v. schwert); refl. sich behaupten gegen.*

-halten *redv. gegenstemmen.*

-helfen *stv. jem. abhilfe, entschädigung verschaffen.*

-holn *swv. zurückholen.*

-jehen *stv. erwidern.*

-laden *swv. zurückrufen.*

-lesen *stv. wieder zusammenholen.*

-luogen *swv. zurückschauen.*

-minnen *swv. jem. wiederlieben, ihm seine gegenliebe schenken.*

-nemen *stv. zurücknehmen.*

-prellen *swv. abprallen (pfeile).*

-reiten *swv. zurückzahlen.*

-rennen *stn. anstürmen.*

wider-rücken *swv. wieder hochkommen (pferd).*

-sagen *swv. zurückmelden;* ze mære w. *berichten.*

-sehen *stv. intr. und refl. sich umsehen, zurückblikken; intr. dp. jem.s blicke erwidern.*

-senden *swv. zurückschicken.*

-slahen *stv. intr. sich wehren; tr. zurückschieben.*

-slîchen *stv. zurückschleichen, -gehen.*

-springen *stv. zurückspringen.*

-stellen *swv. trans. wiederherstellen.*

-steln *stv. refl. sich zurückziehen.*

-stôzen *redv. dp. jem. entgegenziehen.*

-swingen *stv. intr. sich wiegen.*

-trecken *swv. sich zurückziehen.*

-triuten *swv. von neuem lieben; liebe erwidern.*

-trutzen *swv. sich widersetzen, trotz bieten.*

-tuon *anv. entgegenhandeln; ap. (einen angreifenden) zurückschlagen.*

-vallen *redv. wieder auseinanderfallen (vom mantel).*

-valten *redv.* ermel w. *ärmel aufkrempeln.*

-varn *stv. zurückgehen, zurückkehren.*

-vordern *swv. zurückfordern.*

-vüeren *swv. zurückführen.*

-wahsen *stv. wiederwachsen (auch von haaren).*

-wæjen *swv. (ein sneller wint)* der widerwæt unde vor wæt *vorwärts und zurückweht.*

-wenden *swv. umkehren; ap. jem. von seinem entschluß abbringen.*

wider-werden *stv. dp. zurückgegeben werden.*
-ziehen *stv. ap. wieder hochziehen, aufheben.*
-zücken *swv. ap. aufrichten, aufheben; refl. wieder zurückzucken.*
widerbâgen *redv. subst.* âne w. *ohne widerrede.*
widerbeiten *swv.* beiten unde w. *warten und wieder warten.*
widerbern *stv. wiedererneuern;* widerborn werden *wiedergeboren werden.*
widerbiegen *stv. gerade biegen, übertr. ausgleichen.*
widerbillen *swv. subst.* âne allez w. *ohne widerstand.*
widerbint *stmn. auflehnung, widerspruch.*
widerbitzen *stn. widerspenstigkeit.*
widerblæjen *swv. refl.* sich w. *sich aufblähen, aufbäumen.*
widerbliuwen *stv. übertr. as. widerlegen.*
widerbot *stn.* âne allez w. *unwiderruflich.*
widerböugec *adj.* w. machen *jem. zurückführen.*
widerböugen *swv.* si *(Maria)* widerbougete in *(ihr kind)* in die krippen *legte nieder.*
widerbringen *anv. ap. gs. jem. von etwas abbringen, hindern; ap. jem. wieder zum bewußtsein bringen.*
widerbrogen *swv. refl. dp. sich vor jem. aufspielen.*
widerbruch *stn. wiederholter verlust der fährte auf der jagd.*
widerbrüchec *adj.* gote w. sîn *widersetzlich, ungehorsam;* wirdecheit ist w. *das ansehen ist zerbrochen.*
widerdenken *swv. überdenken.*
widerdenkunge *stf. wiedererkennung.*
widerdraben *swv. jem. übertreffen; subst. wiederkehr.*
widerdram *stm.* âne allen w. *ohne gegenwehr.*
widereischen *redv. zurückfordern.*
widergeburt *stf. wiedergeburt.*
widergelt *stn.* w. geben *dp. jem. etwas heimzahlen.*
widergewihte *stn. gegengewicht.*
widerglenzen *swv. subst. widerglanz (von der sonne).*
widergleste *stf. dass.*
widergrîner *stm. ‚mekkerer‘.*
widergrüezen *swv. wiedergrüßen.*
widergruoz *stm.* mit hübschem w. vergelten *mit einem gegengruß danken.*
widergult *stn. gegenopfer.*
widerhandeln *swv. refl. sich umwandeln.*
widerkretzen *swv. sich mit kratzen wehren (vom löwen).*
widerkriegec *adj.* die widerkriegegen *die widerstreitenden.*
widerküssen *stn.* mit w. gelten *dp. einen kuß zurückgeben.*
widerlachen *swv. dp. entgegenlachen.*
widerlaz *stm. feind.*
widerlesen *stv. widerlegen.*
widerlœsen *swv.* von pîne w. *erlösen.*
widerlouf *stm. gegensatz, widerspruch.*
widerlöuflichkeit *stf.* w. der mânde *vom mond als richtmaß der monatsabfolge.*
widermüete *stswf. verdruß.*
widermüetecheit *stf. schwermut, trübsal.*
widermuoten *swv. zurückverlangen, subst. widersetzlichkeit.*
widerneigen *swv. auch intrans.* = -nîgen: in den grunt w. *(myst.) in den urgrund zurückverlangen.*
widernieten *swv. entgegenstreben, -kämpfen.*
widerôstert *adv. westwärts.*
widerqual *stf.* schande ist in ein w. *zuwider.*
widerquülle *stf.* w. geben *(vom blut) erneut hervorquellen.*
widerreden *swv. abstreiten.*
widerreder *stm.* w. sîn *widersprechen.*
widerrehtes *adv. widerrechtlich, unerlaubt.*
widerreisen *swv. subst. rückreise.*
widerriechen *stv. duften (vom weihrauch auf das gebet übertragen).*
widerrüste *stf. widerhaken, riff.*
widersache *swm. feind, auch vom teufel gesagt.*
widersaz *stm.*[2] ich enkan deheinen w. *ich verstehe mich auf keine ausflüchte.*
widerschrê *stm.* sunder allen w. *unerbittlich.*
widerschrenke *swm. mann mit widerspruchsgeist, ein ‚widersplar‘.*
widerspicken *swv.* = underspicken *untermischen.*
widersprechen *stv. subst. gegenrede, einwand.*
widerstænec *adj.* w. sîn *widerstehen.*
widerstellecheit *stf. widersetzlichkeit.*
widerstellunge *stf. wi-*

derspruchsgeist (als personifizierte untugend).

widerstœren *stn.* âne w. *ohne störung.*

widerstôz *stm.* w. geben *zurückstrahlen (glanz).*

widerstôzen *redv. ap.* sînes hôchmuotes w. *von seinem hochmut herabstürzen.*

widerstric *stm.* âne w. *ungehindert.*

widerstrît *stm.* vröude âne allen w. *schrankenloses glück.*

widerstrîten *stn.* âne w. *ohne widerstreben.*

widerstürzen *swv.* *(von der krankheit) verschwinden, weichen; refl. umkehren.*

widersüezen *swv.* mit worten w. *mit ebenso süßen worten sagen.*

widerunge *stf.* mit langer w. tuon *nach langem sträuben.*

widervart *stf.* die w. rîten *zurückreiten.*

widervehtecheit *stf. widerstandskraft.*

widervehten *stn. gegensatz.*

widervehtunge *stf. widerspruch, aufsässigkeit.*

widervlêhen *swv. durch flehen zurücknehmen.*

widervliegen *stv. übertr. in seinen ursprung zurückgehen (mystisch).*

widervliehen *stv.* w.-s pflegen *zurückfliehen.*

widervliezen *stv. übertr. (in gott) wieder eingehen (mystisch).*

widervliezunge *stf. (mystisch) das zurückfließen in gott.*

widervluochen *stn. gegenseitiges fluchen.*

widervluht *stf.* w. nemen *zurückfliehen.*

widerwendec *adj.* w. werden *sich verwandeln.*

widerwertecliche *adv. unangenehm.*

widerweten *swv. widerstreiten, kämpfen gegen.*

widerwîchen *stv. zurückweichen, zurückkehren.*

widerwor(h)techeit *stf. widerwärtigkeit.*

widerwurteclîchen *adv. widerstrebend, gegen die natürliche ordnung.*

widerwürken *swv.* sie w.-t sîniu werc *hintertreiben, verteilen.*

widerzale *stf. widerrede.*

widerzæme *adj. widersinnig.*

widerzillen *swv. niederringen.*

widerzimberen *swv. wiederaufbauen.*

widerzücken *swv.* vor bôsheit w. *zurückzucken.*

wielicheit *stf.* diu w. der liute von Adam unz an den Antichrist *charakter, lebensführung, handlungsweise, ‚güte' der menschen.*

wîgant *stm.* der gotes wîgant *gotteskämpfer, von biblischen personen und von heiligen.*

wîhen *swv.* sî wurden gewîhet *sie wurden getraut.*

wiht *stmn.* ein böse w. *eine niedrige kreatur.*

wihtlich *adj. kreatürlich, dinglich.*

wîhunge *stf.* des tempels w. *weihung.*

wilde *adj. einsam, öde; originell; von personen: phantasiebegabt; außerhalb der guten gesellschaft stehend, auch kulturlos, ungezähmt, unerzogen.*

wildeclîche *adv. unstet.*

wildenære *stm. „originalgenie"*; der mære w. *der die geschichte phantasievoll ausbaut.*

wîle *stf.* in allen w.-n *während der ganzen zeit;* ze kurzen w.-n *für kurze frist.*

wille *swstm. gute absicht; einwilligung, zustimmung;* ze willen dienen *gerne;* durch dînen w.-n *aus liebe zu dir;* in des strîtes w.-n *in kampfbereiter stimmung;* mit dem w.-n mîn *freiwillig;* mînen muot nach mînem w.-n hân *meine gesinnung nach meiner wahren empfindung offenbaren;* sînen w.-n reden *seine wünsche äußern, in seiner sprache reden.*

willec *adj.* mit willeger kür *mit einwilligung, einverständnis;* w. sîn *dp. zu einem dienstbereich gehören; allgem. zu diensten stehen, treu ergeben sein;* willeger muot *gesammelte willenskraft.*

willeclich *adj.* mit w.-em gruoze *freundlich, herzlich.*

willeclîche *adv. mit hingabe, energisch.*

willelôsecheit *stf. gelöstheit vom eigenwillen (myst.).*

willen *swv.*[1] *zulassen.*

willentwerbe *adv.* gerne und w. *freiwillig.*

willevarer *stm.* er was ein w. des künigs *dem könig zu willen.*

wimmern *swv.* diu arche veste w. *ganz dicht machen.*

winc *stm. adverbiell;* winc unt wanc *hin und her.*

winde *swf. zeltbahn.*

windeln *swv. biegen, drehen.*

winden *stv.*[1] sich hindenort w. *sich zurückziehen;* die ougen neben sich w. *seitwärts schielen; refl. sich entwickeln.*

windesbrût *stf. s.* wintbrût.

wîndrucke *swf. kelter.*

wîngeschirre *stn. weinglas, kelch.*

wînglas *stn. glas wein.*

winkelbredigen *swv. subst. das überreden, beschwatzen.*

winkelgâbe *stf. heimliche gabe.*

winkelganc *stm. geheimer gang (im palast).*

winkelman *anm. lichtscheuer oder abergläubischer mensch.*

winkelræze *adj. im sichern winkel kühn, d. h. kühn bei damen, feig im kampfe.*

winkelreht *stn. terminus des schachspiels.*

winkelreise *stf. pl. dunkle geschäfte.*

winkelscherz *stm. zweideutiger scherz.*

winkelsehen *stv. in einem winkel herumschnüffeln (von hunden); subst. scheel blicken (aus den augenwinkeln).*

winkelslîchen *stv. herumschleichen.*

wînklûse *stf.* = wînhûs, *weinschenke.*

winne, winde, wint *adv.* ir wart nie sô winde noch sô wê; mir ist wint und wê *bange.*

winner *stm. md. gewinner, sieger.*

wînscheffel *stm. ein maß für getreide.*

wînschepfe *swf. weinumfüllung.*

winstere *swstf. die linke seite.*

wînstube *stswf. weinstube.*

wint *stm.* gein dem winde stân *sich in den windzug stellen.*

wintergalle *stf. bitternis des winters.*

wintergewant *stn. winterkleid.*

winterlanc *adj.* diu winterlange naht *lange winternacht.*

wintermâne *swm. wintermonat (november).*

winterregen *stm. regen im winter.*

winterstrô *stn. stroh des wintergetreides.*

wintertrolle *stf. pflanzenname (anemone).*

wintmül *stf. windmühle.*

wîntranc *stm.* myrreter w. *mit myrrhen durchsetzter wein.*

wîntrûbelîn, -triubelîn *stn. weintraube.*

wintschaffen *adj.* w. als ein ermel *schmiegsam, beweglich.*

wintstille *adj. windstill.*

wintvellic *adj.* wintvelliges holz *windfallholz.*

wîp *stn.* vür ein w. hân *ap. jem. für einen feigling halten.*

wîpheit *stf.* ez ist ir w. *es ist ihr wesen als frau;* ir kiusche w. *ihre reinheit.*

wîplich *adj.* vil w. wîp *inbegriff aller frauen.*

wirde *stf. rang.*

wirdecheit *stf. phraseol. mit gen. des namens, anstelle des adj., herrlich.*

wirdeclich *adj. angemessen, geziemend.*

wirdecliche *adv. glänzend.*

wirden *swv. würdigen.*

wirdisch *adj.* = wirdec, *schön, herrlich.*

wirekeit *stf. lebensdauer.*

wirrewarren *swv. subst. hin und her schwanken.*

wirt *stm. auch: herr des zeltes.*

wirtinne *stf.* die niun w. *(des Helicon): bildhaft für die musen.*

wirtschaft w. hân *gespeist werden.*

wirtzal (l) *stm. volkstümliche eindeutschung von* fritschâl.

wirzel *stm. name eines wurmes.*

wîs adj. *kampferfahren, tapfer;* w. werden *erfahrung sammeln;* wîs(e) sîn an *ds. etwas zu würdigen wissen.*

wische = wise *(md.).*

wîse *swm. kenner.*

wîse *stf.* ez gêt ûz der w. *es ist unerhört, geht auf keinen fall;* in hundes wîs *wie ein hund;* in franzoiser w. sprechen *etwas auf französisch sagen;* mir kumt ze wîs(e) *ich erkenne.*

wîsen *swv.*[1] *hinführen;* daz gesinde w. *die vorhut übernehmen; subst. hinweis, richtschnur.*

wîsgemuot *adj. subst.* die wîsgemuoten *die klugen, verständigen.*

wîsheit *stf.* muot an w. kêren *vernunft annehmen; für Christus als person der trinität:* diu êwige w.; âne w. *ohne geschlechtliches erkennen (hat Maria ihren sohn geboren).*

wîslîche *adv. sachkundig.*

wispeleht *adj. unstet, wankelmütig.*

wît *adj.* zen brusten w. *breitschultrig.*

wîtsweifecheit *stf. weitschweifigkeit.*

wîtsweifen *swv.* unstæte w. *umherschweifen (in seinen gedanken).*

wituwe *stswf.* = witewe.

witze *stf. in verb. mit gen. oder adj. oft nur zur umschreibung des darin enthaltenen begriffs:* mit jâmers witzen = mit jâmer; mit kiuschen witzen *aufrichtig;* mit siufzebæren witzen *im bewußtsein seines leidens.*

witzelen *swv. (die selbsterkenntnis)* ist dar in gewitzelt *(in der seele angelegt, in sie hineingeheimnist).*

witzigen *swv. den geist schärfen.*

witzunge *stf. unterscheidungsvermögen.*

wîz *adj. als schönheitsepitheton* (wîziu hant) *überwiegend von frauen, ganz selten auch von jünglingen;* w. machen *blankputzen (schwert, harnisch).*

wîze *stfn. strafe (aussterbend, später durch* pîn, marter *u. a. ersetzt).*

wîzen *swv. säubern, reinigen.*

wizzec *adj. klug.*

wizzen *anv.* ich enweiz ob *vielleicht; auch noch öfter die alte urbedeutung: sehen bzw. gesehen haben.*

wizzenhaft *adj. wissend, kundig (von gott).*

wizzen-, wizzentlich *adj. wissentlich;* w.-er sin *bewußtsein.*

wochenærinne *stf. die den wochendienst in der küche hat.*

wol *adv. mit recht; mit grund; durchaus; gut und gern;* w. hin *wohlan;* w. gewahsen *voll erwachsen;* w. tûsent marc *rund tausend mark;* wol mitter tac *gegen mittag.*

wolbescheidenheit *stf. enge vertrautheit.*

wolfinne *stf. wölfin.*

wolfshût *stf. wolfsfell.*

wolfvenger *stm. wolffänger.*

wolfvengerinne *stf.* otter- oder w. *(allegorisch von der trägheit).*

wolgemachet *part. adj. allgem. epith. ornans.*

wolgeminnet *part. adj.* dû bist mîn w.-er sun *(Marc. 1,11).*

wolgeraht *part. adj. wohlbeleumdet als allgem. epith. ornans (zu* rechenen).

wolgeschehen *stn. wohlergehen, glück.*

wolgespræche *adj. beredt, redegewandt.*

wolgespræchec *adj. dass.*

wolgetân *part. adj. schön:* bluomen, natûre.

wolgetât *stf. wohltat.*

wolgetihtet *part. adj.* w.-en sanc singen.

wolgevallunge *stf.* des menschen w. *wohlgefälligkeit;* des schepfers w. *zufriedenheit, wohlgefallen.*

wolgevellec *adj. wohlgefällig.*

wolgevel(lec)lich *adj. dass.*

wolgevüeget *part. adj. (von einem mädchen) schön.*

wol(e)habe *adj. wohlhabend, reich.*

wolkenbrunst *stf.* = wolkenbruch.

wolkenschîn *stm. wolkenglanz.*

wollustlich *adj. wollust erregend.*

wolnus *stf. wollust.*

wolmugende *part. adj.* w. sîn *bei kräften sein.*

wolriechende *part. adj.* w. salbe *aromatisch.*

woltugende *part. adj.* woltugendez golt *echtes gold.*

wolsîn *stn. wohlleben.*

wolversuochet *part. adj. als echt erkannt (vom gold).*

wonen *swv. leben.*

wort *stn. logos; umschreibend als bezeichnung Christi; formelhaft:* an dem w. *aufs wort, sofort;* wunsch von w.-en *höchste wortkunst.*

wortec *adj. mfr.* wordec; *wörtlich.*

wortswinde *adj. beredt.*

wortwîse *adj. subst. wortkünstler.*

woy *interj.*

wüeste *adj. roh, unordentlich.*

wüesten *swv. tr. unbrauchbar machen, verderben.*

wüestenschaft *stf. einöde, wüste.*

wüestære, -er *stm. verschwender.*

wüeten *swv. unsinnig, von sinnen sein.*

wüeticlîchen *adv. wütend.*

wüetlich *adj. drohend.*

wüetunge *stf.* des tiuvels w. *wut;* des wazzers w. *gewaltige flut;* der sünde w. *die gewalt der sünden.*

wundenmâl *stn. wundmal.*

wunder *stn. unbegreifliches, unglaubliches geschehen; ungeheuerlichkeit; etwas herrliches;* w. tuon, vrumen *heldentaten verrichten;* w. sagen *etwas herrliches erzählen;* vür w. hân *für etwas besonderes halten;* gotes w. *gottes wundertaten;* ez ist niht w. *es ist selbstverständlich; adverbiell: wunder wieviel;* ze w. *bewundernswert;* ze w. anesehen *ap. jem. bewundern, voll interesse betrachten;* ze w. bekapfen *(wie ein wunder) immerfort betrachten; auch als glimpfwort:* daz w. trîben *wer weiß was anstellen.*

in adj.- und adv.-kompositis oft nur verstärkend:

(überaus, sehr): -balde, -balt, -blœde, -dicke, -drâte, -geil, -genædeclîche, -gerne, -genôte, -grôz, -harte, -herte, -hôhe, -jæmerlich, -karc, -kiusche, -kreftec, -kündec, -küene, -lanc, -lange, -leide, -leit, -lieht, -lîhte, -lob(e)lich, -lobesam, -lût, -minneclîche, -nütze, -rîche, -sanfte, -scharpf, -schiere, -schœne, -selten, -sêre, -sieche, -snelle, -starke, -strenge, -süeze, -swære, -tief(e), -tiure, -var, -vaste, -vil, -vreise, -vrem(e)de, -vruo, -wæhe, -wê, -wert, -wilde, -wol.

wunderart *stf. wunderbare art.*

wunderboum *stm. wunderbaum.*

wunderbunt *stm. wunderbares band.*

wunderbuoch *stn. apokalypse.*

wunderburc *stf. haus, in dem es spukt.*

wunderdinc *stn. wunderding.*

wundergerne *stf. neugierde.*

wundergeschiht *stf. wunderbares ereignis.*

wunderîn *adj. s.* wundern *adj.*

wunderkamer *stf. rumpelkammer.*

wunderkrône *stf. wunderbare krone.*

wunderlich *adj. viel bewundert; grotesk;* der w. Alexander *A. der große.*

wunderlîche *adv. auf eigenartige, seltsame weise; (frau welt)* vert mir w. mite *spielt mir grausam mit.*

wunderlîn *stn. kleines wunder.*

wunderlist *stm. wunderbare kunst.*

wundermensche *stm. monstrum.*

wundern *swv.; unpers.* mich wundert *ich möchte wissen (kann es mir nicht erklären); auch subst.: verwunderung.*

wundern *adj. oder adv. (als erster teil in komposs. wie* wunder *zur verstärkung des begriffes; vgl. dort):* -balde, -drâte, -genôte, -hôhe, -kreftic, -schiere, -selten, -sêre, -starke, -tiefe, -vrô, -wê, -wert, -wol.

wunderruof *stm. lauter ruf.*

wundersache *stf. wunderbare sache, wunder.*

wundersât *stf. wunderbare saat.*

wunderschouwe *stf. wunderbarer anblick.*

wundersiune *stf. dass.*

wunderspil *stn. wunderkraft.*

wunderswanz *stm. schönes schleppkleid.*

wundertal *stn.* gotes w. *(von der welt).*

wundertât *stf. wunder.*

wundertier *stn. wunderbares tier, auch übertr.*

wundervindel *stf. erfindung außergewöhnlicher dinge.*

wunderwort *stn. wunderbares wort.*

wünne *stf. genuß, vorteil.*

wünnebrunne *swm. (myst.)* w. dîner *(gottes)* substancie *urquell deines wesens.*

wunneclich *adj.* w.-e stæte *treue in der liebe.*

wunneclîche(n) *adv.* w. stân *(von blumen) in voller pracht.*

wünnegeschrî *stn. freudengesang (der vögel).*

wünnekranz *stm. siegeskranz (am schwert); übertr. anrede an die geliebte.*

wünneplân *stm. wiese, locus amoenus.*

wünnesæliclich *adj.* âder dîner w.-en süeze *wonniglich (myst.).*

wünnesamkeit *stf. wonne.*

wünnetrœstelich *adj.* w.-e ruowe *erquickenden trost spendend (myst.).*

wünscheclich *adj. des wunsches wert.*

wünscheclîche *adv. vollkommen.*

wünschelkerne *stm. anrede an die geliebte.*

wünscheltocke *swf. bezeichnung für schöne frauen.*

wunscherîche *adj. wünschenswert.*

wunschgedanc *stm.* nâch w. *wie man es wünschen kann.*

wunschgewalt *stf. höchste kraft.*

wunschlant *stn. ersehntes, gelobtes land.*

wunschmuoter *stf. pflegemutter.*

wüntec *adj. verwundet.*

wuntkrût *stn. heilkraut.*

wuocher *stmn. erfolg, wirkung.*

wuocherbuoch *stn. schuldbuch.*

wuocherisch *adj.* w. schalc *wucherer.*

wuocherman *stm. dass.*

wuochersac *stm. geizhals.*

wuostnüsse *stf. einöde.*

würfelbret *stn. würfelbrett.*

würfelmacher *stm. würfelhersteller.*

würfelspiler *stm. würfelspieler.*

wurmkünne *stn. schlangengezüht.*

wurmstich *stm. schlangenbiß.*

wurmvenster *stn. schlangenloch.*

wurzeclich *adj. mit gewürzkräutern versehen.*

wurzeclîche *adv. mit der wurzel.*

wurzelgarte *swm. garten* s. wurzgarte.

wurzelkîde *stn. echter sproß (übertr. auf menschen).*

wurzenanger *stm. blumenwiese.*

würzetroc *stm. trog, in dem gewürze sind.*

würzgertelîn *stn. garten, in dem gewürzkräuter wachsen.*

Z

zadel *stm.* strenger z. *ernste hungersnot.*

zâfen *swv. absol. prunken, prahlen, etwas darstellen, zur schau stellen wollen; auch subst.:* durch, in z. *aus eitelkeit, prahlerei:* ob ein pfaff in törperlichem z. trüege ein swert.

zage *swm. zurückhaltender, friedfertiger mensch; drückeberger.*

zageheit *stf. unentschlossenheit.*

zagnisse, zagnis *stf. feige tat.*

zaheren *swv. s.* zeheren.

zaherlich *adj. s.* zeherlich.

zal *stf.* über z. *sehr viele;* der wochen z. *die reihe der wochen.*

zam *adj.* z. werden *in die schule genommen werden* (wilder muot).

zame *stf. (gegens. zu* wilde *stf.) zahmheit, gezähmtheit, zutraulichkeit.*

zanbîzen, zanebîzen *stn. auch: zähneklappern;* weinen und z.; z. unde schrîen.

zanen *swv. tr. mit den zähnen fassen; beißen.*

zannen *swv. subst.: geheul;* zornes z. *wutgeheul.*

zanruch *stm. zahn-, mundgeruch.*

zarteclich *adj.* = zartlich, zertlich.

zarten *swv. dp.* gote z. *gott preisen, ihm lobsingen.*

zartgarte *swm. etwa: paradiesgarten, lustgarten (z. b. des Hohenliedes).*

zartunge *stf. zärtlichkeit.*

ze, zuo *präp., adv.* dâ zen Burgonden sô was ir lant genant *Burgund hieß ihre heimat; als nimis-form meist:* al ze, gar ze, vil ze; *bloßes* ze *oft = sehr.*

zeckelich *adj.*, **zeckelîche** *adv. aufreizend, herausfordernd.*

zedelich *adj. armselig.*

zêder-ast *stm. ast der zeder.*

zêderboum *stm. zeder; auch übertr.* (der minnen z.).

zêhe *swstf. (neg.) übertr.: das geringste glied, der kleinste teil, (ähnl. dem gebrauch von* vinger*).*

zehenteil *auch stm.*

zehenvalticlîche *adv. zehnfältig; häufig, ständig.*

zeherîn *adj.* z. brôt *tränenbrot (panis lacrimarum).*

zeichenheit *stf. zeichen, wunder.*

zeichenen *swv. bezeichnen, im sinne von meinen.*

zeigen *swv. (jur.) zuweisen, übereignen, stiften.*

celidôn *stm. ein edelstein.*

zellîn *stn. orakelspruch; göttlicher ausspruch;* ein z. machen *dp. verkünden.*

zelten *swv. subst.* zelten(ne)s gân *im paßgang gehen.*

zemde *stf.* diu kiuscheit treget liuhtende z. *höchste selbstbeherrschung, tugend, ehrbarkeit.*

zemen *stv. im allg. mit dp.: von personen: ebenbürtig sein; unpers.:* übele z. *unehrenhaft sein;* mir zimet *auch: es ist mir eine ehrenpflicht, mit ap.: erkennen, klar werden:* dâ von, dar an zimt mich, daz . . .

zemitten *adv.* = iemitten.

zemôchratâ *stn. zebra.*

zenker *stm. zänker.*

zepelære *stm.* = gugelhuot, *spitze kapuze (mönchische kopfbedeckung).*

zerbochen, zerpuchen *swv. zerschlagen, zusammenschlagen (das feindliche heer).*

zerbrechen *stv. trans. aufbrechen, erbrechen (sarg);* einen rât niht z. *befolgen, beherzigen; s. auch* zerbrochen.

zerbrecher *stm. zerstörer; der etwas nicht bewahrt, beherzigt, heiligt:* ein z. der himlischen tougen.

zerbresten *stv. zerschmettert werden, zerschellen (auch von lebewesen).*

zerbringen *swv. an. passiv:* zerbrâht werden *sich zerschlagen (kaufvertrag).*

zerbrochen *part. adj. schadhaft, beschädigt, schlecht, abgenutzt* (lînwât, gewant, pfert); *unvollkommen, sündig* (herze).

zerdenen *swv. weit ausstrecken, -breiten:* sîne arme (von einanderen) z. in kriuzewîs.

zerdenunge *stf.* z. der lider *das strecken, ausrekken der glieder.*

zerdrollen *part. adj. zerquält:* z. und ûfgeswollen (mîn herze).

zerdrücken *swv. trans. fest drücken, zerdrücken.*

zere *stf. übertr.:* in des lîbes z. *in verzehrender sehnsucht* (nâch *dp.*).

cêremonîe *stf. gottesdienstordnung;* die juden heten ir c.

zerjagen *swv. auseinanderjagen oder zu tode hetzen (der wolf die schafe); übertr.: as. vollbringen, durchsetzen; as. dp. jem. etwas auseinandersetzen, klarlegen.*

zerlegen *swv. zerstükkeln.*

zerleiten *swv. refl. sich verzweigen (äste am stamm, bildl).*

zerlumpern *swv. zerstückeln.*

zern *swv.* den lîp z. nâch *dp. sich nach jem. verzehren.*

zerpfnürsen, zerpfnürschen *swv. zermalmen.*

zerpulvern *swv. zu pulver verarbeiten;* golt zupulvert kleine.

zerren *swv.* diu kleider in der nât z. *die kleidverschnürungen eilig aufziehen, -zerren.*

zerrinnen *stv.* in was des tages zerrunnen *der tag war ihnen vergangen, vorübergegangen.*

zerscheiden *redv. trans. u. refl. scheiden, trennen.*

zerschottern *swv.* die mûren sind zerschottert *zertrümmert.*

zersieden *stv. trans. zerkochen, verkochen.*

zersliezen *stv. absol. sich aufschließen, auflösen (schlachtgruppe), zersprengt werden.*

zersperren *swv.* an daz kriuze z. *ap. kreuzigen, ans kreuz spannen.*

zerstôrde *stf. zerstörung, schaden, untergang.*

zerstœrunge *stf. zerstörung, schaden, vernichtung, verfall, auflösung.*

zerstrecken *swv. ausstrecken.*

zerströufen *swv. verwirren;* den sin z. *dp.*

zertecliche(n) *adv.* z. ziehen *ap. wohlbehütet aufwachsen lassen.*

zerunge *stf. lebenshaltung, -stil:* sîn z. was rîche.

zervallen *part. adj. (durch sturz) zerschmettert:* ein z. man.

zervladeren *swv. trans. zerfleddern.*

zervliehen *stv. dp. jemandem entfliehen; (von eigenschaften:) jem. verlassen, ihm vergehen (z. b. macht).*

zervlogen *part. adj. lose, locker (vom haar der dame).*

zervüllen *swv. trans. gänzlich überfluten:* daz mer zervüllet diu lant mit sînen unden.

zesamene *adv. trennbar bei verben:*

zesamenebinden *stv. zusammenbinden.*

-haben *swv. intr. (sich) zusammenhalten.*

-halten *redv. refl. zusammenhalten, -gehören.*

-komen *stv. zusammentreffen, aufeinanderstoßen.*

-legen *swv. zusammenlegen, eng zusammenfassen; aufhäufen.*

-loufen *redv. zusammenlaufen.*

-samenen *swv. zusammenlesen, sammeln.*

-slahen *stv. intr. aufeinanderstoßen, zusammenprallen; trans. zusammenraffen (vermögen, gewinn); absol. dp. für jem. die glocken läuten.*

-stôzen *redv. intr. aneinanderstoßen, -grenzen.*

-tragen *stv. miteinander ausmachen, vereinbaren.*

-treten *swv. aufeinandertreffen (zwei mauern).*

-vallen *redv. zusammenfallen, sich decken (stereometrische größen).*

-vüegen *swv. zusammenfügen.*

-vüeren *swv.* ûf einander z. *aufhäufen (erde).*

-werfen *stv. trans.: über den haufen werfen, umwerfen: (so heftiger sturm)* daz alle dinc z. geworfen werdent; *refl.: (von kaufleuten) sich zusammenschließen.*

zesamengêunge *stf. das zusammentreffen;* diu z. der urliuge *aggressio.*

zesamenlegunge *stf. zusammensetzung, -stellung (von arzneikräutern).*

zesamensetzunge *stf. zusammensetzung.*

zesamenvüegunge *stf. zusammenfügung, -setzung, verbindung* (diu êliche z.); *(astron.) konjunktion.*

zesamenwerfunge *stf. (von kaufleuten:) handelsgemeinschaft.*

zeswe *auch stf.*

zickîn *stm. zicklein, böcklein.*

ziehen *stv. intr.:* ze hûse z. *sich häuslich niederlassen, einzug halten.* – *refl.:* sich in ein klôsen z. *sich (in e. klause) zurückziehen;* under *as. sich einer sache aussetzen, ausliefern* (under den slac). – *trans.:*

an gemach z. *in den stall bringen (pferde); ap.* ziehen von *ds. abbringen von; ap.* ze herzen z. *ins herz schließen;* an sich z. *as. sich einer sache (endgültig) annehmen, sie in die hand nehmen; as.* ziehen ûf *as. etwas beziehen auf, von etwas schließen auf:* daz wort begunder z. ûf ir gunst; *as.* ziehen ze *ds. etwas heranziehen, aufbieten, sich seiner bedienen für etwas; redensartlich:* den halm durch den munt z. *dp. jemandem schmeicheln, ihn betrügen;* – falken z. *abrichten, zähmen;* süne z. bî *dp. mit jem. söhne haben, aufziehen; absol.: steuern.*

zieren *swv.* sîn leben z., den lîp z. *sich steigern, sich vervollkommnen; subst.: schmuck* (kostlich z. legen an *as.*).

zierheit *stf.* werltlîche, ritterliche z. *gesellschaftliche, ritterliche repräsentation, prachtaufwand.*

ziermacher *stm. schöpfer der schönheit.*

zige *swf. (ziege), als scheltwort.*

zigenvar *adj. ziegenartig, vom haar der geliebten: weich, seidig.*

ziht *stf.* bœse z. *arges wesen; auch phraseol.*

zil *stn. abzeichen, leitbild, vorbild;* ein z. stôzen *ds. ein beispiel statuieren für etwas;* z. stôzen *dp. oder* vür *ap. jem. leiten, leitbilder, ideale aufstellen vor jem.;* des nemet iu ein z. *das laßt euch gesagt sein!* an daz z. *vollständig (etwas sagen).*

zîlen *swv. refl. sich aufstellen, zusammenrotten.*

zille *f.* = zülle.

zimberambet *stn. handwerk, tätigkeit des zimmermanns; auch übertr.*

zimberîe *swf.* ambet der z.-n *zimmermannshandwerk, -beruf.*

zimme = zinemîn.

zimmol = zimbal.

zinaton *stm. ein edelstein.*

zinde *swm. ein fisch (vgl.* zint*).*

zingel *stn. ein augenleiden, weißer fleck im auge.*

zinshaft *adj.* sîne hêrschaft z. machen an *dp. übertr.: jem. ausbeuten.*

zinshûs *stn. mietshaus.*

zinskneht *stm. zinspflichtiger untertan.*

zinslîche *adv.* z. dingen müezen mit *dp. jem. zu tribut verpflichtet sein.*

zintiure *stf. (franz. ceinture) gürtel.*

zippelære *stm. schüler (vgl.* cippelærin*).*

zirkelgelt *stn. besoldung der stadtwache.*

zirkelmæzec *adj. kreisrund.*

zît *stf. n.* alsô vergie mich diu z. *ist die zeit an mir vorübergegangen;* die (lieben) z. geleben, daz ... *den (seligen) augenblick erleben;* jâmers z. doln *eine jammervolle zeit durchmachen;* ez ist zît *gs. ist rechte zeit für etwas, etwas ist fällig:* gerihtes über dich ist zît; bî mîner zît *rechtzeitig für mich, solange es für mich noch zeit ist;* in allen zîten *immer wieder;* zaller zît *ununterbrochen;* zallen zîten tuon *zu tun gewohnt sein;* ze disen zîten *jetzt;* unz an ir endes z. *zeitlebens;* heilecliche z. *feiertag;* des tages z. *jahrestag, feiertag.*

zîtec *adj. auch: überreif;* z. ze der minne *reif für die liebe;* z. ze lebenne sîn *nicht mehr viel zeit im leben haben; auf der höhe des lebens stehen oder sie überschritten haben.*

zîtlîche *adv. zu früh, sehr früh.*

zîtverlür *stm. zeitverlust.*

ziugen *swv. nähren, ernähren.*

ziugnisse, -nüsse, ziugnis, zugnis *stf. n. zeugnis, beweis.*

zô *interj. (liebkosend oder begütigend).*

zobel *stm.* minnen z. *anrede an die geliebte.*

zobelîn *adj.* z. anker *schwarzer anker (auf dem schild).*

zobelîn *stn.* = zobel.

zobelînvel *stn. zobelfell.*

zôdiac *stm. tierkreis.*

zogen *swv. intr.* sêre z. *mit mühe trotten; refl. gs. sich etwas angelegen sein lassen.*

zol *stmn. auch phraseol.:* âne lônes z. = âne lôn.

zoln *stm. zoll.*

zopfen *swv. auch: schmücken.*

zorn *stm. leidenschaft, aufregung* (in mînem z.-e *aufwallend); verstimmung; haß, mißgunst, feindschaft; kampfeslust; kränkung, schade;* angender z. *ungeduld, unwille;* mortlicher z. *mordgier;* âne z. *ohne widerspruch;* âne z. lâzen *auch: neidlos ansehen.*

zornelîn *stn. leichte verstimmung (z. b. zwischen liebenden).*

zornheit, zornecheit *stf.* = zorn.

zornisch *adj.* = zornec.

zornlicheit *stf. zornmütigkeit; (drei kräfte der*

seele:) verstentnisse, wille, z. *denken, wollen, fühlen (leidenschaft).*

zornmüetecheit *stf. zornmütigkeit.*

zornreizende *part. adj. zornsprühend; aufreizend.*

zoten, zotten *swv.* hin und her z. *wackelnd gehen.*

zouber *stmn.* mit z. varn *zaubern, etwas durch zauberei vollbringen.*

zouberhaft *adj. unter zauber stehend.*

zouberheit *stf. zauberei.*

zoubersite *stm. zauberbrauch, -gewohnheit, -tradition.*

zuc *stm.*[2] einen z. tuon *ds. heftig reißen, zerren an* (der türe, der vröude).

zuckerbluome *swmf. kosewort;* ir z.-n güete.

zuckermuos *stn. süße speise, leckerei; bildl.* der minnen z.

zuckerstengel *stm. (kosename für die geliebte).*

zuckertrûbe *swstf. dass.*

zuht *stf. ritterlichkeit; innerer halt; großmut;* grôze zühte *hohe tugenden, vorzüge;* ze kleine z. erbieten *dp. es an der gebührenden ehrerbietung mangeln lassen;* in, mit zühten *friedlich;* durch wârheit und umbe zuht *ebenso ehrlich wie auch höflich (sprechen); (bei aufforderung:)* durch z. *gefälligst, bitte!*

zuhtswîn *stn. hausschwein;* sie kurren *(quiekten)* als diu z. *wie schlachtschweine.*

zühtunge *stf.* gotes z. *gottesstrafe.*

zünde *stf. glut.*

zunge *swf.* vor ir z.-n slage (sich hüeten) *vor ihrer bösen zunge, nachrede.*

züngec *adj.* der züngige man *das lästermaul.*

züngeln *swv.* küssen unde z.

zûnrîte *swmf. zaunreiter, -in (ein gespenst).*

zuo *adv. geschlossen (prädikativ, als gegens. zu* offen*); trennbar bei verben (die ge-komposita z.t. beim simplex).*

-behœren *swv. dp. gehören, zustehen.*

-bereiten *swv. zubereiten, vorbereiten (tr., absol. u. refl.).*

-bescheiden *redv. as. dp. zukommen lassen, zuteilen.*

-beschicken *swv. schikken; zuteilen.*

-besliezen *stv. fest zusperren, verschließen.*

-bieten *stv. refl.* sich ze iemannes gebote z. *sich jemandem erbötig machen, ihm seine ergebenheit versichern (als abschiedsansprache).*

-binden *stv. zusammenbinden:* wider z. *as. (zerschlagenes);* mit zuogebunden henden *gefesselten händen.*

-brechen *stv. intr. anbrechen (zeit); aufgehen (gestirn); eintreten, sich ereignen (naturkatastrophe, wunder).*

-bringen *anv.* unnutzlich z. *as. nicht nützlich anwenden, verschleudern;* getranc z. *dp. jemandem zutrinken.*

-büezen *swv. (trans. oder absol.) zuzahlen, ergänzen, vervollständigen.*

-decken *swv. zudecken.*

-denken, gedenken *swv. an. dp. gs. oder as.: jem. etwas zumuten, zutrauen, ansinnen; jem. etwas gestehen, verraten;* zuogedâht haben *dp. gs. jem. etwas zugedacht haben, ihm etwas in aussicht stellen.*

-dienen *swv. hilfsdienste leisten;* ein z.-de kneht sîn *(bildl., von der vernunft) beitragen zu, mithelfen.*

-drengen *swv. intr. auch nebenform von* zuo dringen.

-drücken *swv. intr.:* vestlich z. *fest zupacken (adlerklauen); trans.: zudrücken (deckel, dose).*

-eigenen *swv. intr. gehören; passiv:* zûgeeigent und zûgelênt sîn *ds. zu eigen sein.*

-gâhen *swv. sich schnell nähern, herbeieilen;* der tac begunde z. *nahte schon, kam schon herauf.*

-gân *redv. (mit abh. satz:) daran gehen, beginnen zu . . .; unpers.* mir gêt zuo an der maht *meine stärke mehrt sich.*

-geben *stv. dp. jemandem zusetzen, auf ihn eindringen (mit adv.:* starke, manlîchen).

-gebürn *swv. mit dat. gebühren, zukommen.*

-gedenken *s.* zuo-denken.

-geheilen *swv. intr. zuheilen, verheilen.*

-gehœren *swv. dat. angehören, zukommen, gebühren.*

-gekêren *swv. refl. sich hinwenden.*

-gelangen *swv. intr. heranreichen, begreifen:* ein lieht, dô enkein verstentnisse zuogelangen enmac.

-gelegen *swv. as. dp. beilegen z.b.* got einen namen z.

-gelîchen *swv. vergleichen.*

-geliegen *stv. as. dp. vorlügen, einflüstern.*

zuo-geligen *stv. anlegen, landen:* ir kiel dâ zuogelac.

-gelouchen *swv.* ern mac den munt niht zuo g. *kriegt das maul nicht wieder zu.*

-gemehelen *swv. ap. dp. vermählen.*

-gemodelen *swv. as. dp. etwas für jem. passend entwerfen, formen.*

-genôzen *swv. refl. dp. sich (zu)gesellen.*

-gesellen *swv. trans. u. refl., mit dat. zugesellen, zuzählen; verbinden, vereinen mit; zuteilen, beigeben, mitgeben (eigenschaft);* dem leben zugeselt *am leben.*

-gesinden *swv. part.:* zuo gesindet *dp. aus nächster nähe vertraut, bekannt* (minne).

-geslahen *stv. zuschlagen:* ê ich zuogeslüege die brâ *in einem einzigen augenblick.*

-gesprechen *stv. dp. sprechen zu; etwas sagen zu* (ein wort z. *dp.*).

-gestân, gestên *anv. dp. zu jem. treten, jem. beistehen; ds. einer sache beitreten, sie einhalten:* dem lantvride z.

-getuon *anv. abs. die tür zumachen; refl. dp. sich einschmeicheln.*

-gevâhen *redv. empfangen, concipere (auch bildl.).*

-gevallen *redv. mit dat. zukommen, zustehen, gehören:* regalien, die dem rîche zugevallen *die reichsinsignien.*

-gevarn *stv. dp. zu jem. hereingestürmt kommen.*

-gevüegen *swv. ap. dp. als zeugen zur seite stellen.*

-gewehenen *stv. dp. gs. innewerden lassen, vernehmen lassen.*

zuo-grîfen *stv.* grîfet balde zuo *haltet euch bereit; wie* beginnen *oft phraseologisch.*

-haften *swv. dp., ds. anhaften; sich anschließen.*

-halten *redv. trans.: zuhalten; abs.: dp. es mit jem. halten, treiben; intr.: sich aufhalten, wohnen.*

-heften *swv.* dar ûf ein holz mit einem nagel zugehaft *befestigt.*

-heilen *swv. trans. heilen:* die wunden z. *dp.; auch bildl., z. b.* der sünde wunden z.

-hellen, gehellen *stv. mit dat. oder* ze: *zustimmen, beistimmen.*

-henken *swv. intr., mit dat. anhaften.*

-hüllen *swv. zudecken.*

-hurten *swv. daher stürmen (zu pferde);* zuo gehurtet komen.

-jehen *stv. überreden, zureden:* lockende und zuo jehendiu rede.

-kêren *swv. intr.: ankommen, einkehren:* si ist rehte zuo gekêret *ist uns willkommen!; trans.: mit dat. zukehren (den rücken).*

-kippen *swv.* mit worten z. *dp. anreden.*

-kleben *swv. übertr. dp. anhaften (z. b.* untugent*); von personen: sich jemandem eng anschließen, ihm treulich beistehen.*

-knöpfeln *swv. zuknöpfen.*

-komen *stv. eintreffen* (ze *in*); *subst.* sîn z. *sein kommen, erscheinen (hl. geist); vgl.* zuokunft.

-condewieren *swv. refl. dp. sich abgeben mit.*

-koufen *stv. refl.* gegen *dp. sich einschmeicheln bei.*

-kriegen *swv. dp. feindlich andringen gegen; im kriege zu hilfe kommen:* uns krieget helfe zuo.

-lachen *swv. dp. zulachen, anlachen.*

-lâzen *redv. zulassen; von haustieren: decken lassen.*

-leinen *swv. eng verbinden;* zwô natûre in ein persôn zugeleint *vereint.*

-lêhenen *swv. as. dp. verleihen (eigenschaft).*

-liebeln *swv. (mit dat.) liebäugeln mit:* den rôsen z.

-lieben *swv. refl. dp. sich einschmeicheln bei.*

-lispen *swv. as. dp. zuflüstern.*

-locken *swv. ap. verführen.*

-loufen *redv. herzulaufen.*

-lûchen *stv. trans. schließen (das maul); vgl.* zuo gelouchen.

-luogen *swv. zuschauen; aufpassen.*

-lusemen, lusenen, lusen *swv.* = zuo-losen.

-machen *swv. tr. zurechtmachen, rüsten, schmücken.*

-mezzen *stv. trans. dp. zumessen (z. b. der magd futtermittel);* hie zuo m. *hiermit vergleichen.*

-mischen *swv. as. ds. beimengen, hinzufügen; übertr.:* dem ruofe zeher *(tränen)* z. *laut klagen und auch weinen.*

-muoten *swv. as. dp. etwas von jem. wünschen, fordern.*

-neigen *swv. refl.: sich vorbeugen (z. b. im sattel); intr.: mit dp., übertr. zugeneigt sein.*

-nemen, genemen *stv. intr. zunehmen (*an *ds.); gedeihen, sich gut entwickeln, heranwachsen.*

-râten *redv.* râtet zuo! *ratet mir!*

zuo-reden *swv. dp. zureden; zurechtweisen.*
-rennen *swv. hinzueilen, zu hilfe eilen.*
-riechen *stv. dp. stinken, anstinken gegen.*
-rigelen *swv. abs. zuriegeln, -schließen.*
-rihten *swv. trans. u. refl. bereitmachen, rüsten; zubereiten, herrichten.*
-rinnen *stv. hinzulaufen, herbeilaufen, -eilen.*
-rîsen *stv. mit dat. zufallen.*
-rîten *stv. herreiten, hinzureiten, zu jem. reiten (mit dp.).*
-rüeren *swv. intr. hinzueilen.*
-rûnen *swv. dp. trans. u. absol. zuflüstern.*
-rüsten *swv. refl. sich bereit machen.*
-schaffen *stv. u. swv. ap. dp. zuordnen, zugesellen.*
-scharn *swv. mit dat. (eine eigenschaft,)* der innern natûr zugeschart *zugehörig, naturbedingt.*
-scherren *stv. zuscharren, zusammenkratzen.*
-schîben *stv. absol. dp. hilfe, beistand leisten; beistehen.*
-schicken *swv. trans.: zubereiten, einrichten; mit dp. zuschicken, senden an; refl.: ds. sich richten nach.*
-schopfen *swv. as. zustopfen, verbinden (wunde).*
-schrîben *stv.* ein geleite z. *dp. einen geleitbrief ausstellen.*
-schrîten *stv. allmählich, unaufhaltsam herannahen;* der tac zuo schreit.
-schünden *swv. antreiben, anreizen.*
-schürn *swv. mit dat. feuer schüren, anfachen; übertr. antreiben zu.*

zuo-setzen *swv. intr.: dp. zusetzen, feindlich eindringen auf, verfolgen; trans.: as. aufs feuer setzen (zum kochen); ap. auf die schule schicken* (zuogesetzet *eingeschult*).
-sinnen *stv.* allenthalben z. *von allen seiten herbeikommen.*
-slahen *stv. mit zupakken, mitwirken.*
-slîchen *stv. hinzuschleichen; sich unbemerkt nähern (mit dp.).*
-sliezen *stv. trans. zuschließen, versperren.*
-smücken *swv. dat. anschmiegen.*
-snallen *swv. dp. as. (oder direkte rede): zuflüstern, vorschwatzen.*
-snellen *swv. trans. (einen ausspruch:) abzielen, münzen, beziehen auf* (ûf).
-sparn *swv. as. ds. vorbehalten, bestimmen für:* ditz ist dem gelouben zugespart *ist glaubenssache.*
-sperren *swv. zusperren, schließen (trans. oder absol.); ap. einsperren.*
-spiln *swv. dp. entgegenspringen.*
-sprengen *swv. intr. herbeisprengen; dp. eindringen auf.*
-springen, gespringen *stv. herzuspringen; dp. zuspringen auf.*
-stapfen *swv. mit und ohne dat. hinzureiten, heranreiten.*
-staten *swv. dp. erlauben;* nû sprich balde, ich state dir zuo *gebe dir die gelegenheit, erlaubnis.*
-stellen *swv. abs. (mit belagerungsgeräten) vorkehrungen treffen, spez. angreifen.*
-stœren *swv. übertr. hetzen.*

zuo-stôzen *redv. absol. u. trans.* (daz schif *o. ä.*): *landen; intr.: hinzukommen;* anderhalben z. *sich zur gegenseite schlagen, zum gegenteil bekennen.*
-streben *swv. dp. eindringen auf.*
-stürmen *swv. dp. angreifen.*
-suochen *swv. as. dp. beimessen (schuld); vorwerfen.*
-teilen *swv. as. anordnen, einteilen; as. dp. zusprechen, erteilen.*
-tragen, getragen *stv. trans.: herbeitragen; absol.: ernte einbringen; übertr.:* allez daz den sinnen zuo getragen wirt *alle sinneswahrnehmungen.*
-trechen *stv. as. dp. verschaffen (z. b.* vröude*).*
-trecken *swv. intr.* allenthalben zuo getrecket komen *von allen seiten herbeiziehen, -strömen (heereszüge).*
-treten, getreten *stv. intr. ankommen; mit dat. treten zu, kommen zu, treffen; übertr. überkommen (angst, müdigkeit).*
-trîben *stv.* einen spruch ab beider der prophêten buoch z. und samenen *vereinen, kontaminieren; as. dp. auferlegen, aufhalsen* (arbeit, müeje, joch).
-trinken *stv.* einander z.
-tuon *anv. hinzutun; schließen.*
-twingen *stv. trans. zupressen, -schnüren (hals).*
-vallen *redv. dp. zustoßen (leid); zufallen (los, erbe); zustehen* (lôn); *part. präs.* zuovallende *zufällig; subst.* ein unvormîdelich z. *unvermeidliches ereignis.*

zuo-vermachen *swv. as. zumachen, verschließen.*

-versnüeren *swv. as. ds. etwas binden an;* niden z. *unterbinden.*

-versperren *swv. trans. einschließen, verschließen.*

-vliegen *stv.* zuogevlogen komen *(zu pferde:) dahergeflogen, -gestürmt kommen.*

-vliezen *stv. intr. herbeifließen, -schwimmen; mit dp. übertr.: zufließen (segnungen).*

-vüegen, gevüegen *swv. ap. dp. beigesellen, -geben, unterstellen (dienerschaft).*

-vüeren *swv. as. dp. zuführen, übertr.: einbringen (etwas erstrebtes).*

-wahsen *stv. heranwachsen; zunehmen; subst.: zunahme.*

-wæjen *swv. md.* zû wên; *abs. luft zufächeln.*

-warten *swv. aufpassen; aufwarten.*

-wegen *stv. as. dp. zuteilen.*

-werben *stv. intr. ds. oder dp. zustreben, hinstreben zu.*

-werfen, gewerfen *stv. (trans.) zuwerfen, -schlagen (tür); as. dp. jem. etwas dazugeben (z. b. buchstaben zu seinem namen); zuteil werden lassen; passiv: in den schoß fallen, zufallen.*

-weten, wetten *stv.* dâ muoz ich z. *ich bin verpflichtet, dabei zugegen zu sein; muß mich in eigner person darum kümmern.*

-wirken *swv. zusammenfügen, herstellen; subst.: mitwirkung.*

-wîsen *swv.* die sælde z. *dp. das glück gewähren, zuteil werden lassen.*

-wispeln *swv.* suoze z. *scheinheilig zuflüstern.*

zuo-zemen *swv. trans. zähmen, fügsam machen.*

-ziehen *stv. intr. bei, zu jem. einziehen, einkehren; dp. entgegenziehen; zusetzen, peinigen; trans. zusammenziehen, zuziehen (z. b. mit einer schnur); ds. angreifen (erbe, besitz); as. dp. zufügen (schaden).*

-zogen *swv. intr. (mit heeresmacht) heranziehen; mit dp. mehr und mehr zuteil werden, sich mehren* (wirde und êre im zû zogt).

-zücken *swv. dp. as. jem. einer sache bezichtigen.*

zuobehaft *part. adj. dp. eingeboren, eingefleischt, naturgegeben.*

zuogâbunge *stf. ergänzung.*

zuogeborn *part. adj. anverwandt;* vaterhalp z. *väterlicherseits verwandt.*

zuogegen *adv. entgegen, gegenüber;* z. treten *dp. gegenübertreten.*

zuogehœrec *adj.* z. sîn *dp. oder ds. angehören* (der werlt).

zuogehœrer *stm. zuhörer.*

zuogekêrtheit *stf. hinwendung;* z. des gemüetes *(myst.).*

zuogeselt *part. adj. subst.:* der ander z. *der andre genosse, geselle (von den gekreuzigten schächern).*

zuogesezzen *part. adj.* ein mitezzel z. *gewohnter teilnehmer am mahl.*

zuogewahsen *part. adj. geschwollen:* z. vleisch.

zuohalt *stm. aufenthalt.*

zuoladunge *stf. übers. von ‚Ecclesiastes' (einlader).*

zuoschundære *stm. antreiber.*

zuoteilec *adj.* z. sîn *dp. bewohnt, besessen werden von, gehören (das himmelreich den engeln).*

zuoteilerinne *stf. zuteilerin, einteilerin:* diu sonne, der stunde ein z.

zuotreffende *part. adj. zufällig; den menschen schuldlos von außen treffend:* z.-diu dinc, z. übel, z. sache *unfälle, mißgeschick;* ein z. zeichen der phisionomi *ein unwesentliches, zufälliges physiognomisches merkmal.*

zuotrîp *stm.* mîn vröudenrîch z. *buhlschatz (anrede an die geliebte).*

zuovart *stf. beistand* (des kriuzes z.).

zuoversihteclîche *adv. vertrauensvoll, getrost, voll zuversicht (beten).*

zuowesen *stn. myst. terminus, neben* wesen *und* înwesen.

zuowirken *stn. mitwirkung (der vernunft), (myst.).*

züpfel = zipfel.

zwecken *swv.* her ûz z. *herausziehen (pfeil aus der wunde).*

zweien *swv. verdoppeln.*

zweinamic *adj. zwei namen tragend.*

zweiselen *swv. intr.* mit den zungen z. *doppelzüngig reden.*

zweisinc *adj. zweifach.*

zweitragende *part. adj.* z. mit gedanken wanken *auf zwietracht sinnen.*

zweiverten, zwiverten *swv. auf zwei wegen gehen, übertr.*

zweizunge *adj. doppelzüngig.*

zweizungeht, zwizungeht *adj. dass.*

zweizungic *adj. dass.*

zwelc *stm.* = zwelch.

zwelfbotinne, -în *stf. weiblicher apostel (Martha, Maria Magdalena).*

zwelfsternec *adj.* z. krône *(Mariä).*

zwiel, zwîl *stn. zweiglein.*

zwischendrunder *subst. adv.* kein z. lîden *kein dazwischen, nichts trennendes dulden.*

zwivaltlicliche(n), -velticlîche(n) *adv. doppelt, zweifach, zwiefältig;* guot z. wider teilen *zurückerstatten dp.*

zwivar *adj. zweifarbig.*

zwîvel *stm. entzweiung (z. b. mit gott); unsicherheit;* z. hân *im zwiespalt (mit sich selbst) sein;* zwîvels pflegen *ratlos sein;* mit z. varn *aufs geratewohl.*

zwîvelhaft *adj. mit halbem herzen.*

zwîvelheit *stf.* = zwîvel; z. benemen *dp.*

zwîvelic *adj.* ein z. man *ein zweifelnder mensch.*

zwîvelknode, -knote *swm. zweifelsknoten, (zweifel, frage):* den z.-n mir enbint!

zwîvel(e)n *swv. es aufgeben (zu kämpfen, sich zu wehren); resignieren; unpers. refl.:* ez zwîvelt sich umbe den lîp *geht um leben oder sterben.*

zwîvelnis(se) *stfn. zustand des zweifelns, der ungewißheit:* und wart ein z. *man zweifelte allgemein;* ân z. *ohne unsicherheit, ängstlichkeit (z. b. auf dem wasser wandeln).*

zwîvelunge *stf. entzweiung, spaltung, zwietracht* (zwischen volke und volke).

zwîvelvar *adj. voll zweifel, argwöhnisch.*

zwivertic *adj. auf zweierlei wegen; vgl.* zweiverten, zwiverten.

zwôsît *adv. auf zweierlei art, in zweierlei hinsicht.*

cynomyn = zinemîn.

BERICHTIGUNGEN ZU DEN NACHTRÄGEN

abe-gewenken: statt *‚abborgen‘* lies ‘*abbringen*‘; *swv.*[1] mit [2] zusammenziehen.

st. **abepfundec** l. **abepfendec.**

st. **abeturne** (361 a) l. **abturne.**

ahselnote ist *stswf.*

ane-werden: st.‘*hinzufügen*’ l. ‘*dazu kommen-(lassen)*’.

anhellic: l. ‘sîn’.

antlâzwoche ist *swf.*

art ist *stmf.*

besan: st. des Angegebenen l. ‘=besamen’.

st. **besehen** l. **beseben.**

besliezen ist *stv.*

st. **blîelîn** l. **blîenîn.**

st. **blindelingen** l. **blindeslingen, blinzlingen.**

boumwolle: erg. ‘*watte*’.

boumwollîn: streichen.

l. **dar-schieben** st. bloßem **-schieben** (378 c).

eben ‘*deutlich*’ ist *adv.*, nicht *adj.*

enstlich: l. ‘=enstec, -lich’.

entheln ist *swv.*

entlîben: str. ‘*schonen gs.*’

entlôsen: streichen.

entvürhten: streichen.

êwe, ê: st. ‘*halten*’ l. ‘*beweisen*’.

êworhte: streichen.

gampel: l. ‘*spielzeug*’.

gast: vor ‘*fehlen*’ erg. ‘g. sîn’.

gebere ist *swm.*

gegenswanc: st. ‘*gp.*’ l. ‘*dp.*’

gehûfen: st. ‘=hûfen’ l. ‘*sich drängen*’.

gelogen: l. ‘*erlogen*’.

gelouben: st. ‘von... *jem.*’ l. ‘*dp. zutrauen*’.

gerîben: st. ‘=rîben’ l. ‘confricare, *zerreiben*’.

gerîchesen: streichen.

geschrocke ist *swm.*

geswîchen: st. ‘daz’ l. ‘des’.

getranc: st. ‘lîren’ l. ‘lêren’.

gevallen: ‘*dp.*’ aus der 2. Z. in die 3. rücken!

gewilde ist *stn.*

gewizzen: str. ‘*gs.*’.

gief: l. ‘sterke’.

st. **ginnunge** l. **ginunge**; st. ‘*grund*’ l. ‘*abgrund*’.

gîraffe: *stswf.*

girlande: *swf.*

grasewec: st. ‘dem’ l. ‘den’.

hecken *swv.*[1]: l. ‘*zwikken*’ st. ‘*zwischen*’.

hindergesaeze: st. des Angeg. l. ‘*hintersattel, -sitz*’.

l. **horngeblâse** st. **-gebläse.**

houbetpîn: l. ‘*hauptplage(n) (der hölle)*’.

l. **karakterbuochstap** st. **karakter.**

l. **leitinc** st. **leiting.**

liut: st. ‘der’ l. ‘den’.

market: *stm.*

minnelast: *stm.*

st. **nider-bersten** l. **nider-bresten.**

nuofer: st. ‘uover’ l. ‘uober, *munter*’.

rôsenbusch: Z. 4 l. ‘rôsbuschen’.

roten: erg. ‘*(intr.) u. refl.*’.

schiltreht: st. des Angeg. l. ‘*rechte u. pflichten der schildknechte*’.

schimpfheit: st. ‘*schande*’ l. ‘*scherz*’.

site: erg. ‘*stf.*’

slam, slamme: *stswm.*

slegel: erg. ‘*dp.*’.

l. **sliunec** st. **slinnec.**

smeichenhaft: l. ‘*schmeichlerisch*’.

snîden: l. ‘wol *oder* wît’.

spiln: l. ‘kintheit’ st. ‘jugent’.

stat *stmn.*: l. ‘vâren’ st. ‘varn’.

swingen ist *stv.*

tac: Z. 9 l. ‘ez’ st. ‘etewaz’.

tûsentleie: st. ‘*tausendfach*’ l. ‘*von tausenderlei farben*’.

über-brücken: l. '*einem (fluß)*'.

überbreit und **überlanc** sind hier *advv.*: '*unumschränkt*'; (fragl., ob komp.).

umbe-sehen: erg. '*intr. u. (refl.)*'; str. '*sehen*'.

unsaelden: *refl.*!

unverdrozzenlich: '*dass.*' bezieht s. auf **unverdrozzen.**

ûz-diezen: l. nur: '*intr. hervorquellen; über die ufer treten*'.

ûz-serwen: st. des Angeg. l. '*ausstatten, -rüsten*'.

ûz-stecken: l. '*aufstecken, -stellen*'.

ûzgelenke: streichen; (auch unter **ûz** *adv.*).

val *stm.*: str. '*phraseol.*', erg. '*zerstörung der (lebensfreude)*'.

vâre: st. '*bedauern*' l. '*belauern*'.

l. **vasevîsen** st. **-wîsen.**

velle: st. '*gefälle*' l. '=gevelle'.

l. **vergebene** st. **vergebens.**

vermîden: l. 'etelîches'.

verriht: st. '*verrichtung*' l. '*verhalten*'.

verruodern: *intr.*!

st. **versparn** l. **versperren.**

versûmen: erg. 'sich v. an *ds.*: *s. zu lange aufhalten mit;* an *dp.*: *jem. zu lange warten lassen*'.

verswaeren: streichen.

verswern: str. '*dp.*'.

verwerren: st. '*verführen*' l. '*ins verderben bringen*'.

verwindeln: zu '*refl.*' erg. '*sich verwickeln*'.

verwirren: st. '*verdrehen*' l. '*einwickeln (worte in melodie)*'.

vetzen: l. nur: '*eigensüchtig hegen, pflegen* (*geld*, willen, hôchvart); *refl. sich überheben, vermessen*'.

vliehen: st. 'vor' l. 'von *(dp.)*'.

vliez: st. '*lauterkeit*' l. '*unverfälschte wahrheit*'.

volreisen: st. 'den weg...' l. 'ûf dem wege der sünden'.

von: 'v. den kiel...' gehört unter **vor** *präp.*

vorganc: erg. '=vürganc'.

vorhteclîche(n): st. '*aus furcht*' l. '*mit skrupeln, scheu*'.

st. **vorsehen** l. **vorschen.**

vreislîche: st. '*üppig*' l. '*mit waffen behängt, einschüchternd*'.

vridelichkeit: l. '*einfriedung, schonung*'.

vrîgegeben: l. nur: 'v.-e kür *freier wille*'.

vrœlich: st. '*fröhlich*' l. '*glücklich*'.

vuhsvar: l. 'v.-wez'.

vürganc: st. des Angegebenen l. '=vorganc; *reinigungsopfer, darstellung im tempel*'.

vürhin: st. '*vorher*' l. '*voraus*'.

wâge: st. 'setzen' l. 'geben'.

wânlich: st. '*hoffnungsvoll*' l. '*vermeintlicher sohn*'.

warthaft: l. '*verpflichtet, wartend bereitzustehen; abhängig*'.

wesunge: st. '*befinden*' l. '*beschaffenheit*'.

widerbillen: *stv.*

st. **widerschrenke** (usw.) l. '**widerschrenken** *swv. subst. hartnäckiges widersetzen*'.

wille: Z. 9 l. 'sagen' st. 'hân'.

willen: st. '*zulassen*' l. '*vorsätzlich tun, begehn*'.

winden: str. '*refl.* ...'.

st. **winkelbredigen** (usw.) l. '**winkelbredige** *stswf. winkelpredigt*'.

wolkenbrunst: l. '=wolkenbrust'.

zellîn: st. des Angeg. l. '*dem. zu* zelle'.

zerbringen: str.; es handelt sich um **zuobringen** *zustandebringen.*

zogen: st. '*refl.*' l. 'sich zogen lâzen'.

zuo-tragen: Z. 4 f. l. 'mit den sinnen'.

st. **zwelc** (usw.) l. '**zwelc(h)** *stm.* =zelch'.